医者からもらった

薬がわかる本

医薬制度研究会 ● 著

第33版

法研

はじめに

　本書は，今から 37 年前に，当時は不足していると考えられていた患者と医療関係者の対話を，処方薬の知識，情報を提供することによって促進させる目的で発刊されました。当時は個別の処方薬について患者が詳しく知る機会はまだ少なかったため，大きな反響がありました。

　33 版目の改訂となりました今版では，改めて掲載情報を厳選し，より実用性の高い紙面構成を図りました。

　発刊当初の姿勢はそのままに，今後も新しく有益な情報の提供に努めてまいります。

　2006 年 1 月 10 日未明に，初版発刊から 20 年間，強い信念をもって執筆を続けてきた著者木村繁が急逝いたしました。享年 69 歳はあまりにも早い別れでした。

　その後執筆は，発刊当時から木村の考えに賛同し，ともに執筆活動を行ってきた医薬制度研究会に引き継がれ，現在も変わらぬ信念のもと，新情報の追補，修正，読者に向けたさらなる利便性の追求を続けております。

　本書により正しい薬の情報を持ち，治療内容について医師，薬剤師との良好なコミュニケーションにお役立ていただけますよう願っております。

医薬制度研究会について

　私たちは，日本の薬が真に患者さんのことを考えて投与されることを願って，研究を続けています。「医薬分業」はそのための重要なシステムの一つです。また，本書で指摘している"きわめて日本的な薬剤"が使われなくなることも大切だと考えています。

　現在アクティブなメンバーは愛知県在住の以下の薬剤師です。

　五十川亘，鵜飼繁，谷口英一，安田実，山口佳久，清水通彦，澤木仁史，山森達浩，浦晋一郎，金兌勝

● 医薬制度研究会事務局

〒 461-0040　名古屋市東区矢田二丁目 11 番 36 号

インターネット・ホームページ　http://www.et-jr.org/

第33版の特長

1 **最新の薬剤情報を掲載**

2022年3月に承認・発売された薬までを，2022年4月改定の新薬価にて掲載しています。

2 **在宅で管理する注射薬と COVID-19 用の注射薬も掲載**

患者さんが在宅で自己注射することが可能なインスリン製剤，腹膜透析用剤，抗リウマチ薬，パーキンソン病治療薬，骨粗鬆症治療薬，脂質異常症治療薬，乾癬治療薬などを取り上げ，解説しています。

➡ **注射薬 01 章**

また，COVID-19（新型コロナウイルス感染症）治療薬についても解説しています。

➡ **注射薬 03 章**

3 **病気の名前から処方される薬が調べられる**

主な病気と症状約120種を取り上げ，病名・症状ごとに処方される主な薬剤の索引を掲載。

➡ **索引 164 頁**

4 **海外情報を盛り込み，独自データで薬の評価をしています。**

主要先進国（英米独仏）における薬の承認・発売状況や，アメリカでの妊娠時服用における安全性基準（PC）を記載し，薬剤評価の目安にしています。

5 保険薬価（薬価基準価格）がわかります

健康保険で使う場合の薬価がわかります。先発医薬品とジェネリック医薬品（後発医薬品）の区別だけでなく実際の価格の差までわかります。

6 よく使われる薬900点以上をカラー写真で掲載

剤形，パッケージ等を目で見て確認できます（商品名50音順で掲載）。掲載のある薬剤には本文に 写真 マークが付記されています。

➡ 口絵 34 頁

7 抗がん薬（がんに使われる薬）も掲載

2012年発刊の28版より，抗がん薬を別パートにせず，内服・外用・注射ごとに1章ずつ設定して掲載しています。

➡ 内服 16 章，外用 12 章，注射 02 章

8 読みやすいレイアウト

副作用と併用注意の情報は重大なものに絞り，より読みやすさを向上させています。

● ジェネリック医薬品

　ジェネリック医薬品は，多額の開発費をかけて最初に作られた医薬品（新薬＝先発医薬品）に対して，その特許期間が切れたものをほかの製薬メーカーが同じ有効成分，効能，用法・用量で製造・販売するもので，後発医薬品と呼ぶこともあります。ジェネリック医薬品は，最初の開発費がかかっていませんので，先発医薬品よりも基本的に安い価格で販売されています。近年，医療費節減のための方策としてジェネリック医薬品の使用が重視される流れにあり，そのシェアは約80％を占めています。

この本を使う前に
必ず読んでください

　本書は，医者からもらった薬（処方薬）を注意深く，しっかりのむのと同じように，十分な注意をはらって読んでください。処方されることが多い約13,000品目の内服薬・外用薬・一部の注射薬・漢方薬について，あなたが薬を安全に使用するために必要な情報を提供しています。

本書の目的は，
「患者と医療関係者との対話」を促進させること

　本書の目的は，初版発刊当時は不足していると考えられていた医療関係者と患者の対話を，薬を通じて促進させることにありました。

　これまでの間に日本の医療事情にも変化が現れ，医療現場における「インフォームド・コンセント」（治療方法などを患者に納得のいくまで説明し，同意を得るという考え）は本格的に導入されています。薬についても，患者さんにできるだけ説明するよう努力がなされています。

薬について疑問があったら，
医師・薬剤師にたずねる習慣を

　自分が疑っていた副作用が本書に記載してあるからといって，勝手な判断で服用をやめたりしないでください。おかしいと感じたら，すぐに医師・薬剤師に連絡をとり，相談することを習慣にしてください。

　ほとんどの薬には主作用（効果）と同時に副作用があります。おこりうる副作用を知った上で，それがおこるまでは医師の指示に従うことが，薬の上手な用いかたです。

　本書は医師・薬剤師に相談する代わりにはなりません。自分が使っている薬についてある程度の知識を持ち，医療関係者とのコミュニケーションを深め，ひいては自分の健康を守るためにご利用ください。

薬の調べ方

本書には次のような索引機能があります。

① 薬の名前がわかっている場合

➡ 「薬の名前 50 音索引」で調べる ➡ 82 頁

- 薬にはメーカーが付ける商品名のほかに，有効成分を示す一般名があります。「薬の名前 50 音索引」では，どちらの名称でも調べることができます。また，一部の分類名も含んでいます。

- 本書で掲載している内服薬，外用薬，注射薬，漢方薬すべての名前を 50 音順で配列しています。

- 一般名，分類名は太字で表記しています。

② 病名から処方される薬を知りたい場合

➡ 「病気別の薬索引」で調べる ➡ 164 頁

- 主な病気・症状約 120 種ごとに，処方される可能性のある薬（適応症にその病気・症状を含む主要な薬）を一般名と掲載ページで表示しています。商品名については本文の該当ページを参照してください。

- その病気・症状で，どのような治療薬があるのかを知りたいときにご活用ください。

薬の知識　解説の見方

薬の分類，効き目，使い方，副作用などを解説

● **保険収載年月**

健康保険が適用される薬として厚生労働省によりはじめて収載された年月です。正式な収載年月が不明の場合は，発売年月を示しています。

● **規制**

毒薬・劇薬は法律上の定義で薬事・食品衛生審議会の意見により厚生労働大臣が指定します。急性毒性の動物実験で半数が死ぬ投与量（致死量）が内服薬の場合，体重 1kg あたり 30mg 以下のものを毒薬，300mg 以下のものを劇薬としています。処方薬では劇薬指定はかなり多くありますが，指示された分量を守っていれば特に問題はありません。

● **服用量と回数**

その薬を標準的に使用する場合の分量と回数です。病状や治療方針によっては例外もありますので，一応の目安と考えてください。一概にいえない薬については記載していません。

● **分類**

薬の成分，効能，用途などから分類された名称

● **先発品とジェネリック医薬品**

先発医薬品とジェネリック医薬品（診療報酬上の後発医薬品）を分けて記載しています。

● **製剤欄**

製剤商品名(銘柄)と，その商品のメーカー名，規格，薬価がまとめてあります。

● **処方目的**

どんな病気や症状のときに使われるのか（健康保険で認められている適応症）

● **解説**

薬の効き方（作用），薬のつくられた由来，その薬の使用状況などの情報

● **基本的注意**

使用してはいけない場合，慎重に使用すべき場合などの注意を記しています。これらに該当する場合には，薬の使用について処方医と相談してください。

● 一般薬剤名（成分名）と製剤商品名（銘柄）

薬は化学的組成，使用目的，性質などいろいろな基準で分類され，一般的な名称（一般薬剤名）がつけられています。

製薬会社がこれらの薬を商品化するときには，それぞれ独自の製剤商品名（銘柄）をつけます。この商品名とメーカー名が，製剤欄に列挙されています。なお，ジェネリック医薬品では一般薬剤名がそのまま商品名となるのが一般的です。

●薬剤番号
薬を大，中，小項目に分類し，それぞれの項目番号を続けて表示しています。

内 03 心臓病と不整脈の薬　02 不整脈の薬

10　アミオダロン塩酸塩

内 03−02−10　アミオダロン塩酸塩

🗊 製 剤 情 報

一般名：アミオダロン塩酸塩
- 保険収載年月…1992年8月
- 海外評価…6点 英米独仏　●PC…D
- 規制…毒薬
- 剤形…錠 錠剤
- 服用量と回数…導入期の場合，1日400mgを1～2回に分けて ～2週間服用。維持期では，1日200mgを1～2回に分けて服用。

■先発品　商品名（メーカー）　規格・保険薬価
● アンカロン（サノフィ）錠 100mg 1錠 147.00 円

■ジェネリック　商品名（メーカー）　規格・保険薬価
アミオダロン塩酸塩（沢井＝日本ジェネリック）
錠 100mg 1錠 98.00 円
アミオダロン塩酸塩（サンド＝ニプロ）
錠 100mg 1錠 98.00 円
アミオダロン塩酸塩（東和）

●保険薬価
その薬を健康保険で使う場合の価格を単価で示してあります。自己負担が3割の人ならばこの価格の3割を負担することになります。

▤ 概　要

分類　不整脈治療薬
処方目的　生命に危険がある次の再発性不整脈で，使用できない場合→心室細動，心室性頻拍，心不全（

● PC（プレグナンシー・カテゴリー）
妊婦が使用した場合の安全性を示しています。（10頁に説明あり）

に抗不整脈薬
医との密接な連絡のもとで服用してください。

●海外評価
その薬の主要先進国（英・米・独・仏）での承認・発売状況を示しています。（9頁に説明あり）

付文書による

警告
　本剤の使用は致死的不整脈治療の十分な経験のある医師に限り，諸検査の実施が可

(6)その他……
- ●妊婦での安全性：原則として服用しない。
- ●授乳婦での安全性：服用するときは授乳を中止。
- ●小児での安全性：未確立。

重大な副作用 ①間質性肺炎，肺線維症 化，トルサード・ドゥ・ポアント，心不全，徐脈，徐脈からの心停止，完全房室ブロック，血圧低下。③劇症肝炎，肝機能障害，肝硬変。④甲状腺機能亢進症，甲状腺炎，甲状腺機能低下症。⑤抗利尿ホルモン不適合分泌症候群。⑥肺胞出血。⑦急性呼吸窮迫症候群（手術後）。⑧無顆粒球症，白血球減少。

そのほかにも報告された副作用はあるので，体調が 方医・薬剤師に相談してください。

併用してはいけない薬 リトナビル，ネルフィナ シン塩酸塩，バルデナフィル塩酸塩水和物，シルデナ または効果とするもの），トレミフェンクエン酸塩，フィンゴリモド塩酸塩，エリグルスタット酒石酸塩→QT 延長，不整脈などをおこすおそれがあります。

> **●重大な副作用**
> 特に注意すべき重大な副作用を掲載しています。

> **●併用してはいけない薬**
> いわゆる〝薬ののみ合わせ〟のことです。他の薬をのんでいる場合は，注意が必要です。

🈯 **使用上の注意**

＊アミオダロン塩酸塩（アンカロン）の添付文書による

警告

本剤の使用は致死的不整脈治療の十分な経験のある 能で，緊急時にも十分に対応できる設備の整った施設 副作用の発生頻度は高く，致死的な副作用（間質性肺炎 害，甲状腺炎，甲状腺機能亢進症）が発現するという報 方医と十分に話し合い，納得がいったら服用してくだ あるいは減量しても副作用はすぐには消失しない場合があるので注意してください。

> **●警告**
> きわめて重大な副作用がおこりうるものについては，「警告」として注意を促しています。

● 副作用について気をつけたいこと

　本文解説中の副作用とは，必ずおこるものではありません。1万回の投与について1回しかおこらないものもあります。

　そのうち，特に注意すべき副作用について，「重大な副作用」として示してあります。この「重大な副作用」とは，医療関係者向けの注意書き（添付文書と呼びます）に記載されているものをまとめています。ただし，重大だからおこりやすいというわけではありません。

　副作用がおこったと感じた場合は，処方医・薬剤師に連絡を取り，相談することを習慣にしてください。

海外評価の説明
―主要先進国での薬の承認・発売状況がわかる―

　本文解説中の製剤情報欄に記載されている一般薬剤名に「海外評価」を付けています。これは，その薬のイギリス，アメリカ，ドイツ，フランスでの承認・発売状況を点数化し，その合計点を表示したものです。

　この海外評価点の計算は本書独自のものです。世界で最も薬剤承認基準が厳しいと考えられるイギリスとアメリカ，次いで厳しいとされるドイツ，フランスでの承認状況を勘案して評価しています。その他の国での状況は考慮していません。

国別の点数配分

- イギリスでの承認・発売あり………………………………………… 2点
- アメリカでの承認・発売あり………………………………………… 2点
- ドイツでの承認・発売あり…………………………………………… 1点
- フランスでの承認・発売あり………………………………………… 1点

海外評価合計点の表示の見方（例）

6点
英米独仏 …………イギリス，アメリカ，ドイツ，フランスともに承認・発売しています。

2点
英米独仏 …………ドイツ，フランスでは承認・発売はありますが，イギリス，アメリカでは承認・発売はありません。

0点
英米独仏 …………イギリス，アメリカ，ドイツ，フランスともに承認・発売はありません。

※「海外評価」は，日本で繁用され標準的薬剤とされている薬を中心に，なるべく多くの薬について調査していますが，未調査のものもあります。この欄が空欄の場合は，未調査です。

10

1. Martindale "The Complete Drug Reference" 37th ed.（2011）
（The Royal Pharmaceutical Society ／イギリス）
2. U. S. Food & Drug Administration ホームページ（アメリカ）
3. British National Formulary：September 2021
（Pharmaceutical Press ／イギリス）
4. Rote Liste 2021
（Rote Liste Service GmbH ／ドイツ）
5. VIDAL ホームページ（フランス）
6. European Pharmacopoeia 6th edition（2007）
（Stationery Office ／イギリス）
7. USP DI 26th ed.（2006）
（Thomson ／アメリカ）
8. Current Medical Diagnosis & Treatment 45th ed.（2006）
（Lange ／アメリカ）
9. Red Book 2009 ed.
（Thomson ／アメリカ）

PC プレグナンシー・カテゴリーの説明
―妊娠時の服用における安全性基準がわかる―

　本文解説中の製剤情報欄にある PC（プレグナンシー・カテゴリー）とは，その薬を妊娠時に使用したときの安全性を示したもので，アメリカ食品医薬品局（FDA）が設定した基準をそのまま掲載しています。以下の説明をよく読んだ上で，判断の目安にしてください。

 ## 妊娠時の使用にあたっての薬剤分類（プレグナンシー・カテゴリー）PC の見方

　プレグナンシー・リスク・ファクター（＝プレグナンシー・カテゴリー　PC と略）は，A，B，C，D，X の 5 段階で示されています。アメリカ食品医薬品局（FDA）は，体内に吸収された薬が，生まれてくる胎児に対してどの程度影響するかという可能性を示すために，これら 5 つのカテゴリーをつくりました。

　カテゴリー間の重要な差異は，薬についての研究文献の確実性と，その薬の危険性と有益性のどちらが勝るかという比率に依っています。"X" という評価は，催奇形性があり，有益性より危険性のほうがあきらかに勝っていることを示すデータが存在し，妊娠中には絶対に用いてはならないとされている薬です。

●プレグナンシー・カテゴリーの５段階●

PC…A	妊婦に対しての研究結果では，妊娠３カ月時も，その後の妊娠期間にも，胎児に対しての危険が発見されなかったもの。胎児に対して害を与える可能性が，ほとんどないと思われる。
PC…B	動物実験では，胎児に対しての影響は発見されなかったが，妊婦における臨床検査は行われていないもの。もしくは，動物実験で胎児に対しての影響が発見されているが（生殖力の低下を除く），妊婦に対しての臨床検査では，妊娠３カ月時でも，その後の妊娠期間でも，危険性が確認されていないもの。
PC…C	動物実験においては，胎児に対する危険性が発見されているが（奇形児や未熟児，その他の影響），妊婦における臨床検査がなされていないもの。もしくは，動物実験も妊婦における臨床検査も行われていないもの。"C"と評価された薬は，その薬の有益性が胎児に対する危険性を上まわったときだけに処方されるべきである。
PC…D	人間の胎児に対する危険性がはっきりと確認されているもの。ただし，危険性にもかかわらず，その薬を妊婦に対して処方することを容認すべき場合がある。（その薬を使わないと命にかかわる場合や，深刻な病気にかかっていてその薬よりもっと安全な薬が使えない，もしくは効果がない場合）
PC…X	動物実験でも，妊婦における臨床検査でも，胎児に対する異常が発見されている。もしくは，人体に実際に使った結果から胎児に対する危険性が発見されている。"X"と評価された薬は，妊婦に処方する場合，いかなる有益性よりも危険性のほうが上まわっている。妊娠中もしくはこれから妊娠しようという女性は絶対に服用してはいけない。

※この分類はアメリカで薬として認められていないものには記載していません。
※FDAでは2015年よりA〜Xでの分類を廃止していますが，本書では従来の表記があるものについて掲載しています。
※妊娠時には十分に注意がなされた上で投薬されますが，不安な点がある場合，また妊娠希望時，妊娠の可能性がある場合には，必ず医師とよく相談してください。

外用薬

装丁：(株)ヴァイス／口絵デザイン：(株)クリエイトリキ
本文デザイン：(株)アイク／本文組版：三美印刷(株)
編集協力：村瀬次夫，(株)文字工房燦光，(有)じてん社，中野義宏

薬をめぐるトピックス

 医薬品の流通問題

　2021 年 12 月，テレビのニュースにも流れ，新聞各社も報道しましたので記憶にある方も多いと思います。筆者の地元の中日新聞は 12 月 7 日の朝刊 1 面トップで「ジェネリックが足りない」の大見出しで伝えています。

　発端は 2020 年に小林化工が製造した経口抗真菌薬：イトラコナゾール錠 50「MEEK」を服用した患者からの副作用の訴えでした。意識消失や傾眠の訴えがあり，運転中に意識が薄れて交通事故をおこした人もいました。

　製造過程で睡眠導入剤が混入したことが原因とされましたが，そもそも絶対にあってはならないことであることは言うまでもありませんし，考えも及ばない出来事でした。

　医薬品は品質規格が定められており，それに適合することが当然のことですが，その製造過程も適切に管理される必要があります。そのため，医薬品は GMP（Good Manufacturing Practice；医薬品の製造管理及び品質管理の基準）に適合した工場での製造が義務づけられています。

　このことが順守されていれば，おこらなかった事故であることは明白ですが，実際には事故はおこってしまいました。ヒューマンエラーが積み重なった結果であり，筆者は 1999 年に東海村でおこった臨界事故を思い出しました。どんな最新の設備が整っていても，しっかりしたマニュアルがあっても，それを操作するのは神ならぬ人間であり，間違いを犯す存在であることを再認識しました。つまるところ，間違いを犯しても重大な不具合が生じないように制度を設計するしかない，ということです。

　小林化工のこの事故がきっかけで各製薬メーカーが自己点検を行ったところ，不備があるメーカーが続出しました。製造過程の変更の届けを出していなかったなど，品質や安全

性には問題がないケースが大半でしたが，不備のまま製造を続けることはできませんので，製造過程の見直しなどが相次ぎ，予定通りの製造ができずに出荷が遅れることになりました。また，品質に問題がある医薬品は当然回収が行われ，今まではその分は他社が補うことで事なきを得ていたのですが，今回は対象医薬品が多すぎて全体としての供給不足も生じ，類似した成分の薬に変更を余儀なくされるケースも相次ぎました。

他の薬で代替できるケースはまだ良いのですが，中には他の成分に変更が難しいものもあります。てんかん発作を予防するため毎日の服用が必要なバルプロ酸ナトリウムという薬は，銘柄を変更する（先発医薬品・後発医薬品を問わず）とコントロールが難しいため，変更は推奨されていません。医薬品の規格基準には適合しても，個人個人での吸収のされ方が銘柄により違いがあり，血中濃度が同じにならないためと言われています。

それでも他の成分の薬に変更するよりはリスクは少ないので，バルプロ酸ナトリウム製剤の取り合いが始まり，結果として製薬メーカーの出荷調整が行われることになってしまいました。出荷調整とは過去（例えば半年間）の納入実績から計算される量しか配荷されない状況で，新しく該当の医薬品が処方された患者さんを受け付けることができないようになってしまいました。

カルボシステインという薬では大手の後発品メーカーの製品が回収となり，先発品メーカー（製品名ムコダイン）にも注文が殺到しましたが，最近ではカルボシステインの中でのムコダインの市場占有率は10％程度に過ぎず，こちらも出荷調整となっています。この十数年で国が後発医薬品への変更を後押しする制度を推進していましたので，当然の結果です。製薬メーカーとしてもいきなり製造量を倍にすることは他の医薬品の製造にシワ寄せが行きかねず，そもそも原薬の調達も右から左という訳にもいきません。

国は後発医薬品への転換を推進しておきながら，品質については製薬メーカーにお任せにしてきました。GMPにのっとった方法で製造されていれば，当然このような不祥事はおこらないので国には責任はない，と言うかもしれません。法律的には確かにその通りかもしれませんが，国は今回のような事件がおきることを十分予測できたはずです。残念ながら，このような事件は今回が初めてではなく過去に何度も発生しており，

そのたびに業務停止〇〇日といった行政処分が課されてきました。

　筆者の記憶に残る新聞沙汰になった最初の事件は，1994年，当時の大洋薬品工業が去痰薬の包装に抗がん薬を誤って封入してしまったものです。見た目が異なっていたため実際に患者さんに渡る前に回収が行われていますが，工場から出荷はされていましたので，かなり際どい状況だったと思います。

　このような不祥事をおこして，以後は反省して優良工場になっていれば，まだめでたしめでたしなのですが，その後も承認内容と異なる原料を使用したり，ファモチジンの成分含量が120％の製品と80％の製品を出荷したりで，その都度，回収をしています。

　製薬メーカー内で品質管理がおざなりになる可能性があるのならば，抜き取り検査をするなど，製薬メーカーに緊張感を持って運用するようにもっていくのが国の役目だと思います。

リフィル処方箋

　2022年4月から，日本でもリフィル処方箋が導入されました。

　本書で海外評価の基準としているイギリス・アメリカ・ドイツ・フランスの4カ国中，ドイツ以外ではすでに活用されており，他にもカナダ・オーストラリアなどで導入済みです。アメリカ（州によって異なるが）では70年以上の歴史があります。

　対象となる患者さんは各国それぞれで，特に規制のない国から，症状の安定している慢性疾患患者や経口避妊薬服用患者などに限られる国まであります。

　日本においては今回「医師の処方により，薬剤師による服薬管理の下，一定期間内に処方箋の反復利用が可能である患者」が対象となっています。処方日数や数量に制限のある薬品は対象外で，これには睡眠薬や精神安定薬のような向精神薬，麻薬，湿布薬などが該当します。

　この制度は以前から中央社会保険医療協議会（日本の健康保険制度や診療報酬の改定などについて審議する厚生労働相の諮問機関）で検討されてきました。この協議会は支払側委員（保険者）7名，診療側委員（医師会など）7名，公益委員（中立）6名から構成されており，医師会の反対で今まで実現できないでいましたが，今回のコロナ禍で電話診療が認められたことも後押ししたのでしょう。

　今回，処方箋にはリフィルを可とするチェック欄がつけられます。

「　リフィル可　□（　　回）」

　このチェック欄に医師がチェックし，利用できる回数（2回もしくは3回）を記して初めて，その処方箋がリフィル処方箋として有効になる仕組みです。

　今までも診察を受けずに薬だけ（処方箋だけ）を受け取りにクリニックに通う患者が存在していました。本来，医師は診察をして初めて処方が可能となるわけですから，診察を受けずに処方される状態はそもそも違法ですし，それを回避するために建前上受診した形をとるためには，当然診察に関する料金が発生します。初診料・再診料・処方料などです。

　これがリフィル処方箋となればなくなるわけですから，医療費の面から考えれば減ることになりますので，国としては是非導入したい制度なわけです。

　「薬だけ受診」という制度上認められない「診察を受けずに薬を受け取る」状態や建前上制度に合わせるための形だけの受診などをなくすことは，患者の通院負担も減少しますから客観的に理屈に合った方策だと思います。

　しかし病医院としては，受診が減ればすなわち収入が減ることになりますから，積極的にチェックすると

は思えません。今回はとりあえず制度を導入して，次回以降にリフィル処方箋の発行数に応じて多く発行する病医院に有利となるような修正がなされ，患者さんの間でリフィル処方箋の便利さが浸透した後で，リフィル処方箋の発行数が少ない病医院に不利となるような修正が行われるのではないでしょうか。後発医薬品の普及にあたり制度変更が繰り返されてきた経緯からの類推です。

　そもそもリフィル処方箋と類似した制度として「医師の指示による分割調剤」があります。

　例えば90日分の処方を3分割でとの指示がある場合，医師から患者さんが受け取る処方箋は分割内容を記した3枚の処方せんと「分割指示に係る処方箋（別紙）」の4枚となります。最初に受け付けた薬局では1枚目の処方箋の指示に従い30日分を調剤して患者さんに渡す形になります。その際，薬局は（別紙）に受け付けた旨を記載し，4枚とも患者さんに返却します。2回目は，患者さんは4枚セットで持参します。薬局は2枚目の指示に従って30日分を調剤して患者さんに渡し，（別紙）に2度目を受け付けた旨を記載し，4枚とも患者さんに返却します。3回目，患者さんはやはり4枚セットで持参しま

す。薬局では3枚目の指示に従い30日分を調剤します。このすべての調剤が終了した時点で処方箋は患者さんの手を離れ，薬局で調剤済処方箋として保管されます。薬局は2回目・3回目の調剤ごとに処方医に対して情報提供の義務がありますので，患者さんの状況を報告します。

　これはとてもややこしい制度だったせいもあり，ほとんど普及しませんでした。筆者の薬局では制度ができて以来一度も受け付けたことがありません。

　リフィル処方箋では同等の内容が1枚の処方箋で済むような制度となっています。「30日分の処方をリフィル可（3回）」と記せば上の例と同様の90日分の処方箋となり，「医師の指示による分割調剤」に比べるとハードルは低いと思われます。

　ただし，今まででも90日分の処方箋は分割調剤指定でなくても発行されていましたので，患者さんのメリットを考えた場合，服薬によって良くコントロールできている場合に，イギリスのように半年〜1年分の処方ができるようになることが国の目標ではないでしょうか。

不妊治療の保険適応と緊急避妊薬

　薬の話題とは異なりますが，この4月から不妊治療が保険適用されました。

　1回あたり数万円の費用がかかっていた人工授精はもちろん，1回あたり数十万円かかっていた高度不妊治療と言われている採卵・採精や体外受精・顕微授精にも健康保険が適用されることになりました。少子化問題が話題になるようになってからどれほどの年月が経っているのか，国が何を目指しているのかはっきりしていれば，とっくに実現していなければならなかった制度です。

　緊急避妊薬に関しても同じことが言えます。望まれている妊娠を後押しせず，望まない妊娠を半ば放置して中絶手術のリスクを負わせるなど，どう考えても不合理なことです。今回，望まれている妊娠の後押しを決めたのなら，望まない妊娠を減らすための合理的な判断を求めたいと思います。

　本書第31版のこの項で，「スイッチOTCにならなかったノルレボ錠」について書きました。性交後72時間以内に内服すれば80％以上避妊が可

能な薬品で，英米独仏を含む世界70カ国以上でOTCとして販売されています。2018年に「医療用から要指導・一般用への転用に関する評価検討会議」で否決された経緯について書いたのですが，2022年3月10日に再度，評価検討会議の検討議題となっていました。

それに先立つ2月4日に「アフターピル（緊急避妊薬）を必要とするすべての女性に届けたい」と14万1,830人のネット署名を集めた「緊急避妊薬の薬局での入手を実現する市民プロジェクト」が厚生労働大臣に要望書を提出しています。しかし，結果は議論の先送りとなり，この4年間何もしていないことを改めて示しました。

この間，厚生労働省がしたことは「緊急避妊を希望する方が医療機関を選択する際の参考となるよう，緊急避妊にかかる対面診療が可能な産婦人科医療機関等の一覧を作成」しただけです。一体何を考えているのでしょう？

マイナカードによる顔認証システムと医療保険

2021年，一部の病医院や薬局でオンライン資格確認が始まりました。オンライン資格確認とは，マイナンバーカード（マイナカード）のICチップまたは健康保険証の記号番号等により，オンラインで資格情報の確認ができることをいいます。

患者さんのメリットは，マイナカードと健康保険証の紐づけをすると，顔認証システムが設置してある病医院・薬局ではマイナカードがあれば健康保険証を持参する必要がなくなり，マイナポータルで自分の特定健診結果や薬剤情報を確認することができることです。

筆者の薬局としては，顔認証はともかくとしてオンラインで資格確認ができるこのシステムのおかげで，保険が変更になった場合や負担割合が変更になった場合の人為的ミスが減り，便益を受けていますし，患者さんの了解があれば特定健診結果や過去の薬剤情報を確認でき，お薬手帳を持参されなかった方のリスク管理にも利用できます。

ただ，マイナカードが多くの情報と紐づけられ情報が1カ所にまとまった場合の情報漏洩のリスクのことを考えてしまうのは，過去にネット通販を利用したサイトからクレジットカードの情報が漏洩した経験があるせいでしょうか。

主な薬の写真 50音順

- ここでは，著者が多くの薬のなかから繁用されている薬を選んで，その写真を掲載しました。
- 写真は，印刷のため色が実物と多少異なる場合があります。また，形，色，製剤識別コードが各製薬会社の都合により変更されることがあります。
- 商品名の50音順にならべ，その薬効分類と掲載頁を示しています。

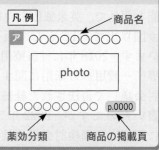

凡例

商品名

ア ○○○○○○○

photo

○○○○○○○○○ p.0000

薬効分類　　商品の掲載頁

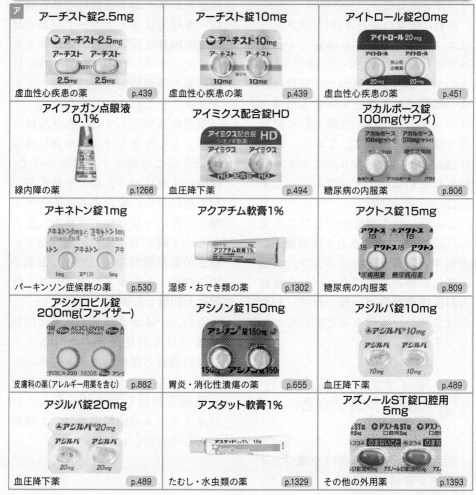

ア アーチスト錠2.5mg	アーチスト錠10mg	アイトロール錠20mg
虚血性心疾患の薬　p.439	虚血性心疾患の薬　p.439	虚血性心疾患の薬　p.451
アイファガン点眼液0.1%	アイミクス配合錠HD	アカルボース錠100mg(サワイ)
緑内障の薬　p.1266	血圧降下薬　p.494	糖尿病の内服薬　p.806
アキネトン錠1mg	アクアチム軟膏1%	アクトス錠15mg
パーキンソン症候群の薬　p.530	湿疹・おでき類の薬　p.1302	糖尿病の内服薬　p.809
アシクロビル錠200mg(ファイザー)	アシノン錠150mg	アジルバ錠10mg
皮膚科の薬(アレルギー用薬を含む)　p.882	胃炎・消化性潰瘍の薬　p.655	血圧降下薬　p.489
アジルバ錠20mg	アスタット軟膏1%	アズノールST錠口腔用5mg
血圧降下薬　p.489	たむし・水虫類の薬　p.1329	その他の外用薬　p.1393

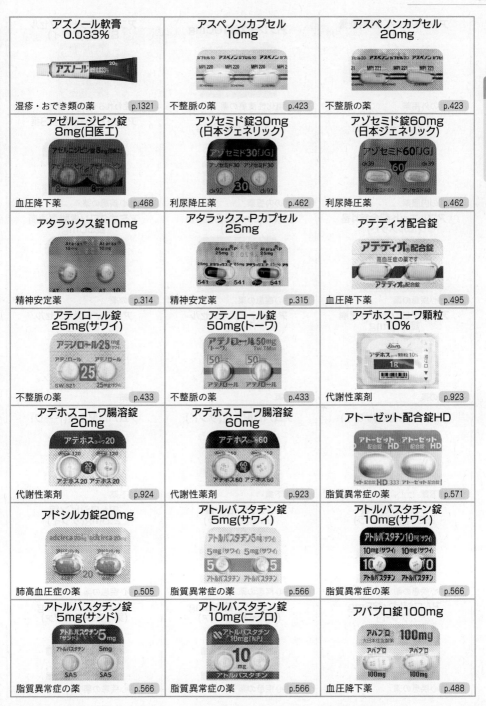

アズノール軟膏 0.033%	アスペノンカプセル 10mg	アスペノンカプセル 20mg
湿疹・おでき類の薬　p.1321	不整脈の薬　p.423	不整脈の薬　p.423
アゼルニジピン錠 8mg(日医工)	アゾセミド錠30mg (日本ジェネリック)	アゾセミド錠60mg (日本ジェネリック)
血圧降下薬　p.468	利尿降圧薬　p.462	利尿降圧薬　p.462
アタラックス錠10mg	アタラックス-Pカプセル 25mg	アテディオ配合錠
精神安定薬　p.314	精神安定薬　p.315	血圧降下薬　p.495
アテノロール錠 25mg(サワイ)	アテノロール錠 50mg(トーワ)	アデホスコーワ顆粒 10%
不整脈の薬　p.433	不整脈の薬　p.433	代謝性薬剤　p.923
アデホスコーワ腸溶錠 20mg	アデホスコーワ腸溶錠 60mg	アトーゼット配合錠HD
代謝性薬剤　p.924	代謝性薬剤　p.923	脂質異常症の薬　p.571
アドシルカ錠20mg	アトルバスタチン錠 5mg(サワイ)	アトルバスタチン錠 10mg(サワイ)
肺高血圧症の薬　p.505	脂質異常症の薬　p.566	脂質異常症の薬　p.566
アトルバスタチン錠 5mg(サンド)	アトルバスタチン錠 10mg(ニプロ)	アバプロ錠100mg
脂質異常症の薬　p.566	脂質異常症の薬　p.566	血圧降下薬　p.488

ア
主な薬の写真

アフタゾロン口腔用軟膏 0.1%	アプレース錠100mg	アプレピタントカプセル 80mg(サワイ)
その他の外用薬　p.1392	胃炎・消化性潰瘍の薬　p.642	がんに使われるその他の薬剤　p.1204
アマリール錠1mg	アマリール錠3mg	アマルエット配合錠3番 (サンド)
糖尿病の内服薬　p.801	糖尿病の内服薬　p.801	虚血性心疾患の薬　p.446
アマルエット配合錠4番 (エルメッド)	アマルエット配合錠4番 (サンド)	アミオダロン塩酸塩速崩 錠50mg
虚血性心疾患の薬　p.447	虚血性心疾患の薬　p.447	不整脈の薬　p.431
アミオダロン塩酸塩速崩 錠100mg	アミティーザカプセル 12μg	アミティーザカプセル 24μg
不整脈の薬　p.431	便秘の薬　p.677	便秘の薬　p.677
アムバロ配合錠(サワイ)	アムバロ配合錠(サンド)	アムバロ配合錠(トーワ)
血圧降下薬　p.492	血圧降下薬　p.492	血圧降下薬　p.492
アムロジピン錠 2.5mg(オーハラ)	アムロジピン錠 5mg(オーハラ)	アムロジピン錠 2.5mg(サワイ)
虚血性心疾患の薬　p.444	虚血性心疾患の薬　p.444	虚血性心疾患の薬　p.444
アムロジピン錠5mg (サワイ)	アムロジピン錠2.5mg (第一三共エスファ)	アムロジピン錠5mg (第一三共エスファ)
虚血性心疾患の薬　p.444	虚血性心疾患の薬　p.444	虚血性心疾患の薬　p.444

ア

主な薬の写真

アムロジピン錠 2.5mg(日医工)	アムロジピン錠5mg (日医工)	アムロジピン錠 2.5mg(ファイザー)
虚血性心疾患の薬　p.444	虚血性心疾患の薬　p.444	虚血性心疾患の薬　p.444
アムロジピン錠 5mg(ファイザー)	アムロジピンOD錠 2.5mg(エルメッド)	アムロジピンOD錠 5mg(エルメッド)
虚血性心疾患の薬　p.444	虚血性心疾患の薬　p.445	虚血性心疾患の薬　p.445
アムロジピンOD錠 2.5mg(サワイ)	アムロジピンOD錠 5mg(サワイ)	アムロジピンOD錠 10mg(明治)
虚血性心疾患の薬　p.445	虚血性心疾患の薬　p.445	虚血性心疾患の薬　p.445
アメナリーフ錠200mg	アモキシシリンカプセル 250mg(武田テバ)	アモバン錠7.5mg
皮膚科の薬(アレルギー用薬を含む)　p.885	ペニシリン系の抗生物質　p.1034	催眠薬(睡眠導入薬)　p.302
アモバン錠10mg	アラセナA軟膏3%	アリセプトドライシロップ 1%5mg
催眠薬(睡眠導入薬)　p.302	その他の皮膚病の薬　p.1342	脳代謝賦活薬・認知症の薬　p.520
アリセプトドライシロップ 1%10mg	アリセプトD錠3mg	アリセプトD錠10mg
脳代謝賦活薬・認知症の薬　p.520	脳代謝賦活薬・認知症の薬　p.520	脳代謝賦活薬・認知症の薬　p.520
アリピプラゾール錠 3mg(サワイ)	アリピプラゾールOD錠 12mg(杏林)	アリピプラゾールOD錠 24mg(杏林)
統合失調症の薬　p.361	統合失調症の薬　p.362	統合失調症の薬　p.362

ア

主な薬の写真

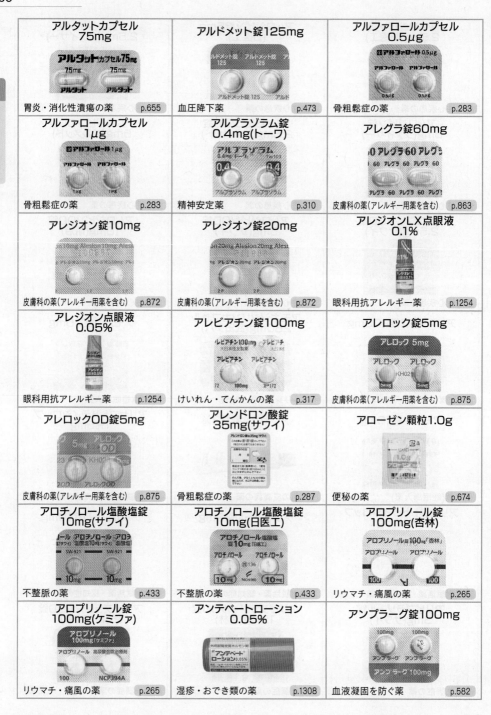

アルタットカプセル 75mg	アルドメット錠125mg	アルファロールカプセル 0.5μg
胃炎・消化性潰瘍の薬　p.655	血圧降下薬　p.473	骨粗鬆症の薬　p.283
アルファロールカプセル 1μg	アルプラゾラム錠 0.4mg(トーワ)	アレグラ錠60mg
骨粗鬆症の薬　p.283	精神安定薬　p.310	皮膚科の薬(アレルギー用薬を含む)　p.863
アレジオン錠10mg	アレジオン錠20mg	アレジオンLX点眼液 0.1%
皮膚科の薬(アレルギー用薬を含む)　p.872	皮膚科の薬(アレルギー用薬を含む)　p.872	眼科用抗アレルギー薬　p.1254
アレジオン点眼液 0.05%	アレビアチン錠100mg	アレロック錠5mg
眼科用抗アレルギー薬　p.1254	けいれん・てんかんの薬　p.317	皮膚科の薬(アレルギー用薬を含む)　p.875
アレロックOD錠5mg	アレンドロン酸錠 35mg(サワイ)	アローゼン顆粒1.0g
皮膚科の薬(アレルギー用薬を含む)　p.875	骨粗鬆症の薬　p.287	便秘の薬　p.674
アロチノロール塩酸塩錠 10mg(サワイ)	アロチノロール塩酸塩錠 10mg(日医工)	アロプリノール錠 100mg(杏林)
不整脈の薬　p.433	不整脈の薬　p.433	リウマチ・痛風の薬　p.265
アロプリノール錠 100mg(ケミファ)	アンテベートローション 0.05%	アンプラーグ錠100mg
リウマチ・痛風の薬　p.265	湿疹・おでき類の薬　p.1308	血液凝固を防ぐ薬　p.582

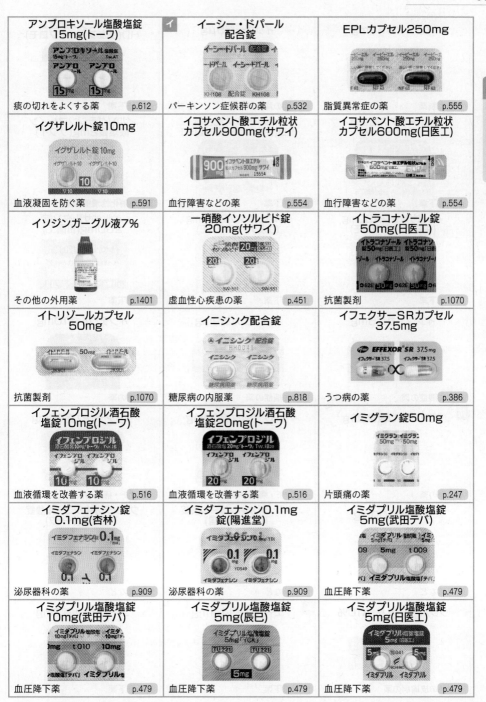

アンブロキソール塩酸塩錠 15mg(トーワ)	イ イーシー・ドパール 配合錠	EPLカプセル250mg
痰の切れをよくする薬　p.612	パーキンソン症候群の薬　p.532	脂質異常症の薬　p.555

イグザレルト錠10mg	イコサペント酸エチル粒状 カプセル900mg(サワイ)	イコサペント酸エチル粒状 カプセル600mg(日医工)
血液凝固を防ぐ薬　p.591	血行障害などの薬　p.554	血行障害などの薬　p.554

イソジンガーグル液7％	一硝酸イソソルビド錠 20mg(サワイ)	イトラコナゾール錠 50mg(日医工)
その他の外用薬　p.1401	虚血性心疾患の薬　p.451	抗菌製剤　p.1070

イトリゾールカプセル 50mg	イニシンク配合錠	イフェクサーSRカプセル 37.5mg
抗菌製剤　p.1070	糖尿病の内服薬　p.818	うつ病の薬　p.386

イフェンプロジル酒石酸 塩錠10mg(トーワ)	イフェンプロジル酒石酸 塩錠20mg(トーワ)	イミグラン錠50mg
血液循環を改善する薬　p.516	血液循環を改善する薬　p.516	片頭痛の薬　p.247

イミダフェナシン錠 0.1mg(杏林)	イミダフェナシン0.1mg 錠(陽進堂)	イミダプリル塩酸塩錠 5mg(武田テバ)
泌尿器科の薬　p.909	泌尿器科の薬　p.909	血圧降下薬　p.479

イミダプリル塩酸塩錠 10mg(武田テバ)	イミダプリル塩酸塩錠 5mg(辰巳)	イミダプリル塩酸塩錠 5mg(日医工)
血圧降下薬　p.479	血圧降下薬　p.479	血圧降下薬　p.479

イ

主な薬の写真

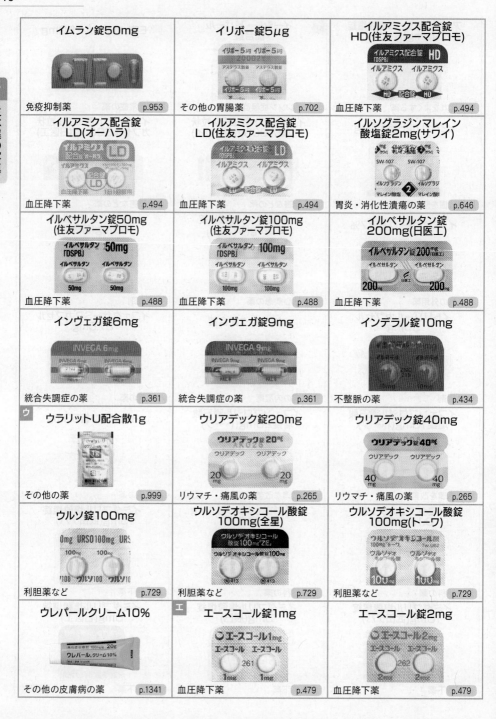

イムラン錠50mg	イリボー錠5μg	イルアミクス配合錠 HD(住友ファーマプロモ)
免疫抑制薬　　p.953	その他の胃腸薬　　p.702	血圧降下薬　　p.494
イルアミクス配合錠 LD(オーハラ)	イルアミクス配合錠 LD(住友ファーマプロモ)	イルソグラジンマレイン 酸塩錠2mg(サワイ)
血圧降下薬　　p.494	血圧降下薬　　p.494	胃炎・消化性潰瘍の薬　　p.646
イルベサルタン錠50mg (住友ファーマプロモ)	イルベサルタン錠100mg (住友ファーマプロモ)	イルベサルタン錠 200mg(日医工)
血圧降下薬　　p.488	血圧降下薬　　p.488	血圧降下薬　　p.488
インヴェガ錠6mg	インヴェガ錠9mg	インデラル錠10mg
統合失調症の薬　　p.361	統合失調症の薬　　p.361	不整脈の薬　　p.434
ウラリットU配合散1g	ウリアデック錠20mg	ウリアデック錠40mg
その他の薬　　p.999	リウマチ・痛風の薬　　p.265	リウマチ・痛風の薬　　p.265
ウルソ錠100mg	ウルソデオキシコール酸錠 100mg(全星)	ウルソデオキシコール酸錠 100mg(トーワ)
利胆薬など　　p.729	利胆薬など　　p.729	利胆薬など　　p.729
ウレパールクリーム10%	エースコール錠1mg	エースコール錠2mg
その他の皮膚病の薬　　p.1341	血圧降下薬　　p.479	血圧降下薬　　p.479

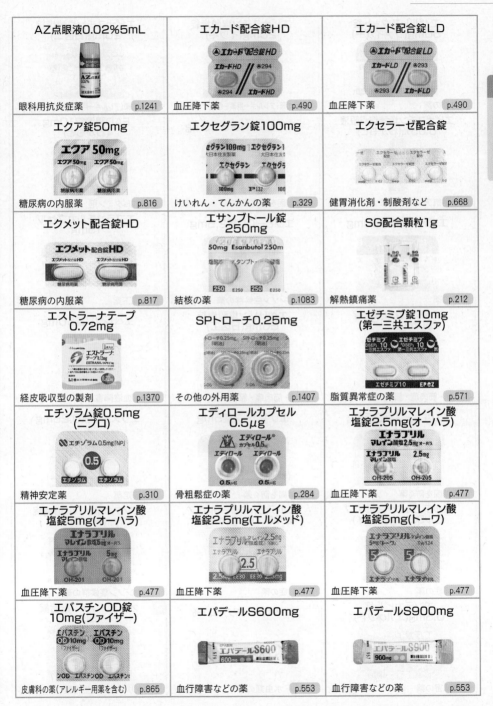

AZ点眼液0.02%5mL 眼科用抗炎症薬　p.1241	**エカード配合錠HD** 血圧降下薬　p.490	**エカード配合錠LD** 血圧降下薬　p.490
エクア錠50mg 糖尿病の内服薬　p.816	**エクセグラン錠100mg** けいれん・てんかんの薬　p.329	**エクセラーゼ配合錠** 健胃消化剤・制酸剤など　p.668
エクメット配合錠HD 糖尿病の内服薬　p.817	**エサンブトール錠250mg** 結核の薬　p.1083	**SG配合顆粒1g** 解熱鎮痛薬　p.212
エストラーナテープ0.72mg 経皮吸収型の製剤　p.1370	**SPトローチ0.25mg** その他の外用薬　p.1407	**エゼチミブ錠10mg（第一三共エスファ）** 脂質異常症の薬　p.571
エチゾラム錠0.5mg（ニプロ） 精神安定薬　p.310	**エディロールカプセル0.5μg** 骨粗鬆症の薬　p.284	**エナラプリルマレイン酸塩錠2.5mg（オーハラ）** 血圧降下薬　p.477
エナラプリルマレイン酸塩錠5mg（オーハラ） 血圧降下薬　p.477	**エナラプリルマレイン酸塩錠2.5mg（エルメッド）** 血圧降下薬　p.477	**エナラプリルマレイン酸塩錠5mg（トーワ）** 血圧降下薬　p.477
エバスチンOD錠10mg（ファイザー） 皮膚科の薬（アレルギー用薬を含む）　p.865	**エパデールS600mg** 血行障害などの薬　p.553	**エパデールS900mg** 血行障害などの薬　p.553

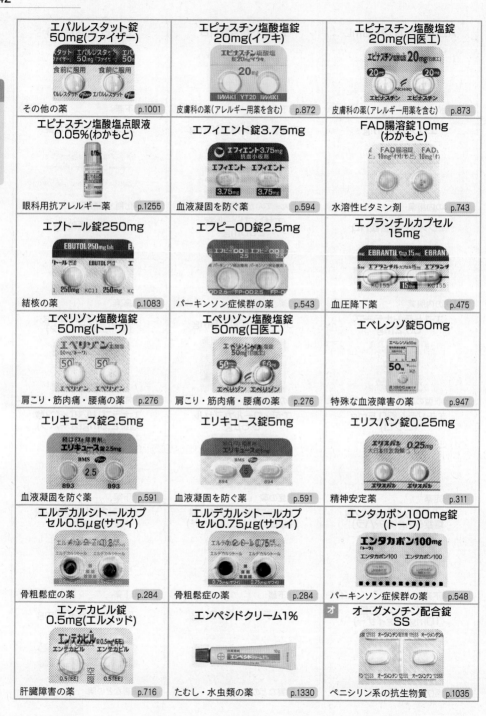

エパルレスタット錠 50mg(ファイザー)	エピナスチン塩酸塩錠 20mg(イワキ)	エピナスチン塩酸塩錠 20mg(日医工)
その他の薬　p.1001	皮膚科の薬(アレルギー用薬を含む)　p.872	皮膚科の薬(アレルギー用薬を含む)　p.873
エピナスチン塩酸塩点眼液 0.05%(わかもと)	エフィエント錠3.75mg	FAD腸溶錠10mg (わかもと)
眼科用抗アレルギー薬　p.1255	血液凝固を防ぐ薬　p.594	水溶性ビタミン剤　p.743
エブトール錠250mg	エフピーOD錠2.5mg	エブランチルカプセル 15mg
結核の薬　p.1083	パーキンソン症候群の薬　p.543	血圧降下薬　p.475
エペリゾン塩酸塩錠 50mg(トーワ)	エペリゾン塩酸塩錠 50mg(日医工)	エベレンゾ錠50mg
肩こり・筋肉痛・腰痛の薬　p.276	肩こり・筋肉痛・腰痛の薬　p.276	特殊な血液障害の薬　p.947
エリキュース錠2.5mg	エリキュース錠5mg	エリスパン錠0.25mg
血液凝固を防ぐ薬　p.591	血液凝固を防ぐ薬　p.591	精神安定薬　p.311
エルデカルシトールカプ セル0.5μg(サワイ)	エルデカルシトールカプ セル0.75μg(サワイ)	エンタカポン100mg錠 (トーワ)
骨粗鬆症の薬　p.284	骨粗鬆症の薬　p.284	パーキンソン症候群の薬　p.548
エンテカビル錠 0.5mg(エルメッド)	エンペシドクリーム1%	オ　オーグメンチン配合錠 SS
肝臓障害の薬　p.716	たむし・水虫類の薬　p.1330	ペニシリン系の抗生物質　p.1035

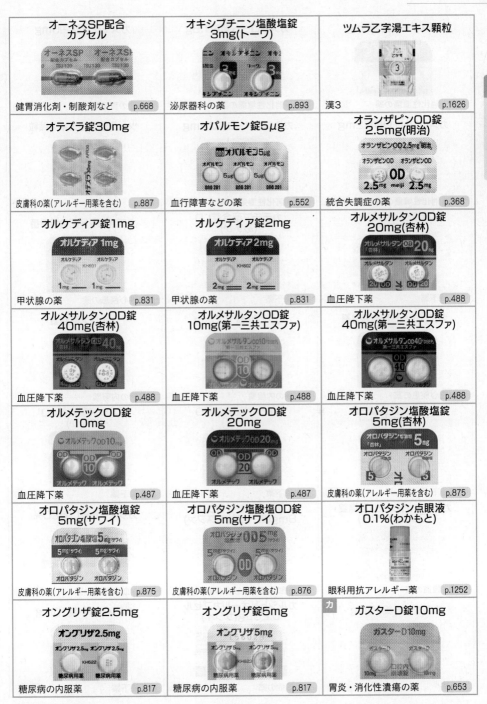

オーネスSP配合カプセル	オキシブチニン塩酸塩錠3mg(トーワ)	ツムラ乙字湯エキス顆粒
健胃消化剤・制酸剤など p.668	泌尿器科の薬 p.893	漢3 p.1626
オテズラ錠30mg	オパルモン錠5μg	オランザピンOD錠2.5mg(明治)
皮膚科の薬(アレルギー用薬を含む) p.887	血行障害などの薬 p.552	統合失調症の薬 p.368
オルケディア錠1mg	オルケディア錠2mg	オルメサルタンOD錠20mg(杏林)
甲状腺の薬 p.831	甲状腺の薬 p.831	血圧降下薬 p.488
オルメサルタンOD錠40mg(杏林)	オルメサルタンOD錠10mg(第一三共エスファ)	オルメサルタンOD錠40mg(第一三共エスファ)
血圧降下薬 p.488	血圧降下薬 p.488	血圧降下薬 p.488
オルメテックOD錠10mg	オルメテックOD錠20mg	オロパタジン塩酸塩錠5mg(杏林)
血圧降下薬 p.487	血圧降下薬 p.487	皮膚科の薬(アレルギー用薬を含む) p.875
オロパタジン塩酸塩錠5mg(サワイ)	オロパタジン塩酸塩OD錠5mg(サワイ)	オロパタジン点眼液0.1%(わかもと)
皮膚科の薬(アレルギー用薬を含む) p.875	皮膚科の薬(アレルギー用薬を含む) p.876	眼科用抗アレルギー薬 p.1252
オングリザ錠2.5mg	オングリザ錠5mg	ガスターD錠10mg
糖尿病の内服薬 p.817	糖尿病の内服薬 p.817	胃炎・消化性潰瘍の薬 p.653

カ 主な薬の写真

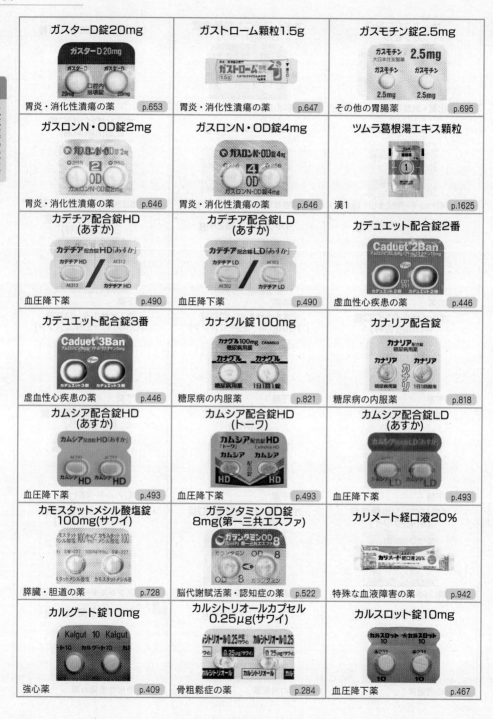

ガスターD錠20mg	ガストローム顆粒1.5g	ガスモチン錠2.5mg
胃炎・消化性潰瘍の薬　p.653	胃炎・消化性潰瘍の薬　p.647	その他の胃腸薬　p.695
ガスロンN・OD錠2mg	ガスロンN・OD錠4mg	ツムラ葛根湯エキス顆粒
胃炎・消化性潰瘍の薬　p.646	胃炎・消化性潰瘍の薬　p.646	漢1　p.1625
カデチア配合錠HD（あすか）	カデチア配合錠LD（あすか）	カデュエット配合錠2番
血圧降下薬　p.490	血圧降下薬　p.490	虚血性心疾患の薬　p.446
カデュエット配合錠3番	カナグル錠100mg	カナリア配合錠
虚血性心疾患の薬　p.446	糖尿病の内服薬　p.821	糖尿病の内服薬　p.818
カムシア配合錠HD（あすか）	カムシア配合錠HD（トーワ）	カムシア配合錠LD（あすか）
血圧降下薬　p.493	血圧降下薬　p.493	血圧降下薬　p.493
カモスタットメシル酸塩錠100mg(サワイ)	ガランタミンOD錠8mg(第一三共エスファ)	カリメート経口液20%
膵臓・胆道の薬　p.728	脳代謝賦活薬・認知症の薬　p.522	特殊な血液障害の薬　p.942
カルグート錠10mg	カルシトリオールカプセル0.25μg(サワイ)	カルスロット錠10mg
強心薬　p.409	骨粗鬆症の薬　p.284	血圧降下薬　p.467

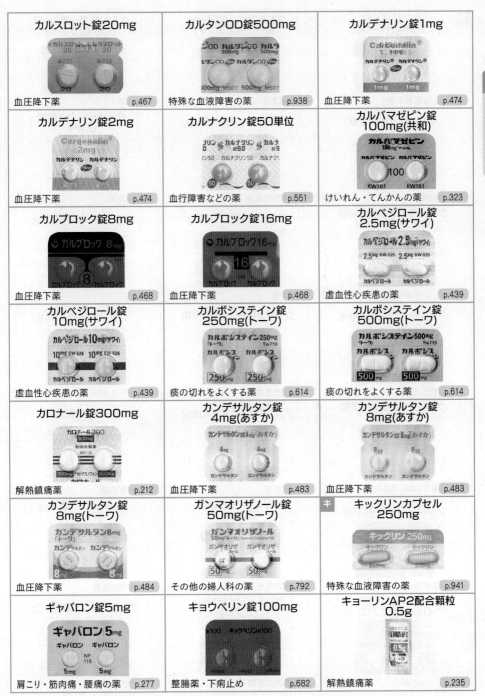

カルスロット錠20mg 血圧降下薬　p.467	カルタンOD錠500mg 特殊な血液障害の薬　p.938	カルデナリン錠1mg 血圧降下薬　p.474
カルデナリン錠2mg 血圧降下薬　p.474	カルナクリン錠50単位 血行障害などの薬　p.551	カルバマゼピン錠 100mg(共和) けいれん・てんかんの薬　p.323
カルブロック錠8mg 血圧降下薬　p.468	カルブロック錠16mg 血圧降下薬　p.468	カルベジロール錠 2.5mg(サワイ) 虚血性心疾患の薬　p.439
カルベジロール錠 10mg(サワイ) 虚血性心疾患の薬　p.439	カルボシステイン錠 250mg(トーワ) 痰の切れをよくする薬　p.614	カルボシステイン錠 500mg(トーワ) 痰の切れをよくする薬　p.614
カロナール錠300mg 解熱鎮痛薬　p.212	カンデサルタン錠 4mg(あすか) 血圧降下薬　p.483	カンデサルタン錠 8mg(あすか) 血圧降下薬　p.483
カンデサルタン錠 8mg(トーワ) 血圧降下薬　p.484	ガンマオリザノール錠 50mg(トーワ) その他の婦人科の薬　p.792	キ　キックリンカプセル 250mg 特殊な血液障害の薬　p.941
ギャバロン錠5mg 肩こり・筋肉痛・腰痛の薬　p.277	キョウベリン錠100mg 整腸薬・下痢止め　p.682	キョーリンAP2配合顆粒 0.5g 解熱鎮痛薬　p.235

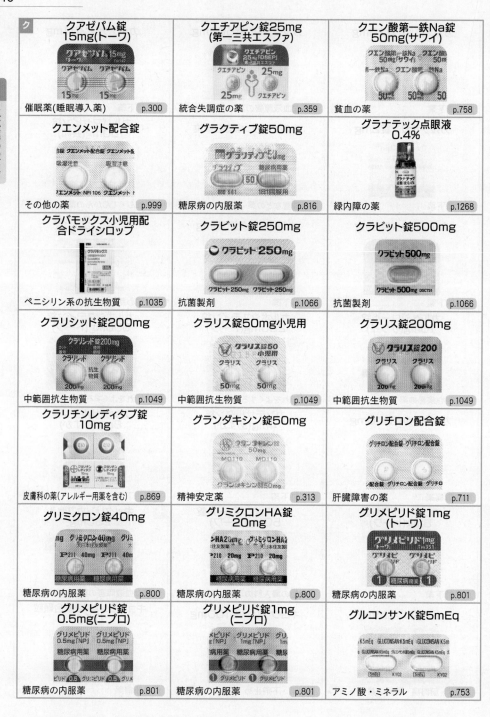

クアゼパム錠 15mg(トーワ) 催眠薬(睡眠導入薬) p.300	**クエチアピン錠25mg (第一三共エスファ)** 統合失調症の薬 p.359	**クエン酸第一鉄Na錠 50mg(サワイ)** 貧血の薬 p.758
クエンメット配合錠 その他の薬 p.999	**グラクティブ錠50mg** 糖尿病の内服薬 p.816	**グラナテック点眼液 0.4%** 緑内障の薬 p.1268
クラバモックス小児用配合ドライシロップ ペニシリン系の抗生物質 p.1035	**クラビット錠250mg** 抗菌製剤 p.1066	**クラビット錠500mg** 抗菌製剤 p.1066
クラリシッド錠200mg 中範囲抗生物質 p.1049	**クラリス錠50mg小児用** 中範囲抗生物質 p.1049	**クラリス錠200mg** 中範囲抗生物質 p.1049
クラリチンレディタブ錠 10mg 皮膚科の薬(アレルギー用薬を含む) p.869	**グランダキシン錠50mg** 精神安定薬 p.313	**グリチロン配合錠** 肝臓障害の薬 p.711
グリミクロン錠40mg 糖尿病の内服薬 p.800	**グリミクロンHA錠 20mg** 糖尿病の内服薬 p.800	**グリメピリド錠1mg (トーワ)** 糖尿病の内服薬 p.801
グリメピリド錠 0.5mg(ニプロ) 糖尿病の内服薬 p.801	**グリメピリド錠1mg (ニプロ)** 糖尿病の内服薬 p.801	**グルコンサンK錠5mEq** アミノ酸・ミネラル p.753

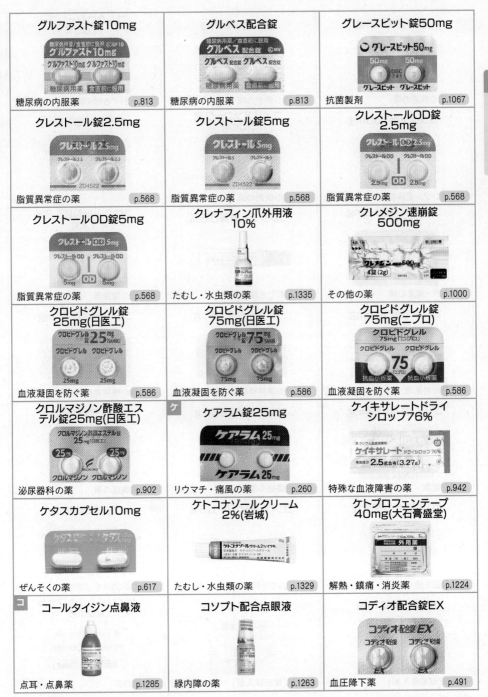

グルファスト錠10mg 糖尿病の内服薬　p.813	**グルベス配合錠** 糖尿病の内服薬　p.813	**グレースビット錠50mg** 抗菌製剤　p.1067
クレストール錠2.5mg 脂質異常症の薬　p.568	**クレストール錠5mg** 脂質異常症の薬　p.568	**クレストールOD錠2.5mg** 脂質異常症の薬　p.568
クレストールOD錠5mg 脂質異常症の薬　p.568	**クレナフィン爪外用液10%** たむし・水虫類の薬　p.1335	**クレメジン速崩錠500mg** その他の薬　p.1000
クロピドグレル錠25mg(日医工) 血液凝固を防ぐ薬　p.586	**クロピドグレル錠75mg(日医工)** 血液凝固を防ぐ薬　p.586	**クロピドグレル錠75mg(ニプロ)** 血液凝固を防ぐ薬　p.586
クロルマジノン酢酸エステル錠25mg(日医工) 泌尿器科の薬　p.902	**ケアラム錠25mg** リウマチ・痛風の薬　p.260	**ケイキサレートドライシロップ76%** 特殊な血液障害の薬　p.942
ケタスカプセル10mg ぜんそくの薬　p.617	**ケトコナゾールクリーム2%(岩城)** たむし・水虫類の薬　p.1329	**ケトプロフェンテープ40mg(大石膏盛堂)** 解熱・鎮痛・消炎薬　p.1224
コールタイジン点鼻液 点耳・点鼻薬　p.1285	**コソプト配合点眼液** 緑内障の薬　p.1263	**コディオ配合錠EX** 血圧降下薬　p.491

ケ

主な薬の写真

ケ

コ

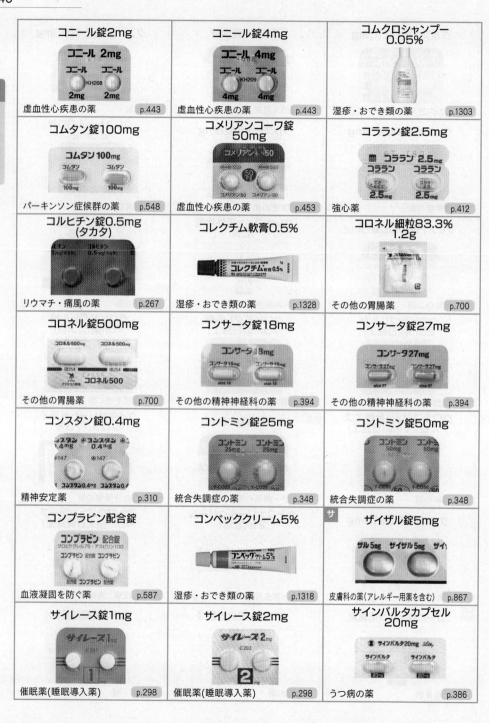

コニール錠2mg	コニール錠4mg	コムクロシャンプー0.05%
虚血性心疾患の薬　p.443	虚血性心疾患の薬　p.443	湿疹・おでき類の薬　p.1303
コムタン錠100mg	コメリアンコーワ錠50mg	コララン錠2.5mg
パーキンソン症候群の薬　p.548	虚血性心疾患の薬　p.453	強心薬　p.412
コルヒチン錠0.5mg（タカタ）	コレクチム軟膏0.5%	コロネル細粒83.3%1.2g
リウマチ・痛風の薬　p.267	湿疹・おでき類の薬　p.1328	その他の胃腸薬　p.700
コロネル錠500mg	コンサータ錠18mg	コンサータ錠27mg
その他の胃腸薬　p.700	その他の精神神経科の薬　p.394	その他の精神神経科の薬　p.394
コンスタン錠0.4mg	コントミン錠25mg	コントミン錠50mg
精神安定薬　p.310	統合失調症の薬　p.348	統合失調症の薬　p.348
コンプラビン配合錠	コンベッククリーム5%	ザイザル錠5mg
血液凝固を防ぐ薬　p.587	湿疹・おでき類の薬　p.1318	皮膚科の薬(アレルギー用薬を含む)　p.867
サイレース錠1mg	サイレース錠2mg	サインバルタカプセル20mg
催眠薬(睡眠導入薬)　p.298	催眠薬(睡眠導入薬)　p.298	うつ病の薬　p.386

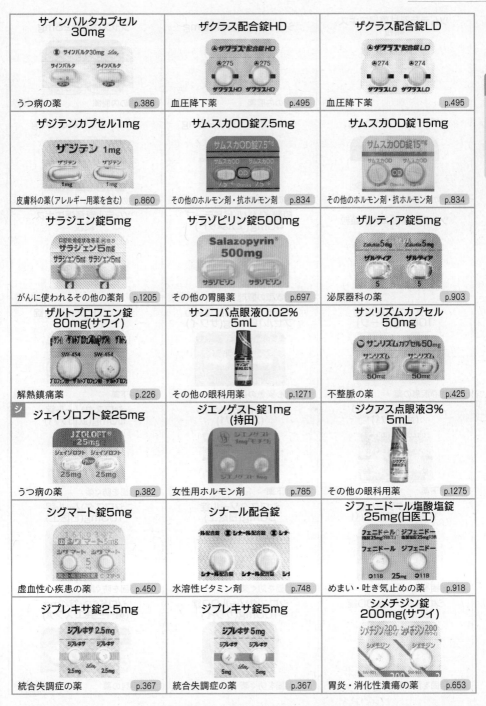

サインバルタカプセル 30mg	**ザクラス配合錠HD**	**ザクラス配合錠LD**
うつ病の薬　p.386	血圧降下薬　p.495	血圧降下薬　p.495
ザジテンカプセル1mg	**サムスカOD錠7.5mg**	**サムスカOD錠15mg**
皮膚科の薬(アレルギー用薬を含む)　p.860	その他のホルモン剤・抗ホルモン剤　p.834	その他のホルモン剤・抗ホルモン剤　p.834
サラジェン錠5mg	**サラゾピリン錠500mg**	**ザルティア錠5mg**
がんに使われるその他の薬剤　p.1205	その他の胃腸薬　p.697	泌尿器科の薬　p.903
ザルトプロフェン錠 80mg(サワイ)	**サンコバ点眼液0.02% 5mL**	**サンリズムカプセル 50mg**
解熱鎮痛薬　p.226	その他の眼科用薬　p.1271	不整脈の薬　p.425
ジェイゾロフト錠25mg	**ジエノゲスト錠1mg (持田)**	**ジクアス点眼液3% 5mL**
うつ病の薬　p.382	女性用ホルモン剤　p.785	その他の眼科用薬　p.1275
シグマート錠5mg	**シナール配合錠**	**ジフェニドール塩酸塩錠 25mg(日医工)**
虚血性心疾患の薬　p.450	水溶性ビタミン剤　p.748	めまい・吐き気止めの薬　p.918
ジプレキサ錠2.5mg	**ジプレキサ錠5mg**	**シメチジン錠 200mg(サワイ)**
統合失調症の薬　p.367	統合失調症の薬　p.367	胃炎・消化性潰瘍の薬　p.653

ツムラ芍薬甘草湯エキス顆粒	ジャディアンス錠10mg	ジャヌビア錠25mg
漢68　　　　p.1666	糖尿病の内服薬　　p.821	糖尿病の内服薬　　p.816
ジャヌビア錠50mg	シュアポスト錠0.25mg	シュアポスト錠0.5mg
糖尿病の内服薬　　p.816	糖尿病の内服薬　　p.814	糖尿病の内服薬　　p.814
ツムラ潤腸湯エキス顆粒	硝酸イソソルビドテープ40mg(エルメッド)	ツムラ小青竜湯エキス顆粒
漢51　　　　p.1656	経皮吸収型の製剤　　p.1368	漢19　　　　p.1637
ジラゼプ塩酸塩錠100mg(トーワ)	ジルチアゼム塩酸塩Rカプセル100mg(サワイ)	シルニジピン10mg錠(サワイ)
虚血性心疾患の薬　　p.453	虚血性心疾患の薬　　p.447	血圧降下薬　　p.468
ジルムロ配合錠HD(武田テバ)	ジルムロ配合錠LD(武田テバ)	シロスタゾール錠50mg(武田テバ)
血圧降下薬　　p.495	血圧降下薬　　p.495	血液凝固を防ぐ薬　　p.579
シロスタゾール錠100mg(武田テバ)	シロスタゾール錠50mg(日医工)	シロスタゾール錠100mg(日医工)
血液凝固を防ぐ薬　　p.579	血液凝固を防ぐ薬　　p.579	血液凝固を防ぐ薬　　p.579
シロスタゾールOD錠50mg(サワイ)	シロスタゾールOD錠100mg(サワイ)	シロドシン錠4mg(第一三共エスファ)
血液凝固を防ぐ薬　　p.579	血液凝固を防ぐ薬　　p.579	泌尿器科の薬　　p.899

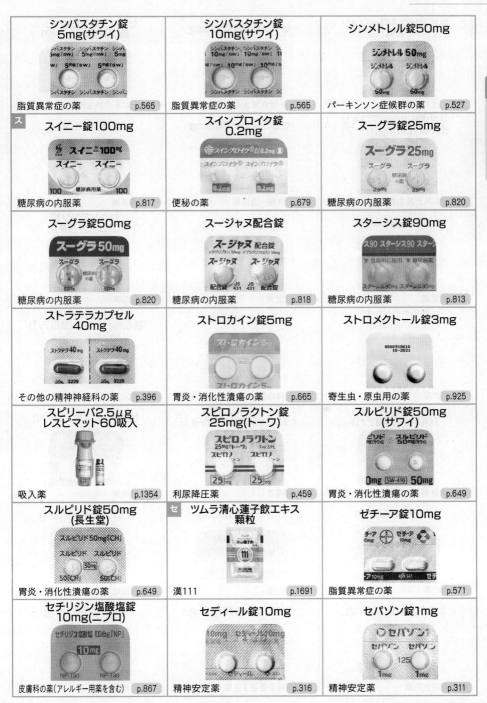

シンバスタチン錠 5mg(サワイ)	シンバスタチン錠 10mg(サワイ)	シンメトレル錠50mg
脂質異常症の薬　p.565	脂質異常症の薬　p.565	パーキンソン症候群の薬　p.527
スイニー錠100mg	スインプロイク錠 0.2mg	スーグラ錠25mg
糖尿病の内服薬　p.817	便秘の薬　p.679	糖尿病の内服薬　p.820
スーグラ錠50mg	スージャヌ配合錠	スターシス錠90mg
糖尿病の内服薬　p.820	糖尿病の内服薬　p.818	糖尿病の内服薬　p.813
ストラテラカプセル 40mg	ストロカイン錠5mg	ストロメクトール錠3mg
その他の精神神経科の薬　p.396	胃炎・消化性潰瘍の薬　p.665	寄生虫・原虫用の薬　p.925
スピリーバ2.5μg レスピマット60吸入	スピロノラクトン錠 25mg(トーワ)	スルピリド錠50mg (サワイ)
吸入薬　p.1354	利尿降圧薬　p.459	胃炎・消化性潰瘍の薬　p.649
スルピリド錠50mg (長生堂)	ツムラ清心蓮子飲エキス 顆粒	ゼチーア錠10mg
胃炎・消化性潰瘍の薬　p.649	漢111　p.1691	脂質異常症の薬　p.571
セチリジン塩酸塩錠 10mg(ニプロ)	セディール錠10mg	セパゾン錠1mg
皮膚科の薬(アレルギー用薬を含む)　p.867	精神安定薬　p.316	精神安定薬　p.311

ゼビアックスローション2%	セファドール錠25mg	セフジトレンピボキシル錠100mg(トーワ)
湿疹・おでき類の薬　p.1302	めまい・吐き気止めの薬　p.918	セフェム系の抗生物質　p.1039
セフポドキシムプロキセチル錠100mg(トーワ)	ゼポラステープ40mg	セララ錠50mg
セフェム系の抗生物質　p.1038	解熱・鎮痛・消炎薬　p.1226	血圧降下薬　p.499
セルシン錠2mg	セルシン錠5mg	セルトラリン錠25mg(杏林)
精神安定薬　p.312	精神安定薬　p.312	うつ病の薬　p.382
セルトラリン錠25mg(明治)	セルニルトン錠	セレギリン塩酸塩錠2.5mgタイヨー(武田テバ)
うつ病の薬　p.382	泌尿器科の薬　p.892	パーキンソン症候群の薬　p.543
セレコキシブ錠100mg(武田テバ)	セレコキシブ錠100mg(ファイザー)	セレコックス錠100mg
解熱鎮痛薬　p.232	解熱鎮痛薬　p.232	解熱鎮痛薬　p.232
セレジスト錠5mg	ゼローダ錠300mg	セロクエル錠25mg
その他の薬　p.1005	代謝拮抗薬　p.1106	統合失調症の薬　p.359
セロクエル錠100mg	セロクラール錠20mg	セロケン錠20mg
統合失調症の薬　p.359	血液循環を改善する薬　p.516	不整脈の薬　p.434

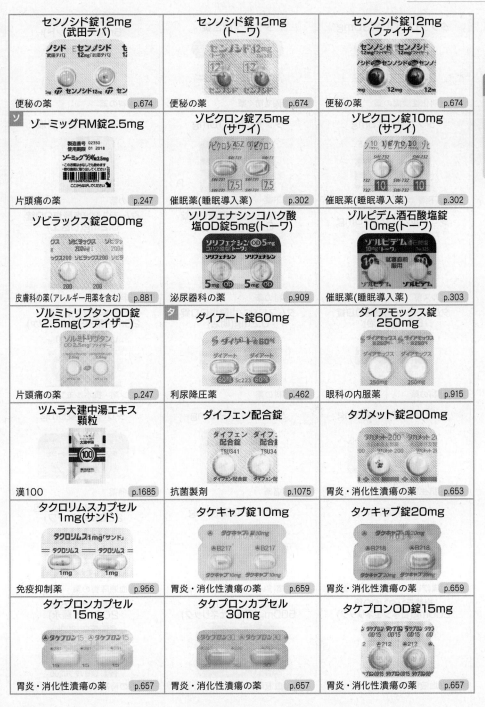

センノシド錠12mg (武田テバ) 便秘の薬 　p.674	センノシド錠12mg (トーワ) 便秘の薬 　p.674	センノシド錠12mg (ファイザー) 便秘の薬 　p.674
ソ ゾーミッグRM錠2.5mg 片頭痛の薬 　p.247	ゾピクロン錠7.5mg (サワイ) 催眠薬(睡眠導入薬) 　p.302	ゾピクロン錠10mg (サワイ) 催眠薬(睡眠導入薬) 　p.302
ゾビラックス錠200mg 皮膚科の薬(アレルギー用薬を含む) 　p.881	ソリフェナシンコハク酸 塩OD錠5mg(トーワ) 泌尿器科の薬 　p.909	ゾルピデム酒石酸塩錠 10mg(トーワ) 催眠薬(睡眠導入薬) 　p.303
ゾルミトリプタンOD錠 2.5mg(ファイザー) 片頭痛の薬 　p.247	タ ダイアート錠60mg 利尿降圧薬 　p.462	ダイアモックス錠 250mg 眼科の内服薬 　p.915
ツムラ大建中湯エキス 顆粒 漢100 　p.1685	ダイフェン配合錠 抗菌製剤 　p.1075	タガメット錠200mg 胃炎・消化性潰瘍の薬 　p.653
タクロリムスカプセル 1mg(サンド) 免疫抑制薬 　p.956	タケキャブ錠10mg 胃炎・消化性潰瘍の薬 　p.659	タケキャブ錠20mg 胃炎・消化性潰瘍の薬 　p.659
タケプロンカプセル 15mg 胃炎・消化性潰瘍の薬 　p.657	タケプロンカプセル 30mg 胃炎・消化性潰瘍の薬 　p.657	タケプロンOD錠15mg 胃炎・消化性潰瘍の薬 　p.657

ソ

主な薬の写真

タケプロンOD錠30mg

胃炎・消化性潰瘍の薬　　p.657

タケルダ配合錠

血液凝固を防ぐ薬　　p.584

タダラフィル錠 5mgZA(サンド)

泌尿器科の薬　　p.903

タナトリル錠5mg

血圧降下薬　　p.479

タナトリル錠10mg

血圧降下薬　　p.479

タプコム配合点眼液

緑内障の薬　　p.1261

タミフルカプセル75mg

抗ウイルス薬　　p.970

タムスロシン塩酸塩OD錠 0.2mg(サワイ)

泌尿器科の薬　　p.897

タムスロシン塩酸塩OD錠 0.2mg(日医工)

泌尿器科の薬　　p.897

タムスロシン塩酸塩OD錠 0.1mg(明治)

泌尿器科の薬　　p.897

タムスロシン塩酸塩OD錠 0.2mg(明治)

泌尿器科の薬　　p.897

タモキシフェン錠 20mg(第一三共エスファ)

ホルモン剤・抗ホルモン剤　　p.1119

ダラシンカプセル75mg

中範囲抗生物質　　p.1053

タリージェ錠2.5mg

解熱鎮痛薬　　p.238

タリージェ錠5mg

解熱鎮痛薬　　p.238

タリオン錠10mg

皮膚科の薬(アレルギー用薬を含む)　　p.873

タリオンOD錠10mg

皮膚科の薬(アレルギー用薬を含む)　　p.873

炭酸ランタン顆粒分包 250mg(トーワ)

特殊な血液障害の薬　　p.938

炭酸ランタンOD錠 250mg(日本ジェネリック)

特殊な血液障害の薬　　p.938

炭酸ランタンOD錠 500mg(日本ジェネリック)

特殊な血液障害の薬　　p.938

炭酸リチウム錠 200mg(藤永)

その他の精神神経科の薬　　p.391

タンドスピロンクエン酸塩錠10mg(サワイ)	ダントリウムカプセル25mg	タンボコール錠50mg
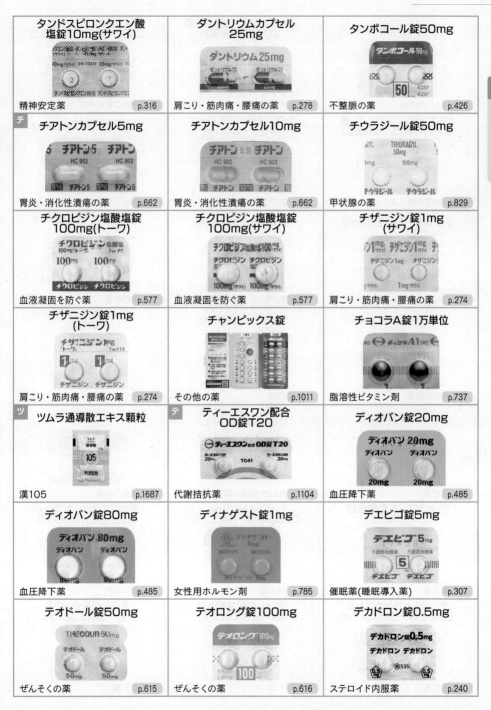		
精神安定薬　p.316	肩こり・筋肉痛・腰痛の薬　p.278	不整脈の薬　p.426
チ チアトンカプセル5mg	チアトンカプセル10mg	チウラジール錠50mg
胃炎・消化性潰瘍の薬　p.662	胃炎・消化性潰瘍の薬　p.662	甲状腺の薬　p.829
チクロピジン塩酸塩錠100mg(トーワ)	チクロピジン塩酸塩錠100mg(サワイ)	チザニジン錠1mg(サワイ)
血液凝固を防ぐ薬　p.577	血液凝固を防ぐ薬　p.577	肩こり・筋肉痛・腰痛の薬　p.274
チザニジン錠1mg(トーワ)	チャンピックス錠	チョコラA錠1万単位
肩こり・筋肉痛・腰痛の薬　p.274	その他の薬　p.1011	脂溶性ビタミン剤　p.737
ツ ツムラ通導散エキス顆粒	**テ** ティーエスワン配合OD錠T20	ディオバン錠20mg
漢105　p.1687	代謝拮抗薬　p.1104	血圧降下薬　p.485
ディオバン錠80mg	ディナゲスト錠1mg	デエビゴ錠5mg
血圧降下薬　p.485	女性用ホルモン剤　p.785	催眠薬(睡眠導入薬)　p.307
テオドール錠50mg	テオロング錠100mg	デカドロン錠0.5mg
ぜんそくの薬　p.615	ぜんそくの薬　p.616	ステロイド内服薬　p.240

チ

主な薬の写真

デカドロン錠4mg

ステロイド内服薬　p.240

デキサメタゾン口腔用軟膏 0.1%(日本化薬)

その他の外用薬　p.1392

デキサメタゾンプロピオン酸 エステルクリーム0.1%(日医工)

湿疹・おでき類の薬　p.1309

デキサメタゾンプロピオン酸 エステル軟膏0.1%(日医工)

湿疹・おでき類の薬　p.1309

テクスメテンユニバーサ ルクリーム0.1%

湿疹・おでき類の薬　p.1306

テグレトール錠100mg

けいれん・てんかんの薬　p.323

テグレトール錠200mg

けいれん・てんかんの薬　p.323

デザレックス錠5mg

皮膚科の薬(アレルギー用薬を含む)　p.870

デトルシトールカプセル 4mg

泌尿器科の薬　p.908

テネリア錠20mg

糖尿病の内服薬　p.816

テノーミン錠25mg

不整脈の薬　p.433

デノタスチュアブル 配合錠

骨粗鬆症の薬　p.281

デパス錠0.5mg

精神安定薬　p.309

テプレノンカプセル 50mg(サワイ)

胃炎・消化性潰瘍の薬　p.637

デベルザ錠20mg

糖尿病の内服薬　p.820

テモカプリル塩酸塩錠 2mg(日医工)

血圧降下薬　p.479

デュタステリド錠 0.5mgAV(第一三共エスファ)

泌尿器科の薬　p.900

デュタステリドカプセル 0.5mgAV(武田テバ)

泌尿器科の薬　p.900

デュロキセチンカプセル 20mg(第一三共エスファ)

うつ病の薬　p.386

テラムロ配合錠AP (第一三共エスファ)

血圧降下薬　p.492

テラムロ配合錠BP (第一三共エスファ)

血圧降下薬　p.493

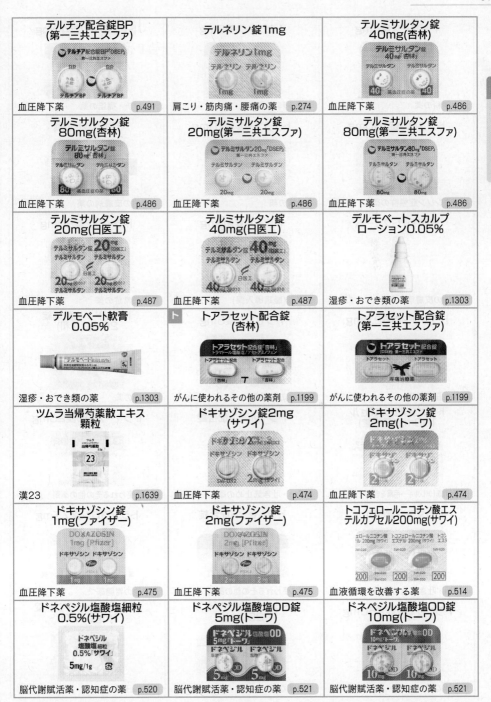

テルチア配合錠BP (第一三共エスファ)	テルネリン錠1mg	テルミサルタン錠 40mg(杏林)
血圧降下薬　p.491	肩こり・筋肉痛・腰痛の薬　p.274	血圧降下薬　p.486
テルミサルタン錠 80mg(杏林)	テルミサルタン錠 20mg(第一三共エスファ)	テルミサルタン錠 80mg(第一三共エスファ)
血圧降下薬　p.486	血圧降下薬　p.486	血圧降下薬　p.486
テルミサルタン錠 20mg(日医工)	テルミサルタン錠 40mg(日医工)	デルモベートスカルプ ローション0.05%
血圧降下薬　p.487	血圧降下薬　p.487	湿疹・おでき類の薬　p.1303
デルモベート軟膏 0.05%	トアラセット配合錠 (杏林)	トアラセット配合錠 (第一三共エスファ)
湿疹・おでき類の薬　p.1303	がんに使われるその他の薬剤　p.1199	がんに使われるその他の薬剤　p.1199
ツムラ当帰芍薬散エキス 顆粒	ドキサゾシン錠2mg (サワイ)	ドキサゾシン錠 2mg(トーワ)
漢23　p.1639	血圧降下薬　p.474	血圧降下薬　p.474
ドキサゾシン錠 1mg(ファイザー)	ドキサゾシン錠 2mg(ファイザー)	トコフェロールニコチン酸エス テルカプセル200mg(サワイ)
血圧降下薬　p.475	血圧降下薬　p.475	血液循環を改善する薬　p.514
ドネペジル塩酸塩細粒 0.5%(サワイ)	ドネペジル塩酸塩OD錠 5mg(トーワ)	ドネペジル塩酸塩OD錠 10mg(トーワ)
脳代謝賦活薬・認知症の薬　p.520	脳代謝賦活薬・認知症の薬　p.521	脳代謝賦活薬・認知症の薬　p.521

ト

主な薬の写真

主な薬の写真

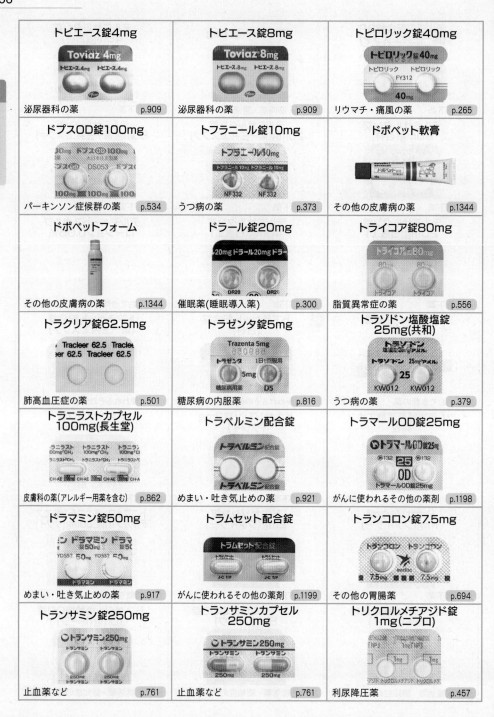

トビエース錠4mg	トビエース錠8mg	トピロリック錠40mg
泌尿器科の薬　p.909	泌尿器科の薬　p.909	リウマチ・痛風の薬　p.265
ドプスOD錠100mg	トフラニール錠10mg	ドボベット軟膏
パーキンソン症候群の薬　p.534	うつ病の薬　p.373	その他の皮膚病の薬　p.1344
ドボベットフォーム	ドラール錠20mg	トライコア錠80mg
その他の皮膚病の薬　p.1344	催眠薬(睡眠導入薬)　p.300	脂質異常症の薬　p.556
トラクリア錠62.5mg	トラゼンタ錠5mg	トラゾドン塩酸塩錠25mg(共和)
肺高血圧症の薬　p.501	糖尿病の内服薬　p.816	うつ病の薬　p.379
トラニラストカプセル100mg(長生堂)	トラベルミン配合錠	トラマールOD錠25mg
皮膚科の薬(アレルギー用薬を含む)　p.862	めまい・吐き気止めの薬　p.921	がんに使われるその他の薬剤　p.1198
ドラマミン錠50mg	トラムセット配合錠	トランコロン錠7.5mg
めまい・吐き気止めの薬　p.917	がんに使われるその他の薬剤　p.1199	その他の胃腸薬　p.694
トランサミン錠250mg	トランサミンカプセル250mg	トリクロルメチアジド錠1mg(ニプロ)
止血薬など　p.761	止血薬など　p.761	利尿降圧薬　p.457

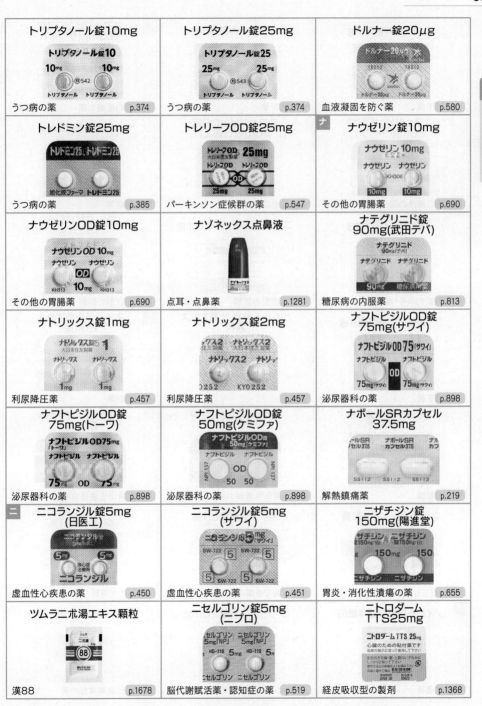

トリプタノール錠10mg	トリプタノール錠25mg	ドルナー錠20μg
うつ病の薬　p.374	うつ病の薬　p.374	血液凝固を防ぐ薬　p.580
トレドミン錠25mg	トレリーフOD錠25mg	ナ　ナウゼリン錠10mg
うつ病の薬　p.385	パーキンソン症候群の薬　p.547	その他の胃腸薬　p.690
ナウゼリンOD錠10mg	ナゾネックス点鼻液	ナテグリニド錠90mg(武田テバ)
その他の胃腸薬　p.690	点耳・点鼻薬　p.1281	糖尿病の内服薬　p.813
ナトリックス錠1mg	ナトリックス錠2mg	ナフトピジルOD錠75mg(サワイ)
利尿降圧薬　p.457	利尿降圧薬　p.457	泌尿器科の薬　p.898
ナフトピジルOD錠75mg(トーワ)	ナフトピジルOD錠50mg(ケミファ)	ナボールSRカプセル37.5mg
泌尿器科の薬　p.898	泌尿器科の薬　p.898	解熱鎮痛薬　p.219
ニ　ニコランジル錠5mg(日医工)	ニコランジル錠5mg(サワイ)	ニザチジン錠150mg(陽進堂)
虚血性心疾患の薬　p.450	虚血性心疾患の薬　p.451	胃炎・消化性潰瘍の薬　p.655
ツムラニ朮湯エキス顆粒	ニセルゴリン錠5mg(ニプロ)	ニトロダームTTS25mg
漢88　p.1678	脳代謝賦活薬・認知症の薬　p.519	経皮吸収型の製剤　p.1368

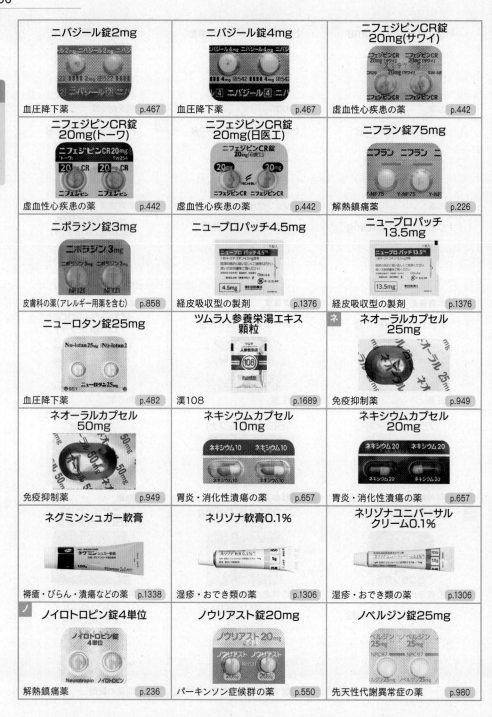

ニバジール錠2mg	ニバジール錠4mg	ニフェジピンCR錠 20mg(サワイ)
血圧降下薬　　p.467	血圧降下薬　　p.467	虚血性心疾患の薬　　p.442
ニフェジピンCR錠 20mg(トーワ)	ニフェジピンCR錠 20mg(日医工)	ニフラン錠75mg
虚血性心疾患の薬　　p.442	虚血性心疾患の薬　　p.442	解熱鎮痛薬　　p.226
ニポラジン錠3mg	ニュープロパッチ4.5mg	ニュープロパッチ 13.5mg
皮膚科の薬(アレルギー用薬を含む)　p.858	経皮吸収型の製剤　　p.1376	経皮吸収型の製剤　　p.1376
ニューロタン錠25mg	ツムラ人参養栄湯エキス顆粒	ネオーラルカプセル 25mg
血圧降下薬　　p.482	漢108　　p.1689	免疫抑制薬　　p.949
ネオーラルカプセル 50mg	ネキシウムカプセル 10mg	ネキシウムカプセル 20mg
免疫抑制薬　　p.949	胃炎・消化性潰瘍の薬　　p.657	胃炎・消化性潰瘍の薬　　p.657
ネグミンシュガー軟膏	ネリゾナ軟膏0.1%	ネリゾナユニバーサル クリーム0.1%
褥瘡・びらん・潰瘍などの薬　p.1338	湿疹・おでき類の薬　　p.1306	湿疹・おでき類の薬　　p.1306
ノイロトロピン錠4単位	ノウリアスト錠20mg	ノベルジン錠25mg
解熱鎮痛薬　　p.236	パーキンソン症候群の薬　　p.550	先天性代謝異常症の薬　　p.980

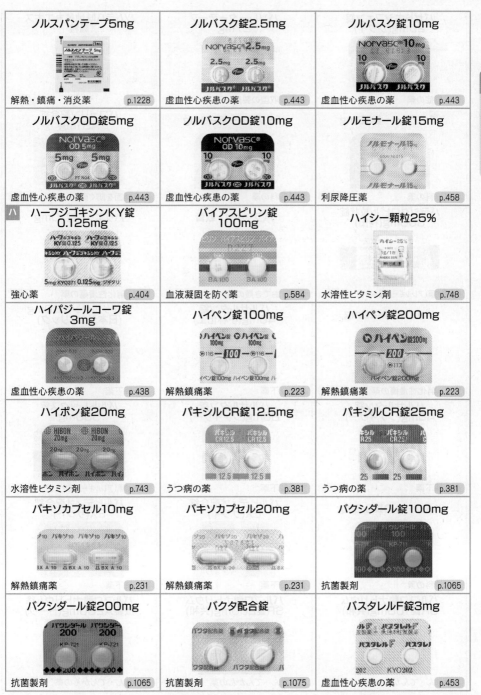

ノルスパンテープ5mg	ノルバスク錠2.5mg	ノルバスク錠10mg
解熱・鎮痛・消炎薬　p.1228	虚血性心疾患の薬　p.443	虚血性心疾患の薬　p.443
ノルバスクOD錠5mg	ノルバスクOD錠10mg	ノルモナール錠15mg
虚血性心疾患の薬　p.443	虚血性心疾患の薬　p.443	利尿降圧薬　p.458
ハーフジゴキシンKY錠0.125mg	バイアスピリン錠100mg	ハイシー顆粒25%
強心薬　p.404	血液凝固を防ぐ薬　p.584	水溶性ビタミン剤　p.748
ハイパジールコーワ錠3mg	ハイペン錠100mg	ハイペン錠200mg
虚血性心疾患の薬　p.438	解熱鎮痛薬　p.223	解熱鎮痛薬　p.223
ハイボン錠20mg	パキシルCR錠12.5mg	パキシルCR錠25mg
水溶性ビタミン剤　p.743	うつ病の薬　p.381	うつ病の薬　p.381
バキソカプセル10mg	バキソカプセル20mg	バクシダール錠100mg
解熱鎮痛薬　p.231	解熱鎮痛薬　p.231	抗菌製剤　p.1065
バクシダール錠200mg	バクタ配合錠	バスタレルF錠3mg
抗菌製剤　p.1065	抗菌製剤　p.1075	虚血性心疾患の薬　p.453

ハ

主な薬の写真

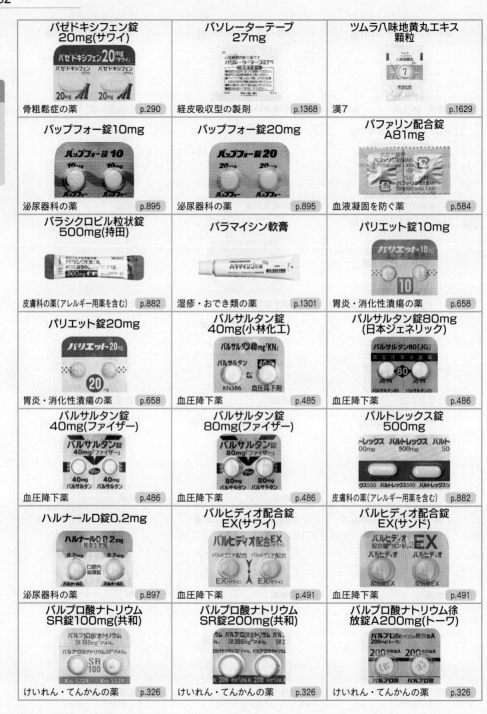

バゼドキシフェン錠 20mg(サワイ)	バソレーターテープ 27mg	ツムラ八味地黄丸エキス 顆粒
骨粗鬆症の薬　p.290	経皮吸収型の製剤　p.1368	漢7　p.1629
バップフォー錠10mg	バップフォー錠20mg	バファリン配合錠 A81mg
泌尿器科の薬　p.895	泌尿器科の薬　p.895	血液凝固を防ぐ薬　p.584
バラシクロビル粒状錠 500mg(持田)	バラマイシン軟膏	パリエット錠10mg
皮膚科の薬(アレルギー用薬を含む)　p.882	湿疹・おでき類の薬　p.1301	胃炎・消化性潰瘍の薬　p.658
パリエット錠20mg	バルサルタン錠 40mg(小林化工)	バルサルタン錠80mg (日本ジェネリック)
胃炎・消化性潰瘍の薬　p.658	血圧降下薬　p.485	血圧降下薬　p.486
バルサルタン錠 40mg(ファイザー)	バルサルタン錠 80mg(ファイザー)	バルトレックス錠 500mg
血圧降下薬　p.486	血圧降下薬　p.486	皮膚科の薬(アレルギー用薬を含む)　p.882
ハルナールD錠0.2mg	バルヒディオ配合錠 EX(サワイ)	バルヒディオ配合錠 EX(サンド)
泌尿器科の薬　p.897	血圧降下薬　p.491	血圧降下薬　p.491
バルプロ酸ナトリウム SR錠100mg(共和)	バルプロ酸ナトリウム SR錠200mg(共和)	バルプロ酸ナトリウム徐 放錠A200mg(トーワ)
けいれん・てんかんの薬　p.326	けいれん・てんかんの薬　p.326	けいれん・てんかんの薬　p.326

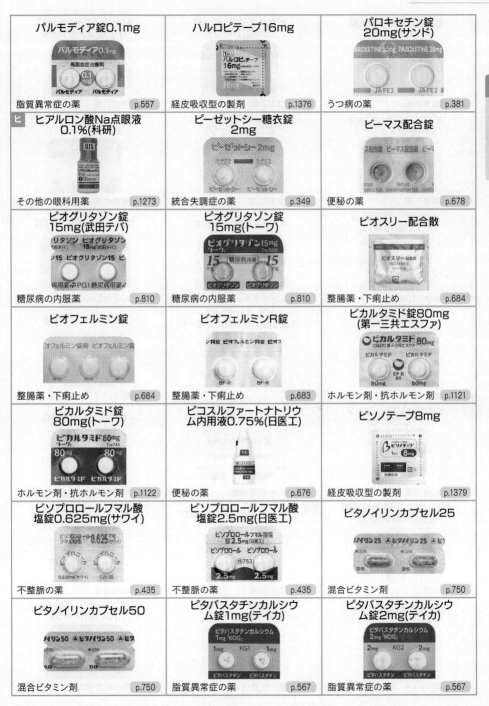

パルモディア錠0.1mg	ハルロピテープ16mg	パロキセチン錠20mg(サンド)
脂質異常症の薬　p.557	経皮吸収型の製剤　p.1376	うつ病の薬　p.381
ヒアルロン酸Na点眼液0.1%(科研)	ピーゼットシー糖衣錠2mg	ビーマス配合錠
その他の眼科用薬　p.1273	統合失調症の薬　p.349	便秘の薬　p.678
ピオグリタゾン錠15mg(武田テバ)	ピオグリタゾン錠15mg(トーワ)	ビオスリー配合散
糖尿病の内服薬　p.810	糖尿病の内服薬　p.810	整腸薬・下痢止め　p.684
ビオフェルミン錠	ビオフェルミンR錠	ビカルタミド錠80mg(第一三共エスファ)
整腸薬・下痢止め　p.684	整腸薬・下痢止め　p.683	ホルモン剤・抗ホルモン剤　p.1121
ビカルタミド錠80mg(トーワ)	ピコスルファートナトリウム内用液0.75%(日医工)	ビソノテープ8mg
ホルモン剤・抗ホルモン剤　p.1122	便秘の薬　p.676	経皮吸収型の製剤　p.1379
ビソプロロールフマル酸塩錠0.625mg(サワイ)	ビソプロロールフマル酸塩錠2.5mg(日医工)	ビタノイリンカプセル25
不整脈の薬　p.435	不整脈の薬　p.435	混合ビタミン剤　p.750
ビタノイリンカプセル50	ピタバスタチンカルシウム錠1mg(テイカ)	ピタバスタチンカルシウム錠2mg(テイカ)
混合ビタミン剤　p.750	脂質異常症の薬　p.567	脂質異常症の薬　p.567

ピタバスタチンCa錠 1mg(サワイ)	ピタバスタチンCa錠 2mg(トーワ)	ピタバスタチンCa錠 1mg(ファイザー)
脂質異常症の薬　　　p.567	脂質異常症の薬　　　p.567	脂質異常症の薬　　　p.567
ピタバスタチンCa錠 2mg(ファイザー)	ピタバスタチンCa・OD 錠1mg(トーワ)	ピタバスタチンCa・OD 錠2mg(トーワ)
脂質異常症の薬　　　p.567	脂質異常症の薬　　　p.567	脂質異常症の薬　　　p.567
ビペリデン塩酸塩錠 1mg(吉富)	ビムパット錠50mg	ビムパット錠100mg
パーキンソン症候群の薬　p.530	けいれん・てんかんの薬　p.345	けいれん・てんかんの薬　p.345
ピムロ顆粒0.5g	ピモベンダン錠 1.25mg(トーアエイヨー)	ビラノア錠20mg
便秘の薬　　　p.674	強心薬　　　p.411	皮膚科の薬(アレルギー用薬を含む)　p.873
ヒルドイドローション 0.3%	ピレスパ錠200mg	ピレチア錠25mg
その他の外用薬　　　p.1396	その他の呼吸器の薬　　p.629	皮膚科の薬(アレルギー用薬を含む)　p.858
ピレノキシン懸濁性点眼 液0.005%(参天)	ファスティック錠30mg	ファスティック錠90mg
白内障の薬　　　p.1256	糖尿病の内服薬　　p.813	糖尿病の内服薬　　p.813
ファムビル錠250mg	ファモチジンOD錠 20mg(オーハラ)	ファモチジンOD錠 10mg(トーワ)
皮膚科の薬(アレルギー用薬を含む)　p.883	胃炎・消化性潰瘍の薬　p.654	胃炎・消化性潰瘍の薬　p.654

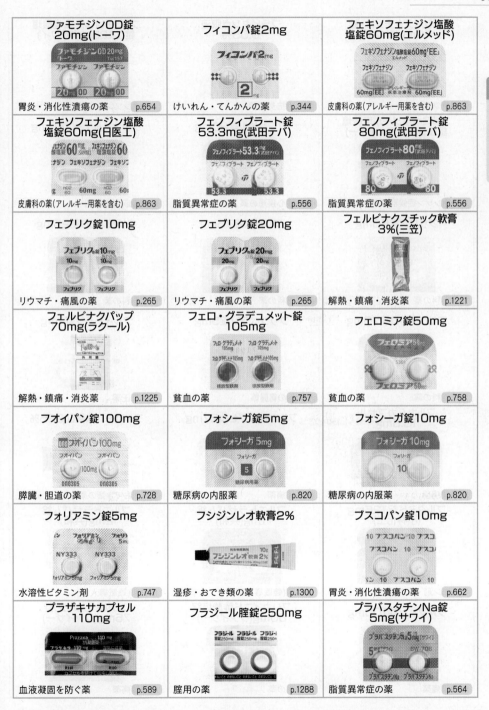

ファモチジンOD錠 20mg(トーワ)	フィコンパ錠2mg	フェキソフェナジン塩酸 塩錠60mg(エルメッド)
胃炎・消化性潰瘍の薬　p.654	けいれん・てんかんの薬　p.344	皮膚科の薬(アレルギー用薬を含む)　p.863
フェキソフェナジン塩酸 塩錠60mg(日医工)	フェノフィブラート錠 53.3mg(武田テバ)	フェノフィブラート錠 80mg(武田テバ)
皮膚科の薬(アレルギー用薬を含む)　p.863	脂質異常症の薬　p.556	脂質異常症の薬　p.556
フェブリク錠10mg	フェブリク錠20mg	フェルビナクスティック軟膏 3%(三笠)
リウマチ・痛風の薬　p.265	リウマチ・痛風の薬　p.265	解熱・鎮痛・消炎薬　p.1221
フェルビナクパップ 70mg(ラクール)	フェロ・グラデュメット錠 105mg	フェロミア錠50mg
解熱・鎮痛・消炎薬　p.1225	貧血の薬　p.757	貧血の薬　p.758
フオイパン錠100mg	フォシーガ錠5mg	フォシーガ錠10mg
膵臓・胆道の薬　p.728	糖尿病の内服薬　p.820	糖尿病の内服薬　p.820
フォリアミン錠5mg	フシジンレオ軟膏2%	ブスコパン錠10mg
水溶性ビタミン剤　p.747	湿疹・おでき類の薬　p.1300	胃炎・消化性潰瘍の薬　p.662
プラザキサカプセル 110mg	フラジール腟錠250mg	プラバスタチンNa錠 5mg(サワイ)
血液凝固を防ぐ薬　p.589	腟用の薬　p.1288	脂質異常症の薬　p.564

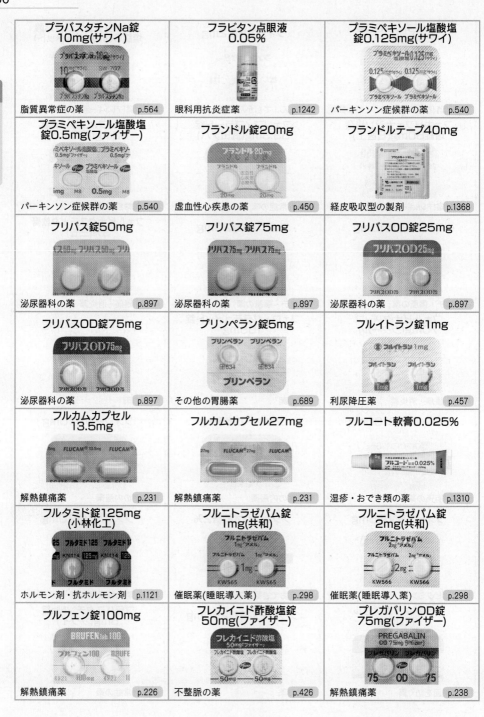

プラバスタチンNa錠 10mg(サワイ)	フラビタン点眼液 0.05%	プラミペキソール塩酸塩 錠0.125mg(サワイ)
脂質異常症の薬　p.564	眼科用抗炎症薬　p.1242	パーキンソン症候群の薬　p.540
プラミペキソール塩酸塩 錠0.5mg(ファイザー)	フランドル錠20mg	フランドルテープ40mg
パーキンソン症候群の薬　p.540	虚血性心疾患の薬　p.450	経皮吸収型の製剤　p.1368
フリバス錠50mg	フリバス錠75mg	フリバスOD錠25mg
泌尿器科の薬　p.897	泌尿器科の薬　p.897	泌尿器科の薬　p.897
フリバスOD錠75mg	プリンペラン錠5mg	フルイトラン錠1mg
泌尿器科の薬　p.897	その他の胃腸薬　p.689	利尿降圧薬　p.457
フルカムカプセル 13.5mg	フルカムカプセル27mg	フルコート軟膏0.025%
解熱鎮痛薬　p.231	解熱鎮痛薬　p.231	湿疹・おでき類の薬　p.1310
フルタミド錠125mg (小林化工)	フルニトラゼパム錠 1mg(共和)	フルニトラゼパム錠 2mg(共和)
ホルモン剤・抗ホルモン剤　p.1121	催眠薬(睡眠導入薬)　p.298	催眠薬(睡眠導入薬)　p.298
ブルフェン錠100mg	フレカイニド酢酸塩錠 50mg(ファイザー)	プレガバリンOD錠 75mg(ファイザー)
解熱鎮痛薬　p.226	不整脈の薬　p.426	解熱鎮痛薬　p.238

プレガバリンOD錠 150mg(ファイザー)	プレタール散20%	プレタールOD錠50mg
解熱鎮痛薬　　　　p.238	血液凝固を防ぐ薬　　p.578	血液凝固を防ぐ薬　　p.578
プレタールOD錠 100mg	プレドニゾロン錠1mg（旭化成）	プレドニゾロン錠5mg（武田）
血液凝固を防ぐ薬　　p.578	ステロイド内服薬　　p.240	ステロイド内服薬　　p.240
プレドニン錠5mg	プレミネント配合錠LD	フロジン外用液5%
ステロイド内服薬　　p.240	血圧降下薬　　　　p.489	その他の外用薬　　p.1399
フロセミド錠10mg（武田テバ）	フロセミド錠40mg（ニプロ）	ブロチゾラム錠 0.25mg(日医工)
利尿降圧薬　　　　p.462	利尿降圧薬　　　　p.462	催眠薬(睡眠導入薬)　p.299
ブロチゾラムOD錠 0.25mg(テバ)	プロテカジンOD錠 10mg	ブロナンセリン錠4mg（住友ファーマプロモ）
催眠薬(睡眠導入薬)　p.299	胃炎・消化性潰瘍の薬　p.655	統合失調症の薬　　p.363
プロピベリン塩酸塩錠 10mg(トーワ)	プロピベリン塩酸塩錠 20mg(メディサ)	プロプラノロール塩酸塩錠 10mg(日医工)
泌尿器科の薬　　　p.895	泌尿器科の薬　　　p.895	不整脈の薬　　　　p.434
ブロプレス錠4mg	ブロプレス錠12mg	プロマックD錠75mg
血圧降下薬　　　　p.483	血圧降下薬　　　　p.483	胃炎・消化性潰瘍の薬　p.645

フ

主な薬の写真

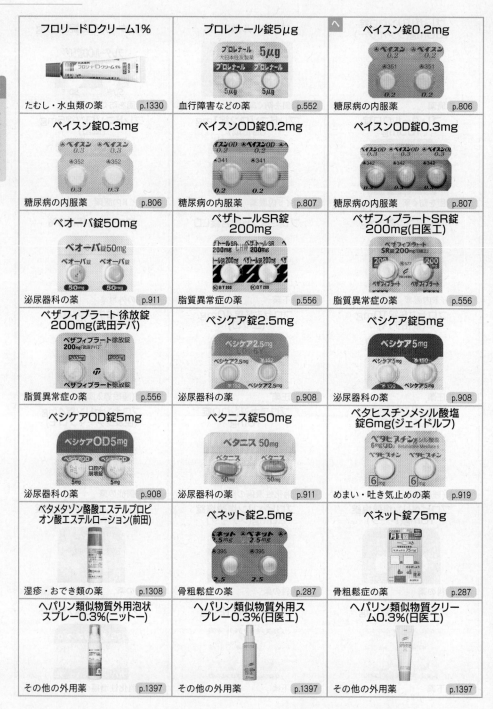

フロリードDクリーム1%	**プロレナール錠5μg**	**ベイスン錠0.2mg**
たむし・水虫類の薬　p.1330	血行障害などの薬　p.552	糖尿病の内服薬　p.806
ベイスン錠0.3mg	**ベイスンOD錠0.2mg**	**ベイスンOD錠0.3mg**
糖尿病の内服薬　p.806	糖尿病の内服薬　p.807	糖尿病の内服薬　p.807
ベオーバ錠50mg	**ベザトールSR錠200mg**	**ベザフィブラートSR錠200mg(日医工)**
泌尿器科の薬　p.911	脂質異常症の薬　p.556	脂質異常症の薬　p.556
ベザフィブラート徐放錠200mg(武田テバ)	**ベシケア錠2.5mg**	**ベシケア錠5mg**
脂質異常症の薬　p.556	泌尿器科の薬　p.908	泌尿器科の薬　p.908
ベシケアOD錠5mg	**ベタニス錠50mg**	**ベタヒスチンメシル酸塩錠6mg(ジェイドルフ)**
泌尿器科の薬　p.908	泌尿器科の薬　p.911	めまい・吐き気止めの薬　p.919
ベタメタゾン酪酸エステルプロピオン酸エステルローション(前田)	**ベネット錠2.5mg**	**ベネット錠75mg**
湿疹・おでき類の薬　p.1308	骨粗鬆症の薬　p.287	骨粗鬆症の薬　p.287
ヘパリン類似物質外用泡状スプレー0.3%(ニットー)	**ヘパリン類似物質外用スプレー0.3%(日医工)**	**ヘパリン類似物質クリーム0.3%(日医工)**
その他の外用薬　p.1397	その他の外用薬　p.1397	その他の外用薬　p.1397

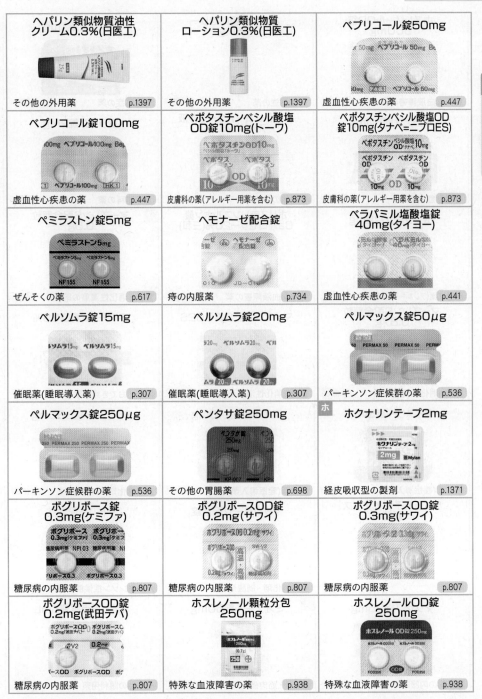

ヘパリン類似物質油性 クリーム0.3%(日医工)	ヘパリン類似物質 ローション0.3%(日医工)	ベプリコール錠50mg
その他の外用薬　p.1397	その他の外用薬　p.1397	虚血性心疾患の薬　p.447
ベプリコール錠100mg	ベポタスチンベシル酸塩 OD錠10mg(トーワ)	ベポタスチンベシル酸塩OD 錠10mg(タナベ=ニプロES)
虚血性心疾患の薬　p.447	皮膚科の薬(アレルギー用薬を含む)　p.873	皮膚科の薬(アレルギー用薬を含む)　p.873
ペミラストン錠5mg	ヘモナーゼ配合錠	ベラパミル塩酸塩錠 40mg(タイヨー)
ぜんそくの薬　p.617	痔の内服薬　p.734	虚血性心疾患の薬　p.441
ベルソムラ錠15mg	ベルソムラ錠20mg	ペルマックス錠50μg
催眠薬(睡眠導入薬)　p.307	催眠薬(睡眠導入薬)　p.307	パーキンソン症候群の薬　p.536
ペルマックス錠250μg	ペンタサ錠250mg	ホ　ホクナリンテープ2mg
パーキンソン症候群の薬　p.536	その他の胃腸薬　p.698	経皮吸収型の製剤　p.1371
ボグリボース錠 0.3mg(ケミファ)	ボグリボースOD錠 0.2mg(サワイ)	ボグリボースOD錠 0.3mg(サワイ)
糖尿病の内服薬　p.807	糖尿病の内服薬　p.807	糖尿病の内服薬　p.807
ボグリボースOD錠 0.2mg(武田テバ)	ホスレノール顆粒分包 250mg	ホスレノールOD錠 250mg
糖尿病の内服薬　p.807	特殊な血液障害の薬　p.938	特殊な血液障害の薬　p.938

マ

主な薬の写真

ホスレノールOD錠 500mg	ボナロン経口ゼリー 35mg	ボノテオ錠1mg
特殊な血液障害の薬　p.938	骨粗鬆症の薬　p.287	骨粗鬆症の薬　p.288
ボノテオ錠50mg	ポビドンヨードガーグル液 7%(ケンエー)	ポラキス錠2mg
骨粗鬆症の薬　p.288	その他の外用薬　p.1401	泌尿器科の薬　p.893
ポララミン錠2mg	ポリスチレンスルホン酸 Ca経口ゼリー20%(三和)	マ　マーズレンS配合顆粒 0.5g
皮膚科の薬(アレルギー用薬を含む)　p.851	特殊な血液障害の薬　p.942	胃炎・消化性潰瘍の薬　p.638
マーズレンS配合顆粒 0.67g	マーズレン配合錠1.0ES	マイザー軟膏0.05%
胃炎・消化性潰瘍の薬　p.638	胃炎・消化性潰瘍の薬　p.638	湿疹・おでき類の薬　p.1306
マイスリー錠5mg	マイスリー錠10mg	マグミット錠330mg
催眠薬(睡眠導入薬)　p.303	催眠薬(睡眠導入薬)　p.303	健胃消化剤・制酸剤など　p.670
ツムラ麻子仁丸エキス 顆粒	マックターゼ配合錠	マドパー配合錠
漢126　p.1698	健胃消化剤・制酸剤など　p.668	パーキンソン症候群の薬　p.532
マリゼブ錠25mg	ミ　ミオナール錠50mg	ミオピン点眼液5mL
糖尿病の内服薬　p.817	肩こり・筋肉痛・腰痛の薬　p.276	その他の眼科用薬　p.1272

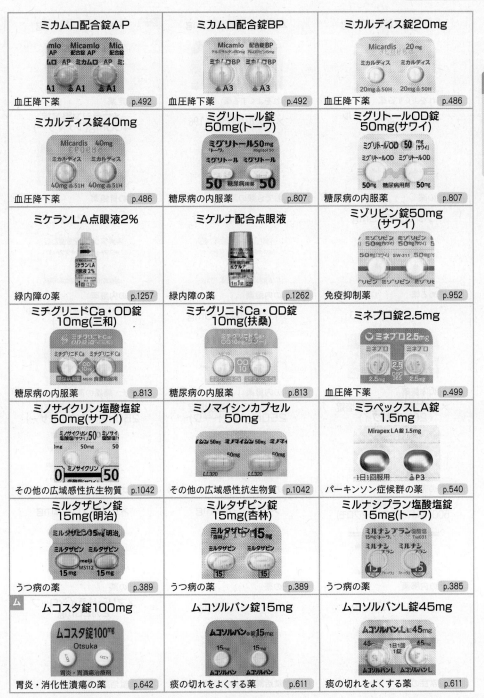

ミカムロ配合錠AP	ミカムロ配合錠BP	ミカルディス錠20mg
血圧降下薬　p.492	血圧降下薬　p.492	血圧降下薬　p.486
ミカルディス錠40mg	ミグリトール錠50mg(トーワ)	ミグリトールOD錠50mg(サワイ)
血圧降下薬　p.486	糖尿病の内服薬　p.807	糖尿病の内服薬　p.807
ミケランLA点眼液2%	ミケルナ配合点眼液	ミゾリビン錠50mg(サワイ)
緑内障の薬　p.1257	緑内障の薬　p.1262	免疫抑制薬　p.952
ミチグリニドCa・OD錠10mg(三和)	ミチグリニドCa・OD錠10mg(扶桑)	ミネブロ錠2.5mg
糖尿病の内服薬　p.813	糖尿病の内服薬　p.813	血圧降下薬　p.499
ミノサイクリン塩酸塩錠50mg(サワイ)	ミノマイシンカプセル50mg	ミラペックスLA錠1.5mg
その他の広域感性抗生物質　p.1042	その他の広域感性抗生物質　p.1042	パーキンソン症候群の薬　p.540
ミルタザピン錠15mg(明治)	ミルタザピン錠15mg(杏林)	ミルナシプラン塩酸塩錠15mg(トーワ)
うつ病の薬　p.389	うつ病の薬　p.389	うつ病の薬　p.385
ムコスタ錠100mg	ムコソルバン錠15mg	ムコソルバンL錠45mg
胃炎・消化性潰瘍の薬　p.642	痰の切れをよくする薬　p.611	痰の切れをよくする薬　p.611

ム

主な薬の写真

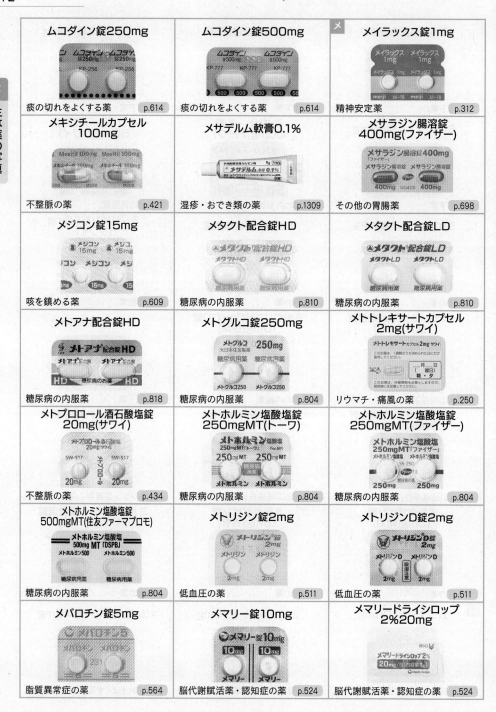

ムコダイン錠250mg	ムコダイン錠500mg	メイラックス錠1mg
痰の切れをよくする薬　p.614	痰の切れをよくする薬　p.614	精神安定薬　p.312
メキシチールカプセル100mg	メサデルム軟膏0.1%	メサラジン腸溶錠400mg(ファイザー)
不整脈の薬　p.421	湿疹・おでき類の薬　p.1309	その他の胃腸薬　p.698
メジコン錠15mg	メタクト配合錠HD	メタクト配合錠LD
咳を鎮める薬　p.609	糖尿病の内服薬　p.810	糖尿病の内服薬　p.810
メトアナ配合錠HD	メトグルコ250mg	メトトレキサートカプセル2mg(サワイ)
糖尿病の内服薬　p.818	糖尿病の内服薬　p.804	リウマチ・痛風の薬　p.250
メトプロロール酒石酸塩錠20mg(サワイ)	メトホルミン塩酸塩錠250mgMT(トーワ)	メトホルミン塩酸塩錠250mgMT(ファイザー)
不整脈の薬　p.434	糖尿病の内服薬　p.804	糖尿病の内服薬　p.804
メトホルミン塩酸塩錠500mgMT(住友ファーマプロモ)	メトリジン錠2mg	メトリジンD錠2mg
糖尿病の内服薬　p.804	低血圧の薬　p.511	低血圧の薬　p.511
メバロチン錠5mg	メマリー錠10mg	メマリードライシロップ2%20mg
脂質異常症の薬　p.564	脳代謝賦活薬・認知症の薬　p.524	脳代謝賦活薬・認知症の薬　p.524

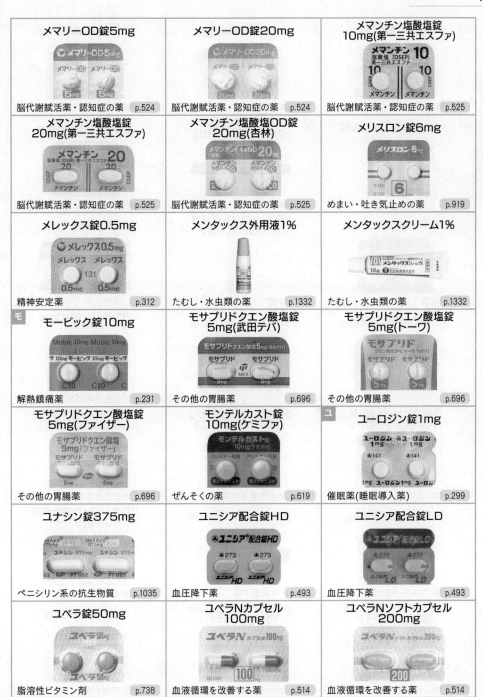

メマリーOD錠5mg	メマリーOD錠20mg	メマンチン塩酸塩錠10mg(第一三共エスファ)
脳代謝賦活薬・認知症の薬　p.524	脳代謝賦活薬・認知症の薬　p.524	脳代謝賦活薬・認知症の薬　p.525
メマンチン塩酸塩錠20mg(第一三共エスファ)	メマンチン塩酸塩OD錠20mg(杏林)	メリスロン錠6mg
脳代謝賦活薬・認知症の薬　p.525	脳代謝賦活薬・認知症の薬　p.525	めまい・吐き気止めの薬　p.919
メレックス錠0.5mg	メンタックス外用液1%	メンタックスクリーム1%
精神安定薬　p.312	たむし・水虫類の薬　p.1332	たむし・水虫類の薬　p.1332
モービック錠10mg	モサプリドクエン酸塩錠5mg(武田テバ)	モサプリドクエン酸塩錠5mg(トーワ)
解熱鎮痛薬　p.231	その他の胃腸薬　p.696	その他の胃腸薬　p.696
モサプリドクエン酸塩錠5mg(ファイザー)	モンテルカスト錠10mg(ケミファ)	ユーロジン錠1mg
その他の胃腸薬　p.696	ぜんそくの薬　p.619	催眠薬(睡眠導入薬)　p.299
ユナシン錠375mg	ユニシア配合錠HD	ユニシア配合錠LD
ペニシリン系の抗生物質　p.1035	血圧降下薬　p.493	血圧降下薬　p.493
ユベラ錠50mg	ユベラNカプセル100mg	ユベラNソフトカプセル200mg
脂溶性ビタミン剤　p.738	血液循環を改善する薬　p.514	血液循環を改善する薬　p.514

ユリーフ錠2mg	ユリーフ錠4mg	ユリノーム錠25mg
泌尿器科の薬　　p.898	泌尿器科の薬　　p.898	リウマチ・痛風の薬　　p.262
ヨ　ツムラ抑肝散エキス顆粒	ラ　ライゾデグ配合注フレックスタッチ300単位	ラシックス錠20mg
漢54　　p.1658	糖尿病の薬　　p.1426	利尿降圧薬　　p.462
ラジレス錠150mg	ラタノプロスト点眼液0.005%(千寿)	ラックビー錠
血圧降下薬　　p.498	緑内障の薬　　p.1261	整腸薬・下痢止め　　p.684
ラニラピッド錠0.05mg	ラニラピッド錠0.1mg	ラフチジン錠10mg(サワイ)
強心薬　　p.404	強心薬　　p.404	胃炎・消化性潰瘍の薬　　p.655
ラベプラゾールNa錠10mg(ファイザー)	ラベプラゾールナトリウム錠10mg(日医工)	ラベプラゾールナトリウム錠20mg(日医工)
胃炎・消化性潰瘍の薬　　p.658	胃炎・消化性潰瘍の薬　　p.659	胃炎・消化性潰瘍の薬　　p.659
ラミシール錠125mg	ラミシールクリーム1%	ラロキシフェン塩酸塩錠60mg(サワイ)
皮膚科の薬(アレルギー用薬を含む)　　p.847	たむし・水虫類の薬　　p.1333	骨粗鬆症の薬　　p.290
ランソプラゾールOD錠30mg(サワイ)	ランソプラゾールOD錠15mg(武田テバ)	ランデル錠20mg
胃炎・消化性潰瘍の薬　　p.658	胃炎・消化性潰瘍の薬　　p.658	虚血性心疾患の薬　　p.446

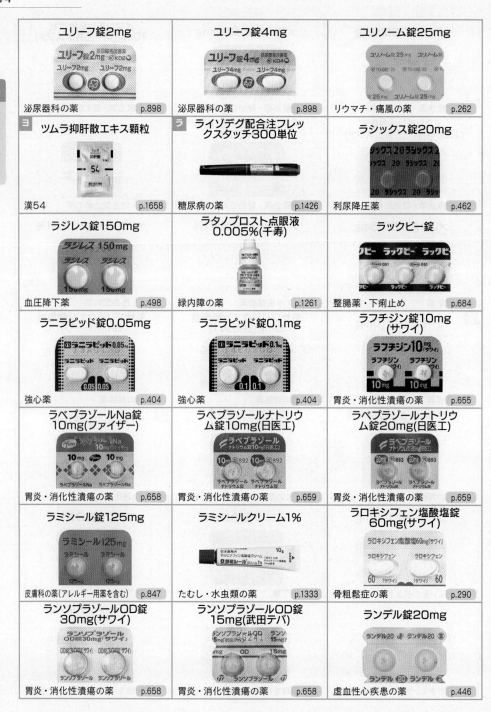

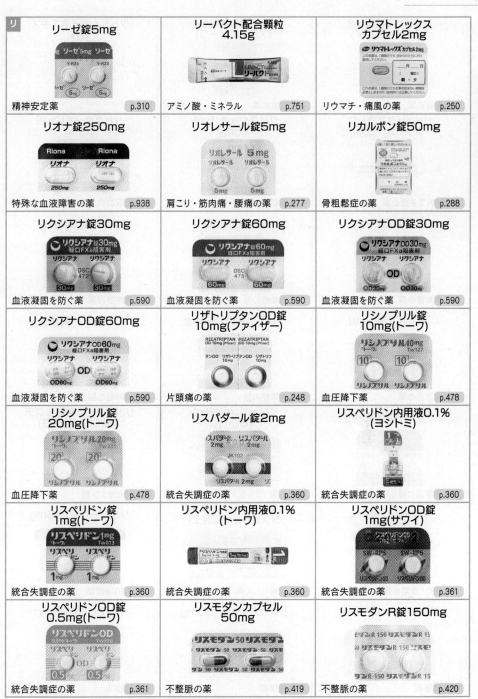

リーゼ錠5mg	リーバクト配合顆粒 4.15g	リウマトレックス カプセル2mg
精神安定薬　p.310	アミノ酸・ミネラル　p.751	リウマチ・痛風の薬　p.250

リオナ錠250mg	リオレサール錠5mg	リカルボン錠50mg
特殊な血液障害の薬　p.938	肩こり・筋肉痛・腰痛の薬　p.277	骨粗鬆症の薬　p.288

リクシアナ錠30mg	リクシアナ錠60mg	リクシアナOD錠30mg
血液凝固を防ぐ薬　p.590	血液凝固を防ぐ薬　p.590	血液凝固を防ぐ薬　p.590

リクシアナOD錠60mg	リザトリプタンOD錠 10mg(ファイザー)	リシノプリル錠 10mg(トーワ)
血液凝固を防ぐ薬　p.590	片頭痛の薬　p.248	血圧降下薬　p.478

リシノプリル錠 20mg(トーワ)	リスパダール錠2mg	リスペリドン内用液0.1% (ヨシトミ)
血圧降下薬　p.478	統合失調症の薬　p.360	統合失調症の薬　p.360

リスペリドン錠 1mg(トーワ)	リスペリドン内用液0.1% (トーワ)	リスペリドンOD錠 1mg(サワイ)
統合失調症の薬　p.360	統合失調症の薬　p.360	統合失調症の薬　p.361

リスペリドンOD錠 0.5mg(トーワ)	リスモダンカプセル 50mg	リスモダンR錠150mg
統合失調症の薬　p.361	不整脈の薬　p.419	不整脈の薬　p.420

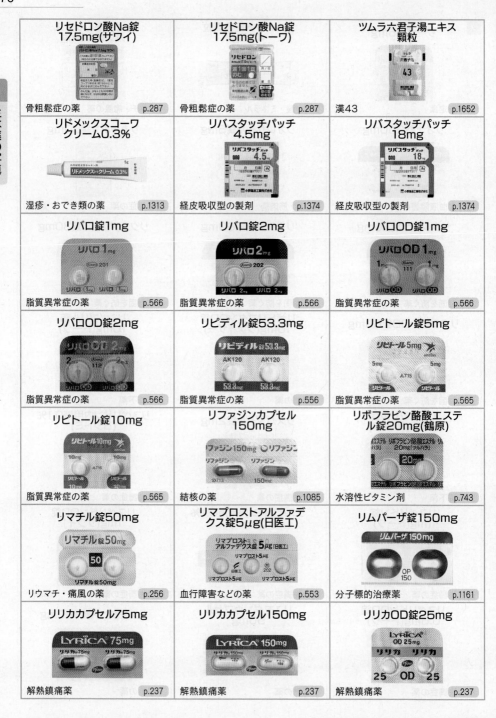

リセドロン酸Na錠 17.5mg(サワイ)	リセドロン酸Na錠 17.5mg(トーワ)	ツムラ六君子湯エキス 顆粒
骨粗鬆症の薬　p.287	骨粗鬆症の薬　p.287	漢43　p.1652
リドメックスコーワ クリーム0.3%	リバスタッチパッチ 4.5mg	リバスタッチパッチ 18mg
湿疹・おでき類の薬　p.1313	経皮吸収型の製剤　p.1374	経皮吸収型の製剤　p.1374
リバロ錠1mg	リバロ錠2mg	リバロOD錠1mg
脂質異常症の薬　p.566	脂質異常症の薬　p.566	脂質異常症の薬　p.566
リバロOD錠2mg	リピディル錠53.3mg	リピトール錠5mg
脂質異常症の薬　p.566	脂質異常症の薬　p.556	脂質異常症の薬　p.565
リピトール錠10mg	リファジンカプセル 150mg	リボフラビン酪酸エステ ル錠20mg(鶴原)
脂質異常症の薬　p.565	結核の薬　p.1085	水溶性ビタミン剤　p.743
リマチル錠50mg	リマプロストアルファデ クス錠5μg(日医工)	リムパーザ錠150mg
リウマチ・痛風の薬　p.256	血行障害などの薬　p.553	分子標的治療薬　p.1161
リリカカプセル75mg	リリカカプセル150mg	リリカOD錠25mg
解熱鎮痛薬　p.237	解熱鎮痛薬　p.237	解熱鎮痛薬　p.237

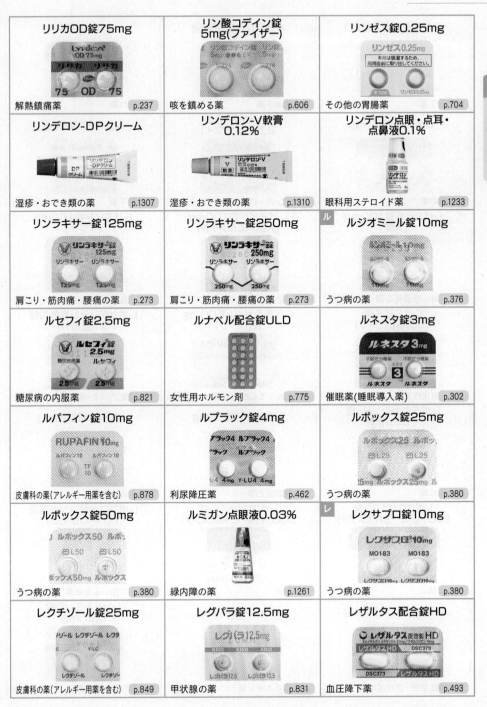

リリカOD錠75mg	リン酸コデイン錠5mg(ファイザー)	リンゼス錠0.25mg
解熱鎮痛薬 p.237	咳を鎮める薬 p.606	その他の胃腸薬 p.704
リンデロン-DPクリーム	リンデロン-V軟膏0.12%	リンデロン点眼・点耳・点鼻液0.1%
湿疹・おでき類の薬 p.1307	湿疹・おでき類の薬 p.1310	眼科用ステロイド薬 p.1233
リンラキサー錠125mg	リンラキサー錠250mg	ルジオミール錠10mg
肩こり・筋肉痛・腰痛の薬 p.273	肩こり・筋肉痛・腰痛の薬 p.273	うつ病の薬 p.376
ルセフィ錠2.5mg	ルナベル配合錠ULD	ルネスタ錠3mg
糖尿病の内服薬 p.821	女性用ホルモン剤 p.775	催眠薬(睡眠導入薬) p.302
ルパフィン錠10mg	ルプラック錠4mg	ルボックス錠25mg
皮膚科の薬(アレルギー用薬を含む) p.878	利尿降圧薬 p.462	うつ病の薬 p.380
ルボックス錠50mg	ルミガン点眼液0.03%	レクサプロ錠10mg
うつ病の薬 p.380	緑内障の薬 p.1261	うつ病の薬 p.380
レクチゾール錠25mg	レグパラ錠12.5mg	レザルタス配合錠HD
皮膚科の薬(アレルギー用薬を含む) p.849	甲状腺の薬 p.831	血圧降下薬 p.493

主な薬の写真

レザルタス配合錠LD 血圧降下薬　p.493	**レスプレン錠20mg** 咳を鎮める薬　p.609	**レスリン錠25mg** うつ病の薬　p.379
レスリン錠50mg うつ病の薬　p.379	**レトロゾール錠 2.5mg(サワイ)** ホルモン剤・抗ホルモン剤　p.1125	**レニベース錠5mg** 血圧降下薬　p.477
レバミピド錠100mg (大塚) 胃炎・消化性潰瘍の薬　p.642	**レバミピド錠100mg (大原=エルメッド)** 胃炎・消化性潰瘍の薬　p.642	**レバミピド錠100mg (サワイ)** 胃炎・消化性潰瘍の薬　p.642
レバミピド錠 100mg(トーワ) 胃炎・消化性潰瘍の薬　p.642	**レベチラセタム500mg 錠(トーワ)** けいれん・てんかんの薬　p.337	**レボセチリジン塩酸塩錠 5mg(杏林)** 皮膚科の薬(アレルギー用薬を含む)　p.867
レボチロキシンNa錠 25μg 甲状腺の薬　p.828	**レボトミン錠25mg** 統合失調症の薬　p.350	**レボトミン錠50mg** 統合失調症の薬　p.350
レボフロキサシン錠 250mg(第一三共エスファ) 抗菌製剤　p.1067	**レボフロキサシン錠 500mg(第一三共エスファ)** 抗菌製剤　p.1067	**レボフロキサシン点眼液 1.5%(わかもと)** 感染症に用いる点眼薬　p.1237
レミニールOD錠8mg 脳代謝賦活薬・認知症の薬　p.522	**レルミナ錠40mg** 女性用ホルモン剤　p.789	**レンドルミンD錠 0.25mg** 催眠薬(睡眠導入薬)　p.298

ロイコボリン錠5mg	ローコール錠20mg	ロキサチジン酢酸エステル塩酸塩徐放カプセル75mg(サワイ)
その他の抗がん薬　p.1175	脂質異常症の薬　p.565	胃炎・消化性潰瘍の薬　p.655
ロキソニン錠60mg	ロキソプロフェン錠60mg(エルメッド)	ロキソプロフェンNa錠60mg(サワイ)
解熱鎮痛薬　p.227	解熱鎮痛薬　p.227	解熱鎮痛薬　p.227
ロキソプロフェンNaテープ50mg(エルメッド)	ロキソプロフェンNaテープ100mg(エルメッド)	ロキソプロフェンナトリウムテープ50mg(ケミファ)
解熱・鎮痛・消炎薬　p.1223	解熱・鎮痛・消炎薬　p.1223	解熱・鎮痛・消炎薬　p.1224
ロキソプロフェンナトリウムテープ100mg(ケミファ)	ロキソプロフェンナトリウムパップ100mg(ケミファ)	ツムラ六味丸エキス顆粒
解熱・鎮痛・消炎薬　p.1224	解熱・鎮痛・消炎薬　p.1224	漢87　p.1677
ロコイドクリーム0.1%	ロサルタンカリウム錠25mg(サワイ)	ロサルタンK錠50mg(トーワ)
湿疹・おでき類の薬　p.1313	血圧降下薬　p.483	血圧降下薬　p.483
ロサルタンK錠25mg(明治)	ロサルタンK錠50mg(明治)	ロサルヒド配合錠HD(日医工)
血圧降下薬　p.483	血圧降下薬　p.483	血圧降下薬　p.489
ロサルヒド配合錠LD(第一三共)	ロサルヒド配合錠LD(日医工)	ロスーゼット配合錠LD
血圧降下薬　p.490	血圧降下薬　p.490	脂質異常症の薬　p.571

ワ

主な薬の写真

ロスバスタチン錠 2.5mg(杏林)	ロスバスタチン錠 5mg(杏林)	ロスバスタチン錠 2.5mg(第一三共エスファ)
脂質異常症の薬 p.568	脂質異常症の薬 p.568	脂質異常症の薬 p.568
ロスバスタチン錠 5mg(第一三共エスファ)	ロスバスタチンOD錠 2.5mg(科研)	ロスバスタチンOD錠 2.5mg(日医工)
脂質異常症の薬 p.568	脂質異常症の薬 p.569	脂質異常症の薬 p.569
ロゼレム錠8mg	ロナセン錠4mg	ロペミンカプセル1mg
催眠薬(睡眠導入薬) p.305	統合失調症の薬 p.363	整腸薬・下痢止め p.686
ロラゼパム錠0.5mg (サワイ)	ロラタジン錠10mg (サワイ)	ロラタジンOD錠 10mg(ファイザー)
精神安定薬 p.311	皮膚科の薬(アレルギー用薬を含む) p.870	皮膚科の薬(アレルギー用薬を含む) p.870
ロラメット錠1.0mg	ロルカム錠4mg	ワ ワーファリン錠0.5mg
催眠薬(睡眠導入薬) p.299	解熱鎮痛薬 p.232	血液凝固を防ぐ薬 p.575
ワソラン錠40mg	ワントラム錠100mg	
虚血性心疾患の薬 p.441	がんに使われるその他の薬剤 p.1198	

索 引

薬の名前50音索引

- 本書掲載の薬の名前(一般名，商品名，分類名など)の50音順索引です。
- 内服薬(内)，外用薬(外)，注射薬(注)，漢方薬(漢)までをすべて含んでいます。
- 太字で表記したもの：一般名(成分名)，分類名を示します。

イ

薬の名前50音索引
イ

薬の名前50音索引　イ

薬の名前50音索引

カ

薬の名前50音索引

カ

薬の名前50音索引　サ

薬の名前50音索引　シ

薬の名前50音索引

シ

セ

薬の名前50音索引

テ

薬の名前50音索引

テ

ハ

薬の名前50音索引 ハ

薬の名前50音索引

ヒ

薬の名前50音索引

へ

薬の名前50音索引 へ

薬の名前50音索引

マ

ル

病気別の薬索引

- 主な病気・症状 123 種ごとに，処方される主な薬剤をまとめています。
- すべて一般名にて掲載してあります。商品名については該当ページを参照してください。
- その病気に処方される可能性がある薬剤すべてをまとめているわけではありません。
- 配列順：主な病気・症状 50 音順→それぞれに関して一般名 50 音順で配列

掲載病名

- 示しているページに，その病気の薬がまとめてあります。

病気別の薬索引　病名

病気別の薬索引

病名

病気別の薬索引

・内服薬（内），外用薬（外），注射薬（注），
漢方薬（漢）を示します。

●胃潰瘍

●咽頭炎

病気別の薬索引　ア行

病気別の薬索引

カ行

病気別の薬索引
カ行

病気別の薬索引　カ行

●気管支ぜんそく

●禁煙

●緊張性頭痛

●筋肉痛

●クローン病

病気別の薬索引　カ行

●高コレステロール血症

病気別の薬索引　サ行

病気別の薬索引

サ行

●膵炎

●睡眠時無呼吸症候群

●前立腺炎

●前立腺肥大症

病気別の薬索引 タ行

病気別の薬索引　夕行

●トリコモナス症

ナ行

●にきび

八行

●パーキンソン病（パーキンソン症候群）

●肺気腫

病気別の薬索引　八行

病気別の薬索引　ハ行

病気別の薬索引

ハ行

ラ行

●卵巣機能不全

●緑内障

●レイノー症候群

病気別の薬索引

ラ行

memo

memo

薬の知識

内服 01 痛み・炎症・熱の薬

薬剤番号 01-01-01 ～ 01-06-07

■一般に痛み止め，熱さましとして用いる薬を中心に説明します

◆頭痛，歯痛，腰痛，生理痛，神経痛，咽頭痛，外傷痛などの鎮痛，発熱時の解熱に用いる薬

◆片頭痛に用いる薬

◆リウマチや痛風の治療に用いる薬

◆筋肉のこわばりや麻痺から生じる痛みに用いる筋弛緩薬，骨粗鬆症に用いる薬

＊リウマチの注射薬については「在宅で管理する注射薬」の抗リウマチ注射薬をご覧ください。

■副作用・相互作用に注意すべき薬

　全般的な注意としては，アレルギーに気をつけなければいけません。ちょっとした頭痛を治すためにのんだ非ステロイド系解熱鎮痛薬（NSAID）で，ひどい皮膚炎をおこしたら大変です。アレルギーを経験したら，どのような薬でどんな反応があったのかをきちんと記録（「お薬手帳」などに）しておくことが大切です。

▌非ステロイド系解熱鎮痛薬（NSAID）

　副作用としての重い血液障害の初発症状は，原因がわからない発熱・のどの痛み，紫斑，ひどい倦怠感などです。肝機能障害も発熱・倦怠感・食欲不振などの症状が最初にでます。この二つの副作用の初発症状は，かぜの場合とよくまちがわれます。薬を使っていて，かぜをひいたかなと思ったときには，血液か肝機能の障害を疑ってみることが必要です。ぜんそくがある人は，NSAID を服用することで悪くなる場合があります。消化性潰瘍も NSAID の禁忌症（のんではいけない症状）です。

　薬ののみ合わせ（薬物相互作用）の有名な組み合わせの一つに，ニューキノロン系抗菌剤と NSAID を同時に服用した場合の"けいれん"があります。かぜのときなどに同時に処方される可能性が高い組み合わせなので，服用後に"めまい・ふらつき・手足のしびれ・頭痛・ふるえ・一時的な意識喪失"などを感じたら，直ちに処方医または薬剤師に連絡してください。このように NSAID は副作用の総合商社です。ちょっとした痛みや発熱にだらだらとこれらの薬を使わないようにしましょう。

▌片頭痛の薬

　片頭痛に使われる薬は4種類です。ライ麦に発生するカビの菌核成分バッカクの

誘導体であるエルゴタミン酒石酸塩，フェノチアジン系のジメトチアジンメシル酸塩，1999 年に発売された塩酸ロメリジン，そして 2001 年に発売されたセロトニン受容体作動薬です。エルゴタミン酒石酸塩は広くどの国でも使われていますが，ジメトチアジンメシル酸塩や塩酸ロメリジンは英米独仏のいずれの国においても使われていません。欧米でも使用されていて最近日本でも発売されたセロトニン作動薬は，価格がとても高くなっています。

　エルゴタミン酒石酸塩は過量に服用すると，吐きけ・しびれ・皮膚の刺すような痛み・チアノーゼ・傾眠・けいれん・昏迷などが現れることがあります。また，長期に使用していて急に服用を中止すると，かえって頭痛が強くなることがあります。

■ リウマチや痛風の治療薬

　疾患修飾性抗リウマチ薬（DMARD：ディーマード）は，効果の発現には時間がかかるものが大半です。この系統の薬は，血液障害，腎機能障害，肝機能障害などに気をくばることが求められます。また，発熱・せき・呼吸困難などがでてきたら間質性肺炎を疑う必要がありますので，早急に X 線検査などを受けてください。

　尿酸排泄薬（痛風治療に用いる）のベンズブロマロンは劇症肝炎を含む重い肝機能障害の発生が報告されています。尿酸合成阻害薬にも，血液障害，間質性肺炎，腎不全などの重大な副作用が報告されています。

◆ 薬剤師の眼

自主回収された消炎酵素薬—有効性に疑問がある薬はほかにもある？

　2011 年 2 月，以前から本書でまっさきに減らしたい「きわめて日本的な薬」と指摘してきた抗炎症薬（消炎酵素薬）の一つセラペプターゼが，開発メーカーにより自主回収されました。医薬品の再評価において実施された臨床試験で，プラセボ（偽薬）との間に有意差が認められなかったことによります。40 年以上にわたり使用されてきた薬品の，あまりに日本的な幕引きです。承認した国，利益を得てきた製薬会社は，このことにどのような責任を取るのでしょうか。減少していたとはいえ，2009年度の販売額は 67 億円といわれています。あまりにも国民を馬鹿にした話です。

　60 歳を過ぎたご婦人の処方にアルファカルシドールやイプリフラボンが書かれていることがよくあります。前者はアメリカでは使われていませんし，WHO のエッセンシャル・ドラッグにも入っていません（参考：『世界のエッセンシャル・ドラッグ』浜六郎・別府宏訳三省堂）。後者にいたっては英米独仏いずれの国でも薬になっていません。また，前者はかつて「入院医療管理承認病院（点数まるめ）実態調査」で，1 年前に比べて使用量が 30 分の 1 に激減したという報告があることからも，有効性のエビデンス（証拠）を今一度再チェックする必要があると思われます。

内
01
—
01
—
01

アセトアミノフェン

内 01 痛み・炎症・熱の薬　01 解熱鎮痛薬

01　アセトアミノフェン

製剤情報

一般名：アセトアミノフェン

- 保険収載年月…1959年3月
- 海外評価…6点 英米独仏　● PC…B
- 規制…劇薬(200mg錠・300mg錠を除く)
- 剤形…錠 錠剤, 末 末剤, 細 細粒剤, シ シロップ剤, ド ドライシロップ剤
- 服用量と回数…急性上気道炎の場合は1回300～500mgを頓用, ただし原則1日2回まで, 1日最大1,500mg。その他の疾患および乳児・幼児・小児の場合は処方医の指示通りに服用。

■**先発品**　商品名(メーカー)　規格・保険薬価

アセトアミノフェン(東洋製化＝小野＝健栄＝丸石) 末 1g 7.30円

アセトアミノフェン(吉田製薬) 末 1g 7.50円

アセトアミノフェン原末(長生堂＝日本ジェネリック) 末 1g 7.50円

アセトアミノフェン原末(マイラン＝ファイザー) 末 1g 7.30円

カロナール原末(あゆみ製薬) 末 1g 7.30円

ピレチノール(岩城) 末 1g 7.30円

■**ジェネリック**　商品名(メーカー)　規格・保険薬価

アセトアミノフェン(三和) 錠 200mg 1錠 5.90円

アセトアミノフェン(高田) 錠 200mg 1錠 5.90円

アセトアミノフェン(武田テバファーマ＝武田) 錠 200mg 1錠 5.90円

アセトアミノフェン(武田テバ薬品＝武田テバファーマ＝武田) 細 20% 1g 7.10円

アセトアミノフェン(辰巳) 錠 200mg 1錠 5.90円

アセトアミノフェン(長生堂＝日本ジェネリック) 細 20% 1g 7.10円　錠 200mg 1錠 5.90円　錠 300mg 1錠 6.80円

アセトアミノフェン(東和) 細 20% 1g 7.10円　錠 200mg 1錠 5.90円　シ 2% 1mL(小児用) 4.70円

アセトアミノフェン(ニプロ) 錠 200mg 1錠 5.90円

アセトアミノフェン(丸石) 細 20% 1g 7.10円　錠 200mg 1錠 5.90円　錠 300mg 1錠 6.80円　錠 500mg 1錠 7.60円

アセトアミノフェンDS(三和) ド 40% 1g 8.50円　ド 20% 1g(小児用) 8.10円

アセトアミノフェンDS(高田) ド 20% 1g(小児用) 8.10円

アセトアミノフェンDS(東和) ド 20% 1g(小児用) 8.10円

カロナール 写真 (あゆみ製薬) 細 20% 1g 7.10円　細 50% 1g 8.30円　錠 200mg 1錠 5.90円　錠 300mg 1錠 6.80円　錠 500mg 1錠 7.60円　シ 2% 1mL 4.70円

一般名：アセトアミノフェン配合剤

- 保険収載年月…1962年2月
- 規制…劇薬(PL・小児用ペレックス・ペレックス・サラザック・セラピナ・トーワチーム配合顆粒のみ)
- 剤形…錠 錠剤, 顆 顆粒剤
- 服用量と回数…処方医の指示通りに服用。

■**先発品**　商品名(メーカー)　規格・保険薬価

PL配合顆粒(シオノギファーマ＝塩野義) 顆 1g 6.50円

SG配合顆粒 写真 (シオノギファーマ＝塩野義) 顆 1g 9.40円

小児用ペレックス配合顆粒(大鵬) 顆 1g 6.30円

ペレックス配合顆粒(大鵬) 顆 1g 6.30円

幼児用PL配合顆粒(シオノギファーマ＝塩野義) 顆 1g 6.50円

■ジェネリック　商品名(メーカー)　規格・保険薬価

サラザック配合顆粒(日医工岐阜＝日医工＝武田)[顆] 1g 6.30 円

セラピナ配合顆粒(シオノ＝ファイザー＝日本ジェネリック)[顆] 1g 6.30 円

トーワチーム配合顆粒(東和)[顆] 1g 6.30 円

ピーエイ配合錠(全星＝沢井＝ニプロ)[錠] 1錠 4.70 円

マリキナ配合顆粒(鶴原＝日医工)[顆] 1g 6.30 円

概　　要

分類　解熱鎮痛薬(アニリン系)

処方目的　［アセトアミノフェンの適応症］急性上気道炎(急性気管支炎を伴う急性上気道炎を含む)の解熱・鎮痛／頭痛，歯痛，歯科治療後の疼痛，耳痛，症候性神経痛，腰痛症，筋肉痛，打撲痛，捻挫痛，変形性関節症，月経痛，分娩後痛，がんによる疼痛／小児科領域における解熱・鎮痛

［アセトアミノフェン配合剤の適応症］感冒もしくは上気道炎に伴う以下の症状の改善および緩和→〔SG 配合顆粒〕感冒の解熱，耳痛，咽喉痛，月経痛，頭痛，歯痛，症候性神経痛，外傷痛／〔ペレックス配合顆粒(小児用含む)〕鼻汁，鼻閉，咽・喉頭痛，せき，痰，頭痛，関節痛，筋肉痛，発熱／〔その他の配合剤〕鼻汁，鼻閉，咽・喉頭痛，頭痛，関節痛，筋肉痛，発熱

解説　アセトアミノフェンは，アスピリンにアレルギー反応がある人や，アスピリンと一緒に服用すると重い副作用をおこす可能性がある抗凝血薬や経口糖尿病薬を処方されている人の鎮痛・解熱に用います。

　本剤は中枢神経系にある体温中枢に作用し，皮膚血管を拡張して熱を放散させます。比較的，副作用が軽いことが多いので，市販の OTC 薬(大衆薬)の風邪薬にも配合されています。

　なお，各種のがんの鎮痛に用いられるトラマドール塩酸塩と本剤の配合剤が 2011 年 7 月に承認されましたが，これについては「がん疼痛治療薬(7)」を参照してください。

使用上の注意

＊アセトアミノフェン(アセトアミノフェン原末)の添付文書による

警告

①本剤により重い肝機能障害が発現するおそれがあることに注意し，1 日総量 1500mg を超す高用量で長期服用する場合には，定期的に肝機能などを確認するなどして慎重に服用しなければなりません。

②本剤とアセトアミノフェンを含む他の薬剤(一般用医薬品を含む)との併用により，アセトアミノフェンの過量服用による重い肝機能障害が発現するおそれがあることから，これらの薬剤との併用は避けてください。

※アセトアミノフェンは解熱鎮痛薬の中では小児にも使用されるように比較的安全性が高いものです。しかしながら副作用がないわけではなく，まれではありますが重大な副作用も報告されています。長期服用や過量服用の場合には特に肝機能障害への注意が必要で，2011 年 3 月の添付文書改訂で，上記のように「警告」欄が設けられました。OTC

薬(大衆薬)の鎮痛薬や風邪薬などにも広く使用されているため，併用した場合に過量服用になってしまうことも考えられます。併用薬などに関して不安がある場合には，薬剤師にご相談ください。

基本的注意

(1)**服用してはいけない場合**……消化性潰瘍／重い血液異常・肝機能障害・腎機能障害・心機能不全／本剤の成分に対するアレルギーの前歴／アスピリンぜんそく(非ステロイド系解熱鎮痛薬によるぜんそく発作の誘発)またはその前歴

(2)**慎重に服用すべき場合**……アルコール多量常飲者／絶食・低栄養状態・摂食障害などによるグルタチオン欠乏，脱水症状のある人／肝機能障害またはその前歴／消化性潰瘍の前歴／血液の異常またはその前歴／出血傾向／腎機能障害またはその前歴／心機能異常／アレルギーの前歴／気管支ぜんそく／高齢者，小児

(3)**処方医に報告**……本剤は肝臓と腎臓に対する毒性があります。肝臓や腎臓に疾患のある人が，神経痛などで鎮痛剤の処方を受けるときは，必ずそのことを処方医に伝えてください。

(4)**女性**……非ステロイド系解熱鎮痛薬を長期服用している女性に，一時的な不妊が認められたとの報告があります。

(5)**過度の体温低下など**……過度の体温低下，虚脱，四肢の冷却などがおこることがあります。特に高熱を伴う幼小児や高齢者，消耗性疾患の人は十分な注意が必要です。

(6)**その他**……
● 妊婦での安全性：未確立。有益と判断されたときのみ服用。
● 小児での安全性：未確立。(1714 頁を参照)

重大な副作用　　　①ショック，アナフィラキシー(呼吸困難，全身潮紅，血管浮腫，じん麻疹など)。②中毒性表皮壊死融解症(TEN)，皮膚粘膜眼症候群(スティブンス-ジョンソン症候群)，急性汎発性発疹性膿疱症。③ぜんそく発作の誘発。④劇症肝炎，肝機能障害，黄疸。⑤顆粒球減少症。⑥間質性肺炎。⑦間質性腎炎，急性腎障害。

[アセトアミノフェン配合剤のみ] ⑧剥脱性皮膚炎。⑨再生不良性貧血，汎血球減少，無顆粒球症，溶血性貧血，血小板減少。⑩好酸球性肺炎。⑪乳児突然死症候群(SIDS)および乳児睡眠時無呼吸発作。⑫横紋筋融解症。⑬緑内障。

そのほかにも報告された副作用はあるので，体調がいつもと違うと感じたときは，処方医・薬剤師に相談してください。

併用してはいけない薬　　　併用してはいけない薬は特にありません。ただし，併用する薬があるときは，念のため処方医・薬剤師に報告してください。

内 01 痛み・炎症・熱の薬　01 解熱鎮痛薬

02 アスピリン

製剤情報

一般名：アスピリン
- 保険収載年月…1950年9月
- 海外評価…6点 英米独仏　●PC…D
- 剤形…㍇末剤
- 服用量と回数…1回0.5〜1.5g，1日1〜4.5g。
  急性上気道炎の場合は1回0.5〜1.5gを頓用，
  ただし原則1日2回まで，1日最大4.5g。川崎病
  の場合は処方医の指示通りに服用。

■**先発品**　商品名(メーカー)　規格・保険薬価

| アスピリン (健栄) ㍇ 10g 34.60 円 |
| アスピリン (日医工) ㍇ 10g 34.50 円 |
| アスピリン (マイランEPD＝ヴィアトリス) ㍇ 10g 35.60 円 |
| アスピリン (山善) ㍇ 10g 35.60 円 |
| アスピリン (吉田製薬) ㍇ 10g 35.60 円 |
| アスピリン原末 (丸石) ㍇ 10g 35.60 円 |

一般名：アスピリン類似成分を含む配合剤
- 保険収載年月…1962年2月

- 規制…劇薬(幼児用PL配合顆粒，マリキナ配合顆粒，ピーエイ配合錠を除く)
- 剤形…錠錠剤，顆顆粒剤
- 服用量と回数…処方医の指示通りに服用。

■**先発品**　商品名(メーカー)　規格・保険薬価

| PL配合顆粒 (シオノギファーマ＝塩野義) 顆 1g 6.50 円 |
| 小児用ペレックス配合顆粒 (大鵬) 顆 1g 6.30 円 |
| ペレックス配合顆粒 (大鵬) 顆 1g 6.30 円 |
| 幼児用PL配合顆粒 (シオノギファーマ＝塩野義) 顆 1g 6.50 円 |

■**ジェネリック**　商品名(メーカー)　規格・保険薬価

| サラザック配合顆粒 (日医工岐阜＝日医工＝武田) 顆 1g 6.30 円 |
| セラピナ配合顆粒 (シオノ＝ファイザー＝日本ジェネリック) 顆 1g 6.30 円 |
| トーワチーム配合顆粒 (東和) 顆 1g 6.30 円 |
| ピーエイ配合錠 (全星＝沢井＝ニプロ) 錠 1錠 4.70 円 |
| マリキナ配合顆粒 (鶴原＝日医工) 顆 1g 6.30 円 |

概要

分類　解熱鎮痛薬(サリチル酸系)

処方目的　[アスピリンの適応症] 関節リウマチ，リウマチ熱，変形性関節症，強直性脊椎炎，関節周囲炎，結合織炎，術後疼痛，歯痛，症候性神経痛，関節痛，腰痛症，筋肉痛，捻挫痛，打撲痛，痛風による痛み，頭痛，月経痛／急性上気道炎(急性気管支炎を伴う急性上気道炎を含む)の解熱・鎮痛／川崎病(川崎病による心血管後遺症を含む)
[アスピリン類似成分を含む配合剤の適応症] 感冒もしくは上気道炎に伴う以下の症状の改善および緩和→ 鼻汁，鼻閉，咽・喉頭痛，せき，痰，頭痛，関節痛，筋肉痛，発熱

解説　1世紀にわたって熱と痛みの薬として使用されてきた製剤です。
　アスピリンの解熱作用は，皮膚の血管を拡張することによって熱を発散させるためと考えられています。また，痛みを取ったり，炎症を鎮めたりする作用は，プロスタグランジンと呼ばれる物質の産生を妨げるためです。

近年の話題

①水痘（水ぼうそう）やインフルエンザなどのウイルス感染症にかかっている小児におこる，致死率の高いライ症候群をアスピリンが悪化させる可能性があるといわれています。原則的に，15歳未満の水痘，インフルエンザの患者には使用禁止となっています。代替品として，アセトアミノフェンをすすめています。

②アスピリンをごく少量服用すると，血液が固まるのを防ぐことがわかり，「狭心症・心筋梗塞・脳梗塞」などの血栓・塞栓形成の抑制の目的で処方されることがあります。日本でも小用量アスピリンとして健康保険の適応になっています。アメリカではOTC薬（大衆薬）として薬局などで入手できます。

🈂 **使用上の注意**

＊アスピリン（アスピリン，アスピリン原末）の添付文書による

⬛ 警告

［アスピリン類似成分を含む配合剤］

①本剤中のアセトアミノフェンにより重い肝機能障害が発現するおそれがあるので注意してください。

②本剤とアセトアミノフェンを含む他の薬剤（一般用医薬品を含む）との併用により，アセトアミノフェンの過量服用による重い肝機能障害が発現するおそれがあることから，これらの薬剤との併用は避けてください。

⬛ 基本的注意

(1)**服用してはいけない場合**……［川崎病を除く効能・効果に使用する場合］本剤またはサリチル酸系薬剤に対するアレルギーの前歴／消化性潰瘍／重い血液異常・肝機能障害・腎機能障害・心機能不全／アスピリンぜんそく（非ステロイド系解熱鎮痛薬などによるぜんそく発作の誘発）またはその前歴／出産予定日12週以内の妊婦／［川崎病（川崎病による心血管後遺症を含む）に使用する場合］本剤またはサリチル酸系薬剤に対するアレルギーの前歴／消化性潰瘍／出血傾向／アスピリンぜんそく（非ステロイド系解熱鎮痛薬などによるぜんそく発作の誘発）またはその前歴／出産予定日12週以内の妊婦

(2)**慎重に服用すべき場合**……消化性潰瘍の前歴／血液異常またはその前歴／出血傾向（解熱・鎮痛および抗炎症薬として用いる場合）／肝機能障害・腎機能障害またはその前歴／心機能異常／アレルギーの前歴／気管支ぜんそく／手術・心臓カテーテル検査・抜歯前1週間以内の人／妊婦（ただし，出産予定日12週以内の妊婦は禁忌）または妊娠している可能性のある人／非ステロイド系解熱鎮痛薬の長期服用による消化性潰瘍のある人で，本剤の長期服用が必要であり，かつミソプロストールによる治療が行われている人／アルコール飲料の常用者／小児，高齢者

(3)**川崎病**……本剤を川崎病（川崎病による心血管後遺症を含む）に対して長期服用する場合には，定期的に臨床検査（尿検査，血液検査，肝機能検査など）を行い，異常が認められた場合には減量，休薬などの適切な措置を講じます。

(4)**小児**……原則として，水痘やインフルエンザなどのウイルス感染症にかかっている15歳未満の小児は服用しないでください。治療上やむを得ず服用する場合は，状態に注

意してください。

(5)女性……非ステロイド系解熱鎮痛薬を長期服用している女性に，一時的な不妊が認められたとの報告があります。

(6)過度の体温低下など……過度の体温低下，虚脱，四肢の冷却などがおこることがあります。特に高熱を伴う幼小児や高齢者，消耗性疾患の人は十分な注意が必要です。

(7)その他……

● 妊婦での安全性：有益と判断されたときのみ服用。出産予定日 12 週以内は服用しない。

● 授乳婦での安全性：服用するときは授乳を中止。(1714 頁を参照)

重大な副作用 ①ショック，アナフィラキシー(呼吸困難，全身潮紅，血管浮腫，じん麻疹など)。②頭蓋内出血(脳出血など)，肺出血，消化管出血，鼻出血，眼底出血など。③中毒性表皮壊死融解症(TEN)，皮膚粘膜眼症候群(スティブンス-ジョンソン症候群)，剥奪性皮膚炎。④再生不良性貧血，血小板減少，白血球減少。⑤ぜんそく発作の誘発。⑥肝機能障害，黄疸。⑦消化性潰瘍，小腸・大腸潰瘍。

[アスピリン類似成分を含む配合剤] ⑧急性汎発性発疹性膿疱症。⑨劇症肝炎。⑩汎血球減少，無顆粒球症，溶血性貧血。⑪間質性肺炎，好酸球性肺炎。⑫間質性腎炎，急性腎障害。⑬乳児突然死症候群(SIDS)および乳児睡眠時無呼吸発作。⑭横紋筋融解症。⑮緑内障。

　そのほかにも報告された副作用はあるので，体調がいつもと違うと感じたときは，処方医・薬剤師に相談してください。

併用してはいけない薬 併用してはいけない薬は特にありません。ただし，併用する薬があるときは，念のため処方医・薬剤師に報告してください。

内 01 痛み・炎症・熱の薬　01 解熱鎮痛薬
03 ピリン系薬剤

製剤情報

一般名：イソプロピルアンチピリン配合剤

● 保険収載年月…1979年2月
● 規制…劇薬(クリアミン配合錠のみ)
● 剤形…錠 錠剤，顆 顆粒剤
● 服用量と回数…処方医の指示通りに服用。

■先発品	商品名(メーカー)	規格・保険薬価
SG 配合顆粒 写真 (シオノギファーマ＝塩野義) 顆 1g 9.40 円		
クリアミン配合錠 A (日医工) 錠 1錠 10.60 円		
クリアミン配合錠 S (日医工) 錠 1錠 6.80 円		

概要

分類 解熱鎮痛薬(ピラゾロン系)

処方目的 [SG 配合顆粒の適応症] 感冒の解熱，耳痛，咽喉痛，月経痛，頭痛，歯痛，症候性神経痛，外傷痛

[クリアミン配合錠 A，S の適応症] 血管性頭痛，片頭痛，緊張性頭痛

解説 この薬剤の薬理作用は，アセトアミノフェンと同様に，体温調節中枢に作用して発汗を促進することにあります。

本剤は，ピリンアレルギーによるショックの多発で，処方頻度は少なくなっています。しかし，スルピリン製剤・ピリン系薬剤を含む製剤も一部残っていますので，ピリンアレルギーの人は処方医に必ずそのことを伝えてください。

また，イソプロピルアンチピリンは OTC（大衆薬）にも配合されていますので，薬局などで風邪薬を購入したときもピリンアレルギーがあることを薬剤師に伝えて，確認してください。

なお，クリアミン配合錠については内服薬の 01-03-01（エルゴタミン酒石酸塩）で解説してあるので，ここでは SG 配合顆粒についてみていきます。

使用上の注意

*SG 配合顆粒の添付文書による

警告

①本剤中のアセトアミノフェンにより重い肝機能障害が発現するおそれがあるので注意してください。

②本剤とアセトアミノフェンを含む他の薬剤（一般用医薬品を含む）との併用により，アセトアミノフェンの過量服用による重い肝機能障害が発現するおそれがあることから，これらの薬剤との併用は避けてください。

基本的注意

(1)服用してはいけない場合……本剤，ピラゾロン系薬剤またはアミノフェノール系薬剤（アセトアミノフェンなど）に対するアレルギーの前歴／アスピリンぜんそく（非ステロイド性解熱鎮痛薬などによるぜんそく発作の誘発）またはその前歴／重い肝機能障害

(2)慎重に服用すべき場合……血液障害（貧血，白血球減少症など）／肝障害／腎障害／本人または両親・兄弟に他の薬剤に対するアレルギー，じん麻疹，気管支ぜんそく，アレルギー性鼻炎，食物アレルギーなどがある人／アルコール多量常飲者／絶食・低栄養状態・摂食障害などによるグルタチオン欠乏，脱水症状のある人／高齢者

(3)女性……非ステロイド系解熱鎮痛薬を長期服用している女性に，一時的な不妊が認められたとの報告があります。

(4)過度の体温低下など……過度の体温低下，虚脱，四肢の冷却などがおこることがあります。特に高熱を伴う幼小児や高齢者，消耗性疾患の人は十分な注意が必要です。

(5)アルコールに注意……アルコール多量常飲者がアセトアミノフェンを服用したところ肝不全をおこしたとの報告があるので，服用中は飲酒に十分注意してください。

(6)危険作業に注意……本剤を服用すると眠け，注意力・集中力・反射運動能力などの低下がおこることがあるので，服用中は自動車の運転，機械の操作など，機敏な動作を必要とする仕事になるべく従事しないように注意してください。

(7)その他……

●妊婦での安全性：有益と判断されたときのみ服用。

●授乳婦での安全性：服用するときは授乳を中止。(1714 頁を参照)

重大な副作用　①血小板減少，溶血性貧血。②中毒性表皮壊死融解症 (TEN)，皮膚粘膜眼症候群（スティブンス-ジョンソン症候群），急性汎発性発疹性膿疱症。③ショック，アナフィラキシー（不快感，口内異常感，喘鳴，めまい，便意，耳鳴り，発汗，呼吸困難，血圧低下など）。④ぜんそく発作。⑤間質性肺炎。⑥間質性腎炎，急性腎不全。⑦劇症肝炎，肝機能障害，黄疸。

　そのほかにも報告された副作用はあるので，体調がいつもと違うと感じたときは，処方医・薬剤師に相談してください。

併用してはいけない薬　併用してはいけない薬は特にありません。ただし，併用する薬があるときは，念のため処方医・薬剤師に報告してください。

内 01 痛み・炎症・熱の薬　01 解熱鎮痛薬

04　ジクロフェナクナトリウム

🄰 製剤情報

一般名：ジクロフェナクナトリウム

- 保険収載年月…1974年2月
- 海外評価…6点 英 米 独 仏　●PC…B
- 規制…劇薬
- 剤形…錠 錠剤, カ カプセル剤
- 服用量と回数…[錠剤]1日75～100mgを原則3回に分けて服用, 頓用の場合は1回25～50mg。急性上気道炎の場合は1回25～50mgを頓用, ただし原則1日2回まで, 1日最大100mg。[徐放性製剤(SR)]1回37.5mgを1日2回。

■先発品　商品名(メーカー)　規格・保険薬価

商品名(メーカー)	規格・保険薬価
ナボール SR 写真 (久光) カ	37.5mg 1カプセル 12.40 円
ボルタレン (ノバルティス) 錠	25mg 1錠 9.20 円
ボルタレン SR (同仁＝ノバルティス) カ	37.5mg 1カプセル 11.60 円

■ジェネリック　商品名(メーカー)　規格・保険薬価

商品名(メーカー)	規格・保険薬価
ジクロフェナク Na (沢井) 錠	25mg 1錠 5.70 円
ジクロフェナク Na (武田テバファーマ＝武田) 錠	25mg 1錠 5.70 円
ジクロフェナク Na (辰巳＝日本ジェネリック) 錠	25mg 1錠 5.70 円
ジクロフェナク Na (鶴原) 錠	25mg 1錠 5.70 円
ジクロフェナク Na (東和＝日医工) 錠	25mg 1錠 5.70 円
ジクロフェナク Na (陽進堂) 錠	25mg 1錠 5.70 円
ジクロフェナク Na 徐放カプセル (全星) カ	37.5mg 1カプセル 5.90 円
ジクロフェナク Na 徐放カプセル (東和) カ	37.5mg 1カプセル 5.90 円
ジクロフェナクナトリウム SR (大原) カ	37.5mg 1カプセル 5.90 円

▤ 概要

分類　解熱鎮痛薬(アントラニル酸系)

処方目的　[ボルタレンの適応症] 以下の疾患・症状の鎮痛・消炎→関節リウマチ，変形性関節症，変形性脊椎症，腰痛症，腱鞘炎，頸肩腕症候群，神経痛，後陣痛，骨盤内炎症，月経困難症，膀胱炎，前眼部炎症，歯痛／手術・抜歯後の鎮痛・消炎／急性上気道炎(急性気管支炎を伴う急性上気道炎を含む)の解熱・鎮痛

[ナボール SR，ボルタレン SR の適応症] 関節リウマチ・変形性関節症・腰痛症・肩関節周囲炎・頸肩腕症候群の消炎・鎮痛

解説 本剤は，アニリン系と同様，体温中枢に働いて皮膚血管を拡張し，発汗して解熱します。

解熱鎮痛薬による治療は，原因を取り除くのではなく，痛みや熱を一時的に抑える対症療法です。長期間服用するときには，処方医の指示する尿検査，血液検査，肝機能検査などを定期的に受けることが大切です。小児の場合，水痘（水ぼうそう），インフルエンザなどのウイルス性疾患の患者には投与しないことを原則としています。

☞ 使用上の注意

＊ジクロフェナクナトリウム（ボルタレン）の添付文書による

警告

この製剤の坐薬（ボルタレンサポなど）も発売されており，特に幼小児，高齢者，消耗性疾患の人が坐薬を使用すると，血圧や体温が過度に低下してショック症状がおこりやすいので，十分注意してください。

基本的注意

(1)服用してはいけない場合……消化性潰瘍／重い血液異常・肝機能障害・腎機能障害・高血圧症・心機能不全／本剤の成分に対するアレルギーの前歴／アスピリンぜんそく（非ステロイド性解熱鎮痛薬などによるぜんそく発作の誘発）またはその前歴／インフルエンザによる脳炎・脳症／トリアムテレンの服用中／妊婦または妊娠している可能性のある人

(2)慎重に服用すべき場合……消化性潰瘍の前歴／血液異常またはその前歴／出血傾向／肝機能障害・腎機能障害またはその前歴／腎臓の血流量が低下しやすい人（心機能障害，利尿薬の服用中，腹水を伴う肝硬変，大手術後，高齢者など）／高血圧症／心機能障害／SLE（全身性エリテマトーデス）／アレルギーの前歴／気管支ぜんそく／潰瘍性大腸炎／クローン病／食道通過障害／非ステロイド性解熱鎮痛薬の長期服用による消化性潰瘍のある人で，本剤の長期服用が必要であり，かつミソプロストールによる治療が行われている人／小児，高齢者

(3)服用法……本剤が食道にとどこおると食道潰瘍がおこることがあるので，多めの水（150mL 以上）で服用してください。特に就寝前は，のんですぐに横にならないようにしてください。

(4)脳炎・脳症……インフルエンザの経過中に脳炎・脳症を発症した人（おもに小児）のうち，本剤の服用者に予後不良例が多いとの報告があります。

(5)ライ症候群……本剤を解熱目的で服用した後にライ症候群を発症したとの報告があり，また同効類薬（サリチル酸系医薬品）とライ症候群との関連性を示す海外の報告があります。

(6)女性……非ステロイド系解熱鎮痛薬を長期服用している女性に，一時的な不妊が認められたとの報告があります。

(7)過度の体温低下など……過度の体温低下，虚脱，四肢の冷却などがおこることがあ

ります。特に高熱を伴う幼小児や高齢者, 消耗性疾患の人は十分な注意が必要です。

(8)小児……原則として, 水痘やインフルエンザなどのウイルス感染症にかかっている15歳未満の小児は服用しないでください。治療上やむを得ず服用する場合は, 状態に注意してください。

(9)危険作業は中止……本剤を服用すると, 眠け, 注意力・集中力・反射運動能力などの低下がおこることがあります。服用中は, 自動車の運転など危険を伴う機械の操作は行わないようにしてください。

(10)その他……

● 妊婦での安全性：原則として服用しない。

● 授乳婦での安全性：服用するときは授乳を中止。(1714頁を参照)

重大な副作用　①ショック(胸内苦悶, 冷汗, 呼吸困難, 四肢冷却, 意識障害など), アナフィラキシー(じん麻疹, 血管浮腫, 呼吸困難など)。②出血性ショックまたは穿孔を伴う消化管潰瘍。③消化管の狭窄・閉塞。④再生不良性貧血, 溶血性貧血, 無顆粒球症, 血小板減少。⑤皮膚粘膜眼症候群(スティブンス-ジョンソン症候群), 中毒性表皮壊死融解症(TEN), 紅皮症(剥脱性皮膚炎)。⑥急性腎不全(間質性腎炎, 腎乳頭壊死など)。⑦重症ぜんそく発作(アスピリンぜんそく)。⑧せき, 発熱などを伴う間質性肺炎。⑨うっ血性心不全, 心筋梗塞。⑩無菌性髄膜炎(発熱, 頭痛, 悪心・嘔吐, 意識混濁など)。⑪重い肝機能障害(劇症肝炎, 広範な肝壊死など)。⑫急性脳症(特に, かぜ様症状に引き続き激しい嘔吐やけいれん, 意識障害などが現れたら, ライ症候群の可能性があります)。⑬横紋筋融解症(筋肉痛, 脱力感, 手足に力が入らない, 尿が赤褐色など)。⑭脳血管障害。

そのほかにも報告された副作用はあるので, 体調がいつもと違うと感じたときは, 処方医・薬剤師に相談してください。

併用してはいけない薬　トリアムテレン→併用すると急性腎不全をおこすことがあります。

内 01 痛み・炎症・熱の薬　01 解熱鎮痛薬

05　メフェナム酸

製剤情報

一般名：メフェナム酸

● 保険収載年月…1967年7月

● 海外評価…5点 英米独仏　●PC…C

● 剤形…カ カプセル剤, 散 散剤, 細 細粒剤, シ シロップ剤

● 服用量と回数…初回500mg, 以後6時間ごとに1回250mg。シロップは小児1回0.2mL／kg(体重)を頓用, ただし原則1日2回まで。急性上気道炎の場合は1回500mgを頓用(幼小児1回6.5mg／kg), ただし原則1日2回まで, 1日最大1,500mg。

■先発品　商品名(メーカー)　規格・保険薬価

ポンタール (ファイザー) 散 50% 1g 13.50円

細 98.5% 1g 19.60円　カ 250mg 1カプセル 7.80円

シ 3.25% 1mL 6.50円

一般名：フルフェナム酸アルミニウム

- 保険収載年月…1967年8月
- 海外評価…0点 英 米 独 仏
- 規制…劇薬
- 剤形…錠 錠剤
- 服用量と回数…1回125〜250mgを1日3回,

頓用の場合は1回250mg。急性上気道炎の場合は1回250mgを頓用, ただし原則1日2回まで, 1日最大750mg。

■先発品　　商品名(メーカー)　規格・保険薬価

オパイリン (大正製薬) 錠 125mg 1錠 8.30 円
錠 250mg 1錠 12.00 円

📋 概　　要

分類　解熱鎮痛薬(アントラニル酸系)

処方目的　急性上気道炎(急性気管支炎を伴う急性上気道炎を含む)の解熱・鎮痛
[メフェナム酸のみの適応症(シロップ剤を除く)]　手術後・外傷後の炎症・腫脹の緩解／以下の疾患の消炎・解熱・鎮痛→変形性関節症, 腰痛症, 症候性神経痛, 頭痛(他剤が無効な場合), 副鼻腔炎, 月経痛, 分娩後疼痛, 歯痛
[フルフェナム酸アルミニウムのみの適応症]　以下の疾患の消炎・解熱・鎮痛→関節リウマチ, 変形性関節症, 変形性脊椎症, 腰痛症, 肩胛関節周囲炎, 関節炎, 症候性神経痛／以下の疾患の消炎・鎮痛→抜歯後, 歯髄炎, 歯根膜炎／以下の炎症性疾患の消炎→膀胱炎, 前立腺炎, 帯状疱疹, 湿疹・皮膚炎, 紅斑症, 各科領域の手術後ならびに外傷後の炎症性反応

解説　メフェナム酸の作用は, ジクロフェナクナトリウムとほぼ同じです。日本でよく用いられる鎮痛薬の一つです。小児のインフルエンザに伴う発熱に対しては, 原則として投与しないことになっています。この薬剤はアメリカで合成された薬ですが, アメリカでの評判はよくありません。

📑 使用上の注意

*メフェナム酸(ポンタール)の添付文書による

基本的注意

(1)服用してはいけない場合……消化性潰瘍／重い血液異常・肝機能障害・腎機能障害・心機能不全・高血圧症／本剤の成分に対するアレルギーの前歴／アスピリンぜんそく(非ステロイド性解熱鎮痛薬などによるぜんそく発作の誘発)またはその前歴／本剤による下痢の前歴／妊娠末期

(2)慎重に服用すべき場合……消化性潰瘍の前歴／非ステロイド性解熱鎮痛薬の長期服用による消化性潰瘍のある人で, 本剤の長期服用が必要であり, かつミソプロストールによる治療が行われている人／血液異常またはその前歴, 出血傾向／肝機能障害・腎機能障害またはその前歴／心機能異常／アレルギーの前歴／気管支ぜんそく／SLE(全身性エリテマトーデス)／高血圧症／潰瘍性大腸炎／クローン病／食道通過障害／小児, 高齢者

(3)事前に報告……本剤の服用によって, ビリルビンの検査で偽陽性を示すことがあります。検査を受けるときはその旨を伝えてください。

(4)小児……原則として, インフルエンザに伴う発熱には服用しないようにしてくださ

い。

(5)**女性**……非ステロイド系解熱鎮痛薬を長期服用している女性に，一時的な不妊が認められたとの報告があります。

(6)**過度の体温低下など**……過度の体温低下，虚脱，四肢の冷却などがおこることがあります。特に高熱を伴う幼小児や高齢者，消耗性疾患の人は十分な注意が必要です。

(7)**服用法**……本剤が食道にとどこおると食道潰瘍がおこることがあるので，多めの水（150mL 以上）で服用してください。特に就寝前は，のんですぐに横にならないようにしてください。

(8)**脳炎・脳症**……インフルエンザの経過中に脳炎・脳症を発症した人（おもに小児）のうち，本剤の服用者に予後不良例が多いとの報告があります。

(9)**危険作業に注意**……本剤を服用すると，めまい，眠けが現れることがあります。服用中は，自動車の運転など危険を伴う機械の操作に注意してください。

(10)**その他**……

● 妊婦での安全性：未確立。有益と判断されたときのみ服用。妊娠末期は服用しない。

● 授乳婦での安全性：服用するときは授乳を中止。（1714 頁を参照）

重大な副作用　①ショック，アナフィラキシー（胸内苦悶，冷汗，呼吸困難，四肢しびれ感，低血圧，結膜充血など）。②自己免疫性溶血性貧血，無顆粒球症，顆粒球減少。③骨髄形成不全。④皮膚粘膜眼症候群（スティブンス-ジョンソン症候群），中毒性表皮壊死融解症（TEN）。⑤急性腎障害，ネフローゼ症候群，間質性腎炎。⑥消化管出血（消化性潰瘍，大腸炎，吐血，下血，血便など）。⑦劇症肝炎，肝機能障害，黄疸。

　そのほかにも報告された副作用はあるので，体調がいつもと違うと感じたときは，処方医・薬剤師に相談してください。

併用してはいけない薬　併用してはいけない薬は特にありません。ただし，併用する薬があるときは，念のため処方医・薬剤師に報告してください。

内 01 痛み・炎症・熱の薬　01 解熱鎮痛薬

06 アリール酢酸系 NSAID

製剤情報

一般名：エトドラク

● 保険収載年月…1994年8月
● 海外評価…5点 英 米 独 仏　●PC…C
● 規制…劇薬
● 剤形…錠 錠剤
● 服用量と回数…1日400mgを2回に分けて服用。

■ **先発品**　　商品名（メーカー）　規格・保険薬価

オステラック（あすか＝武田）
錠 100mg 1錠 13.40 円　　錠 200mg 1錠 18.30 円

ハイペン 写真（日本新薬）錠 100mg 1錠 12.70 円
錠 200mg 1錠 17.90 円

■ **ジェネリック**　　商品名（メーカー）　規格・保険薬価

エトドラク（沢井）錠 100mg 1錠 6.40 円
錠 200mg 1錠 8.70 円

エトドラク（大興＝日本ジェネリック）

錠 100mg 1錠 6.40 円　錠 200mg 1錠 8.70 円

エトドラク（武田テバファーマ＝武田）

錠 100mg 1錠 6.40 円　錠 200mg 1錠 8.70 円

エトドラク（東和）　錠 100mg 1錠 6.40 円

錠 200mg 1錠 8.70 円

エトドラク（日医工）　錠 100mg 1錠 6.40 円

錠 200mg 1錠 8.70 円

一般名：スリンダク

- 保険収載年月…1981年12月
- 海外評価…5点 英 米 独 仏
- 剤形…錠 錠剤

- 服用量と回数…1日300mgを2回に分けて服用。

■先発品　　商品名(メーカー)　規格・保険薬価

クリノリル（日医工＝杏林）　錠 50mg 1錠 8.90 円

錠 100mg 1錠 11.50 円

一般名：ナブメトン

- 保険収載年月…1990年5月
- 海外評価…6点 英 米 独 仏　●PC…C
- 剤形…錠 錠剤
- 服用量と回数…800mg(2錠)を1日1回。

■先発品　　商品名(メーカー)　規格・保険薬価

レリフェン（三和）　錠 400mg 1錠 26.30 円

📋 概　　要

分類　解熱鎮痛消炎薬（アリルアルカン酸誘導体）

処方目的　腰痛症，肩関節周囲炎，頸肩腕症候群の消炎・鎮痛／関節リウマチ，変形性関節症の消炎・鎮痛

[エトドラクのみの適応症] 手術後，外傷後の消炎・鎮痛

[エトドラク，スリンダクのみの適応症] 腱炎，腱鞘炎の消炎・鎮痛

解説　本剤は，痛みや発熱，炎症などを増強する生理活性物質のプロスタグランジンの生合成抑制作用や抗メディエーター作用などの相互作用で，抗炎症作用を現すといわれています。これらのうち，エトドラクとナブメトンはシクロオキシゲナーゼ（COX）選択性が高く COXⅡ阻害薬と呼ばれ，胃腸障害が少ないとされています。

💊 使用上の注意

＊エトドラク（ハイペン）などの添付文書による

基本的注意

(1)服用してはいけない場合……消化性潰瘍／重い血液異常・肝機能障害・腎機能障害・心機能不全・高血圧症／本剤の成分に対するアレルギー／アスピリンぜんそく（非ステロイド性解熱鎮痛薬などによるぜんそく発作の誘発）またはその前歴／妊娠末期

(2)慎重に服用すべき場合……消化性潰瘍の前歴／非ステロイド性解熱鎮痛薬の長期服用による消化性潰瘍のある人で，本剤の長期服用が必要であり，かつミソプロストールによる治療が行われている人／血液異常またはその前歴／肝機能障害・腎機能障害またはその前歴／心機能障害／高血圧症／アレルギーの前歴／気管支ぜんそく／SLE（全身性エリテマトーデス）／潰瘍性大腸炎／クローン病／高齢者

(3)血液障害……服用中に発熱，咽頭痛が現れたときは，重症の血液障害を疑ってみる必要があります。

(4)高齢者……[ナブメトン]1日1回服用の薬は，体外への排泄に時間がかかるので，高

齢者には好ましくないとの意見もあります。腎機能が低下している人も同様です。

(5)女性……非ステロイド系解熱鎮痛薬を長期服用している女性に，一時的な不妊が認められたとの報告があります。

(6)過度の体温低下など……［スリンダク］過度の体温低下，虚脱，四肢の冷却などがおこることがあります。特に高熱を伴う幼小児や高齢者，消耗性疾患の人は十分な注意が必要です。

(7)小児……原則として，水痘やインフルエンザなどのウイルス感染症にかかっている15歳未満の小児は服用しないでください。治療上やむを得ず服用する場合は，状態に注意してください。

(8)服用法……本剤が食道にとどこおると食道潰瘍がおこることがあるので，多めの水（150mL以上）で服用してください。特に就寝前は，のんですぐに横にならないようにしてください。

(9)脳炎・脳症……インフルエンザの経過中に脳炎・脳症を発症した人（おもに小児）のうち，本剤の服用者に予後不良例が多いとの報告があります。

(10)その他……

●妊婦での安全性：未確立。有益と判断されたときのみ服用。妊娠末期は服用しない。
●授乳婦での安全性：原則として服用しない。やむを得ず服用するときは授乳を中止。
●小児での安全性：未確立。（1714頁を参照）

重大な副作用　①ショック，アナフィラキシー（呼吸困難，じん麻疹，全身潮紅，血管浮腫，喘鳴など）。②胃腸出血，消化性潰瘍，穿孔。③皮膚粘膜眼症候群（スティブンス-ジョンソン症候群），中毒性表皮壊死融解症（TEN）。④汎血球減少，溶血性貧血，無顆粒球症，血小板減少。⑤急性腎障害（間質性腎炎，腎乳頭壊死など），慢性腎不全の急性増悪。⑥肝機能障害，黄疸。⑦うっ血性心不全。⑧好酸球性肺炎・間質性肺炎（発熱，せき，呼吸困難など）。

　そのほかにも報告された副作用はあるので，体調がいつもと違うと感じたときは，処方医・薬剤師に相談してください。

併用してはいけない薬　併用してはいけない薬は特にありません。ただし，併用する薬があるときは，念のため処方医・薬剤師に報告してください。

内 01 痛み・炎症・熱の薬　01 解熱鎮痛薬
07 アリールプロピオン酸系NSAID

製剤情報

一般名：イブプロフェン
●保険収載年月…1972年2月
●海外評価…6点 英米独仏　●PC…B
●剤形…錠 錠剤, 顆 顆粒剤

●服用量と回数…1日600mgを3回に分けて服用。急性上気道炎の場合は1回200mgを頓用，ただし原則1日2回まで，1日最大600mg。小児の場合は処方医の指示通りに服用。

■**先発品**　商品名(メーカー)　規格・保険薬価

ブルフェン [写真] (科研) [顆] 20% 1g 8.10 円
[錠] 100mg 1錠 5.90 円　[錠] 200mg 1錠 7.30 円

■**ジェネリック**　商品名(メーカー)　規格・保険薬価

イブプロフェン (武田テバファーマ＝武田)
[錠] 100mg 1錠 5.10 円　[錠] 200mg 1錠 5.90 円

イブプロフェン (辰巳) [錠] 100mg 1錠 5.10 円
[錠] 200mg 1錠 5.90 円

イブプロフェン (鶴原) [顆] 20% 1g 6.30 円

一般名：オキサプロジン

- 保険収載年月…1985年12月
- 海外評価…2点 [英][米][独][仏]　●PC…C
- 規制…劇薬
- 剤形…[錠]錠剤
- 服用量と回数…1日400mgを1〜2回に分けて服用, 1日最大600mg。

■**先発品**　商品名(メーカー)　規格・保険薬価

アルボ (大正製薬) [錠] 100mg 1錠 18.30 円
[錠] 200mg 1錠 23.30 円

一般名：ザルトプロフェン

- 保険収載年月…1993年8月
- 海外評価…0点 [英][米][独][仏]
- 規制…劇薬
- 剤形…[錠]錠剤
- 服用量と回数…1回80mgを1日3回。頓用は1回80〜160mg。

■**先発品**　商品名(メーカー)　規格・保険薬価

ソレトン (ケミファ) [錠] 80mg 1錠 13.90 円

ペオン (ゼリア) [錠] 80mg 1錠 13.30 円

■**ジェネリック**　商品名(メーカー)　規格・保険薬価

ザルトプロフェン (キョーリン＝杏林)
[錠] 80mg 1錠 10.10 円

ザルトプロフェン [写真] (沢井)
[錠] 80mg 1錠 10.10 円

ザルトプロフェン (辰巳) [錠] 80mg 1錠 10.10 円

ザルトプロフェン (東和) [錠] 80mg 1錠 10.10 円

ザルトプロフェン (日医工) [錠] 80mg 1錠 10.10 円

ザルトプロフェン (陽進堂＝日本ジェネリック＝共創未来) [錠] 80mg 1錠 10.10 円

一般名：ナプロキセン

- 保険収載年月…1978年3月
- 海外評価…6点 [英][米][独][仏]　●PC…B
- 剤形…[錠]錠剤
- 服用量と回数…1日300〜600mgを2〜3回に分けて服用(痛風発作には初回400〜600mg)。頓用・外傷後・術後の初回は300mg。

■**先発品**　商品名(メーカー)　規格・保険薬価

ナイキサン (田辺三菱＝ニプロ ES)
[錠] 100mg 1錠 6.10 円

一般名：プラノプロフェン

- 保険収載年月…1988年7月
- 海外評価…0点 [英][米][独][仏]
- 規制…劇薬
- 剤形…[錠]錠剤, [カ]カプセル剤
- 服用量と回数…1回75mgを1日3回(痛風発作には初日のみ1回150〜225mg)。急性上気道炎の場合は1回75mgを頓用, ただし原則1日2回まで, 1日最大225mg。

■**先発品**　商品名(メーカー)　規格・保険薬価

ニフラン [写真] (田辺三菱) [錠] 75mg 1錠 10.10 円

■**ジェネリック**　商品名(メーカー)　規格・保険薬価

プラノプロフェン (日医工ファーマ＝日医工)
[カ] 75mg 1カプ 7.10 円

一般名：フルルビプロフェン

- 保険収載年月…1979年4月
- 海外評価…6点 [英][米][独][仏]　●PC…C
- 規制…劇薬
- 剤形…[錠]錠剤, [顆]顆粒剤
- 服用量と回数…1回40mg(顆粒剤は0.5g)を1日3回。頓用は1回40〜80mg(顆粒剤は0.5〜1g)。

■先発品　商品名(メーカー)　規格・保険薬価

フロベン (科研) 顆 8% 1g 25.10 円
錠 40mg 1錠 15.70 円

一般名：ロキソプロフェンナトリウム水和物

- 保険収載年月…1986年6月
- 海外評価…0点 英 米 独 仏
- 剤形… 錠 錠剤，細 細粒剤，液 液剤
- 服用量と回数…1回60mg(細粒剤は0.6g)を1日3回，頓用は1回60〜120mg(細粒剤は0.6〜1.2g)。急性上気道炎の場合は1回60mgを頓用，ただし原則1日2回まで，1日最大180mg(細粒剤は1.8g)。

■先発品　商品名(メーカー)　規格・保険薬価

ロキソニン 写真 (第一三共) 細 10% 1g 20.00 円
錠 60mg 1錠 11.00 円

■ジェネリック　商品名(メーカー)　規格・保険薬価

ロキソプロフェン 写真 (エルメッド＝日医工)
錠 60mg 1錠 9.80 円

ロキソプロフェン Na (あすか＝武田)
錠 60mg 1錠 9.80 円

ロキソプロフェン Na (大原＝旭化成)
錠 60mg 1錠 9.80 円

ロキソプロフェン Na (共和) 錠 60mg 1錠 9.80 円

ロキソプロフェン Na (寿) 錠 60mg 1錠 9.80 円

ロキソプロフェン Na (小林化工)
錠 60mg 1錠 7.90 円

ロキソプロフェン Na (三恵) 錠 60mg 1錠 9.80 円

ロキソプロフェン Na (三和) 錠 60mg 1錠 9.80 円

ロキソプロフェン Na (武田テバファーマ＝武田) 錠 60mg 1錠 7.90 円

ロキソプロフェン Na (辰巳＝昭和薬化)
錠 60mg 1錠 7.90 円

ロキソプロフェン Na (鶴原) 錠 60mg 1錠 7.90 円

ロキソプロフェン Na (東和) 錠 60mg 1錠 7.90 円

ロキソプロフェン Na (日薬工)
錠 60mg 1錠 9.80 円

ロキソプロフェン Na (日新) 錠 60mg 1錠 7.90 円

ロキソプロフェン Na 写真 (メディサ＝沢井)
細 10% 1g 10.00 円　錠 60mg 1錠 7.90 円

ロキソプロフェン Na (陽進堂)
細 10% 1g 10.00 円

ロキソプロフェン Na (陽進堂＝共創未来)
錠 60mg 1錠 9.80 円

ロキソプロフェンナトリウム (皇漢堂)
錠 60mg 1錠 5.70 円

ロキソプロフェンナトリウム (長生堂＝日本ジェネリック) 細 10% 1g 10.00 円　錠 60mg 1錠 9.80 円

ロキソプロフェンナトリウム (日医工)
細 10% 1g 10.00 円　錠 60mg 1錠 9.80 円
液 0.6% 1mL 1.80 円

内
01
—
01
—
07

アリールプロピオン酸系NSAID

概　要

分類　解熱鎮痛消炎薬(アリルアルカン酸誘導体)

処方目的　[プラノプロフェン，ロキソプロフェンナトリウム水和物の適応症] 関節リウマチ，変形性関節症，腰痛症，頸肩腕症候群，歯痛・歯根膜炎，痛風発作(プラノプロフェンのみ)，肩関節周囲炎(ロキソプロフェンナトリウム水和物のみ)の消炎・鎮痛／手術後，外傷後ならびに抜歯後の鎮痛・消炎／急性上気道炎(急性気管支炎を伴う急性上気道炎を含む)の解熱・鎮痛

解説　体内で炎症・痛みの原因となるプロスタグランジンの生成に関与する酵素シクロオキシゲナーゼを阻害することで，解熱・鎮痛・抗炎症作用を示す薬です。

　ロキソプロフェンナトリウム水和物はOTC薬(大衆薬)として第1類に分類され，解熱鎮痛薬として医療用医薬品と同じ含量(1錠中ロキソプロフェンナトリウム水和物として

60mg)の製品が市販されています。イブプロフェンは第2類医薬品として，鎮痛薬や総合感冒薬などに配合されています。また，イブプロフェンとブチルスコポラミン臭化物（単剤としては，こちらも第2類医薬品として販売されている）との配合剤は，指定第2類医薬品です。

使用上の注意

*プラノプロフェン（ニフラン），ロキソプロフェンナトリウム水和物（ロキソニン）の添付文書による

基本的注意

(1)服用してはいけない場合……消化性潰瘍／重い血液異常・肝機能障害・腎機能障害・心機能不全／本剤の成分に対するアレルギーの前歴／アスピリンぜんそく（非ステロイド性解熱鎮痛薬などによるぜんそく発作の誘発）またはその前歴／妊娠後期／[プラノプロフェンのみ]重い高血圧症

(2)慎重に服用すべき場合……消化性潰瘍の前歴／非ステロイド性解熱鎮痛薬の長期服用による消化性潰瘍のある人で，本剤の長期服用が必要であり，かつミソプロストールによる治療が行われている人／血液異常またはその前歴（重い血液異常のある人を除く）／心機能異常（重い心機能不全のある人を除く）／気管支ぜんそく（アスピリンぜんそくまたはその前歴のある人を除く）／潰瘍性大腸炎／クローン病／腎機能障害またはその前歴（重い腎機能障害のある人を除く）／肝機能障害またはその前歴（重い肝機能障害のある人を除く）／高齢者／[プラノプロフェンのみ]出血傾向／高血圧症／アレルギーの前歴／SLE（全身性エリテマトーデス）／[ロキソプロフェンナトリウム水和物のみ]感染症を合併している人

(3)女性……非ステロイド系解熱鎮痛薬を長期服用している女性に，一時的な不妊が認められたとの報告があります。

(4)過度の体温低下など……過度の体温低下，虚脱，四肢の冷却などがおこることがあります。特に高熱を伴う幼小児や高齢者，消耗性疾患の人は十分な注意が必要です。

(5)血液障害……服用中に発熱，咽頭痛が現れたときは，重症の血液障害を疑ってみる必要があります。

(6)高齢者……1日1回服用の場合は，体外への排泄に時間がかかるので，高齢者には好ましくないとの意見もあります。腎機能が低下している人も同様です。

(7)その他……

- 妊婦での安全性：有益と判断されたときのみ服用。妊娠後期は服用しない。
- 授乳婦での安全性：[プラノプロフェン]未確立。有益と判断されたときのみ服用。[ロキソプロフェンナトリウム水和物]治療上の有益性・母乳栄養の有益性を考慮し，授乳の継続・中止を検討。
- 小児での安全性：未確立。(1714頁を参照)

重大な副作用　　①ショック，アナフィラキシー（じん麻疹，喉頭浮腫，呼吸困難など）。②皮膚粘膜眼症候群（スティブンス-ジョンソン症候群），中毒性表皮壊死融解症（TEN）。③急性腎障害，ネフローゼ症候群。④間質性肺炎（発熱，せき，呼吸困難

など)。⑤肝機能障害，黄疸。⑥ぜんそく発作，ぜんそく発作の誘発。
[プラノプロフェンのみ] ⑦消化性潰瘍，胃腸出血。⑧好酸球性肺炎。
[ロキソプロフェンナトリウム水和物のみ] ⑨無顆粒球症，白血球減少，溶血性貧血，再生不良性貧血，血小板減少。⑩多形紅斑。⑪間質性腎炎。⑫うっ血性心不全。⑬重い消化性潰瘍または小腸，大腸からの吐血，下血，血便などの消化管出血，それに伴うショック。⑭消化管穿孔。⑮小腸・大腸の潰瘍に伴う狭窄・閉塞。⑯劇症肝炎。⑰無菌性髄膜炎（発熱，頭痛，悪心・嘔吐，項部硬直，意識混濁など）。⑱横紋筋融解症（筋肉痛，脱力感など）。

　そのほかにも報告された副作用はあるので，体調がいつもと違うと感じたときは，処方医・薬剤師に相談してください。

併用してはいけない薬　①[イブプロフェン]ジドブジン→血友病の人では出血傾向が増強したとの報告があります。②[フルルビプロフェン]エノキサシン水和物，ロメフロキサシン，ノルフロキサシン，プルリフロキサシン→併用するとけいれんが現れることがあります。

内 01 痛み・炎症・熱の薬　01 解熱鎮痛薬

08 インドール酢酸系 NSAID

製剤情報

一般名：アセメタシン
- 保険収載年月…1992年7月
- 海外評価…3点 英 米 独 仏
- 規制…劇薬
- 剤形…錠 錠剤
- 服用量と回数…1回30mgを1日3〜4回，1日最大180mg。急性上気道炎の場合は1回30mgを頓用，ただし原則1日2回まで，1日最大90mg。

■先発品　商品名(メーカー)　規格・保険薬価

| ランツジールコーワ (興和) 錠 30mg 1錠 10.10 円 |

一般名：インドメタシンファルネシル
- 保険収載年月…1991年5月
- 規制…劇薬

- 剤形…カ カプセル剤
- 服用量と回数…1回200mgを1日2回。

■先発品　商品名(メーカー)　規格・保険薬価

| インフリー (エーザイ) カ 100mg 1カプセル 14.70 円 |
| インフリーS (エーザイ) カ 200mg 1カプセル 24.40 円 |

一般名：プログルメタシンマレイン酸塩
- 保険収載年月…1994年6月
- 海外評価…1点 英 米 独 仏
- 規制…劇薬
- 剤形…錠 錠剤
- 服用量と回数…1回90mg(1錠)を1日3回。

■先発品　商品名(メーカー)　規格・保険薬価

| ミリダシン (大鵬) 錠 90mg 1錠 9.60 円 |

概要

分類　解熱鎮痛消炎薬(インドール酢酸誘導体)
処方目的　関節リウマチ，変形性関節症，腰痛症，頸肩腕症候群，肩関節周囲炎の消

炎・鎮痛／[アセメタシンのみの適応症]手術後および外傷後の消炎・鎮痛／急性上気道炎(急性気管支炎を伴う急性上気道炎を含む)の解熱・鎮痛

解説　インドール酢酸系の非ステロイド系解熱鎮痛薬(NSAID)の内服薬は，現在のところ，ここに示した3種類が使用されています。作用の仕組みは痛みや発熱，炎症などを増強する生理活性物質のプロスタグランジンの生合成抑制作用によるとされています。このうちアセメタシンのみは，手術後および外傷後の消炎・鎮痛，急性上気道炎の解熱・鎮痛も適応となっています。また，現在のところ健康保険の適応外ですが，アセメタシン，インドメタシンファルネシルは難病の一つの好酸球性膿疱性毛包炎の治療にも用いられています。

使用上の注意

*アセメタシン(ランツジールコーワ)の添付文書による

基本的注意

(1)服用してはいけない場合……消化性潰瘍／重い血液異常・肝機能障害・腎機能障害・心機能不全・高血圧症・膵炎／本剤の成分，インドメタシンまたはサリチル酸系化合物(アスピリンなど)に対するアレルギーの前歴／アスピリンぜんそく(非ステロイド系解熱鎮痛薬などによるぜんそく発作の誘発)またはその前歴／トリアムテレンの服用中／妊婦または妊娠している可能性のある人

(2)特に慎重に服用すべき場合(原則禁忌)……小児

(3)慎重に服用すべき場合……消化性潰瘍の前歴／非ステロイド系解熱鎮痛薬の長期服用による消化性潰瘍のある人で，本剤の長期服用が必要であり，かつミソプロストールによる治療が行われている人／血液異常またはその前歴／出血傾向／肝機能障害またはその前歴／腎機能障害またはその前歴／高血圧症／心機能異常／膵炎／アレルギーの前歴／気管支ぜんそく／てんかん，パーキンソン症候群などの中枢神経系疾患／SLE(全身性エリテマトーデス)／潰瘍性大腸炎／クローン病／高齢者

(4)服用法……胃腸障害の発現を少なくするため，食直後に服用，または食物やミルク，制酸剤などとともに服用するようにしてください。

(5)女性……非ステロイド系解熱鎮痛薬を長期服用している女性に，一時的な不妊が認められたとの報告があります。

(6)過度の体温低下など……過度の体温下降，虚脱，四肢の冷却などがおこることがあります。特に高熱を伴う幼小児や高齢者，消耗性疾患の人は十分な注意が必要です。

(7)危険作業は中止……本剤を服用すると，眠け，めまいが現れることがあります。服用中は，自動車の運転など危険を伴う機械の操作は行わないようにしてください。

(8)その他……

●授乳婦での安全性：服用するときは授乳を中止。(1714頁を参照)

重大な副作用　①ショック，アナフィラキシー様症状(冷汗，顔面蒼白，呼吸困難，血圧低下など)。②消化管の穿孔・出血・潰瘍，腸管の狭窄・閉塞，潰瘍性大腸炎。③血液障害(無顆粒球症，再生不良性貧血，溶血性貧血，骨髄機能抑制)。④腎機能障害(急性腎不全，間質性腎炎，ネフローゼ症候群)。⑤皮膚粘膜眼症候群(スティブン

ス-ジョンソン症候群），中毒性表皮壊死融解症（TEN），剥脱性皮膚炎。⑥ぜんそく発作（アスピリンぜんそく）などの急性呼吸障害。⑦けいれん，昏睡，錯乱。⑧性器出血。⑨うっ血性心不全，肺水腫。⑩血管浮腫。⑪肝機能障害，黄疸。

　そのほかにも報告された副作用はあるので，体調がいつもと違うと感じたときは，処方医・薬剤師に相談してください。

併用してはいけない薬　　トリアムテレン→併用すると相互に副作用が増強され，急性腎不全をおこすことがあります。

内 01 痛み・炎症・熱の薬　01 解熱鎮痛薬

09　COXⅡ阻害薬

製剤情報

一般名：アンピロキシカム
- 保険収載年月…1993年11月
- 海外評価…0点 英米独仏
- 剤形…カ カプセル剤
- 服用量と回数…27mgを1日1回。

■先発品　　商品名（メーカー）　規格・保険薬価

フルカム 写真 （ファイザー）カ 13.5mg 1ｶﾌﾟ 31.80 円
カ 27mg 1ｶﾌﾟ 50.40 円

一般名：ピロキシカム
- 保険収載年月…1982年8月
- 海外評価…5点 英米独仏　●PC…C
- 剤形…カ カプセル剤
- 服用量と回数…20mgを1日1回。

■先発品　　商品名（メーカー）　規格・保険薬価

バキソ 写真 （富士フイルム富山）カ 10mg 1ｶﾌﾟ 7.70 円
カ 20mg 1ｶﾌﾟ 11.70 円

■ジェネリック　　　商品名（メーカー）　規格・保険薬価

ピロキシカム（鶴原）カ 10mg 1ｶﾌﾟ 5.70 円
カ 20mg 1ｶﾌﾟ 5.70 円

一般名：メロキシカム
- 保険収載年月…2001年2月
- 海外評価…6点 英米独仏　●PC…C
- 規制…劇薬
- 剤形…錠 錠剤
- 服用量と回数…10～15mgを1日1回。

■先発品　　商品名（メーカー）　規格・保険薬価

モービック 写真 （ベーリンガー）
錠 5mg 1錠 23.30 円　　錠 10mg 1錠 36.50 円

■ジェネリック　　　商品名（メーカー）　規格・保険薬価

メロキシカム（共和）錠 5mg 1錠 14.20 円
錠 10mg 1錠 14.10 円

メロキシカム（ケミファ＝共創未来）
錠 5mg 1錠 14.20 円　錠 10mg 1錠 20.30 円

メロキシカム（皇漢堂）錠 5mg 1錠 10.50 円
錠 10mg 1錠 14.10 円

メロキシカム（沢井）錠 5mg 1錠 14.20 円
錠 10mg 1錠 20.30 円

メロキシカム（シオノ＝科研）錠 5mg 1錠 14.20 円
錠 10mg 1錠 20.30 円

メロキシカム（ダイト＝エルメッド＝日医工）
錠 5mg 1錠 14.20 円　錠 10mg 1錠 20.30 円

メロキシカム（高田）錠 5mg 1錠 14.20 円
錠 10mg 1錠 20.30 円

メロキシカム（武田テバ薬品＝武田テバファーマ＝武田）錠 5mg 1錠 10.50 円　錠 10mg 1錠 20.30 円

メロキシカム（東和）錠 5mg 1錠 10.50 円
錠 10mg 1錠 20.30 円

メロキシカム（日医工）錠 5mg 1錠 14.20 円
錠 10mg 1錠 14.10 円

内
01
―
01
―
09

COXⅡ阻害薬

メロキシカム（日薬工＝ファイザー）
錠5mg 1錠 10.50 円　錠10mg 1錠 14.10 円

メロキシカム（ニプロ）錠5mg 1錠 10.50 円
錠10mg 1錠 14.10 円

メロキシカム（ニプロ ES）錠5mg 1錠 14.20 円
錠10mg 1錠 20.30 円

メロキシカム（陽進堂＝日本ジェネリック）
錠5mg 1錠 10.50 円　錠10mg 1錠 14.10 円

一般名：ロルノキシカム

- 保険収載年月…2001年2月
- 海外評価…0点 英 米 独 仏
- 規制…劇薬
- 剤形… 錠 錠剤
- 服用量と回数…1回4mgを1日3回，1日18mg まで。外傷後・手術後・抜歯後の消炎・鎮痛の場合は1回8mgを頓用，1日24mgまで。服用期間は3日以内。

■**先発品**　商品名(メーカー)　規格・保険薬価

ロルカム 写真（大正製薬）錠2mg 1錠 11.90 円
錠4mg 1錠 16.10 円

■**ジェネリック**　商品名(メーカー)　規格・保険薬価

ロルノキシカム（寿）錠2mg 1錠 5.90 円
錠4mg 1錠 6.30 円

一般名：セレコキシブ

- 保険収載年月…2007年3月
- 海外評価…6点 英 米 独 仏 ●PC…C
- 規制…劇薬
- 剤形… 錠 錠剤
- 服用量と回数…1回100mgを1日2回。関節リウマチの消炎・鎮痛の場合は，1回100〜200mgを1日2回。外傷後・手術後・抜歯後の消炎・鎮痛の場合は初回のみ400mg，以降は1回200mgを1日2回。

■**先発品**　商品名(メーカー)　規格・保険薬価

セレコックス 写真（ヴィアトリス）
錠100mg 1錠 38.90 円　錠200mg 1錠 57.30 円

■**ジェネリック**　商品名(メーカー)　規格・保険薬価

セレコキシブ（Me ファルマ＝MeijiSeika）
錠100mg 1錠 13.80 円　錠200mg 1錠 21.20 円

セレコキシブ（大原＝アルフレッサ）
錠100mg 1錠 13.80 円　錠200mg 1錠 21.20 円

セレコキシブ（キョーリン＝杏林＝辰巳）
錠100mg 1錠 13.80 円　錠200mg 1錠 21.20 円

セレコキシブ（ケミファ＝日薬工）
錠100mg 1錠 13.80 円　錠200mg 1錠 21.20 円

セレコキシブ（沢井）錠100mg 1錠 13.80 円
錠200mg 1錠 21.20 円

セレコキシブ（サンド）錠100mg 1錠 8.50 円
錠200mg 1錠 13.20 円

セレコキシブ（第一三共エスファ）
錠100mg 1錠 8.50 円　錠200mg 1錠 13.20 円

セレコキシブ（ダイト＝共和）錠100mg 1錠 8.50 円
錠200mg 1錠 13.20 円

セレコキシブ 写真（武田テバファーマ＝武田）
錠100mg 1錠 13.80 円　錠200mg 1錠 21.20 円

セレコキシブ（東和）錠100mg 1錠 13.80 円
錠200mg 1錠 21.20 円

セレコキシブ（日医工）錠100mg 1錠 8.50 円
錠200mg 1錠 13.20 円

セレコキシブ（日新）錠100mg 1錠 13.80 円
錠200mg 1錠 21.20 円

セレコキシブ（ニプロ）錠100mg 1錠 8.50 円
錠200mg 1錠 13.20 円

セレコキシブ（日本ジェネリック）
錠100mg 1錠 8.50 円　錠200mg 1錠 21.20 円

セレコキシブ 写真（ファイザー UPJ＝ヴィアトリス）錠100mg 1錠 13.80 円　錠200mg 1錠 21.20 円

セレコキシブ（フェルゼン）錠100mg 1錠 13.80 円
錠200mg 1錠 21.20 円

セレコキシブ（三笠）錠100mg 1錠 13.80 円
錠200mg 1錠 21.20 円

セレコキシブ（陽進堂）錠100mg 1錠 8.50 円
錠200mg 1錠 13.20 円

概 要

分類 解熱鎮痛消炎薬(アリルアルカン酸誘導体)

処方目的 関節リウマチ, 変形性関節症, 腰痛症, 肩関節周囲炎, 頸肩腕症候群の鎮痛・消炎

[ロルノキシカム, セレコキシブのみの適応症] 外傷後・手術後・抜歯後の鎮痛・消炎
[セレコキシブのみの適応症] 腱炎, 腱鞘炎

解説 本剤は, 炎症反応に関与するシクロオキシゲナーゼ(COX)Ⅱを選択的に阻害することにより, 抗炎症作用を現すといわれています。胃腸系の副作用が従来の解熱鎮痛薬と比べると, 多少軽いといわれていますが, 本質的には同じ副作用に注意しなければなりません。

使用上の注意

＊メロキシカム(モービック)の添付文書による

警告

[セレコキシブ] 外国において, COXⅡ選択的阻害薬などの服用により, 心筋梗塞, 脳卒中などの重篤で, 場合によっては致命的な心血管系血栓塞栓性事象のリスクを増大させる可能性があり, このリスクは使用期間とともに増大する可能性があると報告されています。

基本的注意

(1)服用してはいけない場合……消化性潰瘍／重い血液異常・肝機能障害・腎機能障害・心機能不全・高血圧症／本剤の成分, サリチル酸塩(アスピリンなど)または他の非ステロイド系解熱鎮痛薬に対するアレルギーの前歴／アスピリンぜんそく(非ステロイド性解熱鎮痛薬などによるぜんそく発作の誘発)またはその前歴／妊婦または妊娠している可能性のある人

(2)慎重に服用すべき場合……消化性潰瘍の前歴／非ステロイド性解熱鎮痛薬の長期服用による消化性潰瘍のある人で, 本剤の長期服用が必要であり, かつミソプロストールによる治療が行われている人／抗凝血薬(ワルファリンカリウムなど)の服用中／血液異常またはその前歴／肝機能障害・腎機能障害またはその前歴／心機能障害／高血圧症／気管支ぜんそく／体液喪失を伴う大手術直後／出血傾向／クローン病, 潰瘍性大腸炎／高齢者

(3)女性……非ステロイド系解熱鎮痛薬(NSAID)を長期服用している女性に, 一時的に不妊が認められたとの報告があります。また, 他の NSAID の服用で, 子宮内避妊器具(IUD)の避妊効果を弱めることが報告されています。

(4)血液障害……服用中に発熱, 咽頭痛が現れたときは, 重症の血液障害を疑ってみる必要があります。

(5)高齢者……1日1回服用の薬は, 体外への排泄に時間がかかるので, 高齢者には好ましくないとの意見もあります。腎機能が低下している人も同様です。

(6)危険作業は中止……本剤を服用すると, 眼の調節障害, 眠けなどの精神神経系症状が現れることがあるので, 服用中は自動車の運転など危険を伴う機械の操作は行わない

ようにしてください。

(7) その他……

● 授乳婦での安全性：原則として服用しない。やむを得ず服用するときは授乳を中止。
● 小児での安全性：未確立。(1714 頁を参照)

重大な副作用 ①消化性潰瘍，吐血，下血などの胃腸出血，大腸炎。②ぜんそく。③急性腎不全。④無顆粒球症，血小板減少。⑤皮膚粘膜眼症候群(スティブンス-ジョンソン症候群)，中毒性表皮壊死融解症(TEN)，水疱，多形紅斑。⑥アナフィラキシー様反応，血管浮腫。⑦肝炎，重い肝機能障害。⑧他の非ステロイド系解熱鎮痛薬でショック，再生不良性貧血，骨髄機能抑制，ネフローゼ症候群，間質性肺炎(セレコキシブ)などの副作用が報告されています。

　そのほかにも報告された副作用はあるので，体調がいつもと違うと感じたときは，処方医・薬剤師に相談してください。

併用してはいけない薬 ［アンピロキシカム，ピロキシカム］リトナビル(ノービア) →本剤の血中濃度が大幅に上昇し，不整脈，血液障害，けいれんなどの重い副作用をおこすおそれがあります。

内01 痛み・炎症・熱の薬　01 解熱鎮痛薬

10 塩基性抗炎症剤

✒ 製 剤 情 報

一般名：チアラミド塩酸塩
● 保険収載年月…1975年1月
● 海外評価…0点 英 米 独 仏
● 剤形…錠 錠剤
● 服用量と回数…1回100mgを1日3回。急性上

気道炎の場合は1回100mgを頓用，ただし原則1日2回まで，1日最大300mg。

■先発品　　商品名(メーカー)　規格・保険薬価
ソランタール (LTL ファーマ) 錠 50mg 1錠 9.80 円
錠 100mg 1錠 10.10 円

🗐 概 　 要

分類　解熱鎮痛消炎薬
処方目的　手術後，外傷後の鎮痛・消炎／下記の疾患の鎮痛・消炎→関節炎，腰痛症，頚肩腕症候群，骨盤内炎症，軟産道損傷，乳房うっ積，帯状疱疹，多形滲出性紅斑，膀胱炎，副睾丸炎，前眼部炎症，智歯周囲炎／抜歯後の鎮痛・消炎／下記の疾患の鎮痛→急性上気道炎
解説　アスピリン(サリチル酸系)，ピリン系薬剤，アントラニル酸誘導体，アリール酢酸誘導体，アリールプロピオン酸誘導体などを「酸性抗炎症薬」と呼ぶのに対し，ここで取り扱う薬剤を「塩基性抗炎症薬」と呼びます。塩基性抗炎症薬は，酸性抗炎症薬より抗炎症作用が少し弱いのですが，副作用も軽いといわれています。

使用上の注意

基本的注意

(1)服用してはいけない場合……消化性潰瘍／重い血液異常・肝機能障害・腎機能障害／本剤の成分に対するアレルギーの前歴／アスピリンぜんそく(非ステロイド性解熱鎮痛薬などによるぜんそく発作の誘発)またはその前歴

(2)慎重に服用すべき場合……けいれん発作の前歴／消化性潰瘍の前歴／血液異常またはその前歴(重い血液異常のある人を除く)／気管支ぜんそく(アスピリンぜんそくまたはその前歴のある人を除く)／感染症を合併している人／腎機能障害またはその前歴(重い腎機能障害のある人を除く)／肝機能障害またはその前歴(重い肝機能障害のある人を除く)／小児, 高齢者

(3)その他……

- 妊婦での安全性：有益と判断されたときのみ服用。
- 授乳婦での安全性：治療上の有益性・母乳栄養の有益性を考慮し，授乳の継続・中止を検討。(1714頁を参照)

重大な副作用
①ショック，アナフィラキシー(呼吸困難，じん麻疹，血管浮腫など)。

　そのほかにも報告された副作用はあるので，体調がいつもと違うと感じたときは，処方医・薬剤師に相談してください。

併用してはいけない薬
併用してはいけない薬は特にありません。ただし，併用する薬があるときは，念のため処方医・薬剤師に報告してください。

内 01 痛み・炎症・熱の薬　01 解熱鎮痛薬

11 シメトリド配合剤

製剤情報

一般名：シメトリド配合剤
- 保険収載年月…1965年11月
- 海外評価…0点 英 米 独 仏
- 剤形…顆 顆粒剤

- 服用量と回数…1回0.5gを1日3〜4回。

■先発品　　商品名(メーカー)　規格・保険薬価

キョーリン AP2 配合顆粒 写真 (杏林)
顆 1g 11.00円

概　要

分類　その他の解熱・鎮痛・消炎薬

処方目的　腰痛症, 症候性神経痛, 頭痛, 月経痛, 炎症による咽頭痛・耳痛, 歯痛, 術後疼痛

解説　本剤は，間脳の視床下部に作用して鎮痛効果を示すシメトリドと，その作用を強める目的でカフェインが配合されています。

使用上の注意

基本的注意

(1)服用してはいけない場合……本剤の成分に対するアレルギーの前歴
(2)慎重に服用すべき場合……肝機能障害, 腎機能障害
(3)その他……
● 妊婦での安全性：未確立。原則として服用しない。(1714 頁を参照)

重大な副作用

重大な副作用はありませんが, そのほかの副作用はあるので, 体調がいつもと違うと感じたときは, 処方医・薬剤師に相談してください。

併用してはいけない薬

併用してはいけない薬は特にありません。ただし, 併用する薬があるときは, 念のため処方医・薬剤師に報告してください。

内 01 痛み・炎症・熱の薬　01 解熱鎮痛薬

12 ノイロトロピン

製剤情報

一般名：ノイロトロピン
● 保険収載年月…1988年5月
● 海外評価…0点 英 米 独 仏
● 剤形…錠 錠剤

● 服用量と回数…1日4錠を2回に分けて服用。

■ 先発品　　商品名(メーカー)　規格・保険薬価

ノイロトロピン 写真 (日本臓器)
錠 4 単位 1錠 28.90 円

概要

分類　その他の解熱・鎮痛・消炎薬
処方目的　帯状疱疹後神経痛, 腰痛症, 頸肩腕症候群, 肩関節周囲炎, 変形性関節症
解説　成分は, ワクシニアウイルスで特殊処置をした家兎（いえうさぎ）の皮膚組織抽出物です。帯状疱疹後神経痛については, 4 週間服用しても改善しない場合は, 継続について処方医と相談してください。

使用上の注意

基本的注意

(1)服用してはいけない場合……本剤の成分に対するアレルギーの前歴
(2)服用法……本剤は特殊なコーティングがしてあるので, 噛まないで服用してください。
(3)その他……
● 妊婦での安全性：未確立。有益と判断されたときのみ服用。
● 授乳婦での安全性：未確立。有益と判断されたときのみ服用。
● 小児での安全性：未確立。(1714 頁を参照)

重大な副作用

①肝機能障害, 黄疸。②[本剤の注射薬で]ショック, アナフィラキシー。

そのほかにも報告された副作用はあるので，体調がいつもと違うと感じたときは，処方医・薬剤師に相談してください。

併用してはいけない薬 併用してはいけない薬は特にありません。ただし，併用する薬があるときは，念のため処方医・薬剤師に報告してください。

内 01 痛み・炎症・熱の薬　01 解熱鎮痛薬

13 神経障害性疼痛治療薬

製剤情報

一般名：プレガバリン

- 保険収載年月…2010年6月
- 海外評価…6点 英米独仏　●PC…C
- 剤形…錠錠剤，カカプセル剤
- 服用量と回数…神経障害性疼痛：1日150〜600mgを1日2回に分けて服用。線維筋痛症：1日150〜450mgを1日2回に分けて服用。

■先発品　商品名(メーカー)　規格・保険薬価

リリカ 写真 (ヴィアトリス) カ 25mg 1カプ 45.20 円
カ 75mg 1カプ 75.00 円　カ 150mg 1カプ 102.60 円

リリカ OD 写真 (ヴィアトリス)
錠 25mg 1錠 45.20 円　錠 75mg 1錠 75.00 円
錠 150mg 1錠 102.60 円

■ジェネリック　商品名(メーカー)　規格・保険薬価

プレガバリン (沢井) カ 25mg 1カプ 17.60 円
カ 75mg 1カプ 28.90 円　カ 150mg 1カプ 39.60 円

プレガバリン (東和) カ 25mg 1カプ 17.60 円
カ 75mg 1カプ 28.90 円　カ 150mg 1カプ 39.60 円

プレガバリン (日医工) カ 25mg 1カプ 17.60 円
カ 75mg 1カプ 28.90 円　カ 150mg 1カプ 39.60 円

プレガバリン OD (大原＝エッセンシャル)
錠 25mg 1錠 17.60 円　錠 75mg 1錠 28.90 円
錠 150mg 1錠 39.60 円

プレガバリン OD (共創未来＝三和)
錠 25mg 1錠 17.60 円　錠 75mg 1錠 28.90 円
錠 150mg 1錠 39.60 円

プレガバリン OD (共和) 錠 25mg 1錠 12.70 円
錠 75mg 1錠 21.10 円　錠 150mg 1錠 28.40 円

プレガバリン OD (キョーリン＝杏林)
錠 25mg 1錠 17.60 円　錠 75mg 1錠 28.90 円
錠 150mg 1錠 39.60 円

プレガバリン OD (ケミファ)
錠 25mg 1錠 17.60 円　錠 75mg 1錠 28.90 円
錠 150mg 1錠 39.60 円

プレガバリン OD (小林化工)
錠 25mg 1錠 17.60 円　錠 50mg 1錠 20.60 円
錠 75mg 1錠 28.90 円　錠 150mg 1錠 39.60 円

プレガバリン OD (沢井) 錠 25mg 1錠 17.60 円
錠 75mg 1錠 28.90 円　錠 150mg 1錠 39.60 円

プレガバリン OD (サンド) 錠 25mg 1錠 12.70 円
錠 75mg 1錠 21.10 円　錠 150mg 1錠 39.60 円

プレガバリン OD (全星) 錠 25mg 1錠 17.60 円
錠 75mg 1錠 28.90 円　錠 150mg 1錠 39.60 円

プレガバリン OD (第一三共エスファ)
錠 25mg 1錠 12.70 円　錠 75mg 1錠 28.90 円
錠 150mg 1錠 39.60 円

プレガバリン OD (ダイト＝科研)
錠 25mg 1錠 17.60 円　錠 75mg 1錠 28.90 円
錠 150mg 1錠 39.60 円

プレガバリン OD (武田テバファーマ＝武田)
錠 25mg 1錠 12.70 円　錠 50mg 1錠 20.60 円
錠 75mg 1錠 21.10 円　錠 150mg 1錠 28.40 円

プレガバリン OD (辰巳) 錠 25mg 1錠 17.60 円
錠 75mg 1錠 28.90 円　錠 150mg 1錠 39.60 円

プレガバリン OD (東和) 錠 25mg 1錠 17.60 円
錠 75mg 1錠 28.90 円　錠 150mg 1錠 39.60 円

プレガバリン OD（日医工）錠 25mg 1錠 17.60 円
錠 50mg 1錠 20.60 円　錠 75mg 1錠 28.90 円
錠 150mg 1錠 39.60 円

プレガバリン OD（日薬工）錠 25mg 1錠 12.70 円
錠 75mg 1錠 21.10 円　錠 150mg 1錠 28.40 円

プレガバリン OD（日新 = MeijiSeika）
錠 25mg 1錠 17.60 円　錠 75mg 1錠 28.90 円
錠 150mg 1錠 39.60 円

プレガバリン OD（ニプロ）錠 25mg 1錠 12.70 円
錠 75mg 1錠 21.10 円　錠 150mg 1錠 28.40 円

プレガバリン OD（日本ジェネリック）
錠 25mg 1錠 12.70 円　錠 75mg 1錠 21.10 円
錠 150mg 1錠 28.40 円

プレガバリン OD 写真（ファイザー UPJ = ヴィア
トリス）25mg 1錠 17.60 円　錠 75mg 1錠 28.90 円
錠 150mg 1錠 39.60 円

プレガバリン OD（フェルゼン）
錠 25mg 1錠 17.60 円　錠 75mg 1錠 28.90 円
錠 150mg 1錠 39.60 円

プレガバリン OD（三笠）錠 25mg 1錠 17.60 円
錠 50mg 1錠 20.60 円　錠 75mg 1錠 28.90 円
錠 150mg 1錠 39.60 円

プレガバリン OD（陽進堂）錠 50mg 1錠 20.60 円

プレガバリン OD（陽進堂 = 辰巳）
錠 25mg 1錠 12.70 円　錠 75mg 1錠 21.10 円
錠 150mg 1錠 39.60 円

一般名：ミロガバリンベシル酸塩

- 保険収載年月…2019年2月
- 海外評価…0点 英 米 独 仏
- 剤形…錠 錠剤
- 服用量と回数…初期用量1回5mgを1日2回服用し，その後1回用量として5mgずつ1週間以上の間隔をあけて漸増し，1回15mgを1日2回服用。年齢，症状により適宜増減する。

■先発品　　商品名(メーカー)　規格・保険薬価
タリージェ 写真（第一三共）錠 2.5mg 1錠 72.90 円
錠 5mg 1錠 100.40 円　錠 10mg 1錠 138.80 円
錠 15mg 1錠 168.00 円

≡ 概　　要

分類　神経障害性疼痛治療薬

処方目的　［プレガバリンの適応症］神経障害性疼痛，線維筋痛症に伴う疼痛
［ミロガバリンベシル酸塩の適応症］末梢性神経障害性疼痛

解説　神経障害性疼痛とは，中枢・末梢神経が損傷されておこる，一般的な解熱鎮痛薬が効きにくいタイプの痛みです。本剤は，神経細胞(ニューロン)と他の神経細胞との接合部分であるシナプスにおいてカルシウムの流入を低下させ，興奮性神経伝達物質の放出を抑制することで，過剰に興奮した神経を鎮めて痛みを和らげると考えられています。

　プレガバリンはまた，線維筋痛症という全身の強い痛みやこわばりなどが現れる原因不明の疾患にも用いられます。

☞ 使用上の注意

*両剤の添付文書による

基本的注意

(1)服用してはいけない場合……本剤の成分に対するアレルギーの前歴

(2)慎重に服用すべき場合……腎機能障害／高齢者

［プレガバリンのみ］重度のうっ血性心不全／血管浮腫の前歴

(3)急激な服用中止……本剤の服用を急に中止すると，不眠，吐きけ，下痢，食欲減退，

頭痛, 不安感, 多汗症などの離脱症状が現れることがあるので, 自己判断で中止しないでください。

(4)体重増加……本剤の服用によって体重が増加することがあります。肥満に注意し, 肥満の徴候が現れた場合は, 食事療法, 運動療法などで減量する必要があります。

(5)眼の症状……本剤の服用によって弱視, 視覚異常, 霧視, 複視などの眼の症状が現れることがあります。異常を感じた場合は, すぐに処方医に連絡してください。

(6)危険作業は中止……本剤の服用によって, めまい, 傾眠, 意識消失などが現れることがあるので, 服用中には自動車の運転など危険を伴う機械の操作には従事しないようにしてください。特に高齢者では, これらの症状により転倒し骨折などをおこすおそれがあるので十分に注意してください。

(7)その他……

● 妊婦での安全性：有益と判断されたときのみ服用。

● 授乳婦での安全性：[プレガバリン]服用するときは授乳を中止。[ミロガバリンベシル酸塩]治療上の有益性・母乳栄養の有益性を考慮し, 授乳の継続・中止を検討。

● 小児での安全性：未確立。(1714頁を参照)

重大な副作用 ①めまい, 傾眠, 意識消失。②肝機能障害。

[プレガバリンのみ] ③心不全, 肺水腫(特に心血管障害がある人)。④横紋筋融解症(筋肉痛, 脱力感など)。⑤腎不全。⑥過敏症(血管浮腫など)。⑦低血糖(脱力感, 倦怠感, 冷汗, ふるえ, 意識障害など)。⑧間質性肺炎(せき, 呼吸困難, 発熱など)。⑨ショック, アナフィラキシー。⑩皮膚粘膜眼症候群(スティブンス-ジョンソン症候群), 多形紅斑。⑪劇症肝炎。

そのほかにも報告された副作用はあるので, 体調がいつもと違うと感じたときは, 処方医・薬剤師に相談してください。

併用してはいけない薬 併用してはいけない薬は特にありません。ただし, 併用する薬があるときは, 念のため処方医・薬剤師に報告してください。

内 **01 痛み・炎症・熱の薬 02 ステロイド内服薬**

01 副腎皮質ステロイド薬

製剤情報

一般名：コルチゾン酢酸エステル

● 保険収載年月…1955年9月

● 海外評価…4点 英 米 独 仏

● 剤形…錠 錠剤

● 服用量と回数…1日12.5~150mgを1~4回に分けて服用。

■**先発品** **商品名(メーカー)** 規格・保険薬価

コートン (日医工) 錠 25mg 1錠 18.20 円

一般名：ヒドロコルチゾン

● 保険収載年月…1959年10月

● 海外評価…6点 英 米 独 仏 ● PC…C

● 剤形…錠 錠剤

● 服用量と回数…1日10~120mgを1~4回に

分けて服用。

■**先発品**　商品名(メーカー)　規格・保険薬価

コートリル (ファイザー) 錠 10mg 1錠 7.40 円

一般名：デキサメタゾン

● 保険収載年月…1959年10月
● 海外評価…6点 英米独仏　●PC…C
● 剤形…錠 錠剤, 液 液剤
● 服用量と回数…[錠剤]各種炎症：1日0.5〜8mgを1〜4回に分けて服用。抗がん薬の投与に伴う消化器症状：1日4〜20mgを1〜2回に分けて服用, 1日最大20mg。[液剤]1日5〜80mL(小児は1.5〜40mL)を1〜4回に分けて服用。

■**先発品**　商品名(メーカー)　規格・保険薬価

デカドロン 写真 (日医工) 錠 0.5mg 1錠 5.70 円
錠 4mg 1錠 28.70 円

デカドロンエリキシル (日医工)
液 0.01% 1mL 4.30 円

■**ジェネリック**　商品名(メーカー)　規格・保険薬価

デキサメタゾンエリキシル (日新)
液 0.01% 1mL 1.70 円

一般名：トリアムシノロン

● 保険収載年月…1959年10月
● 海外評価…3点 英米独仏
● 剤形…錠 錠剤
● 服用量と回数…1日4〜48mgを1〜4回に分けて服用。

■**先発品**　商品名(メーカー)　規格・保険薬価

レダコート (アルフレッサ) 錠 4mg 1錠 14.30 円

一般名：ベタメタゾン

● 保険収載年月…1962年10月
● 海外評価…4点 英米独仏
● 剤形…錠 錠剤, 散 散剤, シ シロップ剤
● 服用量と回数…1日0.5〜8mg(散剤0.5〜8g, シロップは成人5〜80mL, 小児1.5〜40mL)を1〜4回に分けて服用。

■**先発品**　商品名(メーカー)　規格・保険薬価

リンデロン (シオノギファーマ＝塩野義)
散 0.1% 1g 26.10 円　錠 0.5mg 1錠 12.00 円
シ 0.01% 1mL 6.70 円

■**ジェネリック**　商品名(メーカー)　規格・保険薬価

ベタメタゾン (沢井) 錠 0.5mg 1錠 6.40 円

ベタメタゾン散 (扶桑) 散 0.1% 1g 19.20 円

一般名：プレドニゾロン

● 保険収載年月…1957年4月
● 海外評価…5点 英米独仏　●PC…C
● 剤形…錠 錠剤, 散 散剤
● 服用量と回数…1日5〜60mg(散剤は0.5〜6g)を1〜4回に分けて服用。悪性リンパ腫に用いる場合は, 抗悪性腫瘍薬との併用において1日量として100mg／m²(体表面積)まで服用できる。川崎病の急性期に用いる場合は, 1日体重1kgにつき2mg(最大60mg)を3回に分けて服用。

■**先発品**　商品名(メーカー)　規格・保険薬価

プレドニゾロン 写真 (旭化成) 錠 1mg 1錠 8.30 円
錠 5mg 1錠 9.80 円

プレドニゾロン (キョーリン＝杏林＝コーアイセイ＝日本ジェネリック) 錠 5mg 1錠 9.80 円

プレドニゾロン 写真 (武田テバ薬品＝武田)
散 1% 1g 6.50 円　錠 5mg 1錠 9.80 円

プレドニゾロン (東和) 錠 5mg 1錠 9.80 円

プレドニゾロン (ニプロ) 錠 2.5mg 1錠 9.80 円
錠 5mg 1錠 9.80 円

プレドニゾロン (マイラン＝ファイザー)
錠 1mg 1錠 8.30 円　錠 5mg 1錠 9.80 円

プレドニゾロン (陽進堂) 錠 5mg 1錠 9.80 円

プレドニン 写真 (シオノギファーマ＝塩野義)
錠 5mg 1錠 9.80 円

一般名：メチルプレドニゾロン

● 保険収載年月…1961年1月
● 海外評価…5点 英米独仏
● 剤形…錠 錠剤

- 服用量と回数…1日4〜48mgを1〜4回に分けて服用。

■先発品　商品名(メーカー)　規格・保険薬価
メドロール (ファイザー) 錠 2mg 1錠 7.10 円
錠 4mg 1錠 13.50 円

一般名：フルドロコルチゾン酢酸エステル

- 保険収載年月…1987年8月
- 海外評価…5点 英 米 独 仏 ●PC…C
- 規制…劇薬
- 剤形…錠 錠剤
- 服用量と回数…1日0.02〜0.1mgを2〜3回に分けて服用。新生児・乳児は0.025〜0.05mgより服用を開始し、年齢・症状により適宜増減する。

■先発品　商品名(メーカー)　規格・保険薬価
フロリネフ (サンドファーマ＝サンド)
錠 0.1mg 1錠 275.40 円

一般名：副腎皮質ステロイドを含む配合剤＜ベタメタゾン＋抗ヒスタミン薬＞

- 保険収載年月…1965年3月

- 海外評価…2点 英 米 独 仏
- 剤形…錠 錠剤, シ シロップ剤
- 服用量と回数…1回1〜2錠を1日1〜4回。シロップは1回5〜10mL(小児は1回5mL)を1日1〜4回。

■先発品　商品名(メーカー)　規格・保険薬価
セレスタミン配合錠 (高田) 錠 1錠 8.40 円
セレスタミン配合シロップ (高田)
シ 1mL 5.30 円

■ジェネリック　商品名(メーカー)　規格・保険薬価
エンペラシン配合錠 (沢井) 錠 1錠 5.70 円
サクコルチン配合錠 (日医工) 錠 1錠 5.70 円
セレスターナ配合錠 (小林化工＝ファイザー)
錠 1錠 5.70 円
ヒスタブロック配合錠 (共和) 錠 1錠 5.70 円
プラデスミン配合錠 (武田テバファーマ＝武田)
錠 1錠 5.70 円
ベタセレミン配合錠 (東和) 錠 1錠 5.70 円

概　要

分類　副腎皮質ステロイド

処方目的　副腎皮質ステロイド薬は炎症を抑えるのに使われます。その適応症は，簡単なかゆみからがんに至るまで無数にあるといえます。副腎皮質の働きが悪いためおこるアジソン病などに使用されるだけでなく，関節リウマチ，膠原病，ぜんそく，ネフローゼ，乾癬，薬疹，血液障害などに多く使用されます。

　フルドロコルチゾン酢酸エステルの処方目的は，塩喪失型先天性副腎皮質過形成症，塩喪失型慢性副腎皮質機能不全(アジソン病)の治療となっています。

　なお，デキサメタゾン(経口・経管・静注)は，免疫抑制・調整薬として新型コロナウイルス(SARS-CoV-2)感染症の治療に，中等症・重症の患者を対象として使われています。

解説　副腎皮質から分泌されるコルチゾンというホルモンの多彩な働きが注目され，各種の副腎皮質ステロイドが合成され，臨床的に使用されています。

　現在，日本で発売されている副腎皮質ステロイド薬は，コルチゾン酢酸エステル，ヒドロコルチゾン，デキサメタゾン，トリアムシノロン，ベタメタゾン，プレドニゾロンなどです。薬のなかでも，使い方が最もむずかしいものの一つで，細菌による感染症を誘発したり，胃・十二指腸潰瘍，糖尿病，副腎機能の低下，精神障害などをおこすことが

あるので，次のことに注意します。

①他に適当な治療法があるときは，なるべく使わないようにします。

②本剤を服用しているときは，副作用の出現に十分に注意し，ストレスにさらされないようにし，服用中に事故にあった場合は，すぐに処方医に連絡します。

③急に服用をやめると，熱が出たり，頭痛，食欲不振，脱力感，筋肉痛，関節痛，ショック症状がおこることがあるので，自分勝手に服用を中止してはいけません。

使用上の注意

*プレドニゾロン（プレドニン）の添付文書による

警告

　本剤は，がんの治療にも使用されます。本剤を含むがん化学療法は緊急時に十分対応できる医療施設で，がん化学療法に十分な知識・経験を持つ医師のもとで，本療法が適切と判断される人にのみ実施されなければなりません。また，治療開始に先立ち，医師からその有効性・危険性について十分な説明を受け，患者本人（またはその家族）が納得・同意できなければ治療を行うべきではありません。

基本的注意

(1)服用してはいけない場合……本剤の成分に対するアレルギーの前歴／デスモプレシン酢酸塩水和物（ミニリンメルト：男性における夜間多尿による夜間頻尿）の服用中

(2)特に慎重に服用すべき場合(治療上やむを得ないと判断される場合を除き服用は避けること)……有効な抗菌薬の存在しない感染症，全身の真菌症／消化性潰瘍／精神疾患／結核性疾患／単純疱疹性角膜炎，後のう白内障，緑内障／高血圧症／電解質異常／血栓症／最近行った内臓の手術創がある人／急性心筋梗塞の前歴

(3)慎重に服用すべき場合……感染症（有効な抗菌薬の存在しない感染症，全身の真菌症を除く）／糖尿病／骨粗鬆症／腎不全／甲状腺機能低下／肝硬変，脂肪肝／脂肪塞栓症／重症筋無力症／B型肝炎ウイルスのキャリアまたは既往感染者／強皮症／小児，高齢者

(4)食事……服用中は，カリウム，ビタミン，タンパク質に富んだもので，脂肪，糖質，塩分の少ないものをとるようにします。

(5)水痘・麻疹……本剤を服用中に水痘（水ぼうそう），麻疹（はしか）に感染すると，致命的な経過をたどることがあるので，十分な注意が必要です。

(6)急な服用中止……連用後，服用を急に中止すると，ときに発熱，頭痛，食欲不振，脱力感，筋肉痛，関節痛，ショックなどの離脱症状が現れることがあるので，自己判断で中止してはいけません。離脱症状が現れた場合は，ただちに処方医へ連絡してください。

(7)生ワクチン……服用中，あるいは服用中止後6カ月以内の場合は，どんな生ワクチンでも接種してはいけません。服用中の接種で神経障害，抗体反応の欠如がおこったという報告があります。

(8)服用中の妊娠……妊娠に気づいたら，すぐに処方医に連絡を。動物実験で催奇形性が報告されています。

(9)その他……

- 妊婦での安全性：有益と判断されたときのみ服用。
- 授乳婦での安全性：治療上の有益性・母乳栄養の有益性を考慮し，授乳の継続・中止を検討。(1714頁を参照)

重大な副作用 ①誘発感染症や感染症の増悪。②糖尿病，続発性副腎皮質機能不全。③消化管潰瘍，消化管穿孔，消化管出血。④膵炎。⑤精神変調，うつ状態，けいれん。⑥骨粗鬆症，大腿骨や上腕骨などの骨頭無菌性壊死，ミオパチー。⑦眼圧上昇，緑内障，後のう白内障，中心性漿液性脈絡網膜症・多発性後極部網膜色素上皮症。⑧血栓症。⑨心筋梗塞，脳梗塞，動脈瘤。⑩硬膜外脂肪腫。⑪腱断裂(アキレス腱など)。

　そのほかにも報告された副作用はあるので，体調がいつもと違うと感じたときは，処方医・薬剤師に相談してください。

併用してはいけない薬 デスモプレシン酢酸塩水和物(ミニリンメルト：男性における夜間多尿による夜間頻尿)→低ナトリウム血症が現れるおそれがあります。

[ヒドロコルチゾン，メチルプレドニゾロン] 生ワクチンまたは弱毒生ワクチン(乾燥弱毒生麻疹ワクチン，乾燥弱毒生風疹ワクチン，経口生ポリオワクチン，乾燥BCGワクチンなど)→免疫抑制が生じる量の副腎皮質ホルモン薬を服用中の人がワクチンを接種すると，ワクチン株の異常増殖または毒性の復帰が現れるおそれがあります。

[デキサメタゾン] リルピビリン塩酸塩，オデフシィ配合錠，ジャルカ配合錠，ダクラタスビル塩酸塩，アスナプレビル→これらの薬剤の血中濃度が低下し，作用が弱まるおそれがあります。

[デカドロンエリキシル] ジスルフィラム(ノックビン)，シアナミド(シアナマイド)→急性ジスルフィラム・シアナミド-アルコール反応(顔面潮紅，血圧降下，胸部圧迫感，心悸亢進，頻脈，悪心，嘔吐，頭痛，失神，めまい，けいれん，呼吸困難，視力低下など)が現れることがあります。

内 01 痛み・炎症・熱の薬　03 片頭痛の薬

01 エルゴタミン酒石酸塩

製剤情報

一般名：エルゴタミン酒石酸塩・無水カフェイン・イソプロピルアンチピリン配合剤

- 保険収載年月…1965年11月
- 海外評価…5点 英 米 独 仏　●PC…X
- 規制…劇薬
- 剤形…錠 錠剤

- 服用量と回数…配合錠A：1回1錠を1日2〜3回，頭痛発作の前兆時は1〜2錠を頓用，1週間最大10錠。配合錠B：1回2錠を1日2〜3回，頭痛発作の前兆時は2〜4錠を頓用，1週間最大20錠。

■ 先発品　商品名(メーカー)　規格・保険薬価

| クリアミン配合錠 A (日医工) 錠 | 1錠 10.60 円 |
| クリアミン配合錠 S (日医工) 錠 | 1錠 6.80 円 |

内 01—03—01 エルゴタミン酒石酸塩

📋 概　要

分類　頭痛治療薬

処方目的　片頭痛，血管性頭痛，緊張性頭痛

解説　エルゴタミン酒石酸塩は，バッカクの誘導体です。血管平滑筋に直接作用して，異常に拡張した外頸動脈を収縮し，拍動の振幅を減少させて頭痛を除去します。

📋 使用上の注意

基本的注意

(1)服用してはいけない場合……末梢血管障害，閉塞性血管障害／狭心症／冠動脈硬化症／コントロール不十分な高血圧症，ショック，側頭動脈炎／肝機能障害，腎機能障害／敗血症／本剤の成分，バッカクアルカロイドまたはピラゾロン系薬剤に対するアレルギーの前歴／心エコー検査により，心臓弁尖肥厚，心臓弁可動制限およびこれらに伴う狭窄などの心臓弁膜の病変が確認された人，およびその前歴のある人／以下の薬剤の服用中→HIVプロテアーゼ阻害薬(リトナビル，ロピナビル・リトナビル配合剤，ホスアンプレナビルカルシウム水和物，アタザナビル硫酸塩，ダルナビルエタノール付加物)，エファビレンツ，コビシスタット含有製剤(スタリビルド配合錠)，マクロライド系抗生物質(エリスロマイシンステアリン酸塩，ジョサマイシン，クラリスロマイシン，ロキシスロマイシン)，アゾール系抗真菌薬(イトラコナゾール，ミコナゾール，フルコナゾール，ホスフルコナゾール，ボリコナゾール)，5-HT$_{1B/1D}$受容体作動薬(スマトリプタンコハク酸塩，ゾルミトリプタン，エレトリプタン臭化水素酸塩，リザトリプタン安息香酸塩，ナラトリプタン塩酸塩)，バッカクアルカロイド(エルゴメトリン，メチルエルゴメトリンマイレン酸塩)／妊婦または妊娠している可能性のある人，授乳婦

(2)慎重に服用すべき場合……心臓障害／血液障害(貧血，白血球減少など)／緑内障／本人または両親・兄弟に他の薬物に対するアレルギー・じん麻疹・気管支喘息・アレルギー性鼻炎・食物アレルギーなどがある人

(3)喫煙……本剤は血管収縮作用を増強するおそれがあるので，過度の喫煙はしないでください。

(4)危険作業に注意……本剤を服用すると，めまいなどがおこることがあります。服用中は，自動車の運転など危険を伴う機械の操作は十分に注意してください。

(5)その他……

- 授乳婦での安全性：原則として服用しない。やむを得ず服用する場合は授乳を中止。
- 小児での安全性：未確立。(1714頁を参照)

重大な副作用

①ショック(脈拍異常，呼吸困難，顔面蒼白，血圧低下など)。②皮膚粘膜眼症候群(スティーブン-ジョンソン症候群)，中毒性表皮壊死融解症(TEN)。③血管攣縮，動脈内膜炎，チアノーゼ，壊疽などのバッカク中毒症状(四肢のしびれ感・ピリピリ感・痛み，脈消失など)。腎機能障害・意識障害・麻痺(特に長期または大量服用の場合)。④(長期連用の場合)エルゴタミン誘発性頭痛。(急に中止した場合)頭痛を主訴とする離脱症状。⑤肝機能障害，黄疸。⑥心筋虚血，心筋梗塞。⑦(長期連用の場合)胸膜線維症，後腹膜線維症，心臓弁線維症。

そのほかにも報告された副作用はあるので，体調がいつもと違うと感じたときは，処方医・薬剤師に相談してください。

併用してはいけない薬　①HIV プロテアーゼ阻害薬(リトナビル，ロピナビル・リトナビル配合剤，ホスアンプレナビルカルシウム水和物，アタザナビル硫酸塩，ダルナビルエタノール付加物)，エファビレンツ，コビシスタット含有製剤(スタリビルド配合錠)，マクロライド系抗生物質(エリスロマイシンステアリン酸塩，ジョサマイシン，クラリスロマイシン，ロキシスロマイシン)，アゾール系抗真菌薬(イトラコナゾール，ミコナゾール，フルコナゾール，ホスフルコナゾール，ボリコナゾール)→本剤の血中濃度が上昇し，血管れん縮などの重い副作用をおこすおそれがあります。②5-HT$_{1B/1D}$受容体作動薬(スマトリプタンコハク酸塩，ゾルミトリプタン，エレトリプタン臭化水素酸塩，リザトリプタン安息香酸塩，ナラトリプタン塩酸塩)，バッカクアルカロイド(エルゴメトリン，メチルエルゴメトリンマイレン酸塩)→血圧上昇または血管れん縮が強まるおそれがあります。

内 01 痛み・炎症・熱の薬　03 片頭痛の薬
02 ジメトチアジンメシル酸塩

製剤情報
一般名：ジメトチアジンメシル酸塩
- 保険収載年月…1972年11月
- 海外評価…0点 英 米 独 仏
- 剤形…錠 錠剤

- 服用量と回数…1日60mgを3回に分けて服用。1日最大120mg。

■先発品　商品名(メーカー)　規格・保険薬価
ミグリステン (共和) 錠 20mg 1錠 10.80 円

概　要
分類　片頭痛・緊張性頭痛治療薬(フェノチアジン系)
処方目的　片頭痛，緊張性頭痛
解説　構造的には精神科用薬剤のフェノチアジン系で，脳の血管の収縮を抑えて頭痛を予防します。吐きけを抑える作用もあるため，薬剤中毒，腸閉塞，脳腫瘍などによる嘔吐症状をかくすことがあります。

使用上の注意
基本的注意
(1)服用してはいけない場合……フェノチアジン系薬剤およびその類似化合物に対するアレルギーの前歴／昏睡状態の人／麻酔薬・バルビツール酸誘導体などの中枢神経抑制薬の強い影響下にある人
(2)危険作業は中止……本剤を服用すると，眠けを催すことがあります。服用中は，自動車の運転など危険を伴う機械の操作は行わないようにしてください。
(3)その他……
- 妊婦での安全性：未確立。有益と判断されたときのみ服用。

内
01
―
03
―
02
ジメトチアジンメシル酸塩

●授乳婦での安全性：未確立。有益と判断されたときのみ服用。（1714頁を参照）

重大な副作用　　重大な副作用はありませんが，そのほかの副作用はあるので，体調がいつもと違うと感じたときは，処方医・薬剤師に相談してください。

併用してはいけない薬　　併用してはいけない薬は特にありません。ただし，併用する薬があるときは，念のため処方医・薬剤師に報告してください。

内 01 痛み・炎症・熱の薬　03 片頭痛の薬

03　ロメリジン塩酸塩

製剤情報

一般名：ロメリジン塩酸塩
●保険収載年月…1999年5月
●海外評価…0点 英 米 独 仏
●剤形…錠 錠剤

●服用量と回数…1回5mgを1日2回。1日最大20mg。

■**先発品**　　商品名(メーカー)　規格・保険薬価

ミグシス（ファイザー）錠 5mg 1錠 21.80 円

概　要

分類　片頭痛治療薬（カルシウム拮抗薬）

処方目的　片頭痛

解説　本剤は，我が国で初めてのカルシウム$^{2+}$チャネル遮断作用を主作用とする片頭痛の基礎治療薬だといわれていますが，英米独仏の医薬品カタログにはまだ出ていません。

使用上の注意

基本的注意

(1)服用してはいけない場合……本剤の成分に対するアレルギーの前歴／頭蓋内出血またはその疑いのある人／脳梗塞急性期／妊婦または妊娠している可能性のある人

(2)慎重に服用すべき場合……重い肝機能障害／心電図で QT 延長の疑われる人（心室性不整脈，QT 延長症候群，低カリウム血症，低カルシウム血症など）／パーキンソニズム／うつ状態またはその前歴／高齢者

(3)服用上の注意……本剤は片頭痛の予防薬ですので，発現した頭痛発作を緩解する薬ではありません。

(4)危険作業は中止……本剤を服用すると，眠けを催すことがあります。服用中は，自動車の運転など危険を伴う機械の操作は行わないようにしてください。

(5)その他……

●授乳婦での安全性：原則として服用しない。やむを得ず服用するときは授乳を中止。
●小児での安全性：未確立。（1714頁を参照）

重大な副作用　　①抑うつ。②類似薬（塩酸フルナリジンなど）で，錐体外路症状。

　そのほかにも報告された副作用はあるので，体調がいつもと違うと感じたときは，処

方医・薬剤師に相談してください。

併用してはいけない薬 併用してはいけない薬は特にありません。ただし，併用する薬があるときは，念のため処方医・薬剤師に報告してください。

内 01 痛み・炎症・熱の薬 03 片頭痛の薬

04 セロトニン1B/1D 受容体作動型片頭痛治療薬

📋 **製 剤 情 報**

一般名：スマトリプタンコハク酸塩

- 保険収載年月…2001年8月
- 海外評価…6点 **英 米 独 仏** ●PC…C
- 規制…劇薬
- 剤形…錠錠剤，液液剤
- 服用量と回数…1回50mgを頭痛が現れた時に服用，効果が不十分な場合は1回100mg。1日総量は200mg以内。

■**先発品** 商品名(メーカー) 規格・保険薬価

イミグラン 写真 (グラクソ)	錠 50mg 1錠 490.10 円

■**ジェネリック** 商品名(メーカー) 規格・保険薬価

スマトリプタン (共和)	錠 50mg 1錠 177.40 円
スマトリプタン (サンドファーマ＝サンド) 錠 50mg 1錠 177.40 円	
スマトリプタン (高田)	錠 50mg 1錠 177.40 円
スマトリプタン (辰巳＝フェルゼン) 錠 50mg 1錠 177.40 円	
スマトリプタン (東和)	錠 50mg 1錠 177.40 円
スマトリプタン (日医工)	錠 50mg 1錠 177.40 円
スマトリプタン (日本ジェネリック) 錠 50mg 1錠 177.40 円	
スマトリプタン (富士製薬) 錠 50mg 1錠 177.40 円	
スマトリプタン (マイラン＝ファイザー) 錠 50mg 1錠 135.80 円	
スマトリプタン (陽進堂) 錠 50mg 1錠 177.40 円	
スマトリプタン内用液 (高田) 液 50mg2mL 1包 497.30 円	

一般名：ゾルミトリプタン

- 保険収載年月…2001年8月
- 海外評価…6点 **英 米 独 仏** ●PC…C
- 規制…劇薬
- 剤形…錠錠剤
- 服用量と回数…1回2.5mgを頭痛が現れた時に服用，効果が不十分な場合は1回5mg。1日総量は10mg以内。

■**先発品** 商品名(メーカー) 規格・保険薬価

ゾーミッグ (沢井)	錠 2.5mg 1錠 574.20 円
ゾーミッグ RM 写真 (沢井)	錠 2.5mg 1錠 574.20 円

■**ジェネリック** 商品名(メーカー) 規格・保険薬価

ゾルミトリプタン OD (共和) 錠 2.5mg 1錠 189.20 円	
ゾルミトリプタン OD (高田) 錠 2.5mg 1錠 189.20 円	
ゾルミトリプタン OD (東和) 錠 2.5mg 1錠 189.20 円	
ゾルミトリプタン OD (日医工) 錠 2.5mg 1錠 189.20 円	
ゾルミトリプタン OD (日新) 錠 2.5mg 1錠 189.20 円	
ゾルミトリプタン OD (日本ジェネリック) 錠 2.5mg 1錠 189.20 円	
ゾルミトリプタン OD 写真 (マイラン＝ファイザー) 錠 2.5mg 1錠 152.50 円	

一般名：エレトリプタン臭化水素酸塩

- 保険収載年月…2002年6月
- 海外評価…6点 **英 米 独 仏** ●PC…C

- 規制…劇薬
- 剤形…錠 錠剤
- 服用量と回数…1回20mgを頭痛が現れた時に服用，効果が不十分な場合は1回40mg。1日総量は40mg以内。

■先発品　　商品名(メーカー)　規格・保険薬価

レルパックス (ヴィアトリス)

錠 20mg 1錠 543.70 円

■ジェネリック　　商品名(メーカー)　規格・保険薬価

エレトリプタン (サンド) 錠 20mg 1錠 183.40 円

エレトリプタン (第一三共エスファ)
錠 20mg 1錠 183.40 円

エレトリプタン (辰巳) 錠 20mg 1錠 183.40 円

エレトリプタン (東和) 錠 20mg 1錠 183.40 円

エレトリプタン (日医工) 錠 20mg 1錠 183.40 円

エレトリプタン (日新) 錠 20mg 1錠 183.40 円

エレトリプタン (ファイザー UPJ = ヴィアトリス)
錠 20mg 1錠 183.40 円

エレトリプタン (陽進堂) 錠 20mg 1錠 183.40 円

エレトリプタン OD (共和 = 日本ジェネリック)
錠 20mg 1錠 183.40 円

一般名：リザトリプタン安息香酸塩

- 保険収載年月…2002年6月
- 海外評価…6点 英 米 独 仏　　●PC…C
- 規制…劇薬
- 剤形…錠 錠剤

- 服用量と回数…1回10mgを頭痛が現れた時に服用。1日総量は20mg以内。

■先発品　　商品名(メーカー)　規格・保険薬価

マクサルト (杏林 = エーザイ)

錠 10mg 1錠 518.30 円

マクサルト RPD (杏林 = エーザイ)

錠 10mg 1錠 523.00 円

■ジェネリック　　商品名(メーカー)　規格・保険薬価

リザトリプタン OD (共和) 錠 10mg 1錠 163.00 円

リザトリプタン OD (辰巳 = 日本ジェネリック)
錠 10mg 1錠 163.00 円

リザトリプタン OD (東和) 錠 10mg 1錠 163.00 円

リザトリプタン OD 写真 (ファイザー)
錠 10mg 1錠 119.20 円

一般名：ナラトリプタン塩酸塩

- 保険収載年月…2008年4月
- 海外評価…6点 英 米 独 仏　　●PC…C
- 規制…劇薬
- 剤形…錠 錠剤
- 服用量と回数…1回2.5mgを頭痛が現れた時に服用。1日総量は5mg以内。

■先発品　　商品名(メーカー)　規格・保険薬価

アマージ (グラクソ) 錠 2.5mg 1錠 470.00 円

■ジェネリック　　商品名(メーカー)　規格・保険薬価

ナラトリプタン (寿) 錠 2.5mg 1錠 231.90 円

概　要

分類　頭痛治療薬($5\text{-}HT_{1B/1D}$ 受容体作動型)

処方目的　片頭痛

〈注〉①家族性片麻痺性片頭痛，孤発性片麻痺性片頭痛，脳底型片頭痛，眼筋麻痺性片頭痛の患者は服用してはいけません。

②十分な問診・診察・検査を受けた後に処方されるべき人……(a)今までに片頭痛と診断されたことのない人，(b)診断されたことはあるが，症状や経過が，そのときとは異なっている人

解説　本剤は，脳などの血管内壁に存在するセロトニン受容体($5\text{-}HT_1$ 受容体，特に $5\text{-}HT_{1B}$ と $5\text{-}HT_{1D}$ 受容体)に作用して，頭痛発作時に過度に拡張した頭蓋内外の血管を収

縮させることで片頭痛を改善します。スマトリプタンコハク酸塩のみは，外用薬，注射薬もあります。

　本剤は頭痛の発現時にのみ服用する薬剤で，予防のための効果はありません。

📝 使用上の注意
＊スマトリプタンコハク酸塩（イミグラン）の添付文書による

基本的注意

(1)**服用してはいけない場合**……本剤の成分に対するアレルギーの前歴／心筋梗塞の前歴，虚血性心疾患またはその症状・兆候のある人，異型狭心症（冠動脈れん縮）／脳血管障害・一過性脳虚血性発作の前歴／末梢血管障害／コントロールされていない高血圧症／重い肝機能障害／エルゴタミン・エルゴタミン誘導体含有製剤・他のセロトニン1B/1D受容体作動薬の服用中／モノアミン酸化酵素阻害薬（1716頁を参照）の服用中あるいは服用中止後2週間以内

(2)**慎重に服用すべき場合**……虚血性心疾患の可能性がある人（例えば，虚血性心疾患を疑わせる重い不整脈，閉経後の女性，40歳以上の男性，冠動脈疾患の危険因子がある人）／てんかん様発作の前歴あるいはてんかん様発作をおこす危険因子のある人（脳炎などの脳疾患，けいれんの閾値を低下させる薬剤の服用中など）／肝機能障害（重い肝機能障害のある人を除く）／腎機能障害／スルフォンアミド系薬剤に対するアレルギーの前歴／コントロールされている高血圧症／脳血管障害の可能性のある人

(3)**スマトリプタン系薬剤の併用方法**……スマトリプタン製剤を組み合わせて使用する場合は少なくとも以下の間隔をあけて使用します。①内服薬（錠剤・内用液）を投与後に注射液あるいは外用薬（点鼻液）を追加投与する場合には2時間以上。②注射液投与後に錠剤・内用液を追加投与する場合には1時間以上。③点鼻液投与後に錠剤・内用液を追加投与する場合には2時間以上。

(4)**薬剤の使用過多による頭痛**……本剤を含むトリプタン系薬剤の服用により，頭痛が悪化することがあります。頭痛が改善しない場合は，処方医にその旨を伝えてください。「薬剤の使用過多による頭痛」の可能性を考慮し，服用を中止するなどの適切な処置がとられます。

(5)**虚血性心疾患**……本剤服用後，胸痛や胸部圧迫感などの一過性の症状（強度で咽喉頭部に及ぶことがある）がおこることがあります。心筋梗塞・狭心症などの虚血性心疾患の可能性もあるので，すぐに処方医へ連絡してください。

(6)**授乳婦**……本剤を皮下投与後に母乳中へ移行することが認められています。授乳中の人は，服用後12時間は授乳をしないようにしてください。

(7)**危険作業は中止**……片頭痛あるいは本剤服用により眠けを催すことがあるので，服用中は自動車の運転など危険を伴う機械の操作は行わないようにしてください。

(8)**その他**……
- 妊婦での安全性：有益と判断されたときのみ服用。
- 小児での安全性：未確立。（1714頁を参照）

重大な副作用
①アナフィラキシーショック，アナフィラキシー。②不整

脈，狭心症あるいは心筋梗塞を含む虚血性心疾患様症状。③てんかん様発作（ナラトリプタン塩酸塩を除く）。④薬剤の使用過多による頭痛。

[ゾルミトリプタン，エレトリプタン臭化水素酸塩，リザトリプタン安息香酸塩]
⑤WPW 症候群における頻脈。

[リザトリプタン安息香酸塩のみ] ⑥中毒性表皮壊死融解症（TEN）。⑦血管浮腫（顔面，舌，咽頭など）。⑧呼吸困難。⑨失神。

　そのほかにも報告された副作用はあるので，体調がいつもと違うと感じたときは，処方医・薬剤師に相談してください。

併用してはいけない薬 　[すべての製剤] エルゴタミン酒石酸塩・エルゴタミン誘導体含有製剤，他の $5\text{-HT}_{1B/1D}$ 受容体作動薬→相互に作用が強まり，血圧上昇または血管れん縮が強まるおそれがあります。

[スマトリプタンコハク酸塩，ゾルミトリプタン，リザトリプタン安息香酸塩] モノアミン酸化酵素阻害薬（1716 頁を参照）→本剤の作用が強まる可能性があります。

[エレトリプタン臭化水素酸塩のみ] HIV プロテアーゼ阻害薬→本剤の代謝が阻害され，血中濃度が上昇するおそれがあります。

[リザトリプタン安息香酸塩のみ] プロプラノロール塩酸塩→本剤の作用が増強される可能性があります。

内 01 痛み・炎症・熱の薬　04 リウマチ・痛風の薬

01 メトトレキサート

℞ 製 剤 情 報

一般名：メトトレキサート

- 保険収載年月…1999年5月
- 海外評価…6点 英 米 独 仏 ●PC…X
- 規制…劇薬
- 剤形…錠 錠剤，カ カプセル剤
- 服用量と回数…処方医の指示通りに服用。

■先発品　　商品名(メーカー)　規格・保険薬価

リウマトレックス 写真 （ファイザー）
カ 2mg 1カプセル 165.60 円

■ジェネリック　　商品名(メーカー)　規格・保険薬価

メトトレキサート （あゆみ製薬）
錠 2mg 1錠 109.70 円

メトトレキサート 写真 （沢井）カ 2mg 1カプセル 67.80 円

メトトレキサート （サンド）カ 2mg 1カプセル 109.70 円

メトトレキサート （シオノ＝日医工＝武田）
カ 2mg 1カプセル 67.80 円

メトトレキサート （大興＝江州）
カ 2mg 1カプセル 67.80 円

メトトレキサート （ダイト＝フェルゼン）
錠 2mg 1錠 67.80 円

メトトレキサート （田辺三菱）錠 2mg 1錠 109.70 円

メトトレキサート （東和）カ 2mg 1カプセル 109.70 円
錠 2mg 1錠 67.80 円

メトトレキサート （日医工）錠 2mg 1錠 67.80 円

メトトレキサート （日本ジェネリック）
錠 2mg 1錠 67.80 円

メトトレキサート （日本臓器）錠 2mg 1錠 67.80 円

概　　要

分類　抗リウマチ薬

処方目的　関節リウマチ／局所療法で効果不十分な尋常性乾癬／関節症性乾癬，膿疱性乾癬，乾癬性紅皮症／関節症状を伴う若年性特発性関節炎

解説　リウマチ（RA）の治療は現在，骨関節破壊を抑制する効果が高い本剤のような抗リウマチ薬（DMARD＝ディーマード）を当初から用いる治療法が主流です（第一選択薬）。ただ，DMARD は効果・使用量に個人差が大きいので，病状が安定しない時期は特に専門医による診断が大切です。

　本剤はまた，乾癬，若年性特発性関節炎にも効果を発揮します。

使用上の注意

＊メトトレキサート（リウマトレックス）の添付文書による

警告

①本剤の服用によって，感染症，肺障害，血液障害などの重い副作用により，致命的な経過をたどることがあります。

②間質性肺炎，肺線維症などの肺障害が発現し，致命的な経過をたどることがあります。

③本剤は，緊急時に十分に措置できる医療施設で，本剤の危険性や服用期間が長期にわたることを十分に納得したうえで，十分な知識と適応疾患の治療経験をもつ医師と緊密に連絡をとりながら服用してください。服用中，特に発熱，せき・呼吸困難などの呼吸器症状，口内炎，倦怠感などの症状が現れたら，ただちに処方医へ連絡してください。

④腎機能が低下している場合には副作用が強く現れることがあるため，本剤の服用開始前および服用中は腎機能検査を行うなどして，状態を十分に観察することが必要です。

基本的注意

(1)**服用してはいけない場合**……本剤の成分に対するアレルギーの前歴／骨髄機能抑制／慢性肝疾患／腎機能障害／胸水や腹水などのある人／活動性結核／妊婦または妊娠している可能性のある人，授乳婦

(2)**慎重に服用すべき場合**……間質性肺炎，肺線維症などの肺障害またはその前歴／感染症の合併／結核の既感染者（特に結核の前歴，および胸部 X 線検査上で結核治癒所見のある人）／B 型・C 型肝炎ウイルスのキャリアおよび既感染者／非ステロイド系解熱鎮痛薬の服用中／水痘／アルコール常飲者／高齢者

(3)**結核感染の有無**……結核の前歴がある人が本剤を服用すると，結核を活動化させるおそれがあるので，事前に結核に関する十分な問診，検査を行い，結核感染の有無を確認する必要があります。結核の前歴がある人や結核感染が疑われる人は，結核の診療経験がある医師に相談し，服用の可否を判断してもらいます。

(4)**服用法**……①ふつう，初日から 2 日目にかけて 12 時間間隔で 3 回服用し，その後 5 日間は休薬して，これを 1 週間ごとに繰り返します。服用の仕方が複雑ですので，よく理解できるまで薬剤師にたずねてください。②本剤が食道にとどこおると食道潰瘍がおこることがあるので，多めの水（150mL 以上）で服用してください。特に就寝直前の服用は避けるようにしてください。

(5)**定期検査**……骨髄抑制，肝・腎機能障害などの重い副作用がおこることがあるので，4週間ごとに血液や肝機能・腎機能，尿などの検査を受ける必要があります。

(6)**生ワクチン**……本剤の服用中に生ワクチンを接種してはいけません。接種するとワクチン由来の感染を増強または持続させるおそれがあります。

(7)**避妊**……妊娠する可能性のある人が服用する場合は，服用中および服用終了後少なくとも1月経周期は避妊してください。男性が服用する場合も，服用中および服用終了後少なくとも3カ月間は避妊してください。

(8)**その他**……

● 小児での安全性：未確立。(1714頁を参照)

重大な副作用 ①ショック，アナフィラキシー(冷感，呼吸困難，血圧低下など)。②汎血球減少，無顆粒球症(前駆症状：発熱，のどの痛み，インフルエンザ様症状)，白血球減少，血小板減少，貧血などの骨髄機能抑制，再生不良性貧血。③劇症肝炎，肝不全，肝組織の壊死・線維化，肝硬変。④急性腎障害，尿細管壊死，重症ネフローゼパチーなどの重い腎機能障害。⑤発熱，せき，呼吸困難などを伴う間質性肺炎，肺線維症，胸水。⑥皮膚粘膜眼症候群(スティブンス-ジョンソン症候群)，中毒性表皮壊死融解症(TEN)。⑦激しい腹痛，下痢を伴った出血性腸炎や壊死性腸炎。⑧膵炎。⑨骨粗鬆症。⑩肺炎，敗血症，帯状疱疹などの重い感染症。⑪脳症。⑫結核。

そのほかにも報告された副作用はあるので，体調がいつもと違うと感じたときは，処方医・薬剤師に相談してください。

併用してはいけない薬 併用してはいけない薬は特にありません。ただし，併用する薬があるときは，念のため処方医・薬剤師に報告してください。

内 01 痛み・炎症・熱の薬　04 リウマチ・痛風の薬

02 ペニシラミン

製剤情報

一般名：ペニシラミン

● 保険収載年月…1978年4月
● 海外評価…6点 英 米 独 仏　● PC…D
● 剤形…カ カプセル剤
● 服用量と回数…関節リウマチ：1回100mgを1日1～3回食間空腹時に服用。1日最大600mg。ウイルソン病：1日1,000mgを1～数回に分け

て食前空腹時に服用。鉛・水銀・銅中毒：1日1,000mg(小児：20～30mg／kg(体重))を1日数回に分けて食前空腹時に服用。

■ **先発品**　商品名(メーカー)　規格・保険薬価

メタルカプターゼ(大正製薬)

カ 50mg 1カプセル 26.00円　カ 100mg 1カプセル 45.70円
カ 200mg 1カプセル 83.60円

概要

分類 抗リウマチ薬

処方目的 関節リウマチ／ウイルソン病(肝レンズ核変性症)／鉛・水銀・銅の中毒

解説 1950年代に，銅代謝異常の病気であるウイルソン病の治療薬として開発されましたが，銅以外の水銀・鉛などの重金属を排泄する効果もあり，重金属中毒の治療薬として用いられます。その一方で，1960年代にリウマチにも効果があることがわかり，日本では1979年にリウマチに保険適応されるようになりました。

🖋 使用上の注意

警告

無顆粒球症などの重い血液障害がおこることがあるので，十分な注意が必要です。

基本的注意

(1)服用してはいけない場合……[関節リウマチ]血液障害，骨髄機能の低下／腎機能障害／SLE（全身性エリテマトーデス）／成長期の小児の結合組織の代謝障害／金製剤の服用中／妊婦または妊娠している可能性のある人／[ウイルソン病，鉛・水銀・銅の中毒]金製剤の服用中

(2)特に慎重に服用すべき場合（原則禁忌，処方医と連絡を絶やさないこと）……[関節リウマチ]全身状態が悪化している人／手術直後／授乳婦，高齢者／[ウイルソン病，鉛・水銀・銅の中毒]血液障害／腎機能障害／SLE（全身性エリテマトーデス）／成長期の小児の結合組織の代謝障害／妊婦または妊娠している可能性のある人，授乳婦

(3)慎重に服用すべき場合……血液障害・腎機能障害またはその前歴／肝機能障害／ペニシリン系薬剤に対するアレルギーの前歴／免疫抑制薬の服用中／[ウイルソン病，鉛・水銀・銅の中毒のみ]高齢者

(4)効果の発現……[関節リウマチ]本剤は遅効性で，効果が現れるのに最低4週間はかかるので，あせらずに処方医の指示にしたがってください。6カ月続けても効果がないときは，中止するのがふつうです。

(5)定期検査……①[関節リウマチ]服用開始後最初の2カ月は1〜2週間に1回，その後は2〜4週間に1回の割合で血液や尿などの検査を定期的に受ける必要があります。②[鉛・水銀・銅の中毒]1〜2週間に1回，腎機能などの検査を定期的に受ける必要があります。

(6)その他……
- 妊婦での安全性：[ウイルソン病，鉛・水銀・銅の中毒]有益と判断されたときのみ服用。
- 授乳婦での安全性：原則として服用しない。やむを得ず服用するときは授乳を中止。
- 小児での安全性：未確立。有益と判断されたときのみ服用。(1714頁を参照)

重大な副作用 ①白血球減少症，好酸球増多症，無顆粒球症，顆粒球減少症，血小板減少症，再生不良性貧血，貧血，汎血球減少症，血栓性血小板減少性紫斑病（モスコビッチ症候群），ネフローゼ症候群（膜性腎症など）。②発熱，せき，呼吸困難などを伴う間質性肺炎・PIE症候群（好酸球性肺浸潤），肺胞炎，閉塞性細気管支炎。③グッドパスチュア症候群。④味覚脱失，視神経炎。⑤SLE（全身性エリテマトーデス）様症状，天疱瘡様症状，重症筋無力症。⑥神経炎，ギランバレー症候群を含む多発性神経炎。

⑦多発性筋炎，筋不全麻痺。⑧血栓性静脈炎，アレルギー性血管炎，多発性血管炎。⑨[関節リウマチの人で]胆汁うっ滞性肝炎。

そのほかにも報告された副作用はあるので，体調がいつもと違うと感じたときは，処方医・薬剤師に相談してください。

併用してはいけない薬　金剤（金チオリンゴ酸ナトリウム，オーラノフィン）→重い血液障害をおこすおそれがあります。

内 01 痛み・炎症・熱の薬　04 リウマチ・痛風の薬

03 レフルノミド

製剤情報

一般名：レフルノミド

- 保険収載年月…2003年9月
- 海外評価…6点 英 米 独 仏　● PC…X
- 規制…劇薬
- 剤形…錠 錠剤

- 服用量と回数…1日1回100mgを3日間。その後，1日1回20mg，症状や体重により適宜1日1回10mgに減量。

■先発品　　商品名(メーカー)　規格・保険薬価

アラバ(サノフィ) 錠 10mg 1錠 117.40 円

錠 20mg 1錠 202.70 円　　錠 100mg 1錠 868.60 円

概要

分類　抗リウマチ薬

処方目的　関節リウマチ

解説　海外での臨床試験データが日本でも適応可能と認められ，日本での第Ⅲ相臨床試験を実施することなく承認された薬品です。圧痛関節数・腫脹関節数の減少，関節破壊の進行抑制，日常生活機能の改善，服用早期からの効果発現，自己反応性リンパ球の増殖抑制などを示します。

使用上の注意

警告

①本剤の服用中に，間質性肺炎，汎血球減少症，肝不全，急性肝壊死，感染症などにより死に至った例が報告されています。

②肝毒性，血液毒性または免疫抑制作用を持つ薬剤を最近まで服用されていたか，または服用中の人では，副作用の発現が増加するおそれがあります。

③本剤は，緊急時に十分に措置できる医療施設で，本剤の危険性や服用期間が長期にわたることを十分に納得したうえで，リウマチ治療の専門医師と緊密に連絡をとりながら服用してください。服用中，特に発熱，発疹，皮膚のかゆみ，口内炎，倦怠感，黄疸，せき，呼吸困難などの症状が現れたら，ただちに処方医へ連絡してください。

基本的注意

(1)服用してはいけない場合……本剤の成分に対するアレルギーの前歴／慢性肝疾患／活動性結核／妊婦または妊娠している可能性のある人，授乳婦

(2)慎重に服用すべき場合……貧血，白血球減少症，血小板減少症，骨髄機能の低下している人，骨髄抑制のおこりやすい人／肝疾患の前歴／肝毒性・血液毒性・免疫抑制作用のある薬剤を最近まで服用していたか，または現在服用中／腎機能障害／重症感染症，重症免疫不全（AIDSなど）／間質性肺炎・肺線維症などの肺障害，日和見感染による肺炎またはそれらの前歴／結核の既感染者（特に結核の前歴のある人，胸部X線検査で結核治癒所見のある人）

(3)服用法……本剤は多めの水（150mL以上）で噛まずに服用してください。

(4)効果の発現……本剤は，ふつう効果が現れるまで2週間〜3カ月かかるため，少なくとも3カ月以上は服用します。あせらずに処方医の指示にしたがってください。

(5)生ワクチン……本剤服用中の生ワクチンの接種は安全性が確認されていないので，服用中は接種しないでください。

(6)禁酒……アルコールによる肝機能障害を助長させるおそれがあります。服用中は禁酒するようにしてください。

(7)避妊……妊娠する可能性のある人は，服用中および服用終了後，安全な妊娠が可能になるまで避妊してください。妊娠を希望する人は服用を中止します。男性の場合も，服用中は避妊してください。

(8)その他……

● 小児での安全性：未確立。（1714頁を参照）

重大な副作用 ①アナフィラキシー（顔面蒼白，四肢冷感，血圧低下，チアノーゼ，呼吸困難など）。②皮膚粘膜眼症候群（スティブンス-ジョンソン症候群），中毒性表皮壊死融解症（TEN）。③汎血球減少症。④肝炎，肝機能障害，黄疸，致死的な肝不全，急性肝壊死。⑤致死的な感染症（肺炎），敗血症，日和見感染，B型肝炎ウイルスの再活性化による肝炎，C型肝炎の悪化。⑥結核。⑦致死的な間質性肺炎（発熱，せき，呼吸困難など）。⑧重い膵炎。

そのほかにも報告された副作用はあるので，体調がいつもと違うと感じたときは，処方医・薬剤師に相談してください。

併用してはいけない薬 併用してはいけない薬は特にありません。ただし，併用する薬があるときは，念のため処方医・薬剤師に報告してください。

内01 痛み・炎症・熱の薬　04 リウマチ・痛風の薬

04 経口金製剤

製剤情報

一般名：オーラノフィン
● 保険収載年月…1986年6月
● 海外評価…2点 英 米 独 仏　● PC…C
● 規制…劇薬
● 剤形…錠 錠剤
● 服用量と回数…1日6mgを2回に分けて服用。

■ ジェネリック　商品名（メーカー）　規格・保険薬価
オーラノフィン (沢井) 錠 3mg 1錠 28.90円

概　要

分類　関節リウマチ寛解導入薬

処方目的　関節リウマチ（過去の治療で非ステロイド性抗炎症薬により十分な効果の得られなかったもの）

解説　金製剤は，従来から関節リウマチに対する刺激療法薬として注射薬で使用されていました。本剤の作用機序はまだ明らかではありませんが，免疫系への関与，抗炎症作用により効果を発現すると考えられています。

使用上の注意

基本的注意

(1)服用してはいけない場合……金製剤による重い副作用の前歴／金製剤に対するアレルギーの前歴／腎機能障害，肝機能障害，血液障害／重症の下痢／消化性潰瘍／妊婦または妊娠している可能性のある人，小児

(2)慎重に服用すべき場合……金製剤による副作用の前歴／重い消化器障害・腎機能障害・肝機能障害・血液障害／薬物過敏症の前歴／じん麻疹・乾癬などの慢性皮疹／炎症性腸疾患

(3)効果の発現……本剤は遅効性で，ふつう効果が現れるまで1〜3カ月かかるため，少なくとも3カ月以上は服用します。あせらずに処方医の指示にしたがってください。

(4)その他……

●授乳婦での安全性：服用するときは授乳を中止。(1714頁を参照)

重大な副作用　①間質性肺炎（発熱，せき，呼吸困難など）。②全身倦怠感，皮下・粘膜下出血，発熱などを初期症状とする再生不良性貧血，赤芽球癆，無顆粒球症。③急性腎不全，ネフローゼ症候群。④**[注射金製剤で]**剥脱性皮膚炎，皮膚粘膜眼症候群（スティブンス-ジョンソン症候群），血小板減少，白血球減少，気管支炎，気管支ぜんそく発作の悪化，大腸炎，角膜潰瘍，網膜出血，多発性神経炎，ミオキミア。

　そのほかにも報告された副作用はあるので，体調がいつもと違うと感じたときは，処方医・薬剤師に相談してください。

併用してはいけない薬　併用してはいけない薬は特にありません。ただし，併用する薬があるときは，念のため処方医・薬剤師に報告してください。

内01 痛み・炎症・熱の薬　04 リウマチ・痛風の薬

05　ブシラミン

製剤情報

一般名：ブシラミン

●発売年月…1987年9月

●海外評価…0点 英 米 独 仏

●規制…劇薬

●剤形…錠 錠剤

●服用量と回数…1回100mgを1日3回。

■先発品　　商品名（メーカー）　規格・保険薬価

リマチル 写真 （あゆみ製薬）錠 50mg 1錠 28.20 円
錠 100mg 1錠 40.30 円

■ジェネリック　　商品名(メーカー)　規格・保険薬価

| ブシラミン (小林化工＝科研) 錠 50mg 1錠 13.90 円 |
| ブシラミン (小林化工＝科研＝全星) |
| 錠 100mg 1錠 19.20 円 |

| ブシラミン (東和) 錠 50mg 1錠 13.90 円 |
| 錠 100mg 1錠 19.20 円 |
| ブシラミン (日医工) 錠 50mg 1錠 13.90 円 |
| 錠 100mg 1錠 19.20 円 |

📋 概　　要

分類　抗リウマチ薬

処方目的　関節リウマチ

解説　本剤は,「朝のこわばりの持続時間」「赤沈値」「握力」「疼痛関節数」「腫脹関節数」などの改善や, リウマトイド因子, CRP, 免疫グロブリンなどを正常化するといわれています。消炎鎮痛薬などで十分な効果が得られない場合にのみ使用することとなっています。

　本剤は効果の発現が遅いとされているので, 効果の現れるまでに痛みが悪化するときは, ためらわずに処方医と相談してください。副作用でも, 特にのどの痛み, 発熱, 紫斑が現れた場合は, 直ちに処方医に連絡する必要があります。

🖐 使用上の注意

＊ブシラミン(リマチル)の添付文書による

基本的注意

(1)服用してはいけない場合……本剤の成分に対するアレルギーの前歴／血液障害, 骨髄機能の低下している人／腎機能障害

(2)特に慎重に服用すべき場合(原則禁忌, 処方医と連絡を絶やさないこと)……手術直後／全身状態の悪化している人

(3)慎重に服用すべき場合……血液障害・腎機能障害の前歴／肝機能障害

(4)効果の発現……本剤は遅効性なので, 効果がみられるまでは従来から服用している消炎鎮痛薬などは続けて併用するようにします。ただし, 本剤を6カ月間継続服用しても効果がみられない場合は中止することになります。

(5)その他……

● 妊婦での安全性：未確立。有益と判断されたときのみ服用。

● 授乳婦での安全性：原則として服用しない。やむを得ず服用するときは授乳を中止。

● 小児での安全性：未確立。(1714頁を参照)

重大な副作用　①再生不良性貧血, 赤芽球癆, 汎血球減少, 無顆粒球症, 血小板減少。②過敏性血管炎。③間質性肺炎, 好酸球性肺炎, 肺線維症, 胸膜炎(胸水貯留)。④急性腎障害, ネフローゼ症候群(膜性腎症など)。⑤肝機能障害, 黄疸。⑥皮膚粘膜眼症候群(スティブンス-ジョンソン症候群), 中毒性表皮壊死融解症(TEN), 天疱瘡様症状, 紅皮症型薬疹。⑦重症筋無力症, 筋力低下, 多発性筋炎。⑧ショック, アナフィラキシー(紅斑, 発疹, 嘔吐, 呼吸困難, 血圧低下など)

　そのほかにも報告された副作用はあるので, 体調がいつもと違うと感じたときは, 処方医・薬剤師に相談してください。

併用してはいけない薬　併用してはいけない薬は特にありません。ただし, 併用す

る薬があるときは，念のため処方医・薬剤師に報告してください。

06　サラゾスルファピリジン

製剤情報

一般名：サラゾスルファピリジン

- 保険収載年月…1995年11月
- 海外評価…6点 英 米 独 仏　●PC…B
- 剤形…錠 錠剤
- 服用量と回数…1日1,000mgを2回に分けて服用。

■先発品　　商品名(メーカー)　規格・保険薬価

アザルフィジン EN (あゆみ製薬)
錠 250mg 1錠 24.40 円　錠 500mg 1錠 37.00 円

■ジェネリック　　商品名(メーカー)　規格・保険薬価

サラゾスルファピリジン腸溶錠 (シオノ)
錠 250mg 1錠 11.60 円

サラゾスルファピリジン腸溶錠 (シオノ＝武田テバファーマ＝武田) 錠 500mg 1錠 17.60 円

サラゾスルファピリジン腸溶錠 (武田テバファーマ＝武田) 錠 250mg 1錠 11.60 円
錠 500mg 1錠 17.60 円

サラゾスルファピリジン腸溶錠 (長生堂＝日本ジェネリック) 錠 250mg 1錠 11.60 円
錠 500mg 1錠 17.60 円

サラゾスルファピリジン腸溶錠 (日医工ファーマ＝日医工) 錠 250mg 1錠 11.60 円
錠 500mg 1錠 17.60 円

概　要

分類　抗リウマチ薬

処方目的　関節リウマチ

解説　本剤は抗炎症作用，免疫グロブリンの免疫パラメータの改善作用などを有し，服用後1〜2カ月の比較的早期から効果が現れます。本剤は，消炎鎮痛薬などで十分な効果が得られない場合に使用します。また，抗菌薬の一種のサルファ剤の誘導体なので，サルファ剤またはサリチル酸製剤にアレルギーのある人は服用してはいけません。

本剤は，潰瘍性大腸炎の治療薬としても使われます。

使用上の注意

＊サラゾスルファピリジン(アザルフィジン EN)の添付文書による

基本的注意

(1)服用してはいけない場合……サルファ剤・サリチル酸製剤に対するアレルギーの前歴／新生児，低出生体重児
(2)慎重に服用すべき場合……血液障害／肝機能障害／腎機能障害／気管支ぜんそく／急性間欠性ポルフィリン症／グルコース-6-リン酸脱水素酵素(G-6-PD)欠乏の人／他の薬物に対するアレルギーの前歴／妊婦または妊娠している可能性のある人，授乳婦，高齢者
(3)服用法……本剤は腸で溶ける薬剤なので，噛んだり砕いたりせず服用してくださ

い。

(4)定期検査……服用開始後最初の3カ月は2週間に1回，次の3カ月は4週間に1回，その後は3カ月ごとに1回の割合で，血液や肝機能・腎機能検査を定期的に受ける必要があります。

(5)皮膚などに着色……本剤の成分により皮膚や爪，尿・汗などの体液が黄色〜黄赤色に着色することがあります。また，ソフトコンタクトレンズが着色することがあります。

(6)日焼け……本剤服用中は日焼けしやすくなるので，強い直射日光は避けます。

(7)効果の発現……本剤は遅効性で，ふつう効果が現れるまでに1〜2カ月かかります。あせらずに処方医の指示にしたがってください。

(8)その他……

● 妊婦での安全性：原則として服用しない。

● 授乳婦での安全性：原則として服用しない。やむを得ず服用するときは授乳を中止。

● 小児での安全性：未確立。（1714頁を参照）

重大な副作用 ①再生不良性貧血，血小板減少，貧血（溶血性貧血，巨赤芽球性貧血（葉酸欠乏）など），汎血球減少症，無顆粒球症，播種性血管内凝固症候群（DIC）。②皮膚粘膜眼症候群（スティブンス-ジョンソン症候群），中毒性表皮壊死融解症（TEN），紅皮症型薬疹。③間質性肺炎，PIE症候群，薬剤性肺炎，線維性肺胞炎（発熱，せき，呼吸困難など）。④急性腎障害，ネフローゼ症候群，間質性腎炎。⑤消化性潰瘍（出血，穿孔を伴うことがある），S状結腸穿孔。⑥意識障害，けいれんなどを伴う脳症。⑦伝染性単核球症様症状，過敏症症候群（発熱，発疹，感冒様症状，リンパ節の腫れなど）。⑧SLE（全身性エリテマトーデス）様症状（発熱，紅斑，筋肉痛，関節痛，リンパ節の腫れ，胸部痛など）。⑨無菌性髄膜炎（発熱，頭痛，悪心・嘔吐，意識混濁など）。⑩劇症肝炎，肝炎，肝機能障害，黄疸。⑪心膜炎，胸膜炎（呼吸困難，胸痛など）。⑫ショック，アナフィラキシー（発疹，血圧低下，呼吸困難など）。

そのほかにも報告された副作用はあるので，体調がいつもと違うと感じたときは，処方医・薬剤師に相談してください。

併用してはいけない薬 併用してはいけない薬は特にありません。ただし，併用する薬があるときは，念のため処方医・薬剤師に報告してください。

内 01 痛み・炎症・熱の薬　04 リウマチ・痛風の薬

07 その他のディーマード（DMARD）製剤

製剤情報

一般名：アクタリット

● 保険収載月年…1994年5月

● 海外評価…0点 英 米 独 仏

● 剤形…錠 錠剤

● 服用量と回数…（他の消炎鎮痛薬などとともに）1日300mgを3回に分けて服用。

■先発品　商品名（メーカー）　規格・保険薬価

| オークル（日本新薬）錠 | 100mg 1錠 44.70円 |
| モーバー（田辺三菱）錠 | 100mg 1錠 44.70円 |

■ジェネリック　商品名(メーカー)　規格・保険薬価

アクタリット（沢井）錠 100mg 1錠 21.30 円

アクタリット（東亜薬品＝武田テバファーマ＝武田）錠 100mg 1錠 21.30 円

一般名：イグラチモド

●保険収載年月…2012年8月
●海外評価…0点 英 米 独 仏
●規制…劇薬

●剤形…錠 錠剤
●服用量と回数…1日1回25mgを朝食後に4週間以上服用し，それ以降，1回25mgを1日2回（朝食後，夕食後）服用。1日最大50mg。

■先発品　商品名(メーカー)　規格・保険薬価

ケアラム 写真 （エーザイ）錠 25mg 1錠 121.10 円

■ジェネリック　商品名(メーカー)　規格・保険薬価

イグラチモド（沢井）錠 25mg 1錠 56.10 円

概　要

分類　抗リウマチ薬

処方目的　関節リウマチ

解説　抗リウマチ薬（DMARD）は，ブシラミンを除いて世界各国で使用されていますが，この項の薬剤は日本でのみ承認されているものです。

2012年に発売されたイグラチモドは，化学構造上，既存の抗リウマチ薬に類似性をみないクロモン骨格を有する新しいタイプの抗リウマチ薬です。現在，最も多く使用されているメトトレキサートの単独使用で効果不十分の人が，本剤と併用すると有意な改善を示すことが確認されています。

使用上の注意

＊アクタリット（オークル），イグラチモド（ケアラム）の添付文書による

警告

[イグラチモド] 海外の臨床試験において，1日125mgを服用した症例で致命的な転帰に至った汎血球減少症が認められています。本剤は緊急時に十分な措置が可能な医療施設で，本剤についての十分な知識とリウマチ治療の経験をもつ医師のもと，治療を受けなければなりません。

基本的注意

(1)服用してはいけない場合……妊婦または妊娠している可能性のある人／[アクタリットのみ]授乳婦／[イグラチモドのみ]本剤の成分に対するアレルギーの前歴／重い肝機能障害／消化性潰瘍／ワルファリンカリウムの服用中
(2)慎重に服用すべき場合……腎機能障害・消化性潰瘍またはその前歴／肝機能障害／[イグラチモドのみ]肝機能障害の前歴／貧血・白血球減少症・血小板減少症を伴う人，骨髄機能が低下している人／低体重の人，授乳婦
(3)定期検査……服用中は，定期的に腎機能や肝機能，血液などの検査を受ける必要があります。
(4)その他……
●授乳婦での安全性：[イグラチモド]服用するときは授乳を中止。(1714頁を参照)

重大な副作用　①間質性肺炎（発熱，せき，呼吸困難など）。②肝機能障

害。③消化性潰瘍。

[アクタリットのみ] ④ネフローゼ症候群。⑤再生不良性貧血，汎血球減少，無顆粒球症，血小板減少。⑥出血性大腸炎。

[イグラチモドのみ] ⑦感染症（敗血症，膿胸など）。⑧汎血球減少症，無顆粒球症，白血球減少。

　そのほかにも報告された副作用はあるので，体調がいつもと違うと感じたときは，処方医・薬剤師に相談してください。

併用してはいけない薬　　[イグラチモド] ワルファリンカリウム→ワルファリンカリウムの作用が増強され，重い出血をおこした症例が報告されています。

08 プロベネシド

製剤情報

一般名：プロベネシド
- 保険収載年月…1960年6月
- 海外評価…3点 英 米 独 仏
- 剤形…錠 錠剤
- 服用量と回数…1日500~2,000mgを分割し

て服用。その後，維持量として1日1,000~2,000mgを2~4回に分けて服用。ペニシリン・パラアミノサリチル酸の血中濃度維持には，1日1,000~2,000mgを4回に分けて服用。

■先発品　商品名(メーカー)　規格・保険薬価
ベネシッド (科研) 錠 250mg 1錠 9.80 円

概　要

分類　尿酸排泄薬
処方目的　痛風，ペニシリン・パラアミノサリチル酸の血中濃度維持
解説　尿細管からの尿酸の再吸収を抑制して，尿酸の尿中排泄を促進します。本剤は鎮痛作用，抗炎症作用を示さないので，急性の痛風発作には使用されません。

　服用初期に，尿酸の移動により痛風発作が一時的に悪くなることがあります。そのときはコルヒチン，インドメタシンなどを併用します。

使用上の注意

基本的注意

(1)**服用してはいけない場合**……腎臓結石，高度の腎機能障害／血液障害／本剤の成分に対するアレルギーの前歴／2歳未満の乳児

(2)**慎重に服用すべき場合**……消化性潰瘍の前歴

(3)**服用法**……①本剤は，急性痛風発作がおさまってから服用を始めます。服用初期に，尿酸の移動により痛風発作が一時的に強くなることがあります。②尿が酸性の場合，尿酸結石や，これに由来する血尿，腎臓の仙痛，肋骨脊椎痛などの症状がおこりやすいので，防止のために水分を十分にとって尿量を増加させてください。

(4)**その他**……

内
01
―
04
―
09

ベンズブロマロン

● 妊婦での安全性：未確立。有益と判断されたときのみ服用。
● 授乳婦での安全性：未確立。服用するときは授乳を中止。（1714頁を参照）

重大な副作用　①アナフィラキシー様反応（冷感，呼吸困難，チアノーゼ，血圧低下など）。②溶血性貧血，再生不良性貧血。③肝壊死。④ネフローゼ症候群。

　そのほかにも報告された副作用はあるので，体調がいつもと違うと感じたときは，処方医・薬剤師に相談してください。

併用してはいけない薬　併用してはいけない薬は特にありません。ただし，併用する薬があるときは，念のため処方医・薬剤師に報告してください。

内 01 痛み・炎症・熱の薬　04 リウマチ・痛風の薬

09 ベンズブロマロン

製 剤 情 報

一般名：ベンズブロマロン

● 保険収載年月…1979年4月
● 海外評価…1点 英 米 独 仏
● 規制…劇薬
● 剤形…錠 錠剤，細 細粒剤
● 服用量と回数…1日1回25〜50mg（細粒剤は0.25〜0.5g）。維持量は1回50mgを1日1〜3回。高血圧症における高尿酸血症の場合は，1回50mgを1日1〜3回。

■**先発品**　商品名(メーカー)　規格・保険薬価

ユリノーム 写真 （トーアエイヨー）
錠 25mg 1錠 10.50円　錠 50mg 1錠 14.00円

■**ジェネリック**　商品名(メーカー)　規格・保険薬価

商品名	規格・保険薬価
ベンズブロマロン（キョーリン＝杏林＝日本ジェネリック）	錠 25mg 1錠 5.90円
ベンズブロマロン（キョーリン＝杏林＝日本ジェネリック＝共創未来）	錠 50mg 1錠 5.90円
ベンズブロマロン（寿）	細 10% 1g 32.90円
ベンズブロマロン（シオノギファーマ＝ヴィアトリス＝日医工＝武田）	錠 25mg 1錠 7.00円 錠 50mg 1錠 11.10円
ベンズブロマロン（武田テバファーマ＝武田）	錠 25mg 1錠 5.90円 錠 50mg 1錠 5.90円
ベンズブロマロン（東和）	錠 25mg 1錠 5.90円 錠 50mg 1錠 5.90円
ベンズブロマロン（日医工）	錠 25mg 1錠 5.90円 錠 50mg 1錠 5.90円

概　　要

分類　尿酸排泄薬
処方目的　痛風，高尿酸血症を伴う高血圧症における高尿酸血症の改善
解説　急性痛風発作時は，本剤を服用してはいけません。投与初期に痛風発作が一時悪化すること，酸性尿で尿路結石を生じやすいことなどは，プロベネシドと同様です。

使用上の注意

＊ベンズブロマロン（ユリノーム）の添付文書による

警告

　本剤の服用で劇症肝炎がおこり，死亡した例が報告されています。特に服用開始後6

カ月以内に発生することが多いといわれています。食欲不振，悪心・嘔吐，全身倦怠感，腹痛，下痢，発熱，濃い尿，白目が黄色くなるなどが現れたら，すぐに処方医へ連絡してください。

基本的注意

(1)服用してはいけない場合……肝機能障害／腎結石，重い腎機能障害／本剤の成分に対するアレルギーの前歴／妊婦または妊娠している可能性のある人

(2)服用法……①本剤は，急性痛風発作がおさまってから服用を始めます。服用初期に，尿酸の移動により痛風発作が一時的に強くなることがあります。②尿が酸性の場合，尿酸結石や，これに由来する血尿，腎臓の仙痛，肋骨脊椎痛などの症状がおこりやすいので，防止のために水分を十分にとって尿量を増加させてください。

(3)その他……

- 授乳婦での安全性：治療上の有益性・母乳栄養の有益性を考慮し，授乳の継続・中止を検討。
- 小児での安全性：未確立。(1714頁を参照)

重大な副作用

①重い肝機能障害，黄疸。

そのほかにも報告された副作用はあるので，体調がいつもと違うと感じたときは，処方医・薬剤師に相談してください。

併用してはいけない薬

併用してはいけない薬は特にありません。ただし，併用する薬があるときは，念のため処方医・薬剤師に報告してください。

内 01 痛み・炎症・熱の薬　04 リウマチ・痛風の薬

10　ブコローム

製剤情報

一般名：ブコローム

- 保険収載年月…1967年7月
- 海外評価…0点 英米独仏
- 規制…劇薬
- 剤形…カ カプセル剤

- 服用量と回数…痛風の高尿酸血症の是正は1日300〜900mg，リウマチ疾患は1日900〜1,200mg，その他は1日600〜1,200mgを，いずれも2〜4回に分けて服用。

■先発品　　商品名(メーカー)　規格・保険薬価

パラミヂン (あすか＝武田) カ 300mg 1ｶﾌﾟｾﾙ 12.10 円

概　　要

分類　尿酸排泄薬

処方目的　痛風の高尿酸血症の是正／関節リウマチ，変形性関節症，膀胱炎，子宮付属器炎，多形滲出性紅斑，急性中耳炎，急性副鼻腔炎の消炎・鎮痛・解熱／手術後・外傷後の炎症および腫れの緩和

解説　解熱鎮痛薬として開発されたものですが，尿酸を体外へ排泄する作用のあることがわかり，現在では尿酸排泄薬として痛風の治療に用いられることが多くなりました。

使用上の注意

基本的注意

(1)服用してはいけない場合……消化性潰瘍／重い血液障害・肝機能障害・腎機能障害／本剤の成分に対するアレルギー／アスピリンぜんそく（非ステロイド性解熱鎮痛薬などによるぜんそく発作の誘発）またはその前歴

(2)慎重に服用すべき場合……血液異常またはその前歴（重い血液異常のある人を除く）／気管支ぜんそく（アスピリンぜんそくまたはその前歴のある人を除く）／潰瘍性大腸炎／クローン病／感染症を合併している人／小児，高齢者

(3)女性……非ステロイド系解熱鎮痛薬を長期服用している女性に，一時的な不妊が認められたとの報告があります。

(4)その他……

●妊婦での安全性：有益と判断されたときのみ服用。妊娠末期では服用しないことが望ましい。

●小児での安全性：新生児・低出生体重児は服用しないことが望ましい。（1714頁を参照）

重大な副作用　①皮膚粘膜眼症候群（スティブンス-ジョンソン症候群），中毒性表皮壊死融解症（TEN）。

そのほかにも報告された副作用はあるので，体調がいつもと違うと感じたときは，処方医・薬剤師に相談してください。

併用してはいけない薬　併用してはいけない薬は特にありません。ただし，併用する薬があるときは，念のため処方医・薬剤師に報告してください。

内01 痛み・炎症・熱の薬　04 リウマチ・痛風の薬

11 尿酸合成阻害薬（キサンチンオキシダーゼ阻害薬）

製剤情報

一般名：アロプリノール
●発売年月…1969年1月
●海外評価…5点 英米独仏　●PC…C
●剤形…錠 錠剤
●服用量と回数…1日200〜300mgを2〜3回に分けて服用。

■先発品　商品名（メーカー）　規格・保険薬価
ザイロリック（グラクソ）錠 50mg 1錠 10.10円
錠 100mg 1錠 16.30円

アロプリノール（あゆみ製薬）
錠 50mg 1錠 10.10円

アロプリノール（共和）錠 50mg 1錠 10.10円

アロプリノール（キョーリン＝杏林）
錠 50mg 1錠 10.10円

アロプリノール（ケミファ）錠 50mg 1錠 10.10円

アロプリノール（シオノギファーマ＝ファイザー）
錠 50mg 1錠 10.10円

アロプリノール（住友ファーマ）
錠 50mg 1錠 10.10円

アロプリノール（高田）錠 50mg 1錠 10.10円

アロプリノール（武田テバファーマ＝武田）
錠 50mg 1錠 10.10 円

アロプリノール（日新＝第一三共エスファ）
錠 50mg 1錠 10.10 円

アロプリノール（ニプロ ES）錠 50mg 1錠 10.10 円

■ジェネリック　商品名(メーカー)　規格・保険薬価

アロプリノール（あゆみ製薬）
錠 100mg 1錠 7.80 円

アロプリノール（アルフレッサ）
錠 100mg 1錠 7.80 円

アロプリノール（共和）錠 100mg 1錠 7.80 円

アロプリノール 写真（キョーリン＝杏林＝共創未来）錠 100mg 1錠 7.80 円

アロプリノール 写真（ケミファ）
錠 100mg 1錠 7.80 円

アロプリノール（沢井）錠 50mg 1錠 6.10 円
錠 100mg 1錠 7.80 円

アロプリノール（シオノギファーマ＝ファイザー）
錠 100mg 1錠 7.80 円

アロプリノール（住友ファーマ）
錠 100mg 1錠 10.10 円

アロプリノール（高田）錠 100mg 1錠 7.80 円

アロプリノール（武田テバファーマ＝武田）
錠 100mg 1錠 7.80 円

アロプリノール（辰巳）錠 50mg 1錠 6.10 円
錠 100mg 1錠 7.80 円

アロプリノール（鶴原）錠 50mg 1錠 6.10 円
錠 100mg 1錠 7.80 円

アロプリノール（鶴原＝日本ジェネリック）
錠 100mg 1錠 7.80 円

アロプリノール（東和）錠 50mg 1錠 6.10 円
錠 100mg 1錠 7.80 円

アロプリノール（日医工）錠 50mg 1錠 6.10 円
錠 100mg 1錠 7.80 円

アロプリノール（日新＝第一三共エスファ）
錠 100mg 1錠 7.80 円

アロプリノール（ニプロ ES）
錠 100mg 1錠 10.10 円

一般名：フェブキソスタット
- 保険収載年月…2011年3月
- 海外評価…5点 英 米 独 仏
- 剤形…錠 錠剤
- 服用量と回数…痛風, 高尿酸血症：1日1回10mgより開始。その後, 維持量1日1回40mg, 最大量1日1回60mg。がん化学療法に伴う高尿酸血症：1日1回60mg。

■先発品　商品名(メーカー)　規格・保険薬価

フェブリク 写真（帝人）10mg 1錠 27.00 円
錠 20mg 1錠 49.50 円　錠 40mg 1錠 92.50 円

一般名：トピロキソスタット
- 保険収載年月…2013年8月
- 海外評価…0点 英 米 独 仏
- 剤形…錠 錠剤
- 服用量と回数…1日2回, 朝夕に服用。1回20mgより開始し, 必要に応じて増量。維持量1回60mg, 最大量1回80mg。

■先発品　商品名(メーカー)　規格・保険薬価

ウリアデック 写真（三和）錠 20mg 1錠 16.80 円
錠 40mg 1錠 30.50 円　錠 60mg 1錠 45.10 円

トピロリック 写真（富士薬品）錠 20mg 1錠 16.70 円
錠 40mg 1錠 30.80 円　錠 60mg 1錠 44.90 円

内 01―04―11 尿酸合成阻害薬（キサンチンオキシダーゼ阻害薬）

概　要
分類　尿酸合成阻害薬
処方目的　[アロプリノールの適応症] 痛風, 高尿酸血症を伴う高血圧症における高尿酸血症の是正
[フェブキソスタットの適応症] 痛風, 高尿酸血症／がん化学療法に伴う高尿酸血症
[トピロキソスタットの適応症] 痛風, 高尿酸血症

左側縦書き：

尿酸合成阻害薬（キサンチンオキシダーゼ阻害薬）

解説 他の痛風治療薬と違って，この項の薬剤は体内で尿酸が合成されるのを阻害して，高尿酸血症になるのを防ぎます。尿酸排泄薬のプロベネシドやベンズブロマロンと同様に，急性痛風発作がおさまるまでは使用してはいけません。

使用上の注意
＊アロプリノール（ザイロリック）の添付文書による

基本的注意
(1)服用してはいけない場合……本剤の成分に対するアレルギーの前歴
(2)慎重に服用すべき場合……肝疾患またはその前歴／腎機能障害／［フェブキソスタット，トピロキソスタットのみ］メルカプトプリン水和物またはアザチオプリンの服用中／高齢者
(3)服用法……①本剤は，急性痛風発作がおさまってから服用を始めます。服用初期に，尿酸の移動により痛風発作が一時的に強くなることがあります。②服用中は水分を多めにとり，1日の尿量が2L以上になるようにしてください。
(4)その他……
●妊婦での安全性：有益と判断されたときのみ服用。
●授乳婦での安全性：治療上の有益性・母乳栄養の有益性を考慮し，授乳の継続・中止を検討。
●小児での安全性：未確立。（1714頁を参照）

重大な副作用 ［アロプリノール］①皮膚粘膜眼症候群（スティブンス-ジョンソン症候群），中毒性表皮壊死融解症（TEN），剥脱性皮膚炎，過敏性血管炎。②薬剤性過敏症症候群。③ショック，アナフィラキシー様症状（顔面蒼白，四肢冷感，血圧低下，チアノーゼ，呼吸困難など）。④再生不良性貧血，無顆粒球症，汎血球減少，血小板減少。⑤重い肝機能障害（劇症肝炎など），黄疸。⑥腎不全，腎不全の悪化，間質性腎炎を含む腎機能障害。⑦間質性肺炎（発熱，せき，呼吸困難など）。⑧横紋筋融解症（筋肉痛，脱力感，手足に力が入らない，尿が赤褐色になるなど）。⑨無菌性髄膜炎（項部硬直，発熱，頭痛，悪心・嘔吐，意識障害など）。
［フェブキソスタット］①肝機能障害。②過敏症（全身性皮疹，発疹など）。
［トピロキソスタット］①肝機能障害。②多形紅斑。
　そのほかにも報告された副作用はあるので，体調がいつもと違うと感じたときは，処方医・薬剤師に相談してください。

併用してはいけない薬 ［フェブキソスタット，トピロキソスタット］メルカプトプリン水和物，アザチオプリン→併用すると骨髄抑制などの副作用を強める可能性があります。

内 01 痛み・炎症・熱の薬　04 リウマチ・痛風の薬

12　コルヒチン

製剤情報

一般名：コルヒチン

- 保険収載年月…1965年11月
- 海外評価…5点 英 米 独 仏　●PC…D
- 規制…劇薬
- 剤形…錠 錠剤
- 服用量と回数…痛風発作の緩解・予防：1日3〜4

mgを6〜8回に分けて服用。発作予防の場合には1日0.5〜1mg, 発作予感時には1回0.5mg。家族性地中海熱の場合は処方医の指示通りに服用。

■**先発品**　　商品名(メーカー)　規格・保険薬価

コルヒチン 写真 (高田) 錠 0.5mg 1錠 6.80 円

概　要

分類　痛風発作抑制薬

処方目的　痛風発作の緩解・予防／家族性地中海熱

解説　イヌサフランというユリ科の植物から得られるアルカロイド(塩基性植物成分)の一つで, その作用機序ははっきりとはわかっていません。痛風の急性発作を抑える特効薬です。痛風発作時に, 関節内に尿酸ナトリウム結晶が析出し, これによっておこる多核白血球の働きで炎症がおこりますが, コルヒチンはこの白血球の機能を抑制すると考えられています。

本剤はまた, 家族性地中海熱にも使用されます。指定難病の一つで, 現在, 本剤がこの病気の唯一の治療薬です。

使用上の注意

基本的注意

(1)**服用してはいけない場合**……本剤の成分に対するアレルギーの前歴／肝臓・腎臓に障害のある人で, 肝代謝酵素 CYP3A4 を強く阻害する薬剤または P 糖タンパクを阻害する薬剤を服用中の人／妊婦または妊娠している可能性のある人(家族性地中海熱を除く)

(2)**慎重に服用すべき場合**……肝機能障害, 腎機能障害／衰弱の著しい人(特に腎疾患, 胃腸疾患, 心疾患)／高齢者

(3)**大量(過量)服用・誤用**……急性中毒症状として, 服用後数時間以内に次のような症状がおこることがあります。用法・用量の指示を厳守し, 少しでも異常を感じたら, すぐに処方医に連絡してください。なお, 1 日量については 1.8mg までにとどめることが望ましいとの注意が出されています。→悪心・嘔吐, 腹部痛, 激烈な下痢, 咽頭部・胃・皮膚の灼熱感, 血管障害, ショック, 血尿, 乏尿, 著しい筋脱力, 中枢神経系の上行性麻痺, 意識混濁・妄覚・精神的興奮, けいれん, 呼吸抑制による死亡。

(4)**長期服用**……本剤を長期に服用していると, 脱毛, 皮疹, 血尿, 乏尿などの症状が現れることがあります。異常がみられたら, すぐに処方医に連絡してください。

(5)男性……本剤を服用した父親の子供に，ダウン症候群などの先天異常児が出生する可能性があるとの報告があります。また，動物実験で精巣毒性(精上皮細胞の脱落など)を引き起こすことが報告されています。服用する場合は，処方医とよく相談してください。

(6)グレープフルーツジュース……グレープフルーツジュースは本剤の作用を強めるおそれがあるので，本剤と一緒に摂取しないでください。

(7)その他……

- 妊婦での安全性：[家族性地中海熱]有益と判断されたときのみ服用。
- 小児での安全性(家族性地中海熱では2歳未満)：未確立。(1714頁を参照)

重大な副作用 ①再生不良性貧血，白血球減少，血小板減少，顆粒球減少。②横紋筋融解症，ミオパチー(筋肉痛，脱力感など)。③末梢神経障害。

そのほかにも報告された副作用はあるので，体調がいつもと違うと感じたときは，処方医・薬剤師に相談してください。

併用してはいけない薬 併用してはいけない薬は特にありません。ただし，併用する薬があるときは，念のため処方医・薬剤師に報告してください。

内 01 痛み・炎症・熱の薬　04 リウマチ・痛風の薬

13 ヤヌスキナーゼ阻害薬

製剤情報

一般名：トファシチニブクエン酸塩
- 保険収載年月…2013年5月
- 海外評価…2点 英米独仏　●PC…C
- 規制…劇薬
- 剤形…錠 錠剤
- 服用量と回数…[関節リウマチ]1回5mgを1日2回服用。[潰瘍性大腸炎]処方医の指示通りに服用。

■先発品　商品名(メーカー)　規格・保険薬価
ゼルヤンツ (ファイザー) 錠 5mg 1錠 2,659.90 円

一般名：バリシチニブ
- 保険収載年月…2017年8月
- 海外評価…2点 英米独仏
- 規制…劇薬
- 剤形…錠 錠剤
- 服用量と回数…[関節リウマチ，アトピー性皮膚炎]1日1回4mgを服用。患者の状態に応じて1日1回2mgに減量。[SARS-CoV-2による肺炎]通常，成人ではレムデシビルと併用して1日1回4mgを服用。投与期間は14日間まで。

■先発品　商品名(メーカー)　規格・保険薬価
オルミエント (イーライリリー)
錠 2mg 1錠 2,705.90 円　錠 4mg 1錠 5,274.90 円

一般名：ペフィシチニブ臭化水素酸塩
- 保険収載年月…2019年5月
- 海外評価…0点 英米独仏
- 規制…劇薬
- 剤形…錠 錠剤
- 服用量と回数…1日1回150mg。状態に応じて1日1回100mgにできる。

■先発品　商品名(メーカー)　規格・保険薬価
スマイラフ (アステラス) 錠 50mg 1錠 1,616.20 円
錠 100mg 1錠 3,155.00 円

一般名：ウパダシチニブ水和物

- 保険収載年月…2020年4月
- 海外評価…5点 英 米 独 仏
- 規制…劇薬
- 剤形…錠 錠剤
- 服用量と回数…[関節リウマチ]1日1回15mg を服用。状態に応じて1日1回7.5mgに減量。[関節症性乾癬]1日1回15mg。[アトピー性皮膚炎]成人は1日1回15mg，状態に応じて1日1回30mg。12歳以上かつ体重30kg以上の小児は1日1回15mg。

■ 先発品　　商品名（メーカー）　規格・保険薬価

リンヴォック（アッヴィ）錠 7.5mg 1錠 2,594.60 円
錠 15mg 1錠 5,089.20 円　錠 30mg 1錠 7,351.80 円

一般名：フィルゴチニブマレイン酸塩

- 保険収載年月…2020年11月
- 海外評価…2点 英 米 独 仏
- 規制…劇薬
- 剤形…錠 錠剤
- 服用量と回数…1日1回200mg。状態に応じて1日1回100mgにできる。

■ 先発品　　商品名（メーカー）　規格・保険薬価

ジセレカ（ギリアド＝エーザイ）
錠 100mg 1錠 2,519.90 円　錠 200mg 1錠 4,893.60 円

内
01
—
04
—
13

ヤヌスキナーゼ阻害薬

📄 **概　要**

分類　ヤヌスキナーゼ阻害薬

処方目的　[トファシチニブクエン酸塩の適応症] 既存治療で効果不十分な関節リウマチ／中等症から重症の潰瘍性大腸炎の寛解導入および維持療法（既存治療で効果不十分な場合に限る）

[バリシチニブの適応症] 既存治療で効果不十分な以下の疾患→関節リウマチ（関節の構造的損傷の防止を含む），アトピー性皮膚炎／SARS-CoV-2 による肺炎（ただし酸素吸入を要する患者に限る）

[ペフィシチニブ臭化水素酸塩，フィルゴチニブマレイン酸塩の適応症] 既存治療で効果不十分な関節リウマチ（関節の構造的損傷の防止を含む）

[ウパダシチニブ水和物の適応症] 既存治療で効果不十分な以下の疾患→関節リウマチ（関節の構造的損傷の防止を含む），関節症性乾癬，アトピー性皮膚炎

解説　ここに掲載の5つの製剤は，関節リウマチに伴う炎症に重要な役割を果たす細胞内のシグナル伝達経路である JAK（ヤヌスキナーゼ）Pathway を阻害する薬剤で，炎症や細胞の活性化，免疫細胞の増殖を抑制します。過去の治療において，メトトレキサートをはじめとする少なくとも1剤の抗リウマチ薬（DMARD）などによる適切な治療を行っても，症状が十分に改善されない場合に使用されます。

トファシチニブクエン酸塩は，さらに潰瘍性大腸炎にも有効で，過去の治療において，他の薬物療法（ステロイド，免疫抑制薬または生物製剤）による適切な治療を行っても，疾患に起因する明らかな臨床症状が残る場合に使用されます。

一方，バリシチニブおよびウパダシチニブ水和物はアトピー性皮膚炎にも有効です。ステロイド外用薬やタクロリムス外用薬などの抗炎症外用薬による適切な治療を一定期間施行しても十分な効果が得られず，強い炎症を伴う皮疹が広範囲に及ぶ場合が適応

で，原則としてアトピー性皮膚炎の病変部位の状態に応じて抗炎症外用薬を併用します。また，本剤服用時も保湿外用薬を継続使用します。

　なお，バリシチニブは2021年4月より「SARS-CoV-2による肺炎」(いわゆる新型コロナウイルスによる肺炎)も適応となりました。ただし，抗ウイルス薬のレムデシビル(商品名：ベクルリー点滴静注)との併用で，酸素吸入，人工呼吸管理または体外式膜型人工肺(ECMO)の導入を要する患者を対象に入院下で投与されます。

🖎 使用上の注意
*全剤の添付文書による

警告

①本剤の服用により，結核，肺炎，敗血症，ウイルス感染などによる重い感染症の新たな発現もしくは悪化などが報告されており，悪性腫瘍の発現も報告されています。本剤が疾病を完治させる薬剤でないことも含め，これらのことを十分に話し合い納得したうえで，治療上の有益性が危険性を上回ると判断される場合にのみ使用されるべき薬剤です。また，本剤の服用により重い副作用が発現し，致命的な経過をたどった症例が報告されているので，緊急時の対応が十分可能な医療施設および医師によって処方され，服用後に副作用が発現した場合にはすぐに主治医に連絡しなければなりません。

②敗血症，肺炎，真菌感染症を含む日和見感染症などの致死的な感染症が報告されているため，十分な観察を行うなど感染症の発症に注意する必要があります。また，結核の既感染者では症状の顕在化および悪化のおそれがあるため，本剤の服用に先立って，胸部X線検査に加え，インターフェロン-γ遊離試験またはツベルクリン反応検査を行い，適宜胸部CT検査などを行って，結核感染の有無を確認する必要があります。結核の既往歴のある人・結核の感染が疑われる人は，結核などの感染症について診療経験のある医師との連携のもと，原則として本剤の服用開始前に適切な抗結核薬を服用することが必要です。ツベルクリン反応検査などの検査が陰性の患者において，服用後に活動性結核が認められた例も報告されています。

③関節リウマチの人では，本剤による治療を行う前に，少なくとも1剤の抗リウマチ薬などの使用を十分に勘案し，また，本剤についての十分な知識とリウマチ治療の経験をもつ医師が処方しなければなりません。

④[トファシチニブクエン酸塩のみ]潰瘍性大腸炎では，本剤の治療を行う前に少なくとも1剤の既存治療薬(ステロイド，免疫抑制薬または生物製剤)の使用を十分勘案し，また，本剤についての十分な知識と潰瘍性大腸炎治療の経験をもつ医師が処方しなければなりません。

基本的注意

(1)服用してはいけない場合……[共通]本剤の成分に対するアレルギーの前歴／重度の感染症(敗血症など) ／活動性結核／好中球数が500/mm^{3}未満(ウパダシチニブ水和物とフィルゴチニブマレイン酸塩は1,000/mm^{3}未満)の人／リンパ球数が500/mm^{3}未満の人／ヘモグロビン値が8g/dL未満の人／重度の肝機能障害(バリシチニブを除く)／妊婦または妊娠している可能性のある人

[バリシチニブ]〈関節リウマチ，アトピー性皮膚炎の場合〉重度の腎機能障害／〈SARS-CoV-2 による肺炎の場合〉透析患者または末期腎不全患者(eGFR が 15mL/分/1.73m² 未満)，リンパ球数が 200/mm³ 未満の患者

[フィルゴチニブマレイン酸塩] 末期腎不全

(2)慎重に服用すべき場合……[共通]感染症(重度の感染症，SARS-CoV-2 による肺炎(バリシチニブのみ)を除く)または感染症が疑われる人／結核の既感染者(特に結核の前歴のある人および胸部 X 線上で結核治癒所見のある人)または結核感染が疑われる人／感染症にかかりやすい状態にある人／好中球・リンパ球・ヘモグロビン値減少のある人／間質性肺炎の前歴／腸管憩室／静脈血栓塞栓症のリスク(喫煙，高血圧，糖尿病，冠動脈疾患の既往など)のある人(ペフィシチニブ臭化水素酸塩を除く)／高齢者

[トファシチニブクエン酸塩] 心血管系事象(心筋梗塞など)のリスク因子を有する人／軽度または中等度の肝機能障害／腎機能障害

[ウパダシチニブ水和物] 軽度または中等度の肝機能障害／腎機能障害

[バリシチニブ] 軽度または中等度の腎機能障害／肝機能障害

[ペフィシチニブ臭化水素酸塩] 軽度および中等度の肝機能障害／先天性 QT 短縮症候群

[フィルゴチニブマレイン酸塩] 中等度または重度の腎機能障害

(3)服用量……[トファシチニブクエン酸塩]本剤を関節リウマチに使用する場合は通常，1 回 5mg(1 錠)を 1 日 2 回服用しますが，中等度・重度の腎機能障害，中等度の肝機能障害がある人は副作用が強く現れるおそれがあるので，1 日 1 回 5mg(1 錠)に減らして服用します。[バリシチニブ]通常は 1 日 1 回 4mg ですが，中等度の腎機能障害がある人やプロベネシドと併用する場合は 1 日 1 回 2mg に減量します。[ペフィシチニブ臭化水素酸塩]通常は 1 日 1 回 150mg ですが，中等度の肝機能障害がある人は 1 日 1 回 50mg に減量します。[フィルゴチニブマレイン酸塩]通常は 1 日 1 回 200mg ですが，中等度・重度の腎機能障害がある人は 1 日 1 回 100mg に減量します。

(4)生ワクチン……本剤の服用による感染症発現のリスクを否定できないので，服用直前および服用中は生ワクチンの接種を行ってはいけません。

(5)飲食物……セイヨウオトギリソウ(セント・ジョーンズ・ワート)含有食品は，トファシチニブクエン酸塩およびウパダシチニブ水和物の作用を弱めるおそれがあり，またグレープフルーツはトファシチニブクエン酸塩の作用を強めるおそれがあるので，服用中はこれらの飲食物を摂取しないようにしてください。

(6)妊娠……妊娠する可能性のある女性が服用する場合は，服用中および服用終了後少なくとも 1 月経周期は妊娠を避けてください。

(7)その他……

●授乳婦での安全性：服用するときは授乳しないことが望ましい。

●小児での安全性：未確立。(1714 頁を参照)

重大な副作用 ①帯状疱疹，肺炎(ニューモシスティス肺炎などを含む)，敗血症，結核などの重い感染症。②消化管穿孔。③好中球減少，リンパ球減少，ヘモグ

ロビン減少。④肝機能障害，黄疸。⑤間質性肺炎(発熱，せき，呼吸困難など)。⑥静脈血栓塞栓症(肺塞栓症および深部静脈血栓症：ペフィシチニブ臭化水素酸塩を除く)。[トファシチニブクエン酸塩]⑦心血管系事象(心筋梗塞など)。⑧悪性腫瘍。

　そのほかにも報告された副作用はあるので，体調がいつもと違うと感じたときは，処方医・薬剤師に相談してください。

併用してはいけない薬　　併用してはいけない薬は特にありません。ただし，併用する薬があるときは，念のため処方医・薬剤師に報告してください。

14 選択的尿酸再吸収阻害薬

💊 製剤情報

一般名：ドチヌラド

- 保険収載年月…2020年4月
- 海外評価…0点 英 米 独 仏
- 剤形…錠 錠剤
- 服用量と回数…1日1回0.5mgより開始し，血中尿酸値を確認しながら必要に応じて徐々に増量。維持量は通常1日1回2mg，最大1日1回4mg。

■先発品　　商品名(メーカー)　規格・保険薬価

ユリス(富士薬品＝持田) 錠 0.5mg 1錠 29.20 円
錠 1mg 1錠 53.30 円　錠 2mg 1錠 97.30 円

📋 概　　要

分類　選択的尿酸再吸収阻害薬(高尿酸血症治療薬)

処方目的　痛風，高尿酸血症

解説　本剤は，新規の選択的尿酸再吸収阻害薬です。腎臓における尿酸の再吸収を担うトランスポーター(膜輸送体)である URAT1(膜タンパク質)を選択的に阻害して，尿酸の再吸収を抑制し，尿中排泄を促進させて血中の尿酸値を低下させることで，痛風，高尿酸血症を改善します。

使用上の注意

基本的注意

(1)服用してはいけない場合……本剤の成分に対するアレルギーの前歴

(2)特に慎重に服用すべき場合……尿路結石を伴う人(治療上やむを得ないと判断される場合を除き，服用しないこと)／重度の腎機能障害(eGFR が 30mL/min/1.73m^2 未満→他剤での治療を考慮すること)

(3)慎重に服用すべき場合……肝機能障害

(4)痛風発作……本剤は痛風発作(痛風関節炎)を増悪させるおそれがあります。本剤の服用前に痛風発作が認められた場合は，症状がおさまるまで服用を開始しないようにします。また，服用中に痛風発作が発現した場合には，本剤の用量を変更することなく服用を継続し，症状によりコルヒチン，非ステロイド性抗炎症薬，副腎皮質ステロイド薬などを併用します。

（5）水分の摂取……本剤の服用により尿路結石およびこれに由来する血尿，腎仙痛などの症状をおこす可能性があります。これを防止するため，水分の摂取による尿量の増加をはかってください。

（6）その他……

- 妊婦での安全性：有益と判断されたときのみ服用。
- 授乳婦での安全性：治療上の有益性・母乳栄養の有益性を考慮し，授乳の継続・中止を検討。（1714頁を参照）

重大な副作用　重大な副作用はありませんが，そのほかの副作用はあるので，体調がいつもと違うと感じたときは，処方医・薬剤師に相談してください。

併用してはいけない薬　併用してはいけない薬は特にありません。ただし，併用する薬があるときは，念のため処方医・薬剤師に報告してください。

内01 痛み・炎症・熱の薬　05 肩こり・筋肉痛・腰痛の薬

01 メフェネシン系筋弛緩薬

💊 製剤情報

一般名：クロルフェネシンカルバミン酸エステル

- 保険収載年月…1979年4月
- 海外評価…0点 英米独仏
- 剤形…錠 錠剤
- 服用量と回数…1回250mgを1日3回。

■**先発品**　商品名（メーカー）　規格・保険薬価

リンラキサー 写真 （大正製薬）
錠 125mg 1錠 10.10円　錠 250mg 1錠 11.30円

■**ジェネリック**　商品名（メーカー）　規格・保険薬価

クロルフェネシンカルバミン酸エステル（沢井）錠 125mg 1錠 6.30円　錠 250mg 1錠 6.30円

クロルフェネシンカルバミン酸エステル（鶴原）錠 125mg 1錠 6.30円　錠 250mg 1錠 6.30円

クロルフェネシンカルバミン酸エステル（ニプロ）錠 125mg 1錠 6.30円　錠 250mg 1錠 6.30円

一般名：メトカルバモール

- 保険収載年月…1963年1月
- 海外評価…6点 英米独仏　●PC…C
- 剤形…顆 顆粒剤
- 服用量と回数…1日1.5～2.25mgを3回に分けて服用。小児では1日総量60mg/kg（体重）。

■**先発品**　商品名（メーカー）　規格・保険薬価

ロバキシン（あすか＝武田）顆 90% 1g 14.90円

📋 概要

分類　骨格筋弛緩薬

処方目的　運動器疾患に伴う有痛性痙縮→腰背痛症，変形性脊椎症，頸肩腕症候群

［クロルフェネシンカルバミン酸エステルのみの適応症］椎間板ヘルニア，脊椎分離・すべり症，脊椎骨粗鬆症

［メトカルバモールのみの適応症］肩関節周囲炎

解説　本剤は，メフェネシン系筋弛緩薬と呼ばれているものの代表です。筋肉がけいれんして痛みがあるときに，脊髄の神経を麻痺させることによって筋肉のこわばりを取

り去ります。一時，しばしば使用された精神安定薬のメプロバメートに似ており，精神安定作用もあります。

使用上の注意

＊クロルフェネシンカルバミン酸エステル（リンラキサー）の添付文書による

基本的注意

(1)服用してはいけない場合……本剤および類似化合物（メトカルバモールなど）に対するアレルギーの前歴／肝機能障害

(2)慎重に服用すべき場合……肝機能障害の前歴／腎機能障害

(3)危険作業は中止……本剤を服用すると，眠け，注意力・集中力・反射運動能力などの低下がおこることがあります。服用中は，自動車の運転など危険を伴う機械の操作は行わないようにしてください。

(4)その他……

● 妊婦での安全性：未確立。有益と判断されたときのみ服用。

● 授乳婦での安全性：原則として服用しない。

● 小児での安全性：未確立。（1714頁を参照）

重大な副作用　①ショック（血圧低下，除脈，顔面蒼白，冷汗，呼吸困難など）。②中毒性表皮壊死融解症（TEN）。

そのほかにも報告された副作用はあるので，体調がいつもと違うと感じたときは，処方医・薬剤師に相談してください。

併用してはいけない薬　併用してはいけない薬は特にありません。ただし，併用する薬があるときは，念のため処方医・薬剤師に報告してください。

内 01 痛み・炎症・熱の薬　05 肩こり・筋肉痛・腰痛の薬

02 チザニジン塩酸塩

製剤情報

一般名：チザニジン塩酸塩

● 保険収載年月…1988年4月

● 海外評価…4点 英米独仏　●PC…C

● 剤形…錠 錠剤，顆 顆粒剤

● 服用量と回数…筋緊張状態の改善：1日3mg（顆粒剤は1.5g）を3回に分けて服用。痙性麻痺：1日3〜9mgを3回に分けて服用。

■先発品　商品名(メーカー)　規格・保険薬価

テルネリン 写真 (サンファーマ)

顆 0.2% 1g 22.30円　錠 1mg 1錠 11.00円

■ジェネリック　商品名(メーカー)　規格・保険薬価

チザニジン (共和) 錠 1mg 1錠 5.90円

チザニジン (キョーリン＝杏林＝旭化成)
錠 1mg 1錠 5.90円

チザニジン 写真 (沢井) 錠 1mg 1錠 5.90円

チザニジン (武田テバファーマ＝武田)
錠 1mg 1錠 5.90円

チザニジン (長生堂＝日本ジェネリック)
錠 1mg 1錠 5.90円

チザニジン (鶴原) 錠 1mg 1錠 5.90円

チザニジン 写真 (東和) 錠 1mg 1錠 5.90円

チザニジン（日医工）［顆］0.2% 1g 10.60 円
［錠］1mg 1錠 5.90 円

チザニジン（日薬工＝ケミファ）［錠］1mg 1錠 5.90 円

概　要

分類　骨格筋弛緩薬

処方目的　頸肩腕症候群・腰痛症による筋緊張状態の改善／脳血管障害・頸部脊椎症・痙性脊髄麻痺・脳性(小児)麻痺，外傷後遺症(脊髄損傷，頭部外傷)・脊髄小脳変性症・多発性硬化症・筋萎縮性側索硬化症による痙性麻痺

解説　本剤は脊髄および脊髄上位の中枢に作用し，固縮緩解作用，脊髄反射抑制作用などの筋緊張緩和作用を有しています。

使用上の注意

＊チザニジン塩酸塩(テルネリン)の添付文書による

基本的注意

(1)**服用してはいけない場合**……本剤の成分に対するアレルギーの前歴／フルボキサミンまたは塩酸シプロフロキサシンの服用中／重い肝機能障害

(2)**慎重に服用すべき場合**……肝機能障害／腎機能障害

(3)**血圧低下**……服用の初期に，急激な血圧低下による立ちくらみ，めまいなどが現れることがあるので注意してください。

(4)**精神依存**……動物実験で，精神依存の形成が示唆されたとの報告があります。異常を感じたら，処方医へ連絡してください。

(5)**危険作業は中止**……本剤を服用すると，眠け，めまい，低血圧などがおこることがあります。服用中は，自動車の運転など危険を伴う機械の操作は行わないようにしてください。

(6)**その他**……

●妊婦での安全性：有益と判断されたときのみ服用。

●授乳婦での安全性：原則として服用しない。やむを得ず服用するときは授乳を中止。

●小児での安全性：未確立。(1714 頁を参照)

重大な副作用　①投与初期の急激な血圧低下。②ショック(血圧低下，徐脈，顔面蒼白，冷汗，呼吸困難など)。③心不全(心肥大，肺水腫など)。④呼吸障害(喘鳴，ぜんそく発作，呼吸困難など)。⑤肝炎，肝機能障害，黄疸(悪心・嘔吐，食欲不振，全身倦怠感など)

　そのほかにも報告された副作用はあるので，体調がいつもと違うと感じたときは，処方医・薬剤師に相談してください。

併用してはいけない薬　フルボキサミン，塩酸シプロフロキサシン→本剤の血中濃度が上昇し，著しい血圧低下，傾眠，めまい，精神運動能力の低下がおこることがあります。

内 01 痛み・炎症・熱の薬　05 肩こり・筋肉痛・腰痛の薬

03 エペリゾン塩酸塩

製剤情報

一般名：エペリゾン塩酸塩

- 保険収載年月…1983年2月
- 海外評価…0点 英 米 独 仏
- 剤形…錠 錠剤　顆 顆粒剤
- 服用量と回数…1日150mg(顆粒剤は1.5g)を
  3回に分けて服用。

■先発品　商品名(メーカー)　規格・保険薬価

| ミオナール 写真 (エーザイ) 顆 10% 1g 34.20 円 |
| 錠 50mg 1錠 11.60 円 |

■ジェネリック　商品名(メーカー)　規格・保険薬価

| エペリゾン塩酸塩 (旭化成) 錠 50mg 1錠 5.90 円 |
| エペリゾン塩酸塩 (あすか＝武田) |
| 錠 50mg 1錠 5.90 円 |

| エペリゾン塩酸塩 (共和) 錠 50mg 1錠 5.90 円 |
| エペリゾン塩酸塩 (寿) 錠 50mg 1錠 5.90 円 |
| エペリゾン塩酸塩 (武田テバファーマ＝武田) |
| 錠 50mg 1錠 5.90 円 |
| エペリゾン塩酸塩 (辰巳) 錠 50mg 1錠 5.90 円 |
| エペリゾン塩酸塩 (鶴原＝日本ジェネリック) |
| 錠 50mg 1錠 5.90 円 |
| エペリゾン塩酸塩 写真 (東和) |
| 錠 50mg 1錠 5.90 円 |
| エペリゾン塩酸塩 写真 (日医工) |
| 錠 50mg 1錠 5.90 円 |
| エペリゾン塩酸塩 (日新＝第一三共エスファ) |
| 錠 50mg 1錠 5.90 円 |
| エペリゾン塩酸塩 (ニプロ) 錠 50mg 1錠 5.90 円 |

概要

分類　痙性麻痺治療薬

処方目的　下記の疾患による筋緊張状態の改善→頸肩腕症候群，肩関節周囲炎，腰痛症／下記の疾患による痙性麻痺→脳血管障害，痙性脊髄麻痺，頸部脊椎症，術後後遺症(脳・脊髄腫瘍を含む)，外傷後遺症(脊髄損傷，頭部外傷)，筋萎縮性側索硬化症，脳性小児麻痺，脊髄小脳変性症，脊髄血管障害，スモン，その他の脳脊髄疾患

解説　構造的には骨格筋弛緩薬の一つで，プリジノールメシル酸塩(内服薬は販売終了)に近いものです。作用は中枢性と考えられています。英米では，プリジノールメシル酸塩も本剤も使われていません。効果についての再評価が必要な薬と思われます。

使用上の注意

＊エペリゾン塩酸塩(ミオナール)の添付文書による

基本的注意

(1)服用してはいけない場合……本剤の成分に対するアレルギーの前歴
(2)慎重に服用すべき場合……薬物過敏症の前歴／肝機能障害
(3)危険作業は中止……脱力感，眠け，ふらつきなどが現れることがあるので，服用中は自動車の運転など危険を伴う機械の操作は行わないようにしてください。
(4)その他……
- 妊婦での安全性：未確立。有益と判断されたときのみ服用。
- 授乳婦での安全性：原則として服用しない。やむを得ず服用するときは授乳を中止。

- 小児での安全性：未確立。(1714頁を参照)

重大な副作用 ①ショック，アナフィラキシー様症状（発赤，かゆみ，じん麻疹，顔面などのむくみ，呼吸困難など）。②中毒性表皮壊死融解症(TEN)，皮膚粘膜眼症候群（スティブンス-ジョンソン症候群）。

そのほかにも報告された副作用はあるので，体調がいつもと違うと感じたときは，処方医・薬剤師に相談してください。

併用してはいけない薬 併用してはいけない薬は特にありません。ただし，併用する薬があるときは，念のため処方医・薬剤師に報告してください。

内 01 痛み・炎症・熱の薬　05 肩こり・筋肉痛・腰痛の薬

04 バクロフェン

製剤情報

一般名：バクロフェン

- 保険収載年月…1980年2月
- 海外評価…6点 英米独仏　●PC…C
- 規制…劇薬
- 剤形…錠 錠剤
- 服用量と回数…成人の場合，初回量1日5〜15mgを1〜3回に分けて服用。標準量1日30mg

に達するまで増量。小児は処方医の指示通りに服用。

■**先発品**　　商品名(メーカー)　規格・保険薬価

ギャバロン 写真 (アルフレッサ)
錠 5mg 1錠 13.00円　錠 10mg 1錠 22.10円

リオレサール 写真 (サンファーマ)
錠 5mg 1錠 13.00円　錠 10mg 1錠 22.10円

概要

分類　痙性麻痺治療薬

処方目的　以下の疾患による痙性麻痺→脳血管障害，脳性(小児)麻痺，痙性脊髄麻痺，脊髄血管障害，頸部脊椎症，後縦靱帯骨化症，筋萎縮性側索硬化症，多発性硬化症，脊髄小脳変性症，術後後遺症（脳・脊髄腫瘍を含む），外傷後遺症（脊髄損傷，頭部外傷），その他の脳性疾患，その他のミエロパチー

解説　脳の代謝を促進させるガンマ・アミノ酪酸の誘導体です。比較的副作用が少ない薬ですが，アメリカ医師会発行の「医薬品評価」には，妊婦・授乳婦および12歳以下の小児に対する安全性は確立していないと書かれています。日本では小児にも使われています。

使用上の注意

＊バクロフェン（リオレサール）の添付文書による

基本的注意

(1)服用してはいけない場合……本剤の成分に対するアレルギーの前歴
(2)慎重に服用すべき場合……てんかんまたはその前歴／精神障害／消化性潰瘍／腎機能の低下している人／肝機能障害／呼吸不全／小児，高齢者
(3)急な服用中止……本剤の長期服用中に，急に服用を中止すると幻覚，錯乱，興奮状

態，けいれん発作などが現れたとの報告があります。自己判断で勝手に中止しないでください。

(4)小児……服用する場合は，状態に十分注意してください。特に，てんかんまたはその前歴のある小児は発作を誘発するおそれがあります。

(5)危険作業は中止……本剤を服用すると，眠けなどがおこることがあります。服用中は，自動車の運転など危険を伴う機械の操作は行わないようにしてください。

(6)その他……

●妊婦での安全性：有益と判断されたときのみ服用。

●授乳婦での安全性：服用するときは授乳を中止。(1714 頁を参照)

　重大な副作用　　　　①意識障害，呼吸抑制。②精神依存形成（幻覚，錯乱など）。
　そのほかにも報告された副作用はあるので，体調がいつもと違うと感じたときは，処方医・薬剤師に相談してください。

　併用してはいけない薬　　　併用してはいけない薬は特にありません。ただし，併用する薬があるときは，念のため処方医・薬剤師に報告してください。

内 01 痛み・炎症・熱の薬　05 肩こり・筋肉痛・腰痛の薬

05　ダントロレンナトリウム水和物

製 剤 情 報

一般名：ダントロレンナトリウム水和物

●保険収載年月…1980年12月

●海外評価…6点 英米独仏　●PC…C

●剤形…カ カプセル剤

●服用量と回数…1日1回25mgから開始して，維持量まで増量（2〜3回に分けて服用）。1日最大150mg（3回に分けて服用）。悪性症候群の場合は，1回25mgまたは50mgを1日3回。

■**先発品**　　商品名（メーカー）　規格・保険薬価

ダントリウム 写真（オーファン）

カ 25mg 1セル 21.10 円

概　　要

分類　痙性麻痺治療薬

処方目的　以下の疾患に伴う痙性麻痺→脳血管障害後遺症，脳性麻痺，外傷後遺症（頭部外傷，脊髄損傷），頸部脊椎症，後縦靱帯骨化症，脊髄小脳変性症，痙性脊髄麻痺，脊髄炎，脊髄症，筋萎縮性側索硬化症，多発性硬化症，スモン，潜水病／全身こむら返り病／悪性症候群

解説　エペリゾン塩酸塩，バクロフェンなどと同じように痙性麻痺に使われますが，それらが中枢性に働くのに対し，ダントロレンナトリウム水和物は骨格筋に局所的に働くと考えられています。
　服用時，肝機能の検査に異常がみられたら，直ちに中止しなければなりません。

🐟 使用上の注意

基本的注意

(1)**服用してはいけない場合**……本剤の成分に対するアレルギーの前歴／閉塞性肺疾患・心疾患による著しい心肺機能の低下状態／筋無力症状のある人／肝疾患

(2)**慎重に服用すべき場合**……肝機能障害または肝機能異常の前歴／腎機能障害／慢性下痢／他の薬剤に対するアレルギーの前歴／イレウス(腸閉塞)／高齢者

(3)**定期検査**……服用中は，定期的に肝機能検査を受ける必要があります。

(4)**危険作業は中止**……本剤を服用すると，眠け，注意力・集中力・反射運動能力などの低下がおこることがあります。服用中は，自動車の運転など危険を伴う機械の操作は行わないようにしてください。

(5)**その他**……

● 妊婦での安全性：未確立。原則として服用しない。

● 授乳婦での安全性：原則として服用しない。やむを得ず服用するときは授乳を中止。

● 小児での安全性：未確立。(1714頁を参照)

重大な副作用

①黄疸，肝機能障害。②発熱，せき，胸痛，呼吸困難などを伴う PIE 症候群(好酸球性肺浸潤)。③イレウス(腸閉塞)。④呼吸不全。⑤ショック，アナフィラキシー(顔面蒼白，血圧低下，呼吸困難など)。⑥胸膜炎。

　そのほかにも報告された副作用はあるので，体調がいつもと違うと感じたときは，処方医・薬剤師に相談してください。

併用してはいけない薬

併用してはいけない薬は特にありません。ただし，併用する薬があるときは，念のため処方医・薬剤師に報告してください。

内 01 痛み・炎症・熱の薬　05 肩こり・筋肉痛・腰痛の薬

06 アフロクアロン

💊 製剤情報

一般名：アフロクアロン

● 保険収載年月…1983年2月

● 海外評価…0点 英 米 独 仏

● 剤形…錠 錠剤

● 服用量と回数…1日60mgを3回に分けて服用。

■**先発品**	商品名(メーカー)	規格・保険薬価
アロフト (ニプロ ES) 錠	20mg 1錠 13.40 円	

■**ジェネリック**	商品名(メーカー)	規格・保険薬価
アフロクアロン (沢井) 錠	20mg 1錠 6.40 円	
アフロクアロン (東和) 錠	20mg 1錠 6.40 円	

📋 概　要

分類　痙性麻痺治療薬

処方目的　以下の疾患による痙性麻痺→脳血管障害，脳性麻痺，痙性脊髄麻痺，脊髄血管障害，頸部脊椎症，後縦靭帯骨化症，多発性硬化症，筋萎縮性側索硬化症，脊髄小脳変性症，外傷後遺症(脊髄損傷，頭部外傷)，術後後遺症(脳・脊髄腫瘍を含む)，その

他の脳脊髄疾患／頸肩腕症候群，腰痛症における筋緊張状態の改善

解説　構造的にはエペリゾン塩酸塩と別のものですが，作用は似ています。エペリゾン塩酸塩の副作用のうち，肝臓に関する配慮はこの薬には必要がありません。

使用上の注意

＊アフロクアロン（アロフト）の添付文書による

基本的注意

(1)服用してはいけない場合……本剤の成分に対するアレルギーの前歴

(2)危険作業は中止……本剤を服用すると，眠け，注意力・集中力・反射運動能力などの低下がおこることがあります。服用中は，自動車の運転など危険を伴う機械の操作は行わないようにしてください。

(3)その他……

● 妊婦での安全性：未確立。有益と判断されたときのみ服用。

● 授乳婦での安全性：原則として服用しない。やむを得ず服用するときは授乳を中止。

● 小児での安全性：未確立。(1714頁を参照)

重大な副作用　　　重大な副作用はありませんが，そのほかの副作用はあるので，体調がいつもと違うと感じたときは，処方医・薬剤師に相談してください。

併用してはいけない薬　　　併用してはいけない薬は特にありません。ただし，併用する薬があるときは，念のため処方医・薬剤師に報告してください。

内 01 痛み・炎症・熱の薬　06 骨粗鬆症の薬

01 カルシウム製剤

製剤情報

一般名：L-アスパラギン酸カルシウム水和物

● 保険収載年月…1967年7月

● 海外評価…0点 英 米 独 仏

● 剤形…錠 錠剤

● 服用量と回数…1日6錠(1.2g)を2〜3回に分けて服用。

■先発品　商品名(メーカー)　規格・保険薬価

アスパラ-CA (ニプロ ES) 錠 1錠 5.70 円

■ジェネリック　商品名(メーカー)　規格・保険薬価

L-アスパラギン酸 Ca (沢井) 錠 1錠 5.70 円
L-アスパラギン酸 Ca (東和) 錠 1錠 5.70 円

一般名：乳酸カルシウム水和物

● 保険収載年月…1953年12月

● 海外評価…6点 英 米 独 仏

● 剤形…末 末剤

● 服用量と回数…1回1gを1日2〜5回。

■先発品　商品名(メーカー)　規格・保険薬価

乳酸カルシウム (健栄) 末 10g 38.40 円
乳酸カルシウム (小堺＝中北＝日興販売) 末 10g 36.40 円
乳酸カルシウム (日興＝ニプロ) 末 10g 24.10 円
乳酸カルシウム原末 (マイラン＝ファイザー) 末 10g 38.40 円
乳酸カルシウム水和物 (吉田製薬) 末 10g 32.50 円

乳酸カルシウム水和物原末（シオエ＝日本新薬）
末 10g 24.10 円

乳酸カルシウム水和物原末（東洋製化＝丸石）
末 10g 27.80 円

一般名：沈降炭酸カルシウム・コレカルシフェロール・炭酸マグネシウム配合剤

● 保険収載年月…2013年5月

概　要

分類　カルシウム製剤

処方目的　[L-アスパラギン酸カルシウム水和物の適応症] 低カルシウム血症によるテタニー，テタニー関連症状の改善／骨粗鬆症，骨軟化症／妊娠時・授乳時，発育期におけるカルシウム補給

[乳酸カルシウム水和物の適応症] 低カルシウム血症によるテタニーの改善／妊婦・産婦の骨軟化症，発育期におけるカルシウム補給

[デノタスチュアブル配合錠の適応症] RANKL阻害薬（デノスマブなど）投与に伴う低カルシウム血症の治療・予防

解説　2020年度版の「日本人の食事摂取基準」では，1日のカルシウム摂取の推奨量は，男性では15〜29歳800mg，30〜74歳750mg，75歳以上700mg，女性では同650mg，同650mg，同600mgとなっています。しかし，2018年の「国民健康・栄養調査」では，1日の平均摂取量は男性が514mg，女性が497mgで，ほとんどの年代が推奨量を下回っています。なお，1日の耐容上限量は2,500mgとされています。

使用上の注意

*L-アスパラギン酸カルシウム水和物（アスパラ-CA）の添付文書による

基本的注意

(1)服用してはいけない場合……高カルシウム血症／腎結石／重い腎不全

(2)慎重に服用すべき場合……活性ビタミンD製剤（アルファカルシドールなど）の服用中／ジギタリス製剤（ジゴキシン，ジギトキシンなど）の服用中／高カルシウム血症が現れやすい病態の人

(3)定期検査……長期服用すると高カルシウム血症がおこることがあります。長期服用中は定期的に血中・尿中カルシウム濃度を測定し，高カルシウム血症が現れたら服用を中止します。

(4)小児……3週齢以下の動物実験で，視床下部弓状核に病理組織学的変化を認めたとの報告があります。未熟児，新生児，乳児は服用しないでください。

重大な副作用　重大な副作用はありませんが，そのほかの副作用はあるので，体調がいつもと違うと感じたときは，処方医・薬剤師に相談してください。

併用してはいけない薬　併用してはいけない薬は特にありません。ただし，併用す

● 海外評価…0点 英 米 独 仏
● 剤形…錠 錠剤
● 服用量と回数…1日1回2錠を服用。状態または臨床検査値に応じて適宜増減する。

■ **先発品**　**商品名(メーカー)**　**規格・保険薬価**

デノタスチュアブル配合錠 写真 （日東薬品＝第一三共）錠 1錠 14.70円

内
01
06
01

カルシウム製剤

る薬があるときは，念のため処方医・薬剤師に報告してください。

02 蛋白同化ステロイド薬

製剤情報

一般名：メテノロン酢酸エステル
- 保険収載年月…1965年10月
- 海外評価…0点 英米独仏
- 剤形…錠 錠剤

- 服用量と回数…1日10〜20mgを2〜3回に分けて服用。

■**先発品**　商品名(メーカー)　規格・保険薬価
プリモボラン(バイエル) 錠 5mg 1錠 12.20円

概要

分類　蛋白同化ステロイド

処方目的　骨粗鬆症／以下の疾患による著しい消耗状態→慢性腎疾患，悪性腫瘍，外傷・熱傷／再生不良性貧血による骨髄の消耗状態

解説　男性ホルモンの誘導体です。脂質低下作用としては，コレステロールの胆汁酸への移行や排泄促進があると考えられています。第2次大戦後，アウシュヴィッツなどの生存者の体力回復に用いられたのがはじめです。その後，スポーツ選手の記録増進にも使用されました(ドーピングとなります)。

　男性が服用するときは，定期的に前立腺の検査を行う必要があります。女性では月経異常，しわがれ声(嗄声)などの変声が現れる可能性があります。

使用上の注意

基本的注意

(1)服用してはいけない場合……アンドロゲン依存性悪性腫瘍(例えば前立腺がん)またはその疑いのある人／妊婦または妊娠している可能性のある人

(2)慎重に服用すべき場合……前立腺肥大／心疾患／腎疾患／肝疾患／がんの骨転移／糖尿病／小児，高齢者

(3)定期検査……長期服用する場合は，定期的に肝機能検査などを，また男性の場合は前立腺の検査も受ける必要があります。

(4)女性の変声……女性の場合，服用によって声が変わり，しわがれ声(嗄声)になることがあり，嗄声が進行すると回復困難になることがあります。通常，月経異常が先発する例が多いとの報告があるので，月経異常などがみられたらすぐに処方医へ連絡してください。

(5)小児……骨端の早期閉鎖，性的早熟をおこすことがあります。異常を感じたら処方医へ連絡してください。

(6)その他……

- 授乳婦での安全性：治療上の有益性・母乳栄養の有益性を考慮し，授乳の継続・中止

を検討。

重大な副作用 ①肝機能障害，黄疸。

　そのほかにも報告された副作用はあるので，体調がいつもと違うと感じたときは，処方医・薬剤師に相談してください。

併用してはいけない薬 併用してはいけない薬は特にありません。ただし，併用する薬があるときは，念のため処方医・薬剤師に報告してください。

内 01 痛み・炎症・熱の薬　06 骨粗鬆症の薬

03 活性型ビタミン D₃ 製剤

✦ 製剤情報

一般名：アルファカルシドール
- 保険収載年月…1980年12月
- 海外評価…6点 英 米 独 仏
- 規制…劇薬
- 剤形…錠 錠剤，カ カプセル剤，散 散剤，液 液剤
- 服用量と回数…1日1回1〜4μgを服用。骨粗鬆症・慢性腎不全の場合は，1日1回0.5〜1μg。

■先発品　商品名（メーカー）　規格・保険薬価

アルファロール 写真（中外）カ 0.25μg 1カプセル 10.50 円　カ 0.5μg 1カプセル 10.60 円　カ 1μg 1カプセル 27.80 円　カ 3μg 1カプセル 66.30 円　散 1μg 1g 55.60 円　液 0.5μg 1mL 45.30 円

ワンアルファ（帝人）錠 0.25μg 1錠 11.50 円　錠 0.5μg 1錠 11.50 円　錠 1μg 1錠 31.50 円

アルファカルシドール（あすか＝武田）カ 1μg 1カプセル 32.10 円　カ 3μg 1カプセル 72.20 円

■ジェネリック　商品名（メーカー）　規格・保険薬価

アルシオドール（シオノ）カ 0.25μg 1カプセル 5.90 円

アルシオドール（シオノ＝ファイザー）カ 0.5μg 1カプセル 5.90 円　カ 1μg 1カプセル 6.40 円

アルファカルシドール（あすか＝武田）カ 0.25μg 1カプセル 5.90 円　カ 0.5μg 1カプセル 5.90 円

アルファカルシドール（共和）錠 0.25μg 1錠 5.90 円　錠 0.5μg 1錠 5.90 円　錠 1μg 1錠 6.40 円

アルファカルシドール（沢井）カ 0.25μg 1カプセル 5.90 円　カ 0.5μg 1カプセル 5.90 円　カ 1μg 1カプセル 6.40 円

アルファカルシドール（武田テバ薬品＝武田テバファーマ＝武田）カ 0.25μg 1カプセル 5.90 円　カ 0.5μg 1カプセル 5.90 円　カ 1μg 1カプセル 6.40 円　カ 3μg 1カプセル 16.70 円

アルファカルシドール（東和）カ 0.25μg 1カプセル 5.90 円　カ 0.5μg 1カプセル 5.90 円　カ 1μg 1カプセル 6.40 円

アルファカルシドール（日医工）カ 0.25μg 1カプセル 5.90 円　カ 0.5μg 1カプセル 5.90 円　カ 1μg 1カプセル 6.40 円　カ 3μg 1カプセル 16.70 円

アルファカルシドール（ビオメディクス）カ 3μg 1カプセル 16.70 円

アルファカルシドール（ビオメディクス＝日本ジェネリック＝フェルゼン）カ 0.25μg 1カプセル 5.90 円　カ 0.5μg 1カプセル 5.90 円　カ 1μg 1カプセル 6.40 円

アルファカルシドール（扶桑）カ 0.25μg 1カプセル 5.90 円　カ 0.5μg 1カプセル 5.90 円　カ 1μg 1カプセル 6.40 円

一般名：カルシトリオール
- 保険収載年月…1985年12月
- 海外評価…6点 英 米 独 仏　●PC…C
- 規制…劇薬
- 剤形…カ カプセル剤
- 服用量と回数…1日1回0.5〜2μgを服用。骨粗

鬆症の場合は，1日0.5μgを2回に分けて服用。
慢性腎不全の場合は，1日1回0.25〜0.75μg。

■先発品　商品名(メーカー)　規格・保険薬価

ロカルトロール (中外) 力 0.25μg 1ｶﾌﾟｾﾙ 13.20 円
力 0.5μg 1ｶﾌﾟｾﾙ 19.30 円

■ジェネリック　商品名(メーカー)　規格・保険薬価

カルシトリオール 写真 (沢井)
力 0.25μg 1ｶﾌﾟｾﾙ 6.30 円　力 0.5μg 1ｶﾌﾟｾﾙ 9.20 円

カルシトリオール (武田テバ薬品＝武田テバファーマ＝武田) 力 0.25μg 1ｶﾌﾟｾﾙ 6.30 円
力 0.5μg 1ｶﾌﾟｾﾙ 9.20 円

カルシトリオール (東和) 力 0.25μg 1ｶﾌﾟｾﾙ 6.30 円
力 0.5μg 1ｶﾌﾟｾﾙ 9.20 円

カルシトリオール (ビオメディクス＝日本ジェネリック) 力 0.25μg 1ｶﾌﾟｾﾙ 6.30 円　力 0.5μg 1ｶﾌﾟｾﾙ 9.20 円

カルシトリオール (陽進堂＝共創未来)
力 0.25μg 1ｶﾌﾟｾﾙ 6.30 円　力 0.5μg 1ｶﾌﾟｾﾙ 9.20 円

一般名：エルデカルシトール

● 保険収載年月…2011年3月
● 海外評価…0点 英 米 独 仏
● 規制…劇薬
● 剤形…力 カプセル剤
● 服用量と回数…1日1回0.5〜0.75μgを服用。

■先発品　商品名(メーカー)　規格・保険薬価

エディロール 写真 (中外) 力 0.5μg 1ｶﾌﾟｾﾙ 40.30 円
力 0.75μg 1ｶﾌﾟｾﾙ 56.90 円

■ジェネリック　商品名(メーカー)　規格・保険薬価

エルデカルシトール 写真 (沢井)
力 0.5μg 1ｶﾌﾟｾﾙ 18.00 円　力 0.75μg 1ｶﾌﾟｾﾙ 25.60 円

エルデカルシトール (東和) 力 0.5μg 1ｶﾌﾟｾﾙ 18.00 円
力 0.75μg 1ｶﾌﾟｾﾙ 25.60 円

エルデカルシトール (日医工)
力 0.5μg 1ｶﾌﾟｾﾙ 18.00 円　力 0.75μg 1ｶﾌﾟｾﾙ 25.60 円

概　要

分類　活性型ビタミン D_3 製剤
処方目的　骨粗鬆症

[アルファカルシドール，カルシトリオールのみの適応症] 以下の疾患におけるビタミンD代謝異常に伴う諸症状(低カルシウム血症，しびれ，テタニー，知覚異常，筋力低下，骨痛，骨病変など)の改善→慢性腎不全，副甲状腺機能低下症，(ビタミンD抵抗性)クル病・骨軟化症

解説　ビタミンDの合成には太陽光線が必要なため，本剤をサンシャインビタミンと呼ぶことがあります。最近では食生活の向上でビタミンD不足はほとんどなくなりましたが，体内での変化過程に異常があるために(代謝異常という)，ビタミンD不足をおこすことがあります。

　ビタミンDはカルシウムを体内へ取り込む働きがあり，カルシウム不足による骨の病気の治療に用いられます。

使用上の注意

＊アルファカルシドール(アルファロール)，カルシトリオール(ロカルトロール)，エルデカルシトール(エディロール)の添付文書による

基本的注意

(1)服用してはいけない場合……[カルシトリオール]高カルシウム血症またはビタミンD中毒症状を伴う人／[エルデカルシトール]妊婦，妊娠している可能性のある人，授乳婦
(2)慎重に服用すべき場合……[カルシトリオール]妊婦，授乳婦，小児／[エルデカルシ

トール]高カルシウム血症のおそれのある人(悪性腫瘍, 原発性副甲状腺機能亢進症など)／腎機能障害／尿路結石またはその前歴

(3)定期検査……カルシウムが過剰に体内に取り入れられると問題がおこりやすいため, 定期的に血清カルシウムの測定を行います。

(4)女性……[エルデカルシトール]動物実験で催奇形性作用が報告されているので, 妊娠する可能性のある人は, 治療上の有益性が危険性を上回ると判断される場合にのみ服用が許可されます。服用する場合は, 事前に問診・妊娠検査で妊娠していないことを確認し, 服用期間中は適切な避妊を行ってください。本剤投与中に妊娠が認められた場合には, 直ちに服用を中止します。

(5)その他……
- 妊婦での安全性：[アルファカルシドール, カルシトリオール]有益と判断されたときのみ服用。
- 授乳婦での安全性：[アルファカルシドール]原則として服用しない。やむを得ず服用するときは授乳を中止。[カルシトリオール]服用するときは授乳を中止。
- 小児での安全性：[エルデカルシトール]未確立。(1714頁を参照)

重大な副作用　[アルファカルシドール, エルデカルシトール] ①急性腎障害。

[アルファカルシドールのみ] ②肝機能障害, 黄疸。

[エルデカルシトールのみ] ③高カルシウム血症(倦怠感, いらいら感, 吐きけ, 口渇感, 食欲減退, 意識レベルの低下など)。④尿路結石。

　そのほかにも報告された副作用はあるので, 体調がいつもと違うと感じたときは, 処方医・薬剤師に相談してください。

併用してはいけない薬　併用してはいけない薬は特にありません。ただし, 併用する薬があるときは, 念のため処方医・薬剤師に報告してください。

内 01 痛み・炎症・熱の薬　06 骨粗鬆症の薬

04 イプリフラボン

製剤情報

一般名：イプリフラボン
- 保険収載年月…1988年12月
- 海外評価…0点 英米独仏
- 剤形…錠 錠剤
- 服用量と回数…1回200mgを1日3回。

■ジェネリック

商品名(メーカー)	規格・保険薬価
イプリフラボン (沢井) 錠	200mg 1錠 9.70円
イプリフラボン (鶴原) 錠	200mg 1錠 9.70円
イプリフラボン (日医工ファーマ＝日医工) 錠	200mg 1錠 9.70円

概要

分類 イソフラボン系骨粗鬆症治療薬

処方目的 骨粗鬆症における骨量減少の改善

解説 飼料用のアルファルファにみられる動物成長因子の一つがフラボノイドであることに注目し，種々のイソフラボン誘導体の研究から生まれた薬です。直接的な骨吸収抑制作用があるといわれています。また，エストロゲン（卵胞ホルモン）のカルシトニン分泌促進作用を増強して，骨の吸収を抑制することが認められています。

現在のところ国内でしか製剤になっていませんが，世界的に使われるかどうかで本当の評価が決まるでしょう。

📖 使用上の注意

＊イプリフラボンの添付文書による

基本的注意

(1)慎重に服用すべき場合……消化性潰瘍またはその前歴

(2)長期服用……本剤は，高齢者が長期にわたって服用することの多い薬剤です。服用中に消化器症状などが現れたら，すぐに処方医に報告してください。

(3)授乳婦……動物実験で，本剤の成分が母乳中へ移行することが報告されています。授乳している人が服用する場合は，状態に十分注意してください。

(4)その他……

● 妊婦での安全性：未確立。有益と判断されたときのみ服用。

● 小児での安全性：未確立。（1714 頁を参照）

重大な副作用 ①消化性潰瘍，胃腸出血。②黄疸。

そのほかにも報告された副作用はあるので，体調がいつもと違うと感じたときは，処方医・薬剤師に相談してください。

併用してはいけない薬 併用してはいけない薬は特にありません。ただし，併用する薬があるときは，念のため処方医・薬剤師に報告してください。

内 01 痛み・炎症・熱の薬 06 骨粗鬆症の薬

05 ビスホスホネート製剤

💊 製剤情報

一般名：エチドロン酸2ナトリウム

● 保険収載年月…1990年11月

● 海外評価…2点 英 米 独 仏 ● PC…C

● 規制…劇薬

● 剤形…錠 錠剤

● 服用量と回数…1日1回200mgを2週間，重症の場合は1日1回400mg。異所性骨化の抑制：1日1回800〜1,000mg。骨ページェット病：1日1回200mg，最大1,000mg。

■ **先発品** 商品名（メーカー） 規格・保険薬価

ダイドロネル（住友ファーマ）
錠 200mg 1錠 313.20 円

一般名：アレンドロン酸ナトリウム水和物

● 保険収載年月…2001年8月

● 海外評価…6点 英 米 独 仏 ● PC…C

● 規制…劇薬

● 剤形…錠 錠剤，ゼ ゼリー剤

- 服用量と回数…1日1回5mg, 35mg錠の場合は週1回。

■先発品　　商品名(メーカー)　規格・保険薬価

フォサマック (オルガノン) 錠 35mg 1錠 329.50 円

ボナロン (帝人) 錠 5mg 1錠 54.80 円
錠 35mg 1錠 329.50 円

ボナロン経口ゼリー 写真 (帝人)
ゼ 35mg 1包 803.30 円

■ジェネリック　商品名(メーカー)　規格・保険薬価

アレンドロン酸 (共和) 錠 5mg 1錠 20.70 円

アレンドロン酸 (共和=三和)
錠 35mg 1錠 124.00 円

アレンドロン酸 写真 (沢井) 錠 5mg 1錠 20.70 円
錠 35mg 1錠 124.00 円

アレンドロン酸 (シオノ=科研)
錠 5mg 1錠 33.00 円　錠 35mg 1錠 206.30 円

アレンドロン酸 (大興=ケミファ)
錠 5mg 1錠 33.00 円

アレンドロン酸 (大興=ケミファ=日薬工)
錠 35mg 1錠 206.30 円

アレンドロン酸 (武田テバファーマ)
錠 5mg 1錠 20.70 円　錠 35mg 1錠 124.00 円

アレンドロン酸 (辰巳) 錠 5mg 1錠 20.70 円
錠 35mg 1錠 124.00 円

アレンドロン酸 (東和) 錠 5mg 1錠 20.70 円
錠 35mg 1錠 124.00 円

アレンドロン酸 (日医工) 錠 5mg 1錠 20.70 円
錠 35mg 1錠 124.00 円

アレンドロン酸 (日医工岐阜=日医工)
錠 5mg 1錠 20.70 円　錠 35mg 1錠 124.00 円

アレンドロン酸 (日本ジェネリック)
錠 5mg 1錠 33.00 円　錠 35mg 1錠 124.00 円

アレンドロン酸 (富士製薬) 錠 5mg 1錠 33.00 円
錠 35mg 1錠 206.30 円

アレンドロン酸 (マイラン=ファイザー)
錠 5mg 1錠 20.70 円　錠 35mg 1錠 124.00 円

アレンドロン酸 (陽進堂) 錠 5mg 1錠 33.00 円
錠 35mg 1錠 124.00 円

アレンドロン酸 (リョートー) 錠 5mg 1錠 20.70 円
錠 35mg 1錠 124.00 円

一般名：リセドロン酸ナトリウム水和物

- 保険収載年月…2002年4月
- 海外評価…6点 英 米 独 仏　　●PC…C
- 規制…劇薬
- 剤形…錠 錠剤
- 服用量と回数…1日1回2.5mg, 17.5mg錠の場合は週1回, 75mg錠の場合は月1回。骨ページェット病：1日1回17.5mgを8週間連日。

■先発品　　商品名(メーカー)　規格・保険薬価

アクトネル (EA ファーマ=エーザイ)
錠 2.5mg 1錠 66.10 円　錠 17.5mg 1錠 395.50 円
錠 75mg 1錠 1,758.40 円

ベネット 写真 (武田) 錠 2.5mg 1錠 66.10 円
錠 17.5mg 1錠 442.30 円　錠 75mg 1錠 1,981.70 円

■ジェネリック　商品名(メーカー)　規格・保険薬価

リセドロン酸 Na (共創未来)
錠 2.5mg 1錠 26.10 円　錠 17.5mg 1錠 140.30 円

リセドロン酸 Na (キョーリン=杏林)
錠 2.5mg 1錠 26.10 円　錠 17.5mg 1錠 140.30 円

リセドロン酸 Na 写真 (沢井)
錠 2.5mg 1錠 26.10 円　錠 17.5mg 1錠 125.20 円

リセドロン酸 Na (サンド) 錠 2.5mg 1錠 26.10 円
錠 17.5mg 1錠 125.20 円

リセドロン酸 Na (全星) 錠 2.5mg 1錠 26.10 円
錠 17.5mg 1錠 140.30 円

リセドロン酸 Na (高田) 錠 2.5mg 1錠 26.10 円
錠 17.5mg 1錠 140.30 円

リセドロン酸 Na 写真 (東和)
錠 2.5mg 1錠 26.10 円　錠 17.5mg 1錠 140.30 円
錠 75mg 1錠 476.90 円

リセドロン酸 Na (日医工) 錠 2.5mg 1錠 26.10 円
錠 17.5mg 1錠 140.30 円　錠 75mg 1錠 476.90 円

リセドロン酸 Na (日新) 錠 2.5mg 1錠 26.10 円
錠 17.5mg 1錠 140.30 円

リセドロン酸 Na (ニプロ) 錠 2.5mg 1錠 26.10 円 錠 17.5mg 1錠 106.20 円	ミノドロン酸 (沢井) 錠 1mg 1錠 26.40 円 錠 50mg 1錠 698.10 円
リセドロン酸 Na (日本ジェネリック) 錠 2.5mg 1錠 26.10 円 錠 17.5mg 1錠 140.30 円	ミノドロン酸 (武田テバファーマ) 錠 1mg 1錠 26.40 円 錠 50mg 1錠 627.20 円
リセドロン酸 Na (ファイザー) 錠 2.5mg 1錠 26.10 円 錠 17.5mg 1錠 106.20 円	ミノドロン酸 (東和) 錠 1mg 1錠 26.40 円 錠 50mg 1錠 698.10 円
リセドロン酸 Na (富士製薬) 錠 2.5mg 1錠 26.10 円 錠 17.5mg 1錠 140.30 円	ミノドロン酸 (日医工) 錠 1mg 1錠 26.40 円 錠 50mg 1錠 627.20 円
リセドロン酸 Na (MeijiSeika) 錠 2.5mg 1錠 41.10 円 錠 17.5mg 1錠 140.30 円	ミノドロン酸 (日医工岐阜 = 日医工) 錠 1mg 1錠 26.40 円 錠 50mg 1錠 627.20 円
リセドロン酸 Na 塩 (ニプロ ES) 錠 2.5mg 1錠 26.10 円 錠 17.5mg 1錠 140.30 円	ミノドロン酸 (ニプロ) 錠 1mg 1錠 26.40 円 錠 50mg 1錠 698.10 円
リセドロン酸ナトリウム (日薬工 = ケミファ) 錠 2.5mg 1錠 26.10 円 錠 17.5mg 1錠 140.30 円	ミノドロン酸 (日本ジェネリック) 錠 1mg 1錠 42.20 円 錠 50mg 1錠 698.10 円
	ミノドロン酸 (三笠) 錠 1mg 1錠 26.40 円 錠 50mg 1錠 698.10 円
	ミノドロン酸 (陽進堂) 錠 1mg 1錠 26.40 円
	ミノドロン酸 (陽進堂 = ケミファ = 日薬工) 錠 50mg 1錠 698.10 円

一般名：ミノドロン酸水和物

- 保険収載月…2009年3月
- 海外評価…0点 英米独仏
- 規制…劇薬
- 剤形…錠 錠剤
- 服用量と回数…1mgは1日1回, 50mgは4週間に1回。

■先発品 商品名(メーカー) 規格・保険薬価
ボノテオ 写真 (アステラス) 錠 1mg 1錠 76.90 円 錠 50mg 1錠 2,103.90 円
リカルボン 写真 (小野) 錠 1mg 1錠 80.70 円 錠 50mg 1錠 2,103.70 円

■ジェネリック 商品名(メーカー) 規格・保険薬価
ミノドロン酸 (あゆみ製薬) 錠 1mg 1錠 26.40 円 錠 50mg 1錠 698.10 円

一般名：イバンドロン酸ナトリウム水和物

- 保険収載年月…2016年4月
- 海外評価…6点 英米独仏 ●PC…C
- 規制…劇薬
- 剤形…錠 錠剤
- 服用量と回数…1カ月に1回100mgを, 起床時に十分量(約180mL)の水とともに服用。

■先発品 商品名(メーカー) 規格・保険薬価
ボンビバ (中外 = 大正製薬) 錠 100mg 1錠 2,104.30 円

📋 **概　要**

分類　異所性骨化阻止薬

処方目的　骨粗鬆症

[エチドロン酸２ナトリウムのみの適応症] 脊髄損傷後, 股関節形成術後における初期および進行期の異所性骨化の抑制
[エチドロン酸２ナトリウム, リセドロン酸ナトリウム水和物のみの適応症] 骨ページ

ェット病

解説　骨の無機質表面でのハイドロキシアパタイト結晶の形成・溶解を抑制する作用と，破骨細胞の抑制作用を有しているといわれています。

　本剤服用中に抜歯などの歯科治療，あご付近への放射線治療，口腔内の不衛生などの条件が重なった場合，まれにあごの骨に炎症がおこり，さらに壊死する「顎骨壊死」が生じることがあります。歯科治療を受ける際には，医師に本剤を使用していることを必ず伝えてください。

🖐 使用上の注意

*リセドロン酸ナトリウム水和物（アクトネル，ベネット）の添付文書による

基本的注意

(1)**服用してはいけない場合**……食道狭窄またはアカラシア（食道弛緩不能症）などの食道通過遅延障害／本剤の成分あるいは他のビスホスフォネート系薬剤に対するアレルギーの前歴／低カルシウム血症／服用時に立位あるいは坐位を30分以上保てない人／高度な腎機能障害（クレアチニンクリアランス値：約30mL/分未満）／妊婦または妊娠している可能性のある人

(2)**慎重に服用すべき場合**……嚥下困難，食道・胃・十二指腸の潰瘍または食道炎などの上部消化管障害／中等度または軽度の腎機能障害

(3)**栄養状態**……本剤を服用しているときは，適切な栄養状態，特にカルシウムとビタミンDの適切な摂取に気をつけてください。

(4)**服用法**……①起床後，最初の飲食前に，立位または座位でコップ1杯の水（約180mL）で服用します。水以外の飲み物（牛乳など。カルシウム・マグネシウムなどの含量の特に高いミネラルウォーターを含む）や食物，他の薬剤と一緒に服用すると吸収を抑制するおそれがあるので，水のみで服用します。②服用するときは，口腔咽頭を刺激する可能性があるため，噛んだりなめたりしないように。③服用後少なくとも30分は横にならず，飲食（水を除く）や他の薬剤の服用も避けてください。

(5)**妊娠可能**……妊娠する可能性のある人は服用禁忌ですが，治療上の有益性が危険性を上回ると判断された場合にのみ処方されることがあります。

(6)**その他**……

● 授乳婦での安全性：治療上の有益性・母乳栄養の有益性を考慮し，授乳の継続・中止を検討。

● 小児での安全性：未確立。（1714頁を参照）

重大な副作用　　　　　[すべての製剤]①上部消化管障害（食道炎，食道狭窄，食道潰瘍，食道穿孔，胃潰瘍，十二指腸潰瘍など）。②顎骨壊死・顎骨骨髄炎。③大腿骨転子下，近位大腿骨骨幹部，近位尺骨骨幹部などの非定型骨折。④外耳道骨壊死。⑤肝機能障害，黄疸（イバンドロン酸ナトリウム水和物を除く）。

[アレンドロン酸ナトリウム水和物，ミノドロン酸水和物，イバンドロン酸ナトリウム水和物のみ]⑥低カルシウム血症（けいれん，テタニー，しびれ，失見当識，QT延長など）。

[アレンドロン酸ナトリウム水和物のみ]⑦皮膚粘膜眼症候群（スティブンス-ジョンソン

症候群），中毒性表皮壊死融解症（TEN）などの重い皮膚症状。

［エチドロン酸２ナトリウムのみ］⑧汎血球減少，無顆粒球症。

［イバンドロン酸ナトリウム水和物のみ］⑨アナフィラキシーショック，アナフィラキシー反応。

　そのほかにも報告された副作用はあるので，体調がいつもと違うと感じたときは，処方医・薬剤師に相談してください。

併用してはいけない薬　併用してはいけない薬は特にありません。ただし，併用する薬があるときは，念のため処方医・薬剤師に報告してください。

内01 痛み・炎症・熱の薬　06 骨粗鬆症の薬

06 選択的エストロゲン受容体モジュレーター

製剤情報

一般名：ラロキシフェン塩酸塩
- 保険収載年月…2004年4月
- 海外評価…6点 英米独仏　●PC…X
- 剤形…錠 錠剤
- 服用量と回数…1日1回60mg。

■先発品　商品名（メーカー）　規格・保険薬価
エビスタ（イーライリリー）錠 60mg 1錠 73.40 円

■ジェネリック　商品名（メーカー）　規格・保険薬価
ラロキシフェン塩酸塩（エルメッド＝日医工）
錠 60mg 1錠 29.50 円
ラロキシフェン塩酸塩（小林化工）
錠 60mg 1錠 29.50 円
ラロキシフェン塩酸塩 写真（沢井）
錠 60mg 1錠 29.50 円
ラロキシフェン塩酸塩（シオノ＝あゆみ製薬）
錠 60mg 1錠 29.50 円
ラロキシフェン塩酸塩（大興＝江州）
錠 60mg 1錠 29.50 円

ラロキシフェン塩酸塩（武田テバファーマ＝武田）錠 60mg 1錠 29.50 円
ラロキシフェン塩酸塩（東和）
錠 60mg 1錠 29.50 円
ラロキシフェン塩酸塩（日医工）
錠 60mg 1錠 29.50 円
ラロキシフェン塩酸塩（日新＝日本ジェネリック）錠 60mg 1錠 29.50 円

一般名：バゼドキシフェン酢酸塩
- 保険収載年月…2010年9月
- 海外評価…0点 英米独仏
- 剤形…錠 錠剤
- 服用量と回数…1日1回20mg。

■先発品　商品名（メーカー）　規格・保険薬価
ビビアント（ファイザー）錠 20mg 1錠 76.20 円

■ジェネリック　商品名（メーカー）　規格・保険薬価
バゼドキシフェン 写真（沢井）
錠 20mg 1錠 37.20 円

概要

分類　骨粗鬆症治療薬
処方目的　閉経後骨粗鬆症
解説　骨粗鬆症は，骨強度の低下によって骨折リスクが高くなる骨の疾患です。ラロキシフェン塩酸塩，バゼドキシフェン酢酸塩は各組織のエストロゲン受容体と結合し，

その結合体は転写促進因子あるいは転写抑制因子と複合体を形成して，組織選択的なエストロゲン作用を示します。その結果として閉経後に骨吸収が亢進するのを抑制し，治療効果を示します。

🔖 使用上の注意

＊ラロキシフェン塩酸塩(エビスタ)の添付文書による

基本的注意

(1)服用してはいけない場合……深部静脈血栓症・肺塞栓症・網膜静脈血栓症などの静脈血栓塞栓症またはその前歴／長期不動状態(術後回復期，長期安静期など)／抗リン脂質抗体症候群／本剤の成分に対するアレルギーの前歴／妊婦または妊娠している可能性のある人，授乳婦

(2)慎重に服用すべき場合……経口エストロゲン療法による顕著な高トリグリセリド血症(500mg/dL 超)の前歴／腎機能障害／肝機能障害

(3)静脈血栓塞栓症……①本剤を服用すると静脈血栓塞栓症(「重大な副作用」参照)のリスクが上昇します。②長期不動状態(術後回復期，長期安静期など)に入る人は，その3日前には服用を中止し，完全に歩行可能になるまでは服薬しないようにしてください。

(4)女性……外国での骨粗鬆症治療(骨折)試験で，本剤の服用群はプラセボ(偽薬)群に比べて，子宮内膜の厚さがわずかに増加したとの報告があります。臨床的に意味のある子宮内膜の増殖とはされていませんが，服用中に子宮内膜の異常(原因不明の子宮・性器出血など)がみられたら，すぐに処方医に連絡してください。

(5)栄養状態……本剤を服用しているときは，適切な栄養状態，特にカルシウムとビタミンDの適切な摂取に気をつけてください。

重大な副作用

①深部静脈血栓症，肺塞栓症，網膜静脈血栓症(下肢の痛み・むくみ，突然の呼吸困難・息切れ・胸痛，急性視力障害など)。②肝機能障害。

　そのほかにも報告された副作用はあるので，体調がいつもと違うと感じたときは，処方医・薬剤師に相談してください。

併用してはいけない薬

併用してはいけない薬は特にありません。ただし，併用する薬があるときは，念のため処方医・薬剤師に報告してください。

内 01 痛み・炎症・熱の薬　06 骨粗鬆症の薬

07 エストラジオール・レボノルゲストレル配合剤

💊 製剤情報

一般名：エストラジオール・レボノルゲストレル配合剤

● 保険収載年月…2008年12月

● 海外評価…1点 英 米 独 仏

● 剤形… 錠 錠剤

● 服用量と回数…1日1錠。

■先発品　　商品名(メーカー)　規格・保険薬価

ウェールナラ配合錠 (バイエル) 錠 1錠 139.40 円

内
01
—
06
—
07

エストラジオール・レボノルゲストレル配合剤

概　要

分類　骨粗鬆症治療薬

処方目的　閉経後骨粗鬆症

解説　本剤は卵胞ホルモンと黄体ホルモンが配合してあり，ホルモン補充療法により骨密度を有意に増加させて骨粗鬆症を治療する薬剤です。

使用上の注意

基本的注意

(1) 服用してはいけない場合……エストロゲン依存性悪性腫瘍（乳がん，子宮内膜がんなど）およびその疑いのある人／未治療の子宮内膜増殖症／乳がんの前歴／血栓性静脈炎，肺塞栓症またはその前歴／動脈性の血栓塞栓疾患（冠動脈性心疾患，脳卒中など），またはその前歴／重い肝機能障害／診断の確定していない異常性器出血／本剤の成分に対するアレルギーの前歴／妊婦または妊娠している可能性のある人，授乳婦

(2) 慎重に服用すべき場合……肝機能障害（重い肝機能障害を除く）／子宮内膜症／子宮筋腫／高血圧／心疾患，腎疾患，またはその前歴／片頭痛／てんかん／糖尿病／乳がんの家族素因が強い人，乳房結節・乳腺症のある人，乳房レントゲン像に異常がみられた人／術前または長期臥床状態の人／全身性エリテマトーデス／ポルフィリン症／重い高トリグリセリド症

(3) 問診，婦人科検診……本剤を服用する前には，家族素因などの問診，乳房検診・婦人科検診を行うことが必要です。また，内服開始後も乳房・婦人科検診を行うようにします。

(4) 骨密度の測定……本剤を服用した場合は，服用後6カ月～1年後に骨密度を測定し，効果が認められない場合は服用を中止して他の療法を考慮する必要があります。

(5) セイヨウオトギリソウ（セント・ジョーンズ・ワート）含有食品……一緒に摂取すると本剤の血中濃度が低くなり作用が弱まるおそれがあるので，本剤の服用中はセイヨウオトギリソウ含有食品を摂取しないでください。

(6) 海外報告……外国において，卵胞ホルモン剤と黄体ホルモン剤を長期併用した女性は，乳がんになる危険性が対照群の女性と比較して高くなり，併用期間が長期になるに従って高くなるという報告があります。

重大な副作用　①静脈血栓塞栓症，血栓性静脈炎。

そのほかにも報告された副作用はあるので，体調がいつもと違うと感じたときは，処方医・薬剤師に相談してください。

併用してはいけない薬　併用してはいけない薬は特にありません。ただし，併用する薬があるときは，念のため処方医・薬剤師に報告してください。

内服 02 精神神経科の薬

薬剤番号 02-01-01 ～ 02-06-06

■中枢神経（脳・延髄）に直接作用して効果を現す薬について説明します

◆一般に睡眠薬，精神安定剤と呼ばれる薬（不眠症や不安に用います）

◆統合失調症，躁うつ病，うつ病の薬

◆てんかんの薬

◆注意欠陥／多動性障害（AD/HD）の薬

■副作用・相互作用に注意すべき薬

▌催眠薬・精神安定薬

いずれもベンゾジアゼピン系の薬剤が主に使われます。比較的副作用も少ないということで，かえって安易な使われ方をされているかもしれません。

ベンゾジアゼピンの最大の欠点は「依存性」です。外国ではこの依存症は医師がつくっているといわれるくらいで，患者は気づかないうちに薬がないと不安が増したり，眠れなくなるという状態に陥ってしまいます。それを防ぐためには意識してこの薬から遠ざかる努力が必要です。

また，めまい・ふらつき・眠けなどがおこることがありますが，特にアルコールとの併用は効果が増強されたりするので危険です。

▌けいれん・てんかんの薬と統合失調症の薬

精神科で処方され長期間にわたって服用することが多いので，ある程度の不都合は覚悟しなければなりませんが，肝機能障害や血液障害は時として命にも関わる場合があるので，検査を定期的に受ける必要があります。

また，統合失調症の薬に共通している副作用として，シンドロームマリン（悪性症候群）と遅発性ジスキネジアがあります。当人は気づかないこともありますので，家族など周りの人たちが注意して見守っていることが大切です。

◉ 薬剤師の眼

価格の高い睡眠薬がよく効くわけではない

　精神安定薬への依存から抜け出られなくて苦しんでいる人をときどき見かけます。しかし，いくら安全な薬とはいえ一生涯つき合わなければならないなんて考えものです。症状が軽くなっている場合は，処方医の指導のもとに思い切ってのむのをやめてみませんか。禁煙に成功された方なら，そんなに難しいことではないかもしれません。

　睡眠薬も毎晩ぐっすり寝ようなんて欲ばらないで，眠れない夜も人生の一局面だという開き直りも，薬と上手につき合うためには時として必要です。

　ベンゾジアゼピン系催眠薬のクアゼパムの薬価が，他の同効薬に比べて極端に高いのは納得がいきません。（外国での価格を参考にしたとのことですが，効果はあまり変わらないので，そんなに高い薬の処方は皆で拒否してもよいと思います＝患者の権利）

　高い薬が処方されれば，患者の負担も増えます。効き目と価格を比較することが可能になるという点からも欧州各国で実施されている，いわゆる「参照価格制度」は，患者の情報収集という観点からも望ましいものだといえます。患者主体の薬物療法を推し進めていくためには，早く日本でも導入すべきだと思います。

01 バルビツール酸誘導体

製剤情報

一般名：フェノバルビタール／長期作用型
- 保険収載年月…1950年10月
- 海外評価…4点 英 米 独 仏
- 規制…劇薬
- 剤形…錠 錠剤, 末 末剤, 散 散剤, 液 液剤
- 服用量と回数…不眠症：1日30〜200mgを就寝前に1回。不安緊張状態の鎮静, てんかんのけいれん発作, 自律神経発作, 精神運動発作：1日30〜200mgを1〜4回に分けて服用。

■ **先発品**　商品名(メーカー)　規格・保険薬価

フェノバール（藤永＝第一三共）散 10% 1g 7.50 円
錠 30mg 1錠 7.00 円

フェノバールエリキシル（藤永＝第一三共）
液 0.4% 1mL 3.40 円

フェノバール原末（藤永＝第一三共）
末 1g 26.70 円

フェノバルビタール（シオエ＝日本新薬）
散 10% 1g 7.50 円

フェノバルビタール（マイラン＝ファイザー）
散 10% 1g 7.30 円

フェノバルビタール（丸石＝吉田製薬）
散 10% 1g 7.50 円

フェノバルビタール原末（マイラン＝ファイザー）末 1g 26.70 円

一般名：ペントバルビタールカルシウム／中期作用型
- 保険収載年月…1953年8月
- 海外評価…0点 英 米 独 仏
- 規制…劇薬
- 剤形…錠 錠剤
- 服用量と回数…不眠症：1日50〜100mg（1〜2錠）を就寝前に1回。不安緊張状態の鎮静：1回

25〜50mg（0.5〜1錠）を1日2〜3回。

■ **先発品**　商品名(メーカー)　規格・保険薬価

ラボナ（田辺三菱）錠 50mg 1錠 8.90 円

一般名：アモバルビタール／中期作用型
- 保険収載年月…1950年9月
- 海外評価…0点 英 米 独 仏
- 規制…劇薬
- 剤形…末 末剤
- 服用量と回数…不眠症：1日0.1〜0.3gを就寝前に1回。不安緊張状態の鎮静：1日0.1〜0.2gを2〜3回に分けて服用。

■ **ジェネリック**　商品名(メーカー)　規格・保険薬価

イソミタール原末（日本新薬）末 1g 40.50 円

一般名：フェニトイン・フェノバルビタール・安息香酸ナトリウムカフェイン
- 保険収載年月…1959年8月
- 規制…劇薬
- 剤形…錠 錠剤
- 服用量と回数…1日6〜12錠を分けて服用。

■ **先発品**　商品名(メーカー)　規格・保険薬価

ヒダントール D 配合錠（藤永＝第一三共）
錠 1錠 5.90 円

ヒダントール E 配合錠（藤永＝第一三共）
錠 1錠 5.80 円

ヒダントール F 配合錠（藤永＝第一三共）
錠 1錠 5.90 円

一般名：フェニトイン・フェノバルビタール
- 保険収載年月…1953年12月
- 規制…劇薬
- 剤形…錠 錠剤

● 服用量と回数…1日1〜4錠を分けて服用。

■先発品　　商品名(メーカー)　規格・保険薬価

複合アレビアチン配合錠（住友ファーマ）
錠 1錠 7.10 円

概　要

分類　催眠鎮静薬

処方目的　［フェノバルビタールの適応症］不眠症／不安緊張状態の鎮静／てんかん
のけいれん発作：強直間代発作(全般けいれん発作，大発作)，焦点発作(ジャクソン型発
作を含む)／自律神経発作，精神運動発作

［ペントバルビタールカルシウムの適応症］不眠症／不安緊張状態の鎮静／麻酔前投薬
／持続睡眠療法における睡眠調節

［アモバルビタールの適応症］不眠症／不安緊張状態の鎮静

［ヒダントール D・E・F 配合錠，複合アレビアチン配合錠の適応症］てんかんのけいれ
ん発作：強直間代発作(全般けいれん発作，大発作)，焦点発作(ジャクソン型発作を含
む)／自律神経発作，精神運動発作

解説　バルビツール酸誘導体は，1865 年ドイツのアドルフ・バイエルによって，尿中
の尿素とリンゴ中のマロン酸から合成された化合物(誘導体)で，1882 年にはじめて医学
的に利用されました。

　中枢神経系全体に対して抑制作用を示しますが，催眠作用は GABA（ギャバ）様作用
あるいは GABA の作用を増強することによると考えられています。GABA とはガンマ
アミノ酪酸という脳内に存在するアミノ酸の一種で，中枢神経系の抑制性伝達物質とし
て作用するなどしています。

　なお，ヒダントール D・E・F 配合錠，複合アレビアチン配合錠には「催眠」の適応はあ
りませんが，バルビツール酸誘導体が配合されているのでここにも掲載してあります
(「けいれん・てんかんの薬」のフェニトイン配合剤の項も参照してください)。

使用上の注意

＊フェノバルビタール（フェノバール）の添付文書による

基本的注意

(1)服用してはいけない場合……本剤の成分またはバルビツール酸系薬剤に対するアレ
ルギー／急性間欠性ポルフィリン症／ボリコナゾール，タダラフィル(肺高血圧症を適応
とする場合)，アスナプレビル，ダクラタスビル塩酸塩，マシテンタン，エルバスビル，グ
ラゾプレビル水和物，チカグレロル，ドラビリン，リアメット配合錠，プレジコビックス
配合錠，リルピビリン塩酸塩，オデフシィ配合錠，ビクタルビ配合錠，シムツーザ配合
錠，ゲンボイヤ配合錠，スタリビルド配合錠，エプクルーサ配合錠，ジャルカ配合錠の服
用中／ジスルフィラム，シアナミド，プロカルバジン塩酸塩の服用中〈エリキシルのみ〉
(2)慎重に服用すべき場合……虚弱者，呼吸機能の低下している人／頭部外傷後遺症ま
たは進行した動脈硬化症／心障害／肝障害，腎障害／薬物過敏症／アルコール中毒，薬

物依存の傾向またはその前歴／重い神経症／甲状腺機能低下症／高齢者

(3)**薬物依存**……連用により薬物依存を生じることがあるので，てんかんの治療に用いる以外は，漫然と長期にわたって服用してはいけません。

(4)**急な減量・中止**……てんかんの人が本剤を連用中に服用量を急激に減らしたり中止したりすると，てんかん発作の重積状態が現れることがあります。自己判断で減量や中止をしないようにしてください。

(5)**アルコール（飲酒）**……アルコールと併用すると，精神機能・知覚・運動機能などの低下が増強することがあるので，服用するときはできるだけ飲酒を控えてください。

(6)**セイヨウオトギリソウ（セント・ジョーンズ・ワート）含有食品**……一緒に摂取すると本剤の血中濃度が低くなり作用が弱まるおそれがあるので，本剤の服用中はセイヨウオトギリソウ含有食品を摂取しないでください。

(7)**危険作業は中止**……本剤を服用すると，眠け，注意力・集中力・反射運動能力などの低下がおこることがあります。服用中は，自動車の運転など危険を伴う機械の操作は行わないようにしてください。

(8)**その他**……

- 妊婦での安全性：有益と判断されたときのみ服用。
- 授乳婦での安全性：原則として服用しない。やむを得ず服用するときは授乳を中止。

（1714頁を参照）

重大な副作用 ①皮膚粘膜眼症候群（スティブンス-ジョンソン症候群），中毒性表皮壊死融解症（TEN），紅皮症（剥脱性皮膚炎）。②過敏症症候群（発疹，発熱，リンパ節腫脹など）。③連用による薬物依存，服用量の急激な減少・服用の中止による離脱症状（不安，不眠，けいれん，悪心，幻覚，妄想，興奮，錯乱，抑うつ状態など）。④顆粒球減少，血小板減少。⑤肝機能障害。⑥呼吸抑制。

そのほかにも報告された副作用はあるので，体調がいつもと違うと感じたときは，処方医・薬剤師に相談してください。

併用してはいけない薬 ［ラボナ，イソミタール原末を除く製剤］ボリコナゾール，タダラフィル（肺高血圧症を適応とする場合），アスナプレビル，ダクラタスビル塩酸塩，マシテンタン，エルバスビル，グラゾプレビル水和物，チカグレロル，リアメット配合錠，プレジコビックス配合錠，リルピビリン塩酸塩，オデフシィ配合錠，ゲンボイヤ配合錠，スタリビルド配合錠，エプクルーサ配合錠，ジャルカ配合錠→これらの薬剤の代謝が促進され，血中濃度が低下するおそれがあります。

［ラボナのみ］ミトタン→本剤の睡眠作用が弱まるおそれがあります。

［ヒダントール，複合アレビアチン配合錠のみ］ルラシドン塩酸塩，ソホスブビル，ハーボニー配合錠→これらの薬剤の血中濃度が低下するおそれがあります。

［フェノバルビタールのエリキシル（液剤）のみ］ジスルフィラム，シアナミド，プロカルバジン塩酸塩→これらの薬剤との併用でアルコール反応（顔面潮紅，血圧降下，悪心，頻脈，めまい，呼吸困難，視力低下など）をおこすおそれがあります。

内
02
―
01
―
02
ベンゾジアゼピン系催眠薬

内 02 精神神経科の薬　01 催眠薬（睡眠導入薬）

02 ベンゾジアゼピン系催眠薬

製剤情報

一般名：トリアゾラム／超短期作用型

- 保険収載年月…1983年2月
- 海外評価…0点 英 米 独 仏
- 剤形…錠 錠剤
- 服用量と回数…1日0.25mgを就寝前に1回。高度不眠症は0.5mg, 高齢者は0.125〜0.25mgまで。

■先発品　　商品名(メーカー)　規格・保険薬価

ハルシオン（ファイザー）錠 0.125mg 1錠 7.10 円
錠 0.25mg 1錠 10.70 円

■ジェネリック　　商品名(メーカー)　規格・保険薬価

トリアゾラム（小林化工）錠 0.125mg 1錠 5.70 円
錠 0.25mg 1錠 5.90 円

トリアゾラム（サンノーバ＝エルメッド＝日医工）
錠 0.125mg 1錠 5.70 円　　錠 0.25mg 1錠 5.90 円

トリアゾラム（大興）錠 0.125mg 1錠 5.70 円
錠 0.25mg 1錠 5.90 円

トリアゾラム（武田テバファーマ＝武田）
錠 0.125mg 1錠 5.70 円　　錠 0.25mg 1錠 5.90 円

トリアゾラム（辰巳）錠 0.125mg 1錠 5.70 円
錠 0.25mg 1錠 5.90 円

トリアゾラム（長生堂＝日本ジェネリック）
錠 0.125mg 1錠 5.70 円　　錠 0.25mg 1錠 5.90 円

トリアゾラム（日医工）錠 0.125mg 1錠 5.70 円
錠 0.25mg 1錠 5.90 円

トリアゾラム（日新）錠 0.125mg 1錠 5.70 円
錠 0.25mg 1錠 5.90 円

トリアゾラム（富士薬品＝共和）
錠 0.125mg 1錠 5.70 円　　錠 0.25mg 1錠 5.90 円

一般名：フルニトラゼパム／中期作用型

- 保険収載年月…1984年3月
- 海外評価…1点 英 米 独 仏

- 剤形…錠 錠剤
- 服用量と回数…1日0.5〜2mgを就寝前に1回。高齢者は1mgまで。

■先発品　　商品名(メーカー)　規格・保険薬価

サイレース 写真 （エーザイ）錠 1mg 1錠 10.30 円
錠 2mg 1錠 11.80 円

■ジェネリック　　商品名(メーカー)　規格・保険薬価

フルニトラゼパム 写真 （共和）錠 1mg 1錠 5.70 円
錠 2mg 1錠 5.90 円

フルニトラゼパム（辰巳）錠 1mg 1錠 5.70 円
錠 2mg 1錠 5.90 円

フルニトラゼパム（日本ジェネリック）
錠 1mg 1錠 5.70 円　　錠 2mg 1錠 5.90 円

一般名：ブロチゾラム／短期作用型

- 保険収載年月…1988年8月
- 海外評価…1点 英 米 独 仏
- 剤形…錠 錠剤
- 服用量と回数…1日0.25mgを就寝前に1回。

■先発品　　商品名(メーカー)　規格・保険薬価

レンドルミン（ベーリンガー）
錠 0.25mg 1錠 16.80 円

レンドルミン D 写真 （ベーリンガー）
錠 0.25mg 1錠 16.80 円

■ジェネリック　　商品名(メーカー)　規格・保険薬価

ブロチゾラム（アルフレッサ）
錠 0.25mg 1錠 10.10 円

ブロチゾラム（大原）錠 0.25mg 1錠 10.10 円

ブロチゾラム（共和）錠 0.25mg 1錠 10.10 円

ブロチゾラム（サンノーバ＝エルメッド＝日医工）
錠 0.25mg 1錠 10.10 円

ブロチゾラム（武田テバファーマ＝武田）
錠 0.25mg 1錠 10.10 円

ブロチゾラム（田辺三菱＝吉富）
錠 0.25mg 1錠 10.10 円

ブロチゾラム（長生堂＝日本ジェネリック）
錠 0.25mg 1錠 10.10 円

ブロチゾラム（東和）錠 0.25mg 1錠 10.10 円

ブロチゾラム 写真（日医工）錠 0.25mg 1錠 10.10 円

ブロチゾラム（日新＝第一三共エスファ）
錠 0.25mg 1錠 10.10 円

ブロチゾラム（メディサ＝沢井）
錠 0.25mg 1錠 10.10 円

ブロチゾラム（陽進堂）錠 0.25mg 1錠 10.10 円

ブロチゾラム OD（共和）錠 0.25mg 1錠 10.10 円

ブロチゾラム OD（大興＝日本ジェネリック）
錠 0.25mg 1錠 10.10 円

ブロチゾラム OD 写真（武田テバファーマ＝武田）錠 0.25mg 1錠 10.10 円

ブロチゾラム OD（メディサ＝沢井）
錠 0.25mg 1錠 10.10 円

一般名：リルマザホン塩酸塩水和物／短期作用型

- 保険収載年月…1989年5月
- 海外評価…0点 英 米 独 仏
- 剤形…錠 錠剤
- 服用量と回数…1日1～2mg（1錠）を就寝前に1回。

■先発品　　商品名（メーカー）　規格・保険薬価

リスミー（共和）錠 1mg 1錠 13.10 円
錠 2mg 1錠 21.20 円

■ジェネリック　　商品名（メーカー）　規格・保険薬価

塩酸リルマザホン（小林化工＝MeijiSeika）
錠 1mg 1錠 7.70 円　　錠 2mg 1錠 12.30 円

一般名：ロルメタゼパム／短期作用型

- 保険収載年月…1990年8月
- 海外評価…4点 英 米 独 仏
- 剤形…錠 錠剤
- 服用量と回数…1日1～2mgを 就寝前に1回。

■先発品　　商品名（メーカー）　規格・保険薬価

エバミール（バイエル）錠 1mg 1錠 15.50 円
ロラメット 写真（あすか＝武田）
錠 1mg 1錠 16.80 円

一般名：エスタゾラム／中期作用型

- 保険収載年月…1975年9月
- 海外評価…3点 英 米 独 仏　●PC…X
- 剤形…錠 錠剤，散 散剤
- 服用量と回数…1日1～4mgを就寝前に1回。

■先発品　　商品名（メーカー）　規格・保険薬価

ユーロジン 写真（武田テバ薬品＝武田）
散 1% 1g 44.60 円　　錠 1mg 1錠 6.70 円
錠 2mg 1錠 10.80 円

■ジェネリック　　商品名（メーカー）　規格・保険薬価

エスタゾラム（共和＝日医工）錠 1mg 1錠 5.90 円
錠 2mg 1錠 8.40 円

一般名：ニトラゼパム／中期作用型

- 保険収載年月…1967年7月
- 海外評価…3点 英 米 独 仏
- 剤形…錠 錠剤，散 散剤，細 細粒剤
- 服用量と回数…不眠症：1日5～10mgを就寝前に1回。異型小発作群，焦点性発作：1日5～15mgを分けて服用。

■先発品　　商品名（メーカー）　規格・保険薬価

ネルボン（アルフレッサ）散 1% 1g 13.40 円
錠 5mg 1錠 8.70 円　　錠 10mg 1錠 14.20 円
ベンザリン（共和）細 1% 1g 15.10 円
錠 2mg 1錠 5.90 円　　錠 5mg 1錠 9.10 円
錠 10mg 1錠 14.20 円

■ジェネリック　　商品名（メーカー）　規格・保険薬価

ニトラゼパム（武田テバファーマ＝武田）
錠 5mg 1錠 5.50 円
ニトラゼパム（辰巳）細 1% 1g 6.30 円
錠 5mg 1錠 5.50 円　　錠 10mg 1錠 5.70 円
ニトラゼパム（鶴原）錠 5mg 1錠 5.50 円
錠 10mg 1錠 5.70 円

内
02
―
01
―
02

ベンゾジアゼピン系催眠薬

内
02
―
01
―
02

ベンゾジアゼピン系催眠薬

ニトラゼパム（東和）錠5mg 1錠 5.50円
ニトラゼパム（日本ジェネリック）
錠5mg 1錠 5.50円　錠10mg 1錠 5.70円

一般名：フルラゼパム塩酸塩／長期作用型

- 保険収載年月…1975年9月
- 海外評価…5点 英米独仏　●PC…X
- 剤形…カ カプセル剤
- 服用量と回数…1日10～30mgを就寝前に1回。

■先発品　商品名（メーカー）　規格・保険薬価
ダルメート（共和）カ 15mg 1カセ 8.80円

一般名：クアゼパム／中期作用型

- 保険収載年月…1999年8月
- 海外評価…0点 英米独仏
- 剤形…錠 錠剤
- 服用量と回数…1日20mgを就寝前に1回。1日最大30mg。

■先発品　商品名（メーカー）　規格・保険薬価
ドラール 写真（久光）錠 15mg 1錠 62.30円
錠20mg 1錠 76.30円

■ジェネリック　商品名（メーカー）　規格・保険薬価
クアゼパム（共和）錠 15mg 1錠 26.90円
錠20mg 1錠 33.40円
クアゼパム（沢井）錠 15mg 1錠 26.90円
錠20mg 1錠 33.40円
クアゼパム 写真（東和）錠 15mg 1錠 34.80円
錠20mg 1錠 41.30円
クアゼパム（日医工）錠 15mg 1錠 34.80円
錠20mg 1錠 41.30円
クアゼパム（日新＝MeijiSeika）
錠15mg 1錠 34.80円　錠20mg 1錠 41.30円
クアゼパム（陽進堂＝日本ジェネリック）
錠15mg 1錠 26.90円　錠20mg 1錠 33.40円

一般名：ハロキサゾラム／長期作用型

- 保険収載年月…1980年12月
- 海外評価…0点 英米独仏
- 剤形…錠 錠剤, 細 細粒剤
- 服用量と回数…1日5～10mgを就寝前に1回。

■先発品　商品名（メーカー）　規格・保険薬価
ソメリン（アルフレッサ）細 1% 1g 23.80円
錠5mg 1錠 15.10円　錠10mg 1錠 22.20円

概　要

分類　催眠鎮静薬

処方目的　不眠症／麻酔前投薬（ただし，ハロキサゾラム，ロルメタゼパムには麻酔前投薬の適応はありません）

[ニトラゼパムのみ] 異型小発作群（点頭てんかん，ミオクローヌス発作，失立発作など），焦点性発作（焦点性けいれん発作，精神運動発作，自律神経発作など）

解説　1960年以後，数多くのベンゾジアゼピン系薬剤が臨床に導入され，精神身体医学が一躍脚光をあびました。一般的にベンゾジアゼピン系薬剤は，大脳辺縁系や視床下部における情動機能の抑制や大脳辺縁系賦活機構を抑制し，抗不安作用，抗けいれん作用，催眠作用，筋弛緩作用などを示します。ベンゾジアゼピン系薬剤のうち，いくつかは催眠作用が強く，精神安定剤として使われるよりも多くは不眠症治療に使われています。リルマザホン塩酸塩水和物はベンゾジアゼピン系に近いもので，ここに分類しました。依存性などには同じような注意が必要です。

使用上の注意

*トリアゾラム（ハルシオン），フルニトラゼパム（サイレース）の添付文書による

内
02
―
01
―
02

ベンゾジアゼピン系催眠薬

警告

[トリアゾラム] 本剤の服用後に，もうろう状態，睡眠随伴症状（夢遊症状など）が現れることがあります。また，入眠までの，あるいは中途覚醒時の出来事を記憶していないことがあるので注意してください。

基本的注意

(1)**服用してはいけない場合**……本剤に対するアレルギーの前歴／急性閉塞隅角緑内障／重症筋無力症／[トリアゾラムのみ]以下の薬剤の服用中→イトラコナゾール，フルコナゾール，ホスフルコナゾール，ボリコナゾール，ミコナゾール，HIV プロテアーゼ阻害薬（リトナビルなど），エファビレンツ

(2)**特に慎重に服用すべき場合**（原則禁忌，処方医と連絡を絶やさないこと）……肺性心，肺気腫，気管支ぜんそくおよび脳血管障害の急性期などによる呼吸機能の高度な低下

(3)**慎重に服用すべき場合**……心障害／肝機能障害またはその前歴／腎機能障害／脳の器質的障害／高齢者，衰弱している人／[フルニトラゼパムのみ]妊婦または妊娠している可能性のある人，小児

(4)**服用法**……不眠症の改善に本剤を服用するときは，就寝の直前に服用してください。また，睡眠の途中に一時的に起床して仕事などを行うと健忘（物忘れ）が現れることがあるので，仕事などを行う可能性があるときは服用しないでください。

[クアゼパム] 食後の服用で薬の吸収量が空腹時の 2～3 倍になります。食後 2 時間以上の間をあけ，就寝直前に服用します。

(5)**薬物依存**……連用により薬物依存を生じることがあるので，漫然と長期にわたって服用してはいけません。

(6)**アルコール（飲酒）**……アルコールと併用すると，精神機能・知覚・運動機能などの低下が増強することがあるので，服用するときはできるだけ飲酒を控えてください。

(7)**危険作業は中止**……本剤を服用すると，本剤の影響が翌朝以後に及び，眠け，注意力・集中力・反射運動能力などの低下がおこることがあります。服用中は，自動車の運転など危険を伴う機械の操作は行わないようにしてください。

(8)**その他**……

●妊婦での安全性：[トリアゾラム]有益と判断されたときのみ服用。[フルニトラゼパム]原則として服用しない。

●授乳婦での安全性：原則として服用しない。やむを得ず服用するときは授乳を中止。

●小児での安全性：未確立。（1714 頁を参照）

重大な副作用　①連用による薬物依存，服用量の急激な減少・服用の中止による離脱症状（けいれん発作，せん妄，振戦，不眠，不安，幻覚，妄想など）。②一過性前向性健忘（中途覚醒時の出来事を覚えていない），もうろう状態。③呼吸抑制。（呼吸機能が高度に低下している人の場合で）炭酸ガスナルコーシス。④肝機能障害，黄疸。⑤精神症状（刺激興奮，錯乱，攻撃性，夢遊症状，幻覚，妄想，激越など）。

[トリアゾラムのみ] ⑥ショック，アナフィラキシー（発疹，血管性浮腫，呼吸困難など）。

[フルニトラゼパムのみ] ⑦横紋筋融解症（筋肉痛，脱力感，CK 上昇，血中・尿中ミオグ

ロビン値の上昇）。⑧他の抗精神病薬との併用による悪性症候群（高熱・意識障害・高度の筋硬直・不随意運動・発汗など）。⑨意識障害（うとうと状態から昏睡など）。

　そのほかにも報告された副作用はあるので，体調がいつもと違うと感じたときは，処方医・薬剤師に相談してください。

併用してはいけない薬　　［トリアゾラム］イトラコナゾール（イトリゾール），フルコナゾール（ジフルカン），ミコナゾール（フロリード），ホスフルコナゾール（プロジフ），ボリコナゾール（ブイフェンド），HIV プロテアーゼ阻害薬（インジナビル，リトナビルなど），エファビレンツ→本剤の血中濃度が上昇し，作用の増強および作用時間の延長がおこるおそれがあります。

［エスタゾラム，フルラゼパム塩酸塩，クアゼパム］リトナビル（ノービア）→過度の鎮静や呼吸抑制などがおこる可能性があります。

［クアゼパム］食物→過度の鎮静や呼吸抑制などがおこるおそれがあります（食後の服用を避けること）。

内 02 精神神経科の薬　01 催眠薬（睡眠導入薬）

03 非ベンゾジアゼピン系催眠薬

製剤情報

一般名：ゾピクロン／超短期作用型

- 保険収載年月…1989年5月
- 海外評価…4点 英 米 独 仏
- 剤形…錠 錠剤
- 服用量と回数…1日7.5～10mg（1錠）を就寝前に1回。

■**先発品**　　商品名（メーカー）　規格・保険薬価

アモバン 写真 （サノフィ＝日医工）
錠 7.5mg 1錠 13.60 円　　錠 10mg 1錠 15.30 円

■**ジェネリック**　　商品名（メーカー）　規格・保険薬価

ゾピクロン（キョーリン＝杏林）
錠 7.5mg 1錠 6.10 円　　錠 10mg 1錠 6.80 円

ゾピクロン 写真 （沢井）錠 7.5mg 1錠 6.50 円
錠 10mg 1錠 7.30 円

ゾピクロン（東和）錠 7.5mg 1錠 6.50 円
錠 10mg 1錠 7.30 円

一般名：エスゾピクロン／超短期作用型

- 保険収載年月…2012年4月
- 海外評価…2点 英 米 独 仏　　●PC…C
- 剤形…錠 錠剤
- 服用量と回数…1日2mg（高齢者は1mg）を就寝前に1回。1日最大3mg（高齢者は2mg）。

■**先発品**　　商品名（メーカー）　規格・保険薬価

ルネスタ 写真 （エーザイ）錠 1mg 1錠 39.40 円
錠 2mg 1錠 63.00 円　　錠 3mg 1錠 77.30 円

■**ジェネリック**　　商品名（メーカー）　規格・保険薬価

エスゾピクロン（共創未来＝三和）
錠 1mg 1錠 13.30 円　　錠 2mg 1錠 21.20 円
錠 3mg 1錠 27.40 円

エスゾピクロン（共和）錠 1mg 1錠 13.30 円
錠 2mg 1錠 18.30 円　　錠 3mg 1錠 27.40 円

エスゾピクロン（キョーリン＝杏林）
錠 1mg 1錠 13.30 円　　錠 2mg 1錠 21.20 円
錠 3mg 1錠 27.40 円

エスゾピクロン（ケミファ＝日薬工）
錠 1mg 1錠 13.30 円　　錠 2mg 1錠 21.20 円
錠 3mg 1錠 27.40 円

エスゾピクロン（沢井）錠 1mg 1錠 13.30 円
錠 2mg 1錠 21.20 円　錠 3mg 1錠 27.40 円

エスゾピクロン（第一三共エスファ）
錠 1mg 1錠 13.30 円　錠 2mg 1錠 21.20 円
錠 3mg 1錠 27.40 円

エスゾピクロン（辰巳）錠 1mg 1錠 13.30 円
錠 2mg 1錠 21.20 円　錠 3mg 1錠 27.40 円

エスゾピクロン（東和）錠 1mg 1錠 13.30 円
錠 2mg 1錠 21.20 円　錠 3mg 1錠 27.40 円

エスゾピクロン（日医工）錠 1mg 1錠 13.30 円
錠 2mg 1錠 21.20 円　錠 3mg 1錠 27.40 円

エスゾピクロン（日薬工＝フェルゼン）
錠 1mg 1錠 13.30 円　錠 2mg 1錠 21.20 円
錠 3mg 1錠 27.40 円

エスゾピクロン（日新）錠 1mg 1錠 13.30 円
錠 2mg 1錠 21.20 円　錠 3mg 1錠 27.40 円

エスゾピクロン（ニプロ）錠 1mg 1錠 13.30 円
錠 2mg 1錠 21.20 円　錠 3mg 1錠 27.40 円

エスゾピクロン（MeijiSeika）錠 1mg 1錠 13.30 円
錠 2mg 1錠 21.20 円　錠 3mg 1錠 27.40 円

エスゾピクロン（陽進堂）錠 1mg 1錠 11.80 円
錠 2mg 1錠 18.30 円　錠 3mg 1錠 27.40 円

一般名：ゾルピデム酒石酸塩／超短期作用型

- 保険収載年月…2000年11月
- 海外評価…6点 英米独仏　●PC…B
- 剤形…錠 錠剤, 液 液剤
- 服用量と回数…1日5〜10mg（1〜2錠）を就寝直前に1回。

■先発品　　商品名（メーカー）　規格・保険薬価

マイスリー 写真 （アステラス）錠 5mg 1錠 27.30 円
錠 10mg 1錠 44.90 円

■ジェネリック　　商品名（メーカー）　規格・保険薬価

ゾルピデム酒石酸塩（アルフレッサ）
錠 5mg 1錠 10.10 円　錠 10mg 1錠 10.90 円

ゾルピデム酒石酸塩（エルメッド＝日医工）
錠 5mg 1錠 10.10 円　錠 10mg 1錠 14.50 円

ゾルピデム酒石酸塩（大原＝エッセンシャル）
錠 5mg 1錠 10.10 円　錠 10mg 1錠 14.50 円

ゾルピデム酒石酸塩（共創未来）
錠 5mg 1錠 10.10 円　錠 10mg 1錠 14.50 円

ゾルピデム酒石酸塩（共和）錠 5mg 1錠 10.10 円
錠 10mg 1錠 10.90 円

ゾルピデム酒石酸塩（キョーリン＝杏林）
錠 5mg 1錠 10.10 円　錠 10mg 1錠 10.90 円

ゾルピデム酒石酸塩（ケミファ＝日薬工）
錠 5mg 1錠 10.10 円　錠 10mg 1錠 14.50 円

ゾルピデム酒石酸塩（皇漢堂）
錠 5mg 1錠 10.10 円　錠 10mg 1錠 10.90 円

ゾルピデム酒石酸塩（小林化工）
錠 5mg 1錠 10.10 円　錠 10mg 1錠 14.50 円

ゾルピデム酒石酸塩（沢井）錠 5mg 1錠 10.10 円
錠 10mg 1錠 14.50 円

ゾルピデム酒石酸塩（サンド）
錠 5mg 1錠 10.10 円　錠 10mg 1錠 10.90 円

ゾルピデム酒石酸塩（全星）錠 5mg 1錠 10.10 円
錠 10mg 1錠 14.50 円

ゾルピデム酒石酸塩（第一三共エスファ）
錠 5mg 1錠 10.10 円　錠 10mg 1錠 14.50 円

ゾルピデム酒石酸塩（大興＝三和）
錠 5mg 1錠 10.10 円　錠 10mg 1錠 14.50 円

ゾルピデム酒石酸塩（高田）錠 5mg 1錠 10.10 円
錠 10mg 1錠 14.50 円

ゾルピデム酒石酸塩（武田テバ薬品＝武田テバファーマ＝武田）錠 5mg 1錠 10.10 円
錠 10mg 1錠 10.90 円

ゾルピデム酒石酸塩（辰巳）錠 5mg 1錠 10.10 円
錠 10mg 1錠 14.50 円

ゾルピデム酒石酸塩（東洋カプセル＝日薬工）
錠 5mg 1錠 10.10 円　錠 10mg 1錠 14.50 円

ゾルピデム酒石酸塩 写真 （東和）
錠 5mg 1錠 10.10 円　錠 10mg 1錠 14.50 円

ゾルピデム酒石酸塩（日医工）
錠 5mg 1錠 10.10 円　錠 10mg 1錠 10.90 円

非ベンゾジアゼピン系催眠薬

内
02
—
01
—
03

ゾルピデム酒石酸塩（日新＝科研） 錠 5mg 1錠 10.10 円　錠 10mg 1錠 14.50 円	**ゾルピデム酒石酸塩 OD**（小林化工） 錠 5mg 1錠 10.10 円　錠 10mg 1錠 14.50 円
ゾルピデム酒石酸塩（ニプロ） 錠 5mg 1錠 10.10 円　錠 10mg 1錠 10.90 円	**ゾルピデム酒石酸塩 OD**（沢井） 錠 5mg 1錠 10.10 円　錠 10mg 1錠 14.50 円
ゾルピデム酒石酸塩（日本ジェネリック） 錠 5mg 1錠 10.10 円　錠 10mg 1錠 10.90 円	**ゾルピデム酒石酸塩 OD**（東和） 錠 5mg 1錠 10.10 円　錠 10mg 1錠 14.50 円
ゾルピデム酒石酸塩（ファイザー） 錠 5mg 1錠 10.10 円　錠 10mg 1錠 10.90 円	**ゾルピデム酒石酸塩 OD**（日医工） 錠 5mg 1錠 10.10 円　錠 10mg 1錠 10.90 円
ゾルピデム酒石酸塩（MeijiSeika） 錠 5mg 1錠 10.10 円　錠 10mg 1錠 14.50 円	**ゾルピデム酒石酸塩 OD フィルム**（救急薬品＝ 持田）錠 5mg 1錠 15.90 円　錠 10mg 1錠 26.20 円
ゾルピデム酒石酸塩（陽進堂） 錠 5mg 1錠 10.10 円　錠 10mg 1錠 14.50 円	**ゾルピデム酒石酸塩内用液**（高田） 液 5mg1mL 1包 40.50 円　液 10mg2mL 1包 60.50 円
ゾルピデム酒石酸塩 OD（エルメッド＝日医工） 錠 5mg 1錠 10.10 円　錠 10mg 1錠 14.50 円	

概　要

分類　不眠症治療薬

処方目的　［ゾピクロンの適応症］不眠症，麻酔前投薬／［エスゾピクロンの適応症］不眠症／［ゾルピデム酒石酸塩の適応症］不眠症（統合失調症および躁うつ病に伴う不眠症は除く）

解説　ベンゾジアゼピン系催眠薬の構造を少し変更して，より自然な眠りを誘導し，副作用をより軽減するために開発されたのが非ベンゾジアゼピン系催眠薬です。構造は異なりますが，脳のベンゾジアゼピン受容体への結合を介して作用を発揮するという仕組みは両剤とも同じです。

使用上の注意

＊ゾピクロン（アモバン），エスゾピクロン（ルネスタ），ゾルピデム酒石酸塩（マイスリー）の添付文書による

警告

　本剤の服用後に，もうろう状態，睡眠随伴症状（夢遊症状など）が現れることがあります。また，入眠までの，あるいは中途覚醒時の出来事を記憶していないことがあるので注意してください。

基本的注意

（1）服用してはいけない場合……重症筋無力症／急性閉塞隅角緑内障／［ゾピクロン，エスゾピクロン］ゾピクロン，エスゾピクロンに対するアレルギーの前歴／［ゾルピデム酒石酸塩］本剤の成分に対するアレルギーの前歴／重い肝機能障害

（2）特に慎重に服用すべき場合（原則禁忌，処方医と連絡を絶やさないこと）……肺性心，肺気腫，気管支ぜんそくおよび脳血管障害の急性期などにより呼吸機能が高度に低下している場合

(3)慎重に服用すべき場合……心障害／肝機能障害／腎機能障害／脳の器質的障害／高齢者，衰弱している人

(4)服用法……不眠症の改善に本剤を服用するときは，就寝の直前に服用してください。また，睡眠の途中に一時的に起床して仕事などを行うと健忘(物忘れ)が現れることがあるので，仕事などを行う可能性があるときは服用しないでください。

[エスゾピクロン] 本剤は，食事と同時または食直後の服用は避けてください。空腹時の服用に比べて効果が低下することがあります。

(5)薬物依存……連用により薬物依存を生じることがあるので，漫然と長期にわたって服用してはいけません。

(6)危険作業は中止……本剤を服用すると，本剤の影響が翌朝以後に及び，眠け，注意力・集中力・反射運動能力などの低下がおこることがあります。服用中は，自動車の運転など危険を伴う機械の操作は行わないようにしてください。

(7)アルコール(飲酒)……アルコールと併用すると，精神機能・知覚・運動機能などの低下が増強することがあるので，服用するときはできるだけ飲酒を控えてください。

(8)その他……

● 妊婦での安全性：有益と判断されたときのみ服用。

● 授乳婦での安全性：原則として服用しない。やむを得ず服用するときは授乳を中止。

● 小児での安全性：未確立。(1714頁を参照)

`重大な副作用` ①連用による薬物依存，服用量の急激な減少・服用の中止による離脱症状(反跳性不眠，いらいら感，不安，異常な夢，悪心，ふるえ，けいれん発作など)。②精神症状・意識障害(せん妄，錯乱，夢遊症状，異常な夢，幻覚，興奮，脱抑制，意識レベルの低下など)。③一過性前向性健忘(中途覚醒時の出来事を覚えていない)，もうろう状態。④呼吸抑制。⑤肝機能障害，黄疸。

[ゾピクロン，エスゾピクロン] ⑥ショック，アナフィラキシー(じん麻疹，血管浮腫など)。

そのほかにも報告された副作用はあるので，体調がいつもと違うと感じたときは，処方医・薬剤師に相談してください。

`併用してはいけない薬` 併用してはいけない薬は特にありません。ただし，併用する薬があるときは，念のため処方医・薬剤師に報告してください。

内 02 精神神経科の薬　01 催眠薬(睡眠導入薬)

04 ラメルテオン

💊 製剤情報

一般名：ラメルテオン

● 保険収載年月…2010年6月

● 海外評価…2点 英 米 独 仏　● PC…C

● 剤形…錠 錠剤

● 服用量と回数…1日8mg(1錠)を就寝前に1回。

■先発品　商品名(メーカー)　規格・保険薬価

ロゼレム 写真 (武田) 錠 8mg 1錠 85.90 円

内
02
—
01
—
04

ラメルテオン

概　要

分類　メラトニン受容体アゴニスト

処方目的　不眠症における入眠困難の改善

解説　脳の睡眠覚醒リズムに関与するメラトニン受容体に作用して，睡眠と覚醒のリズムを整えて入眠しやすい状態にする薬剤です。従来の睡眠導入剤とは異なり，記憶障害や運動障害，依存性，離脱症状などがおこりにくいとされています。本剤の服用は，2週間後をめどに有効性・安全性を評価し，継続するかどうか判断されます。

使用上の注意

基本的注意

(1)**服用してはいけない場合**……本剤の成分に対するアレルギーの前歴／高度の肝機能障害／フルボキサミンマレイン酸塩の服用中

(2)**慎重に服用すべき場合**……軽度・中等度の肝機能障害／高度の睡眠時無呼吸症候群／脳の器質的障害／高齢者

(3)**服用方法**……①本剤は就寝の直前に服用します。服用して就寝した後，睡眠途中に一時的に起床して仕事などをする可能性があるときには服用しないでください。②本剤は，食事と同時または食直後に服用しないでください。空腹時投与に比べて本剤の血中濃度が低下することがあります。

(4)**プロラクチンの上昇**……本剤の服用によってプロラクチン（脳の下垂体から分泌されるホルモン）が上昇することがあります。月経異常，乳汁漏出，性欲減退などの症状がみられたら，すぐに処方医へ連絡してください。

(5)**アルコール（飲酒）**……アルコールと併用すると，注意力・集中力・反射運動能力などの低下が増強することがあるので，服用するときはできるだけ飲酒を控えてください。

(6)**危険作業は中止**……本剤を服用すると，本剤の影響が翌朝以後に及び，眠け，注意力・集中力・反射運動能力などの低下がおこることがあります。服用中は，自動車の運転など危険を伴う機械の操作は行わないようにしてください。

(7)**その他**……

● 妊婦での安全性：有益と判断されたときのみ服用。

● 授乳婦での安全性：原則として服用しない。やむを得ず服用するときは授乳を中止。

● 小児での安全性：未確立。（1714 頁を参照）

重大な副作用　①アナフィラキシー（じん麻疹，血管浮腫など）。

　そのほかにも報告された副作用はあるので，体調がいつもと違うと感じたときは，処方医・薬剤師に相談してください。

併用してはいけない薬　フルボキサミンマレイン酸塩（ルボックス，デプロメール）
→本剤の作用が強く現れるおそれがあります。

05 オレキシン受容体拮抗薬

製剤情報

一般名：スボレキサント

- 保険収載年月…2014年11月
- 海外評価…2点 英 米 独 仏　●PC…C
- 剤形…錠 錠剤
- 服用量と回数…1日1回20mg（高齢者は15mg）を就寝直前に服用。

■先発品　　商品名（メーカー）　規格・保険薬価

ベルソムラ 写真 （MSD）　錠 10mg 1錠 69.30 円
錠 15mg 1錠 90.80 円　錠 20mg 1錠 109.90 円

一般名：レンボレキサント

- 保険収載年月…2020年4月
- 海外評価…2点 英 米 独 仏
- 剤形…錠 錠剤
- 服用量と回数…1日1回5～10mgを就寝直前に服用。

■先発品　　商品名（メーカー）　規格・保険薬価

デエビゴ 写真 （エーザイ）　錠 2.5mg 1錠 55.40 円
錠 5mg 1錠 87.90 円　錠 10mg 1錠 131.70 円

概要

分類　オレキシン受容体拮抗薬（不眠症治療薬）

処方目的　不眠症

解説　オレキシンは覚醒・睡眠を調整する重要な神経伝達物質です。従来の睡眠薬は$GABA_A$受容体あるいはメラトニン受容体に作用するのに対し，スボレキサントおよびレンボレキサントは覚醒を促進するオレキシンの受容体への結合を阻害して過剰な覚醒状態を抑制することで睡眠を誘導する，オレキシン受容体拮抗薬です。

使用上の注意

＊両剤の添付文書による

基本的注意

(1)服用してはいけない場合……本剤の成分に対するアレルギーの前歴／［スボレキサント］CYP3A を強く阻害する薬剤（イトラコナゾール，ポサコナゾール，クラリスロマイシン，リトナビル，ネルフィナビルメシル酸塩，ボリコナゾール）の服用中／［レンボレキサント］重度の肝機能障害

(2)慎重に服用すべき場合……ナルコレプシーまたはカタプレキシー／脳の器質的障害／［スボレキサント］重度の肝機能障害／重度の呼吸機能障害／高齢者／［レンボレキサント］軽度・中等度の肝機能障害／重度の腎機能障害／中等度・重度の呼吸機能障害

(3)禁酒……本剤の服用中にアルコールを飲むと作用が強まり，精神運動機能が低下する可能性があります。服用中は禁酒してください。

(4)危険作業は中止……本剤の影響が服用の翌朝以後に及び，眠け，注意力・集中力・反射運動能力などの低下がおこることがあるので，服用中は自動車の運転など危険を伴う機械の操作は行わないでください。

(5)その他……

- ●妊婦での安全性：未確立。有益と判断されたときのみ服用。
- ●授乳婦での安全性：原則として服用しない。やむを得ず服用するときは授乳を中止。
- ●小児での安全性：未確立。(1714頁を参照)

重大な副作用 重大な副作用はありませんが，そのほかの副作用はあるので，体調がいつもと違うと感じたときは，処方医・薬剤師に相談してください。

併用してはいけない薬 ［スボレキサント］CYP3Aを強く阻害する薬剤(イトラコナゾール，ポサコナゾール，クラリスロマイシン，リトナビル，ネルフィナビルメシル酸塩，ボリコナゾール)→本剤の作用を著しく強めるおそれがあります。

内 02 精神神経科の薬　01 催眠薬(睡眠導入薬)

06 メラトニン

🕐 製 剤 情 報

一般名：メラトニン
- ●保険収載年月…2020年5月
- ●海外評価…4点 英米独仏
- ●剤形…顗 顆粒剤

- ●服用量と回数…1日1回1mgを就寝前に服用，最大1日1回4mg。

■**先発品**　　商品名(メーカー)　規格・保険薬価

メラトベル (ノーベル)
顗 0.2% 1g(小児用) 207.70 円

📋 概　　要

分類 メラトニン受容体作動性入眠改善薬
処方目的 小児期の神経発達症に伴う入眠困難の改善
解説 本剤は，主として脳の松果体から分泌される内因性ホルモンと同一の化学構造式をもつメラトニンを有効成分とする日本初の入眠改善薬で，メラトニン受容体に作用することで入眠困難を改善します。小児期の神経発達症(知的能力障害群，コミュニケーション症群，自閉スペクトラム症，注意欠陥／多動性障害(AD/HD)，限局性学習症など)に伴う入眠困難が適応で，6歳未満または16歳以上の患者における有効性・安全性は確立していません。

⚙️ 使用上の注意

基本的注意

(1)服用してはいけない場合……本剤の成分に対するアレルギーの前歴／フルボキサミンマレイン酸塩の服用中
(2)慎重に服用すべき場合……腎機能障害／肝機能障害
(3)服用方法……①本剤は就寝の直前に服用します。服用して就寝した後，睡眠途中において一時的に起床して仕事などをする可能性があるときには服用しないでください。②本剤は食事と同時または食直後の服用は避けること。最高血中濃度が低下するおそれがあります。
(4)自己判断しない……本剤の連用中における服用中止により，神経発達症に伴う諸症

状または睡眠障害の悪化が現れることがあるので，絶対に自己判断で服用を中止しないでください。

(5)危険作業に配慮……服用により眠け，めまいなどが現れることがあるので，機械操作などを行う際には患者および保護者などは十分に注意してください。ただし，危険を伴う機械操作に従事する高年齢の小児は，服用中には当該操作を行わないでください。

(6)その他……

- ●妊婦での安全性：有益と判断されたときのみ服用。
- ●授乳婦での安全性：治療上の有益性・母乳栄養の有益性を考慮し，授乳の継続・中止を検討。
- ●低出生体重児，新生児，乳児，6歳未満の幼児での安全性：未確立。(1714頁を参照)

重大な副作用 重大な副作用はありませんが，そのほかの副作用はあるので，体調がいつもと違うと感じたときは，処方医・薬剤師に相談してください。

併用してはいけない薬 フルボキサミンマレイン酸塩→本剤の血中濃度が上昇し，作用が強く現れるおそれがあります。

内 02 精神神経科の薬　02 精神安定薬

01 ベンゾジアゼピン系安定薬

💊 製剤情報

一般名：エチゾラム／短期作用型

- ●保険収載年月…1984年3月
- ●海外評価…0点 英 米 独 仏
- ●剤形…錠 錠剤，細 細粒剤
- ●服用量と回数…神経症，うつ病：1日3mgを3回に分けて服用。心身症，頸椎症，腰痛症，筋収縮性頭痛：1日1.5mgを3回に分けて服用。睡眠障害：1日1〜3mgを就寝前に1回。

■先発品　商品名(メーカー)　規格・保険薬価

デパス 写真 (田辺三菱＝吉富) 細 1% 1g 44.70円
錠 0.25mg 1錠 9.20円　錠 0.5mg 1錠 9.20円
錠 1mg 1錠 10.10円

■ジェネリック　商品名(メーカー)　規格・保険薬価

エチゾラム (大原) 錠 0.25mg 1錠 5.90円
錠 0.5mg 1錠 6.40円　錠 1mg 1錠 9.80円

エチゾラム (共和) 錠 0.25mg 1錠 5.90円
錠 0.5mg 1錠 6.40円　錠 1mg 1錠 9.80円

エチゾラム (皇漢堂) 錠 0.25mg 1錠 5.90円
錠 0.5mg 1錠 6.40円　錠 1mg 1錠 6.50円

エチゾラム (サンノーバ＝エルメッド＝日医工)
錠 0.25mg 1錠 5.90円　錠 0.5mg 1錠 6.40円
錠 1mg 1錠 9.80円

エチゾラム (武田テバ薬品＝武田テバファーマ＝武田) 錠 0.25mg 1錠 5.90円　錠 0.5mg 1錠 6.40円
錠 1mg 1錠 9.80円

エチゾラム (辰巳) 錠 0.25mg 1錠 5.90円
錠 0.5mg 1錠 6.40円　錠 1mg 1錠 9.80円

エチゾラム (長生堂＝日本ジェネリック)
細 1% 1g 21.30円　錠 0.25mg 1錠 5.90円
錠 0.5mg 1錠 6.40円　錠 1mg 1錠 9.80円

エチゾラム (鶴原) 錠 0.25mg 1錠 5.90円
錠 0.5mg 1錠 6.40円　錠 1mg 1錠 9.80円

エチゾラム (東和) 錠 0.25mg 1錠 5.90円
錠 0.5mg 1錠 6.40円　錠 1mg 1錠 9.80円

エチゾラム (日医工) 錠 0.25mg 1錠 5.90円
錠 0.5mg 1錠 6.40円　錠 1mg 1錠 9.80円

内
02
—
02
—
01

ベンゾジアゼピン系安定薬

エチゾラム（日新）0.25mg 1錠 5.90 円
錠 0.5mg 1錠 6.40 円　錠 1mg 1錠 9.80 円

エチゾラム 写真（ニプロ）0.25mg 1錠 5.90 円
錠 0.5mg 1錠 6.40 円　錠 1mg 1錠 9.80 円

エチゾラム（藤永＝第一三共）
錠 0.25mg 1錠 5.90 円　錠 0.5mg 1錠 6.40 円
錠 1mg 1錠 9.80 円

エチゾラム（メディサ＝沢井）
錠 0.25mg 1錠 5.90 円　錠 0.5mg 1錠 6.40 円
錠 1mg 1錠 9.80 円

一般名：クロチアゼパム／短期作用型
- 発売年月…1979年4月
- 海外評価…1点 英 米 独 仏
- 剤形…錠 錠剤，顆 顆粒剤
- 服用量と回数…1日15〜30mgを3回に分けて服用。

■先発品　商品名（メーカー）　規格・保険薬価

リーゼ 写真（田辺三菱＝吉富）顆 10% 1g 87.20 円
錠 5mg 1錠 6.40 円　錠 10mg 1錠 10.10 円

■ジェネリック　　商品名（メーカー）　規格・保険薬価

クロチアゼパム（沢井）錠 5mg 1錠 5.70 円
錠 10mg 1錠 8.30 円

クロチアゼパム（鶴原）錠 5mg 1錠 5.70 円
錠 10mg 1錠 8.30 円

クロチアゼパム（東和）錠 5mg 1錠 5.70 円
錠 10mg 1錠 8.30 円

クロチアゼパム（日医工）錠 5mg 1錠 5.70 円
錠 10mg 1錠 8.30 円

一般名：フルタゾラム／短期作用型
- 保険収載年月…1987年10月
- 海外評価…0点 英 米 独 仏
- 剤形…錠 錠剤，細 細粒剤
- 服用量と回数…1日12mgを3回に分けて服用。

■先発品　　商品名（メーカー）　規格・保険薬価

コレミナール（沢井＝田辺三菱）細 1% 1g 12.40 円
錠 4mg 1錠 7.30 円

一般名：メダゼパム／長期作用型
- 保険収載年月…1972年2月
- 海外評価…1点 英 米 独 仏
- 剤形…錠 錠剤
- 服用量と回数…1日10〜30mg。

■先発品　　商品名（メーカー）　規格・保険薬価

レスミット（共和）錠 2mg 1錠 5.70 円
錠 5mg 1錠 5.70 円

メダゼパム（鶴原）錠 2mg 1錠 5.70 円
錠 5mg 1錠 5.70 円

一般名：アルプラゾラム／中期作用型
- 保険収載年月…1984年3月
- 海外評価…6点 英 米 独 仏　●PC…D
- 剤形…錠 錠剤
- 服用量と回数…1日1.2〜2.4mgを3〜4回に分けて服用。

■先発品　　商品名（メーカー）　規格・保険薬価

コンスタン 写真（武田テバ薬品＝武田）
錠 0.4mg 1錠 6.40 円　錠 0.8mg 1錠 10.50 円

ソラナックス（ヴィアトリス）錠 0.4mg 1錠 6.30 円
錠 0.8mg 1錠 10.60 円

■ジェネリック　　商品名（メーカー）　規格・保険薬価

アルプラゾラム（共和）錠 0.8mg 1錠 5.90 円

アルプラゾラム（共和＝日本ジェネリック）
錠 0.4mg 1錠 5.70 円

アルプラゾラム 写真（東和）錠 0.4mg 1錠 5.70 円
錠 0.8mg 1錠 5.90 円

アルプラゾラム（メディサ＝沢井）
錠 0.4mg 1錠 5.70 円　錠 0.8mg 1錠 5.90 円

一般名：フルジアゼパム／中期作用型
- 保険収載年月…1980年12月
- 海外評価…0点 英 米 独 仏
- 剤形…錠 錠剤
- 服用量と回数…1日0.75mgを3回に分けて服用。

■先発品　　商品名（メーカー）　規格・保険薬価

エリスパン 写真 （住友ファーマ）

錠 0.25mg 1錠 7.10 円

一般名：ブロマゼパム／中期作用型

- 保険収載年月…1977年5月
- 海外評価…2点 英 米 独 仏
- 剤形…錠 錠剤, 細 細粒剤
- 服用量と回数…神経症, うつ病：1日6～15mg を2～3回に分けて服用。心身症：1日3～6mgを 2～3回に分けて服用。

■先発品　　商品名（メーカー）　規格・保険薬価

レキソタン （サンドファーマ＝サンド）

細 1% 1g 19.20 円　錠 1mg 1錠 5.70 円

錠 2mg 1錠 5.90 円　錠 5mg 1錠 9.80 円

ブロマゼパム （サンド） 錠 1mg 1錠 5.70 円

■ジェネリック　　商品名（メーカー）　規格・保険薬価

ブロマゼパム （サンド） 細 1% 1g 18.50 円

錠 3mg 1錠 5.90 円

ブロマゼパム （サンド＝日本ジェネリック）

錠 2mg 1錠 5.70 円　錠 5mg 1錠 5.90 円

一般名：ロラゼパム／中期作用型

- 保険収載年月…1978年3月
- 海外評価…6点 英 米 独 仏　●PC…D
- 剤形…錠 錠剤
- 服用量と回数…1日1～3mgを2～3回に分け て服用。

■先発品　　商品名（メーカー）　規格・保険薬価

ワイパックス （ファイザー） 錠 0.5mg 1錠 5.90 円

錠 1mg 1錠 7.80 円

■ジェネリック　　商品名（メーカー）　規格・保険薬価

ロラゼパム 写真 （沢井） 錠 1mg 1錠 5.70 円

ロラゼパム （沢井＝日本ジェネリック）

錠 0.5mg 1錠 5.10 円

一般名：クロキサゾラム／長期作用型

- 保険収載年月…1974年2月

- 海外評価…0点 英 米 独 仏
- 剤形…錠 錠剤, 散 散剤
- 服用量と回数…1日3～12mgを3回に分けて 服用。

■先発品　　商品名（メーカー）　規格・保険薬価

セパゾン 写真 （アルフレッサ） 散 1% 1g 20.90 円

錠 1mg 1錠 5.70 円　錠 2mg 1錠 5.80 円

一般名：クロラゼプ酸2カリウム／長期作用型

- 保険収載年月…1979年4月
- 海外評価…3点 英 米 独 仏
- 剤形…カ カプセル剤
- 服用量と回数…1日15～30mgを2～4回に分 けて服用。

■先発品　　商品名（メーカー）　規格・保険薬価

メンドン （マイラン EPD） カ 7.5mg 1カプセル 10.10 円

一般名：クロルジアゼポキシド／長期作用型

- 保険収載年月…1961年11月
- 海外評価…5点 英 米 独 仏
- 剤形…錠 錠剤, 散 散剤
- 服用量と回数…成人1日20～60mgを2～3回 に分けて服用。小児1日10～20mgを2～4回に 分けて服用。

■先発品　　商品名（メーカー）　規格・保険薬価

クロルジアゼポキシド （鶴原） 散 1% 1g 7.30 円

錠 5mg 1錠 9.80 円　錠 10mg 1錠 9.80 円

コントール （武田テバ薬品＝武田） 散 1% 1g 7.50 円

散 10% 1g 36.20 円　錠 5mg 1錠 9.80 円

錠 10mg 1錠 9.80 円

バランス （丸石） 散 10% 1g 36.20 円

錠 5mg 1錠 9.80 円　錠 10mg 1錠 9.80 円

一般名：ジアゼパム／長期作用型

- 保険収載年月…1965年11月
- 海外評価…6点 英 米 独 仏　●PC…D

内
02
―
02
―
01

ベンゾジアゼピン系安定薬

- 剤形…錠錠剤, 散散剤, シシロップ剤
- 服用量と回数…神経症, うつ病, 心身症：1回2～5mg(シロップ 2～5mL)を1日2～4回。小児は処方医の指示通りに。筋けいれん患者：1回2～10mgを1日3～4回。

■先発品　　商品名(メーカー)　規格・保険薬価

セルシン 写真 (武田テバ薬品＝武田)
散 1% 1g 12.70 円　錠 2mg 1錠 6.00 円
錠 5mg 1錠 9.40 円　錠 10mg 1錠 13.60 円
シ 0.1% 1mL 14.40 円

ホリゾン (丸石) 散 1% 1g 12.80 円
錠 2mg 1錠 6.00 円　錠 5mg 1錠 9.40 円

■ジェネリック　　商品名(メーカー)　規格・保険薬価

ジアゼパム (共和) 散 1% 1g 6.30 円

ジアゼパム (共和＝日本ジェネリック)
錠 2mg 1錠 5.70 円　錠 5mg 1錠 5.80 円

ジアゼパム (沢井) 錠 2mg 1錠 5.70 円

ジアゼパム (大鵬) 錠 2mg 1錠 5.70 円
錠 5mg 1錠 5.80 円

ジアゼパム (鶴原) 錠 2mg 1錠 5.70 円
錠 5mg 1錠 5.80 円　錠 10mg 1錠 5.70 円

ジアゼパム (東和) 錠 2mg 1錠 5.70 円
錠 5mg 1錠 5.80 円

一般名：オキサゾラム／超長期作用型

- 保険収載年月…1972年2月
- 海外評価…0点 英 米 独 仏
- 剤形…錠錠剤, 散散剤
- 服用量と回数…1回10～20mgを1日3回。

■先発品　　商品名(メーカー)　規格・保険薬価

セレナール (アルフレッサ) 散 10% 1g 28.70 円
錠 5mg 1錠 5.70 円　錠 10mg 1錠 5.80 円

一般名：フルトプラゼパム／超長期作用型

- 保険収載年月…1986年6月
- 海外評価…0点 英 米 独 仏
- 剤形…錠錠剤

- 服用量と回数…1日2～4mgを1～2回に分けて服用。

■先発品　　商品名(メーカー)　規格・保険薬価

レスタス (日本ジェネリック) 錠 2mg 1錠 16.40 円

一般名：メキサゾラム／超長期作用型

- 保険収載年月…1984年3月
- 海外評価…0点 英 米 独 仏
- 剤形…錠錠剤, 細細粒剤
- 服用量と回数…1日1.5～3mgを3回に分けて服用。

■先発品　　商品名(メーカー)　規格・保険薬価

メレックス 写真 (アルフレッサ)
細 0.1% 1g 12.10 円　錠 0.5mg 1錠 5.90 円
錠 1mg 1錠 10.40 円

一般名：ロフラゼプ酸エチル／超長期作用型

- 保険収載年月…1988年11月
- 海外評価…1点 英 米 独 仏
- 剤形…錠錠剤, 細細粒剤
- 服用量と回数…1日2mgを1～2回に分けて服用。

■先発品　　商品名(メーカー)　規格・保険薬価

メイラックス 写真 (MeijiSeika)
細 1% 1g 158.40 円　錠 1mg 1錠 12.40 円
錠 2mg 1錠 19.50 円

■ジェネリック　　商品名(メーカー)　規格・保険薬価

ロフラゼプ酸エチル (沢井) 錠 1mg 1錠 5.90 円
錠 2mg 1錠 9.30 円

ロフラゼプ酸エチル (シオノ＝ファイザー＝日医工＝武田) 錠 1mg 1錠 5.90 円　錠 2mg 1錠 9.30 円

ロフラゼプ酸エチル (東和) 錠 1mg 1錠 5.90 円
錠 2mg 1錠 9.30 円

ロフラゼプ酸エチル (日医工) 錠 1mg 1錠 5.90 円
錠 2mg 1錠 8.70 円

一般名：**トフィスパム**

- 保険収載年月…1985年12月
- 海外評価…0点 英 米 独 仏
- 剤形… 錠 錠剤，細 細粒剤
- 服用量と回数…1回50mg(細粒剤は0.5g)を1日3回。

■**先発品**　商品名(メーカー)　規格・保険薬価

グランダキシン 写真 (持田) 細 10% 1g 14.50 円
錠 50mg 1錠 11.20 円

■ジェネリック	商品名(メーカー)	規格・保険薬価
トフィソパム (沢井)	錠 50mg 1錠 5.90 円	
トフィソパム (鶴原)	細 10% 1g 6.90 円	
トフィソパム (東和)	錠 50mg 1錠 5.90 円	
トフィソパム (日医工)	錠 50mg 1錠 5.90 円	

内
02
—
02
—
01

ベンゾジアゼピン系安定薬

概　要

分類　精神安定薬(ベンゾジアゼピン誘導体)

処方目的　神経症における不安・緊張・抑うつ・睡眠障害など／心身症(消化器疾患，循環器疾患，自律神経失調症，更年期障害，腰痛症など)における身体症候ならびに不安・緊張・抑うつ・睡眠障害など／うつ病における不安・緊張・睡眠障害など／統合失調症における睡眠障害／術前の不安除去，麻酔前投薬

＊製剤により多少異なります。

[ジアゼパムのみ] 以下の疾患における筋緊張の軽減→脳脊髄疾患に伴う筋けいれん・疼痛

解説　精神安定薬を処方されると，自分はノイローゼではないと考え，服用しない人がいます。しかし，ベンゾジアゼピン系の薬剤には精神安定化作用のほかに，病人が気づかない緊張感を和らげたり，自律神経を安定させたりする作用があります。自分の判断で勝手に服用を中止したりしてはいけません。人によっては眠けが強く出ることがありますが，眠けが少ない製剤もあるので処方医と相談してください。また，アルコールとの併用は効果が増強されたりするので避けてください。

使用上の注意

＊エチゾラム(デパス)，ジアゼパム(セルシン)の添付文書による

基本的注意

(1)**服用してはいけない場合**……急性閉塞隅角緑内障／重症筋無力症
[ジアゼパム] リトナビルの服用中
(2)**慎重に服用すべき場合**……心機能障害／肝機能障害，腎機能障害／脳の器質的障害／中等度の呼吸障害または重い呼吸障害(呼吸不全)／小児，高齢者，衰弱している人
(3)**薬物依存**……連用により薬物依存を生じることがあるので，漫然と長期にわたって服用してはいけません。
(4)**アルコール(飲酒)**……アルコールと併用すると，精神機能，知覚・運動機能の低下をおこすおそれがあるので，服用するときはできるだけ飲酒を控えてください。
(5)**危険作業は中止**……本剤を服用すると，眠け，注意力・集中力・反射運動能力などの低下がおこることがあります。服用中は，自動車の運転など危険を伴う機械の操作は行

わないようにしてください。

(6)その他……

● 妊婦での安全性：有益と判断されたときのみ服用。

● 授乳婦での安全性：原則として服用しない。やむを得ず服用するときは授乳を中止。

● 小児での安全性：未確立。(1714頁を参照)

重大な副作用　①薬物依存，服用量の急激な減少や服用中止による離脱症状(けいれん発作，せん妄，ふるえ，不眠，不安，幻覚，妄想など)。②呼吸抑制。

[エチゾラムのみ] ③本剤の服用，本剤の急激な減量・中止，抗精神病薬などとの併用による悪性症候群(発熱，強度の筋強剛，嚥下困難，頻脈，血圧の変動，発汗など)。④肝機能障害，黄疸。⑤横紋筋融解症(筋肉痛，脱力感など)。⑥間質性肺炎(発熱，せき，呼吸困難など)。

[ジアゼパムのみ] ⑦刺激興奮，錯乱。

　そのほかにも報告された副作用はあるので，体調がいつもと違うと感じたときは，処方医・薬剤師に相談してください。

併用してはいけない薬　[ジアゼパム，クロラゼプ酸2カリウム] リトナビル(ノービア) →本剤の血中濃度が大幅に上昇し，過度の鎮静や呼吸抑制などがおこることがあります。

[アルプラゾラム] HIVプロテアーゼ阻害薬→本剤の血中濃度が大幅に上昇し，過度の鎮静や呼吸抑制などがおこることがあります。

[トフィソパム] ロミタピドメシル酸塩(ジャクスタピッド)→ロミタピドメシル酸塩の血中濃度が著しく上昇するおそれがあります。

内 02 精神神経科の薬　02 精神安定薬

02 ヒドロキシジン

◎ 製 剤 情 報

一般名：ヒドロキシジン塩酸塩

● 保険収載年月…1961年11月

● 海外評価…6点 英 米 独 仏　● PC…C

● 剤形…錠 錠剤

● 服用量と回数…じん麻疹，皮膚疾患に伴うかゆみ：1日30〜60mgを2〜3回に分けて服用。神経症：1日75〜150mgを3〜4回に分けて服用。

■ 先発品　　商品名(メーカー)　規格・保険薬価

アタラックス 写真 (ファイザー)
錠 10mg 1錠 5.90円　錠 25mg 1錠 7.10円

一般名：ヒドロキシジンパモ酸塩

● 保険収載年月…1965年12月

● 海外評価…4点 英 米 独 仏　● PC…C

● 剤形…錠 錠剤，カ カプセル剤，散 散剤，シ シロップ剤，ド ドライシロップ剤

● 服用量と回数…じん麻疹，皮膚疾患に伴うかゆみ：1日50〜75mgを2〜3回に分けて服用。神経症：1日75〜150mgを3〜4回に分けて服用。

■先発品　商品名(メーカー)　規格・保険薬価

アタラックス-P [写真] (ファイザー)
[散] 10% 1g 21.00 円　[力] 25mg 1ｶﾌﾟ 5.90 円
[力] 50mg 1ｶﾌﾟ 9.70 円　[シ] 0.5% 1mL 2.40 円
[ド] 2.5% 1g 9.40 円

■ジェネリック　商品名(メーカー)　規格・保険薬価

ヒドロキシジンパモ酸塩 (日新)
[錠] 25mg 1錠 5.70 円

概　要

分類　精神安定薬(抗ヒスタミン類似)

処方目的　じん麻疹, 皮膚疾患に伴うかゆみ(湿疹・皮膚炎, 皮膚掻痒症)／神経症における不安・緊張・抑うつ

解説　本剤は非ベンゾジアゼピン系薬剤の一つで, ベンゾジアゼピン系薬剤に比べて有利な点は, 依存性が生じないことです。2種類の化合物がありますが, 作用, 副作用, 注意事項は全く同じです。

　抗ヒスタミン作用があり, じん麻疹・湿疹, アレルギー症状の場合のかゆみ止めとしてはよく効きますが, 作用時間が長く, 眠けに注意する必要があります。眠けには個人差があり, 強く出る人からほとんど眠くならない人までいます。

使用上の注意
*両剤の添付文書による

基本的注意

(1)**服用してはいけない場合**……本剤の成分, セチリジン塩酸塩, ピペラジン誘導体, アミノフィリン水和物, エチレンジアミンに対するアレルギーの前歴／ポルフィリン症／妊婦または妊娠している可能性のある人

(2)**慎重に服用すべき場合**……てんかんなどのけいれん性疾患またはそれらの前歴／QT延長(先天性 QT 延長症候群など)／著明な徐脈や低カリウム血症／肝機能障害／腎機能障害／緑内障／下部尿路の閉塞性疾患(前立腺肥大など)／重症筋無力症／認知症／消化管運動の低下している人(狭窄性消化性潰瘍または幽門十二指腸閉塞など)／不整脈をおこしやすい状態にある人

(3)**臨床検査値への影響**……本剤はアレルゲン反応を抑えるので, アレルゲン皮内反応検査や気道過敏性試験を受けるときは, 少なくとも 5 日前より服用を中止することが望ましいとされています。

(4)**危険作業は中止**……本剤を服用すると, 眠けを催すことがあります。服用中は, 自動車の運転など危険を伴う機械類の操作は行わないようにしてください。

(5)**その他**……

●授乳婦での安全性：服用するときは授乳を中止。(1714 頁を参照)

重大な副作用　①ショック, アナフィラキシー(じん麻疹, 胸部不快感, 喉頭浮腫, 呼吸困難, 顔面蒼白など)。②QT 延長, 心室頻拍(トルサード・ドゥ・ポアントを含む)。③肝機能障害, 黄疸。④急性汎発性発疹性膿疱症。

　そのほかにも報告された副作用はあるので, 体調がいつもと違うと感じたときは, 処

方医・薬剤師に相談してください。

併用してはいけない薬 併用してはいけない薬は特にありません。ただし、併用する薬があるときは、念のため処方医・薬剤師に報告してください。

内 02 精神神経科の薬 02 精神安定薬

03 タンドスピロンクエン酸塩

製 剤 情 報

一般名：タンドスピロンクエン酸塩

- 保険収載年月…1996年9月
- 海外評価…0点 英 米 独 仏
- 規制…劇薬
- 剤形…錠 錠剤
- 服用量と回数…1日30mgを3回に分けて服用。増量する場合は1日60mgまで。

■先発品　商品名(メーカー)　規格・保険薬価

セディール 写真 (住友ファーマ)

錠 5mg 1錠 12.30 円　錠 10mg 1錠 21.30 円

錠 20mg 1錠 37.40 円

■ジェネリック　商品名(メーカー)　規格・保険薬価

タンドスピロンクエン酸塩 (共和)

錠 5mg 1錠 6.80 円　錠 10mg 1錠 11.80 円

錠 20mg 1錠 22.70 円

タンドスピロンクエン酸塩 写真 (沢井)

錠 5mg 1錠 6.80 円　錠 10mg 1錠 11.80 円

錠 20mg 1錠 22.70 円

タンドスピロンクエン酸塩 (東和)

錠 5mg 1錠 6.80 円　錠 10mg 1錠 11.80 円

錠 20mg 1錠 22.70 円

タンドスピロンクエン酸塩 (日医工)

錠 5mg 1錠 6.80 円　錠 10mg 1錠 11.80 円

錠 20mg 1錠 22.70 円

概　　要

分類　セロトニン(5-HT_{1A} 受容体)作動性抗不安薬

処方目的　心身症(自律神経失調症、本態性高血圧症、消化性潰瘍)による身体症候ならびに抑うつ、不安、焦燥、睡眠障害／神経症による抑うつ、恐怖

解説　抗不安薬として最も広く使われているベンゾジアゼピン系薬剤とは異なる効き方をする非ベンゾジアゼピン系抗不安薬の一つで、セロトニン神経系に選択的に作用します。ベンゾジアゼピン系に比べて抗不安作用は弱いですが、副作用が少なく、薬物依存性もほとんど生じないのが特徴です。

使用上の注意

＊タンドスピロンクエン酸塩(セディール)の添付文書による

基本的注意

(1)**慎重に服用すべき場合**……脳の器質的障害／中等度または重度の呼吸不全／心機能障害／肝機能障害、腎機能障害／脱水・栄養不良状態などを伴う身体的疲弊のある人／高齢者

(2)**危険作業は中止**……本剤を服用すると、眠けやめまいなどがおこることがあります。服用中は、自動車の運転など危険を伴う機械の操作は行わないようにしてください。

（3）その他……
- ●妊婦での安全性：有益と判断されたときのみ服用。
- ●授乳婦での安全性：原則として服用しない。やむを得ず服用するときは授乳を中止。
- ●小児での安全性：未確立。（1714 頁を参照）

重大な副作用　①肝機能障害，黄疸。②興奮，ミオクローヌス（不規則な不随意運動），発汗，ふるえ，発熱などを主症状とするセロトニン症候群。③本剤と抗精神病薬・抗うつ薬などとの併用や，本剤の急激な減量・中止による悪性症候群。

そのほかにも報告された副作用はあるので，体調がいつもと違うと感じたときは，処方医・薬剤師に相談してください。

併用してはいけない薬　併用してはいけない薬は特にありません。ただし，併用する薬があるときは，念のため処方医・薬剤師に報告してください。

内 02 精神神経科の薬　03 けいれん・てんかんの薬

01　フェニトイン

✎ **製剤情報**

一般名：エトトイン
- ●保険収載月月…1960年7月
- ●海外評価…2点 英 米 独 仏　●PC…C
- ●剤形…㈱末剤
- ●服用量と回数…1日に成人1〜3g，小児0.5〜1gを毎食後および就寝前の4回に分けて服用。

■**先発品**　商品名（メーカー）　規格・保険薬価

アクセノン末（住友ファーマ）㈱ 1g 95.80 円

一般名：フェニトイン
- ●保険収載月月…1978年4月
- ●海外評価…6点 英 米 独 仏　●PC…C
- ●規制…劇薬（散剤のみ）
- ●剤形…㈱錠剤，㈥散剤
- ●服用量と回数…1日200〜300mgを3回に分けて服用。小児は処方医の指示通りに。

■**先発品**　商品名（メーカー）　規格・保険薬価

アレビアチン㊙（住友ファーマ）
㈥ 10% 1g 12.10 円　㈱ 25mg 1錠 12.10 円
㈱ 100mg 1錠 12.90 円

ヒダントール（藤永＝第一三共）
㈱ 25mg 1錠 11.90 円　㈱ 100mg 1錠 12.60 円

一般名：フェニトイン配合剤
- ●保険収載月月…1953年12月
- ●規制…劇薬
- ●剤形…㈱錠剤
- ●服用量と回数…1日6〜12錠（複合アレビアチンの場合は1〜4錠）を分けて服用。

■**先発品**　商品名（メーカー）　規格・保険薬価

ヒダントール D 配合錠（藤永＝第一三共）
㈱ 1錠 5.90 円

ヒダントール E 配合錠（藤永＝第一三共）
㈱ 1錠 5.80 円

ヒダントール F 配合錠（藤永＝第一三共）
㈱ 1錠 5.90 円

複合アレビアチン配合錠（住友ファーマ）
㈱ 1錠 7.10 円

内
02
―
03
―
01
フェニトイン

概　要

分類　抗けいれん・てんかん薬(ヒダントイン系)

処方目的　[エトトインの適応症]てんかんのけいれん発作：強直間代発作(全般けいれん発作，大発作)／[フェニトイン，フェニトイン配合剤の適応症]てんかんのけいれん発作：強直間代発作(全般けいれん発作，大発作)，焦点発作(ジャクソン型発作を含む)／自律神経発作／精神運動発作

解説　比較的古くから用いられているてんかんの薬剤をここで取り扱います。フェニトインはその代表で，強直間代発作(大発作)や部分発作に用います。

　フェニトインの抗てんかん作用は，けいれん閾値を高めるのではなく，発作焦点からのてんかん発作の拡がりを阻止することによると考えられています。閾値とは，ある刺激や作用が生体に引きおこす最小の有効値のことです。

　フェニトイン配合剤には，バルビツール酸誘導体が含まれており，連用すると薬物依存を生じることがあるので注意が必要です。

使用上の注意

＊フェニトイン(アレビアチン)の添付文書による

基本的注意

(1)服用してはいけない場合……本剤の成分またはヒダントイン系薬剤に対するアレルギー／タダラフィル(肺高血圧症を適応とする場合)，アスナプレビル，ダクラタスビル塩酸塩，マシテンタン，エルバスビル，グラゾプレビル，チカグレロル，リアメット配合錠，プレジコビックス配合錠，ドラビリン，ルラシドン塩酸塩，オデフシィ配合錠，ビクタルビ配合錠，シムツーザ配合錠，ゲンボイヤ配合錠，スタリビルド配合錠，エプクルーサ配合錠，ハーボニー配合錠，ジャルカ配合錠の服用中

(2)慎重に服用すべき場合……肝機能障害／血液障害／薬物過敏症／甲状腺機能低下症／糖尿病

(3)服用量の増加……服用量があるレベルを超えると，肝臓にある代謝酵素の働きが急激に飽和され(分解されなくなる)，本剤の血中濃度が急激に増加して中毒域に達するので注意が必要です。服用量の増加は，処方医の指示に従ってゆっくりと行います。

(4)セイヨウオトギリソウ(セント・ジョーンズ・ワート)含有食品……本剤の服用中は摂取してはいけません。本剤の代謝が促進され，血中濃度が低下するおそれがあります。

(5)急な減量・中止……てんかんの人が本剤を連用中に服用量を急激に減らしたり中止したりすると，てんかん発作の重積状態が現れることがあります。自己判断で減量や中止をしないようにしてください。

(6)危険作業は中止……本剤を服用すると，眠け，注意力・集中力・反射運動能力などの低下がおこることがあります。服用中は，自動車の運転など危険を伴う機械の操作は行わないようにしてください。

(7)その他……

●妊婦での安全性：有益と判断されたときのみ服用。(1714 頁を参照)

重大な副作用　　　　　　①血液障害(再生不良性貧血，溶血性貧血，単球性白血病，

汎血球減少，赤芽球癆，血小板減少，無顆粒球症など）。②皮膚粘膜眼症候群（スティブンス-ジョンソン症候群），中毒性表皮壊融解症（TEN）。③SLE（全身性エリテマトーデス）様症状（発熱，紅斑，関節痛，肺炎，白血球減少，血小板減少，抗核抗体陽性など）。④間質性肺炎（発熱，せき，呼吸困難など）。⑤リンパ節腫張，悪性リンパ腫。⑥劇症肝炎，肝機能障害，黄疸。⑦過敏症症候群（発疹，発熱，リンパ節腫脹，肝機能障害，白血球増加，好酸球増多，異形リンパ球出現など）。⑧小脳萎縮。⑨横紋筋融解症（筋肉痛，脱力感，CK上昇，血中・尿中ミオグロビン上昇など）。⑩急性腎障害，間質性腎炎。⑪悪性症候群（発熱，意識障害，筋強剛，不随意運動，発汗，頻脈など）。

　そのほかにも報告された副作用はあるので，体調がいつもと違うと感じたときは，処方医・薬剤師に相談してください。

併用してはいけない薬　[フェニトイン，フェニトイン配合剤] タダラフィル（肺高血圧症を適応とする場合：アドシルカ），アスナプレビル，ダクラタスビル塩酸塩，マシテンタン，エルバスビル，グラゾプレビル，チカグレロル，リアメット配合錠，プレジコビックス配合錠，ドラビリン，ルラシドン塩酸塩，オデフシィ配合錠，ビクタルビ配合錠，シムツーザ配合錠，ゲンボイヤ配合錠，スタリビルド配合錠，エプクルーサ配合錠，ハーボニー配合錠，ジャルカ配合錠→これらの薬剤の血中濃度が低下することがあります。
[フェニトイン配合剤のみ] ボリコナゾール→両剤の血中濃度が低下することがあります。

内 02 精神神経科の薬　03 けいれん・てんかんの薬

02 オキサゾリジン系抗けいれん薬

製剤情報

一般名：トリメタジオン
- 保険収載年月…1950年9月
- 海外評価…2点 英 米 独 仏
- 剤形…散 散剤
- 服用量と回数…1日1.5gを3回に分けて服用。増量する場合は1日3gまで。小児は処方医の指示通りに。

■先発品　商品名（メーカー）　規格・保険薬価
ミノアレ（日医工）散 66.7% 1g 17.20円

一般名：エトスクシミド
- 保険収載年月…1965年11月
- 海外評価…6点 英 米 独 仏
- 剤形…散 散剤，シ シロップ剤
- 服用量と回数…1日0.45〜1g（シロップ9〜20mL）を2〜3回に分けて服用。小児は処方医の指示通りに。

■先発品　商品名（メーカー）　規格・保険薬価
エピレオプチマル（エーザイ）散 50% 1g 32.70円
ザロンチンシロップ（ファイザー）
シ 5% 1mL 6.70円

概要

分類　抗けいれん・てんかん薬
処方目的　定型欠神発作（小発作）／小型（運動）発作：ミオクロニー発作，失立（無動）

発作，点頭てんかん（幼児けい縮発作，BNS けいれんなど）

解説 トリメタジオンとエトスクシミドは，強直間代発作（大発作）やミオクローヌスけいれん（両側四肢の筋けいれん）を伴わない欠神発作に有効です。欠神発作は，突然意識を失い，20〜30 秒後に意識が回復してもとの動作に戻る小発作です。

使用上の注意

＊トリメタジオン（ミノアレ）の添付文書による

基本的注意

(1)服用してはいけない場合……本剤の成分に対するアレルギー／重い肝機能障害・腎機能障害／重い血液障害／網膜・視神経障害／妊婦または妊娠している可能性のある人
(2)慎重に服用すべき場合……薬物過敏症
(3)危険作業は中止……本剤を服用すると，眠け，注意力・集中力・反射運動能力などの低下がおこることがあります。服用中は，自動車の運転など危険を伴う機械の操作は行わないようにしてください。(1714 頁を参照)

重大な副作用 ①皮膚粘膜眼症候群（スティブンス-ジョンソン症候群），中毒性表皮壊死融解症（TEN），SLE（全身性エリテマトーデス）様症状（発熱，紅斑，関節痛，肺炎，白血球減少，血小板減少，抗核抗体陽性など）。②再生不良性貧血，汎血球減少。③筋無力症。

そのほかにも報告された副作用はあるので，体調がいつもと違うと感じたときは，処方医・薬剤師に相談してください。

併用してはいけない薬 併用してはいけない薬は特にありません。ただし，併用する薬があるときは，念のため処方医・薬剤師に報告してください。

内 02 精神神経科の薬　03 けいれん・てんかんの薬

03 プリミドン

製剤情報

一般名：プリミドン
- 保険収載年月…1961年12月
- 海外評価…6点 英米独仏
- 剤形…錠 錠剤，細 細粒剤
- 服用量と回数…治療初期3日間は1日250mg

を就寝前に服用。徐々に増量し，1日1,500〜2,000mgを2〜3回に分けて服用。小児は処方医の指示通りに。

■先発品　商品名(メーカー)　規格・保険薬価
プリミドン（日医工）細 99.5% 1g 26.50 円
錠 250mg 1錠 8.20 円

概要

分類 抗けいれん・てんかん薬

処方目的 てんかんのけいれん発作：強直間代発作（全般けいれん発作，大発作），焦点発作（ジャクソン型発作を含む）／精神運動発作／小型（運動）発作：ミオクロニー発作，失立（無動）発作，点頭てんかん（幼児けい縮発作，BNS けいれんなど）

解説　本剤は，体内に入ってからフェノバルビタールとフェニルエチル-マロナミドに分解され，脳神経の興奮を抑えて，てんかんの発作を予防します。

🏷 **使用上の注意**

基本的注意

(1)**服用してはいけない場合**……本剤の成分またはバルビツール酸系薬剤に対するアレルギー／急性間欠性ポルフィリン症

(2)**慎重に服用すべき場合**……頭部外傷後遺症または進行した動脈硬化症／心機能障害／肝機能障害，腎機能障害／薬物過敏症／甲状腺機能低下症／虚弱な人，呼吸機能の低下している人／高齢者

(3)**急な減量・中止**……てんかんの人が本剤を連用中に服用量を急激に減らしたり中止したりすると，てんかん発作の重積状態が現れることがあります。自己判断で減量や中止をしないようにしてください。

(4)**危険作業は中止**……本剤を服用すると，眠け，注意力・集中力・反射運動能力などの低下がおこることがあります。服用中は，自動車の運転など危険を伴う機械の操作は行わないようにしてください。

(5)**その他**……

● 妊婦での安全性：有益と判断されたときのみ服用。

● 授乳婦での安全性：本剤の成分が母乳中に移行し，乳児に過度の眠けをおこすおそれがあります。(1714頁を参照)

重大な副作用　①皮膚粘膜眼症候群(スティブンス-ジョンソン症候群)。②再生不良性貧血。③連用による薬物依存，服用量の急激な減少・服用の中止による離脱症状(不安，不眠，けいれん，悪心，幻覚，妄想，興奮，錯乱，抑うつ状態など)。④その他，類似薬のフェノバルビタールで，中毒性表皮壊死融解症(TEN)，剥脱性皮膚炎が報告されています。

　そのほかにも報告された副作用はあるので，体調がいつもと違うと感じたときは，処方医・薬剤師に相談してください。

併用してはいけない薬　併用してはいけない薬は特にありません。ただし，併用する薬があるときは，念のため処方医・薬剤師に報告してください。

内 **02 精神神経科の薬　03 けいれん・てんかんの薬**

04　フェナセミド系抗けいれん薬

⚗ **製剤情報**

一般名：アセチルフェネトライド

● 保険収載年月…1963年1月

● 海外評価…0点 英米独仏

● 剤形…錠錠剤，末末剤

● 服用量と回数…1日0.3〜1.2gを3回に分けて服用。小児は処方医の指示通りに。

■**先発品**　**商品名（メーカー）**　**規格・保険薬価**

クランポール（住友ファーマ）㊶ 1g 60.30 円
　㊡ 200mg 1錠 20.40 円

📋 概　　要

分類　抗けいれん・てんかん薬

処方目的　てんかんのけいれん発作：強直間代発作（全般けいれん発作，大発作），焦点発作（ジャクソン型発作を含む）／精神運動発作／自律神経発作

解説　本剤は，フェニル尿素の誘導体（化合物）です。強直間代発作，焦点発作，精神運動発作に有効です。

🈁 使用上の注意

基本的注意

(1)服用してはいけない場合……本剤の成分またはフェニル尿素系薬剤に対するアレルギー

(2)慎重に服用すべき場合……薬物過敏症

(3)危険作業は中止……本剤を服用すると，眠け，注意力・集中力・反射運動能力などの低下がおこることがあります。服用中は，自動車の運転など危険を伴う機械の操作は行わないようにしてください。

(4)その他……

●妊婦での安全性：有益と判断されたときのみ服用。(1714 頁を参照)

重大な副作用　　①再生不良性貧血。

　そのほかにも報告された副作用はあるので，体調がいつもと違うと感じたときは，処方医・薬剤師に相談してください。

併用してはいけない薬　　併用してはいけない薬は特にありません。ただし，併用する薬があるときは，念のため処方医・薬剤師に報告してください。

内 **02** 精神神経科の薬　**03** けいれん・てんかんの薬

05　スルチアム

💊 製 剤 情 報

一般名：スルチアム

●保険収載年月…2001年9月

●海外評価…1点 英 米 **独** 仏

●剤形…㊡錠剤

📋 概　　要

分類　抗けいれん・てんかん薬

●服用量と回数…1日200〜600mgを2〜3回に分けて服用。

■**先発品**　**商品名（メーカー）**　**規格・保険薬価**

オスポロット（共和）㊡ 50mg 1錠 5.90 円
　㊡ 200mg 1錠 19.60 円

処方目的　精神運動発作

解説　精神運動発作は意識障害を伴う部分発作です。無意識に部屋の中を歩き回ったり，口をもぐもぐさせたり，舌打ちや舌なめずりをしたりします。小発作と違って，発作の始まりは比較的ゆっくりしていて，発作が終わってもしばらくはぼんやりしています。

📝 **使用上の注意**

基本的注意

(1)服用してはいけない場合……本剤の成分に対するアレルギー／腎機能障害

(2)慎重に服用すべき場合……薬物過敏症

(3)危険作業は中止……本剤を服用すると，眠け，注意力・集中力・反射運動能力などの低下がおこることがあります。服用中は，自動車の運転など危険を伴う機械の操作は行わないようにしてください。

(4)その他……

●妊婦での安全性：有益と判断されたときのみ服用。(1714頁を参照)

重大な副作用　　①腎不全。

　そのほかにも報告された副作用はあるので，体調がいつもと違うと感じたときは，処方医・薬剤師に相談してください。

併用してはいけない薬　　併用してはいけない薬は特にありません。ただし，併用する薬があるときは，念のため処方医・薬剤師に報告してください。

内 02 精神神経科の薬　03 けいれん・てんかんの薬

06 カルバマゼピン

💊 **製 剤 情 報**

一般名：カルバマゼピン

●保険収載年月…1965年12月

●海外評価…6点 英米独仏　●PC…D

●剤形…錠錠剤，細細粒剤

●服用量と回数…てんかん：1日200〜600mgを1〜2回に分けて服用。1日1,200mgまで増量可。小児は処方医の指示通りに。

躁病，躁うつ病の躁状態，統合失調症の興奮状態：1日量200〜400mg(1〜2回に分けて服用)から始め，徐々に増量。1日1,200mgまで増量可。

三叉神経痛：1日量200〜400mgから始め，1日600mgまで増量（分けて服用）。1日800mgまで増量可。小児は処方医の指示通りに。

■**先発品**　　商品名(メーカー)　規格・保険薬価

テグレトール 写真 (サンファーマ)

細 50% 1g 17.90 円　　錠 100mg 1錠 5.90 円

錠 200mg 1錠 8.30 円

■**ジェネリック**　　商品名(メーカー)　規格・保険薬価

カルバマゼピン 写真 (共和)　細 50% 1g 13.40 円

錠 100mg 1錠 5.70 円　　錠 200mg 1錠 5.90 円

カルバマゼピン (藤永＝第一三共)

細 50% 1g 13.40 円　　錠 100mg 1錠 5.70 円

錠 200mg 1錠 5.90 円

📋 **概　要**

分類　抗けいれん・てんかん薬

処方目的　てんかんの精神運動発作，てんかん性格およびてんかんに伴う精神障害，てんかんのけいれん発作：強直間代発作（全身けいれん発作，大発作）／躁病，躁うつ病の躁状態，統合失調症の興奮状態／三叉神経痛

解説　本剤は，構造的には三環系抗うつ薬に似た特殊な抗てんかん薬で，精神運動発作（部分発作）の第一選択薬です。また，三叉神経痛に対する効果は特異的で高い評価が与えられています。

✍️ **使用上の注意**

＊カルバマゼピン（テグレトール）の添付文書による

基本的注意

(1)服用してはいけない場合……本剤の成分または三環系抗うつ薬に対するアレルギーの前歴／重い血液障害／第Ⅱ度以上の房室ブロック，高度の徐脈（心拍50／分未満）／ポルフィリン症／ボリコナゾール，タダラフィル，リルピビリン塩酸塩，マシテンタン，チカグレロル，グラゾプレビル，エルバスビル，アスナプレビル，ジャルカ配合錠，エプクルーサ配合錠，ビクタルビ配合錠の服用中

(2)慎重に服用すべき場合……心不全，心筋梗塞などの心疾患または第Ⅰ度の房室ブロック／排尿困難または眼圧亢進のある人／肝機能障害，腎機能障害／薬物過敏症／甲状腺機能低下症／高齢者

(3)発作の悪化・誘発……抗てんかん薬の服用で，発作が悪化または誘発されることがあります。混合発作型や本剤が無効とされている小発作（欠神発作，非定型欠神発作，脱力発作，ミオクロニー発作）の人が本剤を服用する場合は状態に十分注意してください。

(4)グレープフルーツジュース・アルコール……①本剤を服用中はグレープフルーツジュースは飲まないようにしてください。本剤の作用が強まることがあります。②アルコールと併用すると，相互に作用が強まるおそれがあります。服用中は過度のアルコール摂取をできるだけ避けてください。

(5)急な減量・中止……てんかんの人が本剤を連用中に服用量を急激に減らしたり中止したりすると，てんかん発作の重積状態が現れることがあります。自己判断で減量や中止をしないようにしてください。

(6)セイヨウオトギリソウ（セント・ジョーンズ・ワート）含有食品……本剤の服用中は摂取してはいけません。本剤の代謝が促進され，血中濃度が低下するおそれがあります。

(7)危険作業は中止……本剤を服用すると，眠け，注意力・集中力・反射運動能力などの低下がおこることがあります。服用中は，自動車の運転など危険を伴う機械の操作は行わないようにしてください。

(8)その他……

●妊婦での安全性：有益と判断されたときのみ服用。

●授乳婦での安全性：有益と判断されたときのみ服用。（1714頁を参照）

重大な副作用　①皮膚粘膜眼症候群（スティブンス-ジョンソン症候群），中

毒性表皮壊死融解症(TEN)，多形紅斑，急性汎発性発疹性膿疱症，紅皮症(剥脱性皮膚炎)。②SLE(全身性エリテマトーデス)様症状(発熱，紅斑，関節痛，白血球減少，血小板減少など)。③血液障害(再生不良性貧血，汎血球減少，無顆粒球症，溶血性貧血，赤芽球癆，血小板減少，白血球減少，貧血)。④PIE症候群，間質性肺炎(発熱，せき，呼吸困難など)。⑤急性腎障害(間質性腎炎など)。⑥肝機能障害，黄疸，劇症肝炎。⑦過敏症症候群(発熱，発疹，リンパ節腫脹，関節痛，白血球減少など)。⑧血栓塞栓症(肺塞栓症，深部静脈血栓症，血栓性静脈炎など)。⑨抗利尿ホルモン不適合分泌症候群(SIADH)(低ナトリウム血症，高張尿，けいれん，意識障害など)。⑩無菌性髄膜炎(発熱，頭痛，悪心・嘔吐，意識混濁など)。⑪悪性症候群(発熱，意識障害，無動緘黙，強度の筋強剛，嚥下困難，頻脈，発汗など)。⑫うっ血性心不全，房室ブロック，洞機能不全，徐脈。⑬アナフィラキシー(じん麻疹，血管浮腫，低血圧，呼吸困難など)。

　そのほかにも報告された副作用はあるので，体調がいつもと違うと感じたときは，処方医・薬剤師に相談してください。

併用してはいけない薬　ボリコナゾール(ブイフェンド)，タダラフィル　(アドシルカ)，リルピビリン塩酸塩(エジュラント)，マシテンタン，チカグレロル，グラゾプレビル，エルバスビル，アスナプレビル，ジャルカ配合錠，エプクルーサ配合錠，ビクタルビ配合錠→本剤との併用でこれらの薬剤の血中濃度が減少し，作用が弱まるおそれがあります。

内 **02 精神神経科の薬　03 けいれん・てんかんの薬**

07 バルプロ酸ナトリウム

製剤情報

一般名：バルプロ酸ナトリウム
- 保険収載年月…1975年3月
- 海外評価…6点 英米独仏　● PC…D
- 剤形…錠錠剤，細細粒剤，シシロップ剤
- 服用量と回数…1日400〜1,200mg(シロップ8〜24mL)を2〜3回に分けて服用。片頭痛発作の発症抑制の場合は，1日400〜800mg(シロップ8〜16mL)を2〜3回に分けて服用，1日最大1,000mg(20mL)。

■**先発品**　商品名(メーカー)　規格・保険薬価

デパケン (協和キリン) 細20% 1g 11.20円
細40% 1g 17.30円　錠100mg 1錠 10.10円
錠200mg 1錠 10.10円　シ5% 1mL 7.70円

バルプロ酸Na (藤永=第一三共)
錠200mg 1錠 10.10円

バルプロ酸ナトリウム (共和)
錠200mg 1錠 10.10円

バルプロ酸ナトリウム (住友ファーマ)
錠200mg 1錠 10.10円

■**ジェネリック**　商品名(メーカー)　規格・保険薬価

バルプロ酸Na (藤永=第一三共)
錠100mg 1錠 9.30円　シ5% 1mL 6.80円

バルプロ酸ナトリウム (共和)
錠100mg 1錠 9.30円

バルプロ酸ナトリウム (小林化工=エルメッド=日医工) 細20% 1g 10.50円　細40% 1g 14.70円

バルプロ酸ナトリウム (住友ファーマ)
錠100mg 1錠 9.30円　シ5% 1mL 6.80円

バルプロ酸ナトリウムシロップ (日医工)
シ5% 1mL 6.80円

一般名：徐放性バルプロ酸ナトリウム

- 保険収載年月…1990年11月
- 海外評価…6点 英 米 独 仏 ● PC…D
- 剤形…錠 錠剤, 顆 顆粒剤
- 服用量と回数…1日400〜1,200mgを1〜2回に分けて服用(顆粒剤およびセレニカRは1日1回)。片頭痛発作の発症抑制の場合は, 1日400〜800mgを1〜2回に分けて服用(顆粒剤およびセレニカRは1日1回), 1日最大1,000mg。

■先発品　　商品名(メーカー)　規格・保険薬価

セレニカ R(興和＝田辺三菱＝吉富)
顆 40% 1g 25.60 円　錠 200mg 1錠 14.60 円
錠 400mg 1錠 23.80 円

デパケン R(協和キリン)錠 100mg 1錠 9.10 円
錠 200mg 1錠 11.80 円

■ジェネリック　　商品名(メーカー)　規格・保険薬価

バルプロ酸 Na 徐放顆粒(藤永＝第一三共)
顆 40% 1g 20.80 円

バルプロ酸ナトリウム SR写真(共和)
錠 100mg 1錠 6.90 円　錠 200mg 1錠 10.10 円

バルプロ酸ナトリウム徐放 U 顆粒(共和クリティケア＝共和)顆 40% 1g 20.80 円

バルプロ酸ナトリウム徐放錠 A写真(東和)
錠 100mg 1錠 6.90 円　錠 200mg 1錠 10.10 円

概　　要

分類　抗けいれん・てんかん薬

処方目的　各種てんかん(小発作・焦点発作・精神運動発作・混合発作)および, てんかんに伴う性格行動障害(不機嫌, 易怒性など)の治療／躁病および躁うつ病の躁状態の治療／片頭痛発作の発症抑制

解説　比較的新しい抗てんかん薬で, 広い適応症を持っています。脳内 GABA(ガンマアミノ酪酸)濃度, ドパミン濃度を高めて脳内の抑制系を賦活(活性化)し, けいれん発作を防止すると考えられています。なお, バルプロ酸ナトリウムには片頭痛にも効果のあることがわかり, 2011 年に処方目的に「片頭痛発作の発症抑制」が追加されました。

使用上の注意

＊バルプロ酸ナトリウム(デパケン)の添付文書による

基本的注意

(1)服用してはいけない場合……重い肝機能障害／本剤服用中にカルバペネム系抗生物質(パニペネム・ベタミプロン, メロペネム水和物, イミペネム水和物・シラスタチンナトリウム, レレバクタム水和物・イミペネム水和物・シラスタチンナトリウム, ビアペネム, ドリペネム水和物, テビペネム　ピボキシル)を併用しないこと／尿素サイクル異常症／〔片頭痛の場合のみ〕妊婦または妊娠している可能性のある人

(2)特に慎重に服用すべき場合(治療上やむを得ないと判断される場合を除き服用は避けること)……〔てんかん, 躁病・躁うつ病の躁状態の場合〕妊婦または妊娠している可能性のある人

(3)慎重に服用すべき場合……肝機能障害またはその前歴(重い肝機能障害を除く)／薬物過敏症の前歴／自殺企図の前歴および自殺念慮のある躁病・躁うつ病の躁状態の人／以下のような尿素サイクル異常症が疑われる人→原因不明の脳症・昏睡の前歴がある人, 尿素サイクル異常症または原因不明の乳児死亡の家族歴がある人

（4）急な減量・中止……てんかんの人が本剤を連用中に服用量を急激に減らしたり中止したりすると，てんかん発作の重積状態が現れることがあります。自己判断で減量や中止をしないようにしてください。

（5）危険作業は中止……本剤を服用すると，眠け，注意力・集中力・反射運動能力などの低下がおこることがあります。服用中は，自動車の運転など危険を伴う機械の操作は行わないようにしてください。

（6）その他……

● 妊婦での安全性：〔片頭痛の場合〕禁忌。〔てんかん，躁病・躁うつ病の躁状態の場合〕原則禁忌。有益と判断されたときのみ服用。

● 授乳婦での安全性：治療上の有益性・母乳栄養の有益性を考慮し，授乳の継続・中止を検討。

● 低出生体重児，新生児での安全性：未確立。（1714 頁を参照）

重大な副作用　①劇症肝炎などの重い肝機能障害，黄疸，脂肪肝。②高アンモニア血症に伴う意識障害。③溶血性貧血，赤芽球癆，汎血球減少症，重い血小板減少，顆粒球減少。④急性膵炎。⑤間質性腎炎，ファンコニー症候群。⑥皮膚粘膜眼症候群（スティブンス-ジョンソン症候群），中毒性表皮壊死融解症（TEN）。⑦脳の萎縮，認知症様症状（もの忘れ，見当識障害，言語障害，知能低下，感情鈍麻など），パーキンソン様症状（静止時のふるえ，硬直，姿勢や歩行の異常など）。⑧横紋筋融解症（筋肉痛，脱力感，尿が赤褐色になるなど）。⑨過敏症症候群（発疹，発熱，リンパ節腫脹，肝機能障害，白血球増加，好酸球増多，異型リンパ球出現など）。⑩抗利尿ホルモン不適合分泌症候群（SIADH）。⑪間質性肺炎，好酸球性肺炎（せき，呼吸困難，発熱など）。

そのほかにも報告された副作用はあるので，体調がいつもと違うと感じたときは，処方医・薬剤師に相談してください。

併用してはいけない薬　カルバペネム系抗生物質（パニペネム・ベタミプロン（カルベニン：注射薬），メロペネム水和物（メロペン：注射薬），イミペネム水和物・シラスタチンナトリウム（チエナム：注射薬），レレバクタム水和物・イミペネム水和物・シラスタチンナトリウム（レカルブリオ：注射薬），ビアペネム（オメガシン：注射薬），ドリペネム水和物（フィニバックス：注射薬），テビペネム　ピボキシル　（オラペネム））→併用すると，てんかんの発作が再発することがあります。

内 02 精神神経科の薬　03 けいれん・てんかんの薬

08　ベンゾジアゼピン系抗けいれん薬

製剤情報

一般名：クロナゼパム

● 保険収載年月…1980年12月

● 海外評価…6点 **英米独仏**　● PC…D

● 剤形…錠 錠剤，細 細粒剤

● 服用量と回数…成人・小児1日0.5〜6mgを1〜3回に分けて服用。乳幼児は処方医の指示通りに。

■先発品　商品名(メーカー)　規格・保険薬価

ランドセン(住友ファーマ)　細 0.1% 1g 10.80 円

細 0.5% 1g 41.60 円　細 0.5mg 1錠 9.30 円

錠 1mg 1錠 11.20 円　錠 2mg 1錠 19.30 円

リボトリール(太陽ファルマ)　細 0.1% 1g 10.70 円

細 0.5% 1g 41.80 円　錠 0.5mg 1錠 9.30 円

錠 1mg 1錠 10.60 円　錠 2mg 1錠 18.20 円

- 海外評価…5点 英 米 独 仏
- 剤形…錠 錠剤, 細 細粒剤
- 服用量と回数…1日10～30mgを1～3回に分けて服用。1日最大40mg。小児は処方医の指示通りに。

■先発品　商品名(メーカー)　規格・保険薬価

マイスタン(住友ファーマ＝アルフレッサ)

細 1% 1g 28.30 円　錠 5mg 1錠 18.10 円

錠 10mg 1錠 31.70 円

一般名：クロバザム

- 保険収載年月…2000年5月

📋 概　　要

分類　抗けいれん・てんかん薬(ベンゾジアゼピン誘導体)

処方目的　[クロナゼパムの適応症] 小型(運動)発作：ミオクロニー発作, 失立(無動)発作, 点頭てんかん(幼児けい縮発作, BNSけいれんなど)／精神運動発作／自律神経発作
[クロバザムの適応症] 他の抗てんかん薬で十分な効果が認められないてんかんの, 以下の発作型における抗てんかん薬との併用→部分発作(単純部分発作, 複雑部分発作, 二次性全般化強直間代発作)／全般発作(強直間代発作, 強直発作, 非定型欠神発作, ミオクロニー発作, 脱力発作)

解説　ベンゾジアゼピン系の薬剤は, 催眠薬, 精神安定薬, 抗けいれん(てんかん)薬, 抗精神病薬などとして汎用されていますが, クロナゼパムとクロバザムはそのうちの「てんかん」が適応の薬剤です。クロバザムは, 他の抗てんかん薬で十分な効果が認められないてんかんの部分発作, 全般発作に対して, 他の抗てんかん薬と併用して使用されます。

✍ 使用上の注意

＊クロナゼパム(リボトリール)の添付文書による

基本的注意

(1)服用してはいけない場合……本剤の成分に対するアレルギーの前歴／急性閉塞隅角緑内障／重症筋無力症

(2)慎重に服用すべき場合……心機能障害／肝機能障害, 腎機能障害／脳の器質的障害／呼吸機能の低下している人／衰弱している人, 高齢者

(3)小児……低出生体重児, 新生児の服用についての安全性は確立されていません。乳児・幼児が服用すると喘鳴, ときに唾液増加(よだれなど), 嚥下障害をおこすことがあります。これらの症状がみられたら, すぐに処方医へ連絡してください。

(4)急な減量・中止……てんかんの人が本剤を連用中に服用量を急激に減らしたり中止したりすると, てんかん発作の重積状態が現れることがあります。自己判断で減量や中止をしないようにしてください。

(5)危険作業は中止……本剤を服用すると, 眠け, 注意力・集中力・反射運動能力などの低下がおこることがあります。服用中は, 自動車の運転など危険を伴う機械の操作は行

わないようにしてください。

(6)その他……
- ●妊婦での安全性：有益と判断されたときのみ服用。
- ●授乳婦での安全性：服用するときは授乳を中止。
- ●低出生体重児，新生児での安全性：未確立。(1714頁を参照)

重大な副作用　①連用による薬物依存，服用量の急激な減少や服用中止による離脱症状(けいれん発作，せん妄，ふるえ，不眠，不安，幻覚，妄想など)。②呼吸抑制。
[クロナゼパムのみ]　③睡眠中の多呼吸発作。④刺激興奮，錯乱など。⑤肝機能障害，黄疸。
[クロバザムのみ]　⑥中毒性表皮壊死融解症(TEN)，皮膚粘膜眼症候群(スティブンス-ジョンソン症候群)。

　そのほかにも報告された副作用はあるので，体調がいつもと違うと感じたときは，処方医・薬剤師に相談してください。

併用してはいけない薬　併用してはいけない薬は特にありません。ただし，併用する薬があるときは，念のため処方医・薬剤師に報告してください。

内 02 精神神経科の薬　03 けいれん・てんかんの薬

09 ゾニサミド

製剤情報

一般名：ゾニサミド
- ●保険収載年月…1989年5月
- ●海外評価…6点 英 米 独 仏　●PC…C
- ●規制…劇薬
- ●剤形…錠 錠剤，散 散剤
- ●服用量と回数…1日100〜400mgを1〜3回に分けて服用。1日最大600mg。小児は処方医の

指示通りに。

■ **先発品**　商品名(メーカー)　規格・保険薬価
エクセグラン 写真 (住友ファーマ)
散 20% 1g 41.20円　錠 100mg 1錠 21.10円

■ **ジェネリック**　商品名(メーカー)　規格・保険薬価
ゾニサミド (共和) 散 20% 1g 27.80円
錠 100mg 1錠 13.20円
ゾニサミドEX (寿) 錠 100mg 1錠 13.20円

概　要

分類　抗けいれん・てんかん薬
処方目的　〈部分発作〉単純部分発作：焦点発作(ジャクソン型を含む)，自律神経発作，精神運動発作／複雑部分発作：精神運動発作，焦点発作／二次性全般化強直間代けいれん：強直間代発作(大発作)
〈全般発作〉強直間代発作：強直間代発作(全般けいれん発作，大発作)／強直発作：全般けいれん発作／非定型欠伸発作：異型小発作
〈混合発作〉混合発作

解説 ベンズイソキサゾール系の比較的新しい抗けいれん薬です。作用の仕組みについては解明されていません。発作が伝わるのを防ぎ、てんかん原性焦点を抑制することなどが示唆されています。

使用上の注意

*ゾニサミド(エクセグラン)の添付文書による

基本的注意

(1)服用してはいけない場合……本剤の成分に対するアレルギーの前歴

(2)慎重に服用すべき場合……重い肝機能障害またはその前歴

(3)急な減量・中止……てんかんの人が本剤を連用中に服用量を急激に減らしたり中止したりすると、てんかん発作の重積状態が現れることがあります。自己判断で減量や中止をしないようにしてください。

(4)危険作業は中止……本剤を服用すると、眠け、注意力・集中力・反射運動能力などの低下がおこることがあります。服用中は、自動車の運転など危険を伴う機械の操作は行わないようにしてください。

(5)その他……

●妊婦での安全性:有益と判断されたときのみ服用。

●授乳婦での安全性:服用するときは授乳を中止。

●1歳未満の乳児での安全性:未確立。(1714頁を参照)

重大な副作用 ①皮膚粘膜眼症候群(スティブンス-ジョンソン症候群)、中毒性表皮壊死融解症(TEN)、剥脱性皮膚炎(紅皮症)。②過敏症症候群(発疹、発熱、リンパ節腫脹、肝機能障害、白血球増加、好酸球増多、異形リンパ球出現など)。③再生不良性貧血、無顆粒球症、血小板減少、赤芽球癆。④急性腎障害。⑤間質性肺炎(発熱、せき、呼吸困難など)。⑥肝機能障害、黄疸。⑦横紋筋融解症(筋肉痛、脱力感、CK上昇、血中・尿中ミオグロビンの上昇)。⑧腎・尿路結石(腎疝痛、排尿痛、血尿、結晶尿、頻尿、残尿感、乏尿など)。⑨発汗減少に伴う熱中症。⑩本剤服用中または服薬中止による悪性症候群(発熱、意識障害、無動無言、高度の筋硬直、不随意運動、嚥下困難、頻脈、発汗など)。⑪精神症状(幻覚、妄想、錯乱、せん妄など)。

そのほかにも報告された副作用はあるので、体調がいつもと違うと感じたときは、処方医・薬剤師に相談してください。

併用してはいけない薬 併用してはいけない薬は特にありません。ただし、併用する薬があるときは、念のため処方医・薬剤師に報告してください。

内 02 精神神経科の薬　03 けいれん・てんかんの薬

10 ピラセタム

製剤情報

一般名:ピラセタム

●保険収載年月…1999年11月

- 海外評価…4点 英 米 独 仏
- 剤形… 液 液剤
- 服用量と回数…1回4～7g(12～21mL)を1日3回。

■先発品　　商品名(メーカー)　規格・保険薬価
ミオカーム内服液(UCB＝大鵬)
液 33.3% 1mL 26.50 円

概　要

分類　抗けいれん・てんかん薬

処方目的　皮質性ミオクローヌスに対する抗てんかん薬などとの併用療法

解説　本剤は環状 γ-アミノ酪酸(サイクリック GABA)の誘導体(化合物)で，抗ミオクローヌス作用と抗てんかん作用を持っています。ミオクローヌスとは，自分の意思とは関係なく，筋肉が稲妻のように急に激しくぴくつく状態です。

使用上の注意

基本的注意

(1)服用してはいけない場合……本剤の成分に対するアレルギーの前歴／重症腎不全(クレアチニン・クリアランス 20mL／分以下)／脳出血またはその疑い

(2)慎重に服用すべき場合……腎機能障害(クレアチニン・クリアランス 20～60mL／分)／肝機能障害／出血傾向のある人／甲状腺機能亢進症／ハンチントン病

(3)インフォームド・コンセント……本剤は，国内では比較臨床試験が実施されていません。また，一般臨床試験において少数例で有効性と安全性が検討された薬剤です。処方医から十分に説明を受け，同意できる場合にのみ服用してください。

(4)急な減量・中止……服用量を急激に減らしたり中止すると，ミオクローヌス重積状態が現れることがあります。自己判断で減量や中止をしないようにしてください。

(5)長期服用……本剤を長期に服用していると，横紋筋融解症がおこる可能性があります。手足の筋肉の痛み，しびれ，けいれん，脱力，歩行困難，赤褐色の尿などの症状がみられたら，ただちに処方医へ連絡してください。

(6)危険作業は中止……本剤を服用すると，眠け，抑うつ，運動過剰などがおこることがあるので，自動車の運転など危険を伴う機械の操作は行わないようにしてください。

(7)その他……

- 妊婦での安全性：有益と判断されたときのみ服用。
- 授乳婦での安全性：治療上の有益性・母乳栄養の有益性を考慮し，授乳の継続・中止を検討。
- 小児での安全性：未確立。(1714 頁を参照)

重大な副作用
①服用量の急激な減量や中止によるけいれん発作。②白内障(目のかすみなど)。

　そのほかにも報告された副作用はあるので，体調がいつもと違うと感じたときは，処方医・薬剤師に相談してください。

併用してはいけない薬
併用してはいけない薬は特にありません。ただし，併用する薬があるときは，念のため処方医・薬剤師に報告してください。

内
02
―
03
―
11

ガバペンチン

内 02 精神神経科の薬　03 けいれん・てんかんの薬

11　ガバペンチン

💊 製剤情報

一般名：ガバペンチン

- 保険収載年月…2006年9月
- 海外評価…6点 英米独仏　●PC…C
- 剤形…錠錠剤，シロップ剤
- 服用量と回数…13歳以上は1日600〜1,800mg（シロップ剤は12〜36mL）を3回に分けて服用。1日最大2,400mg（48mL）。3〜13歳未満は処方医の指示通りに。

■**先発品**　　商品名（メーカー）　規格・保険薬価

ガバペン（富士製薬）錠200mg 1錠 27.60 円

錠300mg 1錠 36.40 円　　錠400mg 1錠 45.20 円

シ5% 1mL 17.20 円

一般名：ガバペンチン エナカルビル

- 保険収載年月…2012年4月
- 海外評価…2点 英米独仏　●PC…C
- 剤形…錠錠剤
- 服用量と回数…1日1回600mgを夕食後に服用。

■**先発品**　　商品名（メーカー）　規格・保険薬価

レグナイト（アステラス）錠300mg 1錠 80.70 円

📋 概　要

分類　抗けいれん・てんかん薬

処方目的　［ガバペンチン］他の抗てんかん薬で十分な効果が認められないてんかん患者の部分発作（二次性全般化発作を含む）に対する抗てんかん薬との併用療法
［ガバペンチン エナカルビル］中等度から高度の特発性レストレスレッグス症候群（下肢静止不能症候群）

解説　ガバペンチンは，脳の一部から興奮が始まる部分発作に対する治療薬です。今までの抗てんかん薬とは異なる新しい作用機序をもつ薬剤で，他の抗てんかん薬と併用して使用します。

　ガバペンチン エナカルビルはガバペンチンのプロドラッグで，服用すると生体内で直ちにガバペンチンに変換されるように設計されている薬です。適応はてんかんではなく，一般に「むずむず脚症候群」と呼ばれているレストレスレッグス症候群です。本剤は，原則としてドパミンアゴニスト（ドパミン受容体作動薬：プラミペキソール塩酸塩水和物）による治療で十分な効果が得られない場合，または症状の増悪などによりドパミンアゴニストが使用できない場合にかぎり使用されます。

📋 使用上の注意

＊ガバペンチン（ガバペン）の添付文書による

基本的注意

(1)服用してはいけない場合……本剤の成分に対する過敏症の前歴
［ガバペンチン エナカルビルのみ］重い腎機能障害（クレアチニン・クリアランス

30mL／分未満）

(2)慎重に服用すべき場合……腎機能障害／血液透析を行っている人／高齢者

(3)肥満……本剤を服用すると体重が増加することがあります。肥満の徴候が現れた場合は処方医に連絡し，食事療法，運動療法などによって肥満を解消してください。

(4)急な減量・中止……本剤を連用中に服用量を急激に減らしたり中止したりすると，てんかん発作の増悪またはてんかん重積状態が現れることがあります。自己判断で減量や中止をしないようにしてください。

(5)危険作業は中止……本剤を服用すると，傾眠，注意力・集中力・反射運動能力などの低下がおこることがあります。服用中は，自動車の運転など危険を伴う機械の操作は行わないようにしてください。

(6)その他……

● 妊婦での安全性：有益と判断されたときのみ服用。

● 授乳婦での安全性：治療上の有益性・母乳栄養の有益性を考慮し，授乳の継続・中止を検討。

● 3歳未満の小児での安全性：未確立。(1714頁を参照)

重大な副作用　①急性腎障害。②皮膚粘膜眼症候群(スティブンス-ジョンソン症候群)。③薬剤性過敏症症候群(発疹，発熱，肝機能障害などの臓器障害，リンパ節腫脹，白血球増加，好酸球増多，異型リンパ球出現など)。④肝炎，肝機能障害，黄疸。⑤横紋筋融解症(筋肉痛，脱力感など)。⑥アナフィラキシー(血管性浮腫，呼吸困難など)。

　そのほかにも報告された副作用はあるので，体調がいつもと違うと感じたときは，処方医・薬剤師に相談してください。

併用してはいけない薬　併用してはいけない薬は特にありません。ただし，併用する薬があるときは，念のため処方医・薬剤師に報告してください。

内 02 精神神経科の薬　03 けいれん・てんかんの薬

12 トピラマート

製剤情報

一般名：トピラマート

● 保険収載年月…2007年9月
● 海外評価…6点 英米独仏　●PC…C
● 剤形…錠 錠剤，細 細粒剤
● 服用量と回数…1回50mgを1日1〜2回の服用で開始。徐々に増量し，1日200〜400mgを2回に分けて服用。1日最大600mg。小児は処方医の指示通りに服用。

■先発品　　商品名(メーカー)　規格・保険薬価

| トピナ (協和キリン) 細 10% 1g 150.60 円 |
| 錠 25mg 1錠 38.60 円　錠 50mg 1錠 67.20 円 |
| 錠 100mg 1錠 110.40 円 |

■ジェネリック　　商品名(メーカー)　規格・保険薬価

| トピラマート (共和) 錠 25mg 1錠 13.70 円 |
| 錠 50mg 1錠 24.70 円 |
| トピラマート (共和＝日本ジェネリック) |
| 錠 100mg 1錠 38.00 円 |

内
02
─
03
─
12

トピラマート

📑 概　要

分類　抗けいれん・てんかん薬

処方目的　他の抗てんかん薬で十分な効果が認められないてんかん患者の部分発作（二次性全般化発作を含む）に対する抗てんかん薬との併用療法

解説　本剤はガバペンチンと同様に，脳の一部から興奮が始まる部分発作に対する治療薬です。今までの抗てんかん薬とは異なる新しい作用機序をもつ薬剤で，他の抗てんかん薬と併用して使用します。

🖐 使用上の注意

＊トピラマート（トピナ）の添付文書による

基本的注意

(1)**服用してはいけない場合**……本剤の成分に対するアレルギーの前歴

(2)**慎重に服用すべき場合**……閉塞隅角緑内障／アシドーシスの素因を持つ，またはアシドーシスを来しやすい治療を受けている人／腎機能障害・肝機能障害／うつ病で自殺企図の前歴，自殺念慮のある人／高齢者

(3)**急な減量・中止**……服用量を急激に減らしたり中止すると，てんかん発作の頻度が増加する可能性があります。自己判断で減量や中止をしないようにしてください。

(4)**水分を十分に**……①本剤を服用すると腎・尿路結石が現れることがあるので，結石を生じやすい人は十分に水分を摂取し，腹痛などがおこったらすぐに処方医に連絡してください。②また，発汗が減少することがあります。特に夏季に体温が上昇することがあるので，高温環境下をできるだけ避けるようにしてください。あらかじめ水分を補給しておくと症状が緩和される可能性があります。発汗減少，体温上昇などの症状が現れたらすぐに処方医に連絡してください。

(5)**体重減少**……本剤の服用中，特に長期服用時に体重が減少することがあります。定期的に体重を計測し，減少が認められた場合はすぐに処方医に連絡してください。

(6)**セイヨウオトギリソウ（セント・ジョーンズ・ワート）含有食品**……本剤の服用中は摂取してはいけません。本剤の代謝が促進され，血中濃度が低下するおそれがあります。

(7)**危険作業は中止**……本剤を服用すると，眠け，注意力・集中力・反射運動能力などの低下がおこることがあります。服用中は，自動車の運転など危険を伴う機械の操作は行わないようにしてください。

(8)**その他**……

● 妊婦での安全性：有益と判断されたときのみ服用。

● 授乳婦での安全性：治療上の有益性・母乳栄養の有益性を考慮し，授乳の継続・中止を検討。

● 小児での安全性：未確立。（1714頁を参照）

重大な副作用　①続発性閉塞隅角緑内障およびそれに伴う急性近視。②腎・尿路結石。③代謝性アシドーシス（過換気，不整脈，昏睡など）。④乏汗症（発汗減少）およびそれに伴う高熱。

　そのほかにも報告された副作用はあるので，体調がいつもと違うと感じたときは，処

方医・薬剤師に相談してください。

併用してはいけない薬 併用してはいけない薬は特にありません。ただし，併用する薬があるときは，念のため処方医・薬剤師に報告してください。

内 02 精神神経科の薬　03 けいれん・てんかんの薬

13 ラモトリギン

製剤情報

一般名：ラモトリギン

- 保険収載年月…2008年12月
- 海外評価…6点 **英 米 独 仏** ●PC…C
- 規制…劇薬
- 剤形…錠 錠剤
- 服用量と回数…単独療法の場合（てんかんの部分発作・強直間代発作，および双極性障害）は1日1回25mgから開始し徐々に増量，維持量はてんかんで1日100〜200mg，双極性障害で1日200mg，いずれも1日1〜2回に分けて服用，1日最大400mg。併用療法および小児は処方医の指示通りに。

■先発品　商品名（メーカー）　規格・保険薬価

ラミクタール（グラクソ）
錠 2mg 1錠（小児用）7.90 円
錠 5mg 1錠（小児用）15.50 円　錠 25mg 1錠 49.10 円
錠 100mg 1錠 128.20 円

■ジェネリック　商品名（メーカー）　規格・保険薬価

ラモトリギン（共和）錠 25mg 1錠 17.00 円
錠 100mg 1錠 44.30 円

ラモトリギン（沢井）錠 25mg 1錠 17.00 円
錠 100mg 1錠 44.30 円

ラモトリギン（東和）錠 25mg 1錠 17.00 円
錠 100mg 1錠 44.30 円

ラモトリギン（日医工）錠 25mg 1錠 14.50 円
錠 100mg 1錠 44.30 円

ラモトリギン（日本ジェネリック）
錠 25mg 1錠 30.50 円　錠 100mg 1錠 80.60 円

ラモトリギン小児用（共和）錠 2mg 1錠 5.90 円
錠 5mg 1錠 6.90 円

ラモトリギン小児用（沢井）錠 2mg 1錠 5.90 円
錠 5mg 1錠 6.90 円

ラモトリギン小児用（東和）錠 2mg 1錠 5.90 円
錠 5mg 1錠 6.90 円

ラモトリギン小児用（日医工）錠 2mg 1錠 5.90 円
錠 5mg 1錠 6.90 円

ラモトリギン小児用（日本ジェネリック）
錠 2mg 1錠 5.90 円　錠 5mg 1錠 7.80 円

概要

分類　抗けいれん・てんかん薬

処方目的　てんかん患者の以下の発作に対する単剤療法：部分発作（二次性全般化発作を含む），強直間代発作，定型欠神発作／他の抗てんかん薬で十分な効果が認められないてんかん患者の，以下の発作に対する抗てんかん薬との併用療法：部分発作（二次性全般化発作を含む），強直間代発作，レノックス・ガストー症候群における全般発作／双極性障害における気分エピソードの再発・再燃抑制

解説　本剤は，単独・併用療法どちらの場合も，服用量・服用方法の厳格な管理が必

要となるため，処方医の指示をきちんと守って服用してください。

　本剤を定型欠神発作に用いる場合，15歳以上の患者における有効性・安全性は確立していないため，15歳未満で本剤の治療を開始した人が15歳以降も継続して本剤を使用する場合には，状態を十分観察し，治療上の有益性が危険性を上回ると判断される場合にのみ服用を続けることができます。また，本剤は双極性障害（躁うつ病）における気分エピソードの再発・再燃抑制にも適応がありますが，双極性障害の急性期治療に関する本剤の有効性・安全性は確立していません。

使用上の注意
＊ラモトリギン（ラミクタール）の添付文書による

警告

　皮膚粘膜眼症候群（スティブンス-ジョンソン症候群），中毒性表皮壊死融解症（TEN），薬剤性過敏症症候群などの全身症状を伴う重篤な皮膚障害が現れることがあり，死亡に至った例も報告されています。皮膚障害の発現率は用法・用量を超えて本剤を服用した場合に高いことから，処方医の指示を必ず守ることが重要です。発疹に加え，発熱（38℃以上），眼の充血，口唇・口腔粘膜のびらん，咽頭痛，全身倦怠感，リンパ節腫脹などの症状が現れたら，服用を中止して直ちに処方医に連絡します。重篤な皮膚障害の発現率は小児に高いことが示されているので，特に注意してください。

基本的注意

(1)**服用してはいけない場合**……本剤の成分に対するアレルギーの前歴

(2)**慎重に服用すべき場合**……自殺念慮または自殺企図の前歴がある人，自殺念慮のある人／脳の器質的障害または統合失調症の素因がある人／肝機能障害／腎不全／他の抗てんかん薬に対するアレルギーの前歴，または発疹発現の前歴／ブルガダ症候群／小児，高齢者

(3)**急な減量・中止**……てんかんの場合，本剤を連用中に服用量を急激に減らしたり中止したりすると，てんかん発作の増悪またはてんかん重積状態が現れることがあります。自己判断で減量や中止をしないようにしてください。

(4)**皮膚障害**……本剤の服用による発疹は斑状・丘疹状に現れることが多く，重い皮膚障害の発現率は，服用開始から8週間以内に高く，また，バルプロ酸ナトリウムと併用した場合あるいは小児において高いことが示されています。服用を始めたら十分に注意し，異常が認められた場合には服用を中止し，ただちに処方医へ連絡してください。

(5)**危険作業は中止**……本剤を服用すると，眠け，注意力・集中力・反射運動能力などの低下がおこることがあります。服用中は，自動車の運転など危険を伴う機械の操作は行わないようにしてください。

(6)**その他**……

●妊婦での安全性：有益と判断されたときのみ服用。

●授乳婦での安全性：服用するときは授乳を中止。

●小児での安全性：未確立（2歳未満のてんかん，18歳未満の双極性障害の場合）（1714頁を参照）

重大な副作用　①皮膚粘膜眼症候群(スティブンス-ジョンソン症候群)，中毒性表皮壊死融解症(TEN)，多形紅斑。②薬剤性過敏症症候群(発疹，発熱，リンパ節症，顔面浮腫，血液障害，肝障害など)。③再生不良性貧血，汎血球減少，無顆粒球症。④血球貪食症候群(発熱，発疹，神経症状，脾腫，リンパ節腫脹，血球減少，高フェリチン血症，高トリグリセリド血症，肝機能障害，血液凝固障害など)。⑤肝炎，肝機能障害，黄疸。⑥無菌性髄膜炎(項部硬直，発熱，頭痛，悪心・嘔吐，意識混濁など)。

　そのほかにも報告された副作用はあるので，体調がいつもと違うと感じたときは，処方医・薬剤師に相談してください。

併用してはいけない薬　併用してはいけない薬は特にありません。ただし，併用する薬があるときは，念のため処方医・薬剤師に報告してください。

内
02
―
03
―
14

レベチラセタム

内 **02 精神神経科の薬　03 けいれん・てんかんの薬**

14　レベチラセタム

製剤情報

一般名：レベチラセタム

- 保険収載年月…2010年9月
- 海外評価…6点 英 米 独 仏　●PC…C
- 剤形…錠 錠剤，ド ドライシロップ剤
- 服用量と回数…1日1,000～3,000mg(ドライシロップ2～6g)を2回に分けて服用。小児は体重・症状により1日20～60mg／kg(50kg以上は大人用量)を2回に分けて服用。

■**先発品**　商品名(メーカー)　規格・保険薬価

イーケプラ (UCB) 錠 250mg 1錠 92.30 円
錠 500mg 1錠 150.50 円　ド 50% 1g 174.10 円

■**ジェネリック**　商品名(メーカー)　規格・保険薬価

レベチラセタム (共和) 錠 250mg 1錠 36.50 円
錠 500mg 1錠 59.50 円

レベチラセタム (キョーリン＝杏林)
錠 250mg 1錠 36.50 円　錠 500mg 1錠 59.50 円

レベチラセタム (沢井) 錠 250mg 1錠 36.50 円
錠 500mg 1錠 59.50 円

レベチラセタム (ダイト＝マイラン EPD＝ヴィアトリス) 錠 250mg 1錠 36.50 円
錠 500mg 1錠 59.50 円

レベチラセタム (高田) 錠 250mg 1錠 36.50 円
錠 500mg 1錠 59.50 円

レベチラセタム 写真 (東和＝共創未来＝三和)
錠 250mg 1錠 36.50 円　錠 500mg 1錠 59.50 円

レベチラセタム (日医工) 錠 250mg 1錠 36.50 円
錠 500mg 1錠 59.50 円　ド 50% 1g 81.50 円

レベチラセタム (日新) 錠 250mg 1錠 36.50 円
錠 500mg 1錠 59.50 円　ド 50% 1g 87.10 円

レベチラセタム (日本ジェネリック)
錠 250mg 1錠 36.50 円　錠 500mg 1錠 59.50 円
ド 50% 1g 87.10 円

レベチラセタム (フェルゼン)
錠 250mg 1錠 36.50 円　錠 500mg 1錠 59.50 円

レベチラセタム (MeijiSeika)
錠 250mg 1錠 36.50 円　錠 500mg 1錠 59.50 円
ド 50% 1g 87.10 円

レベチラセタム DS (キョーリン＝杏林)
ド 50% 1g 87.10 円

レベチラセタム DS (沢井) ド 50% 1g 81.50 円

レベチラセタム DS (高田) ド 50% 1g 87.10 円

レベチラセタム DS (東和＝共創未来＝三和)
ド 50% 1g 87.10 円

レベチラセタムドライシロップ (陽進堂)	レベチラセタム粒状錠 (沢井)
Ⅾ50% 1g 87.10円	錠250mg 1包 36.50円　錠500mg 1包 59.50円

概　要

分類　抗けいれん・てんかん薬

処方目的　てんかん患者の部分発作(二次性全般化発作を含む)／他の抗てんかん薬で十分な効果が認められないてんかん患者の強直間代発作に対する抗てんかん薬との併用療法

解説　すでに100カ国以上の国や地域で使用されている,新しい抗てんかん薬です。肝臓で代謝されずに排泄されるため,他の薬剤の影響を受けないことから使いやすく,他の抗てんかん薬にみられることのある認知機能低下が少ない薬です。世界では,成人の部分発作に対する併用療法の標準的な治療薬であり,また,ILAE(国際抗てんかん連盟)のガイドラインでは,成人の部分発作の単剤治療開始薬としてレベルAに分類されています。

使用上の注意

*レベチラセタム(イーケプラ)の添付文書による

基本的注意

(1)**服用してはいけない場合**……本剤の成分またはピロリドン誘導体に対するアレルギーの前歴

(2)**慎重に服用すべき場合**……腎機能障害,血液透析を受けている末期腎機能障害／重い肝機能障害／高齢者

(3)**精神症状に注意**……本剤を服用すると,易刺激性,錯乱,焦燥,興奮,攻撃性などの精神症状が現れ,自殺企図に至ることもあります。患者および家族はそのリスクについて十分な説明を受け,服用中は処方医と緊密に連絡を取り合うことが必要です。

(4)**急な減量・中止**……本剤の連用中に服用量を急激に減らしたり,服用を中止したりすると,てんかん発作の増悪またはてんかん重積状態が現れることがあります。自己判断で減量や中止をしないようにしてください。

(5)**小児の単剤療法**……小児の部分発作に対する単剤療法に関する臨床試験は国内・海外ともに行われていないことから,小児の部分発作に対する単剤療法に本剤を使用する場合,特に服用開始時には状態を十分に観察しながら行います。

(6)**危険作業は中止**……本剤を服用すると,眠け,注意力・集中力・反射運動能力などの低下がおこることがあります。服用中は,自動車の運転など危険を伴う機械の操作は行わないようにしてください。

(7)**その他**……

●妊婦での安全性:有益と判断されたときのみ服用。

●授乳婦での安全性:治療上の有益性・母乳栄養の有益性を考慮し,授乳の継続・中止を検討。

●低出生体重児,新生児,乳児,4歳未満の幼児での安全性:未確立。(1714頁を参照)

重大な副作用　　　①皮膚粘膜眼症候群(スティブンス・ジョンソン症候群),中毒性表皮壊死融解症(TEN)。②薬剤性過敏症症候群(発疹,発熱,肝機能障害,リン

パ節腫脹，白血球増加，好酸球増多，異型リンパ球出現など）。③重い血液障害（汎血球減少，無顆粒球症，白血球減少，好中球減少，血小板減少）。④肝不全，肝炎などの重い肝機能障害。⑤膵炎（激しい腹痛や発熱，吐きけ・嘔吐など）。⑥精神症状（易刺激性，錯乱，焦燥，興奮，攻撃性など），自殺企図。⑦横紋筋融解症（筋肉痛，脱力感など）。⑧急性腎障害。⑨悪性症候群（発熱，筋強剛，頻脈，意識障害，発汗過多など）。

そのほかにも報告された副作用はあるので，体調がいつもと違うと感じたときは，処方医・薬剤師に相談してください。

併用してはいけない薬 併用してはいけない薬は特にありません。ただし，併用する薬があるときは，念のため処方医・薬剤師に報告してください。

15 スチリペントール

製剤情報

一般名：スチリペントール

- 保険収載年月…2012年11月
- 海外評価…2点 英 米 独 仏
- 規制…劇薬
- 剤形…カ カプセル剤，ド ドライシロップ剤
- 服用量と回数…1日50mg／kg(体重)を2〜3

回に分けて食事中または食直後に服用。体重50kg以上の人は1日1,000〜2,500mgを服用。

■先発品 商品名(メーカー) 規格・保険薬価

ディアコミット (MeijiSeika)

カ 250mg 1カプセル 529.10 円　ド 250mg 1包 527.40 円

ド 500mg 1包 1,053.80 円

概要

分類 抗けいれん・てんかん薬

処方目的 クロバザムおよびバルプロ酸ナトリウムで十分な効果が認められないドラベ(Dravet)症候群における間代発作または強直間代発作に対するクロバザムおよびバルプロ酸ナトリウムとの併用療法

解説 ドラベ症候群(乳児重症ミオクロニーてんかん)は，乳児期に発症する代表的な難治性のてんかんで，多くは生後1年以内に発症します。

本剤は，クロバザム(マイスタン)やバルプロ酸ナトリウム(デパケン，セレニカRなど)で治療を行っても十分に改善しない場合，両剤と併用して用いられます。

使用上の注意

基本的注意

(1)服用してはいけない場合……本剤の成分に対するアレルギーの前歴

(2)慎重に服用すべき場合……肝機能障害／腎機能障害／血液障害／呼吸器疾患／QT延長／乳児(1歳未満)

(3)転倒……傾眠，運動失調(ふらつき)などが高頻度でおこり，転倒などを伴う可能性があります。異常を感じたら，すぐに処方医に連絡してください。

(4)急な減量・中止……急激に服用量を減らしたり，中止したりすると，てんかん発作の悪化，てんかん重積状態がおこることがあるので，絶対に自己判断で減量や中止をしないでください。

(5)飲食物……①本剤は，カフェインの血中濃度を上昇させることがあります。チョコレート，コーヒー，紅茶，日本茶，コーラなどのカフェイン含有食品と本剤を同時にとらないようにしてください。②本剤は，アルコールの中枢神経抑制作用を強めるため，本剤の服用中は減酒してください。

(6)危険作業は中止……本剤を服用すると，眠け，注意力・集中力・反射運動能力などの低下が現れるおそれがあります。服用中は，自動車の運転など危険を伴う機械の操作は行わないようにしてください。

(7)その他……
●妊婦での安全性：有益と判断されたときのみ服用。
●授乳婦での安全性：治療上の有益性・母乳栄養の有益性を考慮し，授乳の継続・中止を検討。
●小児での安全性（1歳未満）：有益と判断されたときのみ服用。（1714頁を参照）

重大な副作用　　①好中球減少症，血小板減少症。

　そのほかにも報告された副作用はあるので，体調がいつもと違うと感じたときは，処方医・薬剤師に相談してください。

併用してはいけない薬　　併用してはいけない薬は特にありません。ただし，併用する薬があるときは，念のため処方医・薬剤師に報告してください。

内 02 精神神経科の薬　03 けいれん・てんかんの薬
16 ルフィナミド

製剤情報
一般名：ルフィナミド
●保険収載月年…2013年5月
●海外評価…6点 英米独仏
●剤形…錠 錠剤
●服用量と回数…[4歳以上・体重15～30.0kg以下]1日200～1,000mgを2回に分けて服用。

[4歳以上・体重30.1kg以上]体重30.1～50.0kgの人は1日400～1,800mg，50.1～70.0kgは1日400～2,400mg，70.1kg以上は1日400～3,200mgを2回に分けて服用。

■先発品　　商品名(メーカー)　規格・保険薬価
イノベロン（エーザイ）錠 100mg 1錠 83.30 円
錠 200mg 1錠 136.20 円

概　要
分類　抗けいれん・てんかん薬
処方目的　他の抗てんかん薬で十分な効果が認められないレノックス・ガストー症候群における強直発作および脱力発作に対する抗てんかん薬との併用療法
解説　レノックス・ガストー症候群とは，主として小児に発症する難治性てんかんの一

つで，急に手足を突っ張る，意識だけがぼーっとする，手足をピクピクさせるなど，さまざまなタイプの発作をおこすのが特徴です。本剤は，この疾患を対象として日本では初めて発売された治療薬で，オーファンドラッグ(希少疾病用薬)の一つとして承認されています。

使用上の注意

基本的注意

(1)服用してはいけない場合……本剤の成分またはトリアゾール誘導体に対するアレルギーの前歴

(2)慎重に服用すべき場合……他の抗てんかん薬に対するアレルギーまたは発疹発現の前歴／肝機能障害／先天性 QT 短縮症候群／小児

(3)てんかん重積状態，発疹……本剤を服用すると，てんかん重積状態や発疹が現れることがあるので，異常を感じたらすぐに処方医へ連絡してください。

(4)急な減量・中止……本剤を連用中に急激に服用量を減らしたり，中止したりすると，てんかん発作の悪化，てんかん重積状態がおこることがあるので，絶対に自己判断で減量や中止をしないでください。

(5)危険作業は中止……本剤を服用すると，眠け，注意力・集中力・反射運動能力などの低下が現れることがあります。服用中は，自動車の運転など危険を伴う機械の操作は行わないようにしてください。

(6)その他……

● 妊婦での安全性：有益と判断されたときのみ服用。

● 授乳婦での安全性：治療上の有益性・母乳栄養の有益性を考慮し，授乳の継続・中止を検討。

● 小児(4 歳未満または体重 15kg 未満)での安全性：未確立。(1714 頁を参照)

重大な副作用

①薬剤性過敏症症候群(発疹，発熱，リンパ節腫脹，肝機能障害，血液障害など)。②皮膚粘膜眼症候群(スティブンス-ジョンソン症候群)。

そのほかにも報告された副作用はあるので，体調がいつもと違うと感じたときは，処方医・薬剤師に相談してください。

併用してはいけない薬

併用してはいけない薬は特にありません。ただし，併用する薬があるときは，念のため処方医・薬剤師に報告してください。

内 02 精神神経科の薬　03 けいれん・てんかんの薬

17 ビガバトリン

製剤情報

一般名：ビガバトリン

● 保険収載年月…2016年5月

● 海外評価…6点 英米独仏 ● PC…C

● 規制…劇薬

● 剤形…散剤

● 服用量と回数…1日50mg/kg(体重)から服用を開始。症状に応じて，3日以上の間隔をあけて1日服用量として50mg/kgを超えない範囲で漸増する。1日最大投与量は150mg/kgまたは

3gのいずれか低い方を超えないこととし，いずれも1日2回に分け，用時溶解して服用。

■先発品　　商品名（メーカー）・規格・保険薬価

サブリル散（サノフィ＝アルフレッサ）
散 500mg 1包 1,514.50 円

概　要

分類　抗けいれん・てんかん薬

処方目的　点頭てんかん

解説　点頭てんかんは小児期の稀な難治性のてんかんで，れん縮（スパズム），ヒプスアリスミアといわれる異常脳波および精神運動発達遅滞が特徴とされています。本剤は，脳内における抑制性神経伝達物質 GABA の分解酵素 GABA-T を特異的に阻害することで抗てんかん作用を発揮すると考えられています。

　本剤を服用すると，不可逆的な網膜障害による視野障害，視力障害がおこりやすいため，「サブリル処方登録システム」（Sabril Registration System for Prescription：SRSP，定期的に眼科検査を実施し，視野障害，視力障害の早期発見を目的として規定された手順）に登録した患者さんのみが本剤を服用することができます。

使用上の注意

警告

①本剤を服用した約3分の1の患者で，不可逆的な視野狭窄がおこることが報告されています。本剤の服用は，点頭てんかんの診断，治療に精通し，かつ本剤の安全性および有効性についての十分な知識を有し，サブリル処方登録システム（SRSP）に登録された医師・薬剤師がおり，網膜電図検査などの眼科検査に精通した眼科専門医と連携が可能な登録医療機関において，登録した患者のみが服用できます。

②本剤による視野狭窄の発現頻度は曝露期間の延長，累積服用量の増加に伴い高くなるため，服用開始時および服用中は SRSP に準拠して定期的に視野検査を含めた眼科検査を実施します。視野狭窄，あるいは網膜電図検査などで異常が認められた場合は，本剤による治療の継続の必要性を慎重に判断し，治療上の有益性が危険性を上回る場合にのみ本剤による治療を継続します。継続する場合には，より頻回に眼科検査を行い，本剤による治療の継続が適切であるかどうか定期的に判断することが必要です。

③本剤の服用にあたって，医師は患者または代諾者に本剤の有効性および危険性について文書によって説明し，文書で同意を取得することが必要です。

基本的注意

(1)服用してはいけない場合……本剤の成分に対するアレルギーの前歴／SRSP の規定を遵守できない人

(2)慎重に服用すべき場合……黄斑症，網膜症，緑内障または視神経萎縮の前歴または合併症を有する人／網膜症あるいは緑内障を引きおこすおそれがある薬剤を使用している人／腎機能障害／精神病性障害，うつ病，行動障害の前歴

(3)定期的に眼科検査……「警告」にもあるように，本剤の服用により不可逆的な視野障害および視力障害の発現が報告されています。本剤による視野障害は軽度から重度の両

側性求心性視野狭窄であり，通常鼻側から現れ，ほとんどの場合は耳側視野より鼻側視野が広範に欠損します。視野障害は3カ月程度で急激に発現または悪化することがあるため，本剤による視野障害をモニタリングするため，少なくとも3カ月に一度は視力検査，対座法による視野評価などを実施して視機能について確認します。また，網膜電図などによる視野検査を少なくとも服用開始時，服用3カ月，9カ月，12カ月，それ以降は少なくとも6カ月ごとに実施します。

(4)定期的に頭部MRI検査……本剤の服用により視床，基底核，脳幹，小脳などにおいて頭部MRI異常（T2強調画像高信号，拡散強調画像異常信号）の発現が報告されており，髄鞘内浮腫が認められているとする報告もあるため，本剤の服用開始時および服用期間中は定期的に頭部MRI検査を実施します。異常が認められた場合には，関連する神経症状の有無などの患者の状態を慎重に観察し，本剤のベネフィット・リスクを評価したうえで，本剤による治療継続の可否を判断します。

(5)急な減量・中止……急激に服用量を減らしたり中止したりすると，てんかん発作の悪化，てんかん重積状態がおこることがあるので，絶対に自己判断で減量や中止をしないでください。

(6)危険作業，遊戯は禁止……本剤の服用により眠気，注意力・集中力・反射運動能力などの低下がおこることがあるので，服用中には危険を伴う機械操作や遊戯などを行わないでください。また，代諾者は患者の行動に十分注意を払ってください。

(7)その他……
- 妊婦での安全性：未確立。有益と判断されたときのみ服用。
- 授乳婦での安全性：服用するときは授乳を中止。
- 低出生体重児・新生児での安全性：未確立。（1714頁を参照）

重大な副作用 ①不可逆的な網膜障害による視野障害，視力障害。②視神経萎縮，視神経炎。③てんかん重積状態，ミオクローヌス発作。④呼吸障害（呼吸停止，呼吸困難，呼吸不全など）。⑤脳症症状（鎮静，昏迷，錯乱，意識障害など）。⑥頭部MRI異常（視床，基底核，脳幹，小脳などに，T2強調画像高信号，拡散強調画像異常信号）。

そのほかにも報告された副作用はあるので，体調がいつもと違うと感じたときは，処方医・薬剤師に相談してください。

併用してはいけない薬 併用してはいけない薬は特にありません。ただし，併用する薬があるときは，念のため処方医・薬剤師に報告してください。

内 02 精神神経科の薬　03 けいれん・てんかんの薬
18 ペランパネル

製剤情報

一般名：ペランパネル水和物
- 保険収載年月…2016年5月
- 海外評価…5点 英米独仏　●PC…C
- 剤形…錠 錠剤，細 細粒剤
- 服用量と回数…部分発作での単独療法：1日1

回2mgの就寝前服用より開始し，その後2週間以上の間隔をあけて2mgずつ漸増する。維持用量は1日1回4〜8mg，1日最大8mg。併用療法では処方医の指示通りに服用。

■先発品　商品名(メーカー)　規格・保険薬価
フィコンパ 写真 (エーザイ) 錠 2mg 1錠 195.80 円
錠 4mg 1錠 319.80 円　細 1% 1g 1,065.70 円

概　要

分類　抗けいれん・てんかん薬

処方目的　てんかん患者の部分発作(二次性全般化発作を含む)／他の抗てんかん薬で十分な効果が認められないてんかん患者の強直間代発作に対する抗てんかん薬との併用療法

解説　本剤は，てんかん発作を誘導する神経伝達物質グルタミン酸の受容体(AMPA受容体)に対して選択的かつ非競合的に結合することで，グルタミン酸による神経の過剰興奮を直接抑制します。日本で創製された新規の作用機序をもつ抗てんかん薬で，他のメカニズムを主な薬理作用とする薬剤では奏効しにくい発作に対して効果があり，単剤療法だけでなく，他の抗てんかん薬との併用療法としても使用されます。

使用上の注意

基本的注意

(1)**服用してはいけない場合**……本剤の成分に対するアレルギーの前歴／重度の肝機能障害

(2)**慎重に服用すべき場合**……軽度・中等度の肝機能障害／重度の腎機能障害または透析中の末期腎障害／高齢者

(3)**精神症状に注意**……本剤を服用すると，易刺激性，攻撃性・敵意，不安などの精神症状が現れ，自殺企図に至ることもあります。患者および家族はそのリスクについて十分な説明を受け，服用中は処方医と緊密に連絡を取り合うことが必要です。

(4)**転倒**……運動失調(ふらつき)などが高頻度でおこり，転倒などを伴う可能性があります。異常を感じたら，すぐに処方医に連絡してください。特に高齢者は転倒しやすいので，十分に注意してください。

(5)**急な減量・中止**……急激に服用量を減らしたり中止したりすると，発作頻度が増加する可能性があるので，絶対に自己判断で減量や中止をしないでください。

(6)**飲食物**……①本剤を服用しているときはセイヨウオトギリソウ(セント・ジョーンズ・ワート)含有食品を摂取してはいけません。本剤の代謝が促進され，血中濃度が低下するおそれがあります。②本剤はアルコールの中枢神経抑制作用を強めるため，本剤の服用中は禁酒・減酒してください。

(7)**危険作業は中止**……本剤を服用すると，めまい，眠け，注意力・集中力・反射運動能力などの低下が現れるおそれがあります。服用中は，自動車の運転など危険を伴う機械の操作は行わないようにしてください。

(8)**その他**……

●妊婦での安全性：有益と判断されたときのみ服用。

●授乳婦での安全性：治療上の有益性・母乳栄養の有益性を考慮し，授乳の継続・中止

を検討。
● 小児での安全性：未確立。（1714 頁を参照）

重大な副作用　　　　①精神症状（易刺激性，攻撃性，不安，怒りなど）。
　そのほかにも報告された副作用はあるので，体調がいつもと違うと感じたときは，処方医・薬剤師に相談してください。

併用してはいけない薬　　　　併用してはいけない薬は特にありません。ただし，併用する薬があるときは，念のため処方医・薬剤師に報告してください。

内 **02** 精神神経科の薬　**03** けいれん・てんかんの薬

19 ラコサミド

製剤情報

一般名：ラコサミド

- 保険収載年月…2016年8月
- 海外評価…6点 英米独仏　● PC…C
- 規制…劇薬
- 剤形…錠錠剤，ド ドライシロップ剤
- 服用量と回数…1日100mg（ドライシロップは1g）より服用開始し，1週間以上の間隔をあけ

て1日用量として100mg（同1g）以下ずつ増量，維持用量1日200mg（同2g）。最大1日400mg（同4g）。いずれも1日2回に分けて服用。小児（4歳以上）は処方医の指示通りに服用。

■ **先発品**　　商品名（メーカー）　規格・保険薬価

ビムパット 写真 （UCB＝第一三共）

錠 50mg 1錠 218.90 円　　錠 100mg 1錠 355.60 円

ド 10% 1g 391.10 円

概　　要

分類　抗けいれん・てんかん薬

処方目的　　てんかん患者の部分発作（二次性全般化発作を含む）／他の抗てんかん薬で十分な効果が認められないてんかん患者の強直間代発作に対する抗てんかん薬との併用療法

解説　　てんかんは，脳内の神経細胞の異常な電気的興奮に伴って，発作的にけいれんなどがおこる病気です。本剤は，既存の抗てんかん薬とは異なる作用機序をもち，電位依存性ナトリウムチャネルの緩徐な不活性化を選択的に促進することで，神経細胞の過剰な興奮を低下させます。

使用上の注意

基本的注意

(1)**服用してはいけない場合**……本剤の成分に対するアレルギーの前歴／重度の肝機能障害

(2)**慎重に服用すべき場合**……心伝導障害や重度の心疾患（心筋梗塞，心不全など）の前歴，ナトリウムチャネル異常（ブルガダ症候群など）／重度の腎機能障害，血液透析を受けている末期腎機能障害／軽度または中等度の肝機能障害（Child-Pugh 分類 A，B）

(3)**精神症状に注意**……本剤を服用すると，易刺激性，興奮，攻撃性などの精神症状が現れ，自殺企図に至ることもあります。患者および家族はそのリスクについて十分な説

明を受け，服用中は患者の状態および病態の変化を注意深く観察するとともに，処方医と緊密に連絡を取り合うことが必要です。

(4)急な減量・中止……急激に服用量を減らしたり中止すると，てんかん発作の悪化，てんかん重積状態がおこることがあるので，自己判断で減量や中止をしないでください。

(5)危険作業は禁止……本剤を服用すると，浮動性めまい，霧視，眠け，注意力・集中力・反射運動能力などの低下がおこることがあるので，服用中は，自動車の運転など危険を伴う機械の操作は行わないようにしてください。

(6)その他……

- ●妊婦での安全性：未確立。有益と判断されたときのみ服用。
- ●授乳婦での安全性：治療上の有益性・母乳栄養の有益性を考慮し，授乳の継続・中止を検討。
- ●小児での安全性（4歳未満）：未確立。(1714頁を参照)

重大な副作用　①房室ブロック，徐脈，失神。②中毒性表皮壊死融解症（TEN），皮膚粘膜眼症候群（スティブンス‐ジョンソン症候群）。③薬剤性過敏症症候群（初期症状として発疹，発熱など）。④無顆粒球症。

　そのほかにも報告された副作用はあるので，体調がいつもと違うと感じたときは，処方医・薬剤師に相談してください。

併用してはいけない薬　併用してはいけない薬は特にありません。ただし，併用する薬があるときは，念のため処方医・薬剤師に報告してください。

内 **02 精神神経科の薬　03 けいれん・てんかんの薬**

20 ミダゾラム

製剤情報

一般名：ミダゾラム
- ●保険収載年月…2020年11月
- ●海外評価…6点 英 米 独 仏
- ●剤形…液 液剤
- ●服用量と回数…処方医の指示通りに投与（後述，基本的注意の(4)参照）。

■先発品　　商品名（メーカー）　規格・保険薬価

ブコラム口腔用液 （武田）
液 2.5mg0.5mL 1筒 1,125.80 円
液 5mg1mL 1筒 1,977.80 円
液 7.5mg1.5mL 1筒 2,750.00 円
液 10mg2mL 1筒 3,474.60 円

概　要

分類　抗けいれん・抗てんかん薬

処方目的　てんかん重積状態

解説　てんかん重積状態とは「発作がある程度の長さ以上に続くか，短い発作でも反復し，その間の意識の回復がないもの」（国際抗てんかん連盟）で，発作が5分以上持続する場合，後遺障害を残す可能性があることから速やかに治療を開始する必要があると

されています。

　てんかん重積状態の治療薬は，これまで注射薬しかありませんでした。そのため，発作がおこったら医療機関に救急搬送するしか方法がありませんでしたが，本剤は国内初の内服薬(頬粘膜投与用プレフィルドシリンジ製剤)で，医療機関だけでなく家庭などでも保護者などによって投与することができるようになりました。本剤の小児てんかん重積状態患者に対する奏効率は80%(国内第Ⅲ相試験)。現在のところ適応患者は18歳未満で，18歳以上の患者に対する有効性・安全性は確立していません。詳しくは「基本的注意」の(4)と(5)をご覧ください。

使用上の注意

警告

　処方医は，本剤を交付する際には，本剤交付前に保護者またはそれに代わる適切な人が自己投与できるよう，本剤の投与が必要な症状の判断方法，本剤の保存方法，使用方法，使用時に発現する可能性のある副作用などを，保護者またはそれに代わる適切な人が理解したことを確認したうえで交付すること。

基本的注意

(1)投与してはいけない場合……本剤の成分に対するアレルギーの前歴／重症筋無力症／急性閉塞隅角緑内障／ショックの患者，昏睡の患者，バイタルサインの抑制がみられる急性アルコール中毒の患者／HIV プロテアーゼ阻害薬(リトナビルを含有する製剤，アタザナビル硫酸塩，ホスアンプレナビルカルシウム水和物，ダルナビルを含有する製剤)，エファビレンツ，コビシスタットを含有する製剤の服用中

(2)特に慎重に投与すべき場合……①呼吸不全，心不全，重度の肝機能障害(Child-Pugh 分類 C)の患者→本剤投与前に酸素吸入器，吸引器具，挿管器具などの人工呼吸のできる器具および昇圧薬などの救急蘇生薬を手もとに準備し，救急蘇生の対応が可能な状況下でのみ投与すること。②呼吸機能障害(呼吸不全を除く)，睡眠時無呼吸症候群のある患者→必要時に救急蘇生のための医療機器などの使用が可能な状況下でのみ本剤を投与すること。

(3)慎重に投与すべき場合……心不全／衰弱患者／アルコールまたは薬物乱用の既往／重症の水分または電解質障害のある急性期患者／脳に器質的障害のある患者／慢性腎不全／中等度・軽度の肝機能障害／小児

(4)投与量・部位・場所……[投与量]通常，修正在胎52週(在胎週数＋出生後週数)以上1歳未満は1回2.5mg，1歳以上5歳未満は1回5mg，5歳以上10歳未満は1回7.5mg，10歳以上18歳未満は1回10mg。[投与部位]頬の粘膜。本剤のシリンジ(注射筒)液剤の全量を片側の頬粘膜にゆっくりと投与する。体格の小さい患者や用量が多い場合は，必要に応じて両側の頬粘膜に半量ずつ投与する。[投与の場所]生後3〜6カ月の乳幼児は医療機関でのみ投与。それ以上は医療機関または家庭などでも投与できる。

(5)保護者などの投与法と後処置……医師と十分に話し合い，患者向けの説明文書などを熟読し，日頃から本剤の使用方法について理解しておきます。①発作がおこったら，発作が自然におさまるかどうか静かに観察。目安として約5分。②5分たっても発作がお

さまらなければ「てんかん重積状態」と判断，シリンジの先端を下の歯茎と頬の間に入れて，本剤を全量，ゆっくりと投与する。本剤は頬粘膜より吸収されるため，投与時に可能なかぎり本剤を飲み込ませないように注意する。③原則として本剤投与後は救急搬送の手配を行い，10分以内に発作が停止しない場合や薬剤を全量投与できなかった場合，浅表性呼吸(浅く速い呼吸)や意識消失などが認められた場合は，医療機関に救急搬送する。その際，本剤の投与状況の確認のため，使用済みのシリンジを医療従事者に提示する。本剤投与後に発作が再発した場合でも本剤を追加投与はしないこと。

(6)グレープフルーツジュース……本剤の服用中はグレープフルーツジュースを飲まないようにします。併用すると本剤の血中濃度が上昇し，鎮静や呼吸抑制が現れるおそれがあります。

(7)危険作業は中止……投与により眠け，注意力・集中力・反射運動能力などの低下がおこることがあるので，危険を伴う機械の操作などには従事させないようにしてください。

(8)その他……

● 妊婦での安全性：有益と判断されたときのみ投与。

● 授乳婦での安全性：投与するときは授乳しないことが望ましい。

● 0～3カ月の乳幼児での安全性：未確立。(1714頁を参照)

> **重大な副作用** ①呼吸抑制(無呼吸，呼吸困難，呼吸停止など)。

　そのほかにも報告された副作用はあるので，体調がいつもと違うと感じたときは，処方医・薬剤師に相談してください。

> **併用してはいけない薬** HIVプロテアーゼ阻害薬〔リトナビルを含有する製剤(ノービア，カレトラ配合錠)，アタザナビル硫酸塩(レイアタッツ)，ホスアンプレナビルカルシウム水和物(レクシヴァ)，ダルナビルを含有する製剤(プリジスタ，プリジスタナイーブ，プレジコビックス配合錠，シムツーザ配合錠)〕，エファビレンツ(ストックリン)，コビシスタットを含有する製剤(スタリビルド配合錠，ゲンボイヤ配合錠，プレジコビックス配合錠，シムツーザ配合錠)→過度の鎮静や呼吸抑制をおこすおそれがあります。

内 02 精神神経科の薬　04 統合失調症の薬

01 フェノチアジン系薬剤

💊 製剤情報

一般名：クロルプロマジン塩酸塩

● 保険収載年月…1955年9月

● 海外評価…5点 英 米 独 仏

● 規制…劇薬(50mg以上の錠剤，細粒剤のみ)

● 剤形… 錠 錠剤， 細粒 細粒剤

● 服用量と回数…統合失調症など精神科領域：1日50～450mgを分けて服用。その他：1日30～100mgを分けて服用。

■ 先発品	商品名(メーカー)　規格・保険薬価
ウインタミン (共和) 細 10% 1g 6.50円	
クロルプロマジン塩酸塩 (鶴原)	
錠 25mg 1錠 9.40円	
コントミン 写真 (田辺三菱＝吉富)	
錠 12.5mg 1錠 9.40円	錠 25mg 1錠 9.40円
錠 50mg 1錠 9.40円	錠 100mg 1錠 9.40円

一般名：プロペリシアジン

- 保険収載年月…1965年11月
- 海外評価…3点 英 米 独 仏
- 規制…劇薬(細粒剤，液剤のみ)
- 剤形… 錠 錠剤, 細 細粒剤, 液 液剤
- 服用量と回数…1日10〜60mg(液剤1〜6mL)を分けて服用。

■ 先発品　　商品名(メーカー)　規格・保険薬価

ニューレプチル (高田) 細 10% 1g 42.00 円	
錠 5mg 1錠 5.70 円	錠 10mg 1錠 5.90 円
錠 25mg 1錠 10.90 円	液 1% 1mL 12.10 円

一般名：ペルフェナジン

- 保険収載年月…1959年3月
- 海外評価…6点 英 米 独 仏
- 規制…劇薬(散剤のみ)
- 剤形… 錠 錠剤, 散 散剤
- 服用量と回数…統合失調症：1日6〜48mgを分けて服用。術前・術後の悪心・嘔吐，メニエール症候群(めまい，耳鳴り)：1日6〜24mgを分けて服用。

■ 先発品　　商品名(メーカー)　規格・保険薬価

トリラホン (共和) 散 1% 1g 8.60 円	
錠 2mg 1錠 9.80 円	錠 4mg 1錠 9.80 円
錠 8mg 1錠 9.80 円	

一般名：フルフェナジンマレイン酸塩

- 保険収載年月…1961年11月
- 海外評価…6点 英 米 独 仏
- 規制…劇薬(散剤のみ)
- 剤形… 錠 錠剤, 散 散剤
- 服用量と回数…1日1〜10mgを分けて服用。

■ 先発品　　商品名(メーカー)　規格・保険薬価

フルメジン (田辺三菱＝吉富) 散 0.2% 1g 10.20 円	
錠 0.25mg 1錠 5.70 円	錠 0.5mg 1錠 5.70 円
錠 1mg 1錠 6.50 円	

一般名：プロクロルペラジンマレイン酸塩

- 保険収載年月…1958年4月
- 海外評価…4点 英 米 独 仏
- 剤形… 錠 錠剤
- 服用量と回数…統合失調症：1日15〜45mg(3〜9錠)を分けて服用。術前・術後などの悪心・嘔吐：1日5〜20mg(1〜4錠)を分けて服用。

■ 先発品　　商品名(メーカー)　規格・保険薬価

ノバミン (共和) 錠 5mg 1錠 9.80 円

一般名：ペルフェナジンマレイン酸塩

- 発売年月…1958年5月
- 海外評価…1点 英 米 独 仏
- 剤形… 錠 錠剤
- 服用量と回数…統合失調症：1日6〜48mgを分けて服用。術前・術後の悪心・嘔吐，メニエール症候群(めまい，耳鳴り)：1日6〜24mgを分けて服用。

■ 先発品　　商品名(メーカー)　規格・保険薬価

ピーゼットシー 写真 (田辺三菱＝吉富)	
錠 2mg 1錠 9.40 円	錠 4mg 1錠 9.40 円
錠 8mg 1錠 9.80 円	

一般名：ペルフェナジンフェンジゾ酸塩

- 発売年月…1960年5月
- 海外評価…0点 英 米 独 仏
- 剤形… 散 散剤
- 服用量と回数…統合失調症：1日6〜48mgを分けて服用。術前・術後の悪心・嘔吐，メニエール症候群(めまい，耳鳴り)：1日6〜24mgを分けて服用。

■ 先発品　　商品名(メーカー)　規格・保険薬価

ピーゼットシー (田辺三菱＝吉富) 散 1% 1g 8.20 円

一般名：レボメプロマジンマレイン酸塩

- 保険収載年月…1961年1月
- 海外評価…4点 英 米 独 仏
- 規制…劇薬(50mg 以上の錠剤，細粒剤，散

剤，顆粒剤のみ）
- **剤形**…錠錠剤，散散剤，細細粒剤，顆顆粒剤
- **服用量と回数**…1日25〜200mgを分けて服用。

■**先発品　商品名(メーカー)** 規格・保険薬価

ヒルナミン（共和）細 10% 1g 11.80 円
散 50% 1g 58.80 円　錠 5mg 1錠 5.70 円
錠 25mg 1錠 5.70 円　錠 50mg 1錠 6.30 円

レボトミン 写真（田辺三菱＝吉富）
散 10% 1g 10.00 円　顆 10% 1g 10.80 円
散 50% 1g 63.50 円　錠 5mg 1錠 5.70 円
錠 25mg 1錠 5.70 円　錠 50mg 1錠 5.90 円

■**ジェネリック　商品名(メーカー)** 規格・保険薬価

レボメプロマジン（鶴原）錠 25mg 1錠 5.70 円

概　要

分類　フェノチアジン系精神科用薬剤

処方目的　統合失調症

[**トリラホン，ノバミン，ピーゼットシーのみの適応症**] 術前・術後の悪心・嘔吐

[**トリラホン，ピーゼットシーのみの適応症**] メニエール症候群（めまい，耳鳴り）

[**クロルプロマジン塩酸塩(コントミンなど)のみの適応症**] 躁病／神経症による不安・緊張・抑うつ／悪心・嘔吐／しゃっくり／破傷風に伴うけいれん／麻酔前投薬／人工冬眠／催眠・鎮静・鎮痛薬の効力増強

[**レボメプロマジンマレイン酸塩(ヒルナミンなど)のみの適応症**] 躁病・うつ病における不安・緊張

解説　1950年代初期，それまで獣医が動物の寄生虫の治療に用いていたフェノチアジンの誘導体（化合物）であるクロルプロマジン塩酸塩を使うことで，統合失調症の治療は大きな転換期を迎え，多くの患者が外来治療で社会復帰が可能になりました。

　統合失調症では，脳内ドパミン作動性神経系が過敏になっていると考えられていますが，フェノチアジン系薬剤はシナプス後膜の受容体部をブロックして刺激の伝達を弱めると考えられています。

使用上の注意

＊クロルプロマジン塩酸塩（コントミン）の添付文書による

基本的注意

(1)**服用してはいけない場合**……昏睡状態・循環虚脱状態の人／バルビツール酸誘導体・麻酔薬などの中枢神経抑制薬の強い影響下にある人／アドレナリンの使用中（アナフィラキシーの救急治療に使用する場合を除く）／フェノチアジン系薬剤およびその類似薬剤に対するアレルギー

(2)**特に慎重に服用すべき場合(原則禁忌，処方医と連絡を絶やさないこと)**……皮質下部の脳障害（脳炎，脳腫瘍，頭部外傷後遺症など）の疑いがある人

(3)**慎重に服用すべき場合**……肝機能障害，血液障害／褐色細胞腫・動脈硬化症・心疾患の疑いがある人／重症ぜんそく，肺気腫，呼吸器感染症／てんかんなどのけいれん性疾患またはこれらの前歴／高温環境下にある人／脱水・栄養不良状態などを伴う身体的疲弊のある人／幼小児，高齢者

(4)**服用初期**……起立性低血圧がおこることがあります。急に立ち上がったとき，ふらつ

きやめまい，動悸，眼前暗黒感などがあるようなら，処方医へ連絡してください。

(5)**かくされる嘔吐**……本剤には嘔吐を抑える作用があるので，薬物中毒，腸閉塞，脳腫瘍などによる嘔吐症状をかくすことがあります。

(6)**突然死**……服用中，原因不明の突然死が報告されています。

(7)**血栓塞栓症**……肺塞栓症，深部静脈血栓症などの血栓塞栓症がおこることがあります。不動状態，長期臥床，肥満，脱水状態などの危険因子がある人は十分に注意して，息切れ，胸痛，四肢の疼痛，むくみなどがみられたらすぐに処方医に連絡してください。

(8)**殺虫剤**……服用中は，有機燐系の殺虫剤には触れないようにしてください。殺虫剤の毒性を強め，縮瞳や徐脈などの症状が現れることがあります。

(9)**悪性症候群**……本剤の服用によって悪性症候群がおこることがあります。無動緘黙〈緘黙＝無言症〉，強度の筋強剛，嚥下困難，頻脈，血圧の変動，発汗などが発現し，引き続いて発熱がみられたら，服用を中止して体を冷やす，水分を補給するなどして，ただちに処方医へ連絡してください。高熱が続き，意識障害，呼吸困難，循環虚脱，脱水症状，急性腎障害へと移行して死亡した例が報告されています。

(10)**危険作業は中止**……本剤を服用すると，眠け，注意力・集中力・反射運動能力などの低下がおこることがあります。服用中は，自動車の運転など危険を伴う機械の操作は行わないようにしてください。

(11)**その他**……

● 妊婦での安全性：原則として服用しない。
● 授乳婦での安全性：原則として服用しない。（1714頁を参照）

重大な副作用 ①悪性症候群。②血圧降下・心電図異常に続く突然死，心室頻拍。③長期服用による不随意運動（遅発性ジスキネジア，遅発性ジストニアなど）。④低ナトリウム血症，けいれん，意識障害などを伴う抗利尿ホルモン不適合分泌症候群（SIADH）。⑤再生不良性貧血，溶血性貧血，無顆粒球症，白血球減少。⑥長期または大量服用による眼障害（角膜・水晶体の混濁や網膜・角膜の色素沈着など）。⑦SLE（全身性エリテマトーデス）様症状（発熱，紅斑，筋肉痛，関節痛，リンパ節の腫れ，胸部痛など）。⑧食欲不振，悪心・嘔吐，著しい便秘などから移行する，麻痺性イレウス（腸閉塞）。⑨肝機能障害，黄疸。⑩筋肉痛，脱力感，血中・尿中ミオグロビンの上昇（尿が褐色に着色したら注意）を特徴とする横紋筋融解症。⑪肺塞栓症，深部静脈血栓症などの血栓塞栓症。

そのほかにも報告された副作用はあるので，体調がいつもと違うと感じたときは，処方医・薬剤師に相談してください。

併用してはいけない薬 アドレナリン（ボスミン；アナフィラキシーの救急治療に使用する場合を除く）→アドレナリンの作用を逆転させ，血圧降下をおこすことがあります。

02 ブチロフェノン系薬剤

製剤情報

一般名:ハロペリドール
- 保険収載年月…1965年12月
- 海外評価…6点 英 米 独 仏
- 規制…劇薬
- 剤形…錠錠剤, 細細粒剤, 液液剤
- 服用量と回数…1日0.75〜2.25mg(液剤は0.375〜1.125mL)から始め, 徐々に増量, 維持量は1日3〜6mg(液剤は1.5〜3mL)。

■**先発品**　商品名(メーカー)　規格・保険薬価

セレネース (住友ファーマ) 細 1% 1g 37.30 円
錠 0.75mg 1錠 7.90 円　錠 1mg 1錠 7.90 円
錠 1.5mg 1錠 9.60 円　錠 3mg 1錠 10.10 円
液 0.2% 1mL 17.60 円

■**ジェネリック**　商品名(メーカー)　規格・保険薬価

ハロペリドール (共和) 細 1% 1g 7.50 円
錠 0.75mg 1錠 6.00 円　錠 1mg 1錠 6.10 円
錠 1.5mg 1錠 6.10 円　錠 2mg 1錠 6.20 円
錠 3mg 1錠 6.40 円

ハロペリドール (高田) 細 1% 1g 12.30 円
錠 1mg 1錠 6.10 円　錠 2mg 1錠 6.20 円

ハロペリドール (田辺三菱=吉富)
細 1% 1g 12.30 円　錠 0.75mg 1錠 6.00 円
錠 1.5mg 1錠 6.10 円　錠 2mg 1錠 6.20 円
錠 3mg 1錠 6.40 円

ハロペリドール (長生堂=日本ジェネリック)
錠 0.75mg 1錠 6.00 円　錠 1mg 1錠 6.10 円
錠 1.5mg 1錠 6.10 円　錠 3mg 1錠 6.40 円

ハロペリドール (鶴原) 細 1% 1g 7.50 円
錠 1.5mg 1錠 6.10 円

ハロペリドール (東和) 細 1% 1g 7.50 円

一般名:ピパンペロン塩酸塩
- 保険収載年月…1967年10月

- 海外評価…2点 英 米 独 仏
- 剤形…錠錠剤
- 服用量と回数…最初の1〜2週間は1日50〜150mg, 徐々に増量し, 1日150〜600mgを3回に分けて服用。

■**先発品**　商品名(メーカー)　規格・保険薬価

プロピタン (サンノーバ=エーザイ)
錠 50mg 1錠 12.00 円

一般名:スピペロン
- 保険収載年月…1969年2月
- 海外評価…0点 英 米 独 仏
- 規制…劇薬
- 剤形…錠錠剤
- 服用量と回数…最初の約1週間は1日0.5〜1.5mg, 徐々に増量し, 1日1.5〜4.5mgを服用。

■**先発品**　商品名(メーカー)　規格・保険薬価

スピロピタン (サンノーバ=エーザイ)
錠 0.25mg 1錠 5.90 円　錠 1mg 1錠 15.20 円

一般名:チミペロン
- 保険収載年月…1984年3月
- 海外評価…0点 英 米 独 仏
- 規制…劇薬
- 剤形…錠錠剤, 細細粒剤
- 服用量と回数…1日0.5〜3mgから始め, 徐々に増量, 1日3〜12mgを分けて服用。

■**先発品**　商品名(メーカー)　規格・保険薬価

トロペロン (アルフレッサ=田辺三菱=吉富)
細 1% 1g 90.50 円　錠 0.5mg 1錠 6.10 円
錠 1mg 1錠 11.30 円　錠 3mg 1錠 31.60 円

■ジェネリック　商品名(メーカー)　規格・保険薬価

チミペロン (共和) 細 1% 1g 43.10 円
錠 0.5mg 1錠 5.90 円　錠 1mg 1錠 5.90 円
錠 3mg 1錠 15.90 円

一般名：ブロムペリドール

● 保険収載年月…1985年12月
● 海外評価…0点 英 米 独 仏
● 規制…劇薬
● 剤形… 錠 錠剤, 細 細粒剤

● 服用量と回数…1日3〜18mgを服用。1日36 mgまで増量可。

■ジェネリック　商品名(メーカー)　規格・保険薬価

ブロムペリドール (共和) 細 1% 1g 29.50 円
錠 1mg 1錠 5.70 円　錠 3mg 1錠 8.60 円
錠 6mg 1錠 15.50 円

ブロムペリドール (沢井) 細 1% 1g 29.50 円
錠 1mg 1錠 5.70 円　錠 3mg 1錠 8.00 円
錠 6mg 1錠 15.50 円

内
02
―
04
―
02

ブチロフェノン系薬剤

📋 概　　要

分類 　精神科用薬

処方目的 　統合失調症

[ハロペリドールのみの適応症] 躁病

解説 　この系列の代表的薬剤がハロペリドールで，これはフェノチアジン系のクロルプロマジン塩酸塩に比べて，幻覚や妄想によく効くといわれています。

✍ 使用上の注意

*ハロペリドール(セレネース)の添付文書による

基本的注意

(1)服用してはいけない場合……昏睡状態／バルビツール酸誘導体などの中枢神経抑制薬の強い影響下にある人／重い心不全／パーキンソン病，レビー小体型認知症／アドレナリンの使用中(アナフィラキシーの救急治療に使用する場合を除く)／本剤の成分またはブチロフェノン系薬剤に対するアレルギー／妊婦または妊娠している可能性のある人

(2)慎重に服用すべき場合……肝機能障害／心・血管疾患，低血圧，またはこれらの疑いのある人／QT延長をおこしやすい人／てんかんなどのけいれん性疾患またはこれらの前歴／甲状腺機能亢進状態／薬物過敏症／脱水・栄養不良状態などを伴う身体的疲弊のある人／高温環境下にある人／脳の器質的障害／高齢者，小児

(3)動物実験……①動物に長期間経口投与した試験で，下垂体，乳腺などでの腫瘍の発生頻度が対照群に比べて高いとの報告があります。

(4)かくされる嘔吐……本剤には嘔吐を抑える作用があるので，薬物中毒，腸閉塞，脳腫瘍などによる嘔吐症状をかくすことがあります。

(5)突然死……服用中，原因不明の突然死が報告されています。

(6)血栓塞栓症……肺塞栓症，深部静脈血栓症などの血栓塞栓症がおこることがあります。不動状態，長期臥床，肥満，脱水状態などの危険因子がある人は十分に注意して，息切れ，胸痛，四肢の疼痛，むくみなどがみられたらすぐに処方医に連絡してください。

(7)悪性症候群……本剤の服用によって悪性症候群がおこることがあります。無動緘黙〈緘黙＝無言症〉，強度の筋強剛，嚥下困難，頻脈，血圧の変動，発汗などが発現し，引き続い

て発熱がみられたら，服用を中止して体を冷やす，水分を補給するなどして，ただちに処方医へ連絡してください。高熱が続き，意識障害，呼吸困難，循環虚脱，脱水症状，急性腎障害へと移行して死亡した例が報告されています。

(8)危険作業は中止……本剤を服用すると，眠け，注意力・集中力・反射運動能力などの低下がおこることがあります。服用中は，自動車の運転など危険を伴う機械の操作は行わないようにしてください。

(9)その他……

● 授乳婦での安全性：服用するときは授乳を中止。(1714頁を参照)

重大な副作用 ①悪性症候群。②長期服用による遅発性ジスキネジア(口周部や四肢の不随意運動など)。③低ナトリウム血症，けいれん，意識障害などを伴う抗利尿ホルモン不適合分泌症候群(SIADH)。④無顆粒球症，白血球減少(初期症状として発熱，咽頭痛，全身倦怠など)，血小板減少(初期症状として皮下・粘膜下出血など)。⑤筋肉痛，脱力感，血中・尿中ミオグロビンの上昇(尿が褐色に着色したら注意)を特徴とする横紋筋融解症。⑥心室細動，心室頻拍，QT延長。⑦食欲不振，悪心・嘔吐，著しい便秘などから移行する麻痺性イレウス(腸閉塞)。⑧肺塞栓症，深部静脈血栓症などの血栓塞栓症。⑨肝機能障害，黄疸。

そのほかにも報告された副作用はあるので，体調がいつもと違うと感じたときは，処方医・薬剤師に相談してください。

併用してはいけない薬 アドレナリン(ボスミン：アナフィラキシーの救急治療に使用する場合を除く)→アドレナリンの作用を逆転させ，重い血圧降下をおこすことがあります。

内 02 精神神経科の薬　04 統合失調症の薬

03 イミノベンジル系抗精神病薬

💊 製剤情報

一般名：クロカプラミン塩酸塩水和物
- 保険収載年月…1974年2月
- 海外評価…0点 英 米 独 仏
- 剤形…錠 錠剤　顆 顆粒剤
- 服用量と回数…1日30〜150mg(顆粒として0.3〜1.5g)を3回に分けて服用。

■ 先発品　商品名(メーカー)　規格・保険薬価

クロフェクトン (全星＝田辺三菱＝吉富)
錠 10mg 1錠 8.70 円　錠 25mg 1錠 20.10 円
錠 50mg 1錠 38.70 円

クロフェクトン (田辺三菱＝吉富)
顆 10% 1g 68.90 円

一般名：モサプラミン塩酸塩
- 保険収載年月…1991年3月
- 海外評価…0点 英 米 独 仏
- 規制…劇薬
- 剤形…錠 錠剤，顆 顆粒剤
- 服用量と回数…1日30〜150mgを3回に分けて服用。1日300mgまで増量可。

■先発品　　商品名(メーカー)　規格・保険薬価

クレミン(田辺三菱＝吉富)　⃞顆 10％ 1g 121.90 円
⃞錠 10mg 1錠 14.10 円　⃞錠 25mg 1錠 32.30 円
⃞錠 50mg 1錠 63.20 円

概　　要

分類　精神科用薬

処方目的　統合失調症

解説　日本で最初に開発されたカルピプラミン塩酸塩水和物(現在は販売終了)に代表される抗精神病薬で，フェノチアジン系やブチロフェノン系薬剤と同じ様に使われます。抗精神病薬の場合に問題となる錐体外路系副作用は比較的弱いとされています。

使用上の注意

＊クロカプラミン塩酸塩(クロフェクトン)の添付文書による

基本的注意

(1)服用してはいけない場合……昏睡状態，循環虚脱状態の人／バルビツール酸誘導体・麻酔薬などの中枢神経抑制薬の強い影響下にある人／アドレナリンの使用中(アナフィラキシーの救急治療に使用する場合を除く)／本剤の成分またはイミノジベンジル系薬剤に対するアレルギー

(2)慎重に服用すべき場合……心・血管疾患，低血圧，またはこれらの疑い／肝機能障害／血液障害／てんかんなどのけいれん性疾患またはこれらの前歴／甲状腺機能亢進状態／薬物過敏症／脱水・栄養不良状態などを伴う身体的疲弊／高齢者，小児

(3)かくされる嘔吐……本剤には嘔吐を抑える作用があるので，薬物中毒，腸閉塞，脳腫瘍などによる嘔吐症状をかくすことがあります。

(4)突然死……服用中，原因不明の突然死が報告されています。

(5)血栓塞栓症……肺塞栓症，深部静脈血栓症などの血栓塞栓症がおこることがあります。不動状態，長期臥床，肥満，脱水状態などの危険因子がある人は十分に注意して，息切れ，胸痛，四肢の疼痛，むくみなどがみられたらすぐに処方医に連絡してください。

(6)悪性症候群……本剤の服用によって悪性症候群がおこることがあります。無動緘黙〈緘黙＝無言症〉，強度の筋強剛，嚥下困難，頻脈，血圧の変動，発汗などが発現し，引き続いて発熱がみられたら，服用を中止して体を冷やす，水分を補給するなどして，ただちに処方医へ連絡してください。高熱が続き，意識障害，呼吸困難，循環虚脱，脱水症状，急性腎障害へと移行して死亡した例が報告されています。

(7)危険作業は中止……本剤を服用すると，眠け，注意力・集中力・反射運動能力などの低下がおこることがあります。服用中は，自動車の運転など危険を伴う機械の操作は行わないようにしてください。

(8)その他……
●妊婦での安全性：原則として服用しない。
●小児での安全性：未確立。(1714 頁を参照)

重大な副作用 ①悪性症候群。②長期服用による，口周部などの不随意運動(遅発性ジスキネジア)。③低ナトリウム血症，けいれん，意識障害などを伴う抗利尿ホルモン不適合分泌症候群(SIADH)。④食欲不振，悪心・嘔吐，著しい便秘などから麻痺性イレウス(腸閉塞)。⑤無顆粒球症，白血球減少。⑥肺塞栓症，深部静脈血栓症などの血栓塞栓症。⑦その他，類似薬のブチロフェノン系薬剤(ハロペリドール)で心室頻拍が，フェノチアジン系・ブチロフェノン系薬剤の長期または大量服用で角膜・水晶体の混濁や角膜などの色素沈着が報告されています。

そのほかにも報告された副作用はあるので，体調がいつもと違うと感じたときは，処方医・薬剤師に相談してください。

併用してはいけない薬 アドレナリン(ボスミン：アナフィラキシーの救急治療に使用する場合を除く)→アドレナリンの作用を逆転させ，重い血圧降下をおこすことがあります。

内 02 精神神経科の薬　04 統合失調症の薬
04 ベンズアミド系抗精神病薬

製剤情報

一般名：スルピリド
- 保険収載年月…1974年2月
- 海外評価…4点 英 米 独 仏
- 規制…劇薬
- 剤形…錠 錠剤
- 服用量と回数…統合失調症：1日300〜600mgを分けて服用。1日1,200mgまで増量可。うつ病・うつ状態：1日150〜300mgを分けて服用。1日600mgまで増量可。

■**先発品** 商品名(メーカー) 規格・保険薬価
ドグマチール(日医工) 錠 100mg 1錠 12.10 円
錠 200mg 1錠 15.70 円

■**ジェネリック** 商品名(メーカー) 規格・保険薬価
スルピリド(共和) 錠 100mg 1錠 6.40 円
錠 200mg 1錠 8.00 円
スルピリド(沢井) 錠 100mg 1錠 6.40 円
錠 200mg 1錠 8.00 円
スルピリド(武田テバ薬品＝武田テバファーマ＝武田＝ファイザー) 錠 100mg 1錠 6.40 円
錠 200mg 1錠 8.00 円

スルピリド(東和) 錠 100mg 1錠 6.40 円
錠 200mg 1錠 8.00 円

一般名：チアプリド塩酸塩
- 保険収載年月…1987年5月
- 海外評価…1点 英 米 独 仏
- 剤形…錠 錠剤，細 細粒剤
- 服用量と回数…1日75〜150mgを3回に分けて服用。パーキンソニズムに伴うジスキネジアには1日1回25mgからの開始を推奨。

■**先発品** 商品名(メーカー) 規格・保険薬価
グラマリール(日医工) 細 10% 1g 26.70 円
錠 25mg 1錠 15.80 円 錠 50mg 1錠 20.10 円

■**ジェネリック** 商品名(メーカー) 規格・保険薬価
チアプリド(沢井) 細 10% 1g 12.70 円
錠 25mg 1錠 7.90 円 錠 50mg 1錠 10.10 円
チアプリド(武田テバファーマ＝武田)
錠 25mg 1錠 7.90 円 錠 50mg 1錠 10.10 円
チアプリド(長生堂＝日本ジェネリック)
細 10% 1g 12.70 円 錠 25mg 1錠 7.90 円
錠 50mg 1錠 10.10 円

チアプリド (日医工ファーマ＝日医工)

細 10% 1g 12.70 円　錠 25mg 1錠 7.90 円

錠 50mg 1錠 10.10 円

チアプリド (日新)　錠 25mg 1錠 7.90 円

錠 50mg 1錠 10.10 円

一般名：ネモナプリド

- 保険収載年月…1991年5月
- 海外評価…0点 英 米 独 仏
- 規制…劇薬
- 剤形…錠 錠剤
- 服用量と回数…1日9〜36mgを分けて服用。1日60mgまで増量可。

■先発品　　商品名(メーカー)　規格・保険薬価

エミレース (LTLファーマ)　錠 3mg 1錠 16.30 円

錠 10mg 1錠 49.70 円

一般名：スルトプリド塩酸塩

- 保険収載年月…1989年4月
- 海外評価…0点 英 米 独 仏
- 規制…劇薬
- 剤形…錠 錠剤, 細 細粒剤
- 服用量と回数…1日300〜600mgを分けて服用。1日1,800mgまで増量可。

■先発品　　商品名(メーカー)　規格・保険薬価

バルネチール (共和)　細 50% 1g 63.00 円

錠 50mg 1錠 12.00 円　錠 100mg 1錠 17.20 円

錠 200mg 1錠 26.10 円

内
02
—
04
—
04

ベンズアミド系抗精神病薬

📋 概　　要

分類　精神科用薬

処方目的　[スルピリドの適応症] 統合失調症，うつ病・うつ状態／(胃・十二指腸潰瘍)
[チアプリド塩酸塩の適応症] 脳梗塞後遺症に伴う攻撃的行為・精神興奮・徘徊・せん妄の改善／特発性ジスキネジアおよびパーキンソニズムに伴うジスキネジア
[ネモナプリドの適応症] 統合失調症
[スルトプリド塩酸塩の適応症] 躁病，統合失調症の興奮・幻覚・妄想状態

解説　スルピリドは抗精神病薬としてだけでなく，胃・十二指腸潰瘍の薬としても用いられます。チアプリド塩酸塩，ネモナプリド，スルトプリド塩酸塩はスルピリドの誘導体(化合物)です。

使用上の注意

＊スルピリド(ドグマチール)，スルトプリド塩酸塩(バルネチール)の添付文書による

基本的注意

(1)服用してはいけない場合……本剤の成分に対するアレルギーの前歴／プロラクチン分泌性の下垂体腫瘍(プロラクチノーマ)／[スルピリドのみ]褐色細胞腫の疑いのある人／[スルトプリド塩酸塩のみ]昏睡状態／バルビツール酸誘導体などの中枢神経抑制薬の強い影響下にある人／重症の心不全／パーキンソン病またはレビー小体型認知症／脳障害(脳炎，脳腫瘍，頭部外傷後遺症など)の疑いのある人／QT延長をおこすことが知られている薬剤(イミプラミン塩酸塩，ピモジドなど)の服用中
(2)慎重に服用すべき場合……心・血管疾患，低血圧，またはこれらの疑いのある人／QT延長のある人，QT延長をおこしやすい人(著しい徐脈，低カリウム血症など)／脱水・栄養不良状態などを伴う身体的疲弊のある人／不動状態，長期臥床，肥満，脱水状

態などの危険因子のある人／腎機能障害／高齢者／[スルピリドのみ]パーキンソ病または
レビー小体型認知症／[スルトプリド塩酸塩のみ]てんかんなどのけいれん性疾患、またはこれらの前歴／自殺企図の前歴および自殺念慮のある人／うつ状態／甲状腺機能亢進状態／褐色細胞腫の疑いがある人／肝機能障害

(3)血栓塞栓症……肺塞栓症，深部静脈血栓症などの血栓塞栓症がおこることがあります。不動状態，長期臥床，肥満，脱水状態などの危険因子がある人は十分に注意して，息切れ，胸痛，四肢の疼痛，むくみなどがみられたらすぐに処方医に連絡してください。

(4)かくされる嘔吐……本剤には嘔吐を抑える作用があるので，薬物中毒，腸閉塞，脳腫瘍などによる嘔吐症状をかくすことがあります。

(5)悪性症候群……本剤の服用によって悪性症候群がおこることがあります。無動緘黙〈緘黙＝無言症〉，強度の筋強剛，嚥下困難，頻脈，血圧の変動，発汗などが発現し，引き続いて発熱がみられたら，服用を中止して体を冷やす，水分を補給するなどして，ただちに処方医へ連絡してください。高熱が続き，意識障害，呼吸困難，循環虚脱，脱水症状，急性腎障害へと移行して死亡した例が報告されています。

(6)危険作業は中止……本剤を服用すると，眠け，めまいなどがおこることがあります。服用中は，自動車の運転など危険を伴う機械の操作は行わないようにしてください。

(7)その他……

● 妊婦での安全性：有益と判断されたときのみ服用。

● 授乳婦での安全性：服用するときは授乳しないことが望ましい。

● 小児での安全性：未確立。(1714 頁を参照)

重大な副作用　　　　[スルピリド] ①悪性症候群。②けいれん。③QT 延長，心室頻拍。④無顆粒球症，白血球減少。⑤肝機能障害，黄疸。⑥長期服用による口周部などの不随意運動(遅発性ジスキネジア)。⑦肺塞栓症，静脈血栓症などの血栓塞栓症(息切れ，胸痛，四肢の疼痛，むくみなど)。

[チアプリド塩酸塩] ①悪性症候群。②昏睡。③けいれん。④QT 延長，心室頻拍。

[ネモナプリド] ①悪性症候群。②無顆粒球症，白血球減少。③肝機能障害，黄疸。④肺塞栓症，静脈血栓症などの血栓塞栓症(息切れ，胸痛，四肢の疼痛，むくみなど)。

[スルトプリド塩酸塩] ①悪性症候群。②麻痺性イレウス(腸管麻痺：食欲不振，悪心・嘔吐，著しい便秘，腹部の膨満・弛緩，腸内容物のうっ滞など)。③けいれん。④長期服用による口周部などの不随意運動(遅発性ジスキネジア)。⑤QT 延長，心室頻拍。⑥無顆粒球症，白血球減少。⑦肺塞栓症，静脈血栓症などの血栓塞栓症(息切れ，胸痛，四肢の疼痛，むくみなど)。

　そのほかにも報告された副作用はあるので，体調がいつもと違うと感じたときは，処方医・薬剤師に相談してください。

併用してはいけない薬　　　　[スルトプリド塩酸塩] QT 延長をおこすことが知られている薬剤(イミプラミン塩酸塩，ピモジドなど)→QT 延長，心室性不整脈などの重い副作用をおこすおそれがあります。

内
02
—
04
—
05

非定型抗精神病薬

02 精神神経科の薬　04 統合失調症の薬

05　非定型抗精神病薬

製剤情報

一般名：クエチアピンフマル酸塩
- 保険収載年月…2001年2月
- 海外評価…5点 英米独仏　●PC…C
- 規制…劇薬
- 剤形…錠錠剤, 細細粒剤
- 服用量と回数…1回25mg, 1日2〜3回から開始し徐々に増量, 通常1日150〜600mgを2〜3回に分けて服用。1日最大750mg。

■先発品　商品名(メーカー)　規格・保険薬価

セロクエル 写真 (アステラス) 細 50% 1g 387.50 円
錠 25mg 1錠 25.10 円　錠 100mg 1錠 63.10 円
錠 200mg 1錠 114.00 円

■ジェネリック　商品名(メーカー)　規格・保険薬価

クエチアピン (共創未来) 錠 25mg 1錠 10.10 円
錠 100mg 1錠 28.90 円　錠 200mg 1錠 37.50 円

クエチアピン (共和) 細 10% 1g 40.40 円
細 50% 1g 155.00 円　錠 12.5mg 1錠 10.10 円
錠 25mg 1錠 10.10 円　錠 50mg 1錠 15.50 円
錠 100mg 1錠 21.80 円　錠 200mg 1錠 37.50 円

クエチアピン (小林化工) 細 50% 1g 155.00 円
錠 12.5mg 1錠 10.10 円　錠 25mg 1錠 10.10 円
錠 50mg 1錠 15.50 円　錠 100mg 1錠 21.80 円
錠 200mg 1錠 53.60 円

クエチアピン (沢井) 細 50% 1g 155.00 円
錠 25mg 1錠 10.10 円　錠 50mg 1錠 15.50 円
錠 100mg 1錠 28.90 円　錠 200mg 1錠 53.60 円

クエチアピン (サンド) 錠 25mg 1錠 10.10 円
錠 100mg 1錠 21.80 円　錠 200mg 1錠 37.50 円

クエチアピン (シオノ＝三和) 細 50% 1g 155.00 円
錠 25mg 1錠 10.10 円　錠 100mg 1錠 28.90 円
錠 200mg 1錠 53.60 円

クエチアピン 写真 (第一三共エスファ)
錠 25mg 1錠 10.10 円　錠 100mg 1錠 28.90 円
錠 200mg 1錠 53.60 円

クエチアピン (武田テバファーマ＝武田)
細 50% 1g 155.00 円

クエチアピン (高田＝エルメッド＝日医工)
細 50% 1g 155.00 円　錠 25mg 1錠 10.10 円
錠 50mg 1錠 15.50 円　錠 100mg 1錠 28.90 円
錠 200mg 1錠 53.60 円

クエチアピン (東和) 細 50% 1g 155.00 円
錠 25mg 1錠 10.10 円　錠 100mg 1錠 21.80 円
錠 200mg 1錠 53.60 円

クエチアピン (日医工) 錠 25mg 1錠 10.10 円
錠 100mg 1錠 21.80 円　錠 200mg 1錠 37.50 円

クエチアピン (日新) 錠 25mg 1錠 10.10 円
錠 100mg 1錠 28.90 円　錠 200mg 1錠 53.60 円

クエチアピン (ニプロ ES＝吉富)
細 50% 1g 155.00 円

クエチアピン (ニプロ ES＝ニプロ＝吉富)
錠 25mg 1錠 10.10 円　錠 100mg 1錠 28.90 円
錠 200mg 1錠 53.60 円

クエチアピン (日本ジェネリック)
錠 25mg 1錠 10.10 円　錠 100mg 1錠 33.60 円
錠 200mg 1錠 63.20 円

クエチアピン (ファイザー) 錠 25mg 1錠 10.10 円
錠 100mg 1錠 21.80 円　錠 200mg 1錠 37.50 円

クエチアピン (MeijiSeika) 細 50% 1g 155.00 円
錠 12.5mg 1錠 10.10 円　錠 25mg 1錠 10.10 円
錠 50mg 1錠 15.50 円　錠 100mg 1錠 28.90 円
錠 200mg 1錠 53.60 円

一般名：クエチアピンフマル酸塩(徐放剤)
- 保険収載年月…2017年8月
- 海外評価…5点 英米独仏　●PC…C

- 規制…劇薬
- 剤形…錠 錠剤
- 服用量と回数…1回50mgより開始し,2日以上の間隔をあけて1回150mgへ増量。さらに2日以上の間隔をあけて推奨用量の1回300mgに増量。いずれも1日1回就寝前に,食後2時間以上あけて服用。

■先発品　　商品名(メーカー)　規格・保険薬価

ビプレッソ徐放錠 (アステラス＝共和)
錠 50mg 1錠 60.10 円　錠 150mg 1錠 159.70 円

一般名：ペロスピロン塩酸塩水和物
- 保険収載年月…2001年2月
- 海外評価…0点 英 米 独 仏
- 規制…劇薬
- 剤形…錠 錠剤
- 服用量と回数…1日12〜48mgを3回に分けて服用。1日最大48mg。

■先発品　　商品名(メーカー)　規格・保険薬価

ルーラン (住友ファーマ)　錠 4mg 1錠 13.00 円
錠 8mg 1錠 24.60 円　錠 16mg 1錠 43.90 円

■ジェネリック　　商品名(メーカー)　規格・保険薬価

ペロスピロン塩酸塩 (共和)　錠 4mg 1錠 6.80 円
錠 8mg 1錠 13.00 円　錠 16mg 1錠 22.10 円

一般名：リスペリドン
- 保険収載年月…1996年6月
- 海外評価…6点 英 米 独 仏　●PC…C
- 規制…劇薬
- 剤形…錠 錠剤, 細 細粒剤, 液 液剤
- 服用量と回数…統合失調症：1日2〜6mg(液剤2〜6mL)を原則として2回に分けて服用。1日最大12mg(12mL)。小児期の自閉スペクトラム症に伴う易刺激性：処方医の指示通りに服用。

■先発品　　商品名(メーカー)　規格・保険薬価

リスパダール 写真 (ヤンセン)　細 1% 1g 141.10 円
錠 1mg 1錠 18.80 円　錠 2mg 1錠 29.30 円
錠 3mg 1錠 40.70 円　液 0.1% 1mL 51.00 円

リスパダール OD (ヤンセン)
錠 0.5mg 1錠 10.30 円　錠 1mg 1錠 18.80 円
錠 2mg 1錠 29.30 円

■ジェネリック　　商品名(メーカー)　規格・保険薬価

リスペリドン (大原) 細 1% 1g 52.50 円
錠 1mg 1錠 10.10 円　錠 2mg 1錠 10.10 円
錠 3mg 1錠 24.90 円

リスペリドン (共和) 細 1% 1g 52.50 円
錠 0.5mg 1錠 10.10 円　錠 1mg 1錠 10.10 円
錠 2mg 1錠 10.10 円　錠 3mg 1錠 13.90 円
液 0.1% 1mL 26.40 円　液 0.1%0.5mL 1包 17.70 円
液 0.1%1mL 1包 37.10 円　液 0.1%2mL 1包 45.90 円
液 0.1%3mL 1包 66.20 円

リスペリドン (皇漢堂) 0.5mg 1錠 10.10 円
錠 1mg 1錠 10.10 円　錠 2mg 1錠 10.10 円
錠 3mg 1錠 13.90 円

リスペリドン (小林化工＝MeijiSeika)
細 1% 1g 85.70 円　錠 0.5mg 1錠 10.10 円
錠 1mg 1錠 10.10 円　錠 2mg 1錠 16.60 円
錠 3mg 1錠 24.90 円　液 0.1% 1mL 26.40 円

リスペリドン (沢井) 細 1% 1g 85.70 円
錠 1mg 1錠 10.10 円　錠 2mg 1錠 16.60 円
錠 3mg 1錠 24.90 円

リスペリドン (全星＝田辺三菱＝吉富)
細 1% 1g 85.70 円　錠 0.5mg 1錠 10.10 円
錠 1mg 1錠 10.10 円　錠 2mg 1錠 16.60 円
錠 3mg 1錠 24.90 円

リスペリドン (高田) 細 1% 1g 52.50 円
錠 1mg 1錠 10.10 円　錠 2mg 1錠 16.60 円
錠 3mg 1錠 13.90 円　液 0.1% 1mL 26.40 円

リスペリドン (長生堂＝日本ジェネリック)
細 1% 1g 52.50 円　錠 1mg 1錠 10.10 円
錠 2mg 1錠 10.10 円　錠 3mg 1錠 13.90 円

リスペリドン 写真 (同仁＝田辺三菱＝吉富)
液 0.1% 1mL 36.20 円

リスペリドン 写真 (東和) 細 1% 1g 52.50 円
錠 1mg 1錠 10.10 円　錠 2mg 1錠 10.10 円
錠 3mg 1錠 24.90 円　液 0.1% 1mL 36.20 円

リスペリドン（日医工）細 1% 1g 85.70 円

錠 1mg 1錠 10.10 円　錠 2mg 1錠 10.10 円

錠 3mg 1錠 13.90 円　液 0.1%0.5mL 1包 17.70 円

液 0.1%1mL 1包 37.10 円　液 0.1%2mL 1包 45.90 円

液 0.1%3mL 1包 66.20 円

リスペリドン（ニプロ）細 1% 1g 85.70 円

錠 0.5mg 1錠 10.10 円　錠 1mg 1錠 10.10 円

錠 2mg 1錠 10.10 円　錠 3mg 1錠 24.90 円

リスペリドン（ファイザー）細 1% 1g 52.50 円

リスペリドン OD（共和）錠 0.5mg 1錠 10.10 円

錠 1mg 1錠 10.10 円　錠 2mg 1錠 10.10 円

錠 3mg 1錠 13.90 円

リスペリドン OD（沢井）錠 0.5mg 1錠 10.10 円

錠 2mg 1錠 16.60 円　錠 3mg 1錠 24.90 円

リスペリドン OD 写真（沢井＝日本ジェネリック）

錠 1mg 1錠 10.10 円

リスペリドン OD（全星＝田辺三菱＝吉富）

錠 0.5mg 1錠 10.10 円　錠 1mg 1錠 10.10 円

錠 2mg 1錠 16.60 円　錠 3mg 1錠 24.90 円

リスペリドン OD（高田）錠 0.5mg 1錠 10.10 円

錠 1mg 1錠 10.10 円　錠 2mg 1錠 10.10 円

錠 3mg 1錠 13.90 円

リスペリドン OD 写真（東和）

錠 0.5mg 1錠 10.10 円　錠 1mg 1錠 10.10 円

錠 2mg 1錠 10.10 円　錠 3mg 1錠 24.90 円

一般名：パリペリドン

- 保険収載年月…2010年12月
- 海外評価…5点 英 米 独 仏　●PC…C
- 規制…劇薬
- 剤形…錠 錠剤
- 服用量と回数…1日6mgを朝食後に1回服用。
  1日最大12mg。

■先発品　　商品名（メーカー）　規格・保険薬価

インヴェガ 写真（ヤンセン）錠 3mg 1錠 255.10 円

錠 6mg 1錠 469.00 円　錠 9mg 1錠 595.40 円

一般名：アリピプラゾール

- 保険収載年月…2006年6月

- 海外評価…6点 英 米 独 仏　●PC…C
- 規制…劇薬
- 剤形…錠 錠剤，散 散剤，細 細粒剤，液 液剤
- 服用量と回数…統合失調症：1日6〜24mg（液剤6〜24mL）を1〜2回に分けて服用。1日最大30mg。双極性障害：12〜24mg（液剤12〜24mL）を1日1回服用。1日最大30mg。うつ病・うつ状態：3mg（液剤3mL）を1日1回服用。1日最大15mg。小児期の自閉スペクトラム症に伴う易刺激性：1〜15mg（液剤1〜15mL）を1日1回。

■先発品　　商品名（メーカー）　規格・保険薬価

エビリファイ（大塚）散 1% 1g 102.30 円

錠 1mg 1錠 22.60 円　錠 3mg 1錠 50.00 円

錠 6mg 1錠 95.50 円　錠 12mg 1錠 179.10 円

液 0.1% 1mL 48.90 円

エビリファイ OD（大塚）錠 3mg 1錠 50.00 円

錠 6mg 1錠 95.50 円　錠 12mg 1錠 179.10 円

錠 24mg 1錠 371.30 円

■ジェネリック　　商品名（メーカー）　規格・保険薬価

アリピプラゾール（大原）錠 24mg 1錠 59.60 円

アリピプラゾール（大原＝共創未来）

散 1% 1g 32.90 円　錠 3mg 1錠 8.20 円

錠 6mg 1錠 15.00 円　錠 12mg 1錠 28.80 円

アリピプラゾール（共和）散 1% 1g 23.10 円

錠 3mg 1錠 8.20 円　錠 6mg 1錠 15.00 円

錠 12mg 1錠 28.80 円　錠 24mg 1錠 59.60 円

アリピプラゾール 写真（沢井）錠 3mg 1錠 8.20 円

錠 6mg 1錠 15.00 円　錠 12mg 1錠 28.80 円

錠 24mg 1錠 59.60 円

アリピプラゾール（高田）細 1% 1g 23.10 円

錠 3mg 1錠 8.20 円　錠 6mg 1錠 30.90 円

錠 12mg 1錠 28.80 円

アリピプラゾール（東和）散 1% 1g 32.90 円

錠 3mg 1錠 8.20 円　錠 6mg 1錠 15.00 円

錠 12mg 1錠 28.80 円　錠 24mg 1錠 59.60 円

アリピプラゾール（日医工）散 1% 1g 23.10 円

錠 3mg 1錠 8.20 円　錠 6mg 1錠 15.00 円

錠 12mg 1錠 28.80 円

内
02
|
04
|
05

非定型抗精神病薬

アリピプラゾール (ニプロ) 散 1% 1g 23.10 円
錠 3mg 1錠 8.20 円　錠 6mg 1錠 15.00 円
錠 12mg 1錠 28.80 円

アリピプラゾール (ニプロ ES＝吉富)
散 1% 1g 23.10 円　錠 3mg 1錠 8.20 円
錠 6mg 1錠 15.00 円　錠 12mg 1錠 28.80 円

アリピプラゾール (日本ジェネリック)
錠 3mg 1錠 16.10 円　錠 6mg 1錠 30.90 円
錠 12mg 1錠 28.80 円

アリピプラゾール (MeijiSeika)
散 1% 1g 32.90 円　錠 3mg 1錠 16.10 円
錠 6mg 1錠 30.90 円　錠 12mg 1錠 59.20 円
錠 24mg 1錠 59.60 円

アリピプラゾール (陽進堂) 錠 3mg 1錠 8.20 円
錠 6mg 1錠 15.00 円　錠 12mg 1錠 28.80 円
錠 24mg 1錠 59.60 円

アリピプラゾール OD (大原＝共創未来)
錠 3mg 1錠 8.20 円　錠 6mg 1錠 15.00 円
錠 12mg 1錠 28.80 円　錠 24mg 1錠 59.60 円

アリピプラゾール OD (共和) 錠 3mg 1錠 8.20 円
錠 6mg 1錠 15.00 円　錠 12mg 1錠 28.80 円
錠 24mg 1錠 59.60 円

アリピプラゾール OD 写真 (キョーリン＝杏林＝
陽進堂) 錠 3mg 1錠 8.20 円　錠 6mg 1錠 15.00 円
錠 12mg 1錠 28.80 円　錠 24mg 1錠 59.60 円

アリピプラゾール OD (高田) 錠 3mg 1錠 8.20 円
錠 6mg 1錠 15.00 円　錠 12mg 1錠 28.80 円
錠 24mg 1錠 59.60 円

アリピプラゾール OD (武田テバファーマ＝武
田) 錠 3mg 1錠 8.20 円　錠 6mg 1錠 15.00 円
錠 12mg 1錠 28.80 円　錠 24mg 1錠 59.60 円

アリピプラゾール OD (東和) 錠 3mg 1錠 8.20 円
錠 6mg 1錠 15.00 円　錠 12mg 1錠 28.80 円
錠 24mg 1錠 59.60 円

アリピプラゾール OD (日医工)
錠 3mg 1錠 8.20 円　錠 6mg 1錠 15.00 円
錠 12mg 1錠 28.80 円　錠 24mg 1錠 59.60 円

アリピプラゾール OD (ニプロ)
錠 3mg 1錠 8.20 円　錠 6mg 1錠 15.00 円
錠 12mg 1錠 28.80 円　錠 24mg 1錠 59.60 円

アリピプラゾール OD (ニプロ ES＝吉富)
錠 3mg 1錠 8.20 円　錠 6mg 1錠 15.00 円
錠 12mg 1錠 28.80 円　錠 24mg 1錠 59.60 円

アリピプラゾール OD (日本ジェネリック)
錠 3mg 1錠 16.10 円　錠 6mg 1錠 30.90 円
錠 12mg 1錠 59.20 円　錠 24mg 1錠 59.60 円

アリピプラゾール OD (MeijiSeika)
錠 3mg 1錠 16.10 円　錠 6mg 1錠 30.90 円
錠 12mg 1錠 59.20 円　錠 24mg 1錠 59.60 円

アリピプラゾール内用液 (沢井)
液 0.1%3mL 1包 41.10 円　液 0.1%6mL 1包 79.50 円
液 0.1%12mL 1包 166.10 円

アリピプラゾール内用液 (高田＝共和)
液 0.1%3mL 1包 41.10 円　液 0.1%6mL 1包 79.50 円
液 0.1%12mL 1包 166.10 円

アリピプラゾール内用液 (武田テバファーマ＝
武田) 液 0.1%3mL 1包 41.10 円
液 0.1%6mL 1包 79.50 円　液 0.1%12mL 1包 166.10 円

アリピプラゾール内用液 (東和)
液 0.1%3mL 1包 41.10 円　液 0.1%6mL 1包 79.50 円
液 0.1%12mL 1包 166.10 円

アリピプラゾール内用液 (ニプロ＝ニプロ ES＝
吉富) 液 0.1%3mL 1包 41.10 円
液 0.1%6mL 1包 79.50 円　液 0.1%12mL 1包 166.10 円

アリピプラゾール内用液 (MeijiSeika)
液 0.1%3mL 1包 41.10 円　液 0.1%6mL 1包 79.50 円
液 0.1%12mL 1包 166.10 円

一般名：ブロナンセリン

- 保険収載年月…2008年4月
- 海外評価…0点 英 米 独 仏
- 規制…劇薬
- 剤形… 錠 錠剤, 散 散剤
- 服用量と回数…1回, 成人4mg・小児 (原則12歳
以上) 2mgを1日2回, 食後服用より開始し徐々
に増量。維持量は1日8〜16mg。1日最大, 成人

24mg・小児16mg。

■先発品　　商品名(メーカー)　規格・保険薬価

ロナセン 写真 (住友ファーマ) 2% 1g 514.80 円

錠 2mg 1錠 56.10 円　　錠 4mg 1錠 104.90 円

錠 8mg 1錠 193.40 円

■ジェネリック　　商品名(メーカー)　規格・保険薬価

ブロナンセリン (共和) 錠 2mg 1錠 11.30 円

錠 4mg 1錠 28.00 円　　錠 8mg 1錠 38.60 円

ブロナンセリン (共和=沢井) 散 2% 1g 158.40 円

ブロナンセリン (小林化工) 錠 2mg 1錠 11.30 円

錠 4mg 1錠 28.00 円　　錠 8mg 1錠 38.60 円

ブロナンセリン (沢井) 散 2% 1g 158.40 円

錠 2mg 1錠 15.40 円　　錠 4mg 1錠 28.00 円

錠 8mg 1錠 38.60 円

ブロナンセリン (住友ファーマプロモ=住友ファ

ーマ) 散 2% 1g 158.40 円　　錠 2mg 1錠 15.40 円

錠 4mg 1錠 28.00 円　　錠 8mg 1錠 59.10 円

ブロナンセリン 写真 (第一三共エスファ)

錠 2mg 1錠 15.40 円　　錠 4mg 1錠 28.00 円

錠 8mg 1錠 59.10 円

ブロナンセリン (高田) 錠 2mg 1錠 15.40 円

錠 4mg 1錠 34.20 円　　錠 8mg 1錠 59.10 円

ブロナンセリン (東和) 錠 2mg 1錠 15.40 円

錠 4mg 1錠 28.00 円　　錠 8mg 1錠 59.10 円

ブロナンセリン (日医工) 錠 2mg 1錠 15.40 円

錠 4mg 1錠 28.00 円　　錠 8mg 1錠 38.60 円

ブロナンセリン (ニプロ) 錠 2mg 1錠 15.40 円

錠 4mg 1錠 28.00 円　　錠 8mg 1錠 59.10 円

ブロナンセリン (陽進堂=日本ジェネリック=ア

ルフレッサ) 錠 2mg 1錠 15.40 円

錠 4mg 1錠 28.00 円　　錠 8mg 1錠 38.60 円

一般名：アセナピンマレイン酸塩

- 保険収載年月…2016年5月
- 海外評価…5点 英 米 独 仏　　●PC…C

概　要

分類　非定型抗精神病薬

処方目的　統合失調症(クエチアピンフマル酸塩の徐放剤(ビプレッソ徐放錠)を除く)

- 規制…劇薬
- 剤形…錠 錠剤
- 服用量と回数…1回5mg(1錠)を1日2回, 舌下に服用。1回最大10mgで1日2回まで。

■先発品　　商品名(メーカー)　規格・保険薬価

シクレスト舌下錠 (MeijiSeika)

錠 5mg 1錠 237.00 円　　錠 10mg 1錠 358.20 円

一般名：ブレクスピプラゾール

- 保険収載年月…2018年4月
- 海外評価…2点 英 米 独 仏
- 規制…劇薬
- 剤形…錠 錠剤
- 服用量と回数…1日1回1mgから開始した後, 4日以上の間隔をあけて増量し, 1日1回2mgを服用。

■先発品　　商品名(メーカー)　規格・保険薬価

レキサルティ (大塚) 錠 1mg 1錠 249.30 円

錠 2mg 1錠 475.70 円

レキサルティ OD (大塚) 錠 0.5mg 1錠 131.00 円

錠 1mg 1錠 249.30 円　　錠 2mg 1錠 475.70 円

一般名：ルラシドン塩酸塩

- 保険収載年月…2020年5月
- 海外評価…5点 英 米 独 仏
- 規制…劇薬
- 剤形…錠 錠剤
- 服用量と回数…統合失調症：1日1回40mgを食後に服用, 最大1日80mg。双極性障害：1日1回20〜60mgを食後に服用, 最大1日60mg。

■先発品　　商品名(メーカー)　規格・保険薬価

ラツーダ (住友ファーマ) 錠 20mg 1錠 174.20 円

錠 40mg 1錠 321.10 円　　錠 60mg 1錠 459.50 円

錠 80mg 1錠 470.70 円

内
02
─
04
─
05

非定型抗精神病薬

［クエチアピンフマル酸塩の徐放剤（ビプレッソ徐放錠），ルラシドン塩酸塩のみの適応症］双極性障害におけるうつ症状の改善

［リスペリドンのみの適応症］小児期の自閉スペクトラム症に伴う易刺激性

［アリピプラゾールのみの適応症］双極性障害における躁症状の改善／うつ病・うつ状態（既存治療で十分な効果が認められない場合に限る）／小児期の自閉スペクトラム症に伴う易刺激性

解説 従来から使用されているフェノチアジン系薬剤やブチロフェノン系，ベンズアミド系などの抗精神病薬を〈定型抗精神病薬〉と呼ぶのに対して，ここに示す薬剤は〈非定型抗精神病薬〉と呼ばれています。〈非定型抗精神病薬〉は，〈定型抗精神病薬〉の副作用としてよくおこる錐体外路症状などが比較的少ないとされ，現在は統合失調症治療の第一選択薬として位置づけられています。

統合失調症の症状発現には，神経細胞同士の情報伝達を担うドパミンやセロトニンなどの神経伝達物質の機能異常が大きく関与していて，〈非定型抗精神病薬〉にはいくつかのタイプがあります。

・SDA（セロトニン・ドパミン遮断薬）→ペロスピロン塩酸塩水和物，リスペリドン，パリペリドン，ブロナンセリン，ルラシドン塩酸塩

・MARTA（多元受容体作用抗精神病薬）→クエチアピンフマル酸塩，アセナピンマレイン酸塩，オランザピン，クロザピン

・DSS（ドパミン受容体部分作動薬）→アリピプラゾール

・SDAM（セロトニン・ドパミン アクティビティ モジュレーター）→ブレクスピプラゾール

アセナピンマレイン酸塩は日本初の統合失調症治療用の舌下錠で，舌下に含むとすぐに溶けて口の粘膜から一気に吸収され，速やかに効果を発揮します。

なお，アリピプラゾールは統合失調症に加えて「うつ病・うつ状態，双極性障害における躁症状の改善」も適応となっています。また，アリピプラゾールとリスペリドンは「小児期の自閉スペクトラム症に伴う易刺激性」も適応で，原則として，アリピプラゾールは6歳以上18歳未満，リスペリドンは5歳以上18歳未満の患者に使用することになっています。

2017年8月に，クエチアピンフマル酸塩の徐放錠（成分が徐々に放出されて効果が長く続く剤形）が発売されましたが，これには統合失調症の適応はなく「双極性障害におけるうつ症状の改善」が適応です。

使用上の注意

＊クエチアピンフマル酸塩（セロクエル），ペロスピロン塩酸塩水和物（ルーラン），リスペリドン（リスパダール）の添付文書による

警告

［クエチアピンフマル酸塩，アリピプラゾール］本剤の服用によって，著しい血糖値の上昇から糖尿病性ケトアシドーシス，糖尿病性昏睡などの重い副作用がおこり，死に至る場合があります。服用中は血糖値の測定とともに，口渇，多飲，多尿，頻尿など血糖値の上昇が疑われる症状が現れたら，ただちに処方医へ連絡してください。

基本的注意

(1)服用してはいけない場合……昏睡状態／バルビツール酸製剤などの中枢神経抑制薬の強い影響下／アドレナリンの使用中(アナフィラキシーの救急治療に使用する場合を除く)／本剤の成分に対するアレルギーの前歴／[クエチアピンフマル酸塩のみ]糖尿病またはその前歴／[リスペリドンのみ]パリペリドンに対するアレルギーの前歴

(2)慎重に服用すべき場合……肝機能障害／心・血管疾患, 低血圧, またはこれらの疑い／てんかんなどのけいれん性疾患, またはこれらの前歴／自殺企図の前歴, または自殺念慮のある人／糖尿病の家族歴, 高血糖・肥満などの糖尿病の危険因子がある人／不動状態, 長期臥床, 肥満, 脱水状態などの血栓塞栓症の危険因子がある人／高齢者
[クエチアピンフマル酸塩, リスペリドンのみ] 不整脈またはその前歴, 先天性 QT 延長症候群
[ペロスピロン塩酸塩水和物, リスペリドンのみ] 腎機能障害／パーキンソン病またはレビー小体型認知症／薬物過敏症／脱水・栄養不良状態などを伴う身体的疲弊のある人／糖尿病またはその前歴
[クエチアピンフマル酸塩のみ] 脳血管障害またはその疑いのある人

(3)服用初期……[クエチアピンフマル酸塩, リスペリドン]起立性低血圧がおこることがあります。立ちくらみ, めまいなどの低血圧症状がおこるようなら, 処方医へ連絡してください。

(4)陽性症状の悪化……[ペロスピロン塩酸塩水和物, リスペリドン]統合失調症の場合, 興奮, 非協調性, 緊張, 誇大性, 敵意などの陽性症状を悪化させることがあります。悪化に気づいたら, すぐに処方医へ連絡してください。

(5)かくされる嘔吐……[ペロスピロン塩酸塩水和物, リスペリドン]本剤には吐きけを抑える作用があるので, 薬物中毒, 腸閉塞, 脳腫瘍などの嘔吐症状をかくすことがあります。

(6)服用法……[ペロスピロン塩酸塩水和物]本剤の吸収は食事の影響を受けやすいので, 食後に服用してください。

(7)体重の増加……[クエチアピンフマル酸塩]服用によって体重が増加することがあります。肥満に注意し, その徴候が現れたときは, すぐに処方医へ連絡してください。

(8)急な減量・中止……[クエチアピンフマル酸塩]急激に服用量を減らしたり, 中止したりすると, 不眠, 悪心, 頭痛, 下痢, 嘔吐などの離脱症状が現れることがあるので, 絶対に自己判断で減量や中止をしないでください。

(9)突然死……服用中, 原因不明の突然死が報告されています。

(10)血栓塞栓症……肺塞栓症, 深部静脈血栓症などの血栓塞栓症がおこることがあります。不動状態, 長期臥床, 肥満, 脱水状態などの危険因子がある人は十分に注意して, 息切れ, 胸痛, 四肢の疼痛, むくみなどがみられたらすぐに処方医に連絡してください。

(11)悪性症候群……本剤の服用によって悪性症候群がおこることがあります。無動緘黙〈緘黙＝無言症〉, 強度の筋強剛, 嚥下困難, 頻脈, 血圧の変動, 発汗などが発現し,引き続いて発熱がみられたら, 服用を中止して体を冷やす, 水分を補給するなどして, ただちに処

方医へ連絡してください。高熱が続き，意識障害，呼吸困難，循環虚脱，脱水症状，急性腎障害へと移行して死亡した例が報告されています。

(12)危険作業は中止……本剤を服用すると，眠け，注意力・集中力・反射運動能力などの低下がおこることがあります。服用中は，自動車の運転など危険を伴う機械の操作は行わないようにしてください。

(13)その他……

● 妊婦での安全性：有益と判断されたときのみ服用。

● 授乳婦での安全性：治療上の有益性・母乳栄養の有益性を考慮し，授乳の継続・中止を検討。

● 小児での安全性：未確立。(1714 頁を参照)

重大な副作用 ①悪性症候群。②長期服用による口周部などの不随意運動(遅発性ジスキネジア)。③肺塞栓症，深部静脈血栓症などの血栓塞栓症。④腸管麻痺(食欲不振，悪心・嘔吐，著しい便秘など)から移行する麻痺性イレウス(腸閉塞)。⑤筋肉痛，脱力感，CK 上昇，血中・尿中ミオグロビン上昇などで始まる横紋筋融解症。⑥高血糖(口渇，多飲，多尿，頻尿など)，糖尿病性ケトアシドーシス，糖尿病性昏睡。⑦無顆粒球症，白血球減少。

[クエチアピンフマル酸塩，リスペリドンのみ] ⑧肝機能障害，黄疸。⑨低血糖(脱力感，倦怠感，冷汗，振戦，傾眠，意識障害など)。

[クエチアピンフマル酸塩，ペロスピロン塩酸塩水和物のみ] ⑩けいれん。

[リスペリドン，ペロスピロン塩酸塩水和物のみ] ⑪低ナトリウム血症，けいれん，意識障害などを伴う抗利尿ホルモン不適合分泌症候群(SIADH)。

[リスペリドンのみ] ⑫心房細動，心室性期外収縮などの不整脈。⑬脳血管障害。⑭持続勃起症。

[クエチアピンフマル酸塩のみ] ⑮中毒性表皮壊死融解症(TEN)，皮膚粘膜眼症候群(スティブンス-ジョンソン症候群)，多形紅斑。

そのほかにも報告された副作用はあるので，体調がいつもと違うと感じたときは，処方医・薬剤師に相談してください。

併用してはいけない薬 [すべての製剤] アドレナリン(ボスミン；アナフィラキシーの救急治療に使用する場合を除く)→アドレナリンの作用を逆転させ，重い血圧低下がおこることがあります。

[ブロナンセリン，ルラシドン塩酸塩のみ] アゾール系抗真菌薬(外用剤を除く：イトラコナゾール，ボリコナゾール，ミコナゾール，フルコナゾール，ホスフルコナゾール(注射薬)，ポサコナゾール)，HIV プロテアーゼ阻害薬(リトナビル，ロピナビル・リトナビル配合剤，ダルナビルエタノール付加物，アタザナビル硫酸塩，ホスアンプレナビルカルシウム)，コビシスタットを含む製剤(スタリビルド配合錠，ゲンボイヤ配合錠，プレジコビックス配合錠，シムツーザ配合錠)→本剤の作用が強まるおそれがあります。

[ルラシドン塩酸塩のみ] ①クラリスロマイシン→本剤の作用が強まるおそれがあります。②リファンピシン，フェニトイン→本剤の作用が弱まるおそれがあります。

内 02 精神神経科の薬　04 統合失調症の薬

06　ベンゾジアゼピン系抗精神病薬

⚗ 製剤情報

一般名：オランザピン

- 保険収載年月…2001年6月
- 海外評価…6点 英米独仏　●PC…C
- 規制…劇薬
- 剤形…錠錠剤, 細細粒剤
- 服用量と回数…統合失調症：5〜20mgを1日1回。双極性障害における躁症状の改善：10〜20mgを1日1回。双極性障害におけるうつ症状の改善：5〜20mgを1日1回（就寝前）。抗悪性腫瘍薬投与に伴う消化器症状：5〜10mgを1日1回。

■先発品　商品名(メーカー)　規格・保険薬価

ジプレキサ 写真 (イーライリリー)
- 細 1% 1g 247.10 円　錠 2.5mg 1錠 69.50 円
- 錠 5mg 1錠 132.50 円　錠 10mg 1錠 255.70 円

ジプレキサザイディス (イーライリリー)
- 錠 2.5mg 1錠 69.50 円　錠 5mg 1錠 132.50 円
- 錠 10mg 1錠 255.70 円

■ジェネリック　商品名(メーカー)　規格・保険薬価

オランザピン (エルメッド＝日医工)
- 錠 2.5mg 1錠 11.40 円　錠 5mg 1錠 24.10 円
- 錠 10mg 1錠 42.00 円　錠 20mg 1錠 59.60 円

オランザピン (大原) 細 1% 1g 49.80 円
- 錠 2.5mg 1錠 11.40 円　錠 5mg 1錠 24.10 円
- 錠 10mg 1錠 42.00 円

オランザピン (共和) 細 1% 1g 49.80 円
- 錠 1.25mg 1錠 7.20 円　錠 2.5mg 1錠 11.40 円
- 錠 5mg 1錠 24.10 円　錠 10mg 1錠 42.00 円
- 錠 20mg 1錠 59.60 円

オランザピン (キョーリン＝杏林)
- 細 1% 1g 49.80 円　錠 2.5mg 1錠 11.40 円
- 錠 5mg 1錠 24.10 円　錠 10mg 1錠 42.00 円

オランザピン (小林化工) 錠 2.5mg 1錠 11.40 円
- 錠 5mg 1錠 24.10 円　錠 10mg 1錠 42.00 円
- 錠 20mg 1錠 59.60 円

オランザピン (沢井) 細 1% 1g 49.80 円
- 錠 2.5mg 1錠 11.40 円　錠 5mg 1錠 24.10 円
- 錠 10mg 1錠 42.00 円

オランザピン (三和) 錠 2.5mg 1錠 21.30 円
- 錠 5mg 1錠 24.10 円　錠 10mg 1錠 42.00 円

オランザピン (第一三共エスファ)
- 細 1% 1g 49.80 円　錠 2.5mg 1錠 11.40 円
- 錠 5mg 1錠 24.10 円　錠 10mg 1錠 49.70 円

オランザピン (ダイト＝ファイザー)
- 錠 2.5mg 1錠 11.40 円　錠 5mg 1錠 24.10 円
- 錠 10mg 1錠 42.00 円

オランザピン (高田) 細 1% 1g 79.30 円

オランザピン (武田テバファーマ＝武田)
- 錠 2.5mg 1錠 11.40 円　錠 5mg 1錠 24.10 円
- 錠 10mg 1錠 42.00 円

オランザピン (東和) 細 1% 1g 79.30 円
- 錠 2.5mg 1錠 21.30 円　錠 5mg 1錠 24.10 円
- 錠 10mg 1錠 42.00 円

オランザピン (日医工) 細 1% 1g 49.80 円
- 錠 2.5mg 1錠 11.40 円　錠 5mg 1錠 24.10 円
- 錠 10mg 1錠 42.00 円

オランザピン (日新) 細 1% 1g 49.80 円
- 錠 2.5mg 1錠 11.40 円　錠 5mg 1錠 24.10 円
- 錠 10mg 1錠 42.00 円

オランザピン (ニプロ) 細 1% 1g 49.80 円
- 錠 2.5mg 1錠 11.40 円　錠 5mg 1錠 24.10 円
- 錠 10mg 1錠 42.00 円

オランザピン (ニプロ ES＝吉富)
- 細 1% 1g 79.30 円　錠 2.5mg 1錠 11.40 円
- 錠 5mg 1錠 24.10 円　錠 10mg 1錠 42.00 円

オランザピン（日本ジェネリック）
錠 2.5mg 1錠 11.40 円　錠 5mg 1錠 24.10 円
錠 10mg 1錠 42.00 円

オランザピン（マイラン＝ファイザー）
細 1% 1g 49.80 円

オランザピン（MeijiSeika）細 1% 1g 79.30 円
錠 2.5mg 1錠 21.30 円　錠 5mg 1錠 24.10 円
錠 10mg 1錠 78.10 円

オランザピン（陽進堂＝アルフレッサ）
錠 2.5mg 1錠 11.40 円　錠 5mg 1錠 24.10 円
錠 10mg 1錠 42.00 円

オランザピン OD（共和）錠 1.25mg 1錠 7.20 円
錠 2.5mg 1錠 11.40 円　錠 5mg 1錠 24.10 円
錠 10mg 1錠 42.00 円

オランザピン OD（キョーリン＝杏林＝大原）
錠 2.5mg 1錠 11.40 円　錠 5mg 1錠 24.10 円
錠 10mg 1錠 42.00 円

オランザピン OD（第一三共エスファ）
錠 2.5mg 1錠 11.40 円　錠 5mg 1錠 24.10 円
錠 10mg 1錠 42.00 円

オランザピン OD（ダイト＝ファイザー）
錠 2.5mg 1錠 11.40 円　錠 5mg 1錠 24.10 円
錠 10mg 1錠 42.00 円

オランザピン OD（高田）錠 2.5mg 1錠 11.40 円
錠 5mg 1錠 24.10 円　錠 10mg 1錠 42.00 円

オランザピン OD（武田テバファーマ＝武田）
錠 2.5mg 1錠 11.40 円　錠 5mg 1錠 24.10 円
錠 10mg 1錠 42.00 円

オランザピン OD（辰巳）錠 2.5mg 1錠 11.40 円
錠 5mg 1錠 24.10 円　錠 10mg 1錠 42.00 円

オランザピン OD（東和）錠 2.5mg 1錠 11.40 円
錠 5mg 1錠 24.10 円　錠 10mg 1錠 42.00 円

オランザピン OD（日医工）錠 2.5mg 1錠 11.40 円
錠 5mg 1錠 24.10 円　錠 10mg 1錠 42.00 円

オランザピン OD（ニプロ）錠 2.5mg 1錠 11.40 円
錠 5mg 1錠 24.10 円　錠 10mg 1錠 42.00 円

オランザピン OD（ニプロ ES＝吉富）
錠 5mg 1錠 24.10 円　錠 10mg 1錠 42.00 円

オランザピン OD（日本ジェネリック）
錠 2.5mg 1錠 11.40 円　錠 5mg 1錠 24.10 円
錠 10mg 1錠 42.00 円

オランザピン OD 写真（MeijiSeika）
錠 2.5mg 1錠 21.30 円　錠 5mg 1錠 24.10 円
錠 10mg 1錠 42.00 円

一般名：クロザピン
- 保険収載年月…2009年6月
- 海外評価…6点 英 米 独 仏　●PC…B
- 規制…劇薬
- 剤形…錠 錠剤
- 服用量と回数…1日12.5～600mg。50mgまでは1日1回，それ以上は1日2～3回に分けて服用。

■先発品　　商品名（メーカー）　規格・保険薬価
クロザリル（ノバルティス）錠 25mg 1錠 89.30 円
錠 100mg 1錠 314.90 円

概　要

分類　ベンゾジアゼピン系精神科用薬

処方目的　［オランザピン］統合失調症／双極性障害における躁症状・うつ症状の改善／抗悪性腫瘍薬（シスプラチンなど）投与に伴う消化器症状（悪心，嘔吐）
［クロザピン］治療抵抗性統合失調症（他の抗精神病薬治療に抵抗性を示す統合失調症）

解説　本剤は〈非定型抗精神病薬〉の一種で，統合失調症における妄想・幻覚などの陽性反応と，感情的引きこもり・自閉などの陰性反応の両方に改善効果を示します。オランザピンは，強い悪心・嘔吐が生じる抗悪性腫瘍薬（シスプラチンなど）を使用する場合にかぎり，制吐剤としても使われます。

　なお，クロザピンは服用禁忌や使用上の注意などが多い薬剤のため，他の治療では効

果がない場合に限り，厚労省が認定した医療機関でのみ使用されます（「警告」を参照）。
本項目では，主にオランザピンを中心に解説しています。

使用上の注意

＊オランザピン（ジプレキサ）の添付文書による

警告

[オランザピン] 本剤の服用によって，著しい血糖値の上昇から糖尿病性ケトアシドーシス，糖尿病性昏睡などの重い副作用がおこり，死に至る場合があります。服用中は血糖値の測定とともに，口渇，多飲，多尿，頻尿など血糖値の上昇が疑われる症状が現れたら，ただちに処方医へ連絡してください。
[クロザピン] ①本剤の投与は，統合失調症の診断・治療に精通し，無顆粒球症，心筋炎，糖尿病性ケトアシドーシス，糖尿病性昏睡などの重篤な副作用に十分に対応でき，かつクロザリル患者モニタリングサービス（CPMS）に登録された医師・薬剤師のいる登録医療機関・薬局において，登録患者に対して，血液検査などのCPMSに定められた基準がすべて満たされた場合にのみ行われます。
②本剤の投与に際しては，治療上の有益性が危険性を上回っていることを常に検討し，投与の継続が適切であるかどうか定期的に判断することが必要です。
③糖尿病性ケトアシドーシス，糖尿病性昏睡などの死亡に至ることのある重大な副作用が現れるおそれがあるので，本剤服用中は定期的に血糖値などの測定が行われます。また，臨床症状の観察を十分に行い，高血糖の徴候・症状に注意するとともに，糖尿病治療に関する十分な知識と経験をもつ医師と連携して適切な対応を行うことが求められます。
④本剤の投与にあたっては，患者またはその代わりの者に本剤の有効性および危険性を文書によって説明し，文書で同意を得てから投与を開始します。
⑤無顆粒球症などの血液障害は投与初期に現れることが多いので，原則として服用開始後18週間は入院し，十分な管理のもと服用しなければなりません。

基本的注意

(1)服用してはいけない場合……昏睡状態の人／バルビツール酸製剤などの中枢神経抑制薬の強い影響下にある人／アドレナリンの使用中（アナフィラキシーの救急治療に使用する場合を除く）／本剤の成分に対するアレルギーの前歴／糖尿病またはその前歴
(2)慎重に服用すべき場合……[効能共通]糖尿病の家族歴，高血糖・肥満などの糖尿病の危険因子がある人／尿閉，麻痺性イレウス（腸閉塞），閉塞隅角緑内障／てんかんなどのけいれん性疾患またはこれらの前歴／本剤のクリアランスを低下させる要因（非喫煙者，女性，高齢者）をあわせもつ人／心・血管疾患（心筋梗塞あるいは心筋虚血の前歴，心不全，伝導異常など），脳血管疾患，低血圧がおこりやすい状態（脱水，血液量減少，血圧降下薬服用による治療など）にある人／不動状態，長期臥床，肥満，脱水状態などの危険因子がある人／高齢者／[双極性障害におけるうつ症状の改善]自殺念慮または自殺企図の前歴のある人，自殺念慮のある人／脳の器質的障害のある人／衝動性が高い併存障害のある人／肝機能障害，肝毒性のある薬剤の服用中
(3)外国での報告……高齢者を対象とした臨床試験で，死亡および脳血管障害（脳卒中，

一過性脳虚血発作など)の発現頻度がプラセボ(偽薬)群と比較して高かったとの報告があります。

(4)服用初期……起立性低血圧がおこることがあります。急に立ち上がったとき，ふらつきやめまい，動悸，眼前暗黒感などがあるようなら，処方医へ連絡してください。

(5)かくされる嘔吐……本剤には嘔吐を抑える作用があるので，薬物中毒，腸閉塞，脳腫瘍などによる嘔吐症状をかくすことがあります。

(6)体重の増加……服用によって体重が増加することがあります。肥満に注意し，その徴候が現れたときは，すぐに処方医へ連絡してください。

(7)高血糖……本剤の服用によって高血糖が現れ，糖尿病性ケトアシドーシス(血液が酸性になる状態)，糖尿病性昏睡から死亡に至るなどの致命的経過をたどることがあります。定期的に血糖値を測定し，口渇，多飲，多尿，頻尿などの症状が現れたら，ただちに処方医に連絡してください。

(8)低血糖……本剤の服用によって低血糖が現れることがあります。脱力感，倦怠感，冷汗，ふるえ，傾眠，意識障害などの低血糖症状が現れたら，ただちに糖分を補給し，処方医に連絡してください。

(9)悪性症候群……本剤の服用によって悪性症候群がおこることがあります。無動緘黙〈緘黙＝無言症〉，強度の筋強剛，嚥下困難，頻脈，血圧の変動，発汗などが発現し，引き続いて発熱がみられたら，服用を中止して体を冷やす，水分を補給するなどして，ただちに処方医へ連絡してください。高熱が続き，意識障害，呼吸困難，循環虚脱，脱水症状，急性腎障害へと移行して死亡した例が報告されています。

(10)危険作業は中止……本剤を服用すると，眠け，注意力・集中力・反射運動能力などの低下がおこることがあります。服用中は，自動車の運転など危険を伴う機械の操作は行わないようにしてください。

(11)その他……

● 妊婦での安全性：未確立。有益と判断されたときのみ服用。

● 授乳婦での安全性：服用するときは授乳しないことが望ましい。

● 小児での安全性：未確立。(1714頁を参照)

重大な副作用 ①高血糖，糖尿病性ケトアシドーシス，糖尿病性昏睡。②悪性症候群。③けいれん(てんかん発作，ミオクローヌス発作など)。④肝機能障害，黄疸，劇症肝炎。⑤腸閉塞，麻痺性イレウス。⑥無顆粒球症，白血球減少。⑦肺塞栓症，深部静脈血栓症などの血栓塞栓症。

[オランザピンのみ] ⑧低血糖(脱力感，倦怠感，冷汗，ふるえ，傾眠，意識障害など)。⑨口周部などの不随意運動(遅発性ジスキネジア)。⑩横紋筋融解症(筋肉痛，脱力感など)。⑪薬剤性過敏症症候群(初期症状として発疹，発熱)。

[クロザピンのみ] ⑫好中球減少症。⑬心筋炎，心筋症，心膜炎，心のう液貯留。⑭胸膜炎(呼吸困難，発熱，胸痛)。⑮起立性低血圧，失神，循環虚脱からの心停止・呼吸停止。⑯腸潰瘍，腸管穿孔。

　そのほかにも報告された副作用はあるので，体調がいつもと違うと感じたときは，処

方医・薬剤師に相談してください。

併用してはいけない薬　[オランザピン] アドレナリン(ボスミン；アナフィラキシーの救急治療に使用する場合を除く)→アドレナリンの作用を逆転させ，重い血圧降下をおこすことがあります。

[クロザピン] ①骨髄抑制をおこす可能性のある薬剤，放射線療法，化学療法→無顆粒球症の発現が増加するおそれがあります。②持効性抗精神病薬(ハロペリドールデカン酸エステル注射液，フルフェナジンデカン酸エステル注射液，リスペリドン持効性懸濁注射液，パリペリドンパルミチン酸エステル持効性懸濁注射液，アリピプラゾール水和物持続性注射液)→副作用の発現に対し速やかに対応できないため，血中からこれらの薬剤が消失するまで本剤を服用しないようにします。③アドレナリン(ボスミン)，ノルアドレナリン(アナフィラキシーの救急治療に使用する場合を除く)→アドレナリンの作用を逆転させ，重い血圧低下をおこすことがあります。

内 02 精神神経科の薬　04 統合失調症の薬
07 その他の抗精神病薬

製剤情報

一般名：オキシペルチン

- 保険収載年月…1972年2月
- 海外評価…0点 英米独仏
- 剤形…錠錠剤，散散剤
- 服用量と回数…1回20〜80mgを1日2〜3回。場合により1回100mgを1日3回。

■**先発品**　商品名(メーカー)　規格・保険薬価

ホーリット(アルフレッサ) 散 10% 1g 53.30 円
錠 20mg 1錠 11.90 円　錠 40mg 1錠 22.00 円

一般名：ゾテピン

- 保険収載年月…1981年12月
- 海外評価…0点 英米独仏
- 規制…劇薬

- 剤形…錠錠剤，細細粒剤
- 服用量と回数…1日75〜150mgを分けて服用。1日450mgまで増量可。

■**先発品**　商品名(メーカー)　規格・保険薬価

ロドピン(LTL ファーマ) 細 10% 1g 48.30 円
細 50% 1g 208.90 円　錠 25mg 1錠 12.90 円
錠 50mg 1錠 22.30 円　錠 100mg 1錠 41.40 円

■**ジェネリック**　商品名(メーカー)　規格・保険薬価

ゾテピン(高田) 細 10% 1g 36.10 円
細 50% 1g 126.30 円　錠 25mg 1錠 10.00 円
錠 50mg 1錠 17.00 円　錠 100mg 1錠 33.50 円

ゾテピン(長生堂) 細 10% 1g 19.20 円
細 50% 1g 81.60 円　錠 25mg 1錠 5.90 円
錠 50mg 1錠 9.00 円　錠 100mg 1錠 16.10 円

概要

分類　精神科用薬

処方目的　統合失調症

解説　ゾテピンは三環系のジベンゾチエピンに属し，D_1(ドパミン1)・D_2(ドパミン2)・セロトニン2・H_1(ヒスタミン1)受容体に拮抗して効果を現します。また，オキシペ

ルチンはインドール誘導体です。

🎗 使用上の注意

*ゾテピン(ロドピン)の添付文書による

基本的注意

(1)服用してはいけない場合……昏睡状態, 循環虚脱状態の人／バルビツール酸誘導体・麻酔薬などの中枢神経抑制薬の強い影響下にある人／アドレナリンの使用中(アナフィラキシーの救急治療に使用する場合を除く)／本剤の成分, フェノチアジン系薬剤およびその類似薬剤に対するアレルギー

(2)特に慎重に服用すべき場合(原則禁忌, 処方医と連絡を絶やさないこと)……皮質下部の脳障害(脳炎, 脳腫瘍, 頭部外傷後遺症など)の疑いがある人

(3)慎重に服用すべき場合……肝機能障害, 血液障害／褐色細胞腫・動脈硬化症・心疾患の疑いがある人／重症ぜんそく, 肺気腫, 呼吸器感染症／てんかんなどのけいれん性疾患またはこれらの前歴／高温環境下にある人／脱水・栄養不良状態などを伴う身体的疲弊のある人／高齢者

(4)かくされる嘔吐……本剤には嘔吐を抑える作用があるので, 薬物中毒, 腸閉塞, 脳腫瘍などによる嘔吐症状をかくすことがあります。

(5)突然死……服用中, 原因不明の突然死が報告されています。

(6)血栓塞栓症……肺塞栓症, 深部静脈血栓症などの血栓塞栓症がおこることがあります。不動状態, 長期臥床, 肥満, 脱水状態などの危険因子がある人は十分に注意して, 息切れ, 胸痛, 四肢の疼痛, むくみなどがみられたらすぐに処方医に連絡してください。

(7)悪性症候群……本剤の服用によって悪性症候群がおこることがあります。無動緘黙〈緘黙＝無言症〉, 強度の筋強剛, 嚥下困難, 頻脈, 血圧の変動, 発汗などが発現し,引き続いて発熱がみられたら, 服用を中止して体を冷やす, 水分を補給するなどして, ただちに処方医へ連絡してください。高熱が続き, 意識障害, 呼吸困難, 循環虚脱, 脱水症状, 急性腎障害へと移行して死亡した例が報告されています。

(8)殺虫剤……服用中は, 有機燐系の殺虫剤には触れないようにしてください。殺虫剤の毒性を強め, 縮瞳や徐脈などの症状が現れることがあります。

(9)危険作業は中止……本剤を服用すると, 眠け, 注意力・集中力・反射運動能力などの低下がおこることがあります。服用中は, 自動車の運転など危険を伴う機械の操作は行わないようにしてください。

(10)その他……

● 妊婦での安全性：原則として服用禁止。

● 授乳婦での安全性：原則として服用しない。やむを得ず服用するときは授乳を中止。

● 小児での安全性：未確立。(1714 頁を参照)

重大な副作用　①悪性症候群。②食欲不振, 悪心・嘔吐, 著しい便秘などから移行する麻痺性イレウス(腸閉塞)。③心電図異常。④けいれん発作。⑤無顆粒球症, 白血球減少。⑥肺塞栓症, 深部静脈血栓症などの血栓塞栓症。⑦(長期服用により)遅発性ジスキネジア(口周部などの不随意運動)。⑧抗利尿ホルモン不適合分泌症候群

(SIADH：低ナトリウム血症，低浸透圧血症，尿中ナトリウム排泄量の増加，高張尿，けいれん，意識障害など）。

そのほかにも報告された副作用はあるので，体調がいつもと違うと感じたときは，処方医・薬剤師に相談してください。

併用してはいけない薬　［ゾテピン］アドレナリン（ボスミン：アナフィラキシーの救急治療に使用する場合を除く）→アドレナリンの作用を逆転させ，重い血圧低下をおこすことがあります。

内 **02** 精神神経科の薬　**05** うつ病の薬

01　三環系抗うつ薬

製剤情報

一般名：イミプラミン塩酸塩

- 保険収載年月…1959年10月
- 海外評価…6点 英 米 独 仏
- 剤形…錠 錠剤
- 服用量と回数…うつ病・うつ状態：1日25〜200mgを分けて服用，1日300mgまで増量可。遺尿症：幼児は1日25〜30mgを1回，学童は1日25〜50mgを1〜2回に分けて服用。

■先発品　商品名（メーカー）　規格・保険薬価

イミドール（田辺三菱＝吉富）錠 10mg 1錠 9.80 円　錠 25mg 1錠 10.10 円

トフラニール 写真（アルフレッサ）　錠 10mg 1錠 9.80 円　錠 25mg 1錠 10.10 円

一般名：クロミプラミン塩酸塩

- 保険収載年月…1974年2月
- 海外評価…6点 英 米 独 仏　●PC…C
- 剤形…錠 錠剤
- 服用量と回数…うつ病・うつ状態：1日50〜100mgを1〜3回に分けて服用。1日最大225mg。遺尿症：6歳未満の幼児は1日10〜25mg，6歳以上の学童は1日20〜50mgを1〜2回に分けて服用。ナルコレプシーに伴う情動脱力発作：1日10〜75mgを1〜3回に分けて服用。

■先発品　商品名（メーカー）　規格・保険薬価

アナフラニール（アルフレッサ）

錠 10mg 1錠 9.60 円　錠 25mg 1錠 15.70 円

一般名：ロフェプラミン塩酸塩

- 保険収載年月…1981年9月
- 海外評価…3点 英 米 独 仏
- 剤形…錠 錠剤
- 服用量と回数…1回10〜25mgを1日2〜3回から服用を始め，徐々に1日150mgまで増量。

■先発品　商品名（メーカー）　規格・保険薬価

アンプリット（第一三共）錠 10mg 1錠 5.90 円

錠 25mg 1錠 14.00 円

一般名：トリミプラミンマレイン酸塩

- 保険収載年月…1965年12月
- 海外評価…6点 英 米 独 仏　●PC…C
- 規制…劇薬（散剤のみ）
- 剤形…錠 錠剤，散 散剤
- 服用量と回数…1日50〜200mgを分けて服用。300mgまで増量可。

■先発品　商品名（メーカー）　規格・保険薬価

スルモンチール（共和）散 10% 1g 40.20 円

錠 10mg 1錠 6.40 円　錠 25mg 1錠 11.60 円

一般名：アミトリプチリン塩酸塩

- 保険収載年月…1961年11月
- 海外評価…6点 英 米 独 仏 ●PC…C
- 規制…劇薬(散剤のみ)
- 剤形…錠 錠剤
- 服用量と回数…うつ病・うつ状態：1日30〜150mgを分けて服用。300mgまで増量可。夜尿症：1日10〜30mgを就寝前に服用。末梢性神経障害性疼痛：1日10 mgから開始。1日150mgを超えないこと。

■先発品　　商品名(メーカー)　規格・保険薬価

アミトリプチリン塩酸塩 (沢井)		
錠 10mg 1錠 9.80 円	錠 25mg 1錠 9.80 円	
トリプタノール 写真 (日医工)	錠 10mg 1錠 9.80 円	
錠 25mg 1錠 9.80 円		

一般名：ノルトリプチリン塩酸塩

- 保険収載年月…1972年2月
- 海外評価…5点 英 米 独 仏 ●PC…C
- 規制…劇薬
- 剤形…錠 錠剤
- 服用量と回数…1日30〜150mgを2〜3回に分けて服用。

■先発品　　商品名(メーカー)　規格・保険薬価

ノリトレン (住友ファーマ)	錠 10mg 1錠 5.70 円
錠 25mg 1錠 10.10 円	

一般名：アモキサピン

- 保険収載年月…1980年12月
- 海外評価…3点 英 米 独 仏 ●PC…C
- 規制…劇薬
- 剤形…カ カプセル剤, 細 細粒剤
- 服用量と回数…1日25〜150mgを1〜数回に分けて服用。症状が特に重い場合は300mgまで増量可。

■先発品　　商品名(メーカー)　規格・保険薬価

アモキサン (ファイザー)	細 10% 1g 28.40 円	
カ 10mg 1カプセル 5.90 円	カ 25mg 1カプセル 10.30 円	
カ 50mg 1カプセル 16.40 円		

一般名：ドスレピン塩酸塩

- 保険収載年月…1991年5月
- 海外評価…3点 英 米 独 仏
- 剤形…錠 錠剤
- 服用量と回数…1日75〜150mgを2〜3回に分けて服用。

■先発品　　商品名(メーカー)　規格・保険薬価

プロチアデン (科研＝日医工)	
錠 25mg 1錠 10.40 円	

📋 概　　要

分類　三環系抗うつ薬

処方目的　精神科領域におけるうつ病・うつ状態

[アミトリプチリン塩酸塩のみの適応症] 夜尿症／末梢性神経障害性疼痛

[クロミプラミン塩酸塩のみの適応症] ナルコレプシーに伴う情動脱力発作

[イミプラミン塩酸塩，クロミプラミン塩酸塩のみの適応症] 遺尿症

解説　薬物の構造式上で，いわゆるベンゼン核が三つ連なったものを三環系抗うつ薬といいますが，自分が服用している薬の中にそれが入っていたら，「私はまじめすぎるんだなあ」と開き直るくらいの余裕がほしいと思います。

　効果が発現するには1〜3週間を要するので，効果を早急に期待しないようにしましょう。だからといって，処方医と相談なしに薬の服用をやめては勿論いけません。

　三環系抗うつ薬は，遊離モノアミンの神経細胞内への再取り込みを阻害し，神経シナプス部にモノアミンを貯えて，受容体への持続的刺激を保つことにより，うつ状態を治すと考えられています。三環系抗うつ薬の中で，アミトリプチリン塩酸塩は夜尿症と末梢性神経障害性疼痛，イミプラミン塩酸塩とクロミプラミン塩酸塩は遺尿症，さらにクロミプラミン塩酸塩はナルコレプシーに伴う情動脱力発作にも使われます。

使用上の注意

＊アミトリプチリン塩酸塩（トリプタノール）の添付文書による

基本的注意

(1)服用してはいけない場合……閉塞隅角緑内障／三環系抗うつ薬に対するアレルギー／心筋梗塞の回復初期／尿閉（前立腺疾患など）／モノアミン酸化酵素阻害薬（1716頁を参照）（セレギリン塩酸塩，ラサギリンメシル酸塩，サフィナミドメシル酸塩）の服用中あるいは服用中止後2週間以内

(2)慎重に服用すべき場合……排尿困難（前立腺疾患など）／開放隅角緑内障／眼内圧亢進／心不全・心筋梗塞・狭心症・不整脈（発作性頻拍，刺激伝導障害など）などの心疾患／甲状腺機能亢進症／てんかんなどのけいれん性疾患またはこれらの前歴／躁うつ病／脳の器質障害または統合失調症の素因のある人／衝動性が高い併存障害を有する人／自殺念慮または自殺企図の既往のある人，自殺念慮のある人／小児，高齢者

(3)急な減量・中止……本剤の服用量を急激に減らしたり中止したりすると，吐きけ，頭痛，倦怠感，刺激を受けやすい，情動不安，睡眠障害などの離脱症状が現れることがあります。自己判断で減量や中止をしないでください。

(4)悪性症候群……本剤の服用によって悪性症候群がおこることがあります。無動緘黙〈緘黙＝無言症〉，強度の筋強剛，嚥下困難，頻脈，血圧の変動，発汗などが発現し，引き続いて発熱がみられたら，服用を中止して体を冷やす，水分を補給するなどして，ただちに処方医へ連絡してください。高熱が続き，意識障害，呼吸困難，循環虚脱，脱水症状，急性腎障害へと移行して死亡した例が報告されています。

(5)セイヨウオトギリソウ（セント・ジョーンズ・ワート）含有食品……一緒に摂取すると本剤の血中濃度が低くなり作用が弱まるおそれがあるので，本剤の服用中はセイヨウオトギリソウ含有食品を摂取しないでください。

(6)海外での臨床試験・疫学調査結果……抗うつ薬の服用で，24歳以下の患者で自殺念慮・自殺企図の発現リスクが上昇すると報告されています。また，50歳以上の患者で骨折のリスクが上昇すると報告されています。

(7)危険作業は中止……本剤を服用すると，眠け，注意力・集中力・反射運動能力などの低下がおこることがあります。服用中は，自動車の運転など危険を伴う機械の操作は行わないようにしてください。

(8)その他……

●妊婦での安全性：有益と判断されたときのみ服用。

●授乳婦での安全性：服用するときは授乳を中止。

●小児での安全性：原則として服用禁止。（1714頁を参照）

重大な副作用 ①悪性症候群。②セロトニン症候群(不安, 焦燥, せん妄, 興奮, 発熱, 発汗, 頻脈, ふるえ, 反射亢進, 下痢など)。③低ナトリウム血症, けいれん, 意識障害などを伴う抗利尿ホルモン不適合分泌症候群(SIADH)。④食欲不振, 悪心・嘔吐, 著しい便秘などから移行する麻痺性イレウス(腸閉塞)。⑤血液障害(無顆粒球症, 汎血球減少, 白血球減少など)

[アミトリプチリン塩酸塩, トリミプラミンマレイン酸塩, アモキサピンのみ] ⑥幻覚, せん妄, 精神錯乱, けいれん。

[イミプラミン塩酸塩, クロミプラミン塩酸塩, ノルトリプチリン塩酸塩のみ] ⑦てんかん発作。

[イミプラミン塩酸塩, クロミプラミン塩酸塩, アモキサピンのみ] ⑧肝機能障害, 黄疸。

[イミプラミン塩酸塩, クロミプラミン塩酸塩のみ] ⑨間質性肺炎, 好酸球性肺炎。⑩QT 延長, 心室頻拍。

[アミトリプチリン塩酸塩のみ] ⑪心筋梗塞。⑫顔や舌のむくみ。

[イミプラミン塩酸塩のみ] ⑬心不全。

[クロミプラミン塩酸塩のみ] ⑭横紋筋融解症(筋肉痛, 脱力感など)。

[アモキサピンのみ] ⑮口周部などの不随意運動(遅発性ジスキネジア)。⑯皮膚粘膜眼症候群(スティブンス-ジョンソン症候群), 中毒性表皮壊死融解症(TEN), 急性汎発性発疹性膿疱症。

　そのほかにも報告された副作用はあるので, 体調がいつもと違うと感じたときは, 処方医・薬剤師に相談してください。

併用してはいけない薬 パーキンソン病薬のモノアミン酸化酵素阻害薬(1716 頁を参照)(セレギリン塩酸塩, ラサギリンメシル酸塩, サフィナミドメシル酸塩)→本剤の代謝を阻害するなどして, 発汗, 不穏, 全身けいれん, 異常高熱, 昏睡などが現れることがあります。

内 02 精神神経科の薬　05 うつ病の薬

02 四環系抗うつ薬

💊 **製剤情報**

一般名:マプロチリン塩酸塩
- 保険収載年月…1981年9月
- 海外評価…4点 英 米 独 仏　●PC…B
- 剤形…錠 錠剤
- 服用量と回数…1日30～75mgを2～3回に分けて, または夕食後あるいは就寝前に1回服用。

■先発品　商品名(メーカー)　規格・保険薬価

ルジオミール 写真 (サンファーマ)	
錠 10mg 1錠 8.20 円	錠 25mg 1錠 16.40 円

■ジェネリック　商品名(メーカー)　規格・保険薬価

マプロチリン塩酸塩 (共和) 錠 10mg 1錠 5.90 円	
錠 25mg 1錠 10.80 円	

マプロチリン塩酸塩 (高田) 錠 10mg 1錠 5.90 円	
錠 25mg 1錠 10.80 円	錠 50mg 1錠 23.00 円

一般名：ミアンセリン塩酸塩

- 保険収載年月…1983年2月
- 海外評価…4点 英 米 独 仏
- 剤形…錠 錠剤
- 服用量と回数…1日30〜60mgを分けて，または夕食後あるいは就寝前に1回服用。

■先発品　　商品名（メーカー）　規格・保険薬価

テトラミド（オルガノン＝第一三共）

錠 10mg 1錠 12.30 円　錠 30mg 1錠 33.80 円

一般名：セチプチリンマレイン酸塩

- 保険収載年月…1989年8月
- 海外評価…0点 英 米 独 仏
- 規制…劇薬
- 剤形…錠 錠剤
- 服用量と回数…1日3〜6mgを分けて服用。

■先発品　　商品名（メーカー）　規格・保険薬価

テシプール（持田）錠 1mg 1錠 11.50 円

■ジェネリック　　商品名（メーカー）　規格・保険薬価

セチプチリンマレイン酸塩（沢井）

錠 1mg 1錠 5.90 円

概　　要

分類　四環系抗うつ薬

処方目的　うつ病・うつ状態

解説　薬剤の構造式上，ベンゼン環と呼ばれる亀甲型の環が三つ連なったものが三環系抗うつ薬，四つ連なったものが四環系抗うつ薬です。脳内の神経細胞同士は神経伝達物質（モノアミン）を放出し，また再取り込みを行って情報をやりとりしています。うつ病になるとモノアミンのうちの意欲や活力などを伝えるセロトニン，ノルアドレナリンの量が減っていることがわかっています。

　四環系のうちのマプロチリン塩酸塩は，ノルアドレナリンの再取り込みを阻害して，ミアンセリン塩酸塩とセチプチリンマイレン酸塩は α-アドレナリン受容体を遮断して，神経細胞同士の間隙（すきま）にノルアドレナリンの量を増やし，作用を強めてうつ病を改善します。四環系は，三環系に比べて治療効果は弱いとされていますが，副作用が軽く，また作用の発現が速く，持続時間が長いのが特長です。

使用上の注意

＊マプロチリン塩酸塩（ルジオミール）の添付文書による

基本的注意

(1)服用してはいけない場合……本剤の成分に対するアレルギーの前歴／閉塞隅角緑内障／心筋梗塞の回復初期／てんかんなどのけいれん性疾患またはこれらの前歴／尿閉（前立腺疾患など）／モノアミン酸化酵素阻害薬（1716頁を参照）の服用中

(2)慎重に服用すべき場合……排尿困難／眼内圧亢進／心不全・心筋梗塞・狭心症・不整脈（発作性頻拍・刺激伝導障害など）などの心疾患／甲状腺機能亢進症または甲状腺ホルモン薬の服用中／躁うつ病／脳器質障害素因または統合失調症素因／衝動性が高い併存障害がある人／自殺念慮または自殺企図の既往，自殺念慮のある人／副腎髄質腫瘍（褐色細胞腫，神経芽細胞腫など）／重い肝機能障害／重い腎機能障害／低血圧／高度な慢性便秘／三環系抗うつ薬に対する過敏症／開放隅角緑内障／小児，高齢者

(3)急な減量・中止……本剤の服用量を急激に減らしたり中止したりすると，吐きけ，頭

痛，倦怠感，刺激を受けやすい，情動不安，睡眠障害，筋肉のひきつりなどの離脱症状が現れることがあります。自己判断で減量や中止をしないでください。

(4)悪性症候群……本剤の服用によって悪性症候群がおこることがあります。無動緘黙〈緘黙＝無言症〉，強度の筋強剛，嚥下困難，頻脈，血圧の変動，発汗などが発現し，引き続いて発熱がみられたら，服用を中止して体を冷やす，水分を補給するなどして，ただちに処方医へ連絡してください。高熱が続き，意識障害，呼吸困難，循環虚脱，脱水症状，急性腎障害へと移行して死亡した例が報告されています。

(5)海外での臨床試験・疫学調査結果……抗うつ薬の服用で，24歳以下の患者で自殺念慮・自殺企図の発現リスクが上昇すると報告されています。また，50歳以上の患者で骨折のリスクが上昇すると報告されています。

(6)危険作業は中止……本剤を服用すると，めまいや眠けなどがおこることがあります。服用中は，自動車の運転など危険を伴う機械の操作は行わないようにしてください。

(7)その他……

●妊婦での安全性：未確立。原則として服用しない。

●授乳婦での安全性：服用するときは授乳を中止。

●小児での安全性：未確立。（1714頁を参照）

重大な副作用 ①悪性症候群。②無顆粒球症。

[マプロチリン塩酸塩，ミアンセリン塩酸塩のみ] ③肝機能障害，黄疸。④QT延長，心室頻拍。

[マプロチリン塩酸塩のみ] ⑤てんかん発作。⑥横紋筋融解症（筋肉痛，脱力感など）。⑦皮膚粘膜眼症候群（スティブンス-ジョンソン症候群）。⑧腸管麻痺（食欲不振，悪心・嘔吐，著しい便秘，腹部膨満・腹部弛緩など）から移行する麻痺性イレウス（腸閉塞）。⑨間質性肺炎・好酸球性肺炎（発熱，せき，呼吸困難，肺音異常など）。

[ミアンセリン塩酸塩のみ] ⑩けいれん。⑪心室細動。

そのほかにも報告された副作用はあるので，体調がいつもと違うと感じたときは，処方医・薬剤師に相談してください。

併用してはいけない薬 モノアミン酸化酵素阻害薬（1716頁を参照）→本剤の代謝を阻害するなどして，発汗，不穏，全身けいれん，異常高熱，昏睡などが現れることがあります。

内 02 精神神経科の薬　05 うつ病の薬

03 トラゾドン塩酸塩

製剤情報

一般名：トラゾドン塩酸塩

●保険収載年月…1991年8月

●海外評価…5点 英 米 独 仏　●PC…C

●規制…劇薬

●剤形…錠剤

●服用量と回数…1日75～200mgを1回，または数回に分けて服用。

■先発品　　商品名(メーカー)　規格・保険薬価
デジレル (ファイザー) 錠25mg 1錠 12.40 円
錠50mg 1錠 19.50 円
レスリン 写真 (オルガノン) 錠25mg 1錠 10.70 円
錠50mg 1錠 18.80 円

■ジェネリック　　商品名(メーカー)　規格・保険薬価
トラゾドン塩酸塩 写真 (共和＝日本ジェネリック)
錠25mg 1錠 5.90 円　錠50mg 1錠 9.30 円

概　要

分類　うつ病治療薬

処方目的　うつ病・うつ状態

解説　三環系あるいは四環系抗うつ薬に属さない，新しいタイプの抗うつ薬です。また，モノアミン酸化酵素阻害薬(1716頁を参照)やアンフェタミンなどとも無関係です。

　この薬剤は，モノアミンのうちではノルアドレナリンよりもセロトニンに選択的に作用して抗うつ作用を現すといわれています。三環系抗うつ薬にみられる抗コリン作用(便秘，排尿困難，口の渇き，眼のかすみなど)がないのが特長です。

使用上の注意

＊トラゾドン塩酸塩(デジレル，レスリン)の添付文書による

基本的注意

(1)服用してはいけない場合……本剤の成分に対するアレルギーの前歴

(2)慎重に服用すべき場合……心筋梗塞の回復初期，心疾患またはその前歴／緑内障，排尿困難または眼内圧亢進のある人／てんかんなどのけいれん性疾患またはその前歴／躁うつ病／脳の器質障害または統合失調症の素因のある人／衝動性が高い併存障害を有する人／自殺念慮または自殺企図の既往のある人，自殺念慮のある人／小児，高齢者

(3)定期検査……服用中は QT 延長，心室頻拍，心室細動，心室性期外収縮がおこることがあるので，定期的に心電図検査を受ける必要があります。

(4)悪性症候群……本剤の服用によって悪性症候群がおこることがあります。無動緘黙〈緘黙＝無言症〉，強度の筋強剛，嚥下困難，頻脈，血圧の変動，発汗などが発現し，引き続いて発熱がみられたら，服用を中止して体を冷やす，水分を補給するなどして，ただちに処方医へ連絡してください。高熱が続き，意識障害，呼吸困難，循環虚脱，脱水症状，急性腎障害へと移行して死亡した例が報告されています。

(5)海外での臨床試験・疫学調査結果……抗うつ薬の服用で，24歳以下の患者で自殺念慮・自殺企図の発現リスクが上昇すると報告されています。また，50歳以上の患者で骨折のリスクが上昇すると報告されています。

(6)危険作業は中止……本剤を服用すると，眠け，注意力・集中力・反射運動能力などの低下がおこることがあります。服用中は，自動車の運転など危険を伴う機械の操作は行わないようにしてください。

(7)その他……
●妊婦での安全性：有益と判断されたときのみ服用。
●授乳婦での安全性：[デジレル]原則として服用しない。やむを得ず服用するときは授

乳を中止。［レスリン］治療上の有益性・母乳栄養の有益性を考慮し，授乳の継続・中止を検討。

● 小児での安全性：未確立。（1714 頁を参照）

重大な副作用 ①悪性症候群。②セロトニン症候群（錯乱，発汗，反射亢進，戦慄，頻脈，ふるえ，発熱，協調異常など）。③QT 延長，心室頻拍，心室細動，心室性期外収縮。④無顆粒球症。⑤陰核や陰茎の持続性勃起。⑥食欲不振，悪心・嘔吐，著しい便秘などから移行する麻痺性イレウス（腸閉塞）。⑦せん妄，錯乱。

そのほかにも報告された副作用はあるので，体調がいつもと違うと感じたときは，処方医・薬剤師に相談してください。

併用してはいけない薬 併用してはいけない薬は特にありません。ただし，併用する薬があるときは，念のため処方医・薬剤師に報告してください。

内 02 精神神経科の薬　05 うつ病の薬

04 選択的セロトニン再取り込み阻害薬

製剤情報

一般名：エスシタロプラムシュウ酸塩

● 保険収載年月…2011年7月
● 海外評価…6点 英 米 独 仏　● PC…C
● 規制…劇薬
● 剤形…錠 錠剤
● 服用量と回数…1日1回10mgを夕食後に服用。年齢・症状により適宜増減，1日最大20mg。

■先発品　商品名(メーカー)　規格・保険薬価

レクサプロ 写真 (持田＝田辺三菱)
錠 10mg 1錠 169.90 円　錠 20mg 1錠 253.30 円

一般名：フルボキサミンマレイン酸塩

● 保険収載年月…1999年5月
● 海外評価…5点 英 米 独 仏　● PC…C
● 剤形…錠 錠剤
● 服用量と回数…1日50〜150mgを2回に分けて服用。小児(8歳以上)の強迫性障害の場合は，1日1回25mgの就寝前服用から開始し，その後1週間以上の間隔をあけて1日50mgを1日2回朝・就寝前に服用。年齢・症状により適宜増減，1日最大150mg。

■先発品　商品名(メーカー)　規格・保険薬価

デプロメール (MeijiSeika) 錠 25mg 1錠 24.10 円
錠 50mg 1錠 41.60 円　錠 75mg 1錠 56.20 円

ルボックス 写真 (アッヴィ) 錠 25mg 1錠 22.10 円
錠 50mg 1錠 36.60 円　錠 75mg 1錠 47.20 円

■ジェネリック　商品名(メーカー)　規格・保険薬価

フルボキサミンマレイン酸塩 (エルメッド＝日医工) 錠 25mg 1錠 10.10 円　錠 50mg 1錠 16.50 円
錠 75mg 1錠 22.70 円

フルボキサミンマレイン酸塩 (共和)
錠 25mg 1錠 10.10 円　錠 50mg 1錠 16.50 円
錠 75mg 1錠 22.70 円

フルボキサミンマレイン酸塩 (キョーリン＝杏林) 錠 25mg 1錠 10.10 円　錠 50mg 1錠 16.50 円
錠 75mg 1錠 22.70 円

フルボキサミンマレイン酸塩 (沢井)
錠 25mg 1錠 10.10 円　錠 50mg 1錠 16.50 円
錠 75mg 1錠 22.70 円

フルボキサミンマレイン酸塩 (高田)
錠 25mg 1錠 13.60 円　錠 50mg 1錠 16.50 円
錠 75mg 1錠 33.70 円

フルボキサミンマレイン酸塩（武田テバ薬品＝武田テバファーマ＝武田）錠25mg 1錠 10.10 円
錠50mg 1錠 16.50 円　錠75mg 1錠 33.70 円

フルボキサミンマレイン酸塩（長生堂＝日本ジェネリック）錠25mg 1錠 10.10 円
錠50mg 1錠 16.50 円　錠75mg 1錠 33.70 円

フルボキサミンマレイン酸塩（東和）
錠25mg 1錠 13.60 円　錠50mg 1錠 23.80 円
錠75mg 1錠 33.70 円

フルボキサミンマレイン酸塩（日医工）
錠25mg 1錠 10.10 円　錠50mg 1錠 16.50 円
錠75mg 1錠 22.70 円

フルボキサミンマレイン酸塩（ニプロ）
錠25mg 1錠 10.10 円　錠50mg 1錠 16.50 円
錠75mg 1錠 22.70 円

一般名：パロキセチン塩酸塩水和物

- 保険収載年月…2000年11月
- 海外評価…6点 英 米 独 仏　● PC…D
- 規制…劇薬
- 剤形…錠 錠剤
- 服用量と回数…1日1回夕食後に服用。うつ病・うつ状態，社会不安障害，外傷後ストレス障害は10〜40mg，パニック障害は10〜30mg，強迫性障害は20〜50mg。パキシルCRは1日1回12.5〜50mgを夕食後に服用。

■先発品　　商品名(メーカー)　規格・保険薬価

パキシル（グラクソ）錠5mg 1錠 32.20 円
錠10mg 1錠 59.30 円　錠20mg 1錠 102.10 円

パキシル CR 写真 （グラクソ）
錠6.25mg 1錠 36.50 円　錠12.5mg 1錠 57.70 円
錠25mg 1錠 99.80 円

■ジェネリック　　商品名(メーカー)　規格・保険薬価

パロキセチン（あすか＝武田）錠5mg 1錠 12.60 円
錠10mg 1錠 20.20 円　錠20mg 1錠 36.50 円

パロキセチン（エルメッド＝日医工）
錠5mg 1錠 12.60 円　錠10mg 1錠 20.20 円
錠20mg 1錠 36.50 円

パロキセチン（大原）錠5mg 1錠 12.60 円

パロキセチン（大原＝エッセンシャル）
錠10mg 1錠 20.20 円　錠20mg 1錠 36.50 円

パロキセチン（共和）錠5mg 1錠 12.60 円
錠10mg 1錠 15.10 円　錠20mg 1錠 24.80 円

パロキセチン（ケミファ＝日薬工）
錠5mg 1錠 12.60 円　錠10mg 1錠 32.10 円
錠20mg 1錠 57.40 円

パロキセチン（小林化工）錠5mg 1錠 10.10 円
錠10mg 1錠 15.10 円　錠20mg 1錠 24.80 円

パロキセチン（沢井）錠5mg 1錠 12.60 円
錠10mg 1錠 20.20 円　錠20mg 1錠 36.50 円

パロキセチン（サンド）錠5mg 1錠 12.60 円
錠10mg 1錠 20.20 円　錠20mg 1錠 36.50 円

パロキセチン 写真 （サンドファーマ＝サンド）
錠5mg 1錠 10.10 円　錠10mg 1錠 20.20 円
錠20mg 1錠 24.80 円

パロキセチン（第一三共エスファ）
錠5mg 1錠 12.60 円　錠10mg 1錠 20.20 円
錠20mg 1錠 36.50 円

パロキセチン（大興＝三和）錠5mg 1錠 10.10 円
錠10mg 1錠 20.20 円　錠20mg 1錠 36.50 円

パロキセチン（ダイト＝科研）錠5mg 1錠 12.60 円
錠10mg 1錠 20.20 円　錠20mg 1錠 36.50 円

パロキセチン（高田）錠5mg 1錠 12.60 円
錠10mg 1錠 20.20 円　錠20mg 1錠 36.50 円

パロキセチン（武田テバファーマ＝武田）
錠5mg 1錠 12.60 円　錠10mg 1錠 20.20 円
錠20mg 1錠 36.50 円

パロキセチン（辰巳）錠5mg 1錠 12.60 円
錠10mg 1錠 32.10 円　錠20mg 1錠 36.50 円

パロキセチン（鶴原）錠5mg 1錠 10.10 円
錠10mg 1錠 15.10 円　錠20mg 1錠 24.80 円

パロキセチン（東和）錠5mg 1錠 12.60 円
錠10mg 1錠 20.20 円　錠20mg 1錠 36.50 円

パロキセチン（日医工）錠5mg 1錠 12.60 円
錠10mg 1錠 20.20 円　錠20mg 1錠 36.50 円

選択的セロトニン再取り込み阻害薬

パロキセチン（日薬工）錠 5mg 1錠 10.10 円
錠 10mg 1錠 20.20 円　錠 20mg 1錠 24.80 円

パロキセチン（日新）錠 5mg 1錠 12.60 円
錠 10mg 1錠 15.10 円　錠 20mg 1錠 24.80 円

パロキセチン（ニプロ）錠 5mg 1錠 12.60 円
錠 10mg 1錠 15.10 円　錠 20mg 1錠 24.80 円

パロキセチン（ニプロ ES）錠 5mg 1錠 12.60 円
錠 10mg 1錠 15.10 円　錠 20mg 1錠 36.50 円

パロキセチン（日本ジェネリック）
錠 5mg 1錠 10.10 円　錠 10mg 1錠 15.10 円
錠 20mg 1錠 36.50 円

パロキセチン（ファイザー）錠 5mg 1錠 12.60 円
錠 10mg 1錠 20.20 円　錠 20mg 1錠 36.50 円

パロキセチン（フェルゼン）錠 5mg 1錠 10.10 円
錠 10mg 1錠 15.10 円　錠 20mg 1錠 24.80 円

パロキセチン（MeijiSeika）錠 5mg 1錠 12.60 円
錠 10mg 1錠 20.20 円　錠 20mg 1錠 36.50 円

パロキセチン（陽進堂）錠 5mg 1錠 12.60 円
錠 10mg 1錠 15.10 円　錠 20mg 1錠 24.80 円

パロキセチン OD（東和）錠 5mg 1錠 12.60 円
錠 10mg 1錠 22.20 円　錠 20mg 1錠 36.50 円

一般名：セルトラリン塩酸塩
- 保険収載年月…2006年6月
- 海外評価…6点 英 米 独 仏　● PC…C
- 規制…劇薬
- 剤形…錠 錠剤
- 服用量と回数…1日25～100mgを1回。

■先発品　　商品名（メーカー）　規格・保険薬価

ジェイゾロフト 写真 （ヴィアトリス）
錠 25mg 1錠 63.90 円　錠 50mg 1錠 108.50 円
錠 100mg 1錠 177.20 円

ジェイゾロフト OD（ヴィアトリス）
錠 25mg 1錠 63.90 円　錠 50mg 1錠 108.50 円
錠 100mg 1錠 177.20 円

■ジェネリック　　商品名（メーカー）　規格・保険薬価

セルトラリン（共和）錠 25mg 1錠 12.50 円
錠 50mg 1錠 19.80 円　錠 100mg 1錠 32.30 円

セルトラリン 写真 （キョーリン＝杏林）
錠 25mg 1錠 12.50 円　錠 50mg 1錠 19.80 円
錠 100mg 1錠 58.00 円

セルトラリン（ケミファ）錠 25mg 1錠 19.80 円
錠 50mg 1錠 19.80 円　錠 100mg 1錠 58.00 円

セルトラリン（沢井）錠 25mg 1錠 12.50 円
錠 50mg 1錠 19.80 円　錠 100mg 1錠 32.30 円

セルトラリン（サンド）錠 25mg 1錠 12.50 円
錠 50mg 1錠 19.80 円　錠 100mg 1錠 32.30 円

セルトラリン（三和）錠 25mg 1錠 12.50 円
錠 50mg 1錠 19.80 円　錠 100mg 1錠 32.30 円

セルトラリン（第一三共エスファ）
錠 25mg 1錠 12.50 円　錠 50mg 1錠 19.80 円
錠 100mg 1錠 32.30 円

セルトラリン（ダイト＝科研）錠 25mg 1錠 19.80 円
錠 50mg 1錠 19.80 円　錠 100mg 1錠 58.00 円

セルトラリン（高田）錠 25mg 1錠 19.80 円
錠 50mg 1錠 34.00 円　錠 100mg 1錠 58.00 円

セルトラリン（辰巳）錠 100mg 1錠 58.00 円

セルトラリン（辰巳＝フェルゼン）
錠 25mg 1錠 12.50 円　錠 50mg 1錠 19.80 円

セルトラリン（鶴原）錠 25mg 1錠 12.50 円
錠 50mg 1錠 19.80 円　錠 100mg 1錠 32.30 円

セルトラリン（東和）錠 25mg 1錠 12.50 円
錠 50mg 1錠 34.00 円　錠 100mg 1錠 58.00 円

セルトラリン（日医工）錠 25mg 1錠 12.50 円
錠 50mg 1錠 19.80 円　錠 100mg 1錠 32.30 円

セルトラリン（ニプロ）錠 25mg 1錠 12.50 円
錠 50mg 1錠 19.80 円　錠 100mg 1錠 32.30 円

セルトラリン（ニプロ ES）錠 25mg 1錠 12.50 円
錠 50mg 1錠 19.80 円　錠 100mg 1錠 32.30 円

セルトラリン（日本ジェネリック）
錠 25mg 1錠 19.80 円　錠 50mg 1錠 34.00 円
錠 100mg 1錠 58.00 円

セルトラリン 写真 （MeijiSeika）
錠 25mg 1錠 19.80 円　錠 50mg 1錠 34.00 円
錠 100mg 1錠 58.00 円

セルトラリン（陽進堂）錠 25mg 1錠 12.50 円
錠 50mg 1錠 19.80 円　錠 100mg 1錠 32.30 円

セルトラリン OD（共和）錠 25mg 1錠 12.50 円
錠 50mg 1錠 19.80 円

セルトラリン OD（東和）錠 25mg 1錠 12.50 円
錠 50mg 1錠 34.00 円　錠 100mg 1錠 58.00 円

- 海外評価…6点 英 米 独 仏
- 規制…劇薬
- 剤形…錠剤
- 服用量と回数…1日1回10～20mg。

■先発品　商品名（メーカー）　規格・保険薬価
トリンテリックス（武田）錠 10mg 1錠 161.70 円
錠 20mg 1錠 242.50 円

一般名：ボルチオキセチン臭化水素酸塩

- 保険収載年月…2019年11月

概　要

分類　抗うつ薬

処方目的　うつ病・うつ状態

［エスシタロプラムシュウ酸塩のみの適応症］社会不安障害

［フルボキサミンマレイン酸塩，パロキセチン塩酸塩水和物（パキシル CR を除く）のみの適応症］強迫性障害，社会不安障害

［パロキセチン塩酸塩水和物（パキシル CR を除く），セルトラリン塩酸塩のみの適応症］パニック障害，外傷後ストレス障害

解説　うつ病治療に繁用されてきた三環系抗うつ薬の作用機序は，ノルアドレナリンなどの再取り込み阻害作用によるとされています。三環系抗うつ薬にはセロトニンの再取り込み阻害作用もあることから，選択的セロトニン再取り込み阻害薬が開発され，SSRI と呼ばれます。三環系抗うつ薬と SSRI の作用はほぼ同等ですが，安全性の面では SSRI には抗コリン作用（便秘，排尿困難，口の渇き，眼のかすみなど）や心毒性がなく，大量服用でも安全性が高いとされています。

　なお，ボルチオキセチン臭化水素酸塩は，SSRI 作用とセロトニン受容体調節作用を併せもつ新しい作用機序の薬剤です。厳密にいえばこのグループの薬剤ではありませんが，SSRI 作用もあるため，ここに提示してあります。

使用上の注意

＊フルボキサミンマレイン酸塩（ルボックス）の添付文書による

警告

［パロキセチン塩酸塩水和物］海外で実施した 7～18 歳の大うつ病性障害患者を対象としたプラセボ対照試験において有効性が確認できなかったとの報告，また，自殺に関するリスクが増加するとの報告もあるので，本剤を 18 歳未満の大うつ病性障害の人が服用する際には，適応を慎重に検討しなければなりません。

基本的注意

(1) 服用してはいけない場合……本剤の成分に対するアレルギーの前歴／モノアミン酸化酵素阻害薬（1716 頁を参照）（セレギリン塩酸塩，ラサギリンメシル酸塩，サフィナミドメシル酸塩）の服用中または中止後 2 週間以内の人／ピモジドの服用中（ボルチオキセチ

ン臭化水素酸塩を除く)／[フルボキサミンマレイン酸塩のみ]チザニジン塩酸塩，ラメルテオン，メラトニンの服用中／[エスシタロプラムシュウ酸塩のみ]QT 延長(先天性 QT 延長症候群など)

(2)慎重に服用すべき場合……肝機能障害／重い腎機能障害／てんかんなどのけいれん性疾患またはその前歴／自殺念慮または自殺企図の前歴，自殺念慮のある人／躁うつ病／脳の器質障害または統合失調症の素因のある人／心疾患／衝動性が高い併存障害のある人／出血性疾患の前歴または出血性素因のある人／緑内障，眼内圧亢進／小児，女児(11 歳以下)，高齢者

(3)服用法……本剤は十分な水(150mL 以上)とともに服用し，かみ砕かないようにしてください。かみ砕くと苦みがあり，舌のしびれ感が現れることがあります。

(4)急な減量・中止……本剤の服用量を急激に減らしたり中止したりすると，頭痛，吐きけ，めまい，不安感，不眠，集中力低下などが現れるとの報告があります。自己判断で減量や中止をしないでください。

(5)妊娠……服用中に妊娠が判明した場合は処方医へ連絡してください。服用を中止することになります。

(6)小児の強迫性障害……本剤の服用により自殺念慮，自殺企図が現れる可能性があります。服用量・用量を厳格に守り，家族など周囲の人は医師と緊密に連絡を取り合いながら見守ることが重要です。

(7)死亡例……因果関係は不明ですが，本剤の服用中に自殺，心筋梗塞，AV ブロック，動脈瘤，肺塞栓症・肺炎・出血性胸膜炎などの呼吸器系障害，再生不良性貧血，脳内出血，肺高血圧症，低ナトリウム血症，腫瘍またはがん，膵炎，糖尿病による死亡例が報告されています。

(8)悪性症候群……向精神薬(抗精神病薬・抗うつ薬など)との併用によって悪性症候群がおこることがあります。無動緘黙〈緘黙＝無言症〉，強度の筋強剛，嚥下困難，頻脈，血圧の変動，発汗などが発現し，引き続いて発熱がみられたら，服用を中止して体を冷やす，水分を補給するなどして，ただちに処方医へ連絡してください。高熱が続き，意識障害，呼吸困難，循環虚脱，脱水症状，急性腎障害へと移行して死亡した例が報告されています。

(9)セイヨウオトギリソウ(セント・ジョーンズ・ワート)含有食品……一緒に摂取するとセロトニン症候群(不安，焦燥，興奮，錯乱など)が現れるおそれがあるので，本剤の服用中はセイヨウオトギリソウ含有食品を摂取しないでください。

(10)禁酒……本剤の服用中は飲酒を避けてください。相互作用は認められていませんが，他の抗うつ薬で作用の増強が報告されています。

(11)海外での臨床試験・疫学調査結果……抗うつ薬の服用で，24 歳以下の患者で自殺念慮・自殺企図の発現リスクが上昇すると報告されています。また，50 歳以上の患者で骨折のリスクが上昇すると報告されています。

(12)危険作業は中止……本剤を服用すると，眠け，意識レベルの低下・意識消失などの意識障害がおこることがあります。服用中は，自動車の運転など危険を伴う機械の操作は行わないようにしてください。

(13)その他……
- 妊婦での安全性：原則として服用しない。
- 授乳婦での安全性：治療上の有益性・母乳栄養の有益性を考慮し，授乳の継続・中止を検討。
- 小児での安全性：未確立（強迫性障害の場合は8歳未満）。（1714頁を参照）

重大な副作用 ①けいれん，せん妄，錯乱，幻覚，妄想。②意識障害（意識レベル低下，意識消失など）。③ショック，アナフィラキシー。④セロトニン症候群（錯乱，発熱，ミオクロヌス，ふるえ，協調異常，発汗など）。⑤悪性症候群（無動緘黙，強度の筋強剛，嚥下困難，頻脈，血圧の変動，発汗，発熱など：抗精神病薬・抗うつ薬などとの併用による）。⑥白血球減少，血小板減少。⑦肝機能障害，黄疸。⑧抗利尿ホルモン不適合分泌症候群（SIADH：食欲不振，頭痛，吐きけ，嘔吐，全身倦怠感など）。

そのほかにも報告された副作用はあるので，体調がいつもと違うと感じたときは，処方医・薬剤師に相談してください。

併用してはいけない薬 ［すべての製剤］モノアミン酸化酵素阻害薬（1716頁を参照）（セレギリン塩酸塩，ラサギリンメシル酸塩，サフィナミドメシル酸塩）→両剤の作用が強まることがあります。
［ボルチオキセチン臭化水素酸塩を除く］ピモジド→QT延長，心室性不整脈などの心血管系の副作用が現れることがあります。
［フルボキサミンマレイン酸塩のみ］①チザニジン塩酸塩→著しい血圧低下などの副作用が現れることがあります。②ラメルテオン，メラトニン→両剤の作用が強まることがあります。

内 02 精神神経科の薬　05 うつ病の薬

05 セロトニン・ノルアドレナリン再取り込み阻害薬

製剤情報

一般名：ミルナシプラン塩酸塩
- 保険収載年月…2000年9月
- 海外評価…4点 英 米 独 仏　●PC…C
- 規制…劇薬
- 剤形…錠 錠剤
- 服用量と回数…1日25〜100mg（高齢者は25〜60mg）を2〜3回に分けて服用。

■**先発品**　商品名(メーカー)　規格・保険薬価

トレドミン 写真 (旭化成＝ヤンセン)

| 錠 12.5mg 1錠 10.90 円 | 錠 15mg 1錠 14.00 円 |
| 錠 25mg 1錠 19.70 円 | 錠 50mg 1錠 33.10 円 |

■**ジェネリック**　商品名(メーカー)　規格・保険薬価

ミルナシプラン塩酸塩 (共和)

| 錠 12.5mg 1錠 8.40 円 | 錠 15mg 1錠 9.00 円 |
| 錠 25mg 1錠 12.60 円 | 錠 50mg 1錠 20.90 円 |

ミルナシプラン塩酸塩 (沢井)

| 錠 12.5mg 1錠 8.40 円 | 錠 15mg 1錠 9.00 円 |
| 錠 25mg 1錠 12.60 円 | 錠 50mg 1錠 20.90 円 |

ミルナシプラン塩酸塩 写真 (東和)

| 錠 12.5mg 1錠 8.40 円 | 錠 15mg 1錠 9.00 円 |
| 錠 25mg 1錠 12.60 円 | 錠 50mg 1錠 20.90 円 |

セロトニン・ノルアドレナリン再取り込み阻害薬

ミルナシプラン塩酸塩（日医工）
錠 12.5mg 1錠 8.40 円　錠 15mg 1錠 9.00 円
錠 25mg 1錠 12.60 円　錠 50mg 1錠 20.90 円

ミルナシプラン塩酸塩（ニプロ）
錠 12.5mg 1錠 8.40 円　錠 15mg 1錠 9.00 円
錠 25mg 1錠 9.30 円　錠 50mg 1錠 20.90 円

一般名：デュロキセチン塩酸塩

- 保険収載年月…2010年4月
- 海外評価…6点 英 米 独 仏　●PC…C
- 規制…劇薬
- 剤形… 錠 錠剤, カ カプセル剤
- 服用量と回数…1日20〜60mgを朝食後に1回
  服用。

■**先発品**　　商品名(メーカー)　規格・保険薬価

サインバルタ 写真 （塩野義＝イーライリリー）
カ 20mg 1カプセル 105.80 円　カ 30mg 1カプセル 140.20 円

■**ジェネリック**　　商品名(メーカー)　規格・保険薬価

デュロキセチン（大原＝エッセンシャル）
カ 20mg 1カプセル 39.60 円　カ 30mg 1カプセル 53.40 円

デュロキセチン（共創未来） カ 20mg 1カプセル 39.60 円
カ 30mg 1カプセル 53.40 円

デュロキセチン（共和） カ 20mg 1カプセル 39.60 円
カ 30mg 1カプセル 53.40 円

デュロキセチン（沢井） カ 20mg 1カプセル 39.60 円
カ 30mg 1カプセル 53.40 円

デュロキセチン 写真 （第一三共エスファ）
カ 20mg 1カプセル 39.60 円　カ 30mg 1カプセル 53.40 円

デュロキセチン（ダイト＝フェルゼン）
カ 20mg 1カプセル 39.60 円　カ 30mg 1カプセル 53.40 円

デュロキセチン（高田） カ 20mg 1カプセル 39.60 円
カ 30mg 1カプセル 53.40 円

デュロキセチン（長生堂＝日本ジェネリック）
カ 20mg 1カプセル 39.60 円　カ 30mg 1カプセル 53.40 円

デュロキセチン（東和） 錠 20mg 1錠 39.60 円
錠 30mg 1錠 53.40 円　カ 20mg 1カプセル 39.60 円
カ 30mg 1カプセル 53.40 円

デュロキセチン（日医工岐阜＝日医工＝武田）
カ 20mg 1カプセル 39.60 円　カ 30mg 1カプセル 53.40 円

デュロキセチン（日新） カ 20mg 1カプセル 39.60 円
カ 30mg 1カプセル 53.40 円

デュロキセチン（ニプロ） カ 20mg 1カプセル 39.60 円
カ 30mg 1カプセル 53.40 円

デュロキセチン（富士化学＝ケミファ）
錠 20mg 1錠 39.60 円　錠 30mg 1錠 53.40 円

デュロキセチン（三笠） カ 20mg 1カプセル 39.60 円
カ 30mg 1カプセル 53.40 円

デュロキセチン（MeijiSeika）
カ 20mg 1カプセル 39.60 円　カ 30mg 1カプセル 53.40 円

デュロキセチン（陽進堂） カ 20mg 1カプセル 39.60 円
カ 30mg 1カプセル 53.40 円

デュロキセチン OD（ニプロ）
錠 20mg 1錠 39.60 円　錠 30mg 1錠 53.40 円

デュロキセチン OD（MeijiSeika）
錠 20mg 1錠 39.60 円　錠 30mg 1錠 53.40 円

一般名：ベンラファキシン塩酸塩

- 保険収載年月…2015年11月
- 海外評価…6点 英 米 独 仏　●PC…C
- 規制…劇薬
- 剤形… カ カプセル剤
- 服用量と回数…1日37.5〜225mgを食後に1
  回。

■**先発品**　　商品名(メーカー)　規格・保険薬価

イフェクサー SR 写真 （ヴィアトリス）
カ 37.5mg 1カプセル 122.00 円　カ 75mg 1カプセル 242.50 円

≡ **概　　要**

分類　抗うつ薬

処方目的　うつ病・うつ状態

[デュロキセチン塩酸塩のみ] 以下の疾患に伴う疼痛→糖尿病性神経障害，線維筋痛症，慢性腰痛症，変形性関節症

解説 SSRI(セレクティブ・セロトニン・リアップテーク・インヒビター)がセロトニンの再取り込みを阻害して，その濃度を増加させるのに対して，ここで説明する SNRI(セロトニン・ノルアドレナリン・リアップテーク・インヒビター)は，セロトニンとノルアドレナリンに働きかけ，両方の濃度を増加させます。

　ノルアドレナリンは，積極性の元となる，気力・活力に関与する物質で，これが減少すると意欲や行動力が低下してきます。一方，セロトニンが減少すると不安や落ち込み，焦燥感という症状が出やすくなります。一般的に不安感や落ち込みの症状には SSRI が選択され，気力・意欲の減少には SNRI という使い分けを基本に，症状に合わせて処方されます。なお，デュロキセチン塩酸塩は，糖尿病性神経障害および線維筋痛症，慢性腰痛症，変形性関節症に伴う疼痛に対しても使用されます。

使用上の注意

＊ミルナシプラン塩酸塩(トレドミン)などの添付文書による

基本的注意

(1)服用してはいけない場合……本剤の成分に対するアレルギーの前歴／モノアミン酸化酵素阻害薬(1716 頁を参照)(セレギリン塩酸塩，ラサギリンメシル酸塩，サフィナミドメシル酸塩)の服用中あるいは服用中止後 2 週間以内／[ミルナシプラン塩酸塩のみ]尿閉(前立腺疾患など)／[デュロキセチン塩酸塩のみ]高度の肝機能障害／高度の腎機能障害／コントロール不良の閉塞隅角緑内障／[ベンラファキシン塩酸塩のみ]重度の肝機能障害(Child-Pugh 分類 C)／重度の腎機能障害(糸球体濾過量 15mL/分未満)，透析中

(2)慎重に服用すべき場合……排尿困難(前立腺肥大症など)／緑内障または眼内圧亢進／心疾患／高血圧／てんかんなどのけいれん性疾患またはこれらの前歴／躁うつ病(双極性障害)／自殺念慮または自殺企図の前歴，自殺念慮のある人／脳の器質障害または統合失調症の素因のある人／衝動性が高い併存障害／高齢者／[ミルナシプラン塩酸塩のみ]肝機能障害／腎機能障害／[デュロキセチン塩酸塩のみ]過度のアルコール摂取者／出血性疾患の前歴または出血性素因のある人／軽度から中等度の肝機能障害・腎機能障害／[ベンラファキシン塩酸塩のみ]QT 延長またはその前歴，著明な徐脈や低カリウム血症など／出血の危険性を高める薬剤の併用中，出血傾向または出血性素因のある人／軽度から中等度の肝機能障害・腎機能障害

(3)服用法……空腹時に服用すると吐きけ，嘔吐が強く現れるおそれがあるので，空腹時の服用は避けてください。

(4)海外での臨床試験・疫学調査結果……抗うつ薬の服用で，24 歳以下の患者で自殺念慮・自殺企図の発現リスクが上昇すると報告されています。また，50 歳以上の患者で骨折のリスクが上昇すると報告されています。

(5)危険作業に注意……本剤を服用すると，眠け，めまいなどがおこることがあります。服用中は，自動車の運転など危険を伴う機械を操作する際には十分注意し，これらの症状を自覚した場合は危険作業に従事しないでください。

(6)その他……
- ●妊婦での安全性：有益と判断されたときのみ服用。
- ●授乳婦での安全性：治療上の有益性・母乳栄養の有益性を考慮し，授乳の継続・中止を検討。
- ●小児での安全性：未確立。(1714頁を参照)

重大な副作用　①無動緘黙(緘黙＝無言症)，強度の筋強剛，嚥下困難，頻脈，血圧の変動，発汗，発熱などが現れる悪性症候群。②セロトニン症候群(激越，錯乱，発汗，幻覚，反射亢進，ミオクローヌス，戦慄，頻脈，振戦，発熱，協調異常など)。③けいれん。④皮膚粘膜眼症候群(スティブンス‐ジョンソン症候群)，中毒性表皮壊死融解症(TEN)，多形紅斑などの重い皮膚障害。⑤低ナトリウム血症，低浸透圧血症，尿中ナトリウム増加，高張尿，意識障害などを伴う抗利尿ホルモン不適合分泌症候群(SIADH)。⑥高血圧クリーゼ(急激な血圧の上昇)。
[ミルナシプラン塩酸塩，デュロキセチン塩酸塩のみ]⑦肝機能障害，黄疸。
[デュロキセチン塩酸塩，ベンラファキシン塩酸塩のみ]⑧アナフィラキシー(呼吸困難，けいれん，喘鳴，血管浮腫，じん麻疹など)。⑨尿閉。
[ミルナシプラン塩酸塩のみ]⑩白血球減少。
[デュロキセチン塩酸塩のみ]⑪幻覚。
[ベンラファキシン塩酸塩のみ]⑫QT延長，心室頻拍(トルサード・ドゥ・ポワントを含む)，心室細動。⑬横紋筋融解症(筋肉痛，脱力感など)。⑭無顆粒球症，再生不良性貧血，汎血球減少症，好中球減少，血小板減少。⑮間質性肺疾患。
　そのほかにも報告された副作用はあるので，体調がいつもと違うと感じたときは，処方医・薬剤師に相談してください。

併用してはいけない薬　モノアミン酸化酵素阻害薬(1716頁を参照)(セレギリン塩酸塩，ラサギリンメシル酸塩，サフィナミドメシル酸塩)→本剤または他の抗うつ薬で，併用により発汗，不穏，全身けいれん，異常高熱，昏睡などの症状が現れたとの報告があります。

内 02 精神神経科の薬　05 うつ病の薬
06 ミルタザピン

✎ 製剤情報

一般名：ミルタザピン
- ●保険収載年月…2009年9月
- ●海外評価…6点 英 米 独 仏　●PC…C
- ●規制…劇薬
- ●剤形…錠 錠剤
- ●服用量と回数…1日15〜45mgを就寝前に1回

服用。

■先発品

商品名(メーカー)	規格・保険薬価
リフレックス (MeijiSeika)	錠 15mg 1錠 100.00 円
	錠 30mg 1錠 164.10 円
レメロン (オルガノン)	錠 15mg 1錠 95.90 円
	錠 30mg 1錠 159.80 円

■ジェネリック　　商品名(メーカー)　規格・保険薬価

ミルタザピン (エルメッド＝日医工)
錠 15mg 1錠 19.30 円　錠 30mg 1錠 35.20 円

ミルタザピン 写真 (大蔵＝MeijiSeika)
錠 15mg 1錠 25.50 円　錠 30mg 1錠 43.80 円

ミルタザピン (共創未来) 15mg 1錠 32.20 円
錠 30mg 1錠 52.70 円

ミルタザピン (共和) 15mg 1錠 19.30 円
錠 30mg 1錠 35.20 円

ミルタザピン 写真 (キョーリン＝杏林)
錠 15mg 1錠 19.30 円　錠 30mg 1錠 35.20 円

ミルタザピン (ケミファ＝日薬工)
錠 15mg 1錠 19.30 円　錠 30mg 1錠 35.20 円

ミルタザピン (沢井) 15mg 1錠 25.50 円
錠 30mg 1錠 43.80 円

ミルタザピン (ダイト＝ファイザー)
錠 15mg 1錠 19.30 円　錠 30mg 1錠 35.20 円

ミルタザピン (武田テバファーマ＝武田)
錠 15mg 1錠 25.50 円　錠 30mg 1錠 43.80 円

ミルタザピン (辰巳) 15mg 1錠 19.30 円
錠 30mg 1錠 52.70 円

ミルタザピン (長生堂＝日本ジェネリック)
錠 15mg 1錠 32.20 円　錠 30mg 1錠 52.70 円

ミルタザピン (東和) 錠 15mg 1錠 25.50 円
錠 30mg 1錠 43.80 円

ミルタザピン (日医工) 錠 15mg 1錠 19.30 円
錠 30mg 1錠 35.20 円

ミルタザピン (日新) 錠 15mg 1錠 19.30 円
錠 30mg 1錠 35.20 円

ミルタザピン (ニプロ) 錠 15mg 1錠 19.30 円
錠 30mg 1錠 35.20 円

ミルタザピン (フェルゼン) 錠 15mg 1錠 32.20 円
錠 30mg 1錠 52.70 円

ミルタザピン (陽進堂＝アルフレッサ)
錠 15mg 1錠 19.30 円　錠 30mg 1錠 35.20 円

ミルタザピン OD (共和＝高田)
錠 15mg 1錠 32.20 円　錠 30mg 1錠 52.70 円

ミルタザピン OD (沢井) 錠 15mg 1錠 25.50 円
錠 30mg 1錠 43.80 円

ミルタザピン OD (ジェイドルフ＝第一三共エス
ファ) 錠 15mg 1錠 32.20 円　錠 30mg 1錠 52.70 円

ミルタザピン OD (東和) 錠 15mg 1錠 25.50 円
錠 30mg 1錠 43.80 円

ミルタザピン OD (ニプロ) 錠 15mg 1錠 19.30 円
錠 30mg 1錠 35.20 円

概　　要

分類　ノルアドレナリン・セロトニン作動性抗うつ薬

処方目的　うつ病，うつ状態

解説　ミルタザピンは，「ノルアドレナリン作動性・特異的セロトニン作動性抗うつ薬
(NaSSA)」という新しいタイプの抗うつ薬です。今までの三環系・四環系，あるいは
SSRI(選択的セロトニン再取り込み阻害薬)や SNRI(選択的セロトニン・ノルアドレナリ
ン再取り込み阻害薬)といった抗うつ薬が，不足がちなセロトニンあるいはノルアドレナ
リンの再取り込みを阻害することで効果を発揮していたのに対し，ミルタザピンは脳内
のノルアドレナリンやセロトニンの遊離を増加させる作用と，同時に不安・うつに関係
する受容体への刺激を増強する作用を示し，効果を発揮します。

使用上の注意

＊ミルタザピン(リフレックス)の添付文書による

基本的注意

(1)服用してはいけない場合……本剤の成分に対するアレルギーの前歴／モノアミン酸

化酵素阻害薬(1716頁を参照)(セレギリン塩酸塩, ラサギリンメシル酸塩, サフィナミドメシル酸塩)服用中あるいは中止後2週間以内の人

(2)慎重に服用すべき場合……肝機能障害/腎機能障害/自殺念慮または自殺企図の前歴, 自殺念慮のある人/躁うつ病/脳の器質的障害・統合失調症の素因/衝動性が高い併存障害/てんかんなどのけいれん性疾患またはその前歴/心疾患(心筋梗塞, 狭心症, 伝導障害など)・低血圧/QT延長またはその前歴, 著明な徐脈や低カリウム血症などがある人/緑内障・眼内圧亢進/排尿困難/高齢者

(3)海外での臨床試験・疫学調査結果……抗うつ薬の服用で, 24歳以下の患者で自殺念慮・自殺企図の発現リスクが上昇すると報告されています。また, 50歳以上の患者で骨折のリスクが上昇すると報告されています。

(4)セイヨウオトギリソウ(セント・ジョーンズ・ワート)含有食品……一緒に摂取するとセロトニン症候群(不安, 焦燥, 興奮, 錯乱など)が現れるおそれがあるので, 本剤の服用中はセイヨウオトギリソウ含有食品を摂取しないでください。

(5)危険作業は中止……本剤を服用すると, 眠け, めまいなどがおこることがあります。服用中は, 自動車の運転など危険を伴う機械の操作は行わないようにしてください。

(6)その他……
●妊婦での安全性：未確立。有益と判断されたときのみ服用。
●授乳婦での安全性：治療上の有益性・母乳栄養の有益性を考慮し, 授乳の継続・中止, または本剤服用の継続・中止を検討。
●小児での安全性：未確立。(1714頁を参照)

重大な副作用 ①セロトニン症候群(不安, 焦燥, 興奮, 錯乱など)。②無顆粒球症, 好中球減少症。③けいれん。④肝機能障害, 黄疸。⑤低ナトリウム血症, 低浸透圧血症, けいれん, 意識障害などを伴う抗利尿ホルモン不適合分泌症候群(SIADH)。⑥皮膚粘膜眼症候群(スティブンス-ジョンソン症候群), 多形紅斑。⑦QT延長, 心室頻拍。

そのほかにも報告された副作用はあるので, 体調がいつもと違うと感じたときは, 処方医・薬剤師に相談してください。

併用してはいけない薬 モノアミン酸化酵素阻害薬(1716頁を参照)(セレギリン塩酸塩, ラサギリンメシル酸塩, サフィナミドメシル酸塩)→セロトニン症候群が現れることがあります。

内 02 精神神経科の薬　06 その他の精神神経科の薬

01 躁病に用いる薬

製剤情報

一般名：炭酸リチウム
●保険収載年月…1980年2月
●海外評価…6点 英 米 独 仏 　●PC…D

●規制…劇薬
●剤形…錠 錠剤
●服用量と回数…1日200〜1,200mgを1〜3回に分けて服用。維持量1日200〜800mg。

■先発品　　商品名(メーカー)　規格・保険薬価
リーマス (大正製薬) 錠100mg 1錠 9.90 円
錠200mg 1錠 15.40円

■ジェネリック　　商品名(メーカー)　規格・保険薬価
炭酸リチウム (共和) 錠100mg 1錠 5.90 円
錠200mg 1錠 6.00 円

炭酸リチウム (全星＝田辺三菱＝吉富)
錠100mg 1錠 5.90 円　錠200mg 1錠 6.00 円

炭酸リチウム 写真 (藤永＝第一三共)
錠100mg 1錠 5.90 円　錠200mg 1錠 10.00 円

内
02
─
06
─
01

躁病に用いる薬

📋 概　　要
分類　躁病に用いる薬剤
処方目的　躁病および躁うつ病の躁状態
解説　躁病に対する唯一の治療薬ですが，薬の効果が出る量と副作用が発生する量とがあまり離れていないため，厳格な管理が必要な薬です。下痢，嘔吐，身体のふるえ，倦怠感などを感じたら，すぐに処方医に連絡してください。

👉 使用上の注意
＊炭酸リチウム(リーマス)の添付文書による
基本的注意
(1)服用してはいけない場合……てんかんなどの脳波異常／重い心疾患／リチウムの体内貯留をおこしやすい状態にある人(腎機能障害，衰弱，脱水，発熱，発汗，下痢，食塩制限)／妊婦または妊娠している可能性のある人
(2)慎重に服用すべき場合……脳の器質的障害／心疾患の前歴／食事および水分摂取量が不足している人／甲状腺機能亢進症または低下症／リチウムに異常な感受性を示す人／腎機能障害の前歴／肝機能障害／高齢者
(3)指示を厳守……本剤は，処方医の厳格な管理下で服用しなければいけません。自分勝手に服用を中止したり，服用量を変えたりしないでください。
(4)定期検査……本剤はリチウム中毒をおこしやすいので，服用初期や増量時は1週間に1回，維持量の服用中は2～3カ月に1回程度，血清リチウム濃度を測定する必要があります。中毒の初期症状(食欲低下，吐きけ，下痢，ふるえ，傾眠，錯乱，運動障害，発熱，発汗など)が現れた場合には，すぐに処方医の診察を受けてください。
(5)悪性症候群……向精神薬(抗精神病薬，抗うつ薬など)との併用によって悪性症候群がおこることがあります。無動緘黙〈緘黙＝無言症〉，強度の筋強剛，嚥下困難，頻脈，血圧の変動，発汗などが発現し，引き続いて発熱がみられたら，服用を中止して体を冷やす，水分を補給するなどして，ただちに処方医へ連絡してください。高熱が続き，意識障害，呼吸困難，循環虚脱，脱水症状，急性腎障害へと移行して死亡した例が報告されています。
(6)急な中止……服用量を急に中止すると，甲状腺中毒症(甲状腺機能亢進症)の症状が悪化することがあります。自己判断で中止しないでください。
(7)危険作業は中止……本剤を服用すると，眠け，めまいなどがおこることがあります。服用中は，自動車の運転など危険を伴う機械の操作は行わないようにしてください。
(8)その他……

- 授乳婦での安全性：服用するときは授乳を中止。
- 小児での安全性：未確立。（1714頁を参照）

重大な副作用　　①リチウム中毒（食欲低下，吐きけ，嘔吐，下痢，ふるえ，傾眠，錯乱，運動障害，運動失調，発熱，発汗など）。②洞不全症候群，高度の徐脈。③無動緘黙（緘黙＝無言症），強度の筋強剛，嚥下困難，頻脈，発汗などの悪性症候群。④腎性尿崩症（多飲，多尿など）。⑤認知症様症状，昏睡に至るような意識障害。⑥急性腎障害，間質性腎炎，ネフローゼ症候群。⑦甲状腺機能低下症，甲状腺炎。⑧副甲状腺機能亢進症。

そのほかにも報告された副作用はあるので，体調がいつもと違うと感じたときは，処方医・薬剤師に相談してください。

併用してはいけない薬　　併用してはいけない薬は特にありません。ただし，併用する薬があるときは，念のため処方医・薬剤師に報告してください。

内 02 精神神経科の薬　06 その他の精神神経科の薬

02 ナルコレプシーに用いる薬

製剤情報

一般名：メチルフェニデート塩酸塩
- 保険収載年月…1961年11月
- 海外評価…6点 英 米 独 仏　　●PC…C
- 規制…劇薬
- 剤形…錠 錠剤
- 服用量と回数…1日20～60mgを1～2回に分けて服用。

■先発品　　商品名（メーカー）　規格・保険薬価
リタリン（ノバルティス）錠 10mg 1錠 7.50円

一般名：ペモリン
- 保険収載年月…1969年1月
- 海外評価…0点 英 米 独 仏
- 剤形…錠 錠剤
- 服用量と回数…軽症うつ病，抑うつ神経症：1日10～30mgを朝食後に1回服用。ナルコレプシー，ナルコレプシーの近縁傾眠疾患：1日20～200mgを朝食後，昼食後に2回服用。

■ジェネリック　　商品名（メーカー）　規格・保険薬価
ベタナミン（三和）錠 10mg 1錠 9.10円
錠 25mg 1錠 19.80円　錠 50mg 1錠 41.10円

一般名：モダフィニル
- 保険収載年月…2007年3月
- 海外評価…6点 英 米 独 仏　　●PC…C
- 規制…劇薬
- 剤形…錠 錠剤
- 服用量と回数…1日200mgを朝に1回服用。1日最大300mg。

■先発品　　商品名（メーカー）　規格・保険薬価
モディオダール（アルフレッサ＝田辺三菱）
錠 100mg 1錠 344.10円

概要

分類　ナルコレプシーに用いる製剤

処方目的　[メチルフェニデート塩酸塩の適応症] ナルコレプシー
[ペモリンの適応症] 軽症うつ病，抑うつ神経症／ナルコレプシー・ナルコレプシーの近

縁傾眠疾患に伴う睡眠発作・傾眠傾向・精神的弛緩の改善

[モダフィニルの適応症] ナルコレプシー／特発性過眠症／持続陽圧呼吸(CPAP)療法などによる気道閉塞に対する治療を実施中の閉塞性睡眠時無呼吸症候群

解説　ここで取り上げるナルコレプシーの適応がある3種の薬はすべて向精神薬に分類され，依存性に注意が必要です。特にモダフィニルに関しては，ナルコレプシー，特発性過眠症，閉塞性睡眠時無呼吸症候群に対して本剤を適正に使用するために，あらかじめ登録した医師・医療機関，登録調剤責任者の在籍する登録薬局(院内薬局を含む)のもとでなければ，本剤の処方・調剤をすることができません。

🖊 使用上の注意

＊メチルフェニデート塩酸塩(リタリン)の添付文書による

警告

[メチルフェニデート塩酸塩] 本剤の服用は，ナルコレプシーの診断，治療に精通し，薬物依存を含む本剤のリスクなどについても十分に管理できる医師・医療機関・管理薬剤師のいる薬局のもとでのみ行わなければなりません。また，それら薬局においては，調剤前に当該医師・医療機関を確認したうえで調剤する必要があります。

[ペモリン] 海外の市販後報告において重い肝障害がおこり，死亡に至った症例も報告されていることから，服用中は定期的に血液検査などを行うことが必要です。

[モダフィニル] 本剤の服用は，本剤の適正使用推進策について十分に理解し，あらかじめ登録された医師・薬剤師のいる登録医療機関・薬局のもとでのみ行うとともに，それら薬局においては，調剤前に当該医師・医療機関を確認したうえで調剤を行うことが必要です。

基本的注意

(1)服用してはいけない場合……過度の不安・緊張・興奮性／閉塞隅角緑内障／甲状腺機能亢進／不整頻拍，狭心症／本剤の成分に対するアレルギーの前歴／運動性チック・トーレット症候群またはその前歴・家族歴／重症のうつ病／褐色細胞腫／モノアミン酸化酵素阻害薬(1716頁を参照)(セレギリン塩酸塩，ラサギリンメシル酸塩，サフィナミドメシル酸塩)を服用中または中止後14日以内の人

(2)特に慎重に服用すべき場合(原則禁忌，処方医と連絡を絶やさないこと)……6歳未満の幼児

(3)慎重に服用すべき場合……てんかんまたはその前歴／患者の心疾患に関する病歴，突然死や重篤な心疾患に関する家族歴などから，心臓に重篤ではないが異常が認められる，もしくはその可能性が示唆される患者／高血圧，心不全，心筋梗塞の前歴／脳血管障害(脳動脈瘤，血管炎，脳卒中など)またはその前歴／精神系疾患(統合失調症，精神病性障害，双極性障害)／薬物依存またはアルコール中毒などの前歴／心臓に構造的な異常または他の重篤な問題のある人／開放隅角緑内障

(4)指示を厳守……本剤は，処方医の厳格な管理下で服用しなければいけません。自分勝手に服用を中止したり，服用量を変えたりしないでください。

(5)服用法……本剤には覚醒効果があるので，不眠に注意し，夕刻以後の服薬は原則と

してしないでください。

(6)薬物依存……連用していると薬物依存が生じることがあります。特に薬物依存・アルコール中毒などの前歴のある人は状態に十分注意してください。

(7)危険作業は中止……本剤を服用すると，めまい，眠け，視覚障害などがおこることがあります。服用中は，自動車の運転など危険を伴う機械の操作は行わないようにしてください。

(8)その他……

● 妊婦での安全性：服用しないことが望ましい。

● 授乳婦での安全性：服用するときは授乳しないことが望ましい。(1714 頁を参照)

重大な副作用　　　［メチルフェニデート塩酸塩］①皮膚の表面がはがれてくる剥脱性皮膚炎。②狭心症。③脳血管障害(血管炎，脳梗塞，脳出血，脳卒中)。④発熱や高度の筋硬直を伴う悪性症候群。⑤肝不全(急性肝不全など)，肝機能障害。
［ペモリン］⑥重い肝機能障害(肝不全)。⑦長期服用による薬物依存。
［モダフィニル］⑧中毒性表皮壊死融解症(TEN)，皮膚粘膜眼症候群(スティブンス-ジョンソン症候群)，多形紅斑。⑨薬剤性過敏症症候群(発疹，発熱など)。⑩ショック，アナフィラキシー(じん麻疹，かゆみ，血管浮腫，呼吸困難，血圧低下，チアノーゼなど)。

　そのほかにも報告された副作用はあるので，体調がいつもと違うと感じたときは，処方医・薬剤師に相談してください。

併用してはいけない薬　　　［メチルフェニデート塩酸塩］モノアミン酸化酵素阻害薬(セレギリン塩酸塩，ラサギリンメシル酸塩，サフィナミドメシル酸塩)→高血圧クリーゼなどの重篤な副作用が現れるおそれがあります。

内 **02** 精神神経科の薬　　**06** その他の精神神経科の薬

03 AD/HD 治療薬(1)

製剤情報

一般名：メチルフェニデート塩酸塩

● 保険収載年月…2007年12月

● 海外評価…6点 英 米 独 仏　　● PC…C

● 規制…劇薬

● 剤形…錠 錠剤

● 服用量と回数…18歳未満は18〜54mg，18歳以上は18〜72mgを1日1回朝に服用。

■ 先発品　　商品名(メーカー)　規格・保険薬価

コンサータ 写真 (ヤンセン)	錠 18mg 1錠 344.10 円
錠 27mg 1錠 381.20 円	錠 36mg 1錠 410.10 円

概　要

分類　中枢神経刺激薬

処方目的　注意欠陥／多動性障害(AD/HD)

解説　この薬は注意欠陥／多動性障害(AD/HD)の診断・治療に精通した医師だけが処方するものです。浸透圧を利用した，やや大型の放出制御型徐放錠です。同じ成分の

医薬品にリタリンがありますが，適応は異なります。

使用上の注意

警告

①本剤の投与は，注意欠陥／多動性障害（AD/HD）の診断，治療に精通し，かつ薬物依存を含む本剤のリスクなどについて十分に管理できる，管理システムに登録された医師のいる医療機関および薬剤師のいる薬局において，登録患者に対してのみ行うこと。また，それら薬局においては，調剤前に当該医師・医療機関・患者が管理システムに登録されていることを確認したうえで調剤を行うこと。

②本剤の投与にあたっては，患者（小児の場合には患者または代諾者）に対して，本剤の有効性，安全性，および目的以外への使用や他人への譲渡はしないことを文書によって説明し，文書で同意を取得すること。

基本的注意

(1)服用してはいけない場合……過度の不安，緊張，興奮性のある人／閉塞隅角緑内障／甲状腺機能亢進／不整頻拍，狭心症／本剤の成分に対するアレルギーの前歴／運動性チック／重症うつ病／褐色細胞腫／モノアミン酸化酵素阻害薬（1716頁を参照）（セレギリン塩酸塩，ラサギリンメシル酸塩，サフィナミドメシル酸塩）を服用中または中止後14日以内の人

(2)慎重に服用すべき場合……てんかんまたはその前歴／患者の心疾患に関する病歴，突然死や重篤な心疾患に関する家族歴などから，心臓に重篤ではないが異常が認められる，もしくはその可能性が示唆される患者／高血圧，心不全，心筋梗塞の前歴／脳血管障害（脳動脈瘤，血管炎，脳卒中など）またはその前歴／精神系疾患（統合失調症，精神病性障害，双極性障害）／薬物依存またはアルコール中毒などの前歴／心臓に構造的な異常または他の重篤な問題のある人／高度な消化管狭窄／開放隅角緑内障

(3)服薬指導……患者および保護者またはそれに代わる人は，服用前に医師から本剤の治療上の位置づけおよび本剤の服用による副作用発現のリスクについて，十分な情報と適切な使用方法の指導を受けてください。

(4)攻撃的行動……本剤の服用中に攻撃的行動の発現や悪化が報告されています。十分に注意を払い，異常を感じたらすぐに処方医に連絡してください。

(5)成長遅延・体重減少……本剤を長期服用した場合，小児では成長遅延・体重増加の抑制，成人では体重減少が報告されています。患児の場合は成長に注意し，身長や体重の増加が思わしくないときは服用を中止します。

(6)薬剤服用時の注意……①作用が12時間持続するので，午後の服用は避けてください。②この薬は特殊製剤なので，噛んだり，割ったり，砕いたり，溶かしたりせず，必ず錠剤そのままを水かお湯で服用してください。③この薬の外皮は内部の溶けない成分と一緒に糞便中に排泄されますが，正常なことであり，心配する必要はありません。④薬が消化管内に滞留した可能性がある場合は，腹部デジタルX線で容易にチェックができます。

(7)危険作業は中止……本剤を服用すると，めまい，眠け，視覚障害などがおこることが

あります。服用中は，危険を伴う機械の操作は行わないようにしてください。

(8)その他……

- 妊婦での安全性：服用しないことが望ましい。
- 授乳婦での安全性：服用するときは授乳しないことが望ましい。
- 小児（6歳未満）での安全性：未確立。(1714頁を参照)

重大な副作用 ①剥脱性皮膚炎（広範囲な皮膚の赤み，皮膚浸潤，強い皮膚のかゆみなど）。②狭心症。③悪性症候群（発熱，高度な筋硬直，CK上昇など）。④脳血管障害（血管炎，脳梗塞，脳出血，脳卒中）。⑤肝不全（急性肝不全など），肝機能障害。

そのほかにも報告された副作用はあるので，体調がいつもと違うと感じたときは，処方医・薬剤師に相談してください。

併用してはいけない薬 モノアミン酸化酵素阻害薬（セレギリン塩酸塩，ラサギリンメシル酸塩，サフィナミドメシル酸塩）→高血圧クリーゼなどの重篤な副作用が現れるおそれがあります。

内 02 精神神経科の薬　06 その他の精神神経科の薬

04 AD/HD 治療薬(2)

⚗ 製 剤 情 報

一般名：アトモキセチン塩酸塩

- 保険収載年月…2009年6月
- 海外評価…5点 英 米 独 仏　●PC…C
- 規制…劇薬
- 剤形…錠錠剤, カカプセル剤, 液液剤
- 服用量と回数…18歳未満：1日維持量 1.2〜1.8mg（液剤は0.3〜0.45mL）／kg（体重），2回に分けて服用。18歳以上：1日維持量80〜120mg（液剤は20〜30mL），1回または2回に分けて服用。

■先発品　商品名（メーカー）　規格・保険薬価

ストラテラ 写真 （イーライリリー）

カ 5mg 1カプセル 156.70 円　カ 10mg 1カプセル 187.60 円

カ 25mg 1カプセル 236.10 円　カ 40mg 1カプセル 274.10 円

液 0.4% 1mL 120.60 円

■ジェネリック　商品名（メーカー）　規格・保険薬価

アトモキセチン（共和）カ 5mg 1カプセル 66.50 円

カ 10mg 1カプセル 76.80 円　カ 25mg 1カプセル 96.50 円

カ 40mg 1カプセル 104.00 円

アトモキセチン（沢井）カ 5mg 1カプセル 66.50 円

カ 10mg 1カプセル 76.80 円　カ 25mg 1カプセル 96.50 円

カ 40mg 1カプセル 104.00 円

アトモキセチン（第一三共エスファ）

錠 5mg 1錠 66.50 円　錠 10mg 1錠 76.80 円

錠 25mg 1錠 96.50 円　錠 40mg 1錠 104.00 円

アトモキセチン（高田）錠 5mg 1錠 66.50 円

錠 10mg 1錠 76.80 円　錠 25mg 1錠 96.50 円

錠 40mg 1錠 104.00 円

アトモキセチン（東和）錠 5mg 1錠 66.50 円

錠 10mg 1錠 76.80 円　錠 25mg 1錠 96.50 円

錠 40mg 1錠 104.00 円　液 0.4% 1mL 55.10 円

アトモキセチン（日医工）カ 5mg 1カプセル 66.50 円

カ 10mg 1カプセル 76.80 円　カ 25mg 1カプセル 96.50 円

カ 40mg 1カプセル 104.00 円

アトモキセチン（ニプロ）錠 5mg 1錠 66.50 円

錠 10mg 1錠 76.80 円　錠 25mg 1錠 96.50 円

錠 40mg 1錠 104.00 円　液 0.4% 1mL 55.10 円

アトモキセチン（日本ジェネリック）	アトモキセチン（ファイザー）カ 5mg 1ｶﾌﾟ 66.50 円

アトモキセチン（日本ジェネリック）
錠 5mg 1錠 66.50 円　　錠 10mg 1錠 76.80 円
錠 25mg 1錠 96.50 円　　錠 40mg 1錠 104.00 円
液 0.4% 1mL 55.10 円

アトモキセチン（ファイザー） カ 5mg 1ｶﾌﾟ 66.50 円
カ 10mg 1ｶﾌﾟ 76.80 円　　カ 25mg 1ｶﾌﾟ 96.50 円
カ 40mg 1ｶﾌﾟ 104.00 円

概　　要

分類　非中枢刺激薬（選択的ノルアドレナリン再取り込み阻害薬）

処方目的　注意欠陥／多動性障害（AD/HD）

解説　この薬は，注意欠陥／多動性障害（AD/HD）の診断治療に精通した医師だけが処方するものです。また，AD/HD の診断は，米国精神医学会の精神疾患の診断・統計マニュアルなどの標準的で確立した診断基準に基づき慎重に実施し，基準を満たす場合のみ服用することになっています。

使用上の注意

*アトモキセチン塩酸塩（ストラテラ）の添付文書による

基本的注意

(1)服用してはいけない場合……本剤に対するアレルギーの前歴／モノアミン酸化酵素阻害薬（1716 頁を参照）（セレギリン塩酸塩，ラサギリンメシル酸塩，サフィナミドメシル酸塩）を服用中あるいは服用中止後 2 週間以内の人／重い心血管障害／褐色細胞腫またはその前歴／閉塞隅角緑内障

(2)慎重に服用すべき場合……肝機能障害／腎機能障害／けいれん発作またはその前歴／心疾患（QT 延長を含む）またはその前歴／先天性 QT 延長症候群の人，または QT 延長の家族歴のある人／高血圧またはその前歴／脳血管障害またはその前歴／起立性低血圧の前歴／精神病性障害，双極性障害／排尿困難／遺伝的に CYP2D6（薬物代謝酵素の一つ）の活性が欠損していることが判明している人

(3)服薬指導……患者および保護者またはそれに代わる人は，服用前に医師から本剤の治療上の位置づけおよび本剤の服用による副作用発現のリスクについて十分な情報と適切な使用方法の指導を受けてください。

(4)攻撃性・敵意……本剤の服用中に攻撃性や敵意の発現・悪化が報告されています。十分に注意を払い，異常を感じたらすぐに処方医に連絡してください。

(5)成長遅延……小児において本剤の服用初期に成長遅延，体重増加の抑制が報告されています。身長や体重の増加が思わしくないときは減量したり服用を中止します。

(6)危険作業は中止……本剤を服用すると，眠け，めまいなどがおこることがあります。服用中は，自動車の運転など危険を伴う機械の操作は行わないようにしてください。

(7)その他……
●妊婦での安全性：有益と判断されたときのみ服用。
●授乳婦での安全性：治療上の有益性・母乳栄養の有益性を考慮し，授乳の継続・中止を検討。
●6 歳未満の小児での安全性：未確立。（1714 頁を参照）

重大な副作用 ①肝機能障害，黄疸，肝不全。②アナフィラキシー（血管神経性浮腫，じん麻疹など）。

そのほかにも報告された副作用はあるので，体調がいつもと違うと感じたときは，処方医・薬剤師に相談してください。

併用してはいけない薬 モノアミン酸化酵素阻害薬（1716頁を参照）（セレギリン，ラサギリン，サフィナミド）→両剤の作用が強まることがあります。

05 AD/HD 治療薬（3）

製剤情報

一般名：グアンファシン塩酸塩
- 保険収載年月…2017年5月
- 海外評価…5点 英 米 独 仏　●PC…B
- 規制…劇薬
- 剤形…錠 錠剤

- 服用量と回数…18歳以上は1日1回2mgより開始し，維持量4～6mgまで増量。18歳未満は処方医の指示通りに服用。

■先発品　　商品名（メーカー）　規格・保険薬価

インチュニブ（塩野義）錠 1mg 1錠 405.50 円
錠 3mg 1錠 536.20 円

概要

分類 非中枢刺激薬（選択的 α_{2A} アドレナリン受容体作動薬）

処方目的 注意欠陥／多動性障害（AD/HD）

解説 本剤は，コンサータ，ストラテラに続く国内3番目の AD/HD 治療薬です（6歳未満における有効性・安全性は確立していません）。

本剤は，注意欠陥／多動性障害（AD/HD）の診断治療に精通した医師だけが処方するものです。また，AD/HD の診断は，米国精神医学会の精神疾患の診断・統計マニュアルなどの標準的で確立した診断基準に基づき慎重に実施し，基準を満たす場合のみ服用することになっています。

使用上の注意

基本的注意

(1)服用してはいけない場合……本剤の成分に対するアレルギーの前歴／房室ブロック（第2度，第3度）のある人／妊婦または妊娠している可能性のある人

(2)慎重に服用すべき場合……低血圧・起立性低血圧・徐脈・心血管疾患またはその前歴，血圧を低下または脈拍数を減少させる作用をもつ薬剤の服用中／高血圧またはその前歴／不整脈またはその前歴，先天性 QT 延長症候群の人，または QT 延長をおこすことが知られている薬剤の服用中／虚血性心疾患（狭心症および心筋梗塞など）またはその前歴／脳血管障害（脳梗塞など）／重度の肝機能障害／重度の腎機能障害／抑うつ状態

(3)服薬指導……患者および保護者またはそれに代わる人は，服用前に医師から本剤の治療上の位置づけおよび本剤の服用による副作用発現のリスクについて，十分な情報と

適切な使用方法の指導を受けてください。

(4)攻撃性・敵意……本剤の服用中に攻撃性・敵意の発現や悪化が報告されています。十分に注意を払い，異常を感じたらすぐに処方医に連絡してください。

(5)体重増加……本剤の服用により体重が増加することがあるので，定期的に体重を測定し，肥満の徴候が現れた場合は，食事療法，運動療法などの適切な処置を行います。

(6)危険作業は中止……本剤を服用すると，眠け，鎮静などがおこることがあります。服用中は，自動車の運転など危険を伴う機械の操作は行わないようにしてください。

(7)その他……

- ●授乳婦での安全性：治療上の有益性・母乳栄養の有益性を考慮し，授乳の継続・中止を検討。
- ●小児（6歳未満）での安全性：未確立。（1714頁を参照）

| 重大な副作用 | ①高度な低血圧，徐脈。②失神。③房室ブロック。

そのほかにも報告された副作用はあるので，体調がいつもと違うと感じたときは，処方医・薬剤師に相談してください。

| 併用してはいけない薬 | 併用してはいけない薬は特にありません。ただし，併用する薬があるときは，念のため処方医・薬剤師に報告してください。

| 内 02 精神神経科の薬　06 その他の精神神経科の薬

06　AD/HD 治療薬（4）

✏ 製 剤 情 報

一般名：リスデキサンフェタミンメシル酸塩

- ●保険収載年月…2019年5月
- ●海外評価…5点 英 米 独 仏
- ●規制…劇薬，覚醒剤原料

- ●剤形…カ カプセル剤
- ●服用量と回数…1日1回30〜70mgを朝に服用。

■先発品　　商品名（メーカー）　規格・保険薬価
ビバンセ（塩野義）カ 20mg 1カプセル 661.10 円
カ 30mg 1カプセル 733.30 円

📋 概　　要

| 分類 | 中枢神経刺激薬

| 処方目的 | 小児期における注意欠陥／多動性障害（AD/HD）

| 解説 | 本剤は，コンサータ，ストラテラ，インチュニブに続く国内4番目のAD/HD治療薬です。本剤の有効成分のリスデキサンフェタミンは，覚醒剤原料に指定されています。そのため，本剤をとり扱う医師や薬剤師，医療機関・薬局などは管理システム（ビバンセカプセル適正流通管理システム）に登録することが必要で，また服用する患者もあらかじめ管理システムへ患者登録することになっています。

現在のところ，本剤の使用実態下における乱用・依存性に関する評価が定まっていないため，それまでの間は，他のAD/HD治療薬が効果不十分な場合にのみ使用すること

になっています。

　AD/HD の診断は，米国精神医学会の精神疾患の診断・統計マニュアルなどの標準的で確立した診断基準に基づき慎重に実施し，基準を満たす場合にのみ服用します。

使用上の注意

警告

①本剤の投与は，注意欠陥／多動性障害（AD/HD）の診断，治療に精通し，かつ薬物依存を含む本剤のリスクなどについても十分に管理できる，処方登録システムに登録された医師のいる医療機関および薬剤師のいる薬局において，登録患者に対してのみ行うこと。また，それらの薬局においては，調剤前に当該医師・医療機関・患者が登録されていることを確認したうえで調剤を行うこと。

②本剤の投与にあたっては，患者または代諾者に対して，本剤の有効性，安全性，および目的以外への使用や他人へ譲渡しないことを文書によって説明し，文書で同意を取得すること。

基本的注意

(1)服用してはいけない場合……本剤の成分または交感神経刺激アミン（メタンフェタミン塩酸塩，メチルフェニデート塩酸塩，ノルアドレナリン，アドレナリン，ドパミンなど）に対するアレルギーの前歴／重い心血管障害／甲状腺機能亢進のある人／過度の不安，緊張，興奮性のある人／運動性チックのある人，トゥレット症候群またはその前歴・家族歴のある人／薬物乱用の前歴／閉塞隅角緑内障／褐色細胞腫／モノアミン酸化酵素（MAO）阻害薬（1716 頁を参照）（セレギリン塩酸塩，ラサギリンメシル酸塩，サフィナミドメシル酸塩）の服用中または服用中止後 2 週間以内

(2)慎重に服用すべき場合……高度の腎機能障害のある人または透析している人／高血圧または不整脈／精神病性障害，双極性障害／けいれん発作，脳波異常またはその前歴／脳血管障害（脳動脈瘤，血管炎，脳卒中など）またはその前歴

(3)服薬指導……患者および保護者またはそれに代わる人は，服用前に医師から本剤の治療上の位置づけおよび依存性などを含む本剤のリスクについて，十分な情報と適切な使用方法の指導を受けてください。

(4)攻撃性・敵意……本剤の服用中に攻撃性，敵意の発現や悪化が報告されています。十分に注意を払い，異常を感じたらすぐに処方医に連絡してください。

(5)体重増加の抑制，成長遅延……本剤の服用により体重増加の抑制，成長遅延が報告されています。服用中は患児の成長に注意し，身長や体重の増加が思わしくないときは処方医に連絡してください。

(6)危険作業は中止……本剤を服用すると，めまい，眠け，視覚障害などが現れることがあります。服用中は危険を伴う機械の操作には従事させないでください。

(7)その他……

●妊婦での安全性：有益と判断されたときのみ服用。

●授乳婦での安全性：治療上の有益性・母乳栄養の有益性を考慮し，授乳の継続・中止を検討。

● 6歳未満の幼児での安全性：未確立。(1714頁を参照)

重大な副作用　①ショック，アナフィラキシー(顔面蒼白，呼吸困難，かゆみなど)。②皮膚粘膜眼症候群(スティブンス-ジョンソン症候群)。③心筋症。④依存性(精神的依存)。

　そのほかにも報告された副作用はあるので，体調がいつもと違うと感じたときは，処方医・薬剤師に相談してください。

併用してはいけない薬　モノアミン酸化酵素(MAO)阻害薬(セレギリン塩酸塩，ラサギリンメシル酸塩，サフィナミドメシル酸塩)→MAO阻害薬を服用中あるいは服用中止後2週間以内の人は本剤を服用しないこと。高血圧クリーゼがおこるおそれがあり，また死亡に至るおそれがあります。

内服 03 心臓病と不整脈の薬

薬剤番号 03-01-01 ～ 03-03-04

■**心筋梗塞，狭心症などの虚血性心疾患に用いる薬と，不整脈に用いる薬を中心に説明します**

◆虚血性心疾患に用いる薬（一般に強心薬と呼ばれています）

◆不整脈に用いる薬

◆高血圧に用いる薬のうち，効能に「不整脈」や「狭心症」があるもの（ベーター・ブロッカー，カルシウム拮抗薬などを含む）

＊04章の「血圧の薬」と合わせて参考としてください。

■**副作用・相互作用に注意すべき薬**

▌**ジギタリス**

　食欲不振・吐きけ・嘔吐・下痢/光がないのにちらちらする・ものが黄色に見えたり緑色に見えたりする・ものが二重に見える/めまい・頭痛・失見当識・錯乱などは，ジギタリス中毒の徴候です。すぐに主治医に連絡をとってください。併用によりジギタリス中毒がおこりやすい薬剤が多くあるので，ジギタリス製剤を服用中に他の医師を受診するときは注意が必要です。

▌**不整脈の薬**

　不整脈治療薬のなかには無顆粒球症など重い血液障害をおこすものが少なくありません。血液検査を定期的に受けるとともに，原因不明の発熱・のどの痛み・紫斑・ひどい疲れを感じたら，必ず処方医に連絡して相談してください。これらの症状は，ちょうどかぜの初期症状にも似ているので，簡単にかぜや寝不足のせいにしないで，きちんとした検査を受けるようにする必要があります。

▌**ベーター遮断薬（ベーター・ブロッカー）**

　心不全，心ブロック，気管支ぜんそく，閉塞性肺疾患などを悪化させる可能性があります。狭心症の患者に投与していて急に服薬をストップすると，症状の悪化や心筋梗塞が引きおこされたという報告があるので，自分勝手に服用をやめないでください。

▌**カルシウム拮抗薬**

　多くの製剤が発売されていますが，共通した副作用には，頻脈や動悸などの循環

器症状のほかに，血管が拡張されることにより発生する頭痛や顔面の紅潮などがあります。それと特徴的な副作用に歯肉の増殖があります。

　相互作用で気をつけなければいけないものには，薬ではありませんがグレープフルーツジュースがあります。中に含まれる成分により，薬が肝臓の中で代謝されるのが妨げられ，結果として作用が強く現れることがあるからです。

■ 硝酸・亜硝酸誘導体

　バイアグラ（シルデナフィルクエン酸塩）の出現で一躍脚光を浴びたのが，狭心症発作に用いられてきた硝酸・亜硝酸誘導体です。両者を併用すると血圧が下がりすぎることがあるので注意が必要です。

◈ 薬剤師の眼

　カルシウム拮抗薬は，こんなに多くの種類が必要か？

　カルシウム拮抗薬には実に多くの種類の製剤があります。主として不整脈の治療に用いられるベラパミル塩酸塩，不整脈・狭心症それに高血圧治療にも用いられるジルチアゼム塩酸塩は，いずれも欧米のどの国においても広く使われています。

　それ以外のカルシウム拮抗薬を総称してジヒドロピリジン系カルシウム拮抗薬と呼んでいます。日本では多種類のジヒドロピリジン系薬剤が発売されています。なかには欧米では全然薬になっていないのに，日本で繁用されているものがあります。

　降圧薬として第一選択とされる薬には次の4種類があります。カルシウム拮抗薬，ACE阻害薬，ARB，そして利尿薬です。ここ数年，これらの薬を組み合わせた配合剤が多く出てきました。カルシウム拮抗薬とARBの配合剤であったり，これにさらに利尿薬を加えた配合剤まで現れました。カルシウム拮抗薬に限れば，高コレステロール血症改善薬との配合剤も出てきました。

　カルシウム拮抗薬を含む血圧降下薬の新しい流れと言えるのかも知れません。このような流れのなかで，前述の欧米では認可されていないのに日本で繁用されるカルシウム拮抗薬がどのような経過をたどっていくのか，注意深く見守っていきたいと思っています。

内 03 心臓病と不整脈の薬　01 強心薬

01　ジギタリス製剤

製剤情報

一般名：ジゴキシン

- 保険収載年月…1960年6月
- 海外評価…6点 英 米 独 仏　●PC…C
- 規制…劇薬
- 剤形…錠 錠剤，散 散剤，液 液剤
- 服用量と回数…急速飽和療法：飽和量1〜4mg（散剤は1〜4g，液剤は20〜80mL）。初回0.5〜1mg，以後0.5mgを6〜8時間ごとに服用。維持療法：1日0.25〜0.5mgを服用。小児は処方医の指示通りに服用。

■先発品　　商品名(メーカー)　規格・保険薬価

ジゴキシン（アルフレッサ）錠 0.125mg 1錠 9.80 円
錠 0.25mg 1錠 9.80 円

ジゴキシン（京都＝トーアエイヨー）
錠 0.0625mg 1錠 9.80 円

ジゴキシン KY（京都＝トーアエイヨー）
錠 0.25mg 1錠 9.80 円

ジゴシン（太陽ファルマ）散 0.1% 1g 8.70 円
錠 0.125mg 1錠 9.80 円　錠 0.25mg 1錠 9.80 円

ジゴシンエリキシル（太陽ファルマ）
液 0.005% 10mL 17.60 円

ハーフジゴキシン KY 写真 （京都＝トーアエイヨー）錠 0.125mg 1錠 9.80 円

一般名：メチルジゴキシン

- 保険収載年月…1979年4月
- 海外評価…1点 英 米 独 仏
- 規制…劇薬
- 剤形…錠 錠剤
- 服用量と回数…急速飽和療法：飽和量0.6〜1.8mg。初回0.2〜0.3mg，以後1回0.2mgを1日3回。維持療法：1日0.1〜0.2mg。

■先発品　　商品名(メーカー)　規格・保険薬価

ラニラピッド 写真 （中外）錠 0.05mg 1錠 5.70 円
錠 0.1mg 1錠 6.60 円

メチルジゴキシン（武田テバファーマ＝武田）
錠 0.05mg 1錠 5.70 円

メチルジゴキシン（日医工岐阜＝日医工＝武田）
錠 0.05mg 1錠 5.70 円

■ジェネリック　　商品名(メーカー)　規格・保険薬価

メチルジゴキシン（武田テバファーマ＝武田）
錠 0.1mg 1錠 5.90 円

メチルジゴキシン（日医工岐阜＝日医工＝武田）
錠 0.1mg 1錠 5.90 円

概　要

分類　強心薬（ジギタリス配糖体製剤／強心配糖体製剤）

処方目的　先天性心疾患，弁膜疾患，高血圧症，虚血性心疾患（心筋梗塞，狭心症など）などによるうっ血性心不全（肺水腫，心臓ぜんそくなどを含む）／心房細動・粗動による頻脈，発作性上室性頻拍

[ジゴキシンのみ] 肺性心（肺血栓・塞栓症，肺気腫，肺線維症などによるもの），その他の心疾患（心膜炎，心筋疾患など），腎疾患，甲状腺機能亢進・低下症などによるうっ血性心不全（肺水腫，心臓ぜんそくなどを含む）／手術，急性熱性疾患，出産，ショック，急性中毒の際における心不全および各種頻脈の予防と治療

解説　ジギタリスはゴマノハグサ科の植物です。この製剤は，18世紀の終わりからむ

くみの薬として民間薬的に使われ，1930年代になってはじめて心不全の治療に使われるようになりました。

　現在では，ジギタリス葉末はほとんど使われず，その中に含まれる配糖体を合成したジゴキシンなどが使われています。ジギタリスの成分は，心筋収縮力を強めて，心臓の拍出力を高めて短期的に心不全状態を改善します。

使用上の注意

＊ジゴキシン（ジゴシン），メチルジゴキシン（ラニラピッド）の添付文書による

基本的注意

(1)服用してはいけない場合……房室ブロック，洞房ブロック／ジギタリス中毒／閉塞性心筋疾患（特発性肥大性大動脈弁下狭窄など）／本剤の成分またはジギタリス剤に対するアレルギーの前歴

(2)特に慎重に服用すべき場合（原則禁忌，処方医と連絡を絶やさないこと）……治療上，特に必要とされる場合を除いて，本剤の服用中にカルシウムの注射をしたり，スキサメトニウム塩化物水和物を使用してはいけません。

(3)慎重に服用すべき場合……急性心筋梗塞／心室性期外収縮／心膜炎，肺性心／WPW症候群／電解質異常（低カリウム血症，高カルシウム血症，低マグネシウム血症など）／腎疾患／血液透析を受けている人／甲状腺機能低下症または亢進症／小児，高齢者

(4)セイヨウオトギリソウ（セント・ジョーンズ・ワート）含有食品……本剤を服用しているときは摂取してはいけません。本剤の代謝が促進され血中濃度が低下するおそれがあります。

(5)その他……

● 妊婦での安全性：未確立。有益と判断されたときのみ服用。(1714頁を参照)
● 授乳婦での安全性：[ジゴキシン]治療上の有益性・母乳栄養の有益性を考慮し，授乳の継続・中止を検討。

重大な副作用

①ジギタリス中毒（高度の徐脈，二段脈，多源性心室性期外収縮，発作性心房性頻拍などの不整脈，重い房室ブロック，心室性頻拍症，心室細動）。②非閉塞性腸間膜虚血（激しい腹痛，血便など）。

　そのほかにも報告された副作用はあるので，体調がいつもと違うと感じたときは，処方医・薬剤師に相談してください。

併用してはいけない薬

①グルコン酸カルシウム水和物，塩化カルシウム水和物などのカルシウム注射剤（原則併用禁忌）→急激に血中カルシウム濃度が上昇し，ジゴキシンの毒性が急激に現れることがあります。②スキサメトニウム塩化物注射液（原則併用禁忌）→重い不整脈をおこすことがあります。

内 03 心臓病と不整脈の薬　01 強心薬

02 カフェイン誘導体の強心薬

製剤情報

一般名：アミノフィリン水和物
- 保険収載年月…1952年5月
- 海外評価…4点 英 米 独 仏
- 規制…劇薬（末剤のみ）
- 剤形… 錠 錠剤，末 末剤
- 服用量と回数…1日300〜400mgを3〜4回に分けて服用。小児では1回2〜4mg/kg（体重）を1日3〜4回。

■**先発品**　商品名（メーカー）　規格・保険薬価
ネオフィリン（サンノーバ＝エーザイ）
末 1g 10.70 円　錠 100mg 1錠 5.90 円

一般名：プロキシフィリン
- 保険収載年月…1960年6月
- 海外評価…0点 英 米 独 仏
- 規制…劇薬（末剤のみ）
- 剤形… 錠 錠剤，末 末剤
- 服用量と回数…1日200〜300mgを2〜3回に分けて服用。

■**先発品**　商品名（メーカー）　規格・保険薬価
モノフィリン（日医工）末 1g 13.80 円
錠 100mg 1錠 5.70 円

概　要

分類　強心薬（キサンチン系）

処方目的　気管支ぜんそく，ぜんそく性（様）気管支炎，うっ血性心不全

[アミノフィリン水和物のみの適応症] 肺気腫・慢性気管支炎などの閉塞性肺疾患における呼吸困難，肺性心，心臓ぜんそくの発作予防

解説　カフェインに構造式が似ている化合物をキサンチン系薬剤といいます。その代表がテオフィリンで，アミノフィリン水和物，プロキシフィリンにはこのテオフィリンが含まれており，気管支拡張作用，心臓刺激作用，利尿作用などを有します。

使用上の注意

＊アミノフィリン水和物（ネオフィリン）の添付文書による

基本的注意

(1)**服用してはいけない場合**……本剤または他のキサンチン系薬剤による重い副作用の前歴

(2)**慎重に服用すべき場合**……てんかん／甲状腺機能亢進症／急性腎炎／肝機能障害／妊婦または妊娠している可能性のある人，産婦，授乳婦，小児，高齢者

(3)**セイヨウオトギリソウ（セント・ジョーンズ・ワート）含有食品**……本剤を服用しているときは摂取してはいけません。本剤の代謝が促進され血中濃度が低下するおそれがあります。

(4)**喫煙者**……喫煙により，本剤の成分のテオフィリンの血中濃度が低下します。逆に，禁煙すると血中濃度が上昇してテオフィリンの中毒症状（吐き気・嘔吐，頭痛，動悸，不眠，興奮，けいれん，意識障害など）がおこることがあります。喫煙者が本剤を服用する

ときは，医師にその旨を伝え，適切に対処してください。

(5)その他……

● 妊婦での安全性：有益と判断されたときのみ服用。

● 授乳婦での安全性：服用するときは授乳を中止。

● 小児での安全性：未確立。(1714頁を参照)

重大な副作用 ①ショック，アナフィラキシーショック（じん麻疹，蒼白，発汗，血圧低下，呼吸困難など）。②意識障害（けいれん，せん妄，昏睡など）。③けいれん，意識障害に続いておこる急性脳症。④横紋筋融解症（脱力感，筋肉痛など）。⑤肝機能障害，黄疸。⑥消化管出血（吐血，下血など）。⑦赤芽球癆。⑧頻呼吸，高血糖症。

　そのほかにも報告された副作用はあるので，体調がいつもと違うと感じたときは，処方医・薬剤師に相談してください。

併用してはいけない薬 併用してはいけない薬は特にありません。ただし，併用する薬があるときは，念のため処方医・薬剤師に報告してください。

内 03 心臓病と不整脈の薬　01 強心薬

03　ユビデカレノン

製剤情報

一般名：ユビデカレノン

● 保険収載年月…1974年2月

● 海外評価…0点 英米独仏

● 規制…劇薬

● 剤形…錠 錠剤，カ カプセル剤，顆 顆粒剤

● 服用量と回数…1回10mg（顆粒剤は1g）を1日3回。

■ **先発品**　商品名(メーカー)　規格・保険薬価

ノイキノン (エーザイ) 錠 5mg 1錠 10.60 円

錠 10mg 1錠 11.80 円

ノイキノン糖衣錠 (エーザイ)

錠 10mg 1錠 11.80 円

■ **ジェネリック**　商品名(メーカー)　規格・保険薬価

ユビデカレノン (沢井) 錠 5mg 1錠 5.90 円

錠 10mg 1錠 5.90 円

ユビデカレノン (鶴原) 顆 1% 1g 6.40 円

錠 10mg 1錠 5.90 円　カ 5mg 1カプセル 5.90 円

ユビデカレノン (東和) 錠 10mg 1錠 5.90 円

ユビデカレノン (日新) 錠 10mg 1錠 5.90 円

概要

分類　代謝性強心薬

処方目的　基礎治療施行中の軽度および中等度のうっ血性心不全症状

解説　海外ではほとんど使われていませんが，日本での発売会社の多いことに注目してください。実際はなくてもよい薬です。循環器の専門医だったら使わないでしょう。健康食品のビタミン様物質コエンザイム Q10 と同じ成分です。アメリカでも売られていますが，『Worst Pills, Best Pills』では，セント・ジョーンズ・ワートとともに"Do Not Use"に分類しています。

使用上の注意

*ユビデカレノン(ノイキノン)の添付文書による

基本的注意

特に注意はありません。

重大な副作用

重大な副作用はありませんが，そのほかの副作用はあるので，体調がいつもと違うと感じたときは，処方医・薬剤師に相談してください。

併用してはいけない薬

併用してはいけない薬は特にありません。ただし，併用する薬があるときは，念のため処方医・薬剤師に報告してください。

内 03 心臓病と不整脈の薬　01 強心薬

04　イソプレナリン塩酸塩

製剤情報

一般名：dl-イソプレナリン塩酸塩

- 保険収載年月…1990年7月
- 海外評価…0点 英 米 独 仏
- 規制…劇薬

- 剤形…錠 錠剤
- 服用量と回数…1回15mg(1錠)を1日3〜4回。

■先発品　　商品名(メーカー)　規格・保険薬価

プロタノールS (興和) 錠 15mg 1錠 23.40 円

概要

分類　交感神経刺激薬

処方目的　各種の高度の徐脈，ことにアダムス・ストークス症候群における発作防止

解説　1960 年代に輸入薬品として承認されましたが，1990 年に国内において，より小さな徐放錠として開発されました。めまいに用いられるものと同じ成分ですが，用量が異なります。

ただし現在，欧米においてイソプレナリンは注射剤・吸入剤としては使用されていますが，内服薬としてはほとんど使用されていません。

使用上の注意

基本的注意

(1)服用してはいけない場合……特発性肥大性大動脈弁下狭窄症／ジギタリス中毒／カテコールアミン(アドレナリンなど)，エフェドリン，メチルエフェドリン，メチルエフェドリンサッカリネート，フェノテロール，ドロキシドパの使用中

(2)慎重に服用すべき場合……冠動脈疾患／甲状腺機能亢進症／高血圧／うっ血性心不全／糖尿病／高齢者

(3)服用法……①本剤は，かまずにそのまま服用してください。②本剤の基剤は成分放出後も体内で崩壊せずに排泄されるため，錠剤の形をした塊として糞便中に認められることがありますが，心配はありません。

(4)不整脈……本剤の服用によって心室性期外収縮や心室性頻拍，さらには致死的な不

整脈がおこることがあります。異常を感じたら，すぐに処方医へ連絡してください。

(5)その他……

●妊婦での安全性：有益と判断されたときのみ服用。（1714頁を参照）

重大な副作用　①心室性期外収縮，心室性頻拍，致死的不整脈。②重篤な血清カリウム値の低下。

そのほかにも報告された副作用はあるので，体調がいつもと違うと感じたときは，処方医・薬剤師に相談してください。

併用してはいけない薬　カテコールアミン（アドレナリンなど），エフェドリン，メチルエフェドリン，メチルエフェドリンサッカリネート，フェノテロール，ドロキシドパ→重篤ないし致死的な不整脈，場合によっては心停止をおこすおそれがあります。

内 03 心臓病と不整脈の薬　01 強心薬

05 デノパミン

製剤情報

一般名：デノパミン

●保険収載年月…1988年4月

●海外評価…0点 英 米 独 仏

●剤形…錠 錠剤, 細 細粒剤

●服用量と回数…1日15～30mg（細粒剤は0.3～0.6g）を3回に分けて服用。

■先発品　商品名(メーカー)　規格・保険薬価

カルグート 写真 (田辺三菱) 細 5% 1g 228.30円
錠 5mg 1錠 25.80円　錠 10mg 1錠 43.90円

■ジェネリック　商品名(メーカー)　規格・保険薬価

デノパミン (日医工) 錠 5mg 1錠 12.30円
錠 10mg 1錠 20.90円

概要

分類　強心薬

処方目的　慢性心不全

解説　経口投与が可能なカテコラミン製剤です。

神経伝達物質，また副腎髄質ホルモンとして重要な役目をしているカテコラミンの強心作用は強力ですが，内服した場合の有効性には疑問があります。

使用上の注意

＊デノパミン（カルグート）の添付文書による

基本的注意

(1)慎重に服用すべき場合……急性心筋梗塞／不整脈／肥大型閉塞性心筋症（特発性肥厚性大動脈弁下狭窄）／小児

(2)定期検査……服用中は不整脈がおこりやすいので，通常3～6カ月ごとに心電図検査を受ける必要があります。

(3)その他……

●妊婦での安全性：有益と判断されたときのみ服用。

●授乳婦での安全性：治療上の有益性・母乳栄養の有益性を考慮し，授乳の継続・中止を検討。

●小児での安全性：未確立。(1714 頁を参照)

重大な副作用 ①不整脈（心室頻拍など）。

　そのほかにも報告された副作用はあるので，体調がいつもと違うと感じたときは，処方医・薬剤師に相談してください。

併用してはいけない薬 併用してはいけない薬は特にありません。ただし，併用する薬があるときは，念のため処方医・薬剤師に報告してください。

内 03 心臓病と不整脈の薬　01 強心薬

06 内服ドパミン製剤

製剤情報

一般名：ドカルパミン

●保険収載年月…1994年12月

●海外評価…0点 英 米 独 仏

●規制…劇薬

●剤形…顆 顆粒剤

●服用量と回数…1日3gを3回に分けて服用。

■**先発品**　　**商品名（メーカー）**　規格・保険薬価

タナドーパ（田辺三菱）顆 75% 1g 339.80 円

概　　要

分類　　強心薬

処方目的　　ドパミン塩酸塩注射液，ドブタミン塩酸塩注射液などの少量静脈内持続点滴療法（5μg/kg/分未満）からの離脱が困難な循環不全で，少量静脈内持続点滴療法から経口剤への早期離脱を必要とする場合

解説　　田辺製薬（当時）が開発した，世界初の経口ドパミンプロドラッグです。ドパミンのカテコール基およびアミノ基を保護した化学構造を持つため，消化器および肝臓でのドパミンの初回通過効果が軽減され，効率的に血中のドパミン濃度を上昇させるので，経口投与可能となったとされています。

使用上の注意

基本的注意

(1)服用してはいけない場合……褐色細胞腫

(2)慎重に服用すべき場合……肥大型閉塞性心筋症（特発性肥厚性大動脈弁下狭窄）

(3)その他……

●妊婦での安全性：有益と判断されたときのみ服用。

●授乳婦での安全性：治療上の有益性・母乳栄養の有益性を考慮し，授乳の継続・中止を検討。

●小児での安全性：未確立。(1714 頁を参照)

重大な副作用 ①不整脈（心室頻拍など）。②肝機能障害，黄疸。

そのほかにも報告された副作用はあるので，体調がいつもと違うと感じたときは，処方医・薬剤師に相談してください。

併用してはいけない薬　併用してはいけない薬は特にありません。ただし，併用する薬があるときは，念のため処方医・薬剤師に報告してください。

内 03 心臓病と不整脈の薬　01 強心薬

07 ピモベンダン

製剤情報

一般名：ピモベンダン

- 保険収載年月…1994年8月
- 海外評価…0点 英 米 独 仏
- 剤形…錠 錠剤
- 服用量と回数…急性心不全：1回2.5mgを1日1

~2回。慢性心不全（軽症～中等症）：1回2.5mgを1日2回。

■ジェネリック　　商品名(メーカー)　規格・保険薬価

ピモベンダン 写真 (トーアエイヨー)

錠 0.625mg 1錠 25.30 円　　錠 1.25mg 1錠 44.70 円
錠 2.5mg 1錠 81.80 円

概　要

分類　強心薬

処方目的　急性心不全で，利尿薬などを投与しても十分な心機能改善が得られない場合／慢性心不全(軽症～中等症)で，ジギタリス製剤，利尿薬などの基礎治療薬を投与しても十分な効果が得られない場合

解説　ホスホジエステラーゼという酵素の働きを阻害する薬(ホスホジエステラーゼ阻害薬)です。心不全で衰弱した心筋に直接作用して，心筋の収縮力を高めて心拍出量を増やします。旧西ドイツで開発されたものですが，日本で初めて製品化されました。本剤は，補助薬としての位置づけのわりには高い薬価がつけられています。

使用上の注意

基本的注意

(1)慎重に服用すべき場合……肥大型閉塞性心筋症，閉塞性弁疾患／急性心筋梗塞／重い不整脈，高度の房室ブロック／重い脳血管障害／重い肝機能障害・腎機能障害

(2)高齢者……一般に高齢者では肝・腎機能が低下していることが多く，また体重が少ない傾向があるなど副作用が現れやすいと推定されます。服用中は状態に十分注意してください。

(3)その他……

- 妊婦での安全性：有益と判断されたときのみ服用。
- 授乳婦での安全性：服用するときは授乳を中止。
- 小児での安全性：未確立。(1714頁を参照)

重大な副作用　①心室頻拍，心室性期外収縮，心室細動。②肝機能障害，黄疸。

そのほかにも報告された副作用はあるので，体調がいつもと違うと感じたときは，処方医・薬剤師に相談してください。

併用してはいけない薬 併用してはいけない薬は特にありません。ただし，併用する薬があるときは，念のため処方医・薬剤師に報告してください。

内 03 心臓病と不整脈の薬　01 強心薬
08 イバブラジン

💊 製 剤 情 報
一般名：イバブラジン塩酸塩
- 保険収載年月…2019年11月
- 海外評価…6点 英 米 独 仏
- 規制…劇薬
- 剤形…錠 錠剤

- 服用量と回数…1回2.5mgまたは7.5mgを1日2回。

■先発品　　商品名(メーカー)　規格・保険薬価

| コララン 写真 (小野) | 錠 2.5mg 1錠 82.90 円 |
| 錠 5mg 1錠 145.40 円 | 錠 7.5mg 1錠 201.90 円 |

📋 概　　要
分類 HCN チャネル遮断薬

処方目的 洞調律かつ投与開始時の安静時心拍数が 75 回/分以上の慢性心不全(ただし，β遮断薬を含む慢性心不全の標準的な治療を受けている患者に限る)

解説 本剤は，心臓の洞結節にある HCN(過分極活性化環状ヌクレオチド依存性)チャネルを阻害し，心拍数を決定する電気信号の一つ「If 電流(過分極活性化陽イオン電流)」を抑制することで，心拍数を減少させる新しい作用機序の薬剤です。心臓の伝導性・収縮性，血圧などに影響することなく心拍数のみを減少させる作用をもつため，既存の慢性心不全治療薬(ベーター・ブロッカーなど)を服用しても心拍数が高い患者への新たな治療選択肢として期待されています。

⚠️ 使用上の注意
基本的注意

(1)服用してはいけない場合……本剤の成分に対するアレルギーの前歴／不安定または急性心不全／心原性ショック／高度の低血圧患者(収縮期血圧が 90mmHg 未満または拡張期血圧が 50mmHg 未満)／洞不全症候群，洞房ブロックまたは第三度房室ブロック(ペースメーカー使用患者を除く)／重度の肝機能障害(Child-Pugh 分類 C)／次の薬剤の服用中→リトナビル含有製剤，ジョサマイシン，イトラコナゾール，クラリスロマイシン，コビシスタット含有製剤，ボリコナゾール，ネルフィナビルメシル酸塩，ベラパミル塩酸塩，ジルチアゼム塩酸塩／妊婦または妊娠している可能性のある人

(2)慎重に服用すべき場合……QT 延長症候群または QT 延長作用のある薬剤の使用中／第一度・第二度房室ブロック／心室内電気伝導障害(脚ブロック)，心室同期不全

(3)定期的に検査……本剤の服用によって徐脈，心房細動が現れることがあるので，定

期的に心拍数の測定や心調律の観察，また，動悸などの症状が現れた場合や心拍数不整が認められた場合などには心電図検査を行います。

(4)飲食物……服用中は以下の飲食物を摂取しないでください。①セント・ジョーンズ・ワート(セイヨウオトギリソウ)含有食品は本剤の血中濃度を低下させ，心拍数減少作用が弱まることがあります。②グレープフルーツジュースは本剤の作用を強め，過度の徐脈が現れることがあります。

(5)避妊……妊娠可能な女性は，本剤服用中および服用終了後一定期間は適切な避妊を行ってください。

(6)その他……
● 授乳婦での安全性：服用するときは授乳を中止。
● 小児での安全性：未確立。(1714 頁を参照)

| 重大な副作用 |　①徐脈(心拍数減少，めまい，倦怠感，低血圧など)。②光視症(服用開始後 3 カ月以内に多い)，霧視。③房室ブロック。④心房細動。⑤心電図 QT 延長，心室性不整脈，心室性頻脈，心室性期外収縮，心室細動，トルサード・ドゥ・ポアント。

　そのほかにも報告された副作用はあるので，体調がいつもと違うと感じたときは，処方医・薬剤師に相談してください。

| 併用してはいけない薬 |　リトナビル含有製剤，ジョサマイシン，イトラコナゾール，クラリスロマイシン，コビシスタット含有製剤，ボリコナゾール，ネルフィナビルメシル酸塩，ベラパミル塩酸塩，ジルチアゼム塩酸塩→過度の徐脈が現れるおそれがあります。

内 03 心臓病と不整脈の薬　01 強心薬

09 アンジオテンシン受容体ネプリライシン阻害薬

製剤情報

一般名：サクビトリルバルサルタンナトリウム水和物

● 保険収載年月…2020年8月
● 海外評価…6点 英 米 独 仏
● 剤形…錠 錠剤
● 服用量と回数…[慢性心不全]1回50mgを開始用量として1日2回服用。忍容性が認められる場合は，2〜4週間の間隔で段階的に1回200mgまで増量。1回の服用量は50mg，100mgまたは200mgとし，いずれも1日2回服用。[高血圧症]1日1回200mgを服用。最大1日1回400mg。

■先発品	商品名(メーカー)	規格・保険薬価

エンレスト(ノバルティス) 錠 50mg 1錠 65.20 円
錠 100mg 1錠 114.40 円　錠 200mg 1錠 201.30 円

概　要

| 分類 |　アンジオテンシン受容体ネプリライシン阻害薬(ARNI)
| 処方目的 |　慢性心不全(ただし，慢性心不全の標準的な治療を受けている患者に限る)／高血圧症
| 解説 |　本剤は，ネプリライシン(利尿ペプチドなどの血管刺激物質を分解する酵素)阻

害作用をもつサクビトリルと，アンジオテンシンⅡ受容体拮抗薬（ARB）であるバルサルタンの合剤です。心不全の病態を悪化させる神経体液性因子の一つであるレニン・アンジオテンシン・アルドステロン系（RAAS）の過剰な活性化を抑制するとともに，RAASと代償的に作用する内因性のナトリウム利尿ペプチド系を増強し，神経体液性因子のバランス破綻を是正して慢性心不全，高血圧症の改善をはかります。

　本剤を慢性心不全に用いる場合は，慢性心不全の標準的な治療薬である ARB またはアンジオテンシン変換酵素阻害薬（ACE 阻害薬）から切り替えて使用します。高血圧症の場合は，服用すると過度な血圧低下のおそれなどがあるため，原則として高血圧治療の第一選択薬には用いません。

🈂 使用上の注意

基本的注意

(1)**服用してはいけない場合**……本剤の成分に対するアレルギーの前歴／アンジオテンシン変換酵素阻害薬（ACE 阻害薬：アラセプリル，イミダプリル塩酸塩，エナラプリルマレイン酸塩，カプトプリル，キナプリル塩酸塩，シラザプリル水和物，テモカプリル塩酸塩，デラプリル塩酸塩，トランドラプリル，ベナゼプリル塩酸塩，ペリンドプリルエルブミン，リシノプリル水和物）の服用中，あるいは服用中止から 36 時間以内／血管浮腫の前歴（アンジオテンシンⅡ受容体拮抗薬（ARB）またはアンジオテンシン変換酵素阻害薬による血管浮腫，遺伝性血管性浮腫，後天性血管浮腫，特発性血管浮腫など）／アリスキレンフマル酸塩を服用中の糖尿病患者／重度の肝機能障害（Child-Pugh 分類 C）／妊婦または妊娠している可能性のある人

(2)**特に慎重に服用すべき場合（治療上やむを得ないと判断される場合を除き，服用を避けること）**……両側性腎動脈狭窄のある人または片腎で腎動脈狭窄のある人／高カリウム血症

(3)**慎重に服用すべき場合**……［効能共通］脳血管障害／腎機能障害（軽度・中等度・重度）／中等度の肝機能障害（Child-Pugh 分類 B）／高齢者／［慢性心不全の場合］血圧が低い人／［高血圧症の場合］厳重な減塩療法中の人／血液透析中の人

(4)**血管浮腫と ACE 阻害薬**……本剤を服用すると血管浮腫が現れるおそれがあります。本剤と ACE 阻害薬（アンジオテンシン変換酵素阻害薬）を併用すると血管浮腫のリスクが増加する可能性があるため，ACE 阻害薬は併用禁忌です。本剤の服用前に ACE 阻害薬を服用している場合は，少なくとも本剤服用開始 36 時間前に中止すること。また，本剤服用終了後に ACE 阻害薬を服用する場合は，本剤の最終服用から 36 時間後までは服用してはいけません。

(5)**脱水**……本剤を服用すると脱水が現れるおそれがあるため，服用中に異常が認められた場合には，すぐに処方医に連絡してください。本剤の減量，服用中止や補液などの処置が行われます。

(6)**避妊**……妊娠可能な女性は，本剤服用中および服用終了後一定期間は適切な避妊を行ってください。動物実験において，胚・胎児致死（着床後死亡率の高値），催奇形性（水頭症）が認められたとの報告があります。また，服用中に妊娠が判明した場合には，直ち

に服用を中止します。

(7)危険作業に注意……服用により降圧作用に基づくめまい，ふらつきが現れることがあるので，高所作業，自動車の運転など危険を伴う機械を操作する際は十分に注意してください。

(8)その他……

●授乳婦での安全性：服用するときは授乳しないことが望ましい。(1714頁を参照)

`重大な副作用` ①血管浮腫(舌・声門・喉頭の腫脹など)。②腎機能障害，腎不全。③低血圧。④高カリウム血症。⑤ショック，失神，意識消失，冷感，嘔吐。⑥無顆粒球症，白血球減少，血小板減少。⑦間質性肺炎(発熱，せき，呼吸困難など)。⑧低血糖(脱力感，空腹感，冷汗，手のふるえ，集中力低下，けいれん，意識障害など)。⑨横紋筋融解症(筋肉痛，脱力感など)。⑩中毒性表皮壊死融解症(TEN)，皮膚粘膜眼症候群(スティブンス-ジョンソン症候群)，多形紅斑。⑪天疱瘡・類天疱瘡(水疱，びらんなど)。⑫肝炎。

　そのほかにも報告された副作用はあるので，体調がいつもと違うと感じたときは，処方医・薬剤師に相談してください。

`併用してはいけない薬` ①アンジオテンシン変換酵素阻害薬(ACE阻害薬：アラセプリル，イミダプリル塩酸塩，エナラプリルマレイン酸塩，カプトプリル，キナプリル塩酸塩，シラザプリル水和物，テモカプリル塩酸塩，デラプリル塩酸塩，トランドラプリル，ベナゼプリル塩酸塩，ペリンドプリルエルブミン，リシノプリル水和物)→血管浮腫が現れるおそれがあります。②アリスキレンフマル酸塩(糖尿病患者に投与する場合)→非致死性脳卒中，腎機能障害，高カリウム血症および低血圧のリスク増加がバルサルタンで報告されています。

`内` 03 心臓病と不整脈の薬　01 強心薬

10　ベルイシグアト

💊 **製 剤 情 報**

一般名：ベルイシグアト

●保険収載年月…2021年8月
●海外評価…4点 `英` `米` `独` `仏`
●剤形…`錠` 錠剤
●服用量と回数…1回2.5mgを1日1回食後服用

から開始し，2週間間隔で1回量を5mgおよび10mgに段階的に増量する。

■**先発品**　商品名(メーカー)　規格・保険薬価

ベリキューボ(バイエル) `錠` 2.5mg 1錠 131.50円

`錠` 5mg 1錠 230.20円　`錠` 10mg 1錠 402.20円

📋 **概　　要**

`分類`　可溶性グアニル酸シクラーゼ(sGC)刺激薬

`処方目的`　慢性心不全(ただし，慢性心不全の標準的な治療を受けている患者に限る)

`解説`　心血管系の重要なシグナル伝達経路にNO-sGC-cGMP経路があります。内皮細胞由来のNO(一酸化窒素)がsGC(可溶性グアニル酸シクラーゼ)という酵素に結合して

細胞内 cGMP（環状グアノシン一リン酸）が産生されます。cGMP は心筋収縮，血管緊張，心臓リモデリングなどを調節する重要な役割を担っていますが，内皮細胞機能不全による NO 産生の低下や sGC の機能不全が生じると組織中の cGMP 量が低下し，心筋・血管の機能不全などを招きます。

　本剤は sGC 刺激薬の一つで，sGC を刺激して NO-sGC-GMP 経路を活性化させる初の慢性心不全治療薬です。左室駆出率の保たれた慢性心不全における本剤の有効性・安全性は確立していないため，左室駆出率の低下した慢性心不全患者に使用されます。

内
03
―
01
―
10
ベルイシグアト

使用上の注意

基本的注意

(1)服用してはいけない場合……本剤の成分に対するアレルギーの前歴／可溶性グアニル酸シクラーゼ(sGC)刺激薬(リオシグアト)の服用中

(2)慎重に服用すべき場合……服用前の収縮期血圧が 100mmHg 未満または症候性低血圧の患者／eGFR が 15mL/分/1.73m² 未満の腎機能障害患者または透析中の患者／重度の肝機能障害(Child-Pugh 分類 C)

(3)症候性低血圧……本剤は，血管を拡張し血圧を低下させる作用をもっており，症候性(二次性)低血圧が現れるおそれがあります。血液量減少，重度の左室流出路閉塞，安静時低血圧，自律神経機能障害，低血圧の既往のある人や，降圧薬，利尿薬，硝酸薬などの降圧作用を有する薬剤を服用中の人は慎重に服用し，血圧などの状態に十分に注意してください。

(4)避妊……妊娠可能な女性は，本剤服用中および服用終了後一定期間は確実な避妊法を用いてください。動物実験で流産および出生児の死亡率の増加などが報告されています。

(5)危険作業に注意……本剤の服用により，めまいが現れることがあるので，高所作業，自動車の運転など危険を伴う機械の操作をする際には注意してください。

(6)その他……

- 妊婦での安全性：服用しないことが望ましい。
- 授乳婦での安全性：治療上の有益性・母乳栄養の有益性を考慮し，授乳の継続・中止を検討。
- 小児での安全性：未確立。(1714 頁を参照)

重大な副作用　　①低血圧。

　そのほかにも報告された副作用はあるので，体調がいつもと違うと感じたときは，処方医・薬剤師に相談してください。

併用してはいけない薬　　可溶性グアニル酸シクラーゼ(sGC)刺激薬(リオシグアト)→症候性低血圧をおこすことがあります。

01　プロカインアミド塩酸塩

製剤情報

一般名：プロカインアミド塩酸塩
- 保険収載年月…1960年6月
- 海外評価…0点 英 米 独 仏
- 剤形…錠 錠剤

- 服用量と回数…1回250〜500mgを3〜6時間ごとに服用。

■ 先発品　　商品名(メーカー)　規格・保険薬価

アミサリン (アルフレッサ) 錠 125mg 1錠 10.10 円
錠 250mg 1錠 11.30 円

概要

分類　不整脈治療薬

処方目的　期外収縮(上室性，心室性)，急性心筋梗塞における心室性不整脈の予防，新鮮心房細動，発作性頻拍(上室性，心室性)の治療と予防，発作性心房細動の予防，電気ショック療法との併用とその後の洞調律の維持，手術や麻酔に伴う不整脈の予防，陳旧性心房細動

解説　心臓の心房および心室の刺激伝導速度を低下させて，心筋の興奮を抑制します。特に，長期服用時の副作用に注意する必要があります。

使用上の注意

基本的注意

(1)服用してはいけない場合……刺激伝導障害(房室ブロック，洞房ブロック，脚ブロックなど)／重いうっ血性心不全／重症筋無力症／モキシフロキサシン塩酸塩，バルデナフィル塩酸塩水和物，アミオダロン塩酸塩(注射薬)，トレミフェンクエン酸塩の服用・使用中／本剤の成分に対するアレルギーの前歴

(2)慎重に服用すべき場合……うっ血性心不全／基礎心疾患(心筋梗塞，弁膜症，心筋症など)のある人／低血圧／重い肝機能障害・腎機能障害／気管支ぜんそく／血清カリウム低下の人／高齢者

(3)定期検査……服用中は，定期的に心電図，脈拍，血圧，心胸比の検査を受ける必要があります。特に，うっ血性心不全のある人，基礎心疾患(心筋梗塞，弁膜症，心筋症など)があって心不全をおこすおそれのある人，他の抗不整脈薬の併用者，高齢者は頻回に心電図の検査を受けることが必要です。

(4)その他……
- 妊婦での安全性：未確立。有益と判断されたときのみ服用。
- 授乳婦での安全性：服用するときは授乳を中止。(1714 頁を参照)

重大な副作用　　①無顆粒球症(発熱，咽頭痛，倦怠感など)。②心室頻拍，心室粗動，心室細動，心不全。③発熱，紅斑，筋肉痛，関節炎，胸部の痛み，心膜炎などを伴う SLE(全身性エリテマトーデス)様症状。

そのほかにも報告された副作用はあるので，体調がいつもと違うと感じたときは，処

方医・薬剤師に相談してください。

併用してはいけない薬　モキシフロキサシン塩酸塩，バルデナフィル塩酸塩水和物，アミオダロン塩酸塩（注射薬），トレミフェンクエン酸塩→心室性頻拍，QT 延長をおこすおそれがあります。

---

02 キニジン硫酸塩水和物

製剤情報

一般名：キニジン硫酸塩水和物

- 保険収載年月…1958年10月
- 海外評価…3点 英 米 独 仏　●PC…C
- 剤形…錠 錠剤，末 末剤

- 服用量と回数…処方医の指示通りに服用。

■先発品　　商品名（メーカー）　規格・保険薬価

キニジン硫酸塩（マイラン＝ファイザー）
末 1g 125.10 円　錠 100mg 1錠 8.40 円

概　要

分類　不整脈治療薬

処方目的　期外収縮（上室性，心室性），発作性頻拍（上室性，心室性），新鮮心房細動，発作性心房細動の予防，陳旧性心房細動，心房粗動，電気ショック療法との併用およびその後の洞調律の維持，急性心筋梗塞時における心室性不整脈の予防

解説　マラリアの特効薬キニーネの原料であるキナの樹皮から精製されます。基本的には脈を遅くする作用があり，プロカインアミド塩酸塩と同様，古典的な抗不整脈薬です。
　本剤は著明な副作用を有するので，原則として入院して使用します。

使用上の注意

基本的注意

(1)**服用してはいけない場合**……刺激伝導障害（房室ブロック，洞房ブロック，脚ブロックなど）／重いうっ血性心不全／高カリウム血症／本剤に対するアレルギーの前歴／アミオダロン塩酸塩（注射薬），バルデナフィル塩酸塩水和物，トレミフェンクエン酸塩，ボリコナゾール，ネルフィナビルメシル酸塩，リトナビル，モキシフロキサシン塩酸塩，イトラコナゾール，フルコナゾール，ホスフルコナゾール，ミコナゾール，メフロキン塩酸塩の服用・使用中

(2)**慎重に服用すべき場合**……基礎心疾患（心筋梗塞，弁膜症，心筋症など）のある人／うっ血性心不全／重い肝機能障害・腎機能障害／塞栓の前歴，一過性脳虚血発作などの症状がある人／血清カリウム低下の人／高齢者

(3)**定期検査**……服用中は，定期的に心電図，脈拍，血圧，心胸比，肝機能などの検査を受ける必要があります。特に，うっ血性心不全のある人，基礎心疾患（心筋梗塞，弁膜症，心筋症など）があって心不全をおこすおそれのある人，他の抗不整脈薬の併用者，高齢者は頻回に心電図の検査を受けることが必要です。

(4)セイヨウオトギリソウ(セント・ジョーンズ・ワート)含有食品……本剤を服用すると
きは摂取してはいけません。本剤の代謝が促進され，血中濃度が低下するおそれがあり
ます。

(5)その他……

●妊婦での安全性：未確立。有益と判断されたときのみ服用。

●授乳婦での安全性：服用するときは授乳を中止。

●小児での安全性：未確立。(1714頁を参照)

重大な副作用　①高度伝導障害，心室細動，心停止などの致死性の不整
脈。②無顆粒球症，白血球減少，再生不良性貧血，溶血性貧血。③血小板減少性紫斑病。
④発熱，紅斑，筋肉痛，関節炎，胸部の痛み，心膜炎などを伴うSLE(全身性エリテマト
ーデス)様症状。⑤心不全。

　そのほかにも報告された副作用はあるので，体調がいつもと違うと感じたときは，処
方医・薬剤師に相談してください。

併用してはいけない薬　①アミオダロン塩酸塩(注射薬)，バルデナフィル塩酸塩水
和物，トレミフェンクエン酸塩，ボリコナゾール，サキナビルメシル酸塩，モキシフロキ
サシン塩酸塩，フルコナゾール，ホスフルコナゾール，ミコナゾール→QT延長をおこす
おそれがあります。

②ネルフィナビルメシル酸塩，リトナビル→不整脈，血液障害，けいれんなどの重い副
作用をおこすおそれがあります。

③イトラコナゾール→本剤の作用が強まるおそれがあります。

④メフロキン塩酸塩→急性脳症候群，暗赤色尿，呼吸困難，貧血，溶血をおこすおそれ
があります。

内 03 心臓病と不整脈の薬　02 不整脈の薬

03 ピリジンメタノール系抗不整脈薬

製剤情報

一般名：ジソピラミド

●発売年月…1978年4月
●海外評価…5点 英米独仏　●PC…C
●規制…劇薬
●剤形…カ カプセル剤
●服用量と回数…1回100mgを1日3回。

■先発品　商品名(メーカー)　規格・保険薬価

リスモダン 写真 (クリニジェン)
カ 50mg 1カプセル 20.80円　カ 100mg 1カプセル 31.50円

■ジェネリック　商品名(メーカー)　規格・保険薬価

ジソピラミド (マイランEPD＝ヴィアトリス)
カ 50mg 1カプセル 9.90円　カ 100mg 1カプセル 15.00円

一般名：ジソピラミドリン酸塩

●発売年月…1988年10月
●海外評価…5点 英米独仏　●PC…C
●規制…劇薬
●剤形…錠 錠剤
●服用量と回数…1回150mgを1日2回。

■先発品　商品名(メーカー)　規格・保険薬価

リスモダンR 写真 (クリニジェン)	錠 150mg 1錠 34.80円

■ジェネリック　商品名(メーカー)　規格・保険薬価

ジソピラミド徐放錠 (沢井)	錠 150mg 1錠 13.00円
ジソピラミド徐放錠 (ファイザー)	錠 150mg 1錠 29.70円
ジソピラミドリン酸塩徐放錠 (東和)	錠 150mg 1錠 13.00円
ジソピラミドリン酸塩徐放錠 (日医工ファーマ=日医工)	錠 150mg 1錠 13.00円

一般名：ピルメノール塩酸塩水和物

- 保険収載年月…1994年12月
- 海外評価…0点 英 米 独 仏
- 規制…劇薬
- 剤形…カ カプセル剤
- 服用量と回数…1回100mgを1日2回。

■先発品　商品名(メーカー)　規格・保険薬価

ピメノール (ファイザー)	カ 50mg 1カプセル 57.30円
	カ 100mg 1カプセル 98.60円

概　要

分類　不整脈治療薬

処方目的　[ジソピラミドの適応症] 次の状態で他の抗不整脈薬が使用できなかったり，無効のときに用いる→期外収縮，発作性上室性頻脈，心房細動

[ジソピラミドリン酸塩，ピルメノール塩酸塩水和物の適応症] 頻脈性不整脈(他の抗不整脈薬が使用できなかったり，無効のとき)

解説　生理電気学的にはキニジン硫酸塩水和物に近い作用を示します。

ピルメノール塩酸塩水和物は，ジソピラミドと類似したピリジンメタノール誘導体(化合物)の構造を有し，アメリカのパークデービス社(ワーナー・ランバート社の子会社)で1977年に合成されました。しかし，現在では，英米独仏いずれの国でも販売されていません。

なお，ジソピラミドリン酸塩は徐放製剤になっています。

使用上の注意

＊ジソピラミド(リスモダン)，ジソピラミドリン酸塩(リスモダンR)の添付文書による

基本的注意

(1)服用してはいけない場合……高度の房室ブロック・洞房ブロック／うっ血性心不全／閉塞隅角緑内障／尿貯留傾向のある人／モキシフロキサシン塩酸塩，トレミフェンクエン酸塩，バルデナフィル塩酸塩水和物，アミオダロン塩酸塩(注射薬)，エリグルスタット酒石酸塩，フィンゴリモド塩酸塩の服用・使用中／本剤の成分に対するアレルギーの前歴

[ジソピラミドリン酸塩のみ] 重い腎機能障害(透析者を含む)／高度な肝機能障害

(2)慎重に服用すべき場合……基礎心疾患(心筋梗塞，弁膜症，心筋症など)のある人／刺激伝導障害(房室ブロック，洞房ブロック，脚ブロックなど)／心房粗動／腎機能障害／肝機能障害／糖尿病の治療中／重症筋無力症／血清カリウム低下の人／開放隅角緑内障／高齢者

(3)定期検査……服用中は定期的に心電図，脈拍，血圧，心胸比の検査，また肝機能や腎

機能，電解質，血液の検査を受ける必要があります。特に基礎心疾患（心筋梗塞，弁膜症，心筋症など）があって心不全をおこしやすい人，他の抗不整脈薬併用者，高齢者は頻回に心電図検査を受けることが必要です。

(4)セイヨウオトギリソウ（セント・ジョーンズ・ワート）含有食品……本剤を服用しているときは摂取してはいけません。本剤の代謝が促進され，血中濃度が低下するおそれがあります。

(5)危険作業に注意……本剤を服用すると，めまい，低血糖などがおこることがあります。服用中は，高所作業や自動車の運転など危険を伴う機械の操作は注意してください。

(6)その他……
●妊婦での安全性：未確立。原則として服用禁止。
●授乳婦での安全性：原則として服用しない。やむを得ず服用するときは授乳を中止。
●小児での安全性：未確立。（1714頁を参照）

重大な副作用　①心停止，心室細動，心室頻拍，心室粗動，心房粗動，房室ブロック，洞停止，失神，心不全の悪化。②低血糖（脱力感，倦怠感，高度の空腹感，冷汗，吐きけ，不安，意識混濁，昏睡など）。③無顆粒球症。④肝機能障害，黄疸。⑤麻痺性イレウス。⑥緑内障の悪化。⑦けいれん。

　そのほかにも報告された副作用はあるので，体調がいつもと違うと感じたときは，処方医・薬剤師に相談してください。

併用してはいけない薬　①バルデナフィル塩酸塩水和物，アミオダロン塩酸塩（注射薬），モキシフロキサシン塩酸塩，トレミフェンクエン酸塩，エリグルスタット酒石酸塩→QT延長，心室性頻拍をおこすおそれがあります。②フィンゴリモド塩酸塩→重い不整脈をおこすおそれがあります。

内 03 心臓病と不整脈の薬　02 不整脈の薬

04　メキシレチン塩酸塩

製剤情報

一般名：メキシレチン塩酸塩
●保険収載年月…1985年7月
●海外評価…2点 英 米 独 仏　●PC…C
●規制…劇薬
●剤形…錠 錠剤，力 カプセル剤
●服用量と回数…1日300mgを3回に分けて服用。頻脈性不整脈に対して効果が不十分な場合は，1日450mgまで増量。

■**先発品**　商品名（メーカー）　規格・保険薬価
メキシチール 写真 （太陽ファルマ）
力 50mg 1カプセル 12.50円　力 100mg 1カプセル 18.60円
メキシレチン塩酸塩（共和クリティケア＝三和）
錠 100mg 1錠 18.60円

■**ジェネリック**　商品名（メーカー）　規格・保険薬価
メキシレチン塩酸塩（共和クリティケア＝三和）
錠 50mg 1錠 10.50円
メキシレチン塩酸塩（キョーリン＝杏林）
錠 50mg 1錠 5.90円　錠 100mg 1錠 7.50円

メキシレチン塩酸塩（沢井）囲 50mg 1カプセル 5.90 円 囲 100mg 1カプセル 7.50 円	**メキシレチン塩酸塩**（東和）囲 50mg 1カプセル 5.90 円 囲 100mg 1カプセル 7.50 円
メキシレチン塩酸塩（長生堂＝日本ジェネリック）囲 50mg 1カプセル 5.90 円 囲 100mg 1カプセル 7.50 円	**メキシレチン塩酸塩**（日医工）囲 50mg 1カプセル 5.90 円 囲 100mg 1カプセル 7.50 円
メキシレチン塩酸塩（鶴原）囲 50mg 1カプセル 5.90 円 囲 100mg 1カプセル 7.50 円	**メキシレチン塩酸塩**（陽進堂）囲 50mg 1カプセル 5.90 円 囲 100mg 1カプセル 7.50 円

概　要

分類　不整脈治療薬・糖尿病性神経障害治療薬

処方目的　頻脈性不整脈（心室性）／糖尿病性神経障害に伴う自発痛やしびれ感の改善

解説　キニジン硫酸塩水和物，プロカインアミド塩酸塩，ジソピラミドリン酸塩，シベンゾリンコハク酸塩などに比較して，重症の不整脈を誘発する危険は少ないといわれています。

　本剤はまた，糖尿病性神経障害の治療にも用いられます。

使用上の注意

＊メキシレチン塩酸塩（メキシチール）の添付文書による

基本的注意

(1)服用してはいけない場合……本剤の成分に対するアレルギーの前歴／重い刺激伝導障害（ペースメーカー未使用のⅡ～Ⅲ度房室ブロックなど）

(2)特に慎重に服用すべき場合（原則禁忌，処方医と連絡を絶やさないこと）……重い心不全を合併している糖尿病性神経障害のある人が自覚症状（自発痛，しびれ感）の改善を目的として服用する場合

(3)慎重に服用すべき場合……基礎心疾患（心筋梗塞，弁膜症，心筋症など）のある人／軽度の刺激伝導障害（不完全房室ブロック，脚ブロックなど）／著しい洞性徐脈／重い肝機能障害・腎機能障害／心不全／低血圧／パーキンソン症候群／血清カリウム低下の人／他の抗不整脈薬の服用中／高齢者

(4)服用法……本剤が食道にとどこおると食道潰瘍がおこることがあるので，多めの水（150mL 以上）で服用してください。特に就寝前は，のんですぐに横にならないようにしてください。

(5)定期検査……服用中は，定期的に心電図，脈拍，血圧，心胸比の検査を受ける必要があります。特に，うっ血性心不全のある人，基礎心疾患（心筋梗塞，弁膜症，心筋症など）があって心不全をおこすおそれのある人，他の抗不整脈薬の併用者，高齢者は頻回に心電図の検査を受けることが必要です。

(6)心臓ペースメーカー使用中……本剤は，心臓ペーシングの閾値を上昇させる場合があります。恒久的ペースメーカー使用中，あるいは一時的ペーシング中の人は適当な間隔でペーシング閾値を測定する必要があります。異常を感じたら，直ちに処方医へ連絡してください。

(7)危険作業は中止……本剤を服用すると，頭がボーとする，めまい，しびれなどの精神

神経系症状がおこることがあります。服用中は，自動車の運転など危険を伴う機械の操作は行わないようにしてください。

(8)その他……

- ●妊婦での安全性：未確立。有益と判断されたときのみ服用。
- ●授乳婦での安全性：原則として服用しない。やむを得ず服用するときは授乳を中止。
- ●小児での安全性：未確立。(1714頁を参照)

重大な副作用　①紅斑，水疱，結膜炎，口内炎などを伴う皮膚粘膜眼症候群(スティブンス-ジョンソン症候群)，中毒性表皮壊死融解症(TEN)，紅皮症。②過敏症症候群(初期症状：発疹，発熱)。③心室頻拍，房室ブロック。④腎不全。⑤幻覚，錯乱。⑥肝機能障害，黄疸。⑦間質性肺炎，好酸球性肺炎(発熱，せき，呼吸困難など)。⑧その他，類似薬で心停止，心室細動，失神，洞房ブロック，徐脈。

　そのほかにも報告された副作用はあるので，体調がいつもと違うと感じたときは，処方医・薬剤師に相談してください。

併用してはいけない薬　併用してはいけない薬は特にありません。ただし，併用する薬があるときは，念のため処方医・薬剤師に報告してください。

内 03 心臓病と不整脈の薬　02 不整脈の薬

05 アプリンジン

⚗ 製剤情報

一般名：アプリンジン塩酸塩

- ●保険収載年月…1987年3月
- ●海外評価…1点 英 米 独 仏
- ●規制…劇薬
- ●剤形…カ カプセル剤
- ●服用量と回数…1日40mgから開始，効果が不十分な場合は60mgまで増量し，1日2～3回に分けて服用。

■先発品　　商品名(メーカー)　規格・保険薬価

アスペノン 写真 (バイエル) カ 10mg 1ｶﾌﾟ 29.60 円
カ 20mg 1ｶﾌﾟ 45.80 円

■ジェネリック　　商品名(メーカー)　規格・保険薬価

アプリンジン塩酸塩 (ニプロ)
カ 10mg 1ｶﾌﾟ 14.10 円　カ 20mg 1ｶﾌﾟ 21.80 円

📋 概要

分類　不整脈治療薬

処方目的　頻脈性不整脈で他の抗不整脈薬が使用できないか，または無効の場合

解説　抗不整脈薬は，作用の違いからクラスⅠ～Ⅳの4群に分類され，そのうちクラスⅠはさらにⅠa，Ⅰb，Ⅰcに分けられています(ヴォーン・ウィリアムズ分類)。クラスⅠの薬剤は，細胞膜にあるナトリウムの出入り口(チャネル)に作用して不整脈を改善する薬(ナトリウムチャネル阻害薬)です。

本剤は，クラスⅠaのジソピラミドリン酸塩，キニジン硫酸塩水和物，プロカインアミド塩酸塩，アジマリン，シベンゾリンコハク酸塩などと，Ⅰbのリドカインやメキシレチ

ン塩酸塩などとの中間の薬であるといわれています。

クラスⅡ（ベーター・ブロッカー）のように交感神経緊張抑制作用はありません。クラスⅣの Ca チャネル抑制剤などのような房室伝導抑制作用もありません。

🖎 使用上の注意

*アプリンジン塩酸塩（アスペノン）の添付文書による

基本的注意

(1)服用してはいけない場合……重い刺激伝導障害（完全房室ブロックなど）／重いうっ血性心不全／妊婦または妊娠している可能性のある人

(2)慎重に服用すべき場合……うっ血性心不全（重いうっ血性心不全を除く）または基礎心疾患（心筋梗塞，弁膜症，心筋症など）／軽度の刺激伝導障害（不完全房室ブロック，脚ブロックなど）／著しい洞性徐脈／うっ血性心不全／パーキンソン症候群／血清カリウム低下／他の抗不整脈薬の服用中／重い腎機能障害／重い肝機能障害

(3)定期検査……服用中は，定期的に肝機能や血液の検査，および心電図，脈拍，血圧，心胸比の検査を受ける必要があります。特に，うっ血性心不全がある人，基礎心疾患（心筋梗塞，弁膜症，心筋症など）があって心不全をおこすおそれのある人，他の抗不整脈薬の併用者，高齢者は頻回に心電図の検査を受けることが必要です。

(4)危険作業は中止……本剤を服用すると，手指のふるえ，めまい，ふらつきなどの精神神経系症状が現れることがあります。服用中は，自動車の運転など危険を伴う機械の操作は行わないようにしてください。なお，服用中にこれらの症状が現れたら直ちに処方医に連絡してください。

(5)その他……

●授乳婦での安全性：治療上の有益性・母乳栄養の有益性を考慮し，授乳の継続・中止を検討。

●小児での安全性：未確立。（1714 頁を参照）

重大な副作用　　　　①催不整脈（心室頻拍（トルサード・ドゥ・ポアントを含む）など）。②無顆粒球症（初期症状：発熱，咽頭痛，全身倦怠感など）。③間質性肺炎（初期症状：せき，息切れ，呼吸困難，発熱など）。④肝機能障害，黄疸。

そのほかにも報告された副作用はあるので，体調がいつもと違うと感じたときは，処方医・薬剤師に相談してください。

併用してはいけない薬　　　　併用してはいけない薬は特にありません。ただし，併用する薬があるときは，念のため処方医・薬剤師に報告してください。

内 03 心臓病と不整脈の薬　02 不整脈の薬

06　ピルシカイニド塩酸塩

💊 製剤情報　　　　　　　　**一般名：ピルシカイニド塩酸塩水和物**

●保険収載年月…1991年5月

- 海外評価…0点 英 米 独 仏
- 規制…劇薬
- 剤形…⑰カプセル剤
- 服用量と回数…1日150mgを3回に分けて服用。重症または効果が不十分な場合は，1日225mgまで増量できる。

■**先発品**　商品名(メーカー)　規格・保険薬価

サンリズム 写真 (第一三共) ⑰25mg 1ｶﾌﾟｾﾙ 32.00 円
⑰50mg 1ｶﾌﾟｾﾙ 53.60 円

■**ジェネリック**　商品名(メーカー)　規格・保険薬価

ピルシカイニド塩酸塩 (沢井)
⑰25mg 1ｶﾌﾟｾﾙ 15.30 円　⑰50mg 1ｶﾌﾟｾﾙ 26.00 円

ピルシカイニド塩酸塩 (第一三共エスファ)
⑰25mg 1ｶﾌﾟｾﾙ 15.30 円　⑰50mg 1ｶﾌﾟｾﾙ 26.00 円

ピルシカイニド塩酸塩 (武田テバファーマ＝武田) ⑰25mg 1ｶﾌﾟｾﾙ 15.30 円　⑰50mg 1ｶﾌﾟｾﾙ 26.00 円

ピルシカイニド塩酸塩 (辰巳)
⑰25mg 1ｶﾌﾟｾﾙ 15.30 円　⑰50mg 1ｶﾌﾟｾﾙ 26.00 円

ピルシカイニド塩酸塩 (長生堂＝日本ジェネリック) ⑰25mg 1ｶﾌﾟｾﾙ 15.30 円　⑰50mg 1ｶﾌﾟｾﾙ 26.00 円

ピルシカイニド塩酸塩 (東和)
⑰25mg 1ｶﾌﾟｾﾙ 15.30 円　⑰50mg 1ｶﾌﾟｾﾙ 26.00 円

ピルシカイニド塩酸塩 (日医工)
⑰25mg 1ｶﾌﾟｾﾙ 15.30 円　⑰50mg 1ｶﾌﾟｾﾙ 26.00 円

ピルシカイニド塩酸塩 (ニプロES)
⑰25mg 1ｶﾌﾟｾﾙ 15.30 円　⑰50mg 1ｶﾌﾟｾﾙ 26.00 円

内 03—02—06 ピルシカイニド塩酸塩

概要

分類　不整脈治療薬

処方目的　頻脈性不整脈で他の抗不整脈薬が使用できないか，または無効の場合

解説　日本で開発された，Naチャネルを抑制する抗不整脈薬です。近年，韓国では発売されていますが，それ以外の国では使用されていないドメスティックな薬です。

使用上の注意

＊ピルシカイニド塩酸塩水和物(サンリズム)の添付文書による

基本的注意

(1)**服用してはいけない場合**……うっ血性心不全／高度の房室ブロック・洞房ブロック

(2)**慎重に服用すべき場合**……基礎心疾患(心筋梗塞，弁膜症，心筋症など)のある人／心不全の前歴／刺激伝導障害(房室ブロック，洞房ブロック，脚ブロックなど)のある人(高度の房室ブロック，高度の洞房ブロックのある人を除く)／著しい洞性徐脈／血清カリウム低下／他の抗不整脈薬の服用中／恒久的ペースメーカー使用中あるいは一時的ペーシング中／腎機能障害／透析を必要とする腎不全／重い肝機能障害

(3)**定期検査**……服用中は，定期的に心電図，脈拍，血圧，心胸比の検査を受ける必要があります。特に，基礎心疾患(心筋梗塞，弁膜症，心筋症など)があって心不全をおこすおそれのある人，腎機能障害のある人，他の抗不整脈薬の併用者，高齢者などは頻回に心電図の検査を受けることが必要です。

(4)**心臓ペースメーカー使用中**……本剤は，心臓ペーシングの閾値(いきち)を上昇させる可能性があります。ペースメーカー使用中の人が服用する場合は，適当な間隔でペーシング閾値を測定する必要があります。異常を感じたら，ただちに処方医へ連絡してください。

(5)**外国での報告**……心筋梗塞発症後の無症候性または軽度の症状を伴う心室性期外収縮の人を対象とした試験において，本剤の類似薬はプラセボ(偽薬)服用群に比べ死亡率

が有意に増加したとの報告があります。このような状態の人は，原則として服用してはいけません。

(6)危険作業に注意……本剤を服用すると，めまいなどがおこることがあります。服用中は自動車の運転など危険を伴う機械の操作には十分に注意してください。

(7)その他……

● 妊婦での安全性：有益と判断されたときのみ服用。

● 授乳婦での安全性：治療上の有益性・母乳栄養の有益性を考慮し，授乳の継続・中止を検討。

● 小児での安全性：未確立。(1714 頁を参照)

重大な副作用　①心室細動，心室頻拍，洞停止，完全房室ブロック，失神，心不全。②急性腎障害。③肝機能障害。

そのほかにも報告された副作用はあるので，体調がいつもと違うと感じたときは，処方医・薬剤師に相談してください。

併用してはいけない薬　併用してはいけない薬は特にありません。ただし，併用する薬があるときは，念のため処方医・薬剤師に報告してください。

内 03 心臓病と不整脈の薬　02 不整脈の薬

07 フレカイニド酢酸塩

製剤情報

一般名：フレカイニド酢酸塩

● 保険収載年月…1991年8月

● 海外評価…6点 英米独仏　● PC…C

● 規制…劇薬

● 剤形…錠錠剤，細細粒剤

● 服用量と回数…成人の場合，1日100mg(細粒剤は1g)を2回に分けて服用。効果が不十分な場合は，1日200mgまで増量できる。小児は処方医の指示通りに服用。

■先発品	商品名(メーカー)　規格・保険薬価
タンボコール 写真 (エーザイ) 細 10% 1g 141.00 円
錠 50mg 1錠 59.40 円　錠 100mg 1錠 102.10 円

■ジェネリック	商品名(メーカー)　規格・保険薬価
フレカイニド酢酸塩 (寿) 錠 50mg 1錠 21.10 円
錠 100mg 1錠 36.30 円
フレカイニド酢酸塩 (トーアエイヨー＝日本ジェネリック＝フェルゼン) 錠 50mg 1錠 21.10 円
錠 100mg 1錠 36.30 円
フレカイニド酢酸塩 写真 (ファイザー)
錠 50mg 1錠 21.10 円　錠 100mg 1錠 36.30 円

概要

分類　不整脈治療薬

処方目的　頻脈性不整脈(心室性，発作性心房細動・粗動，小児での発作性上室性)で他の抗不整脈薬が使用できないか，または無効の場合

解説　抗不整脈薬は，作用の違いからクラスⅠ～Ⅳの4群に分類され，そのうちクラスⅠはさらにⅠa，Ⅰb，Ⅰcに分けられています(ヴォーン・ウィリアムズ分類)。

　クラスⅠの薬剤は，細胞膜にあるナトリウムの出入り口（チャネル）に作用して不整脈を改善する薬（ナトリウムチャネル阻害薬）です。

　本剤はクラスⅠc群に属する抗不整脈薬です。消化管からの吸収が良く，半減期も長いので，1日2回の服用で安定した抗不整脈作用が得られます。

使用上の注意

*フレカイニド酢酸塩（タンボコール）の添付文書による

基本的注意

(1)**服用してはいけない場合**……うっ血性心不全／高度の房室ブロック・洞房ブロック／心筋梗塞後の無症候性心室性期外収縮または非持続型心室頻拍／リトナビル，ミラベグロンの服用中／妊婦または妊娠している可能性のある人

(2)**慎重に服用すべき場合**……基礎心疾患（心筋梗塞，弁膜症，心筋症など）のある人／刺激伝導障害（房室ブロック，洞房ブロック，脚ブロックなど）のある人（高度の房室ブロック，高度の洞房ブロックのある人を除く）／著しい洞性徐脈／うっ血性心不全／血清カリウム低下／恒久的ペースメーカー使用中あるいは一時的ペーシング中／他の抗不整脈薬の服用中／腎機能障害／肝機能障害

(3)**外国での報告**……心筋梗塞後の無症候性心室性期外収縮または非持続型心室頻拍を対象とした突然死の予防に関する臨床試験で，本剤服用群はプラセボ（偽薬）服用群に比べて死亡率が高かったとの報告があります。

(4)**定期検査**……服用中は，定期的に心電図，脈拍，血圧，心胸比の検査を受ける必要があります。特に，基礎心疾患（心筋梗塞，弁膜症，心筋症など）があって心不全をおこすおそれのある人，腎機能障害のある人，他の抗不整脈薬の併用者，高齢者などは頻回に心電図の検査を受けることが必要です。

(5)**心臓ペースメーカー使用中**……本剤は心臓ペーシングの閾値を上昇させる可能性があります。ペースメーカー使用中の人は，適当な間隔でペーシング閾値を測定する必要があります。異常を感じたら，ただちに処方医へ連絡してください。

(6)**小児など**……小児などに本剤を使用する場合，小児などの不整脈治療に熟練した医師が監督することが必要です。特に乳幼児に使用する場合には十分に注意すること。母乳および乳製品の摂取により本剤の吸収が抑制され，有効性が低下するおそれがあります。また，母乳・乳製品の摂取中止時には，本剤の血中濃度の上昇に十分な注意が必要です。

(7)**その他**……

●授乳婦での安全性：治療上の有益性・母乳栄養の有益性を考慮し，授乳の継続・中止を検討。（1714頁を参照）

重大な副作用

①心室頻拍（トルサード・ドゥ・ポアントを含む），心室細動，心房粗動，高度房室ブロック，一過性心停止，洞停止（または洞ブロック），心不全の悪化，アダムス・ストークス発作。②肝機能障害，黄疸。

　そのほかにも報告された副作用はあるので，体調がいつもと違うと感じたときは，処方医・薬剤師に相談してください。

併用してはいけない薬　①リトナビル→不整脈，血液障害，けいれんなどの重い副作用をおこすおそれがあります。②ミラベグロン→QT 延長，心室性不整脈などが現れるおそれがあります。

内 03 心臓病と不整脈の薬　02 不整脈の薬

08　プロパフェノン塩酸塩

製 剤 情 報

一般名：プロパフェノン塩酸塩
- 保険収載年月…1989年5月
- 海外評価…5点 英 米 独 仏　●PC…C
- 規制…劇薬
- 剤形…錠 錠剤
- 服用量と回数…1回150mgを1日3回。

■**先発品**　商品名(メーカー)　規格・保険薬価
プロノン (トーアエイヨー)　錠 100mg 1錠 30.90 円
錠 150mg 1錠 34.70 円

■**ジェネリック**　商品名(メーカー)　規格・保険薬価
プロパフェノン塩酸塩 (大原)
錠 100mg 1錠 14.70 円　錠 150mg 1錠 16.50 円

概　　要

分類　不整脈治療薬
処方目的　頻脈性不整脈で他の抗不整脈薬が使用できないか，または無効の場合
解説　抗不整脈薬は，作用の違いからクラスⅠ～Ⅳの４群に分類され，そのうちクラスⅠはさらにⅠa，Ⅰb，Ⅰcに分けられています(ヴォーン・ウィリアムズ分類)。
　クラスⅠの薬剤は，細胞膜にあるナトリウムの出入り口(チャネル)に作用して不整脈を改善する薬(ナトリウムチャネル阻害薬)です。
　本剤は局所麻酔作用を持っているクラスⅠcの不整脈治療剤で，心筋細胞に対して直接的な膜安定化作用を示します。

使用上の注意

*プロパフェノン塩酸塩(プロノン)の添付文書による
基本的注意
(1)**服用してはいけない場合**……うっ血性心不全／高度の房室ブロック・洞房ブロック／リトナビル，ミラベグロン，アスナプレビルの服用中
(2)**慎重に服用すべき場合**……基礎心疾患(心筋梗塞，弁膜症，心筋症など)のある人／刺激伝導障害(房室ブロック，洞房ブロック，脚ブロックなど)／著しい洞性徐脈／肝機能障害／重い腎機能障害／血清カリウム低下の人／閉塞性肺疾患，気管支ぜんそくまたは気管支けいれんのおそれのある人／高齢者
(3)**セイヨウオトギリソウ(セント・ジョーンズ・ワート)含有食品**……本剤を服用しているときは摂取してはいけません。本剤の代謝が促進され血中濃度が低下するおそれがあります。
(4)**定期検査**……服用中は，定期的に心電図，脈拍，血圧，心胸比の検査を受ける必要が

あります。特に，基礎心疾患(心筋梗塞，弁膜症，心筋症など)があって心不全をおこすおそれのある人，肝機能障害・重い腎機能障害・心機能低下のある人，他の抗不整脈薬の併用者，高齢者などは頻回に心電図の検査を受けることが必要です。

(5)心臓ペースメーカー使用中……本剤は心臓ペーシングの閾値を上昇させる可能性があります。ペースメーカー使用中の人は，適当な間隔でペーシング閾値を測定する必要があります。異常を感じたら，ただちに処方医へ連絡してください。

(6)危険作業に注意……本剤を服用すると，めまいなどが現れることがあります。服用中は，自動車の運転など危険を伴う機械の操作に従事するときは十分に注意してください。

(7)外国での報告……心筋梗塞発症後の無症候性または軽度の症状を伴う心室性期外収縮の人を対象とした試験において，本剤の類似薬はプラセボ(偽薬)服用群に比べ死亡率が有意に増加したとの報告があります。このような状態の人は，原則として服用してはいけません。

(8)その他……
● 妊婦での安全性：未確立。有益と判断されたときのみ服用。
● 授乳婦での安全性：服用するときは授乳を中止。
● 小児での安全性：未確立。(1714頁を参照)

重大な副作用　①心室頻拍(トルサード・ドゥ・ポアントを含む)，心室細動，洞停止，洞房ブロック，房室ブロック，徐脈，失神。②肝機能障害，黄疸。

　そのほかにも報告された副作用はあるので，体調がいつもと違うと感じたときは，処方医・薬剤師に相談してください。

併用してはいけない薬　①リトナビル→本剤の血中濃度が大幅に上昇し，不整脈，血液障害，けいれんなどの重い副作用をおこすおそれがあります。②ミラベグロン→QT延長，心室性不整脈などをおこすおそれがあります。③アスナプレビル→本剤の血中濃度が上昇し，不整脈がおこるおそれがあります。

内 03 心臓病と不整脈の薬　02 不整脈の薬

09　シベンゾリンコハク酸塩

製剤情報

一般名：シベンゾリンコハク酸塩
● 保険収載年月…1990年11月
● 海外評価…1点 英 米 独 仏
● 規制…劇薬
● 剤形…錠 錠剤
● 服用量と回数…1日300mgから開始，効果が不十分な場合は450mgまで増量，3回に分け

て服用。

■先発品　商品名(メーカー)　規格・保険薬価
シベノール (トーアエイヨー) 錠 50mg 1錠 24.90円
　錠 100mg 1錠 40.70円

■ジェネリック　商品名(メーカー)　規格・保険薬価
シベンゾリンコハク酸塩 (沢井)
　錠 50mg 1錠 12.40円　錠 100mg 1錠 20.70円

シベンゾリンコハク酸塩（東和）
錠 50mg 1錠 12.40 円　錠 100mg 1錠 20.70 円

📋 **概　要**

分類　不整脈治療薬

処方目的　頻脈性不整脈で他の抗不整脈薬が使用できないか，または無効の場合

解説　フランスで開発された抗不整脈薬で頻脈性不整脈に効果を発揮します。日本以外ではフランス，ベルギー，ルクセンブルクで承認されていますが，日本より容量の大きい製剤（130mg）が用いられています。

📋 **使用上の注意**

＊シベンゾリンコハク酸塩（シベノール）の添付文書による

基本的注意

(1)**服用してはいけない場合**……高度の房室ブロック・洞房ブロック／うっ血性心不全／透析中／閉塞隅角緑内障／尿貯留傾向のある人／本剤の成分に対するアレルギーの前歴／バルデナフィル塩酸塩水和物，モキシフロキサシン塩酸塩，トレミフェンクエン酸塩，フィンゴリモド塩酸塩，エリグルスタット酒石酸塩の服用中

(2)**慎重に服用すべき場合**……基礎心疾患（心筋梗塞，弁膜症，心筋症など）のある人／著しい洞性徐脈／刺激伝導障害（房室ブロック，洞房ブロック，脚ブロックなど）／重い肝機能障害／腎機能障害／糖尿病の治療中／血清カリウム低下の人／開放隅角緑内障／高齢者

(3)**定期検査**……服用中は，定期的に心電図，脈拍，血圧，心胸比の検査，また血液，肝機能・腎機能，血糖などの検査を受ける必要があります。特に，基礎心疾患（心筋梗塞，弁膜症，心筋症など）があって心不全をおこしやすい人，腎機能障害のある人，他の抗不整脈薬の併用者，高齢者は頻回に心電図の検査を受けることが必要です。

(4)**心臓ペースメーカー使用中**……本剤は，心臓ペーシングの閾値を上昇させる場合があります。恒久的ペースメーカー使用中，あるいは一時的ペーシング中の人は適当な間隔でペーシング閾値を測定する必要があります。異常を感じたら，直ちに処方医へ連絡してください。

(5)**危険作業は中止**……本剤を服用すると，めまい，ふらつき，低血糖などがおこることがあります。服用中は，高所作業や自動車の運転など危険を伴う機械の操作は行わないようにしてください。

(6)**その他**……

●妊婦での安全性：未確立。有益と判断されたときのみ服用。

●授乳婦での安全性：原則として服用しない。やむを得ず服用するときは授乳を中止。

●小児での安全性：未確立。（1714 頁を参照）

重大な副作用　　　①心室頻拍（トルサード・ドゥ・ポアントを含む），心室細動，上室性不整脈。②心不全，心原性ショック。③低血糖（脱力・倦怠感，発汗，冷感，意識障害，錯乱など）。④循環不全による肝障害。⑤肝機能障害，黄疸。⑥顆粒球減少，白

血球減少, 貧血, 血小板減少。⑦ショック, アナフィラキシー(胸苦しさ, 冷や汗, 呼吸困難, 血圧低下, 発疹, むくみなど)。⑧間質性肺炎(せき, 息切れ, 呼吸困難, 発熱など)。

そのほかにも報告された副作用はあるので, 体調がいつもと違うと感じたときは, 処方医・薬剤師に相談してください。

併用してはいけない薬　バルデナフィル塩酸塩水和物, モキシフロキサシン塩酸塩, トレミフェンクエン酸塩, フィンゴリモド塩酸塩, エリグルスタット酒石酸塩→心室頻拍, QT延長をおこすおそれがあります。

内 **03 心臓病と不整脈の薬　02 不整脈の薬**

10 アミオダロン塩酸塩

💊 製 剤 情 報

一般名:アミオダロン塩酸塩
- 保険収載年月…1992年8月
- 海外評価…6点 英 米 独 仏　● PC…D
- 規制…毒薬
- 剤形…錠 錠剤
- 服用量と回数…導入期の場合, 1日400mgを1～2回に分けて1～2週間服用。維持期では, 1日200mgを1～2回に分けて服用。

■先発品　商品名(メーカー)　規格・保険薬価

アンカロン (サノフィ) 錠 100mg 1錠 147.00 円

■ジェネリック　商品名(メーカー)　規格・保険薬価

アミオダロン塩酸塩 (沢井＝日本ジェネリック)
錠 100mg 1錠 98.00 円

アミオダロン塩酸塩 (サンド＝ニプロ)
錠 100mg 1錠 98.00 円

アミオダロン塩酸塩 (東和)
錠 100mg 1錠 98.00 円

アミオダロン塩酸塩速崩錠 写真 (トーアエイヨー)
錠 50mg 1錠 59.10 円　錠 100mg 1錠 98.00 円

📄 概 要

分類　不整脈治療薬

処方目的　生命に危険がある次の再発性不整脈で, 他の抗不整脈薬が無効か, または使用できない場合→心室細動, 心室性頻拍, 心不全(低心機能)または肥大型心筋症に伴う心房細動

解説　1992年8月に保険適用になった抗不整脈薬ですが, 副作用が多いため, 他の薬が使えない場合の最終選択薬です。処方医との密接な連絡のもとで服用してください。

✍ 使用上の注意

*アミオダロン塩酸塩(アンカロン)の添付文書による

警告

本剤の使用は致死的不整脈治療の十分な経験のある医師に限り, 諸検査の実施が可能で, 緊急時にも十分に対応できる設備の整った施設でのみ使用すること。本剤による副作用の発生頻度は高く, 致死的な副作用(間質性肺炎, 肺胞炎, 肺線維症, 肝機能障害, 甲状腺炎, 甲状腺機能亢進症)が発現するという報告もあります。服用に際しては処

方医と十分に話し合い，納得がいったら服用してください。副作用の発現で服用中止，あるいは減量しても副作用はすぐには消失しない場合があるので注意してください。

基本的注意

(1)**服用してはいけない場合**……重い洞不全症候群／Ⅱ度以上の房室ブロック／本剤の成分またはヨウ素に対するアレルギーの前歴／リトナビル，ネルフィナビルメシル酸塩，モキシフロキサシン塩酸塩，バルデナフィル塩酸塩水和物，シルデナフィルクエン酸塩（勃起不全を効能または効果とするもの），トレミフェンクエン酸塩，フィンゴリモド塩酸塩，エリグルスタット酒石酸塩の服用中

(2)**慎重に服用すべき場合**……間質性肺炎，肺胞炎，肺線維症，肺拡散能の低下とそれらの前歴／軽度の刺激伝導障害（Ⅰ度房室ブロック，脚ブロックなど）／心電図上 QT 延長／重いうっ血性心不全／重い肝機能低下・腎機能低下／甲状腺機能障害またはその前歴

(3)**定期検査**……本剤は副作用が現れる頻度の高い薬剤です。服用中は定期的に脈拍，血圧，心電図，心エコー，胸部 X 線，肺機能，血液，尿，甲状腺，眼の検査を受ける必要があります。

(4)**心臓ペースメーカー使用中**……本剤は，心臓ペーシングの閾値を上昇させる場合があります。恒久的ペースメーカー使用中，あるいは一時的ペーシング中の人は適当な間隔でペーシング閾値を測定する必要があります。異常を感じたら，直ちに処方医へ連絡してください。

(5)**セイヨウオトギリソウ（セント・ジョーンズ・ワート）含有食品**……本剤を服用しているときは摂取してはいけません。本剤の代謝が促進され血中濃度が低下するおそれがあります。

(6)**その他**……

●妊婦での安全性：原則として服用しない。

●授乳婦での安全性：服用するときは授乳を中止。

●小児での安全性：未確立。（1714 頁を参照）

重大な副作用

①間質性肺炎，肺線維症，肺胞炎。②不整脈の重度の悪化，トルサード・ドゥ・ポアント，心不全，徐脈，徐脈からの心停止，完全房室ブロック，血圧低下。③劇症肝炎，肝機能障害，肝硬変。④甲状腺機能亢進症，甲状腺炎，甲状腺機能低下症。⑤抗利尿ホルモン不適合分泌症候群。⑥肺胞出血。⑦急性呼吸窮迫症候群（手術後）。⑧無顆粒球症，白血球減少。

　そのほかにも報告された副作用はあるので，体調がいつもと違うと感じたときは，処方医・薬剤師に相談してください。

併用してはいけない薬

リトナビル，ネルフィナビルメシル酸塩，モキシフロキサシン塩酸塩，バルデナフィル塩酸塩水和物，シルデナフィルクエン酸塩（勃起不全を効能または効果とするもの），トレミフェンクエン酸塩，フィンゴリモド塩酸塩，エリグルスタット酒石酸塩→QT 延長，不整脈などをおこすおそれがあります。

内 03 心臓病と不整脈の薬　02 不整脈の薬

11　ベーター・ブロッカー（適応症に不整脈を含むもの）

💊 製剤情報

一般名：アテノロール(H, A, S)

- 発売年月…1984年3月
- 海外評価…6点 **英 米 独 仏**　●PC…D
- 剤形…錠 錠剤
- 服用量と回数…1日1回50mg。最大1日1回100mg。

■**先発品**　　商品名(メーカー)　規格・保険薬価

テノーミン 写真 (太陽ファルマ)	
錠 25mg 1錠 11.70 円	錠 50mg 1錠 12.60 円

■**ジェネリック**　　商品名(メーカー)　規格・保険薬価

アテノロール 写真 (沢井) 錠 25mg 1錠 5.90 円	
錠 50mg 1錠 5.90 円	
アテノロール (武田テバファーマ＝武田)	
錠 25mg 1錠 5.90 円	錠 50mg 1錠 5.90 円
アテノロール (長生堂＝日本ジェネリック)	
錠 25mg 1錠 5.90 円	錠 50mg 1錠 5.90 円
アテノロール (鶴原) 錠 25mg 1錠 5.90 円	
錠 50mg 1錠 5.90 円	
アテノロール 写真 (東和) 錠 25mg 1錠 5.90 円	
錠 50mg 1錠 5.90 円	
アテノロール (日医工ファーマ＝日医工)	
錠 25mg 1錠 5.90 円	錠 50mg 1錠 5.90 円
アテノロール (日新＝サンド) 錠 25mg 1錠 5.90 円	
錠 50mg 1錠 5.90 円	
アテノロール (ファイザー) 錠 25mg 1錠 5.90 円	
錠 50mg 1錠 5.90 円	
アルセノール (原沢) 錠 25mg 1錠 5.90 円	
錠 50mg 1錠 5.90 円	

一般名：アロチノロール塩酸塩(H, A, S)

- 保険収載年月…1985年12月
- 海外評価…0点 **英 米 独 仏**
- 剤形…錠 錠剤
- 服用量と回数…頻脈性不整脈, 本態性高血圧症, 狭心症の場合は, 1日20mgを2回に分けて服用。効果が不十分なときは, 1日30mgまで増量できる。本態性振戦の場合は, 1日10mgから開始し, 効果が不十分なときは1日20mgを維持量として2回に分けて服用, 1日最大30mg。

■**先発品**　　商品名(メーカー)　規格・保険薬価

アロチノロール塩酸塩 (住友ファーマ)	
錠 5mg 1錠 12.30 円	錠 10mg 1錠 18.10 円

■**ジェネリック**　　商品名(メーカー)　規格・保険薬価

アロチノロール塩酸塩 写真 (沢井)	
錠 5mg 1錠 5.90 円	錠 10mg 1錠 8.60 円
アロチノロール塩酸塩 (東和) 錠 5mg 1錠 5.90 円	
錠 10mg 1錠 8.60 円	
アロチノロール塩酸塩 写真 (日医工ファーマ＝日医工) 錠 5mg 1錠 5.90 円	錠 10mg 1錠 8.60 円
アロチノロール塩酸塩 (日本ジェネリック)	
錠 5mg 1錠 5.90 円	錠 10mg 1錠 8.60 円

一般名：カルテオロール塩酸塩(H, A, S)

- 保険収載年月…1980年12月
- 海外評価…3点 **英 米 独 仏**
- 剤形…錠 錠剤, 細 細粒剤
- 服用量と回数…1日10～15mg（細粒剤は1～1.5g）から開始し, 効果が不十分なときは30mgまで増量, 2～3回に分けて服用。小児用細粒剤の場合, 1日0.1～0.15g／kg(体重)を2回に分けて服用。

■**先発品**　　商品名(メーカー)　規格・保険薬価

ミケラン (大塚) 細 1% 1g 26.10 円	
錠 5mg 1錠 11.90 円	細 0.2% 1g（小児用）9.30 円

■**ジェネリック**　　商品名(メーカー)　規格・保険薬価

カルテオロール塩酸塩 (沢井) 錠 5mg 1錠 5.90 円
カルテオロール塩酸塩 (鶴原) 錠 5mg 1錠 5.90 円

内
03
─
02
─
11

ベーター・ブロッカー（適応症に不整脈を含むもの）

カルテオロール塩酸塩（東和）錠 5mg 1錠 5.90 円

カルテオロール塩酸塩（日医工）
錠 5mg 1錠 5.90 円

一般名：ブフェトロール塩酸塩（A,S）

- 保険収載年月…1974年2月
- 海外評価…0点 英米独仏
- 規制…劇薬
- 剤形…錠 錠剤
- 服用量と回数…1日15mgを3回に分けて服用。

■先発品　商品名（メーカー）　規格・保険薬価

アドビオール（田辺三菱）錠 5mg 1錠 12.40 円

一般名：プロプラノロール塩酸塩（H,A,S）

- 保険収載年月…1967年7月
- 海外評価…6点 英米独仏　●PC…C
- 規制…劇薬
- 剤形…錠 錠剤
- 服用量と回数…1日30mgから開始し，効果が不十分なときは60mg，90mgと増量，3回に分けて服用。本態性高血圧症の場合は，1日30〜60mgから開始し，効果が不十分なときは120mgまで増量，3回に分けて服用。片頭痛発作の発症抑制の場合は，1日20〜30mgから開始し，効果が不十分なときは60mgまで増量，2〜3回に分けて服用。低酸素発作の発症抑制の場合，乳幼児には1日0.5〜2mg／kg（体重）を低用量から開始し，1日3〜4回に分けて服用。効果不十分なときは4mg／kgまで増量できる。

■先発品　商品名（メーカー）　規格・保険薬価

インデラル 写真（太陽ファルマ）
錠 10mg 1錠 10.80 円

■ジェネリック　商品名（メーカー）　規格・保険薬価

プロプラノロール塩酸塩（鶴原）
錠 10mg 1錠 6.40 円

プロプラノロール塩酸塩（東和）
錠 10mg 1錠 6.40 円

プロプラノロール塩酸塩 写真（日医工）
錠 10mg 1錠 6.40 円

一般名：メトプロロール酒石酸塩（H,A,S）

- 保険収載年月…1983年2月
- 海外評価…6点 英米独仏　●PC…C
- 規制…劇薬
- 剤形…錠 錠剤
- 服用量と回数…頻脈性不整脈，狭心症の場合は，1日60〜120mgを2〜3回に分けて服用。本態性高血圧症の場合は，1日60〜120mgを3回に分けて服用。効果が不十分なときは，1日240mgまで増量できる。

■先発品　商品名（メーカー）　規格・保険薬価

セロケン 写真（太陽ファルマ）錠 20mg 1錠 10.10 円

ロプレソール（サンファーマ）錠 20mg 1錠 10.10 円
錠 40mg 1錠 15.20 円

■ジェネリック　商品名（メーカー）　規格・保険薬価

メトプロロール酒石酸塩 写真（沢井）
錠 20mg 1錠 7.40 円　錠 40mg 1錠 7.50 円

メトプロロール酒石酸塩（武田テバファーマ＝武田）錠 20mg 1錠 7.40 円　錠 40mg 1錠 7.50 円

メトプロロール酒石酸塩（東和）
錠 20mg 1錠 7.40 円　錠 40mg 1錠 7.50 円

一般名：ナドロール（H,A,S）

- 保険収載年月…1985年12月
- 海外評価…5点 英米独仏　●PC…C
- 剤形…錠 錠剤
- 服用量と回数…1日1回30〜60mg。

■先発品　商品名（メーカー）　規格・保険薬価

ナディック（住友ファーマ）錠 30mg 1錠 48.40 円
錠 60mg 1錠 68.90 円

一般名：ピンドロール（H,A,S）

- 保険収載年月…1972年11月
- 海外評価…4点 英米独仏　●PC…B

- 規制…劇薬
- 剤形…錠剤
- 服用量と回数…洞性頻脈：1回1～5mgを1日3回。狭心症：1回5mgを1日3回。効果が不十分なときは，1日30mgまで増量できる。本態性高血圧症：1回5mgを1日3回。

■先発品　　商品名（メーカー）　規格・保険薬価

| カルビスケン（アルフレッサ）錠 5mg 1錠 11.50 円 |

■ジェネリック　　商品名（メーカー）　規格・保険薬価

| ピンドロール（鶴原）錠 5mg 1錠 5.70 円 |
| ピンドロール（東和）錠 5mg 1錠 5.70 円 |
| ピンドロール（日医工）錠 5mg 1錠 5.70 円 |

一般名：ビソプロロールフマル酸塩（H, A, S）

- 保険収載年月…1990年11月
- 海外評価…6点 英 米 独 仏 　●PC…C
- 剤形…錠 錠剤
- 服用量と回数…心室性期外収縮，本態性高血圧症，狭心症の場合は，1日1回5mg。慢性心不全の場合は，1日1回0.625mg～5mg。頻脈性心房細動の場合は，1日1回2.5mg～5mg。

■先発品　　商品名（メーカー）　規格・保険薬価

| メインテート（田辺三菱）錠 0.625mg 1錠 14.20 円 |
| 錠 2.5mg 1錠 19.70 円　錠 5mg 1錠 24.10 円 |

■ジェネリック　　商品名（メーカー）　規格・保険薬価

| ビソプロロールフマル酸塩（Me ファルマ） |
| 錠 0.625mg 1錠 10.10 円　錠 2.5mg 1錠 10.10 円 |
| 錠 5mg 1錠 10.10 円 |
| ビソプロロールフマル酸塩 写真（沢井） |
| 錠 0.625mg 1錠 10.10 円　錠 2.5mg 1錠 10.10 円 |
| 錠 5mg 1錠 10.10 円 |
| ビソプロロールフマル酸塩（サンド） |
| 錠 0.625mg 1錠 10.10 円　錠 2.5mg 1錠 10.10 円 |
| 錠 5mg 1錠 18.20 円 |

| ビソプロロールフマル酸塩（全星） |
| 錠 0.625mg 1錠 10.10 円　錠 2.5mg 1錠 10.10 円 |
| 錠 5mg 1錠 10.10 円 |
| ビソプロロールフマル酸塩（武田テバファーマ＝武田）錠 0.625mg 1錠 10.10 円 |
| 錠 2.5mg 1錠 10.10 円　錠 5mg 1錠 10.10 円 |
| ビソプロロールフマル酸塩（東和） |
| 錠 0.625mg 1錠 10.10 円　錠 2.5mg 1錠 10.10 円 |
| 錠 5mg 1錠 18.20 円 |
| ビソプロロールフマル酸塩 写真（日医工） |
| 錠 0.625mg 1錠 10.10 円　錠 2.5mg 1錠 10.10 円 |
| 錠 5mg 1錠 10.10 円 |
| ビソプロロールフマル酸塩（日新） |
| 錠 0.625mg 1錠 10.10 円　錠 2.5mg 1錠 10.10 円 |
| 錠 5mg 1錠 10.10 円 |
| ビソプロロールフマル酸塩（日本ジェネリック） |
| 錠 0.625mg 1錠 10.10 円　錠 2.5mg 1錠 10.10 円 |
| 錠 5mg 1錠 10.10 円 |

一般名：ソタロール塩酸塩（A）

- 保険収載年月…1998年11月
- 海外評価…6点 英 米 独 仏 　●PC…B
- 剤形…錠 錠剤
- 服用量と回数…1日80mgから開始し，効果が不十分なときは320mgまで増量，2回に分けて服用。

■先発品　　商品名（メーカー）　規格・保険薬価

| ソタコール（サンドファーマ＝サンド） |
| 錠 40mg 1錠 118.00 円　錠 80mg 1錠 215.50 円 |

■ジェネリック　　商品名（メーカー）　規格・保険薬価

| ソタロール塩酸塩（トーアエイヨー） |
| 錠 40mg 1錠 56.20 円　錠 80mg 1錠 105.00 円 |

概　要

分類　交感神経 β 受容体遮断薬（ベーター・ブロッカー）

処方目的　①不整脈：頻脈性不整脈（洞性頻脈，上室性期外収縮，心室性期外収縮，発作性上室性頻拍，新鮮心房細動など）／発作性頻拍・発作性心房細動の予防（プロプラノロール塩酸塩のみ）／生命に危険のある再発性不整脈（心室頻拍，心室細動）で，他の抗不整脈薬が無効かまたは使用できない場合（ソタロール塩酸塩のみ）

＊製剤により多少異なります。

②その他の適応症：[ブフェトロール塩酸塩，ソタロール塩酸塩を除く]本態性高血圧症（軽症〜中等症）／[ソタロール塩酸塩を除く]狭心症／[アロチノロール塩酸塩のみ]本態性振戦（原因不明のふるえ）／[カルテオロール塩酸塩のみ]心臓神経症／[プロプラノロール塩酸塩のみ]褐色細胞腫手術時，片頭痛発作の発症抑制，右心室流出路狭窄による低酸素発作の発症抑制／[ビソプロロールフマル酸塩のみ]虚血性心疾患または拡張型心筋症に基づく慢性心不全（ACE阻害薬またはARB，利尿薬，ジギタリス製剤などの基礎治療を受けている場合）

＊一般名に（　）で表示したH，A，Sは許可された適応症で，H＝高血圧，A＝不整脈，S＝狭心症を示します。

解説　交感神経の受容体には，α（アルファ）とβ（ベーター）の2種類があります。アドレナリンがα受容体と結合すると，α効果として末梢血管の収縮，血圧の上昇，散瞳，腸管の弛緩などがおこります。いっぽう，β受容体と結合すると，末梢血管の拡張，心拍数と心筋収縮力の増加，冠血管拡張などがおこります。

　ベーター・ブロッカーはβ受容体と結合してβ作用を打ち消します。そのため心拍数の減少，心筋収縮力の減少，血圧低下などを示します。したがってベーター・ブロッカーは高血圧，不整脈，狭心症などのときに処方されます。ベーター・ブロッカーを長期服用中に急に服用を中止すると，突然死がおこることが報告されているので，自分勝手に服用をやめてはいけません。また，副作用をみつけるための血圧測定，心電図，レントゲン，血液検査，肝・腎機能検査はきちんと受けることが必要です。

　なお，カルテオロール塩酸塩の小児用の細粒剤は，ファロー四徴症に伴うチアノーゼ発作のみが適応症です。

🩺 使用上の注意

＊プロプラノロール塩酸塩（インデラル）の添付文書による

警告

[ビソプロロールフマル酸塩]本剤を慢性心不全患者が使用する場合には，慢性心不全治療の経験が十分にある医師のもとで使用すること。また服用初期および増量時には症状が悪化することに十分注意してください。

[ソタロール塩酸塩]外国での持続性心室頻拍または心室細動の患者を対象とした臨床試験において，トルサード・ドゥ・ポアント（心室頻拍の一種）が4.1％に発現し，その危険性は用量に依存して増大するとの報告があるので，十分に注意してください。

基本的注意

(1)服用してはいけない場合……本剤の成分に対するアレルギーの前歴／気管支ぜんそ

く，気管支けいれんのおそれのある人／糖尿病性ケトアシドーシス，代謝性アシドーシス／高度または症状を呈する徐脈，房室ブロック（Ⅱ・Ⅲ度），洞房ブロック，洞不全症候群／心原性ショック／肺高血圧による右心不全／うっ血性心不全／低血圧症／長期間の絶食状態／重い末梢循環障害（壊疽など）／未治療の褐色細胞腫／異型狭心症／リザトリプタン安息香酸塩の服用中

(2)慎重に服用すべき場合……うっ血性心不全のおそれのある人／甲状腺中毒症／特発性低血糖症，コントロール不十分な糖尿病，絶食状態（手術前後など）／重い肝機能障害・腎機能障害／重度でない末梢循環障害（レイノー症候群，間欠性跛行症など）／徐脈／房室ブロック（Ⅰ度）／高齢者，小児

(3)定期検査……本剤を長期に服用の場合は，定期的に心機能検査（脈拍，血圧，心電図，Ｘ線など），肝機能・腎機能・血液などの検査を受ける必要があります。

(4)急な服用中止……狭心症の人が本剤の服用を急に中止すると，症状が悪化したり，心筋梗塞をおこしたとの報告があります。狭心症の人はもちろんのこと，現在はそうでない人でも，自己判断で服用を中止しないようにしてください。

(5)合併症防止……本剤の服用により，目の角膜潰瘍などの重い合併症がおこることがあります。視力異常，霧視，涙液分泌減少といった症状が現れたら，ただちに処方医に連絡してください。

(6)女性の服用……妊婦または妊娠している可能性のある人は，服用に十分注意してください。①本剤（プロプラノロール塩酸塩）およびソタロール塩酸塩は緊急でやむを得ない場合を除いて服用してはいけません。②アテノロールは，治療上の有益性が危険性を上回ると判断される場合にのみ服用することができます。③その他のこの項で紹介している薬剤はすべて，「服用禁忌薬（服用してはいけない薬）」です。

(7)片頭痛……①本剤は片頭痛の頭痛発作を緩解する薬剤ではないので，服用中に頭痛発作が現れた場合には必要に応じて頭痛発作治療薬を頓用してください。②片頭痛の頭痛発作発現の消失・軽減により日常生活への支障がなくなったら一旦本剤の投与を中止し，服用継続の必要性について検討します。症状が改善しない場合には，漫然と服用を継続しないでください。

(8)危険作業に注意……本剤を服用すると，めまい，ふらつきなどがおこることがあります。高所作業や自動車の運転など危険を伴う機械の操作は十分に注意してください。

(9)その他……

● 授乳婦での安全性：服用するときは授乳を中止。

● 小児での安全性：未確立。（1714 頁を参照）

`重大な副作用`　　　　　①うっ血性心不全，徐脈，末梢性虚血（レイノー様症状など），房室ブロック，失神を伴う起立性低血圧。②無顆粒球症，血小板減少症，紫斑病。③気管支けいれん，呼吸困難，喘鳴。

　そのほかにも報告された副作用はあるので，体調がいつもと違うと感じたときは，処方医・薬剤師に相談してください。

`併用してはいけない薬`　　　　[プロプラノロール塩酸塩] リザトリプタン安息香酸塩→

この薬剤の作用が強まる可能性があります。

[ピンドロール] チオリダジン塩酸塩→不整脈，QT 延長などが現れることがあります。

[ソタロール塩酸塩] ①心筋抑制のある麻酔薬（シクロプロパンなど）→循環不全をおこすおそれがあります。②アミオダロン塩酸塩（注射薬），バルデナフィル塩酸塩水和物，モキシフロキサシン塩酸塩，トレミフェンクエン酸塩，フィンゴリモド塩酸塩→QT 延長を増強し，心室性頻拍などをおこすおそれがあります。③エリグルスタット酒石酸塩→QT 延長などをおこすおそれがあります。

内 **03** 心臓病と不整脈の薬　**03** 虚血性心疾患の薬

01 ベーター・ブロッカー（適応症が狭心症と高血圧のもの）

💊 製剤情報

一般名：プロプラノロール塩酸塩

- 保険収載年月…1984年11月
- 海外評価…6点 英 米 独 仏 ●PC…C
- 規制…劇薬
- 剤形…カ カプセル剤
- 服用量と回数…本態性高血圧症：1日1回60mg。1日1回120mgまで増量できる。狭心症：1日1回60mg。

■ジェネリック　商品名(メーカー)　規格・保険薬価

プロプラノロール塩酸塩徐放カプセル (沢井)
カ 60mg 1カプセル 23.90 円

一般名：ニプラジロール

- 保険収載年月…1990年6月
- 海外評価…0点 英 米 独 仏
- 剤形…錠 錠剤
- 服用量と回数…1日6〜12mgを2回に分けて服用。1日最大18mgまで増量できる。

■先発品　商品名(メーカー)　規格・保険薬価

ハイパジールコーワ 写真 (興和)
錠 3mg 1錠 29.50 円　錠 6mg 1錠 52.60 円

一般名：セリプロロール塩酸塩

- 保険収載年月…1992年8月
- 海外評価…4点 英 米 独 仏

- 規制…劇薬
- 剤形…錠 錠剤
- 服用量と回数…本態性，腎実質性高血圧症：1日1回100〜200mg，1日最大400mgまで増量できる。狭心症：1日1回200mg，1日最大400mgまで増量できる。

■先発品　商品名(メーカー)　規格・保険薬価

セレクトール (日本新薬) 錠 100mg 1錠 21.60 円
錠 200mg 1錠 42.40 円

■ジェネリック　商品名(メーカー)　規格・保険薬価

セリプロロール塩酸塩 (武田テバファーマ＝武田) 錠 100mg 1錠 10.30 円　錠 200mg 1錠 20.60 円

セリプロロール塩酸塩 (長生堂＝日本ジェネリック) 錠 100mg 1錠 10.30 円　錠 200mg 1錠 20.60 円

セリプロロール塩酸塩 (日医工)
錠 100mg 1錠 10.30 円　錠 200mg 1錠 20.60 円

一般名：ベタキソロール塩酸塩

- 保険収載年月…1992年11月
- 海外評価…6点 英 米 独 仏 ●PC…C
- 剤形…錠 錠剤
- 服用量と回数…本態性高血圧症：1日1回5〜10mg，1日最大20mg。腎実質性高血圧症：1日1回5mg，1日最大10mg。狭心症：1日1回10mg，1日最大20mg。

■**先発品**　商品名(メーカー)　規格・保険薬価

ケルロング (クリニジェン) 錠 5mg 1錠 31.30 円
錠 10mg 1錠 54.80 円

■**ジェネリック**　商品名(メーカー)　規格・保険薬価

ベタキソロール塩酸塩 (沢井＝日本ジェネリック) 錠 5mg 1錠 14.90 円　錠 10mg 1錠 31.00 円

ベタキソロール塩酸塩 (武田テバファーマ＝武田) 錠 5mg 1錠 14.90 円　錠 10mg 1錠 15.80 円

ベタキソロール塩酸塩 (東和)
錠 5mg 1錠 14.90 円　錠 10mg 1錠 31.00 円

一般名：カルベジロール

- 保険収載年月…1993年3月
- 海外評価…6点 英 米 独 仏 　●PC…C
- 剤形…錠 錠剤
- 服用量と回数…本態性, 腎実質性高血圧症：1日1回10〜20mg。狭心症：1日1回20mg。頻脈性心房細動：1日1回5〜20mg。慢性心不全：1回1.25mg〜10mgを1日2回。

■**先発品**　商品名(メーカー)　規格・保険薬価

アーチスト 写真 (第一三共) 錠 1.25mg 1錠 10.10 円
錠 2.5mg 1錠 16.60 円　錠 10mg 1錠 25.60 円
錠 20mg 1錠 48.30 円

カルベジロール (共和) 錠 1.25mg 1錠 10.10 円

カルベジロール (沢井) 錠 1.25mg 1錠 10.10 円

カルベジロール (第一三共エスファ)
錠 1.25mg 1錠 10.10 円

カルベジロール (武田テバファーマ＝武田)
錠 1.25mg 1錠 10.10 円

カルベジロール (辰巳) 錠 1.25mg 1錠 10.10 円

カルベジロール (東和) 錠 1.25mg 1錠 10.10 円

カルベジロール (日医工岐阜＝日医工＝武田)
錠 1.25mg 1錠 10.10 円

カルベジロール (ニプロ ES)
錠 1.25mg 1錠 10.10 円

カルベジロール (日本ジェネリック)
錠 1.25mg 1錠 10.10 円

カルベジロール (ファイザー)
錠 1.25mg 1錠 10.10 円

カルベジロール (MeijiSeika＝Me ファルマ)
錠 1.25mg 1錠 10.10 円

■**ジェネリック**　商品名(メーカー)　規格・保険薬価

カルベジロール (共和) 錠 2.5mg 1錠 10.10 円
錠 10mg 1錠 12.20 円　錠 20mg 1錠 24.50 円

カルベジロール 写真 (沢井) 錠 2.5mg 1錠 10.10 円
錠 10mg 1錠 12.20 円　錠 20mg 1錠 24.50 円

カルベジロール (第一三共エスファ)
錠 2.5mg 1錠 10.10 円　錠 10mg 1錠 12.20 円
錠 20mg 1錠 13.90 円

カルベジロール (武田テバファーマ＝武田)
錠 2.5mg 1錠 10.10 円　錠 10mg 1錠 12.20 円
錠 20mg 1錠 13.90 円

カルベジロール (辰巳) 錠 2.5mg 1錠 10.10 円

カルベジロール (辰巳＝ニプロ＝日医工)
錠 10mg 1錠 12.20 円　錠 20mg 1錠 24.50 円

カルベジロール (東和) 錠 2.5mg 1錠 10.10 円
錠 10mg 1錠 12.20 円　錠 20mg 1錠 24.50 円

カルベジロール (日医工岐阜＝日医工＝武田)
錠 2.5mg 1錠 10.10 円　錠 10mg 1錠 12.20 円
錠 20mg 1錠 13.90 円

カルベジロール (ニプロ ES)
錠 2.5mg 1錠 10.10 円　錠 10mg 1錠 12.20 円
錠 20mg 1錠 24.50 円

カルベジロール (日本ジェネリック)
錠 2.5mg 1錠 10.10 円　錠 10mg 1錠 12.20 円
錠 20mg 1錠 13.90 円

カルベジロール (ファイザー)
錠 2.5mg 1錠 10.10 円　錠 10mg 1錠 12.20 円
錠 20mg 1錠 24.50 円

カルベジロール (MeijiSeika＝Me ファルマ)
錠 2.5mg 1錠 10.10 円　錠 10mg 1錠 12.20 円
錠 20mg 1錠 13.90 円

📋 概　　要

分類　交感神経 β 受容体遮断薬（ベーター・ブロッカー）

処方目的　本態性高血圧症（軽症〜中等症），狭心症

[セリプロロール塩酸塩，ベタキソロール塩酸塩，カルベジロールのみ]腎実質性高血圧症

[カルベジロールのみ]虚血性心疾患または拡張型心筋症に基づく慢性心不全で，アンジオテンシン変換酵素阻害薬（ACE阻害薬），利尿薬，ジギタリス製剤などの基礎治療を受けている人／頻脈性心房細動

解説　交感神経の受容体には，α と β の2種類があります。アドレナリンが α 受容体と結合すると，α 効果として末梢血管の収縮，血圧の上昇，散瞳，腸管の弛緩などがおこります。いっぽう，β 受容体と結合すると，末梢血管の拡張，心拍数と心筋収縮力の増加，冠血管拡張などがおこります。

　ベーター・ブロッカーは β 受容体と結合して β 作用を打ち消します。そのため心拍数の減少，心筋収縮力の減少，血圧低下などを示します。したがってベーター・ブロッカーは高血圧，不整脈，狭心症などのときに処方されます。ベーター・ブロッカーを長期服用中に急に服用を中止すると，突然死がおこることが報告されているので，自分勝手に服用をやめてはいけません。また，副作用をみつけるための血圧測定，心電図，レントゲン，血液検査，肝・腎機能検査はきちんと受けることが必要です。

＊ここでは適応症が狭心症と高血圧で，不整脈のないものをまとめてあります。

⚕ 使用上の注意

＊カルベジロール（アーチスト）の添付文書による

警告

[カルベジロール]本剤を慢性心不全の人が服用するときは，慢性心不全治療の経験が十分にある医師のもとで治療を受けなければなりません。

基本的注意

(1)**服用してはいけない場合**……気管支ぜんそく，気管支けいれんのおそれのある人／糖尿病性ケトアシドーシス，代謝性アシドーシス／高度の徐脈（著しい洞性徐脈），房室ブロック（Ⅱ・Ⅲ度），洞房ブロック／心原性ショック／強心薬または血管拡張薬を静脈内投与する必要のある心不全／非代償性の心不全／肺高血圧による右心不全／未治療の褐色細胞腫／本剤の成分に対するアレルギーの前歴／妊婦または妊娠している可能性のある人

(2)**慎重に服用すべき場合**……特発性低血糖症，コントロール不十分な糖尿病，絶食状態，栄養状態が不良の人／糖尿病を合併した慢性心不全／重い肝機能障害・腎機能障害／房室ブロック（Ⅰ度）／徐脈／末梢循環障害（レイノー症候群，間欠性跛行症など）／過度に血圧の低い人／高齢者

(3)**服用初期・増量時**……慢性心不全の人が本剤の服用初期や増量したときには，心不全の悪化，むくみ，体重の増加，めまい，低血圧，徐脈，血糖値の変動，腎機能の悪化がおこりやすくなります。異常を感じたら，すぐに処方医へ連絡してください。

(4)**急な服用中止**……狭心症などの虚血性心疾患の人が本剤の服用を急に中止すると，

狭心症発作の頻発・悪化，まれに心筋梗塞，および短時間に過度の突然の血圧上昇をおこす可能性があります。虚血性心疾患の人はもちろん，そうでない人でも自己判断で服用を中止しないようにしてください。

(5)小児……服用についての安全性は確立されていません。重症心不全の幼児・小児において，本剤の服用により重い低血糖症状が現れ，死亡に至ったとの報告があります。

(6)定期検査……本剤を長期に服用の場合は，定期的に心機能検査（脈拍，血圧，心電図，X線など），肝機能・腎機能・血液などの検査を受ける必要があります。

(7)危険作業は中止……本剤を服用すると，めまいやふらつきなどがおこることがあるので，自動車の運転など危険を伴う機械の操作は行わないようにしてください。

(8)その他……

● 授乳婦での安全性：服用するときは授乳を中止。

● 小児での安全性：未確立。（1714頁を参照）

重大な副作用　①高度の徐脈，ショック，完全房室ブロック，心不全，心停止。②肝機能障害，黄疸。③アナフィラキシー。④急性腎不全。⑤中毒性表皮壊死融解症（TEN），皮膚粘膜眼症候群（スティブンス-ジョンソン症候群）。

　そのほかにも報告された副作用はあるので，体調がいつもと違うと感じたときは，処方医・薬剤師に相談してください。

併用してはいけない薬　［プロプラノロール塩酸塩］リザトリプタン安息香酸塩→リザトリプタンの作用が強まる可能性があります。

［ニプラジロール］ホスホジエステラーゼ5阻害作用を有する薬剤（シルデナフィル，バルデナフィル，タダラフィル），グアニル酸シクラーゼ刺激作用を有する薬剤（リオシグアト）→降圧作用が増強され，過度に血圧が低下することがあります。

内 03 心臓病と不整脈の薬　03 虚血性心疾患の薬

02 カルシウム拮抗薬

製剤情報

一般名：ベラパミル塩酸塩（A，S）

● 保険収載年月…1965年12月

● 海外評価…6点 英 米 独 仏　● PC…C

● 剤形…錠 錠剤

● 服用量と回数…1回40〜80mg（1〜2錠）を1日3回。小児は処方医の指示通りに服用。

先発品　商品名（メーカー）　規格・保険薬価

ワソラン 写真 （エーザイ＝マイラン EPD）

錠 40mg 1錠 7.20 円

■ジェネリック　商品名（メーカー）　規格・保険薬価

ベラパミル塩酸塩（大興＝日本ジェネリック）

錠 40mg 1錠 6.40 円

ベラパミル塩酸塩 写真 （武田テバファーマ＝武田）錠 40mg 1錠 6.40 円

ベラパミル塩酸塩（鶴原）錠 40mg 1錠 6.40 円

一般名：ニフェジピン（S，H）

● 保険収載年月…1976年6月

● 海外評価…6点 英 米 独 仏　● PC…C

● 規制…劇薬

- 剤形…錠錠剤, カカプセル剤, 細細粒剤
- 服用量と回数…製剤, 適応症により異なるので, 処方医の指示通りに服用。

■先発品　　商品名(メーカー)　規格・保険薬価

アダラート CR (バイエル) 錠10mg 1錠 11.00 円
錠20mg 1錠 18.60 円　錠40mg 1錠 35.70 円

セパミット-R (日本ジェネリック) 細2% 1g 31.60 円
カ10mg 1カプセル 11.30 円　カ20mg 1カプセル 11.80 円

■ジェネリック　　商品名(メーカー)　規格・保険薬価

セパミット (日本ジェネリック) 細1% 1g 14.90 円

ニフェジピン (沢井) カ5mg 1カプセル 5.70 円
カ10mg 1カプセル 5.70 円

ニフェジピン (武田テバ薬品 = 武田テバファーマ
= 武田) カ5mg 1カプセル 5.70 円　カ10mg 1カプセル 5.70 円

ニフェジピン (鶴原) 細1% 1g 6.30 円
錠10mg 1錠 5.70 円　カ5mg 1カプセル 5.70 円

ニフェジピン CR 写真 (沢井) 錠10mg 1錠 5.90 円
錠20mg 1錠 8.10 円　錠40mg 1錠 15.50 円

ニフェジピン CR (三和) 錠10mg 1錠 5.90 円
錠20mg 1錠 8.10 円　錠40mg 1錠 15.50 円

ニフェジピン CR (全星) 錠10mg 1錠 5.90 円
錠20mg 1錠 8.10 円　錠40mg 1錠 15.50 円

ニフェジピン CR 写真 (東和 = 日本ジェネリック)
錠10mg 1錠 5.90 円　錠20mg 1錠 8.10 円
錠40mg 1錠 15.50 円

ニフェジピン CR 写真 (日医工)
錠10mg 1錠 5.90 円　錠20mg 1錠 8.10 円
錠40mg 1錠 15.50 円

ニフェジピン CR (ニプロ) 錠10mg 1錠 5.90 円
錠20mg 1錠 8.10 円　錠40mg 1錠 15.50 円

ニフェジピン L (京都 = アルフレッサ)
錠10mg 1錠 5.70 円　錠20mg 1錠 5.90 円

ニフェジピン L (キョーリン = 杏林)
錠10mg 1錠 5.70 円　錠20mg 1錠 5.90 円

ニフェジピン L (沢井 = 日本ジェネリック)
錠10mg 1錠 5.70 円　錠20mg 1錠 5.90 円

ニフェジピン L (三和) 錠10mg 1錠 5.70 円
錠20mg 1錠 5.90 円

ニフェジピン L (全星) 錠10mg 1錠 5.70 円
錠20mg 1錠 5.90 円

ニフェジピン L (鶴原) 錠10mg 1錠 5.70 円
錠20mg 1錠 5.90 円

ニフェジピン L (東和) 錠10mg 1錠 5.70 円
錠20mg 1錠 5.90 円

ニフェジピン L (日医工) 錠10mg 1錠 5.70 円
錠20mg 1錠 5.90 円

一般名：ニトレンジピン(S,H)

- 保険収載年月…1990年4月
- 海外評価…2点 英 米 独 仏
- 剤形…錠錠剤
- 服用量と回数…狭心症：1日1回10mg。高血圧症：1日1回5〜10mg。

■先発品　　商品名(メーカー)　規格・保険薬価

バイロテンシン (田辺三菱) 錠5mg 1錠 19.60 円
錠10mg 1錠 20.20 円

■ジェネリック　　商品名(メーカー)　規格・保険薬価

ニトレンジピン (キョーリン = 杏林)
錠5mg 1錠 9.80 円　錠10mg 1錠 10.10 円

ニトレンジピン (沢井) 錠5mg 1錠 9.80 円
錠10mg 1錠 10.10 円

ニトレンジピン (全星) 錠5mg 1錠 9.80 円
錠10mg 1錠 10.10 円

ニトレンジピン (日医工) 錠5mg 1錠 9.80 円
錠10mg 1錠 10.10 円

ニトレンジピン (日新) 錠5mg 1錠 9.80 円
錠10mg 1錠 10.10 円

ニトレンジピン (ニプロ) 錠5mg 1錠 9.80 円
錠10mg 1錠 10.10 円

一般名：ベニジピン塩酸塩(S,H)

- 保険収載年月…1991年11月
- 海外評価…0点 英 米 独 仏
- 規制…劇薬
- 剤形…錠錠剤
- 服用量と回数…狭心症：1回4mgを1日2回。高

血圧症：1日1回2〜4mg。効果が不十分なときは，1日1回8mgまで増量できる。重症高血圧症の場合は，1日1回4〜8mg。

■**先発品**　商品名(メーカー)　規格・保険薬価

コニール 写真 (協和キリン) 錠 2mg 1錠 17.80 円
錠 4mg 1錠 26.30 円　錠 8mg 1錠 52.70 円

■**ジェネリック**　商品名(メーカー)　規格・保険薬価

塩酸ベニジピン (ニプロ) 錠 2mg 1錠 10.10 円
錠 4mg 1錠 12.50 円　錠 8mg 1錠 25.10 円

ベニジピン塩酸塩 (大原＝エルメッド＝日医工)
錠 2mg 1錠 10.10 円　錠 4mg 1錠 12.50 円
錠 8mg 1錠 25.10 円

ベニジピン塩酸塩 (キョーリン＝杏林)
錠 2mg 1錠 10.10 円　錠 4mg 1錠 12.50 円
錠 8mg 1錠 25.10 円

ベニジピン塩酸塩 (小林化工) 錠 2mg 1錠 10.10 円
錠 4mg 1錠 12.50 円　錠 8mg 1錠 25.10 円

ベニジピン塩酸塩 (沢井) 錠 2mg 1錠 10.10 円
錠 4mg 1錠 12.50 円　錠 8mg 1錠 25.10 円

ベニジピン塩酸塩 (武田テバファーマ＝武田)
錠 2mg 1錠 10.10 円　錠 4mg 1錠 12.50 円
錠 8mg 1錠 25.10 円

ベニジピン塩酸塩 (辰巳) 錠 2mg 1錠 10.10 円
錠 4mg 1錠 12.50 円　錠 8mg 1錠 25.10 円

ベニジピン塩酸塩 (長生堂＝日本ジェネリック)
錠 2mg 1錠 10.10 円　錠 4mg 1錠 12.50 円
錠 8mg 1錠 25.10 円

ベニジピン塩酸塩 (鶴原) 錠 2mg 1錠 10.10 円
錠 4mg 1錠 12.50 円　錠 8mg 1錠 25.10 円

ベニジピン塩酸塩 (東和) 錠 2mg 1錠 10.10 円
錠 4mg 1錠 12.50 円　錠 8mg 1錠 25.10 円

ベニジピン塩酸塩 (日医工) 錠 2mg 1錠 10.10 円
錠 4mg 1錠 12.50 円　錠 8mg 1錠 25.10 円

ベニジピン塩酸塩 (日薬工＝ケミファ)
錠 2mg 1錠 10.10 円　錠 4mg 1錠 12.50 円
錠 8mg 1錠 25.10 円

ベニジピン塩酸塩 (日新＝科研)
錠 2mg 1錠 10.10 円　錠 4mg 1錠 12.50 円
錠 8mg 1錠 25.10 円

ベニジピン塩酸塩 (ニプロ ES)
錠 2mg 1錠 10.10 円　錠 4mg 1錠 12.50 円
錠 8mg 1錠 25.10 円

ベニジピン塩酸塩 (メディサ＝沢井)
錠 2mg 1錠 10.10 円　錠 4mg 1錠 12.50 円
錠 8mg 1錠 25.10 円

ベニジピン塩酸塩 (陽進堂＝第一三共エスファ＝共創未来) 錠 2mg 1錠 10.10 円　錠 4mg 1錠 12.50 円
錠 8mg 1錠 25.10 円

一般名：アムロジピンベシル酸塩(S,H)

- 保険収載年月…1993年11月
- 海外評価…6点 英 米 独 仏　● PC…C
- 規制…劇薬
- 剤形…錠 錠剤
- 服用量と回数…狭心症：1日1回5mg。高血圧症：1日1回2.5〜5mg。効果が不十分なときは，1日1回10mgまで増量できる。小児は処方医の指示通りに服用。

■**先発品**　商品名(メーカー)　規格・保険薬価

アムロジン (住友ファーマ) 錠 2.5mg 1錠 17.20 円
錠 5mg 1錠 21.40 円　錠 10mg 1錠 34.40 円

アムロジン OD (住友ファーマ)
錠 2.5mg 1錠 17.20 円　錠 5mg 1錠 21.40 円
錠 10mg 1錠 34.40 円

ノルバスク 写真 (ヴィアトリス)
錠 2.5mg 1錠 18.60 円　錠 5mg 1錠 22.10 円
錠 10mg 1錠 35.40 円

ノルバスク OD 写真 (ヴィアトリス)
錠 2.5mg 1錠 18.60 円　錠 5mg 1錠 22.10 円
錠 10mg 1錠 35.40 円

■**ジェネリック**　商品名(メーカー)　規格・保険薬価

アムロジピン (あすか＝武田)
錠 2.5mg 1錠 10.10 円　錠 5mg 1錠 10.80 円
錠 10mg 1錠 18.70 円

内
03
─
03
─
02

カルシウム拮抗薬

アムロジピン（エルメッド＝日医工）
錠 2.5mg 1錠 10.10 円　錠 5mg 1錠 10.80 円
錠 10mg 1錠 18.70 円

アムロジピン 写真（大原）錠 2.5mg 1錠 10.10 円
錠 5mg 1錠 10.80 円　錠 10mg 1錠 10.10 円

アムロジピン（救急薬品＝日医工＝武田）
錠 2.5mg 1錠 10.10 円　錠 5mg 1錠 10.80 円
錠 10mg 1錠 18.70 円

アムロジピン（共和）錠 2.5mg 1錠 10.10 円
錠 5mg 1錠 10.80 円　錠 10mg 1錠 18.70 円

アムロジピン（キョーリン＝杏林）
錠 10mg 1錠 18.70 円

アムロジピン（キョーリン＝杏林＝共創未来）
錠 2.5mg 1錠 10.10 円　錠 5mg 1錠 10.80 円

アムロジピン（皇漢堂）錠 2.5mg 1錠 10.10 円
錠 5mg 1錠 10.10 円　錠 10mg 1錠 10.10 円

アムロジピン（コーアイセイ）
錠 10mg 1錠 18.70 円

アムロジピン（コーアイセイ＝カイゲン）
錠 2.5mg 1錠 10.10 円　錠 5mg 1錠 10.10 円

アムロジピン（コーアバイオテックベイ＝日医工
＝武田）錠 2.5mg 1錠 10.10 円　錠 5mg 1錠 10.80 円
錠 10mg 1錠 18.70 円

アムロジピン（小林化工）錠 2.5mg 1錠 10.10 円
錠 5mg 1錠 10.80 円　錠 10mg 1錠 18.70 円

アムロジピン 写真（沢井）錠 2.5mg 1錠 10.10 円
錠 5mg 1錠 10.80 円　錠 10mg 1錠 18.70 円

アムロジピン（サンド）錠 2.5mg 1錠 10.10 円
錠 5mg 1錠 10.10 円

アムロジピン（シオノ＝扶桑）
錠 2.5mg 1錠 10.10 円　錠 5mg 1錠 10.80 円
錠 10mg 1錠 18.70 円

アムロジピン 写真（第一三共エスファ＝エッセン
シャル）錠 2.5mg 1錠 10.10 円　錠 5mg 1錠 10.80 円
錠 10mg 1錠 18.70 円

アムロジピン（大興＝日医工＝武田）
錠 2.5mg 1錠 10.10 円　錠 5mg 1錠 10.80 円
錠 10mg 1錠 18.70 円

アムロジピン（ダイト＝科研）
錠 2.5mg 1錠 10.10 円　錠 5mg 1錠 10.80 円
錠 10mg 1錠 18.70 円

アムロジピン（高田）錠 2.5mg 1錠 10.10 円
錠 5mg 1錠 10.80 円　錠 10mg 1錠 18.70 円

アムロジピン（辰巳）錠 10mg 1錠 18.70 円

アムロジピン（辰巳＝フェルゼン）
錠 2.5mg 1錠 10.10 円　錠 5mg 1錠 10.80 円

アムロジピン（長生堂＝日本ジェネリック）
錠 2.5mg 1錠 10.10 円　錠 5mg 1錠 10.80 円
錠 10mg 1錠 18.70 円

アムロジピン（鶴原）錠 2.5mg 1錠 10.10 円
錠 5mg 1錠 10.80 円　錠 10mg 1錠 18.70 円

アムロジピン（東和）錠 2.5mg 1錠 10.10 円
錠 5mg 1錠 10.80 円　錠 10mg 1錠 18.70 円

アムロジピン 写真（日医工）錠 2.5mg 1錠 10.10 円
錠 5mg 1錠 10.80 円　錠 10mg 1錠 18.70 円

アムロジピン（日薬工＝ケミファ）
錠 2.5mg 1錠 10.10 円　錠 5mg 1錠 10.80 円
錠 10mg 1錠 18.70 円

アムロジピン（日新）錠 2.5mg 1錠 10.10 円
錠 5mg 1錠 10.80 円　錠 10mg 1錠 18.70 円

アムロジピン（ニプロ）錠 2.5mg 1錠 10.10 円
錠 5mg 1錠 10.80 円　錠 10mg 1錠 18.70 円

アムロジピン（ニプロ ES）錠 2.5mg 1錠 10.10 円
錠 5mg 1錠 10.80 円　錠 10mg 1錠 18.70 円

アムロジピン（日本ジェネリック）
錠 2.5mg 1錠 10.10 円　錠 5mg 1錠 10.80 円
錠 10mg 1錠 18.70 円

アムロジピン 写真（ファイザー UPJ＝ヴィアトリ
ス）錠 2.5mg 1錠 10.10 円　錠 5mg 1錠 10.80 円
錠 10mg 1錠 10.10 円

アムロジピン（MeijiSeika）錠 2.5mg 1錠 10.10 円
錠 5mg 1錠 10.80 円　錠 10mg 1錠 18.70 円

アムロジピン（陽進堂）錠 2.5mg 1錠 10.10 円
錠 5mg 1錠 10.10 円　錠 10mg 1錠 18.70 円

アムロジピン OD（あすか＝武田）
錠 2.5mg 1錠 10.10 円　錠 5mg 1錠 10.80 円
錠 10mg 1錠 18.70 円

アムロジピン OD 写真（エルメッド＝日医工）
錠 2.5mg 1錠 10.10 円　錠 5mg 1錠 10.80 円
錠 10mg 1錠 18.70 円

アムロジピン OD（共和）錠 2.5mg 1錠 10.10 円
錠 5mg 1錠 10.80 円　錠 10mg 1錠 18.70 円

アムロジピン OD（キョーリン＝杏林）
錠 10mg 1錠 18.70 円

アムロジピン OD（キョーリン＝杏林＝共創未来）錠 2.5mg 1錠 10.10 円　錠 5mg 1錠 10.80 円

アムロジピン OD（コーアイセイ）
錠 2.5mg 1錠 10.10 円　錠 5mg 1錠 10.10 円
錠 10mg 1錠 18.70 円

アムロジピン OD（小林化工）
錠 2.5mg 1錠 10.10 円　錠 5mg 1錠 10.80 円
錠 10mg 1錠 18.70 円

アムロジピン OD 写真（沢井）
錠 2.5mg 1錠 10.10 円　錠 5mg 1錠 10.80 円
錠 10mg 1錠 18.70 円

アムロジピン OD（サンド）錠 2.5mg 1錠 10.10 円
錠 5mg 1錠 10.80 円　錠 10mg 1錠 18.70 円

アムロジピン OD（シオノ＝扶桑）
錠 2.5mg 1錠 10.10 円　錠 5mg 1錠 10.80 円
錠 10mg 1錠 18.70 円

アムロジピン OD（全星）錠 2.5mg 1錠 10.10 円
錠 5mg 1錠 10.80 円　錠 10mg 1錠 18.70 円

アムロジピン OD（大興＝科研）
錠 2.5mg 1錠 10.10 円　錠 5mg 1錠 10.80 円
錠 10mg 1錠 18.70 円

アムロジピン OD（高田）錠 2.5mg 1錠 10.10 円
錠 5mg 1錠 10.80 円　錠 10mg 1錠 18.70 円

アムロジピン OD（武田テバファーマ＝武田）
錠 2.5mg 1錠 10.10 円　錠 5mg 1錠 10.80 円
錠 10mg 1錠 18.70 円

アムロジピン OD（辰巳）錠 2.5mg 1錠 10.10 円
錠 5mg 1錠 10.80 円　錠 10mg 1錠 18.70 円

アムロジピン OD（長生堂＝日本ジェネリック）
錠 2.5mg 1錠 10.10 円　錠 5mg 1錠 10.80 円
錠 10mg 1錠 18.70 円

アムロジピン OD（東和）錠 2.5mg 1錠 10.10 円
錠 5mg 1錠 10.80 円　錠 10mg 1錠 18.70 円

アムロジピン OD（日医工）錠 2.5mg 1錠 10.10 円
錠 5mg 1錠 10.80 円　錠 10mg 1錠 18.70 円

アムロジピン OD（日薬工＝ケミファ）
錠 2.5mg 1錠 10.10 円　錠 5mg 1錠 10.80 円
錠 10mg 1錠 18.70 円

アムロジピン OD（日新＝第一三共エスファ）
錠 2.5mg 1錠 10.10 円　錠 5mg 1錠 10.80 円
錠 10mg 1錠 18.70 円

アムロジピン OD（ニプロ）錠 2.5mg 1錠 10.10 円
錠 5mg 1錠 10.80 円　錠 10mg 1錠 18.70 円

アムロジピン OD（日本ジェネリック）
錠 2.5mg 1錠 10.10 円　錠 5mg 1錠 10.80 円
錠 10mg 1錠 18.70 円

アムロジピン OD（ファイザー UPJ＝ヴィアトリス）錠 2.5mg 1錠 10.10 円　錠 5mg 1錠 10.10 円
錠 10mg 1錠 10.10 円

アムロジピン OD 写真（MeijiSeika）
錠 2.5mg 1錠 10.10 円　錠 5mg 1錠 10.80 円
錠 10mg 1錠 18.70 円

アムロジピン OD（陽進堂）錠 2.5mg 1錠 10.10 円
錠 5mg 1錠 10.80 円　錠 10mg 1錠 18.70 円

アムロジピン OD フィルム（救急薬品＝ビオメディクス）錠 2.5mg 1錠 10.10 円
錠 5mg 1錠 10.80 円

一般名：エホニジピン塩酸塩エタノール付加物（S,H）
- 保険収載年月…1994年4月
- 海外評価…0点 英 米 独 仏
- 規制…劇薬
- 剤形…錠剤
- 服用量と回数…狭心症：1日1回40mg。高血圧症：1日20〜40mgを1〜2回に分けて服用, 1日最大60mg。

■先発品　商品名(メーカー)　規格・保険薬価

ランデル 写真 (ゼリア＝塩野義)
錠 10mg 1錠 15.50 円　錠 20mg 1錠 26.10 円
錠 40mg 1錠 48.70 円

一般名：アムロジピンベシル酸塩・アトルバスタチンカルシウム水和物配合剤(S,H)

- 保険収載年月…2009年9月
- 海外評価…3点 英 米 独 仏　●PC…X
- 規制…劇薬
- 剤形…錠 錠剤
- 服用量と回数…処方医の指示通りに服用。

■先発品　商品名(メーカー)　規格・保険薬価

カデュエット配合錠 1 番 (ヴィアトリス)
錠 1錠 49.40 円

カデュエット配合錠 2 番 写真 (ヴィアトリス)
錠 1錠 79.10 円

カデュエット配合錠 3 番 写真 (ヴィアトリス)
錠 1錠 64.70 円

カデュエット配合錠 4 番 (ヴィアトリス)
錠 1錠 94.00 円

■ジェネリック　商品名(メーカー)　規格・保険薬価

アマルエット配合錠 1 番 (エルメッド＝日医工)
錠 1錠 16.10 円

アマルエット配合錠 1 番 (ケミファ)
錠 1錠 16.10 円

アマルエット配合錠 1 番 (小林化工)
錠 1錠 16.10 円

アマルエット配合錠 1 番 (沢井) 錠 1錠 16.10 円

アマルエット配合錠 1 番 (サンド)
錠 1錠 16.10 円

アマルエット配合錠 1 番 (第一三共エスファ)
錠 1錠 16.10 円

アマルエット配合錠 1 番 (辰巳＝日本ジェネリック) 錠 1錠 30.50 円

アマルエット配合錠 1 番 (東和) 錠 1錠 16.10 円

アマルエット配合錠 1 番 (日医工)
錠 1錠 16.10 円

アマルエット配合錠 1 番 (ニプロ)
錠 1錠 16.10 円

アマルエット配合錠 2 番 (エルメッド＝日医工)
錠 1錠 25.70 円

アマルエット配合錠 2 番 (ケミファ)
錠 1錠 25.70 円

アマルエット配合錠 2 番 (小林化工)
錠 1錠 25.70 円

アマルエット配合錠 2 番 (沢井) 錠 1錠 25.70 円

アマルエット配合錠 2 番 (サンド)
錠 1錠 25.70 円

アマルエット配合錠 2 番 (第一三共エスファ)
錠 1錠 25.70 円

アマルエット配合錠 2 番 (辰巳＝日本ジェネリック) 錠 1錠 25.70 円

アマルエット配合錠 2 番 (東和) 錠 1錠 25.70 円

アマルエット配合錠 2 番 (日医工)
錠 1錠 25.70 円

アマルエット配合錠 2 番 (ニプロ)
錠 1錠 25.70 円

アマルエット配合錠 3 番 (エルメッド＝日医工)
錠 1錠 19.20 円

アマルエット配合錠 3 番 (ケミファ)
錠 1錠 20.20 円

アマルエット配合錠 3 番 (小林化工)
錠 1錠 19.20 円

アマルエット配合錠 3 番 (沢井) 錠 1錠 20.20 円

アマルエット配合錠 3 番 写真 (サンド)
錠 1錠 20.20 円

アマルエット配合錠 3 番 (第一三共エスファ)
錠 1錠 20.20 円

アマルエット配合錠 3 番 (辰巳＝日本ジェネリック) 錠 1錠 39.20 円

アマルエット配合錠 3 番 (東和) 錠 1錠 20.20 円

アマルエット配合錠 3 番 (日医工)
錠 1錠 20.20 円

アマルエット配合錠 3 番 (ニプロ)
錠 1錠 19.20 円

アマルエット配合錠 4 番 写真 (エルメッド＝日医工) 錠 1錠 27.90 円

アマルエット配合錠 4 番 (ケミファ)
錠 1錠 29.50 円

アマルエット配合錠 4 番 (小林化工)
錠 1錠 27.90 円

アマルエット配合錠 4 番 (沢井) 錠 1錠 29.50 円

アマルエット配合錠 4 番 写真 (サンド)
錠 1錠 29.50 円

アマルエット配合錠 4 番 (第一三共エスファ)
錠 1錠 29.50 円

アマルエット配合錠 4 番 (辰巳＝日本ジェネリック) 錠 1錠 58.80 円

アマルエット配合錠 4 番 (東和) 錠 1錠 29.50 円

アマルエット配合錠 4 番 (日医工)
錠 1錠 29.50 円

アマルエット配合錠 4 番 (ニプロ)
錠 1錠 27.90 円

一般名：ジルチアゼム塩酸塩(S,H)

- 保険収載年月…1974年2月
- 海外評価…6点 英 米 独 仏　●PC…C
- 剤形… 錠 錠剤, 力 カプセル剤
- 服用量と回数…狭心症：1回30mgを1日3回。効果が不十分なときは, 1回60mgを1日3回まで増量できる(徐放製剤の場合は, 1日1回100mg。効果が不十分なときは1日1回200mgまで増量可)。
  高血圧症：1回30〜60mgを1日3回(徐放製剤の場合は, 1日1回100〜200mg)。

■ 先発品　　商品名(メーカー)　規格・保険薬価

ヘルベッサー (田辺三菱) 錠 30mg 1錠 9.50 円
錠 60mg 1錠 12.40 円

概　要
分類　冠血管拡張薬

ヘルベッサー R (田辺三菱) 力 100mg 1カプセル 21.20 円
力 200mg 1カプセル 40.70 円

■ ジェネリック　　商品名(メーカー)　規格・保険薬価

ジルチアゼム塩酸塩 (沢井) 錠 30mg 1錠 5.70 円
錠 60mg 1錠 5.90 円

ジルチアゼム塩酸塩 (長生堂＝日本ジェネリック)
錠 30mg 1錠 5.70 円　錠 60mg 1錠 5.90 円

ジルチアゼム塩酸塩 (鶴原) 錠 30mg 1錠 5.70 円
錠 60mg 1錠 5.90 円

ジルチアゼム塩酸塩 (東和) 錠 30mg 1錠 5.70 円
錠 60mg 1錠 5.90 円

ジルチアゼム塩酸塩 (日医工)
錠 30mg 1錠 5.70 円　錠 60mg 1錠 5.90 円

ジルチアゼム塩酸塩 R 写真 (沢井)
力 100mg 1カプセル 10.10 円　力 200mg 1カプセル 19.40 円

ジルチアゼム塩酸塩徐放カプセル (佐藤薬品＝東和) 力 100mg 1カプセル 10.10 円　力 200mg 1カプセル 19.40 円

ジルチアゼム塩酸塩徐放カプセル (日医工)
力 100mg 1カプセル 10.10 円　力 200mg 1カプセル 19.40 円

一般名：ベプリジル塩酸塩水和物(A,S)

- 保険収載年月…1992年11月
- 海外評価…0点 英 米 独 仏
- 規制…劇薬
- 剤形… 錠 錠剤
- 服用量と回数…頻脈性不整脈(心室性), 狭心症：1日200mgを2回に分けて服用。持続性心房細動：1日100mgから開始し, 効果が不十分なときは200mgまで増量, 2回に分けて服用。

■ 先発品　　商品名(メーカー)　規格・保険薬価

ベプリコール 写真 (オルガノン＝第一三共)
錠 50mg 1錠 50.10 円　錠 100mg 1錠 95.20 円

内
03
—
03
—
02

カルシウム拮抗薬

処方目的 狭心症，異型狭心症／高血圧症，腎実質性高血圧症，腎血管性高血圧症
＊製剤により多少異なります。

[ベラパミル塩酸塩のみ] 心筋梗塞（急性期を除く）およびその他の虚血性心疾患，頻脈性不整脈（心房細動・粗動，発作性上室性頻拍）／[ベプリジル塩酸塩水和物のみ]以下の状態で他の抗不整脈薬が使用できないか，または無効の場合→持続性心房細動，頻脈性不整脈（心室性）／[アムロジピンベシル酸塩・アトルバスタチンカルシウム水和物配合剤のみ]高血圧症または狭心症と，高コレステロール血症または家族性高コレステロール血症を併発している人

＊一般名に（ ）で表示した A，H，S は許可された適応症で，A＝不整脈，H＝高血圧，S＝狭心症を示します。

解説 筋肉が刺激を受けるとカルシウムが細胞内へ移動し，筋肉が収縮します。カルシウム拮抗薬は，カルシウムが細胞内へ移動するのを抑制して，筋肉がゆるむのを早めます。そのため，心臓へ栄養を送っている冠状血管や末梢血管を拡張させ，血圧を下げることにより，心臓の仕事量や心筋（心臓の筋肉）の酸素消費量を減少させます。そこで，この薬剤には「カルシウム・チャネル・ブロッカー」という気のきいた呼び方もあるわけです。

なお，ベプリジル塩酸塩の適応症には，狭心症のほかに頻脈性不整脈（心室性）があります。日本では不整脈治療薬に分類していますが，『メルク・インデックス』（アメリカの医薬品カタログ）ではカルシウム拮抗薬に分類しています。

また，アムロジピンベシル酸塩・アトルバスタチンカルシウム水和物配合剤は，効能の異なる2種類の薬品が組み合わされた配合剤で，高血圧または狭心症と，高コレステロール血症または家族性高コレステロール血症を併発している人に用いられます。

使用上の注意
＊アムロジピンベシル酸塩（ノルバスク，OD），ニフェジピン（アダラート CR），ジルチアゼム塩酸塩（ヘルベッサー，R）の添付文書による

警告

[ベプリジル塩酸塩水和物]持続性心房細動患者を対象とした国内の臨床試験において，心室頻拍から死亡に至った症例などがみられたので，過度の QT 延長などの発現に十分注意しなければなりません。

基本的注意

(1)服用してはいけない場合……[アムロジピンベシル酸塩]ジヒドロピリジン系化合物（一般名の末尾に必ず"ジピン"がつく薬剤）に対するアレルギーの前歴／妊婦または妊娠している可能性のある人

[ニフェジピン] 本剤の成分に対するアレルギーの前歴／妊婦（妊娠20週未満）または妊娠している可能性のある人／心原性ショック／急性心筋梗塞（カプセル剤のみ）

[ジルチアゼム塩酸塩] 本剤の成分に対するアレルギーの前歴／重いうっ血性心不全／Ⅱ度以上の房室ブロック，洞不全症候群（持続性の洞性徐脈：脈拍数50/分未満，洞停止，洞房ブロックなど）／イバブラジン塩酸塩，ロミタピドメシル酸塩の服用中／妊婦ま

たは妊娠している可能性のある人

(2)慎重に服用すべき場合……[アムロジピンベシル酸塩]過度に血圧の低い人／肝機能障害／重い腎機能障害／高齢者

[ニフェジピン]　大動脈弁狭窄，僧帽弁狭窄，肺高血圧／過度に血圧の低い人／血液透析療法中の循環血液量減少を伴う高血圧／重い肝機能障害・腎機能障害／うっ血性心不全(特に高度の左室収縮機能障害)／不安定狭心症(カプセル剤のみ)／高齢者

[ジルチアゼム塩酸塩]　うっ血性心不全／高度の徐脈(脈拍数 50/分未満)またはⅠ度の房室ブロック／過度に血圧の低い人／重い肝機能障害・腎機能障害

(3)服用法……①[ニフェジピン(カプセル剤)]従来，即効性を期待してカプセルをかみくだいて舌下に用いることがありましたが，過度の降圧や反応性頻脈のおそれがあるため，そのような用い方はしないとされました。②[ジルチアゼム塩酸塩，ベプリジル塩酸塩水和物を除く]グレープフルーツジュースと同時に服用すると，本剤の肝臓における分解が阻害されて血中濃度が高くなり，血圧が過度に低下することがあるので，同時に服用しないようにしてください。また，2時間以上の間隔をあけてください。

(4)急な服用中止……カルシウム拮抗薬の服用を急に中止すると，症状が悪化したとの報告があります。自己判断で中止しないようにしてください。

(5)危険作業に注意……本剤を服用すると，めまい，ふらつきなどがおこることがあります。高所作業や自動車の運転など危険を伴う機械の操作は十分に注意してください。

(6)その他……

●授乳婦での安全性：[アムロジピンベシル酸塩]治療上の有益性・母乳栄養の有益性を考慮し，授乳の継続・中止を検討。[ニフェジピン，ジルチアゼム塩酸塩]原則として服用しない。やむを得ず服用するときは授乳を中止。

●小児(アムロジピンベシル酸塩：6歳未満)での安全性：未確立。(1714頁を参照)

重大な副作用　　　　　　　　[アムロジピンベシル酸塩]①劇症肝炎，肝機能障害，黄疸。②無顆粒球症，白血球減少，血小板減少。③房室ブロック(初期症状：徐脈，めまいなど)。④横紋筋融解症(筋肉痛，脱力感，急性腎不全など)。

[ニフェジピン]①紅皮症(剥脱性皮膚炎)。②無顆粒球症，血小板減少。③ショック(CR錠を除く)。④血圧低下に伴う一過性の意識障害。⑤肝機能障害，黄疸。

[ジルチアゼム塩酸塩]①完全房室ブロック，高度徐脈(初期症状：徐脈，めまい，ふらつきなど)。②うっ血性心不全。③皮膚粘膜眼症候群(スティブンス-ジョンソン症候群)・中毒性表皮壊死融解症(TEN)・紅皮症(剥脱性皮膚炎)・急性汎発性発疹性膿疱症(紅斑，水疱，膿疱，かゆみ，発熱，粘膜疹など)。④肝機能障害，黄疸。

　そのほかにも報告された副作用はあるので，体調がいつもと違うと感じたときは，処方医・薬剤師に相談してください。

併用してはいけない薬　　　　[カデュエット配合錠]グレカプレビル水和物・ピブレンタスビル配合剤→本剤の血中濃度が上昇し，副作用が現れやすくなるおそれがあります。

[ジルチアゼム塩酸塩]①イバブラジン塩酸塩→過度の徐脈が現れることがあります。②ロミタピドメシル酸塩→ロミタピドメシル酸塩の血中濃度が著しく上昇するおそれが

あります。

[ベプリジル塩酸塩水和物] ①リトナビル，アタザナビル硫酸塩，ホスアンプレナビルカルシウム水和物→心室頻拍などの重い副作用をおこすおそれがあります。②イトラコナゾール，エリグルスタット酒石酸塩→QT延長が発現する可能性があります。③アミオダロン塩酸塩（注射薬）→心室頻拍の一種トルサード・ドゥ・ポワントをおこすおそれがあります。④シポニモドフマル酸→併用によりトルサード・ドゥ・ポワントなどの重い不整脈を生じるおそれがあります。

内 03 心臓病と不整脈の薬　03 虚血性心疾患の薬

03 亜硝酸誘導体

💊 製剤情報

一般名：ニトログリセリン
- 発売年月…1953年2月
- 海外評価…5点 英 米 独 仏　●PC…C
- 規制…劇薬
- 剤形…錠 錠剤
- 服用量と回数…0.3〜0.6mg（1〜2錠）を舌の下で溶かす。狭心症に対して、数分後に効果が現れないときはさらに0.3〜0.6mgを追加する。

■ジェネリック　　商品名（メーカー）　規格・保険薬価

ニトロペン舌下錠（日本化薬）
錠 0.3mg 1錠 11.70 円

一般名：硝酸イソソルビド
- 発売年月…1963年1月
- 海外評価…5点 英 米 独 仏　●PC…C
- 剤形…錠 錠剤, カ カプセル剤
- 服用量と回数…1回5〜10mgを1日3〜4回、服用または舌の下で溶かす。狭心発作時は1回5〜10mgを舌の下で溶かす。徐放剤の場合は、1回20mgを1日2回。

■先発品　　商品名（メーカー）　規格・保険薬価

ニトロール（エーザイ）錠 5mg 1錠 9.80 円
ニトロール R（エーザイ）カ 20mg 1ｶﾌﾟ 11.50 円
フランドル 写真（トーアエイヨー）
錠 20mg 1錠 11.70 円

■ジェネリック　　商品名（メーカー）　規格・保険薬価

硝酸イソソルビド徐放カプセル（佐藤薬品＝共和＝日医工）カ 20mg 1ｶﾌﾟ 5.90 円
硝酸イソソルビド徐放カプセル（全星＝ファイザー）カ 20mg 1ｶﾌﾟ 5.90 円
硝酸イソソルビド徐放錠（沢井）
錠 20mg 1錠 5.90 円
硝酸イソソルビド徐放錠（鶴原）
錠 20mg 1錠 5.90 円
硝酸イソソルビド徐放錠（東和）
錠 20mg 1錠 5.90 円

一般名：ニコランジル
- 保険収載年月…1984年3月
- 海外評価…3点 英 米 独 仏
- 剤形…錠 錠剤
- 服用量と回数…1日15mgを3回に分けて服用。

■先発品　　商品名（メーカー）　規格・保険薬価

シグマート 写真（中外）錠 2.5mg 1錠 10.40 円
錠 5mg 1錠 11.20 円

■ジェネリック　　商品名（メーカー）　規格・保険薬価

ニコランジル（東和）錠 2.5mg 1錠 5.70 円
ニコランジル（東和＝ニプロ ES）
錠 5mg 1錠 5.90 円
ニコランジル 写真（日医工）錠 2.5mg 1錠 5.70 円
錠 5mg 1錠 5.90 円

ニコランジル（メディサ＝沢井）

錠 2.5mg 1錠 5.70 円

ニコランジル 写真 （メディサ＝沢井＝日本ジェネ
リック＝第一三共エスファ） 錠 5mg 1錠 5.90 円

一般名：一硝酸イソルビド

- 保険収載年月…1994年5月
- 海外評価…6点 英 米 独 仏 ●PC…C
- 剤形…錠 錠剤
- 服用量と回数…1回20mgを1日2回。効果が不
十分なときは、1回40mgまで増量できる。重症
の労作・労作兼安静狭心症の場合は、1回40mg
を1日2回も可。

■先発品　　商品名(メーカー)　規格・保険薬価

アイトロール 写真 （トーアエイヨー）

錠 10mg 1錠 10.10 円　　錠 20mg 1錠 11.00 円

■ジェネリック　　商品名(メーカー)　規格・保険薬価

一硝酸イソルビド 写真 （沢井）

錠 10mg 1錠 5.70 円　　錠 20mg 1錠 7.70 円

一硝酸イソルビド （武田テバファーマ＝武田）

錠 10mg 1錠 5.70 円　　錠 20mg 1錠 7.70 円

一硝酸イソルビド （東和） 錠 10mg 1錠 5.70 円

錠 20mg 1錠 7.70 円

一硝酸イソルビド （日新） 錠 10mg 1錠 5.70 円

一硝酸イソルビド （日新＝日本ジェネリック）

錠 20mg 1錠 7.70 円

概　要

分類　冠血管拡張薬

処方目的　［ニトログリセリンの適応症］狭心症、心筋梗塞、心臓ぜんそく、アカラシ
ア（食道無弛緩症）の一時的緩解／［ニコランジル、一硝酸イソルビドの適応症］狭心症
／［硝酸イソルビドの適応症］狭心症、心筋梗塞（徐放剤は急性期を除く）、その他の虚
血性心疾患

解説　爆薬の原料であるニトログリセリンはこのグループの代表的な薬剤で、狭心症
の特効薬として用いられますが、作用時間が短いため、近年では亜硝酸化合物の硝酸イ
ソルビドが多く用いられています。

　ニコランジルは、硝酸エステルのニコチン酸誘導体です。既存のものとはタイプが違う
といわれていますが、注意・副作用は亜硝酸塩に似ています。ニコランジルの処方目的は
狭心症のみで、重い肝疾患がある人は慎重に服用すること、またAST・ALTなどの肝機
能検査値が上昇することがあるので定期的に肝機能検査を受けることなどに注意します。

　なお、硝酸イソルビドの錠剤を狭心症の発作時に用いる場合には、のみ込まないで
舌下で溶かしてください。

　本剤の一部は、テープに滲み込ませて皮膚から吸収させたり（フランドルテープなど）、
スプレーで吸入させる製剤（ニトロールスプレーなど）も発売されています。

使用上の注意

＊全剤の添付文書による

基本的注意

(1)服用してはいけない場合……ホスホジエステラーゼ5阻害作用を有する薬剤→シル
デナフィルクエン酸塩（バイアグラ、レバチオ）、バルデナフィル塩酸塩水和物（レビト
ラ）、タダラフィル（シアリス、アドシルカ、ザルティア）、またはグアニル酸シクラーゼ刺
激作用のある薬剤（リオシグアト）の服用中

[ニコランジルを除く] 重い低血圧または心原性ショック／閉塞隅角緑内障／頭部外傷または脳出血／高度な貧血／硝酸・亜硝酸エステル系薬剤に対するアレルギーの前歴

(2)慎重に服用すべき場合……[ニトログリセリン]低血圧／心筋梗塞の急性期／原発性肺高血圧症／閉塞性肥大型心筋症

[硝酸イソソルビド] 低血圧／原発性肺高血圧症／肥大型閉塞性心筋症／〔ニトロールを除く〕肝機能障害，高齢者／〔ニトロールのみ〕心筋梗塞の急性期

[ニコランジル] 重い肝機能障害／緑内障／高齢者

[一硝酸イソソルビド] 低血圧／原発性肺高血圧症／肥大型閉塞性心筋症／肝機能障害／高齢者

(3)服用開始時……本剤の服用開始時には，血管拡張作用による頭痛などの副作用がおこりやすくなります。これらの副作用のために注意力，集中力，反射運動などの低下がおこることがあるので，このような場合には自動車の運転などの危険を伴う機械の操作には従事しないでください。症状が現れたら，すぐに処方医へ連絡してください。

(4)その他……

●妊婦での安全性：[ニコランジル]未確立。原則として服用しない。[その他の製剤]有益と判断されたときのみ服用。

●授乳婦での安全性：[ニトログリセリン]服用するときは授乳を中止。[ニトロール R，フランドル，硝酸イソソルビド，一硝酸イソソルビド]原則として服用しない。服用するときは授乳を中止。

●小児での安全性：未確立。(1714 頁を参照)

重大な副作用 [ニコランジル] ①肝機能障害，黄疸。②血小板減少。③口内潰瘍，舌潰瘍，肛門潰瘍，消化管潰瘍。

　そのほかにも報告された副作用はあるので，体調がいつもと違うと感じたときは，処方医・薬剤師に相談してください。

併用してはいけない薬 ホスホジエステラーゼ 5 阻害作用を有する薬剤：シルデナフィルクエン酸塩（バイアグラ，レバチオ），バルデナフィル塩酸塩水和物（レビトラ），タダラフィル（シアリス，アドシルカ，ザルティア）／グアニル酸シクラーゼ刺激作用を有する薬剤：リオシグアト→急激な血圧降下作用がおこることがあります。

内 03 心臓病と不整脈の薬　03 虚血性心疾患の薬

04 アデノシン増強薬

製剤情報

一般名：ジラゼプ塩酸塩水和物
●保険収載年月…1979年4月
●海外評価…0点 英 米 独 仏
●剤形…錠 錠剤

●服用量と回数…狭心症，その他の虚血性心疾患（心筋梗塞を除く）の場合は，1回50mgを1日3回。尿蛋白減少の場合は，1回100mgを1日3回。

■**先発品**　商品名(メーカー)　規格・保険薬価

コメリアンコーワ 写真 (興和) 錠 50mg 1錠 7.70 円
錠 100mg 1錠 11.20 円

■**ジェネリック**　商品名(メーカー)　規格・保険薬価

ジラゼプ塩酸塩 (沢井) 錠 50mg 1錠 5.70 円
錠 100mg 1錠 5.90 円

ジラゼプ塩酸塩 (辰巳) 錠 50mg 1錠 5.70 円
錠 100mg 1錠 5.90 円

ジラゼプ塩酸塩 写真 (東和) 錠 50mg 1錠 5.70 円
錠 100mg 1錠 5.90 円

ジラゼプ塩酸塩 (日医工) 錠 50mg 1錠 5.70 円
錠 100mg 1錠 5.90 円

ジラゼプ塩酸塩 (日新) 錠 50mg 1錠 5.70 円
錠 100mg 1錠 5.90 円

一般名：トリメタジジン塩酸塩
- 保険収載年月…1968年6月
- 海外評価…1点 英 米 独 仏
- 剤形…錠 錠剤
- 服用量と回数…1回3mgを1日3回。

■**先発品**　商品名(メーカー)　規格・保険薬価

バスタレル F 写真 (京都＝住友ファーマ)
錠 3mg 1錠 7.50 円

一般名：ジピリダモール
- 保険収載年月…1961年1月
- 海外評価…5点 英 米 独 仏　●PC…B
- 剤形…錠 錠剤, 散 散剤
- 服用量と回数…狭心症, 心筋梗塞, その他の虚血性心疾患, うっ血性心不全の場合は, 1回25mg(散剤は0.2g)を1日3回。その他の適応症に対しては, 処方医の指示通りに服用。

■**先発品**　商品名(メーカー)　規格・保険薬価

ペルサンチン (ベーリンガー)
錠 12.5mg 1錠 5.90 円　錠 25mg 1錠 6.10 円
錠 100mg 1錠 10.90 円

■**ジェネリック**　商品名(メーカー)　規格・保険薬価

ジピリダモール (長生堂＝日本ジェネリック)
散 12.5% 1g 20.30 円　錠 12.5mg 1錠 5.80 円
錠 25mg 1錠 5.80 円　錠 100mg 1錠 5.90 円

ジピリダモール (鶴原) 錠 12.5mg 1錠 5.80 円
錠 25mg 1錠 5.80 円　錠 100mg 1錠 5.90 円

ジピリダモール (東和) 錠 25mg 1錠 5.80 円
錠 100mg 1錠 5.90 円

ジピリダモール (日新) 錠 25mg 1錠 5.80 円

ジピリダモール (日医工) 錠 25mg 1錠 5.80 円

一般名：トラピジル
- 保険収載年月…1979年4月
- 海外評価…0点 英 米 独 仏
- 剤形…錠 錠剤, 細 細粒剤
- 服用量と回数…1回100mg(細粒剤は1g)を1日3回。

■**先発品**　商品名(メーカー)　規格・保険薬価

ロコルナール (持田) 細 10% 1g 24.00 円
錠 50mg 1錠 10.30 円　錠 100mg 1錠 11.60 円

■**ジェネリック**　商品名(メーカー)　規格・保険薬価

トラピジル (沢井) 錠 50mg 1錠 5.70 円
錠 100mg 1錠 5.70 円

トラピジル (高田) 錠 50mg 1錠 5.70 円
錠 100mg 1錠 5.90 円

トラピジル (東和) 錠 50mg 1錠 5.70 円
錠 100mg 1錠 5.70 円

トラピジル (日医工ファーマ＝日医工)
錠 50mg 1錠 5.70 円　錠 100mg 1錠 5.70 円

内 03—03—04
アデノシン増強薬

概　要

分類　冠血管拡張薬

処方目的　[ジラゼプ塩酸塩水和物の適応症] 狭心症, その他の虚血性心疾患(心筋梗塞を除く)／腎機能障害(軽度〜中等度)のIgA腎症における尿蛋白減少

[トリメタジジン塩酸塩の適応症]　狭心症，心筋梗塞(急性期を除く)，その他の虚血性心疾患

[ジピリダモールの適応症]　狭心症，心筋梗塞(急性期を除く)，その他の虚血性心疾患，うっ血性心不全／ワルファリンカリウムとの併用による心臓弁置換術後の血栓・塞栓の抑制／ステロイドに抵抗性を示すネフローゼ症候群における尿蛋白減少

[トラピジルの適応症]　狭心症

解説　本剤に対する評価は，各国でかなり異なりますが，わが国では発売会社が多いことをみても，一般的には評価されているといえます。しかし，良心的な学者の意見は，ジピリダモールに対しては歯切れの悪いものが多いのも事実です。

　本剤は，大量に投与すると血小板凝集を抑制する作用があるので，最近では血栓症の発生を予防するのに効果があるのではないかと模索されています。経済効率をしっかり見極めて議論しなければいけないのは，ウロキナーゼ製剤(血栓溶解薬，注射用)と同じです。

使用上の注意

*ジピリダモール(ペルサンチン)，トラピジル(ロコルナール)の添付文書による

基本的注意

(1)服用してはいけない場合……本剤の成分に対するアレルギーの前歴／[トラピジルのみ]頭蓋内出血発作後，止血が完成していないと考えられる人

(2)慎重に服用すべき場合……[ジピリダモール]低血圧／重い冠動脈疾患(不安定狭心症，亜急性心筋梗塞，左室流出路狭窄，心代償不全など)／[トラピジル]肝機能障害

(3)その他……

● 妊婦での安全性：[ジピリダモール]有益と判断されたときのみ服用。[トラピジル]原則として服用しない。

● 授乳婦での安全性：原則として服用しない。やむを得ず服用するときは授乳を中止。
（1714頁を参照）

重大な副作用　[ジピリダモール]①狭心症状の悪化。②出血傾向(眼底出血，消化管出血，脳出血など)。③血小板減少。④過敏症(気管支けいれん，血管浮腫など)。[トラピジル]⑤皮膚粘膜眼症候群(スティブンス-ジョンソン症候群)。⑥肝機能障害，黄疸。

　そのほかにも報告された副作用はあるので，体調がいつもと違うと感じたときは，処方医・薬剤師に相談してください。

併用してはいけない薬　[ジピリダモール]アデノシン(アデノスキャン注)→完全房室ブロック，心停止などがおこることがあります。

内服 04 血圧の薬

薬剤番号 04-01-01 ～ 04-04-02

■血圧に関連する薬を説明します

◆高血圧の薬（利尿降圧薬，ベーター・ブロッカー，カルシウム拮抗薬，交感神経アルファ遮断薬，ACE（アンジオテンシン変換酵素）阻害薬，ARB（アンジオテンシンⅡ受容体拮抗薬）など）

◆低血圧の薬。低血圧症は，薬物治療はあまり行われませんし，薬の種類も多くありません。

■副作用・相互作用に注意すべき薬

　血圧の治療で大切なことは，すぐに薬剤に頼るのではなく，体重のコントロール，食事の注意（減塩など），アルコールの制限，禁煙，運動など生活習慣を適正にすることです。

　血圧の薬は一度のみ始めると一生涯のみ続けなければならないという伝説のようなものが流布していて，そのため血圧の薬物療法を始めることをためらっている人がいます。しかし，生活習慣を変えて血圧が正常になれば，薬剤をやめても大丈夫ですので，必要な場合にはきちんと薬を服用しましょう。

▌利尿降圧薬

　古くから使われている降圧薬ですが，その有用性は確立しています。合併症を伴わない高血圧に対しては，ベーター・ブロッカーとともに第一選択薬です。チアジド系，ループ利尿薬，カリウム保持性利尿薬の三つに分類されます。

　チアジド系の注意すべき副作用は，血液障害です。そのほか光線過敏症や糖尿病，痛風が発生することがあります。ループ利尿薬の場合も血液の検査はきちんと受けてください。夕食以降に服用すると夜中に何度もトイレにおきなければならなくなって，かえって血圧に悪影響を及ぼすことにもなりかねません。

　チアジド系もループ系も，糖尿病用薬剤と併用すると，血糖を降下させる効果が著しく低下するので，併用には注意しなければなりません。

▌ACE 阻害薬，ARB（アンジオテンシンⅡ受容体拮抗薬）

　レニン―アンジオテンシン系に作用する薬剤であり，ACE 阻害薬は昇圧物質であるアンジオテンシンⅡの生成を抑え，ARB はアンジオテンシンⅡの受容体を遮断することにより血圧を下げる効果を発揮します。また，両剤ともにレニン―アン

ジオテンシン系に作用することから心臓・腎臓の保護作用が認められているので，タンパク尿を伴う糖尿病や心不全・腎不全を合併している高血圧には第一選択薬として使用されています。

重大な副作用として，血管浮腫や無顆粒球症などの報告があります。また，重大な副作用ではありませんが，比較的おきやすいものとして ACE 阻害薬には空ぜきがあります。ACE 阻害薬を服用していて，せきがなかなか止まらないときには，副作用ではないかと疑ってみてください。

ARB は作用機序の違いにより，空せきの頻度が ACE 阻害薬と比べてかなり低くなっているため，最近では ACE 阻害薬にかわり ARB がよく使用されています。

◉ 薬剤師の眼

降圧薬はどの薬剤が第一選択薬となるか

降圧薬は，カルシウム拮抗薬，ACE 阻害薬，ARB，α 遮断薬，β 遮断薬，利尿薬と多数の薬剤が発売されています。それぞれに長所，短所（副作用）があり，年齢，合併症の有無，他薬の服用の有無などに応じて使い分けられ処方されます。

カルシウム拮抗薬は，他の系統の薬剤と比べ降圧効果が高く，また安価であり，高齢者や合併症がある場合でも，比較的安全に使用されています。血管拡張作用により，脳血管障害や狭心症を合併する高血圧に対しては，特に優先的に使用されます。副作用としては頭痛や顔のほてり，動悸などがおこることがあります。グレープフルーツジュースはカルシウム拮抗薬の効果を高めてしまうため，服用には注意してください。

ACE 阻害薬と ARB は，多くのエビデンスにより心疾患，腎疾患，脳血管障害，糖尿病などを合併する高血圧には推奨されている薬剤です。近年，ARB は ACE 阻害薬の副作用である空ぜきが少ないことから，ACE 阻害薬にかわりよく使用されるようになりました。

α 遮断薬は，高脂血症や前立腺肥大を合併する高血圧には適していますが，起立性低血圧の副作用があるため，特に高齢者のふらつきには注意が必要となります。

β 遮断薬は，心不全，頻脈，狭心症を合併する高血圧や心筋梗塞後には適していますが，徐脈やぜんそくの悪化といった副作用があります。

利尿薬は，高齢者や心不全を呈する患者さんに古くから多用されています。特に他剤で降圧効果が不十分の場合には，少量の利尿薬（チアジド系）が併用されます。血中のナトリウムやカリウムの低下，尿酸の上昇などには注意が必要です。

このように，カルシウム拮抗薬と ARB（または ACE 阻害薬）は降圧効果に加え，様々な合併症にも効果があり，高齢者にも比較的安全に使用できるため，第一選択薬としてよく処方されます。

01 チアジド系薬剤

製剤情報

一般名：トリクロルメチアジド
- 保険収載年月…1963年1月
- 海外評価…0点 英 米 独 仏
- 剤形…錠 錠剤
- 服用量と回数…1日2～8mgを1～2回に分けて服用。高血圧症の場合，少量より開始して徐々に増量する。

■先発品　商品名(メーカー)　規格・保険薬価

フルイトラン 写真 (シオノギファーマ＝塩野義)	
錠 1mg 1錠 9.80 円	錠 2mg 1錠 9.80 円

■ジェネリック　商品名(メーカー)　規格・保険薬価

トリクロルメチアジド (コーアイセイ)	
錠 2mg 1錠 6.20 円	
トリクロルメチアジド (シオノ＝サンファーマ)	
錠 2mg 1錠 6.20 円	
トリクロルメチアジド (武田テバファーマ＝武田)	錠 2mg 1錠 6.10 円
トリクロルメチアジド (辰巳)	錠 2mg 1錠 6.20 円
トリクロルメチアジド (鶴原)	錠 2mg 1錠 6.20 円
トリクロルメチアジド (東和)	錠 1mg 1錠 6.20 円
錠 2mg 1錠 6.20 円	
トリクロルメチアジド (日医工)	
錠 2mg 1錠 6.20 円	
トリクロルメチアジド 写真 (ニプロ)	
錠 1mg 1錠 6.20 円	錠 2mg 1錠 6.20 円
トリクロルメチアジド (日本ジェネリック)	
錠 2mg 1錠 6.20 円	

一般名：ヒドロクロロチアジド
- 保険収載年月…1959年4月
- 海外評価…6点 英 米 独 仏　●PC…B
- 剤形…錠 錠剤
- 服用量と回数…1回25～100mgを1日1～2回。高血圧症の場合，少量より開始して徐々に増量する。

■ジェネリック　商品名(メーカー)　規格・保険薬価

ヒドロクロロチアジド (東和)	
錠 12.5mg 1錠 5.70 円	錠 25mg 1錠 5.70 円
ヒドロクロロチアジド OD (東和)	
錠 12.5mg 1錠 5.70 円	

一般名：ベンチルヒドロクロロチアジド
- 保険収載年月…1961年11月
- 海外評価…0点 英 米 独 仏
- 剤形…錠 錠剤
- 服用量と回数…1回4～8mg(1～2錠)を1日2回。維持量決定後，週2～3回の服用。高血圧症の場合，少量より開始して徐々に増量する。

■先発品　商品名(メーカー)　規格・保険薬価

ベハイド (杏林) 錠 4mg 1錠 5.50 円

一般名：インダパミド
- 発売年月…1985年2月
- 海外評価…6点 英 米 独 仏　●PC…B
- 剤形…錠 錠剤
- 服用量と回数…1日1回2mg。

■先発品　商品名(メーカー)　規格・保険薬価

テナキシル (アルフレッサ) 錠 1mg 1錠 11.10 円
錠 2mg 1錠 21.20 円
ナトリックス 写真 (京都＝住友ファーマ)
錠 1mg 1錠 10.10 円　錠 2mg 1錠 17.50 円

一般名：トリパミド
- 保険収載年月…1981年12月
- 海外評価…0点 英 米 独 仏
- 剤形…錠 錠剤
- 服用量と回数…1回15mg(1錠)を1日1～2回。

内
04
─
01
─
01

チアジド系薬剤

■先発品　商品名(メーカー)　規格・保険薬価

ノルモナール 写真 (エーザイ)

錠 15mg 1錠 14.00 円

一般名：メフルシド

- 保険収載年月…1975年9月
- 海外評価…0点 英 米 独 仏
- 剤形…錠 錠剤

● 服用量と回数…1日25〜50mgを1〜2回に分けて服用。高血圧症の場合，少量より開始して徐々に増量する。

■先発品　商品名(メーカー)　規格・保険薬価

バイカロン (田辺三菱) 錠 25mg 1錠 10.10 円

■ジェネリック　商品名(メーカー)　規格・保険薬価

メフルシド (日医工) 錠 25mg 1錠 6.10 円

≡ 概　　要

分類　利尿降圧薬(チアジド系)

処方目的　高血圧症(本態性，腎性など)／悪性高血圧／心性浮腫(うっ血性心不全)，腎性浮腫，肝性浮腫，薬剤(副腎皮質ステロイド，フェニルブタゾンなど)による浮腫／月経前緊張症

＊製剤により多少異なります。

解説　本剤は，腎臓に作用して多量の水分を体外へ排泄させるので，高血圧，心不全，ある種の腎臓病，肝臓病に対して用いられます。

使用上の注意

＊トリクロルメチアジド(フルイトラン)，インダパミド(ナトリックス)ほかの添付文書による

基本的注意

(1)服用してはいけない場合……[すべての製剤]無尿状態／急性腎不全／体液中のナトリウム，カリウムが明らかに減少している人／チアジド系薬剤またはその類似化合物(たとえばスルホンアミド誘導体)に対するアレルギーの前歴／デスモプレシン酢酸塩水和物(男性における夜間多尿による夜間頻尿)の服用中

[メフルシドのみ]肝性昏睡

(2)慎重に服用すべき場合……[トリクロルメチアジド，インダパミド]進行した肝硬変症，肝疾患，肝機能障害／重い冠動脈硬化症または脳動脈硬化症／重い腎障害／本人，両親，兄弟に痛風，糖尿病のある人／下痢，嘔吐のある人／高カルシウム血症，副甲状腺機能亢進症／減塩療法中／交感神経切除後の人／乳児，高齢者

[インダパミドのみ]ジギタリス製剤・糖質副腎皮質ホルモン薬・ACTH の服用中

(3)服用時間……[トリクロルメチアジド]夜間の休息が特に必要な人は，本剤による夜間の排尿を避けるため，午前中に服用するようにしてください。

(4)食物……カリウムの体外への排出量が増えるので，服用中はカリウムの豊富な食物(バナナ，かんきつ類，トマトなど)をとることを心がけてください。

(5)定期検査……連用すると電解質失調がおこることがあるので，定期的に血液や電解質(ナトリウム，カリウムなど)の検査を受ける必要があります。

(6)危険作業に注意……本剤を服用すると，めまい，ふらつきなどがおこることがありま

す。服用中は，高所作業や自動車の運転など危険を伴う機械の操作は十分に注意してください。

(7)その他……

● 妊婦（妊娠後期）での安全性：有益と判断されたときのみ服用。

● 授乳婦での安全性：[トリクロルメチアジド]服用するときは授乳しないことが望ましい。[インダパミド]原則として服用しない。やむを得ず服用するときは授乳を中止。

● 小児での安全性：[インダパミド]未確立。(1714頁を参照)

重大な副作用 ［すべての製剤］①低ナトリウム血症，低カリウム血症。
[トリクロルメチアジド，ヒドロクロロチアジド，ベンチルヒドロクロロチアジド]②再生不良性貧血。
[トリクロルメチアジド，ヒドロクロロチアジド]③間質性肺炎。
[ヒドロクロロチアジド]④溶血性貧血。⑤壊死性血管炎。⑥肺水腫。⑦SLE（全身性エリテマトーデス）の悪化。⑧アナフィラキシー。⑨急性近視（霧視，視力低下などを含む），閉塞隅角緑内障。
[インダパミド]⑩中毒性表皮壊死融解症（TEN），皮膚粘膜眼症候群（スティブンス-ジョンソン症候群），多形滲出性紅斑。

　そのほかにも報告された副作用はあるので，体調がいつもと違うと感じたときは，処方医・薬剤師に相談してください。

併用してはいけない薬 ［すべての製剤］デスモプレシン酢酸塩水和物（ミニリンメルト：男性における夜間多尿による夜間頻尿）→低ナトリウム血症が現れるおそれがあります。

内 04 血圧の薬　01 利尿降圧薬

02 スピロノラクトン

製剤情報

一般名：スピロノラクトン

● 保険収載年月…1965年11月
● 海外評価…6点 英 米 独 仏
● 剤形…錠 錠剤，細 細粒剤
● 服用量と回数…1日50〜100mg（細粒剤は0.5〜1g）を分割服用。

■先発品　　商品名（メーカー）　規格・保険薬価

アルダクトンA（ファイザー）細 10% 1g 69.50 円
錠 25mg 1錠 16.80 円　　錠 50mg 1錠 36.00 円

■ジェネリック　　商品名（メーカー）　規格・保険薬価

スピロノラクトン（キョーリン＝杏林）
錠 25mg 1錠 5.70 円

スピロノラクトン（武田テバファーマ＝武田）
錠 25mg 1錠 5.70 円

スピロノラクトン（辰巳＝三和）
錠 25mg 1錠 5.70 円

スピロノラクトン（長生堂＝日本ジェネリック）
錠 25mg 1錠 10.10 円　錠 50mg 1錠 6.40 円

スピロノラクトン（鶴原）錠 25mg 1錠 5.70 円

スピロノラクトン 写真（東和）錠 25mg 1錠 5.70 円

スピロノラクトン（日医工）錠 25mg 1錠 5.70 円

内
04
―
01
―
02

スピロノラクトン

スピロノラクトン（ニプロ）錠 25mg 1錠 5.70 円　　スピロノラクトン（陽進堂＝日本ジェネリック＝共創未来）錠 25mg 1錠 5.70 円　錠 50mg 1錠 6.40 円

概　要

分類　利尿降圧薬

処方目的　高血圧症（本態性，腎性など）／心性浮腫（うっ血性心不全），腎性浮腫，肝性浮腫，特発性浮腫，悪性腫瘍に伴う浮腫・腹水，栄養失調性浮腫／原発性アルドステロン症の診断および症状の改善

解説　塩分（ナトリウム）のとりすぎは高血圧の大きな原因の一つです。カリウムには，余分なナトリウムを排出して血圧を下げる効果があります。

　本剤は，カリウムを排泄しない利尿降圧薬なので，「カリウム保持性利尿降圧薬」と呼ばれています。利尿作用は弱く，単独で処方されることは少なく，ループ利尿薬などと併用されることが多いです。

使用上の注意

＊スピロノラクトン（アルダクトン A）の添付文書による

基本的注意

(1)**服用してはいけない場合**……無尿状態，急性腎不全／高カリウム血症／アジソン病／タクロリムス水和物，エプレレノン，ミトタンの服用中／本剤に対するアレルギーの前歴

(2)**慎重に服用すべき場合**……心疾患のある高齢者，重い冠硬化症や脳動脈硬化症／重い腎機能障害／減塩療法中／肝機能障害／乳児／高齢者

(3)**発がん性**……本剤を長期に服用した人（男女とも）に，乳がんが発生したとの報告があります。また，動物によるがん原性試験で，内分泌臓器の腫瘍や肝臓の増殖性変化がみられたとの報告があります。

(4)**服用時間**……夜間の休息が特に必要な人は，本剤による夜間の排尿を避けるため，午前中に服用するようにしてください。

(5)**定期検査**……連用すると電解質異常がおこることがあるので，定期的に血液や電解質（ナトリウム，カリウムなど）の検査を受ける必要があります。

(6)**危険作業に注意**……本剤を服用すると，めまいなどがおこることがあります。服用中は，高所作業や自動車の運転など危険を伴う機械の操作は十分に注意してください。

(7)**その他**……

●妊婦での安全性：未確立。有益と判断されたときのみ服用。

●授乳婦での安全性：原則として服用しない。やむを得ず服用するときは授乳を中止。

●小児での安全性：未確立。（1714 頁を参照）

重大な副作用　①電解質異常（高カリウム血症，低ナトリウム血症，代謝性アシドーシスなど），電解質異常に伴う不整脈，全身倦怠感，脱力など。②急性腎不全。③中毒性表皮壊死融解症（TEN），皮膚粘膜眼症候群（スティブンス-ジョンソン症候群）。

　そのほかにも報告された副作用はあるので，体調がいつもと違うと感じたときは，処

方医・薬剤師に相談してください。

併用してはいけない薬 ①タクロリムス水和物，エプレレノン→高カリウム血症がおこることがあります。②ミトタン→本剤がミトタンの薬効を阻害します。

内 04 血圧の薬　01 利尿降圧薬
03　トリアムテレン

💊 製剤情報

一般名：トリアムテレン
- 保険収載年月…1965年11月
- 海外評価…6点 英米独仏　●PC…B
- 剤形…力カプセル剤

- 服用量と回数…1日90〜200mgを2〜3回に分けて服用。
- ■先発品　商品名(メーカー)　規格・保険薬価
  トリテレン(京都＝住友ファーマ)
  力 50mg 1カプセル 18.70円

📋 概要

分類　利尿降圧薬

処方目的　高血圧症(本態性，腎性など)／心性浮腫(うっ血性心不全)，腎性浮腫，肝性浮腫

解説　塩分(ナトリウム)のとりすぎは高血圧の大きな原因の一つです。カリウムには，余分なナトリウムを排出して血圧を下げる効果があります。
　スピロノラクトンと同じようにカリウム保持性の利尿降圧薬です。

🔖 使用上の注意

基本的注意

(1)**服用してはいけない場合**……無尿状態／急性腎不全／高カリウム血症／腎結石またはその前歴／インドメタシン，ジクロフェナクナトリウムの服用中

(2)**慎重に服用すべき場合**……重い冠硬化症または脳動脈硬化症／重い腎機能障害／肝疾患，肝機能障害／減塩療法中／葉酸欠乏，葉酸代謝異常／非ステロイド系解熱鎮痛薬(インドメタシン，ジクロフェナクナトリウムを除く)の服用中／ACE阻害薬，カリウム製剤の服用中／乳児，高齢者

(3)**服用時間**……夜間の休息が特に必要な人は，本剤による夜間の排尿を避けるため，午前中に服用するようにしてください。

(4)**定期検査**……連用すると電解質異常がおこることがあるので，定期的に血液や電解質(ナトリウム，カリウムなど)の検査を受ける必要があります。

(5)**危険作業に注意**……本剤を服用すると，めまいなどがおこることがあります。服用中は，高所作業や自動車の運転など危険を伴う機械の操作は十分に注意してください。

(6)**その他**……
- 妊婦での安全性：未確立。有益と判断されたときのみ服用。
- 小児での安全性：未確立。(1714頁を参照)

重大な副作用 ①急性腎不全。

　そのほかにも報告された副作用はあるので，体調がいつもと違うと感じたときは，処方医・薬剤師に相談してください。

併用してはいけない薬 インドメタシン，ジクロフェナクナトリウム→急性腎不全が現れることがあります。

04 ループ利尿薬

製剤情報

一般名：アゾセミド
- 保険収載年月…1993年6月
- 海外評価…0点 英 米 独 仏
- 剤形…錠 錠剤
- 服用量と回数…1日1回60mg。

■**先発品**　商品名(メーカー)　規格・保険薬価

ダイアート 写真 (三和) 錠 30mg 1錠 15.00 円
錠 60mg 1錠 22.10 円

■**ジェネリック**　商品名(メーカー)　規格・保険薬価

アゾセミド 写真 (長生堂＝日本ジェネリック)
錠 30mg 1錠 10.10 円　錠 60mg 1錠 14.60 円

一般名：フロセミド
- 発売年月…1965年5月
- 海外評価…6点 英 米 独 仏　●PC…C
- 剤形…錠 錠剤，細 細粒剤
- 服用量と回数…1日1回40〜80mg(細粒剤は1〜2g)を連日または隔日で服用。腎機能不全の場合は，さらに量を増やすこともある。徐放カプセルでは，1回40mgを1日1〜2回。

■**先発品**　商品名(メーカー)　規格・保険薬価

ラシックス 写真 (サノフィ＝日医工)
錠 10mg 1錠 9.30 円　錠 20mg 1錠 9.80 円
錠 40mg 1錠 12.20 円

■**ジェネリック**　商品名(メーカー)　規格・保険薬価

フロセミド (エルメッド＝日医工) 細 4% 1g 6.50 円
フロセミド (シオノ＝江州) 錠 10mg 1錠 6.10 円
錠 20mg 1錠 6.10 円　錠 40mg 1錠 6.40 円
フロセミド 写真 (武田テバファーマ＝武田)
錠 10mg 1錠 6.10 円　錠 20mg 1錠 6.10 円
錠 40mg 1錠 6.40 円
フロセミド 写真 (東和) 錠 40mg 1錠 6.40 円
フロセミド 写真 (ニプロ) 錠 10mg 1錠 6.10 円
錠 20mg 1錠 6.10 円　錠 40mg 1錠 6.40 円
フロセミド (日本ジェネリック) 錠 20mg 1錠 6.10 円
錠 40mg 1錠 6.40 円

一般名：トラセミド
- 保険収載年月…1999年8月
- 海外評価…5点 英 米 独 仏　●PC…B
- 剤形…錠 錠剤
- 服用量と回数…1日1回4〜8mg。

■**先発品**　商品名(メーカー)　規格・保険薬価

ルプラック 写真 (田辺三菱＝富士フイルム富山)
錠 4mg 1錠 18.40 円　錠 8mg 1錠 29.40 円

■**ジェネリック**　商品名(メーカー)　規格・保険薬価

トラセミド (寿) 錠 4mg 1錠 6.90 円
錠 8mg 1錠 10.90 円
トラセミド OD (トーアエイヨー)
錠 4mg 1錠 6.90 円　錠 8mg 1錠 10.90 円

概要

分類 利尿降圧薬

処方目的 [フロセミドの適応症] 高血圧症(本態性, 腎性など), 悪性高血圧／心性浮腫(うっ血性心不全), 腎性浮腫, 肝性浮腫, 末梢血管障害による浮腫／月経前緊張症／尿路結石排出促進

[アゾセミド, トラセミドの適応症] 心性浮腫(うっ血性心不全), 腎性浮腫, 肝性浮腫

解説 腎臓で尿中の水分が再吸収されますが, 本剤の代表であるフロセミドは, ヘンレのループ上行脚と呼ばれる部分に作用し, 水分の再吸収を阻害して尿量を増やすため, 「ループ利尿薬」と呼ばれています。利尿作用が強く, カリウム分が不足しがちになるため, 果物や野菜類をたくさんとるとよいでしょう。

使用上の注意

＊フロセミド(ラシックス)の添付文書による

基本的注意

(1)服用してはいけない場合……[すべての製剤]無尿状態／肝性昏睡／体液中のナトリウム, カリウムが明らかに減少している人／スルフォンアミド誘導体に対するアレルギーの前歴／デスモプレシン酢酸塩水和物(男性における夜間多尿による夜間頻尿)の服用中／[トラセミドのみ]本剤の成分に対するアレルギーの前歴

(2)慎重に服用すべき場合……重い冠動脈硬化症または脳動脈硬化症／本人または両親, 兄弟に痛風, 糖尿病のある人／下痢, 嘔吐のある人／手術前の人／減塩療法中／全身性エリテマトーデス／重い腎障害／進行した肝硬変症, 肝疾患・肝機能障害／小児, 高齢者

(3)服用時間……夜間の休息が特に必要な人は, 本剤による夜間の排尿を避けるため, 昼間に服用するようにしてください。

(4)定期検査……連用すると電解質失調がおこることがあるので, 定期的に血液や電解質(ナトリウム, カリウムなど)の検査を受ける必要があります。

(5)危険作業に注意……本剤を服用すると, めまいなどがおこることがあります。服用中は, 高所作業や自動車の運転など危険を伴う機械の操作は十分に注意してください。

(6)その他……

● 妊婦での安全性：有益と判断されたときのみ服用。

● 授乳婦での安全性：服用するときは授乳しないことが望ましい。(1714頁を参照)

重大な副作用 [フロセミド]①ショック(脈拍の異常, 呼吸困難, 顔面蒼白, 血圧低下など), アナフィラキシー(不快感, 呼吸困難, 全身潮紅, じん麻疹など)。②再生不良性貧血, 汎血球減少症, 無顆粒球症, 血小板減少, 赤芽球癆。③難聴。④中毒性表皮壊死融解症(TEN), 皮膚粘膜眼症候群(スティブンス-ジョンソン症候群), 多形紅斑, 急性汎発性発疹性膿疱症。⑤水疱性類天疱瘡。⑥低カリウム血症を伴う心室性不整脈。⑦間質性腎炎。⑧間質性肺炎(せき, 呼吸困難, 発熱, 肺音の異常など)。

[アゾセミド]①低カリウム血症, 低ナトリウム血症などの電解質異常。②無顆粒球症, 白血球減少。

[トラセミド] ①肝機能障害，黄疸。②血小板減少。③低カリウム血症，高カリウム血症。
そのほかにも報告された副作用はあるので，体調がいつもと違うと感じたときは，処方医・薬剤師に相談してください。

併用してはいけない薬 デスモプレシン酢酸塩水和物（ミニリンメルト：男性における夜間多尿による夜間頻尿）→低ナトリウム血症が現れるおそれがあります。

内 04 血圧の薬 02 血圧降下薬

01 ベーター・ブロッカー（適応症が高血圧症のみのもの）

製剤情報

一般名：ラベタロール塩酸塩
- 保険収載年月…1983年2月
- 海外評価…5点 英米独仏 ●PC…C
- 規制…劇薬
- 剤形…錠 錠剤
- 服用量と回数…1日150mgから開始，効果が不十分なときは450mgまで徐々に増量，3回に分けて服用。

■先発品　商品名（メーカー）　規格・保険薬価
トランデート（サンドファーマ＝サンド）
錠 50mg 1錠 12.40 円　錠 100mg 1錠 20.00 円

■ジェネリック　商品名（メーカー）　規格・保険薬価
ラベタロール塩酸塩（東和）錠 50mg 1錠 6.20 円
錠 100mg 1錠 9.80 円

一般名：アモスラロール塩酸塩
- 保険収載年月…1988年5月
- 海外評価…0点 英米独仏
- 剤形…錠 錠剤
- 服用量と回数…1日20mgから開始，効果が不十分なときは60mgまで徐々に増量，2回に分けて服用。

■先発品　商品名（メーカー）　規格・保険薬価
ローガン（LTL ファーマ）錠 10mg 1錠 21.60 円

一般名：カルテオロール塩酸塩
- 保険収載年月…1990年4月

- 海外評価…2点 英米独仏
- 剤形…カ カプセル剤
- 服用量と回数…1日1回15mg。効果が不十分なときは30mgまで増量できる。

■先発品　商品名（メーカー）　規格・保険薬価
ミケラン LA（大塚）カ 15mg 1カプ 55.50 円

一般名：メトプロロール酒石酸塩
- 保険収載年月…1992年4月
- 海外評価…6点 英米独仏 ●PC…C
- 規制…劇薬
- 剤形…錠 錠剤
- 服用量と回数…1日1回120mg。

■先発品　商品名（メーカー）　規格・保険薬価
セロケン L（太陽ファルマ）錠 120mg 1錠 86.40 円
ロプレソール SR（サンファーマ）
錠 120mg 1錠 85.00 円

一般名：ベバントロール塩酸塩
- 保険収載年月…1995年5月
- 海外評価…0点 英米独仏
- 規制…劇薬
- 剤形…錠 錠剤
- 服用量と回数…1日100mgを2回に分けて服用。効果が不十分なときは200mgまで増量できる。

■**先発品**　**商品名(メーカー)**　規格・保険薬価

カルバン (ケミファ＝鳥居) 錠25mg 1錠 20.20 円

錠50mg 1錠 34.90 円　錠100mg 1錠 54.80 円

概　要

分類　交感神経 α・β 受容体遮断薬

処方目的　[ラベタロール塩酸塩，アモスラロール塩酸塩の適応症] 本態性高血圧症，褐色細胞腫による高血圧症／[カルテオロール塩酸塩，メトプロロール酒石酸塩の適応症] 本態性高血圧症(軽症～中等症)／[ベバントロール塩酸塩の適応症] 高血圧症

解説　プロプラノロール塩酸塩と同様，交感神経の β(ベーター) 受容体を遮断(ベーター・ブロッカー)することにより血圧を下げ，またプラゾシン塩酸塩と同様に，α(アルファ) 受容体をも遮断するといわれています。

　ここで取り上げた薬剤の適応症は高血圧症のみで，狭心症や不整脈を伴う高血圧症にはアテノロール・アロチノロール塩酸塩・インデノロール塩酸塩・カルテオロール塩酸塩・ナドロール・ピンドロール・プロプラノロール塩酸塩・メトプロロール酒石酸塩などのように，狭心症や不整脈にも効果がある薬のほうがよく使われます。

　また，狭心症を伴う高血圧症には，塩酸ブニトロロール・プロプラノロール塩酸塩・ニプラジロール・チリソロール塩酸塩・セリプロロール塩酸塩・ベタキソロール塩酸塩・カルベジロールなどが使われます。

　なお，ラベタロール塩酸塩を除くその他の製剤は，胎児にさまざまな悪影響を及ぼすため，妊婦または妊娠している可能性のある人には「禁忌薬(服用してはいけない薬)」となっています。

使用上の注意

＊ラベタロール塩酸塩(トランデート)の添付文書による

基本的注意

(1)**服用してはいけない場合**……糖尿病性ケトアシドーシス，代謝性アシドーシス／高度の徐脈(著しい洞性徐脈)，房室ブロック(Ⅱ・Ⅲ度)，洞房ブロック／心原性ショック，肺高血圧による右心不全，うっ血性心不全／気管支ぜんそく，気管支けいれんのおそれのある人／本剤の成分に対するアレルギーの前歴

(2)**慎重に服用すべき場合**……うっ血性心不全のおそれのある人／房室ブロック(Ⅰ度)／末梢循環障害／低血糖症，コントロール不十分な糖尿病，長期間絶食状態／肝機能障害／重い腎機能障害／甲状腺中毒症／小児，高齢者

(3)**急な服用中止**……類似化合物(プロプラノロール塩酸塩)を服用中の狭心症の人が本剤の服用を急に中止すると，症状が悪化したり，心筋梗塞をおこしたとの報告があります。また，甲状腺中毒症の人が急に中止すると，症状が悪化することがあります。自己判断で服用を中止しないようにしてください。

(4)**危険作業に注意**……本剤を服用すると，めまい，ふらつきがおこることがあります。服用中は，高所作業や自動車の運転など危険を伴う機械の操作は十分に注意してくださ

い。

(5)白内障手術での注意……本剤と類似した α 受容体遮断薬であるタムスロシンを服用中または服用経験のある患者で，白内障手術中に術中虹彩緊張低下症候群（縮瞳型症候群の一種）が現れたとの報告があります。このため白内障手術中の合併症が増加するおそれがあるので，本剤の服用または服用歴について手術前に執刀医に伝えてください。

(6)その他……

● 妊婦での安全性：有益と判断されたときのみ服用。

● 授乳婦での安全性：原則として服用しない。やむを得ず服用するときは授乳を中止。

● 小児での安全性：未確立。（1714 頁を参照）

重大な副作用 　　　　[ラベタロール塩酸塩] ①うっ血性心不全。②重い肝障害（肝壊死など），黄疸。③SLE（全身性エリテマトーデス）様症状（筋肉痛，関節痛など），乾癬。④ミオパシー。

[カルテオロール塩酸塩] ①徐脈性不整脈（房室ブロック，洞不全症候群，洞房ブロック，洞停止など），うっ血性心不全（またはその悪化），冠れん縮性狭心症。②失神。

[メトプロロール酒石酸塩] ①心原性ショック。②うっ血性心不全，房室ブロック，徐脈，洞機能不全。③ぜんそく症状の誘発・悪化。④肝機能障害，黄疸。

[ベバントロール塩酸塩] ①心不全，房室ブロック，洞機能不全（著明な洞性徐脈，洞房ブロックなど）。②ぜんそく発作の誘発・悪化，呼吸困難。

　そのほかにも報告された副作用はあるので，体調がいつもと違うと感じたときは，処方医・薬剤師に相談してください。

併用してはいけない薬 　　　　併用してはいけない薬は特にありません。ただし，併用する薬があるときは，念のため処方医・薬剤師に報告してください。

内 04 血圧の薬　02 血圧降下薬

02 カルシウム拮抗薬（適応症が高血圧症のみのもの）

製剤情報

一般名：ニカルジピン塩酸塩

● 保険収載年月…1982年9月

● 海外評価…5点 英 米 独 仏 　● PC…C

● 剤形…錠 錠剤，カ カプセル剤，散 散剤

● 服用量と回数…1回10〜20mg（散剤は0.1〜0.2g）を1日3回。徐放剤の場合は，1回20〜40mgを1日2回。

■先発品　　商品名（メーカー）　規格・保険薬価

ペルジピン（LTL ファーマ）散 10% 1g 30.90 円
錠 10mg 1錠 7.80 円　錠 20mg 1錠 11.20 円

ペルジピン LA（LTL ファーマ）
カ 20mg 1カプセル 11.20 円　カ 40mg 1カプセル 11.70 円

■ジェネリック　　商品名（メーカー）　規格・保険薬価

ニカルジピン塩酸塩（沢井）錠 10mg 1錠 5.70 円
錠 20mg 1錠 5.70 円

ニカルジピン塩酸塩（鶴原）錠 10mg 1錠 5.70 円
錠 20mg 1錠 5.70 円

ニカルジピン塩酸塩（東和）散 10% 1g 14.70 円
錠 10mg 1錠 5.70 円　錠 20mg 1錠 5.70 円

ニカルジピン塩酸塩（日医工）散 10% 1g 14.70 円
錠 10mg 1錠 5.70 円　錠 20mg 1錠 5.70 円

ニカルジピン塩酸塩（日新）錠 10mg 1錠 5.70 円
錠 20mg 1錠 5.70 円

ニカルジピン塩酸塩徐放カプセル（日医工）
カ 20mg 1ｶﾌﾟ 5.70 円　カ 40mg 1ｶﾌﾟ 5.90 円

一般名：ニルバジピン
- 保険収載年月…1989年4月
- 海外評価…1点 英 米 独 仏
- 規制…劇薬
- 剤形…錠 錠剤
- 服用量と回数…1回2～4mgを1日2回。

■**先発品**　商品名（メーカー）　規格・保険薬価

ニバジール 写真（LTL ファーマ）
錠 2mg 1錠 11.30 円　錠 4mg 1錠 21.10 円

■**ジェネリック**　商品名（メーカー）　規格・保険薬価

ニルバジピン（沢井）錠 2mg 1錠 9.80 円
錠 4mg 1錠 10.10 円

ニルバジピン（武田テバファーマ＝武田）
錠 2mg 1錠 9.80 円　錠 4mg 1錠 10.10 円

ニルバジピン（東和）錠 2mg 1錠 9.80 円
錠 4mg 1錠 10.10 円

ニルバジピン（日医工）錠 2mg 1錠 9.80 円
錠 4mg 1錠 10.10 円

ニルバジピン（日本ジェネリック）
錠 2mg 1錠 9.80 円　錠 4mg 1錠 10.10 円

一般名：マニジピン塩酸塩
- 保険収載年月…1990年8月
- 海外評価…2点 英 米 独 仏
- 規制…劇薬
- 剤形…錠 錠剤
- 服用量と回数…1日1回10～20mg。ただし, 1日5mgから開始し, 必要に応じて徐々に増量する。

■**先発品**　商品名（メーカー）　規格・保険薬価

カルスロット 写真（武田テバ薬品＝武田）
錠 5mg 1錠 16.20 円　錠 10mg 1錠 21.30 円
錠 20mg 1錠 36.00 円

■**ジェネリック**　商品名（メーカー）　規格・保険薬価

マニジピン塩酸塩（沢井）錠 5mg 1錠 10.10 円
錠 10mg 1錠 10.10 円　錠 20mg 1錠 16.50 円

マニジピン塩酸塩（武田テバファーマ＝武田）
錠 5mg 1錠 10.10 円　錠 10mg 1錠 10.10 円
錠 20mg 1錠 16.50 円

マニジピン塩酸塩（日医工）錠 5mg 1錠 10.10 円
錠 10mg 1錠 10.10 円　錠 20mg 1錠 16.50 円

マニジピン塩酸塩（陽進堂）錠 5mg 1錠 10.10 円

マニジピン塩酸塩（陽進堂＝共創未来）
錠 10mg 1錠 10.10 円　錠 20mg 1錠 16.50 円

一般名：バルニジピン塩酸塩
- 保険収載年月…1992年8月
- 海外評価…0点 英 米 独 仏
- 規制…劇薬
- 剤形…カ カプセル剤
- 服用量と回数…1日1回10～15mg。ただし, 1日5～10mgから開始し, 必要に応じて徐々に増量する。

■**先発品**　商品名（メーカー）　規格・保険薬価

ヒポカ（LTL ファーマ）カ 5mg 1ｶﾌﾟ 27.50 円
カ 10mg 1ｶﾌﾟ 45.20 円　カ 15mg 1ｶﾌﾟ 65.60 円

一般名：フェロジピン
- 保険収載年月…1995年3月
- 海外評価…6点 英 米 独 仏　●PC…C
- 規制…劇薬
- 剤形…錠 錠剤
- 服用量と回数…1回2.5～5mgを1日2回。効果が不十分なときは1回10mgを1日2回まで増量できる。

内
04
─
02
─
02

カルシウム拮抗薬（適応症が高血圧症のみのもの）

内
04
─
02
─
02

カルシウム拮抗薬（適応症が高血圧症のみのもの）

■**先発品**　商品名(メーカー)　規格・保険薬価

スプレンジール（アストラ）錠 2.5mg 1錠 13.20 円
錠 5mg 1錠 23.20 円

■**ジェネリック**　商品名(メーカー)　規格・保険薬価

フェロジピン（武田テバファーマ＝武田）
錠 2.5mg 1錠 7.50 円　錠 5mg 1錠 13.20 円

一般名：アラニジピン

- 保険収載年月…2003年7月
- 海外評価…0点 英 米 独 仏
- 規制…劇薬
- 剤形…カ カプセル剤，顆 顆粒剤
- 服用量と回数…初回は1日1回5mg（顆粒剤は 0.25g）として、以後、1日1回5〜10mg。効果が不十分なときは1日1回20mgまで増量できる。

■**先発品**　商品名(メーカー)　規格・保険薬価

サプレスタ（大鵬）顆 2% 1g 85.20 円
カ 5mg 1ｶﾌﾟ ｾﾙ 26.10 円　カ 10mg 1ｶﾌﾟ ｾﾙ 43.70 円

ベック（日医工）顆 2% 1g 53.80 円
カ 5mg 1ｶﾌﾟ ｾﾙ 21.40 円　カ 10mg 1ｶﾌﾟ ｾﾙ 25.30 円

一般名：シルニジピン

- 保険収載年月…1995年11月
- 海外評価…0点 英 米 独 仏
- 剤形…錠 錠剤
- 服用量と回数…1日1回5〜10mg。効果が不十分なときは1日1回20mgまで増量できる。

■**先発品**　商品名(メーカー)　規格・保険薬価

アテレック（EA ファーマ＝持田）
錠 5mg 1錠 20.70 円　錠 10mg 1錠 35.20 円
錠 20mg 1錠 57.80 円

■**ジェネリック**　商品名(メーカー)　規格・保険薬価

シルニジピン 写真 （沢井）錠 5mg 1錠 10.30 円
錠 10mg 1錠 18.80 円　錠 20mg 1錠 29.20 円

シルニジピン（シオノ）錠 5mg 1錠 10.30 円
錠 10mg 1錠 18.80 円　錠 20mg 1錠 29.20 円

シルニジピン（大興＝アルフレッサ）
錠 5mg 1錠 10.30 円　錠 10mg 1錠 18.80 円
錠 20mg 1錠 29.20 円

シルニジピン（武田テバファーマ＝武田）
錠 5mg 1錠 10.30 円　錠 10mg 1錠 18.80 円
錠 20mg 1錠 29.20 円

シルニジピン（日本ジェネリック）
錠 5mg 1錠 10.30 円　錠 10mg 1錠 18.80 円
錠 20mg 1錠 29.20 円

一般名：アゼルニジピン

- 保険収載年月…2003年4月
- 海外評価…0点 英 米 独 仏
- 剤形…錠 錠剤
- 服用量と回数…1日1回8〜16mg。ただし、1日 8mgあるいはさらに少量から開始して徐々に増量する。1日最大16mg。

■**先発品**　商品名(メーカー)　規格・保険薬価

カルブロック 写真 （第一三共）錠 8mg 1錠 21.40 円
錠 16mg 1錠 39.00 円

■**ジェネリック**　商品名(メーカー)　規格・保険薬価

アゼルニジピン（ケミファ＝日薬工）
錠 8mg 1錠 10.10 円　錠 16mg 1錠 14.70 円

アゼルニジピン（武田テバ薬品＝武田テバファーマ＝武田）錠 8mg 1錠 10.10 円　錠 16mg 1錠 14.70 円

アゼルニジピン（辰巳）錠 8mg 1錠 10.10 円
錠 16mg 1錠 14.70 円

アゼルニジピン（東和）錠 8mg 1錠 10.10 円
錠 16mg 1錠 14.70 円

アゼルニジピン 写真 （日医工）錠 8mg 1錠 10.10 円
錠 16mg 1錠 14.70 円

アゼルニジピン（ニプロ）錠 8mg 1錠 10.10 円
錠 16mg 1錠 14.70 円

アゼルニジピン（ニプロ ES）錠 8mg 1錠 10.10 円
錠 16mg 1錠 14.70 円

アゼルニジピン（日本ジェネリック＝共創未来）
錠 8mg 1錠 10.10 円　錠 16mg 1錠 14.70 円

アゼルニジピン（ビオメディクス）
錠 8mg 1錠 10.10 円　　錠 16mg 1錠 14.70 円

アゼルニジピン（陽進堂）錠 8mg 1錠 10.10 円
錠 16mg 1錠 14.70 円

内
04
―
02
―
02

カルシウム拮抗薬（適応症が高血圧症のみのもの）

📋 概　　要
分類　血圧降下薬
処方目的　［マニジピン塩酸塩，フェロジピン，アラニジピン，シルニジピン，アゼルニジピンの適応症］高血圧症／［ニルバジピン，ニカルジピン塩酸塩の適応症］本態性高血圧症／［バルニジピン塩酸塩の適応症］高血圧症，腎実質性高血圧症，腎血管性高血圧症
解説　ここに取り上げるカルシウム拮抗薬の適応症は高血圧症のみです。
　ニカルジピン塩酸塩のペルジピン LA，ニカルジピン塩酸塩徐放カプセル，アラニジピンのサプレスタ，ベックは，徐放製剤になっています。
　なお，ここで取り上げたすべての製剤は，胎児にさまざまな悪影響を及ぼすため，妊婦または妊娠している可能性のある人には「禁忌薬（服用してはいけない薬）」となっています。

👆 使用上の注意
＊マニジピン塩酸塩（カルスロット），フェロジピン（スプレンジール），アゼルニジピン（カルブロック）の添付文書による
基本的注意
(1)服用してはいけない場合……[共通]妊婦または妊娠している可能性のある人
[フェロジピン]心原性ショック／本剤の成分に対するアレルギーの前歴
[アゼルニジピン]アゾール系抗真菌薬〔外用薬を除く〕（イトラコナゾール，ミコナゾール，フルコナゾール，ホスフルコナゾール（注射薬），ボリコナゾール），HIV プロテアーゼ阻害薬（リトナビル含有製剤，アタザナビル，ホスアンプレナビル，ダルナビル含有製剤），コビシスタット含有製剤の使用中／本剤の成分に対するアレルギーの前歴
(2)慎重に服用すべき場合……高齢者／[マニジピン塩酸塩]重い肝機能障害／[フェロジピン]大動脈弁狭窄，僧帽弁狭窄／肝機能障害／[アゼルニジピン]重い腎機能障害／重い肝機能障害
(3)飲食物……①グレープフルーツジュースは本剤の血中濃度を上昇させることがあるので，本剤の服用中は飲用しないでください。[フェロジピン]②セイヨウオトギリソウ（セント・ジョーンズ・ワート）含有食品は本剤の血中濃度を低下させることがあるので，本剤の服用中は摂取しないでください。
(4)危険作業に注意……本剤を服用すると，めまいなどがおこることがあります。服用中は，高所作業や自動車の運転など危険を伴う機械の操作は十分に注意してください。
(5)その他……
●授乳婦での安全性：[フェロジピン]原則として服用しない。やむを得ず服用するときは授乳を中止。[マニジピン塩酸塩，アゼルニジピン]治療上の有益性・母乳栄養の有益性を考慮し，授乳の継続・中止を検討。
●小児での安全性：未確立。(1714 頁を参照)
重大な副作用　　　　　[ニカルジピン塩酸塩，シルニジピン]①血小板減少。②

肝機能障害, 黄疸。

[ニルバジピン] ①肝機能障害。

[マニジピン塩酸塩] ①過度の血圧低下による一過性の意識消失, 脳梗塞。②無顆粒球症, 血小板減少。③心室性期外収縮, 上室性期外収縮。④紅皮症。

[バルニジピン塩酸塩] ①アナフィラキシー様症状(呼吸困難, 全身潮紅, 血管浮腫, じん麻疹など)。②過度の血圧低下。③肝機能障害, 黄疸。

[フェロジピン] ①血管浮腫。

[アゼルニジピン] ①肝機能障害, 黄疸。②房室ブロック, 洞停止, 徐脈。

　そのほかにも報告された副作用はあるので, 体調がいつもと違うと感じたときは, 処方医・薬剤師に相談してください。

併用してはいけない薬　[アゼルニジピン] アゾール系抗真菌薬〔外用薬を除く〕(イトラコナゾール, ミコナゾール, フルコナゾール, ホスフルコナゾール(注射薬), ボリコナゾール), HIV プロテアーゼ阻害薬(リトナビル含有製剤, アタザナビル, ホスアンプレナビル, ダルナビル含有製剤), コビシスタット含有製剤→本剤の作用が強まるおそれがあります。

内 04 血圧の薬　02 血圧降下薬

03　ヒドララジン塩酸塩

✐ 製剤情報

一般名:ヒドララジン塩酸塩

- 保険収載年月…1954年4月
- 海外評価…4点 英 米 独 仏　● PC…C
- 剤形…錠 錠剤, 散 散剤
- 服用量と回数…1日30~40mg(散剤は0.3~0.4g)を3~4回に分けて服用しはじめ, 徐々に増量する。維持量は1回20~50mg, 1日30~200mg。

■先発品　　商品名(メーカー)　規格・保険薬価

| アプレゾリン (サンファーマ) 散 10% 1g 9.80 円 |
| 錠 10mg 1錠 9.40 円　錠 25mg 1錠 9.80 円 |
| 錠 50mg 1錠 9.80 円 |

▤ 概　要

分類　血圧降下薬

処方目的　本態性高血圧症, 妊娠高血圧症候群による高血圧

解説　末梢血管を広げることにより血圧を下げます。

　妊娠中に高血圧になった場合を妊娠高血圧症候群(妊娠中毒症)といいます。通常の降圧薬によく使われる ARB と ACE 阻害薬は, 妊娠高血圧症候群の人には禁忌です。胎児に羊水過小症, 腎不全, 成長障害など, さまざまな障害をもたらす危険があるためです。現在, 妊娠高血圧症候群に最も多く使われているのはヒドララジン塩酸塩とメチルドパ水和物です。

使用上の注意

基本的注意

(1)服用してはいけない場合……虚血性心疾患／大動脈弁狭窄，僧帽弁狭窄，拡張不全（肥大型心筋症，収縮性心膜炎，心タンポナーデなど）による心不全／高度頻脈および高心拍出性心不全(甲状腺中毒症など)／肺高血圧症による右心不全／解離性大動脈瘤／頭蓋内出血急性期／本剤の成分に対するアレルギーの前歴

(2)慎重に服用すべき場合……腎機能障害／肝機能障害／虚血性心疾患の前歴／うっ血性心不全／脳血管障害

(3)危険作業に注意……本剤を服用すると，めまいなどがおこることがあります。服用中は，高所作業や自動車の運転など危険を伴う機械の操作は十分に注意してください。

(4)その他……

● 妊婦での安全性：有益と判断されたときのみ服用。

● 授乳婦での安全性：服用するときは授乳を中止。(1714頁を参照)

重大な副作用

①SLE(全身性エリテマトーデス)様症状(発熱，紅斑，関節痛，胸部痛など)。②うっ血性心不全。③狭心症の発作の誘発。④麻痺性イレウス。⑤呼吸困難。⑥急性腎障害。⑦溶血性貧血，汎血球減少。⑧多発性神経炎。⑨血管炎。⑩劇症肝炎，肝炎，肝機能障害，黄疸。

　そのほかにも報告された副作用はあるので，体調がいつもと違うと感じたときは，処方医・薬剤師に相談してください。

併用してはいけない薬

併用してはいけない薬は特にありません。ただし，併用する薬があるときは，念のため処方医・薬剤師に報告してください。

内 04 血圧の薬　02 血圧降下薬

04　中枢性α₂刺激薬

製剤情報

一般名：クロニジン塩酸塩

● 保険収載年月…1970年6月

● 海外評価…6点 英 米 独 仏　● PC…C

● 剤形…錠 錠剤

● 服用量と回数…1回0.075〜0.15mgを1日3回。重症の高血圧症には1回0.3mgを1日3回。

■ 先発品　　商品名(メーカー)　規格・保険薬価

カタプレス (ベーリンガー) 錠 0.075mg 1錠 5.90 円
錠 0.15mg 1錠 6.60 円

一般名：グアナベンズ酢酸塩

● 保険収載年月…1985年12月

● 海外評価…2点 英 米 独 仏

● 規制…劇薬

● 剤形…錠 錠剤

● 服用量と回数…1回2mgを1日2回。効果が不十分なときは1回4mgを1日2回。

■ 先発品　　商品名(メーカー)　規格・保険薬価

ワイテンス (アルフレッサ) 錠 2mg 1錠 13.30 円

概　　要

分類　血圧降下薬

処方目的　本態性高血圧症／[クロニジン塩酸塩のみの適応症]腎性高血圧症

解説　中枢性 α_2 刺激薬は，脳の視床下部にある血管運動中枢の α_2 受容体を刺激し，交感神経の緊張を抑制することにより末梢血管を拡張させて血圧を下げます。中枢性交感神経抑制薬とも呼ばれます。クロニジン塩酸塩は強い即効性の降圧作用を示し，服用後およそ2時間以内には効果が現れてきます。グアナベンズ酢酸塩は，緩徐な降圧効果と安定した血圧コントロールをもたらします。

使用上の注意

＊両剤の添付文書による

基本的注意

(1)服用してはいけない場合……本剤の成分に対するアレルギーの前歴

(2)慎重に服用すべき場合……腎機能障害／虚血性心疾患(狭心症，心筋梗塞など)またはその前歴，高血圧以外の原因による心不全，うっ血性心不全の前歴／脳梗塞，脳血管障害／高齢者／[クロニジン塩酸塩のみ]高度の徐脈(著しい洞性徐脈)／発熱している人／[グアナベンズ酢酸塩のみ]肝機能障害

(3)急な服用中止……急に服用を中止すると，まれに血圧の上昇，神経過敏，頻脈，不安感，頭痛などのリバウンド現象がおこることがあります。自己判断で服用を中止しないでください。

(4)危険作業に注意……本剤を服用すると反射運動の減弱，眠け，めまい，ふらつきなどが現れることがあるので，高所作業や自動車の運転など危険を伴う機械の操作は十分に注意してください。

(5)その他……

●妊婦での安全性：未確立。有益と判断されたときのみ服用。

●授乳婦での安全性：服用するときは授乳を中止。

●小児での安全性：未確立。(1714頁を参照)

重大な副作用　　　　[クロニジン塩酸塩]①幻覚，錯乱。

そのほかにも報告された副作用はあるので，体調がいつもと違うと感じたときは，処方医・薬剤師に相談してください。

併用してはいけない薬　　併用してはいけない薬は特にありません。ただし，併用する薬があるときは，念のため処方医・薬剤師に報告してください。

内 04 血圧の薬　02 血圧降下薬

05　メチルドパ水和物

製剤情報

一般名：メチルドパ水和物
●保険収載年月…1963年1月

- 海外評価…6点 英米独仏 ●PC…B
- 剤形…錠剤
- 服用量と回数…1日250～750mgから服用しはじめ, 適当な降圧効果が得られるまで数日以上の間隔をおいて1日250mgずつ増量する。維持量は1日250～2,000mgを1～3回に分けて服用。

■先発品　商品名(メーカー)　規格・保険薬価

アルドメット 写真 (ミノファーゲン)
錠 125mg 1錠 9.80 円　錠 250mg 1錠 11.80 円
メチルドパ (鶴原) 錠 125mg 1錠 9.80 円
錠 250mg 1錠 11.80 円

概　要

分類　血圧降下薬
処方目的　高血圧症(本態性, 腎性など), 悪性高血圧
解説　交感神経が血管を収縮させるときに必要なカテコラミンをつくる酵素の働きを抑える働きが, 本剤の降圧作用の本質と考えられています。
　本剤は, ヒドララジン塩酸塩とともに, 妊娠高血圧症候群に最も多く使用されています。

使用上の注意

＊メチルドパ水和物(アルドメット)の添付文書による

基本的注意
(1)服用してはいけない場合……急性肝炎, 慢性肝炎・肝硬変の活動期／非選択的モノアミン酸化酵素阻害薬(1716頁を参照)の服用中／本剤の成分に対するアレルギーの前歴
(2)慎重に服用すべき場合……肝疾患の前歴, 肝機能障害／高齢者
(3)尿の色……本剤服用中の人の尿を放置しておくと, 黒くなることがありますが, 心配はありません。
(4)危険作業に注意……本剤を服用すると眠けや脱力感などが現れることがあるので, 高所作業や自動車の運転など危険を伴う機械の操作は十分に注意してください。
(5)その他……
- 妊婦での安全性：未確立。有益と判断されたときのみ服用。
- 授乳婦での安全性：服用するときは授乳を中止。(1714頁を参照)

重大な副作用　①溶血性貧血, 白血球減少, 血小板減少, 無顆粒球症。②脳血管不全症状, 舞踏病アテトーゼ様不随意運動, 両側性ベル麻痺。③心筋炎。④うっ血性心不全。⑤狭心症の発作の誘発。⑥SLE(全身性エリテマトーデス)様症状(発熱, 紅斑, 関節痛など)。⑦脈管炎。⑧骨髄機能抑制。⑨中毒性表皮壊死融解症(TEN)。⑩肝機能障害(肝炎など), 黄疸。
　そのほかにも報告された副作用はあるので, 体調がいつもと違うと感じたときは, 処方医・薬剤師に相談してください。

併用してはいけない薬　非選択的モノアミン酸化酵素阻害薬(1716頁を参照)→高血圧クリーゼがおこることがあります。

内 04 血圧の薬　02 血圧降下薬

06 交感神経アルファ遮断薬

💊 製　剤　情　報

一般名：テラゾシン塩酸塩水和物

- 保険収載年月…1989年5月
- 海外評価…6点 英 米 独 仏　●PC…C
- 剤形…錠 錠剤
- 服用量と回数…高血圧症の場合は，1回0.25mgを1日2回より開始し，効果が不十分なときは1日1～4mgに徐々に増量，2回に分けて服用，1日最大8mg。前立腺肥大症に伴う排尿障害の場合は，1回0.5mgを1日2回より開始し，効果が不十分なときは1日2mgに徐々に増量。

■先発品　　商品名（メーカー）　規格・保険薬価

バソメット（田辺三菱）錠 0.25mg 1錠 9.40 円

錠 0.5mg 1錠 15.60 円　錠 1mg 1錠 28.40 円

錠 2mg 1錠 56.20 円

一般名：ドキサゾシンメシル酸塩

- 保険収載年月…1990年4月
- 海外評価…6点 英 米 独 仏　●PC…C
- 剤形…錠 錠剤
- 服用量と回数…1日1回0.5mgより開始し，効果が不十分なときは1～2週間の間隔をおいて1日1～4mgに徐々に増量，1日最大8mg。褐色細胞腫による高血圧症の場合は，1日最大16mg。

■先発品　　商品名（メーカー）　規格・保険薬価

カルデナリン 写真 （ヴィアトリス）

錠 0.5mg 1錠 13.10 円　錠 1mg 1錠 20.00 円

錠 2mg 1錠 25.40 円　錠 4mg 1錠 50.40 円

カルデナリン OD （ヴィアトリス）

錠 0.5mg 1錠 13.10 円　錠 1mg 1錠 20.00 円

錠 2mg 1錠 25.40 円　錠 4mg 1錠 50.40 円

■ジェネリック　　商品名（メーカー）　規格・保険薬価

ドキサゾシン（共和）錠 0.5mg 1錠 10.10 円

錠 1mg 1錠 10.10 円　錠 2mg 1錠 10.10 円

錠 4mg 1錠 15.80 円

ドキサゾシン（小林化工）錠 0.5mg 1錠 10.10 円

錠 1mg 1錠 10.10 円　錠 2mg 1錠 11.30 円

錠 4mg 1錠 24.30 円

ドキサゾシン 写真 （沢井）錠 0.5mg 1錠 10.10 円

錠 1mg 1錠 10.10 円　錠 2mg 1錠 11.30 円

錠 4mg 1錠 24.30 円

ドキサゾシン（サンノーバ＝エルメッド＝日医工）

錠 0.5mg 1錠 10.10 円　錠 1mg 1錠 10.10 円

錠 2mg 1錠 11.30 円　錠 4mg 1錠 24.30 円

ドキサゾシン（武田テバファーマ＝武田）

錠 0.5mg 1錠 10.10 円　錠 1mg 1錠 10.10 円

錠 2mg 1錠 11.30 円　錠 4mg 1錠 24.30 円

ドキサゾシン（辰巳）錠 0.5mg 1錠 10.10 円

錠 1mg 1錠 10.10 円　錠 2mg 1錠 10.10 円

錠 4mg 1錠 15.80 円

ドキサゾシン（長生堂＝日本ジェネリック）

錠 0.5mg 1錠 10.10 円　錠 1mg 1錠 10.10 円

錠 2mg 1錠 11.30 円　錠 4mg 1錠 24.30 円

ドキサゾシン 写真 （東和）錠 0.5mg 1錠 10.10 円

錠 1mg 1錠 10.10 円　錠 2mg 1錠 11.30 円

錠 4mg 1錠 24.30 円

ドキサゾシン（日医工）錠 0.5mg 1錠 10.10 円

錠 1mg 1錠 10.10 円　錠 2mg 1錠 11.30 円

錠 4mg 1錠 24.30 円

ドキサゾシン（日新＝ケミファ＝第一三共エスファ）錠 1mg 1錠 10.10 円　錠 2mg 1錠 11.30 円

ドキサゾシン（日新＝第一三共エスファ）

錠 0.5mg 1錠 10.10 円　錠 4mg 1錠 24.30 円

ドキサゾシン（ニプロ＝日本ジェネリック）
錠 0.5mg 1錠 10.10 円　錠 1mg 1錠 10.10 円
錠 2mg 1錠 10.10 円　錠 4mg 1錠 15.80 円

ドキサゾシン（ニプロ ES）錠 0.5mg 1錠 10.10 円
錠 1mg 1錠 10.10 円　錠 2mg 1錠 10.10 円
錠 4mg 1錠 15.80 円

ドキサゾシン 写真（ファイザー UPJ ＝ヴィアトリス）錠 0.5mg 1錠 10.10 円　錠 1mg 1錠 10.10 円
錠 2mg 1錠 10.10 円　錠 4mg 1錠 15.80 円

ドキサゾシン（メディサ＝沢井）
錠 0.5mg 1錠 10.10 円　錠 1mg 1錠 10.10 円
錠 2mg 1錠 11.30 円　錠 4mg 1錠 24.30 円

ドキサゾシン（陽進堂）錠 0.5mg 1錠 10.10 円
錠 4mg 1錠 24.30 円

ドキサゾシン（陽進堂＝高田＝サンド）
錠 1mg 1錠 10.10 円　錠 2mg 1錠 11.30 円

一般名：プラゾシン塩酸塩
● 保険収載年月…1981年9月
● 海外評価…5点 英米独仏　●PC…C
● 剤形…錠 錠剤
● 服用量と回数…1回0.5mgを1日2～3回より開始し，効果が不十分なときは1～2週間の間隔をおいて1日1.5～6mgまで徐々に増量する。

■先発品　商品名（メーカー）　規格・保険薬価
ミニプレス（ファイザー）錠 0.5mg 1錠 5.90 円
錠 1mg 1錠 10.50 円

一般名：ブナゾシン塩酸塩
● 保険収載年月…1985年7月
● 海外評価…0点 英米独仏
● 剤形…錠 錠剤
● 服用量と回数…1日1.5mgより開始し，効果が不十分なときは1日3～6mgに徐々に増量，2～3回に分けて服用，1日最大12mg。徐放剤の場合は，1日1回3～9mg。

■先発品　商品名（メーカー）　規格・保険薬価
デタントール（エーザイ）錠 0.5mg 1錠 11.40 円
錠 1mg 1錠 19.80 円
デタントール R（エーザイ）錠 3mg 1錠 36.30 円
錠 6mg 1錠 71.80 円

一般名：ウラピジル
● 保険収載年月…1988年11月
● 海外評価…2点 英米独仏
● 剤形…カ カプセル剤
● 服用量と回数…高血圧症の場合は，1日30mgより開始し，効果が不十分なときは1～2週間の間隔をおいて1日120mgまで徐々に増量，2回に分けて服用。その他の適応症では，処方医の指示通りに服用。

■先発品　商品名（メーカー）　規格・保険薬価
エブランチル 写真（科研＝三和）
カ 15mg 1カプセル 14.10 円　カ 30mg 1カプセル 26.10 円

概　要
分類　血圧降下薬
処方目的　高血圧症（本態性，腎性など）
[テラゾシン塩酸塩，ドキサゾシンメシル酸塩，ブナゾシン塩酸塩（徐放剤を除く），ウラピジル] 褐色細胞腫による高血圧症
[テラゾシン塩酸塩，プラゾシン塩酸塩，ウラピジル] 前立腺肥大症に伴う排尿障害
[ウラピジルのみ] 神経因性膀胱に伴う排尿困難
解説　交感神経の α 受容体を遮断して末梢血管を拡張させ，血圧を下げます。チアジド系利尿降圧薬やベーター・ブロッカーと併用することが多い薬剤です。
　なお，ウラピジルは，β_1（ベーター・ワン）受容体遮断作用を併せ持っているといわれ

ています。

🖎 使用上の注意

＊ドキサゾシンメシル酸塩（カルデナリン）の添付文書による

基本的注意

(1)服用してはいけない場合……本剤の成分に対するアレルギーの前歴

(2)慎重に服用すべき場合……ホスホジエステラーゼ5阻害作用を有する薬剤の服用中／肝機能障害

(3)足高仰臥位……①本剤の服用初期や用量を急に増量したときなどに，立ちくらみ，めまい，脱力感，発汗，動悸・心悸亢進などが現れ，意識を失うこともあります。これらの症状がみられたら，しばらく足を高くした仰臥位（あお向け）になって安静にして，落ち着いたら処方医へ連絡してください。

(4)危険作業に注意……本剤を服用すると，めまいなどが現れることがあります。服用中は，高所作業や自動車の運転など危険を伴う機械の操作は十分に注意してください。

(5)その他……

●妊婦での安全性：未確立。有益と判断されたときのみ服用。

●授乳婦での安全性：服用するときは授乳を中止。

●小児での安全性：未確立。(1714頁を参照)

重大な副作用 ①失神，意識喪失。②不整脈。③脳血管障害。④心筋梗塞，狭心症。⑤無顆粒球症，白血球減少，血小板減少。⑥肝炎，肝機能障害，黄疸。

　そのほかにも報告された副作用はあるので，体調がいつもと違うと感じたときは，処方医・薬剤師に相談してください。

併用してはいけない薬 併用してはいけない薬は特にありません。ただし，併用する薬があるときは，念のため処方医・薬剤師に報告してください。

内 04 血圧の薬　02 血圧降下薬

07 ACE阻害薬（アンジオテンシン変換酵素阻害薬）

🖎 製剤情報

一般名：カプトプリル

●保険収載年月…1983年2月

●海外評価…5点 英 米 独 仏

●PC…C(3カ月以降はD)

●剤形…錠 錠剤，カ カプセル剤，細 細粒剤

●服用量と回数…1日37.5〜75mg（細粒剤は0.75〜1.5g）を3回に分けて服用。1日最大150mg。徐放剤の場合は，1回18.75〜37.5mgを1日2回（重症本態性・腎性高血圧症の場合は1回

18.75mgを1日1〜2回から開始）。

■先発品　商品名（メーカー）　規格・保険薬価

カプトリル（アルフレッサ）細 5% 1g 22.90円
錠 12.5mg 1錠 11.40円　錠 25mg 1錠 12.40円

カプトリル-R（アルフレッサ）
カ 18.75mg 1カプセル 27.10円

■ジェネリック　商品名（メーカー）　規格・保険薬価

カプトプリル（小林化工＝ファイザー）
錠 12.5mg 1錠 5.70円　錠 25mg 1錠 5.90円

カプトプリル（沢井）錠 12.5mg 1錠 5.70 円
錠 25mg 1錠 5.90 円

カプトプリル（長生堂＝日本ジェネリック）
錠 12.5mg 1錠 5.70 円　錠 25mg 1錠 5.90 円

カプトプリル（日医工）細 5% 1g 10.90 円
錠 12.5mg 1錠 5.70 円　錠 25mg 1錠 5.90 円

一般名：エナラプリルマレイン酸塩

- 保険収載年月…1986年6月
- 海外評価…6点 英 米 独 仏
- PC…C（3カ月以降はD）
- 剤形…錠 錠剤，細 細粒剤
- 服用量と回数…1日1回5〜10mg。腎性・腎血管性高血圧症，悪性高血圧，腎障害を伴う人，または利尿薬の服用中の場合は，2.5mgから開始。小児は処方医の指示通りに服用。

■先発品　　商品名（メーカー）　規格・保険薬価

レニベース 写真（オルガノン）
錠 2.5mg 1錠 17.30 円　錠 5mg 1錠 20.20 円
錠 10mg 1錠 26.80 円

■ジェネリック　　商品名（メーカー）　規格・保険薬価

エナラプリルマレイン酸塩 写真（大原）
錠 2.5mg 1錠 10.10 円　錠 10mg 1錠 13.40 円

エナラプリルマレイン酸塩 写真（大原＝アルフレッサ）錠 5mg 1錠 10.10 円

エナラプリルマレイン酸塩（共和）
細 1% 1g 61.30 円　錠 2.5mg 1錠 10.10 円
錠 5mg 1錠 10.10 円　錠 10mg 1錠 13.40 円

エナラプリルマレイン酸塩（キョーリン＝杏林）
錠 10mg 1錠 13.40 円

エナラプリルマレイン酸塩（キョーリン＝杏林
＝共創未来）錠 2.5mg 1錠 10.10 円
錠 5mg 1錠 10.10 円

エナラプリルマレイン酸塩（小林化工）
錠 2.5mg 1錠 10.10 円　錠 5mg 1錠 10.10 円
錠 10mg 1錠 13.40 円

エナラプリルマレイン酸塩（沢井）
錠 2.5mg 1錠 10.10 円　錠 5mg 1錠 10.10 円
錠 10mg 1錠 13.40 円

エナラプリルマレイン酸塩（サンド）
錠 2.5mg 1錠 10.10 円　錠 5mg 1錠 10.10 円
錠 10mg 1錠 10.10 円

エナラプリルマレイン酸塩 写真（サンノーバ＝
エルメッド＝日医工）錠 2.5mg 1錠 10.10 円
錠 5mg 1錠 10.10 円　錠 10mg 1錠 13.40 円

エナラプリルマレイン酸塩（ダイト＝扶桑）
錠 2.5mg 1錠 10.10 円　錠 5mg 1錠 10.10 円
錠 10mg 1錠 13.40 円

エナラプリルマレイン酸塩（武田テバファーマ
＝武田）錠 2.5mg 1錠 10.10 円　錠 5mg 1錠 10.10 円
錠 10mg 1錠 13.40 円

エナラプリルマレイン酸塩 写真（東和）
錠 2.5mg 1錠 10.10 円　錠 5mg 1錠 10.10 円
錠 10mg 1錠 13.40 円

エナラプリルマレイン酸塩（日医工ファーマ＝
日医工）錠 2.5mg 1錠 10.10 円　錠 5mg 1錠 10.10 円
錠 10mg 1錠 13.40 円

エナラプリルマレイン酸塩（日薬工＝ケミファ）
錠 2.5mg 1錠 10.10 円　錠 5mg 1錠 10.10 円
錠 10mg 1錠 13.40 円

エナラプリルマレイン酸塩（日新＝第一三共エ
スファ）錠 2.5mg 1錠 10.10 円　錠 5mg 1錠 10.10 円
錠 10mg 1錠 13.40 円

エナラプリルマレイン酸塩（日本ジェネリック）
錠 2.5mg 1錠 10.10 円　錠 5mg 1錠 10.10 円
錠 10mg 1錠 13.40 円

エナラプリルマレイン酸塩（ファイザー）
錠 2.5mg 1錠 10.10 円　錠 5mg 1錠 10.10 円
錠 10mg 1錠 13.40 円

エナラプリルマレイン酸塩（メディサ＝沢井）
錠 2.5mg 1錠 10.10 円　錠 5mg 1錠 10.10 円
錠 10mg 1錠 13.40 円

一般名：デラプリル塩酸塩

- 保険収載年月…1989年4月

- 海外評価…0点 英 米 独 仏
- 剤形… 錠 錠剤
- 服用量と回数…1日30〜60mgを2回に分けて服用。ただし, 1日15mgから開始し, 1日最大120mgまで。

■先発品　　商品名(メーカー)　規格・保険薬価

アデカット (武田テバ薬品 = 武田)
| 錠 7.5mg 1錠 16.10 円 | 錠 15mg 1錠 26.90 円 |
| 錠 30mg 1錠 42.40 円 | |

一般名:アラセプリル

- 保険収載年月…1988年5月
- 海外評価…0点 英 米 独 仏
- 剤形… 錠 錠剤
- 服用量と回数…1日25〜75mgを1〜2回に分けて服用。1日最大100mg。

■先発品　　商品名(メーカー)　規格・保険薬価

セタプリル (住友ファーマ) 錠 25mg 1錠 20.10 円

■ジェネリック　　商品名(メーカー)　規格・保険薬価

アラセプリル (沢井) 錠 12.5mg 1錠 9.10 円
| 錠 25mg 1錠 9.80 円 | 錠 50mg 1錠 9.80 円 |

アラセプリル (長生堂 = 日本ジェネリック)
| 錠 12.5mg 1錠 9.10 円 | 錠 25mg 1錠 9.80 円 |
| 錠 50mg 1錠 9.80 円 | |

アラセプリル (日医工) 錠 12.5mg 1錠 9.10 円
| 錠 25mg 1錠 9.80 円 | 錠 50mg 1錠 9.80 円 |

アラセプリル (日新) 錠 12.5mg 1錠 9.10 円
| 錠 25mg 1錠 9.80 円 | 錠 50mg 1錠 9.80 円 |

一般名:リシノプリル水和物

- 保険収載年月…1991年8月
- 海外評価…5点 英 米 独 仏
- PC…C(3カ月以降はD)
- 剤形… 錠 錠剤
- 服用量と回数…1日1回10〜20mg。重症高血圧症, 腎機能障害を伴う高血圧症には5mgから開始。慢性心不全の場合は, 1日1回5〜10mg。腎障害を伴う人は2.5mgから開始。小児は処方医の指示通りに服用。

■先発品　　商品名(メーカー)　規格・保険薬価

ゼストリル (アストラ) 錠 5mg 1錠 18.60 円
| 錠 10mg 1錠 24.00 円 | 錠 20mg 1錠 31.50 円 |

ロンゲス (共和) 錠 5mg 1錠 20.20 円
| 錠 10mg 1錠 24.50 円 | 錠 20mg 1錠 31.50 円 |

■ジェネリック　　商品名(メーカー)　規格・保険薬価

リシノプリル (大原) 錠 5mg 1錠 10.10 円
| 錠 10mg 1錠 10.10 円 | 錠 20mg 1錠 15.90 円 |

リシノプリル (沢井) 錠 5mg 1錠 10.10 円
| 錠 10mg 1錠 14.10 円 | 錠 20mg 1錠 12.80 円 |

リシノプリル (武田テバファーマ = 武田)
| 錠 5mg 1錠 10.10 円 | 錠 10mg 1錠 10.10 円 |
| 錠 20mg 1錠 15.90 円 | |

リシノプリル 写真 (東和) 錠 5mg 1錠 10.10 円
| 錠 10mg 1錠 10.10 円 | 錠 20mg 1錠 15.90 円 |

リシノプリル (日医工) 錠 5mg 1錠 10.10 円
| 錠 10mg 1錠 10.10 円 | 錠 20mg 1錠 15.90 円 |

リシノプリル (日医工岐阜 = 日医工 = 武田)
| 錠 5mg 1錠 10.10 円 | 錠 10mg 1錠 10.10 円 |
| 錠 20mg 1錠 15.90 円 | |

一般名:ベナゼプリル塩酸塩

- 保険収載年月…1993年3月
- 海外評価…4点 英 米 独 仏
- PC…C(3カ月以降はD)
- 剤形… 錠 錠剤
- 服用量と回数…1日1回5〜10mg。重症高血圧症, 腎機能障害を伴う高血圧症には2.5mgから開始。

■先発品　　商品名(メーカー)　規格・保険薬価

チバセン (サンファーマ) 錠 2.5mg 1錠 20.00 円
| 錠 5mg 1錠 34.70 円 | 錠 10mg 1錠 64.10 円 |

■ジェネリック　　商品名(メーカー)　規格・保険薬価

ベナゼプリル塩酸塩 (沢井) 錠 2.5mg 1錠 9.50 円
| 錠 5mg 1錠 16.50 円 | 錠 10mg 1錠 30.50 円 |

一般名:イミダプリル塩酸塩

- 保険収載年月…1993年11月

- 海外評価…2点 英 米 独 仏
- 剤形…錠 錠剤
- 服用量と回数…1日1回5〜10mg。重症高血圧症, 腎機能障害を伴う高血圧症または腎実質性高血圧症には2.5mgから開始。1型糖尿病に伴う糖尿病性腎症の場合は1日1回5mg, 腎障害が重篤な人は2.5mgから開始。

■先発品　商品名(メーカー)　規格・保険薬価

タナトリル 写真 (田辺三菱) 錠 2.5mg 1錠 23.90 円
錠 5mg 1錠 42.00 円　錠 10mg 1錠 81.40 円

■ジェネリック　商品名(メーカー)　規格・保険薬価

イミダプリル塩酸塩 (大原) 錠 2.5mg 1錠 10.40 円
錠 5mg 1錠 18.60 円　錠 10mg 1錠 37.80 円

イミダプリル塩酸塩 (キョーリン＝杏林)
錠 2.5mg 1錠 10.40 円　錠 5mg 1錠 18.60 円
錠 10mg 1錠 37.80 円

イミダプリル塩酸塩 (沢井) 錠 2.5mg 1錠 10.40 円
錠 5mg 1錠 18.60 円　錠 10mg 1錠 37.80 円

イミダプリル塩酸塩 (第一三共エスファ＝エッセンシャル) 錠 2.5mg 1錠 10.40 円
錠 5mg 1錠 18.60 円　錠 10mg 1錠 37.80 円

イミダプリル塩酸塩 写真 (武田テバファーマ＝武田) 錠 2.5mg 1錠 10.40 円　錠 5mg 1錠 18.60 円
錠 10mg 1錠 37.80 円

イミダプリル塩酸塩 (武田テバ薬品＝武田テバファーマ＝武田) 錠 2.5mg 1錠 10.40 円
錠 5mg 1錠 18.60 円　錠 10mg 1錠 37.80 円

イミダプリル塩酸塩 写真 (辰巳)
錠 2.5mg 1錠 10.40 円　錠 5mg 1錠 18.60 円
錠 10mg 1錠 37.80 円

イミダプリル塩酸塩 (東和) 錠 2.5mg 1錠 10.40 円
錠 5mg 1錠 18.60 円　錠 10mg 1錠 37.80 円

イミダプリル塩酸塩 写真 (日医工)
錠 2.5mg 1錠 10.40 円　錠 5mg 1錠 18.60 円
錠 10mg 1錠 37.80 円

イミダプリル塩酸塩 (日医工ファーマ＝ニプロ)
錠 2.5mg 1錠 10.40 円　錠 5mg 1錠 18.60 円
錠 10mg 1錠 37.80 円

イミダプリル塩酸塩 (日本ジェネリック)
錠 2.5mg 1錠 10.40 円　錠 5mg 1錠 18.60 円
錠 10mg 1錠 37.80 円

イミダプリル塩酸塩 (ファイザー)
錠 2.5mg 1錠 10.40 円　錠 5mg 1錠 18.60 円
錠 10mg 1錠 37.80 円

イミダプリル塩酸塩 (メディサ＝ケミファ)
錠 2.5mg 1錠 10.40 円　錠 5mg 1錠 18.60 円
錠 10mg 1錠 37.80 円

イミダプリル塩酸塩 (陽進堂)
錠 2.5mg 1錠 10.40 円　錠 5mg 1錠 18.60 円
錠 10mg 1錠 37.80 円

一般名：テモカプリル塩酸塩

- 保険収載年月…1994年5月
- 海外評価…0点 英 米 独 仏
- 剤形…錠 錠剤
- 服用量と回数…1日1回2〜4mg。ただし, 1日1回1mgから開始し, 必要に応じて徐々に4mgまで増量する。

■先発品　商品名(メーカー)　規格・保険薬価

エースコール 写真 (アルフレッサ)
錠 1mg 1錠 25.70 円　錠 2mg 1錠 48.20 円
錠 4mg 1錠 95.60 円

■ジェネリック　商品名(メーカー)　規格・保険薬価

テモカプリル塩酸塩 (沢井) 錠 1mg 1錠 10.10 円
錠 2mg 1錠 21.40 円　錠 4mg 1錠 42.80 円

テモカプリル塩酸塩 (ダイト＝高田)
錠 1mg 1錠 13.80 円　錠 2mg 1錠 21.40 円
錠 4mg 1錠 42.80 円

テモカプリル塩酸塩 (東和) 錠 1mg 1錠 13.80 円
錠 2mg 1錠 21.40 円　錠 4mg 1錠 42.80 円

テモカプリル塩酸塩 写真 (日医工)
錠 1mg 1錠 10.10 円　錠 2mg 1錠 21.40 円
錠 4mg 1錠 42.80 円

テモカプリル塩酸塩 (ニプロ)
錠 1mg 1錠 10.10 円　錠 2mg 1錠 21.40 円
錠 4mg 1錠 42.80 円

内 04-02-07 ACE阻害薬(アンジオテンシン変換酵素阻害薬)

テモカプリル塩酸塩 (ニプロ ES)

錠 1mg 1錠 13.80 円 　　錠 2mg 1錠 21.40 円

錠 4mg 1錠 42.80 円

テモカプリル塩酸塩 (日本ジェネリック)

錠 1mg 1錠 13.80 円 　　錠 2mg 1錠 21.40 円

錠 4mg 1錠 42.80 円

テモカプリル塩酸塩 (陽進堂)

錠 1mg 1錠 10.10 円 　　錠 2mg 1錠 21.40 円

錠 4mg 1錠 42.80 円

一般名：トランドラプリル

- 保険収載年月…1996年4月
- 海外評価…5点 英 米 独 仏
- PC…C(3カ月以降はD)
- 剤形… 錠 錠剤
- 服用量と回数…1日1回1～2mg。重症高血圧症，腎機能障害を伴う高血圧症には0.5mgから開始。

■先発品 　　商品名(メーカー) 　規格・保険薬価

オドリック (日本新薬) 錠 0.5mg 1錠 25.80 円

錠 1mg 1錠 36.40 円

■ジェネリック 　　商品名(メーカー) 　規格・保険薬価

トランドラプリル (大原) 錠 0.5mg 1錠 13.10 円

錠 1mg 1錠 18.20 円

トランドラプリル (沢井) 錠 0.5mg 1錠 17.30 円

錠 1mg 1錠 18.20 円

トランドラプリル (東和) 錠 0.5mg 1錠 17.30 円

錠 1mg 1錠 18.20 円

一般名：ペリンドプリルエルブミン

- 保険収載年月…1998年4月
- 海外評価…6点 英 米 独 仏
- PC…C(3カ月以降はD)
- 剤形… 錠 錠剤
- 服用量と回数…1日1回2～4mg。1日最大8mg。

■先発品 　　商品名(メーカー) 　規格・保険薬価

コバシル (協和キリン) 錠 2mg 1錠 43.00 円

錠 4mg 1錠 75.60 円

■ジェネリック 　　商品名(メーカー) 　規格・保険薬価

ペリンドプリル (日医工) 錠 2mg 1錠 21.20 円

錠 4mg 1錠 36.90 円

ペリンドプリルエルブミン (沢井 = 日本ジェネリック) 錠 2mg 1錠 21.20 円 　錠 4mg 1錠 36.90 円

ペリンドプリルエルブミン (東和)

錠 2mg 1錠 21.20 円 　錠 4mg 1錠 36.90 円

📋 概　　要

分類 　血圧降下薬

処方目的 　高血圧症(本態性高血圧症，腎性高血圧症，腎血管性高血圧症，悪性高血圧など)

[エナラプリルマレイン酸塩，リシノプリル水和物のみの適応症] 慢性心不全(軽症～中等症)で他の治療薬(ジギタリス製剤，利尿薬などの基礎治療薬)を服用しても十分な効果が認められない場合

[イミダプリル塩酸塩(2.5・5mg 錠)のみの適応症] 1 型糖尿病に伴う糖尿病性腎症

解説 　この薬剤は，昇圧物質アンジオテンシンⅡの生成に必要な酵素であるアンジオテンシン変換酵素を阻害することで血圧を下げる作用を発揮し，腎性高血圧症や重症高血圧症によく用いられます。心臓や腎臓の保護作用をもち，降圧時でも各臓器の血流量が減少せず，腎臓では血流量の増加，糸球体ろ過量の増加が認められるなどの特徴から，高血圧に対する第一選択薬として用いられます。

　副作用としての「せき」が2～3割の頻度で認められますが，この副作用は服薬を中止することで速やかに消失します。逆に，このせき反射が敏感になることを利用して，誤嚥性肺炎の予防に使用することもあります。

使用上の注意
＊エナラプリルマレイン酸塩（レニベース）の添付文書による

基本的注意
(1)服用してはいけない場合……本剤の成分に対するアレルギーの前歴／血管浮腫の前歴（アンジオテンシン変換酵素阻害薬などの薬剤による血管浮腫，遺伝性血管浮腫，後天性血管浮腫，特発性血管浮腫など）／デキストラン硫酸固定化セルロース，トリプトファン固定化ポリビニルアルコールまたはポリエチレンテレフタレートを用いた吸着器によるアフェレーシス（血液浄化療法）の施行中／アクリロニトリルメタリルスルホン酸ナトリウム膜（AN69）を用いた血液透析の施行中／アリスキレンフマル酸塩を投与中の糖尿病の人（ただし，他の降圧治療を行ってもなお血圧のコントロールが著しく不良の人を除く）／アンジオテンシン受容体ネプリライシン阻害薬（ARNI；サクビトリルバルサルタンナトリウム水和物）の服用中または服用中止から36時間以内／妊婦または妊娠している可能性のある人
(2)特に慎重に服用すべき場合（治療上やむを得ないと判断される場合を除き服用は避けること）……両側性腎動脈狭窄または片腎で腎動脈狭窄のある人／高カリウム血症
(3)慎重に服用すべき場合……[効能共通]脳血管障害／厳重な減塩療法中の人／重い腎機能障害（クレアチニンクリアランス30mL/分以下，または血清クレアチニン3mg/dL以上の場合）／高齢者／[高血圧症]重症の高血圧症／血液透析中／[慢性心不全（軽症～中等症）]腎障害
(4)急激な血圧低下……本剤の初回服用後，一過性の急激な血圧低下（ショック症状，意識喪失，呼吸困難などを伴う）をおこすことがあります。何らかの異常を感じたら，ただちに処方医へ連絡してください。
(5)空ぜき……服用中，空ぜきが続いたら，ACE阻害薬による副作用ではないかと疑ってください。処方医や薬剤師にあなたの考えを伝えてください。
(6)危険作業に注意……本剤を服用すると，めまい，ふらつきなどをおこすことがあります。服用中は，高所作業や自動車の運転など危険を伴う機械の操作は十分に注意してください。
(7)その他……
●授乳婦での安全性：治療上の有益性・母乳栄養の有益性を考慮し，授乳の継続・中止を検討。
●小児での安全性：未確立。（1714頁を参照）

重大な副作用
①血管浮腫（呼吸困難を伴う顔面，舌，声門，喉頭の腫れなど），腸管の血管浮腫（腹痛，吐きけ，嘔吐，下痢など）。②ショック（脈拍の異常，呼吸困難，顔面蒼白，血圧低下など）。③狭心症，心筋梗塞。④急性腎障害。⑤汎血球減少，無顆粒球症，血小板減少。⑥膵炎。⑦間質性肺炎（発熱，せき，呼吸困難など）。⑧

剥脱性皮膚炎，中毒性表皮壊死融解症（TEN），皮膚粘膜眼症候群（スティブンス-ジョンソン症候群），天疱瘡。⑨錯乱。⑩肝機能障害，肝不全。⑪高カリウム血症。⑫低ナトリウム血症，低浸透圧血症，尿中ナトリウム排泄量増加，高張尿，けいれん，意識障害などを伴う抗利尿ホルモン不適合分泌症候群（SIADH）。

　そのほかにも報告された副作用はあるので，体調がいつもと違うと感じたときは，処方医・薬剤師に相談してください。

併用してはいけない薬　　　　[薬剤] ①アリスキレンフマル酸塩（糖尿病患者に使用する場合。ただし，他の降圧治療を行ってもなお血圧のコントロールが著しく不良の人を除く）→非致死性脳卒中，腎機能障害，高カリウム血症，低血圧のリスク増加が報告されています。②アンジオテンシン受容体ネプリライシン阻害薬（ARNI：サクビトリルバルサルタンナトリウム水和物）→血管浮腫が現れるおそれがあります。ARNI を服用している場合は，少なくとも本剤服用開始 36 時間前に中止すること。また，本剤服用終了後に ARNI を服用する場合は，本剤の最終服用から 36 時間後までは服用しないこと。
[治療法] ①デキストラン硫酸固定化セルロース，トリプトファン固定化ポリビニルアルコール，ポリエチレンテレフタレートを用いた吸着器によるアフェレーシスの施行→血圧低下，潮紅，吐きけ，嘔吐，腹痛，しびれ，熱感，呼吸困難，頻脈などのショック症状をおこすことがあります。②アクリロニトリルメタリルスルホン酸ナトリウム膜（AN69）を用いた透析→アナフィラキシーを発現することがあります。

内 04 血圧の薬　02 血圧降下薬

08　ARB（アンジオテンシンⅡ受容体拮抗薬）

⚗ 製剤情報

一般名：ロサルタンカリウム
- 保険収載年月…1998年8月
- 海外評価…6点 英 米 独 仏
- PC…C（3カ月以降はD）
- 剤形…錠剤
- 服用量と回数…1日1回25〜50mg。1日100 mgまで増量できる。

■先発品　　商品名(メーカー)　規格・保険薬価

ニューロタン 写真 (オルガノン)
錠 25mg 1錠 42.00 円　　錠 50mg 1錠 81.40 円
錠 100mg 1錠 115.20 円

■ジェネリック　　商品名(メーカー)　規格・保険薬価

ロサルタン K (エルメッド＝日医工)
錠 25mg 1錠 13.40 円　錠 50mg 1錠 26.10 円
錠 100mg 1錠 38.50 円

ロサルタン K (大原＝エッセンシャル)
錠 25mg 1錠 10.20 円　錠 50mg 1錠 18.70 円
錠 100mg 1錠 32.00 円

ロサルタン K (小林化工) 錠 25mg 1錠 10.20 円
錠 50mg 1錠 18.70 円　錠 100mg 1錠 32.00 円

ロサルタン K (第一三共エスファ)
錠 25mg 1錠 13.40 円　錠 50mg 1錠 26.10 円
錠 100mg 1錠 38.50 円

ロサルタン K (ダイト＝科研) 錠 25mg 1錠 22.00 円
錠 50mg 1錠 26.10 円　錠 100mg 1錠 38.50 円

□サルタンK（高田）錠 25mg 1錠 13.40 円
錠 50mg 1錠 26.10 円　錠 100mg 1錠 38.50 円

□サルタンK 写真（東和）錠 25mg 1錠 13.40 円
錠 50mg 1錠 26.10 円　錠 100mg 1錠 38.50 円

□サルタンK（日新）錠 25mg 1錠 10.20 円
錠 50mg 1錠 18.70 円　錠 100mg 1錠 38.50 円

□サルタンK（ファイザー）錠 25mg 1錠 10.20 円
錠 50mg 1錠 26.10 円　錠 100mg 1錠 32.00 円

□サルタンK 写真（MeijiSeika）
錠 25mg 1錠 13.40 円　錠 50mg 1錠 26.10 円
錠 100mg 1錠 38.50 円

□サルタンカリウム（あすか＝武田）
錠 25mg 1錠 13.40 円　錠 50mg 1錠 26.10 円
錠 100mg 1錠 38.50 円

□サルタンカリウム（共創未来）
錠 25mg 1錠 13.40 円　錠 50mg 1錠 26.10 円
錠 100mg 1錠 38.50 円

□サルタンカリウム（共和）錠 25mg 1錠 10.20 円
錠 50mg 1錠 18.70 円　錠 100mg 1錠 32.00 円

□サルタンカリウム（キョーリン＝杏林）
錠 25mg 1錠 13.40 円　錠 50mg 1錠 26.10 円
錠 100mg 1錠 87.10 円

□サルタンカリウム（ケミファ＝日薬工）
錠 25mg 1錠 22.00 円　錠 50mg 1錠 26.10 円
錠 100mg 1錠 38.50 円

□サルタンカリウム 写真（沢井）
錠 25mg 1錠 13.40 円　錠 50mg 1錠 26.10 円
錠 100mg 1錠 38.50 円

□サルタンカリウム（サンド）
錠 25mg 1錠 10.20 円　錠 50mg 1錠 18.70 円
錠 100mg 1錠 32.00 円

□サルタンカリウム（全星）錠 25mg 1錠 13.40 円
錠 50mg 1錠 26.10 円　錠 100mg 1錠 32.00 円

□サルタンカリウム（大興＝三和）
錠 25mg 1錠 10.20 円　錠 50mg 1錠 26.10 円
錠 100mg 1錠 38.50 円

□サルタンカリウム（武田テバファーマ＝武田）
錠 25mg 1錠 10.20 円　錠 50mg 1錠 18.70 円
錠 100mg 1錠 32.00 円

□サルタンカリウム（辰巳）錠 25mg 1錠 13.40 円
錠 50mg 1錠 26.10 円　錠 100mg 1錠 87.10 円

□サルタンカリウム（日医工）
錠 25mg 1錠 10.20 円　錠 50mg 1錠 18.70 円
錠 100mg 1錠 38.50 円

□サルタンカリウム（日薬工）
錠 25mg 1錠 10.20 円　錠 50mg 1錠 18.70 円
錠 100mg 1錠 38.50 円

□サルタンカリウム（ニプロ）
錠 25mg 1錠 10.20 円　錠 50mg 1錠 18.70 円
錠 100mg 1錠 38.50 円

□サルタンカリウム（日本ジェネリック）
錠 25mg 1錠 13.40 円　錠 50mg 1錠 26.10 円
錠 100mg 1錠 32.00 円

□サルタンカリウム（陽進堂）
錠 25mg 1錠 10.20 円　錠 50mg 1錠 18.70 円
錠 100mg 1錠 32.00 円

一般名：カンデサルタンシレキセチル
- 保険収載年月…1999年5月
- 海外評価…6点 英 米 独 仏
- PC…C（3カ月以降はD）
- 剤形…錠 錠剤
- 服用量と回数…高血圧症：1日1回4〜8mg, 必要に応じ12mgまで増量する。小児は処方医の指示通りに。腎実質性高血圧症または腎機能障害を伴う高血圧症：1日1回2mgから開始し, 必要に応じて8mgまで増量。慢性腎不全：1日1回4mgから開始し, 8mgまで増量できる。

■先発品　商品名（メーカー）　規格・保険薬価
ブロプレス 写真（武田テバ薬品＝武田）
錠 2mg 1錠 24.60 円　錠 4mg 1錠 41.40 円
錠 8mg 1錠 76.40 円　錠 12mg 1錠 100.90 円

■ジェネリック　商品名（メーカー）　規格・保険薬価
カンデサルタン 写真（あすか＝武田）
錠 2mg 1錠 10.10 円　錠 4mg 1錠 21.30 円
錠 8mg 1錠 39.70 円　錠 12mg 1錠 45.30 円

内 04-02-08 ARB（アンジオテンシンⅡ受容体拮抗薬）

内
04
—
02
—
08

ＡＲＢ（アンジオテンシンⅡ受容体拮抗薬）

カンデサルタン（エルメッド＝日医工）
錠 2mg 1錠 10.10 円　錠 4mg 1錠 10.10 円
錠 8mg 1錠 14.70 円　錠 12mg 1錠 19.90 円

カンデサルタン（大原）錠 2mg 1錠 10.10 円
錠 4mg 1錠 10.10 円　錠 8mg 1錠 14.70 円
錠 12mg 1錠 19.90 円

カンデサルタン（共創未来）錠 2mg 1錠 10.10 円
錠 4mg 1錠 10.10 円　錠 8mg 1錠 14.70 円
錠 12mg 1錠 19.90 円

カンデサルタン（共和）錠 2mg 1錠 10.10 円
錠 4mg 1錠 10.10 円　錠 8mg 1錠 14.70 円
錠 12mg 1錠 19.90 円

カンデサルタン（キョーリン＝杏林）
2mg 1錠 10.10 円　錠 4mg 1錠 10.10 円
錠 8mg 1錠 14.70 円　錠 12mg 1錠 19.90 円

カンデサルタン（ケミファ＝日薬工）
錠 2mg 1錠 10.10 円　錠 4mg 1錠 10.10 円
錠 8mg 1錠 39.70 円　錠 12mg 1錠 45.30 円

カンデサルタン（小林化工）錠 2mg 1錠 10.10 円
錠 4mg 1錠 10.10 円　錠 8mg 1錠 14.70 円
錠 12mg 1錠 19.90 円

カンデサルタン（沢井）錠 2mg 1錠 10.10 円
錠 4mg 1錠 10.10 円　錠 8mg 1錠 14.70 円
錠 12mg 1錠 19.90 円

カンデサルタン（サンド）錠 2mg 1錠 10.10 円
錠 4mg 1錠 10.10 円　錠 8mg 1錠 14.70 円
錠 12mg 1錠 19.90 円

カンデサルタン（三和）錠 2mg 1錠 10.10 円
錠 4mg 1錠 10.10 円　錠 8mg 1錠 14.70 円
錠 12mg 1錠 19.90 円

カンデサルタン（シオノ＝科研）
錠 2mg 1錠 10.10 円　錠 4mg 1錠 20.10 円
錠 8mg 1錠 39.70 円　錠 12mg 1錠 45.30 円

カンデサルタン（第一三共エスファ）
錠 2mg 1錠 10.10 円　錠 4mg 1錠 10.10 円
錠 8mg 1錠 14.70 円　錠 12mg 1錠 45.30 円

カンデサルタン（武田テバファーマ＝武田）
錠 2mg 1錠 10.10 円　錠 4mg 1錠 10.10 円
錠 8mg 1錠 14.70 円　錠 12mg 1錠 19.90 円

カンデサルタン（辰巳）錠 2mg 1錠 10.10 円
錠 12mg 1錠 19.90 円

カンデサルタン（辰巳＝フェルゼン）
錠 4mg 1錠 10.10 円　錠 8mg 1錠 14.70 円

カンデサルタン（鶴原）錠 2mg 1錠 10.10 円
錠 4mg 1錠 21.30 円　錠 8mg 1錠 14.70 円
錠 12mg 1錠 19.90 円

カンデサルタン 写真（東和）錠 2mg 1錠 10.10 円
錠 4mg 1錠 10.10 円　錠 8mg 1錠 14.70 円
錠 12mg 1錠 19.90 円

カンデサルタン（日医工）錠 2mg 1錠 10.10 円
錠 4mg 1錠 10.10 円　錠 8mg 1錠 14.70 円
錠 12mg 1錠 19.90 円

カンデサルタン（日新）錠 2mg 1錠 10.10 円
錠 4mg 1錠 10.10 円　錠 8mg 1錠 14.70 円
錠 12mg 1錠 19.90 円

カンデサルタン（ニプロ）錠 2mg 1錠 10.10 円
錠 4mg 1錠 10.10 円　錠 8mg 1錠 14.70 円
錠 12mg 1錠 19.90 円

カンデサルタン（ニプロ ES）錠 2mg 1錠 10.10 円
錠 4mg 1錠 10.10 円　錠 8mg 1錠 14.70 円
錠 12mg 1錠 19.90 円

カンデサルタン（日本ジェネリック）
錠 2mg 1錠 10.10 円　錠 4mg 1錠 10.10 円
錠 8mg 1錠 14.70 円　錠 12mg 1錠 19.90 円

カンデサルタン（陽進堂）錠 2mg 1錠 10.10 円
錠 4mg 1錠 10.10 円　錠 8mg 1錠 14.70 円
錠 12mg 1錠 19.90 円

カンデサルタン OD（エルメッド＝日医工）
錠 2mg 1錠 10.10 円　錠 4mg 1錠 10.10 円
錠 8mg 1錠 14.70 円　錠 12mg 1錠 45.30 円

カンデサルタン OD（小林化工）
錠 2mg 1錠 10.10 円　錠 4mg 1錠 10.10 円
錠 8mg 1錠 14.70 円　錠 12mg 1錠 51.80 円

カンデサルタン OD（沢井）錠 2mg 1錠 10.10 円
錠 4mg 1錠 10.10 円　錠 8mg 1錠 14.70 円
錠 12mg 1錠 45.30 円

カンデサルタン OD (東和) 錠 2mg 1錠 10.10 円
錠 4mg 1錠 10.10 円　錠 8mg 1錠 14.70 円
錠 12mg 1錠 45.30 円

一般名：バルサルタン

- 保険収載年月…2000年11月
- 海外評価…6点 英 米 独 仏
- PC…C(3カ月以降はD)
- 剤形…錠 錠剤
- 服用量と回数…1日1回40～80mg。1日160mgまで増量できる。小児は処方医の指示通りに服用。

■先発品　商品名(メーカー)　規格・保険薬価

ディオバン 写真 (ノバルティス)
錠 20mg 1錠 20.00 円　錠 40mg 1錠 25.30 円
錠 80mg 1錠 45.60 円　錠 160mg 1錠 66.00 円

ディオバン OD (ノバルティス)
錠 20mg 1錠 20.00 円　錠 40mg 1錠 25.30 円
錠 80mg 1錠 45.60 円　錠 160mg 1錠 66.00 円

■ジェネリック　商品名(メーカー)　規格・保険薬価

バルサルタン (エルメッド＝日医工)
錠 20mg 1錠 10.10 円　錠 40mg 1錠 10.10 円
錠 80mg 1錠 18.20 円　錠 160mg 1錠 26.30 円

バルサルタン (大原＝エッセンシャル)
錠 20mg 1錠 10.10 円　錠 40mg 1錠 10.10 円
錠 80mg 1錠 18.20 円　錠 160mg 1錠 26.30 円

バルサルタン (共和) 錠 20mg 1錠 10.10 円
錠 40mg 1錠 10.10 円　錠 80mg 1錠 18.20 円
錠 160mg 1錠 26.30 円

バルサルタン (共創未来) 錠 20mg 1錠 10.10 円
錠 40mg 1錠 10.10 円　錠 80mg 1錠 22.80 円
錠 160mg 1錠 26.30 円

バルサルタン (キョーリン＝杏林)
錠 20mg 1錠 10.10 円　錠 40mg 1錠 10.10 円
錠 80mg 1錠 18.20 円　錠 160mg 1錠 26.30 円

バルサルタン (ケミファ＝日薬工)
錠 20mg 1錠 10.10 円　錠 40mg 1錠 10.10 円
錠 80mg 1錠 18.20 円　錠 160mg 1錠 26.30 円

バルサルタン 写真 (小林化工)
錠 20mg 1錠 10.10 円　錠 40mg 1錠 10.10 円
錠 80mg 1錠 18.20 円　錠 160mg 1錠 26.30 円

バルサルタン (沢井) 錠 20mg 1錠 10.10 円
錠 40mg 1錠 10.10 円　錠 80mg 1錠 18.20 円
錠 160mg 1錠 26.30 円

バルサルタン (サンド) 錠 20mg 1錠 10.10 円
錠 40mg 1錠 10.10 円　錠 80mg 1錠 18.20 円
錠 160mg 1錠 26.30 円

バルサルタン (第一三共エスファ)
錠 20mg 1錠 10.10 円　錠 40mg 1錠 10.10 円
錠 80mg 1錠 18.20 円　錠 160mg 1錠 26.30 円

バルサルタン (ダイト＝科研) 錠 20mg 1錠 10.10 円
錠 40mg 1錠 10.10 円　錠 80mg 1錠 18.20 円
錠 160mg 1錠 39.80 円

バルサルタン (高田) 錠 20mg 1錠 10.10 円
錠 40mg 1錠 10.10 円　錠 80mg 1錠 18.20 円
錠 160mg 1錠 26.30 円

バルサルタン (辰巳) 錠 20mg 1錠 10.10 円
錠 40mg 1錠 10.10 円　錠 80mg 1錠 18.20 円
錠 160mg 1錠 26.30 円

バルサルタン (鶴原) 錠 20mg 1錠 10.10 円
錠 40mg 1錠 10.10 円　錠 80mg 1錠 18.20 円
錠 160mg 1錠 26.30 円

バルサルタン (東和) 錠 20mg 1錠 10.10 円
錠 40mg 1錠 10.10 円　錠 80mg 1錠 18.20 円
錠 160mg 1錠 26.30 円

バルサルタン (日医工) 錠 20mg 1錠 10.10 円
錠 40mg 1錠 10.10 円　錠 80mg 1錠 18.20 円
錠 160mg 1錠 26.30 円

バルサルタン (日新) 錠 20mg 1錠 10.10 円
錠 40mg 1錠 10.10 円　錠 80mg 1錠 18.20 円
錠 160mg 1錠 26.30 円

バルサルタン (ニプロ) 錠 20mg 1錠 10.10 円
錠 40mg 1錠 10.10 円　錠 80mg 1錠 18.20 円
錠 160mg 1錠 26.30 円

バルサルタン (ニプロ ES) 錠 20mg 1錠 10.10 円
錠 40mg 1錠 10.10 円　錠 80mg 1錠 18.20 円
錠 160mg 1錠 26.30 円

内
04
―
02
―
08

ARB(アンジオテンシンⅡ受容体拮抗薬)

バルサルタン 写真（日本ジェネリック）

錠 20mg 1錠 10.10 円 　錠 40mg 1錠 10.10 円
錠 80mg 1錠 18.20 円 　錠 160mg 1錠 26.30 円

バルサルタン（ビオメディクス）

錠 20mg 1錠 10.10 円 　錠 40mg 1錠 10.10 円
錠 80mg 1錠 18.20 円 　錠 160mg 1錠 26.30 円

バルサルタン 写真（ファイザー）

錠 20mg 1錠 10.10 円 　錠 40mg 1錠 10.10 円
錠 80mg 1錠 18.20 円 　錠 160mg 1錠 26.30 円

バルサルタン（Me ファルマ）20mg 1錠 10.10 円

錠 40mg 1錠 10.10 円 　錠 80mg 1錠 18.20 円
錠 160mg 1錠 26.30 円

バルサルタン（持田販売＝持田）

錠 20mg 1錠 10.10 円 　錠 40mg 1錠 10.10 円
錠 80mg 1錠 18.20 円 　錠 160mg 1錠 26.30 円

バルサルタン（陽進堂）錠 20mg 1錠 10.10 円

錠 40mg 1錠 10.10 円 　錠 80mg 1錠 18.20 円
錠 160mg 1錠 26.30 円

バルサルタン OD（辰巳）20mg 1錠 10.10 円

錠 40mg 1錠 10.10 円 　錠 80mg 1錠 18.20 円
錠 160mg 1錠 26.30 円

バルサルタン OD（東和）錠 20mg 1錠 10.10 円

錠 40mg 1錠 10.10 円 　錠 80mg 1錠 18.20 円
錠 160mg 1錠 26.30 円

バルサルタン OD（日医工）錠 20mg 1錠 10.10 円

錠 40mg 1錠 10.10 円 　錠 80mg 1錠 18.20 円
錠 160mg 1錠 26.30 円

バルサルタン OD（マイラン＝ファイザー）

錠 20mg 1錠 10.10 円 　錠 40mg 1錠 10.10 円
錠 80mg 1錠 18.20 円 　錠 160mg 1錠 26.30 円

一般名：テルミサルタン

- 保険収載年月…2002年12月
- 海外評価…6点 英 米 独 仏
- PC…C（3カ月以降はD）
- 剤形…錠 錠剤
- 服用量と回数…1日1回40mg。20mgから開始し，徐々に増量する。1日最大80mg（ただし肝障害のある人は1日最大40mg）。

■先発品　商品名（メーカー）　規格・保険薬価

ミカルディス 写真（ベーリンガー）

錠 20mg 1錠 39.90 円 　錠 40mg 1錠 75.80 円
錠 80mg 1錠 108.90 円

■ジェネリック　商品名（メーカー）　規格・保険薬価

テルミサルタン（エルメッド＝日医工）

錠 20mg 1錠 10.10 円 　錠 40mg 1錠 11.10 円
錠 80mg 1錠 16.00 円

テルミサルタン（大原）錠 20mg 1錠 10.10 円

錠 40mg 1錠 11.10 円 　錠 80mg 1錠 16.00 円

テルミサルタン（共創未来）20mg 1錠 10.10 円

錠 40mg 1錠 11.10 円 　錠 80mg 1錠 16.00 円

テルミサルタン 写真（キョーリン＝杏林）

錠 20mg 1錠 10.10 円 　錠 40mg 1錠 11.10 円
錠 80mg 1錠 16.00 円

テルミサルタン（ケミファ）20mg 1錠 12.50 円

錠 40mg 1錠 23.70 円 　錠 80mg 1錠 35.40 円

テルミサルタン（小林化工）20mg 1錠 10.10 円

錠 40mg 1錠 11.10 円 　錠 80mg 1錠 16.00 円

テルミサルタン（沢井）錠 20mg 1錠 10.10 円

錠 40mg 1錠 11.10 円 　錠 80mg 1錠 16.00 円

テルミサルタン（サンド）錠 20mg 1錠 10.10 円

錠 40mg 1錠 11.10 円 　錠 80mg 1錠 16.00 円

テルミサルタン（三和）錠 20mg 1錠 10.10 円

錠 40mg 1錠 11.10 円 　錠 80mg 1錠 16.00 円

テルミサルタン 写真（第一三共エスファ）

錠 20mg 1錠 12.50 円 　錠 40mg 1錠 23.70 円
錠 80mg 1錠 35.40 円

テルミサルタン（ダイト＝ファイザー）

錠 20mg 1錠 10.10 円 　錠 40mg 1錠 11.10 円
錠 80mg 1錠 16.00 円

テルミサルタン（武田テバ薬品＝武田テバファーマ＝武田）錠 20mg 1錠 10.10 円

錠 40mg 1錠 11.10 円 　錠 80mg 1錠 16.00 円

テルミサルタン（辰巳＝フェルゼン）

錠 20mg 1錠 12.50 円 　錠 40mg 1錠 23.70 円
錠 80mg 1錠 35.40 円

テルミサルタン (鶴原) 錠 20mg 1錠 10.10 円
錠 40mg 1錠 23.70 円　錠 80mg 1錠 16.00 円

テルミサルタン (東和) 錠 20mg 1錠 12.50 円
錠 40mg 1錠 23.70 円　錠 80mg 1錠 35.40 円

テルミサルタン 写真 (日医工)
錠 20mg 1錠 10.10 円　錠 40mg 1錠 11.10 円
錠 80mg 1錠 16.00 円

テルミサルタン (日薬工＝日新)
錠 20mg 1錠 10.10 円　錠 40mg 1錠 11.10 円
錠 80mg 1錠 16.00 円

テルミサルタン (ニプロ) 錠 20mg 1錠 10.10 円
錠 40mg 1錠 11.10 円　錠 80mg 1錠 16.00 円

テルミサルタン (ニプロ ES) 錠 20mg 1錠 10.10 円
錠 40mg 1錠 11.10 円　錠 80mg 1錠 16.00 円

テルミサルタン (日本ジェネリック)
錠 20mg 1錠 10.10 円　錠 40mg 1錠 11.10 円
錠 80mg 1錠 35.40 円

テルミサルタン (フェルゼン)
錠 20mg 1錠 10.10 円　錠 40mg 1錠 11.10 円
錠 80mg 1錠 16.00 円

テルミサルタン (MeijiSeika)
錠 20mg 1錠 12.50 円　錠 40mg 1錠 23.70 円
錠 80mg 1錠 35.40 円

テルミサルタン (陽進堂) 錠 20mg 1錠 10.10 円
錠 40mg 1錠 11.10 円　錠 80mg 1錠 16.00 円

テルミサルタン OD (沢井) 錠 20mg 1錠 10.10 円
錠 40mg 1錠 11.10 円

テルミサルタン OD (東和) 錠 20mg 1錠 12.50 円
錠 40mg 1錠 23.70 円

一般名：オルメサルタンメドキソミル

- 保険収載年月…2004年4月
- 海外評価…6点 英 米 独 仏
- PC…C(3カ月以降はD)
- 剤形…錠 錠剤
- 服用量と回数…1日1回10〜20mg。1日5〜10 mgから開始する。1日最大40mg。

■**先発品**　商品名(メーカー)　規格・保険薬価

オルメテック OD 写真 (第一三共)
錠 5mg 1錠 21.10 円　錠 10mg 1錠 32.30 円
錠 20mg 1錠 58.80 円　錠 40mg 1錠 84.40 円

■**ジェネリック**　商品名(メーカー)　規格・保険薬価

オルメサルタン (大原) 錠 5mg 1錠 10.10 円
錠 10mg 1錠 10.10 円　錠 20mg 1錠 13.10 円
錠 40mg 1錠 18.60 円

オルメサルタン (共和) 錠 5mg 1錠 10.10 円
錠 40mg 1錠 18.60 円

オルメサルタン (キョーリン＝杏林)
錠 5mg 1錠 10.10 円　錠 10mg 1錠 10.10 円
錠 20mg 1錠 13.10 円　錠 40mg 1錠 18.60 円

オルメサルタン (ケミファ＝日薬工)
錠 5mg 1錠 10.10 円　錠 10mg 1錠 13.60 円
錠 20mg 1錠 13.10 円　錠 40mg 1錠 18.60 円

オルメサルタン (小林化工) 錠 5mg 1錠 10.10 円
錠 10mg 1錠 10.10 円　錠 20mg 1錠 13.10 円
錠 40mg 1錠 18.60 円

オルメサルタン (辰巳) 錠 5mg 1錠 10.10 円
錠 10mg 1錠 13.60 円　錠 20mg 1錠 13.10 円
錠 40mg 1錠 18.60 円

オルメサルタン (鶴原) 錠 5mg 1錠 10.10 円
錠 10mg 1錠 10.10 円　錠 20mg 1錠 26.00 円
錠 40mg 1錠 18.60 円

オルメサルタン (日医工) 錠 5mg 1錠 10.10 円
錠 10mg 1錠 10.10 円　錠 20mg 1錠 13.10 円
錠 40mg 1錠 18.60 円

オルメサルタン (日薬工＝三和)
錠 5mg 1錠 10.10 円　錠 10mg 1錠 10.10 円
錠 20mg 1錠 13.10 円　錠 40mg 1錠 18.60 円

オルメサルタン (日新) 錠 5mg 1錠 10.10 円
錠 10mg 1錠 10.10 円　錠 20mg 1錠 13.10 円
錠 40mg 1錠 18.60 円

オルメサルタン (ニプロ) 錠 5mg 1錠 10.10 円
錠 10mg 1錠 10.10 円　錠 20mg 1錠 13.10 円
錠 40mg 1錠 18.60 円

内
04
―
02
―
08

ARB(アンジオテンシンII受容体拮抗薬)

オルメサルタン（日本ジェネリック）
錠 5mg 1錠 10.10 円　　錠 10mg 1錠 13.60 円
錠 20mg 1錠 29.60 円　　錠 40mg 1錠 37.50 円

オルメサルタン（陽進堂）錠 5mg 1錠 10.10 円
錠 10mg 1錠 10.10 円　　錠 20mg 1錠 13.10 円
錠 40mg 1錠 18.60 円

オルメサルタン OD（エルメッド＝日医工）
錠 5mg 1錠 10.10 円　　錠 10mg 1錠 10.10 円
錠 20mg 1錠 13.10 円　　錠 40mg 1錠 18.60 円

オルメサルタン OD（大原）錠 10mg 1錠 13.60 円
錠 20mg 1錠 26.00 円　　錠 40mg 1錠 18.60 円

オルメサルタン OD（共和＝三和）
錠 10mg 1錠 10.10 円　　錠 20mg 1錠 13.10 円

オルメサルタン OD 写真（キョーリン＝杏林）
錠 10mg 1錠 10.10 円　　錠 20mg 1錠 13.10 円
錠 40mg 1錠 18.60 円

オルメサルタン OD（小林化工）
錠 5mg 1錠 10.10 円　　錠 10mg 1錠 10.10 円
錠 20mg 1錠 13.10 円　　錠 40mg 1錠 18.60 円

オルメサルタン OD（沢井）錠 5mg 1錠 10.10 円
錠 10mg 1錠 10.10 円　　錠 20mg 1錠 13.10 円
錠 40mg 1錠 18.60 円

オルメサルタン OD 写真（第一三共エスファ）
錠 5mg 1錠 10.10 円　　錠 10mg 1錠 13.60 円
錠 20mg 1錠 26.00 円　　錠 40mg 1錠 37.50 円

オルメサルタン OD（東和＝共創未来）
錠 5mg 1錠 10.10 円　　錠 10mg 1錠 13.60 円
錠 20mg 1錠 26.00 円　　錠 40mg 1錠 37.50 円

オルメサルタン OD（日医工）錠 5mg 1錠 10.10 円
錠 10mg 1錠 10.10 円　　錠 20mg 1錠 13.10 円
錠 40mg 1錠 18.60 円

オルメサルタン OD（ニプロ）錠 5mg 1錠 10.10 円
錠 10mg 1錠 10.10 円　　錠 20mg 1錠 13.10 円
錠 40mg 1錠 18.60 円

オルメサルタン OD（日本ジェネリック）
錠 10mg 1錠 13.60 円　　錠 20mg 1錠 29.60 円
錠 40mg 1錠 37.50 円

オルメサルタン OD（マイラン＝ファイザー）
錠 5mg 1錠 10.10 円　　錠 10mg 1錠 10.10 円
錠 20mg 1錠 13.10 円　　錠 40mg 1錠 18.60 円

一般名：イルベサルタン
- 保険収載年月…2008年6月
- 海外評価…6点 英 米 独 仏
- PC…C（3カ月以降はD）
- 剤形… 錠 錠剤
- 服用量と回数…1日1回50〜100mg。1日最大200mg。

■先発品　　商品名（メーカー）　規格・保険薬価

アバプロ 写真（住友ファーマ）錠 50mg 1錠 39.70 円
錠 100mg 1錠 76.00 円　　錠 200mg 1錠 111.50 円

イルベタン（シオノギファーマ＝塩野義）
錠 50mg 1錠 39.40 円　　錠 100mg 1錠 73.00 円
錠 200mg 1錠 107.40 円

■ジェネリック　　商品名（メーカー）　規格・保険薬価

イルベサルタン（大原）錠 50mg 1錠 10.10 円
錠 100mg 1錠 26.90 円　　錠 200mg 1錠 22.60 円

イルベサルタン（共創未来）錠 50mg 1錠 13.60 円
錠 100mg 1錠 26.90 円　　錠 200mg 1錠 41.50 円

イルベサルタン（ケミファ）錠 50mg 1錠 13.60 円
錠 100mg 1錠 26.90 円　　錠 200mg 1錠 41.50 円

イルベサルタン（沢井）錠 50mg 1錠 13.60 円
錠 100mg 1錠 26.90 円　　錠 200mg 1錠 41.50 円

イルベサルタン 写真（住友ファーマプロモ＝住友ファーマ）錠 50mg 1錠 13.60 円
錠 100mg 1錠 26.90 円　　錠 200mg 1錠 41.50 円

イルベサルタン（長生堂＝日本ジェネリック）
錠 50mg 1錠 13.60 円　　錠 100mg 1錠 26.90 円
錠 200mg 1錠 41.50 円

イルベサルタン（東和＝三和）
錠 50mg 1錠 13.60 円　　錠 100mg 1錠 26.90 円
錠 200mg 1錠 41.50 円

イルベサルタン 写真（日医工）
錠 50mg 1錠 13.60 円　　錠 100mg 1錠 16.00 円
錠 200mg 1錠 22.60 円

イルベサルタン (ニプロ) 錠 50mg 1錠 10.10 円
錠 100mg 1錠 16.00 円　錠 200mg 1錠 22.60 円

イルベサルタン OD (大原) 錠 50mg 1錠 10.10 円
錠 100mg 1錠 26.90 円　錠 200mg 1錠 41.50 円

イルベサルタン OD (東和) 錠 50mg 1錠 13.60 円
錠 100mg 1錠 26.90 円　錠 200mg 1錠 41.50 円

イルベサルタン OD (日本ジェネリック)
錠 50mg 1錠 26.70 円　錠 100mg 1錠 50.70 円
錠 200mg 1錠 77.10 円

一般名：アジルサルタン

- 保険収載年月…2012年4月
- 海外評価…3点 英 米 独 仏
- PC…C(3カ月以降はD)
- 剤形…錠 錠剤, 顆 顆粒剤
- 服用量と回数…成人1日1回20mg, 1日最大40mg, 20mgより低用量からの開始も考慮する。6歳以上の小児は処方医の指示通りに服用。

■先発品　商品名(メーカー)　規格・保険薬価

アジルバ 写真 (武田) 顆 1% 1g 73.30 円
錠 10mg 1錠 93.80 円　錠 20mg 1錠 140.20 円
錠 40mg 1錠 210.20 円

一般名：ロサルタンカリウム・ヒドロクロロチアジド配合剤

- 保険収載年月…2006年12月
- 海外評価…6点 英 米 独 仏
- PC…C(3カ月以降はD)
- 剤形…錠 錠剤
- 服用量と回数…1日1回1錠。高血圧治療の第一選択薬としては使用しない。

■先発品　商品名(メーカー)　規格・保険薬価

プレミネント配合錠 HD (オルガノン)
錠 1錠 119.80 円

プレミネント配合錠 LD 写真 (オルガノン)
錠 1錠 84.40 円

■ジェネリック　商品名(メーカー)　規格・保険薬価

ロサルヒド配合錠 HD (エルメッド＝日医工)
錠 1錠 40.70 円

ロサルヒド配合錠 HD (共創未来)
錠 1錠 40.70 円

ロサルヒド配合錠 HD (共和) 錠 1錠 40.70 円

ロサルヒド配合錠 HD (キョーリン＝杏林)
錠 1錠 30.30 円

ロサルヒド配合錠 HD (ケミファ＝日薬工)
錠 1錠 40.70 円

ロサルヒド配合錠 HD (寿) 錠 1錠 30.30 円

ロサルヒド配合錠 HD (小林化工)
錠 1錠 40.70 円

ロサルヒド配合錠 HD (沢井) 錠 1錠 40.70 円

ロサルヒド配合錠 HD (サンド) 錠 1錠 30.30 円

ロサルヒド配合錠 HD (三和) 錠 1錠 40.70 円

ロサルヒド配合錠 HD (シオノ) 錠 1錠 30.30 円

ロサルヒド配合錠 HD (第一三共エスファ)
錠 1錠 40.70 円

ロサルヒド配合錠 HD (大興) 錠 1錠 30.30 円

ロサルヒド配合錠 HD (ダイト＝科研)
錠 1錠 40.70 円

ロサルヒド配合錠 HD (高田) 錠 1錠 40.70 円

ロサルヒド配合錠 HD (武田テバファーマ＝武田) 錠 1錠 40.70 円

ロサルヒド配合錠 HD (辰巳) 錠 1錠 40.70 円

ロサルヒド配合錠 HD (鶴原) 錠 1錠 30.30 円

ロサルヒド配合錠 HD (東和) 錠 1錠 40.70 円

ロサルヒド配合錠 HD 写真 (日医工)
錠 1錠 40.70 円

ロサルヒド配合錠 HD (日薬工) 錠 1錠 40.70 円

ロサルヒド配合錠 HD (日新) 錠 1錠 40.70 円

ロサルヒド配合錠 HD (ニプロ) 錠 1錠 30.30 円

ロサルヒド配合錠 HD (ニプロ ES)
錠 1錠 40.70 円

ロサルヒド配合錠 HD (日本ジェネリック)
錠 1錠 30.30 円

□サルヒド配合錠 HD（ファイザー）
錠 1錠 40.70 円

□サルヒド配合錠 HD（MeijiSeika）
錠 1錠 40.70 円

□サルヒド配合錠 HD（持田販売＝持田）
錠 1錠 40.70 円

□サルヒド配合錠 HD（陽進堂）錠 1錠 30.30 円

□サルヒド配合錠 LD（エルメッド＝日医工）
錠 1錠 28.80 円

□サルヒド配合錠 LD（共創未来）錠 1錠 28.80 円

□サルヒド配合錠 LD（共和）錠 1錠 21.30 円

□サルヒド配合錠 LD（キョーリン＝杏林）
錠 1錠 21.30 円

□サルヒド配合錠 LD（ケミファ＝日薬工）
錠 1錠 28.80 円

□サルヒド配合錠 LD（寿）錠 1錠 21.30 円

□サルヒド配合錠 LD（小林化工）錠 1錠 21.30 円

□サルヒド配合錠 LD（沢井）錠 1錠 21.30 円

□サルヒド配合錠 LD（サンド）錠 1錠 21.30 円

□サルヒド配合錠 LD（三和）錠 1錠 21.30 円

□サルヒド配合錠 LD（シオノ）錠 1錠 21.30 円

□サルヒド配合錠 LD 写真（第一三共エスファ）
錠 1錠 21.30 円

□サルヒド配合錠 LD（大興）錠 1錠 21.30 円

□サルヒド配合錠 LD（ダイト＝科研）
錠 1錠 28.80 円

□サルヒド配合錠 LD（高田）錠 1錠 21.30 円

□サルヒド配合錠 LD（武田テバファーマ＝武田）錠 1錠 28.80 円

□サルヒド配合錠 LD（辰巳）錠 1錠 28.80 円

□サルヒド配合錠 LD（鶴原）錠 1錠 21.30 円

□サルヒド配合錠 LD（東和）錠 1錠 21.30 円

□サルヒド配合錠 LD 写真（日医工）
錠 1錠 21.30 円

□サルヒド配合錠 LD（日薬工）錠 1錠 21.30 円

□サルヒド配合錠 LD（日新）錠 1錠 21.30 円

□サルヒド配合錠 LD（ニプロ）錠 1錠 21.30 円

□サルヒド配合錠 LD（ニプロ ES）
錠 1錠 21.30 円

□サルヒド配合錠 LD（日本ジェネリック）
錠 1錠 21.30 円

□サルヒド配合錠 LD（ファイザー）
錠 1錠 21.30 円

□サルヒド配合錠 LD（MeijiSeika）
錠 1錠 28.80 円

□サルヒド配合錠 LD（持田販売＝持田）
錠 1錠 21.30 円

□サルヒド配合錠 LD（陽進堂）錠 1錠 21.30 円

一般名：カンデサルタンシレキセチル・ヒドロクロロチアジド配合剤

- 保険収載年月…2009年3月
- 海外評価…4点 英 米 独 仏
- PC…C（3カ月以降はD）
- 剤形…錠 錠剤
- 服用量と回数…1日1回1錠。高血圧治療の第一選択薬としては使用しない。

■先発品　商品名（メーカー）　規格・保険薬価

エカード配合錠 HD 写真（武田テバ薬品＝武田）
錠 1錠 77.80 円

エカード配合錠 LD 写真（武田テバ薬品＝武田）
錠 1錠 42.70 円

■ジェネリック　商品名（メーカー）　規格・保険薬価

カデチア配合錠 HD 写真（あすか＝武田）
錠 1錠 33.90 円

カデチア配合錠 HD（武田テバファーマ＝武田）
錠 1錠 33.90 円

カデチア配合錠 LD 写真（あすか＝武田）
錠 1錠 18.20 円

カデチア配合錠 LD（武田テバファーマ＝武田）
錠 1錠 18.20 円

一般名：バルサルタン・ヒドロクロロチアジド配合剤

- 保険収載年月…2009年3月

- 海外評価…6点 英 米 独 仏
- PC…C(3カ月以降はD)
- 剤形…錠 錠剤
- 服用量と回数…1日1回1錠。高血圧治療の第一選択薬としては使用しない。

■先発品　　商品名(メーカー) 規格・保険薬価

コディオ配合錠 EX 写真 (ノバルティス)
錠 1錠 48.40 円

コディオ配合錠 MD (ノバルティス)
錠 1錠 47.00 円

■ジェネリック　　商品名(メーカー) 規格・保険薬価

バルヒディオ配合錠 EX 写真 (沢井)
錠 1錠 29.40 円

バルヒディオ配合錠 EX 写真 (サンド)
錠 1錠 29.40 円

バルヒディオ配合錠 EX (武田テバファーマ＝武田) 錠 1錠 29.40 円

バルヒディオ配合錠 EX (辰巳) 錠 1錠 29.40 円

バルヒディオ配合錠 EX (鶴原) 錠 1錠 29.40 円

バルヒディオ配合錠 EX (東和) 錠 1錠 29.40 円

バルヒディオ配合錠 EX (日医工)
錠 1錠 29.40 円

バルヒディオ配合錠 EX (ニプロ ES)
錠 1錠 29.40 円

バルヒディオ配合錠 EX (日本ジェネリック)
錠 1錠 29.40 円

バルヒディオ配合錠 MD (沢井) 錠 1錠 28.80 円

バルヒディオ配合錠 MD (サンド)
錠 1錠 28.80 円

バルヒディオ配合錠 MD (武田テバファーマ＝武田) 錠 1錠 28.80 円

バルヒディオ配合錠 MD (辰巳) 錠 1錠 28.80 円

バルヒディオ配合錠 MD (鶴原) 錠 1錠 28.80 円

バルヒディオ配合錠 MD (東和) 錠 1錠 28.80 円

バルヒディオ配合錠 MD (日医工)
錠 1錠 28.80 円

バルヒディオ配合錠 MD (ニプロ ES)
錠 1錠 28.80 円

バルヒディオ配合錠 MD (日本ジェネリック)
錠 1錠 28.80 円

一般名：テルミサルタン・ヒドロクロロチアジド配合剤

- 保険収載年月…2009年6月
- 海外評価…6点 英 米 独 仏
- PC…C(3カ月以降はD)
- 剤形…錠 錠剤
- 服用量と回数…1日1回1錠。高血圧治療の第一選択薬としては使用しない。

■先発品　　商品名(メーカー) 規格・保険薬価

ミコンビ配合錠 AP (ベーリンガー)
錠 1錠 83.40 円

ミコンビ配合錠 BP (ベーリンガー)
錠 1錠 117.20 円

■ジェネリック　　商品名(メーカー) 規格・保険薬価

テルチア配合錠 AP (沢井) 錠 1錠 31.60 円

テルチア配合錠 AP (第一三共エスファ)
錠 1錠 31.60 円

テルチア配合錠 AP (武田テバファーマ＝武田)
錠 1錠 31.60 円

テルチア配合錠 AP (東和＝ニプロ)
錠 1錠 31.60 円

テルチア配合錠 AP (日医工) 錠 1錠 12.70 円

テルチア配合錠 BP (沢井) 錠 1錠 45.10 円

テルチア配合錠 BP 写真 (第一三共エスファ)
錠 1錠 45.10 円

テルチア配合錠 BP (武田テバファーマ＝武田)
錠 1錠 45.10 円

テルチア配合錠 BP (東和＝ニプロ)
錠 1錠 45.10 円

テルチア配合錠 BP (日医工) 錠 1錠 16.60 円

一般名：バルサルタン・アムロジピンベシル酸塩配合剤

- 保険収載年月…2010年4月
- 海外評価…6点 英 米 独 仏

内
04
―
02
―
08

ARB(アンジオテンシンⅡ受容体拮抗薬)

- 規制…劇薬
- 剤形…錠錠剤
- 服用量と回数…1日1回1錠。高血圧治療の第一選択薬としては使用しない。

■**先発品**　**商品名(メーカー)**　規格・保険薬価

エックスフォージ配合錠（ノバルティス）
錠 1錠 46.50 円

エックスフォージ配合 OD 錠（ノバルティス）
錠 1錠 46.50 円

■**ジェネリック**　**商品名(メーカー)**　規格・保険薬価

アムバロ配合錠（エルメッド＝日医工）
錠 1錠 14.80 円

アムバロ配合錠（大原＝エッセンシャル）
錠 1錠 14.80 円

アムバロ配合錠（共創未来）錠 1錠 24.40 円

アムバロ配合錠（共和）錠 1錠 14.80 円

アムバロ配合錠（キョーリン＝杏林）
錠 1錠 14.80 円

アムバロ配合錠（ケミファ＝日薬工）
錠 1錠 22.00 円

アムバロ配合錠（小林化工）錠 1錠 14.80 円

アムバロ配合錠 写真（沢井）錠 1錠 22.00 円

アムバロ配合錠 写真（サンド）錠 1錠 22.00 円

アムバロ配合錠（シオノ）錠 1錠 14.80 円

アムバロ配合錠（第一三共エスファ）
錠 1錠 22.00 円

アムバロ配合錠（ダイト＝科研）錠 1錠 24.40 円

アムバロ配合錠（武田テバファーマ＝武田）
錠 1錠 14.80 円

アムバロ配合錠（辰巳）錠 1錠 22.00 円

アムバロ配合錠 写真（東和）錠 1錠 22.00 円

アムバロ配合錠（日医工）錠 1錠 14.80 円

アムバロ配合錠（日新）錠 1錠 14.80 円

アムバロ配合錠（日東メディック）錠 1錠 14.80 円

アムバロ配合錠（ニプロ）錠 1錠 14.80 円

アムバロ配合錠（ニプロ ES）錠 1錠 14.80 円

アムバロ配合錠（日本ジェネリック）
錠 1錠 14.80 円

アムバロ配合錠（ファイザー）錠 1錠 14.80 円

アムバロ配合錠（陽進堂）錠 1錠 22.00 円

アムバロ配合 OD 錠（ダイト＝ファイザー）
錠 1錠 14.80 円

アムバロ配合 OD 錠（辰巳）錠 1錠 14.80 円

アムバロ配合 OD 錠（東和）錠 1錠 22.00 円

アムバロ配合 OD 錠（日医工）錠 1錠 22.00 円

一般名：テルミサルタン・アムロジピンベシル酸塩配合剤

- 保険収載年月…2010年9月
- 海外評価…4点 英 米 独 仏
- PC…C（3カ月以降はD，PCはテルミサルタンのもの）
- 規制…劇薬
- 剤形…錠錠剤
- 服用量と回数…1日1回1錠。高血圧治療の第一選択薬としては使用しない。

■**先発品**　**商品名(メーカー)**　規格・保険薬価

ミカムロ配合錠 AP 写真（ベーリンガー）
錠 1錠 70.90 円

ミカムロ配合錠 BP 写真（ベーリンガー）
錠 1錠 106.90 円

■**ジェネリック**　**商品名(メーカー)**　規格・保険薬価

テラムロ配合錠 AP（沢井）錠 1錠 30.10 円

テラムロ配合錠 AP 写真（第一三共エスファ）
錠 1錠 30.10 円

テラムロ配合錠 AP（武田テバファーマ＝武田）
錠 1錠 30.10 円

テラムロ配合錠 AP（東和）錠 1錠 30.10 円

テラムロ配合錠 AP（日医工）錠 1錠 13.10 円

テラムロ配合錠 AP（ニプロ）錠 1錠 13.10 円

テラムロ配合錠 AP（ニプロファーマ＝エルメッド＝日医工）錠 1錠 30.10 円

テラムロ配合錠 AP（日本ジェネリック）
錠 1錠 30.10 円

テラムロ配合錠 BP（沢井）錠 1錠 45.10 円

テラムロ配合錠 BP 写真（第一三共エスファ）
錠 1錠 45.10 円

テラムロ配合錠 BP（武田テバファーマ＝武田）
錠 1錠 45.10 円

テラムロ配合錠 BP（東和）錠 1錠 45.10 円

テラムロ配合錠 BP（日医工）錠 1錠 19.30 円

テラムロ配合錠 BP（ニプロ）錠 1錠 19.30 円

テラムロ配合錠 BP（ニプロファーマ＝エルメッド＝日医工）錠 1錠 45.10 円

テラムロ配合錠 BP（日本ジェネリック）
錠 1錠 45.10 円

一般名：オルメサルタンメドキソミル・アゼルニジピン配合剤

- 保険収載年月…2010年4月
- 海外評価…0点 英 米 独 仏
- PC…C（3カ月以降はD，PCはオルメサルタンのもの）
- 剤形…錠 錠剤
- 服用量と回数…1日1回1錠。高血圧治療の第一選択薬としては使用しない。

■先発品　商品名（メーカー）　規格・保険薬価

レザルタス配合錠 HD 写真（第一三共）
錠 1錠 78.20 円

レザルタス配合錠 LD 写真（第一三共）
錠 1錠 42.20 円

一般名：カンデサルタンシレキセチル・アムロジピンベシル酸塩配合剤

- 保険収載年月…2010年4月
- 海外評価…0点 英 米 独 仏
- PC…C（3カ月以降はD，PCはカンデサルタンシレキセチルのもの）
- 規制…劇薬
- 剤形…錠 錠剤

- 服用量と回数…1日1回1錠。高血圧治療の第一選択薬としては使用しない。

■先発品　商品名（メーカー）　規格・保険薬価

ユニシア配合錠 HD 写真（武田テバ薬品＝武田）
錠 1錠 76.40 円

ユニシア配合錠 LD 写真（武田テバ薬品＝武田）
錠 1錠 76.40 円

■ジェネリック　商品名（メーカー）　規格・保険薬価

カムシア配合錠 HD 写真（あすか＝武田）
錠 1錠 29.40 円

カムシア配合錠 HD（サンド＝第一三共エスファ）錠 1錠 29.40 円

カムシア配合錠 HD（武田テバファーマ＝武田）
錠 1錠 29.40 円

カムシア配合錠 HD 写真（東和）錠 1錠 29.40 円

カムシア配合錠 HD（日新＝日本ジェネリック）
錠 1錠 29.40 円

カムシア配合錠 HD（ニプロ）錠 1錠 29.40 円

カムシア配合錠 LD 写真（あすか＝武田）
錠 1錠 29.80 円

カムシア配合錠 LD（サンド＝第一三共エスファ）
錠 1錠 29.80 円

カムシア配合錠 LD（武田テバファーマ＝武田）
錠 1錠 29.80 円

カムシア配合錠 LD（東和）錠 1錠 29.80 円

カムシア配合錠 LD（日新＝日本ジェネリック）
錠 1錠 29.80 円

カムシア配合錠 LD（ニプロ）錠 1錠 29.80 円

一般名：イルベサルタン・アムロジピンベシル酸塩配合剤

- 保険収載年月…2012年11月
- 海外評価…0点 英 米 独 仏
- PC…C（3カ月以降はD，PCはイルベサルタンのもの）
- 規制…劇薬
- 剤形…錠 錠剤
- 服用量と回数…1日1回1錠。高血圧治療の第一

内
04
－
02
－
08

ARB（アンジオテンシンⅡ受容体拮抗薬）

選択薬としては使用しない。

■**先発品**　　商品名(メーカー)　規格・保険薬価

アイミクス配合錠 HD写真（住友ファーマ＝塩野義）錠1錠 86.50 円

アイミクス配合錠 LD（住友ファーマ＝塩野義）錠1錠 77.90 円

■**ジェネリック**　　商品名(メーカー)　規格・保険薬価

イルアミクス配合錠 HD（エルメッド＝日医工）錠1錠 19.70 円

イルアミクス配合錠 HD（大原＝共創未来）錠1錠 31.20 円

イルアミクス配合錠 HD（キョーリン＝杏林）錠1錠 19.70 円

イルアミクス配合錠 HD（ケミファ＝日薬工）錠1錠 31.20 円

イルアミクス配合錠 HD（沢井）錠1錠 31.20 円

イルアミクス配合錠 HD（サンド）錠1錠 19.70 円

イルアミクス配合錠 HD写真（住友ファーマブロモ＝住友ファーマ）錠1錠 31.20 円

イルアミクス配合錠 HD（ダイト＝三和）錠1錠 19.70 円

イルアミクス配合錠 HD（武田テバファーマ＝武田）錠1錠 31.20 円

イルアミクス配合錠 HD（辰巳）錠1錠 31.20 円

イルアミクス配合錠 HD（長生堂＝日本ジェネリック）錠1錠 31.20 円

イルアミクス配合錠 HD（東和）錠1錠 31.20 円

イルアミクス配合錠 HD（日医工）錠1錠 19.70 円

イルアミクス配合錠 HD（マイラン＝ファイザー）錠1錠 31.20 円

イルアミクス配合錠 HD（陽進堂）錠1錠 19.70 円

イルアミクス配合錠 LD（エルメッド＝日医工）錠1錠 18.20 円

イルアミクス配合錠 LD写真（大原＝共創未来）錠1錠 27.00 円

イルアミクス配合錠 LD（キョーリン＝杏林）錠1錠 18.20 円

イルアミクス配合錠 LD（ケミファ＝日薬工）錠1錠 27.00 円

イルアミクス配合錠 LD（沢井）錠1錠 27.00 円

イルアミクス配合錠 LD（サンド）錠1錠 18.20 円

イルアミクス配合錠 LD写真（住友ファーマブロモ＝住友ファーマ）錠1錠 27.00 円

イルアミクス配合錠 LD（ダイト＝三和）錠1錠 27.00 円

イルアミクス配合錠 LD（武田テバファーマ＝武田）錠1錠 27.00 円

イルアミクス配合錠 LD（辰巳）錠1錠 27.00 円

イルアミクス配合錠 LD（長生堂＝日本ジェネリック）錠1錠 27.00 円

イルアミクス配合錠 LD（東和）錠1錠 27.00 円

イルアミクス配合錠 LD（日医工）錠1錠 18.20 円

イルアミクス配合錠 LD（マイラン＝ファイザー）錠1錠 18.20 円

イルアミクス配合錠 LD（陽進堂）錠1錠 18.20 円

一般名：イルベサルタン・トリクロルメチアジド配合剤

● 保険収載年月…2013年8月
● 海外評価…0点英米独仏
● PC…C(3カ月以降はD，PCはイルベサルタンのもの)
● 剤形…錠錠剤
● 服用量と回数…1日1回1錠。高血圧治療の第一選択薬としては使用しない。

■**先発品**　　商品名(メーカー)　規格・保険薬価

イルトラ配合錠 HD（シオノギファーマ＝塩野義）錠1錠 128.90 円

イルトラ配合錠 LD（シオノギファーマ＝塩野義）錠1錠 88.50 円

一般名：バルサルタン・シルニジピン配合剤

- 保険収載年月…2014年5月
- 海外評価…0点 英 米 独 仏
- PC…C（3カ月以降はD，PCはバルサルタンのもの）
- 剤形…錠 錠剤
- 服用量と回数…1日1回1錠。高血圧治療の第一選択薬としては使用しない。

■先発品　　商品名(メーカー)　規格・保険薬価

アテディオ配合錠 写真 （EA ファーマ＝持田）
錠 1錠 64.60 円

一般名：アジルサルタン・アムロジピンベシル酸塩配合剤

- 保険収載年月…2014年5月
- 海外評価…0点 英 米 独 仏
- PC…C（3カ月以降はD，PCはアジルサルタンのもの）
- 規制…劇薬
- 剤形…錠 錠剤
- 服用量と回数…1日1回1錠。高血圧治療の第一選択薬としては使用しない。

■先発品　　商品名(メーカー)　規格・保険薬価

ザクラス配合錠 HD 写真 （武田）錠 1錠 103.00 円

ザクラス配合錠 LD 写真 （武田）錠 1錠 102.70 円

■ジェネリック　　商品名(メーカー)　規格・保険薬価

ジルムロ配合錠 HD （沢井）錠 1錠 44.60 円

ジルムロ配合錠 HD 写真 （武田テバファーマ＝武田）錠 1錠 44.60 円

ジルムロ配合錠 HD （辰巳＝フェルゼン）
錠 1錠 44.60 円

ジルムロ配合錠 HD （鶴原）錠 1錠 44.60 円

ジルムロ配合錠 HD （東和＝共創未来＝三和）
錠 1錠 44.60 円

ジルムロ配合錠 HD （ニプロ）錠 1錠 44.60 円

ジルムロ配合錠 HD （日本ジェネリック）
錠 1錠 44.60 円

ジルムロ配合錠 HD （陽進堂）錠 1錠 44.60 円

ジルムロ配合錠 LD （沢井）錠 1錠 44.30 円

ジルムロ配合錠 LD 写真 （武田テバファーマ＝武田）錠 1錠 44.30 円

ジルムロ配合錠 LD （辰巳＝フェルゼン）
錠 1錠 44.30 円

ジルムロ配合錠 LD （鶴原）錠 1錠 44.30 円

ジルムロ配合錠 LD （東和＝共創未来＝三和）
錠 1錠 44.30 円

ジルムロ配合錠 LD （ニプロ）錠 1錠 44.30 円

ジルムロ配合錠 LD （日本ジェネリック）
錠 1錠 44.30 円

ジルムロ配合錠 LD （陽進堂）錠 1錠 44.30 円

ジルムロ配合 OD 錠 HD （沢井）錠 1錠 44.60 円

ジルムロ配合 OD 錠 HD （東和）錠 1錠 44.60 円

ジルムロ配合 OD 錠 HD （日医工）
錠 1錠 44.60 円

ジルムロ配合 OD 錠 LD （沢井）錠 1錠 44.30 円

ジルムロ配合 OD 錠 LD （東和）錠 1錠 44.30 円

ジルムロ配合 OD 錠 LD （日医工）
錠 1錠 44.30 円

一般名：テルミサルタン・アムロジピンベシル酸塩・ヒドロクロロチアジド配合剤

- 保険収載年月…2016年11月
- 海外評価…0点 英 米 独 仏
- 規制…劇薬
- 剤形…錠 錠剤
- 服用量と回数…1日1回1錠。高血圧治療の第一選択薬としては使用しない。

■先発品　　商品名(メーカー)　規格・保険薬価

ミカトリオ配合錠 （ベーリンガー）
錠 1錠 114.70 円

内
04
－
02
－
08

ARB（アンジオテンシンⅡ受容体拮抗薬）

📋 **概　要**

分類　血圧降下薬

処方目的　高血圧症

[ロサルタンカリウムのみの適応症] 高血圧・タンパク尿を伴う２型糖尿病における糖尿病性腎症

[カンデサルタンシレキセチルのみの適応症] 腎実質性高血圧症／慢性心不全（軽症～中等症）で ACE 阻害薬が適切でない場合（12mg を除く）

解説　ACE 阻害薬は，アンジオテンシンⅠを昇圧物質であるアンジオテンシンⅡに変換させる酵素（ACE）を阻害して，血圧を降下させるのに対し，アンジオテンシンⅡの働きを直接的に阻害して血圧を下げるのが，この系統の薬です。ACE 阻害薬（ACEI）に対比して ARB と略記します。

　ARB は，ACE 阻害薬に特異的にみられた「空ぜき」の副作用がないといわれています。心臓や腎臓に対する保護作用も，ACEI と同じ程度だと考えられています。（アメリカ心臓協会が 2003 年に実施した，国際的多施設・二重盲検・実薬対照死亡評価試験である VALIANT による）

　また近年，ARB と利尿薬，カルシウム拮抗薬との配合剤が各社から出されていて，薬価は２～３種類を加算した場合より安く設定されています。血圧は異なる効き方の薬品を組み合わせてコントロールすることが多いので，配合剤を使えば服用する錠剤の数が１～２種類減ることになります。２～３錠服用していた人が１錠で済むのは目に見える成果ですが，７錠８錠と数多く処方されている方にとってのメリットはいかほどでしょうか。薬品名がまったく変わってしまい勘違いしてしまう可能性もあるので，変更の場合は処方医や薬剤師に納得できるまで説明を受けましょう。

　なお，配合剤の「使用上の注意」については，チアジド系利尿薬（ヒドロクロロチアジド，トリクロルメチアジド），カルシウム拮抗薬（アムロジピンベシル酸塩，アゼルニジピン，シルニジピン）の項も参照してください。

📋 **使用上の注意**

＊ロサルタンカリウム（ニューロタン）の添付文書による

基本的注意

(1)服用してはいけない場合……本剤の成分に対するアレルギーの前歴／重い肝機能障害／アリスキレンフマル酸塩を投与中の糖尿病の人（ただし，他の降圧治療を行ってもなお血圧のコントロールが著しく不良の人を除く）／妊婦または妊娠している可能性のある人

(2)特に慎重に服用すべき場合（治療上やむを得ないと判断される場合を除き服用は避けること）……両側性腎動脈狭窄または片腎で腎動脈狭窄のある人／高カリウム血症

(3)慎重に服用すべき場合……脳血管障害／厳重な減塩療法中の人／重い腎機能障害（血清クレアチニン 2.5mg/dL 以上）／血液透析中／肝機能障害またはその既往のある人（ただし，重い肝障害のある人を除く）／高齢者

(4)妊娠……服用中に妊娠したら，すぐに処方医へ連絡してください。服用が中止にな

ります。

(5)急激な血圧低下……本剤の服用によって一過性の急激な血圧低下(ショック症状, 意識喪失, 呼吸困難などを伴う)をおこすことがあります。何らかの異常を感じたら, ただちに処方医へ連絡してください。

(6)定期検査……2型糖尿病における糖尿病性腎症の人では貧血, カリウムやクレアチニンの上昇が現れやすいので, 服用中は定期的(服用開始時:2週間ごと, 安定後:月1回程度)に血液検査を行います。

(7)危険作業に注意……本剤を服用すると, めまい, ふらつきなどをおこすことがあります。服用中は, 高所作業や自動車の運転など危険を伴う機械の操作は十分に注意してください。

(8)その他……
●授乳婦での安全性:服用するときは授乳しないことが望ましい。
●小児での安全性:未確立。(1714頁を参照)

重大な副作用　①アナフィラキシー(不快感, 口内異常感, 発汗, じん麻疹, 呼吸困難, 全身潮紅, むくみなど)。②血管浮腫(顔面, 口唇, 咽頭, 舌の腫れ)。③急性肝炎, 劇症肝炎。④腎不全。⑤ショック, 血圧低下に伴う冷感, 嘔吐, 失神, 意識消失。⑥横紋筋融解症(筋肉痛, 脱力感など)。⑦高カリウム血症。⑧不整脈(心室性期外収縮, 心房細動など)。⑨汎血球減少症, 白血球減少, 血小板減少。⑩低血糖(脱力感, 空腹感, 冷汗, 手のふるえ, 集中力低下, けいれん, 意識障害など)。⑪低ナトリウム血症(倦怠感, 食欲不振, 吐きけ, 嘔吐, けいれん, 意識障害など)。

　そのほかにも報告された副作用はあるので, 体調がいつもと違うと感じたときは, 処方医・薬剤師に相談してください。

併用してはいけない薬　[すべての製剤]アリスキレンフマル酸塩→非致死性脳卒中, 腎機能障害, 高カリウム血症, 低血圧のリスク増加が報告されています(糖尿病患者に使用する場合。ただし, 他の降圧治療を行ってもなお血圧のコントロールが著しく不良の患者を除く)。

[プレミネント配合錠, エカード配合錠, コディオ配合錠, ミコンビ配合錠, イルトラ配合錠, ミカトリオ配合錠]デスモプレシン酢酸塩水和物(ミニリンメルト:男性における夜間多尿による夜間頻尿)→低ナトリウム血症が現れるおそれがあります。

[レザルタス配合錠]アゾール系抗真菌薬[外用薬を除く](イトラコナゾール, ミコナゾール, フルコナゾール, ホスフルコナゾール(注射薬), ボリコナゾール), HIVプロテアーゼ阻害薬(リトナビル含有製剤, ネルフィナビル, アタザナビル, ホスアンプレナビル, ダルナビル含有製剤), コビシスタット含有製剤→本剤の作用が強まるおそれがあります。

内 04 血圧の薬　02 血圧降下薬

09 直接的レニン阻害薬

製剤情報

一般名：アリスキレンフマル酸塩
- 保険収載年月…2009年9月
- 海外評価…6点 英 米 独 仏 ●PC…D
- 剤形…錠 錠剤

- 服用量と回数…1日1回150mg。効果が不十分なときは300mgまで増量できる。

■先発品　　商品名(メーカー)　規格・保険薬価

ラジレス 写真 (オーファン) 錠 150mg 1錠 110.30 円

概　要

分類　血圧降下薬

処方目的　高血圧症

解説　高血圧治療薬の中で，最も新しい作用機序の薬剤です。アンジオテンシンⅡの働きを抑えるアンジオテンシンⅡ受容体拮抗薬(ARB)，ACE阻害薬とは作用機序が異なり，本剤は昇圧物質であるアンジオテンシンⅡの産生の起点となるレニンを阻害することで，アンジオテンシンⅡの産生を抑制して血圧を下げます。

ARBと同様に，ACE阻害薬に特有の副作用である「空ぜき」はおこりません。また，降圧作用以外にも，ARBやACE阻害薬と同様，腎臓，心臓などの臓器保護作用の効果ももちあわせています。本剤は，他の高血圧症治療剤の効果が不十分であった場合の併用薬として期待されています。

使用上の注意

基本的注意

(1)服用してはいけない場合……本剤の成分に対するアレルギーの前歴／妊娠または妊娠している可能性のある人／イトラコナゾール，シクロスポリンの服用中／ACE阻害薬またはARBを服用中の糖尿病の人(ただし，ACE阻害薬・ARBの服用を含む他の降圧治療を行ってもなお血圧のコントロールが著しく不良の人を除く)

(2)慎重に服用すべき場合……両側性・片側性腎動脈狭窄，片腎で腎動脈狭窄のある人／高カリウム血症／腎機能障害／高齢者

(3)服用法を厳守……本剤の食前(空腹時)の服用は，食後の服用に比べて血中濃度が高くなります。本剤の服用時期により降圧効果に影響が出るので，指示された服用法を厳守してください。

(4)妊娠……服用中に妊娠したら，すぐに処方医へ連絡してください。服用が中止になります。

(5)危険作業に注意……本剤を服用すると，めまい，ふらつきなどをおこすことがあります。服用中は，高所作業や自動車の運転など危険を伴う機械の操作は十分に注意してください。

(6)その他……

- 授乳婦での安全性：原則として服用しない。やむを得ず服用するときは授乳を中止。
- 小児での安全性：未確立。(1714頁を参照)

重大な副作用　①血管浮腫(呼吸困難，嚥下困難，顔面・口唇・咽頭・舌・四肢の腫れなど)。②アナフィラキシー(喘鳴，血管浮腫，じん麻疹など)。③高カリウム血症。④腎機能障害。

　そのほかにも報告された副作用はあるので，体調がいつもと違うと感じたときは，処方医・薬剤師に相談してください。

併用してはいけない薬　シクロスポリン，イトラコナゾール→本剤の血中濃度が上昇するおそれがあります。

内 04 血圧の薬　02 血圧降下薬

10 鉱質コルチコイド受容体拮抗薬

製剤情報

一般名：エプレレノン

- 保険収載年月…2007年9月
- 海外評価…6点 英 米 独 仏　● PC…B
- 剤形…錠 錠剤
- 服用量と回数…高血圧症：1日1回50mgから開始し，効果不十分な場合は100mgまで増量できる。慢性心不全：1日1回25mgから開始し，服用開始から4週間以降を目安に1日1回50mgへ増量(ただし中等度の腎機能障害のある人は，1日1回隔日25mgから開始し，最大用量は1日1回25mgとする→基本的注意(3)参照)。

■先発品　商品名(メーカー)　規格・保険薬価

セララ 写真 (ヴィアトリス) 錠 25mg 1錠 36.70 円
錠 50mg 1錠 70.80 円　錠 100mg 1錠 131.70 円

一般名：エサキセレノン

- 保険収載年月…2019年2月
- 海外評価…0点 英 米 独 仏
- 剤形…錠 錠剤
- 服用量と回数…1日1回2.5mg。効果不十分な場合は5mgまで増量できる。

■先発品　商品名(メーカー)　規格・保険薬価

ミネブロ 写真 (第一三共) 錠 1.25mg 1錠 47.80 円
錠 2.5mg 1錠 91.60 円　錠 5mg 1錠 137.40 円

概　要

分類　血圧降下薬(選択的鉱質コルチコイド受容体拮抗薬)

処方目的　高血圧症

[エプレレノンのみの適応症] 慢性心不全の状態で，ACE阻害薬(アンジオテンシン変換酵素阻害薬)またはARB(アンジオテンシンⅡ受容体拮抗薬)，ベーター・ブロッカー，利尿薬などの基礎治療を受けている患者

解説　アルドステロンは副腎皮質ホルモンの一種で，腎臓の尿細管にある鉱質(ミネラル)コルチコイド受容体に結合してナトリウムの貯留とカリウムの排泄を促進します。過剰に分泌されると高血圧や高血糖を引きおこします。エプレレノン，エサキセレノンは，この鉱質コルチコイド受容体に選択的に結合してアルドステロンの作用を抑え降圧

作用を発揮する新しい機序の高血圧症治療薬で，選択的鉱質(ミネラル)コルチコイド受容体拮抗薬または選択的アルドステロン拮抗薬と呼ばれています。

また，アルドステロンは副腎皮質以外に心臓，血管壁でも産生されています。エプレレノンは臨床試験の結果，慢性心不全への有用性が認められたため，2016年12月に適応症に追加されました。

使用上の注意

＊エプレレノン(セララ)の添付文書による

基本的注意

(1)**服用してはいけない場合**……[高血圧・慢性心不全]本剤の成分に対するアレルギーの前歴／高カリウム血症もしくは本剤服用開始時に血清カリウム値が5.0mEq/Lを超えている人／重度の腎機能障害(クレアチンクリアランス30mL/分未満)／重度の肝機能障害(Child-Pugh分類クラスCの肝硬変に相当)／カリウム保持性利尿薬(スピロノラクトン，トリアムテレンなど)の服用中／イトラコナゾール，リトナビルの服用中
[高血圧のみ]微量アルブミン尿・タンパク尿を伴う糖尿病／中等度以上の腎機能障害(クレアチンクリアランス50mL/分未満)／カリウム製剤の服用中

(2)**慎重に服用すべき場合**……[高血圧・慢性心不全]軽度の腎機能障害／軽～中等度の肝機能障害／高齢者／[慢性心不全のみ]中等度の腎機能障害／微量アルブミン尿またはタンパク尿を伴う糖尿病

(3)**高カリウム血症**……①本剤を服用すると高カリウム血症が現れることがあるので，血清カリウム値を原則として服用開始前，服用開始後の1週間以内および1カ月後に測定し，その後も定期的に測定します。②慢性心不全の場合，測定された血清カリウムの数値によって服用量を調節します。血清カリウム値が6.0mEq/L以上の場合は服用を中断し，その後5.0mEq/L未満になったら，25mg錠を隔日服用で再開することができます。

(4)**セイヨウオトギリソウ(セント・ジョーンズ・ワート)含有食品**……一緒に摂取すると本剤の作用が弱まるおそれがあるので，本剤の服用中はセイヨウオトギリソウ含有食品を摂取しないでください。

(5)**危険作業に注意**……本剤を服用するとめまいなどをおこすことがあります。服用中は高所作業や自動車の運転など危険を伴う機械の操作には十分に注意してください。

(6)**その他**……

● 妊婦での安全性：未確立。有益と判断されたときのみ服用。

● 授乳婦での安全性：治療上の有益性・母乳栄養の有益性を考慮し，授乳の継続・中止を検討。

● 小児での安全性：未確立。(1714頁を参照)

重大な副作用　　　　　　①高カリウム血症。

そのほかにも報告された副作用はあるので，体調がいつもと違うと感じたときは，処方医・薬剤師に相談してください。

併用してはいけない薬　　　[高血圧・慢性心不全]①カリウム保持性利尿薬(スピロノラクトン，トリアムテレン，カンレノ酸カリウム〔注射薬〕)→血清カリウム値が上昇する

おそれがあります。②イトラコナゾール，リトナビル→本剤の血漿中濃度が上昇し，血清カリウム値の上昇を誘発するおそれがあります。

[高血圧のみ] ①カリウム製剤（塩化カリウム，グルコン酸カリウム，L-アスパラギン酸カリウム，ヨウ化カリウム，酢酸カリウム）→血清カリウム値が上昇するおそれがあります。

内 04 血圧の薬　03 肺高血圧症の薬

01 肺動脈性肺高血圧症治療薬（1）

製剤情報

一般名：ボセンタン水和物
- 保険収載月…2005年6月
- 海外評価…6点 英 米 独 仏　●PC…X
- 規制…劇薬
- 剤形…錠 錠剤，ド ドライシロップ剤
- 服用量と回数…開始から4週間は1回62.5mgを1日2回，5週目からは1回125mgを1日2回。小児用分散錠は1回2mg／kg（体重）を1日2回（朝夕），最大1回120mg，1日240mg。

■先発品　　商品名（メーカー）　規格・保険薬価

トラクリア 写真 （ヤンセン）
錠 62.5mg 1錠 3,536.70 円

トラクリア小児用分散錠（ヤンセン）
錠 32mg 1錠 4,576.20 円

■ジェネリック　　商品名（メーカー）　規格・保険薬価

ボセンタン（沢井）錠 62.5mg 1錠 720.70 円

ボセンタン（第一三共エスファ）
錠 62.5mg 1錠 720.70 円

ボセンタン（長生堂＝日本ジェネリック）
錠 62.5mg 1錠 720.70 円

ボセンタン（ファイザー）錠 62.5mg 1錠 720.70 円

ボセンタン（持田販売＝持田）
錠 62.5mg 1錠 720.70 円

ボセンタン成人用 DS（持田販売＝持田）
ド 6.25% 1g 896.40 円

一般名：アンブリセンタン
- 保険収載月…2010年9月
- 海外評価…6点 英 米 独 仏　●PC…X
- 剤形…錠 錠剤
- 服用量と回数…1日1回5mg。1日最大10mg。

■先発品　　商品名（メーカー）　規格・保険薬価

ヴォリブリス（グラクソ）錠 2.5mg 1錠 3,744.70 円

■ジェネリック　　商品名（メーカー）　規格・保険薬価

アンブリセンタン（共創未来＝三和）
錠 2.5mg 1錠 1,757.20 円

アンブリセンタン（沢井）錠 2.5mg 1錠 1,757.20 円

一般名：マシテンタン
- 保険収載月…2015年5月
- 海外評価…5点 英 米 独 仏　●PC…X
- 規制…劇薬
- 剤形…錠 錠剤
- 服用量と回数…1日1回10mg。

■先発品　　商品名（メーカー）　規格・保険薬価

オプスミット（ヤンセン）錠 10mg 1錠 13,374.60 円

概要

分類　血圧降下剤

処方目的　肺動脈性肺高血圧症

[トラクリアのみの適応症] 全身性強皮症における手指潰瘍の発症抑制（ただし手指潰瘍を現在有している，または手指潰瘍の前歴のある場合に限る）

解説 肺動脈性肺高血圧症は，WHO（世界保健機関）による機能分類で，Ⅰ・Ⅱ・Ⅲ・Ⅳの4つのクラスに分かれています。ボセンタン水和物（トラクリア小児用分散錠を除く）は，このうちのクラスⅡ・Ⅲ・Ⅳが適応です。マシテンタンはクラスⅠにおける，アンブリセンタンはクラスⅣにおける有効性・安全性は確立していません。

ボセンタン水和物のうち，トラクリア錠，ボセンタン錠，ボセンタン成人用DSは，特発性または遺伝性肺動脈性肺高血圧症，結合組織病に伴う肺動脈性肺高血圧症に，トラクリア小児用分散錠は，特発性または遺伝性肺動脈性肺高血圧症，先天性心疾患に伴う肺動脈性肺高血圧症に用いられ，それ以外の肺動脈性肺高血圧症における有効性・安全性は確立していません。

トラクリア小児用分散錠は，小児が服用しやすく，体重ごとに用量調節が可能な錠剤です。錠剤に十字の割線があって4分割することができ，服用時はスプーンなどに水を入れ，そこに分散させて服用します。なお，トラクリア錠のみは「全身性強皮症における手指潰瘍の発症抑制」に対しても使用されます。ただし，既存の手指潰瘍に対する有効性は認められていません。

🖋 使用上の注意
＊ボセンタン水和物（トラクリア）ほかの添付文書による

警告

[ボセンタン水和物] 本剤の投与により肝機能障害が発生することがあります。投与前には必ず肝機能検査を行い，投与中も，少なくとも1カ月に1回は実施します。

なお，投与開始3カ月間は2週に1回の検査が望ましいとされています。肝機能検査値に異常が認められた場合は，その程度や臨床症状に応じて，減量・投薬中止などの適切な処置をとります。

基本的注意

（1）服用してはいけない場合……妊婦または妊娠している可能性のある人／中等度あるいは重度の肝機能障害／本剤および本剤の成分に対するアレルギーの前歴
[ボセンタン水和物のみ] シクロスポリンまたはタクロリムス水和物の服用中／グリベンクラミドの服用中
[マシテンタンのみ] 強いCYP3A4誘導剤（リファンピシン，カルバマゼピン，フェニトイン，フェノバルビタール，リファブチン）の服用中
（2）慎重に服用すべき場合……服用開始前のAST・ALT値のいずれか，または両方が基準値の3倍を超える場合／低血圧／ワルファリンカリウムの服用中／高齢者／[マシテンタンのみ]透析中／重度の貧血
（3）定期的に検査……①動物実験で催奇形性が報告されています。女性は避妊薬単独での避妊をさけ，服用開始前および服用期間中は，毎月妊娠検査を行ってください。②「警告」にもあるように肝機能検査を必ず定期的に行ってください。③ヘモグロビン減少，血小板減少などがおこる可能性があるので，服用開始後4カ月間は毎月，血液検査を行っ

てください。

(4)飲食物に注意……①グレープフルーツジュースに含まれる成分によって本剤の血中濃度が上昇し，本剤の副作用が現れやすくなるおそれがあるので，服用時はグレープフルーツジュースを摂取しないでください。②セイヨウオトギリソウに含まれる成分によって本剤の血中濃度が低下するおそれがあるので，服用しているときはセイヨウオトギリソウ（セント・ジョーンズ・ワート）含有食品を摂取しないでください。

(5)その他……

● 授乳婦での安全性：未確立。原則として服用しない。

● 小児での安全性：未確立。（1714頁を参照）

　重大な副作用　　　　①貧血（ヘモグロビン減少）。

[ボセンタン水和物，アンブリセンタンのみ]②心不全。

[ボセンタン水和物のみ]③重い肝機能障害。④汎血球減少，白血球減少，好中球減少，血小板減少。

[アンブリセンタンのみ]⑤体液貯留。⑥間質性肺炎の発現・増悪（せき，呼吸困難，発熱，肺音の異常など）。

　そのほかにも報告された副作用はあるので，体調がいつもと違うと感じたときは，処方医・薬剤師に相談してください。

　併用してはいけない薬　　　[ボセンタン水和物]①シクロスポリン，タクロリムス水和物→本剤の血中濃度が急激に上昇し，本剤の副作用が現れるおそれがあります。また，シクロスポリン，タクロリムス水和物の血中濃度が低下し，効果が弱まるおそれがあります。②グリベンクラミド→胆汁酸塩の排泄を阻害して肝細胞内に胆汁酸塩が蓄積し，肝機能障害がおこる可能性があります。

[マシテンタン]強いCYP3A4誘導剤（リファンピシン，カルバマゼピン，フェニトイン，フェノバルビタール，リファブチン）→本剤の血中濃度が低下して効果が弱まるおそれがあります。

　内 04 血圧の薬　03 肺高血圧症の薬

02 肺動脈性肺高血圧症治療薬（2）

製剤情報

一般名：ベラプロストナトリウム

● 保険収載年月…2007年12月

● 海外評価…0点 英米独仏

● 規制…劇薬

● 剤形…錠 錠剤

● 服用量と回数…1日120μgから始め，徐々に増量，2回に分けて服用。1日最大360μg。

■先発品　　商品名（メーカー）　規格・保険薬価

ケアロード LA（東レ＝トーアエイヨー）
錠 60μg 1錠 228.80円

ベラサス LA（科研）錠 60μg 1錠 239.70円

一般名：セレキシパグ

● 保険収載年月…2016年11月

● 海外評価…6点 英米独仏

- 剤形…㊣錠剤
- 服用量と回数…1回0.2mgを1日2回から始め，徐々に増量して維持用量を決定。最大1回1.6mg。

■先発品　　商品名(メーカー)　規格・保険薬価

ウプトラビ(日本新薬)　㊣0.2mg 1錠 1,460.30 円
㊣0.4mg 1錠 2,902.80 円

概　要

分類　プロスタサイクリン受容体(IP 受容体)作動薬

処方目的　肺動脈性肺高血圧症／[セレキシパグのみの適応症]外科的治療不適応または外科的治療後に残存・再発した慢性血栓塞栓性肺高血圧症

解説　この項のベラプロストナトリウムは，血行障害改善用のベラプロストナトリウムとは用法用量が異なりますが，同一の薬品です。プロスタサイクリン受容体(IP 受容体)を刺激(作動)することで，血管拡張作用，抗血小板作用および血管平滑筋細胞増殖抑制作用などを発揮しますが，ケアロード LA，ベラサス LA の適応は肺動脈性肺高血圧症のみです。

　セレキシパグも IP 受容体作動薬ですが，ベラプロストナトリウムとは異なる非プロスタノイド構造を有する新規の IP 受容体作動薬です。

　ベラプロストナトリウムは，原発性肺高血圧症，および膠原病に伴う肺高血圧症に起因する肺動脈性肺高血圧症に用いられ，それ以外の肺動脈性肺高血圧症における有効性・安全性は確立していません。また，肺高血圧症の WHO 機能分類(クラスⅠ・Ⅱ・Ⅲ・Ⅳ)のうち，クラスⅣにおける有効性・安全性は確立していません。セレキシパグは，外科的治療不適応または外科的治療後に残存・再発した慢性血栓塞栓性肺高血圧症にも用いられます(内服 04-03-04・リオシグアトの解説参照)。WHO 機能分類クラスⅠおよびⅣにおける有効性・安全性は確立していません。

使用上の注意

＊ベラプロストナトリウム(ケアロード LA)，セレキシパグ(ウプトラビ)の添付文書による

基本的注意

(1)服用してはいけない場合……[ベラプロストナトリウム]出血している人(血友病，毛細血管脆弱症，上部消化管出血，尿路出血，喀血，眼底出血など)／妊婦または妊娠している可能性のある人

[セレキシパグ]本剤の成分に対するアレルギーの前歴／重度の肝機能障害／肺静脈閉塞性疾患を有する肺高血圧症

(2)慎重に服用すべき場合……[ベラプロストナトリウム]抗凝血薬，抗血小板薬，血栓溶解薬の服用中／月経期間中／出血傾向およびその素因のある人／腎機能障害

[セレキシパグ]低血圧／出血傾向およびその素因のある人／軽度または中等度の肝機能障害／重度の腎機能障害

(3)服用時の注意……[ベラプロストナトリウム]本剤は徐放性製剤であるため，割ったり，砕いたり，すりつぶしたりしないで，そのままかまずに服用してください。

（4）危険作業に注意……本剤を服用すると意識障害などが現れることがあります。服用中は，自動車の運転など危険を伴う機械の操作に従事するときは十分に注意してください。

（5）その他……

●妊婦での安全性：[セレキシパグ]有益と判断されたときのみ服用。

●授乳婦での安全性：[ベラプロストナトリウム]原則として服用しない。やむを得ず服用するときは授乳を中止。[セレキシパグ]治療上の有益性・母乳栄養の有益性を考慮し，授乳の継続・中止を検討。

●小児での安全性：未確立。（1714 頁を参照）

重大な副作用　　　　　[ベラプロストナトリウム] ①出血傾向（脳出血，消化管出血，肺出血，眼底出血）。②ショック，失神，意識消失。③間質性肺炎。④黄疸，肝機能障害。⑤狭心症，心筋梗塞。

[セレキシパグ] ①出血（鼻出血，網膜出血など）。②過度の血圧低下（低血圧，起立性低血圧など）。③甲状腺機能異常（甲状腺機能亢進症，甲状腺機能低下症など）。

　そのほかにも報告された副作用はあるので，体調がいつもと違うと感じたときは，処方医・薬剤師に相談してください。

併用してはいけない薬　　　併用してはいけない薬は特にありません。ただし，併用する薬があるときは，念のため処方医・薬剤師に報告してください。

内 04 血圧の薬　03 肺高血圧症の薬

03 肺動脈性肺高血圧症治療薬（3）

✐ 製 剤 情 報

一般名：シルデナフィルクエン酸塩

●保険収載年月…2008年4月

●海外評価…6点 英 米 独 仏　●PC…B

●剤形…錠錠剤，ド ドライシロップ剤

●服用量と回数…1回20mgを1日3回。小児は処方医の指示通りに服用。

■先発品　　商品名（メーカー）　規格・保険薬価

レバチオ（ヴィアトリス）錠 20mg 1錠 1,211.20 円

レバチオ OD フィルム（ヴィアトリス）
錠 20mg 1錠 1,211.20 円

レバチオ懸濁用ドライシロップ（ヴィアトリス）ド 10mg 1mL（懸濁後）657.10 円

一般名：タダラフィル

●保険収載年月…2009年12月

●海外評価…6点 英 米 独 仏　●PC…B

●剤形…錠錠剤

●服用量と回数…1日1回40mg。

■先発品　　商品名（メーカー）　規格・保険薬価

アドシルカ 写真（日本新薬）
錠 20mg 1錠 1,270.40 円

■ジェネリック　　商品名（メーカー）　規格・保険薬価

タダラフィル AD（キョーリン＝杏林＝共創未来＝三和）錠 20mg 1錠 581.50 円

タダラフィル AD（沢井）錠 20mg 1錠 581.50 円

タダラフィル AD（トーアエイヨー）
錠 20mg 1錠 581.50 円

タダラフィル AD（日本ジェネリック）
錠 20mg 1錠 581.50 円

概　要

分類　ホスホジエステラーゼ5阻害薬

処方目的　肺動脈性肺高血圧症

解説　肺動脈性肺高血圧症とは，心臓から肺に血液を送る肺動脈の末梢動脈内腔が狭くなることで血液が流れにくくなり，肺動脈の血圧が高くなる疾患です。大別して，原因が不明の特発性肺動脈性高血圧症，遺伝性肺動脈性高血圧症，薬物・毒物誘発性肺動脈性高血圧症，結合組織病など各種疾患に伴う肺動脈性高血圧症，に分類されます。

本剤は，肺血管平滑筋を弛緩させることによって，肺動脈圧と肺血管抵抗を低下させます。シルデナフィルクエン酸塩は，小児の場合，特発性または遺伝性肺動脈性肺高血圧症，先天性心疾患に伴う肺動脈性肺高血圧症に用いられ，それ以外の肺動脈性肺高血圧症における有効性・安全性は確立されていません。また，シルデナフィルクエン酸塩，タダラフィルのどちらも，肺動脈性肺高血圧症に関する WHO 機能分類（クラス I・II・III・IV）のうち，クラス I における有効性・安全性は確立していません。

使用上の注意

＊シルデナフィルクエン酸塩（レバチオ）の添付文書による

警告

　本剤と硝酸薬あるいは一酸化窒素供与薬（ニトログリセリン，亜硝酸アミル，硝酸イソソルビド，ニコランジルなど）との併用によって降圧作用が増強し，過度に血圧を下げることがあります。

基本的注意

（1）服用してはいけない場合……本文の成分に対するアレルギーの前歴／重度の肝機能障害／硝酸薬あるいは一酸化窒素供与薬（ニトログリセリン，亜硝酸アミル，硝酸イソソルビド，ニコランジルなど）の服用中／リトナビル含有製剤（ノービア，カレトラ配合錠），ダルナビル含有製剤（プリジスタ，プレジコビックス配合錠），イトラコナゾール（イトリゾール），コビシスタット含有製剤（スタリビルド配合錠，ゲンボイヤ配合錠，プレジコビックス配合錠）の服用中／可溶性グアニル酸シクラーゼ（sGC）刺激薬（リオシグアト）の服用中

（2）慎重に服用すべき場合……最近6カ月以内に脳梗塞，脳出血，心筋梗塞をおこしたことがある人／出血性疾患，消化性潰瘍／重度の腎機能障害／軽度・中程度の肝機能障害／低血圧（血圧 90～50mmHg 未満），体液減少，重度左室流出路閉塞，自律神経機能障害などが認められる人／網膜色素変性症／陰茎の構造に欠陥（屈曲，陰茎の線維化，ペイロニ病など）のある人／鎌状赤血球貧血／多発性骨髄腫，白血病など

（3）服用法……①レバチオ OD フィルムは，舌の上にのせ唾液を浸潤させると崩壊するため，唾液のみ（水なし）で服用可能で，また水で服用することもできます。なお，本剤は寝たままの状態では服用しないでください。②レバチオ懸濁用ドライシロップは，懸濁

せずにドライシロップのまま服用しないでください。調製後のシロップ剤は30℃以下で遮光して保存し，凍結させたり，本剤以外の容器に移し替えたりしないように。また，調製日から30日以内に使用し，残液および容器は廃棄してください。

(4)併用時の注意……エポプロステノール(注射薬)を除く他の肺動脈性肺高血圧症治療薬と併用する場合には，有効性，安全性が確立していないので，処方医の十分な観察のもと服用します。

(5)過量服用……本剤を過量に服用すると，頭痛，潮紅，めまい，消化不良，鼻炎，視覚異常などの副作用が現れる頻度が高くなり，重症化することがあります。いくつかの症状が同じ時期に現れたら処方医に連絡してください。

(6)長期服用……動物実験で，本剤はメラニン色素に富む網膜との親和性が高いとの報告があるので，長期服用する場合には眼科的検査を行うなど注意して服用してください。

(7)眼科，耳鼻科を受診……本剤を服用すると，急激な視力の低下・視力の喪失，急激な聴力の低下または突発性難聴(耳鳴り，めまいを伴うことがある)が起こることがあります。異常がみられたら，速やかに眼科専門医，耳鼻科専門医の診察を受けてください。

(8)肺静脈閉塞性疾患……本剤のような肺血管拡張薬は，肺静脈閉塞性疾患を有する人の心血管系の状態を著しく悪化させるおそれがあります。有効性，安全性は確立されていないため，肺静脈閉塞性疾患の人は本剤を服用しないようにします。

(9)鼻出血などの出血……出血の危険因子(ビタミンK拮抗薬などの抗凝固療法，抗血小板療法，結合組織疾患に伴う血小板機能異常，経鼻酸素療法)をもっている肺動脈性肺高血圧症の人が本剤を服用すると，鼻出血などの出血の危険性が高まることがあります。

(10)危険作業に注意……本剤を服用すると，めまい，視覚障害，色視症，霧視などをおこすことがあります。服用中は，高所作業や自動車の運転など危険を伴う機械の操作は十分に注意してください。

(11)その他……

● 妊婦での安全性：未確立。有益と判断されたときのみ服用。

● 授乳婦での安全性：服用するときは授乳しないことが望ましい。

● 小児での安全性：未確立。(1714頁を参照)

重大な副作用　　　[タダラフィル]①発疹，じん麻疹，顔面浮腫，剥脱性皮膚炎，皮膚粘膜眼症候群(スティブンス-ジョンソン症候群)などの過敏症。

そのほかにも報告された副作用はあるので，体調がいつもと違うと感じたときは，処方医・薬剤師に相談してください。

併用してはいけない薬　　　[シルデナフィルクエン酸塩，タダラフィル]①硝酸薬・一酸化窒素供与薬(ニトログリセリン，亜硝酸アミル，硝酸イソソルビド，ニコランジルなど)→降圧作用を強めることがあります。②リトナビル含有製剤(ノービア，カレトラ配合錠)，ダルナビル含有製剤(プリジスタ，プレジコビックス配合錠)，イトラコナゾール(イトリゾール)，コビシスタット含有製剤(スタリビルド配合錠，ゲンボイヤ配合錠，プレジコビックス配合錠)→本剤の作用を強めることがあります。③可溶性グアニル酸シクラーゼ(sGC)刺激薬(リオシグアト)→血圧低下をおこすおそれがあります。

[タダラフィル] ①アタザナビル(レイアタッツ), ネルフィナビル(ビラセプト), クラリスロマイシン(クラリス, クラリシッド)→本剤の作用を強めることがあります。②リファンピシン(リファジン), フェニトイン(アレビアチン, ヒダントール), カルバマゼピン(テグレトール), フェノバルビタール(フェノバール)→本剤の作用を弱めることがあります。

内 04 血圧の薬　03 肺高血圧症の薬

04 慢性血栓塞栓性肺高血圧症治療薬

製 剤 情 報

一般名：リオシグアト

- 保険収載年月…2014年4月
- 海外評価…6点 英米独仏 ・PC…X
- 規制…劇薬

- 剤形…錠 錠剤
- 服用量と回数…1回1〜2.5mgを1日3回服用。

■先発品　商品名(メーカー)　規格・保険薬価

アデムパス (バイエル) 錠 0.5mg 1錠 685.90 円
錠 1mg 1錠 1,371.70 円　錠 2.5mg 1錠 3,429.30 円

概　　要

分類　可溶性グアニル酸シクラーゼ(sGC)刺激薬

処方目的　外科的治療不適応または外科的治療後に残存・再発した慢性血栓塞栓性肺高血圧症／肺動脈性肺高血圧症

解説　慢性血栓塞栓性肺高血圧症(CTEPH)は肺高血圧症の一つのタイプで, 肺血管の血栓塞栓により次第に肺動脈圧が上昇し, 右心不全をおこすと考えられています。標準的な治療法は肺動脈血栓内膜摘除術(PEA)という外科手術ですが, この手術が不適応の人も多く, また手術ができても CTEPH が残存・再発することも少なくありません。本剤は, このような人を対象とした薬剤で, 肺動脈の血圧を低下させ, 心臓の負担を軽減することで改善を図ります。

なお, 処方目的の一つの肺動脈性肺高血圧症については, この疾患の WHO 機能分類(クラスⅠ・Ⅱ・Ⅲ・Ⅳ)のうち, クラスⅣにおける有効性・安全性は確立していません。

使用上の注意

基本的注意

(1)服用してはいけない場合……本剤の成分に対するアレルギーの前歴／重度の肝機能障害(チャイルド・プー分類C)／重度の腎機能障害(クレアチニン・クリアランス 15mL/min 未満), または透析中の人／硝酸剤または一酸化窒素(NO)供与剤(ニトログリセリン, 亜硝酸アミル, 硝酸イソソルビド, ニコランジルなど)の服用中／ホスホジエステラーゼ(PDE)5 阻害薬(シルデナフィルクエン酸塩, タダラフィル, バルデナフィル塩酸塩水和物)の服用中／アゾール系抗真菌薬(イトラコナゾール, ボリコナゾール), HIV プロテアーゼ阻害薬(リトナビル, ロピナビル・リトナビル配合剤, アタザナビル硫酸塩)の服用中／可溶性グアニル酸シクラーゼ(sGC)刺激薬(ベルイシグアト)の服用中／妊婦また

は妊娠している可能性のある人

(2)慎重に服用すべき場合……抗凝固療法中の人／軽度または中等度の肝機能障害(チャイルド・プー分類 A または B)／腎機能障害(クレアチニン・クリアランス 15〜80mL/min 未満)／服用前の収縮期血圧が 95mmHg 未満の人／高齢者

(3)間質性肺疾患……間質性肺病変を伴う肺動脈性肺高血圧症の人は,間質性肺疾患の治療に精通した専門医に相談することが望まれます。特発性間質性肺炎に伴う症候性肺高血圧症を対象とした国際共同試験において,本剤投与群はプラセボ投与群と比較して重篤な有害事象および死亡が多く認められています。

(4)喀血……抗凝固療法中の人は喀血がおこりやすく,本剤の服用により重篤で致死的な喀血の危険性が高まる可能性があります。服用中は定期的にリスク(副作用)・ベネフィット(効きめ)を評価していきます。

(5)避妊……本剤を服用すると胎児に影響を及ぼす危険性があります。妊娠可能な女性は服用開始後から確実な避妊を行い,もし妊娠した場合もしくはその疑いがある場合は直ちに処方医へ連絡してください。

(6)禁煙……喫煙者は非喫煙者に比べて本剤の血漿中濃度が低下します。服用中はできるだけ禁煙するようにします。

(7)セイヨウオトギリソウ(セント・ジョーンズ・ワート)含有食品……一緒に摂取すると本剤の作用が弱まる可能性があるので,本剤の服用中はセイヨウオトギリソウ含有食品を摂取しないでください。

(8)危険作業に注意……本剤を服用すると,めまいなどをおこすことがあります。服用中は,高所作業や自動車の運転など危険を伴う機械の操作には十分に注意してください。

(9)その他……
●授乳婦での安全性：原則として服用しない。やむを得ず服用するときは授乳を中止。
●小児での安全性：未確立。(1714 頁を参照)

重大な副作用　①重度の喀血または肺出血。

　そのほかにも報告された副作用はあるので,体調がいつもと違うと感じたときは,処方医・薬剤師に相談してください。

併用してはいけない薬　①硝酸剤または一酸化窒素(NO)供与剤(ニトログリセリン,亜硝酸アミル,硝酸イソソルビド,ニコランジルなど)→収縮期血圧(最高血圧)の低下が認められています。②ホスホジエステラーゼ(PDE)5 阻害薬(シルデナフィルクエン酸塩,タダラフィル,バルデナフィル塩酸塩水和物)→症候性低血圧をおこすことがあります。③アゾール系抗真菌薬(イトラコナゾール,ボリコナゾール),HIV プロテアーゼ阻害薬(リトナビル,ロピナビル・リトナビル配合剤,アタザナビル硫酸塩)→本剤の作用が強まり,消失半減期も延長します。④可溶性グアニル酸シクラーゼ(sGC)刺激薬(ベルイシグアト)の服用中→症候性低血圧をおこすおそれがあります。

内 04 血圧の薬　04 低血圧の薬

01　アメジニウムメチル硫酸塩

製剤情報

一般名：アメジニウムメチル硫酸塩
- 保険収載年月…1991年8月
- 海外評価…0点 英 米 独 仏
- 剤形…錠 錠剤
- 服用量と回数…1日20mgを2回に分けて服用。透析施行時の血圧低下の場合は，透析開始時に1回10mg。

■先発品　　商品名(メーカー)　規格・保険薬価
リズミック (住友ファーマ) 錠 10mg 1錠 15.50 円

■ジェネリック　　商品名(メーカー)　規格・保険薬価
アメジニウムメチル硫酸塩 (大原)
錠 10mg 1錠 7.40 円

アメジニウムメチル硫酸塩 (沢井)
錠 10mg 1錠 7.40 円

アメジニウムメチル硫酸塩 (長生堂)
錠 10mg 1錠 7.40 円

アメジニウムメチル硫酸塩 (東和)
錠 10mg 1錠 7.40 円

アメジニウムメチル硫酸塩 (日医工)
錠 10mg 1錠 7.40 円

アメジニウムメチル硫酸塩 (扶桑)
錠 10mg 1錠 7.40 円

概　　要

分類　低血圧治療薬

処方目的　本態性低血圧，起立性低血圧／透析施行時の血圧低下の改善

解説　本剤は，ノルアドレナリンの神経終末への再取り込みを抑制するとともに，神経終末においてノルアドレナリンの不活性化を抑制して交感神経機能を亢進し，血圧を上昇させるといわれています。

使用上の注意

＊アメジニウムメチル硫酸塩(リズミック)の添付文書による

基本的注意

(1)服用してはいけない場合……高血圧症／甲状腺機能亢進症／褐色細胞腫／閉塞隅角緑内障／残尿を伴う前立腺肥大

(2)慎重に服用すべき場合……重い心臓障害

(3)その他……
- 妊婦での安全性：未確立。有益と判断されたときのみ服用。
- 授乳婦での安全性：服用するときは授乳を中止。
- 小児での安全性：未確立。(1714 頁を参照)

重大な副作用　　　　　重大な副作用はありませんが，そのほかの副作用はあるので，体調がいつもと違うと感じたときは，処方医・薬剤師に相談してください。

併用してはいけない薬　　　　　併用してはいけない薬は特にありません。ただし，併用する薬があるときは，念のため処方医・薬剤師に報告してください。

内 04 血圧の薬　04 低血圧の薬

02　ミドドリン塩酸塩

製剤情報

一般名：ミドドリン塩酸塩

- 保険収載年月…1989年5月
- 海外評価…6点 英 米 独 仏　●PC…C
- 剤形…錠 錠剤
- 服用量と回数…1日4mgを2回に分けて服用。重症の場合は，1日8mgまで増量できるが，小児では1日最大6mgまで。

■**先発品**　商品名(メーカー)　規格・保険薬価

メトリジン 写真 (大正製薬) 錠 2mg 1錠 20.70 円

メトリジンD 写真 (大正製薬) 錠 2mg 1錠 20.70 円

■**ジェネリック**　商品名(メーカー)　規格・保険薬価

ミドドリン塩酸塩 (大原＝ニプロ ES)
錠 2mg 1錠 10.30 円

ミドドリン塩酸塩 (沢井) 錠 2mg 1錠 10.30 円

ミドドリン塩酸塩 (大興＝日本ジェネリック)
錠 2mg 1錠 10.30 円

ミドドリン塩酸塩 (武田テバファーマ＝武田)
錠 2mg 1錠 7.20 円

ミドドリン塩酸塩 (東和) 錠 2mg 1錠 10.30 円

概　要

分類　低血圧治療薬

処方目的　本態性低血圧，起立性低血圧

解説　本剤は，選択的交感神経 α_1(アルファー・ワン)受容体直接刺激作用により，心臓や脳血管系に作用することなく末梢血管を緊張・収縮させて血圧上昇作用を示し，起立時の血圧低下を防止します。中枢への影響はなく，また正常血圧には影響を及ぼさないといわれています。

使用上の注意

＊ミドドリン塩酸塩(メトリジン)の添付文書による

基本的注意

(1)**服用してはいけない場合**……甲状腺機能亢進症／褐色細胞腫

(2)**慎重に服用すべき場合**……重い心臓障害・血管障害・腎機能障害／高血圧／前立腺肥大に伴う排尿困難

(3)**臥位血圧の上昇**……服用中に横になると動悸や頭痛などがおこるようなら，臥位血圧が上昇している可能性があります。頭部を高くして寝ると血圧が調節できますが，症状が続くようなら処方医へ連絡してください。本剤を減量あるいは中止します。

(4)**その他**……

- 妊婦での安全性：未確立。原則として服用しない。
- 授乳婦での安全性：服用するときは授乳を中止。(1714 頁を参照)

重大な副作用　　重大な副作用はありませんが，そのほかの副作用はあるので，体調がいつもと違うと感じたときは，処方医・薬剤師に相談してください。

併用してはいけない薬　　併用してはいけない薬は特にありません。ただし，併用する薬があるときは，念のため処方医・薬剤師に報告してください。

内服 05 その他の循環器系の薬

薬剤番号 05-01-01 ～ 05-07-01

■03 章 04 章に分類されない循環器・血液の病気に用いる薬を説明します

◆閉塞性血管障害・冷え性などに対して末梢血液循環をよくする薬

◆頭の外傷や脳梗塞後の脳循環を改善するとされる薬

◆コレステロール（特に悪玉コレステロールといわれる LDL）や中性脂肪（トリグリセリド）が高いときに用いる高脂血症治療薬（脂質異常症の薬）

◆アルツハイマー型などの認知症に用いる薬

◆パーキンソン病，パーキンソン症候群の薬

◆血液をサラサラにして脳梗塞や心筋梗塞の治療・予防に用いる抗 凝 血薬・抗血小板薬

■副作用・相互作用に注意すべき薬

■高脂血症治療薬（脂質異常症の薬）

　血中のコレステロール値や中性脂肪値を下げるためには，フィブラート系薬剤とHMG-CoA 還元酵素阻害薬が主力として使われています。いま世界中で一番多く処方されているのが HMG-CoA 還元酵素阻害薬といわれています。これらを使用するときに最も注意すべき副作用は横紋筋融解症です。

　筋肉のしびれや痛み，脱力感，手足に力が入らない，尿が赤褐色になるなどの初期症状が出てきたら，服用をやめてすぐ処方医に連絡をとってください。腎機能障害がある人，上記の2種類の薬を併用している人に現れやすいとされています。横紋筋融解症以外の重大な副作用として，フィブラート系薬剤では無顆粒球症に，HMG-CoA 還元酵素阻害薬では肝機能障害に気をくばる必要があります。

■パーキンソン症候群の薬

　いろいろな種類がありますが，いずれにも共通する重大な副作用に，急激な減量や服用を中止したときにおこる悪性症候群があります。これは次のような状態をさします。言葉が少なくなって顔の表情がなくなり，ものがのみこみにくかったり，からだの筋肉が極度にこわばったりします。また，脈が速くなったり汗が出たりという状態になることもあります。その場合にはからだを冷却して，十分な水分を補

給してください。その上で必ず処方医に連絡することが大切です。

■ 抗凝固薬 (血液凝固を防ぐ薬)

ワルファリンカリウムにはさまざまな薬品・食品との相互作用があり，また，服薬量の調節が難しいケースも多いため，長年替わりとなる薬の開発が求められてきました。2011年以降に保険収載された新しい経口抗凝固薬(非ビタミンK拮抗経口抗凝固薬「NOAC」)にはワルファリンカリウムのような頻回の血液検査が不要で食事制限も必要ないため，処方される機会が増えています。しかし，薬の効果と裏腹な出血リスクはどの薬にも共通しています。また，副作用として間質性肺疾患の記載があり，せきが続くような場合は，早期に医師に報告する必要があります。

クロピドグレルは同類のチクロジピンに比べ安全性(血栓性血小板減少性紫斑病のリスク)が向上したことでよく処方されますが，出血に対するリスクは変わりません。アスピリン同様，消化器潰瘍や消化管での出血には注意が必要です。

抗凝固薬，抗血小板薬は，いずれも外科的手術の際には服薬を一時中止するケースがあります。出血のリスクと梗塞のリスクを考慮した中止のタイムスケジュールが組まれるので，それに従わなければなりません。

◆ 薬剤師の眼

「効果がない」ため発売中止となった薬が多い分野

『医者からもらった薬がわかる本』が1985年に初めて出版されたときから，この章に含まれている血液循環改善薬や脳代謝賦活薬の一部の薬剤については，きびしい批判をしてきました。本書の古い版(1990年代)をお持ちの読者は，最新版と見比べたときに，いかに多くの薬が本書から姿を消しているかに驚きを感じられるものと思います。姿を消した薬の海外評価が低かったことも読みとってください。そのように効果がないからという理由で許可が取り消された薬品のなかには，多い年には年間300億円以上の売り上げを上げていたものもあったのです。

1980年代半ばでは，処方せんを発行する医療機関はまだほんのわずかでした。薬についての解説本が出版されることで，一般の方々が薬についての知識を持てば医薬分業が進むであろうというのが，本書出版の大きな狙いの一つでした。現在では医薬分業の進展率も70%を超えています。しかし，日本の薬は私たちが期待したほどよくはなりませんでした。『98年版』以来，本書の最大の目的を，一般の患者が自分の服用している薬の世界的評価を知ることにより，日本の薬が欧米先進国並みによくなることに置き換えたのです。患者さんは，有効性に対する証拠がはっきりしている薬剤を処方される権利を持っています。

内 05 その他の循環器系の薬　01 血液循環を改善する薬

01　ニコチン酸誘導体

製剤情報

一般名：ヘプロニカート
- 保険収載年月…1972年2月
- 海外評価…0点 英 米 独 仏
- 剤形…錠 錠剤

- 服用量と回数…1日300〜600mg（3〜6錠）を3回に分けて服用。

■先発品　　商品名（メーカー）　規格・保険薬価

ヘプロニカート（長生堂＝日本ジェネリック）
錠 100mg 1錠 5.90 円

概要

分類　末梢循環改善薬

処方目的　レイノー病・バージャー病・閉塞性動脈硬化症などの末梢循環障害／凍瘡・凍傷

解説　ビタミンB群の一つニコチン酸を大量服用すると末梢血管が拡張して顔や首が温かくなり，かゆくなることが昔から知られていました。本剤はそのニコチン酸の誘導体のうち，血管拡張作用を期待して使われるものです。

使用上の注意

基本的注意

（1）服用してはいけない場合……本剤の成分に対するアレルギーの前歴／妊婦または妊娠している可能性のある人

重大な副作用　重大な副作用はありませんが，そのほかの副作用はあるので，体調がいつもと違うと感じたときは，処方医・薬剤師に相談してください。

併用してはいけない薬　併用してはいけない薬は特にありません。ただし，併用する薬があるときは，念のため処方医・薬剤師に報告してください。

内 05 その他の循環器系の薬　01 血液循環を改善する薬

02　トコフェロールニコチン酸エステル

製剤情報

一般名：トコフェロールニコチン酸エステル
- 保険収載年月…1967年7月
- 海外評価…0点 英 米 独 仏
- 剤形…カ カプセル剤
- 服用量と回数…1日300〜600mg（細粒剤は0.75〜1.5g）を3回に分けて服用。

■先発品　　商品名（メーカー）　規格・保険薬価

ユベラN 写真 （エーザイ）カ 100mg 1カプセル 5.90 円

ユベラN ソフト 写真 （エーザイ）
カ 200mg 1カプセル 8.50 円

■ジェネリック　商品名（メーカー）　規格・保険薬価

トコフェロールニコチン酸エステル 写真 （沢井）カ 200mg 1カプセル 5.70 円

トコフェロールニコチン酸エステル（東洋カプセル＝武田テバファーマ＝武田＝キョーリン＝杏林）
カ 200mg 1カプセル 5.70 円

トコフェロールニコチン酸エステル（東和）
カ 100mg 1カプセル 5.50 円

トコフェロールニコチン酸エステル（日医工ファーマ＝日医工）カ 200mg 1カプセル 5.70 円

トコフェロールニコチン酸エステル（堀井）
カ 200mg 1カプセル 5.70 円

ニコ 200 ソフト（堀井）カ 200mg 1カプセル 5.70 円

概　要

分類　末梢・脳循環改善薬

処方目的　高血圧症の随伴症状／高脂血症／閉塞性動脈硬化症に伴う末梢循環障害

解説　本剤は，ビタミンＥとニコチン酸（ビタミンＢ群の一つ）を結合させた誘導体です。脂質代謝改善，微小循環系賦活，血管強化，血小板凝集抑制，血中酸素分圧上昇などの作用をもっていますが，以前はあった脳血管拡張作用に関する適応症はなくなりました。しかし，実力以上の使われ方をしている薬の代表といえます。

使用上の注意

＊トコフェロールニコチン酸エステル（ユベラ N，ソフト）の添付文書による

基本的注意　特に注意はありません。

重大な副作用　重大な副作用はありませんが，そのほかの副作用はあるので，体調がいつもと違うと感じたときは，処方医・薬剤師に相談してください。

併用してはいけない薬　併用してはいけない薬は特にありません。ただし，併用する薬があるときは，念のため処方医・薬剤師に報告してください。

内 05 その他の循環器系の薬　01 血液循環を改善する薬

03　イソクスプリン塩酸塩

製剤情報

一般名：イソクスプリン塩酸塩

● 保険収載年月…1963年4月
● 海外評価…0点 英 米 独 仏
● 剤形…錠 錠剤
● 服用量と回数…循環器領域の場合は，1回10〜20mg（1〜2錠）を1日3〜4回。子宮収縮抑制の場合は，1日30〜60mgを3〜4回に分けて服用。月経困難症の場合は，1回10〜20mgを1日3〜4回。

■先発品　商品名（メーカー）　規格・保険薬価

ズファジラン（第一三共）錠 10mg 1錠 9.10 円

概　要

分類　末梢循環改善薬

処方目的　頭部外傷後遺症に伴う随伴症状／次の疾患に伴う末梢循環障害→ビュルガー病，閉塞性動脈硬化症，血栓性静脈炎，静脈血栓症，レイノー病およびレイノー症候群，凍瘡・凍傷，特発性脱疽，糖尿病による末梢血管障害／子宮収縮の抑制（切迫流・早

産）／月経困難症

解説　本剤は，オランダで開発された脳・末梢血行動態改善薬で，子宮鎮痙薬でもあります。アメリカでも本剤は発売されていましたが，末梢血行障害に対する評価は確立していません。現在ではアメリカでは発売されていません。

🖉 使用上の注意

基本的注意

(1)慎重に服用すべき場合……心悸亢進／脳出血／低血圧／分娩直後

(2)妊婦……妊娠 12 週未満の妊婦の服用についての安全性は確立されていません。妊娠 12 週未満の人は服用してはいけません。

重大な副作用　重大な副作用はありませんが，そのほかの副作用はあるので，体調がいつもと違うと感じたときは，処方医・薬剤師に相談してください。

併用してはいけない薬　併用してはいけない薬は特にありません。ただし，併用する薬があるときは，念のため処方医・薬剤師に報告してください。

内05 その他の循環器系の薬　01 血液循環を改善する薬

04　イフェンプロジル酒石酸塩

🖉 製剤情報

一般名：イフェンプロジル酒石酸塩

- 保険収載年月…1979年4月
- 海外評価…0点 英 米 独 仏
- 剤形…錠 錠剤
- 服用量と回数…1回20mg（細粒剤は0.5g）を1日3回。

■先発品　商品名（メーカー）　規格・保険薬価

セロクラール 写真 （サノフィ＝日医工）
錠 10mg 1錠 8.70 円　錠 20mg 1錠 10.50 円

■ジェネリック　商品名（メーカー）　規格・保険薬価

イフェンプロジル酒石酸塩 （あすか＝武田）
錠 10mg 1錠 5.70 円　錠 20mg 1錠 5.90 円

イフェンプロジル酒石酸塩 （沢井）
錠 10mg 1錠 5.70 円　錠 20mg 1錠 5.90 円

イフェンプロジル酒石酸塩 （日医工）
錠 10mg 1錠 5.70 円　錠 20mg 1錠 5.90 円

イフェンプロジル酒石酸塩 （鶴原）
錠 10mg 1錠 5.70 円

イフェンプロジル酒石酸塩 （鶴原＝わかもと）
錠 20mg 1錠 5.90 円

イフェンプロジル酒石酸塩 写真 （東和）
錠 10mg 1錠 5.70 円　錠 20mg 1錠 5.90 円

イフェンプロジル酒石酸塩 （陽進堂）
錠 20mg 1錠 5.90 円

イフェンプロジル酒石酸塩 （陽進堂＝日本ジェネリック）錠 10mg 1錠 5.70 円

📋 概　要

分類　脳循環改善薬

処方目的　脳梗塞後遺症・脳出血後遺症に伴うめまいの改善

解説　本剤には，脳や内耳の血流を増やす，脳の新陳代謝を活発にする，血液が固まるのを防ぐ作用があります。これらによって，脳梗塞や脳出血の後遺症としてのめまい

を改善します。

📝 使用上の注意

*イフェンプロジル酒石酸塩(セロクラール)の添付文書による

基本的注意

(1)服用してはいけない場合……頭蓋内出血発作後, 止血が完成していないと考えられる人

(2)慎重に服用すべき場合……脳梗塞の発作直後／低血圧／心悸亢進

(3)服用の中止……本剤を 12 週服用しても効果がみられないときは, 服用が中止になります。

(4)その他……

● 妊婦での安全性：未確立。原則として服用しない。(1714 頁を参照)

重大な副作用
重大な副作用はありませんが, そのほかの副作用はあるので, 体調がいつもと違うと感じたときは, 処方医・薬剤師に相談してください。

併用してはいけない薬
併用してはいけない薬は特にありません。ただし, 併用する薬があるときは, 念のため処方医・薬剤師に報告してください。

内 05 その他の循環器系の薬 02 脳代謝賦活薬・認知症の薬

01 メクロフェノキサート塩酸塩

✐ 製剤情報

一般名：メクロフェノキサート塩酸塩

● 保険収載年月…1972年2月

● 海外評価…0点 英 米 独 仏

● 剤形…錠 錠剤

● 服用量と回数…1回100〜300mg(1〜3錠)を1日3回。

■ 先発品 　商品名(メーカー) 　規格・保険薬価

ルシドリール (共和) 錠 100mg 1錠 8.90 円

📋 概要

分類 脳代謝賦活薬

処方目的 頭部外傷後遺症におけるめまい

解説 本剤は, 中枢機能改善薬の分野における草分け的存在で, 古くからある脳代謝賦活薬(脳の新陳代謝を活発にする薬)です。臨床的には脳の中枢に作用することから「頭部外傷後遺症におけるめまい」に用いられます。

📝 使用上の注意

基本的注意

(1)慎重に服用すべき場合……けいれんのある人／過度の興奮性がある人

(2)服用の中止……4 週間服用しても効果がみられないときは服用が中止になります。

重大な副作用
重大な副作用はありませんが, そのほかの副作用はあるので, 体調がいつもと違うと感じたときは, 処方医・薬剤師に相談してください。

併用してはいけない薬 併用してはいけない薬は特にありません。ただし，併用する薬があるときは，念のため処方医・薬剤師に報告してください。

内 05 その他の循環器系の薬　02 脳代謝賦活薬・認知症の薬

02 ガンマアミノ酪酸

製剤情報

一般名：ガンマアミノ酪酸
- 保険収載年月…1961年1月
- 海外評価…0点 英 米 独 仏
- 剤形…錠 錠剤

- 服用量と回数…1日3g(12錠)を3回に分けて服用。

■先発品　商品名(メーカー)　規格・保険薬価
ガンマロン (アルフレッサ) 錠 250mg 1錠 5.90 円

概要

分類 脳代謝賦活薬

処方目的 頭部外傷後遺症に伴う頭痛，頭重，疲れやすい，のぼせ感，耳鳴り，記憶障害，睡眠障害，意欲低下

解説 ガンマアミノ酪酸(GABA)は，中枢神経系に存在するグルタミン酸が変化したもので，TCA サイクル(ミトコンドリアで行われる環状の代謝経路)の導入部に必要なヘキソキナーゼの活性を高めて糖質代謝を促進し，また脳の血流量，脳酸素供給量などを増加します。アメリカやイギリスでは薬として使われていません。

使用上の注意

基本的注意
- 妊婦での安全性：未確立。有益と判断されたときのみ服用。(1714 頁を参照)

重大な副作用 重大な副作用はありませんが，そのほかの副作用はあるので，体調がいつもと違うと感じたときは，処方医・薬剤師に相談してください。

併用してはいけない薬 併用してはいけない薬は特にありません。ただし，併用する薬があるときは，念のため処方医・薬剤師に報告してください。

内 05 その他の循環器系の薬　02 脳代謝賦活薬・認知症の薬

03 ニセルゴリン

製剤情報

一般名：ニセルゴリン
- 保険収載年月…1988年5月
- 海外評価…1点 英 米 独 仏
- 剤形…錠 錠剤，散 散剤，細 細粒剤

- 服用量と回数…1日15mg(散剤・細粒剤は1.5g)を3回に分けて服用。

■先発品　商品名(メーカー)　規格・保険薬価
サアミオン (田辺三菱) 散 1% 1g 27.70 円
錠 5mg 1錠 19.40 円

■ジェネリック　商品名(メーカー)　規格・保険薬価

| ニセルゴリン (共和) 錠 5mg 1錠 9.80 円 |
| ニセルゴリン (沢井) 細 1% 1g 13.50 円 |
| 錠 5mg 1錠 9.80 円 |
| ニセルゴリン (東和) 錠 5mg 1錠 9.80 円 |

| ニセルゴリン (日医工) 錠 5mg 1錠 9.80 円 |
| ニセルゴリン (日新＝第一三共エスファ) |
| 錠 5mg 1錠 9.80 円 |
| ニセルゴリン 写真 (ニプロ＝三和＝日本ジェネリック) 錠 5mg 1錠 9.80 円 |

概　要

分類　脳代謝改善薬

処方目的　脳梗塞後遺症に伴う慢性脳循環障害による意欲低下の改善

解説　1998 年 6 月に，それまで 10 種類以上発売されていた脳代謝改善薬が，再評価で効果が認められなかったため販売中止になりました。合計すると数百億円の売り上げがあった薬のお粗末な末路です。そのなかでニセルゴリンは適応症の一部が認められ，発売中止になりませんでした。ただ，プラセボ効果を差し引くと，10 人中 2 人に意欲低下などの症状の改善が認められた程度のものです。

使用上の注意

*ニセルゴリン（サアミオン）の添付文書による

基本的注意

(1)服用してはいけない場合……頭蓋内出血後，止血が完成していないと考えられる人

(2)服用の中止……本剤を 12 週間服用しても効果がみられないときは，服用が中止になります。

(3)その他……

●妊婦での安全性：有益と判断されたときのみ服用（ラットで次世代の発育抑制が報告されています）。

●授乳婦での安全性：原則として服用しない。やむを得ず服用するときは授乳を中止。

●小児での安全性：未確立。(1714 頁を参照)

重大な副作用　重大な副作用はありませんが，そのほかの副作用はあるので，体調がいつもと違うと感じたときは，処方医・薬剤師に相談してください。

併用してはいけない薬　併用してはいけない薬は特にありません。ただし，併用する薬があるときは，念のため処方医・薬剤師に報告してください。

内 05 その他の循環器系の薬　02 脳代謝賦活薬・認知症の薬

04　認知症治療薬(1)(アセチルコリンエステラーゼ阻害薬)

製剤情報

一般名：ドネペジル塩酸塩

●保険収載年月…1999年11月

●海外評価…6点 英 米 独 仏　●PC…C

●規制…劇薬

●剤形…錠 錠剤，細 細粒剤，ド ドライシロップ剤，液 液剤，ゼ ゼリー剤

●服用量と回数…1日1回3mg(細粒剤は0.6g,

ドライシロップ剤は0.3g）から開始し，1～2週間後に1日5mg（細粒剤は1g，ドライシロップ剤は0.5g）に増量する。高度のアルツハイマー型認知症，レビー小体型認知症：5mgで4週間以上経過後，10mgに増量。なお，症状により適宜減量する。

■先発品　　商品名（メーカー）　規格・保険薬価

アリセプト 写真 （エーザイ）　細 0.5% 1g 146.30 円
錠 3mg 1錠 99.00 円　錠 5mg 1錠 143.00 円
錠 10mg 1錠 248.60 円　ド 1% 1g 348.90 円

アリセプト内服ゼリー （エーザイ）
ゼ 3mg 1個 132.40 円　ゼ 5mg 1個 193.80 円
ゼ 10mg 1個 345.60 円

アリセプト D 写真 （エーザイ）錠 3mg 1錠 99.00 円
錠 5mg 1錠 143.00 円　錠 10mg 1錠 248.60 円

■ジェネリック　　商品名（メーカー）　規格・保険薬価

ドネペジル塩酸塩 （大原）錠 3mg 1錠 41.50 円
錠 5mg 1錠 61.70 円　錠 10mg 1錠 106.90 円

ドネペジル塩酸塩 （共創未来）錠 3mg 1錠 41.50 円
錠 5mg 1錠 61.70 円　錠 10mg 1錠 106.90 円

ドネペジル塩酸塩 （共和）細 0.5% 1g 58.50 円
錠 3mg 1錠 41.50 円　錠 5mg 1錠 61.70 円
錠 10mg 1錠 68.50 円

ドネペジル塩酸塩 （キョーリン＝杏林）
錠 3mg 1錠 41.50 円　錠 5mg 1錠 61.70 円
錠 10mg 1錠 106.90 円

ドネペジル塩酸塩 （ケミファ）
錠 10mg 1錠 176.70 円

ドネペジル塩酸塩 （ケミファ＝日薬工）
錠 3mg 1錠 68.10 円　錠 5mg 1錠 61.70 円

ドネペジル塩酸塩 （皇漢堂）錠 3mg 1錠 20.80 円
錠 5mg 1錠 38.10 円　錠 10mg 1錠 68.50 円

ドネペジル塩酸塩 写真 （沢井）細 0.5% 1g 58.50 円
錠 3mg 1錠 41.50 円　錠 5mg 1錠 61.70 円
錠 10mg 1錠 106.90 円

ドネペジル塩酸塩 （サンド）錠 3mg 1錠 41.50 円
錠 5mg 1錠 61.70 円

ドネペジル塩酸塩 （シオノ＝科研）
錠 3mg 1錠 68.10 円　錠 5mg 1錠 100.70 円
錠 10mg 1錠 176.70 円

ドネペジル塩酸塩 （第一三共エスファ）
錠 3mg 1錠 41.50 円　錠 5mg 1錠 61.70 円
錠 10mg 1錠 106.90 円

ドネペジル塩酸塩 （高田）錠 3mg 1錠 41.50 円
錠 5mg 1錠 61.70 円　錠 10mg 1錠 106.90 円

ドネペジル塩酸塩 （武田テバファーマ）
錠 3mg 1錠 41.50 円　錠 5mg 1錠 61.70 円
錠 10mg 1錠 106.90 円

ドネペジル塩酸塩 （武田テバ薬品＝武田テバファーマ）錠 3mg 1錠 41.50 円　錠 5mg 1錠 61.70 円
錠 10mg 1錠 106.90 円

ドネペジル塩酸塩 （辰巳）錠 3mg 1錠 41.50 円
錠 5mg 1錠 61.70 円　錠 10mg 1錠 106.90 円

ドネペジル塩酸塩 （鶴原）錠 3mg 1錠 41.50 円
錠 5mg 1錠 38.10 円　錠 10mg 1錠 68.50 円

ドネペジル塩酸塩 （東和）錠 3mg 1錠 41.50 円
錠 5mg 1錠 61.70 円　錠 10mg 1錠 106.90 円

ドネペジル塩酸塩 （日医工）細 0.5% 1g 58.50 円
錠 3mg 1錠 41.50 円　錠 5mg 1錠 38.10 円
錠 10mg 1錠 68.50 円

ドネペジル塩酸塩 （日新）錠 3mg 1錠 41.50 円
錠 5mg 1錠 61.70 円　錠 10mg 1錠 106.90 円

ドネペジル塩酸塩 （ニプロ）錠 3mg 1錠 41.50 円
錠 5mg 1錠 38.10 円　錠 10mg 1錠 68.50 円

ドネペジル塩酸塩 （ニプロ ES＝吉富）
錠 3mg 1錠 41.50 円　錠 5mg 1錠 61.70 円
錠 10mg 1錠 106.90 円

ドネペジル塩酸塩 （日本ジェネリック）
錠 3mg 1錠 41.50 円　錠 5mg 1錠 61.70 円
錠 10mg 1錠 106.90 円

ドネペジル塩酸塩 （日薬工）錠 3mg 1錠 20.80 円
錠 5mg 1錠 38.10 円　錠 10mg 1錠 68.50 円

ドネペジル塩酸塩 （MeijiSeika）
錠 3mg 1錠 41.50 円　錠 5mg 1錠 61.70 円
錠 10mg 1錠 106.90 円

ドネペジル塩酸塩（陽進堂）錠 3mg 1錠 41.50 円
錠 5mg 1錠 38.10 円　錠 10mg 1錠 68.50 円

ドネペジル塩酸塩 OD（大原＝日本ジェネリック）錠 3mg 1錠 41.50 円　錠 5mg 1錠 61.70 円
錠 10mg 1錠 106.90 円

ドネペジル塩酸塩 OD（共創未来）
錠 3mg 1錠 41.50 円　錠 5mg 1錠 61.70 円
錠 10mg 1錠 106.90 円

ドネペジル塩酸塩 OD（共和）
錠 3mg 1錠 41.50 円　錠 5mg 1錠 38.10 円
錠 10mg 1錠 68.50 円

ドネペジル塩酸塩 OD（キョーリン＝杏林）
錠 3mg 1錠 41.50 円　錠 5mg 1錠 61.70 円
錠 10mg 1錠 106.90 円

ドネペジル塩酸塩 OD（ケミファ＝日薬工）
錠 3mg 1錠 41.50 円　錠 5mg 1錠 61.70 円
錠 10mg 1錠 106.90 円

ドネペジル塩酸塩 OD（皇漢堂）
錠 3mg 1錠 20.80 円　錠 5mg 1錠 38.10 円
錠 10mg 1錠 68.50 円

ドネペジル塩酸塩 OD（沢井）
錠 3mg 1錠 41.50 円　錠 5mg 1錠 61.70 円
錠 10mg 1錠 106.90 円

ドネペジル塩酸塩 OD（サンド）
錠 3mg 1錠 20.80 円　錠 5mg 1錠 38.10 円
錠 10mg 1錠 68.50 円

ドネペジル塩酸塩 OD（シオノ＝科研）
錠 3mg 1錠 68.10 円　錠 5mg 1錠 100.70 円
錠 10mg 1錠 176.70 円

ドネペジル塩酸塩 OD（全星）
錠 3mg 1錠 41.50 円　錠 5mg 1錠 61.70 円
錠 10mg 1錠 106.90 円

ドネペジル塩酸塩 OD（第一三共エスファ）
錠 3mg 1錠 41.50 円　錠 5mg 1錠 61.70 円
錠 10mg 1錠 106.90 円

ドネペジル塩酸塩 OD（ダイト＝持田）
錠 3mg 1錠 41.50 円　錠 5mg 1錠 61.70 円
錠 10mg 1錠 106.90 円

ドネペジル塩酸塩 OD（高田）
錠 3mg 1錠 41.50 円　錠 5mg 1錠 61.70 円
錠 10mg 1錠 106.90 円

ドネペジル塩酸塩 OD（武田テバファーマ）
錠 3mg 1錠 41.50 円　錠 5mg 1錠 61.70 円
錠 10mg 1錠 106.90 円

ドネペジル塩酸塩 OD（武田テバ薬品＝武田テバファーマ）錠 3mg 1錠 41.50 円　錠 5mg 1錠 61.70 円
錠 10mg 1錠 106.90 円

ドネペジル塩酸塩 OD（辰巳）
錠 3mg 1錠 68.10 円　錠 5mg 1錠 61.70 円
錠 10mg 1錠 106.90 円

ドネペジル塩酸塩 OD 写真（東和）
錠 3mg 1錠 41.50 円　錠 5mg 1錠 61.70 円
錠 10mg 1錠 106.90 円

ドネペジル塩酸塩 OD（日医工）
錠 3mg 1錠 41.50 円　錠 5mg 1錠 38.10 円
錠 10mg 1錠 68.50 円

ドネペジル塩酸塩 OD（日新）
錠 3mg 1錠 41.50 円　錠 5mg 1錠 61.70 円
錠 10mg 1錠 106.90 円

ドネペジル塩酸塩 OD（ニプロ）
錠 3mg 1錠 20.80 円　錠 5mg 1錠 38.10 円
錠 10mg 1錠 68.50 円

ドネペジル塩酸塩 OD（ニプロ ES ＝吉富）
錠 3mg 1錠 41.50 円　錠 5mg 1錠 61.70 円
錠 10mg 1錠 106.90 円

ドネペジル塩酸塩 OD（日薬工）
錠 3mg 1錠 41.50 円　錠 5mg 1錠 61.70 円
錠 10mg 1錠 106.90 円

ドネペジル塩酸塩 OD（MeijiSeika）
錠 3mg 1錠 41.50 円　錠 5mg 1錠 61.70 円
錠 10mg 1錠 106.90 円

ドネペジル塩酸塩 OD（陽進堂＝第一三共エスファ）錠 3mg 1錠 41.50 円　錠 5mg 1錠 61.70 円
錠 10mg 1錠 106.90 円

ドネペジル塩酸塩 OD フィルム（救急薬品＝エルメッド＝日医工）錠 3mg 1錠 41.50 円
錠 5mg 1錠 100.70 円　錠 10mg 1錠 106.90 円

ドネペジル塩酸塩内服ゼリー (日医工)
- ゼ 3mg 1個 89.00 円
- ゼ 5mg 1個 138.30 円
- ゼ 10mg 1個 261.10 円

ドネペジル塩酸塩内服ゼリー (ニプロ)
- ゼ 3mg 1個 89.00 円
- ゼ 5mg 1個 138.30 円
- ゼ 10mg 1個 140.90 円

ドネペジル塩酸塩内用液 (東和)
- 液 3mg1.5mL 1包 49.60 円
- 液 5mg2.5mL 1包 138.30 円
- 液 10mg5mL 1包 140.90 円

ドネペジル塩酸塩内用液 (ニプロ ES = 吉富)
- 液 3mg1.5mL 1包 89.00 円
- 液 5mg2.5mL 1包 138.30 円
- 液 10mg5mL 1包 140.90 円

一般名：ガランタミン臭化水素酸塩
- 保険収載年月…2011年3月
- 海外評価…6点 英 米 独 仏 ●PC…B
- 規制…劇薬
- 剤形… 錠 錠剤, 液 液剤
- 服用量と回数…1回4mgを1日2回から服用し始め, 4週間後に1回8mgを1日2回に増量する。なお, 1回12mgを1日2回まで増量できるが, その場合は変更前の用量で4週間以上服用してから。

■ 先発品　商品名(メーカー)　規格・保険薬価

レミニール (ヤンセン) 錠 4mg 1錠 71.40 円
- 錠 8mg 1錠 128.10 円
- 錠 12mg 1錠 157.80 円
- 液 0.4% 1mL 68.30 円

レミニール OD 写真 (ヤンセン)
- 錠 4mg 1錠 71.40 円
- 錠 8mg 1錠 128.10 円
- 錠 12mg 1錠 157.80 円

■ ジェネリック　商品名(メーカー)　規格・保険薬価

ガランタミン OD (エルメッド = 日医工)
- 錠 4mg 1錠 27.60 円
- 錠 8mg 1錠 43.60 円
- 錠 12mg 1錠 54.30 円

ガランタミン OD (共和) 錠 4mg 1錠 27.60 円
- 錠 8mg 1錠 38.30 円
- 錠 12mg 1錠 54.30 円

ガランタミン OD (沢井) 錠 4mg 1錠 27.60 円
- 錠 8mg 1錠 43.60 円
- 錠 12mg 1錠 54.30 円

ガランタミン OD 写真 (第一三共エスファ)
- 錠 4mg 1錠 27.60 円
- 錠 8mg 1錠 43.60 円
- 錠 12mg 1錠 54.30 円

ガランタミン OD (武田テバファーマ)
- 錠 4mg 1錠 27.60 円
- 錠 8mg 1錠 43.60 円
- 錠 12mg 1錠 54.30 円

ガランタミン OD (東和 = 共創未来 = 三和)
- 錠 4mg 1錠 35.90 円
- 錠 8mg 1錠 43.60 円
- 錠 12mg 1錠 54.30 円

ガランタミン OD (ニプロ) 錠 4mg 1錠 27.60 円
- 錠 8mg 1錠 43.60 円
- 錠 12mg 1錠 54.30 円

ガランタミン OD (日本ジェネリック)
- 錠 4mg 1錠 27.60 円
- 錠 8mg 1錠 43.60 円
- 錠 12mg 1錠 54.30 円

ガランタミン OD (陽進堂) 錠 4mg 1錠 27.60 円
- 錠 8mg 1錠 43.60 円
- 錠 12mg 1錠 54.30 円

■ 概　要

分類　アルツハイマー型認知症用薬

処方目的　[ドネペジル塩酸塩の適応症] アルツハイマー型認知症およびレビー小体型認知症における認知症症状の進行抑制

[ガランタミン臭化水素酸塩の適応症] 軽度および中等度のアルツハイマー型認知症における認知症症状の進行抑制

〈注意〉①本剤はアルツハイマー型認知症, レビー小体型認知症（ドネペジル塩酸塩のみ）と診断された人にのみ使用します。②本剤がアルツハイマー型認知症, レビー小体型認知症の病態そのものの進行を抑制するという成績は得られていません。③アルツハイマ

一型認知症，レビー小体型認知症（ドネペジル塩酸塩のみ）以外の認知症性疾患に対して本剤の有効性は未確認です。

解説　ドネペジル塩酸塩は，アセチルコリンを分解する酵素であるアセチルコリンエステラーゼの働きを阻害することで，脳内のアセチルコリン量を増加させ，脳内コリン作動性神経系の働きをさかんにします。日本のメーカーの開発品ですが，アメリカで先に許可されました。

ガランタミン臭化水素酸塩は，アセチルコリンエステラーゼ阻害作用とニコチン性アセチルコリン受容体に対する増強作用（APL 作用）をあわせもつのが特徴です。

効果がある認知症は，ドネペジル塩酸塩はアルツハイマー型とレビー小体型，ガランタミン臭化水素酸塩はアルツハイマー型で，脳血管障害による認知症には処方されません。また，ドネペジル塩酸塩とガランタミン臭化水素酸塩などのように，アセチルコリンエステラーゼ阻害作用をもつ薬剤同士は併用することができません。

使用上の注意

*ドネペジル塩酸塩（アリセプト，アリセプト D），ガランタミン臭化水素酸塩（レミニール，OD）の添付文書による

基本的注意

(1)**服用してはいけない場合**……本剤の成分に対するアレルギーの前歴／[ドネペジル塩酸塩のみ]ピペリジン誘導体に対するアレルギーの前歴

(2)**特に慎重に服用すべき場合（治療上やむを得ないと判断される場合を除き服用は避けること）**……[ガランタミン臭化水素酸塩]重い腎機能障害（クレアチニンクリアランス 9mL/分未満）／重い肝機能障害（Child-Pugh 分類の重度 C）

(3)**慎重に服用すべき場合**……心疾患（心筋梗塞，弁膜症，心筋症など），電解質異常（低カリウム血症など）／洞不全症候群，心房内・房室接合部伝導障害などの心疾患／消化性潰瘍の前歴／気管支ぜんそくまたは閉塞性肺疾患の前歴／錐体外路障害（パーキンソン病，パーキンソン症候群など）／[ガランタミン臭化水素酸塩のみ]消化管閉塞または消化管手術直後／下部尿路閉塞，膀胱手術直後／てんかんなどのけいれん性疾患またはその前歴／肝機能障害／腎機能障害

(4)**服用法**……アリセプト D，ドネペジル塩酸塩 OD，レミニール OD は，舌の上にのせて唾液に浸すと崩壊するため，水なしでも服用することが可能です。ただし，寝たままの状態では水なしで服用してはいけません。

(5)**過量服用**……ドネペジル塩酸塩，ガランタミン臭化水素酸塩は，医療従事者や家族などの管理のもとで服用する必要があります。過量に服用すると高度な吐きけ，嘔吐，よだれ，流涙，排尿，排便，発汗，徐脈，低血圧，虚脱，けいれんなどの副作用が現れることがあります。呼吸筋の弛緩により死亡することもあるので，指示量以上は絶対に服用しないでください。

(6)**悪性症候群**……[ドネペジル塩酸塩]本剤の服用によって悪性症候群がおこることがあります。無動緘黙〈緘黙＝無言症〉，強度の筋強剛，嚥下困難，頻脈，血圧の変動，発汗などが発現し，引き続いて発熱がみられたら，服用を中止して体を冷やす，水分を補給

するなどして，ただちに処方医へ連絡してください。

(7)危険作業は中止……アルツハイマー型認知症，レビー小体型認知症では，自動車の運転などの機械操作能力が低下する可能性があります。また，服用によりめまい，眠け，意識障害などが現れることがあるので，自動車の運転など危険を伴う機械の操作には従事しないようにしてください。

(8)その他……

- 妊婦での安全性：有益と判断されたときのみ服用。
- 授乳婦での安全性：治療上の有益性・母乳栄養の有益性を考慮し，授乳の継続・中止を検討。
- 小児での安全性：未確立。(1714頁を参照)

<u>重大な副作用</u>　　　[ドネペジル塩酸塩]①QT延長，心室頻拍，心室細動，洞不全症候群，洞停止，高度徐脈，心ブロック(洞房ブロック，房室ブロック)，失神。②心筋梗塞，心不全。③胃・十二指腸潰瘍，十二指腸潰瘍穿孔，消化管出血。④肝炎，肝機能障害，黄疸。⑤脳性発作(てんかん，けいれんなど)，脳出血，脳血管障害。⑥錐体外路障害(寡動，運動失調，ジスキネジア，ジストニア，ふるえ，不随意運動，歩行異常，姿勢異常，言語障害など)。⑦悪性症候群(無動無言，強度の筋強剛，嚥下困難，頻脈，血圧の変動，発汗，発熱など)。⑧横紋筋融解症(筋肉痛，脱力感など)。⑨呼吸困難。⑩急性膵炎。⑪急性腎障害。⑫原因不明の突然死。⑬血小板減少。

[ガランタミン臭化水素酸塩]①失神，徐脈，心ブロック，QT延長。②急性汎発性発疹性膿疱症(発熱，紅斑，多数の小膿疱など)。③肝炎。④横紋筋融解症(筋肉痛，脱力感など)。

そのほかにも報告された副作用はあるので，体調がいつもと違うと感じたときは，処方医・薬剤師に相談してください。

<u>併用してはいけない薬</u>　　　併用してはいけない薬は特にありません。ただし，併用する薬があるときは，念のため処方医・薬剤師に報告してください。

内 05 その他の循環器系の薬　02 脳代謝賦活薬・認知症の薬

05　認知症治療薬(2)

💊 製剤情報

一般名：メマンチン塩酸塩

- 保険収載年月…2011年3月
- 海外評価…6点 英 米 独 仏　●PC…B
- 規制…劇薬
- 剤形…錠 錠剤，ド ドライシロップ剤
- 服用量と回数…1日1回5mg(ドライシロップは0.25mg)から開始し，1週間に5mgずつ増量

する。維持量は1日1回20mg。

■先発品　　商品名(メーカー)　規格・保険薬価

メマリー 写真 (第一三共) 錠 5mg 1錠 110.90円
錠 10mg 1錠 198.30円　錠 20mg 1錠 355.60円
ド 2% 1g 341.00円

メマリーOD 写真 (第一三共) 錠 5mg 1錠 110.90円
錠 10mg 1錠 198.30円　錠 20mg 1錠 355.60円

■ジェネリック　　商品名(メーカー)　規格・保険薬価

メマンチン塩酸塩 (大原) 錠 5mg 1錠 21.30 円
錠 10mg 1錠 43.20 円　　錠 20mg 1錠 76.40 円

メマンチン塩酸塩 (共創未来 = 三和)
錠 5mg 1錠 34.80 円　　錠 10mg 1錠 62.00 円
錠 20mg 1錠 110.80 円

メマンチン塩酸塩 (共和) 錠 5mg 1錠 21.30 円
錠 10mg 1錠 43.20 円　　錠 20mg 1錠 76.40 円

メマンチン塩酸塩 (小林化工) 錠 5mg 1錠 21.30 円
錠 10mg 1錠 43.20 円　　錠 20mg 1錠 76.40 円

メマンチン塩酸塩 (沢井) 錠 5mg 1錠 34.80 円
錠 10mg 1錠 43.20 円　　錠 20mg 1錠 76.40 円

メマンチン塩酸塩 写真 (第一三共エスファ)
錠 5mg 1錠 34.80 円　　錠 10mg 1錠 62.00 円
錠 20mg 1錠 110.80 円　　ド 2% 1g 149.40 円

メマンチン塩酸塩 (東和 = 共創未来)
錠 5mg 1錠 34.80 円　　錠 10mg 1錠 62.00 円
錠 20mg 1錠 110.80 円

メマンチン塩酸塩 (ニプロ) 錠 5mg 1錠 21.30 円
錠 10mg 1錠 43.20 円　　錠 20mg 1錠 76.40 円

メマンチン塩酸塩 (MeijiSeika)
錠 5mg 1錠 34.80 円　　錠 10mg 1錠 62.00 円
錠 20mg 1錠 110.80 円

メマンチン塩酸塩 DS (沢井) ド 2% 1g 149.40 円

メマンチン塩酸塩 OD (エルメッド = 日医工)
錠 5mg 1錠 21.30 円　　錠 10mg 1錠 43.20 円
錠 20mg 1錠 76.40 円

メマンチン塩酸塩 OD (大原)
錠 5mg 1錠 21.30 円　　錠 10mg 1錠 43.20 円
錠 20mg 1錠 76.40 円

メマンチン塩酸塩 OD (共創未来 = 三和)
錠 5mg 1錠 34.80 円　　錠 10mg 1錠 62.00 円
錠 20mg 1錠 110.80 円

メマンチン塩酸塩 OD (共和)
錠 5mg 1錠 21.30 円　　錠 10mg 1錠 43.20 円
錠 20mg 1錠 76.40 円

メマンチン塩酸塩 OD 写真 (キョーリン = 杏林)
錠 5mg 1錠 21.30 円　　錠 10mg 1錠 43.20 円
錠 20mg 1錠 76.40 円

メマンチン塩酸塩 OD (ケミファ = 日薬工)
錠 5mg 1錠 21.30 円　　錠 10mg 1錠 43.20 円
錠 15mg 1錠 75.30 円　　錠 20mg 1錠 76.40 円

メマンチン塩酸塩 OD (小林化工)
錠 5mg 1錠 21.30 円　　錠 10mg 1錠 43.20 円
錠 20mg 1錠 76.40 円

メマンチン塩酸塩 OD (沢井)
錠 5mg 1錠 34.80 円　　錠 10mg 1錠 43.20 円
錠 20mg 1錠 76.40 円

メマンチン塩酸塩 OD (サンド)
錠 5mg 1錠 21.30 円　　錠 10mg 1錠 43.20 円
錠 15mg 1錠 75.30 円　　錠 20mg 1錠 76.40 円

メマンチン塩酸塩 OD (全星)
錠 5mg 1錠 21.30 円　　錠 10mg 1錠 43.20 円
錠 20mg 1錠 76.40 円

メマンチン塩酸塩 OD (第一三共エスファ)
錠 5mg 1錠 34.80 円　　錠 10mg 1錠 62.00 円
錠 20mg 1錠 110.80 円

メマンチン塩酸塩 OD (ダイト = フェルゼン)
錠 5mg 1錠 34.80 円　　錠 10mg 1錠 62.00 円
錠 20mg 1錠 110.80 円

メマンチン塩酸塩 OD (高田)
錠 5mg 1錠 34.80 円　　錠 10mg 1錠 62.00 円
錠 20mg 1錠 110.80 円

メマンチン塩酸塩 OD (武田テバファーマ)
錠 5mg 1錠 21.30 円　　錠 10mg 1錠 43.20 円
錠 20mg 1錠 76.40 円

メマンチン塩酸塩 OD (辰巳)
錠 5mg 1錠 34.80 円　　錠 10mg 1錠 62.00 円
錠 15mg 1錠 75.30 円　　錠 20mg 1錠 110.80 円

メマンチン塩酸塩 OD (東和 = 共創未来)
錠 5mg 1錠 34.80 円　　錠 10mg 1錠 62.00 円
錠 20mg 1錠 110.80 円

メマンチン塩酸塩 OD (日医工岐阜 = 日医工)
錠 5mg 1錠 21.30 円　　錠 10mg 1錠 43.20 円
錠 20mg 1錠 76.40 円

メマンチン塩酸塩 OD（日薬工＝クラシエ）	
錠 5mg 1錠 34.80 円	錠 10mg 1錠 62.00 円
錠 15mg 1錠 75.30 円	錠 20mg 1錠 110.80 円

メマンチン塩酸塩 OD（日本ジェネリック）	
錠 5mg 1錠 34.80 円	錠 10mg 1錠 62.00 円
錠 20mg 1錠 110.80 円	

メマンチン塩酸塩 OD（日新）	
錠 5mg 1錠 34.80 円	錠 10mg 1錠 43.20 円
錠 15mg 1錠 75.30 円	錠 20mg 1錠 110.80 円

メマンチン塩酸塩 OD（MeijiSeika）	
錠 5mg 1錠 34.80 円	錠 10mg 1錠 62.00 円
錠 20mg 1錠 110.80 円	

メマンチン塩酸塩 OD（ニプロ）	
錠 5mg 1錠 21.30 円	錠 10mg 1錠 43.20 円
錠 20mg 1錠 76.40 円	

メマンチン塩酸塩 OD（陽進堂）	
錠 5mg 1錠 21.30 円	錠 10mg 1錠 43.20 円
錠 20mg 1錠 76.40 円	

概　要

分類　NMDA 受容体拮抗アルツハイマー型認知症治療薬

処方目的　中等度および高度アルツハイマー型認知症における認知症症状の進行抑制

〈注意〉①アルツハイマー型認知症と診断された人にのみ使用します。②本剤がアルツハイマー型認知症の病態そのものの進行を抑制するという成績は得られていません。③アルツハイマー型認知症以外の認知症性疾患に対して本剤の有効性は確認されていません。

解説　本剤は，アセチルコリンエステラーゼ阻害薬とは異なる作用機序の薬剤です。そのため，併用して処方されることもあります。

　脳の神経細胞の障害は，グルタミン酸の過剰とその毒性が関与しているという考えに基づいて開発されました。神経細胞にあるグルタミン酸受容体の NMDA 受容体に結合し，カルシウムイオンが神経細胞に流入することを抑制して神経細胞を守り，認知症症状の進行を抑制します。中等度・高度のアルツハイマー型認知症の標準治療薬の一つとして，世界 70 以上の国で使われています。効果があるのはアルツハイマー型の認知症で，脳血管障害による認知症には処方されません。

使用上の注意

基本的注意

(1)**服用してはいけない場合**……本剤の成分に対するアレルギーの前歴

(2)**慎重に服用すべき場合**……てんかんまたはけいれんの前歴／尿の pH（ペーハー）を上昇させる因子（尿細管性アシドーシス，重症の尿路感染など）を有する人／高度の腎機能障害（クレアチニンクリアランス 30mL/分未満）

(3)**過量服用**……本剤は，医療従事者や家族などの管理のもとで服用する必要があります。過量に服用すると，不穏，幻視，けいれん，傾眠，昏迷，意識消失，昏睡，複視，激越などがおこることがあるので，指示量以上は絶対に服用しないでください。

(4)**めまい**……服用の初期にめまい，傾眠がおこることがあるので，症状がみられたらすぐに処方医へ連絡してください。

(5)**危険作業は中止**……中等度・高度アルツハイマー型認知症では通常，自動車の運転など危険を伴う機械の操作能力が低下することがあります。また，本剤の服用により，めまい，傾眠などが現れることがあるので，服用中は自動車の運転など危険を伴う機械

の操作には従事しないでください。

（6）その他……

- 妊婦での安全性：有益と判断されたときのみ服用。
- 授乳婦での安全性：治療上の有益性・母乳栄養の有益性を考慮し，授乳の継続・中止を検討。
- 小児での安全性：未確立。(1714 頁を参照)

重大な副作用　①けいれん。②失神，意識消失。③精神症状（激越，攻撃性，妄想，幻覚，錯乱，せん妄など）。④肝機能障害，黄疸。⑤横紋筋融解症（筋肉痛，脱力感など）。⑥完全房室ブロック，高度な洞徐脈などの徐脈性不整脈。

そのほかにも報告された副作用はあるので，体調がいつもと違うと感じたときは，処方医・薬剤師に相談してください。

併用してはいけない薬　併用してはいけない薬は特にありません。ただし，併用する薬があるときは，念のため処方医・薬剤師に報告してください。

内 05 その他の循環器系の薬　03 パーキンソン症候群の薬

01 アマンタジン塩酸塩

製剤情報

一般名：アマンタジン塩酸塩

- 保険収載年月…1975年9月
- 海外評価…6点 **英 米 独 仏** ●PC…C
- 剤形…錠 錠剤，細 細粒剤
- 服用量と回数…パーキンソン症候群：1日100mg（1〜2回に分けて服用）からはじめ，1週間後に維持量として1日200mg（2回に分けて服用）。1日300mg（3回に分けて服用）まで増量できる。A型インフルエンザウイルス感染症：1日100mgを1〜2回に分けて服用。脳梗塞後遺症：1日100〜150mgを2〜3回に分けて服用。

■先発品　商品名（メーカー）　規格・保険薬価

シンメトレル 写真 （サンファーマ）

細 10% 1g 13.70 円　錠 50mg 1錠 11.40 円
錠 100mg 1錠 11.20 円

■ジェネリック　商品名（メーカー）　規格・保険薬価

アマンタジン塩酸塩 （キョーリン＝杏林）
錠 50mg 1錠 5.90 円　錠 100mg 1錠 5.90 円

アマンタジン塩酸塩 （沢井） 細 10% 1g 6.50 円
錠 50mg 1錠 5.90 円　錠 100mg 1錠 5.90 円

アマンタジン塩酸塩 （全星） 錠 50mg 1錠 5.90 円
錠 100mg 1錠 5.90 円

アマンタジン塩酸塩 （鶴原） 細 10% 1g 6.50 円
錠 100mg 1錠 5.90 円

アマンタジン塩酸塩 （鶴原＝日本ジェネリック）
錠 50mg 1錠 5.90 円

アマンタジン塩酸塩 （日医工）
錠 50mg 1錠 5.90 円　錠 100mg 1錠 5.90 円

概要

分類　パーキンソン症候群治療薬

処方目的　パーキンソン症候群／A型インフルエンザウイルス感染症／脳梗塞後遺症

に伴う意欲・自発性低下の改善

解説 パーキンソン症候群は、振戦麻痺とも呼ばれる神経系の病気です。中年後期に発病することが多く、脳血管障害のあとでおこることが多いものです。脳炎の後遺症としておこるものは小児にもあります。

まず、手・腕・足などにふるえがおこり、ついで頭が律動的にうなずくこともあります。丸薬を親指と他の指でまるめるような動作は象徴的な不随意運動です。動いているときよりも休んでいるときの方がおこりやすいのですが、寝ているときにはみられません。進行すると顔面がひきつるようになり、無表情になることが多くなります。しだいに歩くことが困難になりますが、病気が進行する前に作業療法や理学療法をすることが大切です。薬だけにたよるのではなく、家族全体ではげますことが必要です。

またこれらの症状は、抗精神病薬の副作用としておこる場合も少なくありません。

パーキンソン症候群に対する本剤の作用機序はまだ十分に解明されていません。ドパミンの放出促進作用・再取り込み抑制作用・合成促進作用によりドパミン作動ニューロンの活性が高められ、主としてドパミン作動神経系の活動を亢進することにより効果を示すと考えられています。

使用上の注意

＊アマンタジン塩酸塩（シンメトレル）の添付文書による

警告

①てんかんまたはその前歴のある人、けいれんの素因のある人が本剤を服用すると、発作を誘発・悪化させることがあるので十分に注意してください。

②A 型インフルエンザウイルス感染症の人が本剤を服用すると、自殺企図をおこしたとの報告があるので、服用に際しては医師と十分に話し合ってください。

③本剤には催奇形性が疑われる症例報告があり、また、動物実験による催奇形性の報告があるので、妊婦または妊娠している可能性のある女性は服用してはいけません。

基本的注意

(1)服用してはいけない場合……本剤の成分に対するアレルギーの前歴／妊婦または妊娠している可能性のある人、授乳婦／透析を必要とする重い腎障害

(2)慎重に服用すべき場合……心血管疾患（うっ血性心疾患など）、末梢性浮腫／腎機能障害／肝機能障害／低血圧／精神疾患／閉塞性隅角緑内障／高齢者

(3)服用の中止……本剤を「脳梗塞後遺症に伴う意欲・自発性低下の改善」のために 12週間服用しても効果がみられないときは、服用が中止になります。

(4)服用の急な中止……服用を急に中止すると、パーキンソン症状が悪化することがあります。自己判断で中止しないでください。

(5)周囲の配慮……パーキンソン症候群の人が服用すると、抑うつ症状が現れる場合があり、自殺企図の危険が伴います。周囲の人は、注意深く観察することが必要です。

(6)悪性症候群……本剤の服用によって悪性症候群がおこることがあります。無動緘黙〈緘黙＝無言症〉、強度の筋強剛、嚥下困難、頻脈、血圧の変動、発汗などが発現し、引き続いて発熱がみられたら、服用を中止して体を冷やす、水分を補給するなどして、ただちに処

方医へ連絡してください。

(7)危険作業は中止……本剤を服用すると，めまい，ふらつき，立ちくらみ，霧視などがおこることがあります。服用中は，自動車の運転，機械の操作，高所作業など危険を伴う作業には従事しないでください。

(8)その他……

● 小児での安全性：未確立。(1714頁を参照)

重大な副作用　①悪性症候群(高熱，意識障害，高度の筋硬直，不随意運動，ショック症状など)。②視力低下を伴うびまん性表在性角膜炎，角膜浮腫様症状。③心不全。④肝機能障害。⑤腎機能障害。⑥昏睡を含む意識障害，幻覚・妄想・せん妄・錯乱などの精神障害，けいれん，ミオクローヌス，異常行動(急に走り出す，徘徊するなど；インフルエンザ罹患時)。⑦皮膚粘膜眼症候群(スティブンス-ジョンソン症候群)，中毒性表皮壊死融解症(TEN)。⑧横紋筋融解症(筋肉痛，脱力感など)。

そのほかにも報告された副作用はあるので，体調がいつもと違うと感じたときは，処方医・薬剤師に相談してください。

併用してはいけない薬　併用してはいけない薬は特にありません。ただし，併用する薬があるときは，念のため処方医・薬剤師に報告してください。

内 05 その他の循環器系の薬　03 パーキンソン症候群の薬

02 抗コリン性パーキンソン症候群治療薬

製剤情報

一般名：トリヘキシフェニジル塩酸塩

● 保険収載年月…1954年1月
● 海外評価…6点 英米独仏　● PC…C
● 剤形…錠錠剤，散散剤
● 服用量と回数…向精神薬投与によるパーキンソニズム・ジスキネジア(遅発性を除く)・アカシジアの場合は，1日2～10mgを3～4回に分けて服用。特発性およびその他のパーキンソニズムの場合は，1日目1mg，2日目2mg，以後1日につき2mgずつ増量，維持量として1日6～10mg，3～4回に分けて服用。

■先発品　商品名(メーカー)　規格・保険薬価

アーテン (ファイザー) 散1% 1g 15.50円
錠2mg 1錠 8.80円

セドリーナ (アルフレッサ) 錠2mg 1錠 8.80円

トリヘキシフェニジル塩酸塩 (キョーリン＝杏林) 錠2mg 1錠 8.80円

トリヘキシフェニジル塩酸塩 (共和) 錠2mg 1錠 8.70円

トリヘキシフェニジル塩酸塩 (高田) 錠2mg 1錠 8.70円

トリヘキシフェニジル塩酸塩 (武田テバファーマ＝武田) 錠2mg 1錠 8.70円

トリヘキシフェニジル塩酸塩 (長生堂＝日本ジェネリック) 錠2mg 1錠 8.80円

トリヘキシフェニジル塩酸塩 (ニプロ) 錠2mg 1錠 8.70円

パーキネス (東和) 錠2mg 1錠 8.70円

■ジェネリック　商品名(メーカー)　規格・保険薬価

トリヘキシフェニジル塩酸塩 (長生堂＝日本ジェネリック) 散1% 1g 16.20円

一般名：ビペリデン塩酸塩

- 保険収載年月…1965年11月
- 海外評価…4点 英 米 独 仏 ●PC…C
- 剤形…錠 錠剤, 散 散剤, 細 細粒剤
- 服用量と回数…1回1mg（細粒剤は0.1g）を1日2回より始め、その後1日3〜6mg（同0.3〜0.6g）まで徐々に増量する。

■ 先発品　　商品名(メーカー)　規格・保険薬価

アキネトン 写真 (住友ファーマ)	細 1% 1g 25.20 円
錠 1mg 1錠 5.70 円	

■ ジェネリック　　商品名(メーカー)　規格・保険薬価

ビペリデン塩酸塩 (共和)	細 1% 1g 14.40 円
錠 1mg 1錠 5.70 円	
ビペリデン塩酸塩 (沢井)	錠 2mg 1錠 5.70 円
ビペリデン塩酸塩 写真 (田辺三菱＝吉富)	
散 1% 1g 14.40 円	錠 1mg 1錠 5.70 円

一般名：ピロヘプチン塩酸塩

- 保険収載年月…1974年12月

- 海外評価…0点 英 米 独 仏
- 剤形…錠 錠剤, 細 細粒剤
- 服用量と回数…1日6〜12mg（細粒剤は0.3〜0.6g）を3回に分けて服用。

■ 先発品　　商品名(メーカー)　規格・保険薬価

トリモール (長生堂＝日本ジェネリック)	
細 2% 1g 41.10 円	錠 2mg 1錠 5.90 円

一般名：マザチコール塩酸塩水和物

- 保険収載年月…1978年3月
- 海外評価…0点 英 米 独 仏
- 剤形…錠 錠剤, 散 散剤
- 服用量と回数…1回4mg（散剤は0.4g）を1日3回。

■ 先発品　　商品名(メーカー)　規格・保険薬価

ペントナ (田辺三菱＝吉富)	散 1% 1g 40.20 円
錠 4mg 1錠 16.80 円	

📋 概　　要

分類　パーキンソン症候群治療薬

処方目的　[トリヘキシフェニジル塩酸塩, ビペリデン塩酸塩の適応症] 特発性パーキンソニズム, その他のパーキンソニズム（脳炎後, 動脈硬化性など）, 向精神薬投与によるジスキネジア（遅発性を除く）・アカシジア（錐体外路症状）

[ピロヘプチン塩酸塩の適応症] パーキンソン症候群

[マザチコール塩酸塩水和物の適応症] 向精神薬投与によるパーキンソン症候群

解説　抗コリン性（副交感神経を抑制する）のパーキンソン症候群治療薬で, 古くから使われています。向精神薬投与による薬物性パーキンソニズムの軽減のために処方されます。ここに取り扱う薬品は構造的にはそれぞれ多少異なるものですが, その作用は抗コリン性のものであることを示しています。

📝 使用上の注意

＊トリヘキシフェニジル塩酸塩（アーテン）の添付文書による

基本的注意

(1)服用してはいけない場合……閉塞隅角緑内障／本剤の成分に対するアレルギーの前歴／重症筋無力症／[ピロヘプチン塩酸塩, マザチコール塩酸塩水和物]前立腺肥大など尿路の閉塞性疾患

(2)慎重に服用すべき場合……開放隅角緑内障／前立腺肥大など尿路の閉塞性疾患／不

整脈，頻拍傾向／肝機能障害，腎機能障害／高血圧／胃腸管の閉塞性疾患／動脈硬化性パーキンソン症候群／高温環境にある人／脱水・栄養不良状態などを伴う身体的疲弊のある人

(3)定期検査……目の障害（閉塞隅角緑内障など）がおこることがあるので，服用中は定期的に隅角や眼圧の検査を受ける必要があります。

(4)悪性症候群……本剤の服用によって悪性症候群がおこることがあります。無動緘黙〈緘黙＝無言症〉，強度の筋強剛，嚥下困難，頻脈，血圧の変動，発汗などが発現し，引き続いて発熱がみられたら，服用を中止して体を冷やす，水分を補給するなどして，ただちに処方医へ連絡してください。

(5)危険作業は中止……本剤を服用すると，眠け，眼の調節障害，注意力・集中力・反射機能などの低下がおこることがあります。服用中は，自動車の運転など危険を伴う機械の操作は行わないようにしてください。

(6)その他……
- 妊婦での安全性：服用しないことが望ましい。
- 授乳婦での安全性：治療上の有益性・母乳栄養の有益性を考慮し，授乳の継続・中止を検討。
- 小児での安全性：未確立。有益と判断されたときのみ服用。（1714頁を参照）

重大な副作用 ①悪性症候群（発熱，無動・無口，強度の筋強剛，嚥下困難，頻脈，血圧の変動，発汗など）。

[トリヘキシフェニジル塩酸塩] ②精神錯乱，幻覚，せん妄。③長期服用による閉塞隅角緑内障。

[ビペリデン塩酸塩のみ] ④依存性。

　そのほかにも報告された副作用はあるので，体調がいつもと違うと感じたときは，処方医・薬剤師に相談してください。

併用してはいけない薬 併用してはいけない薬は特にありません。ただし，併用する薬があるときは，念のため処方医・薬剤師に報告してください。

内 05 その他の循環器系の薬　03 パーキンソン症候群の薬

03 ドパミン前駆物質（レボドパ）

製剤情報

一般名：レボドパ
- 保険収載年月…1972年1月
- 海外評価…2点 英 米 独 仏
- 剤形…錠 錠剤, 力 カプセル剤, 散 散剤
- 服用量と回数…散剤またはカプセル剤の場合，1日250〜750mgを1〜3回に分けて服用し，そ

の後2〜3日ごとに1日250mgずつ増量。標準維持量1日1,500〜3,500mg。錠剤の場合は，1日200〜600mgを1〜3回に分けて服用。その後2〜3日ごとに1日200〜400mgを徐々に増量し，2〜4週間後に維持量1日2,000〜3,600mg。

■先発品　商品名(メーカー)　規格・保険薬価

ドパストン (大原) 散 98.5% 1g 54.50 円

力 250mg 1カプ 18.30 円

ドパゾール (アルフレッサ) 錠 200mg 1錠 14.60 円

一般名：レボドパ・ベンセラジド塩酸塩配合剤

- 保険収載年月…1980年2月
- 海外評価…4点 英 米 独 仏
- 剤形…錠 錠剤
- 服用量と回数…処方医の指示通りに服用。維持量は1日3〜6錠。

■先発品　商品名(メーカー)　規格・保険薬価

イーシー・ドパール配合錠 写真 (協和キリン)

錠 1錠 21.70 円

ネオドパゾール配合錠 (アルフレッサ)

錠 1錠 26.50 円

マドパー配合錠 写真 (太陽ファルマ)

錠 1錠 22.20 円

一般名：レボドパ・カルビドパ水和物配合剤

- 保険収載年月…1980年2月
- 海外評価…6点 英 米 独 仏　●PC…C
- 剤形…錠 錠剤
- 服用量と回数…処方医の指示通りに服用。標準維持量は1回200〜250mgを1日3回, 1日最大1500mgまで。

■先発品　商品名(メーカー)　規格・保険薬価

ネオドパストン配合錠 L (大原)

錠 100mg 1錠 19.50 円　錠 250mg 1錠 48.30 円

メネシット配合錠 (オルガノン)

錠 100mg 1錠 17.50 円　錠 250mg 1錠 42.70 円

■ジェネリック　商品名(メーカー)　規格・保険薬価

カルコーパ配合錠 L (共和) 錠 100mg 1錠 9.40 円

錠 250mg 1錠 23.00 円

ドパコール配合錠 L (ダイト＝扶桑＝日医工)

錠 50mg 1錠 5.90 円　錠 100mg 1錠 9.40 円

ドパコール配合錠 L (ダイト＝日医工)

錠 250mg 1錠 23.00 円

パーキストン配合錠 L (小林化工)

錠 100mg 1錠 9.40 円　錠 250mg 1錠 23.00 円

レプリントン配合錠 L (辰巳)

錠 250mg 1錠 23.00 円

レプリントン配合錠 L (辰巳＝ファイザー＝日本ジェネリック) 錠 100mg 1錠 9.40 円

一般名：レボドパ・カルビドパ水和物配合剤（空腸投与用）

- 保険収載年月…2016年8月
- 海外評価…6点 英 米 独 仏　●PC…C
- 剤形…液 液剤
- 服用量と回数…胃瘻を通じて空腸に直接投与。毎日, まず朝に5〜10mLを10〜30分かけて投与した後, 2〜6mL／時間で持続投与する。1日の最大投与時間は16時間, 1回あたりの追加投与は0.5〜2.0mLとする。投与量は症状により適宜増減するが, 朝の投与は15mL, 持続投与は10mL／時間を超えないこと, また, 1日総投与量は100mLを超えないこととする。

■先発品　商品名(メーカー)　規格・保険薬価

デュオドーパ配合経腸用液 (アッヴィ)

液 100mL 1カセット 15,282.20 円

概　要

分類　パーキンソン症候群治療薬

処方目的　[レボドパ・カルビドパ水和物配合剤（空腸投与用）を除く] パーキンソン病, パーキンソン症候群に伴う下記の諸症状の治療・予防→寡動〜無動, 筋強剛, ふるえ, 日常生活動作障害, 仮面様顔貌, 歩行障害, 言語障害, 姿勢異常, 突進現象, 膏様

顔，書字障害，精神症状，唾液分泌過剰

［レボドパ・カルビドパ水和物配合剤（空腸投与用）の適応症］レボドパ含有製剤を含む既存の薬物療法で十分な効果が得られないパーキンソン病の症状の日内変動（ウェアリングオフ現象）の改善

解説　パーキンソン病では，脳内の神経伝達物質の一つドパミンが不足しています。しかし，ドパミンはそのまま投与しても脳内には入れません。レボドパは，このドパミンの前駆物質で脳内に入ることができ，ドパミンに変化して不足分を補い，パーキンソン病の症状を改善します。

　その効果は，アマンタジン塩酸塩や抗コリン性パーキンソン症候群治療薬より確実ですが，副作用が多く，遅効性なので，これらを使用した後に使うことが多い製剤です。

　ドパミン脱炭酸酵素阻害薬のベンセラジド塩酸塩やカルビドパ水和物は，レボドパの用量を少なくし，ドパミンの副作用を軽減する働きがあるため，これらを添加した製剤もあります。なお，デュオドーパ配合経腸用液は，胃瘻を通じて空腸に直接投与する新しいタイプのパーキンソン病治療薬です。投与開始時は原則として入院管理下で十分な観察を行い，患者ごとの適切な投与量を決定し，専用の小型携帯型注入ポンプおよびチューブを用いて直接投与することで，既存の薬物治療で十分な効果が得られない進行期パーキンソン病患者のオフ状態（より動きが緩慢になり，より強いこわばりがおこる時間帯）を短縮することが期待されます。

使用上の注意

＊レボドパ（ドパストン）ほかの添付文書による

基本的注意

(1)服用してはいけない場合……閉塞隅角緑内障／本剤の成分に対するアレルギーの前歴

(2)慎重に服用すべき場合……肝機能障害，腎機能障害／胃・十二指腸潰瘍またはその前歴／糖尿病／重い心疾患・肺疾患，気管支ぜんそく，内分泌疾患／慢性開放隅角緑内障／自殺傾向などの精神症状のある人／**［レボドパ・ベンセラジド塩酸塩配合剤のみ］**骨軟化症／25歳以下の患者

(3)定期検査……服用中は定期的に肝機能検査を，また閉塞隅角緑内障のおそれのある場合は，隅角や眼圧の検査を受けることが必要です。

(4)他の薬剤からの切りかえ……他の薬剤から本剤に切りかえる際は，それまでの薬剤を徐々に減量するなどの工夫が必要になります。処方医の指示を忠実に守ってください。

(5)食事……高タンパク食により，レボドパの吸収が低下するとの報告があります。服用中は，タンパク質のとりすぎに注意してください。

(6)幻覚（幻視）……本剤の服用によって幻覚（幻視）がおこることがあります。「小さな虫がたくさん見える」「鉛筆などの長いものが蛇に見える」などの症状が現れたら，必ず処方医に連絡してください。

(7)発がん性……服用により悪性黒色腫が発現したとの報告があります。

(8)危険作業は中止……本剤を服用すると，前兆のない突発的な睡眠，傾眠，調節障害，注

意力・集中力・反射機能などの低下がおこることがあります。服用中は，自動車の運転など危険を伴う機械の操作は行わないようにしてください。

(9)その他……

● 妊婦での安全性：原則として服用しない。

● 授乳婦での安全性：原則として服用しない。(1714頁を参照)

重大な副作用　①悪性症候群(高熱，意識障害，高度の筋硬直，不随意運動，ショック症状など)。②錯乱，幻覚，抑うつ。③胃潰瘍・十二指腸潰瘍の悪化。④溶血性貧血，血小板減少。⑤前兆のない突発的睡眠。⑥閉塞隅角緑内障(霧視，眼痛，充血，頭痛，吐きけなど)。

[メネシット配合錠，デュオドーパ配合経腸用液のみ]　⑦悪性黒色腫。

　そのほかにも報告された副作用はあるので，体調がいつもと違うと感じたときは，処方医・薬剤師に相談してください。

併用してはいけない薬　併用してはいけない薬は特にありません。ただし，併用する薬があるときは，念のため処方医・薬剤師に報告してください。

内 05 その他の循環器系の薬　03 パーキンソン症候群の薬

04　ドロキシドパ

💊 製 剤 情 報

一般名：ドロキシドパ

● 保険収載年月…1989年5月

● 海外評価…2点 英 米 独 仏

● 剤形…錠錠剤，カカプセル剤，細細粒剤

● 服用量と回数…パーキンソン病のすくみ足・たちくらみの改善の場合，1日1回100mgより始め，隔日に100mgずつ増量。標準維持量は1日600mg，3回に分けて服用，1日最大900mgまで。その他の場合は，処方医の指示通りに服用。

■ **先発品**　　商品名(メーカー)　規格・保険薬価

ドプス (住友ファーマ) 細 20% 1g 96.40 円

ドプス OD 写真 (住友ファーマ)

錠 100mg 1錠 44.90 円	錠 200mg 1錠 83.50 円

■ **ジェネリック**　　商品名(メーカー)　規格・保険薬価

ドロキシドパ (共和) カ 100mg 1カプセル 35.50 円

カ 200mg 1カプセル 69.70 円

ドロキシドパ (日医工ファーマ＝日医工)

カ 100mg 1カプセル 35.50 円	カ 200mg 1カプセル 69.70 円

📋 概　　要

分類　パーキンソン症候群治療薬

処方目的　パーキンソン病(ヤール重症度ステージ3)のすくみ足・立ちくらみの改善／シャイドレーガー症候群・家族性アミロイドポリニューロパチーにおける起立性低血圧・失神・立ちくらみの改善／起立性低血圧を伴う血液透析患者のめまい・ふらつき・立ちくらみ，倦怠感，脱力感の改善

解説　ドロキシドパは，日本で開発されたパーキンソン病の治療薬で，特にパーキンソン病の特徴的な症状の一つ「すくみ足」にターゲットを絞った薬剤です。すくみ足とは，

あたかも足が地面に貼りついたようになって足が出ない状態で, 転倒しやすくなります。すくみ足がある人は, 脳内のノルアドレナリンという神経伝達物質が不足しています。しかし, ノルアドレナリンはそのまま投与しても脳内には入れません。本剤は, このノルアドレナリンの前駆物質で脳内に入ることができ, ノルアドレナリンに変化して不足分を補い, すくみ足を改善します。

使用上の注意

*ドロキシドパ(ドプス)の添付文書による

基本的注意

(1)服用してはいけない場合……本剤に対するアレルギー／閉塞隅角緑内障／本剤の服用中の人に対するハロタンなどのハロゲン含有吸入麻酔薬の使用／イソプレナリン塩酸塩などのカテコールアミン製剤の服用中／重い末梢血管病変(糖尿病性壊疽など)のある血液透析をしている人／妊婦または妊娠している可能性のある人

(2)特に慎重に服用すべき場合(原則禁忌, 処方医と連絡を絶やさないこと)……コカイン中毒／心室性頻拍

(3)慎重に服用すべき場合……高血圧／動脈硬化症／甲状腺機能亢進症／重い肝機能障害・腎機能障害／心疾患／重い肺疾患, 気管支ぜんそく, 内分泌系疾患／慢性開放隅角緑内障／重い糖尿病を合併した血液透析をしている人

(4)悪性症候群……本剤の服用によって悪性症候群がおこることがあります。無動緘黙〈緘黙＝無言症〉, 強度の筋強剛, 嚥下困難, 頻脈, 血圧の変動, 発汗などが発現し,引き続いて発熱がみられたら, 服用を中止して体を冷やす, 水分を補給するなどして, ただちに処方医へ連絡してください。

(5)その他……
●授乳婦での安全性：原則として服用しない。やむを得ず服用するときは授乳を中止。
●小児での安全性：未確立。(1714 頁を参照)

重大な副作用

①悪性症候群(高熱, 意識障害, 高度の筋硬直, 不随意運動, CK の上昇など)。②白血球減少, 無顆粒球症, 好中球減少, 血小板減少。

そのほかにも報告された副作用はあるので, 体調がいつもと違うと感じたときは, 処方医・薬剤師に相談してください。

併用してはいけない薬

①ハロタンなどのハロゲン含有吸入麻酔薬→頻脈, 心室細動の危険が増大します。②イソプレナリン塩酸塩などのカテコールアミン製剤(イソメニール, プロタノールなど)→不整脈, ときに心停止をおこすおそれがあります。

内 05 その他の循環器系の薬　03 パーキンソン症候群の薬

05　ペルゴリドメシル酸塩

製剤情報

一般名：ペルゴリドメシル酸塩
●保険収載年月…1994年8月

- 海外評価…2点 英 米 独 仏
- 規制…劇薬
- 剤形…錠 錠剤, 顆 顆粒剤
- 服用量と回数…処方医の指示通りに服用。

■先発品　商品名(メーカー)　規格・保険薬価

ペルマックス 写真 (協和キリン)
錠 50μg 1錠 30.60 円　錠 250μg 1錠 122.70 円

■ジェネリック　商品名(メーカー)　規格・保険薬価

ペルゴリド (沢井) 錠 50μg 1錠 16.60 円
錠 250μg 1錠 68.50 円

ペルゴリド (日医工) 顆 0.025% 1g 95.70 円

ペルゴリド (マイラン＝ファイザー)
錠 50μg 1錠 16.60 円

ペルゴリド (マイラン＝ファイザー＝日本ジェネリック) 錠 250μg 1錠 68.50 円

メシル酸ペルゴリド (共和) 錠 50μg 1錠 16.60 円
錠 250μg 1錠 68.50 円

概　要

分類　バッカクアルカロイド(抗パーキンソン病薬)

処方目的　パーキンソン病

解説　ペルゴリドメシル酸塩は，カベルゴリン，ブロモクリプチンメシル酸塩と同じようにバッカクアルカロイド製剤です。

　パーキンソン病では，脳内の神経伝達物質の一つドパミンが不足しています。本剤は，神経細胞のドパミンの受容体を刺激してドパミンの量を増やし，パーキンソン病の改善を図ります。パーキンソン病の治療において，非バッカクアルカロイド製剤で治療効果が不十分，または副作用に耐えられないと考えられる場合にのみ使用されることになっています。原則として，レボドパ製剤と併用して処方されます。

使用上の注意

*ペルゴリドメシル酸塩(ペルマックス)の添付文書による

基本的注意

(1)服用してはいけない場合……バッカク製剤に対するアレルギーの前歴／心臓弁膜の病変(心臓弁尖肥厚，心臓弁可動制限およびこれらに伴う狭窄など)またはその前歴

(2)慎重に服用すべき場合……精神病・不整脈・肝機能障害・腎機能障害またはその前歴／胸膜炎・胸水・胸膜線維症・肺線維症・心膜炎・心膜滲出液・後腹膜線維症またはその前歴(特にバッカク製剤服用中にこれらの疾患・症状が現れたことのある人)／レイノー病／高齢者

(3)服用法……動物試験で眼刺激性および吸入毒性が，また本剤の粉砕時に異臭・頭重感などが認められたとの報告があります。したがって，服用直前に包装より取り出すこと，また粉砕しないで服用するようにしてください。

(4)検査……心臓弁膜症，線維症，間質性肺炎が現れることがあるので，服用中は身体所見，X線，心エコー，CTなどの検査を適宜受ける必要があります。

(5)減量・中止……本剤の減量また中止が必要な場合は，少しずつ減らしていくことが必要です。本剤の急激な減量・中止により，悪性症候群を誘発することがあります。また，ドパミン受容体作動薬の急激な減量・中止により，薬剤離脱症候群(無感情，不安，

うつ，疲労感，発汗，疼痛などの症状を特徴とする）が現れることがあります。

(6)悪性症候群……本剤の服用によって悪性症候群がおこることがあります。無動緘黙〈緘黙＝無言症〉，強度の筋強剛，嚥下困難，頻脈，血圧の変動，発汗などが発現し，引き続いて発熱がみられたら，服用を中止して体を冷やす，水分を補給するなどして，ただちに処方医へ連絡してください。

(7)高齢者……本剤は主として肝臓で代謝されますが，高齢者では肝機能が低下していることが多いため，高い血中濃度が持続するおそれがあるので，処方医と十分連絡をとりながら服用してください。

(8)突然死など……①本剤の服用中に，原因不明の突然死がおこったとの報告があります。②動物実験で，長期大量投与により子宮内膜腫瘍が低率で発生したとの報告があります。③外国では，高用量の服用で心臓弁膜症の報告割合が高いことが知られています。

(9)危険作業は中止……本剤を服用すると，前兆のない突発的睡眠，傾眠などがおこることがあります。服用中は，自動車の運転，高所での作業など危険を伴う機械の操作は行わないようにしてください。

(10)その他……
●妊婦での安全性：服用しないことが望ましい。
●授乳婦での安全性：治療上の有益性・母乳栄養の有益性を考慮し，授乳の継続・中止を検討。
●小児での安全性：未確立。(1714頁を参照)

重大な副作用　①悪性症候群(高熱，意識障害，高度の筋硬直，不随意運動など)。②間質性肺炎(発熱，せき，呼吸困難など)。③胸膜炎，胸水，胸膜線維症，肺線維症，心膜炎，心膜滲出液。④心臓弁膜症。⑤幻覚，妄想，せん妄。⑥後腹膜線維症(背部痛，下肢浮腫，腎機能障害など)。⑦前兆のない突発的睡眠。⑧肝機能障害，黄疸。⑨血小板減少。⑩腸閉塞。⑪意識障害，失神。

そのほかにも報告された副作用はあるので，体調がいつもと違うと感じたときは，処方医・薬剤師に相談してください。

併用してはいけない薬　併用してはいけない薬は特にありません。ただし，併用する薬があるときは，念のため処方医・薬剤師に報告してください。

内 05 その他の循環器系の薬　03 パーキンソン症候群の薬
06 カベルゴリン

製剤情報

一般名：カベルゴリン
●保険収載年月…1999年8月
●海外評価…6点 英米独仏　●PC…B
●規制…劇薬

●剤形…錠 錠剤
●服用量と回数…パーキンソン病の場合，1日1回0.25mgから開始し，2週目には1日1回0.5mgとし，1週間ごとに0.5mgずつ増量。最大1日1回3mg。その他の場合は，処方医の指示通りに服用。

■先発品　　商品名(メーカー)　規格・保険薬価　　■ジェネリック　　商品名(メーカー)　規格・保険薬価

カバサール(ファイザー) 錠 0.25mg 1錠 51.10 円　　**カベルゴリン**(沢井) 錠 0.25mg 1錠 31.30 円
錠 1mg 1錠 162.90 円　　　　　　　　　　　　　　錠 1mg 1錠 100.70 円

概　要

分類　バッカクアルカロイド(抗パーキンソン病薬)

処方目的　パーキンソン病／産褥性乳汁分泌抑制／乳汁漏出症, 高プロラクチン血性排卵障害, 高プロラクチン血性下垂体腺腫(外科的処置を必要としない場合に限る)

解説　カベルゴリンは, ペルゴリドメシル酸塩, ブロモクリプチンメシル酸塩と同じようにバッカクアルカロイド製剤です。

　パーキンソン病では, 脳内の神経伝達物質の一つドパミンが不足しています。本剤は, 神経細胞のドパミンの受容体を刺激してドパミンの量を増やし, パーキンソン病の改善を図ります。パーキンソン病の治療において, 非バッカクアルカロイド製剤で治療効果が不十分, または副作用に耐えられないと考えられる場合にのみ使用されることになっています。

　また本剤には, プロラクチンというホルモンの分泌を抑制する作用があり, 高プロラクチン血症にも使われます。プロラクチンは産後に母乳を分泌させたり, 授乳中に妊娠しないように排卵を止める働きをするホルモンですが, 産後でもないのに多量に分泌してしまう病気が高プロラクチン血症で, 排卵障害や無月経, 乳汁漏出症などが現れ, 不妊の原因にもなります。

使用上の注意

*カベルゴリン(カバサール)の添付文書による

基本的注意

(1)**服用してはいけない場合**……バッカク製剤に対するアレルギーの前歴／心臓弁膜の病変(心臓弁尖肥厚, 心臓弁可動制限およびこれらに伴う狭窄など)またはその前歴／妊娠中毒症／産褥期高血圧

(2)**慎重に服用すべき場合**……高度の肝機能障害またはその前歴／胸膜炎・胸水・胸膜線維症・肺線維症・心膜炎・心のう液貯留・後腹膜線維症またはその前歴／消化性潰瘍や消化管出血またはその前歴／精神病またはその前歴／低血圧症／重い心血管障害またはその前歴／レイノー病／下垂体腫瘍がトルコ鞍外に進展し視力障害などの著明な高プロラクチン血性下垂体腺腫の人／妊婦または妊娠している可能性のある人(ただしパーキンソン病の人は服用しないように), 授乳婦, 高齢者

(3)**女性**……①長期に連用するとプロラクチン分泌が抑制され, 婦人科的な異常がおこることがあるため, 定期的に婦人科検査を受ける必要があります。②妊娠を希望する人が服用する場合は妊娠を早期に確認するため, 定期的に妊娠反応などの検査を受ける必要があります。妊娠を望まない人は避妊をしてください。

(4)**氷嚢法**……本剤を産褥性乳汁分泌抑制のために服用するときには, 場合によって氷嚢法(氷などで冷やす)などの補助的方法を併用することがあります。

(5)発がん性……本剤の類薬の動物実験で, 長期大量投与により子宮腫瘍がみられたとの報告があります。

(6)減量・中止……パーキンソン病の治療で本剤の減量または中止が必要な場合は, 少しずつ減らしていくことが必要です。本剤の急激な減量・中止により, 悪性症候群を誘発することがあります。また, ドパミン受容体作動薬の急激な減量・中止により, 薬剤離脱症候群(無感情, 不安, うつ, 疲労感, 発汗, 疼痛などの症状を特徴とする)が現れることがあります。

(7)悪性症候群……本剤の服用によって悪性症候群がおこることがあります。無動緘黙〈緘黙＝無言症〉, 強度の筋強剛, 嚥下困難, 頻脈, 血圧の変動, 発汗などが発現し,引き続いて発熱がみられたら, 服用を中止して体を冷やす, 水分を補給するなどして, ただちに処方医へ連絡してください。

(8)危険作業は中止……本剤を服用すると, 前兆のない突発的睡眠, 傾眠, 起立性低血圧などがおこることがあります。服用中は, 自動車の運転など危険を伴う機械の操作は行わないようにしてください。

(9)その他……
●妊婦での安全性：服用しないことが望ましい。
●授乳婦での安全性：治療上の有益性・母乳栄養の有益性を考慮し, 授乳の継続・中止を検討。授乳を望む人は服用しないこと。
●小児での安全性：未確立。(1714 頁を参照)

重大な副作用　①悪性症候群(高熱, 意識障害, 高度の筋硬直, 不随意運動, ショック症状など)。②幻覚, 妄想, せん妄, 失神, 錯乱。③間質性肺炎(発熱, せき, 呼吸困難など)。④胸膜炎, 心のう液貯留, 胸水, 胸膜線維症, 肺線維症, 心膜炎。⑤前兆のない突発的睡眠。⑥肝機能障害, 黄疸。⑦狭心症, 肢端紅痛症。⑧心臓弁膜症。⑨後腹膜線維症(背部痛, 下肢浮腫, 腎機能障害)。
　そのほかにも報告された副作用はあるので, 体調がいつもと違うと感じたときは, 処方医・薬剤師に相談してください。

併用してはいけない薬　併用してはいけない薬は特にありません。ただし, 併用する薬があるときは, 念のため処方医・薬剤師に報告してください。

内 05 その他の循環器系の薬　03 パーキンソン症候群の薬

07　ドパミン受容体作動薬

製剤情報

一般名：プラミペキソール塩酸塩水和物
●保険収載年月…2003年12月
●海外評価…6点 英 米 独 仏　●PC…C
●規制…劇薬

●剤形…錠 錠剤
●服用量と回数…パーキンソン病の場合は,1日0.25mgから始め, 2週目に1日量を0.5mgとして, 以後1週間ごとに0.5mgずつ増量。標準維持量は1日1.5～4.5mg。1日量が1.5mg未満の

場合は2回, 1.5mg以上の場合は3回に分けて服用。レストレスレッグス症候群の場合は, 通常1日1回0.25mg。1日0.125mgから開始し, 0.75mgまで増量できる。

■先発品　商品名（メーカー）　規格・保険薬価

ビ・シフロール（ベーリンガー）
錠 0.125mg 1錠 29.90 円　錠 0.5mg 1錠 102.40 円

■ジェネリック　商品名（メーカー）　規格・保険薬価

プラミペキソール塩酸塩（あすか＝武田）
錠 0.125mg 1錠 11.60 円　錠 0.5mg 1錠 41.50 円

プラミペキソール塩酸塩（エルメッド＝日医工）
錠 0.125mg 1錠 11.60 円　錠 0.5mg 1錠 41.50 円

プラミペキソール塩酸塩（共創未来）
錠 0.125mg 1錠 11.60 円　錠 0.5mg 1錠 41.50 円

プラミペキソール塩酸塩（共和）
錠 0.125mg 1錠 11.60 円　錠 0.5mg 1錠 41.50 円

プラミペキソール塩酸塩（小林化工）
錠 0.125mg 1錠 11.60 円　錠 0.5mg 1錠 41.50 円

プラミペキソール塩酸塩 写真（沢井）
錠 0.125mg 1錠 11.60 円　錠 0.5mg 1錠 41.50 円

プラミペキソール塩酸塩（第一三共エスファ）
錠 0.125mg 1錠 11.60 円　錠 0.5mg 1錠 41.50 円

プラミペキソール塩酸塩（高田）
錠 0.125mg 1錠 11.60 円　錠 0.5mg 1錠 41.50 円

プラミペキソール塩酸塩（日医工）
錠 0.125mg 1錠 11.60 円　錠 0.5mg 1錠 41.50 円

プラミペキソール塩酸塩（日新）
錠 0.125mg 1錠 11.60 円　錠 0.5mg 1錠 41.50 円

プラミペキソール塩酸塩（日本ジェネリック）
錠 0.125mg 1錠 11.60 円　錠 0.5mg 1錠 41.50 円

プラミペキソール塩酸塩 写真（マイラン＝ファイザー）錠 0.125mg 1錠 11.60 円
錠 0.5mg 1錠 41.50 円

プラミペキソール塩酸塩（陽進堂）
錠 0.125mg 1錠 11.60 円　錠 0.5mg 1錠 41.50 円

プラミペキソール塩酸塩 OD（東和）
錠 0.125mg 1錠 11.60 円　錠 0.5mg 1錠 41.50 円

一般名：プラミペキソール塩酸塩水和物徐放

● 保険収載年月…2011年7月
● 海外評価…6点 英米独仏　●PC…C
● 規制…劇薬
● 剤形…錠 錠剤
● 服用量と回数…1日1回0.375mgから始め, 2週目に0.75mgとし, 以後1週間ごとに0.75mgずつ増量。標準維持量は1日1.5〜4.5mg。

■先発品　商品名（メーカー）　規格・保険薬価

ミラペックス LA 写真（ベーリンガー）
錠 0.375mg 1錠 87.10 円　錠 1.5mg 1錠 298.80 円

■ジェネリック　商品名（メーカー）　規格・保険薬価

プラミペキソール塩酸塩 LA 錠 MI（大原＝共創未来）0.375mg 1錠 25.80 円
錠 1.5mg 1錠 89.50 円

プラミペキソール塩酸塩 LA 錠 MI（共和）
錠 0.375mg 1錠 28.50 円　錠 1.5mg 1錠 94.50 円

プラミペキソール塩酸塩 LA 錠 MI（沢井）
錠 0.375mg 1錠 25.80 円　錠 1.5mg 1錠 94.50 円

プラミペキソール塩酸塩 LA 錠 MI（第一三共エスファ）錠 0.375mg 1錠 25.80 円
錠 1.5mg 1錠 94.50 円

プラミペキソール塩酸塩 LA 錠 MI（東和）
錠 0.375mg 1錠 28.50 円　錠 1.5mg 1錠 94.50 円

プラミペキソール塩酸塩 LA 錠 MI（日本ジェネリック）錠 0.375mg 1錠 28.50 円
錠 1.5mg 1錠 94.50 円

一般名：ロピニロール塩酸塩

● 保険収載年月…2006年12月
● 海外評価…6点 英米独仏　●PC…C
● 規制…劇薬
● 剤形…錠 錠剤
● 服用量と回数…1回0.25mgを1日3回から始め, 1週ごとに1日0.75mgずつ増量。標準維持量は1日3〜9mg, 1日最大15mg。CR（徐放剤）は, 1日1回2mgから始め, 2週目に1日1回4mgとし, 以後必要に応じて増量。1日最大16mg。

■先発品　　商品名(メーカー)　規格・保険薬価

レキップ(グラクソ) 錠 0.25mg 1錠 31.90 円
錠 1mg 1錠 110.70 円　錠 2mg 1錠 194.90 円

レキップ CR(グラクソ) 錠 2mg 1錠 169.20 円
錠 8mg 1錠 570.20 円

■ジェネリック　　商品名(メーカー)　規格・保険薬価

ロピニロール(長生堂＝日本ジェネリック)
錠 0.25mg 1錠 11.00 円　錠 1mg 1錠 35.50 円
錠 2mg 1錠 62.70 円

ロピニロール OD(共和) 錠 0.25mg 1錠 11.00 円
錠 1mg 1錠 35.50 円　錠 2mg 1錠 62.70 円

ロピニロール徐放錠(共創未来)
錠 2mg 1錠 67.50 円　錠 8mg 1錠 230.50 円

ロピニロール徐放錠(沢井) 錠 2mg 1錠 67.50 円
錠 8mg 1錠 230.50 円

ロピニロール徐放錠(東和) 錠 2mg 1錠 67.50 円
錠 8mg 1錠 230.50 円

概　要

分類　ドパミン受容体作動薬

処方目的　パーキンソン病

[プラミペキソール塩酸塩水和物のみ(徐放剤を除く)] 中等度から高度の特発性レストレスレッグス症候群(下肢静止不能症候群)

解説　レストレスレッグス症候群は，睡眠中の脚の不快感によりどうしても足を動かしたくなってしまい，そのため睡眠が妨げられ，慢性的な睡眠不足から日中の QOL(生活の質)が損なわれる病気です。パーキンソン病と同様にドパミン神経系が関与することがわかり，プラミペキソールの臨床試験が行われました。2006 年に欧米で，日本でも 2010 年 1 月にまず先発品のビ・シフロールに，ついで 2018 年 3 月にジェネリックにも適応症の追加が承認されました(徐放製剤は除く)。

この症候群は，適切な運動や，症状から注意をそらす工夫などで，かなり対応が可能です。薬物治療はその後の選択肢です。副作用の頻度もかなり高いので，主治医とよく相談のうえ服薬を開始してください。

使用上の注意

＊プラミペキソール塩酸塩水和物(ビ・シフロール)，ロピニロール塩酸塩(レキップ)ほかの添付文書による

警告

[プラミペキソール塩酸塩水和物，ロピニロール塩酸塩] 前兆のない突発的睡眠や眠けなどが生じ，自動車事故をおこした例が報告されているので，服用中は自動車の運転，機械の操作，高所作業など危険を伴う作業には従事しないでください。

基本的注意

(1)服用してはいけない場合……本剤の成分に対するアレルギーの前歴／妊婦または妊娠している可能性のある人

[徐放剤(ミラペックス LA，プラミペキソール塩酸塩 LA 錠 MI)のみ] 透析患者を含む高度な腎機能障害(クレアチニンクリアランス 30mL/分未満)

(2)慎重に服用すべき場合……幻覚・妄想などの精神症状またはその前歴／重い心疾患またはその前歴／低血圧症／高齢者／[プラミペキソール塩酸塩水和物のみ]腎機能障害

／[ロピニロール塩酸塩のみ]重い腎機能障害（クレアチニンクリアランス 30mL/分未満）／肝機能障害

(3)服用法……①[プラミペキソール塩酸塩水和物]本剤は光に対して不安定なため，服用直前に PTP シートから取り出して服用してください。②[ロピニロール塩酸塩]本剤は一般に，空腹時に服用すると吐きけ，嘔吐などの消化器症状が多く現れる可能性があるため，できるだけ食後に服用してください。

(4)服用初期……[プラミペキソール塩酸塩水和物]特に服用初期には，めまい，立ちくらみ，ふらつきなどの起立性低血圧に基づく症状がおこりやすくなります。異常を感じたら，すぐに処方医へ連絡してください。

(5)減量・中止……パーキンソン病の治療で本剤の減量または中止が必要な場合は，少しずつ減らしていくことが必要です。本剤の急激な減量・中止により，悪性症候群を誘発することがあります。また，ドパミン受容体作動薬の急激な減量・中止により，薬剤離脱症候群（無感情，不安，うつ，疲労感，発汗，疼痛などの症状を特徴とする）が現れることがあります。

(6)危険作業は中止……「警告」にもある突発的睡眠をおこした症例の中には，傾眠や過度の眠けのような前兆を認めなかった例，あるいは服用開始後 1 年以上経過した後に初めて発現した例も報告されているので，自動車の運転，機械の操作，高所作業など危険を伴う作業には従事しないでください。

(7)悪性症候群……本剤の服用によって悪性症候群がおこることがあります。無動緘黙〈緘黙＝無言症〉，強度の筋強剛，嚥下困難，頻脈，血圧の変動，発汗，高熱，意識障害，不随意運動の症状などが現れたら，服用を中止して体を冷やす，水分を補給するなどして，ただちに処方医へ連絡してください。

(8)その他……

●授乳婦での安全性：[プラミペキソール塩酸塩水和物]原則として服用しない。やむを得ず服用するときは授乳を中止。[ロピニロール塩酸塩]治療上の有益性・母乳栄養の有益性を考慮し，授乳の継続・中止を検討。

●小児での安全性：未確立。(1714 頁を参照)

重大な副作用　　①前兆のない突発的睡眠，極度の傾眠。②幻覚，妄想，せん妄，激越，錯乱。③悪性症候群（発熱，意識障害，無動無言，高度の筋硬直，頻脈，発汗，高熱，意識障害，不随意運動など）。

[プラミペキソール塩酸塩水和物のみ]　④抗利尿ホルモン不適合分泌症候群（けいれん，意識障害など）。⑤横紋筋融解症（筋肉痛，脱力感など）。⑥肝機能障害。

そのほかにも報告された副作用はあるので，体調がいつもと違うと感じたときは，処方医・薬剤師に相談してください。

併用してはいけない薬　　併用してはいけない薬は特にありません。ただし，併用する薬があるときは，念のため処方医・薬剤師に報告してください。

08 選択的 MAO-B 阻害薬

製剤情報

一般名：セレギリン塩酸塩

- 保険収載年月…1998年11月
- 海外評価…6点 英 米 独 仏　●PC…C
- 規制…劇薬，覚醒剤原料
- 剤形…錠 錠剤
- 服用量と回数…[レボドパ含有製剤を併用する場合]1日1回2.5mgから始め，2週ごとに1日量を2.5mgずつ増量。標準維持量は1日7.5mg。1日最大10mgまで。[レボドパ含有製剤を併用しない場合]1日1回2.5mgから始め，2週ごとに1日量を2.5mgずつ増量し1日10mgとする。1日最大10mgまで。

■ **先発品**　商品名(メーカー)　規格・保険薬価

エフピー OD 写真 (エフピー)	
錠 2.5mg 1錠 283.70 円	

■ **ジェネリック**　商品名(メーカー)　規格・保険薬価

セレギリン塩酸塩 (共和)	錠 2.5mg 1錠 149.60 円
セレギリン塩酸塩 写真 (武田テバファーマ)	
錠 2.5mg 1錠 149.60 円	

一般名：ラサギリンメシル酸塩

- 保険収載年月…2018年5月
- 海外評価…6点 英 米 独 仏　●PC…C
- 規制…劇薬
- 剤形…錠 錠剤
- 服用量と回数…1日1回1mg。

■ **先発品**　商品名(メーカー)　規格・保険薬価

アジレクト (武田)	錠 0.5mg 1錠 515.30 円
	錠 1mg 1錠 953.80 円

一般名：サフィナミドメシル酸塩

- 保険収載年月…2019年11月
- 海外評価…6点 英 米 独 仏
- 規制…劇薬
- 剤形…錠 錠剤
- 服用量と回数…1日1回50〜100mg。

■ **先発品**　商品名(メーカー)　規格・保険薬価

エクフィナ (エーザイ)	錠 50mg 1錠 930.90 円

概　要

分類　抗パーキンソン病薬(選択的モノアミン酸化酵素タイプB〈MAO-B〉阻害薬)

処方目的　[セレギリン塩酸塩の適応症]パーキンソン病(レボドパ含有製剤を併用する場合：ヤール重症度ステージ1〜4，レボドパ含有製剤を併用しない場合：ヤール重症度ステージ1〜3)

[ラサギリンメシル酸塩の適応症]パーキンソン病

[サフィナミドメシル酸塩の適応症]レボドパ含有製剤で治療中のパーキンソン病におけるウェアリングオフ現象(日内変動)の改善

解説　パーキンソン病の症状は，脳内の神経細胞から分泌される神経伝達物質の一つドパミンの量が減少することで発現します。このドパミンは，MAO-Bと呼ばれる酵素(モノアミン酸化酵素タイプB)によって分解されます(1716頁を参照)。選択的MAO-B阻害薬は，この酵素と結合することで脳内のドパミンの分解を抑制し，ドパミン濃度を高めることでパーキンソン病の症状を改善します。

　上記 3 剤の違いの一つは飲食物との相互作用です。セレギリン塩酸塩とラサギリンメシル酸塩は，チラミンを多く含む飲食物には十分に注意しなければなりませんが（基本的注意の（4）参照），サフィナミドメシル酸塩にはその心配がありません。また，セレギリンとラサギリンは単剤での使用もできますが，サフィナミドは必ずレボドパ含有製剤と併用します。

🈁 使用上の注意

＊セレギリン塩酸塩（エフピー OD），ラサギリンメシル酸塩（アジレクト）の添付文書による

警告

[セレギリン塩酸塩]

①本剤は 1 日あたり 10mg 以上，服用してはいけません。

②本剤と三環系抗うつ薬（アミトリプチリン塩酸塩など）とを併用してはいけません。切り換える場合は，一方の中止後，14 日は間隔をあけてください。

基本的注意

（1）服用してはいけない場合……[セレギリン塩酸塩]本剤の成分に対するアレルギーの前歴／ペチジン塩酸塩，トラマドール塩酸塩，タペンタドール塩酸塩の服用中／非選択的モノアミン酸化酵素阻害薬（サフラジン塩酸塩）の服用中／統合失調症またはその前歴／覚醒剤・コカインなどの中枢興奮薬の依存またはその前歴／三環系抗うつ薬（アミトリプチリン塩酸塩など）の服用中，あるいは中止後 14 日以内／選択的セロトニン再取り込み阻害薬（フルボキサミンマレイン酸塩など），セロトニン再取り込み阻害・セロトニン受容体調節薬（ボルチオキセチン臭化水素酸塩），セロトニン・ノルアドレナリン再取り込み阻害薬（ミルナシプラン塩酸塩など），選択的ノルアドレナリン再取り込み阻害薬（アトモキセチン塩酸塩），ノルアドレナリン・セロトニン作動性抗うつ薬（ミルタザピン）の服用中

[ラサギリンメシル酸塩] 本剤の成分に対するアレルギーの前歴／他の MAO 阻害薬（セレギリン塩酸塩，サフィナミドメシル酸塩）の服用中／ペチジン塩酸塩含有製剤，トラマドール塩酸塩，タペンタドール塩酸塩の服用中／三環系抗うつ薬（アミトリプチリン塩酸塩，アモキサピン，イミプラミン塩酸塩，クロミプラミン塩酸塩，ドスレピン塩酸塩，トリミプラミンマレイン酸塩，ノルトリプチリン塩酸塩，ロフェプラミン塩酸塩），四環系抗うつ薬（マプロチリン塩酸塩，ミアンセリン塩酸塩，セチプチリンマレイン酸塩），選択的セロトニン再取り込み阻害薬（フルボキサミンマレイン酸塩，パロキセチン塩酸塩水和物，セルトラリン塩酸塩，エスシタロプラムシュウ酸塩），セロトニン再取り込み阻害・セロトニン受容体調節薬（ボルチオキセチン臭化水素酸塩），セロトニン・ノルアドレナリン再取り込み阻害薬（ミルナシプラン塩酸塩，デュロキセチン塩酸塩，ベンラファキシン塩酸塩），選択的ノルアドレナリン再取り込み阻害薬（アトモキセチン塩酸塩），リスデキサンフェタミンメシル酸塩，メチルフェニデート塩酸塩，ノルアドレナリン・セロトニン作動性抗うつ薬（ミルタザピン），塩酸テトラヒドロゾリン・プレドニゾロン，ナファゾリン硝酸塩，トラマゾリン塩酸塩の使用中／中等度以上の肝機能障害（Child-

Pugh 分類 B または C)

(2)慎重に服用すべき場合……[セレギリン塩酸塩]重い肝機能障害／重い腎機能障害／高用量のレボドパの服用中／心・脳循環器系障害／狭心症／高齢者／[ラサギリンメシル酸塩]軽度の肝機能障害／低体重の人／高齢者

(3)悪性症候群……セレギリン塩酸塩, ラサギリンメシル酸塩の急激な減量または中止によって悪性症候群がおこることがあります。無動緘黙〈緘黙＝無言症〉, 発汗, 高熱, 血圧の変動, 頻脈, 高度の筋硬直, 不随意運動, 嚥下困難, 意識障害などが現れたら, 体を冷やす, 水分を補給するなどして, ただちに処方医へ連絡してください。

(4)飲食物に注意……①[セレギリン塩酸塩, ラサギリンメシル酸塩]モノアミン(チラミン)含有量の多い飲食物(チーズ, ビール, ワイン, レバー, にしん, 酵母, そら豆, バナナなど)を一緒に摂取すると異常な昇圧(高血圧)を招くおそれがあるので, 併用中はこれらの飲食物を控えめにするなどして, 異常を感じたらすぐに処方医に連絡してください。②[ラサギリンメシル酸塩](a)セイヨウオトギリソウ(セント・ジョーンズ・ワート)含有食品を一緒に摂取すると脳内セロトニン濃度が高まるおそれがあるので, 服用中はセイヨウオトギリソウ含有食品を摂取しないでください。(b)タバコ(喫煙)は本剤の血中濃度を低下させる可能性があるので, できるだけ禁煙してください。

(5)危険作業は中止……セレギリン塩酸塩を服用するとめまい, 注意力・集中力・反射機能などの低下が, ラサギリンメシル酸塩を服用すると日中の傾眠, 前兆のない突発的睡眠または睡眠発作が現れることがあるため, 自動車の運転, 機械の操作, 高所での作業など危険を伴う作業には従事しないでください。

(6)その他……
● 妊婦での安全性：有益と判断されたときのみ服用。
● 授乳婦での安全性：[セレギリン塩酸塩]服用するときは授乳を中止。[ラサギリンメシル酸塩]治療上の有益性・母乳栄養の有益性を考慮し, 授乳の継続・中止を検討。
● 小児での安全性：未確立。(1714 頁を参照)

重大な副作用　①幻覚, 幻視, 幻聴, 錯覚, 妄想, 錯乱, せん妄。②悪性症候群(無動緘黙〈緘黙＝無言症〉, 発汗, 高熱, 血圧の変動, 頻脈, 高度の筋硬直, 不随意運動, 嚥下困難, 意識障害など)。

[セレギリン塩酸塩] ③狭心症の発現または悪化。④低血糖(意識障害, 昏睡など)。⑤胃潰瘍。

[ラサギリンメシル酸塩] ⑥起立性低血圧。⑦日中の傾眠, 前兆のない突発的睡眠。⑧衝動制御障害(病的賭博, 病的性欲亢進, 強迫性購買, 暴食など)。⑨セロトニン症候群(不安, 焦燥, 興奮, 錯乱, 発熱, ミオクローヌス, 発汗, 頻脈など)。

　そのほかにも報告された副作用はあるので, 体調がいつもと違うと感じたときは, 処方医・薬剤師に相談してください。

併用してはいけない薬　[セレギリン塩酸塩] ①ペチジン塩酸塩, トラマドール塩酸塩, タペンタドール塩酸塩→高度の興奮, 精神錯乱などの発現が報告されています。②非選択的モノアミン酸化酵素阻害薬(1716 頁を参照)(サフラジン塩酸塩)→高度の起

内
05
―
03
―
08

選択的MAO-B阻害薬

立性低血圧の発現が報告されています。

③三環系抗うつ薬(アミトリプチリン塩酸塩など)→高血圧，失神，不全収縮，発汗，てんかん，動作・精神障害の変化，筋強剛といった副作用が現れ，さらに死亡例も報告されています。

④選択的セロトニン再取り込み阻害薬(フルボキサミンマレイン酸塩，パロキセチン塩酸塩水和物，セルトラリン塩酸塩，エスシタロプラムシュウ酸塩)，セロトニン再取り込み阻害・セロトニン受容体調節薬(ボルチオキセチン臭化水素酸塩)，セロトニン・ノルアドレナリン再取り込み阻害薬(ミルナシプラン塩酸塩，デュロキセチン塩酸塩，ベンラファキシン塩酸塩)，選択的ノルアドレナリン再取り込み阻害薬(アトモキセチン塩酸塩)，ノルアドレナリン・セロトニン作動性抗うつ薬(ミルタザピン)→両薬剤の作用が増強される可能性があります。

[ラサギリンメシル酸塩] ①MAO阻害薬(セレギリン塩酸塩，サフィナミドメシル酸塩)，リスデキサンフェタミンメシル酸塩，メチルフェニデート塩酸塩→高血圧クリーゼなどの重い副作用が現れるおそれがあります。

②ペチジン塩酸塩含有製剤，トラマドール塩酸塩，タペンタドール塩酸塩，選択的セロトニン再取り込み阻害薬(フルボキサミンマレイン酸塩，パロキセチン塩酸塩水和物，セルトラリン塩酸塩，エスシタロプラムシュウ酸塩)，セロトニン再取り込み阻害・セロトニン受容体調節薬(ボルチオキセチン臭化水素酸塩)，ノルアドレナリン・セロトニン作動性抗うつ薬(ミルタザピン)→セロトニン症候群(不安，焦燥，興奮，錯乱，発熱，ミオクローヌス，発汗，頻脈など)などの重い副作用が現れるおそれがあります。

③三環系抗うつ薬(アミトリプチリン塩酸塩，アモキサピン，イミプラミン塩酸塩，クロミプラミン塩酸，ドスレピン塩酸塩，トリミプラミンマレイン酸塩，ノルトリプチリン塩酸塩，ロフェプラミン塩酸塩など)，四環系抗うつ薬(マプロチリン塩酸塩，ミアンセリン塩酸塩，セチプチリンマレイン酸塩)→高血圧，失神，不全収縮，発汗，てんかん，動作・精神障害の変化，筋強剛などの副作用が現れ，さらに死亡例も報告されています。

④セロトニン・ノルアドレナリン再取り込み阻害薬(ミルナシプラン塩酸塩，デュロキセチン塩酸塩，ベンラファキシン塩酸塩)，選択的ノルアドレナリン再取り込み阻害薬(アトモキセチン塩酸塩)→重い副作用が現れるおそれがあります。

⑤塩酸テトラヒドロゾリン・プレドニゾロン，ナファゾリン硝酸塩，トラマゾリン塩酸塩→急激な血圧上昇をおこすおそれがあります。

内05 その他の循環器系の薬　03 パーキンソン症候群の薬
09 ゾニサミド

製剤情報

一般名：ゾニサミド
●保険収載年月…2009年3月
●海外評価…0点 英 米 独 仏
●規制…劇薬
●剤形…錠 錠剤

• 服用量と回数…1日1回25mg。パーキンソン病における症状の日内変動(ウェアリング現象)の改善には1日1回50mg。レボドパ含有製剤と併用する。

■ 先発品　　商品名(メーカー)　規格・保険薬価

トレリーフ OD 写真 (住友ファーマ)

錠 25mg 1錠 966.10 円　　錠 50mg 1錠 1,449.10 円

概　　要

分類　レボドパ賦活型パーキンソン病治療薬

処方目的　パーキンソン病(レボドパ含有製剤に他の抗パーキンソン病薬を使用しても十分に効果が得られなかった場合)／〔25mgのみ〕レビー小体型認知症に伴うパーキンソニズム(レボドパ含有製剤を使用してもパーキンソニズムが残存する場合)

解説　ゾニサミドは,もともとは抗けいれん薬(エクセグラン)として,てんかんの治療に用いられていた薬剤です。パーキンソン病患者でけいれん発作をおこした人が服用したところ,パーキンソン病症状も改善することが判明し,パーキンソン病治療薬としての使用が承認されました。

新たな臨床試験が行われるなど開発に費用がかかることもあり,抗けいれん薬としてのゾニサミドの薬価に比べ,かなり高い値段がついています。

本剤はまた,レビー小体型認知症に伴うパーキンソニズムにも効果のあることが判明し,2018年7月に追加承認されました。パーキンソン病の場合と同じく,こちらもレボドパ含有製剤と併用して用います。

使用上の注意

基本的注意

(1)服用してはいけない場合……本剤の成分に対するアレルギーの前歴／妊婦または妊娠している可能性のある人

(2)慎重に服用すべき場合……重い肝機能障害またはその前歴(定期的に血液検査を受けます)

(3)危険作業は中止……本剤を服用すると,眠け,注意力・集中力・反射運動能力などの低下がおこることがあります。服用中は,自動車の運転など危険を伴う機械の操作は行わないようにしてください。

(4)発汗減少……本剤服用中に発汗減少が現れることがあり,特に夏季に体温の上昇することがあります。服用中は体温上昇に留意し,このような場合には高温環境下をできるだけ避けてください。

(5)悪性症候群……本剤の服用中,または服用中止後に悪性症候群がおこることがあります。発熱,意識障害,無動無言,高度の筋硬直,不随意運動,嚥下困難,頻脈,血圧の変動,発汗などが現れたら,服用を中止して体を冷やす,水分を補給するなどして,ただちに処方医へ連絡してください。

(6)その他……

• 授乳婦での安全性:服用するときは授乳を中止。

• 小児での安全性:未確立。(1714頁を参照)

重大な副作用　①悪性症候群（発熱，意識障害，無動無言，高度の筋硬直，不随意運動，嚥下困難，頻脈，血圧の変動，発汗など）。②皮膚粘膜眼症候群（スティブンス-ジョンソン症候群），中毒性表皮壊死融解症（TEN），剥脱性皮膚炎。③過敏症症候群（発疹，発熱がみられ，さらにリンパ節腫脹，肝機能障害などの臓器障害，白血球増加，好酸球増多，異型リンパ球出現などを伴う）。④再生不良性貧血，無顆粒球症，赤芽球癆，血小板減少。⑤急性腎障害。⑥間質性肺炎（発熱，せき，呼吸困難など）。⑦肝機能障害，黄疸。⑧横紋筋融解症（筋肉痛，脱力感など）。⑨腎・尿路結石。⑩発汗減少に伴う熱中症。⑪幻覚，妄想，錯乱，せん妄などの精神症状。

　そのほかにも報告された副作用はあるので，体調がいつもと違うと感じたときは，処方医・薬剤師に相談してください。

併用してはいけない薬　併用してはいけない薬は特にありません。ただし，併用する薬があるときは，念のため処方医・薬剤師に報告してください。

内 05 その他の循環器系の薬　03 パーキンソン症候群の薬

10　COMT阻害薬

製剤情報

一般名：エンタカポン
- 保険収載年月…2007年3月
- 海外評価…5点 英 米 独 仏　●PC…C
- 剤形…錠 錠剤
- 服用量と回数…1回100mgを1日8回まで。1回量は200mgまで増量できる。レボドパ・カルビドパまたはレボドパ・ベンセラジド塩酸塩と併用する。

■**先発品**　商品名(メーカー)　規格・保険薬価

コムタン 写真 (ノバルティス)
錠 100mg 1錠 126.00 円

■**ジェネリック**　商品名(メーカー)　規格・保険薬価

| エンタカポン (共和) 錠 100mg 1錠 34.90 円 |
| エンタカポン (小林化工) 錠 100mg 1錠 41.70 円 |
| エンタカポン (サンド) 錠 100mg 1錠 34.90 円 |
| エンタカポン 写真 (東和) 錠 100mg 1錠 41.70 円 |
| エンタカポン (日本ジェネリック) 錠 100mg 1錠 34.90 円 |

一般名：オピカポン
- 保険収載年月…2020年8月
- 海外評価…5点 英 米 独 仏
- 規制…劇薬
- 剤形…錠 錠剤
- 服用量と回数…1日1回25mg。レボドパ・カルビドパまたはレボドパ・ベンセラジド塩酸塩と併用する。併用薬の服用前後および食事の前後1時間以上あけて服用。

■**先発品**　商品名(メーカー)　規格・保険薬価

オンジェンティス (小野) 錠 25mg 1錠 957.40 円

一般名：レボドパ・カルビドパ水和物・エンタカポン配合剤
- 保険収載年月…2014年11月
- 海外評価…5点 英 米 独 仏　●PC…C
- 剤形…錠 錠剤
- 服用量と回数…処方医の指示通りに服用。

■**先発品**　商品名(メーカー)　規格・保険薬価

スタレボ配合錠 L50 (ノバルティス)
錠 1錠 126.00 円

スタレボ配合錠 L100（ノバルティス）
錠 1錠 126.00 円

概　要

分類　抗パーキンソン病薬（カテコール-O-メチル基転移酵素〈COMT〉阻害薬）

処方目的　[エンタカポン，オピカポンの適応症] パーキンソン病における症状の日内変動（ウェアリングオフ現象）の改善（レボドパ・カルビドパまたはレボドパ・ベンセラジド塩酸塩との併用による）

[スタレボ配合錠の適応症] パーキンソン病〔レボドパ・カルビドパの服用において症状の日内変動（ウェアリングオフ現象）が認められる場合〕

解説　パーキンソン病の脳内ドパミン不足を補うため，脳血管関門を通過できないドパミンの代わりに，通過できるドパミン前駆物質（レボドパ）が使われます。レボドパは脳内の酵素によってドパミンとなり効果を発揮します。ドパミンはカテコール-O-メチル基転移酵素（COMT）やモノアミン酸化酵素（MAO）によって代謝されますので，それらの酵素を阻害すれば脳内のドパミンが長時間存在し，効き目が長くなります。セレギリン塩酸塩は MAO 阻害薬，エンタカポンとオピカポンは COMT 阻害薬です。

なお，スタレボ配合錠は，レボドパ，カルビドパとともにエンタカポンを配合している製剤です。服用にあたっては，「ドパミン前駆物質（レボドパ）」の各項目も参照してください。

使用上の注意

＊エンタカポン（コムタン），オピカポン（オンジェンティス）の添付文書による

基本的注意

(1)**服用してはいけない場合**……本剤に対するアレルギーの前歴／[エンタカポン，スタレボ配合錠]悪性症候群・横紋筋融解症またはその前歴／[オピカポンのみ]褐色細胞腫，傍神経節腫またはその他のカテコールアミン分泌腫瘍，悪性症候群・非外傷性横紋筋融解症の前歴，重度の肝機能障害（Child-Pugh 分類 C）／[スタレボ配合錠のみ]閉塞隅角緑内障

(2)**慎重に服用すべき場合**……肝機能障害／高齢者／[エンタカポンのみ]肝機能障害の前歴／褐色細胞腫／体重 40kg 未満の低体重の人（1 回 200mg を服用した場合）

(3)**悪性症候群**……本剤の服用中または服用中止後に悪性症候群がおこり，横紋筋融解症または急性腎不全に至ることがあります。高熱，意識障害（昏睡），高度の筋硬直，不随意運動，ショック状態，激越，頻脈などが現れたら，服用を中止して体を冷やす，水分を補給するなどして，ただちに処方医へ連絡してください。

(4)**危険作業は中止**……本剤を服用すると，前兆のない突発的睡眠，傾眠，起立性低血圧が現れることがあります。服用中は，自動車の運転，高所での作業など危険を伴う作業は行わないようにしてください。

(5)**その他**……

●妊婦での安全性：有益と判断されたときのみ服用。

●授乳婦での安全性：治療上の有益性・母乳栄養の有益性を考慮し，授乳の継続・中止

を検討。

●**小児での安全性**：未確立。(1714 頁を参照)

重大な副作用 ①幻覚，幻視，幻聴，錯乱，せん妄。②突発性睡眠，傾眠。

[エンタカポン，スタレボ配合錠] ③悪性症候群，横紋筋融解症，急性腎障害。④肝機能障害。

[オピカポンのみ] ⑤ジスキネジア。

[スタレボ配合錠のみ] ⑥溶血性貧血，血小板減少。⑦閉塞隅角緑内障(霧視，眼痛，充血，頭痛，吐きけなど)。⑧抑うつ。

　そのほかにも報告された副作用はあるので，体調がいつもと違うと感じたときは，処方医・薬剤師に相談してください。

併用してはいけない薬 併用してはいけない薬は特にありません。ただし，併用する薬があるときは，念のため処方医・薬剤師に報告してください。

内 05 その他の循環器系の薬　03 パーキンソン症候群の薬

11　イストラデフィリン

製剤情報

一般名：イストラデフィリン

●**保険収載年月**…2013年5月
●**海外評価**…0点 英 米 独 仏
●**剤形**…錠 錠剤

●**服用量と回数**…20mgまたは40mgを1日1回服用。レボドパ含有製剤と併用する。

■**先発品**　　**商品名(メーカー)**　規格・保険薬価

ノウリアスト 写真 (協和キリン)
錠 20mg 1錠 796.90 円

概要

分類　抗パーキンソン病薬(アデノシン A_{2A} 受容体拮抗薬)

処方目的　レボドパ含有製剤で治療中のパーキンソン病におけるウェアリングオフ現象の改善

解説　パーキンソン病でレボドパ含有製剤による治療が長期化すると，レボドパが効いて症状がよくなる状態(ON 時間)と，レボドパの効果が弱まり症状が再び現れる状態(OFF 時間)を，1日のうちに何度も繰り返すようになります。この現象を「ウェアリングオフ」といい，本剤はこの現象を改善する薬剤として，日本で開発された世界初のアデノシン A_{2A} 受容体拮抗薬です。

使用上の注意

基本的注意

(1)服用してはいけない場合……本剤の成分に対するアレルギーの前歴／重い肝機能障害／妊婦または妊娠している可能性のある人

(2)慎重に服用すべき場合……肝機能障害／虚血性心疾患

(3)服用量……本剤の服用量は通常1日1回20mgで，症状により1日1回40mgを服

用できますが，中等度の肝機能障害のある人やCYP3Aを強く阻害する薬剤（イトラコナゾール，クラリスロマイシンなど）を服用中の人は，本剤の血中濃度が上昇するおそれがあるため，1日1回20mgを上限とします。

(4)ジスキネジー……ジスキネジーとは不随意運動の一種で，パーキンソン病におけるジスキネジーは，長期間にわたるレボドパ含有製剤の服用によって現れます。ジスキネジーがある人は，本剤の服用によってジスキネジーが悪化することがあるので，悪化を感じたらすぐに処方医に連絡してください。

(5)セイヨウオトギリソウ（セント・ジョーンズ・ワート）含有食品……一緒に摂取すると本剤の作用が弱まる可能性があるので，本剤の服用中はセイヨウオトギリソウ含有食品を摂取しないでください。

(6)喫煙……タバコは本剤の作用を弱める可能性があります。服用中は禁煙が勧められます。

(7)危険作業は中止……本剤を服用すると，前兆のない突発的睡眠，睡眠発作，起立性低血圧，傾眠，めまい，意識消失，失神などが現れることがあります。服用中は，自動車の運転，機械の操作，高所作業など危険を伴う作業は行わないようにしてください。

(8)その他……
● 授乳婦での安全性：服用するときは授乳を中止。
● 小児での安全性：未確立。（1714頁を参照）

重大な副作用　　①精神障害（幻視，幻覚，妄想，せん妄，不安障害，うつの悪化・抑うつ，被害妄想，幻聴，体感幻覚，躁病，激越，衝動制御障害など）。
　　そのほかにも報告された副作用はあるので，体調がいつもと違うと感じたときは，処方医・薬剤師に相談してください。

併用してはいけない薬　　併用してはいけない薬は特にありません。ただし，併用する薬があるときは，念のため処方医・薬剤師に報告してください。

内 05 その他の循環器系の薬　04 血行障害などの薬

01　膵臓抽出精製物

💊 製 剤 情 報

一般名：カリジノゲナーゼ
● 保険収載年月…1988年7月
● 海外評価…0点 英 米 独 仏
● 剤形… 錠 錠剤， カ カプセル剤
● 服用量と回数…1日30〜150単位を3回に分けて服用。カリクレイン（10単位）の場合は，1回1〜2錠を1日3回。

■ 先発品　　商品名（メーカー）　規格・保険薬価
カルナクリン 写真 （三和） 錠 25 単位 1錠 8.70 円
錠 50 単位 1錠 15.00 円　カ 25 単位 1カプセル 8.70 円

■ ジェネリック　　商品名（メーカー）　規格・保険薬価
カリジノゲナーゼ（共和） 錠 25 単位 1錠 5.90 円
カリジノゲナーゼ（武田テバファーマ＝武田）
錠 50 単位 1錠 5.90 円

カリジノゲナーゼ（東菱＝沢井）
錠 25 単位 1錠 5.90 円　錠 50 単位 1錠 5.90 円

カリジノゲナーゼ（日新）錠 25 単位 1錠 5.90 円
錠 50 単位 1錠 5.90 円

カリジノゲナーゼ（東和）錠 25 単位 1錠 5.90 円
錠 50 単位 1錠 5.90 円

カリジノゲナーゼ（藤本）錠 25 単位 1錠 5.90 円
錠 50 単位 1錠 12.00 円

カリジノゲナーゼ（日医工）錠 25 単位 1錠 5.90 円
錠 50 単位 1錠 5.90 円　カ 25 単位 1ｶﾌﾟ 5.90 円

カリジノゲナーゼ（三笠＝陽進堂）
錠 50 単位 1錠 5.90 円

📑 概　　要

分類　その他の循環器系薬剤

処方目的　　次の疾患における末梢循環障害の改善→高血圧症，メニエール症候群，閉塞性血栓血管炎（ビュルガー病）／次の症状の改善→更年期障害，網脈絡膜の循環障害

解説　動物の膵臓から抽出精製されたドイツの薬剤で，日本でも多く使用されていますが，アメリカやイギリスでは発売されていません。イギリスでは以前，注射薬は発売されていましたが，今ではそれも発売されていません。

本剤は，内服した場合には胃酸で分解されてしまう可能性があります。

民族間で薬の許可基準の厳しさに差があるとすると，一般的に最も厳しいのはイギリス・アメリカのアングロサクソン系，ついでドイツなどのゲルマン系，そしてフランス・イタリア・スペインなどのラテン系がつづき，最も甘いのが大和民族といえます。

🖐 使用上の注意

＊カリジノゲナーゼ（カルナクリン）の添付文書による

基本的注意

（1）服用してはいけない場合……脳出血直後など新鮮な血液が出血している人

重大な副作用　　　　重大な副作用はありませんが，そのほかの副作用はあるので，体調がいつもと違うと感じたときは，処方医・薬剤師に相談してください。

併用してはいけない薬　　　併用してはいけない薬は特にありません。ただし，併用する薬があるときは，念のため処方医・薬剤師に報告してください。

内 05 その他の循環器系の薬　04 血行障害などの薬

02 リマプロストアルファデクス

ⓛ 製 剤 情 報

一般名：リマプロストアルファデクス

● 保険収載年月…1988年4月

● 海外評価…0点 英 米 独 仏

● 剤形… 錠 錠剤

● 服用量と回数…閉塞性血栓血管炎の場合は，1日30μgを3回に分けて服用。腰部脊柱管狭窄症の場合は，1日15μgを3回に分けて服用。

■**先発品**　　商品名（メーカー）　規格・保険薬価

オパルモン 写真 （小野）錠 5μg 1錠 32.00 円

プロレナール 写真 （住友ファーマ）
錠 5μg 1錠 32.00 円

■ジェネリック　商品名(メーカー)　規格・保険薬価

リマプロストアルファデクス (シオノ＝ケミファ＝東和＝日薬工) 錠 5µg 1錠 13.90 円

リマプロストアルファデクス (武田テバファーマ＝武田) 錠 5µg 1錠 13.90 円

リマプロストアルファデクス 写真 (日医工) 錠 5µg 1錠 13.90 円

リマプロストアルファデクス (富士製薬) 錠 5µg 1錠 13.90 円

リマプロストアルファデクス (メディサ＝沢井＝日本ジェネリック) 錠 5µg 1錠 13.90 円

概　要

分類　その他の循環器系薬剤

処方目的　閉塞性血栓血管炎に伴う潰瘍・疼痛・冷感などの虚血性諸症状の改善／後天性の腰部脊柱管狭窄症(SLR 試験正常で両側性の間欠跛行がある場合)に伴う自覚症状(下肢疼痛,下肢のしびれ)および歩行能力の改善

解説　本剤は,プロスタグランジン E_1 の誘導体で,末梢循環障害の改善や血小板凝集抑制作用などがあるといわれています。

使用上の注意

＊リマプロストアルファデクス(オパルモン)の添付文書による

基本的注意

(1)服用してはいけない場合……妊婦または妊娠している可能性がある人

(2)慎重に服用すべき場合……出血傾向／抗血小板薬・血栓溶解薬・抗凝血薬の服用中

(3)その他……

●小児での安全性:未確立。(1714 頁を参照)

重大な副作用　①肝機能障害,黄疸。

そのほかにも報告された副作用はあるので,体調がいつもと違うと感じたときは,処方医・薬剤師に相談してください。

併用してはいけない薬　併用してはいけない薬は特にありません。ただし,併用する薬があるときは,念のため処方医・薬剤師に報告してください。

内 05 その他の循環器系の薬　04 血行障害などの薬

03　イコサペント酸エチル

製剤情報

一般名:イコサペント酸エチル

●保険収載年月…1990年5月

●海外評価…4点 英 米 独 仏　●PC…C

●剤形…力 カプセル剤

●服用量と回数…閉塞性動脈硬化症:1回600mgを1日3回。高脂血症:1回900mgを1日2回または1回600mgを1日3回,最大1回900mgを1日3回まで増量できる。

■先発品　商品名(メーカー)　規格・保険薬価

エパデール (持田) 力 300mg 1カプセル 27.40 円

エパデール S 写真 (持田) 力 300mg 1包 26.90 円 力 600mg 1包 46.50 円　力 900mg 1包 62.70 円

■ジェネリック　　商品名(メーカー)　規格・保険薬価

イコサペント酸エチル (キョーリン＝杏林)
カ 300mg 1包 13.10 円　カ 600mg 1包 24.60 円
カ 900mg 1包 34.30 円

イコサペント酸エチル 写真 (沢井)
カ 300mg 1包 13.10 円　カ 600mg 1包 24.60 円
カ 900mg 1包 34.30 円

イコサペント酸エチル (辰巳)
カ 300mg 1包 13.10 円　カ 600mg 1包 24.60 円
カ 900mg 1包 34.30 円

イコサペント酸エチル (長生堂)
カ 300mg 1包 10.10 円　カ 600mg 1包 24.60 円
カ 900mg 1包 34.30 円

イコサペント酸エチル (東菱＝コーアイセイ)
カ 300mg 1カプセル 13.60 円

イコサペント酸エチル (東洋カプセル＝キョーリン＝杏林) カ 300mg 1カプセル 13.60 円

イコサペント酸エチル (東洋カプセル＝ニプロ)
カ 300mg 1包 13.10 円　カ 600mg 1包 24.60 円
カ 900mg 1包 34.30 円

イコサペント酸エチル (東和)
カ 300mg 1カプセル 13.60 円

イコサペント酸エチル 写真 (日医工)
カ 300mg 1カプセル 13.60 円　カ 300mg 1包 13.10 円
カ 600mg 1包 24.60 円　カ 900mg 1包 34.30 円

イコサペント酸エチル (日本臓器)
カ 300mg 1カプセル 13.60 円　カ 300mg 1包 13.10 円
カ 600mg 1包 24.60 円　カ 900mg 1包 34.30 円

イコサペント酸エチル (日本ジェネリック)
カ 300mg 1カプセル 13.60 円

イコサペント酸エチル (原沢)
カ 300mg 1カプセル 13.60 円

イコサペント酸エチル (扶桑)
カ 300mg 1カプセル 13.60 円

イコサペント酸エチル (メディサ＝沢井)
カ 300mg 1カプセル 13.60 円

イコサペント酸エチル (森下仁丹)
カ 600mg 1包 24.60 円　カ 900mg 1包 34.30 円

イコサペント酸エチル (陽進堂)
カ 300mg 1カプセル 13.60 円

エパロース (共和) カ 300mg 1カプセル 13.60 円
カ 300mg 1包 13.10 円　カ 600mg 1包 24.60 円
カ 900mg 1包 34.30 円

一般名：**オメガ-3脂肪酸エチル**
- 保険収載年月…2012年11月
- 海外評価…6点 英 米 独 仏　　●PC…C
- 剤形…カ カプセル剤
- 服用量と回数…1回2gを1日1回。ただし, 1回2gを1日2回まで増量できる。

■先発品　　商品名(メーカー)　規格・保険薬価
ロトリガ (武田) カ 2g 1包 219.40 円

📖 概　　要

分類　血行障害改善薬

処方目的　高脂血症／[イコサペント酸エチルのみの適応症]閉塞性動脈硬化症に伴う潰瘍・疼痛・冷感の改善

解説　オメガ-3-トリグリセリドの一種で, 魚の油から生成したものです。

　EPA(イコサペント酸エチル)単剤のものは, 2012年12月にOTC薬(大衆薬)としても承認されました。DHA(ドコサヘキサエン酸エチル)も含むものは2012年9月に新規承認されましたが, 成分量は異なるとはいえ, 同じ組み合わせのものがサプリメントとしてすでに広く出回っています。かなり高い薬価が付けられましたが, 費用に見合った効果が期待できるのか, 注意する必要があります。

使用上の注意

＊イコサペント酸エチル（エパデール，エパデールS），オメガ-3脂肪酸エチル（ロトリガ）の添付文書による

基本的注意

(1)**服用してはいけない場合**……出血している人（血友病，毛細血管脆弱症，消化管潰瘍，尿路出血，喀血，硝子体出血など）／［オメガ-3脂肪酸エチルのみ］本剤の成分に対するアレルギーの前歴

(2)**慎重に服用すべき場合**……出血の危険性が高い人（月経期間中，出血傾向，外傷，手術の予定など）／抗凝固薬・抗血小板薬の服用中

(3)**服用法**……本剤は噛まずに服用してください。また，空腹時に服用すると吸収が悪くなるので，食直後に服用してください。

(4)**定期検査**……服用中は，定期的に血液検査を受ける必要があります。

(5)**その他**……

● 妊婦での安全性：未確立。有益と判断されたときのみ服用。

● 授乳婦での安全性：原則として服用しない。やむを得ず服用するときは授乳を中止。

● 小児での安全性：未確立。（1714頁を参照）

重大な副作用　　①肝機能障害，黄疸。

　そのほかにも報告された副作用はあるので，体調がいつもと違うと感じたときは，処方医・薬剤師に相談してください。

併用してはいけない薬　　併用してはいけない薬は特にありません。ただし，併用する薬があるときは，念のため処方医・薬剤師に報告してください。

内 05 その他の循環器系の薬　05 脂質異常症の薬

01　ポリエンホスファチジルコリン

製剤情報

一般名：ポリエンホスファチジルコリン

● 保険収載年月…1969年1月

● 海外評価…0点 英 米 独 仏

● 剤形…カ カプセル剤

● 服用量と回数…1回500mg（2カプセル）を1日3回。

■ジェネリック　　商品名（メーカー）　規格・保険薬価

EPL 写真 （アルフレッサ） カ 250mg 1カプセル 7.10 円

概要

分類　高脂血症治療薬（脂質異常症用薬）

処方目的　慢性肝疾患における肝機能の改善，脂肪肝，高脂血症

解説　コリンは生体膜の構築成分で，糖・タンパク質・脂質などの代謝を改善するといわれています。

フィブラート系薬剤

使用上の注意

基本的注意

(1)服用してはいけない場合……本剤の成分に対するアレルギーの前歴

重大な副作用 重大な副作用はありませんが，そのほかの副作用はあるので，体調がいつもと違うと感じたときは，処方医・薬剤師に相談してください。

併用してはいけない薬 併用してはいけない薬は特にありません。ただし，併用する薬があるときは，念のため処方医・薬剤師に報告してください。

内05 その他の循環器系の薬　05 脂質異常症の薬

02 フィブラート系薬剤

製剤情報

一般名：クロフィブラート
- 保険収載年月…1969年1月
- 海外評価…0点 英 米 独 仏
- 剤形…カ カプセル剤
- 服用量と回数…1日750〜1,500mgを2〜3回に分けて服用。

■先発品　商品名(メーカー)　規格・保険薬価

クロフィブラート (鶴原) カ 250mg 1カプセル 8.70 円

一般名：ベザフィブラート
- 保険収載年月…1994年12月
- 海外評価…3点 英 米 独 仏
- 剤形…錠 錠剤
- 服用量と回数…1日400mgを2回に分けて服用。

■先発品　商品名(メーカー)　規格・保険薬価

ベザトール SR 写真 (キッセイ)
錠 100mg 1錠 15.80 円　錠 200mg 1錠 19.60 円

■ジェネリック　商品名(メーカー)　規格・保険薬価

ベザフィブラート SR (沢井)
錠 100mg 1錠 10.10 円

ベザフィブラート SR (沢井＝扶桑)
錠 200mg 1錠 10.10 円

ベザフィブラート SR 写真 (日医工)
錠 100mg 1錠 10.10 円　錠 200mg 1錠 10.10 円

ベザフィブラート徐放錠 (全星)
錠 100mg 1錠 10.10 円　錠 200mg 1錠 10.10 円

ベザフィブラート徐放錠 写真 (武田テバファーマ＝武田) 錠 100mg 1錠 10.10 円
錠 200mg 1錠 10.10 円

ベザフィブラート徐放錠 (長生堂＝日本ジェネリック) 錠 100mg 1錠 10.10 円　錠 200mg 1錠 10.10 円

ベザフィブラート徐放錠 (東和)
錠 100mg 1錠 10.10 円　錠 200mg 1錠 10.10 円

一般名：フェノフィブラート
- 保険収載年月…1999年5月
- 海外評価…5点 英 米 独 仏　●PC…C
- 剤形…錠 錠剤，カ カプセル剤
- 服用量と回数…錠剤は1日1回106.6mg〜160mg，カプセルは1日1回134mg〜201mg。

■先発品　商品名(メーカー)　規格・保険薬価

トライコア 写真 (マイラン EPD＝あすか＝武田)
錠 53.3mg 1錠 19.60 円　錠 80mg 1錠 25.80 円

リピディル 写真 (あすか＝武田＝科研)
錠 53.3mg 1錠 19.60 円　錠 80mg 1錠 25.80 円

■ジェネリック　商品名(メーカー)　規格・保険薬価

フェノフィブラート (寿) カ 67mg 1カプセル 8.80 円
カ 100mg 1カプセル 11.60 円

フェノフィブラート 写真 (武田テバファーマ＝武田) 錠 53.3mg 1錠 8.50 円　錠 80mg 1錠 11.20 円

一般名：ペマフィブラート

- 保険収載年月…2018年5月
- 海外評価…0点 英 米 独 仏
- 剤形…錠 錠剤
- 服用量と回数…1回0.1mg（1錠）を1日2回朝

夕に服用。

■先発品　　商品名（メーカー）　規格・保険薬価

パルモディア 写真 （興和）錠 0.1mg 1錠 33.10 円

概　　要

分類　　高脂血症治療薬（脂質異常症用薬）

処方目的　　高脂血症

解説　　高脂血症（脂質異常症）の治療は，まず基本である食事療法を行い，さらに運動療法や高血圧・喫煙・肥満などの虚血性心疾患（狭心症，心筋梗塞など）の危険因子の軽減を十分行った上で，それでもなお不十分なら薬物療法を開始します。薬を服用しているからといって，食事療法をなおざりにしないでください。

　フィブラート系の薬剤はコレステロールを低下させる薬として古くから使用されていましたが，HMG-CoA 還元酵素阻害薬が発売されてからは，新しいタイプのものが，主として中性脂肪（TG：トリグリセリド）低下の目的で処方されます。

　なお，ここで取り上げたすべての製剤は，胎児にさまざまな悪影響を及ぼすため，妊婦または妊娠している可能性のある人には「禁忌薬（服用してはいけない薬）」となっています。また，これらの製剤は乳汁中への移行が報告されているため，授乳婦の場合，クロフィブラート，フェノフィブラートは「禁忌」，ペマフィブラートは「原則禁忌，やむを得ず服用する場合は授乳を中止」，ベザフィブラートは「服用するときは授乳を中止」です。

使用上の注意

＊ベザフィブラート（ベザトール SR）などの添付文書による

基本的注意

(1)服用してはいけない場合……妊婦または妊娠している可能性のある人／授乳婦（ベザフィブラート，ペマフィブラートを除く）

[ベザフィブラート，フェノフィブラート，ペマフィブラート] 本剤の成分に対するアレルギーの前歴

[フェノフィブラート，ペマフィブラート] 血清クレアチニン値が 2.5mg/dL 以上またはクレアチニンクリアランスが 40mL/分未満の腎機能障害

[クロフィブラート] 胆石またはその前歴

[ベザフィブラート] 人工透析（腹膜透析を含む）をしている人／腎不全などの重い腎疾患／血清クレアチニン値が 2.0mg/dL 以上の人

[フェノフィブラート] 肝機能障害／胆のう疾患

[ペマフィブラート] 重い肝機能障害，Child-Pugh 分類 B または C の肝硬変，胆道閉塞／胆石／シクロスポリン，リファンピシンの服用中

(2)慎重に服用すべき場合……腎疾患／HMG-CoA 還元酵素阻害薬（プラバスタチンナトリウム，シンバスタチン，フルバスタチンナトリウムなど）の服用中／血清クレアチニ

ン値が1.5mg/dLを超える人／肝機能障害またはその前歴／胆石またはその前歴／抗凝血薬の服用中／スルフォニル尿素系血糖降下薬(グリベンクラミド, グリクラジド, グリメピリドなど), ナテグリニドおよびインスリンの使用中／高齢者

〈注〉肝機能障害は, 日本の添付文書では「慎重服用」となっていますが, イギリスでは「Contraindication(禁忌)」とされています。

(3)横紋筋融解症……腎機能の検査値に異常がみられる人が, 本剤とHMG-CoA還元酵素阻害薬(プラバスタチンナトリウム, シンバスタチン, フルバスタチンナトリウムなど)を併用すると急激な腎機能悪化を伴う横紋筋融解症(「重大な副作用」参照)が現れやすくなります。治療上やむを得ない場合にのみ処方されます。

(4)服用法……[ベザフィブラート]本剤は徐放錠なので, 割ったり, 砕いたりしないでそのまま服用してください。

(5)その他……

●授乳婦での安全性：服用するときは授乳を中止。

●小児での安全性：未確立。(1714頁を参照)

重大な副作用　　[すべての製剤]①横紋筋融解症(筋肉痛, 脱力感など)と, それに伴う重い腎機能障害(急性腎障害など)。

[ベザフィブラート, フェノフィブラートのみ]②肝機能障害, 黄疸。

[ベザフィブラートのみ]③ショック, アナフィラキシー(顔面浮腫, 口唇の腫脹など)。④皮膚粘膜眼症候群(スティブンス-ジョンソン症候群), 多形紅斑。

[クロフィブラートのみ]⑤無顆粒球症。

[フェノフィブラートのみ]⑥膵炎。

　そのほかにも報告された副作用はあるので, 体調がいつもと違うと感じたときは, 処方医・薬剤師に相談してください。

併用してはいけない薬　　[ペマフィブラート]シクロスポリン, リファンピシン→本剤の血漿中濃度が上昇したとの報告があります。

内 05 その他の循環器系の薬　05 脂質異常症の薬

03 ニコモール

製剤情報

一般名：ニコモール

●保険収載年月…1972年2月

●海外評価…0点 英米独仏

●剤形…錠 錠剤

●服用量と回数…1回200〜400mg(1〜2錠)を1日3回。

■先発品　　商品名(メーカー)　規格・保険薬価

コレキサミン(杏林) 錠 200mg 1錠 9.30円

一般名：ニセリトロール

●保険収載年月…1984年6月

●海外評価…0点 英米独仏

●剤形…錠 錠剤

●服用量と回数…1日750mgを3回に分けて服

用。

■**先発品**　**商品名(メーカー)**　規格・保険薬価

ペリシット（三和）[錠]125mg 1錠 6.20 円
[錠]250mg 1錠 10.50 円

📖 **概　要**

分類　高脂血症治療薬(脂質異常症用薬)

処方目的　高脂血症／レイノー症候群に伴う末梢循環障害の改善

[ニコモールのみの適応症] 凍瘡・四肢動脈閉塞症(血栓閉塞性動脈炎, 動脈硬化性閉塞症)に伴う末梢血管障害の改善

[ニセリトロールのみの適応症] ビュルガー病・閉塞性動脈硬化症・レイノー病に伴う末梢循環障害の改善

解説　本剤はニコチン酸の誘導体です。食物中のコレステロールが, 腸管からリンパ管へ取りこまれるのを抑制すると考えられています。本剤は食後すぐに服用した方が, 顔面潮紅や熱感などの副作用はおこりにくいといわれています。

👉 **使用上の注意**

＊両剤の添付文書による

基本的注意

(1)服用してはいけない場合……重症低血圧症／[ニコモールのみ]出血が持続している人／[ニセリトロールのみ]動脈出血のある人／本剤に対するアレルギーの前歴

(2)慎重に服用すべき場合……肝機能障害／消化性潰瘍／[ニコモールのみ]緑内障／[ニセリトロールのみ]耐糖能異常, 痛風, 透析療法を受けている人

(3)服用法……空腹時に服用すると潮紅, 熱感などが現れやすいので, 食後すぐに服用するようにしてください。

(4)その他……

●妊婦での安全性：未確立。原則として服用しない。(1714 頁を参照)

重大な副作用　　　[ニセリトロール] ①透析療法を受けている人における血小板減少。

　そのほかにも報告された副作用はあるので, 体調がいつもと違うと感じたときは, 処方医・薬剤師に相談してください。

併用してはいけない薬　併用してはいけない薬は特にありません。ただし, 併用する薬があるときは, 念のため処方医・薬剤師に報告してください。

内 05 その他の循環器系の薬　05 脂質異常症の薬

04 エラスターゼ

製 剤 情 報

一般名：エラスターゼ

- 保険収載年月…1984年6月
- 海外評価…0点 英 米 独 仏
- 剤形…錠 錠剤
- 服用量と回数…1日5,400単位(3錠)を3回に

分けて服用。効果が不十分なときは6錠まで増量できる。

■**先発品**　　商品名(メーカー)　規格・保険薬価

エラスチーム(エーザイ)
錠 1,800 単位 1錠 11.50 円

概　　要

分類　高脂血症治療薬(脂質異常症用薬)

処方目的　高脂血症

解説　1949 年にヒトの膵臓中に発見された酵素の一種です。現在はブタの膵臓から抽出されています。

使用上の注意

基本的注意

特に注意はありません。

重大な副作用　　　　重大な副作用はありませんが、そのほかの副作用はあるので、体調がいつもと違うと感じたときは、処方医・薬剤師に相談してください。

併用してはいけない薬　　　併用してはいけない薬は特にありません。ただし、併用する薬があるときは、念のため処方医・薬剤師に報告してください。

内 05 その他の循環器系の薬　05 脂質異常症の薬

05 デキストラン硫酸ナトリウムイオウ

製 剤 情 報

一般名：デキストラン硫酸ナトリウムイオウ

- 保険収載年月…1965年11月
- 海外評価…0点 英 米 独 仏
- 剤形…錠 錠剤

- 服用量と回数…1日450〜900mgを3〜4回に分けて服用。

■**先発品**　　商品名(メーカー)　規格・保険薬価

MDS コーワ(興和) 錠 150mg 1錠 5.90 円
錠 300mg 1錠 7.80 円

概　　要

分類　高脂血症治療薬(脂質異常症用薬)

処方目的　高トリグリセリド血症

解説　リポ蛋白リパーゼという酵素の働きを高めることにより，中性脂肪（トリグリセリド）の量を低下させます。コレステロールに対する効果は，エラスターゼと同様にそれほど強くありません。

使用上の注意

基本的注意

(1)服用してはいけない場合……本剤の成分に対するアレルギーの前歴

(2)慎重に服用すべき場合……出血性素因，出血傾向／重い腎疾患

(3)その他……

● 小児での安全性：未確立。(1714頁を参照)

重大な副作用　①ショック(呼吸困難，嘔吐，血圧低下など)。

　そのほかにも報告された副作用はあるので，体調がいつもと違うと感じたときは，処方医・薬剤師に相談してください。

併用してはいけない薬　併用してはいけない薬は特にありません。ただし，併用する薬があるときは，念のため処方医・薬剤師に報告してください。

内 05 その他の循環器系の薬　05 脂質異常症の薬

06 プロブコール

製剤情報

一般名：プロブコール

● 保険収載年月…1984年11月

● 海外評価…0点 英米独仏

● 剤形…錠 錠剤，細 細粒剤

● 服用量と回数…1日500mg（細粒剤は1g）を2回に分けて服用。家族性高コレステロール血症の場合は，1日1,000mgまで増量できる。

■**先発品**　商品名(メーカー)　規格・保険薬価

シンレスタール (アルフレッサ)		
細 50% 1g 32.10 円	錠 250mg 1錠 14.60 円	
ロレルコ (大塚)	錠 250mg 1錠 14.70 円	

■**ジェネリック**　商品名(メーカー)　規格・保険薬価

プロブコール (沢井)	錠 250mg 1錠 7.60 円
プロブコール (鶴原)	錠 250mg 1錠 7.60 円
プロブコール (東和)	錠 250mg 1錠 7.60 円
プロブコール (日医工ファーマ＝日医工)	
錠 250mg 1錠 7.60 円	

概　要

分類　高脂血症治療薬(脂質異常症用薬)

処方目的　高脂血症(家族性高コレステロール血症および黄色腫を含む)

解説　従来にない新しいタイプの脱コレステロール剤ですが，その作用機序ははっきりわかっていません。アメリカでも1977年以降使われていましたが，現在では使われていません。本剤は食事と一緒に服用すると，血液中へ薬が入る率が高くなるので，食事と同時または食後すぐに服用するのがよいとされています。

内
05
―
05
―
07

コレスチラミン

使用上の注意

＊プロブコール（シンレスタール）の添付文書による

【基本的注意】

（1）服用してはいけない場合……本剤の成分に対するアレルギーの前歴／重い心室性不整脈（多源性心室性期外収縮の多発）／妊婦または妊娠している可能性のある人

（2）慎重に服用すべき場合……心筋梗塞の新鮮期，うっ血性心不全／心室性不整脈／QT 延長を起こしやすい人（先天性 QT 延長症候群，低カリウム血症など）

（3）定期検査……服用中，心電図上の QT 延長や心室性不整脈が現れる可能性があるため定期的に心電図検査を，また血液検査を受ける必要があります。

（4）食事……動物実験で，異常な高脂肪・高コレステロール食と本剤の同時投与群で死亡例が報告されています。正常食では，8 年間の投与でも死亡例はありません。服用中は，脂肪やコレステロールをとりすぎないようにしてください。

（5）その他……

● 授乳婦での安全性：服用するときは授乳を中止。

● 小児での安全性：未確立。（1714 頁を参照）

【重大な副作用】 ①著しい QT 延長に伴う心室性不整脈，失神。②消化管出血，末梢神経炎。③横紋筋融解症（筋肉痛，脱力感など）。

そのほかにも報告された副作用はあるので，体調がいつもと違うと感じたときは，処方医・薬剤師に相談してください。

【併用してはいけない薬】 併用してはいけない薬は特にありません。ただし，併用する薬があるときは，念のため処方医・薬剤師に報告してください。

内 05 その他の循環器系の薬　05 脂質異常症の薬

07 コレスチラミン

製剤情報

一般名：コレスチラミン
● 保険収載年月…1985年7月
● 海外評価…6点 英 米 独 仏
● 剤形…末 末剤
● 服用量と回数…1回4gを水約100mLに溶かし，1日2～3回服用。

■先発品　商品名（メーカー）　規格・保険薬価
クエストラン（サノフィ）末 44.4% 1g 10.00 円

一般名：コレスチミド
● 保険収載年月…1999年5月
● 海外評価…0点 英 米 独 仏
● 剤形…錠 錠剤，顆 顆粒剤
● 服用量と回数…1回1.5gを1日2回。1日最大4g。

■先発品　商品名（メーカー）　規格・保険薬価
コレバイン（田辺三菱）錠 500mg 1錠 23.20 円
コレバインミニ（田辺三菱）顆 83% 1g 39.20 円

概要

【分類】 高脂血症治療薬（脂質異常症用薬）

処方目的　高コレステロール血症／[コレスチラミンのみの適応症]レフルノミドの活性代謝物の体内からの除去／[コレスチミドのみの適応症]家族性高コレステロール血症

解説　コレスチラミンは，陰イオン交換樹脂の一種で，アメリカではかなり以前から使われています。腸管でコレステロールの原料である胆汁酸と結合して糞便中への排泄量を増やすことで，コレステロールの吸収を阻害します。しかし，服用すべき量が多いのが欠点とされています。コレスチミドは，その点を改良しています。

🖐 使用上の注意

*両剤の添付文書による

基本的注意

(1)**服用してはいけない場合**……完全な胆道の閉塞により胆汁が腸管に排泄されない人／本剤の成分に対するアレルギーの前歴／[コレスチミドのみ]腸閉塞

(2)**慎重に服用すべき場合**……便秘・便秘の傾向，痔疾患／消化性潰瘍またはその前歴／出血傾向／肝疾患・肝機能障害またはその前歴／高齢者／[コレスチミドのみ]腸管狭窄／腸管憩室／嚥下困難

(3)**服用法**……[コレスチラミン]本剤は粉末剤です。必ず約100mLの水に溶かして服用してください。[コレスチミド]本剤が誤って気道に入ると膨潤し，呼吸困難をおこした症例が報告されているので，以下の点を遵守して服用してください→①錠剤・顆粒剤ともに十分量(200mL程度)の水で服用し，薬がのどの奥に残った場合はさらに水を飲み足します。②温水(湯，温かい茶など)で服用すると膨らんで服用できない場合があるので常温の水または冷水で服用します。③口の中に長く留めていると膨らんで服用できない場合があるので，速やかに飲み下します。④錠剤は1錠ずつ服用します。

(4)**吸収阻害**……脂溶性ビタミン(A・D・E・K)，あるいは葉酸の吸収阻害がおこる可能性があります。長期に服用する場合は，これらを補給するよう注意が必要です。

(5)**妊娠**……[コレスチラミン]本剤の服用目的のひとつに，レフルノミドの活性代謝物の体内からの除去があります。レフルノミド製剤の服用中止後に妊娠を希望する女性は，本剤による薬物除去法施行後，少なくとも2回，血漿中レフルノミドの活性代謝物(A771726)の濃度を測定し，安全性を確認する必要があります。確認できない場合は，本剤の服用を継続します。

(6)**定期検査**……服用中は，定期的に血液検査を受ける必要があります。

(7)**その他**……

● 妊婦での安全性：未確立。有益と判断されたときのみ服用。

● 小児での安全性：未確立。(1714頁を参照)

重大な副作用　①腸閉塞(高度の便秘，持続する腹痛，嘔吐など)。[コレスチミドのみ]②腸管穿孔。③横紋筋融解症(筋肉痛，脱力感など)。

　そのほかにも報告された副作用はあるので，体調がいつもと違うと感じたときは，処方医・薬剤師に相談してください。

併用してはいけない薬　併用してはいけない薬は特にありません。ただし，併用す

る薬があるときは，念のため処方医・薬剤師に報告してください。

08 HMG-CoA 還元酵素阻害薬

◎ 製剤情報

一般名：プラバスタチンナトリウム
- 保険収載年月…1989年8月
- 海外評価…6点 英米独仏　●PC…X
- 剤形…錠錠剤，細細粒剤
- 服用量と回数…1日10mgを1〜2回に分けて服用。重症の場合は1日20mgまで増量できる。

■先発品　商品名(メーカー)　規格・保険薬価

メバロチン 写真 (第一三共) 細 0.5% 1g 36.30 円
細 1% 1g 64.20 円　錠 5mg 1錠 20.20 円
錠 10mg 1錠 37.00 円

■ジェネリック　商品名(メーカー)　規格・保険薬価

プラバスタチン Na (大原) 錠 5mg 1錠 10.10 円
錠 10mg 1錠 19.30 円

プラバスタチン Na (キョーリン＝杏林) 錠 5mg 1錠 10.10 円　錠 10mg 1錠 13.70 円

プラバスタチン Na (共和) 錠 5mg 1錠 10.10 円
錠 10mg 1錠 19.30 円

プラバスタチン Na (ケミックス)
錠 5mg 1錠 10.10 円　錠 10mg 1錠 13.70 円

プラバスタチン Na (小林化工＝共創未来)
錠 5mg 1錠 10.10 円　錠 10mg 1錠 19.30 円

プラバスタチン Na 写真 (沢井)
錠 5mg 1錠 10.10 円　錠 10mg 1錠 19.30 円

プラバスタチン Na (武田テバファーマ＝武田)
錠 5mg 1錠 10.10 円　錠 10mg 1錠 19.30 円

プラバスタチン Na (辰巳) 錠 5mg 1錠 10.10 円
錠 10mg 1錠 19.30 円

プラバスタチン Na (長生堂＝日本ジェネリック)
錠 5mg 1錠 10.10 円　錠 10mg 1錠 19.30 円

プラバスタチン Na (東和) 錠 5mg 1錠 10.10 円
錠 10mg 1錠 19.30 円

プラバスタチン Na (日薬工＝ケミファ)
錠 5mg 1錠 10.10 円　錠 10mg 1錠 19.30 円

プラバスタチン Na (日新＝科研)
錠 5mg 1錠 10.10 円　錠 10mg 1錠 19.30 円

プラバスタチン Na (扶桑) 錠 5mg 1錠 10.10 円
錠 10mg 1錠 19.30 円

プラバスタチン Na (MeijiSeika＝Me ファルマ)
錠 5mg 1錠 10.10 円　錠 10mg 1錠 13.70 円

プラバスタチン Na (メディサ＝沢井)
錠 5mg 1錠 10.10 円　錠 10mg 1錠 19.30 円

プラバスタチン Na 塩 (ニプロ ES)
錠 5mg 1錠 10.10 円　錠 10mg 1錠 13.70 円

プラバスタチンナトリウム (鶴原)
錠 5mg 1錠 10.10 円　錠 10mg 1錠 19.30 円

プラバスタチンナトリウム (日医工)
錠 5mg 1錠 10.10 円　錠 10mg 1錠 19.30 円

プラバスタチンナトリウム (日医工ファーマ＝日医工) 錠 5mg 1錠 10.10 円　錠 10mg 1錠 13.70 円

プラバスタチンナトリウム (ニプロ)
錠 5mg 1錠 10.10 円　錠 10mg 1錠 13.70 円

プラバスタチンナトリウム (陽進堂)
錠 5mg 1錠 10.10 円　錠 10mg 1錠 19.30 円

メバレクト (東菱＝サンド) 錠 5mg 1錠 10.10 円
錠 10mg 1錠 19.30 円

一般名：シンバスタチン
- 保険収載年月…1991年11月
- 海外評価…6点 英米独仏　●PC…X
- 剤形…錠錠剤
- 服用量と回数…1日1回5mg。LDL-コレステロール値の低下が不十分なときは，1日20mgまで増量できる。

■先発品　　商品名(メーカー)　規格・保険薬価

リポバス(オルガノン) 錠5mg 1錠 43.00円

錠10mg 1錠 87.90円　錠20mg 1錠 181.60円

■ジェネリック　　商品名(メーカー)　規格・保険薬価

シンバスタチン(あすか＝武田)

錠5mg 1錠 22.60円　錠10mg 1錠 52.20円

錠20mg 1錠 96.80円

シンバスタチン(大原) 錠5mg 1錠 14.60円

錠10mg 1錠 29.90円　錠20mg 1錠 96.80円

シンバスタチン(キョーリン＝杏林)

錠10mg 1錠 29.90円

シンバスタチン(キョーリン＝杏林＝日本ジェネリック) 錠5mg 1錠 14.60円

シンバスタチン(小林化工) 錠5mg 1錠 22.60円

錠10mg 1錠 29.90円　錠20mg 1錠 96.80円

シンバスタチン写真(沢井) 錠5mg 1錠 22.60円

錠10mg 1錠 52.20円　錠20mg 1錠 96.80円

シンバスタチン(サンノーバ＝エルメッド＝日医工) 錠5mg 1錠 22.60円　錠10mg 1錠 52.20円

錠20mg 1錠 96.80円

シンバスタチン(武田テバファーマ＝武田)

錠5mg 1錠 14.60円　錠10mg 1錠 52.20円

錠20mg 1錠 96.80円

シンバスタチン(東和) 錠5mg 1錠 22.60円

錠10mg 1錠 52.20円　錠20mg 1錠 96.80円

シンバスタチン(日医工) 錠5mg 1錠 22.60円

錠10mg 1錠 52.20円　錠20mg 1錠 96.80円

シンバスタチン(日医工ファーマ＝日医工)

錠5mg 1錠 14.60円　錠10mg 1錠 29.90円

錠20mg 1錠 96.80円

シンバスタチン(マイラン＝ファイザー)

錠5mg 1錠 22.60円　錠10mg 1錠 29.90円

錠20mg 1錠 96.80円

シンバスタチン(メディサ＝沢井)

錠5mg 1錠 22.60円　錠10mg 1錠 52.20円

錠20mg 1錠 96.80円

シンバスタチン(陽進堂) 錠10mg 1錠 29.90円

錠20mg 1錠 40.80円

シンバスタチン(陽進堂＝ケミファ＝日薬工)

錠5mg 1錠 22.60円

一般名：フルバスタチンナトリウム

- 保険収載年月…1998年8月
- 海外評価…6点 英米独仏　●PC…X
- 剤形…錠錠剤
- 服用量と回数…1日1回20〜30mg。重症の場合は1日60mgまで増量できる。

■先発品　　商品名(メーカー)　規格・保険薬価

ローコール写真(サンファーマ)

錠10mg 1錠 24.70円　錠20mg 1錠 44.70円

錠30mg 1錠 61.00円

■ジェネリック　　商品名(メーカー)　規格・保険薬価

フルバスタチン(沢井) 錠10mg 1錠 12.10円

錠20mg 1錠 22.10円　錠30mg 1錠 31.70円

フルバスタチン(シオノ＝三和)

錠10mg 1錠 12.10円　錠20mg 1錠 22.10円

錠30mg 1錠 31.70円

フルバスタチン(大興＝日本ジェネリック)

錠10mg 1錠 12.10円　錠20mg 1錠 22.10円

錠30mg 1錠 31.70円

フルバスタチン(武田テバファーマ＝武田)

錠10mg 1錠 12.10円　錠20mg 1錠 22.10円

錠30mg 1錠 31.70円

一般名：アトルバスタチンカルシウム水和物

- 保険収載年月…2000年5月
- 海外評価…6点 英米独仏　●PC…X
- 剤形…錠錠剤
- 服用量と回数…1日1回10mg。重症の場合は1日20mg(高コレステロール血症)，40mg(家族性高コレステロール血症)まで増量できる。

■先発品　　商品名(メーカー)　規格・保険薬価

リピトール写真(ヴィアトリス) 錠5mg 1錠 27.00円

錠10mg 1錠 49.20円

内
05
—
05
—
08

HMG-CoA還元酵素阻害薬

■ジェネリック　商品名(メーカー)　規格・保険薬価

アトルバスタチン (Me ファルマ＝フェルゼン＝共創未来＝三和) 錠5mg 1錠 10.60 円
錠10mg 1錠 20.70 円

アトルバスタチン (エルメッド＝日医工)
錠5mg 1錠 10.60 円　錠10mg 1錠 20.70 円

アトルバスタチン (キョーリン＝杏林)
錠5mg 1錠 10.60 円　錠10mg 1錠 20.70 円

アトルバスタチン (共和) 錠5mg 1錠 10.60 円
錠10mg 1錠 20.70 円

アトルバスタチン (ケミファ＝日薬工)
錠5mg 1錠 10.60 円　錠10mg 1錠 20.70 円

アトルバスタチン (小林化工) 錠5mg 1錠 10.10 円
錠10mg 1錠 20.70 円

アトルバスタチン 写真 (沢井) 錠5mg 1錠 10.60 円
錠10mg 1錠 20.70 円

アトルバスタチン 写真 (サンド)
錠5mg 1錠 10.60 円　錠10mg 1錠 14.80 円

アトルバスタチン (全星) 錠5mg 1錠 10.60 円
錠10mg 1錠 20.70 円

アトルバスタチン (第一三共エスファ)
錠5mg 1錠 10.60 円　錠10mg 1錠 20.70 円

アトルバスタチン (武田テバ薬品＝武田テバファーマ＝武田) 錠5mg 1錠 15.00 円
錠10mg 1錠 28.50 円

アトルバスタチン (辰巳) 錠5mg 1錠 10.10 円
錠10mg 1錠 14.80 円

アトルバスタチン (鶴原) 錠5mg 1錠 10.10 円
錠10mg 1錠 20.70 円

アトルバスタチン (東和) 錠5mg 1錠 10.60 円
錠10mg 1錠 20.70 円

アトルバスタチン (日医工) 錠5mg 1錠 10.10 円
錠10mg 1錠 14.80 円　錠20mg 1錠 44.30 円

アトルバスタチン (日新＝科研)
錠5mg 1錠 10.60 円　錠10mg 1錠 20.70 円

アトルバスタチン 写真 (ニプロ)
錠5mg 1錠 10.10 円　錠10mg 1錠 14.80 円

アトルバスタチン (日本ジェネリック)
錠5mg 1錠 15.00 円　錠10mg 1錠 28.50 円

アトルバスタチン (陽進堂) 錠5mg 1錠 10.10 円
錠10mg 1錠 14.80 円

アトルバスタチン OD (東和) 錠5mg 1錠 10.60 円
錠10mg 1錠 20.70 円

一般名：ピタバスタチンカルシウム

● 保険収載年月…2003年9月
● 海外評価…2点 英 米 独 仏
● 剤形… 錠 錠剤
● 服用量と回数…成人：1日1回1〜2mg。LDL-コレステロール値の低下が不十分なときは、1日4mgまで増量できる。10歳以上の小児(家族性高コレステロール血症)：1日1回1mg。LDL-コレステロール値の低下が不十分なときは、1日2mgまで増量できる。

■先発品　商品名(メーカー)　規格・保険薬価

リバロ 写真 (興和) 錠1mg 1錠 37.80 円
錠2mg 1錠 70.30 円　錠4mg 1錠 126.70 円

リバロ OD 写真 (興和) 錠1mg 1錠 37.80 円
錠2mg 1錠 70.30 円　錠4mg 1錠 126.70 円

■ジェネリック　商品名(メーカー)　規格・保険薬価

ピタバスタチン Ca (エルメッド＝日医工)
錠1mg 1錠 12.10 円　錠2mg 1錠 22.60 円
錠4mg 1錠 41.60 円

ピタバスタチン Ca (共創未来)
錠1mg 1錠 12.10 円　錠2mg 1錠 22.60 円
錠4mg 1錠 41.60 円

ピタバスタチン Ca (共和) 錠1mg 1錠 10.10 円
錠2mg 1錠 17.40 円　錠4mg 1錠 32.00 円

ピタバスタチン Ca (キョーリン＝杏林)
錠1mg 1錠 10.10 円　錠2mg 1錠 17.40 円
錠4mg 1錠 41.60 円

ピタバスタチン Ca (ケミファ)
錠4mg 1錠 82.70 円

ピタバスタチン Ca (ケミファ＝日薬工)
錠1mg 1錠 12.10 円　錠2mg 1錠 22.60 円

ピタバスタチン Ca（小林化工）
錠 1mg 1錠 10.10 円　錠 2mg 1錠 17.40 円
錠 4mg 1錠 32.00 円

ピタバスタチン Ca 写真（沢井）
錠 1mg 1錠 12.10 円　錠 2mg 1錠 22.60 円
錠 4mg 1錠 41.60 円

ピタバスタチン Ca（サンド）錠 1mg 1錠 10.10 円
錠 2mg 1錠 17.40 円　錠 4mg 1錠 41.60 円

ピタバスタチン Ca（三和）錠 1mg 1錠 12.10 円
錠 2mg 1錠 22.60 円　錠 4mg 1錠 41.60 円

ピタバスタチン Ca（大興＝江州）
錠 1mg 1錠 12.10 円　錠 2mg 1錠 17.40 円
錠 4mg 1錠 32.00 円

ピタバスタチン Ca（ダイト＝科研）
錠 1mg 1錠 12.10 円　錠 2mg 1錠 22.60 円
錠 4mg 1錠 82.70 円

ピタバスタチン Ca（高田）錠 1mg 1錠 10.10 円
錠 2mg 1錠 17.40 円　錠 4mg 1錠 41.60 円

ピタバスタチン Ca（辰巳）錠 1mg 1錠 12.10 円
錠 2mg 1錠 22.60 円　錠 4mg 1錠 32.00 円

ピタバスタチン Ca（鶴原）錠 1mg 1錠 12.10 円
錠 2mg 1錠 22.60 円　錠 4mg 1錠 32.00 円

ピタバスタチン Ca 写真（東和）
錠 1mg 1錠 12.10 円　錠 2mg 1錠 22.60 円
錠 4mg 1錠 41.60 円

ピタバスタチン Ca（日新）錠 1mg 1錠 12.10 円
錠 2mg 1錠 17.40 円　錠 4mg 1錠 41.60 円

ピタバスタチン Ca（ニプロ）錠 1mg 1錠 10.10 円
錠 2mg 1錠 17.40 円　錠 4mg 1錠 32.00 円

ピタバスタチン Ca（日本ジェネリック）
錠 1mg 1錠 10.10 円　錠 2mg 1錠 17.40 円
錠 4mg 1錠 41.60 円

ピタバスタチン Ca 写真（ファイザー）
錠 1mg 1錠 10.10 円　錠 2mg 1錠 17.40 円
錠 4mg 1錠 41.60 円

ピタバスタチン Ca（MeijiSeika）
錠 1mg 1錠 12.10 円　錠 2mg 1錠 22.60 円
錠 4mg 1錠 41.60 円

ピタバスタチン Ca（陽進堂＝共創未来）
錠 1mg 1錠 10.10 円　錠 2mg 1錠 17.40 円
錠 4mg 1錠 32.00 円

ピタバスタチン Ca・OD（キョーリン＝杏林）
錠 1mg 1錠 10.10 円　錠 2mg 1錠 17.40 円
錠 4mg 1錠 41.60 円

ピタバスタチン Ca・OD（小林化工）
錠 1mg 1錠 10.10 円　錠 2mg 1錠 17.40 円

ピタバスタチン Ca・OD（沢井）
錠 1mg 1錠 12.10 円　錠 2mg 1錠 22.60 円
錠 4mg 1錠 41.60 円

ピタバスタチン Ca・OD（ダイト＝日本ジェネ
リック）錠 1mg 1錠 12.10 円　錠 2mg 1錠 22.60 円
錠 4mg 1錠 41.60 円

ピタバスタチン Ca・OD 写真（東和）
錠 1mg 1錠 12.10 円　錠 2mg 1錠 22.60 円
錠 4mg 1錠 41.60 円

ピタバスタチン Ca・OD（マイラン＝ファイザ
ー）錠 1mg 1錠 10.10 円　錠 2mg 1錠 17.40 円
錠 4mg 1錠 41.60 円

ピタバスタチン Ca・OD（MeijiSeika）
錠 1mg 1錠 12.10 円　錠 2mg 1錠 22.60 円
錠 4mg 1錠 41.60 円

ピタバスタチンカルシウム（全星）
錠 1mg 1錠 12.10 円　錠 2mg 1錠 22.60 円
錠 4mg 1錠 32.00 円

ピタバスタチンカルシウム（武田テバファーマ
＝武田）錠 1mg 1錠 10.10 円　錠 2mg 1錠 17.40 円
錠 4mg 1錠 41.60 円

ピタバスタチンカルシウム 写真（テイカ）
錠 1mg 1錠 12.10 円　錠 2mg 1錠 22.60 円
錠 4mg 1錠 41.60 円

ピタバスタチンカルシウム（日医工）
錠 1mg 1錠 10.10 円　錠 2mg 1錠 17.40 円
錠 4mg 1錠 41.60 円

ピタバスタチンカルシウム（持田販売＝持田）
錠 1mg 1錠 12.10 円　錠 2mg 1錠 22.60 円
錠 4mg 1錠 41.60 円

内 05－05－08 HMG-CoA還元酵素阻害薬

内
05
—
05
—
08

HMG·CoA還元酵素阻害薬

ピタバスタチンカルシウム OD（テイカ）

錠 1mg 1錠 12.10 円　錠 2mg 1錠 22.60 円
錠 4mg 1錠 41.60 円

ピタバスタチンカルシウム OD（日医工）

錠 1mg 1錠 12.10 円　錠 2mg 1錠 22.60 円
錠 4mg 1錠 41.60 円

一般名：ロスバスタチンカルシウム

- 保険収載年月…2005年3月
- 海外評価…6点 英 米 独 仏　●PC…X
- 剤形… 錠 錠剤
- 服用量と回数…1日1回2.5mgまたは5mgより
  開始, 1日最大20mg。

■**先発品**　商品名(メーカー)　規格・保険薬価

クレストール 写真 （アストラ＝塩野義）

錠 2.5mg 1錠 32.30 円　錠 5mg 1錠 57.70 円

クレストール OD 写真 （アストラ＝塩野義）

錠 2.5mg 1錠 32.30 円　錠 5mg 1錠 57.70 円

■**ジェネリック**　商品名(メーカー)　規格・保険薬価

ロスバスタチン（エルメッド＝日医工）

錠 2.5mg 1錠 8.60 円　錠 5mg 1錠 13.00 円

ロスバスタチン（大原）錠 2.5mg 1錠 8.60 円
錠 5mg 1錠 13.00 円

ロスバスタチン（共創未来）錠 2.5mg 1錠 14.30 円
錠 5mg 1錠 26.40 円

ロスバスタチン（共和）錠 2.5mg 1錠 8.60 円
錠 5mg 1錠 13.00 円

ロスバスタチン 写真 （キョーリン＝杏林）

錠 2.5mg 1錠 8.60 円　錠 5mg 1錠 13.00 円

ロスバスタチン（ケミファ＝日薬工）

錠 2.5mg 1錠 14.30 円　錠 5mg 1錠 26.40 円

ロスバスタチン（沢井）錠 2.5mg 1錠 8.60 円
錠 5mg 1錠 13.00 円

ロスバスタチン（サンド）錠 2.5mg 1錠 8.60 円
錠 5mg 1錠 13.00 円

ロスバスタチン（三和）錠 2.5mg 1錠 8.60 円
錠 5mg 1錠 13.00 円

ロスバスタチン 写真 （第一三共エスファ）

錠 2.5mg 1錠 14.30 円　錠 5mg 1錠 26.40 円

ロスバスタチン（ダイト＝科研）

錠 2.5mg 1錠 14.30 円　錠 5mg 1錠 26.40 円

ロスバスタチン（高田）錠 2.5mg 1錠 14.30 円
錠 5mg 1錠 26.40 円　錠 10mg 1錠 26.20 円

ロスバスタチン（武田テバ薬品＝武田テバファー
マ＝武田）錠 2.5mg 1錠 8.60 円　錠 5mg 1錠 13.00 円

ロスバスタチン（辰巳）錠 2.5mg 1錠 14.30 円
錠 5mg 1錠 26.40 円

ロスバスタチン（鶴原）錠 2.5mg 1錠 8.60 円
錠 5mg 1錠 13.00 円

ロスバスタチン（東和）錠 2.5mg 1錠 14.30 円
錠 5mg 1錠 26.40 円　錠 10mg 1錠 26.20 円

ロスバスタチン（日医工）錠 2.5mg 1錠 8.60 円
錠 5mg 1錠 13.00 円

ロスバスタチン（日薬工＝ゼリア）

錠 2.5mg 1錠 8.60 円　錠 5mg 1錠 13.00 円

ロスバスタチン（日新）錠 2.5mg 1錠 8.60 円
錠 5mg 1錠 13.00 円

ロスバスタチン（ニプロ）錠 2.5mg 1錠 8.60 円
錠 5mg 1錠 13.00 円

ロスバスタチン（日本ジェネリック）

錠 2.5mg 1錠 18.10 円　錠 5mg 1錠 34.60 円

ロスバスタチン（ファイザー）錠 2.5mg 1錠 8.60 円
錠 5mg 1錠 13.00 円

ロスバスタチン（フェルゼン）錠 2.5mg 1錠 8.60 円
錠 5mg 1錠 13.00 円

ロスバスタチン（陽進堂）錠 2.5mg 1錠 8.60 円
錠 5mg 1錠 13.00 円

ロスバスタチン OD（エルメッド＝日医工）

錠 2.5mg 1錠 8.60 円　錠 5mg 1錠 13.00 円

ロスバスタチン OD（大原）錠 2.5mg 1錠 8.60 円
錠 5mg 1錠 13.00 円

ロスバスタチン OD（共創未来）

錠 2.5mg 1錠 14.30 円　錠 5mg 1錠 26.40 円

ロスバスタチン OD（共和）錠 2.5mg 1錠 8.60 円
錠 5mg 1錠 13.00 円

ロスバスタチン OD (ケミファ＝日薬工)	ロスバスタチン OD (辰巳＝日医工＝武田)
錠 2.5mg 1錠 14.30 円　錠 5mg 1錠 26.40 円	錠 2.5mg 1錠 14.30 円　錠 5mg 1錠 26.40 円

ロスバスタチン OD (小林化工)	ロスバスタチン OD (東和) 錠 2.5mg 1錠 14.30 円
錠 2.5mg 1錠 8.60 円　錠 5mg 1錠 13.00 円	錠 5mg 1錠 26.40 円　錠 10mg 1錠 26.20 円

ロスバスタチン OD (沢井) 錠 2.5mg 1錠 8.60 円	ロスバスタチン OD 写真 (日医工)
錠 5mg 1錠 13.00 円	錠 2.5mg 1錠 8.60 円　錠 5mg 1錠 13.00 円

ロスバスタチン OD (三和) 錠 2.5mg 1錠 8.60 円	ロスバスタチン OD (ニプロ)
錠 5mg 1錠 13.00 円	錠 2.5mg 1錠 8.60 円　錠 5mg 1錠 13.00 円

ロスバスタチン OD (第一三共エスファ)	ロスバスタチン OD (日本ジェネリック)
錠 2.5mg 1錠 14.30 円　錠 5mg 1錠 26.40 円	錠 2.5mg 1錠 18.10 円　錠 5mg 1錠 34.60 円

ロスバスタチン OD 写真 (ダイト＝科研)	ロスバスタチン OD (MeijiSeika＝Me ファル
錠 2.5mg 1錠 14.30 円　錠 5mg 1錠 26.40 円	マ) 錠 2.5mg 1錠 8.60 円　錠 5mg 1錠 13.00 円

ロスバスタチン OD (高田) 錠 2.5mg 1錠 14.30 円	ロスバスタチン OD (陽進堂)
錠 5mg 1錠 26.40 円	錠 2.5mg 1錠 8.60 円　錠 5mg 1錠 26.40 円

内
05
―
05
―
08

HMG-CoA還元酵素阻害薬

📋 概　　要

分類　高脂血症治療薬(脂質異常症用薬)

処方目的　高脂血症，家族性高コレステロール血症

解説　コレステロールの合成にかかわる 3-ヒドロキシ-3-メチルグルタリル-コエンザイム A(HMG-CoA)還元酵素を特異的に阻害するといわれ，他の生合成段階には影響を与えません。

使用上の注意

＊プラバスタチンナトリウム(メバロチン)などの添付文書による

基本的注意

(1)服用してはいけない場合……本剤の成分に対するアレルギーの前歴／妊婦または妊娠している可能性がある人，授乳婦

[シンバスタチン] 重い肝機能障害／イトラコナゾール，ミコナゾール，ポサコナゾール，アタザナビル硫酸塩，コビシスタットを含有する製剤の服用中

[フルバスタチンナトリウム] 重い肝機能障害

[アトルバスタチンカルシウム水和物] 肝代謝能が低下していると考えられる以下のような人→急性肝炎，慢性肝炎の急性増悪，肝硬変，肝がん，黄疸／グレカプレビル水和物・ピブレンタスビル配合剤の服用中

[ピタバスタチンカルシウム] 重い肝機能障害または胆道閉塞／シクロスポリンの服用中

[ロスバスタチンカルシウム] 肝代謝能が低下していると考えられる以下のような人→急性肝炎，慢性肝炎の急性増悪，肝硬変，肝がん，黄疸／シクロスポリンの服用中

(2)慎重に服用すべき場合……肝機能障害またはその前歴(プラバスタチンナトリウムを除く)，アルコール中毒／腎機能障害またはその前歴／甲状腺機能低下症，遺伝性の筋疾患(筋ジストロフィーなど)またはその家族歴，薬剤性の筋障害の前歴／腎機能検査値異

常：下段の(3)参照／高齢者

［プラバスタチンナトリウム］重い肝機能障害またはその前歴

［フルバスタチンナトリウム］フィブラート系薬剤（ベザフィブラートなど）の服用中（下段の(3)参照）／感染症，外傷後の日の浅い人，重症な代謝・内分泌障害および電解質異常，コントロール困難なてんかんのある人

［アトルバスタチンカルシウム水和物］糖尿病

［ロスバスタチンカルシウム］重い腎機能障害

(3)フィブラート系薬剤との併用……腎機能の検査値に異常がみられる人が，本剤とフィブラート系薬剤を併用すると，急激な腎機能悪化を伴う横紋筋融解症が現れやすくなります。治療上やむを得ない場合にのみ処方されます。

(4)定期検査……服用中は血中脂質値を定期的に検査し，治療に対する反応が認められない場合には服用を中止します。

(5)グレープフルーツジュース……［シンバスタチン，アトルバスタチンカルシウム水和物］併用すると本剤の作用が強まることがあるので，服用中はグレープフルーツジュースを飲まないようにしてください。

(6)その他……

● 小児での安全性：未確立。(1714 頁を参照)

重大な副作用　　　①横紋筋融解症（筋肉痛，脱力感など）と，それに伴う重い腎機能障害（急性腎障害など）。②ミオパチー。③免疫介在性壊死性ミオパチー。④肝炎，肝機能障害，黄疸。⑤過敏症（ループス様症候群，血管炎，血管神経性浮腫，アナフィラキシー反応，じん麻疹など）（ピタバスタチンカルシウムを除く）。⑥間質性肺炎（発熱，せき，呼吸困難など）。⑦血小板減少（フルバスタチンナトリウムを除く）。⑧末梢神経障害（フルバスタチンナトリウム，アトルバスタチンカルシウム水和物，ピタバスタチンカルシウムを除く）。

［アトルバスタチンカルシウム水和物のみ］⑨劇症肝炎。⑩皮膚粘膜眼症候群（スティブンス-ジョンソン症候群），中毒性表皮壊死融解症（TEN）。⑪無顆粒球症，汎血球減少症。⑫高血糖，糖尿病（口渇，頻尿，全身倦怠感など）。

［アトルバスタチンカルシウム水和物，ロスバスタチンカルシウムのみ］⑬多形紅斑。

　そのほかにも報告された副作用はあるので，体調がいつもと違うと感じたときは，処方医・薬剤師に相談してください。

併用してはいけない薬　　　［シンバスタチンのみ］①イトラコナゾール，ミコナゾール，ポサコナゾール→急激な腎機能悪化を伴う横紋筋融解症がおこりやすくなります。②アタザナビル硫酸塩，コビシスタットを含有する製剤（スタリビルド配合錠）→横紋筋融解症を含むミオパチーなどの重い副作用がおこるおそれがあります。

［アトルバスタチンカルシウム水和物のみ］グレカプレビル水和物・ピブレンタスビル配合剤→本剤の血中濃度が上昇し，副作用が現れやすくなるおそれがあります。

［ピタバスタチンカルシウム，ロスバスタチンカルシウムのみ］シクロスポリン→本剤の血漿中濃度が上昇し，副作用の発現頻度が増加するおそれがあります。

09　エゼチミブ

製剤情報

一般名：エゼチミブ

- 保険収載年月…2007年6月
- 海外評価…6点 英 米 独 仏　● PC…C
- 剤形…錠 錠剤
- 服用量と回数…1日1回10mg(1錠)。

■**先発品**　商品名(メーカー)　規格・保険薬価

ゼチーア 写真 (オルガノン＝バイエル＝MSD)
錠 10mg 1錠 126.10 円

■**ジェネリック**　商品名(メーカー)　規格・保険薬価

エゼチミブ (Me ファルマ＝MeijiSeika)
錠 10mg 1錠 43.20 円

エゼチミブ (共創未来) 錠 10mg 1錠 43.20 円

エゼチミブ (共和) 錠 10mg 1錠 31.60 円

エゼチミブ (キョーリン＝杏林)
錠 10mg 1錠 31.60 円

エゼチミブ (小林化工) 錠 10mg 1錠 31.60 円

エゼチミブ (沢井) 錠 10mg 1錠 31.60 円

エゼチミブ (サンド) 錠 10mg 1錠 31.60 円

エゼチミブ 写真 (第一三共エスファ)
錠 10mg 1錠 43.20 円

エゼチミブ (ダイト＝ケミファ＝日薬工)
錠 10mg 1錠 31.60 円

エゼチミブ (武田テバファーマ＝武田)
錠 10mg 1錠 31.60 円

エゼチミブ (辰巳) 錠 10mg 1錠 43.20 円

エゼチミブ (東和) 錠 10mg 1錠 43.20 円

エゼチミブ (トーアエイヨー) 錠 10mg 1錠 43.20 円

エゼチミブ (日医工) 錠 10mg 1錠 31.60 円

エゼチミブ (日新) 錠 10mg 1錠 31.60 円

エゼチミブ (ニプロ) 錠 10mg 1錠 43.20 円

エゼチミブ (日本ジェネリック)
錠 10mg 1錠 31.60 円

エゼチミブ (フェルゼン) 錠 10mg 1錠 43.20 円

エゼチミブ (陽進堂＝アルフレッサ)
錠 10mg 1錠 31.60 円

エゼチミブ OD (東和) 錠 10mg 1錠 43.20 円

一般名：エゼチミブ・アトルバスタチンカルシウム水和物配合剤

- 保険収載年月…2018年4月
- 海外評価…1点 英 米 独 仏
- 剤形…錠 錠剤
- 服用量と回数…1日1回1錠を食後に服用。

■**先発品**　商品名(メーカー)　規格・保険薬価

アトーゼット配合錠 HD 写真 (オルガノン＝バイエル＝MSD) 錠 1錠 146.90 円

アトーゼット配合錠 LD (オルガノン＝バイエル＝MSD) 錠 1錠 149.70 円

一般名：エゼチミブ・ロスバスタチンカルシウム配合剤

- 保険収載年月…2019年5月
- 海外評価…1点 英 米 独 仏
- 剤形…錠 錠剤
- 服用量と回数…1日1回1錠。

■**先発品**　商品名(メーカー)　規格・保険薬価

ロスーゼット配合錠 HD (オルガノン＝バイエル＝MSD) 錠 1錠 148.20 円

ロスーゼット配合錠 LD 写真 (オルガノン＝バイエル＝MSD) 錠 1錠 151.20 円

概　要

分類　高脂血症治療薬(脂質異常症用薬)

処方目的　高コレステロール血症，家族性高コレステロール血症／[エゼチミブのみの適応症]ホモ接合体性シトステロール血症

解説　小腸には食物や胆汁に由来するコレステロールの吸収に関与する小腸コレステロールトランスポーターと呼ばれるものがあります。エゼチミブはこのトランスポーターを阻害してコレステロールの吸収を抑制する，新しいタイプの高脂血症治療薬です。現在，最も多く使用されている HMG-CoA 還元酵素阻害薬(スタチン類)は，やはりよく使用されるフィブラート系薬剤とは「治療上やむを得ないと判断される場合にのみ併用する薬」(急激な腎機能悪化を伴う横紋筋融解症が現れやすくなる)ですが，エゼチミブはそのどちらとも併用することが可能で，治療の選択の幅が広がりました(ただし，重篤な肝機能障害のある人は HMG-CoA 還元酵素阻害薬との併用は禁忌)。併用する場合は，処方医にスタチン類・フィブラート系薬剤について十分な説明を受けてください。

　アトーゼット配合錠は，そのスタチン類の一つのアトルバスタチンカルシウム水和物とエゼチミブの配合錠，ロスーゼット配合錠は，スタチン類の一つのロスバスタチンカルシウムとエゼチミブの配合錠です。ただし，どちらも高コレステロール血症，家族性高コレステロール血症の治療における第一選択薬としては用いません。スタチン類で治療を開始し，それでも脂質管理目標値に達しない場合に本剤の使用を考慮します。また，エゼチミブ単独療法から本剤への変更も行いません。

　なお，アトルバスタチン，ロスバスタチンには「重大な副作用」や「併用してはいけない薬」などがさまざまあるので，配合錠を服用する場合はアトルバスタチン，ロスバスタチンの項も参照してください。

❄ 使用上の注意

＊エゼチミブ(ゼチーア)の添付文書による

基本的注意

(1)服用してはいけない場合……本剤の成分に対するアレルギーの前歴／重篤な肝機能障害(HMG-CoA 還元酵素阻害薬と併用する場合)

(2)慎重に服用すべき場合……糖尿病／肝機能障害

(3)その他……

●妊婦での安全性：有益と判断されたときのみ服用。

●授乳婦での安全性：治療上の有益性・母乳栄養の有益性を考慮し，授乳の継続・中止を検討。

●小児での安全性：未確立。(1714 頁を参照)

重大な副作用　　①過敏症(アナフィラキシー，血管神経性浮腫，発疹)。②横紋筋融解症。③肝機能障害。

　そのほかにも報告された副作用はあるので，体調がいつもと違うと感じたときは，処方医・薬剤師に相談してください。

併用してはいけない薬　　併用してはいけない薬は特にありません。ただし，併用する薬があるときは，念のため処方医・薬剤師に報告してください。

内 05 その他の循環器系の薬　05 脂質異常症の薬

10　ロミタピド

製剤情報

一般名：ロミタピドメシル酸塩

- 保険収載年月…2016年11月
- 海外評価…4点 英 米 独 仏　●PC…X
- 規制…劇薬
- 剤形…カ カプセル剤
- 服用量と回数…1日1回夕食後2時間以上あけて5mgの服用から開始。効果不十分な場合には

2週間以上の間隔をあけて10mgに増量，さらに増量が必要な場合には4週間以上の間隔で段階的に20mg，40mgに増量することができる。

先発品　商品名（メーカー）　規格・保険薬価

ジャクスタピッド（レコルダティ）

カ 5mg 1カプセル 81,160.40 円　カ 10mg 1カプセル 92,815.60 円
カ 20mg 1カプセル 105,660.90 円

概　要

分類　高脂血症治療薬（脂質異常症用薬）

処方目的　ホモ接合体家族性高コレステロール血症

解説　家族性高コレステロール血症（FH）は，LDL（低比重リポタンパク）受容体関連遺伝子の変異による遺伝性疾患で，LDL を細胞内に取り込むことができず，血液中のLDL-コレステロール（いわゆる悪玉コレステロール）が異常に増えてしまう疾患です。どちらか片方の親由来の遺伝子に変異が生じている場合をヘテロ接合体，両親の遺伝子が共に変異を起こしている場合をホモ接合体と呼び，ホモ接合体 FH は 100 万人に 1 人ともいわれる極めて稀な疾患です。

ヘテロ接合体 FH に対しては HMG-CoA 還元酵素阻害薬などが有効ですが，ホモ接合体 FH には多くの場合，効果がなかったため，本剤の登場が大きく期待されています。本剤は現在のところ，「他の経口脂質低下薬で効果不十分または忍容性が不良な場合に本剤投与の要否を検討すること」となっています。

使用上の注意

警告

本剤の服用により肝機能障害が発現するため，服用前に必ず肝機能検査を行い，服用中においても服用開始から 1 年間は，増量前もしくは月 1 回のいずれか早い時期に肝機能検査（少なくとも AST と ALT）を実施すること。2 年目以降は少なくとも 3 カ月に 1 回かつ増量前には必ず検査を実施すること。肝機能検査値の異常が認められた場合にはその程度および臨床症状に応じて，減量または服用中止などの適切な処置が必要です。

基本的注意

(1) 服用してはいけない場合……本剤の成分に対するアレルギーの前歴／中等度または重度の肝機能障害および血清中トランスアミナーゼ高値が持続している人／中程度または強い CYP3A 阻害作用をもつ薬剤の使用中／妊婦または妊娠している可能性のある人
(2) 慎重に服用すべき場合……軽度の肝機能障害／腎機能障害／吸収不良をきたしやす

い慢性の腸または膵疾患のある人／出血傾向およびその素因のある人／高齢者

(3)飲食上の注意……①本剤の服用による胃腸障害を低減するため，服用中は低脂肪食（脂肪由来のカロリーが摂取カロリーの20%未満）を摂取してください。②小腸における脂溶性栄養素の吸収が低下するおそれがあるため，服用中は食事に加えてビタミンE，リノール酸，αリノレン酸(ALA)，エイコサペンタエン酸(EPA)，ドコサヘキサエン酸(DHA)を毎日摂取してください。③飲酒によって肝脂肪が増加し，肝機能障害を誘発または悪化させるおそれがあるため，飲酒を控えてください。④グレープフルーツジュースは本剤の作用を強めるおそれがあるので，服用中は摂取を避けてください。

(4)妊娠……妊婦または妊娠している可能性のある人は本剤を服用してはいけません。動物実験で催奇形性(臍ヘルニア，内臓奇形，四肢奇形など)が認められており，胎児に影響を及ぼすおそれがあります。妊娠する可能性のある女性が服用する場合は以下のことを守ってください。①服用開始前および服用期間中は定期的に妊娠検査を行い，妊娠していないことを確認する。②避妊薬単独での避妊を避ける。本剤を服用中に嘔吐や下痢が発現した場合に，経口避妊薬からのホルモン吸収が不完全になるおそれがあります。③妊娠した場合もしくは疑いがある場合には直ちに医師に連絡すること。

(5)その他……

● 授乳婦での安全性：原則として服用しない。やむを得ず服用するときは授乳を中止。
● 小児での安全性：未確立。(1714頁を参照)

重大な副作用　　　①肝炎，肝機能障害(AST，ALTの著しい上昇)。②胃腸障害(重度の下痢など)。

そのほかにも報告された副作用はあるので，体調がいつもと違うと感じたときは，処方医・薬剤師に相談してください。

併用してはいけない薬　　　①強いCYP3A阻害薬(クラリスロマイシン，イトラコナゾール，ネルフィナビルメシル酸塩，ボリコナゾール，リトナビル含有製剤(ノービア，カレトラ)，コビシスタット含有製剤(スタリビルド)→本剤の血中濃度が著しく上昇し，作用が強まるおそれがあります。②中程度のCYP3A阻害薬(アプレピタント，アタザナビル硫酸塩，塩酸シプロフロキサシン，クリゾチニブ，ジルチアゼム塩酸塩，エリスロマイシン，フルコナゾール，ホスアンプレナビルカルシウム水和物，イマチニブメシル酸塩，ベラパミル塩酸塩，ミコナゾール(ゲル剤，注射薬)，トフィソパム)→本剤の血中濃度が著しく上昇し，作用が強まるおそれがあります。

内 **05 その他の循環器系の薬　06 血液凝固を防ぐ薬**

01 ワルファリンカリウム

Ⓛ **製剤情報**

一般名：ワルファリンカリウム
● 保険収載年月…1978年2月

● 海外評価…6点 英米独仏　● PC…X
● 剤形…錠 錠剤，細 細粒剤，顆 顆粒剤
● 服用量と回数…処方医の指示通りに服用。

■**先発品**　**商品名(メーカー)**　規格・保険薬価

ワーファリン 写真 (エーザイ) 顆 0.2% 1g 6.80 円
錠 0.5mg 1錠 9.80 円　錠 1mg 1錠 9.80 円
錠 5mg 1錠 10.10 円

ワルファリンK (武田テバファーマ＝武田)
錠 0.5mg 1錠 9.80 円　錠 1mg 1錠 9.80 円

ワルファリンK (東和) 錠 0.5mg 1錠 9.80 円
錠 1mg 1錠 9.80 円

ワルファリンK (日新) 錠 1mg 1錠 9.80 円

ワルファリンK (ニプロ) 錠 0.5mg 1錠 9.80 円
錠 1mg 1錠 9.80 円　錠 2mg 1錠 9.80 円

ワルファリンK (富士製薬) 錠 1mg 1錠 9.80 円

■**ジェネリック**　**商品名(メーカー)**　規格・保険薬価

ワルファリンK (日新) 細 0.2% 1g 7.00 円

概　要

分類　抗凝血薬(クマリン系)

処方目的　血栓塞栓症(静脈血栓症, 心筋梗塞症, 肺塞栓症, 脳塞栓症, 緩徐に進行する脳血栓症など)の治療および予防

解説　本剤は, 肝臓で血液凝固因子の一つプロトロンビンが生成されるのを抑制することにより, 血液凝固作用を著しく阻害します。

　この薬は使い方がむずかしいので, 処方医の指示にきちんと従うことが大切です。特に, 他の薬剤を服用しているときは, そのことを処方医に必ず伝えてください。

使用上の注意

＊ワルファリンカリウム(ワーファリン)の添付文書による

警告

　本剤と抗がん薬カペシタビンとの併用で, 本剤の作用が強まって出血がおこり, 死亡に至ったとの報告があります。併用する場合は, 定期的に血液凝固時間の検査を受けてください。

基本的注意

(1)**服用してはいけない場合**……出血している人(血小板減少性紫斑病, 血管障害による出血傾向, 血友病その他の血液凝固障害, 月経期間中, 手術時, 消化管潰瘍, 尿路出血, 喀血, 流早産・分娩直後など性器出血を伴う妊産褥婦, 頭蓋内出血の疑いのある人など)／出血する可能性のある人(内臓腫瘍, 消化管の憩室炎, 大腸炎, 亜急性細菌性心内膜炎, 重症高血圧症, 重症糖尿病など)／重い肝機能障害・腎機能障害／中枢神経系の手術または外傷後日の浅い人／本剤の成分に対するアレルギーの前歴／妊婦または妊娠している可能性のある人／骨粗鬆症治療用ビタミン K_2 製剤(メナテトレノン)の服用中／イグラチモドの服用中／ミコナゾール(ゲル剤・注射薬・錠剤)の使用中

(2)**慎重に服用すべき場合**……肝炎, 下痢, 脂肪の吸収不全, 慢性アルコール中毒, うっ血性心不全, 敗血症, 遷延性低血圧症, 新生児のビタミンK欠乏時／悪性腫瘍／甲状腺機能亢進症・低下症／産褥婦, 高齢者

(3)**指示を厳守**……本剤は, 必ず指示されたとおりに服用してください。服用を忘れたときの対応の仕方なども, 処方医から伝えられます。また, 他院や他科を受診するときは, 本剤の服用を医師, 歯科医師, 薬剤師に知らせてください。

(4)**抗凝血薬療法手帳**……本剤の服用者には，患者用説明書，患者携帯用の抗凝血療法手帳があります。これをもらい，常に携帯していてください。

(5)**急な服用中止**……服用を急に中止すると，血栓が生じるおそれがあります。自己判断で服用を中止しないでください。

(6)**定期検査**……本剤に対する感受性は個人差が大きく，同じ人でも変化することがあります。定期的に，プロトロンビン時間測定，トロンボテストなどの血液凝固能検査などを，特に服用の初期には，繰り返し受ける必要があります。

(7)**仕事**……服用中は，傷を受けやすい仕事には従事しないようにしてください。

(8)**手術・抜歯**……服用中に手術や抜歯をする場合は，事前に処方医に相談します。

(9)**妊娠の可能性**……本剤の服用によって，胎児の出血傾向に伴う死亡，分娩時の母体の異常出血などがおこることがあります。妊娠する可能性のある人は，処方医とよく相談し，納得がいった場合のみ服用してください。

(10)**飲食物**……服用中は以下の飲食物に注意してください。①ビタミン K 含有食品の納豆，クロレラ食品，青汁は本剤の作用を弱めるので，本剤の服用中はこれらの食品を摂取しないでください。また，その他のビタミン K 含有食品を一時的に大量に摂取すると本剤の作用を弱めるので，十分に注意してください。②セイヨウオトギリソウ（セント・ジョーンズ・ワート）含有食品は本剤の作用を弱めることがあるので，併用する場合には血液凝固能の変動に十分注意しながら服用してください。③アルコールは本剤の作用を減弱または増強することがあるので，本剤服用中の飲酒には十分に注意してください。

(11)**その他**……

● 授乳婦での安全性：服用するときは授乳を中止。

● 新生児での安全性：有益と判断されたときのみ服用。(1714 頁を参照)

重大な副作用　①脳出血などの臓器内出血，粘膜出血，皮下出血。②（服用早期に）皮膚の壊死。③カルシフィラキシス（周囲に有痛性紫斑を伴う有痛性皮膚潰瘍，皮下脂肪組織または真皮の小～中動脈の石灰化を特徴とし，敗血症に至ることがある疾患）。④肝機能障害，黄疸。

　そのほかにも報告された副作用はあるので，体調がいつもと違うと感じたときは，処方医・薬剤師に相談してください。

併用してはいけない薬　①骨粗鬆症治療用ビタミン K_2 製剤：メナテトレノン（グラケー）→併用すると本剤の効果を弱めるので，ワルファリンカリウムが必要な場合は服用を中止します。②イグラチモド（ケアラム，コルベット）→本剤の作用を強めることがあります。本剤による治療が必要な場合は本剤を優先し，イグラチモドを服用してはいけません。③ミコナゾール〈ゲル剤・注射薬・錠剤〉（フロリードゲル経口用，フロリードF注，オラビ錠口腔用）→本剤の作用を強めることがあります。また，併用中止後も本剤の作用が遷延し，出血や INR 上昇に至ったとの報告もあります。本剤による治療を必要とする場合は本剤の治療を優先し，ミコナゾール〈ゲル剤・注射薬・錠剤〉を使用してはいけません。

02　チクロピジン塩酸塩

製剤情報

一般名：チクロピジン塩酸塩
- 保険収載年月…1981年9月
- 海外評価…3点 英 米 独 仏　●PC…B
- 規制…劇薬（細粒剤のみ）
- 剤形…錠 錠剤，細 細粒剤
- 服用量と回数…処方医の指示通りに服用。

■先発品　　商品名（メーカー）　規格・保険薬価

パナルジン（クリニジェン）細 10% 1g 33.60 円
錠 100mg 1錠 12.20 円

■ジェネリック　　商品名（メーカー）　規格・保険薬価

チクロピジン塩酸塩（キョーリン＝杏林）
錠 100mg 1錠 5.90 円

チクロピジン塩酸塩（鶴原）錠 100mg 1錠 5.90 円

チクロピジン塩酸塩 写真（東和）
錠 100mg 1錠 5.90 円

チクロピジン塩酸塩（日医工）細 10% 1g 16.00 円
錠 100mg 1錠 5.90 円

チクロピジン塩酸塩 写真（メディサ＝沢井）
錠 100mg 1錠 5.90 円

チクロピジン塩酸塩（陽進堂＝共創未来）
錠 100mg 1錠 5.90 円

概　要

分類　抗凝血薬（抗血小板薬）

処方目的　　血管手術および血液体外循環に伴う血栓・塞栓の治療ならびに血流障害の改善／慢性動脈閉塞症に伴う潰瘍・疼痛・冷感などの阻血性諸症状の改善／虚血性脳血管障害（一過性脳虚血発作〈TIA〉，脳梗塞）に伴う血栓・塞栓の治療／クモ膜下出血手術後の脳血管れん縮に伴う血流障害の治療

解説　血小板の血液凝集作用を弱めることにより，血液凝固を阻止します。
　PDR（アメリカの医薬品集）では，チクロピジン塩酸塩はアスピリンが無効の人，またはアスピリンが使えない人にのみ使用すべきであると記述しています。

使用上の注意

＊チクロピジン塩酸塩（パナルジン）の添付文書による

警告

①血栓性血小板減少性紫斑病（TTP），無顆粒球症，重い肝機能障害などの重大な副作用が，主に服用開始後2カ月以内に現れ，死亡に至る例も報告されています。
②本剤の服用にあたっては，医師と十分に話し合い，納得したのち服用すること，また服用中は必ず定期的に検査を受け，常に状態に気をくばってください。

基本的注意

(1)服用してはいけない場合……出血している人（血友病，毛細血管脆弱症，消化管潰瘍，尿路出血，喀血，硝子体出血など）／重い肝機能障害／白血球減少症／本剤による白血球減少症の前歴／本剤に対するアレルギーの前歴
(2)特に慎重に服用すべき場合（原則禁忌，処方医と連絡を絶やさないこと）……肝機能

内
05
—
06
—
03

シロスタゾール

障害

(3)慎重に服用すべき場合……月経期間中／出血傾向ならびにその素因がある人／肝機能障害の前歴／白血球減少症の前歴／高血圧／他のチエノピリジン系薬剤(クロピドグレル硫酸塩)に対するアレルギーの前歴／手術を予定している人／高齢者

(4)定期検査……「警告」にあるように危険性の高い薬剤なので,服用開始後2カ月間は,原則として2週間に1回,血液,肝機能などの検査を受ける必要があります。

(5)その他……

●妊婦での安全性：原則として服用しない。

●授乳婦での安全性：服用するときは授乳を中止。

●小児での安全性：未確立。(1714頁を参照)

重大な副作用 ①血栓性血小板減少性紫斑病(TTP)(初期症状：倦怠感,食欲不振,紫斑などの出血症状,意識障害などの精神・神経症状)。②無顆粒球症(初期症状：発熱,咽頭痛,倦怠感など)。③重い肝機能障害(初期症状：悪心・嘔吐,食欲不振,倦怠感,そう痒感,眼球黄染,皮膚の黄染,褐色尿など)。④再生不良性貧血を含む汎血球減少症,赤芽球癆,血小板減少症。⑤出血(脳出血,消化管出血)。⑥中毒性表皮壊死融解症(TEN),皮膚粘膜眼症候群(スティブンス-ジョンソン症候群),紅皮症(剝脱性皮膚炎),多型滲出性紅斑。⑦急性腎障害。⑧消化性潰瘍。⑨間質性肺炎。⑩発熱,関節痛,胸部痛,胸水貯留,抗核抗体陽性などを伴うSLE(全身性エリテマトーデス)様症状。

そのほかにも報告された副作用はあるので,体調がいつもと違うと感じたときは,処方医・薬剤師に相談してください。

併用してはいけない薬 併用してはいけない薬は特にありません。ただし,併用する薬があるときは,念のため処方医・薬剤師に報告してください。

内 05 その他の循環器系の薬 06 血液凝固を防ぐ薬

03 シロスタゾール

製剤情報

一般名：シロスタゾール

●保険収載年月…1988年4月

●海外評価…5点 英 米 独 仏 ●PC…C

●剤形… 錠 錠剤, 散 散剤, ゼ ゼリー剤

●服用量と回数…1回100mgを1日2回。

■**先発品**　商品名(メーカー)　規格・保険薬価

プレタール 写真 (大塚) 散 20% 1g 227.70円

プレタール OD 写真 (大塚) 錠 50mg 1錠 27.70円
錠 100mg 1錠 49.00円

■**ジェネリック**　商品名(メーカー)　規格・保険薬価

シロスタゾール (大原) 錠 50mg 1錠 10.10円
錠 100mg 1錠 17.20円

シロスタゾール (小林化工) 錠 50mg 1錠 10.10円
錠 100mg 1錠 17.20円

シロスタゾール (沢井) 錠 50mg 1錠 10.10円
錠 100mg 1錠 17.20円

シロスタゾール (シオノ＝アルフレッサ)
錠 50mg 1錠 10.10円　 錠 100mg 1錠 17.20円

シロスタゾール (ダイト＝全星)
錠 50mg 1錠 10.10円　 錠 100mg 1錠 17.20円

シロスタゾール 写真 （武田テバファーマ＝武田） 錠 50mg 1錠 10.10 円　錠 100mg 1錠 17.20 円	**シロスタゾール OD** （ダイト＝日本ジェネリック） 錠 50mg 1錠 10.10 円　錠 100mg 1錠 17.20 円
シロスタゾール （東和）錠 50mg 1錠 10.10 円 錠 100mg 1錠 17.20 円	**シロスタゾール OD** （高田＝三和） 錠 50mg 1錠 22.00 円　錠 100mg 1錠 36.60 円
シロスタゾール 写真 （日医工） 錠 50mg 1錠 10.10 円　錠 100mg 1錠 17.20 円	**シロスタゾール OD** （鶴原）錠 50mg 1錠 10.10 円 錠 100mg 1錠 17.20 円
シロスタゾール （日薬工＝ケミファ） 錠 50mg 1錠 22.00 円　錠 100mg 1錠 36.60 円	**シロスタゾール OD** （東和）錠 50mg 1錠 10.10 円 錠 100mg 1錠 17.20 円
シロスタゾール （日本ジェネリック） 錠 50mg 1錠 10.10 円　錠 100mg 1錠 17.20 円	**シロスタゾール OD** （日医工） 錠 50mg 1錠 10.10 円　錠 100mg 1錠 17.20 円
シロスタゾール （マイラン＝ファイザー） 錠 50mg 1錠 10.10 円　錠 100mg 1錠 36.60 円	**シロスタゾール OD** （日薬工＝ケミファ） 錠 50mg 1錠 22.00 円　錠 100mg 1錠 36.60 円
シロスタゾール （陽進堂＝第一三共エスファ） 錠 100mg 1錠 17.20 円	**シロスタゾール OD** （マイラン＝ファイザー） 錠 50mg 1錠 10.10 円　錠 100mg 1錠 36.60 円
シロスタゾール OD 写真 （沢井） 錠 50mg 1錠 10.10 円　錠 100mg 1錠 17.20 円	**シロスタゾール内服ゼリー** （日医工＝ゼリア） セ 50mg 1包 46.90 円　セ 100mg 1包 54.30 円

📋 概　要

分類　抗血小板薬

処方目的　慢性動脈閉塞症に伴う潰瘍・疼痛・冷感などの虚血性諸症状の改善／脳梗塞（心原性脳塞栓症を除く）発症後の再発抑制

解説　血小板凝集を抑制する作用と，末梢血管を拡張する作用を併せ持っています。アメリカでの適応症は間欠性跛行のみで，日本のように広範囲な症状へは処方されていません。間欠性跛行とは，歩いていると痛みやしびれで歩けなくなり，しばらく休むとまた歩けるようになることを繰り返す症状です。慢性動脈硬化症や腰部脊柱管狭窄症などによる下肢や腰部の血行障害が原因となっておこります。

📝 使用上の注意

＊シロスタゾール（プレタール）の添付文書による

警告

　本剤を服用すると脈拍数が増加し，狭心症が現れることがあるので，狭心症の症状（胸痛など）の出現に十分に注意してください。

基本的注意

(1)服用してはいけない場合……出血している人（血友病，毛細血管脆弱症，頭蓋内出血，消化管出血，尿路出血，喀血，硝子体出血など）／うっ血性心不全／本剤の成分に対するアレルギーの前歴／妊婦または妊娠している可能性のある人

(2)慎重に服用すべき場合……月経期間中／出血傾向ならびにその素因がある人／冠動脈狭窄を合併している人／糖尿病，耐糖能異常／重い肝機能障害／腎機能障害／持続して血圧が上昇している高血圧（悪性高血圧など）

（3）**血圧の管理**……高血圧が持続している人が服用するときは，十分な血圧のコントロールを行う必要があります。

（4）**外国での報告**……本剤は PDE3 阻害作用のある薬剤です。海外で，この作用のある薬剤（ミルリノン，ベスナリノン）は，うっ血性心不全の人を対象にしたプラセボ（偽薬）対照長期比較試験で，生存率がプラセボより低かったとの報告があります。

（5）**糖尿病の発症**……脳梗塞再発抑制効果を検討する試験で，本剤群に糖尿病の発症例および悪化例が多くみられたとの報告があります。

（6）**グレープフルーツジュース**……本剤の作用が強まるおそれがあるので，本剤とグレープフルーツジュースを同時にのまないでください。

（7）**その他**……

● 授乳婦での安全性：治療上の有益性・母乳栄養の有益性を考慮し，授乳の継続・中止を検討。

● 小児での安全性：未確立。（1714 頁を参照）

重大な副作用 ①うっ血性心不全，心筋梗塞，狭心症，心室頻拍。②脳・眼底・肺・消化管・鼻などからの出血。③間質性肺炎（発熱，せき，呼吸困難など）。④汎血球減少症，無顆粒球症，血小板減少。⑤肝機能障害，黄疸。⑥急性腎障害。⑦胃・十二指腸潰瘍。

そのほかにも報告された副作用はあるので，体調がいつもと違うと感じたときは，処方医・薬剤師に相談してください。

併用してはいけない薬 併用してはいけない薬は特にありません。ただし，併用する薬があるときは，念のため処方医・薬剤師に報告してください。

内 05 その他の循環器系の薬　06 血液凝固を防ぐ薬

04 ベラプロストナトリウム

製剤情報

一般名：ベラプロストナトリウム

● 保険収載年月…1992年4月
● 海外評価…0点 英 米 独 仏
● 規制…劇薬
● 剤形…錠 錠剤
● 服用量と回数…慢性動脈閉塞症の場合は，1日120μgを3回に分けて服用。原発性肺高血圧症の場合は，1日60μgで開始（3回に分けて服用）して，徐々に増量する（3〜4回に分けて服用）。1日最大180μg。

■先発品　商品名(メーカー)　規格・保険薬価

ドルナー 写真 (東レ＝トーアエイヨー)
錠 20μg 1錠 31.50 円

プロサイリン (科研) 錠 20μg 1錠 31.50 円

■ジェネリック　商品名(メーカー)　規格・保険薬価

ベラプロスト Na (大原) 錠 20μg 1錠 15.00 円

ベラプロスト Na (キョーリン＝杏林)
錠 20μg 1錠 15.00 円

ベラプロスト Na (沢井) 錠 20μg 1錠 15.00 円

ベラプロスト Na (シオノ＝アルフレッサ)
錠 20μg 1錠 15.00 円

ベラプロスト Na（武田テバファーマ＝武田）	ベラプロスト Na（陽進堂＝第一三共エスファ＝
錠 20μg 1錠 15.00 円　錠 40μg 1錠 40.80 円	共創未来）錠 20μg 1錠 15.00 円　錠 40μg 1錠 40.80 円

ベラプロスト Na（東和）錠 20μg 1錠 15.00 円	ベラプロストナトリウム（長生堂＝日本ジェネリ
錠 40μg 1錠 40.80 円	ック）錠 20μg 1錠 15.00 円

ベラプロスト Na（ファイザー）	ベラプロストナトリウム（日医工）
錠 20μg 1錠 15.00 円	錠 20μg 1錠 15.00 円　錠 40μg 1錠 40.80 円

内
05
—
06
—
04

ベラプロストナトリウム

📋 概　　要

分類　血行障害改善薬

処方目的　慢性動脈閉塞症に伴う潰瘍・疼痛・冷感の改善／原発性肺高血圧症

解説　プロスタグランジン（PGI$_2$）の誘導体で，抗血小板作用・血管拡張作用・血管内皮細胞保護作用などがあります。

　慢性動脈硬化症にはいくつかの種類がありますが，近年増加しているのが閉塞性動脈硬化症で，主として下肢の血管の閉塞により血流が低下して発症します。軽症の場合は手足の指の冷感，しびれ感のみですが，重症になるに従って間欠性跛行，疼痛や潰瘍などが現れてきます。間欠性跛行とは，歩いていると痛みやしびれで歩けなくなり，しばらく休むとまた歩けるようになることを繰り返す症状です。

☞ 使用上の注意

＊ベラプロストナトリウム（ドルナー）の添付文書による

基本的注意

(1)**服用してはいけない場合**……出血している人（血友病，毛細血管脆弱症，上部消化管出血，尿路出血，喀血，眼底出血など）／妊婦または妊娠している可能性のある人

(2)**慎重に服用すべき場合**……抗凝血薬・抗血小板薬・血栓溶解薬の服用中／月経期間中／出血傾向ならびにその素因がある人／高度の腎機能障害

(3)**服用量**……慢性動脈閉塞症の人が，本剤を 1 日に 180μg 服用したとき，副作用の発現頻度が高くなるとの報告があります。肺高血圧症の場合の 1 日服用量は最大 180μg ですが，慢性動脈閉塞症は 120μg ですので，過量に服用しないでください。

(4)**危険作業に注意**……本剤を服用すると意識障害などが現れることがあります。服用中は，自動車の運転など危険を伴う機械の操作には十分に注意してください。

(5)**その他**……

●授乳婦での安全性：原則として服用しない。やむを得ず服用するときは授乳を中止。

●小児での安全性：未確立。（1714 頁を参照）

重大な副作用　　　　①脳，肺，消化管，眼底からの出血。②ショック（血圧低下，頻脈，顔面蒼白，吐きけなど），失神，意識消失。③黄疸，肝機能障害。④間質性肺炎（発熱，せき，呼吸困難など）。⑤狭心症，心筋梗塞。

　そのほかにも報告された副作用はあるので，体調がいつもと違うと感じたときは，処方医・薬剤師に相談してください。

併用してはいけない薬　　　　併用してはいけない薬は特にありません。ただし，併用す

る薬があるときは，念のため処方医・薬剤師に報告してください。

内
05
—
06
—
05

サルポグレラート塩酸塩

内 05 その他の循環器系の薬　06 血液凝固を防ぐ薬

05 サルポグレラート塩酸塩

製剤情報

一般名：サルポグレラート塩酸塩

- 保険収載年月…1993年8月
- 海外評価…0点 英 米 独 仏
- 剤形… 錠 錠剤, 細 細粒剤
- 服用量と回数…1回100mg（細粒剤は1g）を1日3回。

■先発品　　商品名(メーカー)　規格・保険薬価

アンプラーグ 写真 (田辺三菱) 細 10% 1g 98.70 円
錠 50mg 1錠 47.30 円　錠 100mg 1錠 76.70 円

■ジェネリック　　商品名(メーカー)　規格・保険薬価

サルポグレラート塩酸塩 (大原＝エッセンシャル) 錠 50mg 1錠 21.90 円　錠 100mg 1錠 35.90 円

サルポグレラート塩酸塩 (共和)
錠 50mg 1錠 21.90 円　錠 100mg 1錠 35.90 円

サルポグレラート塩酸塩 (キョーリン＝杏林)
錠 50mg 1錠 21.90 円　錠 100mg 1錠 35.90 円

サルポグレラート塩酸塩 (ケミファ＝日薬工)
錠 50mg 1錠 21.90 円　錠 100mg 1錠 35.90 円

サルポグレラート塩酸塩 (小林化工)
錠 50mg 1錠 21.90 円　錠 100mg 1錠 35.90 円

サルポグレラート塩酸塩 (沢井)
錠 50mg 1錠 21.90 円　錠 100mg 1錠 35.90 円

サルポグレラート塩酸塩 (サンド)
錠 50mg 1錠 21.90 円　錠 100mg 1錠 35.90 円

サルポグレラート塩酸塩 (シオノ＝三和)
錠 50mg 1錠 21.90 円　錠 100mg 1錠 35.90 円

サルポグレラート塩酸塩 (大興＝アルフレッサ)
錠 50mg 1錠 21.90 円　錠 100mg 1錠 35.90 円

サルポグレラート塩酸塩 (高田)
錠 50mg 1錠 21.90 円　錠 100mg 1錠 35.90 円

サルポグレラート塩酸塩 (武田テバファーマ＝武田) 錠 50mg 1錠 21.90 円　錠 100mg 1錠 35.90 円

サルポグレラート塩酸塩 (辰巳)
錠 50mg 1錠 21.90 円　錠 100mg 1錠 35.90 円

サルポグレラート塩酸塩 (鶴原)
錠 50mg 1錠 21.90 円　錠 100mg 1錠 35.90 円

サルポグレラート塩酸塩 (東和)
錠 50mg 1錠 21.90 円　錠 100mg 1錠 35.90 円

サルポグレラート塩酸塩 (日医工)
錠 50mg 1錠 21.90 円　錠 100mg 1錠 35.90 円

サルポグレラート塩酸塩 (日新)
錠 50mg 1錠 21.90 円　錠 100mg 1錠 35.90 円

サルポグレラート塩酸塩 (ニプロ)
錠 50mg 1錠 21.90 円　錠 100mg 1錠 35.90 円

サルポグレラート塩酸塩 (日本ジェネリック)
錠 50mg 1錠 21.90 円　錠 100mg 1錠 35.90 円

サルポグレラート塩酸塩 (ファイザー)
錠 50mg 1錠 21.90 円　錠 100mg 1錠 35.90 円

サルポグレラート塩酸塩 (富士製薬)
錠 50mg 1錠 21.90 円　錠 100mg 1錠 35.90 円

サルポグレラート塩酸塩 (陽進堂＝第一三共エスファ) 錠 50mg 1錠 21.90 円　錠 100mg 1錠 35.90 円

概　要

分類　血行障害改善薬

処方目的　慢性動脈閉塞症に伴う潰瘍・疼痛・冷感などの虚血性諸症状の改善

解説　本剤は，血管の収縮を抑え，また血管内で血液が固まるのを抑えて，血流をよ

くする薬剤です。

　慢性動脈硬化症にはいくつかの種類がありますが，近年増加しているのが閉塞性動脈硬化症で，主として下肢の血管の閉塞により血流が低下して発症します。

　軽症の場合は手足の指の冷感，しびれ感のみですが，重症になるに従って間欠性跛行，疼痛や潰瘍などが現れてきます。間欠性跛行とは，歩いていると痛みやしびれで歩けなくなり，しばらく休むとまた歩けるようになることを繰り返す症状です。

🗒 使用上の注意
＊サルポグレラート塩酸塩（アンプラーグ）の添付文書による

基本的注意
(1)服用してはいけない場合……出血している人（血友病，毛細血管脆弱症，消化管潰瘍，尿路出血，喀血，硝子体出血など）／妊婦または妊娠している可能性のある人
(2)慎重に服用すべき場合……月経期間中／出血傾向ならびにその素因のある人／抗凝血薬（ワルファリンカリウムなど）・抗血小板薬（アスピリン，チクロピジン塩酸塩，シロスタゾールなど）の服用中／重い腎機能障害
(3)服用の注意……開封後すみやかに服用します。服用にあたっては直ちにのみ下すようにします。
(4)その他……
●授乳婦での安全性：原則として服用しない。やむを得ず服用するときは授乳を中止。
●小児での安全性：未確立。（1714頁を参照）

重大な副作用
①脳出血，消化管出血。②血小板減少。③肝機能障害，黄疸。④無顆粒球症。

　そのほかにも報告された副作用はあるので，体調がいつもと違うと感じたときは，処方医・薬剤師に相談してください。

併用してはいけない薬
併用してはいけない薬は特にありません。ただし，併用する薬があるときは，念のため処方医・薬剤師に報告してください。

内 05 その他の循環器系の薬　06 血液凝固を防ぐ薬
06 小用量アスピリン（血栓防止用）

⚗ 製剤情報
一般名：アスピリン・ダイアルミネート配合剤
●保険収載年月…2000年11月
●海外評価…6点 英米独仏　●PC…D
●剤形…錠 錠剤
●服用量と回数…1日1回1錠。1回4錠まで増量できる。川崎病の場合は，処方医の指示通りに服用。

■ジェネリック　　商品名（メーカー）　規格・保険薬価

アスファネート配合錠 A81（中北）
錠 81mg 1錠 5.70 円

ニトギス配合錠 A81（シオノ）
錠 81mg 1錠 5.70 円

バッサミン配合錠 A81（日医工岐阜＝日医工＝武田）錠 81mg 1錠 5.70 円

内
05
—
06
—
06

小用量アスピリン（血栓防止用）

バファリン配合錠 A81 写真 (ライオン＝エーザイ) 錠81mg 1錠 5.70 円

ファモター配合錠 A81 (鶴原) 錠81mg 1錠 5.70 円

一般名：アスピリン
● 保険収載年月…2000年11月
● 海外評価…6点 英 米 独 仏 ● PC…D
● 剤形…錠 錠剤
● 服用量と回数…1日1回100mg（1錠）。1回300mgまで増量できる。川崎病の場合は,処方医の指示通りに服用。

■ジェネリック　商品名(メーカー)　規格・保険薬価

アスピリン腸溶錠 100mg (全星＝沢井) 錠100mg 1錠 5.70 円

アスピリン腸溶錠 100mg (東和) 錠100mg 1錠 5.70 円

アスピリン腸溶錠 100mg (日医工) 錠100mg 1錠 5.70 円

アスピリン腸溶錠 100mg (日本ジェネリック) 錠100mg 1錠 5.70 円

アスピリン腸溶錠 100mg (マイラン＝ファイザー) 錠100mg 1錠 5.70 円

バイアスピリン錠 100mg 写真 (バイエル) 錠100mg 1錠 5.70 円

一般名：アスピリン・ランソプラゾール配合剤
● 保険収載年月…2014年5月
● 海外評価…0点 英 米 独 仏
● 剤形…錠 錠剤
● 服用量と回数…1日1回1錠。

■先発品　商品名(メーカー)　規格・保険薬価

タケルダ配合錠 写真 (武田テバ薬品＝武田) 錠1錠 36.90 円

一般名：アスピリン・ボノプラザンフマル酸塩配合剤
● 保険収載年月…2020年5月
● 海外評価…0点 英 米 独 仏
● 剤形…錠 錠剤
● 服用量と回数…1日1回1錠。

■先発品　商品名(メーカー)　規格・保険薬価

キャブピリン配合錠 (武田) 錠1錠 106.70 円

概　要
分類　血行障害改善薬
処方目的　慢性安定狭心症・不安定狭心症・心筋梗塞・虚血性脳血管障害(一過性脳虚血発作〈TIA〉,脳梗塞)における血栓・塞栓形成の抑制／冠動脈バイパス術(CABG),あるいは経皮経管冠動脈形成術(PTCA)施行後における血栓・塞栓形成の抑制／[アスピリン・ダイアルミネート,アスピリンのみ]川崎病(川崎病による心血管後遺症を含む)
解説　アスピリンを少量使用すれば上記の処方目的のような効果があることは以前からわかっていましたし,外国ではそうした適応が承認されていました。日本でも,適応症として認められていなかったときでも,実際にはこのような使い方をしていました。2000年よりそれが認められ,現在では優れた抗血小板薬として高い頻度で使用されています。
　タケルダ配合錠,キャブピリン配合錠は,内部がアスピリン,その外側を胃・十二指腸潰瘍薬のランソプラゾール,ボノプラザンフマル酸塩で包んだ錠剤で,アスピリンの重大な副作用の一つである胃・十二指腸潰瘍の低減をはかっています。そのため,この二つの配合錠は,胃潰瘍または十二指腸潰瘍の既往があるがアスピリンを長期服用しな

ければならない患者に限って処方されます。

🔹 使用上の注意

＊バファリン配合錠 A81，バイアスピリン錠 100mg の添付文書による

基本的注意

(1)服用してはいけない場合……本剤および本剤の成分またはサリチル酸系製剤に対するアレルギーの前歴／消化性潰瘍／出血傾向／アスピリンぜんそく（非ステロイド系解熱鎮痛薬などによるぜんそく発作の誘発）またはその前歴／出産予定日 12 週以内の妊婦／低出生体重児，新生児，乳児／[タケルダ配合錠，キャブピリン配合錠のみ]アタザナビル硫酸塩，リルピビリン塩酸塩の服用中

(2)慎重に服用すべき場合……消化性潰瘍の前歴／肝機能障害・腎機能障害またはその前歴／気管支ぜんそく（アスピリンぜんそくを有する場合を除く）／アルコール飲料の常用者／手術・心臓カテーテル検査・抜歯前 1 週間以内の人／血液異常またはその前歴／出血傾向の素因のある人／妊婦（ただし，出産予定日 12 週以内の妊婦は禁忌）または妊娠している可能性のある人／小児／非ステロイド系消炎鎮痛薬の長期服用による消化性潰瘍のある人で，本剤の長期服用が必要であり，かつミソプロストールによる治療を行っている人／高齢者，幼児・小児／[アスピリン・ダイアルミネート配合剤のみ]アレルギーの前歴／高血圧／月経過多

(3)服用法……本剤は，空腹時には服用しないでください。胃からの出血をおこすことがあります。

(4)小児……米国で，サリチル酸系製剤（アスピリン）とライ症候群との関連性を示す報告があるので，原則として 15 歳未満の小児は服用しないでください。治療上やむを得ず服用する場合は状態に十分注意してください。

(5)女性……非ステロイド系解熱鎮痛薬を長期服用している女性に，一時的な不妊が認められたとの報告があります。

(6)その他……

● 妊婦（出産予定日 13 週以前）での安全性：有益と判断されたときのみ服用。

● 授乳婦での安全性：服用するときは授乳を中止。（1714 頁を参照）

重大な副作用

①ショック，アナフィラキシー（呼吸困難，全身潮紅，血管浮腫，じん麻疹など）。②ぜんそく発作の誘発。③皮膚粘膜眼症候群（スティブンス-ジョンソン症候群），中毒性表皮壊死融解症（TEN），剥脱性皮膚炎。④再生不良性貧血，血小板減少，白血球減少。⑤脳，消化管，肺，鼻，眼底などからの出血。⑥肝機能障害，黄疸。⑦消化性潰瘍，小腸・大腸潰瘍

　そのほかにも報告された副作用はあるので，体調がいつもと違うと感じたときは，処方医・薬剤師に相談してください。

併用してはいけない薬

[タケルダ配合錠，キャブピリン配合錠]アタザナビル硫酸塩（レイアタッツ），リルピビリン塩酸塩（エジュラント）→これらの薬剤の作用を弱めるおそれがあります。

内05 その他の循環器系の薬　06 血液凝固を防ぐ薬

07　クロピドグレル

内
05
—
06
—
07

クロピドグレル

💊 製剤情報

一般名：クロピドグレル硫酸塩

- 保険収載年月…2006年4月
- 海外評価…6点 **英米独仏**　●PC…B
- 剤形…錠 錠剤
- 服用量と回数…虚血性脳血管障害(心原性脳塞栓症を除く)後の再発抑制の場合は1日1回50～75mg。虚血性心疾患の場合は服用開始日に1日1回300mg, その後, 維持量として1日1回75mg。末梢動脈疾患における血栓・塞栓形成の抑制の場合は1日1回75mg。

■**先発品**　商品名(メーカー)　規格・保険薬価

プラビックス (サノフィ) 錠 25mg 1錠 44.20 円
錠 75mg 1錠 106.10 円

■**ジェネリック**　商品名(メーカー)　規格・保険薬価

クロピドグレル (エルメッド＝日医工)
錠 25mg 1錠 10.40 円　錠 50mg 1錠 23.90 円
錠 75mg 1錠 26.00 円

クロピドグレル (共創未来) 錠 25mg 1錠 19.60 円
錠 75mg 1錠 45.70 円

クロピドグレル (共和) 錠 25mg 1錠 10.40 円
錠 75mg 1錠 26.00 円

クロピドグレル (キョーリン＝杏林)
錠 25mg 1錠 10.40 円　錠 75mg 1錠 26.00 円

クロピドグレル (ケミファ＝日薬工)
錠 25mg 1錠 19.60 円　錠 75mg 1錠 45.70 円

クロピドグレル (皇漢堂) 錠 25mg 1錠 10.40 円
錠 75mg 1錠 26.00 円

クロピドグレル (小林化工) 錠 25mg 1錠 10.40 円
錠 50mg 1錠 23.90 円　錠 75mg 1錠 26.00 円

クロピドグレル (沢井) 錠 25mg 1錠 19.60 円
錠 50mg 1錠 23.90 円　錠 75mg 1錠 45.70 円

クロピドグレル (サンド) 錠 25mg 1錠 19.60 円
錠 75mg 1錠 45.70 円

クロピドグレル (シオノ) 錠 25mg 1錠 10.40 円
錠 75mg 1錠 26.00 円

クロピドグレル (ダイト＝科研)
錠 25mg 1錠 19.60 円　錠 75mg 1錠 45.70 円

クロピドグレル (高田＝MeijiSeika)
錠 25mg 1錠 19.60 円　錠 50mg 1錠 23.90 円
錠 75mg 1錠 45.70 円

クロピドグレル (武田テバファーマ＝武田)
錠 25mg 1錠 10.40 円　錠 75mg 1錠 45.70 円

クロピドグレル (辰巳) 錠 25mg 1錠 19.60 円
錠 50mg 1錠 23.90 円　錠 75mg 1錠 45.70 円

クロピドグレル (鶴原) 錠 25mg 1錠 10.40 円
錠 75mg 1錠 26.00 円

クロピドグレル (東和) 錠 25mg 1錠 19.60 円
錠 75mg 1錠 45.70 円

クロピドグレル 写真 (日医工)
錠 25mg 1錠 19.60 円　錠 75mg 1錠 45.70 円

クロピドグレル (日薬工＝三和)
錠 25mg 1錠 10.40 円　錠 75mg 1錠 26.00 円

クロピドグレル (日新) 錠 25mg 1錠 10.40 円
錠 75mg 1錠 26.00 円

クロピドグレル 写真 (ニプロ)
錠 25mg 1錠 10.40 円　錠 75mg 1錠 26.00 円

クロピドグレル (ニプロ ES) 錠 25mg 1錠 19.60 円
錠 50mg 1錠 23.90 円　錠 75mg 1錠 45.70 円

クロピドグレル (日本ジェネリック)
錠 25mg 1錠 19.60 円　錠 75mg 1錠 45.70 円

クロピドグレル (フェルゼン)
錠 25mg 1錠 10.40 円　錠 75mg 1錠 26.00 円

クロピドグレル (マイラン＝ファイザー)
錠 25mg 1錠 10.40 円　錠 75mg 1錠 26.00 円

クロピドグレル (持田販売＝持田)
錠 25mg 1錠 19.60 円　錠 75mg 1錠 26.00 円

クロピドグレル (陽進堂) 錠25mg 1錠 10.40 円
錠75mg 1錠 26.00 円

一般名：クロピドグレル硫酸塩・アスピリン配合剤

- 保険収載年月…2013年11月
- 海外評価…2点 英 米 独 仏
- 剤形…錠 錠剤
- 服用量と回数…1日1回1錠。

■先発品　商品名(メーカー)　規格・保険薬価
コンプラビン配合錠 写真 (サノフィ)
錠1錠 106.10 円

■ジェネリック　商品名(メーカー)　規格・保険薬価
ロレアス配合錠 (キョーリン＝杏林)
錠1錠 98.60 円
ロレアス配合錠 (日医工) 錠1錠 98.60 円
ロレアス配合錠 (日新＝ケミファ) 錠1錠 98.60 円

概　　要

分類　抗血小板薬

処方目的　経皮的冠動脈形成術(PCI)が適用される以下の虚血性心疾患→急性冠症候群(不安定狭心症，非 ST 上昇心筋梗塞，ST 上昇心筋梗塞)，安定狭心症，陳旧性心筋梗塞
[クロピドグレル硫酸塩のみの適応症] 虚血性脳血管障害(心原性脳塞栓症を除く)後の再発抑制／末梢動脈疾患における血栓・塞栓形成の抑制

解説　抗血小板薬としては，世界で最も販売額が大きい薬剤です。

　虚血性脳血管障害とは，いわゆる脳梗塞(脳血栓，脳塞栓)のことで，再発しやすい病気なので十分な注意が必要です。

　一方，急性冠症候群は，不安定狭心症や心筋梗塞，心臓突然死などのことです。本剤は，不安定狭心症，非 ST 上昇心筋梗塞などで経皮的冠動脈形成術(PCI)を受けた人(またはその予定の人)が対象で，それ以外の治療法を行った場合は使用されません。

　PCI が適用されるこれらの虚血性心疾患の場合には，抗血小板薬 2 剤併用療法期間はアスピリン製剤と併用することとなっており，2013 年には本剤とアスピリンの配合剤としてコンプラビン配合錠が発売されました。本剤に関しては，内服 05-06-06 小用量アスピリン(血栓防止用)の各項目も参照してください。

使用上の注意

＊クロピドグレル硫酸塩(プラビックス)，コンプラビン配合錠の添付文書による

基本的注意

(1)服用してはいけない場合……出血している人(血友病，頭蓋内出血，消化管出血，尿路出血，喀血，硝子体出血など)／本剤の成分に対するアレルギーの前歴
[コンプラビン配合錠のみ] 出血傾向のある人／サリチル酸系製剤に対するアレルギーの前歴／消化性潰瘍／アスピリンぜんそく(非ステロイド性消炎鎮痛薬などによるぜんそく発作の誘発)，またはその前歴／出産予定日 12 週以内の妊婦
(2)慎重に服用すべき場合……[クロピドグレル硫酸塩]出血傾向およびその素因／重い肝機能障害・腎機能障害／高血圧が持続している人／他のチエノピリジン系薬剤(チクロピジン塩酸塩など)に対するアレルギーの前歴／低体重の人／高齢者
[コンプラビン配合錠] 消化性潰瘍の前歴／血液の異常またはその前歴／出血傾向の素

因／肝機能障害またはその前歴／腎機能障害またはその前歴／気管支ぜんそく／アルコール常飲者／高血圧が持続している人／高齢者／低体重の人／非ステロイド系消炎鎮痛薬の長期服用による消化性潰瘍のある人で，本剤の長期服用が必要であり，かつミソプロストールによる治療を行っている人／他のチエノピリジン系薬剤(チクロピジン塩酸塩など)に対するアレルギーの前歴／妊婦または妊娠している可能性のある人(ただし出産予定日 12 週以内の妊婦は禁忌)

(3)検査……服用開始後 2 ヵ月間は 2 週間に 1 回程度の血液検査が望まれます。

(4)服用法……空腹時の服用は避けます。国内の第Ⅰ相臨床試験において絶食投与時に消化器症状がみられています。

(5)一般的に必要な注意……①本剤による血小板凝集抑制が問題となるような手術を行う場合は，手術の 14 日前から服用を中止します。②服用中は十分な血圧のコントロールをします。③虚血性脳血管障害患者でアスピリン製剤を併用するときは十分注意が必要です。④他科に受診している場合は本剤を服用していることを医師に伝えます。⑤本剤服用中は出血しやすくなるのでケガなどに注意します。⑥異常な出血のある場合は医師に連絡します。⑦[コンプラビン配合錠]クロピドグレル硫酸塩またはアスピリンの単独服用に比べて出血のリスクが高まる可能性があります。

(6)その他……

●妊婦での安全性：有益と判断されたときのみ服用。[コンプラビン配合錠]出産予定日 12 週以内は服用しない。

●授乳婦での安全性：[クロピドグレル硫酸塩]治療上の有益性・母乳栄養の有益性を考慮し，授乳の継続・中止を検討。[コンプラビン配合錠]服用するときは授乳を中止。

●小児での安全性：未確立。(1714 頁を参照)

重大な副作用 ①出血(脳出血などの頭蓋内出血，硬膜下血腫，吐血，下血，胃腸出血，眼底出血，関節血腫，腹部血腫，後腹膜出血など)。②肝機能障害，黄疸。③血栓性血小板減少性紫斑病。④間質性肺炎，好酸球性肺炎。⑤血小板減少，無顆粒球症，再生不良性貧血を含む汎血球減少症。⑥中毒性表皮壊死融解症(TEN)，皮膚粘膜眼症候群(スティブンス-ジョンソン症候群)，多形滲出性紅斑，急性汎発性発疹性膿疱症。⑦横紋筋融解症(筋肉痛，脱力感など)。⑧胃・十二指腸潰瘍。⑨薬剤性過敏症症候群。⑩後天性血友病。

[コンプラビン配合錠のみ] ⑪小腸・大腸潰瘍。⑫ショック，アナフィラキシー(呼吸困難，全身潮紅，血管浮腫，じん麻疹など)。⑬ぜんそく発作。⑭剝脱性皮膚炎。

そのほかにも報告された副作用はあるので，体調がいつもと違うと感じたときは，処方医・薬剤師に相談してください。

併用してはいけない薬 併用してはいけない薬は特にありません。ただし，併用する薬があるときは，念のため処方医・薬剤師に報告してください。

08 ダビガトラン

製剤情報

一般名：ダビガトランエテキシラートメタンスルホン酸塩
- 保険収載年月…2011年3月
- 海外評価…6点 英米独仏　● PC…C
- 剤形…カ カプセル剤

- 服用量と回数…1回150mgを1日2回。1回量を110mgに減量することもある。

■先発品　　商品名(メーカー)　規格・保険薬価

プラザキサ 写真 (ベーリンガー)

カ 75mg 1カプセル 134.70 円　カ 110mg 1カプセル 237.30 円

概　要

分類　直接トロンビン阻害薬

処方目的　非弁膜症性心房細動患者における虚血性脳卒中および全身性塞栓症の発症抑制(ただし，人工心臓弁置換術後の抗凝固療法には使用しないこと)

解説　本剤は，血液が凝固する過程の最終段階で働くトロンビン(タンパク質分解酵素)の活性を特異的に阻害する，新しい作用機序の薬剤です。

　従来からの標準治療薬であるワルファリンカリウムは，定期的な血液検査(その結果のプロトロンビン時間の数値による用量調節)の必要があること，またビタミンKを含む食物(納豆など)との相互作用(作用が弱まる)があるなど，使い方の難しい薬剤ですが，本剤にはこういったことはなく，使いやすくなっています。

使用上の注意

警告

　本剤の服用により，消化管出血などの出血による死亡例が認められています。本剤服用中は，血液凝固に関する検査だけでなく，出血や貧血などの徴候の検査を受けてください。

基本的注意

(1)服用してはいけない場合……本剤の成分に対するアレルギーの前歴／透析患者を含む高度の腎障害(クレアチニンクリアランス 30mL/分未満)／出血症状・出血性素因・止血障害／臨床的に問題となる出血リスクのある器質的病変(6カ月以内の出血性脳卒中を含む)／イトラコナゾール(経口剤) の服用中／脊椎・硬膜外カテーテルを留置している人および抜去後1時間以内の人

(2)慎重に服用すべき場合……中等度の腎障害(クレアチニンクリアランス 30〜50mL/分)／P-糖タンパク阻害薬(経口剤)を併用中／消化管出血および上部消化管の潰瘍の前歴／出血の危険性が高い人／高齢者

(3)服用法……本剤を速やかに胃に到達させるため，十分量(コップ1杯程度)の水とともに服用してください。

(4)出血の危険性……本剤を服用すると，全身のさまざまな部位に出血することがあります。出血や貧血，血便などがみられたら，すぐに処方医に連絡してください。

(5)飲み忘れ……自己判断で本剤の服用を中止しないでください。飲み忘れた場合は，同日中にできるだけ早く1回量を服用するとともに，次の服用まで6時間以上空けます。出血の危険性が増すので，決して一度に2回量を服用しないでください。

(6)セイヨウオトギリソウ（セント・ジョーンズ・ワート）含有食品……一緒に摂取すると本剤の血中濃度が低下するおそれがあるので，本剤の服用中は摂取しないでください。

(7)その他……
- 妊婦での安全性：有益と判断されたときのみ服用。
- 授乳婦での安全性：治療上の有益性・母乳栄養の有益性を考慮し，授乳の継続・中止を検討。
- 小児での安全性：未確立。（1714頁を参照）

重大な副作用 ①頭蓋内出血，消化管出血。②間質性肺炎（せき，呼吸困難，発熱，肺音の異常など）。③アナフィラキシー（じん麻疹，顔面腫脹，呼吸困難など）。④急性肝不全，肝機能障害，黄疸。

　そのほかにも報告された副作用はあるので，体調がいつもと違うと感じたときは，処方医・薬剤師に相談してください。

併用してはいけない薬 イトラコナゾール（経口薬）→本剤の血中濃度が上昇して出血の危険性が増大することがあります。

内 05 その他の循環器系の薬　06 血液凝固を防ぐ薬
09 凝固第X因子阻害薬

製剤情報
一般名：エドキサバントシル酸塩水和物
- 保険収載年月…2011年7月
- 海外評価…6点 英米独仏
- 剤形…錠 錠剤
- 服用量と回数…体重60kg以下の場合は30mg。体重60kg超の場合は60mgを1日1回，腎機能，併用薬に応じて1日1回30mgに減量する。[膝関節全置換術，股関節全置換術，股関節骨折手術を受けた患者における静脈血栓塞栓症の発症抑制]1日1回30mg。

■先発品　商品名(メーカー)　規格・保険薬価
リクシアナ 写真 (第一三共) 錠 15mg 1錠 224.70円
錠 30mg 1錠 411.30円　錠 60mg 1錠 416.80円

リクシアナ OD 写真 (第一三共)
錠 15mg 1錠 224.70円　錠 30mg 1錠 411.30円
錠 60mg 1錠 416.80円

一般名：リバーロキサバン
- 保険収載年月…2012年4月
- 海外評価…6点 英米独仏　●PC…C
- 剤形…錠 錠剤，細 細粒剤，ド ドライシロップ剤
- 服用量と回数…[虚血性脳卒中・全身性塞栓症の発症抑制]1日1回15mg，食後に服用。腎障害のある人は腎機能の程度に応じて10mgに減量。[静脈血栓塞栓症の治療・再発抑制]成人は，発症後の初期3週間は15mgを1日2回，その後は1日1回15mg，食後に服用。小児は処方医の指示通りに服用。

■**先発品** **商品名(メーカー)** **規格・保険薬価**

イグザレルト 写真 (バイエル)

細 10mg 1包 396.90 円　細 15mg 1包 553.20 円

錠 10mg 1錠 362.70 円　錠 15mg 1錠 504.00 円

イグザレルトドライシロップ小児用 (バイエル)

ド 51.7mg 1瓶 5,308.30 円

ド 103.4mg 1瓶 9,046.20 円

イグザレルト OD (バイエル)

錠 10mg 1錠 362.70 円　錠 15mg 1錠 513.50 円

一般名:アピキサバン

● 保険収載年月…2013年2月

● 海外評価…6点 英 米 独 仏 ● PC…B

● 剤形…錠 錠剤

● 服用量と回数…[虚血性脳卒中・全身性塞栓症の発症抑制]1回2.5～5mgを1日2回。[深部静脈血栓症・肺血栓塞栓症の治療・再発抑制]1回10mgを1日2回, 7日間服用。その後は1回5mgを1日2回。

■**先発品** **商品名(メーカー)** **規格・保険薬価**

エリキュース 写真 (ブリストル＝ファイザー)

錠 2.5mg 1錠 125.60 円　錠 5mg 1錠 227.50 円

📋 **概　　要**

分類 第Ⅹ因子阻害薬

処方目的 非弁膜症性心房細動患者における虚血性脳卒中および全身性塞栓症の発症抑制(イグザレルトドライシロップ小児用を除く)／静脈血栓塞栓症(深部静脈血栓症および肺血栓塞栓症)の治療および再発抑制

[エドキサバントシル酸塩水和物のみの適応症] 膝関節全置換術, 股関節全置換術, 股関節骨折手術を受けた患者における静脈血栓塞栓症の発症抑制

解説 血液の凝固には, 第Ⅰから第ⅩⅢ因子がかかわっています。これらの薬剤は, そのうちの第Ⅹ因子(FXa)に選択的かつ直接的に作用して, 血液が固まらないようにする薬剤です。

　心房細動は脳卒中発症の重大な危険因子で, 日本では脳卒中全体の約20%は心房細動が原因で発生しています。また静脈血栓塞栓症は, 手術後, 悪性腫瘍, 外傷(骨折など), 長期臥床, 旅行などでの長時間の座位(エコノミークラス症候群)などでおこりやすい病気です。なお, エドキサバントシル酸塩水和物のみは, 膝関節全置換術, 股関節全置換術, 股関節骨折手術を受けた人の静脈血栓塞栓症の発症抑制にも用いられ, その場合は原則として入院中に限って服用することになっています。

🔖 **使用上の注意**

＊リバーロキサバン(イグザレルト)の添付文書による

警告

[すべての製剤]

　本剤の服用により出血が発現し, 重篤な出血の場合には死に至るおそれがあります。現在のところ, 本剤による出血リスクを正確に評価できる指標は確立されておらず, また本剤の抗凝固作用を中和する薬剤はありません。本剤の使用にあたっては出血の危険性を考慮し, 服用中は血液凝固に関する検査を受け, 出血や貧血などの徴候に十分注意し, これらの徴候が認められた場合には直ちに処方医に連絡してください。

[エドキサバントシル酸塩水和物]

　脊椎・硬膜外麻酔あるいは腰椎穿刺などとの併用により，穿刺部位に血腫が生じ，神経の圧迫による麻痺が現れるおそれがあります。併用する場合には神経障害の徴候および症状について十分注意し，異常が認められた場合には直ちに処方医に連絡してください。

[リバーロキサバン]

　成人の深部静脈血栓症または肺血栓塞栓症発症後の初期３週間の 15mg1 日２回投与時においては，特に出血の危険性が高まる可能性があるので十分な注意が必要です。特に，腎障害，高齢または低体重の患者では出血の危険性が増大するおそれがあること，また，抗血小板薬を併用する患者では出血傾向が増大するおそれがあることから，これらの患者については治療上の有益性が危険性を上回ると判断された場合のみ服用が認められます。

[リバーロキサバン，アピキサバン]

　脊椎・硬膜外麻酔あるいは腰椎穿刺などとの併用により，穿刺部位に血腫が生じ，神経の圧迫による麻痺が現れるおそれがあります。静脈血栓塞栓症を発症した患者が，硬膜外カテーテル留置中，もしくは脊椎・硬膜外麻酔または腰椎穿刺後日の浅い場合は，本剤を服用することはできません。

基本的注意

(1)服用してはいけない場合……本剤の成分に対するアレルギーの前歴／出血している人(頭蓋内出血，消化管出血などの重大な出血)／凝固障害を伴う肝疾患／中等度以上の肝障害(チャイルド・プー分類ＢまたはＣに相当)／HIV プロテアーゼ阻害薬(リトナビル，ロピナビル・リトナビル配合剤，アタザナビル硫酸塩，ダルナビルエタノール付加物，ホスアンプレナビルカルシウム水和物)，コビシスタットを含有する製剤の服用中／アゾール系抗真菌薬(イトラコナゾール，ボリコナゾール，ミコナゾール，ケトコナゾール〔経口薬：国内未承認〕)の内服薬・注射薬の使用中／急性細菌性心内膜炎／妊婦または妊娠している可能性のある人／[非弁膜症性心房細動患者における虚血性脳卒中および全身性塞栓症の発症抑制の場合]腎不全(クレアチニンクリアランス 15mL/分未満)，[静脈血栓塞栓症の治療および再発抑制の場合]重度の腎障害(成人ではクレアチニンクリアランス 30mL/分未満，小児では eGFR30mL/分/1.73m^2 未満)

(2)慎重に服用すべき場合……出血リスクが高い人(止血障害，凝固障害，先天性または後天性の出血性疾患，コントロールできない重症の高血圧症，血管性網膜症，活動性悪性腫瘍，活動性の潰瘍性消化管障害，消化管潰瘍発症後で日の浅い人，頭蓋内出血発症後で日の浅い人，脊髄内または脳内に血管異常のある人，脳脊髄や眼の手術後で日の浅い人，気管支拡張症または肺出血の前歴)／低体重の人／中等度の腎障害(成人ではクレアチニンクリアランス 30〜49mL/分，小児では eGFR30mL/分/1.73m^2)／[非弁膜症性心房細動患者における虚血性脳卒中および全身性塞栓症の発症抑制の場合のみ]重度の腎障害

(3)服用方法……本剤の服用を忘れた場合は直ちに服用し，翌日から毎日１回(アピキサバンは２回)の服用を行います。服用を忘れた場合でも，一度に２回分を服用せず，次の服用まで 12 時間以上空けるようにします。なお，成人の深部静脈血栓症または肺血栓塞

栓症発症後のリバーロキサバン「15mg・1日2回・3週間服用時」に服用を忘れた場合は，直ちに服用し，同日の1日用量が30mgとなるようにします。この場合は一度に2回分を服用してもかまいません。翌日からは毎日2回の服用を行います。

(4)出血……本剤の服用によって出血などの副作用が生じることがあるので，必要に応じてヘモグロビン値，便潜血などの検査を行います。鼻出血，皮下出血，血尿，喀血，吐血・血便などの徴候が認められた場合には，すぐに処方医に連絡してください。

(5)間質性肺疾患……本剤を服用すると間質性肺疾患がおこることがあるので，せき，血痰，息切れ，呼吸困難，発熱などの症状が現れた場合には，速やかに処方医に連絡してください。

(6)セイヨウオトギリソウ(セント・ジョーンズ・ワート)含有食品……一緒に摂取すると本剤の血中濃度が低下するおそれがあるので，本剤の服用中は摂取しないでください。

(7)その他……
● 授乳婦での安全性：服用するときは授乳しないことが望ましい。
● 小児での安全性：[静脈血栓塞栓症の治療および再発抑制]生後6カ月未満の以下に該当する乳児の場合，未確立→在胎週数37週未満，体重2.6kg未満，経口栄養の期間が10日未満。(1714頁を参照)

重大な副作用　①出血(頭蓋内出血，脳出血，出血性卒中，関節内出血，眼出血，網膜出血，直腸出血，胃腸出血，上部消化管出血，メレナ(黒色便)，下部消化管出血，出血性胃潰瘍，コンパートメント症候群を伴う筋肉内出血など)，および出血に伴う合併症症状(ショック，腎不全，呼吸困難，浮腫，頭痛，浮動性めまい，蒼白，脱力感)。②肝機能障害・黄疸。③間質性肺疾患(せき，血痰，息切れ，呼吸困難，発熱，肺音の異常など)。④血小板減少。

そのほかにも報告された副作用はあるので，体調がいつもと違うと感じたときは，処方医・薬剤師に相談してください。

併用してはいけない薬　HIVプロテアーゼ阻害薬(リトナビル，ロピナビル・リトナビル配合剤，アタザナビル硫酸塩，ダルナビルエタノール付加物，ホスアンプレナビルカルシウム水和物)，コビシスタットを含有する製剤(スタリビルド配合錠，ゲンボイヤ配合錠，プレジコビックス配合錠，シムツーザ配合錠)，アゾール系抗真菌薬(イトラコナゾール，ボリコナゾール，ミコナゾール，ケトコナゾール〔経口薬：国内未承認〕)の内服薬・注射薬→本剤の血中濃度が上昇し，抗凝固作用が増強されることによって出血の危険性が増大するおそれがあります。

内 05 その他の循環器系の薬　06 血液凝固を防ぐ薬
10 ADP受容体阻害薬

製剤情報
一般名：プラスグレル塩酸塩
● 保険収載年月…2014年5月

- 海外評価…6点 英米独仏 ●PC…B
- 剤形…錠 錠剤
- 服用量と回数…[PCIが適用される虚血性心疾患]服用開始日に20mg, 以後3.75mgを1日1回服用。アスピリンと併用すること。[虚血性脳血管障害後の再発抑制]3.75mgを1日1回服用。どちらの場合も低体重の人(体重50kg以下)では1日1回2.5mgへの減量も考慮する。

■先発品　商品名(メーカー)　規格・保険薬価

エフィエント 写真 (第一三共)
錠 2.5mg 1錠 191.10 円　錠 3.75mg 1錠 268.00 円
錠 5mg 1錠 344.00 円

エフィエント OD (第一三共)
錠 20mg 1錠 1,086.30 円

一般名：チカグレロル
- 保険収載年月…2016年11月
- 海外評価…6点 英米独仏 ●PC…C
- 剤形…錠 錠剤
- 服用量と回数…急性冠症候群：初回用量を180mg, 2回目以降の維持用量を90mgとして, 1日2回服用。陳旧性心筋梗塞：1回60mgを1日2回服用。

■先発品　商品名(メーカー)　規格・保険薬価

ブリリンタ (アストラ) 錠 60mg 1錠 98.70 円
錠 90mg 1錠 139.90 円

概　要

分類　抗血小板薬(ADP受容体阻害薬)

処方目的　[プラスグレル塩酸塩の適応症] 経皮的冠動脈形成術(PCI)が適用される以下の虚血性心疾患→急性冠症候群(不安定狭心症, 非ST上昇心筋梗塞, ST上昇心筋梗塞), 安定狭心症, 陳旧性心筋梗塞／[2.5mg・3.75mgのみ]虚血性脳血管障害(大血管アテローム硬化または小血管の閉塞に伴う)後の再発抑制(脳梗塞発症リスクが高い場合に限る)

[チカグレロルの適応症][90mg]経皮的冠動脈形成術(PCI)が適用される急性冠症候群(不安定狭心症, 非ST上昇心筋梗塞, ST上昇心筋梗塞)→ただし, アスピリンを含む抗血小板薬2剤併用療法が適切である場合で, かつ, アスピリンと併用する他の抗血小板薬の服用が困難な場合に限る

[60mg]以下のリスク因子を1つ以上もつ陳旧性心筋梗塞のうち, アテローム血栓症の発現リスクが特に高い場合→①65歳以上, ②薬物療法を必要とする糖尿病, ③2回以上の心筋梗塞の前歴, ④血管造影で確認された多枝病変のある冠動脈疾患, ⑤末期でない慢性の腎機能障害(クレアチニンクリアランス60mL/分未満)

解説　ADP受容体阻害薬は, 血小板膜上のADP受容体を選択的かつ非可逆的に阻害することで血小板の凝集を抑制し, 血液を固まりにくくします。クロピドグレルと同様に, 経皮的冠動脈形成術(PCI)が適用される虚血性心疾患に使われ, 抗血小板薬2剤併用療法期間はアスピリンと併用することになっています。

　プラスグレル塩酸塩の2.5mgと3.75mgは, 虚血性脳血管障害後の再発抑制も適応です。脳梗塞発症リスクが高い場合に限り, 高血圧症, 脂質異常症, 糖尿病, 慢性腎臓病, 最終発作前の脳梗塞既往のいずれかを有する患者に使用されます。

　チカグレロル60mgは, 上記「処方目的」に示した①〜⑤のリスク因子を1つ以上もつ陳旧性心筋梗塞患者であって, さらに患者背景, 冠動脈病変の状況などから, イベント

発現リスクが特に高く，出血の危険性を考慮しても抗血小板薬2剤併用療法の継続が適切と判断される患者のみに使用します。

使用上の注意
＊両剤の添付文書による

基本的注意
(1)服用してはいけない場合……本剤の成分に対するアレルギーの前歴／出血している人(頭蓋内出血，消化管出血，尿路出血，喀血，硝子体出血など)／血友病

[チカグレロルのみ] 頭蓋内出血の前歴／中等度または重度の肝機能障害／強いCYP3A 阻害薬(イトラコナゾール，ボリコナゾール，クラリスロマイシン，ネルフィナビルメシル酸塩，リトナビル，コビシスタットを含む薬剤〔スタリビルド〕など)の服用中／強いCYP3A 誘導剤(リファンピシン，リファブチン，カルバマゼピン，フェノバルビタール，フェニトイン)の服用中

(2)慎重に服用すべき場合……[プラスグレル塩酸塩]出血傾向およびその素因のある人(頭蓋内出血の前歴のある人)／高血圧が持続する人／他のチエノピリジン系薬剤(クロピドグレル硫酸塩など)に対するアレルギーの前歴／低体重の人(50kg 以下)／高度の腎機能障害／高度の肝機能障害／高齢者／〔PCI が適用される虚血性心疾患〕脳梗塞または一過性脳虚血発作(TIA)の前歴

[チカグレロル] 出血傾向およびその素因のある人(受傷後または術後間もない人など)／腎機能障害／高血圧が持続している人／脳梗塞または一過性脳虚血発作(TIA)の前歴／徐脈の発現リスクの高い人(洞不全症候群，第2度，第3度房室ブロックのある人など)／β遮断薬を服用中／高尿酸血症，痛風または尿酸腎症の前歴／低体重の人／高齢者／COPD・気管支ぜんそくなどの呼吸器疾患のある人・うっ血性心不全の合併などにより呼吸困難を発現する可能性のある人(服用を避けることが望ましい)

(3)出血の危険性……本剤を服用すると通常よりも出血の危険性が高まります。異常な出血が認められた場合にはすぐに処方医に連絡します。また，他院(他科)を受診する際には，本剤を服用している旨を必ず医師に伝えてください。

(4)休薬期間……本剤による血小板凝集抑制が問題となるような手術を行う場合には，プラスグレル塩酸塩は14日以上前に，チカグレロルは5日以上前に服用を中止します。十分な休薬期間を設けることができない場合は，重大な出血のリスクが高まるので十分に注意してください。

(5)飲み忘れ……[チカグレロル]服用を忘れた場合は，次の服用予定時間に通常どおり1回分を服用し，一度に2回分を服用しないでください。

(6)[チカグレロル]セイヨウオトギリソウ(セント・ジョーンズ・ワート)含有食品……一緒に摂取すると本剤の血漿中濃度が著しく低下し，本剤の有効性が弱まるおそれがあるので，服用中はセイヨウオトギリソウ含有食品を摂取しないでください。

(7)その他……
● 妊婦での安全性：有益と判断されたときのみ服用。
● 授乳婦での安全性：[プラスグレル塩酸塩]治療上の有益性・母乳栄養の有益性を考慮

し，授乳の継続・中止を検討。[チカグレロル]服用時は授乳しないことが望ましい。
● 小児での安全性：未確立。（1714 頁を参照）

重大な副作用　①頭蓋内出血（頭痛，悪心・嘔吐，意識障害，片麻痺など），消化管系出血（歯肉出血，直腸出血，出血性胃潰瘍など），心のう内出血など。②過敏症（血管浮腫，アナフィラキシーを含む）。

[プラスグレル塩酸塩のみ]　③血栓性血小板減少性紫斑病（倦怠感，食欲不振，紫斑などの出血症状，意識障害，溶血性貧血，発熱，腎機能障害など）。④肝機能障害，黄疸。⑤無顆粒球症，再生不良性貧血を含む汎血球減少症。

　そのほかにも報告された副作用はあるので，体調がいつもと違うと感じたときは，処方医・薬剤師に相談してください。

併用してはいけない薬　[チカグレロル]①強い CYP3A 阻害薬（イトラコナゾール，ボリコナゾール，クラリスロマイシン，ネルフィナビルメシル酸塩，リトナビル，コビシスタットを含む薬剤（スタリビルド）など）→本剤の血漿中濃度が著しく上昇するおそれがあります。②強い CYP3A 誘導薬（リファンピシン，リファブチン，カルバマゼピン，フェノバルビタール，フェニトイン）→本剤の血漿中濃度が著しく低下し，本剤の有効性が弱まるおそれがあります。

内 05 その他の循環器系の薬　07 本態性血小板血症の薬

01 アナグレリド

💊 製剤情報

一般名：アナグレリド塩酸塩水和物
● 保険収載年月…2014年11月
● 海外評価…6点 英 米 独 仏　● PC…C
● 規制…劇薬
● 剤形…カ カプセル剤

● 服用量と回数…1回0.5mgを1日2回より開始。最大1回用量は2.5mg，かつ最大1日用量は10mg，1日回数は4回以内。

■ 先発品　商品名（メーカー）　規格・保険薬価

アグリリン（武田）カ 0.5mg 1カプセル 788.70 円

📋 概　要

分類　本態性血小板血症治療薬
処方目的　本態性血小板血症
解説　本態性血小板血症は，体内の造血幹細胞の異常によって必要以上に血小板をつくり出してしまう病気です。根本的な治療法がないことから，血栓性・出血性症状の発生を防ぐために増加した血小板数を減少させることが治療の目標となります。本剤は，血小板の前駆細胞である巨核球に選択的に作用することで血小板の産生を抑制します。日本では，本態性血小板血症の治療薬としてヒドロキシカルバミドとラニムスチンがありますが，本剤はこれらの薬剤に不応または不耐容な人にも有効です。

使用上の注意

警告

　本剤による治療は，緊急時に十分対応できる医療施設において，造血器悪性腫瘍の治療に十分な知識・経験をもつ医師に，本剤の有効性・危険性を十分に聞き・たずね，同意してから受けなければなりません。

基本的注意

(1)服用してはいけない場合……本剤の成分に対するアレルギーの前歴／重度の肝機能障害

(2)慎重に服用すべき場合……軽度・中等度の肝機能障害／重度の腎機能障害／心疾患またはその前歴／QT 間隔延長のおそれまたはその前歴

(3)定期検査……本剤の服用によって心障害，QT 間隔延長，心室性不整脈，貧血などが現れることがあるので，服用開始前および服用中は，定期的に心機能検査(心エコー，心電図など)，電解質測定，血液検査(血球数算定など)を行います。

(4)避妊……本剤は，妊娠中の服用に関する安全性は確立していません。妊娠する可能性のある人が服用する場合は適切な方法で避妊してください。

(5)その他……

● 妊婦での安全性：未確立。有益と判断されたときのみ服用。

● 授乳婦での安全性：服用するときは授乳を中止。

● 小児での安全性：未確立。(1714 頁を参照)

重大な副作用

①心障害(動悸，心のう液貯留，頻脈，心拡大，プリンツメタル狭心症，上室性期外収縮，心室性期外収縮，うっ血性心不全，心房細動，上室性頻脈，心筋梗塞，心筋症，狭心症など)。②QT 間隔延長，心室性不整脈。③間質性肺疾患。④出血(鼻出血，歯肉出血，皮下出血，メレナ，網膜出血，紫斑，喀血，胃腸出血，脳出血など)。⑤血栓塞栓症(脳梗塞など)。⑥貧血，血小板減少，白血球減少，ヘモグロビン減少，リンパ球減少，好中球減少。

　そのほかにも報告された副作用はあるので，体調がいつもと違うと感じたときは，処方医・薬剤師に相談してください。

併用してはいけない薬

併用してはいけない薬は特にありません。ただし，併用する薬があるときは，念のため処方医・薬剤師に報告してください。

内服 06 呼吸器の薬

薬剤番号 06-01-01 〜 06-06-03

■鼻，のど，気管支など呼吸器系の薬について説明します

◆いわゆる「かぜ薬」「せき止め」「花粉症の薬」に近い薬

症状によって何種類かの薬を組み合わせて処方されることもあります。

◆ぜんそく，アレルギー性鼻炎などのアレルギー疾患に用いる薬

*アレルギーの薬は，12章「皮膚科の薬」の皮膚アレルギーに用いられる薬に分類されているものもありますので，そちらも参考にしてください。

■副作用・相互作用に注意すべき薬

■ 総合かぜ薬

総合かぜ薬に含まれているのは，熱を下げたりのどの痛みなどを抑えるためのアセトアミノフェンやサリチル酸誘導体（アスピリンなど）と，鼻みずや鼻づまりを治すための抗ヒスタミン薬です。

アセトアミノフェンが入っている場合は，血液障害に注意してください。原因不明の発熱・のどの痛み・紫斑・ひどい疲れなどは無顆粒球症の前駆症状かもしれません。こうした症状は，かぜの場合にもあるので，服用していてなかなか治らなかったり状態が悪化したように思ったら，処方医にそのことを知らせなければいけません。場合によってはセカンド・オピニオンを求めるというのも賢い選択肢です。

アスピリンで注意しなければいけないのは，胃腸障害とぜんそく発作です。また，15歳以下の小児がウイルス疾患にかかっているときにアスピリンをのむと，脳炎様症状を呈するライ症候群になる可能性があるといわれています。

抗ヒスタミン薬で注意しなければいけないのは，前立腺肥大症や緑内障の人が服用すると症状が悪化することです。これは抗コリン作用によるものですが，そのほかに，のどが渇いたり物がかすんで見えたりということもおこる可能性があります。それと眠けがくる薬剤が多いので，自動車の運転や危険な機械の操作には気をつけてください。

■ 鎮咳薬（咳を鎮める薬）

せきは肺や気管支に異常があることを示す生体の防衛反応の一つですので，むや

みに止めるものではありません。しかし，人と話ができないほどせきがでたり，せきのために睡眠が妨害されるような場合には，鎮咳薬が処方されます。

　コデインリン酸塩水和物系の薬剤の場合は便秘，エフェドリン系薬剤の場合は血圧への影響を考えなければいけません。なかなか止まらないせきの場合には，肺がんを心配しなければいけませんが，薬によるものではないかと疑うことも必要です。有名なものとしては，高血圧治療に用いられる ACE 阻害薬によるものがあります。

■ アレルゲン免疫療法薬

　アレルギー疾患の根本的な治療法として減感作療法（アレルギー疾患の原因となるスギ花粉やハウスダストなどを少量ずつ体内に入れることで過敏な体質を少しずつ慣らしていき，最終的にはアレルギー反応がおきなくさせる方法）があります。従来はアレルゲンを体内に入れる方法は皮下注射だったので，必ず通院が必要でした。2014 年に投与経路として舌下に含ませる薬が保険収載され，新たな選択肢が生まれました。

　しかし，元々アレルギーをおこす物質を体内に入れるわけですから，段階を踏んでの増量が必要です。間違って過量に服用すれば大変危険です。指示された用量は必ず守らなければいけません。

◉ 薬剤師の眼

大半がOTC薬でも用いられている成分

　この章に含まれる総合かぜ薬，鎮咳薬，去痰薬の大半は症状を一時的に緩和する対症療法薬で，市販の OTC 薬（大衆薬）に用いられている成分と同じものがいくつもあります。つまり，OTC 薬でも対応できる分野といえます。

　実際，筆者のまわりで OTC 薬を取り扱っている薬剤師仲間で，軽いかぜ症状を抑えるために用いる薬は 10 人が 10 人，OTC 薬です。それも基本は休養と栄養で，仕事などで休めない場合にしか用いないケースが半数でしょうか。

　もちろん，インフルエンザの流行期に発熱した場合や感染症を伴う場合など，受診が必要なときもあります。どこまでなら様子を見て，どこまでならセルフメディケーションで対応し，受診するのはどのタイミングなのかなどを，普段からかかりつけの医師や薬剤師に相談しておくのも大事なことです。

内服
06

内 06 呼吸器の薬　01 総合かぜ薬

01 総合感冒薬

製剤情報

一般名：サリチルアミド・アセトアミノフェン・無水カフェイン・プロメタジンメチレンジサリチル酸塩配合剤

- 保険収載年月…1963年1月
- 海外評価…0点 英 米 独 仏
- 規制…劇薬(錠剤，分包品を除く)
- 剤形…錠 錠剤，顆 顆粒剤
- 服用量と回数…1回1g(錠剤は2錠)を1日4回。幼小児は処方医の指示通りに服用。

■先発品　商品名(メーカー)　規格・保険薬価

PL 配合顆粒 (シオノギファーマ＝塩野義)
顆 1g 6.50 円

幼児用 PL 配合顆粒 (日医工岐阜＝日医工＝塩野義) 顆 1g 6.50 円

■ジェネリック　商品名(メーカー)　規格・保険薬価

サラザック配合顆粒 (武田テバファーマ＝武田)
顆 1g 6.30 円

セラピナ配合顆粒 (シオノ＝ファイザー＝日本ジェネリック) 顆 1g 6.30 円

トーワチーム配合顆粒 (東和) 顆 1g 6.30 円

マリキナ配合顆粒 (鶴原＝日医工) 顆 1g 6.30 円

ピーエイ配合錠 (全星＝沢井＝ニプロ)
錠 1錠 4.70 円

概要

分類　総合感冒薬

処方目的　感冒・上気道炎に伴う症状(鼻汁，鼻閉，咽・喉頭痛，頭痛，関節痛，筋肉痛，発熱)の改善・緩和

解説　2種の鎮痛解熱薬(サリチルアミド，アセトアミノフェン)に無水カフェイン，フェノチアジン系抗ヒスタミン薬を配合したものです。小児用には，幼児用 PL 配合顆粒があります。これは，各成分が PL 配合顆粒の6分の1の量になっています。

使用上の注意

*PL 配合顆粒の添付文書による

警告

①本剤中のアセトアミノフェンにより重い肝機能障害をおこすおそれがあります。
②本剤とアセトアミノフェンを含む他の薬剤(一般用医薬品を含む)との併用で，アセトアミノフェンの過量摂取による重い肝機能障害をおこすおそれがあります。

基本的注意

(1)服用してはいけない場合……本剤の成分，サリチル酸系薬剤(アスピリンなど)，フェノチアジン系化合物またはその類似化合物に対するアレルギーの前歴／消化性潰瘍／アスピリンぜんそく，またはその前歴／重い肝機能障害／昏睡状態またはバルビツール酸誘導体・麻酔薬などの中枢神経抑制剤の強い影響下にある人／閉塞隅角緑内障／前立腺肥大など下部尿路の閉塞性疾患／2歳未満の乳幼児
(2)慎重に服用すべき場合……肝機能障害，腎機能障害／出血傾向／気管支ぜんそく／

アルコール多量常飲者／絶食・低栄養状態・摂食障害などによるグルタチオン欠乏，脱水症状／開放隅角緑内障

(3)**小児**……アメリカで，サリチル酸系製剤（アスピリン）とライ症候群との関連性を示す報告があるので，15歳未満の水痘（水ぼうそう），インフルエンザの人は，原則としてサリチル酸系薬剤を服用しないでください。治療上やむを得ず服用する場合は状態を十分に観察し，ライ症候群を疑う症状（激しい嘔吐，意識障害，けいれんなど）がみられたら，ただちに処方医へ連絡してください。

(4)**女性**……非ステロイド系解熱鎮痛薬を長期服用している女性に，一時的な不妊がみられたとの報告があります。

(5)**授乳婦**……本剤に含まれるカフェインは容易に母乳中に移行します。授乳中の人は，長期にわたって服用しないようにしてください。

(6)**危険作業は中止**……本剤を服用すると，眠けがおこることがあります。服用中は，自動車の運転など危険を伴う機械の操作は行わないようにしてください。

(7)**その他**……

● 妊婦（12週以内または妊娠後期）での安全性：有益と判断されたときのみ服用（必要最小限の服用にとどめ，適宜羊水量などを確認）。(1714頁を参照)

重大な副作用 ①ショック，アナフィラキシー（呼吸困難，全身潮紅，血管浮腫，じん麻疹など）。②皮膚粘膜眼症候群（スティブンス-ジョンソン症候群），中毒性表皮壊死融解症（TEN），急性汎発性発疹性膿疱症，剥脱性皮膚炎。③再生不良性貧血，汎血球減少，無顆粒球症，溶血性貧血，血小板減少。④ぜんそく発作の誘発。⑤間質性腎炎，急性腎不全。⑥間質性肺炎，好酸球性肺炎。⑦乳児突然死症候群（SIDS），乳児睡眠時無呼吸発作。⑧劇症肝炎，肝機能障害，黄疸。⑨横紋筋融解症（筋肉痛，脱力感など）。⑩緑内障発作（視力低下，眼痛など）。

　そのほかにも報告された副作用はあるので，体調がいつもと違うと感じたときは，処方医・薬剤師に相談してください。

併用してはいけない薬 併用してはいけない薬は特にありません。ただし，併用する薬があるときは，念のため処方医・薬剤師に報告してください。

内 06 呼吸器の薬　02 咳を鎮める薬

01 エフェドリン塩酸塩ほか

製剤情報

一般名：エフェドリン塩酸塩
● 保険収載年月…1950年9月
● 海外評価…5点 英 米 独 仏 ● PC…C
● 剤形…錠 錠剤
● 服用量と回数…1回12.5〜25mgを1日1〜3回。

■ 先発品　　商品名（メーカー）　規格・保険薬価

エフェドリン（日医工）錠 25mg 1錠 9.80円

一般名：dl-メチルエフェドリン塩酸塩
● 発売年月…1954年7月
● 剤形…散 散剤

- 服用量と回数…1回25～50mg(散剤0.25～0.5g)を1日3回。

■先発品　商品名(メーカー)　規格・保険薬価

dl-メチルエフェドリン塩酸塩 (三恵)
散 10% 1g 7.00 円

dl-メチルエフェドリン塩酸塩 (中北 = 吉田製薬 = 日興販売) 散 10% 1g 7.60 円

dl-メチルエフェドリン塩酸塩 (丸石)
散 10% 1g 7.30 円

メチエフ (ニプロ ES) 散 10% 1g 7.50 円

メチルエフェドリン (扶桑) 散 10% 1g 7.50 円

一般名：dl-メチルエフェドリン塩酸塩配合剤

- 保険収載年月…1953年10月
- 規制…劇薬(散剤のみ)
- 剤形…錠錠剤, シシロップ剤
- 服用量と回数…処方医の指示通りに服用。

■先発品　商品名(メーカー)　規格・保険薬価

カフコデ N 配合錠 (ファイザー) 錠 1錠 5.90 円

クロフェドリン S 配合錠 (キョーリン = 杏林)
錠 1錠 5.50 円

フスコデ配合錠 (マイラン EPD) 錠 1錠 5.70 円

ライトゲン配合シロップ (帝人) シ 1mL 4.10 円

■ジェネリック　商品名(メーカー)　規格・保険薬価

クロフェドリン S 配合シロップ (キョーリン = 杏林) シ 1mL 3.60 円

フスコデ配合シロップ (マイラン EPD)
シ 1mL 3.60 円

フスコブロン配合シロップ (武田テバファーマ = 武田) シ 1mL 3.60 円

プラコデ配合シロップ (小林化工)
シ 1mL 3.60 円

ムコブロチン配合シロップ (東和)
シ 1mL 3.60 円

一般名：クレンブテロール塩酸塩

- 保険収載年月…1986年6月

- 海外評価…1点 英米独仏
- 剤形…錠錠剤
- 服用量と回数…1回20μgを1日2回。5歳以上の小児では1回0.3μg／kg(体重)を1日2回。腹圧性尿失禁の場合は, 1回20μgを1日2回, 1日最大60μgまで。

■先発品　商品名(メーカー)　規格・保険薬価

スピロペント (帝人) 錠 10μg 1錠 10.40 円

■ジェネリック　商品名(メーカー)　規格・保険薬価

クレンブテロール (原沢 = 日本ジェネリック)
錠 10μg 1錠 5.80 円

一般名：フェノテロール臭化水素酸塩

- 保険収載年月…1984年11月
- 海外評価…0点 英米独仏
- 規制…劇薬
- 剤形…ド ドライシロップ剤
- 服用量と回数…処方医の指示通りに服用。

■ジェネリック　商品名(メーカー)　規格・保険薬価

フェノテロール臭化水素酸塩 DS (高田)
ド 0.5% 1g(小児用) 36.10 円

一般名：サルブタモール硫酸塩

- 保険収載年月…1974年2月
- 海外評価…3点 英米独仏
- 剤形…錠錠剤, シシロップ剤
- 服用量と回数…1回4mgを1日3回。症状が激しいときは, 1回8mgを1日3回。乳幼児・小児の場合は, 処方医の指示通りに服用。

■先発品　商品名(メーカー)　規格・保険薬価

ベネトリン (グラクソ) シ 0.04% 1mL 5.60 円

■ジェネリック　商品名(メーカー)　規格・保険薬価

サルブタモール (日医工) 錠 2mg 1錠 5.50 円

一般名：テルブタリン硫酸塩

- 保険収載年月…1974年2月
- 海外評価…5点 英米独仏　●PC…B
- 剤形…錠錠剤, シシロップ剤

- 服用量と回数…1回4mg(細粒剤は0.4g)を1日3回。幼少児の場合は,処方医の指示通りに服用。

■**先発品**　商品名(メーカー)　規格・保険薬価

ブリカニール (アストラ) 錠 2mg 1錠 5.90 円
シ 0.05% 1mL 6.70 円

一般名:ツロブテロール塩酸塩

- 保険収載年月…1981年9月
- 海外評価…0点 英 米 独 仏
- 剤形…錠 錠剤, ド ドライシロップ剤
- 服用量と回数…1回1mgを1日2回。小児の場合は,処方医の指示通りに服用。

■**先発品**　商品名(メーカー)　規格・保険薬価

ベラチン (ニプロ ES) 錠 1mg 1錠 12.40 円
ド 0.1% 1g(小児用) 14.10 円
ホクナリン (マイラン EPD) 錠 1mg 1錠 12.10 円
ド 0.1% 1g(小児用) 14.10 円

■**ジェネリック**　商品名(メーカー)　規格・保険薬価

ツロブテロール塩酸塩 (大原) 錠 1mg 1錠 5.90 円
ツロブテロール塩酸塩 (東和) 錠 1mg 1錠 5.90 円
ツロブテロール塩酸塩 DS (大原)
ド 0.1% 1g 6.70 円
ツロブテロール塩酸塩 DS (高田)
ド 0.1% 1g(小児用) 6.70 円
ツロブテロール塩酸塩 DS (東和)
ド 0.1% 1mg(小児用) 6.70 円

一般名:トリメトキノール塩酸塩水和物

- 保険収載年月…1970年8月
- 海外評価…0点 英 米 独 仏
- 剤形…錠 錠剤, 散 散剤, シ シロップ剤
- 服用量と回数…1回2~4mg(散剤は0.2~0.4g)を1日2~3回。小児の場合は,処方医の指示通りに服用。

■**先発品**　商品名(メーカー)　規格・保険薬価

イノリン (ニプロ ES) 錠 3mg 1錠 12.00 円
散 1% 1g 24.70 円　シ 0.1% 1mL 7.20 円

一般名:プロカテロール塩酸塩水和物

- 保険収載年月…1980年12月
- 海外評価…0点 英 米 独 仏
- 剤形…錠 錠剤, 顆 顆粒剤, シ シロップ剤, ド ドライシロップ剤
- 服用量と回数…1回50μg(0.05mg)を1日2回, または就寝前に1回。乳幼児・小児の場合は,処方医の指示通りに服用。

■**先発品**　商品名(メーカー)　規格・保険薬価

メプチン (大塚) 顆 0.01% 1g 39.10 円
錠 0.05mg 1錠 11.90 円　シ 0.0005% 1mL 6.70 円
ド 0.005% 1g 46.60 円
メプチンミニ (大塚) 錠 0.025mg 1錠 11.40 円

■**ジェネリック**　商品名(メーカー)　規格・保険薬価

プロカテロール塩酸塩 (武田テバ薬品＝武田テバファーマ＝武田) シ 0.0005% 1mL 3.90 円
プロカテロール塩酸塩 (日医工)
シ 0.0005% 1mL 3.90 円
プロカテロール塩酸塩 DS (高田)
ド 0.01% 1g 39.00 円
プロカテロール塩酸塩シロップ (日新＝ファイザー) シ 0.0005% 1mL 3.90 円

一般名:メトキシフェナミン塩酸塩・ノスカピン・ジプロフィリンなど

- 保険収載年月…1967年7月
- 剤形…カ カプセル剤
- 服用量と回数…1回2~3カプセルを1日3回。

■**ジェネリック**　商品名(メーカー)　規格・保険薬価

アストーマ配合カプセル (日医工) カ 1カプセル 5.50 円

📋 **概　要**

分類　交感神経興奮性鎮咳薬(β₂ 刺激薬)

処方目的　[エフェドリン塩酸塩, dl-塩酸メチルエフェドリン塩酸塩の適応症] 下記

疾患に伴うせき→気管支ぜんそく，ぜんそく性（様）気管支炎，感冒，急性気管支炎，慢性気管支炎，肺結核，上気道炎（咽喉頭炎，鼻カタル）／〔エフェドリン塩酸塩のみ〕鼻粘膜の充血・腫脹／〔dl-塩酸メチルエフェドリン塩酸塩のみ〕じん麻疹，湿疹

[dl-メチルエフェドリン塩酸塩配合剤の適応症]〔カフコデN配合錠〕かぜ症候群における鎮咳・鎮痛・解熱，気管支炎における鎮咳／〔その他の先発品およびジェネリック〕下記疾患に伴うせき→急性気管支炎，慢性気管支炎，感冒・上気道炎，肺炎，肺結核

[クレンブテロール塩酸塩，フェノテロール臭化水素酸塩，サルブタモール硫酸塩，テルブタリン硫酸塩，ツロブテロール塩酸塩，トリメトキノール塩酸塩水和物，プロカテロール塩酸塩水和物の適応症] 下記疾患の気道閉塞性障害に基づく呼吸困難など諸症状の緩解→気管支ぜんそく，小児ぜんそく，ぜんそく性気管支炎，慢性気管支炎，肺気腫，急性気管支炎，肺結核，珪肺結核，塵肺症／〔クレンブテロール塩酸塩のみ〕腹圧性尿失禁

[アストーマ配合カプセルの適応症] 下記疾患に伴うせきおよび気道閉塞症状→気管支ぜんそく（重症発作時を除く），ぜんそく性気管支炎，急性気管支炎，慢性気管支炎，感冒・上気道炎

＊製剤によって若干異なります。

解説 エフェドリンは，1887年に日本人によって，麻黄という植物から抽出されたものです。アドレナリンと同じように，気管支を拡張することによってせきを止めます。近年は，交感神経のうちでも，特にβ_2（ベーターツー）受容体のみを特異的に刺激して，せきを止めるいくつかの薬剤が合成されて臨床上使われています。なお，クレンブテロール塩酸塩は，腹圧性尿失禁に用いられることがあります。

dl-メチルエフェドリン塩酸塩配合剤は，①dl-メチルエフェドリン塩酸塩，②気管支拡張薬（キサンチン誘導体），③せき止め（アヘンアルカロイド），④抗アレルギー薬，⑤催眠鎮静薬など，作用の異なる薬剤を組み合わせています。以下の解説中の丸数字は，これらの薬剤の種類を表します。

カフコデN配合錠は①dl-メチルエフェドリン塩酸塩，②ジプロフィリン，③ジヒドロコデインリン酸塩，④ジフェンヒドラミンサリチル酸塩，⑤ブロモバレリル尿素，および解熱鎮痛薬のアセトアミノフェンの6剤の配合剤です。

その他のdl-メチルエフェドリン塩酸塩配合剤はすべて①dl-メチルエフェドリン塩酸塩，③ジヒドロコデインリン酸塩，④クロルフェニラミンマレイン酸塩の3剤の配合剤です。

使用上の注意

＊エフェドリン塩酸塩（エフェドリン），dl-メチルエフェドリン塩酸塩配合剤（カフコデN配合錠ほか）の添付文書による

基本的注意

(1)服用してはいけない場合……カテコールアミン（アドレナリン，イソプロテレノール，ドパミンなど）の使用中

[カフコデN配合錠のみ] 本剤の成分に対するアレルギーの前歴／重い呼吸抑制／気管支ぜんそく発作中／アスピリンぜんそく（非ステロイド系解熱鎮痛薬などによるぜんそく発作の誘発）またはその前歴／消化性潰瘍／重い肝機能障害・腎機能障害・血液の

異常・心機能不全／閉塞隅角緑内障／前立腺肥大など下部尿路の閉塞性疾患／12歳未満の小児

[その他の dl-メチルエフェドリン塩酸塩配合剤] 重い呼吸抑制／アヘンアルカロイドに対するアレルギーの前歴／閉塞隅角緑内障／前立腺肥大など下部尿路の閉塞性疾患／12歳未満の小児

(2)慎重に服用すべき場合……[エフェドリン塩酸塩]甲状腺機能亢進症／高血圧症／心疾患／糖尿病／緑内障／前立腺肥大症

[カフコデN配合錠] 脳の器質的障害／気管支ぜんそく／代謝性アシドーシス／副腎皮質機能低下症／てんかん／心機能異常／呼吸機能障害／高血圧症／消化性潰瘍の前歴／肝機能障害またはその前歴／腎機能障害またはその前歴／血液の異常またはその前歴／出血傾向／甲状腺機能異常／開放隅角緑内障／アレルギーの前歴／衰弱者／アルコール多量常飲者／絶食・低栄養状態・摂食障害などによるグルタチオン欠乏，脱水症状のある人／高齢者，12歳以上の小児

[その他の dl-メチルエフェドリン塩酸塩配合剤] 気管支ぜんそくの発作中／心・呼吸機能障害／肝・腎機能障害／脳の器質的障害／ショック状態／代謝性アシドーシス／甲状腺機能異常／副腎皮質機能低下症（アジソン病など）／薬物依存の前歴／高血圧症／糖尿病／開放隅角緑内障／高齢者，妊婦，衰弱者

(3)重篤な呼吸抑制……[dl-メチルエフェドリン塩酸塩配合剤]①重篤な呼吸抑制（息切れ，呼吸緩慢，不規則な呼吸，呼吸異常など）が現れるおそれがあるので，12歳未満の小児（呼吸抑制の感受性が高い）は服用してはいけません。②重篤な呼吸抑制のリスクが増加するおそれがあるので，18歳未満の肥満，閉塞性睡眠時無呼吸症候群または重篤な肺疾患のある人は服用してはいけません。

(4)危険作業は禁止……[dl-メチルエフェドリン塩酸塩配合剤]本剤の服用によって眠け，注意力・集中力・反射運動能力などの低下がおこることがあります。服用中は自動車の運転など危険を伴う機械の操作には従事しないようにしてください。

(5)その他……
[dl-メチルエフェドリン塩酸塩配合剤]
●妊婦での安全性：有益と判断されたときのみ服用。
●授乳婦での安全性：原則として服用を中止。やむをえず服用するときは授乳を中止。
●小児での安全性：12歳未満は服用禁忌。12歳以上の小児での安全性は未確立。（1714頁を参照）

重大な副作用 [エフェドリン塩酸塩のみ]①重い血清カリウム値の低下。
[カフコデN配合錠のみ]②中毒性表皮壊死融解症（TEN），皮膚粘膜眼症候群（スティブンス-ジョンソン症候群）。③ショック，アナフィラキシーショック。④肝機能障害。⑤急性汎発性発疹性膿疱症。⑥顆粒球減少。⑦ぜんそく発作。⑧劇症肝炎，黄疸。⑨間質性肺炎。⑩間質性腎炎，急性腎不全。⑪呼吸抑制（息切れ，呼吸緩慢，不規則な呼吸，呼吸異常など）。
[その他の dl-メチルエフェドリン塩酸塩配合剤のみ]⑫無顆粒球症，再生不良性貧血。

内
06
―
02
―
02

麻薬系中枢性鎮咳薬

そのほかにも報告された副作用はあるので，体調がいつもと違うと感じたときは，処方医・薬剤師に相談してください。

併用してはいけない薬 ［エフェドリン塩酸塩，dl-メチルエフェドリン塩酸塩配合剤］ カテコールアミン（アドレナリン，イソプロテレノールなど）→不整脈，場合によっては心停止をおこすおそれがあります。

内06 呼吸器の薬　02 咳を鎮める薬

02 麻薬系中枢性鎮咳薬

製剤情報

一般名：コデインリン酸塩水和物
- 保険収載年月…1954年5月
- 海外評価…6点 英米独仏　●PC…C
- 規制…劇薬（1%散剤），劇薬・麻薬（原末，10%散剤，20mg錠）
- 剤形…錠錠剤，散散剤
- 服用量と回数…1回20mg（1%散剤2g，10%散剤0.2g），1日60mg（1%散剤6g，10%散剤0.6g）を服用。

■先発品　商品名（メーカー）　規格・保険薬価

コデインリン酸塩（シオエ＝日本新薬）
散 1% 1g 8.30円　錠 5mg 1錠 10.10円

コデインリン酸塩（第一三共）散 1% 1g 7.50円

コデインリン酸塩（第一三共プロファーマ＝第一三共）散 10% 1g 149.80円　錠 20mg 1錠 79.50円

コデインリン酸塩（武田）散 10% 1g 149.80円
錠 20mg 1錠 79.50円

コデインリン酸塩（武田テバ薬品＝武田）
散 1% 1g 7.50円

コデインリン酸塩（東洋製化＝小野＝健栄＝丸石）散 1% 1g 7.50円

コデインリン酸塩（中北＝山善＝吉田製薬＝日興販売）散 1% 1g 9.80円

コデインリン酸塩（扶桑）散 1% 1g 7.50円

コデインリン酸塩水和物原末（第一三共プロファーマ＝第一三共）散 1g 1,243.50円

コデインリン酸塩水和物原末（武田）
散 1g 1,243.50円

リン酸コデイン（岩城）散 1% 1g 7.80円

リン酸コデイン（日医工）散 1% 1g 7.50円

リン酸コデイン 写真 （ファイザー）
錠 5mg 1錠 10.10円

リン酸コデイン（マイラン＝ファイザー）
散 1% 1g 7.50円

一般名：ジヒドロコデインリン酸塩
- 保険収載年月…1952年11月
- 海外評価…4点 英米独仏
- 規制…劇薬（1%散剤），劇薬・麻薬（原末，10%散剤）
- 剤形…散散剤
- 服用量と回数…1回10mg（1%散剤1g，10%散剤0.1g），1日30mg（1%散剤3g，10%散剤0.3g）を服用。

■先発品　商品名（メーカー）　規格・保険薬価

ジヒドロコデインリン酸塩（シオエ＝日本新薬）
散 1% 1g 8.30円

ジヒドロコデインリン酸塩（第一三共）
散 1% 1g 7.60円

ジヒドロコデインリン酸塩（第一三共プロファーマ＝第一三共）散 10% 1g 140.00円

ジヒドロコデインリン酸塩（武田）
散 10% 1g 140.00円

ジヒドロコデインリン酸塩（武田テバ薬品＝武田）散 1% 1g 7.50 円	リン酸ジヒドロコデイン（マイラン＝ファイザー）散 1% 1g 7.50 円

ジヒドロコデインリン酸塩（東洋製化＝健栄＝丸石）散 1% 1g 7.50 円

ジヒドロコデインリン酸塩（中北＝吉田製薬＝日興販売）散 1% 1g 8.60 円

ジヒドロコデインリン酸塩原末（第一三共プロファーマ＝第一三共）散 1g 1,133.20 円

ジヒドロコデインリン酸塩原末（武田）散 1g 1,133.20 円

リン酸ジヒドロコデイン（日医工）散 1% 1g 7.50 円

リン酸ジヒドロコデイン（扶桑）散 1% 1g 7.50 円

一般名：オキシメテバノール

- 保険収載年月…1972年2月
- 海外評価…0点 英 米 独 仏
- 規制…劇薬，麻薬
- 剤形…錠 錠剤
- 服用量と回数…1日6mgを3回に分けて服用。

■先発品　商品名（メーカー）　規格・保険薬価
メテバニール（第一三共プロファーマ＝第一三共）錠 2mg 1錠 94.10 円

概　要

分類　中枢性鎮咳薬

処方目的　［コデインリン酸塩水和物，ジヒドロコデインリン酸塩の適応症］各種呼吸器疾患における鎮咳・鎮静／疼痛時における鎮痛／激しい下痢症状の改善
［オキシメテバノールの適応症］肺結核，急・慢性気管支炎，肺がん，じん肺，感冒に伴う鎮咳

解説　モルヒネと同様アヘンアルカロイドの一種で，延髄の咳嗽中枢に働いて，せきを止める「中枢性鎮咳薬」の代表です。

使用上の注意

＊コデインリン酸塩水和物，ジヒドロコデインリン酸塩，オキシメテバノール（メテバニール）の添付文書による

基本的注意

(1)服用してはいけない場合……重い呼吸抑制のある人／慢性肺疾患に続発する心不全／けいれん状態（てんかん重積症，破傷風，ストリキニーネ中毒）／急性アルコール中毒／アヘンアルカロイドに対するアレルギー／［コデインリン酸塩水和物，ジヒドロコデインリン酸塩］気管支ぜんそくの発作中／重い肝機能障害／出血性大腸炎／扁桃摘除術後またはアデノイド切除術後の鎮痛目的で使用する 18 歳未満の人／18 歳未満の肥満，閉塞性睡眠時無呼吸症候群または重い肺疾患がある人／12 歳未満の小児

(2)特に慎重に服用すべき場合（治療上やむを得ないと判断される場合を除き服用は避けること）……［コデインリン酸塩水和物，ジヒドロコデインリン酸塩］細菌性下痢のある人

(3)慎重に服用すべき場合……心機能障害／呼吸機能障害／肝機能・腎機能障害／脳の器質的障害／ショック状態／薬物依存の前歴／衰弱している人／高齢者
［コデインリン酸塩水和物，ジヒドロコデインリン酸塩］代謝性アシドーシス／甲状腺機能低下症（粘液水腫など）／副腎皮質機能低下症（アジソン病など）／前立腺肥大によ

る排尿障害，尿道狭窄，尿路手術後／器質性幽門狭窄，麻痺性イレウス(腸閉塞)，消化管手術直後／けいれんの前歴／胆のう障害，胆石／重い炎症性腸疾患

[オキシメテバノール] 新生児，小児

(4)重篤な呼吸抑制……[コデインリン酸塩水和物，ジヒドロコデインリン酸塩]①重篤な呼吸抑制(息切れ，呼吸緩慢，不規則な呼吸，呼吸異常など)が現れるおそれがあるので，12歳未満の小児(呼吸抑制の感受性が高い)は服用してはいけません。②重篤な呼吸抑制のリスクが増加するおそれがあるので，18歳未満の扁桃摘除術後またはアデノイド切除術後の鎮痛に使用してはいけません。また，18歳未満の肥満，閉塞性睡眠時無呼吸症候群または重篤な肺疾患のある人は服用してはいけません。

(5)産婦……①分娩前に服用すると出産後，新生児に退薬症候(多動，神経過敏，不眠，ふるえなど)が現れることがあります。②[コデインリン酸塩水和物，ジヒドロコデインリン酸塩]分娩時に服用すると，新生児に呼吸抑制が現れることがあります。

(6)危険作業は中止……本剤を服用すると，眠け，めまいがおこることがあります。服用中は，自動車の運転など危険を伴う機械の操作は行わないようにしてください。

(7)その他……

●妊婦での安全性：有益と判断されたときのみ服用。

●授乳婦での安全性：[コデインリン酸塩水和物，ジヒドロコデインリン酸塩]服用するときは授乳を中止。

●小児での安全性：[コデインリン酸塩水和物，ジヒドロコデインリン酸塩]12歳未満は服用禁忌。12歳以上の小児での安全性は未確立。(1714頁を参照)

重大な副作用 ①薬物依存(連用中に急激に減少あるいは中止すると発汗，流涙，悪心，嘔吐，下痢，腹痛，頭痛，不眠，不安，ふるえなどの退薬症候が現れることがある)。

[コデインリン酸塩水和物，ジヒドロコデインリン酸塩] ②呼吸抑制(息切れ，呼吸緩慢，不規則な呼吸，呼吸異常など)。③錯乱，せん妄。④無気肺，気管支けいれん，喉頭浮腫。⑤麻痺性イレウス，中毒性巨大結腸。

そのほかにも報告された副作用はあるので，体調がいつもと違うと感じたときは，処方医・薬剤師に相談してください。

併用してはいけない薬 併用してはいけない薬は特にありません。ただし，併用する薬があるときは，念のため処方医・薬剤師に報告してください。

内06 呼吸器の薬　02 咳を鎮める薬

03 非麻薬系中枢性鎮咳薬

💊 製 剤 情 報

一般名：デキストロメトルファン臭化水素酸塩水和物

●保険収載年月…1970年8月

- 海外評価…6点 英米独仏　●PC…C
- 規制…劇薬（錠剤を除く）
- 剤形…錠錠剤, 散散剤, 細細粒剤
- 服用量と回数…1回15〜30mg（散剤・細粒剤は0.15〜0.3g）を1日1〜4回。

■先発品　　商品名（メーカー）　規格・保険薬価

メジコン 写真 （シオノギファーマ＝塩野義）
散 10% 1g 20.80 円　錠 15mg 1錠 5.70 円

■ジェネリック　　商品名（メーカー）　規格・保険薬価

デキストロメトルファン臭化水素酸塩（鶴原）
細 10% 1g 7.30 円　錠 15mg 1錠 5.70 円

デキストロメトルファン臭化水素酸塩（東和）
散 10% 1g 7.30 円　錠 15mg 1錠 5.70 円

デキストロメトルファン臭化水素酸塩（日医工）
散 10% 1g 7.30 円

デキストロメトルファン臭化水素酸塩（ニプロ＝日本ジェネリック）
錠 15mg 1錠 5.70 円

一般名：エプラジノン塩酸塩

- 発売年月…1974年2月
- 海外評価…0点 英米独仏
- 剤形…錠錠剤
- 服用量と回数…1日60〜90mgを3回に分けて服用。幼小児は処方医の指示通りに服用。

■先発品　　商品名（メーカー）　規格・保険薬価

レスプレン 写真 （太陽ファルマ）5mg 1錠 5.90 円
錠 20mg 1錠 5.90 円　錠 30mg 1錠 5.90 円

一般名：クロフェダノール塩酸塩

- 保険収載年月…1981年9月
- 海外評価…0点 英米独仏
- 剤形…錠錠剤, 顆顆粒剤
- 服用量と回数…1回25mg（顆粒剤は0.6g）を1日3回。

■先発品　　商品名（メーカー）　規格・保険薬価

コルドリン （日本新薬）顆 4.17% 1g 23.40 円
錠 12.5mg 1錠 6.80 円

一般名：クロペラスチン

- 保険収載年月…1965年12月
- 海外評価…0点 英米独仏
- 剤形…錠錠剤, 散散剤
- 服用量と回数…1日30〜60mg（散剤は0.3〜0.6g）を3回に分けて服用。幼小児は処方医の指示通りに服用。

■先発品　　商品名（メーカー）　規格・保険薬価

フスタゾール （ニプロ ES）散 10% 1g 17.30 円
錠 10mg 1錠 5.90 円　錠 2.5mg 1錠（小児用）5.90 円

一般名：ペントキシベリンクエン酸塩

- 保険収載年月…1967年7月
- 海外評価…2点 英米独仏
- 剤形…錠錠剤
- 服用量と回数…1日15〜120mgを2〜3回に分けて服用。

■ジェネリック　　商品名（メーカー）　規格・保険薬価

ペントキシベリンクエン酸塩（鶴原）
錠 15mg 1錠 5.50 円

一般名：チペピジンヒベンズ酸塩

- 保険収載年月…1960年6月
- 海外評価…0点 英米独仏
- 剤形…錠錠剤, 散散剤, シシロップ剤, ドドライシロップ剤
- 服用量と回数…1日60〜120mg（散剤は0.6〜1.2g）を3回に分けて服用。幼小児は処方医の指示通りに服用。

■先発品　　商品名（メーカー）　規格・保険薬価

アスベリン （ニプロ ES）10% 1g 8.40 円
錠 10mg 1錠 9.80 円　錠 20mg 1錠 9.80 円
シ 0.5% 10mL 14.10 円　シ 2% 1mL 6.50 円
ド 2% 1g 6.50 円

一般名：ジメモルファンリン酸塩

- 保険収載年月…1975年1月
- 海外評価…0点 英米独仏

- 規制…劇薬(散剤, ドライシロップのみ)
- 剤形…錠錠剤, 散散剤, シシロップ剤, ドドライシロップ剤
- 服用量と回数…1回10〜20mg(散剤は0.1〜0.2g)を1日3回。幼小児は処方医の指示通りに服用。

■**先発品**　　商品名(メーカー)　　規格・保険薬価

アストミン (オーファン) 散10% 1g 33.10円
錠10mg 1錠 5.70円　　シ0.25% 1mL 3.90円

ジメモルファンリン酸塩 (辰巳)
錠10mg 1錠 5.70円

■**ジェネリック**　　商品名(メーカー)　　規格・保険薬価

ジメモルファンリン酸塩 (辰巳)
散10% 1g 30.10円　　シ0.25% 1mL(小児用) 2.90円

ジメモルファンリン酸塩 DS (高田)
ド2.5% 1g(小児用) 9.60円

概　要

分類　中枢性鎮咳薬

処方目的　　以下の疾患に伴うせきの除去(エプラジノン塩酸塩とチペピジンヒベンズ酸塩は, せき・たんの除去)→感冒, 急性・慢性気管支炎, 気管支拡張症, 上気道炎(咽喉頭炎, 鼻カタル), ぜんそく性気管支炎, 気管支ぜんそく, 肺炎, 肺結核, けい肺, 肺がん, 肺化膿症, 胸膜炎など
＊製剤により多少異なります。

[デキストロメトルファン臭化水素酸塩水和物のみ] 気管支造影術および気管支鏡検査時のせきの除去

解説　　コデインリン酸塩水和物と同様, 延髄の咳嗽中枢に働いてせきを止めます。このような薬剤を「中枢性鎮咳薬」といいます。モルヒネやコデインがその代表ですが, 最近は種々の中枢性鎮咳薬が合成されています。

使用上の注意

＊デキストロメトルファン臭化水素酸塩水和物(メジコン), チペピジンヒベンズ酸塩(アスベリン)などの添付文書による

基本的注意

(1)服用してはいけない場合……[デキストロメトルファン臭化水素酸塩水和物, チペピジンヒベンズ酸塩のみ]本剤の成分に対するアレルギーの前歴／[デキストロメトルファン臭化水素酸塩水和物]モノアミン酸化酵素阻害薬(1716頁を参照)の服用中／[ペントキシベリンクエン酸塩のみ]閉塞隅角緑内障

(2)慎重に服用すべき場合……[クロフェダノール塩酸塩]衰弱者／新生児, 乳児／[ペントキシベリンクエン酸塩]開放隅角緑内障／[ジメモルファンリン酸塩]糖尿病またはその疑いのある人／薬物過敏症

(3)赤い尿……[チペピジンヒベンズ酸塩]本剤の代謝物によって赤味がかった着色尿がみられることがあります。

(4)危険作業は中止……[デキストロメトルファン臭化水素酸塩水和物]本剤を服用すると, 眠けを催すことがあります。服用中は, 自動車の運転など危険を伴う機械の操作は行わないようにしてください。

(5)その他……

[デキストロメトルファン臭化水素酸塩水和物]

● 妊婦での安全性：未確立。有益と判断されたときのみ服用。

● 低出生体重児・新生児〜小児での安全性：未確立。

[チペピジンヒベンズ酸塩]

● 妊婦での安全性：未確立。有益と判断されたときのみ服用。(1714 頁を参照)

重大な副作用 　　[デキストロメトルファン臭化水素酸塩水和物，クロフェダノール塩酸塩，チペピジンヒベンズ酸塩]①ショック，アナフィラキシー(せき，腹痛，嘔吐，発疹，呼吸困難など)。

[デキストロメトルファン臭化水素酸塩水和物]②呼吸抑制。

[クロフェダノール塩酸塩]③皮膚粘膜眼症候群(スティブンス-ジョンソン症候群)，多型滲出性紅斑。

　そのほかにも報告された副作用はあるので，体調がいつもと違うと感じたときは，処方医・薬剤師に相談してください。

併用してはいけない薬 　　[デキストロメトルファン臭化水素酸塩水和物]モノアミン酸化酵素阻害薬(1716 頁を参照)→セロトニン症候群(けいれん，ミオクローヌス，反射亢進，発汗，異常高熱，昏睡など)が現れるとの報告があります。

内 06 呼吸器の薬　03 痰の切れをよくする薬

01 ブロムヘキシン塩酸塩ほか

製剤情報

一般名：ブロムヘキシン塩酸塩

● 保険収載年月…1967年7月

● 海外評価…2点 英 米 独 仏

● 剤形… 錠 錠剤，シ シロップ剤。

● 服用量と回数…1回4mg(0.08%シロップ5mL)を1日3回。

■ジェネリック　　商品名(メーカー)　規格・保険薬価

ブロムヘキシン塩酸塩 (皇漢堂)
錠 4mg 1錠 5.10 円

ブロムヘキシン塩酸塩 (沢井) 錠 4mg 1錠 5.10 円

ブロムヘキシン塩酸塩 (東和) 錠 4mg 1錠 5.10 円
シ 0.08% 1mL 1.00 円

ブロムヘキシン塩酸塩 (日医工)
錠 4mg 1錠 5.10 円

一般名：アンブロキソール塩酸塩

● 保険収載年月…1984年3月

● 海外評価…2点 英 米 独 仏

● 剤形… 錠 錠剤，カ カプセル剤，シ シロップ剤，ド ドライシロップ剤，液 液剤

● 服用量と回数…1回15mgを1日3回。徐放カプセルは1日1回45mg。幼・小児は処方医の指示通りに服用。

■先発品　　商品名(メーカー)　規格・保険薬価

ムコソルバン 写真 (帝人) 錠 15mg 1錠 11.40 円
シ 0.3% 1mL(小児用) 7.60 円　液 0.75% 1mL 6.20 円

ムコソルバン DS (帝人)
ド 1.5% 1g(小児用) 29.90 円

ムコソルバン L 写真 (帝人) 錠 45mg 1錠 33.80 円

■ジェネリック　　商品名(メーカー)　規格・保険薬価

アンブロキソール塩酸塩 (共和)
錠 15mg 1錠 5.70 円

アンブロキソール塩酸塩 (キョーリン＝杏林)
錠 15mg 1錠 5.70 円　　液 0.75% 1mL 4.10 円

アンブロキソール塩酸塩 (皇漢堂)
錠 15mg 1錠 5.70 円

アンブロキソール塩酸塩 (小林化工)
錠 15mg 1錠 5.70 円

アンブロキソール塩酸塩 (沢井)
錠 15mg 1錠 5.70 円

アンブロキソール塩酸塩 (セオリア＝武田)
錠 15mg 1錠 5.70 円

アンブロキソール塩酸塩 (全星)
錠 15mg 1錠 5.70 円

アンブロキソール塩酸塩 (高田)
錠 15mg 1錠 5.70 円

アンブロキソール塩酸塩 (武田テバファーマ＝
武田) 液 0.75% 1mL 4.10 円
シ 0.3% 1mL (小児用) 5.20 円

アンブロキソール塩酸塩 (武田テバファーマ＝
武田＝三和) 錠 15mg 1錠 5.70 円

アンブロキソール塩酸塩 (辰巳)
錠 15mg 1錠 5.70 円

アンブロキソール塩酸塩 (長生堂＝日本ジェネ
リック) 錠 15mg 1錠 5.70 円　　液 0.75% 1mL 4.10 円

アンブロキソール塩酸塩 (鶴原)
錠 15mg 1錠 5.70 円

アンブロキソール塩酸塩 写真 (東和)
錠 15mg 1錠 5.70 円

アンブロキソール塩酸塩 (日医工)
錠 15mg 1錠 5.70 円

アンブロキソール塩酸塩 (日薬工＝ケミファ)
錠 15mg 1錠 5.70 円

アンブロキソール塩酸塩 (日新＝第一三共エス
ファ) 錠 15mg 1錠 5.70 円

アンブロキソール塩酸塩 (ニプロ)
錠 15mg 1錠 5.70 円

アンブロキソール塩酸塩 (陽進堂)
錠 15mg 1錠 5.70 円

アンブロキソール塩酸塩 (わかもと)
錠 15mg 1錠 5.70 円

アンブロキソール塩酸塩 DS (高田)
ド 3% 1g 24.50 円　　ド 1.5% 1g (小児用) 26.00 円

アンブロキソール塩酸塩 L (沢井)
カ 45mg 1セプ 16.10 円

アンブロキソール塩酸塩徐放 OD 錠 (沢井)
錠 45mg 1錠 16.10 円

アンブロキソール塩酸塩徐放 OD 錠 (全星＝
三和) 錠 45mg 1錠 16.10 円

アンブロキソール塩酸塩徐放 OD 錠 (ニプロ)
錠 45mg 1錠 16.10 円

アンブロキソール塩酸塩徐放カプセル (全星
＝科研) カ 45mg 1セル 16.10 円

アンブロキソール塩酸塩徐放カプセル (辰巳)
カ 45mg 1セル 16.10 円

アンブロキソール塩酸塩徐放カプセル (東和)
カ 45mg 1セル 16.10 円

アンブロキソール塩酸塩徐放カプセル (日医
工＝日薬工) カ 45mg 1セル 16.10 円

アンブロキソール塩酸塩シロップ (高田)
シ 0.3% 1mL (小児用) 5.20 円

アンブロキソール塩酸塩シロップ (辰巳＝日本
ジェネリック) シ 0.3% 1mL (小児用) 5.20 円

アンブロキソール塩酸塩シロップ (東和)
シ 0.3% 1mL (小児用) 5.20 円

アンブロキソール塩酸塩内用液 (鶴原)
液 0.75% 1mL 4.10 円

アンブロキソール塩酸塩内用液 (日医工)
液 0.3% 1mL 8.00 円

ムコサール (サノフィ) 錠 15mg 1錠 5.90 円
ド 1.5% 1g 26.00 円

概　　要
分類　去痰薬

処方目的 急性気管支炎，慢性気管支炎，肺結核，じん肺症のたんの除去／手術後のたんの除去

[アンブロキソール塩酸塩のみの適応症] 気管支ぜんそく，気管支拡張症のたんの除去／手術後の喀痰喀出困難／[錠剤(45mg を除く)，液剤，ドライシロップ剤(1.5%を除く)]慢性副鼻腔炎の排膿

解説 たんが切れやすくなるような分泌物を増加させ，たんの成分であるムコ多糖類の線維を細断することにより，たんの切れをよくするといわれています。

☞ 使用上の注意

＊ブロムヘキシン塩酸塩，アンブロキソール塩酸塩(ムコソルバン，L)の添付文書による

基本的注意

(1)服用してはいけない場合……本剤の成分に対するアレルギーの前歴

(2)服用法……[アンブロキソール塩酸塩の徐放カプセル]早朝覚醒時に，たんの排出が困難な人は，夕食後に服用してください。

(3)たんの増加……[ブロムヘキシン塩酸塩]たんの切れがよくなるので，一時的にたんの量が増えることがあります。

(4)その他……

●妊婦での安全性：未確立。有益と判断されたときのみ服用。

●授乳婦での安全性：[アンブロキソール塩酸塩]服用するときは授乳を中止。

●小児での安全性：[ブロムヘキシン塩酸塩]未確立。(1714 頁を参照)

重大な副作用 ①ショック，アナフィラキシー様症状(発疹，血管浮腫，気管支けいれん，呼吸困難，かゆみなど)。

[アンブロキソール塩酸塩] ②皮膚粘膜眼症候群(スティブンス-ジョンソン症候群)。

　そのほかにも報告された副作用はあるので，体調がいつもと違うと感じたときは，処方医・薬剤師に相談してください。

併用してはいけない薬 併用してはいけない薬は特にありません。ただし，併用する薬があるときは，念のため処方医・薬剤師に報告してください。

内 06 呼吸器の薬　03 痰の切れをよくする薬

02 システイン誘導体

⚗ 製剤情報

一般名：L-エチルシステイン塩酸塩

●保険収載年月…1969年1月

●剤形…錠 錠剤

●服用量と回数…1回100mgを1日3回。

■先発品 商品名(メーカー) 規格・保険薬価

チスタニン (ニプロ ES) 錠 100mg 1錠 7.40 円

一般名：L-カルボシステイン

●保険収載年月…1987年10月

●海外評価…3点 英 米 独 仏

●剤形…錠 錠剤, 細 細粒剤, シ シロップ剤, ド

ドライシロップ剤

- 服用量と回数…1回500mg（細粒剤・ドライシロップは1g）を1日3回。幼・小児は処方医の指示通りに服用。

■**先発品　商品名(メーカー)**　規格・保険薬価

ムコダイン 写真 (杏林) 錠 250mg 1錠 8.50 円
錠 500mg 1錠 11.20 円　シ 5% 1mL 6.10 円

ムコダイン DS (杏林) ド 50% 1g 19.70 円

■**ジェネリック　商品名(メーカー)**　規格・保険薬価

カルボシステイン (沢井) 錠 250mg 1錠 5.70 円
錠 500mg 1錠 7.90 円

カルボシステイン (武田テバファーマ＝武田)
錠 500mg 1錠 7.90 円

カルボシステイン (武田テバファーマ＝武田＝ニプロ ES) 錠 250mg 1錠 5.70 円

カルボシステイン (辰巳) 錠 250mg 1錠 5.70 円
錠 500mg 1錠 6.90 円

カルボシステイン (鶴原) 錠 500mg 1錠 7.90 円
シ 5% 1mL 2.60 円

カルボシステイン (鶴原＝日医工)
細 50% 1g 6.50 円　錠 250mg 1錠 5.70 円

カルボシステイン 写真 (東和)
錠 250mg 1錠 5.70 円　錠 500mg 1錠 7.90 円

カルボシステイン (日本ジェネリック＝共創未来)
錠 250mg 1錠 5.70 円　錠 500mg 1錠 6.90 円

カルボシステイン DS (高田) ド 50% 1g 8.90 円

カルボシステイン DS (鶴原) ド 50% 1g 8.90 円

カルボシステイン DS (東和) ド 50% 1g 8.90 円

カルボシステインシロップ (大興＝日本ジェネリック) シ 5% 1mL 2.60 円

カルボシステインシロップ (高田)
シ 5% 1mL 2.60 円

カルボシステインシロップ (武田テバファーマ＝武田＝ニプロ ES) シ 5% 1mL(小児用) 2.60 円

カルボシステインシロップ (東和)
シ 5% 1mL(小児用) 2.60 円

カルボシステインドライシロップ (武田テバファーマ＝武田) ド 50% 1g 8.90 円

一般名：フドステイン

- 保険収載年月…2001年12月
- 海外評価…0点 英 米 独 仏
- 剤形… 錠 錠剤, 液 液剤
- 服用量と回数…1回400mg（液剤は5mL）を1日3回。

■**先発品　商品名(メーカー)**　規格・保険薬価

クリアナール (田辺三菱) 錠 200mg 1錠 10.10 円

クリアナール内用液 (同仁＝田辺三菱)
液 8% 1mL 8.60 円

スペリア (久光) 錠 200mg 1錠 10.10 円
液 8% 1mL 9.40 円

概　要

分類　去痰薬

処方目的　以下の疾患におけるたんの除去→感冒，急性・慢性気管支炎，気管支拡張症，上気道炎(咽頭炎，喉頭炎)，気管支ぜんそく，びまん性汎細気管支炎，肺結核，肺がん，けい肺，じん肺症，肺気腫，非定型抗酸菌症など／慢性副鼻腔炎の排膿
＊製剤により多少異なります。

[L-カルボシステイン：シロップ・DS・ドライシロップ(小児)のみ] 滲出性中耳炎の排液

解説　気道の粘液の分泌をさかんにさせると同時に，たんや膿の成分であるムコ多糖類を細断することにより，たんの切れをよくするといわれています。

使用上の注意

＊L-エチルシステイン塩酸塩(チスタニン)，L-カルボシステイン(ムコダイン，DS)，フド

ステイン（クリアナール）の添付文書による

基本的注意

(1)服用してはいけない場合……[L-カルボシステイン]本剤に対するアレルギーの前歴

(2)慎重に服用すべき場合……肝機能障害，心機能障害

(3)服用法……[L-エチルシステイン塩酸塩]本剤は腸で溶けて吸収されるように工夫されている（腸溶剤）ので，噛まずに服用してください。

(4)その他……

● 妊婦での安全性：[L-カルボシステイン]未確立。原則として服用しない。[フドステイン]未確立。有益と判断されたときのみ服用。

● 授乳婦での安全性：[フドステイン]服用するときは授乳を中止。

● 小児での安全性：[フドステイン]未確立。（1714 頁を参照）

重大な副作用 　　　　　[L-カルボシステイン，フドステイン]①肝機能障害，黄疸。[L-カルボシステイン]②皮膚粘膜眼症候群（スティブンス-ジョンソン症候群），中毒性表皮壊死融解症（TEN）。③ショック，アナフィラキシー様症状（呼吸困難，むくみ，じん麻疹など）。

　そのほかにも報告された副作用はあるので，体調がいつもと違うと感じたときは，処方医・薬剤師に相談してください。

併用してはいけない薬 　　　　併用してはいけない薬は特にありません。ただし，併用する薬があるときは，念のため処方医・薬剤師に報告してください。

内 06 呼吸器の薬　04 ぜんそくの薬

01 テオフィリン

製剤情報

一般名：テオフィリン

● 発売年月…1984年4月

● 海外評価…6点 英米独仏　　●PC…C

● 規制…劇薬（50mg・100mg 錠剤，50mg・100mg カプセル剤を除く）

● 剤形… 錠 錠剤，カ カプセル剤，顆 顆粒剤，ド ドライシロップ剤

● 服用量と回数…成人は1回200mgを1日2回。気管支ぜんそくの場合は1回400mgを1日1回（就寝前）も可（テオロングを除く）。ユニコン・ユニフィルLA・テオフィリン徐放U錠の場合は1日1回400mg。小児は1回100～200mg（顆粒剤は0.2g～0.4g，シロップは0.2～0.4

mL／kg〈体重〉，ドライシロップは20～40mg／kg〈体重〉）を1日2回。

■ **先発品**　　商品名（メーカー）　規格・保険薬価

テオドール 写真（田辺三菱）顆 20% 1g 16.20円
錠 50mg 1錠 5.90 円　錠 100mg 1錠 8.00 円
錠 200mg 1錠 12.50 円

テオフィリン徐放カプセル（サンド）
カ 50mg 1カプセル 5.90 円

テオフィリン徐放カプセル（サンド＝日本ジェネリック）カ 100mg 1カプセル 9.20 円
カ 200mg 1カプセル 13.70 円

テオフィリン徐放錠（沢井）錠 50mg 1錠 5.90 円
テオフィリン徐放錠（鶴原）錠 50mg 1錠 5.90 円

テオフィリン徐放錠 (日医工)	テオフィリン徐放 DS 小児用 (東和=高田)
錠 50mg 1錠 5.90 円	㌦ 20% 1g 35.40 円

テオロング 写真 (エーザイ) 錠 50mg 1錠 5.90 円	テオフィリン徐放 U 錠 (東和)
錠 100mg 1錠 9.20 円　錠 200mg 1錠 13.70 円	錠 100mg 1錠 5.70 円　錠 200mg 1錠 5.90 円

ユニコン (日医工) 錠 100mg 1錠 7.60 円	錠 400mg 1錠 5.90 円
錠 200mg 1錠 12.40 円　錠 400mg 1錠 12.40 円	テオフィリン徐放錠 (沢井) 錠 100mg 1錠 5.70 円

ユニフィル LA (大塚) 錠 100mg 1錠 9.20 円	錠 200mg 1錠 5.90 円
錠 200mg 1錠 11.40 円　錠 400mg 1錠 12.20 円	テオフィリン徐放錠 (鶴原) 錠 100mg 1錠 5.70 円

■ジェネリック　　商品名(メーカー)　規格・保険薬価	錠 200mg 1錠 5.90 円
チルミン (鶴原) 錠 100mg 1錠 5.70 円	テオフィリン徐放錠 (日医工)
錠 200mg 1錠 5.90 円	錠 100mg 1錠 5.70 円　錠 200mg 1錠 5.90 円

テオフィリンドライシロップ (高田)	テオフィリン徐放ドライシロップ小児用 (沢
㌦ 20% 1g 35.40 円	井) ㌦ 20% 1g 35.40 円

概　要

分類　ぜんそく予防・治療薬

処方目的　気管支ぜんそく, ぜんそく性(様)気管支炎, 慢性気管支炎, 肺気腫

解説　カフェインに構造式が似ている化合物をキサンチン系薬剤といいます。本剤はそのうちの一つで, 気管支筋のけいれんを弱める作用があるため, せき止めとして使われます。

使用上の注意

＊テオフィリン(ユニフィル LA, テオドール)の添付文書による

基本的注意

(1)服用してはいけない場合……本剤または他のキサンチン系薬剤による重い副作用の前歴

(2)慎重に服用すべき場合……てんかん／甲状腺機能亢進症／急性腎炎／うっ血性心不全／肝機能障害／妊婦, 妊娠している可能性のある人, 産婦, 授乳婦／小児, 高齢者

(3)服用法……①徐放性製剤は, 水とともに噛まずに服用してください。②6～15 歳の小児気管支ぜんそくの場合, 1 回 4～5mg/kg を 1 日 2 回より開始し, 臨床効果と血中濃度を確認しながら調節していきます。

(4)白色物質……便の中に本剤由来の白色物質がみられることがあります。

(5)セイヨウオトギリソウ(セント・ジョーンズ・ワート)含有食品……併用すると, 本剤の血中濃度が低下するおそれがあります。服用中は摂取しないでください。

(6)たばこ……喫煙により本剤の血中濃度が低下します。また, 禁煙により血中濃度が上昇し, テオフィリンの中毒症状を引きおこすことがあります。

(7)テオフィリン中毒……本剤を過量服用してテオフィリンの血中濃度が高値になると, 血中濃度の上昇に伴い, 消化器症状(特に吐きけ, 嘔吐), 精神神経症状(頭痛, 不眠, 不安, 興奮, けいれん, せん妄, 意識障害, 昏睡など), 心・血管症状(頻脈, 心室頻拍, 心房

細動，血圧低下など），低カリウム血症その他の電解質異常，呼吸促進，横紋筋融解症などの中毒症状が現れやすくなります。

(8)その他……
- ●妊婦での安全性：有益と判断されたときのみ服用。
- ●授乳婦での安全性：服用するときは授乳を中止。（1714頁を参照）

重大な副作用　①けいれん，意識障害（せん妄，昏睡など），急性脳症。②横紋筋融解症（脱力感，筋肉痛，CKの上昇など）。③消化管出血（吐血，下血など）。④赤芽球癆，貧血。⑤アナフィラキシーショック（じん麻疹，蒼白，発汗，血圧低下，呼吸困難など）。⑥肝機能障害，黄疸。⑦頻呼吸，高血糖症。

そのほかにも報告された副作用はあるので，体調がいつもと違うと感じたときは，処方医・薬剤師に相談してください。

併用してはいけない薬　併用してはいけない薬は特にありません。ただし，併用する薬があるときは，念のため処方医・薬剤師に報告してください。

内 06 呼吸器の薬　04 ぜんそくの薬
02 ケミカルメディエーター遊離抑制薬

製剤情報

一般名：イブジラスト
- ●保険収載年月…1989年4月
- ●海外評価…0点 英米独仏
- ●剤形…カ カプセル剤
- ●服用量と回数…1回10mgを1日2回。めまいの改善の場合は，1回10mgを1日3回。

■先発品　商品名（メーカー）　規格・保険薬価
ケタス 写真 （杏林）カ 10mg 1カプセル 17.30円

一般名：ペミロラストカリウム
- ●保険収載年月…1991年3月
- ●海外評価…0点 英米独仏
- ●剤形…錠 錠剤，ド ドライシロップ剤
- ●服用量と回数…1回10mgを1日2回。アレルギー性鼻炎の場合は，1回5mgを1日2回。小児は処方医の指示通りに服用。

■先発品　商品名（メーカー）　規格・保険薬価
アレギサール（ニプロ ES）錠 5mg 1錠 29.00円
錠 10mg 1錠 59.10円
アレギサールドライシロップ（ニプロ ES）
ド 0.5% 1g 53.90円
ペミラストン 写真 （アルフレッサ）
錠 5mg 1錠 18.40円　錠 10mg 1錠 32.90円
ド 0.5% 1g 33.50円

■ジェネリック　商品名（メーカー）　規格・保険薬価
ペミロラストK（武田テバファーマ＝武田）
錠 5mg 1錠 13.80円　錠 10mg 1錠 28.50円
ペミロラストK（東和）錠 5mg 1錠 13.80円
錠 10mg 1錠 28.50円
ペミロラストK（マイラン＝ファイザー）
錠 5mg 1錠 13.80円　錠 10mg 1錠 28.50円
ド 0.5% 1g 27.90円

概要
分類　ぜんそく発作予防薬

処方目的　気管支ぜんそく

[イブジラストのみの適応症] 脳梗塞後遺症に伴う慢性脳循環障害によるめまいの改善

[ペミロラストカリウムのみの適応症] アレルギー性鼻炎

解説　抗アレルギー薬の一種であるクロモグリク酸ナトリウムと同様に，ぜんそく発作の発現過程における化学伝達物質の遊離を抑制して，ぜんそく発作を予防するとされています。国内開発の薬です。本剤は，すでにおこっている発作をその場で抑える薬剤ではありません。海外評価が低い点で一致している薬剤群です。

使用上の注意

*イブジラスト(ケタス)，ペミロラストカリウム(アレギサール)の添付文書による

基本的注意

(1)服用してはいけない場合……[イブジラスト]頭蓋内出血後，止血が完成していないと考えられる人／[ペミロラストカリウム]本剤の成分に対するアレルギーの前歴／妊娠または妊娠している可能性のある人

(2)慎重に服用すべき場合……[イブジラスト]脳梗塞の急性期／肝機能障害／高齢者

(3)その他……

● 妊婦での安全性：[イブジラスト]原則として服用しない。

● 授乳婦での安全性：[イブジラスト]原則として服用しない。[ペミロラストカリウム]服用するときは授乳を中止。

● 小児での安全性：未確立。(1714頁を参照)

重大な副作用　　　　　　[イブジラスト]①肝機能障害，黄疸。②血小板減少。

　そのほかにも報告された副作用はあるので，体調がいつもと違うと感じたときは，処方医・薬剤師に相談してください。

併用してはいけない薬　　　　併用してはいけない薬は特にありません。ただし，併用する薬があるときは，念のため処方医・薬剤師に報告してください。

内06 呼吸器の薬　04 ぜんそくの薬

03 ロイコトリエン拮抗薬

製剤情報

一般名：プランルカスト水和物

● 保険収載年月…1995年5月

● 海外評価…0点 英 米 独 仏

● 剤形… 錠 錠剤，カ カプセル剤，ド ドライシロップ剤

● 服用量と回数…1日450mgを2回に分けて服用。小児用ドライシロップは，1日70〜100mg／kg(体重)を2回に分けて服用。

■**先発品**　　商品名(メーカー)　規格・保険薬価

オノン (小野) カ 112.5mg 1カプセル 34.40円

ド 10% 1g 49.50円

■**ジェネリック**　　商品名(メーカー)　規格・保険薬価

プランルカスト (アルフレッサ)

錠 112.5mg 1錠 17.20円　錠 225mg 1錠 32.50円

ド 10% 1g 26.80円

プランルカスト（小林化工＝エルメッド＝日医工）
錠 112.5mg 1錠 17.20 円　錠 225mg 1錠 32.50 円

プランルカスト（沢井）カ 112.5mg 1カプセル 17.20 円

プランルカスト（シオノ＝科研）
カ 112.5mg 1カプセル 17.20 円

プランルカスト（セオリア＝武田）
錠 112.5mg 1錠 17.20 円　錠 225mg 1錠 32.50 円

プランルカスト（大興＝三和）
カ 112.5mg 1カプセル 17.20 円　ド 10% 1g 26.80 円

プランルカスト（武田テバファーマ＝武田）
カ 112.5mg 1カプセル 17.20 円　ド 10% 1g 26.80 円

プランルカスト（武田テバ薬品＝武田テバファーマ＝武田）112.5mg 1錠 17.20 円
錠 225mg 1錠 32.50 円

プランルカスト（東和）カ 112.5mg 1カプセル 17.20 円

プランルカスト（日医工）カ 112.5mg 1カプセル 17.20 円
カ 225mg 1カプセル 32.50 円

プランルカスト（マイラン＝ファイザー）
カ 112.5mg 1カプセル 17.20 円　ド 10% 1g 26.80 円

プランルカスト（ヤクハン＝日医工）
錠 112.5mg 1錠 17.20 円　錠 225mg 1錠 32.50 円

プランルカスト DS（大原）ド 10% 1g 26.80 円

プランルカスト DS（キョーリン＝杏林）
ド 10% 1g 26.80 円

プランルカスト DS（小林化工＝エルメッド＝日医工）ド 10% 1g 26.80 円

プランルカスト DS（沢井）ド 10% 1g 26.80 円

プランルカスト DS（高田）ド 10% 1g 26.80 円

プランルカスト DS（東和）ド 10% 1g 26.80 円

プランルカスト DS（日医工）ド 10% 1g 26.80 円

プランルカストドライシロップ（ニプロ）
ド 10% 1g 26.80 円

プランルカストドライシロップ（日本ジェネリック）ド 10% 1g 26.80 円

一般名：モンテルカストナトリウム
● 保険収載年月…2001年8月
● 海外評価…6点 英 米 独 仏　●PC…B

● 剤形…錠 錠剤, 細 細粒剤
● 服用量と回数…[錠剤] 気管支ぜんそくは10mg, アレルギー性鼻炎は5〜10mgを, 1日1回就寝前に服用。小児（チュアブル, 細粒）は「基本的注意」の(5)を参照。

■先発品　商品名（メーカー）　規格・保険薬価

キプレス（杏林）細 4mg 1包（小児用）122.40 円
錠 5mg 1錠 94.00 円　錠 10mg 1錠 112.30 円

キプレス OD（杏林）錠 10mg 1錠 112.30 円

キプレスチュアブル（杏林）
錠 5mg 1錠（小児用）119.90 円

シングレア（オルガノン）
細 4mg 1包（小児用）122.00 円　錠 5mg 1錠 94.00 円
錠 10mg 1錠 112.30 円

シングレア OD（オルガノン）
錠 10mg 1錠 112.30 円

シングレアチュアブル（オルガノン）
錠 5mg 1錠（小児用）117.80 円

■ジェネリック　商品名（メーカー）　規格・保険薬価

モンテルカスト（エルメッド＝日医工）
錠 5mg 1錠 15.70 円　錠 10mg 1錠 19.90 円

モンテルカスト（大原）錠 5mg 1錠 40.80 円
錠 10mg 1錠 52.50 円

モンテルカスト（キョーリン＝杏林）
錠 5mg 1錠 40.80 円　錠 10mg 1錠 52.50 円

モンテルカスト（ケミックス）錠 5mg 1錠 40.80 円
錠 10mg 1錠 19.90 円

モンテルカスト 写真（ケミファ＝日薬工）
細 4mg 1包（小児用）24.80 円　錠 5mg 1錠 15.70 円
錠 10mg 1錠 52.50 円

モンテルカスト（寿）錠 5mg 1錠 15.70 円
錠 10mg 1錠 19.90 円

モンテルカスト（小林化工）錠 5mg 1錠 15.70 円
錠 10mg 1錠 19.90 円

モンテルカスト（沢井）
細 4mg 1包（小児用）24.80 円　錠 5mg 1錠 15.70 円
錠 10mg 1錠 19.90 円

モンテルカスト（サンド）
細 4mg 1包（小児用）24.80 円　錠 5mg 1錠 15.70 円
錠 10mg 1錠 19.90 円

モンテルカスト（三和）錠 5mg 1錠 40.80 円
錠 10mg 1錠 19.90 円

モンテルカスト（シオノ＝江州）
錠 5mg 1錠 40.80 円　錠 10mg 1錠 52.50 円

モンテルカスト（セオリア＝武田）
錠 5mg 1錠 40.80 円　錠 10mg 1錠 52.50 円

モンテルカスト（第一三共エスファ）
細 4mg 1包（小児用）24.80 円　錠 5mg 1錠 40.80 円
錠 10mg 1錠 19.90 円

モンテルカスト（ダイト＝科研）
細 4mg 1包（小児用）40.60 円　錠 5mg 1錠 40.80 円
錠 10mg 1錠 52.50 円

モンテルカスト（高田）
細 4mg 1包（小児用）40.60 円　錠 5mg 1錠 15.70 円
錠 10mg 1錠 19.90 円

モンテルカスト（武田テバファーマ＝武田）
細 4mg 1包（小児用）40.60 円　錠 5mg 1錠 40.80 円
錠 10mg 1錠 52.50 円

モンテルカスト（辰巳＝フェルゼン）
錠 5mg 1錠 40.80 円　錠 10mg 1錠 52.50 円

モンテルカスト（田村薬品＝サンド）
錠 5mg 1錠 15.70 円　錠 10mg 1錠 19.90 円

モンテルカスト（鶴原）
細 4mg 1包（小児用）40.60 円　錠 5mg 1錠 15.70 円
錠 10mg 1錠 19.90 円

モンテルカスト（東亜薬品＝日東メディック）
錠 5mg 1錠 40.80 円　錠 10mg 1錠 52.50 円

モンテルカスト（東和）
細 4mg 1包（小児用）24.80 円　錠 5mg 1錠 40.80 円
錠 10mg 1錠 52.50 円

モンテルカスト（日医工）
細 4mg 1包（小児用）24.80 円　錠 5mg 1錠 15.70 円
錠 10mg 1錠 19.90 円

モンテルカスト（日薬工＝ゼリア）
細 4mg 1包（小児用）24.80 円　錠 5mg 1錠 40.80 円
錠 10mg 1錠 52.50 円

モンテルカスト（日新）
細 4mg 1包（小児用）24.80 円

モンテルカスト（日新＝MeijiSeika）
錠 5mg 1錠 15.70 円　錠 10mg 1錠 19.90 円

モンテルカスト（ニプロ）
細 4mg 1包（小児用）24.80 円　錠 5mg 1錠 15.70 円
錠 10mg 1錠 19.90 円

モンテルカスト（ニプロ ES）
細 4mg 1包（小児用）24.80 円　錠 5mg 1錠 15.70 円
錠 10mg 1錠 19.90 円

モンテルカスト（日本ジェネリック）
細 4mg 1包（小児用）40.60 円　錠 5mg 1錠 40.80 円
錠 10mg 1錠 52.50 円

モンテルカスト（浜理＝あすか＝武田）
錠 5mg 1錠 40.80 円　錠 10mg 1錠 56.90 円

モンテルカスト（ファイザー）錠 5mg 1錠 15.70 円
錠 10mg 1錠 19.90 円

モンテルカスト（フェルゼン）錠 5mg 1錠 15.70 円
錠 10mg 1錠 19.90 円

モンテルカスト（マイラン＝ファイザー）
細 4mg 1包（小児用）24.80 円

モンテルカスト（MeijiSeika）
細 4mg 1包（小児用）40.60 円

モンテルカスト（陽進堂）
細 4mg 1包（小児用）24.80 円　錠 5mg 1錠 15.70 円
錠 10mg 1錠 19.90 円

モンテルカスト OD（エルメッド＝日医工）
錠 5mg 1錠 40.80 円　錠 10mg 1錠 19.90 円

モンテルカスト OD（小林化工）
錠 5mg 1錠 15.70 円　錠 10mg 1錠 19.90 円

モンテルカスト OD（沢井）錠 5mg 1錠 40.80 円

モンテルカスト OD（沢井＝日本ジェネリック）
錠 10mg 1錠 52.50 円

モンテルカスト OD（高田）錠 5mg 1錠 40.80 円

モンテルカスト OD（高田＝共創未来）
錠 10mg 1錠 19.90 円

モンテルカスト OD（武田テバファーマ＝武田）
錠 5mg 1錠 40.80 円　錠 10mg 1錠 52.50 円

モンテルカスト OD (東和) 錠 5mg 1錠 40.80 円
錠 10mg 1錠 52.50 円

モンテルカスト OD (MeijiSeika)
錠 5mg 1錠 40.80 円　錠 10mg 1錠 56.90 円

モンテルカストチュアブル (エルメッド＝日医工) 錠 5mg 1錠 (小児用) 25.10 円

モンテルカストチュアブル (大原)
錠 5mg 1錠 (小児用) 25.10 円

モンテルカストチュアブル (ケミファ＝日薬工)
錠 5mg 1錠 (小児用) 25.10 円

モンテルカストチュアブル (小林化工)
錠 5mg 1錠 (小児用) 25.10 円

モンテルカストチュアブル (沢井)
錠 5mg 1錠 (小児用) 25.10 円

モンテルカストチュアブル (サンド)
錠 5mg 1錠 (小児用) 25.10 円

モンテルカストチュアブル (三和)
錠 5mg 1錠 (小児用) 25.10 円

モンテルカストチュアブル (シオノ＝江州)
錠 5mg 1錠 (小児用) 25.10 円

モンテルカストチュアブル (第一三共エスファ)
錠 5mg 1錠 (小児用) 25.10 円

モンテルカストチュアブル (ダイト＝科研)
錠 5mg 1錠 (小児用) 39.10 円

モンテルカストチュアブル (高田＝共創未来)
錠 5mg 1錠 (小児用) 25.10 円

モンテルカストチュアブル (武田テバファーマ＝武田) 錠 5mg 1錠 (小児用) 39.10 円

モンテルカストチュアブル (辰巳)
錠 5mg 1錠 (小児用) 25.10 円

モンテルカストチュアブル (田村薬品＝サンド)
錠 5mg 1錠 (小児用) 25.10 円

モンテルカストチュアブル (東和)
錠 5mg 1錠 (小児用) 25.10 円

モンテルカストチュアブル (日医工)
錠 5mg 1錠 (小児用) 25.10 円

モンテルカストチュアブル (日薬工＝ゼリア)
錠 5mg 1錠 (小児用) 25.10 円

モンテルカストチュアブル (日新＝MeijiSeika)
錠 5mg 1錠 (小児用) 25.10 円

モンテルカストチュアブル (ニプロ)
錠 5mg 1錠 (小児用) 25.10 円

モンテルカストチュアブル (ニプロ ES)
錠 5mg 1錠 (小児用) 25.10 円

モンテルカストチュアブル (日本ジェネリック)
錠 5mg 1錠 (小児用) 39.10 円

モンテルカストチュアブル (日本臓器)
錠 5mg 1錠 (小児用) 25.10 円

モンテルカストチュアブル (浜理＝あすか)
錠 5mg 1錠 (小児用) 25.10 円

モンテルカストチュアブル (ファイザー)
錠 5mg 1錠 (小児用) 25.10 円

モンテルカストチュアブル (陽進堂)
錠 5mg 1錠 (小児用) 25.10 円

モンテルカストナトリウム (日本臓器)
錠 5mg 1錠 54.00 円　錠 10mg 1錠 52.50 円

内
06
―
04
―
03

ロイコトリエン拮抗薬

概　要

分類　抗アレルギー薬

処方目的　気管支ぜんそく／アレルギー性鼻炎(モンテルカストナトリウムの細粒剤とチュアブル錠を除く)

解説　本剤は，シクロオキシゲナーゼ(アラキドン酸代謝酵素)は抑制せず，ロイコトリエンを選択的に抑制する新しい抗アレルギー薬です。一般名の最後に「ルカスト」がつくことから，ルカスト製剤と呼ぶこともあります。

使用上の注意

＊モンテルカストナトリウム(キプレス，キプレスチュアブル)などの添付文書による

基本的注意

(1)**服用してはいけない場合**……本剤の成分に対するアレルギーの前歴

(2)**服用法**……①本剤は気管支拡張薬，ステロイド薬などと異なり，すでにおこっているぜんそく発作を抑える薬ではありません。服用中は同時に発作を抑える気管支拡張薬，ステロイド薬なども処方してもらうことが必要です。②本剤は，ぜんそくが良好にコントロールされている場合でも，急に悪化したときでも，通常どおりに継続して服用します。③本剤の細粒は光に不安定であるため，開封後，直ちに(15分以内)服用します。

(3)**血管炎**……本剤の服用者に，好酸球性多発血管炎性肉芽腫症様の血管炎(しびれ，四肢の脱力，発熱，関節痛など)が現れたとの報告があります。これはおおむね，本剤と同時に経口ステロイド薬を併用している人が経口ステロイド薬を減量・中止したときにおこっています。

(4)**精神症状**……本剤との因果関係は明らかではありませんが，うつ病，自殺念慮，自殺および攻撃的行動を含む精神症状が報告されています。

(5)**小児の服用**……モンテルカスト製剤を気管支ぜんそくに用いる場合，6歳以上の小児はチュアブル錠(5mg1錠)を，1歳以上6歳未満の小児は細粒剤(4mg1包)を，1日1回就寝前に服用します。1歳未満の乳児，新生児，低出生体重児に対するモンテルカスト製剤の安全性は確立していません。

(6)**その他**……

●妊婦での安全性：未確立。有益と判断されたときのみ服用。

●1歳未満の乳児・新生児・低出生体重児での安全性：未確立。(1714頁を参照)

重大な副作用　①肝機能障害，肝炎，黄疸，劇症肝炎。②ショック，アナフィラキシー(血圧低下，意識障害，呼吸困難，発疹など)。③血小板減少。

[プランルカスト水和物]　④間質性肺炎，好酸球性肺炎。⑤白血球減少。⑥横紋筋融解症(筋肉痛，脱力感，赤褐色尿など)。

[モンテルカストナトリウム]　⑦血管浮腫。⑧皮膚粘膜眼症候群(スティブンス-ジョンソン症候群)，中毒性表皮壊死融解症(TEN)，多形紅斑。

　そのほかにも報告された副作用はあるので，体調がいつもと違うと感じたときは，処方医・薬剤師に相談してください。

併用してはいけない薬　併用してはいけない薬は特にありません。ただし，併用する薬があるときは，念のため処方医・薬剤師に報告してください。

内 06 呼吸器の薬　04 ぜんそくの薬

04 オザグレル塩酸塩水和物

製剤情報

一般名：オザグレル塩酸塩水和物

●保険収載年月…1992年5月

●海外評価…0点 英 米 独 仏

●剤形…錠 錠剤

●服用量と回数…1日400mgを2回に分けて服

用。

■**先発品**　**商品名(メーカー)**　規格・保険薬価

ドメナン(キッセイ)錠 100mg 1錠 38.80 円
錠 200mg 1錠 73.20 円

■**ジェネリック**　**商品名(メーカー)**　規格・保険薬価

オザグレル(小林化工)錠 100mg 1錠 28.60 円

オザグレル(小林化工＝日医工)
錠 200mg 1錠 46.60 円

概　要

分類　抗アレルギー薬

処方目的　気管支ぜんそく

解説　本来は，血小板機能を抑制して血液が凝固するのを阻止する作用があります
が，血管透過性の亢進と気道収縮作用を示すトロンボキサン A_2 の産生を抑制するとい
う作用に注目して，気管支ぜんそくの治療薬として許可されました。

使用上の注意

＊オザグレル塩酸塩水和物(ドメナン)の添付文書による

基本的注意

(1)**服用してはいけない場合**……本剤の成分に対するアレルギーの前歴／小児

(2)**慎重に服用すべき場合**……出血している人

(3)**服用法**……本剤は気管支拡張薬，ステロイド薬などと異なり，すでにおこっているぜ
んそく発作を抑える薬ではありません。本剤を服用するときは同時に発作を抑える気管
支拡張薬，ステロイド薬なども処方してもらう必要があります。

(4)**その他**……

●妊婦での安全性：未確立。有益と判断されたときのみ服用。

●授乳婦での安全性：大量服用は避けること。(1714 頁を参照)

重大な副作用　重大な副作用はありませんが，そのほかの副作用はあるの
で，体調がいつもと違うと感じたときは，処方医・薬剤師に相談してください。

併用してはいけない薬　併用してはいけない薬は特にありません。ただし，併用す
る薬があるときは，念のため処方医・薬剤師に報告してください。

内 **06 呼吸器の薬　04 ぜんそくの薬**

05 **セラトロダスト**

製剤情報

一般名：セラトロダスト

●保険収載年月…1995年11月

●海外評価…0点 英 米 独 仏

●剤形…錠 錠剤，顆 顆粒剤

●服用量と回数…1日1回80mg(顆粒剤は0.8g)。

■**先発品**　**商品名(メーカー)**　規格・保険薬価

ブロニカ(武田テバ薬品＝武田)
顆 10% 1g 277.40 円　錠 40mg 1錠 128.30 円
錠 80mg 1錠 206.40 円

概　要

分類　抗アレルギー薬

処方目的　気管支ぜんそく

解説　アレルギーは，ヒスタミンやロイコトリエン，トロンボキサンなど，さまざまな体内物質が関わって発症します。本剤は，オザグレル塩酸塩水和物と同様にトロンボキサン A_2 の働きを阻害し，即時型・遅発型のぜんそく反応，ならびに気道過敏性の亢進を抑制します。

使用上の注意

基本的注意

(1)**慎重に服用すべき場合**……肝機能障害／高齢者

(2)**定期検査**……重い肝機能障害がおこることがあるので，服用中は定期的(1 カ月に1回)に肝機能検査を受ける必要があります。

(3)**季節性アレルギー疾患**……本剤を季節性のアレルギー性疾患の人が服用するときは，発作の出やすい季節の直前から服用を開始し，その季節が終了するまで続ける必要があります。

(4)**服用法**……本剤は気管支拡張薬，ステロイド薬などと異なり，すでにおこっているぜんそく発作を抑える薬ではありません。本剤を服用するときは同時に発作を抑える気管支拡張薬，ステロイド薬なども処方してもらう必要があります。

(5)**その他**……

●妊婦での安全性：有益と判断されたときのみ服用。

●授乳婦での安全性：服用するときは授乳を中止。

●小児での安全性：未確立。(1714 頁を参照)

重大な副作用　　①黄疸，重篤な肝機能障害，劇症肝炎。

　そのほかにも報告された副作用はあるので，体調がいつもと違うと感じたときは，処方医・薬剤師に相談してください。

併用してはいけない薬　　併用してはいけない薬は特にありません。ただし，併用する薬があるときは，念のため処方医・薬剤師に報告してください。

内 06 呼吸器の薬　05 鼻アレルギーの薬

01　鼻アレルギー治療薬

製剤情報

一般名：ラマトロバン

●保険収載年月…2000年5月

●海外評価…0点 英 米 独 仏

●剤形…錠 錠剤

●服用量と回数…1回75mgを1日2回。

■**先発品**　　**商品名(メーカー)**　規格・保険薬価

バイナス (バイエル) 錠 50mg 1錠 63.40 円
錠 75mg 1錠 85.30 円

■**ジェネリック**　　**商品名(メーカー)**　規格・保険薬価

ラマトロバン (寿) 錠 50mg 1錠 27.30 円
錠 75mg 1錠 33.70 円

概　要

分類　鼻アレルギー治療薬

処方目的　アレルギー性鼻炎

解説　本剤はセラトロダストと同じようにトロンボキサン A_2（TXA_2）受容体拮抗薬であり，平滑筋や血小板の TXA_2 受容体に特異的に結合します。本剤の作用は，ケミカルメディエーターのなかでも強力な生理活性物質である TXA_2 による血管透過性亢進作用・炎症性細胞浸潤に対する抑制作用です。

使用上の注意

*ラマトロバン（バイナス）の添付文書による

基本的注意

(1)服用してはいけない場合……本剤の成分に対するアレルギーの前歴

(2)慎重に服用すべき場合……出血傾向／肝機能障害／月経期間中／高齢者

(3)季節性アレルギー疾患……本剤を季節性のアレルギー性疾患の人が服用するときは，発作の出やすい季節の直前から服用を開始し，その季節が終了するまで続ける必要があります。

(4)その他……

●妊婦での安全性：未確立。有益と判断されたときのみ服用。

●授乳婦での安全性：原則として服用しない。やむを得ず服用するときは授乳を中止。

●小児での安全性：未確立。(1714 頁を参照)

重大な副作用　　①肝炎，肝機能障害，黄疸。

　そのほかにも報告された副作用はあるので，体調がいつもと違うと感じたときは，処方医・薬剤師に相談してください。

併用してはいけない薬　　併用してはいけない薬は特にありません。ただし，併用する薬があるときは，念のため処方医・薬剤師に報告してください。

内 06 呼吸器の薬　05 鼻アレルギーの薬

02　アレルゲン免疫療法薬（1）

製剤情報

一般名：標準化スギ花粉エキス

●保険収載年月…2018年4月

●海外評価…0点 英 米 独 仏

●剤形…錠 錠剤

●服用量と回数…服用開始後1週間は2,000 JAUを1日1回1錠, 2週目以降は5,000JAUを1日1回1錠服用。

■先発品　　商品名（メーカー）　規格・保険薬価

シダキュアスギ花粉舌下錠（鳥居）

錠 2,000JAU 1錠 58.50 円　錠 5,000JAU 1錠 146.10 円

概　要

分類　スギ花粉症の減感作療法薬（アレルゲン免疫療法薬）

処方目的　スギ花粉症（減感作療法）

解説　花粉症などのアレルギー疾患の治療法の一つに減感作療法（アレルゲン免疫療法）があります。これは，アレルギー疾患の原因となるアレルゲンを少量から注射し，徐々に増量して，アレルゲンに対する過敏性を減少させる治療法です。シダキュアは，2018 年に承認された減感作療法に用いる舌下錠で，スギ花粉から抽出したアレルゲンを含んでいます。

使用上の注意

警告

　本剤は，緊急時に十分に対応できる医療機関に所属し，本剤に関する十分な知識と減感作療法に関する十分な知識・経験をもち，本剤のリスクなどについて十分に管理・説明できる医師のもとで服用しなければなりません。

基本的注意

(1)**服用してはいけない場合**……本剤の使用によりショックをおこしたことのある人／重症の気管支ぜんそく

(2)**慎重に服用すべき場合**……本剤の使用，またはアレルゲンエキスによる診断・治療，あるいはスギ花粉を含む食品の摂取などによりアレルギー症状を発現したことのある人／気管支ぜんそく／悪性腫瘍または免疫系に影響を及ぼす全身性疾患（自己免疫疾患，免疫複合体疾患，免疫不全症など）

(3)**アナフィラキシー**……本剤を服用するとアレルギー反応に基づく副作用，特にアナフィラキシーなどがおこるおそれがあります。なかでも本剤服用後 30 分，服用開始初期（およそ 1 カ月），スギ花粉飛散時期は発現しやすいので十分に注意してください。〈ショック，アナフィラキシーを早期に認識しうる症状〉口腔内異常感，皮膚のかゆみ，じん麻疹，紅斑・皮膚の発赤，胃痛，腹痛，吐きけ，嘔吐，下痢，視覚異常，視野狭窄，鼻閉塞感，くしゃみ，嗄声（しわがれ声），咽喉頭のかゆみ・異常感，胸部絞扼感，息苦しさ，呼吸困難，せき，喘鳴，チアノーゼ，頭痛，耳鳴り，不快感，悪寒，四肢や顔のしびれ，顔面潮紅，発汗，めまい感，ふるえ，蒼白，動悸，頻脈，不整脈，血圧低下，不安，恐怖感，意識混濁など→このような症状がみられたら，すぐに処方医に連絡してください。

(4)**服用法**……①本剤は，ショック・アナフィラキシーがおこった場合の対処などを考慮し，できるだけ家族のいる場所や日中に服用してください。②本剤の服用前および服用後 2 時間は，激しい運動，アルコール摂取，入浴などを避け，また服用後 2 時間以降にこれらを行う場合にもアナフィラキシーなどの副作用の発現に注意してください。③舌下に 1 分間保持した後，飲み込みます。その後 5 分間はうがい・飲食を控えてください。

(5)**体調が悪いとき**……本剤の服用中に，体調が悪くなったり，急性感染症にかかった場合は，処方医に連絡してください。体調が悪いと副作用が現れるおそれがあります。特に急性感染症罹患時にはぜんそく症状が現れやすくなります。

(6)**口腔内の傷や炎症**……本剤の服用中に，口腔内に傷や炎症などができたときや，抜歯など口腔内の治療を受けた場合は，服用の可否を処方医に聞いてください。口腔内の

状態によっては本剤の吸収に影響を与えることがあります。また，本剤が傷や炎症部位に刺激を与えるおそれがあります。

(7) ほかの薬剤を使用しているとき……非選択的 β 遮断薬，三環系抗うつ薬，モノアミンオキシダーゼ阻害薬（MAOI），全身性ステロイド薬を使用している人は，事前に医師に伝えてください。また，本剤の服用中にこれらの薬剤を使用する場合も医師に伝えてください。本剤およびほかの薬剤の効果に影響を及ぼすことがあります。

(8) 高齢者……一般に高齢者では免疫機能や生理機能が低下しているため，本剤による十分な治療効果が得られない可能性や，副作用がより重くなるおそれがあります。服用する場合は副作用に十分注意し，常に処方医との連絡を絶やさないようにしてください。

(9) その他……

● 妊婦での安全性：未確立。有益と判断されたときのみ服用。

● 授乳婦での安全性：原則として服用しない。やむを得ず服用するときは授乳を中止。

● 小児（5歳未満）での安全性：未確立。（1714 頁を参照）

重大な副作用　①ショック，アナフィラキシー（基本的注意(3)参照）。

　そのほかにも報告された副作用はあるので，体調がいつもと違うと感じたときは，処方医・薬剤師に相談してください。

併用してはいけない薬　併用してはいけない薬は特にありません。ただし，併用する薬があるときは，念のため処方医・薬剤師に報告してください。

内 06 呼吸器の薬　05 鼻アレルギーの薬

03　アレルゲン免疫療法薬(2)

✑ 製 剤 情 報

一般名：アレルゲンエキス

● 保険収載年月…2015年5月

● 海外評価…0点 英 米 独 仏

● 剤形…錠 錠剤

● 服用量と回数…処方医の指示通りに服用。

■先発品　　商品名(メーカー)　規格・保険薬価

アシテアダニ舌下錠（塩野義）
錠 100IR 1錠 67.00 円　錠 300IR 1錠 209.40 円

ミティキュアダニ舌下錠（鳥居）
錠 3,300JAU 1錠 66.50 円
錠 10,000JAU 1錠 200.80 円

📖 概　　要

分類　減感作療法薬（アレルゲン免疫療法薬）

処方目的　ダニ抗原によるアレルギー性鼻炎に対する減感作療法

解説　減感作療法（アレルゲン免疫療法）は，適量の原因アレルゲンを継続して投与することで，アレルゲンに対する耐性の獲得を目的とした治療法です。本剤は，家ダニアレルギーの主要なアレルゲンとされるヤケヒョウヒダニ，コナヒョウヒダニという2種類のダニから抽出したアレルゲンエキスを含有する原末舌下錠で，アレルギー性鼻炎に効果を発揮します。

使用上の注意

*両剤の添付文書による

警告

　本剤は，緊急時に十分に対応できる医療機関に所属し，本剤に関する十分な知識と減感作療法に関する十分な知識・経験をもち，本剤のリスクなどについて十分に管理・説明できる医師のもとで処方・使用すること。薬剤師においては，調剤前に当該医師を確認したうえで調剤を行わなければなりません。

基本的注意

(1)服用してはいけない場合……本剤の使用によるショックの前歴／重症の気管支ぜんそく

(2)慎重に服用すべき場合……本剤の使用またはアレルゲンエキスによる診断・治療などによりアレルギー症状を発現したことのある人／気管支ぜんそく／悪性腫瘍または免疫系に影響を及ぼす全身性疾患(自己免疫疾患，免疫複合体疾患，免疫不全症など)

(3)アナフィラキシー……本剤はダニ抗原由来のアレルゲンを含む製剤であるため，アレルギー反応に基づく副作用，特にアナフィラキシーなどがおこるおそれがあります。ショック，アナフィラキシーがおこった場合の対処などを考慮し，本剤は家族のいる場所や日中に服用してください。服用後，以下のような異常を感じたら直ちに処方医へ連絡してください。〈ショック，アナフィラキシーを早期に認識しうる症状〉じん麻疹，かゆみ，紅斑・皮膚の発赤，胃痛，悪心，嘔吐，下痢，視覚異常，視野狭窄，嗄声(しゃがれ声)，鼻閉塞，くしゃみ，咽頭・喉頭のそう痒感，胸部の絞やく感，犬吠様のせき，呼吸困難，ぜん鳴，チアノーゼ，頻脈，不整脈，血圧低下，不安，恐怖感，意識の混濁など

(4)服用方法……①アシテアダニ舌下錠は舌下で完全に溶解するまで保持した後，ミティキュアダニ舌下錠は舌下で1分間保持した後，飲み込みます。どちらも，その後5分間はうがいや飲食を控えます。②本剤の服用前，および服用後2時間は，激しい運動，アルコール摂取，入浴などを避けるよう，また，服用後2時間以降にこれらを行う場合にもアナフィラキシーなどの副作用の発現に注意してください。

(5)口腔内の傷や炎症……本剤の服用中に，口腔内に傷や炎症などができたときや，抜歯など口腔内の治療を受けた場合は，服用の可否を処方医に聞いてください。口腔内の状態によっては本剤の吸収に影響を与えることがあります。また，本剤が傷や炎症部位に刺激を与えるおそれがあります。

(6)ほかの薬剤を使用しているとき……非選択的β遮断薬，三環系抗うつ薬，モノアミンオキシダーゼ阻害薬 (MAOI)，全身性ステロイド薬を使用している人は，事前に医師に伝えてください。また，本剤の服用中にこれらの薬剤を使用する場合も医師に伝えてください。本剤およびほかの薬剤の効果に影響を及ぼすことがあります。

(7)高齢者……一般に高齢者では免疫機能や生理機能が低下しているため，本剤による十分な治療効果が得られない可能性や，副作用がより重くなるおそれがあります。服用する場合は副作用に十分注意し，常に処方医との連絡を絶やさないようにしてください。

(8)その他……

- 妊婦での安全性：未確立。有益と判断されたときのみ服用。
- 授乳婦での安全性：原則として服用しない。やむを得ず服用するときは授乳を中止。
- 小児での安全性：5歳未満の安全性は未確立。5歳以上の小児は，本剤を適切に舌下
服用できると判断された場合にのみ服用。(1714頁を参照)

重大な副作用　　　　　　　　①ショック，アナフィラキシー，咽頭浮腫・喉頭浮腫。
そのほかにも報告された副作用はあるので，体調がいつもと違うと感じたときは，処
方医・薬剤師に相談してください。

併用してはいけない薬　　　　　併用してはいけない薬は特にありません。ただし，併用す
る薬があるときは，念のため処方医・薬剤師に報告してください。

内 06 呼吸器の薬　06 その他の呼吸器の薬

01　特発性肺線維症治療薬(1)

製剤情報

一般名：ピルフェニドン
- 保険収載年月…2008年12月
- 海外評価…6点 英 米 独 仏
- 規制…劇薬
- 剤形… 錠 錠剤
- 服用量と回数…1回200mgを1日3回の服用か

ら開始し，状態をみながら1回200mgずつ増量
する。1回600mg（1日1,800mg）まで。

■先発品　　商品名（メーカー）　規格・保険薬価

ピレスパ 写真 （塩野義） 錠	200mg 1錠 487.50 円

■ジェネリック　　商品名（メーカー）　規格・保険薬価

ピルフェニドン （日医工） 錠	200mg 1錠 209.60 円

概　要

分類　抗線維化剤

処方目的　特発性肺線維症

解説　特発性肺線維症は慢性的に肺の線維化（正常な組織がコラーゲン線維などに変
化する）が進行して肺が硬くなる病気で，乾いたせきや呼吸困難などが現れます。特発
性間質性肺炎の一種で，国の難病に指定されています。本剤は，線維芽細胞増殖抑制作
用やコラーゲン産生抑制作用などで抗線維化作用を示し，肺活量の低下を抑えます。

使用上の注意

警告

本剤の使用は，特発性肺線維症に精通している医師のもとで行わなければなりません。

基本的注意

(1)服用してはいけない場合……本剤に対するアレルギーの前歴

(2)慎重に服用すべき場合……肝機能障害／腎機能障害／高齢者

(3)食事の影響……空腹時の服用は，副作用が現れる可能性が高くなるので食後に服用
します。

(4)光線過敏症……本剤の服用によって光線過敏症が現れることがあるので以下のこと

を守ってください。①外出時には長袖の衣服，帽子などの着用や日傘，日焼け止め効果の高いサンスクリーン（SPF50＋，PA＋＋＋）の使用により紫外線にあたることを避けるなど，光曝露に対する防護策を講じること。②発疹，かゆみなどの皮膚の異常が認められた場合には速やかに処方医に連絡すること。

(5)危険作業は中止……本剤を服用すると，眠け，めまい，ふらつきなどをおこすことがあるので，自動車の運転など危険を伴う機械の操作は行わないようにしてください。

(6)その他……

- 妊婦での安全性：原則として服用しない。
- 授乳婦での安全性：服用するときは授乳を中止。
- 小児での安全性：未確立。（1714頁を参照）

重大な副作用　①肝機能障害，黄疸。②無顆粒球症，白血球・好中球減少。

　そのほかにも報告された副作用はあるので，体調がいつもと違うと感じたときは，処方医・薬剤師に相談してください。

併用してはいけない薬　併用してはいけない薬は特にありません。ただし，併用する薬があるときは，念のため処方医・薬剤師に報告してください。

内 06 呼吸器の薬　06 その他の呼吸器の薬

02 特発性肺線維症治療薬（2）

製剤情報

一般名：ニンテダニブエタンスルホン酸塩

- 保険収載年月…2015年8月
- 海外評価…6点 英米独仏　●PC…D
- 規制…劇薬
- 剤形…カ カプセル剤
- 服用量と回数…1回150mgを1日2回服用。状態により1回100mgに減量。

■先発品　　商品名（メーカー）　規格・保険薬価

オフェブ（ベーリンガー）カ 100mg 1カプセル 3,982.40円
カ 150mg 1カプセル 5,966.40円

概要

分類　チロシンキナーゼ阻害薬（抗線維化剤）

処方目的　特発性肺線維症／全身性強皮症に伴う間質性肺疾患／進行性線維化を伴う間質性肺疾患

解説　本剤は分子標的治療薬の一つで，「特発性肺線維症」および「全身性強皮症に伴う間質性肺疾患」「進行性線維化を伴う間質性肺疾患」の発症機序に関与している血小板由来増殖因子受容体，線維芽細胞増殖因子受容体，血管内皮増殖因子受容体を標的とする低分子チロシンキナーゼ阻害薬です。これらの受容体のアデノシン5'-三リン酸（ATP）結合ポケットに競合的に結合してシグナルの伝達を阻害し，肺の線維化を抑制します。

🈟 **使用上の注意**

警告

　本剤の使用は，本剤についての十分な知識と適応疾患の治療に十分な知識・経験をもつ医師のもとで行わなければなりません。

基本的注意

(1)**服用してはいけない場合**……本剤の成分に対するアレルギーの前歴／妊婦または妊娠している可能性のある人

(2)**慎重に服用すべき場合**……肝機能障害／血栓塞栓症の前歴およびその素因のある人／出血性素因のある人／抗凝固薬治療を行っている人

(3)**肝機能障害**……本剤の服用によって肝機能障害が現れることがあるので，頻回に肝機能検査を行います。中等度・高度の肝機能障害(Child Pugh 分類 B・C)では，治療上やむを得ないと判断される場合を除き，服用を避けます。軽度の肝機能障害(Child Pugh 分類 A)では，状態に注意して慎重に服用します。

(4)**飲み忘れ**……本剤の服薬を忘れた場合は，次の服薬スケジュール(朝または夕方)から推奨用量で再開します。1 日最大用量 300mg を超えて服薬しないようにします。

(5)**避妊**……妊娠可能な女性は，本剤の服用中および服用終了の少なくとも 3 カ月後までは適切な避妊措置をとってください。

(6)**セイヨウオトギリソウ(セント・ジョーンズ・ワート)含有食品**……一緒に摂取すると本剤の血中濃度が低下し，作用が弱まる可能性があるので，本剤の服用中はセイヨウオトギリソウ含有食品を摂取しないでください。

(7)**その他**……

- 授乳婦での安全性：治療上の有益性・母乳栄養の有益性を考慮し，授乳の継続・中止を検討。
- 小児での安全性：未確立。(1714 頁を参照)

重大な副作用　　①重度の下痢。②肝機能障害。③血栓塞栓症(静脈血栓塞栓，動脈血栓塞栓)。④血小板減少。⑤消化管穿孔。⑥間質性肺炎。

　そのほかにも報告された副作用はあるので，体調がいつもと違うと感じたときは，処方医・薬剤師に相談してください。

併用してはいけない薬　　併用してはいけない薬は特にありません。ただし，併用する薬があるときは，念のため処方医・薬剤師に報告してください。

内 06 呼吸器の薬　06 その他の呼吸器の薬

03　リンパ脈管筋腫症治療薬

💊 **製剤情報**

一般名：シロリムス
- 保険収載年月…2014年11月

- 海外評価…6点 英 米 独 仏　●PC…C
- 規制…劇薬
- 剤形…錠 錠剤

● 服用量と回数…[リンパ脈管筋腫症]1日1回2
～4mg。[難治性リンパ管疾患]体表面積が1.0
m²以上の場合は2mg, 1.0m²未満の場合は1
mgを開始用量とし, 1日1回服用。最大4mg。

■先発品　　商品名(メーカー)　規格・保険薬価

ラパリムス (ノーベル) 錠 1mg 1錠 1,308.80 円

概　要

分類　mTOR 阻害薬

処方目的　リンパ脈管筋腫症／以下の難治性リンパ管疾患→リンパ管腫(リンパ管奇形), リンパ管腫症, ゴーハム病, リンパ管拡張症

解説　リンパ脈管筋腫症(LAM)は妊娠可能な女性に好発する病気で, 遺伝子異常をおこした平滑筋様細胞(LAM 細胞)が肺などで異常増殖し, 組織を破壊して肺にいくつもの小さな穴をつくり, 労作性呼吸困難, 気胸などの呼吸器症状をおこす病気です。LAM は, 細胞が増殖する際に働くタンパク質である mTOR(哺乳類ラパマイシン標的タンパク質)が恒常的に活性化された状態となって過剰な細胞増殖がおこります。本剤(別名：ラパマイシン)にはこの mTOR を阻害する作用があり, LAM 細胞の増殖・転移を抑制することにより病態の進行を抑えます。本剤はさらに, mTOR の異常活性を示す難治性リンパ管疾患にも効果のあることがわかり, 適応症として追加されました。

使用上の注意

警告

①本剤は, 本剤および適応疾患に十分な知識をもつ医師のもとで使用しなければなりません。

②本剤の服用により, 間質性肺疾患が認められており, 海外においては死亡に至った例が報告されています。服用前および服用中は定期的に胸部 CT 検査を受け, 服用中にせき, 呼吸困難, 発熱などの症状が現れたら直ちに処方医へ連絡してください。

③肝炎ウイルスキャリアの人では, 本剤の服用中に肝炎ウイルスの再活性化を生じ, 肝不全から死亡に至る可能性があります。本剤の服用中または服用終了後は定期的に肝機能検査を行うなど, 肝炎ウイルスの再活性化の徴候や症状の発現に注意しなければなりません。

基本的注意

(1)服用してはいけない場合……本剤の成分またはシロリムス誘導体に対するアレルギーの前歴／妊婦または妊娠している可能性のある人／生ワクチンの接種

(2)慎重に服用すべき場合……肺に間質性陰影を認める人／感染症を合併している人／肝炎ウイルス, 結核などの感染または前歴／中等度(Child-Pugh 分類 B)以上・軽度(同A)の肝機能障害

(3)服用法……高脂肪食の摂取後に本剤を服用した場合, 本剤の血中濃度が増加するとの報告があります。安定した血中濃度を維持できるよう, 服用の時期は食後または空腹時のいずれか一定にしてください。

(4)脂質異常……本剤を服用すると脂質異常が現れることがあります。服用中は定期的に脂質検査を受け, 脂質異常がみられた場合は, 医師の食事指導, 運動指導をきちんと

守ってください。必要により高脂血症用剤を服用する場合もあります。

(5)飲食物……グレープフルーツジュースは本剤の作用を強めるおそれ，セイヨウオトギリソウ（セント・ジョーンズ・ワート）含有食品は本剤の作用を弱めるおそれがあるので，本剤の服用中はこれらを摂取しないようにしてください。

(6)悪性腫瘍……本剤を服用すると悪性リンパ腫，悪性腫瘍（特に皮膚）を発現する可能性があります。

(7)避妊……本剤は，動物試験（ラット）で胚・胎児への毒性が認められています。妊娠する可能性のある人が服用する場合は，服用期間中および服用終了から最低12週間は適切な方法で避妊してください。

(8)その他……

● 授乳婦での安全性：治療上の有益性・母乳栄養の有益性を考慮し，授乳の継続・中止を検討。

● 18歳未満での安全性：未確立。（1714頁を参照）

重大な副作用　①間質性肺疾患（肺臓炎，薬剤性肺障害，器質性肺炎を伴う閉塞性細気管支炎，肺線維症など）。②細菌，真菌，ウイルスによる重い感染症（肺炎，敗血症，尿路感染，腎盂腎炎，結核を含むマイコバクテリア感染，EB〈エプスタイン・バール〉ウイルス感染，CMV〈サイトメガロウイルス〉感染，単純ヘルペス，帯状疱疹など）。③消化管障害（口内炎，下痢，悪心，嘔吐など）。④過敏症反応（アナフィラキシー，血管浮腫，過敏性血管炎など）。⑤進行性多巣性白質脳症（PML：意識障害，麻痺症状〈片麻痺，四肢麻痺〉，言語障害など）。⑥BKウイルス腎症。⑦体液貯留（心のう液貯留，末梢性浮腫，胸水，腹水など）。⑧脂質異常症（高コレステロール血症，高トリグリセリド血症，脂質異常，高脂血症，血中コレステロール増加など）。⑨創傷治癒不良。⑩腎障害（ネフローゼ症候群，巣状分節性糸球体硬化症，タンパク尿，血中クレアチニン増加など）。⑪皮膚障害（ざ瘡，ざ瘡様皮膚炎，発疹，剝脱性発疹，かゆみなど）。

　そのほかにも報告された副作用はあるので，体調がいつもと違うと感じたときは，処方医・薬剤師に相談してください。

併用してはいけない薬　生ワクチン（乾燥弱毒生麻疹ワクチン，乾燥弱毒生風疹ワクチン，経口生ポリオワクチン，乾燥BCGなど）→免疫抑制下で生ワクチンを接種すると発症するおそれがあります。

内服 07 胃腸の薬

薬剤番号 07-01-01 ～ 07-05-12

■食道，胃，十二指腸，小腸，大腸，直腸などの消化器系に作用する薬について説明します

◆胃・十二指腸潰瘍，逆流性食道炎，胃炎などに用いる，いわゆる「胃薬」

◆便秘，下痢などに用いる「お通じの薬」や整腸薬

◆吐きけ，食欲不振時に用いる消化管の活動をよくする薬

◆難病に指定されている潰瘍性大腸炎の薬，クローン病の薬

◆過敏性腸症候群に用いる薬

■副作用・相互作用に注意すべき薬

■ヒスタミン H₂ 受容体拮抗薬

胃潰瘍や十二指腸潰瘍の治療に新しい時代をつくった H₂ ブロッカーのうち，日本でよく処方されるのは，シメチジン，ラニチジン，ファモチジンです。

これらの薬剤の副作用のうちで一番注意しなければいけないのは，初期症状として全身倦怠，脱力，皮下・粘膜下出血，発熱などを伴って発生する再生不良性貧血，無顆粒球症，血小板減少などの血液障害です。それに，比較的長期間にわたって服用することになりますので，肝機能検査を定期的に受ける必要があります。特殊な副作用として，男性における女性様乳房や脱毛が報告されています。

胃酸は夜間に多く分泌されますので，1 日 1 回の服用の場合は寝る前にのむようにします。

■ピロリ菌の除菌

胃潰瘍や胃がんの原因にもなるといわれるピロリ菌は，日本人の半数（50 代以上に限れば 70％）が保菌者ですが，そのすべての人が胃潰瘍・胃がんになるわけではありません（感染者のうち数％ともいわれています）。また，胃潰瘍・十二指腸潰瘍や胃炎などの適応の病変がなければ，保菌者だからといって必ずしも保険の対象となるわけではありません。しかし，ピロリ菌に関する専門学会である日本ヘリコバクター学会のガイドラインでは，保菌者はすべて除菌することを強く勧めています。

除菌は 2 種類の抗生物質と胃酸を抑える PPI（プロトンポンプ阻害薬）を 7 日間服

用することになりますが，PPIへの注意とともに，使われる抗生物質であるクラリスロマイシン＋アモキシシリン（この組合せで除菌できなかった場合やクラリスロマイシンが使用できない場合はメトロニダゾール＋アモキシシリン）の副作用・相互作用に注意が必要です。

比較的多く現れる副作用としては，腸内細菌のバランスが崩れることによる下痢・軟便や味覚異常があります。出血を伴う下痢の場合は，すぐに処方医または薬剤師に連絡します。我慢できる程度であれば，7日間朝夕きっちりと服用しなければなりません。服薬忘れは除菌の失敗につながります。

■ その他

メトクロプラミドでのシンドロームマリン（悪性症候群）や遅発性ジスキネジア，ドンペリドンによる錐体外路症状にも注意が必要です。

◉ 薬剤師の眼

日本独自の薬が多い分野

アメリカの製薬会社の一つメルク社が出版している書籍に，『メルク・インデックス』という薬の辞書があります。学生時代に薬学部の講義で，その本の読み方を習いました。アメリカを旅行していたときに，ニューオーリンズ郊外のショッピングモールにある本屋さんで，同じメルク社が発行している医学書である『メルク・マニュアル　16版』を見つけて，さっそく買ってきました。たしか35ドルくらいだったと記憶しています。米国の市民は5,000円以下で，こんなすばらしい本を手に入れられるのだと感心しました。

その後発売された第17版（初版発売100周年記念の銘が刻印されています）で，消化性潰瘍治療薬の項をみてみます。薬物治療に使われる薬としてあげられているのは，ヘリコバクター・ピロリの除菌に用いられる薬剤を考慮しないと，H_2ブロッカー，プロトンポンプ阻害薬（PPI），制酸剤，ミソプロストール，スクラルファート水和物のみが記載されています。日本で繁用されているテプレノン，レバミピド，セトラキサート塩酸塩，ソファルコン，トロキシピド，ベネキサート塩酸塩ベータデクス，イルソグラジンマレイン酸塩，ポラプレジンクなどの名前はでてきません。

『薬事ハンドブック2022年版』（じほう発行）に掲載されている2021年度の消化器用薬剤の売り上げ推定額（先発品）によると，PPIは5品目で約2,218億円となっているのは薬の実力から考えて妥当なところです。

しかし，レバミピドが38億円，テプレノンが18億円も売り上げているのに，スクラルファート水和物はランキング資料にも載っていません。外国では薬として許可されそうにないレバミピドやテプレノンのおそらく10分の1しか使われていないことに疑問を感じます。自分で使ってみて，「たしかにスクラルファート水和物はいい薬だなあ」と思っているだけに納得がいきません。

内 07 胃腸の薬　01 胃炎・消化性潰瘍の薬

01　メチルメチオニンスルホニウムクロリド

💊 製 剤 情 報

一般名：メチルメチオニンスルホニウムクロリド

- 保険収載年月…1960年6月
- 海外評価…0点 英 米 独 仏
- 剤形…錠 錠剤
- 服用量と回数…1回25～75mgを1日3回。

■先発品　　商品名(メーカー)　規格・保険薬価

キャベジン U コーワ (興和) 錠 25mg 1錠 5.70 円

一般名：メチルメチオニンスルホニウムクロリド配合剤

- 保険収載年月…1960年6月
- 海外評価…0点 英 米 独 仏
- 剤形…散 散剤
- 服用量と回数…1回1～1.5gを1日3回。

■先発品　　商品名(メーカー)　規格・保険薬価

キャベジン U コーワ配合散 (興和)
散 1g 6.10 円

📋 概　　要

分類　消化性潰瘍治療薬

処方目的　胃潰瘍，十二指腸潰瘍，胃炎／[メチルメチオニンスルホニウムクロリド単剤のみの適応症]慢性肝疾患における肝機能の改善

解説　生キャベツの青汁中から抽出された成分で，日本では古くから使われていますが，イギリス，アメリカ，ドイツなどでは使われていません。ビタミンUと呼ぶこともありますが，国際的に認められた呼称ではありません。

✍ 使用上の注意

＊メチルメチオニンスルホニウムクロリド配合剤(キャベジン U コーワ配合散)の添付文書による

基本的注意

(1)服用してはいけない場合……甲状腺機能低下症，副甲状腺機能亢進症／透析療法を受けている人／テトラサイクリン系抗生物質(テトラサイクリン塩酸塩，デメチルクロルテトラサイクリン塩酸塩，ドキシサイクリン塩酸塩水和物，ミノサイクリン塩酸塩)の服用中

(2)慎重に服用すべき場合……腎機能障害(透析療法を受けている人を除く)／心機能障害／肺機能障害／高マグネシウム血症／高カルシウム血症／リン酸塩が低下している人

(3)定期検査……高カルシウム血症，高マグネシウム血症，長期服用によってアルミニウム脳症やアルミニウム骨症をおこすことがあります。定期的に血中のマグネシウム，アルミニウム，リン，カルシウム，AL-P などを測定することが必要です。

(4)ミルク-アルカリ症候群……服用中に牛乳や乳製品，カルシウム製剤をとると，ミルク-アルカリ症候群(高カルシウム血症，高窒素血症，アルカローシスなど)が現れることがあります。

(5) その他……
- ●妊婦での安全性：有益と判断されたときのみ服用。
- ●授乳婦での安全性：治療上の有益性・母乳栄養の有益性を考慮し，授乳の継続・中止を検討。
- ●小児での安全性：未確立。(1714 頁を参照)

重大な副作用　　重大な副作用はありませんが，そのほかの副作用はあるので，体調がいつもと違うと感じたときは，処方医・薬剤師に相談してください。

併用してはいけない薬　　テトラサイクリン系抗生物質(テトラサイクリン塩酸塩，デメチルクロルテトラサイクリン塩酸塩，ドキシサイクリン塩酸塩水和物，ミノサイクリン塩酸塩)→これらの薬剤の効果を弱めることがあります。

内 07 胃腸の薬　01 胃炎・消化性潰瘍の薬

02 テルペン系抗潰瘍薬

製剤情報

一般名：テプレノン
- ●保険収載年月…1984年11月
- ●海外評価…0点 英 米 独 仏
- ●剤形…カ カプセル剤，細 細粒剤
- ●服用量と回数…1日150mg(細粒剤は1.5g)を3回に分けて服用。

■**先発品**　商品名(メーカー)　規格・保険薬価
セルベックス (エーザイ＝EA ファーマ)
細 10% 1g 12.70 円　　カ 50mg 1ｶﾌﾟ 9.60 円

■**ジェネリック**　商品名(メーカー)　規格・保険薬価
テプレノン 写真 (沢井) 細 10% 1g 10.30 円
カ 50mg 1ｶﾌﾟ 6.30 円

テプレノン (鶴原) 細 10% 1g 10.30 円
カ 50mg 1ｶﾌﾟ 6.30 円

テプレノン (東和) 細 10% 1g 10.30 円
カ 50mg 1ｶﾌﾟ 6.30 円

テプレノン (日医工) 細 10% 1g 10.30 円
カ 50mg 1ｶﾌﾟ 6.30 円

テプレノン (日医工ファーマ＝日医工)
細 10% 1g 10.30 円　　カ 50mg 1ｶﾌﾟ 6.30 円

テプレノン (陽進堂＝日本ジェネリック＝共創未来) 細 10% 1g 10.30 円

テプレノン (陽進堂＝日本ジェネリック＝ニプロ＝共創未来) カ 50mg 1ｶﾌﾟ 6.30 円

概要

分類　消化性潰瘍治療薬

処方目的　胃潰瘍／急性胃炎・慢性胃炎の急性増悪期の胃粘膜病変(びらん，出血，発赤，むくみ)の改善

解説　抗潰瘍薬は，胃酸の分泌を止めたり，中和したりする攻撃因子を弱めるものと，胃壁を強化したり，胃壁に膜をはったりして潰瘍になるのを防ぐ防御因子を強めるものの二つに分類されます。本剤は，胃粘液(糖タンパク質)合成・分泌を正常化し，粘膜の血流量を改善することにより，攻撃因子から胃粘膜を防御します。

内
07
─
01
─
03

アミノ酸系抗潰瘍薬

🗒 使用上の注意

*テプレノン（セルベックス）の添付文書による

基本的注意

- 妊婦での安全性：未確立。有益と判断されたときのみ服用。
- 授乳婦での安全性：治療上の有益性・母乳栄養の有益性を考慮し，授乳の継続・中止を検討。
- 小児での安全性：未確立。（1714 頁を参照）

重大な副作用　　　　①肝機能障害，黄疸。

そのほかにも報告された副作用はあるので，体調がいつもと違うと感じたときは，処方医・薬剤師に相談してください。

併用してはいけない薬　　　　併用してはいけない薬は特にありません。ただし，併用する薬があるときは，念のため処方医・薬剤師に報告してください。

内 07 胃腸の薬　01 胃炎・消化性潰瘍の薬

03　アミノ酸系抗潰瘍薬

💊 製剤情報

一般名：L-グルタミン

- 保険収載年月…1965年10月
- 海外評価…0点 英 米 独 仏
- 剤形… 顆 顆粒剤
- 服用量と回数…1日1～2gを3～4回に分けて服用。

■ジェネリック　　商品名(メーカー)　規格・保険薬価

L-グルタミン (ニプロ) 顆 99% 1g 6.50 円

一般名：L-グルタミン配合剤

- 保険収載年月…1969年1月
- 海外評価…0点 英 米 独 仏
- 剤形… 錠 錠剤, 顆 顆粒剤
- 服用量と回数…[顆粒剤・細粒剤]1日1.5～2gを3～4回に分けて服用。[錠剤]1.0ES錠は1日

3錠，0.5ES錠は1日6錠を3回に分けて服用。0.375ES錠は1日6～8錠を3～4回に分けて服用。

■先発品　　商品名(メーカー)　規格・保険薬価

マーズレン S 配合顆粒 写真 (寿＝EA ファーマ) 顆 1g 12.10 円

マーズレン配合錠 0.375ES (寿＝EA ファーマ) 錠 1錠 6.80 円

マーズレン配合錠 0.5ES (寿＝EA ファーマ) 錠 1錠 8.70 円

マーズレン配合錠 1.0ES 写真 (寿＝EA ファーマ) 錠 1錠 13.60 円

■ジェネリック　　商品名(メーカー)　規格・保険薬価

アズレンスルホン酸ナトリウム・L-グルタミン配合顆粒 (皇漢堂) 顆 1g 6.50 円

マナミン GA 配合顆粒 (鶴原) 顆 1g 6.50 円

📋 概　要

分類　　消化性潰瘍治療薬

処方目的　　胃潰瘍，十二指腸潰瘍／[L-グルタミン配合剤のみの適応症]胃炎

解説　　テルペン系抗潰瘍薬と同様に，潰瘍の防御因子（胃壁を強化する，胃壁に膜を

はる)を強めるグルタミン酸が効果の主体です。

使用上の注意

*L-グルタミン配合剤(マーズレンS配合顆粒)の添付文書による

基本的注意

● 妊婦での安全性：未確立。有益と判断されたときのみ服用。

● 小児での安全性：未確立。(1714頁を参照)

重大な副作用 重大な副作用はありませんが，そのほかの副作用はあるので，体調がいつもと違うと感じたときは，処方医・薬剤師に相談してください。

併用してはいけない薬 併用してはいけない薬は特にありません。ただし，併用する薬があるときは，念のため処方医・薬剤師に報告してください。

内 07 胃腸の薬　01 胃炎・消化性潰瘍の薬

04　アルジオキサ

製剤情報

一般名：アルジオキサ

● 保険収載年月…1972年2月

● 海外評価…0点 英 米 独 仏

● 剤形… 錠 錠剤，顆 顆粒剤

● 服用量と回数…1日300〜400mgを3〜4回に分けて服用。

■ジェネリック　商品名(メーカー)　規格・保険薬価

アルジオキサ (あすか＝武田) 顆 25% 1g 7.50円	
顆 50% 1g 12.20円　錠 100mg 1錠 5.70円	
アルジオキサ (鶴原) 顆 25% 1g 7.50円	
顆 50% 1g 6.30円　錠 100mg 1錠 5.70円	
アルジオキサ (東和) 顆 10% 1g 5.70円	
錠 100mg 1錠 5.70円	
アルジオキサ (日医工) 顆 20% 1g 6.30円	

概　要

分類　消化性潰瘍治療薬(防御因子増強型)

処方目的　以下の疾患における自覚症状および他覚所見の改善→胃潰瘍，十二指腸潰瘍，胃炎

解説　古くからヨーロッパでは，ムラサキ科のヒレハリ草の地下茎が傷や潰瘍の治療に用いられてきましたが，その後，有効成分がアラントインであることがわかりました。アルジオキサはその誘導体(二水酸化アルミニウム塩)で，消化管の組織を修復する・粘膜をおおう・胃酸の分泌を抑えるなどの防御因子を増強する薬剤です。

　しかし，アメリカではアラントイン，アルジオキサはいずれも使われていません。イギリスではアラントインが外用薬として使われているのみで，アルジオキサの製剤はありません。

使用上の注意

基本的注意

(1)服用してはいけない場合……透析療法を受けている人

(2)**慎重に服用すべき場合**……腎機能障害
(3)**定期検査**……腎機能障害のある人が長期服用すると，アルミニウム脳症，アルミニウム骨症がおこることがあるので，定期的に血中アルミニウム，リン，カルシウム，AL-P などを測定する必要があります。
(4)**その他**……
● 妊婦での安全性：有益と判断されたときのみ服用。
● 授乳婦での安全性：治療上の有益性・母乳栄養の有益性を考慮し，授乳の継続・中止を検討。(1714頁を参照)

重大な副作用 　　　　　重大な副作用はありませんが，そのほかの副作用はあるので，体調がいつもと違うと感じたときは，処方医・薬剤師に相談してください。

併用してはいけない薬 　　　併用してはいけない薬は特にありません。ただし，併用する薬があるときは，念のため処方医・薬剤師に報告してください。

内 **07 胃腸の薬　01 胃炎・消化性潰瘍の薬**

05 セトラキサート塩酸塩

💊 **製 剤 情 報**

一般名：セトラキサート塩酸塩
● 保険収載年月…1979年4月
● 海外評価…0点 英 米 独 仏
● 剤形…力 カプセル剤，細 細粒剤

● 服用量と回数…1回200mg(細粒剤は0.5g)を1日3〜4回。

■ **先発品　　商品名(メーカー)　　規格・保険薬価**
ノイエル(アルフレッサ) 細 40% 1g 18.10円
力 200mg 1カプセル 10.00円

📋 **概　　要**

分類 消化性潰瘍治療薬
処方目的 胃潰瘍／急性胃炎・慢性胃炎の急性増悪期の胃粘膜病変(びらん，出血，発赤，むくみ)の改善
解説 セトラキサートは，胃の粘膜の血液循環を改善することにより，胃炎や胃潰瘍などが治るのを早めるとされています。

📋 **使用上の注意**

基本的注意
(1)**慎重に服用すべき場合**……血栓のある人(脳血栓，心筋梗塞，血栓性静脈炎など)／消費性凝固障害
(2)**その他**……
● 妊婦での安全性：未確立。有益と判断されたときのみ服用。(1714頁を参照)

重大な副作用 　　　　　重大な副作用はありませんが，そのほかの副作用はあるので，体調がいつもと違うと感じたときは，処方医・薬剤師に相談してください。

併用してはいけない薬 　　　併用してはいけない薬は特にありません。ただし，併用す

る薬があるときは，念のため処方医・薬剤師に報告してください。

内 07 胃腸の薬　01 胃炎・消化性潰瘍の薬

06　ソファルコン

✐ 製 剤 情 報

一般名：ソファルコン

- 保険収載年月…1984年3月
- 海外評価…0点 英米独仏
- 剤形… 錠錠剤, カカプセル剤, 細細粒剤
- 服用量と回数…1回100mg（細粒剤は1g）を1日3回。

■先発品　　商品名(メーカー)　規格・保険薬価

| ソロン（大正製薬）細 20% 1g 19.10 円 |
| 錠 50mg 1錠 5.90 円　カ 100mg 1カプセル 9.10 円 |

■ジェネリック　　商品名(メーカー)　規格・保険薬価

| ソファルコン（沢井）細 10% 1g 8.00 円 |
| 細 20% 1g 11.60 円 |
| ソファルコン（武田テバ薬品＝武田テバファーマ＝武田）細 20% 1g 11.60 円 |
| ソファルコン（辰巳）カ 100mg 1カプセル 7.90 円 |
| ソファルコン（辰巳＝日医工）錠 50mg 1錠 5.70 円 |
| ソファルコン（長生堂＝日本ジェネリック）細 20% 1g 11.60 円 |
| ソファルコン（陽進堂）細 10% 1g 8.00 円 |
| 細 20% 1g 11.00 円 |

📄 概　　要

分類　　消化性潰瘍治療薬

処方目的　　胃潰瘍／急性胃炎・慢性胃炎の急性増悪期の胃粘膜病変（びらん，出血，発赤，むくみ）の改善

解説　　空豆の根の成分に胃壁を守る作用があることがわかり，それに近いもののなかから製剤化されました。十二指腸潰瘍には十分な効果が認められません。

⚗ 使用上の注意

＊ソファルコン（ソロン）の添付文書による

基本的注意

- 妊婦での安全性：未確立。有益と判断されたときのみ服用。
- 授乳婦での安全性：服用するときは授乳を中止。
- 小児での安全性：未確立。(1714 頁を参照)

重大な副作用　　　　①肝機能障害，黄疸。

　そのほかにも報告された副作用はあるので，体調がいつもと違うと感じたときは，処方医・薬剤師に相談してください。

併用してはいけない薬　　　　併用してはいけない薬は特にありません。ただし，併用する薬があるときは，念のため処方医・薬剤師に報告してください。

内 07 胃腸の薬　01 胃炎・消化性潰瘍の薬

07　ベンズアミド系胃潰瘍治療薬

💊 製 剤 情 報

一般名：トロキシピド

- 保険収載年月…1986年6月
- 海外評価…0点 英 米 独 仏
- 剤形… 錠 錠剤，細 細粒剤
- 服用量と回数…1回100mg(細粒剤は0.5g)を1日3回。

■**先発品**　　商品名(メーカー)　規格・保険薬価

アプレース 写真 (杏林) 細 20% 1g 17.80 円
錠 100mg 1錠 10.10 円

■**ジェネリック**　　商品名(メーカー)　規格・保険薬価

トロキシピド (大原＝アルフレッサ)
細 20% 1g 10.70 円

トロキシピド (大原＝ファイザー＝アルフレッサ＝ニプロ) 錠 100mg 1錠 6.20 円

一般名：レバミピド

- 保険収載年月…1990年11月
- 海外評価…0点 英 米 独 仏
- 剤形… 錠 錠剤，顆 顆粒剤
- 服用量と回数…1回100mg(顆粒剤は0.5g)を1日3回。

■**先発品**　　商品名(メーカー)　規格・保険薬価

ムコスタ 写真 (大塚) 顆 20% 1g 18.90 円
錠 100mg 1錠 10.10 円

レバミピド (あすか＝武田) 錠 100mg 1錠 10.10 円

レバミピド (Me ファルマ) 錠 100mg 1錠 10.10 円

レバミピド 写真 (大塚工場＝大塚)
錠 100mg 1錠 10.10 円

レバミピド 写真 (大原＝エルメッド＝日医工)
錠 100mg 1錠 10.10 円

レバミピド (共和) 錠 100mg 1錠 10.10 円

レバミピド (キョーリン＝杏林)
錠 100mg 1錠 10.10 円

レバミピド (ケミファ) 錠 100mg 1錠 10.10 円

レバミピド (皇漢堂) 錠 100mg 1錠 10.10 円

レバミピド 写真 (沢井) 錠 100mg 1錠 10.10 円

レバミピド (全星＝三和) 錠 100mg 1錠 10.10 円

レバミピド (第一三共エスファ)
錠 100mg 1錠 10.10 円

レバミピド (大興＝アルフレッサ)
錠 100mg 1錠 10.10 円

レバミピド (高田) 錠 100mg 1錠 10.10 円

レバミピド (武田テバ薬品＝武田テバファーマ＝武田) 錠 100mg 1錠 10.10 円

レバミピド (辰巳＝フェルゼン)
錠 100mg 1錠 10.10 円

レバミピド (鶴原) 錠 100mg 1錠 10.10 円

レバミピド 写真 (東和) 錠 100mg 1錠 10.10 円

レバミピド (日医工) 錠 100mg 1錠 10.10 円

レバミピド (日薬工) 錠 100mg 1錠 10.10 円

レバミピド (日新＝科研) 錠 100mg 1錠 10.10 円

レバミピド (ニプロ) 錠 100mg 1錠 10.10 円

レバミピド (ニプロ ES) 錠 100mg 1錠 10.10 円

レバミピド (日本ジェネリック)
錠 100mg 1錠 10.10 円

レバミピド (ファイザー) 錠 100mg 1錠 10.10 円

レバミピド (メディサ＝旭化成)
錠 100mg 1錠 10.10 円

レバミピド (陽進堂＝第一三共エスファ)
錠 100mg 1錠 10.10 円

レバミピド OD (日新) 錠 100mg 1錠 10.10 円

レバミピド OD (陽進堂) 錠 100mg 1錠 10.10 円

■**ジェネリック**　　商品名(メーカー)　規格・保険薬価

レバミピド (高田) 顆 20% 1g 16.50 円

| レバミピド (日医工) 顆 20% 1g 15.70 円 |

概　要
分類　消化性潰瘍治療薬（防御因子増強型）
処方目的　胃潰瘍／急性胃炎・慢性胃炎の急性増悪期の胃粘膜病変（びらん，出血，発赤，むくみ）の改善
解説　胃粘膜における血液の流れを増し，胃潰瘍部分の粘膜の修復が主な作用と考えられています。なお，レバミピドはベンズアミド系とは構造的に異なりますが，作用や諸注意はほぼ同じなので，ここで解説します。

使用上の注意
＊レバミピド（ムコスタ）の添付文書による

基本的注意
(1)服用してはいけない場合……本剤の成分に対するアレルギーの前歴
(2)その他……
●妊婦での安全性：有益と判断されたときのみ服用。
●授乳婦での安全性：治療上の有益性・母乳栄養の有益性を考慮し，授乳の継続・中止を検討。
●小児での安全性：未確立。(1714 頁を参照)

重大な副作用　①ショック，アナフィラキシー様症状。②白血球減少，血小板減少。③肝機能障害，黄疸。
　そのほかにも報告された副作用はあるので，体調がいつもと違うと感じたときは，処方医・薬剤師に相談してください。

併用してはいけない薬　併用してはいけない薬は特にありません。ただし，併用する薬があるときは，念のため処方医・薬剤師に報告してください。

内 07 胃腸の薬　01 胃炎・消化性潰瘍の薬
08 ベネキサート塩酸塩ベータデクス

製剤情報
一般名：ベネキサート塩酸塩ベータデクス
●保険収載年月…1987年11月
●海外評価…0点 英 米 独 仏
●剤形…カ カプセル剤

●服用量と回数…1回400mg（2カプセル）を1日2回。

■**先発品**　商品名（メーカー）　規格・保険薬価
ウルグート (共和) カ 200mg 1カプセル 13.70 円

概　要
分類　消化性潰瘍治療薬（防御因子増強型）
処方目的　胃潰瘍／急性胃炎・慢性胃炎の急性増悪期の胃粘膜病変（びらん，出血，発

赤，むくみ）の改善

解説　防御因子増強型の抗潰瘍薬です。

🖉 使用上の注意

基本的注意

(1)服用してはいけない場合……妊婦または妊娠している可能性のある人

(2)慎重に服用すべき場合……血栓のある人（脳血栓，心筋梗塞，血栓性静脈炎など）／消費性凝固障害

(3)その他……

● 小児での安全性：未確立。（1714 頁を参照）

重大な副作用　　　　　　　重大な副作用はありませんが，そのほかの副作用はあるので，体調がいつもと違うと感じたときは，処方医・薬剤師に相談してください。

併用してはいけない薬　　　併用してはいけない薬は特にありません。ただし，併用する薬があるときは，念のため処方医・薬剤師に報告してください。

内 07 胃腸の薬　01 胃炎・消化性潰瘍の薬

09 プロスタグランジン製剤

Ⓛ 製剤情報

一般名：ミソプロストール

● 保険収載年月…1993年3月

● 海外評価…6点 英 米 独 仏　　● PC…X

● 規制…劇薬

● 剤形…錠錠剤

● 服用量と回数…1回200μgを1日4回。

■ 先発品　　商品名（メーカー）　規格・保険薬価

サイトテック（ファイザー） 錠100μg 1錠 15.50 円
錠200μg 1錠 26.40 円

▤ 概　要

分類　消化性潰瘍治療薬

処方目的　非ステロイド系解熱鎮痛薬の長期服用時にみられる胃潰瘍・十二指腸潰瘍

解説　生理活性物質のプロスタグランジンは，胃において胃生理機構の調節に関与し，その恒常性維持に重要な働きをしているといわれています。

　本剤は，胃粘膜の血流・粘液分泌の増加作用や，細胞保護作用とともに胃酸分泌を抑制することにより，胃潰瘍に効果を発揮するといわれるプロスタグランジン系の治療薬です。

🖉 使用上の注意

基本的注意

(1)服用してはいけない場合……本剤に対するアレルギーの前歴／妊婦または妊娠している可能性のある人

(2)特に慎重に服用すべき場合（治療上やむを得ないと判断される場合を除き服用を避けること）……妊娠する可能性のある人

(3)慎重に服用すべき場合……脳血管障害や冠動脈疾患など血圧低下によって重い合併

症をおこすおそれのある人／肝機能障害／高齢者

(4)服用の原則……本剤は原則として，非ステロイド系解熱鎮痛薬(NSAID)を3カ月以上長期服用する必要がある関節炎の人などの胃潰瘍・十二指腸潰瘍の治療にのみ処方されます。その一方で，高齢者などではNSAIDによる消化性潰瘍の合併症(穿孔，出血など)がおこる危険性が高いので，十分に注意して服用する必要があります。

(5)持続する下痢……本剤の服用時にみられる下痢は，ふつう軽度で一過性ですが，症状が持続するなら早めに処方医へ連絡してください。

(6)避妊……本剤には子宮収縮作用があり，流産をおこしたとの報告があるため，妊娠する可能性のある人は原則禁忌です。治療上，やむを得ず服用するときは避妊をしてください。また，服用中に妊娠が確認された場合または疑われた場合は，すぐに処方医へ連絡してください。服用が中止になります。

(7)その他……

● 授乳婦での安全性：治療上の有益性・母乳栄養の有益性を考慮し，授乳の継続・中止を検討。

● 小児での安全性：未確立。(1714頁を参照)

| 重大な副作用 | ①ショック，アナフィラキシー(呼吸困難，ふるえなど)。

　そのほかにも報告された副作用はあるので，体調がいつもと違うと感じたときは，処方医・薬剤師に相談してください。

| 併用してはいけない薬 | 併用してはいけない薬は特にありません。ただし，併用する薬があるときは，念のため処方医・薬剤師に報告してください。

内 **07 胃腸の薬　01 胃炎・消化性潰瘍の薬**

10 金属錯化合物

製剤情報

一般名：ポラプレジンク

● 保険収載年月…1994年8月

● 海外評価…0点 英 米 独 仏

● 剤形…錠 錠剤，顆 顆粒剤

● 服用量と回数…1回75mg(顆粒剤は0.5g)を1日2回。

■先発品　商品名(メーカー)　規格・保険薬価

| プロマック (ゼリア) 顆 15% 1g 42.40円 |
| プロマックD 写真 (ゼリア) 錠 75mg 1錠 21.90円 |

■ジェネリック　商品名(メーカー)　規格・保険薬価

| ポラプレジンク (大興=日医工=武田) 顆 15% 1g 33.50円 |
| ポラプレジンク (長生堂=日本ジェネリック) 顆 15% 1g 33.50円 |
| ポラプレジンク (日新) 顆 15% 1g 33.50円 |
| ポラプレジンク (マイラン=ファイザー) 顆 15% 1g 33.50円 |
| ポラプレジンク (陽進堂) 顆 15% 1g 33.50円 |
| ポラプレジンク OD (沢井) 錠 75mg 1錠 11.20円 |
| ポラプレジンク OD (長生堂=日本ジェネリック) 錠 75mg 1錠 11.20円 |

概　要

分類　消化性潰瘍治療薬（防御因子増強型）

処方目的　胃潰瘍

解説　ポラプレジンクは，L-カルノシンという物質に亜鉛が含まれている化合物です。防御因子増強型の薬剤で，胃粘膜の損傷部位に特異的に付着・浸透し，胃潰瘍の治癒を促進するとされています。1日2回の服用です。保険適応外ですが，味覚障害にも用いられます。D錠，OD錠は口腔内崩壊錠で，舌の上にのせて唾液で浸せば舌でつぶせますが，口腔粘膜からは吸収されないので，唾液または水でのみ込みます。ただし，寝たままの状態では，水なしで服用しないでください。

使用上の注意

＊ポラプレジンク（プロマック，D）の添付文書による

基本的注意

● 妊婦での安全性：未確立。有益と判断されたときのみ服用。
● 授乳婦での安全性：服用するときは授乳を中止。
● 小児での安全性：未確立。（1714頁を参照）

重大な副作用　①肝機能障害，黄疸。②銅欠乏症（汎血球減少，貧血）。

そのほかにも報告された副作用はあるので，体調がいつもと違うと感じたときは，処方医・薬剤師に相談してください。

併用してはいけない薬　併用してはいけない薬は特にありません。ただし，併用する薬があるときは，念のため処方医・薬剤師に報告してください。

内07 胃腸の薬　01 胃炎・消化性潰瘍の薬

11　イルソグラジンマレイン酸塩ほか

製剤情報

一般名：イルソグラジンマレイン酸塩

● 保険収載年月…1988年12月
● 海外評価…0点 英 米 独 仏
● 剤形…錠 錠剤，細 細粒剤
● 服用量と回数…1日4mg（細粒剤は0.5g）を1〜2回に分けて服用。

■先発品　　商品名（メーカー）　規格・保険薬価

ガスロンN（日本新薬）細 0.8% 1g 31.30円
錠 2mg 1錠 16.90円　錠 4mg 1錠 18.30円

ガスロンN・OD 写真（日本新薬）
錠 2mg 1錠 16.90円　錠 4mg 1錠 18.30円

■ジェネリック　　商品名（メーカー）　規格・保険薬価

イルソグラジンマレイン酸塩 写真（沢井）
錠 2mg 1錠 9.90円　錠 4mg 1錠 10.10円

イルソグラジンマレイン酸塩（武田テバファーマ＝武田）錠 2mg 1錠 9.90円　錠 4mg 1錠 10.10円

イルソグラジンマレイン酸塩（日医工）
細 0.8% 1g 14.90円　錠 2mg 1錠 9.90円
錠 4mg 1錠 10.10円

一般名：エカベトナトリウム水和物

● 保険収載年月…1993年11月
● 海外評価…0点 英 米 独 仏
● 剤形…顆 顆粒剤

● 服用量と回数…1回1.5gを1日2回。

■ **先発品**　商品名(メーカー)　規格・保険薬価

　ガストローム 写真 (田辺三菱) 顆 66.7% 1g 14.50円

■ **ジェネリック**　商品名(メーカー)　規格・保険薬価

　エカベト Na (沢井) 顆 66.7% 1g 9.70円

　エカベト Na (日新) 顆 66.7% 1g 9.70円

　エカベト Na (陽進堂＝日本ジェネリック)
　　　　　　　顆 66.7% 1g 9.70円

概　要

分類　消化性潰瘍治療薬(防御因子増強型)

処方目的　胃潰瘍／急性胃炎・慢性胃炎の急性増悪期の胃粘膜病変(びらん, 出血, 発赤, むくみ)の改善

解説　胃粘膜上皮の細胞間接合を強化し, 粘膜細胞そのものを安定強化する細胞防御作用のほか, 胃粘膜の血流増加作用も有するタイプの防御機構増強薬です。
　エカベトナトリウムも, 作用や諸注意はほぼ同じ製剤です。

使用上の注意

*イルソグラジンマレイン酸塩(ガスロン N), エカベトナトリウム水和物(ガストローム)の添付文書による

基本的注意

(1)慎重に服用すべき場合……[イルソグラジンマレイン酸塩]高齢者

(2)その他……

● 妊婦での安全性：[イルソグラジンマレイン酸塩]有益と判断されたときのみ服用。

● 授乳婦での安全性：[イルソグラジンマレイン酸塩]治療上の有益性・母乳栄養の有益性を考慮し, 授乳の継続・中止を検討。

● 小児での安全性：未確立。(1714 頁を参照)

重大な副作用　重大な副作用はありませんが, そのほかの副作用はあるので, 体調がいつもと違うと感じたときは, 処方医・薬剤師に相談してください。

併用してはいけない薬　併用してはいけない薬は特にありません。ただし, 併用する薬があるときは, 念のため処方医・薬剤師に報告してください。

内 07 胃腸の薬　01 胃炎・消化性潰瘍の薬

12 アズレンスルフォン酸ナトリウム水和物

製剤情報

一般名：アズレンスルフォン酸ナトリウム水和物

● 保険収載年月…1961年12月

● 海外評価…0点 英 米 独 仏

● 剤形…錠 錠剤, 顆 顆粒剤

● 服用量と回数…1回2mgを1日3回。1回量を約100mLの水またはぬるま湯に溶かす。うがい薬の場合は, 1回4〜6mgを約100mLの水またはぬるま湯に溶かして1日数回。

■ **先発品**　商品名(メーカー)　規格・保険薬価

　アズノール (日本新薬) 錠 2mg 1錠 5.90 円

■ジェネリック　商品名(メーカー)　規格・保険薬価

アズレン (鶴原) 顆 1% 1g 6.30 円

錠 2mg 1錠 5.10 円

一般名：エグアレンナトリウム水和物

● 保険収載年月…2000年12月

● 海外評価…0点 英 米 独 仏

● 剤形… 錠 錠剤, 顆 顆粒剤

● 服用量と回数…1回15mg(顆粒剤は0.6g)を1日2回。

■先発品　商品名(メーカー)　規格・保険薬価

アズロキサ (寿＝EA ファーマ) 顆 2.5% 1g 49.60 円

錠 15mg 1錠 38.70 円

一般名：アズレンスルフォン酸ナトリウム水和物配合剤

● 保険収載年月…1969年1月

● 海外評価…0点 英 米 独 仏

● 剤形… 錠 錠剤, 顆 顆粒剤

● 服用量と回数…細粒・顆粒剤の場合は, 1日1.5～2gを3～4回に分けて服用。1.0ES錠の場合は1日3錠, 0.5ES錠の場合は1日6錠を, 3回に分けて服用。0.375ES錠の場合は, 1日6～8錠を3～4回に分けて服用。

■先発品　商品名(メーカー)　規格・保険薬価

マーズレン S 配合顆粒 写真 (寿＝EA ファーマ)

顆 1g 12.10 円

マーズレン配合錠 0.375ES (寿＝EA ファーマ) 錠 1錠 6.80 円

マーズレン配合錠 0.5ES (寿＝EA ファーマ)

錠 1錠 8.70 円

マーズレン配合錠 1.0ES 写真 (寿＝EA ファーマ) 錠 1錠 13.60 円

■ジェネリック　商品名(メーカー)　規格・保険薬価

アズレンスルホン酸ナトリウム・L-グルタミン配合顆粒 (皇漢堂) 顆 1g 6.50 円

マナミン GA 配合顆粒 (鶴原) 顆 1g 6.50 円

概　　要

分類　胃粘膜保護薬

処方目的　[アズレンスルフォン酸ナトリウム水和物] 胃炎, 胃潰瘍／[うがい薬として]咽頭炎, 扁桃炎, 口内炎, 急性歯肉炎, 舌炎, 口腔創傷
[アズレンスルフォン酸ナトリウム水和物配合剤] 胃潰瘍, 十二指腸潰瘍, 胃炎
[エグアレンナトリウム水和物] 胃潰瘍における H_2 受容体拮抗薬との併用療法

解説　本剤は, 胃粘膜内へキソサミン量の増加による粘膜保護作用や, 胃粘膜内ペプシノゲン量減少作用などにより, 組織の修復を促進させます。

　アズレンの誘導体のエグアレンナトリウム製剤は, H_2 受容体拮抗薬と併用して使われることになっています。また, 同効品に比べて, 1 日当たりの薬価が高いことにも注目すべきです。

　なお, アズレンスルフォン酸ナトリウム水和物は, うがい薬として咽頭炎, 扁桃炎, 口内炎, 急性歯肉炎, 舌炎, 口腔創傷の治療にも使われます。

使用上の注意

＊アズレンスルフォン酸ナトリウム水和物配合剤(マーズレン S 配合顆粒)の添付文書による

基本的注意

● 妊婦での安全性：未確立。有益と判断されたときのみ服用。

●小児での安全性：未確立。(1714頁を参照)

重大な副作用　重大な副作用はありませんが，そのほかの副作用はあるので，体調がいつもと違うと感じたときは，処方医・薬剤師に相談してください。

併用してはいけない薬　併用してはいけない薬は特にありません。ただし，併用する薬があるときは，念のため処方医・薬剤師に報告してください。

内 07 胃腸の薬　01 胃炎・消化性潰瘍の薬

13　スルピリド

製剤情報

一般名：スルピリド
● 保険収載年月…1974年2月
● 海外評価…2点 英 米 独 仏
● 規制…劇薬(100mg錠剤・200mg錠剤・細粒剤のみ)
● 剤形…錠錠剤，カ カプセル剤，細 細粒剤
● 服用量と回数…1日150mgを3回に分けて服用。

■先発品　商品名(メーカー)　規格・保険薬価

ドグマチール (日医工) 細 10% 1g 12.00円
細 50% 1g 27.80円　錠 50mg 1錠 10.30円
カ 50mg 1ｶﾌﾟ 10.30円

■ジェネリック　商品名(メーカー)　規格・保険薬価

スルピリド (共和) 細 10% 1g 6.30円
細 50% 1g 14.00円　錠 50mg 1錠 6.40円

スルピリド 写真 (沢井) 錠 50mg 1錠 6.40円

スルピリド (武田テバ薬品＝武田テバファーマ＝武田＝ファイザー＝ニプロ) 錠 50mg 1錠 6.40円

スルピリド 写真 (長生堂＝日本ジェネリック) 錠 50mg 1錠 6.40円

スルピリド (東和) カ 50mg 1ｶﾌﾟ 6.40円

概　要

分類　消化性潰瘍治療薬
処方目的　胃・十二指腸潰瘍／(統合失調症，うつ病・うつ状態)
解説　胃潰瘍の原因に血流の障害が推定されており，スルピリドは消化管の血流を改善し，潰瘍治癒を促進するといわれています。副作用の多い薬なので，服用には注意が必要です。なお，本剤は抗精神病薬としても用いられます。

使用上の注意

＊スルピリド(ドグマチール)の添付文書による

基本的注意

(1)服用してはいけない場合……本剤の成分に対するアレルギーの前歴／プロラクチン分泌性の下垂体腫瘍(プロラクチノーマ)／褐色細胞腫の疑いのある人
(2)慎重に服用すべき場合……心・血管疾患，低血圧またはこれらの疑いのある人／QT延長のある人，QT延長をおこしやすい人(著しい徐脈，低カリウム血症など)／腎機能障害／パーキンソン病またはレビー小体型認知症／脱水・栄養不良状態などを伴う身体

的疲弊のある人／不動状態，長期臥床，肥満，脱水状態などの危険因子がある人／高齢者

(3)**かくされる嘔吐**……本剤には嘔吐を抑える作用があるので，薬物中毒，腸閉塞，脳腫瘍などによる嘔吐症状をかくしてしまうことがあります。

(4)**悪性症候群**……本剤の服用によって，悪性症候群がおこることがあります。無動無言，強度の筋強剛，嚥下困難，頻脈，血圧の変動，発汗などが現れ，引き続いて発熱がみられたら，水分の補給，体を冷やすなどして，ただちに処方医に連絡してください。高熱が続き，意識障害，呼吸困難，循環虚脱，脱水症状，急性腎障害へと移行して死亡した例が報告されています。

(5)**危険作業は中止**……本剤を服用すると，眠け，めまいなどが現れるおそれがあります。服用中は，高所作業や自動車の運転など危険を伴う機械の操作は行わないようにしてください。

(6)**その他**……

● 妊婦での安全性：有益と判断されたときのみ服用。

● 授乳婦での安全性：服用するときは授乳しないことが望ましい。

● 小児での安全性：未確立。(1714 頁を参照)

重大な副作用 ①悪性症候群(無動無言，強度の筋強剛，嚥下困難，頻脈，血圧の変動，発汗など)。②遅発性ジスキネジア。③けいれん。④QT 延長，心室頻拍。⑤肝機能障害，黄疸。⑥無顆粒球症，白血球減少。⑦肺塞栓症，深部静脈血栓症(息切れ，胸痛，四肢の疼痛，むくみなど)。

　そのほかにも報告された副作用はあるので，体調がいつもと違うと感じたときは，処方医・薬剤師に相談してください。

併用してはいけない薬 併用してはいけない薬は特にありません。ただし，併用する薬があるときは，念のため処方医・薬剤師に報告してください。

内07 胃腸の薬　01 胃炎・消化性潰瘍の薬

14 スクラルファート水和物

💊 製 剤 情 報

一般名：スクラルファート水和物

● 保険収載年月…1981年8月

● 海外評価…6点 英 米 独 仏 　● PC…B

● 剤形…細 細粒剤，顆 顆粒剤，液 液剤

● 服用量と回数…細粒・顆粒剤の場合は1回1〜1.2g，液剤の場合は1回10mLを，それぞれ1日3回。

■**先発品**　商品名(メーカー)　規格・保険薬価

アルサルミン (富士化学＝日医工)
細 90% 1g 6.50 円　液 10% 1mL 2.40 円

■**ジェネリック**　商品名(メーカー)　規格・保険薬価

スクラルファート (武田テバファーマ＝武田)
液 10% 1mL 2.00 円
スクラルファート (鶴原) 細 90% 1g 6.30 円
スクラルファート (東和) 顆 90% 1g 6.30 円

スクラルファート（日医工）顆 90% 1g 6.30 円	スクラルファート（日医工岐阜＝日医工＝武田）
液 10% 1mL 2.00 円	液 10% 1mL 2.00 円

📋 概　　要

分類　消化性潰瘍治療薬

処方目的　胃・十二指腸潰瘍／急性胃炎・慢性胃炎の急性増悪期の胃粘膜病変（びらん，出血，発赤，むくみ）の改善

解説　胃液の中のペプシンの活性を抑制するとともに，粘膜を保護する作用によって潰瘍を治します。日本で開発されたもので，英米独仏などでも使われています。

　現在よく使われているヒスタミン H_2 受容体拮抗薬と本剤との二重盲検試験で同等の効果があったという報告もあり，価格的にも安く，とてもよい薬剤の一つです。

　消化性潰瘍（胃潰瘍，十二指腸潰瘍）治療の防御因子増強剤では，有効性のエビデンス（根拠）がある唯一の薬です（攻撃因子抑制剤では，ヒスタミン H_2 受容体拮抗薬やプロトンポンプ阻害薬などにエビデンスがあります）。

📋 使用上の注意

＊スクラルファート水和物（アルサルミン）の添付文書による

基本的注意

(1) **服用してはいけない場合**……透析療法中の人

(2) **慎重に服用すべき場合**……腎機能障害／リン酸塩の欠乏している人

(3) **胃石・食道結石**……本剤の服用者で，経管栄養を受けている成人，低出生体重児・発育不全の新生児に，胃石・食道結石が現れたとの報告があります。

(4) **定期検査**……腎機能障害のある人が長期服用すると，アルミニウム脳症やアルミニウム骨症，貧血などがおこることがあります。定期的に血中のアルミニウム，リン，カルシウム，AL-P などを測定することが必要です。

重大な副作用　重大な副作用はありませんが，そのほかの副作用はあるので，体調がいつもと違うと感じたときは，処方医・薬剤師に相談してください。

併用してはいけない薬　併用してはいけない薬は特にありません。ただし，併用する薬があるときは，念のため処方医・薬剤師に報告してください。

内 07 胃腸の薬　01 胃炎・消化性潰瘍の薬

15　ピレンゼピン塩酸塩

💊 製 剤 情 報

一般名：ピレンゼピン塩酸塩水和物

● 保険収載年月…1981年9月

● 海外評価…1点 英 米 独 仏

● 剤形…錠 錠剤

● 服用量と回数…1回25mgを1日3～4回。

■ジェネリック　商品名(メーカー)　規格・保険薬価

ピレンゼピン塩酸塩（沢井）錠 25mg 1錠 5.70 円
ピレンゼピン塩酸塩（日医工）
錠 25mg 1錠 5.70 円

内
07
―
01
―
16

アルギン酸ナトリウム

概　　要

分類　消化性潰瘍治療薬

処方目的　胃・十二指腸潰瘍／急性胃炎・慢性胃炎の急性増悪期の胃粘膜病変(びらん，出血，発赤，付着粘液)・消化器症状の改善

解説　抗精神病薬の開発途上で，ドイツで合成されたものです。胃液の分泌を抑制することにより潰瘍を治療します。また，胃壁を守る粘液を分泌させる作用もあります。

使用上の注意

基本的注意

(1)服用してはいけない場合……本剤の成分に対するアレルギーの前歴

(2)慎重に服用すべき場合……前立腺肥大／緑内障

(3)危険作業に注意……本剤を服用すると，眼の調節障害をおこすことがあります。服用中は，高所作業や自動車の運転など危険を伴う機械の操作は十分に注意してください。

(4)その他……

● 妊婦での安全性：未確立。有益と判断されたときのみ服用。

● 授乳婦での安全性：服用するときは授乳を中止。

● 小児での安全性：未確立。(1714 頁を参照)

重大な副作用　　　①アナフィラキシー様症状(発疹やじん麻疹など)。②無顆粒球症。

　そのほかにも報告された副作用はあるので，体調がいつもと違うと感じたときは，処方医・薬剤師に相談してください。

併用してはいけない薬　　　併用してはいけない薬は特にありません。ただし，併用する薬があるときは，念のため処方医・薬剤師に報告してください。

内07 胃腸の薬　01 胃炎・消化性潰瘍の薬

16　アルギン酸ナトリウム

製剤情報

一般名：アルギン酸ナトリウム

● 保険収載月年…1961年1月

● 海外評価…3点 英 米 独 仏

● 剤形…ト゛ ドライシロップ剤，液 液剤

● 服用量と回数…1回ドライシロップ1.5～4.5g

(液剤20～60mL)を1日3～4回。

■先発品　　商品名(メーカー)　規格・保険薬価

アルロイド G 顆粒溶解用 (カイゲン)
ト゛ 1g 18.70 円

アルロイド G 内用液 (カイゲン)
液 10mL 13.60 円

概　　要

分類　粘膜保護・止血剤

処方目的　胃・十二指腸潰瘍，びらん性胃炎における止血および自覚症状の改善／逆流性食道炎における自覚症状の改善／胃生検の出血時の止血

解説 アルギン酸ナトリウムは服用してもほとんど吸収されません。本剤はその粘稠性(粘りけがあること)を利用して，粘膜保護や止血に用いられます。

📝 使用上の注意
＊アルギン酸ナトリウム（アルロイドG内用液）の添付文書による

基本的注意
(1)保存法……開封後は冷所に保存してください。

重大な副作用 重大な副作用はありませんが，そのほかの副作用はあるので，体調がいつもと違うと感じたときは，処方医・薬剤師に相談してください。

併用してはいけない薬 併用してはいけない薬は特にありません。ただし，併用する薬があるときは，念のため処方医・薬剤師に報告してください。

内 07 胃腸の薬　01 胃炎・消化性潰瘍の薬

17 ヒスタミンH₂受容体拮抗薬

💊 製剤情報

一般名：シメチジン
- 保険収載年月…1981年12月
- 海外評価…6点 **英米独仏** ●PC…B
- 剤形…錠錠剤，細細粒剤
- 服用量と回数…胃潰瘍，十二指腸潰瘍の場合は，1日800mg(細粒剤20%は4g，40%は2g)を2回に分けて服用。毎食後および就寝前の4回に分けての服用，または就寝前1回の服用も可能。その他の適応症の場合は，処方医の指示通りに服用。

■先発品　商品名(メーカー)　規格・保険薬価

| カイロック (藤本) 細 40% 1g 13.20 円 |
| タガメット 写真 (住友ファーマ) 細 20% 1g 12.40 円 |
| 錠 200mg 1錠 11.70 円　錠 400mg 1錠 11.60 円 |

■ジェネリック　商品名(メーカー)　規格・保険薬価

| シメチジン (皇漢堂) 錠 200mg 1錠 5.70 円 |
| 錠 400mg 1錠 5.90 円 |
| シメチジン 写真 (沢井) 錠 200mg 1錠 5.70 円 |
| 錠 400mg 1錠 5.90 円 |
| シメチジン (辰巳) 錠 200mg 1錠 5.70 円 |
| 錠 400mg 1錠 5.90 円 |

| シメチジン (鶴原) 細 20% 1g 6.30 円 |
| 錠 200mg 1錠 5.70 円　錠 400mg 1錠 5.90 円 |
| シメチジン (日医工) 錠 200mg 1錠 5.70 円 |
| 錠 400mg 1錠 5.90 円 |
| シメチジン (陽進堂) 錠 200mg 1錠 5.70 円 |
| 錠 400mg 1錠 5.90 円 |

一般名：ファモチジン
- 保険収載年月…1988年7月
- 海外評価…5点 **英米独仏** ●PC…B
- 剤形…錠錠剤，散散剤
- 服用量と回数…胃潰瘍，十二指腸潰瘍，吻合部潰瘍，逆流性食道炎，ゾリンガー・エリスン症候群，上部消化管出血の場合，1回20mg(散剤2%は1g，10%は0.2g)を1日2回または1日1回40mg。胃粘膜病変の場合は，1回10mgを1日2回または1日1回20mg。

■先発品　商品名(メーカー)　規格・保険薬価

| ガスター (LTLファーマ) 散 2% 1g 26.00 円 |
| 散 10% 1g 112.60 円　錠 10mg 1錠 17.20 円 |
| 錠 20mg 1錠 20.20 円 |
| ガスターD 写真 (LTLファーマ) |
| 錠 10mg 1錠 17.20 円　錠 20mg 1錠 20.20 円 |

内
07
—
01
—
17

ヒスタミンH2受容体拮抗薬

■ジェネリック　　商品名(メーカー)　規格・保険薬価

ファモチジン (大原) 散 2% 1g 13.00 円
散 10% 1g 56.30 円　錠 10mg 1錠 10.10 円
錠 20mg 1錠 10.10 円

ファモチジン (キョーリン＝杏林)
散 2% 1g 13.00 円　散 10% 1g 56.30 円
錠 10mg 1錠 10.10 円　錠 20mg 1錠 10.10 円

ファモチジン (皇漢堂) 錠 10mg 1錠 10.10 円
錠 20mg 1錠 10.10 円

ファモチジン (沢井) 散 2% 1g 13.00 円
散 10% 1g 56.30 円　錠 10mg 1錠 10.10 円
錠 20mg 1錠 10.10 円

ファモチジン (シオノ＝ケミファ＝日薬工)
錠 10mg 1錠 10.10 円　錠 20mg 1錠 10.10 円

ファモチジン (全星) 錠 10mg 1錠 10.10 円
錠 20mg 1錠 10.10 円

ファモチジン (武田テバファーマ＝武田)
錠 10mg 1錠 10.10 円　錠 20mg 1錠 10.10 円

ファモチジン (辰巳) 錠 10mg 1錠 10.10 円
錠 20mg 1錠 10.10 円

ファモチジン (長生堂＝日本ジェネリック)
錠 10mg 1錠 10.10 円　錠 20mg 1錠 10.10 円

ファモチジン (鶴原) 錠 10mg 1錠 10.10 円
錠 20mg 1錠 10.10 円

ファモチジン (東菱＝扶桑) 錠 10mg 1錠 10.10 円
錠 20mg 1錠 10.10 円

ファモチジン (東和) 散 2% 1g 13.00 円
散 10% 1g 56.30 円　錠 10mg 1錠 10.10 円
錠 20mg 1錠 10.10 円

ファモチジン (日医工) 散 2% 1g 13.00 円
散 10% 1g 56.30 円　錠 10mg 1錠 10.10 円
錠 20mg 1錠 10.10 円

ファモチジン (日新) 錠 10mg 1錠 10.10 円
錠 20mg 1錠 10.10 円

ファモチジン (メディサ＝沢井)
錠 10mg 1錠 10.10 円　錠 20mg 1錠 10.10 円

ファモチジン (陽進堂＝第一三共エスファ)
錠 10mg 1錠 10.10 円　錠 20mg 1錠 10.10 円

ファモチジン D (沢井) 錠 10mg 1錠 10.10 円
錠 20mg 1錠 10.10 円

ファモチジン D (サンノーバ＝エルメッド＝日医工) 錠 10mg 1錠 10.10 円　錠 20mg 1錠 10.10 円

ファモチジン D (日医工) 錠 10mg 1錠 10.10 円
錠 20mg 1錠 10.10 円

ファモチジン OD 写真 (大原)
錠 10mg 1錠 10.10 円　錠 20mg 1錠 10.10 円

ファモチジン OD (シオノ＝ケミファ＝日薬工)
錠 10mg 1錠 10.10 円　錠 20mg 1錠 10.10 円

ファモチジン OD (武田テバファーマ＝武田)
錠 10mg 1錠 10.10 円　錠 20mg 1錠 10.10 円

ファモチジン OD (東菱＝扶桑)
錠 10mg 1錠 10.10 円　錠 20mg 1錠 10.10 円

ファモチジン OD 写真 (東和)

ファモチジン OD (日新＝沢井)
錠 10mg 1錠 10.10 円　錠 20mg 1錠 10.10 円

ファモチジン OD (日本ジェネリック)
錠 10mg 1錠 10.10 円　錠 20mg 1錠 10.10 円

ファモチジン OD (MeijiSeika＝Me ファルマ＝フェルゼン＝共創未来＝三和) 錠 10mg 1錠 10.10 円
錠 20mg 1錠 10.10 円

ファモチジン OD (陽進堂＝第一三共エスファ)
錠 10mg 1錠 10.10 円

ファモチジン OD (陽進堂＝第一三共エスファ＝ニプロ) 錠 20mg 1錠 10.10 円

一般名：ロキサチジン酢酸エステル塩酸塩

- 保険収載年月…1998年7月
- 海外評価…1点 英 米 独 仏
- 剤形… カ カプセル剤, 細 細粒剤
- 服用量と回数…胃潰瘍, 十二指腸潰瘍, 吻合部潰瘍, 逆流性食道炎の場合, 1回75mg(細粒剤は375mg)を1日2回または1日1回150mg。その他の適応症, 小児の場合は, 処方医の指示通りに服用。

■**先発品**　商品名(メーカー)　規格・保険薬価

アルタット 写真 (あすか＝武田) 細 20% 1g 87.20 円
カ 37.5mg 1ﾂﾞ 17.50 円　カ 75mg 1ﾂﾞ 28.00 円

■**ジェネリック**　商品名(メーカー)　規格・保険薬価

ロキサチジン酢酸エステル塩酸塩徐放カプセル (大原＝日本ジェネリック)
カ 37.5mg 1ﾂﾞ 10.20 円　カ 75mg 1ﾂﾞ 16.40 円

ロキサチジン酢酸エステル塩酸塩徐放カプセル 写真 (沢井) カ 37.5mg 1ﾂﾞ 10.20 円
カ 75mg 1ﾂﾞ 16.40 円

一般名：ニザチジン

- 保険収載年月…1990年8月
- 海外評価…5点 英 米 独 仏　●PC…B
- 剤形…錠 錠剤，カ カプセル剤
- 服用量と回数…胃潰瘍，十二指腸潰瘍，逆流性食道炎の場合，1回150mgを1日2回。胃潰瘍，十二指腸潰瘍では1日1回300mgも可能。その他の場合は，処方医の指示通りに服用。

■**先発品**　商品名(メーカー)　規格・保険薬価

アシノン 写真 (ゼリア) 錠 75mg 1錠 14.10 円
錠 150mg 1錠 21.40 円

■**ジェネリック**　商品名(メーカー)　規格・保険薬価

ニザチジン (沢井) カ 75mg 1ﾂﾞ 10.10 円
カ 150mg 1ﾂﾞ 10.20 円

ニザチジン (ニプロ ES) カ 75mg 1ﾂﾞ 10.10 円
カ 150mg 1ﾂﾞ 10.20 円

ニザチジン 写真 (陽進堂) 錠 150mg 1錠 10.20 円
カ 75mg 1ﾂﾞ 10.10 円

一般名：ラフチジン

- 保険収載年月…2000年4月
- 海外評価…0点 英 米 独 仏
- 剤形…錠 錠剤
- 服用量と回数…胃潰瘍，十二指腸潰瘍，吻合部潰瘍，逆流性食道炎の場合，1回10mgを1日2回。その他の場合は，処方医の指示通りに服用。

■**先発品**　商品名(メーカー)　規格・保険薬価

プロテカジン 写真 (大鵬) 錠 5mg 1錠 13.80 円
錠 10mg 1錠 21.70 円

プロテカジン OD (大鵬) 錠 5mg 1錠 13.80 円
錠 10mg 1錠 21.70 円

■**ジェネリック**　商品名(メーカー)　規格・保険薬価

ラフチジン (あすか＝武田) 錠 5mg 1錠 10.10 円
錠 10mg 1錠 12.20 円

ラフチジン 写真 (沢井) 錠 5mg 1錠 10.10 円
錠 10mg 1錠 12.20 円

ラフチジン (武田テバ薬品＝武田テバファーマ＝武田) 錠 5mg 1錠 10.10 円　錠 10mg 1錠 12.20 円

ラフチジン (辰巳) 錠 5mg 1錠 10.10 円
錠 10mg 1錠 12.20 円

ラフチジン (東和) 錠 5mg 1錠 10.10 円
錠 10mg 1錠 12.20 円

ラフチジン (日医工) 錠 5mg 1錠 10.10 円
錠 10mg 1錠 12.20 円

ラフチジン (日本ジェネリック) 錠 5mg 1錠 10.10 円
錠 10mg 1錠 12.20 円

ラフチジン (ファイザー) 錠 5mg 1錠 10.10 円
錠 10mg 1錠 12.20 円

ラフチジン (陽進堂) 錠 5mg 1錠 10.10 円
錠 10mg 1錠 10.50 円

🗏 概　　要

分類　消化性潰瘍治療薬

処方目的　胃潰瘍，十二指腸潰瘍，吻合部潰瘍(ニザチジンを除く)，逆流性食道炎，ゾリンガー-エリスン症候群(ニザチジン，ラフチジンを除く)／急性胃炎・慢性胃炎の急性増悪期の胃粘膜病変(びらん，出血，発赤，浮腫)の改善
[シメチジン，ファモチジンのみの適応症] 上部消化管出血(消化性潰瘍，急性ストレス潰瘍，出血性胃炎，急性胃粘膜病変による)

[ロキサチジン酢酸エステル塩酸塩，ラフチジンのみの適応症]麻酔前投薬

解説 抗ヒスタミン薬を開発している途中で偶然見つかった薬ですが，効果は非常によいものです。注射薬もあって，この薬剤の出現で，アメリカにおける潰瘍手術は従来の5分の1に減少したほどといわれています。近年開発された薬のうちでは，もっともすばらしい薬といえます。

胃潰瘍・十二指腸潰瘍なら，これらの薬で治癒しますが，がんの好発部位なので，胃部に異常を感じたらすぐに受診し，がんの発見を遅らせることのないようにすることが大切です。内服の場合，効果が出るまでに4～8週間の服用が必要だといわれています。

作用としては，胃粘膜壁細胞にあるヒスタミンH_2受容体に特異的に拮抗することにより，胃液の分泌を抑制します。ペプシン分泌抑制作用もあるといわれています。一般にH_2ブロッカーと呼ばれています。

使用上の注意

*シメチジン(タガメット)，ファモチジン(ガスター，D)の添付文書による

基本的注意

(1)服用してはいけない場合……本剤の成分に対するアレルギーの前歴
(2)慎重に服用すべき場合……腎機能障害／肝機能障害／薬物過敏症の前歴／高齢者／[ファモチジンのみ]心疾患
(3)服用法……[ファモチジン]本剤のD錠(口腔内崩壊錠)は，舌の上にのせて唾液を浸せば舌でつぶれますが，口腔の粘膜から吸収されることはないので，唾液または水でのみ込んでください。ただし，寝たままの状態では，水なしで服用しないでください。
(4)かくされる症状……本剤を服用すると，胃がんによる症状をかくすことがあります。本剤は，胃がんではないことを確認のうえで処方されます。
(5)その他……
●妊婦での安全性：未確立。有益と判断されたときのみ服用。
●授乳婦での安全性：治療上の有益性・母乳栄養の有益性を考慮し，授乳の継続・中止を検討。
●小児での安全性：未確立。(1714頁を参照)

重大な副作用 ①ショック，アナフィラキシー(全身発赤，じん麻疹，呼吸困難など)。②汎血球減少症，再生不良性貧血，無顆粒球症，血小板減少，溶血性貧血(全身倦怠，脱力，皮下・粘膜下出血，発熱など)。③間質性腎炎，急性腎障害。④肝機能障害，黄疸。⑤皮膚粘膜眼症候群(スティブンス-ジョンソン症候群)，中毒性表皮壊死融解症(TEN)。⑥意識障害，けいれん，ミオクローヌス。
[ファモチジン]⑦横紋筋融解症。⑧QT延長。⑨間質性肺炎。⑩不全収縮。
[シメチジン]⑪房室ブロックなどの心ブロック。

そのほかにも報告された副作用はあるので，体調がいつもと違うと感じたときは，処方医・薬剤師に相談してください。

併用してはいけない薬 併用してはいけない薬は特にありません。ただし，併用する薬があるときは，念のため処方医・薬剤師に報告してください。

18 プロトンポンプ阻害薬

製剤情報

一般名：オメプラゾール

- 発売年月…1991年4月
- 海外評価…6点 英米独仏 ●PC…C
- 剤形…錠 錠剤
- 服用量と回数…胃潰瘍, 吻合部潰瘍, 逆流性食道炎の場合は, 1日1回20mgを8週間まで。十二指腸潰瘍の場合は, 1日1回20mgを6週間まで。その他の場合は, 処方医の指示通りに服用。

■先発品　商品名(メーカー)　規格・保険薬価

| オメプラール (太陽ファルマ) 錠 10mg 1錠 37.20 円 |
| 錠 20mg 1錠 57.30 円 |

| オメプラゾン (田辺三菱) 錠 10mg 1錠 36.60 円 |
| 錠 20mg 1錠 56.40 円 |

■ジェネリック　商品名(メーカー)　規格・保険薬価

| オメプラゾール (共和＝日薬工) |
| 錠 10mg 1錠 18.30 円 ｜ 錠 20mg 1錠 28.20 円 |

| オメプラゾール (沢井＝日本ジェネリック) |
| 錠 10mg 1錠 18.30 円 ｜ 錠 20mg 1錠 28.20 円 |

| オメプラゾール (シオノ＝ケミファ) |
| 錠 10mg 1錠 18.30 円 ｜ 錠 20mg 1錠 28.20 円 |

| オメプラゾール (鶴原) 錠 10mg 1錠 18.30 円 |
| 錠 20mg 1錠 28.20 円 |

| オメプラゾール (東和) 錠 10mg 1錠 18.30 円 |
| 錠 20mg 1錠 28.20 円 |

| オメプラゾール (日医工) 錠 10mg 1錠 18.30 円 |
| 錠 20mg 1錠 28.20 円 |

| オメプラゾール (メディサ＝沢井＝旭化成) |
| 錠 10mg 1錠 18.30 円 ｜ 錠 20mg 1錠 28.20 円 |

| オメプラゾール腸溶錠 (武田テバファーマ＝武田) 錠 10mg 1錠 18.30 円 ｜ 錠 20mg 1錠 28.20 円 |

一般名：エソメプラゾールマグネシウム水和物

- 保険収載年月…2011年9月
- 海外評価…6点 英米独仏 ●PC…B
- 剤形…カ カプセル剤, 顆 顆粒剤
- 服用量と回数…胃潰瘍, 吻合部潰瘍, 逆流性食道炎の場合は, 1日1回20mgを8週間まで。十二指腸潰瘍の場合は, 1日1回20mgを6週間まで。その他の場合は, 処方医の指示通りに服用。

■先発品　商品名(メーカー)　規格・保険薬価

| ネキシウム 写真 (アストラ) カ 10mg 1カプセル 57.60 円 |
| カ 20mg 1カプセル 100.00 円 |

| ネキシウム懸濁用顆粒分包 (アストラ) |
| 顆 10mg 1包 66.20 円 ｜ 顆 20mg 1包 115.90 円 |

一般名：ランソプラゾール

- 保険収載年月…1992年11月
- 海外評価…6点 英米独仏 ●PC…B
- 剤形…錠 錠剤, カ カプセル剤
- 服用量と回数…胃潰瘍, 吻合部潰瘍, 逆流性食道炎の場合は, 1日1回30mgを8週間まで。十二指腸潰瘍の場合は, 1日1回30mgを6週間まで。その他の場合は, 処方医の指示通りに服用。

■先発品　商品名(メーカー)　規格・保険薬価

| タケプロン 写真 (武田テバ薬品＝武田) |
| カ 15mg 1カプセル 36.90 円 ｜ カ 30mg 1カプセル 63.30 円 |

| タケプロン OD 写真 (武田テバ薬品＝武田) |
| 錠 15mg 1錠 36.90 円 ｜ 錠 30mg 1錠 63.30 円 |

■ジェネリック　商品名(メーカー)　規格・保険薬価

| ランソプラゾール (共和) カ 15mg 1カプセル 16.40 円 |
| カ 30mg 1カプセル 28.20 円 |

| ランソプラゾール (沢井) カ 15mg 1カプセル 16.40 円 |
| カ 30mg 1カプセル 28.20 円 |

内
07
―
01
―
18

プロトンポンプ阻害薬

ランソプラゾール（大興＝日本ジェネリック）
カ 15mg 1ｶﾌﾟ 16.40 円　カ 30mg 1ｶﾌﾟ 28.20 円

ランソプラゾール（高田）カ 15mg 1ｶﾌﾟ 16.40 円
カ 30mg 1ｶﾌﾟ 28.20 円

ランソプラゾール（武田テバファーマ＝武田＝科研）カ 15mg 1ｶﾌﾟ 16.40 円　カ 30mg 1ｶﾌﾟ 28.20 円

ランソプラゾール（東和）カ 15mg 1ｶﾌﾟ 16.40 円
カ 30mg 1ｶﾌﾟ 28.20 円

ランソプラゾール（日医工）カ 15mg 1ｶﾌﾟ 16.40 円
カ 30mg 1ｶﾌﾟ 28.20 円

ランソプラゾール OD 写真（沢井）
錠 15mg 1錠 16.40 円　錠 30mg 1錠 28.20 円

ランソプラゾール OD（シオノ＝ケミファ＝日薬工）錠 15mg 1錠 16.40 円　錠 30mg 1錠 28.20 円

ランソプラゾール OD（大興＝江州）
錠 15mg 1錠 16.40 円　錠 30mg 1錠 28.20 円

ランソプラゾール OD 写真（武田テバファーマ＝武田）錠 15mg 1錠 16.40 円　錠 30mg 1錠 28.20 円

ランソプラゾール OD（東和＝三和）
錠 15mg 1錠 16.40 円　錠 30mg 1錠 28.20 円

ランソプラゾール OD（日医工）
錠 15mg 1錠 16.40 円　錠 30mg 1錠 28.20 円

ランソプラゾール OD（日本ジェネリック）
錠 15mg 1錠 16.40 円　錠 30mg 1錠 28.20 円

ランソプラゾール OD（リョートー＝江州＝ニプロ）錠 15mg 1錠 16.40 円　錠 30mg 1錠 28.20 円

一般名：ラベプラゾールナトリウム
- 保険収載年月…1997年12月
- 海外評価…5点 英 米 独 仏 　●PC…B
- 剤形…錠 錠剤
- 服用量と回数…胃潰瘍, 吻合部潰瘍, 逆流性食道炎, ゾリンガー・エリスン症候群の場合は, 1日1回10mgを8週間まで。十二指腸潰瘍の場合は, 1日1回10mgを6週間まで。以上, 症状によって1日1回20mgも可能。その他の場合は, 処方医の指示通りに服用。

■先発品　　商品名(メーカー)　規格・保険薬価
パリエット 写真（エーザイ＝EA ファーマ）
錠 5mg 1錠 35.70 円　錠 10mg 1錠 61.50 円
錠 20mg 1錠 113.10 円

■ジェネリック　　商品名(メーカー)　規格・保険薬価
ラベプラゾール Na（あすか＝武田）
錠 5mg 1錠 19.30 円　錠 10mg 1錠 34.40 円
錠 20mg 1錠 68.00 円

ラベプラゾール Na（アルフレッサ）
錠 10mg 1錠 34.40 円　錠 20mg 1錠 23.40 円

ラベプラゾール Na（キョーリン＝杏林）
錠 5mg 1錠 19.30 円　錠 10mg 1錠 34.40 円
錠 20mg 1錠 50.90 円

ラベプラゾール Na（沢井）錠 5mg 1錠 19.30 円
錠 10mg 1錠 34.40 円　錠 20mg 1錠 68.00 円

ラベプラゾール Na（武田テバ薬品＝武田テバファーマ＝武田）錠 5mg 1錠 19.30 円
錠 10mg 1錠 34.40 円　錠 20mg 1錠 68.00 円

ラベプラゾール Na（東和）錠 5mg 1錠 19.30 円
錠 10mg 1錠 34.40 円　錠 20mg 1錠 68.00 円

ラベプラゾール Na（日新）錠 5mg 1錠 19.30 円
錠 10mg 1錠 34.40 円　錠 20mg 1錠 68.00 円

ラベプラゾール Na（ニプロ ES ＝ニプロ）
錠 5mg 1錠 7.30 円　錠 10mg 1錠 34.40 円
錠 20mg 1錠 68.00 円

ラベプラゾール Na（日本ジェネリック）
錠 5mg 1錠 16.20 円　錠 10mg 1錠 24.50 円
錠 20mg 1錠 50.90 円

ラベプラゾール Na 写真（ファイザー）
錠 5mg 1錠 19.30 円　錠 10mg 1錠 34.40 円
錠 20mg 1錠 68.00 円

ラベプラゾール Na（陽進堂）錠 5mg 1錠 9.70 円
錠 10mg 1錠 24.50 円　錠 20mg 1錠 23.40 円

ラベプラゾール Na 塩（大原＝エッセンシャル＝第一三共エスファ＝共創未来）錠 10mg 1錠 34.40 円
錠 20mg 1錠 68.00 円

ラベプラゾール Na 塩（大原＝第一三共エスファ）錠 5mg 1錠 19.30 円

ラベプラゾール Na 塩 (MeijiSeika)
錠 5mg 1錠 19.30 円　錠 10mg 1錠 34.40 円
錠 20mg 1錠 68.00 円

ラベプラゾールナトリウム (ケミファ)
錠 5mg 1錠 16.20 円

ラベプラゾールナトリウム (ケミファ＝日薬工)
錠 10mg 1錠 34.40 円　錠 20mg 1錠 68.00 円

ラベプラゾールナトリウム (サンド)
錠 5mg 1錠 16.20 円　錠 10mg 1錠 24.50 円
錠 20mg 1錠 50.90 円

ラベプラゾールナトリウム (ダイト＝科研)
錠 5mg 1錠 19.30 円　錠 10mg 1錠 34.40 円
錠 20mg 1錠 68.00 円

ラベプラゾールナトリウム (辰巳)
錠 5mg 1錠 19.30 円　錠 10mg 1錠 34.40 円
錠 20mg 1錠 68.00 円

ラベプラゾールナトリウム 写真 (日医工)
錠 5mg 1錠 16.20 円　錠 10mg 1錠 24.50 円
錠 20mg 1錠 50.90 円

ラベプラゾールナトリウム (日薬工)
錠 5mg 1錠 7.30 円　錠 10mg 1錠 13.80 円
錠 20mg 1錠 23.40 円・

一般名：ボノプラザンフマル酸塩

- 保険収載年月…2015年2月
- 海外評価…0点 英 米 独 仏
- 剤形… 錠 錠剤
- 服用量と回数…処方医の指示通りに服用。

■先発品　　商品名(メーカー)　規格・保険薬価

タケキャブ 写真 (武田) 錠 10mg 1錠 105.30 円
錠 20mg 1錠 157.90 円

一般名：ピロリ菌除去用ラベプラゾールナトリウム配合剤

- 保険収載年月…2013年12月
- 剤形… 錠 錠剤
- 服用量と回数…処方医の指示通りに服用。

■先発品　　商品名(メーカー)　規格・保険薬価

ラベキュアパック 400 (エーザイ＝EA ファーマ) 錠 1シート 378.40 円

ラベキュアパック 800 (エーザイ＝EA ファーマ) 錠 1シート 501.00 円

ラベファインパック (エーザイ＝EA ファーマ)
錠 1シート 307.30 円

一般名：ピロリ菌除去用ボノプラザンフマル酸塩配合剤

- 保険収載年月…2016年5月
- 剤形… 錠 錠剤, カ カプセル剤
- 服用量と回数…処方医の指示通りに服用。

■先発品　　商品名(メーカー)　規格・保険薬価

ボノサップパック 400 (武田)
カ 錠 1シート 551.40 円

ボノサップパック 800 (武田)
カ 錠 1シート 679.30 円

ボノピオンパック (武田) カ 錠 1シート 494.90 円

内
07
—
01
—
18

プロトンポンプ阻害薬

概　要

分類　消化性潰瘍治療薬

処方目的　胃潰瘍，十二指腸潰瘍，吻合部潰瘍，逆流性食道炎，非びらん性胃食道逆流症，ゾリンガー・エリスン症候群／低用量アスピリン投与時における胃潰瘍または十二指腸潰瘍の再発抑制，非ステロイド性抗炎症薬投与時における胃潰瘍または十二指腸潰瘍の再発抑制／下記におけるヘリコバクター・ピロリの除菌の補助→胃潰瘍，十二指腸潰瘍，胃 MALT リンパ腫，特発性血小板減少性紫斑病，早期胃がんに対する内視鏡的治療後の胃，ヘリコバクター・ピロリ感染胃炎
＊製剤により多少異なります。

[ピロリ菌除去用配合剤の適応症] 胃潰瘍・十二指腸潰瘍・胃 MALT リンパ腫・特発性血小板減少性紫斑病・早期胃がんに対する内視鏡的治療後の胃におけるヘリコバクター・ピロリ感染症，ヘリコバクター・ピロリ感染胃炎

解説 ヒスタミン H_2 受容体拮抗薬と同様，胃酸の分泌を抑えて消化性潰瘍を治療する薬です。胃液を分泌する胃腺の壁細胞内における一連の胃酸分泌反応の最終段階では，壁細胞のなかから水素イオンを放出してカリウムイオンを取り込むプロトンポンプと呼ばれる酵素（H^+，K^+ATPase）が働いています。本剤は，このプロトンポンプの働きを阻害して胃酸の分泌を抑制するといわれています。

なお，ボノプラザンフマル酸塩は，新しいメカニズムのカリウムイオン競合型アシッドブロッカーで，胃の壁細胞に集積して酸分泌を抑制します。他のプロトンポンプ阻害薬に比べて作用の発現が早く，強力かつ長く効果を示すのが特徴です。

また，胃潰瘍や十二指腸潰瘍などの人に，ヘリコバクター・ピロリ（ピロリ菌）の存在する率が高いことがわかっています。この菌を取り除くと胃潰瘍や十二指腸潰瘍などの再発率が極めて低くなるといわれ，本剤は，その目的のためにも使われます。

ピロリ菌除去用の配合剤には3種類の薬が入っています。まず，一次除菌療法として，ラベキュア，ボノサップが使われます。これらには，プロトンポンプ阻害薬に加えて，アモキシシリン水和物とクラリスロマイシンが組み合わされています。そして，これらの配合剤で除菌治療が不成功だった場合には，ラベファインパック，ボノピオンパックを使用してもう一度治療を行います。これを二次除菌療法といい，上記配合のクラリスロマイシンの代わりにメトロニダゾールが入っています。

🖾 使用上の注意

＊オメプラール，タケプロン（OD），パリエットの添付文書による

基本的注意

(1)**服用してはいけない場合**……本剤の成分に対するアレルギーの前歴／アタザナビル硫酸塩，リルピビリン塩酸塩の服用中

(2)**慎重に服用すべき場合**……薬物過敏症の前歴／肝機能障害／高齢者

(3)**服用法**……①[オメプラゾール，ラベプラゾールナトリウム]腸で溶ける錠剤なので，噛んだり砕いたりせずに，水とともにのみくだしてください。②[ランソプラゾール]OD錠（口腔内崩壊錠）は舌の上にのせて唾液を浸せば舌でつぶれますが，口腔の粘膜から吸収されることはないので，唾液または水でのみ込んでください。

(4)**逆流性食道炎**……[オメプラゾール，ランソプラゾール]服用期間は通常8週間までで，再発・再燃を繰り返す逆流性食道炎の維持療法のために本剤を服用する場合は，定期的に内視鏡や肝機能，腎機能，血液像などの検査を行う必要があります。服用中に体重減少，吐血，嚥下障害などの症状がみられたら，すぐに処方医へ連絡してください。

(5)**かくされる症状**……本剤を服用すると，胃がんによる症状をかくすことがあります。本剤は，胃がんではないことを確認のうえで処方されます。

(6)**セイヨウオトギリソウ（セント・ジョーンズ・ワート）含有食品**……[オメプラゾール]一緒に摂取すると本剤の血中濃度が低下するおそれがあるので，本剤の服用中はセイヨ

ウオトギリソウ含有食品を摂取しないでください。

(7)その他……
- ●妊婦での安全性：有益と判断されたときのみ服用。
- ●授乳婦での安全性：治療上の有益性・母乳栄養の有益性を考慮し，授乳の継続・中止を検討。
- ●小児での安全性：未確立。(1714頁を参照)

重大な副作用　①ショック，アナフィラキシー(血管浮腫，気管支けいれんなど)。②無顆粒球症，汎血球減少症，溶血性貧血，血小板減少。③劇症肝炎，肝機能障害，急性肝不全，黄疸。④急性腎障害，間質性腎炎。⑤中毒性表皮壊死融解症(TEN)，皮膚粘膜眼症候群(スティブンス-ジョンソン症候群)。⑥間質性肺炎(発熱，せき，呼吸困難など)。
[オメプラゾール，ラベプラゾールナトリウム]⑦低ナトリウム血症。⑧横紋筋融解症。⑨視力障害。⑩錯乱状態(せん妄，異常行動，失見当識，幻覚，不安，焦燥など)。
[ランソプラゾール]⑪重篤な大腸炎(腹痛，頻回の下痢など)。⑫視力障害。
[ラベプラゾールナトリウム]⑬多形紅斑。

　そのほかにも報告された副作用はあるので，体調がいつもと違うと感じたときは，処方医・薬剤師に相談してください。

併用してはいけない薬　[すべての製剤]アタザナビル硫酸塩，リルピビリン塩酸塩→本剤との併用により作用が弱まるおそれがあります。
[ピロリ菌除去用ラベプラゾールナトリウム配合剤，ピロリ菌除去用ボノプラザンフマル酸塩配合剤のみ]①ピモジド→QT延長，心室性不整脈などの心血管系の副作用が報告されています。②エルゴタミン含有製剤(エルゴタミン酒石酸塩，ジヒドロエルゴタミンメシル酸塩)→血管れん縮などの重い副作用をおこすおそれがあります。③タダラフィル，スボレキサント，ロミタピドメシル酸塩，チカグレロル，イブルチニブ，ルラシドン塩酸塩→本剤との併用により作用が増強するおそれがあります。④イバブラジン塩酸塩→過度の徐脈が現れることがあります。⑤ベネトクラクス(再発または難治性の慢性リンパ性白血病(小リンパ球性リンパ腫を含む)の用量漸増期)→ベネトクラクスの用量漸増期に併用した場合，腫瘍崩壊症候群の発現が強まるおそれがあります。⑥アナモレリン塩酸塩→副作用の発現が強まるおそれがあります。

内 07 胃腸の薬　01 胃炎・消化性潰瘍の薬
19 鎮けい薬

製剤情報

一般名：ピペリドレート塩酸塩(M,T,B,A)
- ●保険収載年月…1974年3月
- ●海外評価…0点 英 米 独 仏

- ●規制…劇薬
- ●剤形…錠 錠剤
- ●服用量と回数…1日150～200mgを3～4回に分けて服用。

■先発品　商品名(メーカー)　規格・保険薬価
ダクチル (キッセイ) 錠 50mg 1錠 6.50 円

一般名：**チキジウム臭化物(M,T,D,B,U)**
- 保険収載年月…1984年11月
- 海外評価…0点 英 米 独 仏
- 剤形…カ カプセル剤, 顆 顆粒剤
- 服用量と回数…1回5～10mg(顆粒剤は0.25 ～0.5g)を1日3回。

■先発品　商品名(メーカー)　規格・保険薬価
チアトン 写真 (マイラン EPD) カ 5mg 1ｶﾌﾟ 6.90 円
カ 10mg 1ｶﾌﾟ 11.30 円

■ジェネリック　商品名(メーカー)　規格・保険薬価
チキジウム臭化物 (沢井) カ 5mg 1ｶﾌﾟ 5.90 円
カ 10mg 1ｶﾌﾟ 5.90 円
チキジウム臭化物 (鶴原) 顆 2% 1g 9.50 円
カ 5mg 1ｶﾌﾟ 5.90 円 カ 10mg 1ｶﾌﾟ 5.90 円
チキジウム臭化物 (東和) カ 5mg 1ｶﾌﾟ 5.90 円
カ 10mg 1ｶﾌﾟ 5.90 円

一般名：**チメピジウム臭化物水和物 (M,T,B,U,P)**
- 保険収載年月…1976年6月
- 海外評価…0点 英 米 独 仏
- 剤形…錠 錠剤, カ カプセル剤
- 服用量と回数…1回30mg(細粒剤は0.5g)を1 日3回。

■先発品　商品名(メーカー)　規格・保険薬価
セスデン (ニプロ ES) カ 30mg 1ｶﾌﾟ 11.30 円

■ジェネリック　商品名(メーカー)　規格・保険薬価
チメピジウム臭化物 (沢井) 錠 30mg 1錠 5.70 円

一般名：**ブチルスコポラミン臭化物 (M,S,T,B,U,F)**
- 保険収載年月…1955年9月
- 海外評価…5点 英 米 独 仏　●PC…C
- 剤形…錠 錠剤
- 服用量と回数…1回10～20mgを1日3～5回。

■先発品　商品名(メーカー)　規格・保険薬価
ブスコパン 写真 (サノフィ) 錠 10mg 1錠 5.90 円

■ジェネリック　商品名(メーカー)　規格・保険薬価
ブチルスコポラミン臭化物 (鶴原＝日医工)
錠 10mg 1錠 5.50 円

一般名：**ブトロピウム臭化物(M,B)**
- 保険収載年月…1974年2月
- 海外評価…0点 英 米 独 仏
- 規制…劇薬(顆粒剤・錠剤のみ)
- 剤形…錠 錠剤, カ カプセル剤, 顆 顆粒剤
- 服用量と回数…1日30mg(顆粒剤は1.5g)を3 回に分けて服用。

■先発品　商品名(メーカー)　規格・保険薬価
コリオパン (エーザイ) 顆 2% 1g 23.50 円
錠 10mg 1錠 12.80 円 カ 5mg 1ｶﾌﾟ 7.50 円

一般名：**プロパンテリン臭化物 (M,T,S,D,P,B)**
- 保険収載年月…1977年10月
- 海外評価…4点 英 米 独 仏　●PC…C
- 剤形…錠 錠剤
- 服用量と回数…1回15mgを1日3～4回。

■先発品　商品名(メーカー)　規格・保険薬価
プロ・バンサイン (ファイザー)
錠 15mg 1錠 8.40 円

一般名：**N-メチルスコポラミンメチル硫酸塩(M)**
- 保険収載年月…1972年11月
- 海外評価…0点 英 米 独 仏
- 剤形…錠 錠剤
- 服用量と回数…1回1～2mgを1日3～4回。

■先発品　商品名(メーカー)　規格・保険薬価
ダイピン (アルフレッサ) 錠 1mg 1錠 6.80 円

一般名：**アトロピン硫酸塩水和物**
- 保険収載年月…1950年9月

- 海外評価…5点 英 米 独 仏 ●PC…B
- 規制…毒薬
- 剤形…㊱末剤
- 服用量と回数…1日1.5mgを3回に分けて服用。非薬物性パーキンソニズムの場合は，最初1日0.5〜1mgを3回に分けて服用，以後漸次増量する。

■先発品　商品名(メーカー)　規格・保険薬価

硫酸アトロピン (マイランEPD＝ヴィアトリス)
㊱1g 1,751.60 円

一般名：ジサイクロミン塩酸塩・水酸化アルミニウム配合剤(M)
- 発売年月…1960年2月
- 海外評価…0点 英 米 独 仏
- 剤形…㊞顆粒剤
- 服用量と回数…1回1〜2gを1日3〜4回。

■先発品　商品名(メーカー)　規格・保険薬価

コランチル配合顆粒 (共和) ㊞1g 6.30 円

■ジェネリック　商品名(メーカー)　規格・保険薬価

レスポリックス配合顆粒 (鶴原) ㊞1g 6.00 円

概　要

分類　抗コリン性鎮けい薬

処方目的　〔次の疾患におけるけいれんおよび運動機能亢進〕胃・十二指腸潰瘍，胃炎……(M)／食道けいれん，幽門けいれん……(S)／腸炎……(T)／過敏性大腸症候群……(D)／胆のう・胆管炎，胆石症，胆道ジスキネジー……(B)／尿路結石症……(U)／月経困難症，膀胱炎，胆のう切除後の後遺症……(F)／膵炎……(P)／切迫流・早産における諸症状の改善……(A)

＊一般名の後の（　）つきのアルファベットは「処方目的」を指しています。
[ブチルスコポラミン臭化物のみの適応症] 腸疝痛，けいれん性便秘，機能性下痢
[プロパンテリン臭化物のみの適応症] 夜尿症，遺尿症，多汗症
[アトロピン硫酸塩水和物の適応症] 胃・十二指腸潰瘍における分泌ならびに運動亢進，胃腸のけいれん性疼痛，けいれん性便秘，胆管・尿管の疝痛，有機リン系殺虫剤・副交感神経興奮剤の中毒，迷走神経性徐脈および迷走神経性房室伝導障害／夜尿症，その他の徐脈および房室伝導障害／非薬物性パーキンソニズム／麻酔前投薬

解説　「鎮けい」とは，けいれん・収縮を鎮めることです。副交感神経に働いて，その作用に拮抗するものを「抗コリン薬」または「副交感神経抑制薬」といい，アトロピン，スコポラミンなどの天然アルカロイド(植物中に含まれるアルカリ性の有機物)のほか，多数の合成薬が発売されています。

抗コリン薬は，胃腸，胆のう，子宮などの平滑筋の緊張をとめるほか，瞳孔に作用したり，汗や唾液，胃液などの腺分泌にも影響を与えます。また，抗コリン薬には脳中枢に対する作用もあって，パーキンソン病に用いられることもあります。

使用上の注意

＊チキジウム臭化物(チアトン)，チメピジウム臭化物水和物(セスデン)，ブチルスコポラミン臭化物(ブスコパン)などの添付文書による

基本的注意

(1)服用してはいけない場合……閉塞隅角緑内障／前立腺肥大による排尿障害／重い心疾患／麻痺性イレウス(腸閉塞)／本剤の成分に対するアレルギーの前歴／[ブチルスコ

ポラミン臭化物]出血性大腸炎／[コランチル配合顆粒，レスポリックス配合顆粒]透析療法を受けている人

(2)**特に慎重に服用すべき場合**(原則禁忌，処方医と連絡を絶やさないこと)……[ブチルスコポラミン臭化物]細菌性下痢のある人

(3)**慎重に服用すべき場合**……前立腺肥大／甲状腺機能亢進症／うっ血性心不全／不整脈／潰瘍性大腸炎／高温環境にある人／開放隅角緑内障／[**チキジウム臭化物**]高齢者

(4)**尿の色**……[**チメピジウム臭化物水和物**]本剤の代謝物により，赤味がかった着色尿が現れることがあります。

(5)**危険作業は中止**……[**チメピジウム臭化物水和物**]本剤を服用すると，視調節障害，眠け，めまいなどをおこすことがあります。服用中は，自動車の運転など危険を伴う機械の操作は行わないようにしてください。

(6)**危険作業に注意**……[**チキジウム臭化物，ブチルスコポラミン臭化物**]本剤を服用すると，羞明，眼の調節障害などをおこすことがあります。服用中は，高所作業や自動車の運転など危険を伴う機械の操作は十分に注意してください。

(7)**その他**……

[**チキジウム臭化物**]

●妊婦での安全性：未確立。有益と判断されたときのみ服用。

●授乳婦での安全性：未確立。有益と判断されたときのみ服用。

●小児での安全性：未確立。

[**チメピジウム臭化物水和物**]

●妊婦での安全性：未確立。有益と判断されたときのみ服用。

●授乳婦での安全性：原則として服用しない。やむを得ず服用するときは授乳を中止。

●小児での安全性：未確立。

[**ブチルスコポラミン臭化物**]

●妊婦での安全性：未確立。有益と判断されたときのみ服用。(1714頁を参照)

重大な副作用　　　　　[**チキジウム臭化物，ブチルスコポラミン臭化物**] ①ショック，アナフィラキシー－(血圧低下，呼吸困難，発赤，じん麻疹，血管浮腫など)。
[**チキジウム臭化物，ピペリドレート塩酸塩**] ②肝機能障害，黄疸。
[**コランチル配合顆粒，レスポリックス配合顆粒**] ③長期投与によるアルミニウム脳症，アルミニウム骨症，貧血など。

そのほかにも報告された副作用はあるので，体調がいつもと違うと感じたときは，処方医・薬剤師に相談してください。

併用してはいけない薬　　　　　併用してはいけない薬は特にありません。ただし，併用する薬があるときは，念のため処方医・薬剤師に報告してください。

内 07 胃腸の薬　01 胃炎・消化性潰瘍の薬

20 胃粘膜局所麻酔薬

製剤情報

一般名：オキセサゼイン
- 保険収載年月…1963年1月
- 海外評価…4点 英 米 独 仏
- 剤形… 錠 錠剤
- 服用量と回数…1日15〜40mgを3〜4回に分けて服用。

■先発品　商品名（メーカー）　規格・保険薬価

ストロカイン 写真 （サンノーバ＝エーザイ）
錠 5mg 1錠 5.80 円

一般名：ピペリジノアセチルアミノ安息香酸エチル
- 保険収載年月…1967年7月
- 海外評価…0点 英 米 独 仏
- 剤形… 錠 錠剤, 顆 顆粒剤
- 服用量と回数…1日100〜800mg（顆粒剤は0.5〜4g）を1〜4回に分けて服用。

■先発品　商品名（メーカー）　規格・保険薬価

スルカイン（日本新薬）錠 100mg 1錠 5.70 円

■ジェネリック　商品名（メーカー）　規格・保険薬価

ピペリジノアセチルアミノ安息香酸エチル
（日医工ファーマ＝日医工）顆 20% 1g 6.30 円
錠 100mg 1錠 5.70 円

概　要

分類　胃粘膜局所麻酔薬

処方目的　[オキセサゼインの適応症] 次の疾患に伴う疼痛，酸症状，げっぷ，悪心・嘔吐，胃部不快感，便意逼迫→食道炎，胃炎，胃・十二指腸潰瘍，過敏性大腸症（イリタブルコロン）／[ピペリジノアセチルアミノ安息香酸エチルの適応症] 胃炎に伴う胃痛・吐きけ・胃部不快感

解説　局所麻酔薬ですので，症状を一時的に改善するだけの対症療法薬にすぎません。

使用上の注意

＊オキセサゼイン（ストロカイン）の添付文書による

基本的注意

(1)服用してはいけない場合……本剤の成分に対するアレルギーの前歴
(2)服用法……口内にしびれ感などを残さないために，噛み砕いたりせずに水とともに速やかにのみくだしてください。
(3)その他……
- 妊婦での安全性：未確立。有益と判断されたときのみ服用。
- 小児での安全性：未確立。（1714 頁を参照）

重大な副作用　重大な副作用はありませんが，そのほかの副作用はあるので，体調がいつもと違うと感じたときは，処方医・薬剤師に相談してください。

併用してはいけない薬　併用してはいけない薬は特にありません。ただし，併用する薬があるときは，念のため処方医・薬剤師に報告してください。

01 健胃剤

製剤情報

一般名：健胃剤

- 海外評価…0点 英 米 独 仏
- 剤形… 散 散剤
- 服用量と回数…処方医の指示通りに服用。

■先発品　商品名(メーカー)　規格・保険薬価

FK 配合散 (扶桑) 散 1g 6.30 円

KM 散 (東和) 散 1g 6.30 円

M・M 配合散 (日新) 散 1g 6.30 円

S・M 配合散 (アルフレッサ) 散 1g 6.30 円

TM 配合散 (マイラン＝ファイザー) 散 1g 6.30 円

YM 散 (コーアイセイ) 散 1g 6.30 円

健胃散 (健栄) 散 1g 6.30 円

健胃散 (鈴粉末) 散 1g 6.30 円

つくし A・M 配合散 (富士フイルム富山) 散 1g 6.30 円

ビアサン (本草) 散 1g 6.30 円

ビットサン (本草) 散 1g 6.30 円

ベルサン (本草) 散 1g 6.30 円

■ジェネリック　商品名(メーカー)　規格・保険薬価

HM 散 (小西製薬) 散 1g 5.70 円

MMD 配合散 (吉田製薬) 散 1g 6.30 円

NIM 配合散 (日医工) 散 1g 5.70 円

重散 (三恵) 散 1g 6.30 円

ピーマーゲン配合散 (あゆみ製薬) 散 1g 6.30 円

マナミン TM 散 (鶴原) 散 1g 6.30 円

一般名：センブリ・炭酸水素ナトリウム配合剤

- 剤形… 錠 錠剤, 散 散剤
- 服用量と回数…散剤の場合は，1回0.5〜1gを1日3回。錠剤の場合は，1回2〜4錠を1日3回。

■先発品　商品名(メーカー)　規格・保険薬価

健胃配合錠 (陽進堂) 錠 1錠 5.90 円

センブリ・重曹散 (金田直) 散 1g 7.00 円

センブリ・重曹散 (健栄) 散 1g 7.30 円

センブリ・重曹散 (小堺＝丸石＝日興販売) 散 1g 7.00 円

センブリ・重曹散 (シオエ＝日本新薬) 散 1g 7.50 円

センブリ・重曹散 (東海製薬) 散 1g 7.00 円

センブリ・重曹散 (中北) 散 1g 7.50 円

センブリ・重曹散 (日本ジェネリック) 散 1g 7.50 円

センブリ・重曹散 (山善) 散 1g 7.00 円

センブリ・重曹散 (吉田製薬) 散 1g 7.50 円

センブリ・重曹散鈴 (鈴粉末) 散 1g 7.00 円

日粉センブリ・重曹散 N (日本粉末) 散 1g 7.30 円

概要

分類　健胃消化剤

処方目的　食欲不振，胃部不快感，胃もたれ，吐きけ，嘔吐

解説　健胃剤とは，胃液を中和する炭酸水素ナトリウム(重曹)，炭酸カルシウム，炭酸マグネシウム，水酸化アルミニウムなどに，消化酵素のジアスターゼ，パンクレアチン，あるいはゲンチアナ，センブリなどの生薬成分を配合したものです。

使用上の注意
＊健胃剤（S・M配合散など）の添付文書による

基本的注意
(1)服用してはいけない場合……[健胃剤]〔FK配合散，KM散，M・M配合散，S・M配合散，TM配合散，YM散，つくしA・M配合散，HM散，NIM配合散，エヌ・エス配合散，ピーマーゲン配合散，マナミンTM散〕本剤の成分に対するアレルギーの前歴／ナトリウム摂取制限が必要な人（高ナトリウム血症，むくみがある，妊娠高血圧症候群など）／高カルシウム血症／甲状腺機能低下症／副甲状腺機能亢進症／透析療法を受けている人（TM配合散を除く）
〔MMD配合散〕本剤の成分に対するアレルギーの前歴／ナトリウム摂取制限が必要な人／ヘキサミン静注液の使用中
〔健胃散（健栄），重散〕ナトリウム摂取制限が必要な人／ヘキサミン静注液の使用中
〔健胃散（鈴粉末），ビアサン，ビットサン〕ナトリウム摂取制限が必要な人
〔ベルサン〕ナトリウム摂取制限が必要な人／閉塞隅角緑内障／前立腺肥大による排尿障害／重い心疾患／麻痺性イレウス
[センブリ・炭酸水素ナトリウム配合剤] ナトリウム摂取制限が必要な人／ヘキサミン静注液の使用中（金田直・山善・鈴粉末・日本粉末を除く）
(2)慎重に服用すべき場合……重い消化管潰瘍／腎不全／心機能障害／肺機能障害／リン酸塩低下のある人／低クロル性アルカローシスなどの電解質失調のある人
(3)ミルク-アルカリ症候群……服用中に牛乳や乳製品，カルシウム製剤をとると，ミルク-アルカリ症候群（高カルシウム血症，高窒素血症，アルカローシスなど）が現れることがあります。

重大な副作用
[FK配合散，KM散] ①ショック，アナフィラキシー。
　そのほかにも報告された副作用はあるので，体調がいつもと違うと感じたときは，処方医・薬剤師に相談してください。

併用してはいけない薬
[健胃剤（健胃散〔健栄〕，MMD配合散，重散），センブリ・炭酸水素ナトリウム配合剤（金田直・山善・鈴粉末・日本粉末を除く）] ヘキサミン静注液→ヘキサミンの効果が弱まることがあります。

内 07 胃腸の薬　02 健胃消化剤・制酸剤など
02 消化酵素薬

製剤情報
一般名：消化酵素薬
- 保険収載年月…1967年4月
- 海外評価…0点 英米独仏
- 剤形…錠錠剤，カカプセル剤，顆顆粒剤

- 服用量と回数…処方医の指示通りに服用。

■先発品　　商品名(メーカー)　規格・保険薬価
タフマックE配合カプセル (小野)
カ 1カプセル 5.90円
タフマックE配合顆粒 (小野) 顆 1g 9.70円

内
07
—
02
—
02

消化酵素薬

ベリチーム配合顆粒 (共和) 顆 1g 10.40 円

■**ジェネリック**　商品名(メーカー)　規格・保険薬価

エクセラーゼ配合錠 写真 (MeijiSeika)
錠 1錠 5.70 円

オーネス N 配合顆粒 (鶴原) 顆 1g 18.10 円

オーネス SP 配合カプセル 写真 (鶴原)
カ 1ｶﾌﾟｾﾙ 5.70 円

オーネス ST 配合錠 (鶴原) 錠 1錠 5.70 円

ケイラーゼ SA 配合顆粒 (三恵) 顆 1g 9.80 円

ハイフル配合顆粒 (丸石) 顆 1g 9.80 円

フェルターゼ配合カプセル (佐藤薬品 = ジェイドルフ) カ 1ｶﾌﾟｾﾙ 5.90 円

フェンラーゼ配合カプセル (日医工ファーマ = 日医工) カ 1ｶﾌﾟｾﾙ 5.70 円

ボルトミー配合錠 (全星) 錠 1錠 5.50 円

マックターゼ配合錠 写真 (沢井) 錠 1錠 5.70 円

一般名：ジアスターゼ

- 保険収載年月…1950年9月
- 海外評価…0点 英 米 独 仏
- 剤形… 末 末剤
- 服用量と回数…1回0.3〜0.5gを1日3回。

■**先発品**　商品名(メーカー)　規格・保険薬価

ジアスターゼ (健栄) 末 10g 26.10 円

ジアスターゼ (小堺) 末 10g 27.40 円

ジアスターゼ (三恵) 末 10g 23.40 円

ジアスターゼ (シオエ = 日本新薬) 末 10g 26.10 円

ジアスターゼ (日興 = 日興販売) 末 10g 28.10 円

ジアスターゼ (マイラン EPD = ヴィアトリス)
末 10g 26.10 円

ジアスターゼ (山善) 末 10g 27.40 円

ジアスターゼ原末 (丸石 = ニプロ) 末 10g 26.10 円

一般名：パンクレアチン

- 保険収載年月…1950年9月
- 海外評価…2点 英 米 独 仏
- 剤形… 末 末剤
- 服用量と回数…1回1gを1日3回。

■**先発品**　商品名(メーカー)　規格・保険薬価

パンクレアチン (健栄) 末 1g 7.30 円

パンクレアチン (三恵) 末 1g 7.50 円

パンクレアチン (シオエ = 日本新薬) 末 1g 7.50 円

パンクレアチン (東洋製化 = 小野 = ニプロ = 丸石) 末 1g 7.50 円

パンクレアチン (吉田製薬) 末 1g 9.10 円

パンクレアチン原末 (マイラン = ファイザー)
末 1g 7.30 円

一般名：パンクレリパーゼ

- 保険収載年月…2011年7月
- 海外評価…6点 英 米 独 仏　●PC…C
- 剤形… カ カプセル剤, 顆 顆粒剤
- 服用量と回数…1回600mgを1日3回。

■**先発品**　商品名(メーカー)　規格・保険薬価

リパクレオン (マイラン EPD)
顆 300mg 1包 60.40 円　カ 150mg 1ｶﾌﾟｾﾙ 32.40 円

▤ 概　　要

分類　消化酵素薬

処方目的　消化異常症状の改善(パンクレリパーゼを除く)／[パンクレリパーゼの適応症]膵外分泌機能不全における膵消化酵素の補充

解説　日本では非常によく使われている薬剤です。胃を荒らす薬を服用しているときに，その副作用防止の目的で処方されることがあります。

⚙ 使用上の注意

＊ベリチーム配合顆粒，ジアスターゼの添付文書による

基本的注意

(1)服用してはいけない場合……本剤の成分に対するアレルギーの前歴／[ベリチーム配合顆粒]ウシ・ブタのタンパク質に対するアレルギーの前歴

(2)服用法……[ベリチーム配合顆粒]本剤は胃溶性および腸溶性の顆粒が配合されているので，砕いたりかんだりしないでください。また，本剤は舌や口腔粘膜を刺激することがあるので，服用したら直ちに飲み下し，口内に残らないように注意してください。

重大な副作用
重大な副作用はありませんが，そのほかの副作用はあるので，体調がいつもと違うと感じたときは，処方医・薬剤師に相談してください。

併用してはいけない薬
併用してはいけない薬は特にありません。ただし，併用する薬があるときは，念のため処方医・薬剤師に報告してください。

内 07 胃腸の薬　02 健胃消化剤・制酸剤など

03 制酸剤

製剤情報

一般名：水酸化マグネシウム
- 保険収載年月…1953年5月
- 海外評価…6点 英 米 独 仏
- 剤形…錠 錠剤，液 液剤
- 服用量と回数…1日0.9〜2.4gを数回に分けて服用。便秘症の場合は，1日0.9〜2.1gを頓用または数回に分けて服用。

■先発品　商品名(メーカー)　規格・保険薬価

ミルマグ (エムジー＝共和＝高田)
錠 350mg 1錠 5.70 円

ミルマグ内用懸濁液 (エムジー＝共和)
液 7.2% 10mL 16.20 円

一般名：酸化マグネシウム
- 保険収載年月…1950年9月
- 海外評価…6点 英 米 独 仏
- 剤形…錠 錠剤，末 末剤，細 細粒剤
- 服用量と回数…1日0.5〜1gを数回に分けて服用。便秘症の場合は，1日2gを3回に分けて，あるいは就寝前に1回。結石の発生予防の場合は，1日0.2〜0.6gを多量の水とともに服用。

■先発品　商品名(メーカー)　規格・保険薬価

酸化マグネシウム (小堺＝日興販売＝日医工)
末 10g 15.40 円

酸化マグネシウム (日本ジェネリック)
末 10g 10.10 円

酸化マグネシウム原末 (ニプロ＝ファイザー)
末 10g 15.40 円

酸化マグネシウム原末 (丸石) 末 10g 15.40 円

重カマ (吉田製薬) 末 10g 14.30 円

重質酸化マグネシウム (健栄) 末 10g 15.40 円

重質酸化マグネシウム (三恵) 末 10g 9.50 円

重質酸化マグネシウム (シオエ＝日本新薬)
末 10g 10.10 円

重質酸化マグネシウム (東海製薬)
末 10g 10.10 円

重質酸化マグネシウム (東洋製化＝小野)
末 10g 12.80 円

重質酸化マグネシウム (日医工＝岩城)
末 10g 10.10 円

重質酸化マグネシウム (日興＝中北＝日興販売)
末 10g 9.40 円

重質酸化マグネシウム (マイラン＝ファイザー)
末 10g 9.50 円

■ジェネリック　商品名(メーカー)　規格・保険薬価

酸化マグネシウム (グラフィコ)
錠 250mg 1錠 5.70 円　錠 330mg 1錠 5.70 円

酸化マグネシウム (健栄) 細 83% 1g 9.80 円

酸化マグネシウム (健栄＝日本ジェネリック)
錠 250mg 1錠 5.70 円　錠 330mg 1錠 5.70 円
錠 500mg 1錠 5.70 円

酸化マグネシウム (東洋製化＝丸石)
細 83% 1g 9.80 円

酸化マグネシウム (マイラン＝ファイザー)
錠 250mg 1錠 5.70 円　錠 330mg 1錠 5.70 円
錠 500mg 1錠 5.70 円

酸化マグネシウム (持田販売＝持田)
錠 250mg 1錠 5.70 円　錠 330mg 1錠 5.70 円

酸化マグネシウム (吉田製薬) 細 83% 1g 9.80 円
錠 200mg 1錠 5.70 円　錠 300mg 1錠 5.70 円
錠 400mg 1錠 5.70 円

酸化マグネシウム (吉田製薬＝共創未来)
錠 250mg 1錠 5.70 円　錠 330mg 1錠 5.70 円
錠 500mg 1錠 5.70 円

マグミット (協和化学＝シオエ) 細 83% 1g 9.80 円
錠 200mg 1錠 5.70 円

マグミット 写真 (協和化学＝シオエ＝丸石＝日医
工) 錠 250mg 1錠 5.70 円　錠 330mg 1錠 5.70 円
錠 500mg 1錠 5.70 円

一般名：炭酸マグネシウム

- 保険収載年月…1950年2月
- 海外評価…6点 英 米 独 仏
- 剤形…末 末剤
- 服用量と回数…1日2gを数回に分けて服用。便秘症の場合は, 1日3～8gを頓用または数回に分けて服用。

■先発品　商品名(メーカー)　規格・保険薬価

重質炭酸マグネシウム (日医工) 末 10g 11.40 円

炭酸マグネシウム (健栄) 末 10g 13.50 円

炭酸マグネシウム (日興＝日興販売)
末 10g 11.90 円

一般名：炭酸水素ナトリウム

- 保険収載年月…1956年9月
- 海外評価…6点 英 米 独 仏　●PC…C
- 剤形…錠 錠剤, 末 末剤
- 服用量と回数…1日3～5gを数回に分けて服用。上気道炎の補助療法の場合は, 1～2%液100mLを1日数回服用。

■先発品　商品名(メーカー)　規格・保険薬価

炭酸水素ナトリウム (恵美須) 末 10g 7.30 円

炭酸水素ナトリウム (金田直) 末 10g 7.30 円

炭酸水素ナトリウム (健栄) 末 10g 7.30 円

炭酸水素ナトリウム (小堺＝吉田製薬)
末 10g 7.30 円

炭酸水素ナトリウム (三恵) 末 10g 7.30 円

炭酸水素ナトリウム (シオエ＝日本新薬)
末 10g 7.50 円

炭酸水素ナトリウム (司生堂) 末 10g 7.30 円

炭酸水素ナトリウム (昭和製薬) 末 10g 7.30 円

炭酸水素ナトリウム (東海製薬) 末 10g 7.30 円

炭酸水素ナトリウム (東洋製化＝小野)
末 10g 7.50 円

炭酸水素ナトリウム (日医工＝岩城)
末 10g 7.30 円

炭酸水素ナトリウム (日興＝丸石＝中北＝ニプロ
＝日興販売) 末 10g 7.30 円

炭酸水素ナトリウム (扶桑) 末 10g 7.30 円

炭酸水素ナトリウム (マイラン＝ファイザー)
末 10g 7.50 円

炭酸水素ナトリウム (山善) 末 10g 7.30 円

■ジェネリック　商品名(メーカー)　規格・保険薬価

炭酸水素ナトリウム (マイラン＝ファイザー)
錠 500mg 1錠 5.70 円

一般名：合成ケイ酸アルミニウム

- 保険収載年月…1954年7月
- 海外評価…0点 英 米 独 仏
- 剤形…末 末剤
- 服用量と回数…1日3～10gを3～4回に分けて

服用。

■**先発品**　商品名(メーカー)　規格・保険薬価

| 合成ケイ酸アルミニウム (三恵) 末 10g 19.40 円 |
| 合成ケイ酸アルミニウム (東海製薬) 末 10g 19.40 円 |
| 合成ケイ酸アルミニウム (日興 = 日興販売) 末 10g 19.40 円 |
| 合成ケイ酸アルミニウム原末 (丸石) 末 10g 23.50 円 |

一般名：乾燥水酸化アルミニウムゲル

- 保険収載年月…1954年5月
- 海外評価…0点 英 米 独 仏
- 剤形… 末 末剤, 細 細粒剤
- 服用量と回数…1日1～3gを数回に分けて服用。

■**先発品**　商品名(メーカー)　規格・保険薬価

| 乾燥水酸化アルミニウムゲル (健栄) 細 1g 7.00 円 |
| 乾燥水酸化アルミニウムゲル (日興 = 日興販売) 末 1g 7.30 円 |
| 乾燥水酸化アルミニウムゲル原末 (丸石 = ニプロ) 末 1g 7.30 円 |

一般名：水酸化アルミニウムゲル・水酸化マグネシウム配合剤

- 保険収載年月…1992年7月
- 海外評価…6点 英 米 独 仏
- 剤形… 顆 顆粒剤, 液 液剤
- 服用量と回数…液剤の場合は, 1日16～48mLを数回に分けて服用。懸濁用(顆粒剤)の場合は, 1日1.6～4.8gを数回に分けて服用(1gを10mLの水に溶かして服用, またはそのまま服用)。

■**ジェネリック**　商品名(メーカー)　規格・保険薬価

| アイスフラット懸濁用配合顆粒 (長生堂 = 日本ジェネリック) 顆 1g 6.50 円 |
| アシドレス配合内服液 (中北 = カイゲン) 液 10mL 10.70 円 |

| タイメック配合内用液 (武田テバファーマ = 武田) 液 10mL 10.70 円 |
| ディクアノン懸濁用配合顆粒 (日新) 顆 1g 6.50 円 |
| ディクアノン配合内用液 (日新 = 岩城) 液 10mL 10.70 円 |
| マーレッジ懸濁用配合 DS (東和) 顆 1g 6.50 円 |
| マーロックス懸濁用配合顆粒 (サノフィ) 顆 1g 13.00 円 |
| マグテクト配合内服液 (日医工) 液 10mL 10.70 円 |
| マックメット懸濁用配合 DS (沢井) 顆 1g 6.50 円 |
| マルファ懸濁用配合顆粒 (東洋製化 = 小野) 顆 1g 13.00 円 |
| リタロクス懸濁用配合顆粒 (鶴原) 顆 1g 6.50 円 |

一般名：沈降炭酸カルシウム

- 保険収載年月…1950年10月
- 海外評価…6点 英 米 独 仏
- 剤形… 錠 錠剤, 末 末剤
- 服用量と回数…1日1～3gを3～4回に分けて服用。

■**先発品**　商品名(メーカー)　規格・保険薬価

| 沈降炭酸カルシウム (恵美須) 末 10g 7.50 円 |
| 沈降炭酸カルシウム (金田直) 末 10g 7.30 円 |
| 沈降炭酸カルシウム (健栄) 末 10g 9.70 円 |
| 沈降炭酸カルシウム (小堺 = ファイザー = 日興販売) 末 10g 7.50 円 |
| 沈降炭酸カルシウム (司生堂) 末 10g 7.30 円 |
| 沈降炭酸カルシウム (日医工) 末 10g 7.30 円 |
| 沈降炭酸カルシウム (山善) 末 10g 7.50 円 |
| 沈降炭酸カルシウム (吉田製薬) 末 10g 9.70 円 |

■**ジェネリック**　商品名(メーカー)　規格・保険薬価

| 炭カル (旭化成) 錠 500mg 1錠 5.90 円 |
| 炭カル (吉田製薬) 錠 250mg 1錠 5.90 円 錠 500mg 1錠 5.90 円 |

概　要

分類　制酸剤

処方目的　胃潰瘍，十二指腸潰瘍，胃炎，胃酸過多，上部消化管機能異常
[水酸化マグネシウム，酸化マグネシウム，炭酸マグネシウムのみの適応症] 便秘症／[酸化マグネシウムのみの適応症]尿路シュウ酸カルシウム結石の発生予防／[炭酸水素ナトリウムのみの適応症]アシドーシスの改善，尿酸排泄の促進，痛風発作の予防／上気道炎の補助療法／[乾燥水酸化アルミニウムゲルのみの適応症]尿中リン排泄増加に伴う尿路結石の発生予防

解説　「酸がなければ潰瘍なし」といわれています。酸-アルカリの中和作用で(胃)酸をなくすのですが，反応で生じた二酸化炭素が二次的に胃壁を刺激して胃酸の分泌を促すこともあります。

使用上の注意

*マーロックス懸濁用配合顆粒の添付文書による

基本的注意

(1)服用してはいけない場合……透析療法を受けている人

(2)慎重に服用すべき場合……腎機能障害／心機能障害／下痢のある人／高マグネシウム血症／リン酸塩が低下している人

(3)服用法……[水酸化アルミニウムゲル・水酸化マグネシウム配合剤の顆粒剤]本剤は水に懸濁し，懸濁後は速やかに服用してください。また，本剤を水とともに経口服用するときは，コップ1杯の水とともに服用してください。

(4)定期検査……長期服用でアルミニウム脳症やアルミニウム骨症を，長期大量の服用で高カルシウム血症や高マグネシウム血症をおこすことがあります。定期的に血中マグネシウム，アルミニウム，リン，カルシウム，AL-P などを測定することが必要です。

(5)ミルク-アルカリ症候群……服用中に牛乳や乳製品，カルシウム製剤をとると，ミルク-アルカリ症候群(高カルシウム血症，高窒素血症，アルカローシスなど)が現れることがあります。

(6)その他……

● 小児での安全性：未確立。(1714 頁を参照)

重大な副作用　　重大な副作用はありませんが，そのほかの副作用はあるので，体調がいつもと違うと感じたときは，処方医・薬剤師に相談してください。

併用してはいけない薬　　[炭酸水素ナトリウム(金田直・司生堂・山善を除く)] ヘキサミン静注液→ヘキサミンの効果が弱まることがあります。

内 07 胃腸の薬　02 健胃消化剤・制酸剤など

04 副交感神経刺激薬

製剤情報

一般名：ベタネコール塩化物

- 保険収載年月…1961年1月
- 海外評価…5点 英 米 独 仏　●PC…C
- 規制…劇薬
- 剤形…散 散剤

- 服用量と回数…1日0.6〜1gを3〜4回に分けて服用。

■先発品　商品名(メーカー)　規格・保険薬価

ベサコリン（サンノーバ＝エーザイ）
散 5% 1g 10.90 円

概要

分類　消化管機能増進薬

処方目的　消化管機能低下がみられる以下の疾患→慢性胃炎，迷走神経切断後，手術後・分娩後の腸管麻痺，麻痺性イレウス(腸閉塞)／手術後・分娩後および神経因性膀胱などの低緊張性膀胱による排尿困難(尿閉)

解説　胃液を分泌させる副交感神経を刺激して，胃腸の働きを高めます。

使用上の注意

基本的注意

(1)服用してはいけない場合……気管支ぜんそく／甲状腺機能亢進症／消化性潰瘍／てんかん／パーキンソン病／消化管・膀胱頸部の閉塞／冠動脈閉塞／強度の徐脈／妊婦または妊娠している可能性のある人

(2)慎重に服用すべき場合……高齢者

(3)その他……
- 小児での安全性：未確立。(1714頁を参照)

重大な副作用　①コリン作動性クリーゼ(悪心・嘔吐，腹痛，下痢，唾液分泌過多，発汗，徐脈，血圧低下，縮瞳など)。

そのほかにも報告された副作用はあるので，体調がいつもと違うと感じたときは，処方医・薬剤師に相談してください。

併用してはいけない薬　併用してはいけない薬は特にありません。ただし，併用する薬があるときは，念のため処方医・薬剤師に報告してください。

内 07 胃腸の薬　03 便秘の薬

01 植物性便秘治療薬

製剤情報

一般名：センナエキス
- 保険収載年月…1967年7月

内
07
—
03
—
01

植物性便秘治療薬

- 剤形…錠錠剤
- 服用量と回数…1日1回80mgを就寝前に服用。高度の便秘には1回160～240mgを頓用,連用では1回40～80mgを毎食後。小児の場合は,1回40mgを就寝前に服用。

■**先発品**　商品名(メーカー)　規格・保険薬価

アジャストAコーワ (興和) 錠 40mg 1錠 5.90 円

■**ジェネリック**　商品名(メーカー)　規格・保険薬価

ヨーデルS (藤本) 錠 80mg 1錠 5.90 円

一般名：センノシド

- 保険収載年月…1961年1月
- 海外評価…4点 英 米 独 仏
- 剤形…錠錠剤, 顆顆粒剤
- 服用量と回数…1日1回12～24mg(顆粒剤は0.15～0.3g)を就寝前に服用。高度の便秘の場合は,1回48mgまで増量できる。

■**先発品**　商品名(メーカー)　規格・保険薬価

プルゼニド (サンファーマ) 錠 12mg 1錠 5.70 円

■**ジェネリック**　商品名(メーカー)　規格・保険薬価

センノシド (皇漢堂) 錠 12mg 1錠 5.10 円

センノシド (沢井) 錠 12mg 1錠 5.10 円

センノシド (サンド＝三和) 錠 12mg 1錠 5.10 円

センノシド (サンノーバ＝エルメッド＝日医工)
顆 8% 1g 11.40 円

センノシド (生晃＝カイゲン＝扶桑)
錠 12mg 1錠 5.10 円

センノシド 写真 (武田テバ薬品＝武田テバファーマ＝武田) 錠 12mg 1錠 5.10 円

センノシド (辰巳) 錠 12mg 1錠 5.10 円

センノシド (鶴原＝日医工) 錠 12mg 1錠 5.10 円

センノシド (東洋カプセル＝キョーリン＝杏林)
錠 12mg 1錠 5.10 円

センノシド 写真 (東和＝ジェイドルフ)
錠 12mg 1錠 5.10 円

センノシド (堀井) 錠 12mg 1錠 5.10 円

センノシド 写真 (マイラン＝ファイザー)
錠 12mg 1錠 5.10 円

センノシド (陽進堂＝日本ジェネリック＝共創未来) 錠 12mg 1錠 5.10 円

一般名：センナ葉・実など

- 保険収載年月…1967年7月
- 剤形…顆顆粒剤
- 服用量と回数…1回0.5～1gを1日1～2回。

■**先発品**　商品名(メーカー)　規格・保険薬価

アローゼン 写真 (サンファーマ) 顆 1g 6.50 円

■**ジェネリック**　商品名(メーカー)　規格・保険薬価

ピムロ 写真 (本草＝辰巳) 顆 1g 6.30 円

一般名：ダイオウ・センナ配合剤

- 保険収載年月…1961年1月
- 剤形…錠錠剤
- 服用量と回数…1回3錠を1日3回。頓用には1回4～5錠。

■**先発品**　商品名(メーカー)　規格・保険薬価

セチロ配合錠 (ジェイドルフ＝東和) 錠 1錠 5.70 円

概　要

分類　便秘治療薬(大腸刺激性)

処方目的　便秘症／[センナ葉・実のみの適応症]駆虫剤服用後の下剤

解説　センナ薬は,昔から民間薬の便秘薬として使用されてきました。主成分はセンノサイドで,大腸粘膜およびアウエルバッハ神経叢に作用して大腸のぜん動運動を促進し,かつ水分の吸収を抑制して便通を促します。

使用上の注意

*センノシド(プルゼニド)などの添付文書による

基本的注意

(1)服用してはいけない場合……本剤の成分またはセンノシド製剤に対するアレルギーの前歴／急性腹症が疑われる人，けいれん性便秘／重症の硬結便のある人／電解質失調(特に低カリウム血症)のある人の大量服用／[セチロ配合錠のみ]腎機能障害／テトラサイクリン系抗生物質の服用中

(2)特に慎重に服用すべき場合(原則禁忌，処方医と連絡を絶やさないこと)……妊婦または妊娠している可能性のある人

(3)慎重に服用すべき場合……腹部手術後

(4)長期連用の禁止……連用すると，薬に対する慣れが生じて効果が弱まり，薬に頼りがちになるので，長期連用はしてはいけません。下剤は適用量より多量に使用すると腸管がけいれんし，逆に排便不十分となりさらに増量して下痢をおこすようになります。特に本剤などのアントラキノン系下剤の長期服用で多くみられます。

(5)尿の色……本剤の服用により，尿が黄褐色・赤色になることがあります。

(6)妊婦……妊婦または妊娠している可能性のある人は「原則禁忌」で，治療上の有益性が危険性を上回ると判断される場合にのみ処方されることがあります。服用によって子宮収縮を誘発して流早産の危険性があるので，やむを得ず服用する場合は大量に服用しないこと，また処方医との連絡を密に取り合ってください。

(7)その他……

- 授乳婦での安全性：服用するときは授乳を中止することが望ましい。
- 小児での安全性：未確立。(1714頁を参照)

重大な副作用 重大な副作用はありませんが，そのほかの副作用はあるので，体調がいつもと違うと感じたときは，処方医・薬剤師に相談してください。

併用してはいけない薬 [ダイオウ・センナ配合剤のみ]テトラサイクリン系抗生物質(アクロマイシンなど)→本剤との併用により作用が弱まるおそれがあります。

内 07 胃腸の薬　03 便秘の薬
02　合成便秘治療薬

製剤情報

一般名：ピコスルファートナトリウム水和物

- 保険収載年月…1980年2月
- 海外評価…6点 英 米 独 仏
- 剤形…錠 錠剤，カ カプセル剤，顆 顆粒剤，ド ドライシロップ剤，液 液剤
- 服用量と回数…処方医の指示通りに服用。

■**先発品**　商品名(メーカー)　規格・保険薬価

ラキソベロン(帝人) 錠 2.5mg 1錠 6.60円
液 0.75% 1mL 18.50円

■**ジェネリック**　商品名(メーカー)　規格・保険薬価

スナイリンドライシロップ(マイランEPD)
ド 1% 1g 24.80円

ピコスルファートNa(沢井＝日本ジェネリック)
錠 2.5mg 1錠 5.90円

ピコスルファート Na（武田テバファーマ＝武田） 錠 2.5mg 1錠 5.90 円	**ピコスルファートナトリウム** 写真（日医工） 錠 2.5mg 1錠 5.90 円　　ド 1% 1g 10.10 円 液 0.75% 1mL 8.10 円
ピコスルファート Na 内用液（武田テバファー マ＝武田）液 0.75% 1mL 8.10 円	**ピコスルファートナトリウム**（日新＝ゼリア） 顆 1% 1g 17.30 円
ピコスルファート Na 内用液（東和） 液 0.75% 1mL 8.10 円	**ピコスルファートナトリウム**（伏見） 錠 2.5mg 1錠 5.90 円
ピコスルファートナトリウム（岩城） 錠 2.5mg 1錠 5.90 円　　錠 7.5mg 1錠 5.90 円 液 0.75% 1mL 8.10 円	**ピコスルファートナトリウム内用液**（CHO＝ ファイザー）液 0.75% 1mL 8.10 円
ピコスルファートナトリウム（鶴原） 錠 2.5mg 1錠 5.90 円　　液 0.75% 1mL 8.10 円	**ピコスルファートナトリウム内用液**（長生堂＝ 日本ジェネリック＝コーアイセイ＝堀井） 液 0.75% 1mL 8.10 円
ピコスルファートナトリウム（東洋カプセル） カ 2.5mg 1カプセル 5.90 円	

📋 概　要

分類　便秘治療薬（大腸刺激性）

処方目的　便秘症／術後排便補助／造影剤（硫酸バリウム）服用後の排便促進／**[液剤のみ]** 手術前または大腸検査（X 線，内視鏡）前処置における腸管内容物の排除

解説　本剤は，胃や小腸ではほとんど吸収されず，大腸にいる細菌によって加水分解を受けて腸管のぜん動運動を促進し，また水分の吸収を阻止して便の排出を促します。

使用上の注意

＊ピコスルファートナトリウム水和物（ラキソベロン）の添付文書による

基本的注意

（1）服用してはいけない場合……急性腹症が疑われる人／本剤の成分に対するアレルギーの前歴／[液剤：大腸検査前処置に用いる場合]腸管の閉塞またはその疑いのある人

（2）慎重に服用すべき場合……[液剤：大腸検査前処置に用いる場合]腸管狭窄および重度な便秘／腸管憩室

（3）大腸検査……①本剤の液剤は大腸検査前の処置に使うことがあり，服用により虚血性大腸炎がおこることがあります。また，腸管に狭窄のある人では腸閉塞，腸管穿孔がおこることがあります。②本剤を自宅で用いて大腸検査前処置を行う際には，副作用が現れた場合に対応が困難なことがあるので，一人での服用は避けてください。③本剤を大腸検査前処置に用いる場合は，水を十分に摂取してください。

（4）その他……

● 妊婦での安全性：有益と判断されたときのみ服用。（1714 頁を参照）

重大な副作用　　　　　　　[大腸検査前処置に用いた場合] ①腸閉塞，腸管穿孔。②虚血性大腸炎。

　そのほかにも報告された副作用はあるので，体調がいつもと違うと感じたときは，処方医・薬剤師に相談してください。

併用してはいけない薬　　併用してはいけない薬は特にありません。ただし，併用する薬があるときは，念のため処方医・薬剤師に報告してください。

内 07 胃腸の薬　03 便秘の薬

03　ルビプロストン

製剤情報

一般名：ルビプロストン
- 保険収載年月…2012年11月
- 海外評価…4点 英 米 独 仏　●PC…C
- 剤形…カ カプセル剤

- 服用量と回数…1回24μgを1日2回（朝食後，夕食後）。

■先発品　　商品名(メーカー)　規格・保険薬価

アミティーザ 写真 (マイラン EPD)
カ 12μg 1ガプ 55.40 円　カ 24μg 1ガプ 110.20 円

概　要

分類　便秘治療薬
処方目的　慢性便秘症（器質的疾患による便秘を除く）
解説　本剤は小腸粘膜の上皮細胞に発現する ClC-2 クロライドチャネルを活性化し，腸管内への水分分泌を増やして便を軟らかくし，腸の運動性を高めて排便を促します。

使用上の注意

基本的注意

(1)服用してはいけない場合……本剤の成分に対するアレルギーの前歴／腫瘍，ヘルニアなどによる腸閉塞が確認されている，または疑われる人／妊婦または妊娠している可能性のある人
(2)慎重に服用すべき場合……中等度・重度の肝機能障害／重度の腎機能障害
(3)女性……動物実験で胎児喪失が報告されています。妊娠する可能性のある人は，事前に妊娠検査を行うなどして妊娠中でないことを確認してください。服薬中は避妊し，妊娠が確認された場合や疑われた場合には，直ちに処方医に連絡してください。
(4)その他……
- 授乳婦での安全性：服用するときは授乳を中止。
- 小児での安全性：未確立。（1714 頁を参照）

重大な副作用　　重大な副作用はありませんが，そのほかの副作用はあるので，体調がいつもと違うと感じたときは，処方医・薬剤師に相談してください。
併用してはいけない薬　　併用してはいけない薬は特にありません。ただし，併用する薬があるときは，念のため処方医・薬剤師に報告してください。

内 07 胃腸の薬　03 便秘の薬

04 その他の便秘治療薬

💊 製剤情報

一般名：ジオクチルソジウムスルホサクシネート・カサンスラノール配合剤

- 保険収載年月…1982年8月
- 海外評価…2点 英 米 独 仏
- 剤形…錠 錠剤

- 服用量と回数…1回5～6錠を就寝前または1日6錠を2～3回に分けて服用。

■ジェネリック　　商品名(メーカー)　規格・保険薬価

ビーマス配合錠 写真 (日本臓器) 錠 1錠 5.70 円	
ベンコール配合錠 (日医工ファーマ＝日医工) 錠 1錠 5.70 円	

📖 概　要

分類　便秘治療薬

処方目的　便秘症／腹部臓器検査時または手術時の腸管内容物の排除

解説　水分を浸透させて便を軟らかくするジオクチルソジウムスルホサクシネートと腸管のぜん動を亢進させるカサンスラノールの合剤で，大腸刺激性便秘薬に属します。

🔖 使用上の注意

＊ビーマス配合錠の添付文書による

基本的注意

(1)服用してはいけない場合……急性腹症が疑われる人／重症の硬結便がある人／けいれん性便秘

(2)長期連用の禁止……連用すると，薬に対する慣れが生じて効果が弱まり，薬に頼りがちになるので，長期連用はしてはいけません。

(3)尿の色……本剤の服用により，尿が黄褐色・赤色になることがあります。

(4)その他……

- 妊婦での安全性：未確立。有益と判断されたときのみ服用(大量服用は禁止)。
- 授乳婦での安全性：服用しないことが望ましい。
- 小児での安全性：未確立。(1714 頁を参照)

重大な副作用　　重大な副作用はありませんが，そのほかの副作用はあるので，体調がいつもと違うと感じたときは，処方医・薬剤師に相談してください。

併用してはいけない薬　　併用してはいけない薬は特にありません。ただし，併用する薬があるときは，念のため処方医・薬剤師に報告してください。

内07 胃腸の薬　03 便秘の薬

05　ナルデメジン

製剤情報

一般名：ナルデメジントシル酸塩
- 保険収載年月…2017年5月
- 海外評価…2点 英 **米** 独 仏
- 剤形…錠 錠剤

- 服用量と回数…1回0.2mg（1錠）を1日1回。

■**先発品**　　商品名(メーカー)　規格・保険薬価

スインプロイク 写真 (塩野義)
錠 0.2mg 1錠 277.10 円

概　要

分類　経口末梢性μ（ミュー）オピオイド受容体拮抗薬

処方目的　オピオイド誘発性便秘症

解説　オピオイド（麻薬性）鎮痛薬は，主に中等度～高度の疼痛管理に用いられ，特にがんの疼痛管理では中心的役割を果たしていますが，近年では非がん性の疼痛にも使用が増えています。しかし，副作用が多く，なかでも便秘はオピオイド鎮痛薬の治療を受けている人の40～80％に現れ，疼痛管理の妨げとなっていました。

　オピオイドの鎮痛作用は，主に中枢（脳）に存在するμ（ミュー）オピオイド受容体に結合して発現しますが，同時に末梢（腸）に存在するμオピオイド受容体にも結合して消化管の運動などを抑制して便秘を引きおこします。本剤は，これまでの中枢・末梢に作用するオピオイド鎮痛薬とは異なり，血液脳関門の透過性は極めて低く中枢には作用せず，末梢のμオピオイド受容体に結合してオピオイド鎮痛薬に対する拮抗作用を示すように設計されており，便秘を改善させながらも鎮痛作用を弱めることがありません。

使用上の注意

基本的注意

(1)**服用してはいけない場合**……本剤の成分に対するアレルギーの前歴／消化管閉塞もしくはその疑いのある人，または消化管閉塞の前歴があり再発のおそれの高い人

(2)**慎重に服用すべき場合**……消化管壁の脆弱性が認められる，または疑われる疾患（例：消化管潰瘍，憩室疾患，浸潤性消化管がん，がんの腹膜転移，クローン病）／脳腫瘍（転移性を含む）などの血液脳関門が機能していない，または機能不全が疑われる人

(3)**オピオイド離脱症候群**……本剤を服用すると，オピオイド離脱症候群（一般的には，服用後数分あるいは数日以内におこる次の症状の複合的な発現→不安，悪心，嘔吐，筋肉痛，流涙，鼻漏，散瞳，立毛，発汗，下痢，あくび，発熱，不眠）をおこすおそれがあるので，異常が認められた場合には直ちに処方医に連絡してください。

(4)**消化管穿孔**……海外で類薬の服用により，消化管穿孔をおこし死亡に至ったとの報告があります。激しいまたは持続する腹痛など，消化管穿孔が疑われる症状が認められた場合には直ちに処方医に連絡してください。

(5)**その他**……

- 妊婦での安全性：有益と判断されたときのみ服用。
- 授乳婦での安全性：治療上の有益性・母乳栄養の有益性を考慮し，授乳の継続・中止を検討。
- 小児での安全性：未確立。(1714頁を参照)

重大な副作用 ①重度の下痢，脱水症状。

　そのほかにも報告された副作用はあるので，体調がいつもと違うと感じたときは，処方医・薬剤師に相談してください。

併用してはいけない薬 併用してはいけない薬は特にありません。ただし，併用する薬があるときは，念のため処方医・薬剤師に報告してください。

内 07 胃腸の薬　03 便秘の薬

06 **エロビキシバット**

💊 製 剤 情 報

一般名：エロビキシバット水和物
- 保険収載年月…2018年4月
- 海外評価…0点 英 米 独 仏
- 剤形…錠 錠剤

- 服用量と回数…1日1回，10mg(2錠)を食前に服用。1日最大15mg。

■**先発品**　　商品名(メーカー)　規格・保険薬価

グーフィス(EAファーマ＝持田)
錠 5mg 1錠 94.20円

📋 概　　要

分類　　胆汁酸トランスポーター阻害薬

処方目的　　慢性便秘症(器質的疾患による便秘を除く)

解説　　胆汁酸は肝臓でコレステロールから合成され，食事に伴って胆のうから胆管を経て十二指腸へ分泌され，食物脂肪および脂溶性ビタミンの吸収に関与しています。分泌された胆汁酸は小腸で約95%が再吸収され，腸肝循環が行われて再利用されます。再吸収されなかった胆汁酸は大腸へと流れていきます。この小腸での再吸収には，回腸末端部にあるIBAT(回腸胆汁酸トランスポーター)と呼ばれるトランスポーター(膜タンパク質)が大きく関わっています。本剤は，世界初の胆汁酸トランスポーター阻害薬です。IBATの働きを特異的に阻害し，胆汁酸の再吸収を抑制することで，大腸内に流入する胆汁酸の量を増加させます。胆汁酸が増加すると，胆汁酸の働きによって大腸内へ水分が分泌され，また大腸の運動が促進されて排便を促すと考えられています。

✍ 使用上の注意

基本的注意

(1)服用してはいけない場合……本剤の成分に対するアレルギーの前歴／腫瘍，ヘルニアなどによる腸閉塞が確認されている，または疑われる人

(2)慎重に服用すべき場合……重い肝機能障害

(3)腹痛，下痢……本剤の服用中は腹痛や下痢が現れるおそれがあります。症状がみら

れたらすぐに処方医に連絡してください。

(4)その他……

● 妊婦での安全性：有益と判断されたときのみ服用。

● 授乳婦での安全性：治療上の有益性・母乳栄養の有益性を考慮し，授乳の継続・中止を検討。

● 小児での安全性：未確立。(1714頁を参照)

重大な副作用　　重大な副作用はありませんが，そのほかの副作用はあるので，体調がいつもと違うと感じたときは，処方医・薬剤師に相談してください。

併用してはいけない薬　　併用してはいけない薬は特にありません。ただし，併用する薬があるときは，念のため処方医・薬剤師に報告してください。

内 07 胃腸の薬　03 便秘の薬

07　ポリエチレングリコール製剤

製剤情報

一般名：マクロゴール4000・塩化ナトリウム・炭酸水素ナトリウム・塩化カリウム配合剤

● 保険収載年月…2018年11月
● 海外評価…4点 英 米 独 仏
● 剤形…散 散剤

● 服用量と回数…処方医の指示通りに服用。

■ 先発品　　商品名(メーカー)　　規格・保険薬価

モビコール配合内用剤 HD (EA ファーマ＝持田) 散 13.7046g 1包 131.60 円
モビコール配合内用剤 LD (EA ファーマ＝持田) 散 6.8523g 1包 75.30 円

概要

分類　慢性便秘症治療薬

処方目的　慢性便秘症(器質的疾患による便秘を除く)

解説　本剤は，ポリエチレングリコール(マクロゴール4000)と電解質(塩化ナトリウム，炭酸水素ナトリウム，塩化カリウム)を配合した製剤です。主成分のポリエチレングリコールの浸透圧効果により，腸管内の水分量を増加させて便中水分量が増加，便が軟化，便容積が増大することで，大腸の蠕動運動を活発化し，排便を促します。海外のガイドラインにおいて慢性便秘症の治療薬として推奨されており，日本でも厚生労働省の「医療上の必要性が高い医薬品」として登場しました。

　本剤は，胃・小腸・大腸などの消化器官の機能低下による機能性便秘(急性便秘，慢性便秘，医原性便秘)に用いられ，腸そのものの病変によっておこる器質性便秘には適応されません。

使用上の注意

基本的注意

(1)服用してはいけない場合……本剤の成分に対するアレルギーの前歴／腸閉塞，腸管

穿孔, 重症の炎症性腸疾患(潰瘍性大腸炎, クローン病, 中毒性巨大結腸症など)が確認されている人またはその疑いがある人

(2)服用法……本品のLD剤は1包あたりコップ3分の1程度(約60mL)の水, HD剤は1包あたりコップ3分の2程度(約120mL)の水に溶解し, 溶解後は速やかに服用します。やむを得ず保存する場合は冷蔵庫に保存し, できるだけ速やかに服用してください。

(3)その他……

●妊婦での安全性:有益と判断されたときのみ服用。

●授乳婦での安全性:治療上の有益性・母乳栄養の有益性を考慮し, 授乳の継続・中止を検討。

●低出生体重児, 新生児, 乳児, 2歳未満の幼児での安全性:未確立。(1714頁を参照)

重大な副作用 ①ショック, アナフィラキシー(血圧低下, じん麻疹, 呼吸困難, 顔面浮腫など)。

そのほかにも報告された副作用はあるので, 体調がいつもと違うと感じたときは, 処方医・薬剤師に相談してください。

併用してはいけない薬 併用してはいけない薬は特にありません。ただし, 併用する薬があるときは, 念のため処方医・薬剤師に報告してください。

内 07 胃腸の薬　04 整腸薬・下痢止め

01 ベルベリン塩化物水和物

⚕ 製剤情報

一般名:ベルベリン塩化物水和物

●保険収載年月…1963年1月

●海外評価…0点 英 米 独 仏

●剤形…錠 錠剤

●服用量と回数…1日150～300mgを3回に分けて服用。

■ジェネリック　商品名(メーカー)　規格・保険薬価

キョウベリン 写真 (大峰堂＝日本化薬)
錠 100mg 1錠 8.10 円

一般名:ベルベリン塩化物水和物配合剤

●保険収載年月…1967年7月

●海外評価…0点 英 米 独 仏

●剤形…錠 錠剤

●服用量と回数…1回2錠を1日3回。

■先発品　商品名(メーカー)　規格・保険薬価

フェロベリン配合錠 (日本ジェネリック)
錠 1錠 6.10 円

■ジェネリック　商品名(メーカー)　規格・保険薬価

リーダイ配合錠 (日医工岐阜＝日医工＝武田)
錠 1錠 5.70 円

🗐 概要

分類　整腸薬(止瀉薬)

処方目的　下痢症

解説　ミカン科の植物, キハダの内皮を乾燥したものを黄柏といって, 漢方薬の原料になっています。これから作った「陀羅尼助」「お百草」「練熊」などの健胃整腸剤が, 古く

から販売されています。ベルベリンは，この黄柏から抽出されたアルカロイド成分（植物中に含まれるアルカリ性の有機物）です。

使用上の注意
＊ベルベリン塩化物水和物配合剤（フェロベリン配合錠）の添付文書による

基本的注意
（1）服用してはいけない場合……出血性大腸炎
（2）特に慎重に服用すべき場合（原則禁忌，処方医と連絡を絶やさないこと）……細菌性下痢のある人
（3）長期連用の禁止……連用すると，薬に対する慣れが生じて効果が弱まり，薬に頼りがちになるので，長期連用はしてはいけません。

重大な副作用　　重大な副作用はありませんが，そのほかの副作用はあるので，体調がいつもと違うと感じたときは，処方医・薬剤師に相談してください。

併用してはいけない薬　　併用してはいけない薬は特にありません。ただし，併用する薬があるときは，念のため処方医・薬剤師に報告してください。

内 07 胃腸の薬　04 整腸薬・下痢止め
02 活性生菌製剤

製剤情報

一般名：ラクトミン
- 保険収載年月…1950年9月
- 剤形…末 末剤, 散 散剤
- 服用量と回数…1日3〜9gを3回に分けて服用。

■ **先発品**　商品名（メーカー）　規格・保険薬価

アタバニン（日東薬品＝住友ファーマ）
散 1g 6.30 円

ビオフェルミン配合散（ビオフェルミン＝大正製薬）散 1g 6.30 円

ビオラクト原末（三恵）末 1g 6.30 円

ラクトミン末（丸石）末 1g 6.30 円

■ **ジェネリック**　商品名（メーカー）　規格・保険薬価

ビオヂアスミン F-2（日東薬品＝ファイザー）
末 1g 6.30 円

ラクトミン（コーアイセイ）末 1g 6.30 円

一般名：耐性乳酸菌
- 保険収載年月…1969年1月
- 剤形…錠 錠剤, 散 散剤
- 服用量と回数…1日散剤3g, 錠剤3錠（3カプセル）を3回に分けて服用。

■ **先発品**　商品名（メーカー）　規格・保険薬価

エンテロノン-R（EA ファーマ）散 1g 6.30 円

■ **ジェネリック**　商品名（メーカー）　規格・保険薬価

耐性乳酸菌散（東和）散 1g 6.30 円

ビオフェルミン R 写真（ビオフェルミン＝大正製薬）散 1g 6.30 円　錠 1錠 5.90 円

ラックビー R（興和）散 1g 6.30 円

レベニン（わかもと）散 1g 6.30 円　錠 1錠 5.90 円

一般名：ビフィズス菌
- 保険収載年月…1961年7月
- 剤形…錠 錠剤, 散 散剤
- 服用量と回数…1日散剤3〜6g, 錠剤3〜6錠を3回に分けて服用。

■先発品　商品名(メーカー)　規格・保険薬価

ビオスミン配合散 (ビオフェルミン＝大正製薬)
散 1g 6.30 円

ラックビー 写真 (興和) 錠 1錠 5.90 円

ラックビーN (興和) 散 1% 1g 6.30 円

■ジェネリック　商品名(メーカー)　規格・保険薬価

ビオフェルミン 写真 (ビオフェルミン＝大正製薬)
錠 1錠 5.70 円

ビフィスゲン (日東薬品＝住友ファーマ)
散 2% 1g 6.30 円

レベニンS配合散 (わかもと) 散 1g 6.30 円

レベニンS配合錠 (わかもと) 錠 1錠 6.30 円

一般名：酪酸菌

● 保険収載年月…1963年5月
● 剤形…錠 錠剤, 散 散剤, 細 細粒剤
● 服用量と回数…1日散剤・細粒剤1.5～3g, 錠剤 3～6錠を3回に分けて服用。

■先発品　商品名(メーカー)　規格・保険薬価

ビオスリー配合散 写真 (東亜薬工＝東亜新薬＝鳥居) 散 1g 6.30 円

ビオスリー配合錠 (東亜薬工＝東亜新薬＝鳥居) 錠 1錠 5.70 円

ビオスリー配合OD錠 (東亜薬工＝東亜新薬＝鳥居) 錠 1錠 5.70 円

ミヤBM (ミヤリサン) 細 1g 6.30 円
錠 1錠 5.70 円

概　要

分類　整腸薬

処方目的　[耐性乳酸菌を除く適応症] 腸内菌叢の異常による諸症状の改善
[耐性乳酸菌のみの適応症] 以下の抗生物質, 化学療法薬投与時の腸内菌叢の異常による諸症状の改善→ペニシリン系, セファロスポリン系, アミノグリコシド系, マクロライド系, テトラサイクリン系(ラックビーRを除く), ナリジクス酸

解説　抗生物質は, 有害な細菌のみを殺すのでなく, 腸内でビタミンなどをつくっている必要な細菌群までも殺すことがあります。そのために下痢になるので, 活性生菌を補給して下痢を止めます。

使用上の注意

*耐性乳酸菌(エンテロノン-R)の添付文書による

基本的注意

(1)服用してはいけない場合……本剤に対するアレルギーの前歴／牛乳アレルギー
(2)その他……
● 妊婦での安全性：未確立。有益と判断されたときのみ服用。(1714頁を参照)

重大な副作用　①アナフィラキシー。
　そのほかにも報告された副作用はあるので, 体調がいつもと違うと感じたときは, 処方医・薬剤師に相談してください。

併用してはいけない薬　併用してはいけない薬は特にありません。ただし, 併用する薬があるときは, 念のため処方医・薬剤師に報告してください。

内 07 胃腸の薬　04 整腸薬・下痢止め

03　ガラクトシダーゼ

🔖 製 剤 情 報

一般名: β-ガラクトシダーゼ(アスペルギルス)

- 保険収載年月…1972年2月
- 剤形…散 散剤
- 服用量と回数…1回0.25~0.5gを哺乳と同時に服用。下痢の改善の場合は,処方医の指示通りに服用。

■**先発品**　　商品名(メーカー)　規格・保険薬価

ガランターゼ (ニプロ ES) 散 50% 1g 30.70 円

■**ジェネリック**　　商品名(メーカー)　規格・保険薬価

β-ガラクトシダーゼ (鶴原) 散 50% 1g 16.00 円

一般名: β-ガラクトシダーゼ(ペニシリウム)

- 保険収載年月…1985年12月
- 剤形…細 細粒剤
- 服用量と回数…1回0.25~0.5gを哺乳と同時に服用。下痢の改善の場合は,処方医の指示通りに服用。

■**先発品**　　商品名(メーカー)　規格・保険薬価

ミルラクト (高田) 細 50% 1g 56.60 円

📑 概　　要

分類　整腸薬

処方目的　乳児の乳糖不耐により生ずる消化不良の改善／経管栄養食・経口流動食などの摂取時の乳糖不耐により生ずる下痢の改善

解説　母乳や牛乳・乳製品に含まれる乳糖(ラクトース)は,小腸に存在する乳糖分解酵素(ラクターゼ)によって分解されて小腸の粘膜から吸収されます。この酵素の分泌が腸の病気などで減少して乳糖の分解がうまくいかず,腸の中に残って消化不良や下痢をおこすことを乳糖不耐(症)といいます。日本人はラクターゼの分泌が少なく,乳糖不耐(症)になりやすいことが知られています。本剤は,主として乳児用で,大人に有効なのは経管栄養食や経口流動食の摂取時のみで,その他のときには使えません。

📋 使用上の注意

＊ガランターゼ,ミルラクトの添付文書による

基本的注意

(1)服用してはいけない場合……本剤の成分に対するアレルギーの前歴

(2)慎重に服用すべき場合……本人または両親・兄弟に,じん麻疹,気管支ぜんそく,他の薬剤に対するアレルギー,食物アレルギーなどがある人

重大な副作用　　①ショック(ショック症状,四肢冷感,顔面蒼白,チアノーゼ,下痢,腹部膨満,嘔吐など)。

そのほかにも報告された副作用はあるので,体調がいつもと違うと感じたときは,処方医・薬剤師に相談してください。

併用してはいけない薬　　併用してはいけない薬は特にありません。ただし,併用す

る薬があるときは，念のため処方医・薬剤師に報告してください。

内 07 胃腸の薬　04 整腸薬・下痢止め

04 ロペラミド

製剤情報

一般名：ロペラミド塩酸塩

- 保険収載年月…1981年9月
- 海外評価…6点 英 米 独 仏　●PC…B
- 剤形…錠 錠剤，カ カプセル剤，細 細粒剤
- 服用量と回数…1日1～2mg(0.1%細粒剤1～2g，0.2%細粒剤0.5～1g)を1～2回に分けて服用。小児用細粒剤・ドライシロップは，1日0.02～0.04mg／kg(体重)を2～3回に分けて服用。

■**先発品**　商品名(メーカー)　規格・保険薬価

ロペミン 写真 (ヤンセン)　細 0.1% 1g 19.40 円

カ 1mg 1カプセル 16.00 円　　細 0.05% 1g (小児用) 21.80 円

■**ジェネリック**　　商品名(メーカー)　規格・保険薬価

ロペナ (堀井) カ 1mg 1カプセル 6.70 円

ロペラミド (サンノーバ＝エルメッド＝日医工)
錠 1mg 1錠 6.20 円

ロペラミド塩酸塩 (沢井) カ 1mg 1カプセル 6.20 円

ロペラミド塩酸塩 (武田テバファーマ＝武田)
カ 1mg 1カプセル 6.20 円　細 0.05% 1g (小児用) 10.90 円

ロペラミド塩酸塩 (長生堂＝日本ジェネリック)
カ 1mg 1カプセル 6.20 円

ロペラミド塩酸塩 (日医工＝あすか＝武田)
錠 1mg 1錠 6.20 円

ロペラミド塩酸塩 (堀井) カ 1mg 1カプセル 6.20 円

概　要

分類　止瀉薬

処方目的　下痢症

解説　構造式的には抗精神病薬のハロペリドールの誘導体です。腸管に直接作用して，腸のぜん動運動を抑制して下痢を止めるといわれています。

使用上の注意

＊ロペラミド塩酸塩(ロペミン)の添付文書による

基本的注意

(1)服用してはいけない場合……出血性大腸炎／抗生物質服用による偽膜性大腸炎／本剤の成分に対するアレルギーの前歴／低出生体重児，新生児および6カ月未満の乳児

(2)特に慎重に服用すべき場合(原則禁忌，処方医と連絡を絶やさないこと)……感染性下痢のある人／潰瘍性大腸炎／6カ月以上2歳未満の乳幼児

(3)慎重に服用すべき場合……重い肝機能障害

(4)過量服用……外国で，過量服用により昏睡，呼吸抑制，縮瞳，協調異常，筋緊張低下，傾眠，尿閉などの中毒症状が報告されています。また，腸管壊死に至る麻痺性イレウスにより死亡に至った例，QT延長，重篤な心室性不整脈，ブルガダ症候群の顕在化が報告されています。指示された量以上に服用しないでください。

(5)薬物依存性……動物実験での大量投与で，薬物依存性が認められています。服用にあたっては，用量や服用期間など，処方医の指示を守ってください。

(6)危険作業は中止……本剤を服用すると，眠け，めまいなどをおこすことがあります。高所作業や自動車の運転など危険を伴う機械の操作は行わないようにしてください。

(7)その他……

- ●妊婦での安全性：未確立。有益と判断されたときのみ服用。
- ●授乳婦での安全性：服用するときは授乳を中止。
- ●小児での安全性：未確立。(1714 頁を参照)

重大な副作用　①イレウス(腸閉塞)，巨大結腸。②ショック，アナフィラキシー(全身発赤，じん麻疹，呼吸困難など)。③皮膚粘膜眼症候群(スティブンス-ジョンソン症候群)，中毒性表皮壊死融解症(TEN)。

　そのほかにも報告された副作用はあるので，体調がいつもと違うと感じたときは，処方医・薬剤師に相談してください。

併用してはいけない薬　併用してはいけない薬は特にありません。ただし，併用する薬があるときは，念のため処方医・薬剤師に報告してください。

内07 胃腸の薬　04 整腸薬・下痢止め
05　その他の止瀉薬

💊 製 剤 情 報

一般名：タンニン酸アルブミン
- ●保険収載年月…1950年9月
- ●海外評価…1点 英米独仏
- ●剤形…保 末剤
- ●服用量と回数…1日3〜4gを3〜4回に分けて服用。

■先発品　商品名(メーカー)　規格・保険薬価

| タンニン酸アルブミン (健栄) 保 1g 7.30 円 |
| タンニン酸アルブミン (三恵) 保 1g 7.30 円 |
| タンニン酸アルブミン (シオエ＝日本新薬) 保 1g 7.50 円 |
| タンニン酸アルブミン (東洋製化＝小野) 保 1g 7.50 円 |
| タンニン酸アルブミン (中北) 保 1g 7.00 円 |
| タンニン酸アルブミン (日医工＝岩城) 保 1g 7.00 円 |
| タンニン酸アルブミン (日興＝吉田製薬＝丸石＝日興販売) 保 1g 7.00 円 |

| タンニン酸アルブミン (山善) 保 1g 7.30 円 |
| タンニン酸アルブミン原末 (マイラン＝ファイザー) 保 1g 7.00 円 |
| タンニン酸アルブミン原末 (丸石＝ニプロ) 保 1g 7.30 円 |

一般名：次硝酸ビスマス
- ●保険収載年月…1950年9月
- ●海外評価…1点 英米独仏
- ●剤形…保 末剤
- ●服用量と回数…1日2gを2〜3回に分けて服用。

■先発品　商品名(メーカー)　規格・保険薬価

| 次硝酸ビスマス (健栄) 保 1g 9.20 円 |
| 次硝酸ビスマス (三恵) 保 1g 7.60 円 |
| 次硝酸ビスマス (シオエ＝日本新薬) 保 1g 9.20 円 |
| 次硝酸ビスマス (東海製薬) 保 1g 7.60 円 |
| 次硝酸ビスマス (中北) 保 1g 9.20 円 |
| 次硝酸ビスマス (日医工ファーマ＝日医工) 保 1g 8.10 円 |

次硝酸ビスマス（日興＝丸石＝ニプロ＝吉田製薬＝日興販売）㈱ 1g 9.80 円

一般名：天然ケイ酸アルミニウム
- 保険収載年月…1984年4月
- 海外評価…1点 英 米 独 仏

- 剤形…㈱末剤
- 服用量と回数…1日3〜10gを3〜4回に分けて服用。

■先発品　　商品名(メーカー)　規格・保険薬価
アドソルビン原末 (アルフレッサ) ㈱10g 8.50 円

概　　要

分類　止瀉薬・整腸薬
処方目的　下痢症
解説　古くからある止瀉薬などをまとめています。

　タンニン酸アルブミンは，タンニン酸による緩やかな収斂作用で下痢を止めます。ビスマス製剤には，収斂作用と粘膜保護作用があります。天然ケイ酸アルミニウムは，胃や腸で有害物質や過剰な水分を吸着して，収斂作用・止瀉作用を示します。

使用上の注意
＊全剤の添付文書による

基本的注意

(1)服用してはいけない場合……[共通]出血性大腸炎(O157などの腸管出血性大腸菌や赤痢菌などの重い細菌性下痢患者)／[タンニン酸アルブミンのみ]牛乳アレルギー／経口鉄剤の服用中／本剤に対するアレルギーの前歴／[次硝酸ビスマスのみ]慢性消化管通過障害または重い消化管潰瘍／[天然ケイ酸アルミニウムのみ]腸閉塞／透析療法中の人
(2)原則として服用しない場合(特に必要とする場合は慎重に服用)……細菌性下痢のある人(治療期間が延びるおそれがあります)
(3)慎重に服用すべき場合……[タンニン酸アルブミン]肝障害／[次硝酸ビスマス]便秘，結腸ろう・回腸ろう・人工肛門増設術を受けた人，消化管憩室のある人／[天然ケイ酸アルミニウム]便秘／腎障害／リン酸塩低下のある人
(4)精神神経系障害……[次硝酸ビスマス]精神神経系障害が現れることがあるので，長期連続服用は避け，原則として1カ月に20日程度(週に5日以内)にとどめます。
(5)その他……
- 妊婦での安全性：[次硝酸ビスマス]未確立(服用量・服用期間に注意)。
- 小児での安全性：[次硝酸ビスマス]未確立(服用量・服用期間に注意)。(1714頁を参照)

重大な副作用　　　　[タンニン酸アルブミン] ①ショック，アナフィラキシー(呼吸困難，じん麻疹，顔面浮腫，気管支ぜんそく発作など)。
[次硝酸ビスマス] ②連続服用(1日3〜20gを1カ月〜数年間)により，間代性けいれん，昏迷，錯乱，運動障害などの精神神経系障害(初期症状：不安，不快感，記憶力減退，頭痛，無力感，注意力低化，ふるえなど)。③亜硝酸中毒(メトヘモグロビン血症，血圧降下，皮膚の紅潮)。また，便秘が現れた場合は，亜硝酸中毒のおそれがあるので減量や休

薬が必要です。

そのほかにも報告された副作用はあるので，体調がいつもと違うと感じたときは，処方医・薬剤師に相談してください。

併用してはいけない薬 ▶ ［タンニン酸アルブミン］経口鉄剤→相互に作用が弱まることがあります。

内 **07 胃腸の薬　05 その他の胃腸薬**

01 メトクロプラミド

製剤情報

一般名：メトクロプラミド

- 保険収載年月…1965年12月
- 海外評価…5点 英 米 独 仏　●PC…B
- 規制…劇薬(細粒剤のみ)
- 剤形…錠 錠剤, 細 細粒剤, シ シロップ剤
- 服用量と回数…1日10〜30mg(細粒剤0.5〜1.5g, シロップ10〜30mL)を2〜3回に分けて服用。小児の場合は,処方医の指示通りに服用。

■先発品　商品名(メーカー)　規格・保険薬価

プリンペラン 写真 (日医工) 細 2% 1g 12.80 円
錠 5mg 1錠 6.50 円　シ 0.1% 10mL 27.10 円

■ジェネリック　商品名(メーカー)　規格・保険薬価

メトクロプラミド (あすか＝武田)
錠 5mg 1錠 5.70 円　錠 10mg 1錠 6.10 円
メトクロプラミド (高田) 錠 5mg 1錠 5.70 円
メトクロプラミド (武田テバファーマ＝武田)
錠 5mg 1錠 5.70 円
メトクロプラミド (鶴原) 細 2% 1g 6.30 円
メトクロプラミド (鶴原＝日本ジェネリック)
錠 5mg 1錠 5.70 円
メトクロプラミド (東和) 錠 5mg 1錠 5.70 円

概要

分類　消化器機能異常治療薬

処方目的　以下の場合における消化器機能異常(悪心, 嘔吐, 食欲不振, 腹部膨満感)→胃炎, 胃・十二指腸潰瘍, 胆のう・胆道疾患, 腎炎, 尿毒症, 乳幼児嘔吐, 薬剤(制がん剤, 抗生物質, 抗結核薬, 麻酔薬)使用時, 胃内・気管内挿管時, 放射線照射時, 開腹手術後／X線検査時のバリウム通過促進

解説　本剤は，脳の嘔吐中枢や消化器の運動をコントロールする神経に存在するドパミン受容体(D_2受容体)というタンパク質の働きを遮断して(抗ドパミン作用)，嘔吐を抑えたり，胃腸の運動を活発にします。

使用上の注意

＊メトクロプラミド(プリンペラン)の添付文書による

基本的注意

(1)服用してはいけない場合……本剤の成分に対するアレルギーの前歴／褐色細胞腫の疑いのある人／消化管に出血・穿孔，または器質的閉塞のある人

(2)慎重に服用すべき場合……腎機能障害／脱水・栄養不良状態などを伴う身体的疲弊

のある人／小児，高齢者

(3)小児……服用によって錐体外路症状が現れることがあります。特に小児にはおこりやすいため，処方医の指示を守り，自己判断で過量に服用させたりしないでください。

(4)悪性症候群……本剤の服用によって，悪性症候群がおこることがあります。無動無言，強度の筋強剛，嚥下困難，頻脈，血圧の変動，発汗などが現れ，引き続いて発熱がみられたら，水分の補給，体を冷やすなどして，ただちに処方医に連絡してください。高熱が続き，意識障害，呼吸困難，脱水症状，急性腎不全へと移行して死亡した例が報告されています。

(5)危険作業は中止……本剤を服用すると，眠け，めまいなどをおこすことがあります。服用中は，自動車の運転など危険を伴う機械の操作は行わないようにしてください。

(6)その他……
- 妊婦での安全性：未確立。有益と判断されたときのみ服用。
- 授乳婦での安全性：原則として服用しない。やむを得ず服用するときは授乳を中止。
   （1714 頁を参照）

重大な副作用　①悪性症候群（無動無言，強度の筋強剛，嚥下困難，頻脈，血圧の変動，発汗など）。②ショック，アナフィラキシー（呼吸困難，喉頭浮腫，じん麻疹など）。③意識障害。④けいれん。⑤遅発性ジスキネジア。

　そのほかにも報告された副作用はあるので，体調がいつもと違うと感じたときは，処方医・薬剤師に相談してください。

併用してはいけない薬　併用してはいけない薬は特にありません。ただし，併用する薬があるときは，念のため処方医・薬剤師に報告してください。

内 07 胃腸の薬　05 その他の胃腸薬
02　ドンペリドン

製剤情報

一般名：ドンペリドン
- 保険収載年月…1982年8月
- 海外評価…4点 英米独仏
- 剤形…錠錠剤，ドドライシロップ剤
- 服用量と回数…錠剤10mg，レボドパ製剤服用時は錠剤5〜10mgを1日3回。小児の場合は，処方医の指示通りに服用。

■**先発品**　商品名（メーカー）　規格・保険薬価

ナウゼリン 写真 （協和キリン）錠5mg 1錠 7.60 円
錠10mg 1錠 11.50 円　ド1% 1g（小児用）13.70 円

ナウゼリン OD 写真 （協和キリン）
錠5mg 1錠 7.60 円　錠10mg 1錠 11.50 円

■**ジェネリック**　商品名（メーカー）　規格・保険薬価

ドンペリドン（キョーリン＝杏林）
錠5mg 1錠 5.90 円　錠10mg 1錠 5.90 円

ドンペリドン（沢井）錠5mg 1錠 5.90 円
錠10mg 1錠 5.90 円

ドンペリドン（サンノーバ＝エルメッド＝日医工）
錠5mg 1錠 5.90 円　錠10mg 1錠 5.90 円

ドンペリドン（武田テバファーマ＝武田）
錠5mg 1錠 5.90 円　錠10mg 1錠 5.90 円

ドンペリドン（長生堂＝日本ジェネリック）
錠 5mg 1錠 5.90 円　　錠 10mg 1錠 5.90 円

ドンペリドン（鶴原） 錠 5mg 1錠 5.90 円
錠 10mg 1錠 5.90 円

ドンペリドン（東和） 錠 5mg 1錠 5.90 円
錠 10mg 1錠 5.90 円

ドンペリドン（日医工） 錠 5mg 1錠 5.90 円
錠 10mg 1錠 5.90 円　　ド 1% 1g(小児用) 6.50 円

ドンペリドン（日新） 錠 5mg 1錠 5.90 円
錠 10mg 1錠 5.90 円

ドンペリドン（陽進堂） 錠 5mg 1錠 5.90 円
錠 10mg 1錠 5.90 円

ドンペリドン DS（沢井）
ド 1% 1g(小児用) 6.50 円

概　要

分類　消化器機能異常治療薬

処方目的　以下の場合における消化器症状（悪心，嘔吐，食欲不振，腹部膨満，上腹部不快感，腹痛，胸やけ，げっぷ）→〈成人〉慢性胃炎，胃下垂症，胃切除後症候群／抗悪性腫瘍剤・レボドパ製剤服用時　〈小児〉周期性嘔吐症，上気道感染症／抗悪性腫瘍剤服用時

解説　ドンペリドンは，メトクロプラミドとは構造がまったく違いますが，ともに抗ドパミン作用のある薬剤です。脳の嘔吐中枢や消化器の運動をコントロールする神経に存在するドパミン受容体（D_2受容体）というタンパク質の働きを遮断して，嘔吐を抑えたり，胃腸の運動を活発にします。

使用上の注意

＊ドンペリドン（ナウゼリン）の添付文書による

基本的注意

(1)服用してはいけない場合……本剤の成分に対するアレルギーの前歴／消化管出血・穿孔，機械的イレウス（腸閉塞）のある人／プロラクチン分泌性の下垂体腫瘍（プロラクチノーマ）／妊婦または妊娠している可能性のある人

(2)慎重に服用すべき場合……肝機能障害，腎機能障害／心疾患／小児

(3)小児……服用によって錐体外路症状，意識障害，けいれんがおこることがあります。3歳以下の乳幼児は，7日以上の服用はしないでください。また，脱水状態，発熱時などでは特に注意してください。

(4)突然死……外国で本剤による重い心室性不整脈，および突然死が報告されています。特に高用量を服用している人や高齢者ではリスクが高くなるので，異常を感じたら直ちに処方医へ連絡してください。

(5)危険作業に注意……本剤を服用すると，眠け，めまい，ふらつきなどをおこすことがあります。服用中は，高所作業や自動車の運転など危険を伴う機械の操作は十分に注意してください。

(6)その他……
●授乳婦での安全性：治療上の有益性・母乳栄養の有益性を考慮し，授乳の継続・中止を検討。（1714頁を参照）

重大な副作用　①ショック，アナフィラキシー（発疹，呼吸困難，顔面浮腫

など）。②錐体外路症状（眼球が側方に寄る，ふるえ，筋硬直など）。③意識障害，けいれん。④肝機能障害，黄疸。

そのほかにも報告された副作用はあるので，体調がいつもと違うと感じたときは，処方医・薬剤師に相談してください。

併用してはいけない薬　併用してはいけない薬は特にありません。ただし，併用する薬があるときは，念のため処方医・薬剤師に報告してください。

内 07 胃腸の薬　05 その他の胃腸薬
03 トリメブチンマレイン酸塩

製剤情報

一般名：トリメブチンマレイン酸塩
- 保険収載年月…1984年3月
- 海外評価…1点 英 米 独 仏
- 剤形…錠 錠剤，細 細粒剤
- 服用量と回数…慢性胃炎の場合は，1日300mg（細粒剤は1.5g）を3回に分けて服用。過敏性腸症候群の場合は，1日300〜600mgを3回に分けて服用。

■先発品　商品名(メーカー)　規格・保険薬価
セレキノン（田辺三菱）錠 100mg 1錠 11.50 円

■ジェネリック　商品名(メーカー)　規格・保険薬価

トリメブチンマレイン酸塩（沢井）
錠 100mg 1錠 5.90 円

トリメブチンマレイン酸塩（鶴原）
細 20% 1g 9.10 円　錠 100mg 1錠 5.90 円

トリメブチンマレイン酸塩（東和）
錠 100mg 1錠 5.90 円

トリメブチンマレイン酸塩（日医工）
錠 100mg 1錠 5.90 円

概要

分類　消化器機能異常治療薬

処方目的　慢性胃炎における消化器症状（腹部疼痛，悪心，げっぷ，腹部膨満感）／過敏性腸症候群

解説　メトクロプラミド，ドンペリドンと同じような使い方をされますが，それらが脳や消化器の神経に作用するのに対し，本剤は消化器の筋肉に直接作用するので，錐体外路症状は現れないといわれています。

使用上の注意
＊トリメブチンマレイン酸塩（セレキノン）の添付文書による

基本的注意
- 授乳婦での安全性：治療上の有益性・母乳栄養の有益性を考慮し，授乳の継続・中止を検討。
- 小児での安全性：未確立。（1714頁を参照）

重大な副作用　①肝機能障害，黄疸。

そのほかにも報告された副作用はあるので，体調がいつもと違うと感じたときは，処

方医・薬剤師に相談してください。

併用してはいけない薬 併用してはいけない薬は特にありません。ただし，併用する薬があるときは，念のため処方医・薬剤師に報告してください。

内 07 胃腸の薬　05 その他の胃腸薬

04　ジメチコン

製剤情報

一般名：ジメチコン

- 保険収載年月…1965年12月
- 海外評価…2点 英 米 独 仏
- 剤形…錠 錠剤，散 散剤，シ シロップ剤，液 液剤
- 服用量と回数…腹部症状の改善の場合，1日120〜240mg（散・細粒剤1.2〜2.4g，シロップ6〜12mL）を3回に分けて服用。その他の場合は，処方医の指示通りに服用。

■先発品　商品名（メーカー）　規格・保険薬価

ガスコン（キッセイ）散 10% 1g 6.80 円
錠 40mg 1錠 5.70 円　錠 80mg 1錠 5.90 円

ガスコンドロップ内用液（キッセイ）
シ 2% 1mL 3.50 円

ガスサール（東和＝日医工）錠 40mg 1錠 5.70 円

■ジェネリック　商品名（メーカー）　規格・保険薬価

ジメチコン（扶桑）錠 40mg 1錠 5.70 円

ジメチコン（堀井）錠 40mg 1錠 5.70 円
錠 80mg 1錠 5.70 円

ジメチコン（陽進堂＝日本ジェネリック）
錠 40mg 1錠 5.70 円

ジメチコン内用液（カイゲン）液 2% 1mL 3.00 円

ジメチコン内用液（伏見）液 2% 1mL 3.00 円

ジメチコン内用液（堀井）液 2% 1mL 3.00 円

概要

分類　消化管内ガス排除薬

処方目的　胃腸管内のガスに起因する腹部症状の改善／胃内視鏡検査時における胃内有泡性粘液の除去／腹部X線写真検査時における腸内ガスの駆除

解説　ジメチルポリシロキサンとも呼ばれます。

ジメチコンはシリコンと呼ばれる高分子化合物で，泡を破壊する作用があります。胃や腸の中にたまったガスによる泡を破壊することで，腹部膨満感などの症状を改善します。ちなみに，このガスは腸内細菌が栄養分を消化・分解することでつくられたものです。

使用上の注意

＊ジメチコン（ガスコン）の添付文書による

基本的注意

特に注意はありません。

重大な副作用 重大な副作用はありませんが，そのほかの副作用はあるので，体調がいつもと違うと感じたときは，処方医・薬剤師に相談してください。

併用してはいけない薬 併用してはいけない薬は特にありません。ただし，併用する薬があるときは，念のため処方医・薬剤師に報告してください。

内 07 胃腸の薬　05 その他の胃腸薬

05　メペンゾラート臭化物ほか

💊 製剤情報

一般名：メペンゾラート臭化物
- 保険収載年月…1967年7月
- 海外評価…0点 英 米 独 仏
- 剤形…錠 錠剤
- 服用量と回数…1回15mg(2錠)を1日3回。

■ **先発品**　**商品名(メーカー)**　規格・保険薬価

トランコロン 写真 (アステラス)

錠 7.5mg 1錠 5.70 円

■ **ジェネリック**　**商品名(メーカー)**　規格・保険薬価

メペンゾラート臭化物 (鶴原)

錠 7.5mg 1錠 5.70 円

**一般名：メペンゾラート臭化物・フェノ
バルビタール配合剤**
- 保険収載年月…1967年7月
- 規制…劇薬
- 剤形…錠 錠剤
- 服用量と回数…1回2錠を1日3回。

■ **先発品**　**商品名(メーカー)**　規格・保険薬価

トランコロン P 配合錠 (アステラス)

錠 1錠 5.70 円

📋 概　　要

分類　過敏性大腸症治療薬

処方目的　過敏性大腸症(イリタブルコロン)

解説　過敏性大腸症(過敏性腸症候群)とは，器質的な病変が認められないのに慢性の便通異常を示すものをさします。10～20歳代を中心とする若年者に多く，思春期の代表的な心身症の一つと考えられています。近年は，中年の人にも増えています。

📖 使用上の注意

＊メペンゾラート臭化物(トランコロン)の添付文書による

基本的注意

(1)服用してはいけない場合……閉塞隅角緑内障／前立腺肥大による排尿障害／重い心疾患／麻痺性イレウス／本剤の成分に対するアレルギーの前歴

(2)慎重に服用すべき場合……開放隅角緑内障／前立腺肥大／甲状腺機能亢進症／うっ血性心不全，不整脈／潰瘍性大腸炎／高温環境にある人

(3)危険作業に注意……本剤を服用すると，視調節障害などをおこすことがあります。服用中は，自動車の運転など危険を伴う機械の操作は十分に注意してください。

(4)その他……
- 妊婦での安全性：有益と判断されたときのみ服用。
- 授乳婦での安全性：治療上の有益性・母乳栄養の有益性を考慮し，授乳の継続・中止を検討。
- 小児での安全性：未確立。(1714頁を参照)

重大な副作用　　　　　　[メペンゾラート臭化物・フェノバルビタール配合剤] ①

皮膚粘膜眼症候群(スティブンス-ジョンソン症候群),中毒性表皮壊死融解症(TEN),紅皮症(剥脱性皮膚炎)。②過敏症症候群(発疹,発熱,リンパ節腫脹,肝機能障害など)。③薬物依存,服用中止による離脱症状(不安,不眠,けいれん,悪心,幻覚,妄想,興奮,錯乱,抑うつ状態など)。④顆粒球減少,血小板減少。⑤肝機能障害。⑥呼吸抑制。

そのほかにも報告された副作用はあるので,体調がいつもと違うと感じたときは,処方医・薬剤師に相談してください。

併用してはいけない薬 [メペンゾラート臭化物・フェノバルビタール配合剤]ボリコナゾール,タダラフィル(肺高血圧症を適応とする場合:アドシルカ),アスナプレビル,ダクラタスビル塩酸塩,マシテンタン,エルバスビル,グラゾプレビル水和物,チカグレロル,ドラビリン,リルピビリン塩酸塩,ジャルカ配合錠,オデフシィ配合錠,プレジコビックス配合錠,リアメット配合錠,スタリビルド配合錠,ゲンボイヤ配合錠,シムツーザ配合錠,ビクタルビ配合錠,エプクルーサ配合錠→これらの薬剤の血中濃度が低下するおそれがあります。

内 07 胃腸の薬　05 その他の胃腸薬

06 消化管運動賦活調整薬

製剤情報

一般名:イトプリド塩酸塩
- 保険収載年月…1995年8月
- 海外評価…0点 英 米 独 仏
- 剤形…錠 錠剤
- 服用量と回数…1日150mgを3回に分けて服用。

■**先発品**　商品名(メーカー)　規格・保険薬価
ガナトン (マイラン EPD) 錠 50mg 1錠 12.20 円

■**ジェネリック**　商品名(メーカー)　規格・保険薬価
イトプリド塩酸塩 (キョーリン＝杏林)
錠 50mg 1錠 7.00 円
イトプリド塩酸塩 (沢井) 錠 50mg 1錠 7.00 円
イトプリド塩酸塩 (辰巳) 錠 50mg 1錠 7.00 円
イトプリド塩酸塩 (長生堂＝日本ジェネリック)
錠 50mg 1錠 7.00 円
イトプリド塩酸塩 (東和) 錠 50mg 1錠 7.00 円
イトプリド塩酸塩 (日医工) 錠 50mg 1錠 7.00 円
イトプリド塩酸塩 (ニプロ) 錠 50mg 1錠 7.00 円

イトプリド塩酸塩 (ニプロ ES)
錠 50mg 1錠 7.00 円

一般名:モサプリドクエン酸塩水和物
- 保険収載年月…1998年9月
- 海外評価…0点 英 米 独 仏
- 剤形…錠 錠剤, 散 散剤
- 服用量と回数…1日15mg(散剤は1.5g)を3回に分けて服用。X線検査の前処置の場合は,処方医の指示通りに服用。

■**先発品**　商品名(メーカー)　規格・保険薬価
ガスモチン 写真 (住友ファーマ) 散 1% 1g 25.60 円
錠 2.5mg 1錠 10.10 円 錠 5mg 1錠 12.50 円

■**ジェネリック**　商品名(メーカー)　規格・保険薬価
モサプリドクエン酸塩 (あすか＝武田)
錠 2.5mg 1錠 9.80 円 錠 5mg 1錠 10.10 円
モサプリドクエン酸塩 (エルメッド＝日医工)
錠 2.5mg 1錠 9.80 円 錠 5mg 1錠 10.10 円
モサプリドクエン酸塩 (共和)
錠 2.5mg 1錠 9.80 円 錠 5mg 1錠 10.10 円

モサプリドクエン酸塩（キョーリン＝杏林）
錠 2.5mg 1錠 9.80 円　　錠 5mg 1錠 10.10 円

モサプリドクエン酸塩（ケミファ＝日薬工）
錠 2.5mg 1錠 9.80 円　　錠 5mg 1錠 10.10 円

モサプリドクエン酸塩（コーアイセイ）
錠 2.5mg 1錠 9.80 円

モサプリドクエン酸塩（コーアイセイ＝カイゲ
ン）錠 5mg 1錠 10.10 円

モサプリドクエン酸塩（沢井）
錠 2.5mg 1錠 9.80 円　　錠 5mg 1錠 10.10 円

モサプリドクエン酸塩（サンド）
錠 2.5mg 1錠 9.80 円　　錠 5mg 1錠 10.10 円

モサプリドクエン酸塩（全星）
錠 2.5mg 1錠 9.80 円　　錠 5mg 1錠 10.10 円

モサプリドクエン酸塩（第一三共エスファ）
錠 2.5mg 1錠 9.80 円　　錠 5mg 1錠 10.10 円

モサプリドクエン酸塩 写真（武田テバファーマ＝
武田）錠 2.5mg 1錠 9.80 円　　錠 5mg 1錠 10.10 円

モサプリドクエン酸塩（辰巳）
錠 2.5mg 1錠 9.80 円　　錠 5mg 1錠 10.10 円

モサプリドクエン酸塩（鶴原）
錠 2.5mg 1錠 9.80 円　　錠 5mg 1錠 10.10 円

モサプリドクエン酸塩 写真（東和）
錠 2.5mg 1錠 9.80 円　　錠 5mg 1錠 10.10 円

モサプリドクエン酸塩（日医工）
散 1% 1g 11.30 円　　錠 2.5mg 1錠 9.80 円
錠 5mg 1錠 10.10 円

モサプリドクエン酸塩（日薬工）
錠 2.5mg 1錠 9.80 円

モサプリドクエン酸塩（日薬工＝堀井）
錠 5mg 1錠 10.10 円

モサプリドクエン酸塩（日新）
錠 2.5mg 1錠 9.80 円　　錠 5mg 1錠 10.10 円

モサプリドクエン酸塩（ニプロ）
錠 2.5mg 1錠 9.80 円　　錠 5mg 1錠 10.10 円

モサプリドクエン酸塩（日本ジェネリック）
錠 2.5mg 1錠 9.80 円　　錠 5mg 1錠 10.10 円

モサプリドクエン酸塩 写真（ファイザー）
錠 2.5mg 1錠 9.80 円　　錠 5mg 1錠 10.10 円

モサプリドクエン酸塩（MeijiSeika＝Me ファ
ルマ）錠 2.5mg 1錠 9.80 円　　錠 5mg 1錠 10.10 円

モサプリドクエン酸塩（陽進堂）
錠 2.5mg 1錠 9.80 円　　錠 5mg 1錠 10.10 円

概　　要

分類　消化管運動賦活調整薬

処方目的　慢性胃炎における腹部膨満感，上腹部痛，食欲不振，胸やけ，悪心，嘔吐
［モサプリドクエン酸塩水和物のみの適応症］経口腸管洗浄剤によるバリウム注腸 X 線
造影検査前処置の補助

解説　消化管の筋層間神経叢に選択的に作用してアセチルコリンの遊離を促進するこ
とにより，消化管運動を賦活調整するといわれています。構造的にはスルピリドと同じ
ようにベンズアミド誘導体です。

使用上の注意

＊イトプリド塩酸塩（ガナトン），モサプリドクエン酸塩水和物（ガスモチン）の添付文書
による

基本的注意

(1)服用してはいけない場合……［イトプリド塩酸塩］本剤の成分に対するアレルギーの
前歴
(2)服用期間……［モサプリドクエン酸塩水和物］本剤は，一定期間（通常 2 週間）服用し

ても消化器症状が改善しないときは，別の薬剤への変更を検討します。

(3)劇症肝炎……[モサプリドクエン酸塩水和物]劇症肝炎，著しい AST（GOT），ALT（GPT），γ-GTP の上昇などを伴う重篤な肝機能障害，黄疸が現れることがあり，死亡に至った例が報告されています。

(4)その他……

●妊婦での安全性：有益と判断されたときのみ服用。

●授乳婦での安全性：治療上の有益性・母乳栄養の有益性を考慮し，授乳の継続・中止を検討。

●小児での安全性：未確立。（1714 頁を参照）

重大な副作用　①肝機能障害，黄疸，劇症肝炎。

[イトプリド塩酸塩] ②ショック，アナフィラキシー（呼吸困難，血圧低下，喉頭浮腫，じん麻疹，蒼白，発汗など）。

　そのほかにも報告された副作用はあるので，体調がいつもと違うと感じたときは，処方医・薬剤師に相談してください。

併用してはいけない薬　併用してはいけない薬は特にありません。ただし，併用する薬があるときは，念のため処方医・薬剤師に報告してください。

内 07 胃腸の薬　05 その他の胃腸薬

07 潰瘍性大腸炎・クローン病治療薬（1）

製剤情報

一般名：サラゾスルファピリジン

●保険収載年月…1970年8月

●海外評価…6点 英 米 独 仏　●PC…B

●剤形…錠 錠剤

●服用量と回数…1日2～4g（4～8錠）を4～6回に分けて服用。症状により，はじめに1日8gを服用し，3週間後から次第に減量して1日1.5～2gを服用することもある。

■先発品　商品名（メーカー）　規格・保険薬価

サラゾピリン 写真 （ファイザー）
錠 500mg 1錠 12.70 円

■ジェネリック　商品名（メーカー）　規格・保険薬価

サラゾスルファピリジン（大興＝日本ジェネリック）錠 500mg 1錠 8.00 円

サラゾスルファピリジン（武田テバファーマ＝武田）錠 500mg 1錠 8.00 円

サラゾスルファピリジン（日医工ファーマ＝日医工）錠 500mg 1錠 10.90 円

一般名：メサラジン

●保険収載年月…1996年9月

●海外評価…6点 英 米 独 仏　●PC…B

●剤形…錠 錠剤，顆 顆粒剤

●服用量と回数…潰瘍性大腸炎の場合，1日1,500mgを3回に分けて服用。寛解期には必要に応じて1日1回の服用も可。ただし活動期には1日4,000mgを2回に分けて服用。（アサコール，メサラジン腸溶錠は1日2,400mgを3回に分けて服用。寛解期には必要に応じて1日1回の食後服用も可。ただし活動期には1日3,600mgを3回に分けて服用。リアルダは1日1回2,400mg，活動期には4,800mg服用）／クローン病の場合，1日1,500～3,000mgを3回に分けて服

用。／小児は処方医の指示通りに服用。

■先発品　　商品名（メーカー）　規格・保険薬価

アサコール（ゼリア）錠 400mg 1錠 50.80 円

ペンタサ写真（杏林）顆 94% 1g 121.00 円
錠 250mg 1錠 34.00 円　錠 500mg 1錠 61.70 円

リアルダ（持田）錠 1,200mg 1錠 175.00 円

■ジェネリック　　商品名（メーカー）　規格・保険薬価

メサラジン（ケミファ＝共創未来＝日薬工）
錠 250mg 1錠 15.80 円　錠 500mg 1錠 32.60 円

メサラジン（小林化工＝あすか＝武田）
顆 50% 1g 43.20 円　錠 250mg 1錠 15.80 円
錠 500mg 1錠 32.60 円

メサラジン（東和）錠 250mg 1錠 18.00 円
錠 500mg 1錠 32.60 円

メサラジン（日医工）錠 250mg 1錠 15.80 円
錠 500mg 1錠 32.60 円

メサラジン（日薬工＝沢井）錠 250mg 1錠 15.80 円
錠 500mg 1錠 32.60 円

メサラジン（ニプロ）錠 250mg 1錠 15.80 円
錠 500mg 1錠 32.60 円

メサラジン（富士製薬＝ミヤリサン）
錠 250mg 1錠 15.80 円　錠 500mg 1錠 32.60 円

メサラジン徐放錠（日医工ファーマ＝日医工）
錠 250mg 1錠 18.00 円　錠 500mg 1錠 32.60 円

メサラジン徐放錠（日本ジェネリック）
錠 250mg 1錠 18.00 円　錠 500mg 1錠 32.60 円

メサラジン腸溶錠（あすか＝武田）
錠 400mg 1錠 23.80 円

メサラジン腸溶錠（小林化工＝堀井）
錠 400mg 1錠 23.80 円

メサラジン腸溶錠（沢井＝日本ジェネリック）
錠 400mg 1錠 23.80 円

メサラジン腸溶錠（富士製薬）
錠 400mg 1錠 23.80 円

メサラジン腸溶錠写真（マイラン＝ファイザー）
錠 400mg 1錠 23.80 円

概　　要

分類　潰瘍性大腸炎・クローン病治療薬

処方目的　［サラゾスルファピリジンの適応症］潰瘍性大腸炎，限局性腸炎，非特異性大腸炎／［メサラジンの適応症］潰瘍性大腸炎（重症を除く）／クローン病（アサコール，リアルダ，メサラジン腸溶錠を除く）

解説　サラゾスルファピリジンはプロドラッグの一つで，服用薬の大部分は大腸に運ばれ，そこで腸内細菌の作用を受けて 5-アミノサリチル酸（メサラジン）と免疫調節作用のあるスルファピリジン（抗菌薬サルファ剤の仲間）に分解・吸収されます。潰瘍性大腸炎の原因はいまだに不明で本剤の作用機序もはっきりとわかっていませんが，5-アミノサリチル酸の抗炎症作用によって効果を表すのだろうと推定されています。

　メサラジンは，そのまま服用するとその大部分は小腸上部で吸収されて効果を発揮できないため，成分の放出をゆっくりにして患部に届くよう調節・制御してあります。

　サラゾスルファピリジン，メサラジンのいずれも軽症から中等症の潰瘍性大腸炎に用いられ，重症の場合はステロイド薬や免疫抑制薬などが用いられます。メサラジン（アサコール，リアルダ，メサラジン腸溶錠を除く）はクローン病も適応となっています。一方，サラゾスルファピリジンは関節リウマチの治療にも使われます。

使用上の注意

＊メサラジン（ペンタサ）の添付文書による

基本的注意

(1)**服用してはいけない場合**……重い腎機能障害・肝機能障害／本剤の成分に対するアレルギーの前歴／サリチル酸エステル類・サリチル酸塩類に対するアレルギーの前歴

(2)**慎重に服用すべき場合**……腎機能・肝機能の低下している人（重症の場合を除く）／サラゾスルファピリジンに対するアレルギー

(3)**便の色**……本剤のコーティング剤は水に溶けないため，便の中に白いものがみられることがあります。

(4)**その他**……

●妊婦での安全性：未確立。有益と判断されたときのみ服用。

●授乳婦での安全性：治療上の有益性・母乳栄養の有益性を考慮し，授乳の継続・中止を検討。

●小児での安全性：専門医の管理下で服用。（1714頁を参照）

重大な副作用

①間質性肺疾患（発熱，せき，呼吸困難などを伴う好酸球性肺炎，肺胞炎，肺臓炎，間質性肺炎など）。②再生不良性貧血，汎血球減少，無顆粒球症，血小板減少症。③間質性腎炎，ネフローゼ症候群，腎機能低下，急性腎障害。④心筋炎，心膜炎，胸膜炎。⑤肝炎，肝機能障害，黄疸。⑥膵炎。

そのほかにも報告された副作用はあるので，体調がいつもと違うと感じたときは，処方医・薬剤師に相談してください。

併用してはいけない薬

併用してはいけない薬は特にありません。ただし，併用する薬があるときは，念のため処方医・薬剤師に報告してください。

内 07 胃腸の薬　05 その他の胃腸薬

08 潰瘍性大腸炎・クローン病治療薬（2）

製剤情報

一般名：ブデソニド

●保険収載年月…2016年11月
●海外評価…6点 英米独仏　●PC…C
●剤形…カ カプセル剤

●服用量と回数…1日1回9mg（3カプセル）を朝に服用。

■**先発品**　　商品名（メーカー）　規格・保険薬価

ゼンタコート（ゼリア）カ 3mg 1カプセル 218.60円

概要

分類　クローン病治療薬

処方目的　軽症から中等症の活動期クローン病

解説　本剤は，海外のガイドラインにおいてクローン病治療の第一選択薬として推奨されています。腸溶性と徐放性を併せもったドラッグデリバリーシステムにより，病変部位への薬剤の送達性を高め，小腸および結腸近位部で有効成分のブデソニドを放出するように設計された製剤（ブデソニド腸溶性顆粒充填カプセル）で，軽症から中等症の活

動期クローン病に用いられます。

　本剤は局所作用型の糖質コルチコイド（ステロイド）で，吸収後は肝臓で速やかに代謝を受け，全身性の副作用が軽減されることが特長とされています。

使用上の注意

基本的注意

(1)服用してはいけない場合……本剤の成分に対するアレルギーの前歴／有効な抗菌薬の存在しない感染症，深在性真菌症

(2)慎重に服用すべき場合……結核性疾患／感染症／高血圧症／糖尿病／骨粗鬆症／消化性潰瘍／緑内障，後のう白内障／重度の肝機能障害

(3)服用期間……本剤は，服用開始8週間を目安に必要性を検討します。長期間服用すると，クッシング様症状や副腎皮質機能抑制などの全身作用が現れることがあるため漫然と服用せず，また本剤を中止する場合には徐々に減量していきます。

(4)水痘・麻疹……本剤は副腎皮質ステロイドです。ステロイドを服用中の人が水痘（みずぼうそう）または麻疹（はしか）に感染すると，重篤な経過をたどる可能性があります。水痘・麻疹の前歴がない，もしくは予防接種を受けたことがない人は，水痘・麻疹への感染を避けるよう注意し，感染した場合には直ちに医療機関を受診してください。

(5)グレープフルーツ，グレープフルーツジュース……本剤の血中濃度を上昇させ，作用を強める可能性があるので，服用中は摂取しないでください。

(6)その他……

●妊婦での安全性：有益と判断されたときのみ服用。

●授乳婦での安全性：治療上の有益性・母乳栄養の有益性を考慮し，授乳の継続・中止を検討。

●小児での安全性：未確立。（1714頁を参照）

重大な副作用

重大な副作用はありませんが，そのほかの副作用はあるので，体調がいつもと違うと感じたときは，処方医・薬剤師に相談してください。

併用してはいけない薬

併用してはいけない薬は特にありません。ただし，併用する薬があるときは，念のため処方医・薬剤師に報告してください。

内 07 胃腸の薬　05 その他の胃腸薬

09 ポリカルボフィルカルシウム

製剤情報

一般名：ポリカルボフィルカルシウム

●保険収載年月…2000年8月
●海外評価…2点 英 米 独 仏
●剤形…錠 錠剤，細 細粒剤
●服用量と回数…1日1,500～3,000mg（細粒剤 は1.8～3.6g）を3回に分けて服用。

■先発品　商品名(メーカー)　規格・保険薬価

コロネル 写真 (アステラス)　細 83.3% 1g 18.10円
錠 500mg 1錠 11.90円

ポリフル (マイランEPD)　細 83.3% 1g 19.10円
錠 500mg 1錠 12.30円

■ジェネリック　商品名(メーカー)　規格・保険薬価

ポリカルボフィル Ca(日医工)
細 83.3% 1g 15.20 円

概　要

分類　過敏性腸症候群治療薬

処方目的　過敏性腸症候群における便通異常(下痢，便秘)・消化器症状

解説　本剤は，胃液のような強い酸性下でカルシウムが外れてポリカルボフィルとなります。これは小腸や大腸のような中性のところで高い吸水性を示して膨潤し，ゲル状となります。下痢や便秘に対しては，消化管内の水分保持作用と消化管内容物の輸送調節作用により効果を発揮します。

使用上の注意

＊ポリカルボフィルカルシウム(コロネル)の添付文書による

基本的注意

(1)服用してはいけない場合……急性腹部疾患(虫垂炎，腸出血，潰瘍性結腸炎など)／術後イレウスなど胃腸閉塞を引きおこすおそれのある人／高カルシウム血症／腎結石／腎不全(軽度および透析中を除く)がある人／本剤の成分に対するアレルギーの前歴

(2)慎重に服用すべき場合……活性ビタミンD製剤の服用中／強心配糖体の服用中／高カルシウム血症が現れやすい人／無酸症・低酸症が推定される人／胃全切除術の前歴／透析中の人／軽度の腎不全／高齢者

(3)服用法……服用後に途中でつかえると，膨張してのどや食道を閉塞する可能性があるので，十分量(コップ1杯程度)の水とともに服用してください。

(4)長期服用……本剤の服用期間は，通常2週間です。長期服用時の安全性は確立されていないので，長期服用する場合は状態に十分注意してください。

(5)その他……

●妊婦での安全性：未確立。有益と判断されたときのみ服用。

●小児での安全性：未確立。(1714頁を参照)

重大な副作用　重大な副作用はありませんが，そのほかの副作用はあるので，体調がいつもと違うと感じたときは，処方医・薬剤師に相談してください。

併用してはいけない薬　併用してはいけない薬は特にありません。ただし，併用する薬があるときは，念のため処方医・薬剤師に報告してください。

内 07 胃腸の薬　05 その他の胃腸薬

10　ラモセトロン塩酸塩

製剤情報

一般名：ラモセトロン塩酸塩
●保険収載年月…2008年9月

- 海外評価…0点 英 米 独 仏
- 規制…劇薬
- 剤形…錠 錠剤
- 服用量と回数…**男性**：1日1回5μg, 1日最大10μg。**女性**：1日1回2.5μg, 1日最大5μg。

■ **先発品**　　**商品名(メーカー)**　規格・保険薬価
イリボー 写真 (アステラス) 錠 2.5μg 1錠 85.90 円
錠 5μg 1錠 140.50 円
イリボー OD (アステラス) 錠 2.5μg 1錠 85.90 円
錠 5μg 1錠 140.50 円

概　要

分類　下痢型過敏性腸症候群治療薬
処方目的　下痢型過敏性腸症候群
解説　本剤は，下痢型過敏性腸症候群の治療に，基本となる食事指導や生活指導を行ったうえで症状の改善しない人に使用します。使用前に，慢性便秘症または便秘型過敏性腸症候群ではないことを確認したうえで処方されます。なお，女性の服用量および最大服用量は男性の2分の1です。

使用上の注意

基本的注意
(1)**服用してはいけない場合**……本剤の成分に対するアレルギーの前歴
(2)**慎重に服用すべき場合**……腹部手術歴／高齢者
(3)**用量調整**……本剤の服用は，1カ月程度の症状推移により調整し，症状の変化に応じての頻繁な調整はしません。また，改善がみられた場合は3カ月をめどに継続・中止を検討します。
(4)**特に女性は注意**……本剤の服用により虚血性大腸炎や重篤な便秘が発現するおそれがあるので，腹痛，血便，便秘，硬便が認められた場合は，すぐに処方医に連絡してください。特に女性は，男性に比べ便秘や硬便の発現率が高いため十分に注意します。
(5)**その他**……
- 妊婦での安全性：有益と判断されたときのみ服用。
- 授乳婦での安全性：治療上の有益性・母乳栄養の有益性を考慮し，授乳の継続・中止を検討。
- 小児での安全性：未確立。(1714 頁を参照)

重大な副作用　　①ショック，アナフィラキシー。②虚血性大腸炎(腹痛，血便など)。③重い便秘とその合併症(腸閉塞，イレウス，宿便，中毒性巨大結腸，続発性腸虚血，腸管穿孔(せんこう))。

そのほかにも報告された副作用はあるので，体調がいつもと違うと感じたときは，処方医・薬剤師に相談してください。

併用してはいけない薬　　併用してはいけない薬は特にありません。ただし，併用する薬があるときは，念のため処方医・薬剤師に報告してください。

11　アコチアミド

製 剤 情 報

一般名：アコチアミド塩酸塩水和物
- 保険収載年月…2013年5月
- 海外評価…0点 英 米 独 仏
- 剤形…錠 錠剤

- 服用量と回数…1回100mgを1日3回，食前に服用。

■先発品　　商品名（メーカー）　規格・保険薬価

アコファイド（ゼリア） 錠 100mg 1錠 34.50 円

概　　要

分類　機能性ディスペプシア治療薬

処方目的　機能性ディスペプシア（FD）における食後膨満感，上腹部膨満感，早期満腹感

解説　機能性ディスペプシア（FD）は，内視鏡などの検査では器質的疾患を認めないにもかかわらず，上腹部を中心とする腹部膨満感や心窩部（みぞおち）の痛み・灼熱感などの症状が持続する機能性疾患です。本剤は，世界で初めて FD を処方目的（適応症）として日本で開発された消化管の運動機能改善薬です。適応症状は食後膨満感・上腹部膨満感・早期満腹感で，心窩部の痛み・灼熱感については有効性が確認されていないため適応症となっていません。

使用上の注意

基本的注意

(1)服用してはいけない場合……本剤の成分に対するアレルギーの前歴

(2)服用期間……本剤を 1 カ月間服用しても症状が改善しない場合は服用の中止を検討します。また，症状がだんだんと改善した場合にも服用の中止を検討し，長期にわたって漫然と服用しないようにします。

(3)その他……
- 妊婦での安全性：有益と判断されたときのみ服用。
- 授乳婦での安全性：治療上の有益性・母乳栄養の有益性を考慮し，授乳の継続・中止を検討。
- 小児での安全性：未確立。（1714 頁を参照）

重大な副作用　　　重大な副作用はありませんが，そのほかの副作用はあるので，体調がいつもと違うと感じたときは，処方医・薬剤師に相談してください。

併用してはいけない薬　　　併用してはいけない薬は特にありません。ただし，併用する薬があるときは，念のため処方医・薬剤師に報告してください。

内 **07 胃腸の薬　05 その他の胃腸薬**

12 リナクロチド

製剤情報

一般名：リナクロチド
- 保険収載年月…2017年2月
- 海外評価…5点 英 米 独 仏
- 剤形…錠 錠剤

- 服用量と回数…1日1回、0.5mgを食前に服用。症状により0.25mgに減量する。

■**先発品**　　商品名(メーカー)　規格・保険薬価

リンゼス 写真 (アステラス) 錠 0.25mg 1錠 78.70 円

概　　要

分類　グアニル酸シクラーゼC受容体アゴニスト

処方目的　便秘型過敏性腸症候群／慢性便秘症(器質的疾患による便秘を除く)

解説　過敏性腸症候群は、便秘型、下痢型、混合型、分類不能型の4つのタイプに分類されますが、本剤は便秘型を適応とする薬剤です。腸管の管腔表面に存在するグアニル酸シクラーゼC(GC-C)受容体に結合して活性化することにより、腸管分泌・腸管輸送能を促進し、くわえてストレスや大腸炎により引きおこされる大腸の痛覚過敏を改善します。

　本剤は、便秘型過敏性腸症候群および慢性便秘症の治療の基本である食事指導および生活指導を行ったうえで、症状の改善が得られない患者に使用します。

使用上の注意

基本的注意

(1)**服用してはいけない場合**……本剤の成分に対するアレルギーの前歴／機械的消化管閉塞またはその疑いがある人

(2)**重度の下痢**……本剤を服用すると重度の下痢が現れるおそれがあるので、症状の経過を十分に観察し、異常が認められた場合にはすぐに処方医に連絡してください。本剤を減量または中止するなど、適切な処置を行います。

(3)**その他**……

- 妊婦での安全性：有益と判断されたときのみ服用。
- 授乳婦での安全性：治療上の有益性・母乳栄養の有益性を考慮し、授乳の継続・中止を検討。
- 小児での安全性：未確立。(1714頁を参照)

重大な副作用　　①重度の下痢。

　そのほかにも報告された副作用はあるので、体調がいつもと違うと感じたときは、処方医・薬剤師に相談してください。

併用してはいけない薬　　併用してはいけない薬は特にありません。ただし、併用する薬があるときは、念のため処方医・薬剤師に報告してください。

内服 08 肝臓・膵臓・胆道・痔の薬

薬剤番号 08-01-01 〜 08-05-04

■肝臓，胆嚢，膵臓に関連した薬と，痔の飲み薬について説明します

◆肝硬変・肝炎（ウイルス性，薬物性，アルコール性など）に用いる薬。治療の基本は安静，規則正しい生活，栄養バランスです。ここで取り上げる薬は，抗ウイルス薬以外では栄養を補う程度の意味しかありません。

◆B型肝炎ウイルスを抑える薬

◆C型肝炎ウイルスを抑える薬

◆胆石のけいれん性の痛みを抑える薬，コレステロール系胆石を溶かす薬

◆痔ののみ薬

■副作用・相互作用に注意すべき薬

特に重い副作用が心配される薬剤はあまりありませんが，チオプロニンによる間質性肺炎（初発症状：発熱・空せき・呼吸困難など）や無顆粒球症（初発症状：発熱・のどの痛み・倦怠感・皮下や粘膜の出血など）には注意が必要です。

また，薬草の一種「甘草」の成分であるグリチルリチンを含む製剤も，慢性肝疾患における肝機能改善を目的に使われますが，偽アルドステロン症（低カリウム血症，血圧上昇，ナトリウム・体液の貯留，むくみなどの症状を伴う）や，横紋筋融解症（脱力感，筋力低下，筋肉痛，手足のけいれん・麻痺などを伴う）などの重大な副作用が報告されています。

◉ 薬剤師の眼

薬をたくさん処方する医師はよい医師か？

　日本で使われている肝臓用薬剤（抗ウイルス薬を除く）は，動物実験で肝臓機能検査値（トランスアミナーゼ値〈＝AST，ALT〉やアルカリフォスファターゼ値〈＝AL-P〉）を改善することが知られていますが，原因となっているウイルスに作用するわけではありません。

　以前から使われていたプロトポルフィリン2ナトリウム，アスパラギン酸製剤，肝臓加水分解物，グリチルリチン製剤はもちろん，グルタチオンや比較的最近になって開発されたプロパゲルマニウムなども，欧米では薬として許可されていません。アメリカの医薬品集として有名な『PDR（Physicians' Desk Reference）』の62版（2008年発行）まではチオプロニンが名前だけは載っていましたが，63版（2009年発行）からはみあたりません。

　このように外国では評価（許可）されていないものが，日本で薬として許可されている原因はどこにあるのでしょうか。考えられることは，①許可の基準が甘い，②医師の処方に対する考え方，③患者が薬を多く処方する医師を親切だと考えていることなどを挙げることができます。

　患者として日本のこういう状況でできることは，もちろん③のように考えないことです。「薬をたくさん出してくださるお医者さん」を親切だなんて考えてはいけません。少ない薬で病気を治す医者こそ名医です。『ドクターズルール425』（クリフトン・ミーダー著　福井次矢訳：南江堂）に書かれている次の言葉を噛みしめてください。

　「4種類以上の薬をのんでいる患者についての比較対照試験はこれまでに行われたことはなく，3種類の薬をのんでいる患者についての試験もほんのわずかしか行われていない。4種類以上の薬をのんでいる患者は医学の知識を超えた領域にいるのである」

01　チオプロニン

100mg（1錠）を1日3回。その他の場合は, 処方医の指示通りに服用。

■**先発品**　商品名(メーカー)　規格・保険薬価

チオラ（マイラン＝ファイザー）
錠 100mg 1錠 16.80 円

🖋 製剤情報

一般名：チオプロニン

- 保険収載年月…1970年8月
- 海外評価…4点 英 米 独 仏　● PC…C
- 剤形…錠 錠剤
- 服用量と回数…肝機能の改善の場合は, 1回

📋 概　要

分類　肝臓障害用薬

処方目的　慢性肝疾患における肝機能の改善, 初期老人性皮質白内障, 水銀中毒時の水銀排泄増加, シスチン尿症

解説　肝臓障害があるときの食事は, 低脂肪・高タンパクがよいといわれています。タンパク質は体内で分解して, いろいろなアミノ酸として吸収されます。そのため, 各種のアミノ酸が肝機能障害のときに使われてきましたが, もっとも大切なのは食事療法です。本剤は, 肝臓の細胞膜保護作用, 種々の酵素系の活性を高める作用, タンパク質の代謝を改善して肝臓の修復を促進させる作用があります。

　また, 白内障での水晶体混濁の進行抑制, 重金属, 特に水銀の排泄促進, 結石の原因となるシスチン尿の改善を目的としても処方されます。

🈂 使用上の注意

基本的注意

(1)**服用してはいけない場合**……本剤の成分に対するアレルギーの前歴

(2)**定期検査**……服用中, 黄疸などの重い副作用が現れることがあるので, 定期的に肝機能(特に服用後2・4・6週), また尿タンパクの検査を受ける必要があります。黄疸などは, 発疹・かゆみなどの皮膚症状, 食欲不振・悪心などの消化器症状, 発熱, 倦怠感などが先行して現れることがあります。

(3)**尿の量**……シスチン尿症の人は服用中, 成人で1日の尿量が2.5L以上になるように, また小児では尿量が多くなるように水を飲んでください。

(4)**肝機能障害の悪化**……服用中に肝機能障害が, かえって悪化することが報告されています。異常を感じたら, すぐ処方医に連絡してください。

(5)**その他**……

- 妊婦での安全性：未確立。有益と判断されたときのみ服用。
- 授乳婦での安全性：原則として服用しない。やむを得ず服用するときは授乳を中止。
（1714頁を参照）

重大な副作用　①中毒性表皮壊死融解症(TEN), 天疱瘡様症状。②黄疸。

③無顆粒球症（発熱・咽頭痛などのかぜ様症状など）。④間質性肺炎。⑤ネフローゼ症候群。⑥重症筋無力症・多発性筋炎（関節リウマチの人が大量に服用した場合）。

　そのほかにも報告された副作用はあるので，体調がいつもと違うと感じたときは，処方医・薬剤師に相談してください。

併用してはいけない薬　　併用してはいけない薬は特にありません。ただし，併用する薬があるときは，念のため処方医・薬剤師に報告してください。

内 08 肝臓・膵臓・胆道・痔の薬　01 肝臓障害の薬

02　グルタチオン

製剤情報

一般名：グルタチオン

- 保険収載年月…1969年1月
- 海外評価…2点 英 米 独 仏
- 剤形…錠 錠剤，散 散剤
- 服用量と回数…1回50〜100mg（散剤は0.25〜0.5g）を1日1〜3回。

■先発品　　商品名(メーカー)　規格・保険薬価

タチオン（長生堂＝日本ジェネリック）		
散 20% 1g 28.40 円	錠 50mg 1錠 8.40 円	
錠 100mg 1錠 14.20 円		

■ジェネリック　　商品名(メーカー)　規格・保険薬価

グルタチオン（鶴原） 錠 100mg 1錠 7.40 円

概　要

分類　肝臓障害用薬

処方目的　薬物中毒，アセトン血性嘔吐症（自家中毒，周期性嘔吐症），金属中毒，妊娠悪阻，妊娠高血圧症候群

解説　グリシン，システイン，グルタミン酸という三つのアミノ酸が結合した構造をしています。内服すると，肝臓で分解されてしまい効果がなくなると指摘する専門家も多いようです。注射（肝疾患などが適応）や点眼液（白内障などが適応）もあります。

使用上の注意

＊グルタチオン（タチオン）の添付文書による

基本的注意

　特に注意はありません。

重大な副作用　　重大な副作用はありませんが，そのほかの副作用はあるので，体調がいつもと違うと感じたときは，処方医・薬剤師に相談してください。

併用してはいけない薬　　併用してはいけない薬は特にありません。ただし，併用する薬があるときは，念のため処方医・薬剤師に報告してください。

03 アスパラギン酸カリウム・マグネシウム配合剤

製剤情報

一般名：アスパラギン酸カリウム・マグネシウム配合剤
- 保険収載年月…1963年1月
- 剤形…錠 錠剤

- 服用量と回数…1日3〜10錠を2〜3回に分けて服用。

■先発品　　商品名(メーカー)　規格・保険薬価

アスパラ配合錠 (田辺三菱＝ニプロ ES)
錠 1錠 5.90 円

概要

分類　肝臓障害用薬

処方目的　以下の疾患または状態時におけるカリウム補給(マグネシウム欠乏を合併している疑いがある場合)→降圧利尿薬・副腎皮質ステロイド薬・強心配糖体・インスリン・ある種の抗生物質などの連用時／低カリウム血症型周期性四肢麻痺／心疾患時・肝疾患時の低カリウム状態／重症嘔吐，下痢／カリウム摂取不足／手術後

解説　以前は肝疾患にも有効とされていましたが，現在ではカリウム・マグネシウムの補給程度の意味しか持っていません。

使用上の注意

基本的注意

(1)服用してはいけない場合……本剤の成分に対するアレルギーの前歴／重い腎機能障害／副腎機能障害(アジソン病)／高カリウム血症，高マグネシウム血症／食道狭窄のある人(心肥大，食道がん，胸部大動脈瘤，逆流性食道炎，心臓手術などによる食道圧迫)／消化管狭窄，消化管運動機能不全／高カリウム血性周期性四肢麻痺／エプレレノンの服用中

(2)慎重に服用すべき場合……腎機能低下，腎機能障害／急性脱水症，広範囲の組織損傷(熱傷，外傷など)／高カリウム血症が現れやすい疾患(低レニン性低アルドステロン症など)／高マグネシウム血症が現れやすい疾患／抗コリン作動薬の服用中

(3)その他……
- 妊婦での安全性：未確立。有益と判断されたときのみ服用。
- 授乳婦での安全性：原則として服用しない。やむを得ず服用するときは授乳を中止。
- 小児での安全性：原則として服用しない。(1714 頁を参照)

重大な副作用　　①心臓の伝導障害。

　そのほかにも報告された副作用はあるので，体調がいつもと違うと感じたときは，処方医・薬剤師に相談してください。

併用してはいけない薬　　エプレレノン(セララ)→本剤との併用によりカリウム貯留作用が強まるおそれがあります。

内 08 肝臓・膵臓・胆道・痔の薬　01 肝臓障害の薬

04　肝臓加水分解物

製剤情報

一般名：肝臓加水分解物
- 海外評価…0点 英 米 独 仏
- 剤形…錠 錠剤

概　要

分類　肝臓障害用薬

処方目的　慢性肝疾患における肝機能の改善

解説　肝実質細胞と細胞核を中毒性障害から保護し，肝実質の再生を促進するといわれています。ただし，世界的な医薬品集には名前が出ていない日本だけの薬です。

使用上の注意

基本的注意

(1)服用してはいけない場合……本剤の成分に対するアレルギーの前歴／肝性昏睡（アンモニア血症を助長）

重大な副作用　　　重大な副作用はありませんが，そのほかの副作用はあるので，体調がいつもと違うと感じたときは，処方医・薬剤師に相談してください。

併用してはいけない薬　　　併用してはいけない薬は特にありません。ただし，併用する薬があるときは，念のため処方医・薬剤師に報告してください。

- 服用量と回数…1回200mgを1日3回。

■ジェネリック　商品名(メーカー)　規格・保険薬価

レナルチン腸溶錠（コーアイセイ）
錠 100mg 1錠 5.70 円

内 08 肝臓・膵臓・胆道・痔の薬　01 肝臓障害の薬

05　ジクロロ酢酸ジイソプロピルアミン

製剤情報

一般名：ジクロロ酢酸ジイソプロピルアミン

- 保険収載年月…1961年12月
- 海外評価…1点 英 米 独 仏
- 剤形…錠 錠剤，散 散剤

概　要

分類　肝臓障害用薬

処方目的　慢性肝疾患における肝機能の改善

解説　肝臓の解毒作用を増強し，脂肪肝生成を防止するといわれていますが，今では

- 服用量と回数…1日20〜60mg（散剤は0.2〜0.6g）を2〜3回に分けて服用。

■先発品　商品名(メーカー)　規格・保険薬価

リバオール（アルフレッサ）散 10% 1g 19.70 円
錠 20mg 1錠 5.90 円

ほとんど使われません。

🖑 使用上の注意

基本的注意

特に注意はありません。

重大な副作用　重大な副作用はありませんが，そのほかの副作用はあるので，体調がいつもと違うと感じたときは，処方医・薬剤師に相談してください。

併用してはいけない薬　併用してはいけない薬は特にありません。ただし，併用する薬があるときは，念のため処方医・薬剤師に報告してください。

内 08 肝臓・膵臓・胆道・痔の薬　01 肝臓障害の薬

06　グリチルリチン製剤

🎗 製剤情報

一般名：グリチルリチン・グリシン・DL-メチオニン配合剤

● 保険収載年月…1968年12月
● 海外評価…0点 英 米 独 仏
● 剤形…錠 錠剤
● 服用量と回数…1回2～3錠（小児の場合は1回

1錠）を1日3回。

■先発品　　商品名(メーカー)　規格・保険薬価

| グリチロン配合錠 写真 (ミノファーゲン＝EAファーマ) 錠 1錠 5.70 円 |
| ニチファーゲン配合錠 (日新) 錠 1錠 5.10 円 |
| ネオファーゲンC配合錠 (大鵬) 錠 1錠 5.70 円 |

📋 概　要

分類　肝臓障害用薬

処方目的　慢性肝疾患における肝機能の改善／湿疹，皮膚炎，小児ストロフルス，円形脱毛症，口内炎

解説　本剤には，グリチルリチン(甘草の抽出成分)，メチオニン(アミノ酸の一種)，アミノ酢酸(グリシン：アミノ酸の一種)が含まれています。

なお，グリチルリチンを含む製剤は「慢性肝疾患における肝機能異常の改善」以外に皮膚科の適応症もあります。

🖑 使用上の注意

＊グリチロン配合錠の添付文書による

基本的注意

(1)服用してはいけない場合……血清アンモニウム値の上昇傾向にある末期肝硬変／アルドステロン症，ミオパシー，低カリウム血症

(2)慎重に服用すべき場合……高齢者

(3)その他……

● 妊婦での安全性：未確立。有益と判断されたときのみ服用。
● 授乳婦での安全性：未確立。有益と判断されたときのみ服用。(1714頁を参照)

重大な副作用 ①偽アルドステロン症（低カリウム血症，血圧上昇，ナトリウム・体液の貯留，むくみなど）。②横紋筋融解症（脱力感，筋力低下，筋肉痛，手足のけいれん・麻痺など）。

そのほかにも報告された副作用はあるので，体調がいつもと違うと感じたときは，処方医・薬剤師に相談してください。

併用してはいけない薬 併用してはいけない薬は特にありません。ただし，併用する薬があるときは，念のため処方医・薬剤師に報告してください。

内 08 肝臓・膵臓・胆道・痔の薬　01 肝臓障害の薬

07 プロパゲルマニウム

製剤情報

一般名：プロパゲルマニウム
- 保険収載年月…1994年8月
- 海外評価…0点 英 米 独 仏

- 剤形…カ カプセル剤
- 服用量と回数…1日30mgを3回に分けて服用。

■先発品　商品名(メーカー)　規格・保険薬価
セロシオン (三和) カ 10mg 1カプセル 141.00 円

概　要

分類　経口B型慢性肝炎治療薬
処方目的　HBe抗原陽性B型慢性肝炎におけるウイルスマーカーの改善
解説　HBe抗原とは，球形をしたB型肝炎ウイルス(HBV)の外被(エンベロープ)に存在する抗原のことで，この抗原が陽性ということは，HBVのウイルス量が多く，感染力が強い状態を示しています。

本剤はゲルマニウムの有機化合物で，ウイルスマーカー(血液中に出現するウイルス感染の証拠となるタンパク質)の改善に有用とされています。国内開発品で，外国ではどこでも使われていません。

使用上の注意

警告

慢性肝炎が急に悪化することがあり，死亡例が報告されています。

基本的注意

(1)服用してはいけない場合……黄疸のある人／肝硬変または肝硬変が疑われる人／本剤に対するアレルギーの前歴
(2)慎重に服用すべき場合……薬剤過敏症の前歴／重い腎機能障害／黄疸の前歴／インターフェロン服用終了直後／高齢者
(3)定期検査……服用中，黄疸などの重い副作用が現れることがあるので，肝機能検査を定期的に(特に服用後2・4・6週)受ける必要があります。
(4)その他……
- 妊婦での安全性：未確立。有益と判断されたときのみ服用。

- 授乳婦での安全性：原則として服用しない。やむを得ず服用するときは授乳を中止。
- 小児での安全性：未確立。(1714 頁を参照)

重大な副作用　①黄疸，著しいトランスアミナーゼの上昇を伴う重い肝機能障害，肝不全。

そのほかにも報告された副作用はあるので，体調がいつもと違うと感じたときは，処方医・薬剤師に相談してください。

併用してはいけない薬　併用してはいけない薬は特にありません。ただし，併用する薬があるときは，念のため処方医・薬剤師に報告してください。

内 08 肝臓・膵臓・胆道・痔の薬　01 肝臓障害の薬

08　B 型肝炎治療薬(抗ウイルス薬 1)

製剤情報

一般名：ラミブジン
- 保険収載年月…2000年11月
- 海外評価…6点 英 米 独 仏　●PC…C
- 規制…劇薬
- 剤形…錠 錠剤
- 服用量と回数…1日1回100mg(1錠)。

■ **先発品**　商品名(メーカー)　規格・保険薬価

ゼフィックス (グラクソ) 錠 100mg 1錠 389.60 円

概　要

分類　B 型肝炎治療薬

処方目的　B 型肝炎ウイルスの増殖を伴い，肝機能の異常が確認された B 型慢性肝炎における B 型肝炎ウイルスの増殖抑制

解説　本剤は，B 型肝炎ウイルス(HBV)の DNA 合成を直接阻害し，ウイルスの増殖を抑制する抗ウイルス薬です。核酸(DNA，RNA)の構成成分に類似(アナログ)した構造を有することから核酸アナログ製剤と呼ばれます。核酸アナログ製剤は，HBV の遺伝子型を問わず強力な増殖抑制作用を有し，ほとんどの症例で抗ウイルス作用を発揮して肝炎を鎮静化させます。

HBV の無症候性キャリアおよび他の治療法などにより肝機能検査値が正常範囲内に保たれている人は，本剤の対象とはなりません。

「警告」にもあるように，本剤は服用の中止による HBV の再燃率が高く，肝機能の悪化もしくは肝炎が重症化することがあるので，自己判断で服用を中止しないようにしてください。

使用上の注意

警告

服用終了後，ウイルスの再増殖に伴い，肝機能の悪化や肝炎の重症化がおこることがあるので，終了後少なくとも 4 カ月間は 2 週間ごとに肝機能検査を受けてください。

基本的注意

(1)服用してはいけない場合……本剤の成分に対するアレルギーの前歴

(2)慎重に服用すべき場合……腎機能障害／肝機能障害→免疫応答の強い患者(黄疸の前歴,重度の急性増悪の前歴)あるいは非代償性肝疾患の患者,肝移植患者および重度の肝疾患のある患者

(3)定期検査……本剤の服用中は定期的に肝機能検査を受けてください。

(4)感染に注意……本剤による治療をしていても,他者へのB型肝炎ウイルスの感染が避けられることは証明されていません。

(5)その他……

●妊婦での安全性：[妊娠3カ月以内]服用しないことが望ましい。[妊娠4カ月以降]有益と判断されたときのみ服用。

●授乳婦での安全性：治療上の有益性・母乳栄養の有益性を考慮し,授乳の継続・中止を検討。

●小児での安全性：未確立。(1714頁を参照)

重大な副作用 ①血小板減少,赤芽球癆,汎血球減少,白血球減少,好中球減少,貧血。②横紋筋融解症(筋肉痛,脱力感など)。③膵炎。④乳酸アシドーシスおよび脂肪沈着による重度の肝腫大(脂肪肝)。⑤ニューロパシー,錯乱,けいれん。⑥心不全。

そのほかにも報告された副作用はあるので,体調がいつもと違うと感じたときは,処方医・薬剤師に相談してください。

併用してはいけない薬 併用してはいけない薬は特にありません。ただし,併用する薬があるときは,念のため処方医・薬剤師に報告してください。

内 08 肝臓・膵臓・胆道・痔の薬　01 肝臓障害の薬

09 B型肝炎治療薬(抗ウイルス薬2)

製剤情報

一般名：アデホビル ピボキシル

●保険収載年月…2004年12月

●海外評価…6点 **英米独仏** ●PC…C

●規制…劇薬

●剤形…錠 錠剤

●服用量と回数…1日1回10mg(1錠)。

■先発品　商品名(メーカー)　規格・保険薬価

ヘプセラ(グラクソ) 錠 10mg 1錠 796.80円

概　要

分類 B型肝炎治療薬

処方目的 B型肝炎ウイルスの増殖を伴い,肝機能の異常が確認されたB型慢性肝疾患におけるB型肝炎ウイルスの増殖抑制

解説 本剤は核酸アナログ製剤の一つで,ラミブジンと同等の抗ウイルス作用を示します。核酸アナログ製剤は,B型肝炎ウイルス(HBV)の遺伝子型を問わず強力な増殖抑

制作用を有し，ほとんどの症例で抗ウイルス作用を発揮して肝炎を鎮静化させます。

　HBV の無症候性キャリアおよび他の治療法などにより肝機能検査値が正常範囲内に保たれている人は，本剤の対象とはなりません。ラミブジンに耐性のある人が本剤を服用する場合は，ラミブジンと併用します。その後，ラミブジンを中止して本剤を単独服用することは推奨されていません。

　「警告」にもあるように，本剤は服用の中止による HBV の再燃率が高く，肝機能の悪化もしくは肝炎が重症化することがあるので，自己判断で服用を中止しないようにしてください。

🔖 使用上の注意

警告

　本剤の服用終了後，ウイルスの再増殖に伴って，肝機能の悪化，肝炎の重症化がおこることがあるので，終了後少なくとも 4 カ月間は 2 週間ごとに肝機能検査を受けてください。

基本的注意

(1)**服用してはいけない場合**……本剤の成分に対するアレルギーの前歴

(2)**慎重に服用すべき場合**……腎機能障害／肝機能障害→重度の肝疾患患者，B 型肝硬変患者，免疫応答の強い患者（黄疸の前歴，重度の急性増悪の前歴）あるいは非代償性肝疾患の患者／高齢者

(3)**自己判断に注意**……本剤の服用を中止すると，肝機能の悪化や肝炎が重症化することがあるので，自己判断で服用を中止しないでください。

(4)**HBV 感染**……本剤による治療を行っても，他の人に HBV（B 型肝炎ウイルス）が感染しないことは証明されていません。感染防止への配慮が大切です。

(5)**骨軟化症，骨折**……本剤の長期服用により，腎尿細管障害による低リン血症から骨痛，関節痛，筋力低下を伴う骨軟化症が現れ，骨折することがあるので，投与開始前および服用中は血清リン，アルカリフォスファターゼなどを測定し，それらの変動を定期的に観察します。

(6)**避妊**……妊娠可能な女性は，本剤の服用中および服用後一定期間は避妊してください。動物実験において催奇形性などが認められています。

(7)**その他**……

● 妊婦での安全性：有益と判断されたときのみ服用。

● 授乳婦での安全性：治療上の有益性・母乳栄養の有益性を考慮し，授乳の継続・中止を検討。

● 小児での安全性：未確立。（1714 頁を参照）

重大な副作用

①腎機能障害，腎不全，腎尿細管障害，ファンコニー症候群。②（長期服用）骨痛，関節痛，筋力低下を伴う骨軟化症，骨折。③乳酸アシドーシス・脂肪沈着による重度の肝腫大（脂肪肝）。

　そのほかにも報告された副作用はあるので，体調がいつもと違うと感じたときは，処方医・薬剤師に相談してください。

併用してはいけない薬　併用してはいけない薬は特にありません。ただし，併用する薬があるときは，念のため処方医・薬剤師に報告してください。

內 08 肝臓・膵臓・胆道・痔の薬　01 肝臓障害の薬

10　B型肝炎治療薬（抗ウイルス薬3）

製剤情報

一般名：エンテカビル水和物
- 保険収載年月…2006年9月
- 海外評価…6点 英 米 独 仏　●PC…C
- 規制…劇薬
- 剤形…錠剤
- 服用量と回数…1日1回0.5mg（1錠）。ラミブジンが効かない患者の場合は，1日1回1mgを推奨。

■先発品　　商品名（メーカー）　規格・保険薬価
バラクルード（ブリストル）錠 0.5mg 1錠 625.60 円

■ジェネリック　商品名（メーカー）　規格・保険薬価
エンテカビル（ケミックス）錠 0.5mg 1錠 106.80 円

エンテカビル（サンド）錠 0.5mg 1錠 106.80 円
エンテカビル 写真 （シオノ＝エルメッド＝日医工）
錠 0.5mg 1錠 106.80 円
エンテカビル（大興＝陽進堂）
錠 0.5mg 1錠 106.80 円
エンテカビル（高田）錠 0.5mg 1錠 229.70 円
エンテカビル（武田テバファーマ＝武田）
錠 0.5mg 1錠 106.80 円
エンテカビル（東和）錠 0.5mg 1錠 106.80 円
エンテカビル（日本ジェネリック）
錠 0.5mg 1錠 106.80 円
エンテカビル（ファイザー）錠 0.5mg 1錠 106.80 円
エンテカビル OD（沢井）錠 0.5mg 1錠 106.80 円

概要

分類　B型肝炎治療薬

処方目的　B型肝炎ウイルスの増殖を伴い，肝機能の異常が確認されたB型慢性肝疾患におけるB型肝炎ウイルスの増殖抑制

解説　本剤は核酸アナログ製剤の一つで，B型肝炎ウイルス（HBV）の遺伝子型を問わず強力な増殖抑制作用を有し，ほとんどの症例で抗ウイルス作用を発揮して肝炎を鎮静化させます。2022年3月現在，4種類の核酸アナログ製剤（ラミブジン，アデホビル ピボキシル，エンテカビル水和物，テノホビル）が保険適用となっていますが，本剤とテノホビルは他の薬剤と比べてHBVの耐性株の発現率が極めて低く，また高率にHBV DNAの陰性化とALT（肝機能の指標の一つ）の正常化が得られます。本剤およびテノホビルは現在，未治療のB型慢性肝疾患に対する第一選択薬で，ラミブジン耐性HBVに対しても効果を発揮します。

　「警告」にもあるように，本剤は服用の中止によるHBVの再燃率が高く，肝機能の悪化もしくは肝炎が重症化することがあるので，自己判断で服用を中止しないようにしてください。

使用上の注意

＊エンテカビル水和物（バラクルード）の添付文書による

警告

治療終了後に肝炎の急性増悪が報告されています。終了後少なくとも数カ月は検査を十分に行う必要があります。

基本的注意

(1)服用してはいけない場合……本剤の成分に対するアレルギーの前歴

(2)慎重に服用すべき場合……腎機能障害／肝移植患者／非代償性肝硬変

(3)服用法……本剤の吸収は食事の影響を受けやすい（空腹時服用の数分の1しか吸収されない）ので，食後2時間以降かつ次の食事の2時間以上前に服用します。

(4)乳酸アシドーシス……乳酸アシドーシスが現れることがあり，死亡例も報告されています。

(5)アナフィラキシー（様症状）……本剤の服用によってアナフィラキシー（重症で致命的な全身に及ぶ過敏症反応）が現れることがあるので，異常を認めたら直ちに処方医に連絡してください。

(6)予防処置……本剤の服用により他者へのHBV感染を防ぐことはできません。妊娠の可能性がある人は避妊してください。

(7)その他……

● 妊婦での安全性：未確立。有益と判断されたときのみ服用。

● 授乳婦での安全性：服用するときは授乳を中止。

● 小児での安全性：未確立。（1714頁を参照）

重大な副作用 ①肝機能障害。②服用終了後の肝炎の悪化。③アナフィラキシー様症状（全身の発赤，じんま疹，顔や喉の腫れ，顔面蒼白，冷や汗，呼吸困難など）。④乳酸アシドーシス（嘔吐，腹痛，下痢，倦怠感，筋肉痛，動悸，呼吸困難，昏睡など）。⑤（類薬で）脂肪沈着による重度の肝腫大（脂肪肝）。

そのほかにも報告された副作用はあるので，体調がいつもと違うと感じたときは，処方医・薬剤師に相談してください。

併用してはいけない薬 併用してはいけない薬は特にありません。ただし，併用する薬があるときは，念のため処方医・薬剤師に報告してください。

内 08 肝臓・膵臓・胆道・痔の薬　01 肝臓障害の薬

11 B型肝炎治療薬（抗ウイルス薬4）

製剤情報

一般名：テノホビルジソプロキシルフマル酸塩

● 保険収載年月…2014年5月

● 海外評価…6点 英 米 独 仏　● PC…B

● 規制…劇薬

● 剤形…錠 錠剤

● 服用量と回数…1日1回300mg（1錠）。

■ 先発品　　商品名（メーカー）　規格・保険薬価

テノゼット（グラクソ）錠 300mg 1錠 726.80 円

**一般名：テノホビルアラフェナミドフマ
ル酸塩**

- 保険収載年月…2017年2月
- 海外評価…2点 英 米 独 仏
- 規制…劇薬
- 剤形… 錠 錠剤
- 服用量と回数…1日1回25mg（1錠）。

■**先発品**　　商品名（メーカー）　規格・保険薬価

ベムリディ（ギリアド） 錠 25mg 1錠 946.50 円

概　　要

分類　B型肝炎治療薬

処方目的　B型肝炎ウイルスの増殖を伴い，肝機能の異常が確認されたB型慢性肝疾患におけるB型肝炎ウイルスの増殖抑制

解説　本剤は核酸アナログ製剤の一つで，B型肝炎ウイルス（HBV）の遺伝子型を問わず強力な増殖抑制作用を有し，ほとんどの症例で抗ウイルス作用を発揮して肝炎を鎮静化させます。2022年3月現在，4種類の核酸アナログ製剤（ラミブジン，アデホビル ピボキシル，エンテカビル水和物，テノホビル）が保険適用となっていますが，本剤とエンテカビル水和物は他の薬剤と比べてHBVの耐性株の発現率が極めて低く，また高率にHBV DNAの陰性化とALT（肝機能の指標の一つ）の正常化が得られます。本剤およびエンテカビルは現在，未治療のB型慢性肝疾患に対する第一選択薬で，ラミブジン耐性HBVに対しても効果を発揮します。

「警告」にもあるように，本剤は服用の中止によるHBVの再燃率が高く，肝機能の悪化もしくは肝炎が重症化することがあるので，自己判断で服用を中止しないようにしてください。

使用上の注意
*両剤の添付文書による

警告

本剤を含むB型肝炎に対する治療を終了した人で，肝炎の重度の急性増悪が報告されています。そのため，B型肝炎に対する治療を終了する場合には，服用終了後少なくとも数カ月間は症状と臨床検査値の観察を十分に行わなければなりません。経過に応じて，B型肝炎に対する再治療が必要になることがあります。

基本的注意

(1)服用してはいけない場合……本剤の成分に対するアレルギーの前歴／[ベムリディのみ]リファンピシンの服用中／セイヨウオトギリソウ（セント・ジョーンズ・ワート）含有食品の摂取中

(2)慎重に服用すべき場合……非代償性肝硬変／[テノゼットのみ]腎機能障害

(3)骨密度の低下……外国での臨床試験において，本剤の服用により腰椎と大腿骨，寛骨の骨密度の低下が認められています。特に病的骨折の前歴のある人やその他の慢性骨疾患を有する人は十分に注意し，異常を感じたらすぐに処方医へ連絡してください。

(4)セイヨウオトギリソウ（セント・ジョーンズ・ワート）含有食品……[ベムリディ]一緒に摂取すると，本剤の効果が弱まるおそれがあるので，本剤を服用中はセイヨウオトギ

リソウ含有食品を摂取しないでください。

(5)その他……
- ●妊婦での安全性：未確立。有益と判断されたときのみ服用。
- ●授乳婦での安全性：治療上の有益性・母乳栄養の有益性を考慮し，授乳の継続・中止を検討。
- ●小児での安全性：未確立。(1714頁を参照)

重大な副作用　①重度の腎機能障害(腎機能不全，腎不全，急性腎障害，近位腎尿細管機能障害，ファンコニー症候群，急性腎尿細管壊死，腎性尿崩症，腎炎など)。②乳酸アシドーシス・脂肪沈着による重度の肝腫大(脂肪肝)。③[テノゼットのみ]膵炎。

　そのほかにも報告された副作用はあるので，体調がいつもと違うと感じたときは，処方医・薬剤師に相談してください。

併用してはいけない薬　[ベムリディ]リファンピシン，セイヨウオトギリソウ(セント・ジョーンズ・ワート)含有食品→本剤の血中濃度が低下し，本剤の効果が弱まるおそれがあります。

内 08 肝臓・膵臓・胆道・痔の薬　01 肝臓障害の薬

12　C型肝炎治療薬(抗ウイルス薬1)

製剤情報

一般名：リバビリン
- ●保険収載年月…2001年12月
- ●海外評価…6点 英米独仏　●PC…X
- ●規制…劇薬

- ●剤形…カ カプセル剤
- ●服用量と回数…体重，ヘモグロビン濃度などによって異なるので，処方医の指示通りに服用。

■**先発品**　商品名(メーカー)　規格・保険薬価
レベトール (MSD) カ 200mg 1カプセル 366.10円

概要

分類　C型肝炎治療薬(RNAポリメラーゼ阻害薬)
処方目的　(1)ペグインターフェロンアルファ-2b(遺伝子組み換え)，またはインターフェロンベータとの併用による次のいずれかのC型慢性肝炎におけるウイルス血症の改善
- ●血中HCV RNA量が高値の人：セログループ1(ジェノタイプⅠ〈1a〉またはⅡ〈1b〉)に該当
- ●インターフェロン製剤単独療法で無効の人，またはインターフェロン製剤単独療法後再燃した人

(2)ペグインターフェロンアルファ-2b(遺伝子組み換え)との併用によるC型代償性肝硬変におけるウイルス血症の改善

(3)ソホスブビル(ソバルディ)との併用による次のいずれかのC型慢性肝炎またはC型代償性肝硬変におけるウイルス血症の改善
- ●セログループ2(ジェノタイプ〈遺伝子型〉2)の人

● セログループ1（ジェノタイプ1）またはセログループ2（ジェノタイプ2）のいずれにも該当しない人

(4) ソホスブビル・ベルパタスビル配合剤（エプクルーサ配合錠）との併用による，前治療歴を有するC型慢性肝炎またはC型代償性肝硬変におけるウイルス血症の改善

＊代償性とは肝臓が機能を果たしうる段階にあることを意味します。

【解説】 C型肝炎ウイルスによる慢性肝炎を放置しておくと，肝硬変，さらには肝臓がんに進行しやすくなります。そのため，慢性肝炎のうちに治療を行って進行を防ぐことが重要です。

C型肝炎の治療法には，抗ウイルス作用，抗増殖作用，免疫賦活作用のあるインターフェロン（IFN）を用いる治療法と，IFNを用いない（IFN-free），直接型抗ウイルス薬（DAA）による治療法があります。DAAはC型肝炎ウイルスのゲノム（全遺伝情報）にコードされているウイルスに固有な非構造タンパクをターゲットとして，その機能を阻害することによりウイルスの複製を抑制し，肝炎の陰性化を導きます。DAAは次項の13から15に解説してあります。

本剤は，単独療法では治療効果がありません。処方目的にあるように，注射薬のインターフェロンベータまたはペグインターフェロンアルファ-2bのいずれかとの併用，あるいはDAAのソホスブビルまたはソホスブビル・ベルパタスビル配合剤のいずれかと併用することで，C型慢性肝炎，C型代償性肝硬変におけるウイルス血症の改善に効果を発揮します。併用にあたっては，HCV RNAが陽性であること，および組織像または肝予備能，血小板数などにより，慢性肝炎または代償性肝硬変であることを確認して使用します。

使用上の注意

警告

本剤による催奇形性が報告されているので，妊婦または妊娠している可能性がある人は服用してはいけません。また，本剤による精巣・精子の形態変化が報告されているので，男女とも服用する場合は避妊を厳守してください。

基本的注意

(1) 服用してはいけない場合……本剤の成分または他のヌクレオシドアナログ（アシクロビル，ガンシクロビル，ビダラビンなど）に対するアレルギーの前歴／コントロール困難な心疾患（心筋梗塞，心不全，不整脈など）／異常ヘモグロビン症（サラセミア，鎌状赤血球性貧血など）／慢性腎不全またはクレアチニン・クリアランスが50mL/分以下の腎機能障害／重いうつ病，自殺念慮・自殺企図などの重い精神病状態にある人またはその前歴／重い肝機能障害／自己免疫性肝炎／妊婦または妊娠している可能性のある人，授乳婦

(2) 慎重に服用すべき場合……[ペグインターフェロンアルファ-2b（遺伝子組み換え）併用の場合]服用開始前のヘモグロビン濃度が14g/dL未満，好中球数が2,000/mm^{3}未満，または血小板数120,000/mm^{3}未満の人および女性／[インターフェロンベータ併用の場合]服用開始前のヘモグロビン濃度が14g/dL未満，または好中球数が2,000/mm^{3}未満

の人／**[併用薬剤共通]** 心疾患(ただしコントロールの困難な心疾患(心筋梗塞,心不全,不整脈など)を除く)またはその前歴／痛風またはその前歴／アレルギー素因のある人／高度の白血球・血小板の減少／中枢・精神神経障害またはその前歴／自己免疫疾患(ただし自己免疫性肝炎を除く)またはその素因のある人／高血圧症／糖尿病またはその前歴・家族歴,耐糖能障害／軽度または中等度の腎機能障害(クレアチニンクリアランスが50mL/分以下の腎機能障害を除く)／高齢者

(3)服用期間……本剤の服用期間は効果や副作用の程度を考慮しながら慎重に決定されます。

● ペグインターフェロンアルファ-2b(遺伝子組み換え)またはインターフェロンベータとの併用によるC型慢性肝炎におけるウイルス血症の改善の場合→①セログループ1(ジェノタイプ I〈1a〉または II〈1b〉)で血中 HCV RNA 量が高値の人：通常の服用は48週間。臨床試験の結果から服用中止例では有効性が低下するため,減量・休薬などの処置により可能な限り48週間服用します。24週間以上の服用で効果が認められない場合は,服用の中止を考慮します。②それ以外の人：通常の服用は24週間。

● ペグインターフェロンアルファ-2b(遺伝子組み換え)との併用によるC型代償性肝硬変におけるウイルス血症の改善の場合→通常の服用は48週間。24週間以上の服用で効果が認められない場合は,服用の中止を考慮します。

(4)避妊……妊娠する可能性のある女性およびパートナーが妊娠する可能性のある男性は,服用中・服用終了後6カ月間は信頼できる避妊法を用いるなどして妊娠を避けてください。また,服用直前の妊娠検査の結果が陰性であることを確認後に服用を開始し,妊娠していないことを確認するために妊娠検査を毎月1回実施します。パートナーが妊娠している男性は,服用中・服用終了後6カ月間は本剤が子宮内へ移行しないようにコンドームを使用してください。

(5)肝硬変に対する処置……C型代償性肝硬変に対するペグインターフェロンアルファ-2a,ソホスブビルまたはソホスブビル・ベルパタスビル配合剤と本剤による併用療法は,ウイルスに対する治療なので,肝硬変に対する処置は本治療後も継続します。

(6)その他……

● 授乳婦での安全性：服用するときは授乳を中止。

● 小児での安全性：未確立。(1714頁を参照)

　重大な副作用　　　　**[ソホスブビルとの併用の場合]** ①貧血。②高血圧。③脳血管障害(脳梗塞,脳出血など)。

　そのほかにも報告された副作用はあるので,体調がいつもと違うと感じたときは,処方医・薬剤師に相談してください。

　併用してはいけない薬　　　　併用してはいけない薬は特にありません。ただし,併用する薬があるときは,念のため処方医・薬剤師に報告してください。

内
08
－
01
－
12

C型肝炎治療薬(抗ウイルス薬1)

13 C型肝炎治療薬（抗ウイルス薬2）

製剤情報

一般名：グレカプレビル水和物・ピブレンタスビル配合剤

- 保険収載年月…2017年11月
- 海外評価…3点 英 **米** 独 **仏**
- 剤形…錠 錠剤
- 服用量と回数…C型慢性肝炎（12歳以上）：ジェノタイプ1または2の場合は1日1回3錠を8週

間服用（前治療歴に応じて12週間まで）。ジェノタイプ1または2のいずれにも該当しない場合は1日1回3錠を12週間服用。C型代償性肝硬変（12歳以上）：1日1回3錠を12週間服用。

■先発品　商品名（メーカー）　規格・保険薬価
マヴィレット配合錠（アッヴィ）
錠 1錠 18,249.90 円

概　要

分類　C型肝炎治療薬（NS3-4A プロテアーゼ阻害薬・NS5A 阻害薬）

処方目的　C型慢性肝炎またはC型代償性肝硬変におけるウイルス血症の改善

解説　C型肝炎における直接型抗ウイルス薬（DAA）です。グレカプレビル水和物は，C型肝炎ウイルス（HCV）の複製に必須なウイルス由来の酵素であるセリンプロテアーゼ（NS3-4A）を選択的に阻害する薬剤（NS3-4A プロテアーゼ阻害薬）です。ピブレンタスビルは，C型肝炎ウイルスの複製に必須の蛋白である NS5A の機能を選択的に阻害する薬剤（NS5A 阻害薬）です。

　この配合剤は，C型肝炎ウイルスのすべてのジェノタイプ（遺伝子型；1～6型。日本ではほとんどが1型と2型）に使用できます。また，ジェノタイプ1型と2型のC型慢性肝炎に対しては1日1回8週間の服用で，これまでの薬剤より短期間での治療が可能です。

使用上の注意

警告

①本剤は，ウイルス性肝疾患の治療に十分な知識・経験をもつ医師のもとで，本剤の服用が適切と判断される人に対してのみ使用します。

基本的注意

(1)服用してはいけない場合……本剤の成分に対するアレルギーの前歴／重度（Child Pugh 分類C）の肝機能障害／アタザナビル硫酸塩，アトルバスタチンカルシウム水和物，リファンピシンの服用中

(2)慎重に服用すべき場合……B型肝炎ウイルス感染の患者または既往感染者

(3)B型肝炎ウイルスの再活性化……B型肝炎ウイルスの感染者または既往感染者（HBs 抗原陰性，かつ HBc 抗体または HBs 抗体陽性）において，C型肝炎直接型抗ウイルス薬を服用開始後，C型肝炎ウイルス量が低下する一方でB型肝炎ウイルスの再活性化が報告されています。本剤の服用に際しては，事前にB型肝炎ウイルス感染の有無を確認し，感染者または既往感染者が服用する場合は，B型肝炎ウイルスマーカーのモニタリング

を行うなど, B型肝炎ウイルスの再活性化の徴候や症状の発現に十分な注意を払います。

(4)セイヨウオトギリソウ含有食品……本剤の服用時は, セイヨウオトギリソウ(セント・ジョーンズ・ワート)含有食品を摂取しないよう注意してください。本剤の血中濃度が低下し効果が弱まるおそれがあります。

(5)その他……

- ●妊婦での安全性：有益と判断されたときのみ服用。
- ●授乳婦での安全性：原則として服用しない。やむを得ず服用する場合は授乳を中止。
- ●小児(12歳未満)での安全性：未確立。(1714頁を参照)

重大な副作用　①AST・ALT増加などを伴う肝機能障害。

そのほかにも報告された副作用はあるので, 体調がいつもと違うと感じたときは, 処方医・薬剤師に相談してください。

併用してはいけない薬　①アタザナビル硫酸塩→本剤の血中濃度が上昇するおそれがあります。②アトルバスタチンカルシウム水和物→アトルバスタチンの血中濃度が上昇するおそれ, またアトルバスタチンによる副作用の発現リスクが高くなるおそれがあります。③リファンピシン→本剤の血中濃度が低下し, 効果が弱まるおそれがあります。

内 08 肝臓・膵臓・胆道・痔の薬　01 肝臓障害の薬

14　C型肝炎治療薬(抗ウイルス薬3)

💊 製剤情報

一般名：ソホスブビル

- ●保険収載年月…2015年5月
- ●海外評価…6点 **英 米 独 仏**　●PC…B
- ●剤形…錠 錠剤
- ●服用量と回数…400mgを1日1回, セログルー

プ2の人は12週間, セログループ1・2のいずれにも該当しない人は24週間服用。リバビリンと併用すること。

■先発品　**商品名(メーカー)**　**規格・保険薬価**

| ソバルディ (ギリアド) 錠 400mg 1錠 43,014.60円 |

📋 概　要

分類　C型肝炎治療薬(NS5Bポリメラーゼ阻害薬)

処方目的　次のいずれかのC型慢性肝炎またはC型代償性肝硬変におけるウイルス血症の改善

- ●セログループ2(ジェノタイプ2)の人
- ●セログループ1(ジェノタイプ1)またはセログループ2(ジェノタイプ2)のいずれにも該当しない人

解説　C型肝炎における直接型抗ウイルス薬(DAA)です。本剤は, C型肝炎ウイルスの増殖に関わるNS5B RNA依存性RNAポリメラーゼの働きを阻害することでウイルスの増殖を抑制する内服薬(NS5Bポリメラーゼ阻害薬)です。同じ系統の治療薬にリバビ

リンがありますが，本剤はこのリバビリンと併用して使用します。

　今まで治癒が難しかったものが，ジェノタイプ（遺伝子型）2の人は12週間，ジェノタイプ1および2のいずれにも該当しない人は24週間の服薬で，90％以上の人でウイルス検出限界以下になる効果の高い薬剤ですが，その分薬価も高く，約360〜720万円（併用するリバビリンの薬価がさらにプラス）となります。ただし患者負担には助成制度があり，収入により1カ月10,000円もしくは20,000円で治療が受けられます。

使用上の注意

警告

　本剤は，ウイルス性肝疾患の治療に十分な知識・経験をもつ医師のもとで，本剤の服用が適切と判断される人に対してのみ使用します。

基本的注意

(1)服用してはいけない場合……本剤の成分に対するアレルギーの前歴／重度の腎機能障害（eGFR＜30mL/分/1.73m^2）または透析を必要とする腎不全／カルバマゼピン・フェニトイン・リファンピシン・セイヨウオトギリソウ（セント・ジョーンズ・ワート）含有食品の使用中

(2)慎重に服用すべき場合……B型肝炎ウイルス感染の患者または既往感染者／高齢者

(3)女性の服用……本剤はリバビリンと併用するため，妊婦または妊娠している可能性のある人は服用しないでください。リバビリンの動物実験で催奇形性および胚・胎児致死作用が認められています。また，妊娠していないことを確認するため，治療開始に先立ち，妊娠検査を実施します。

(4)B型肝炎ウイルスの再活性化……B型肝炎ウイルスの感染者または既往感染者（HBs抗原陰性，かつHBc抗体またはHBs抗体陽性）において，C型肝炎直接型抗ウイルス薬（本剤およびプロテアーゼ阻害薬）を服用開始後，C型肝炎ウイルス量が低下する一方でB型肝炎ウイルスの再活性化が報告されています。本剤の服用に際しては，事前にB型肝炎ウイルス感染の有無を確認し，感染者または既往感染者が服用する場合は，B型肝炎ウイルスマーカーのモニタリングを行うなど，B型肝炎ウイルスの再活性化の徴候や症状の発現に十分な注意を払います。

(5)セイヨウオトギリソウ（セント・ジョーンズ・ワート）含有食品……一緒に摂取すると本剤の作用が弱まるおそれがあるので，本剤の服用中はセイヨウオトギリソウ含有食品を摂取しないでください。

(6)その他……

●授乳婦での安全性：服用するときは授乳を中止。

●小児での安全性：未確立。（1714頁を参照）

重大な副作用　　①貧血。②高血圧。③脳血管障害（脳梗塞，脳出血など）。

　そのほかにも報告された副作用はあるので，体調がいつもと違うと感じたときは，処方医・薬剤師に相談してください。

併用してはいけない薬　　カルバマゼピン，フェニトイン，リファンピシン→本剤の血中濃度が低下し，効果が弱まるおそれがあります。

15　C型肝炎治療薬（抗ウイルス薬4）

製剤情報

一般名：レジパスビルアセトン付加物・ソホスブビル配合剤

- 保険収載年月…2015年8月
- 海外評価…6点 英 米 独 仏　●PC…B
- 剤形…錠剤
- 服用量と回数…1日1回1錠を12週間服用。

先発品	商品名（メーカー）	規格・保険薬価

ハーボニー配合錠（ギリアド）錠 1錠 55,491.70円

一般名：ソホスブビル・ベルパタスビル配合剤

- 保険収載年月…2019年2月
- 海外評価…6点 英 米 独 仏
- 剤形…錠剤
- 服用量と回数…1日1回1錠。C型慢性肝炎・C型代償性肝硬変の場合は24週間，C型非代償性肝硬変の場合は12週間服用。

先発品	商品名（メーカー）	規格・保険薬価

エプクルーサ配合錠（ギリアド）
錠 1錠 61,157.80円

概要

分類　C型肝炎治療薬（NS5A阻害薬・NS5Bポリメラーゼ阻害薬）

処方目的　［ハーボニー配合錠の適応症］セログループ1（ジェノタイプ1）またはセログループ2（ジェノタイプ2）のC型慢性肝炎またはC型代償性肝硬変におけるウイルス血症の改善

［エプクルーサ配合錠の適応症］前治療歴のあるC型慢性肝炎またはC型代償性肝硬変におけるウイルス血症の改善／C型非代償性肝硬変におけるウイルス血症の改善

解説　C型肝炎における直接型抗ウイルス薬（DAA）です。ハーボニー，エプクルーサのどちらもNS5Bポリメラーゼ阻害薬のソホスブビルと，C型肝炎ウイルスの複製に必須の蛋白であるNS5Aの機能を選択的に阻害する薬剤（NS5A阻害薬）のレジパスビル，ベルパタスビルとの配合剤です。エプクルーサ配合錠は，日本で初めてC型非代償性肝硬変も適応となった内服薬です。

　ハーボニー配合錠は，1日1回1錠を12週間服用します。エプクルーサ配合錠は，C型慢性肝炎・C型代償性肝硬変の場合は，リバビリンとの併用で1日1回1錠を24週間服用します。C型非代償性肝硬変の場合は，本剤のみの単独療法で1日1回1錠を12週間服用します。

使用上の注意

＊両剤の添付文書による

警告

　本剤は，ウイルス性肝疾患の治療に十分な知識・経験をもつ医師のもとで，本剤の服用が適切と判断される人に対してのみ使用します。

基本的注意

(1)**服用してはいけない場合**……本剤の成分に対するアレルギーの前歴／重度の腎機能障害(eGFR<30mL/分/1.73m^2)または透析を必要とする腎不全の人／カルバマゼピン，フェニトイン，リファンピシン，フェノバルビタール(エプクルーサ配合錠のみ)，セイヨウオトギリソウ(セント・ジョーンズ・ワート)含有食品の使用中

(2)**慎重に服用すべき場合**……B型肝炎ウイルスに感染している人またはその前歴／高齢者

(3)**アミオダロン塩酸塩との併用**……ハーボニー配合錠とエプクルーサ配合錠のどちらも，不整脈治療薬のアミオダロン塩酸塩と併用すると徐脈などの不整脈が現れるおそれがあり，海外で死亡例も報告されていることから併用は可能なかぎり避けるようにします。治療上やむを得ず併用する場合には，併用開始から少なくとも3日間は入院し，退院後少なくとも2週間は心拍数を連日確認し，不整脈の徴候または症状(失神寸前の状態・失神，浮動性めまい，ふらつき，倦怠感，脱力，極度の疲労感，息切れ，胸痛，錯乱，記憶障害など)が認められた場合には直ちに処方医に連絡してください。

(4)**セイヨウオトギリソウ(セント・ジョーンズ・ワート)含有食品**……本剤の血中濃度が低下し，治療効果を弱めるおそれがあるので，本剤の服用中はセイヨウオトギリソウ含有食品を摂取しないでください。

(5)**その他**……

● 妊婦での安全性：[ハーボニー配合錠]有益と判断されたときのみ服用。[エプクルーサ配合錠]〈C型慢性肝炎・C型代償性肝硬変〉服用しないこと。〈C型非代償性肝硬変〉有益と判断されたときのみ服用。

● 授乳婦での安全性：[ハーボニー配合錠]治療上の有益性・母乳栄養の有益性を考慮し，授乳の継続・中止を検討。[エプクルーサ配合錠]〈C型慢性肝炎・C型代償性肝硬変〉服用するときは授乳を中止。〈C型非代償性肝硬変〉治療上の有益性・母乳栄養の有益性を考慮し，授乳の継続・中止を検討。

● 小児での安全性：未確立。(1714頁を参照)

重大な副作用 ①高血圧。②脳血管障害(脳梗塞，脳出血など)。

[エプクルーサ配合錠] ③〈C型慢性肝炎・C型代償性肝硬変〉貧血。

　そのほかにも報告された副作用はあるので，体調がいつもと違うと感じたときは，処方医・薬剤師に相談してください。

併用してはいけない薬 リファンピシン，カルバマゼピン，フェニトイン，フェノバルビタール(エプクルーサ配合錠のみ)→本剤の血中濃度が低下し，効果が弱まるおそれがあります。

01 フロプロピオン

🖊 製 剤 情 報

一般名：フロプロピオン

- 保険収載年月…1969年1月
- 海外評価…0点 英米独仏
- 剤形…錠錠剤, カカプセル剤

📋 概　　要

分類　膵・胆道系鎮痛薬

処方目的　肝・胆道疾患(胆道ジスキネジー，胆石症，胆のう炎，胆管炎，胆のう摘出後遺症)，膵炎，尿路結石に伴う痛みの除去

解説　胆管は，肝臓と十二指腸の間にある直径8mmくらいの管で，途中で分かれて胆のうに接続しています。

　分岐点から十二指腸までを総胆管といい，十二指腸への出口付近で膵臓からの膵管が合流します。合流部付近の胆管や膵管は平滑筋が発達していて，その緊張の具合によって胆汁の流れを調節しています。これをオッジ括約筋と呼びますが，フロプロピオンは，オッジ括約筋を弛緩させる作用で胆汁，膵液を排出します。

📝 使用上の注意

基本的注意

(1)慎重に服用すべき場合……本剤の成分に対するアレルギーの前歴
(2)その他……

- 妊婦での安全性：未確立。
- 授乳婦での安全性：未確立。
- 小児での安全性：未確立。(1714頁を参照)

重大な副作用　重大な副作用はありませんが，そのほかの副作用はあるので，体調がいつもと違うと感じたときは，処方医・薬剤師に相談してください。

併用してはいけない薬　併用してはいけない薬は特にありません。ただし，併用する薬があるときは，念のため処方医・薬剤師に報告してください。

- 服用量と回数…1回40〜80mgを1日3回。

■**先発品**　　商品名(メーカー)　規格・保険薬価

コスパノン (エーザイ) 錠 40mg 1錠 5.90 円
錠 80mg 1錠 9.30 円　　カ 40mg 1カプセル 9.20 円

02 カモスタットメシル酸塩

🖊 製 剤 情 報

一般名：カモスタットメシル酸塩

- 保険収載年月…1985年7月

- 海外評価…0点 英 米 独 仏
- 剤形… 錠 錠剤
- 服用量と回数…1日600mgを3回に分けて服用。術後逆流性食道炎の場合は，1日300mgを3回に分けて服用。

■先発品　商品名(メーカー)　規格・保険薬価

フオイパン 写真 (小野) 錠 100mg 1錠 15.00 円

■ジェネリック　商品名(メーカー)　規格・保険薬価

カモスタットメシル酸塩 (共和)
錠 100mg 1錠 7.50 円

カモスタットメシル酸塩 (ダイト＝扶桑)
錠 100mg 1錠 7.50 円

カモスタットメシル酸塩 (武田テバファーマ＝武田) 錠 100mg 1錠 7.50 円

カモスタットメシル酸塩 (鶴原)
錠 100mg 1錠 7.50 円

カモスタットメシル酸塩 (東和)
錠 100mg 1錠 7.50 円

カモスタットメシル酸塩 (日医工)
錠 100mg 1錠 7.50 円

カモスタットメシル酸塩 (ニプロ)
錠 100mg 1錠 7.50 円

カモスタットメシル酸塩 (日本ジェネリック)
錠 100mg 1錠 7.50 円

カモスタットメシル酸塩 写真 (メディサ＝沢井)
錠 100mg 1錠 7.50 円

概　要

分類　経口蛋白分解酵素阻害薬

処方目的　慢性膵炎における急性症状の緩解／術後逆流性食道炎

解説　注射薬として使われているガベキサートメシル酸塩から導き出された内服薬ですが，内服時に分解されてしまう可能性も指摘されています。イギリスの医薬品集「マーティンデール」(37th ed.)では，ガベキサートメシル酸塩とともに補助的薬品のパートに掲載されています。

使用上の注意

＊カモスタットメシル酸塩(フオイパン)の添付文書による

基本的注意

(1)服用してはいけない場合……本剤の成分に対するアレルギーの前歴

(2)慎重に服用すべき場合……アレルギーのある人

(3)処方目的別注意事項……①慢性膵炎→胃液吸引，絶食，絶飲などの食事制限を必要とする重症の慢性膵炎の人は本剤を服用しないでください。②術後逆流性食道炎→胃液の逆流による術後逆流性食道炎には，本剤の効果が期待できないので服用しないでください。

(4)その他……
- 妊婦での安全性：有益と判断されたときのみ服用。
- 小児での安全性：未確立。(1714 頁を参照)

重大な副作用　①ショック，アナフィラキシー(血圧低下，呼吸困難，かゆみなど)。②血小板減少。③肝機能障害，黄疸。④高カリウム血症。

　そのほかにも報告された副作用はあるので，体調がいつもと違うと感じたときは，処方医・薬剤師に相談してください。

併用してはいけない薬は特にありません。ただし，併用する薬があるときは，念のため処方医・薬剤師に報告してください。

内 08 肝臓・膵臓・胆道・痔の薬　03 利胆薬など

01　ウルソデオキシコール酸

製剤情報

一般名：ウルソデオキシコール酸

- 発売年月…1962年7月
- 海外評価…6点 英米独仏　●PC…B
- 剤形…錠 錠剤，顆 顆粒剤
- 服用量と回数…利胆，慢性肝疾患の肝機能改善，消化不良：1回50mg（顆粒剤は1g）を1日3回。コレステロール系胆石の溶解：1日600mgを3回に分けて服用。C型慢性肝疾患・原発性胆汁性肝硬変における肝機能改善：1日600mgを3回に分けて服用（1日最大900mg）。

■**先発品**　　商品名(メーカー)　規格・保険薬価

ウルソ 写真 (田辺三菱) 顆 5% 1g 7.50 円
錠 50mg 1錠 9.00 円　錠 100mg 1錠 10.10 円

■**ジェネリック**　　商品名(メーカー)　規格・保険薬価

| ウルソデオキシコール酸 (沢井) |
| 錠 100mg 1錠 6.60 円 |
| ウルソデオキシコール酸 写真 (全星＝高田＝日医工) 錠 100mg 1錠 6.60 円 |
| ウルソデオキシコール酸 (武田テバファーマ＝武田) 錠 50mg 1錠 6.10 円　錠 100mg 1錠 6.60 円 |
| ウルソデオキシコール酸 写真 (東和) 錠 50mg 1錠 6.10 円　錠 100mg 1錠 6.60 円 |
| ウルソデオキシコール酸 (日本ジェネリック) 錠 50mg 1錠 6.10 円　錠 100mg 1錠 6.60 円 |

概　要

分類　利胆薬（胆汁分泌促進薬）

処方目的　胆道（胆管・胆のう）系疾患，胆汁うっ滞を伴う肝疾患における利胆／慢性肝疾患における肝機能の改善／小腸切除後遺症・炎症性小腸疾患における消化不良／外殻石灰化を認めないコレステロール系胆石の溶解／C型慢性肝疾患・原発性胆汁性肝硬変における肝機能の改善（顆粒剤を除く）

解説　胆汁は肝臓から分泌される液体で，脂質の消化吸収および脂溶性ビタミンの吸収の促進，消化酵素の活性化などの働きをしています。

ウルソデオキシコール酸は熊の胆のう成分を化学的に合成したもので，胆汁の流れの促進，肝細胞の保護，肝機能の改善，消化不良の改善に効果を発揮します。胆汁が固まってできる胆石の場合は，まだ石灰化していないコレステロール系胆石を溶かすのに適しています。

使用上の注意

＊ウルソデオキシコール酸（ウルソ）の添付文書による

基本的注意

(1)服用してはいけない場合……完全胆道閉塞／劇症肝炎

内
08
─
03
─
02

トレピブトン

(2)慎重に服用すべき場合……重い膵臓疾患／消化性潰瘍／胆管胆石
(3)その他……
● 妊婦での安全性：原則として服用しない。（1714頁を参照）

重大な副作用 ①間質性肺炎（発熱，空せき，息切れ，呼吸困難など）。
　そのほかにも報告された副作用はあるので，体調がいつもと違うと感じたときは，処方医・薬剤師に相談してください。

併用してはいけない薬 併用してはいけない薬は特にありません。ただし，併用する薬があるときは，念のため処方医・薬剤師に報告してください。

内 08 肝臓・膵臓・胆道・痔の薬　03 利胆薬など

02 トレピブトン

製剤情報

一般名：トレピブトン
● 保険収載年月…1980年12月
● 海外評価…0点 英 米 独 仏
● 剤形…錠 錠剤, 細 細粒剤

● 服用量と回数…1回40mg（細粒剤は0.4g）を1日3回。

■ 先発品　商品名（メーカー）　規格・保険薬価
スパカール（大原）細 10% 1g 38.20 円
錠 40mg 1錠 16.50 円

概　要

分類　胆道鎮けい・利胆薬
処方目的　胆石症，胆のう炎，胆管炎，胆管ジスキネジー，胆のう切除後症候群の鎮けい・利胆／慢性膵炎に伴う疼痛と胃腸症状の改善
解説　本剤は日本で開発された薬剤です。胆汁や膵液の十二指腸への排出口をゆるめ，流れをよくして痛みをやわらげます。

使用上の注意

基本的注意
(1)服用してはいけない場合……本剤の成分に対するアレルギーの前歴
(2)その他……
● 妊婦での安全性：未確立。有益と判断されたときのみ服用。
● 授乳婦での安全性：原則として服用しない。やむを得ず服用するときは授乳を中止。
● 小児での安全性：未確立。（1714頁を参照）

重大な副作用 重大な副作用はありませんが，そのほかの副作用はあるので，体調がいつもと違うと感じたときは，処方医・薬剤師に相談してください。

併用してはいけない薬 併用してはいけない薬は特にありません。ただし，併用する薬があるときは，念のため処方医・薬剤師に報告してください。

01　ケノデオキシコール酸

製剤情報

一般名：ケノデオキシコール酸

- 保険収載年月…1982年8月
- 海外評価…2点 英 米 独 仏
- 剤形… カ カプセル剤

- 服用量と回数…1日300～400mgを2～3回に分けて服用、1日最大600mg。

■ **先発品**　　商品名(メーカー)　規格・保険薬価

チノ (藤本) カ 125mg 1カプセル 25.90 円

概　要

分類　胆石溶解薬

処方目的　外殻石灰化を認めないコレステロール系胆石の溶解

解説　ケノデオキシコール酸は，1924年にガチョウの胆汁中に発見されたもので，1960年代以後，その胆石溶解作用が注目されていました。

　胆石は，肝臓から分泌される胆汁の成分が固まって胆のう・胆管内にできた「石」です。コレステロール結石，ビリルビンカルシウム結石，黒色石などがありますが，本剤はまだ石灰化していないコレステロール胆石が適応です。

使用上の注意

基本的注意

(1)服用してはいけない場合……重い胆道・膵臓障害／重い肝機能障害／肝・胆道系の閉塞性病変／妊婦または妊娠している可能性がある人

(2)慎重に服用すべき場合……消化管の潰瘍性病変／胆管胆石／肝機能障害の前歴

(3)定期検査……服用中は，定期的に肝機能検査を受ける必要があります。

(4)治療法……1年以上服用しても，胆石の縮小や減少がみられないときは，他の治療法を考えることになります。

(5)その他……

- 授乳婦での安全性：原則として服用しない。
- 小児での安全性：未確立。(1714頁を参照)

重大な副作用　　重大な副作用はありませんが，そのほかの副作用はあるので，体調がいつもと違うと感じたときは，処方医・薬剤師に相談してください。

併用してはいけない薬　　併用してはいけない薬は特にありません。ただし，併用する薬があるときは，念のため処方医・薬剤師に報告してください。

内 08 肝臓・膵臓・胆道・痔の薬　05 痔の内服薬

01 トリベノシド

製剤情報

一般名：トリベノシド
- 保険収載年月…1977年5月
- 海外評価…0点 英 米 独 仏
- 剤形…カ カプセル剤

- 服用量と回数…1回200mg（1カプセル）を1日3回。

■先発品　商品名（メーカー）　規格・保険薬価

ヘモクロン（天藤＝武田）カ 200mg 1カプセル 20.20 円

概要

分類　痔疾治療薬

処方目的　内痔核に伴う出血・腫れ

解説　痔の原因として考えられるのは，習慣性便秘，妊娠，アルコールや刺激の強い飲食物，疲労，冷えなどです。内服薬，軟膏，坐薬などが使われますが，初期の手当てが特に重要です。排便後に疾患部を清潔にすることは意外に有効です。

痔には大別して痔核（いぼ痔），痔瘻，裂肛（切れ痔）がありますが，本剤は痔核のうちの肛門の中にできる内痔核に処方されます。

使用上の注意

基本的注意

(1)服用してはいけない場合……本剤の成分に対するアレルギーの前歴
(2)慎重に服用すべき場合……他の薬剤や食物などに対するアレルギーの前歴／気管支ぜんそく・アレルギー性鼻炎などのアレルギー疾患およびそれらの前歴／他のトリベノシド製剤を併用している人／関節リウマチ
(3)一包化調剤は避ける……本剤は吸湿しやすい製剤であるため，PTP シートからカプセルを取り出して保存すること，および一包化調剤は避けるようにします。
(4)その他……
- 妊婦での安全性：有益と判断されたときのみ服用。
- 授乳婦での安全性：治療上の有益性・母乳栄養の有益性を考慮し，授乳の継続・中止を検討。
- 小児での安全性：未確立。(1714 頁を参照)

重大な副作用　①多形（滲出性）紅斑。

そのほかにも報告された副作用はあるので，体調がいつもと違うと感じたときは，処方医・薬剤師に相談してください。

併用してはいけない薬　併用してはいけない薬は特にありません。ただし，併用する薬があるときは，念のため処方医・薬剤師に報告してください。

内 08 肝臓・膵臓・胆道・痔の薬　05 痔の内服薬

02　ヘモリンガル

🏷 製　剤　情　報

一般名：雑食動物の静脈叢エキス
- 保険収載年月…1972年7月
- 剤形…錠 錠剤

- 服用量と回数…1回1錠を1日3回。

■ **先発品**　　商品名（メーカー）　規格・保険薬価

ヘモリンガル舌下錠（東菱＝扶桑）
錠 1錠 20.20 円

📋 概　　要

分類　痔疾治療薬
処方目的　痔核の症状（出血，痛み，腫れ，かゆみ）の緩解
解説　雑食動物の静脈叢を加水分解して得た静脈血管叢を，主成分としています。アドレナリンやヒスタミンなどの生体アミン類の対血圧作用を強め，生理的に微少循環の機能低下によるうっ血状態を回復して痔核（いぼ痔）の症状を軽減します。

📝 使用上の注意

基本的注意
(1)服用法……本剤は，口腔粘膜から徐々に吸収させる舌下錠です。のみ下すと効果が著しく低減するので，口の中で溶かすことが大切です。
(2)その他……
- 妊婦での安全性：未確立。有益と判断されたときのみ服用。（1714頁を参照）
重大な副作用　　重大な副作用はありませんが，そのほかの副作用はあるので，体調がいつもと違うと感じたときは，処方医・薬剤師に相談してください。
併用してはいけない薬　　併用してはいけない薬は特にありません。ただし，併用する薬があるときは，念のため処方医・薬剤師に報告してください。

内 08 肝臓・膵臓・胆道・痔の薬　05 痔の内服薬

03　メリロートエキス

🏷 製　剤　情　報

一般名：メリロートエキス
- 保険収載年月…1970年7月
- 海外評価…0点 英 米 独 仏
- 剤形…錠 錠剤

- 服用量と回数…1日75〜300mgを3回に分けて服用。

■ **ジェネリック**　　商品名（メーカー）　規格・保険薬価

タカベンス（高田）錠 25mg 1錠 5.70 円

📋 概　　要
分類　痔疾治療薬

内
08
―05
―04

ヘモナーゼ

処方目的　痔核の症状(出血，痛み，腫れ，かゆみ)，外傷・手術に伴う軟部腫脹の緩解
解説　メリロート草抽出エキスが主成分です。末梢血管の血流改善，血管透過性の正常化，軟部組織血管の拡張などの作用によって痔核(いぼ痔)の症状を改善します。

使用上の注意

基本的注意

- 妊婦での安全性：未確立。有益と判断されたときのみ服用。
- 小児での安全性：未確立。(1714頁を参照)

重大な副作用　特に副作用はありません。

併用してはいけない薬　併用してはいけない薬は特にありません。ただし，併用する薬があるときは，念のため処方医・薬剤師に報告してください。

内 08 肝臓・膵臓・胆道・痔の薬　05 痔の内服薬

04　ヘモナーゼ

製剤情報

一般名：ブロメライン・ビタミンE配合剤

- 保険収載年月…1967年10月
- 剤形…錠剤
- 服用量と回数…1回1錠を1日3～4回。

■**先発品**　商品名(メーカー)　規格・保険薬価
ヘモナーゼ配合錠 写真 (ジェイドルフ＝堀井)
錠 1錠 11.50円

概　要

分類　痔疾治療薬

処方目的　痔核・裂肛の症状(出血，痛み，腫れ，かゆみ)の緩解，肛門部手術創

解説　抗炎症作用のあるブロメラインと，血行を促進させるといわれるビタミンEを配合した腸溶性糖衣錠です。痔核(いぼ痔)，裂肛(切れ痔)の症状を改善します。

使用上の注意

基本的注意

(1)慎重に服用すべき場合……血液凝固異常／重い肝機能障害・腎機能障害
(2)その他……

- 妊婦での安全性：未確立。有益と判断されたときのみ服用。(1714頁を参照)

重大な副作用　重大な副作用はありませんが，そのほかの副作用はあるので，体調がいつもと違うと感じたときは，処方医・薬剤師に相談してください。

併用してはいけない薬　併用してはいけない薬は特にありません。ただし，併用する薬があるときは，念のため処方医・薬剤師に報告してください。

内服 09 ビタミン剤と栄養補給・貧血・止血の薬

薬剤番号 09-01-01 ～ 09-06-06

■ビタミン，アミノ酸，ミネラルなど栄養に関連する薬と，止血剤として用いる内服薬を説明します

◆鳥目といわれる夜盲症（ビタミン A），脚気（B_1），ペラグラ皮膚炎（B_2），口内炎（B_2・B_6），悪性貧血（B_{12}），壊血病（C），クル病（D）などのビタミン欠乏症に用いるビタミン剤

◆アミノ酸やミネラルの補給に用いる薬

◆鉄分の不足が原因の貧血に用いる鉄剤

◆鼻血，眼底出血，肺出血など体内での出血，出血傾向に用いる止血薬

■副作用・相互作用に注意すべき薬

　ビタミン剤には副作用がないとお考えの人が多いと思います。しかし，ご存じのようにビタミンには水に溶けるビタミン（B 群，C）と，油に溶けるビタミン（A, D, E, F, K）の 2 種類があります。水溶性ビタミンが余分にからだの中に入った場合には，尿に溶けて体外に流し出されるだけですから，もったいないということですみます（医療費のムダという点ではまずいですけれど）。しかし脂溶性ビタミンの場合には，組織の中に蓄積されますので，過剰症が心配になってきます。

　日本ではビタミン E が治療薬としていろいろな使われ方をしていますが，英米では混合ビタミン剤としてのみ存在し，食事がとれないような場合のサプリメント（栄養補助）として使われています。それどころか，パブリック・シチズン・グループの医師シドニー・ウルフは，その著書『ワースト・ピルズ，ベスト・ピルズ』の中で，高齢者はビタミン E はとらないほうがよいと書いています。日本における実態とはかなりかけ離れていますので，よく検討する必要があります。1 日に 300 mg 以上のビタミン E を摂取していると，筋力の低下，疲労感，頭痛，吐きけ，高血圧あるいは血液の凝固促進が現れるとも書いています。

　鉄剤の過剰状態も気をつけなければいけません。吐きけや嘔吐があったり，腹痛や便中への血液の混ざりがあったら，すぐに処方医に連絡して鉄が過剰になっていないかどうかを調べてもらってください。

内服 09

◉ **薬剤師の眼**

ビタミン剤を多用することの弊害

　日本ではビタミン剤が治療薬として処方されます。ビタミン B_1 は神経痛や末梢神経炎，心筋代謝障害の場合にも用いられてきました。その他のビタミンB群もそれぞれ理屈をつけて，皮膚病や神経炎，あるいは高コレステロール血症にまで使われています。欧米では食事がとれなかったり，吸収不良だったり，アルコール中毒のときのビタミン不足に使われるだけです。単味（単独）で処方されるのはまれで，総合的なマルチビタミンとして用いられます。

　日本の医療で薬が多く処方されるようになった原因が，ビタミンの多用にあったと考える人もいます。あまりシャープな薬がなかった時代に，健康保険でビタミンが治療を目的に処方されたからです。ビタミンだから「効かないにしても害はないだろう」と考えて，処方した医師もいたでしょうし，患者のなかにもそのように考えて服用した人もいたでしょう。いまだにビタミン信奉者があちこちにいます。ある意味では，ビタミン剤の多用が副作用に対する警戒心を薄れさせ，多剤投与を助長してきたといえなくもありません。

01　ビタミン A

製剤情報

一般名：ビタミンA

- 保険収載年月…1978年2月
- 海外評価…6点 英 米 独 仏　●PC…X
- 剤形…錠 錠剤，末 末剤，液 液剤
- 服用量と回数…〔治療が目的の場合〕錠剤は1日10,000〜100,000単位（1〜10錠），末剤・液剤は1日3,000〜100,000単位（末剤0.3〜10

g，液剤3〜100滴）を服用。〔補給が目的の場合〕末剤・液剤を1日2,000〜4,000単位（末剤0.2〜0.4g，液剤2〜4滴）服用。末剤のみは治療・補給ともに3回に分けて服用。

■先発品　　商品名（メーカー）　規格・保険薬価

チョコラA 写真 （サンノーバ＝エーザイ）
末 10,000 単位 1g 21.10 円　錠 10,000 単位 1錠 9.60 円
液 30,000 単位 1mL 73.10 円

概　要

分類　脂溶性ビタミン

処方目的　ビタミンA欠乏症（夜盲症，結膜・角膜乾燥症，角膜軟化症）／角化性皮膚疾患／[末剤，液剤のみ]ビタミンAの補給（妊婦・授乳婦，乳幼児，消耗性疾患など）

解説　本剤は，ビタミンAの欠乏による夜盲症（とり目）や目の乾燥などの治療，ビタミンAの補給に用いられます。

ビタミンAは脂溶性ビタミンで，過剰に摂取すると体内に蓄積し，さまざまな副作用が出てくるので，処方医の指示を守って過剰に摂取しないようにしてください。なお，ビタミンAは皮膚科疾患にも使われます。

〈ビタミンAの過剰症について〉

急性中毒の場合，乳児では吐乳，下痢，不きげん，不安になります。大泉門（乳児の左右の頭頂骨と前頭骨の間の菱形の部分）がふくらみ，けいれんなどがおこりやすくなります。一方，慢性中毒の場合は，手足が腫れて痛み，骨の変形，脱毛，口唇のひびわれ，皮膚の発赤や落屑，肝臓の腫れなどが現れます。ビタミンA欠乏症に似た症状を示すので，特に乳児では注意が必要です。

使用上の注意

基本的注意

(1)服用してはいけない場合……レチノイド製剤（エトレチナート，トレチノイン，タミバロテン，ベキサロテン）の服用中／妊娠3カ月以内または妊娠を希望する人の1日ビタミンA5,000単位以上の服用（ビタミンA欠乏症の人は除く）

(2)妊婦……外国で，妊娠前3カ月から妊娠初期3カ月までに，ビタミンAを1日に10,000単位以上摂取した女性から出生した児に，頭蓋神経堤などの奇形発現の増加が推定されたとする疫学調査があります。妊娠3カ月以内または妊娠を希望する人は，ビタミンA欠乏症のための治療を除いて，本剤を服用しないでください。ただし，ビタミンAの補給を目的として服用する場合は，食品などからの摂取量に注意し，1日に5,000

単位未満が処方されます。

重大な副作用　重大な副作用はありませんが，そのほかの副作用はあるので，体調がいつもと違うと感じたときは，処方医・薬剤師に相談してください。

併用してはいけない薬　エトレチナート，トレチノイン，タミバロテン，ベキサロテン→ビタミンA過剰症と類似した副作用症状をおこすおそれがあります。

内 09 ビタミン剤と栄養補給・貧血・止血の薬　01 脂溶性ビタミン剤

02 ビタミンE

ℓ 製剤情報

一般名：トコフェロール酢酸エステル

- 保険収載年月…1963年1月
- 剤形…錠 錠剤，カ カプセル剤，顆 顆粒剤
- 服用量と回数…1回50〜100mg（顆粒剤は0.25〜0.5g）を1日2〜3回。

■先発品　商品名（メーカー）　規格・保険薬価

ユベラ 写真（サンノーバ＝エーザイ）
錠 50mg 1錠 5.70円

■ジェネリック　商品名（メーカー）　規格・保険薬価

トコフェロール酢酸エステル（鶴原）
顆 20% 1g 6.30円　錠 100mg 1錠 5.70円

トコフェロール酢酸エステル（東洋カプセル）
カ 100mg 1カプセル 5.70円

トコフェロール酢酸エステル（東和）
錠 50mg 1錠 5.70円

トコフェロール酢酸エステル（マイラン＝ファイザー）　カ 100mg 1カプセル 5.70円

📋 概　要

分類　脂溶性ビタミン

処方目的　ビタミンE欠乏症／末梢循環障害（動脈硬化症，静脈血栓症，血栓性静脈炎，間欠性跛行症，糖尿病性網膜症，凍瘡，四肢冷感症）／過酸化脂質の増加防止

解説　ビタミンEは，日本では成人男子で1日6.0〜7.0mg，成人女子で1日5.0〜6.5mgの摂取が目安とされています（日本人の食事摂取基準2020年版）。

　処方目的のうち，ビタミンE欠乏症を除いて，1カ月服用しても症状の改善がみられない場合は，処方医にそのことを伝えることが必要です。

　なお，ビタミンEは皮膚科疾患にも使われます。

✏ 使用上の注意

*トコフェロール酢酸エステル（ユベラ）の添付文書による

基本的注意　特に注意はありません。

重大な副作用　重大な副作用はありませんが，そのほかの副作用はあるので，体調がいつもと違うと感じたときは，処方医・薬剤師に相談してください。

併用してはいけない薬　併用してはいけない薬は特にありません。ただし，併用する薬があるときは，念のため処方医・薬剤師に報告してください。

03 フィトナジオン（ビタミン K₁）

製剤情報

一般名：フィトナジオン

- 保険収載年月…1963年1月
- 海外評価…6点 英米独仏　●PC…C
- 剤形…錠 錠剤，散 散剤
- 服用量と回数…1日5〜15mg（散剤は0.5〜1.5 g）を数回に分けて服用。新生児出血の予防：母体に対して1日10mg。薬剤服用中・肝機能障害に伴う低プロトロンビン血症，胆道・胃腸障害に伴うビタミンK吸収障害：1日20〜50mg。いずれも数回に分けて服用。

■先発品	商品名（メーカー）	規格・保険薬価
カチーフ N（日本製薬＝武田）散 1% 1g 31.30 円		
錠 5mg 1錠 15.30 円		
ケーワン（エーザイ）錠 5mg 1錠 11.50 円		

■ジェネリック	商品名（メーカー）	規格・保険薬価
ビタミン K₁（鶴原）錠 5mg 1錠 5.70 円		

概　要

分類　脂溶性ビタミン

処方目的　ビタミン K 欠乏症の予防・治療→サリチル酸系薬剤・クマリン系抗凝血薬・抗生物質服用中におこる低プロトロンビン血症，胆道・胃腸障害に伴うビタミン K の吸収障害，新生児の低プロトロンビン血症，肝機能障害に伴う低プロトロンビン血症／ビタミン K 欠乏が推定される出血

解説　ビタミン K は血液凝固に関与しています。不足すると，プロトロンビンという血液を固めるのに必要なタンパク質（血液凝固因子）がつくれなくなり，血が止まりにくく，出血しやすくなります（低プロトロンビン血症）。

　ビタミン K にはいくつかの種類がありますが，フィトナジオンはビタミン K₁ と呼ばれ，主に低プロトロンビン血症の改善に用いられます。

使用上の注意

＊フィトナジオン（ケーワン）の添付文書による

基本的注意

(1)妊娠末期……妊娠末期に大量服用すると，新生児に高ビリルビン血症がおこることがあります。処方医の指示を守り，大量服用はしないでください。

重大な副作用　　　　重大な副作用はありませんが，そのほかの副作用はあるので，体調がいつもと違うと感じたときは，処方医・薬剤師に相談してください。

併用してはいけない薬　　　　併用してはいけない薬は特にありません。ただし，併用する薬があるときは，念のため処方医・薬剤師に報告してください。

内 09 ビタミン剤と栄養補給・貧血・止血の薬　01 脂溶性ビタミン剤

04　メナテトレノン（ビタミンK₂）

製剤情報

一般名：メナテトレノン

- 保険収載年月…1987年9月
- 海外評価…0点 英 米 独 仏
- 剤形…カ カプセル剤，シ シロップ剤
- 服用量と回数…5mgカプセル：処方医の指示通りに服用。15mgカプセル：1日45mgを3回に分けて服用。シロップ：治療の場合は1日1回2mg（1mL），症状により6mg（3mL）まで増量可。予防の場合は処方医の指示通りに服用。

■先発品　商品名（メーカー）　規格・保険薬価

ケイツー（エーザイ）カ 5mg 1カプセル 18.30 円

ケイツーシロップ（サンノーバ＝エーザイ）
シ 0.2% 1mL 25.30 円

グラケー（エーザイ）カ 15mg 1カプセル 21.60 円

■ジェネリック　商品名（メーカー）　規格・保険薬価

メナテトレノン（大興＝科研）
カ 15mg 1カプセル 12.80 円

メナテトレノン（武田テバ薬品＝武田テバファーマ＝武田）カ 15mg 1カプセル 12.80 円

メナテトレノン（長生堂＝日本ジェネリック）
カ 15mg 1カプセル 12.80 円

メナテトレノン（東洋カプセル）
カ 15mg 1カプセル 9.50 円

メナテトレノン（東和）カ 15mg 1カプセル 12.80 円

メナテトレノン（日医工）カ 15mg 1カプセル 12.80 円

メナテトレノン（陽進堂＝沢井）
カ 15mg 1カプセル 12.80 円

概　要

分類　脂溶性ビタミン

処方目的　［15mgカプセル］骨粗鬆症における骨量・疼痛の改善

［5mgカプセル］ビタミンK欠乏による以下の疾患・症状→新生児の低プロトロンビン血症，分娩時出血，抗生物質服用中におこる低プロトロンビン血症，クマリン系殺鼠剤中毒時におこる低プロトロンビン血症

［シロップ］新生児の出血症・低プロトロンビン血症／新生児・乳児のビタミンK欠乏性出血症の予防

解説　ビタミンKは，骨をつくる骨芽細胞の働きを助けて骨を丈夫にするほか，血液の凝固にも関与しています。いくつかの種類がありますが，メナテトレノンはビタミンK₂と呼ばれています。本剤の15mgカプセルは骨がもろくスカスカになる骨粗鬆症に，5mgカプセル（ケイツー）は低プロトロンビン血症という血が止まりにくく，出血しやすくなる病気に使われます。

使用上の注意

＊メナテトレノン（グラケー，ケイツー）の添付文書による

基本的注意

（1）服用してはいけない場合……［グラケー］ワルファリンカリウムの服用中

（2）服用法……［グラケー］本剤は空腹時に服用すると吸収が低下するので，必ず食後に

服用してください。また，本剤は脂溶性であるため，食事に含まれる脂肪量が少ない場合には吸収が低下します。脂肪を極度に控えないでください。

(3)定期検査……［ケイツー］本剤を継続的に使用する場合は，定期的にプロトロンビン時間などの血液凝固能検査を受ける必要があります。

(4)その他……

［グラケー］

- 妊婦での安全性：未確立。
- 授乳婦での安全性：未確立。
- 小児での安全性：未確立。（1714頁を参照）

重大な副作用　　　重大な副作用はありませんが，そのほかの副作用はあるので，体調がいつもと違うと感じたときは，処方医・薬剤師に相談してください。

併用してはいけない薬　　　［グラケー］ワルファリンカリウム→ワルファリンカリウムの薬効が弱まる可能性があります。

内 09 ビタミン剤と栄養補給・貧血・止血の薬　02 水溶性ビタミン剤

01 ビタミンB₁

製剤情報

一般名：セトチアミン塩酸塩水和物
- 保険収載年月…1965年12月
- 剤形…錠錠剤
- 服用量と回数…1日5～100mg。

■**先発品**　商品名(メーカー)　規格・保険薬価
ジセタミン (高田) 錠 25mg 1錠 5.90 円

一般名：オクトチアミン
- 保険収載年月…1976年9月
- 剤形…錠錠剤
- 服用量と回数…1日25～100mg。

■**先発品**　商品名(メーカー)　規格・保険薬価
ノイビタ (共和クリティケア) 錠 25mg 1錠 5.70 円

一般名：チアミンジスルフィド
- 保険収載年月…1974年9月
- 剤形…錠錠剤
- 服用量と回数…1回10mgを1日1～3回。

■**先発品**　商品名(メーカー)　規格・保険薬価
チアミンジスルフィド (鶴原) 錠 10mg 1錠 5.10 円

一般名：ビスベンチアミン
- 保険収載年月…1963年1月
- 剤形…錠錠剤
- 服用量と回数…1日25～100mg。

■**先発品**　商品名(メーカー)　規格・保険薬価
ベストン (ニプロ ES) 錠 25mg 1錠 5.90 円

一般名：フルスルチアミン塩酸塩
- 保険収載年月…1963年1月
- 海外評価…0点 英米独仏
- 剤形…錠錠剤，顆顆粒剤
- 服用量と回数…1日5～100mgを1～3回に分けて服用。

■**先発品**　**商品名（メーカー）**　規格・保険薬価

アリナミンF（武田テバ薬品＝武田）

錠 5mg 1錠 5.90 円　　錠 25mg 1錠 5.90 円

錠 50mg 1錠 8.30 円

■**ジェネリック**　**商品名（メーカー）**　規格・保険薬価

フルスルチアミン（東和）　錠 25mg 1錠 5.50 円

フルスルチアミン塩酸塩（廣貫堂）

顆 10% 1g 6.50 円

一般名：ベンフォチアミン

● 保険収載年月…1963年1月

● 剤形…錠 錠剤

● 服用量と回数…1日5〜100mg。

■**ジェネリック**　**商品名（メーカー）**　規格・保険薬価

ベンフォチアミン（東和）　錠 25mg 1錠 5.70 円

概　要

分類　水溶性ビタミン

処方目的　①ビタミン B_1 欠乏症／②ビタミン B_1 の需要が増大し，食事からの摂取が不十分な場合→消耗性疾患・甲状腺機能亢進症・妊産婦・授乳婦・激しい肉体労働時／③ウェルニッケ脳症／④脚気衝心／⑤以下の疾患のうち，ビタミン B_1 の欠乏または代謝障害が関与すると推定される場合→神経痛，筋肉痛・関節痛，末梢神経炎・末梢神経麻痺，心筋代謝障害，便秘などの胃腸運動機能障害，術後腸管麻痺（チアミンジスルフィド，フルスルチアミン塩酸塩のみ）

解説　日本では，ビタミン B_1 が治療薬としてもてはやされた時期がありました。しかし現在では，ビタミン B_1 欠乏症や特別な場合（妊婦や重労働時）以外は，それほど重要な意味はなく，健康保険での給付を中止することもしばしば検討されています。

　上記の処方目的（適応症）のうち，⑤は再評価で「効果がないのに月余にわたって漫然と使用すべきではない」とのコメントがついています。

使用上の注意

＊チアミンジスルフィド，フルスルチアミン塩酸塩（アリナミンF）の添付文書による

基本的注意

(1)服用してはいけない場合……[チアミンジスルフィド]本剤に対するアレルギーの前歴

重大な副作用　　　重大な副作用はありませんが，そのほかの副作用はあるので，体調がいつもと違うと感じたときは，処方医・薬剤師に相談してください。

併用してはいけない薬　　　併用してはいけない薬は特にありません。ただし，併用する薬があるときは，念のため処方医・薬剤師に報告してください。

内 09 ビタミン剤と栄養補給・貧血・止血の薬　02 水溶性ビタミン剤

02　ビタミン B_2

製剤情報

一般名：フラビンアデニンジヌクレオチド

● 保険収載年月…1967年7月

● 剤形…錠 錠剤，シ シロップ剤

● 服用量と回数…1日5〜45mgを1〜3回に分けて服用。

■**先発品**　　商品名(メーカー)　規格・保険薬価

フラビタン (トーアエイヨー) 錠 5mg 1錠 5.70 円

錠 10mg 1錠 5.90 円　シ 0.3% 1mL 6.50 円

■**ジェネリック**　　商品名(メーカー)　規格・保険薬価

FAD (鶴原) 錠 5mg 1錠 5.70 円

錠 10mg 1錠 5.70 円　シ 0.3% 1mL 2.70 円

FAD 腸溶錠 写真 (わかもと) 錠 5mg 1錠 5.70 円

錠 10mg 1錠 5.70 円

一般名：リボフラビン酪酸エステル

● 発売年月…1966年8月

● 剤形…錠 錠剤, 細 細粒剤

● 服用量と回数…1日5～20mg(10%細粒剤は
0.05～0.2g, 20%細粒剤は0.025～0.1g)を2～

3回に分けて服用。高コレステロール血症の場
合は, 1日60～120mgを2～3回に分けて服用。

■**先発品**　　商品名(メーカー)　規格・保険薬価

ハイボン 写真 (ニプロ ES) 細 10% 1g 11.30 円

細 20% 1g 14.40 円　錠 20mg 1錠 5.70 円

錠 40mg 1錠 5.90 円

■**ジェネリック**　　商品名(メーカー)　規格・保険薬価

リボフラビン酪酸エステル (キョーリン＝杏林)

錠 20mg 1錠 5.50 円

リボフラビン酪酸エステル (コーアイセイ)

錠 20mg 1錠 5.50 円

リボフラビン酪酸エステル 写真 (鶴原)

細 10% 1g 6.30 円　錠 20mg 1錠 5.50 円

📋 **概　　要**

分類　水溶性ビタミン

処方目的　①ビタミン B_2 欠乏症／②ビタミン B_2 の需要が増大し, 食事からの摂取が
不十分な場合→消耗性疾患, 妊産婦, 授乳婦, 激しい肉体労働時など／③以下の疾患の
うちビタミン B_2 の欠乏または代謝障害が関与すると推定される場合→口角炎, 口唇炎,
舌炎, 脂漏性湿疹, 結膜炎, びまん性表層角膜炎
[フラビンアデニンジヌクレオチドのみ] ③口内炎, 肛門周囲・陰部びらん, 急性・慢性
湿疹, ペラグラ, にきび, 酒さ, 日光皮膚炎, 角膜部周擁充血, 角膜脈管新生
[リボフラビン酪酸エステルのみ] ③高コレステロール血症(40mg 錠はこの適応症のみ)

解説　ビタミン B_2 は, 皮膚のビタミンと呼ばれています。湿疹, 皮膚炎, 眼疾患など
によく処方されます。処方目的(適応症)のうち, ③は再評価で「効果がないのに月余に
わたって漫然と使用すべきではない」とのコメントがついています。

📝 **使用上の注意**

＊フラビンアデニンジヌクレオチド(フラビタン), リボフラビン酪酸エステル(ハイボ
ン)の添付文書による

基本的注意

(1)**服用法**……[フラビンアデニンジヌクレオチド]腸で溶ける錠剤(腸溶錠)なので, 噛
まずにそのまま服用してください。

(2)**検査前に伝達**……本剤は尿を黄変させるので, 臨床検査値に影響を与えることがあ
ります。服用中に検査を受ける場合は, 事前にその旨を医師に伝えてください。

重大な副作用　　　　重大な副作用はありませんが, そのほかの副作用はあるの
で, 体調がいつもと違うと感じたときは, 処方医・薬剤師に相談してください。

併用してはいけない薬　　　　併用してはいけない薬は特にありません。ただし, 併用す

る薬があるときは，念のため処方医・薬剤師に報告してください。

内 09 ビタミン剤と栄養補給・貧血・止血の薬　02 水溶性ビタミン剤

03　ビタミン B6

⊘ 製剤情報

一般名：ピリドキシン塩酸塩
- 保険収載年月…1958年4月
- 海外評価…6点 英 米 独 仏　●PC…A
- 剤形…錠 錠剤，散 散剤
- 服用量と回数…1日10〜100mg（散剤は0.1〜1g）。

■先発品　　商品名(メーカー)　規格・保険薬価

ビタミンB6 (丸石) 散 10% 1g 17.10 円

■ジェネリック　　商品名(メーカー)　規格・保険薬価

ビタミンB6 (富士製薬) 錠 30mg 1錠 5.70 円

一般名：ピリドキサールリン酸エステル水和物
- 発売年月…1963年11月

- 剤形…錠 錠剤
- 服用量と回数…1日10〜60mgを1〜3回に分けて服用。

■先発品　　商品名(メーカー)　規格・保険薬価

ピドキサール (太陽ファルマ) 錠 10mg 1錠 5.70 円
錠 20mg 1錠 5.90 円　　錠 30mg 1錠 7.10 円

■ジェネリック　　商品名(メーカー)　規格・保険薬価

ピリドキサール (コーアイセイ＝岩城)
錠 10mg 1錠 5.70 円

ピリドキサール (コーアイセイ＝日医工)
錠 30mg 1錠 5.70 円

ピリドキサール (鶴原＝日医工)
錠 30mg 1錠 5.70 円

ピリドキサール (鶴原＝日本ジェネリック)
錠 10mg 1錠 5.70 円　錠 20mg 1錠 5.70 円

▤ 概　　要

分類　水溶性ビタミン

処方目的　①ビタミンB6欠乏症／②ビタミンB6依存症（ビタミンB6反応性貧血など）／③ビタミンB6の需要が増大し，食事からの摂取が不十分な場合→消耗性疾患，妊産婦，授乳婦など／④以下の疾患のうちビタミンB6の欠乏または代謝障害が関与すると推定される場合→口角炎，口唇炎，舌炎，急性・慢性湿疹，脂漏性湿疹，接触皮膚炎，末梢神経炎，放射線障害（宿酔）
[ピリドキサールリン酸エステル水和物のみ] ④口内炎，アトピー皮膚炎，にきび

解説　ビタミンB6を含む製剤のうち，ピリドキシン塩酸塩はイギリス・アメリカでも使われていますが，ピリドキサールリン酸エステル水和物は使われていません。
　処方目的（適応症）のうち，④は再評価で「効果がないのに月余にわたって漫然と使用すべきではない」とのコメントがついています。

⌖ 使用上の注意
＊ピリドキサールリン酸エステル水和物（ピドキサール）の添付文書による

基本的注意

(1)小児などでの使用……新生児，乳幼児に大量に用いた場合，横紋筋融解症，下痢，嘔

吐，肝機能異常などの副作用が現れることがあるので，慎重に服用します。

重大な副作用 ①(新生児・乳幼児に大量に用いた場合)横紋筋融解症，急性腎不全などの重篤な腎機能障害。

そのほかにも報告された副作用はあるので，体調がいつもと違うと感じたときは，処方医・薬剤師に相談してください。

併用してはいけない薬 併用してはいけない薬は特にありません。ただし，併用する薬があるときは，念のため処方医・薬剤師に報告してください。

内 09 ビタミン剤と栄養補給・貧血・止血の薬 02 水溶性ビタミン剤

04 ビタミン B12

製剤情報

一般名：コバマミド

- 保険収載年月…1967年6月
- 剤形…カ カプセル剤
- 服用量と回数…1日最大1.5mgを1～3回に分けて服用。

■先発品 商品名(メーカー) 規格・保険薬価

ハイコバール (エーザイ) カ 0.5mg 1カプセル 19.10 円

一般名：メコバラミン

- 保険収載年月…1981年9月
- 海外評価…0点 英 米 独 仏
- 剤形…錠 錠剤，カ カプセル剤，細 細粒剤
- 服用量と回数…1日1.5mg(細粒剤は3包)を3回に分けて服用。

■ジェネリック 商品名(メーカー) 規格・保険薬価

メコバラミン (キョーリン＝杏林)
錠 0.5mg 1錠 5.70 円

メコバラミン (寿) 錠 0.5mg 1錠 5.70 円

メコバラミン (沢井＝ケミファ)
錠 0.5mg 1錠 5.70 円

メコバラミン (ダイト＝扶桑) 錠 0.5mg 1錠 5.70 円

メコバラミン (辰巳) 錠 0.5mg 1錠 5.70 円

メコバラミン (鶴原) 錠 0.5mg 1錠 5.70 円

メコバラミン (東菱＝日医工)
錠 0.25mg 1錠 5.70 円 錠 0.5mg 1錠 5.70 円

メコバラミン (東和) 錠 0.5mg 1錠 5.70 円

メコバラミン (日新) カ 0.25mg 1カプセル 5.70 円

メコバラミン (ニプロ) 錠 0.5mg 1錠 5.70 円

メコバラミン (日本ジェネリック＝共創未来)
錠 0.25mg 1錠 5.70 円 錠 0.5mg 1錠 5.70 円

メコバラミン (陽進堂) 錠 0.5mg 1錠 5.70 円

メチコバール (エーザイ)
細 0.1%500mg 1包 18.10 円 錠 0.25mg 1錠 10.10 円
錠 0.5mg 1錠 12.20 円

概要

分類 水溶性ビタミン

処方目的 [コバマミドの適応症] ①ビタミン B12 欠乏症／②ビタミン B12 の需要が増大し，食事からの摂取が不十分な場合→消耗性疾患，甲状腺機能亢進症，妊産婦，授乳婦など／③巨赤芽球性貧血／④広節裂頭条虫症／⑤悪性貧血に伴う神経障害／⑥吸収不全症候群(スプルーなど)／⑦以下の疾患のうちビタミン B12 の欠乏または代謝障害が関与すると推定される場合→栄養性・妊娠性貧血，胃切除後の貧血，肝機能障害に伴う

貧血，放射線による白血球減少症，神経痛，末梢神経炎，末梢神経麻痺，筋肉痛・関節痛，中枢神経障害（脊髄炎，変性疾患など）

[メコバラミンの適応症] 末梢性神経障害

解説　コバマミドの処方目的（適応症）のうち，⑦は再評価で「効果がないのに月余にわたって漫然と使用すべきではない」とのコメントがついています。メコバラミンの適応症は末梢性神経障害のみですが，同様のコメントがついています。

使用上の注意

＊メコバラミン（メチコバール）の添付文書による

基本的注意

(1)長期大量服用……水銀やその化合物を取り扱う職業に従事している人は，長期にわたって大量に服用しないようにしてください。

重大な副作用　　　　　　　重大な副作用はありませんが，そのほかの副作用はあるので，体調がいつもと違うと感じたときは，処方医・薬剤師に相談してください。

併用してはいけない薬　　　併用してはいけない薬は特にありません。ただし，併用する薬があるときは，念のため処方医・薬剤師に報告してください。

内 09 ビタミン剤と栄養補給・貧血・止血の薬　02 水溶性ビタミン剤

05　その他のビタミンB群

製剤情報

一般名：パンテチン
- 発売年月…1967年8月
- 海外評価…0点 英 米 独 仏
- 剤形… 錠 錠剤, 散 散剤, 細 細粒剤
- 服用量と回数…1日30～180mg（20%散・細粒剤は0.15～0.9g，50%細粒剤は0.6～0.36g）を1～3回に分けて服用。高脂血症：1日600mgを3回に分けて服用。血液疾患, 弛緩性便秘：1日300～600mgを1～3回に分けて服用。

■**先発品**　商品名（メーカー）　規格・保険薬価

パントシン（アルフレッサ）散 20% 1g 13.60 円
細 50% 1g 26.70 円　錠 30mg 1錠 5.70 円
錠 60mg 1錠 5.90 円　錠 100mg 1錠 7.60 円
錠 200mg 1錠 14.50 円

■**ジェネリック**　商品名（メーカー）　規格・保険薬価

パンテチン（小林化工）細 20% 1g 6.30 円
細 50% 1g 10.70 円

パンテチン（シオエ＝日本新薬）
錠 100mg 1錠 5.70 円

パンテチン（武田テバ薬品＝武田テバファーマ＝武田）散 20% 1g 6.30 円

パンテチン（鶴原）細 20% 1g 6.30 円
錠 30mg 1錠 5.70 円　錠 60mg 1錠 5.70 円

パンテチン（陽進堂＝日医工）錠 100mg 1錠 5.70 円

一般名：ニコチン酸アミド
- 保険収載年月…1953年8月
- 海外評価…1点 英 米 独 仏
- 剤形… 散 散剤
- 服用量と回数…1日25～200mg（散剤0.25～2g）。

■**先発品**　商品名（メーカー）　規格・保険薬価

ニコチン酸アミド（ゾンネボード）
散 10% 1g 10.70 円

一般名：ニコチン酸アミド・パパベリン塩酸塩配合剤
● 保険収載年月…1979年2月
● 剤形…錠錠剤
● 服用量と回数…1回2錠を1日3回。

■ **先発品**　商品名(メーカー)　規格・保険薬価

ストミンA配合錠（ゾンネボード）錠1錠 5.70 円

一般名：葉酸
● 保険収載年月…1951年8月
● 海外評価…6点英米独仏　●PC…A
● 剤形…錠錠剤, 散散剤
● 服用量と回数…1日5〜20mg（散剤は0.05〜0.2g）を2〜3回に分けて服用。小児の場合は，1日5〜10mgを2〜3回に分けて服用。

■ **先発品**　商品名(メーカー)　規格・保険薬価

フォリアミン 写真 (日本製薬＝武田)

散 10% 1g 50.20 円　錠 5mg 1錠 9.80 円

一般名：ビオチン
● 保険収載年月…1967年10月
● 剤形…散散剤, ドドライシロップ剤
● 服用量と回数…1日0.5〜2mg（散剤0.25〜1g，ドライシロップ0.5〜2g）を1〜3回に分けて服用。

■ **先発品**　商品名(メーカー)　規格・保険薬価

ビオチン（東洋製化＝ファイザー）

散 0.2% 1g 6.50 円

ビオチン（扶桑）散 0.2% 1g 8.60 円

■ **ジェネリック**　商品名(メーカー)　規格・保険薬価

ビオチン（東洋製化＝ファイザー）

ド 0.1% 1g 6.40 円

概　要

分類　水溶性ビタミン

処方目的　[パンテチンの適応症] ①パントテン酸欠乏症／②パントテン酸の需要が増大し，食事からの摂取が不十分な場合→消耗性疾患，甲状腺機能亢進症，妊産婦，授乳婦など／③以下の疾患のうち，パントテン酸の欠乏または代謝障害が関与すると推定される場合→高脂血症，ストレプトマイシン・カナマイシンの副作用，急性・慢性湿疹，弛緩性便秘，血液疾患の血小板数と出血傾向の改善

[ニコチン酸アミドの適応症] ①ニコチン酸欠乏症／②ニコチン酸の需要が増大し，食事からの摂取が不十分な場合→消耗性疾患，妊産婦，授乳婦，激しい肉体労働時など／③以下の疾患のうち，ニコチン酸の欠乏または代謝障害が関与すると推定される場合→口角炎，口内炎，舌炎，接触皮膚炎，急性・慢性湿疹，光線過敏性皮膚炎，メニエール症候群，末梢循環障害（レイノー病，四肢冷感，凍瘡・凍傷），耳鳴り，難聴

[ニコチン酸アミド・パパベリン塩酸塩配合剤の適応症] 内耳および中枢障害による耳鳴り

[葉酸の適応症] ①葉酸欠乏症／②吸収不全症候群／③葉酸の需要が増大し，食事からの摂取が不十分な場合→消耗性疾患，妊産婦，授乳婦など／④アルコール中毒・肝疾患に起因する大赤血球性貧血，再生不良性貧血，顆粒球減少症／⑤悪性貧血の補助療法／⑥以下の疾患のうち，葉酸の欠乏または代謝障害が関与すると推定される場合→栄養性貧血，妊娠性貧血，小児貧血，抗けいれん・抗マラリア薬服用に起因する貧血

[ビオチンの適応症] 急性・慢性湿疹，小児湿疹，接触皮膚炎，脂漏性湿疹，にきび

内
09
—
02
—
06

ビタミンC

解説 処方目的(適応症)のうち，パンテチンとニコチン酸アミドの③，葉酸の⑥については，再評価で「効果がないのに月余にわたって漫然と使用すべきではない」とのコメントがついています。なお，ストミンA配合錠の適応症は内耳および中枢障害による耳鳴りです。

🔰 **使用上の注意**

*パントシン，ストミンA配合錠，フォリアミン，ビオチンの添付文書による

基本的注意

(1)服用してはいけない場合……[ニコチン酸アミド・パパベリン塩酸塩配合剤]本剤の成分に対するアレルギーの前歴

(2)慎重に服用すべき場合……[ニコチン酸アミド・パパベリン塩酸塩配合剤]緑内障／房室ブロック

重大な副作用 重大な副作用はありませんが，そのほかの副作用はあるので，体調がいつもと違うと感じたときは，処方医・薬剤師に相談してください。

併用してはいけない薬 併用してはいけない薬は特にありません。ただし，併用する薬があるときは，念のため処方医・薬剤師に報告してください。

内 **09** ビタミン剤と栄養補給・貧血・止血の薬　**02** 水溶性ビタミン剤

06 ビタミンC

💊 **製 剤 情 報**

一般名：アスコルビン酸

- 発売年月…1978年4月
- 海外評価…6点 英米独仏　●PC…C
- 剤形…末 末剤，散 散剤，顆 顆粒剤
- 服用量と回数…1日50～2,000mgを1～数回に分けて服用。

■**先発品**　商品名(メーカー)　規格・保険薬価

| アスコルビン酸 (岩城) 末 1g 8.60 円 |
| アスコルビン酸 (健栄) 末 1g 7.50 円 |
| アスコルビン酸 (日興＝中北＝日興販売) 末 1g 7.30 円 |
| アスコルビン酸 (丸石) 末 1g 7.50 円 |
| アスコルビン酸 (吉田製薬) 末 1g 7.70 円 |
| ハイシー 写真 (武田テバ薬品＝武田) 顆 25% 1g 6.30 円 |

ビタミンC散 (扶桑) 散 10% 1g 7.50 円

一般名：アスコルビン酸・パントテン酸カルシウム配合剤

- 保険収載年月…1959年10月
- 剤形…錠 錠剤，顆 顆粒剤
- 服用量と回数…1回1～3g(錠剤は1～3錠)を1日1～3回。

■**先発品**　商品名(メーカー)　規格・保険薬価

| シナール配合顆粒 (シオノギファーマ＝塩野義) 顆 1g 6.30 円 |
| シナール配合錠 写真 (シオノギファーマ＝塩野義) 錠 1錠 6.20 円 |

■**ジェネリック**　商品名(メーカー)　規格・保険薬価

| シーピー配合顆粒 (東和) 顆 1g 6.30 円 |
| デラキシー配合顆粒 (丸石) 顆 1g 6.30 円 |

概　要

分類　水溶性ビタミン

処方目的　[アスコルビン酸の適応症] ①ビタミンC欠乏症(壊血病，メルレル・バロー病)／②ビタミンCの需要が増大し，食事からの摂取が不十分な場合→消耗性疾患，妊産婦，授乳婦，激しい肉体労働時など／③以下の疾患のうち，ビタミンCの欠乏または代謝障害が関与すると推定される場合→毛細管出血(鼻出血，歯肉出血，血尿など)，薬物中毒，副腎皮質機能障害，骨折時の骨基質形成・骨癒合促進，しみ・そばかす・炎症後の色素沈着，光線過敏性皮膚炎
[アスコルビン酸・パントテン酸カルシウム配合剤の適応症] ①アスコルビン酸やパントテン酸カルシウムの需要が増大し，食事からの摂取が不十分な場合(消耗性疾患，妊産婦，授乳婦など)／②炎症後の色素沈着

解説　処方目的(適応症)のうち，アスコルビン酸の③，およびアスコルビン酸・パントテン酸カルシウム配合剤の処方目的については，再評価で「効果がないのに月余にわたって漫然と使用すべきではない」とのコメントがついています。

使用上の注意

＊アスコルビン酸・パントテン酸カルシウム配合剤(シナール配合顆粒)の添付文書による

基本的注意

(1)検査前に伝達……アスコルビン酸(ビタミンC)は，尿糖検査で尿糖の検出を妨害，また尿検査(潜血，ビリルビン，亜硝酸塩)や便潜血反応検査で，偽陰性を呈することがあります。服用中に検査を受ける場合は，事前にその旨を医師に伝えてください。

重大な副作用　重大な副作用はありませんが，そのほかの副作用はあるので，体調がいつもと違うと感じたときは，処方医・薬剤師に相談してください。

併用してはいけない薬　併用してはいけない薬は特にありません。ただし，併用する薬があるときは，念のため処方医・薬剤師に報告してください。

内 09 ビタミン剤と栄養補給・貧血・止血の薬　03 混合ビタミン剤

01 混合ビタミン剤

製剤情報

一般名：オクトチアミン・B₂・B₆・B₁₂配合剤
- 保険収載年月…1965年7月
- 海外評価…0点 英米独仏
- 剤形…錠 錠剤
- 服用量と回数…1日1〜3錠。

■先発品　商品名(メーカー)　規格・保険薬価
ノイロビタン配合錠(LTLファーマ)
錠 1錠 5.80円

一般名：チアミンジスルフィド・B₆・B₁₂配合剤
- 保険収載年月…1969年1月
- 海外評価…0点 英米独仏

- 剤形…錠錠剤，カカプセル剤
- 服用量と回数…1回1錠を1日2回。

■先発品　　商品名(メーカー)　規格・保険薬価

アリチア配合錠 (マイラン EPD = ヴィアトリス)

錠1錠 5.70 円

■ジェネリック　　商品名(メーカー)　規格・保険薬価

ジアイナ配合カプセル (鶴原) カ1カプセル 5.50 円

一般名：フルスルチアミン・B₂・B₆・B₁₂配合剤

- 保険収載年月…1967年7月
- 海外評価…0点 英米独仏
- 剤形…錠錠剤，カカプセル剤
- 服用量と回数…錠剤：1日1～2錠。25mgカプセル：1日1～4カプセル。50mgカプセル：1日1～2カプセル。

■先発品　　商品名(メーカー)　規格・保険薬価

ビタノイリン 写真 (武田テバ薬品 = 武田)

カ (25) 1カプセル 5.90 円　カ (50) 1カプセル 10.30 円

■ジェネリック　　商品名(メーカー)　規格・保険薬価

ビタダン配合錠 (メディサ = 沢井) 錠1錠 7.30 円

一般名：ベンフォチアミン・B₆・B₁₂配合剤

- 保険収載年月…2009年9月
- 海外評価…0点 英米独仏
- 剤形…カカプセル剤，散散剤
- 服用量と回数…散剤：1日0.75～1g。カプセル剤：1日3～4カプセル(ビタメジン配合カプセルB50は1～2カプセル)。

■先発品　　商品名(メーカー)　規格・保険薬価

ビタメジン配合カプセル B (アルフレッサ)

カ (25) 1カプセル 5.70 円　カ (50) 1カプセル 6.90 円

ビタメジン配合散 (アルフレッサ) 散1g 21.70 円

■ジェネリック　　商品名(メーカー)　規格・保険薬価

シグマビタン配合カプセル B25 (東和)

カ1カプセル 5.50 円

ダイメジンスリービー配合カプセル 25 (日医工) カ1カプセル 5.50 円

一般名：ビタミンB₂・B₆を含む製剤

- 保険収載年月…1966年4月
- 剤形…錠錠剤
- 服用量と回数…1日3～6錠を1～3回に分けて服用。

■先発品　　商品名(メーカー)　規格・保険薬価

ビフロキシン配合錠 (ゾンネボード)

錠1錠 5.90 円

一般名：ビタミンB群配合剤(パントテン酸カルシウム・ニコチン酸アミド・ビタミンB₂・B₆)

- 保険収載年月…1965年12月
- 剤形…顆顆粒剤
- 服用量と回数…1日0.5～2gを1～3回に分けて服用。

■先発品　　商品名(メーカー)　規格・保険薬価

デルパント配合顆粒 (陽進堂) 顆1g 6.00 円

概　要

分類　混合ビタミン剤

処方目的　[ノイロビタン配合症，アリチア配合錠，ビタノイリン，ビタメジン配合カプセル B の適応症] ①本剤に含まれるビタミン類の需要が増大し，食事からの摂取が不十分な際の補給(消耗性疾患，妊産婦，授乳婦など)／②以下の疾患のうち，本剤に含まれるビタミン類の欠乏または代謝障害が関与すると推定される場合：神経痛，筋肉痛・関節痛，末梢神経炎・末梢神経麻痺

[ビフロキシン配合錠の適応症] 以下の疾患のうち，本剤に含まれるビタミン類の欠乏または代謝障害が関与すると推定される場合：湿疹・皮膚炎群，口唇炎・口角炎・口内炎

[デルパント配合顆粒の適応症] 以下の疾患のうち，本剤に含まれるビタミン類の欠乏または代謝障害が関与すると推定される場合：湿疹・皮膚炎群

<u>解説</u> 使用にあたっては，それぞれの成分の項目を参照してください。

すべての製剤の処方目的（適応症）に対して，「効果がないのに月余にわたって漫然と使用すべきでない」とのコメントがついています。なお，ビタノイリンにはフルスルチアミン 25mg 配合と 50mg 配合の 2 種類があり，ビタメジン配合カプセル B にはチアミン塩化物塩酸塩 25mg 配合と 50mg 配合の 2 種類があります。

使用上の注意
＊ビタメジン配合カプセル B，ビタノイリンの添付文書による

<u>基本的注意</u>

(1)検査前に伝達……ビタノイリンなどビタミン B_2 を含む製剤は尿を黄変させるので，臨床検査値に影響を与えることがあります。服用中に検査を受ける場合は，事前にその旨を医師に伝えてください。

<u>重大な副作用</u>　重大な副作用はありませんが，そのほかの副作用はあるので，体調がいつもと違うと感じたときは，処方医・薬剤師に相談してください。

<u>併用してはいけない薬</u>　併用してはいけない薬は特にありません。ただし，併用する薬があるときは，念のため処方医・薬剤師に報告してください。

内 09 ビタミン剤と栄養補給・貧血・止血の薬　04 アミノ酸・ミネラル

01　アミノ酸製剤

製剤情報

一般名：必須アミノ酸製剤
- 保険収載年月…1967年7月
- 海外評価…0点 英 米 独 仏
- 剤形…顆 顆粒剤，ゼ ゼリー剤
- 服用量と回数…1回1包を1日3回。ゼリーは1回1個を1日3回。ESポリタミン配合顆粒は1日2〜8gを1〜3回に分けて服用。

■**先発品**　商品名(メーカー)　規格・保険薬価

ES ポリタミン配合顆粒 (EA ファーマ)
顆 1g 25.20 円

アミュー配合顆粒 (EA ファーマ＝陽進堂)
顆 2.5g 1包 62.90 円

リーバクト配合顆粒 写真 (EA ファーマ)
顆 4.15g 1包 121.80 円

リーバクト配合経口ゼリー (EA ファーマ)
ゼ 20g 1個 157.60 円

■**ジェネリック**　商品名(メーカー)　規格・保険薬価

アミノバクト配合顆粒 (日医工)
顆 4.74g 1包 63.00 円

ヘパアクト配合顆粒 (東亜薬品＝日本臓器＝ケミファ)　顆 4.5g 1包 82.10 円

リックル配合顆粒 (沢井)　顆 4.74g 1包 63.00 円

概　要

分類　アミノ酸製剤

処方目的　[ES ポリタミン配合顆粒の適応症] 低タンパク血症，低栄養状態，手術前後時のアミノ酸補給

[アミユー配合顆粒の適応症] 慢性腎不全時のアミノ酸補給

[リーバクト配合顆粒・経口ゼリーの適応症] 食事摂取量が十分にもかかわらず低アルブミン血症を呈する非代償性肝硬変患者の低アルブミン血症の改善

解説　タンパク質を構成する主要なアミノ酸20種類のうち，健康な人の体内でつくることができない，分岐鎖アミノ酸(バリン，ロイシン，イソロイシン)，芳香族アミノ酸(フェニルアラニン，トリプトファン)，およびリシン，メチオニン，トレオニンの8種類が「必須アミノ酸」です。これらは食事からとる必要がありますが，何らかの原因で不足している場合は薬剤による補給が必要です。

　リーバクトは分岐鎖アミノ酸の3種類，アミユーは必須アミノ酸に腎不全の患者には必須とされるヒスチジンというアミノ酸を加えた9種類，ES ポリタミンはさらにアルギニンとグリシンというアミノ酸を追加した11種類が配合されています。ちなみに，ジェネリック商品はすべてリーバクトと同じ3種類の配合です。

使用上の注意

*ES ポリタミン配合顆粒，アミユー配合顆粒，リーバクト配合顆粒・経口ゼリーの添付文書による

基本的注意

(1)服用してはいけない場合……[ES ポリタミン配合顆粒]肝性昏睡または肝性昏睡のおそれのある人／重い腎機能障害，高窒素血症／[アミユー配合顆粒]重い肝機能障害／[リーバクト配合顆粒・経口ゼリー]先天性分岐鎖アミノ酸代謝異常のある人

(2)食事……①[アミユー配合顆粒]本剤の服用中は，腎臓の機能に応じた低タンパク食，および熱量を 1,800kcal 以上摂取することが必要です。処方医の指示を守ってください。②[リーバクト配合顆粒・経口ゼリー]本剤の服用だけでは，必要なアミノ酸のすべては満たすことはできません。服用中は，その人の状態にあった必要タンパク量(アミノ酸量)・熱量を食事などから摂取することが必要になります。特にタンパク制限を行っている人は，必要最小限のタンパク量・熱量を確保しないと本剤の効果が期待できないだけでなく，長期服用によって栄養状態の悪化を招くおそれがあります。処方医に指示された食事を摂取することが大切です。

(3)その他……

●妊婦での安全性：[アミユー配合顆粒，リーバクト配合顆粒・経口ゼリー]未確立。有益と判断されたときのみ服用。

●授乳婦での安全性：[アミユー配合顆粒]原則として服用しない。やむを得ず服用するときは授乳を中止。[リーバクト配合顆粒]治療上の有益性・母乳栄養の有益性を考慮し，授乳の継続・中止を検討。[リーバクト配合経口ゼリー]未確立。有益と判断されたときのみ服用。

●小児での安全性：[アミユー配合顆粒，リーバクト配合顆粒・経口ゼリー]未確立。
（1714頁を参照）

<u>重大な副作用</u>　　重大な副作用はありませんが，そのほかの副作用はあるので，体調がいつもと違うと感じたときは，処方医・薬剤師に相談してください。

<u>併用してはいけない薬</u>　　併用してはいけない薬は特にありません。ただし，併用する薬があるときは，念のため処方医・薬剤師に報告してください。

内 **09** ビタミン剤と栄養補給・貧血・止血の薬　**04** アミノ酸・ミネラル

02 カリウム補給剤

製剤情報

一般名：L-アスパラギン酸カリウム
● 保険収載年月…1965年12月
● 剤形…錠錠剤，散散剤
● 服用量と回数…1日900〜2,700mg（散剤は1.8〜5.4g）を3回に分けて服用。1日最大3,000mg（散剤は6g）。

■**先発品**　　商品名（メーカー）　規格・保険薬価
アスパラカリウム（ニプロ ES）散50% 1g 6.50円
錠300mg 1錠5.90円

■**ジェネリック**　　商品名（メーカー）　規格・保険薬価
L-アスパラギン酸 K（共和）錠300mg 1錠5.90円

一般名：グルコン酸カリウム
● 保険収載年月…1975年9月
● 海外評価…1点英米独仏
● 剤形…錠錠剤，細細粒剤
● 服用量と回数…1回10mEq（細粒剤は2.5g）を1日3〜4回。

■**先発品**　　商品名（メーカー）　規格・保険薬価
グルコンサン K 写真（サンファーマ）
細4mEq 1g 7.70円　錠2.5mEq 1錠5.90円
錠5mEq 1錠8.30円

一般名：塩化カリウム
● 保険収載年月…1961年1月

● 海外評価…6点英米独仏　●PC…C
● 剤形…錠錠剤，末末剤，液液剤
● 服用量と回数…1日2〜10g（液剤は20〜100mL）を数回に分けて服用。徐放錠の場合は1回1,200mg（2錠）を1日2回。

■**先発品**　　商品名（メーカー）　規格・保険薬価
K.C.L.エリキシル（丸石）液10% 10mL 16.90円
塩化カリウム（日医工ファーマ＝日医工）
末10g 8.00円
塩化カリウム（扶桑）末10g 9.80円
塩化カリウム（山善）末10g 8.00円

■**ジェネリック**　　商品名（メーカー）　規格・保険薬価
塩化カリウム徐放錠（佐藤薬品＝アルフレッサ）
錠600mg 1錠6.20円

一般名：塩化カリウムほかの配合剤
● 保険収載年月…2002年7月
● 剤形…顆顆粒剤
● 服用量と回数…1回1包を100mLの水またはぬるま湯に溶かして1日数回。小児の場合は1回20〜100mLを1日8〜10回（2〜3時間ごと）。

■**先発品**　　商品名（メーカー）　規格・保険薬価
ソリタ-T 配合顆粒 2 号（エイワイファーマ＝陽進堂）顆4g 1包 34.10円
ソリタ-T 配合顆粒 3 号（エイワイファーマ＝陽進堂）顆4g 1包 33.90円

概　要

分類　カリウム補給剤

処方目的　**[ソリタ-T 配合顆粒を除く製剤の適応症]** 次の疾患・状態におけるカリウム補給(低カリウム血症の改善)→降圧利尿薬・副腎皮質ホルモン・強心配糖体・インスリン・ある種の抗生物質などの連用時, 低カリウム血症型周期性四肢麻痺, 心疾患時の低カリウム状態, 重症嘔吐, 下痢, カリウム摂取不足, 手術後など／低クロール性アルカローシス
＊製剤により多少異なります。

[ソリタ-T 配合顆粒の適応症] 軽症または中等症の体液異常喪失時・脱水症および手術後の回復期における電解質の補給・維持

解説　ジギタリス製剤, チアジド系薬剤, 副腎皮質ホルモン, インスリン, ある種の抗生物質などの連用時などは, 血中カリウムが減少して副作用が現れやすくなるので, カリウムの多い食物(メロンやバナナなど)をとることが必要ですが, 薬で補給する場合もあります。

　ソリタ-T は, 塩化カリウムのほかに塩化ナトリウム, リン酸二水素ナトリウム, クエン酸ナトリウム水和物, 炭酸マグネシウムを含み, 電解質の補給に用います。

使用上の注意

＊アスパラカリウム, グルコンサン K, 塩化カリウムの添付文書による

基本的注意

(1)服用してはいけない場合……重い腎機能障害(乏尿, 無尿)／副腎機能障害(未治療のアジソン病)／高カリウム血症／消化管の通過障害(食道狭窄, 消化管狭窄または消化管運動機能不全)／高カリウム血性周期性四肢麻痺／本剤の成分に対するアレルギーの前歴／エプレレノンの服用中(塩化カリウムの場合, 高血圧症の人は服用禁忌)／**[塩化カリウム(K.C.L.エリキシルのみ)]** ジスルフィラム, シアナミド, プロカルバジン塩酸塩の服用中

(2)慎重に服用すべき場合……腎機能低下あるいは腎機能障害／急性脱水症, 広範囲の組織損傷(熱傷, 外傷など)／高カリウム血症が現れやすい疾患(低レニン性低アルドステロン症など)のある人／抗コリン作動薬の服用中／**[塩化カリウムのみ]** 心疾患／消化性潰瘍の前歴／慢性心不全でエプレレノンの服用中

(3)服用法……**[塩化カリウム徐放錠]** ①本剤は噛み砕かずに, 多めの水(150mL)で服用してください。②本剤のゴーストタブレット(有効成分放出後の殻錠)が便の中に排泄されることがありますが, 心配はありません。

(4)その他……

● 妊婦での安全性:未確立。有益と判断されたときのみ服用。**[塩化カリウム]** 有益と判断されたときのみ服用。

● 授乳婦での安全性:原則として服用しない。やむを得ず服用するときは授乳を中止。

● 小児での安全性:**[L-アスパラギン酸カリウム]** 原則として服用しない。**[グルコン酸カリウム, 塩化カリウム]** 未確立。(1714 頁を参照)

重大な副作用　①心臓伝導障害。

[塩化カリウムのみ] ②消化管の閉塞，潰瘍，穿孔。

　そのほかにも報告された副作用はあるので，体調がいつもと違うと感じたときは，処方医・薬剤師に相談してください。

併用してはいけない薬　[ソリタ-T 配合顆粒を除く] エプレレノン（セララ）→本剤との併用により血中カリウム値を上昇させるおそれがあります。塩化カリウムの場合，高血圧の人はエプレレノンと併用してはいけません。

[塩化カリウム（K.C.L.エリキシルのみ）] ジスルフィラム（ノックビン），シアナミド（シアナマイド），プロカルバジン塩酸塩→これらの薬剤とのアルコール反応（顔面潮紅，血圧降下，悪心，頻脈，めまい，呼吸困難，視力低下など）をおこすおそれがあります。

内 09 ビタミン剤と栄養補給・貧血・止血の薬　04 アミノ酸・ミネラル

03 ヨウ化カリウム

製剤情報

一般名：ヨウ化カリウム
- 保険収載年月…1949年8月
- 海外評価…6点 **英 米 独 仏**
- 規制…劇薬（50mg 丸を除く）
- 剤形…**末** 末剤，**丸** 丸剤
- 服用量と回数…処方医の指示通りに服用。

■**先発品**　商品名（メーカー）　規格・保険薬価

ヨウ化カリウム（小堺）**末** 1g 8.10 円

ヨウ化カリウム（司生堂）**末** 1g 7.30 円
ヨウ化カリウム（日医工）**末** 1g 9.50 円
ヨウ化カリウム（日興 = 日興販売）**末** 1g 8.10 円
ヨウ化カリウム（マイラン EPD = ヴィアトリス）**末** 1g 7.30 円
ヨウ化カリウム（山善）**末** 1g 8.10 円
ヨウ化カリウム丸（日医工）**丸** 50mg 1丸 5.70 円

概　要

分類　ヨウ素製剤

処方目的　甲状腺機能亢進症を伴う甲状腺腫，ヨード欠乏による甲状腺腫（ヨウ化カリウム丸を除く），慢性気管支炎・ぜんそくに伴う喀痰排出困難，第3期梅毒
[日医工，マイラン・ファイザー：ヨウ化カリウム／日医工：ヨウ化カリウム丸のみの適応症] 放射性ヨウ素による甲状腺の内部被曝の予防・低減

解説　ヨウ素は，生体内ではほとんどが甲状腺に存在し，甲状腺ホルモンの原料として使われています。本剤は，甲状腺の機能に対して二つの方向に作用します。ヨウ素不足などで機能が低下してホルモンの分泌が少なくなったときに服用すると機能が亢進し，一方で，甲状腺機能亢進症でホルモンの分泌が過剰になったときに服用すると逆に機能を抑制します。また，本剤は気管支粘膜の分泌を増大させて粘度を低下させる作用があるため，去痰薬としても使用されます。

　その他，原発事故による放射性ヨウ素の内部被曝は甲状腺がん，甲状腺機能低下症などの障害のリスクを高めます。本剤は，体内に取り込まれた放射性ヨウ素を速やかに尿

中に排出する作用があるため，放射線障害の予防・低減にも使われます（日医工のヨウ化カリウム・ヨウ化カリウム丸，マイラン・ファイザーのヨウ化カリウムのみ）。

使用上の注意
*ヨウ化カリウム丸の添付文書による

基本的注意

(1)服用してはいけない場合……本剤の成分またはヨウ素に対するアレルギーの前歴／肺結核（放射性ヨウ素による甲状腺の内部被曝の予防・低減の場合を除く）

(2)慎重に服用すべき場合……甲状腺機能亢進症／甲状腺機能低下症／腎機能障害／先天性筋強直症／高カリウム血症／低補体血症性じん麻疹様血管炎またはその前歴／肺結核（放射性ヨウ素による甲状腺の内部被曝の予防・低減の場合）／ヨード造影剤アレルギーの前歴／ジューリング疱疹状皮膚炎またはその前歴

(3)妊婦の服用……①妊婦または妊娠している可能性のある人は，治療上の有益性が危険性を上回ると判断される場合にのみ服用し，原則として反復服用は避けてください。胎児が甲状腺腫や甲状腺機能異常をおこすことがあります。②妊娠後期に本剤を服用した妊婦より産まれた新生児には，甲状腺機能検査を実施し，甲状腺機能の低下を認めた場合には甲状腺ホルモン補充療法などの処置を行います。新生児の甲状腺機能の低下により知的発達に影響を及ぼすおそれがあるためです。

(4)授乳婦の服用……授乳中の人は，本剤の服用中および服用後の一定期間は授乳を避けてください。本剤が母乳中へ移行し，乳児に皮疹や甲状腺機能抑制をおこすことがあります。

(5)小児の服用……小児が服用すると，皮疹や甲状腺機能抑制をおこすことがあります。新生児は，原則として反復服用を避けてください。また，新生児の服用後には甲状腺機能の検査を行い，甲状腺機能の低下を認めた場合には甲状腺ホルモン補充療法などの処置を行います。新生児の甲状腺機能の低下により知的発達に影響を及ぼすおそれがあるためです。

重大な副作用 ①長期連用によるヨウ素中毒（結膜炎，鼻炎，気管支炎など）。②長期連用によるヨウ素悪液質（皮膚の荒れ，体重減少，心悸亢進，抑うつなど）。

そのほかにも報告された副作用はあるので，体調がいつもと違うと感じたときは，処方医・薬剤師に相談してください。

併用してはいけない薬 併用してはいけない薬は特にありません。ただし，併用する薬があるときは，念のため処方医・薬剤師に報告してください。

内 09 ビタミン剤と栄養補給・貧血・止血の薬　04 アミノ酸・ミネラル

04 ヨウ素レシチン

製剤情報
一般名：ヨウ素レシチン
●保険収載年月…1958年3月

- 海外評価…0点 英 米 独 仏
- 剤形…錠 錠剤, 散 散剤
- 服用量と回数…成人1日300〜600μg（散剤は1.5〜3g）を2〜3回に分けて服用。

■先発品　　商品名（メーカー）　規格・保険薬価

ヨウレチン（第一薬産）散 200μg 1g 9.70 円
錠 50μg 1錠 6.00 円　錠 100μg 1錠 6.50 円

概　　要

分類　　ヨウ素レシチン製剤

処方目的　　ヨード不足による甲状腺腫・甲状腺機能低下症／中心性網膜炎，網膜出血，硝子体出血・混濁，網膜中心静脈閉塞症／小児気管支ぜんそく，ぜんそく様気管支炎

解説　　レシチンはリン脂質の一種で，本剤は大豆レシチンにヨウ素を結合させてつくられた薬剤です。ヨード（ヨウ素）は消化管より血中にヨウ素イオンの形で取り込まれ，生体内ではほとんどが甲状腺に存在し，甲状腺ホルモンの原料として使われています。本剤は甲状腺に取り込まれて，ヨード不足による甲状腺腫や甲状腺機能低下症に対して効果を発揮します。その他，目の網膜の新陳代謝を高める作用，アレルギーの改善作用もあります。

使用上の注意

基本的注意

(1)服用してはいけない場合……ヨードに対するアレルギーの前歴
(2)慎重に服用すべき場合……慢性甲状腺炎／バセドウ病の治療後／先天性の甲状腺ホルモン生成障害
(3)その他……
- 妊婦での安全性：未確立。有益と判断されたときのみ服用。
- 小児での安全性：[小児気管支ぜんそく，小児におけるぜんそく様気管支炎の場合]低出生体重児，新生児での安全性：未確立。[その他の疾患の場合]低出生体重児，新生児，乳児，幼児または小児での安全性：未確立。(1714 頁を参照)

重大な副作用　　重大な副作用はありませんが，そのほかの副作用はあるので，体調がいつもと違うと感じたときは，処方医・薬剤師に相談してください。

併用してはいけない薬　　併用してはいけない薬は特にありません。ただし，併用する薬があるときは，念のため処方医・薬剤師に報告してください。

内 09 ビタミン剤と栄養補給・貧血・止血の薬　05 貧血の薬

01　鉄補給剤

製剤情報

一般名：乾燥硫酸鉄
- 保険収載年月…1965年11月
- 海外評価…6点 英 米 独 仏　　●PC…A
- 剤形…錠 錠剤

- 服用量と回数…1日1〜2錠を1〜2回に分けて服用。

■先発品　　商品名（メーカー）　規格・保険薬価

フェロ・グラデュメット 写真 （マイラン EPD）
錠 1錠 7.20 円

一般名：フマル酸第一鉄
- 保険収載年月…1979年4月
- 海外評価…6点 英 米 独 仏 ● PC…C
- 剤形…カ カプセル剤
- 服用量と回数…1日1回1カプセル。

■ 先発品　商品名(メーカー)　規格・保険薬価

フェルム (日医工) カ 鉄100mg 1ｶﾌﾟｾﾙ 7.70 円

一般名：クエン酸第一鉄ナトリウム
- 保険収載年月…1986年11月
- 海外評価…1点 英 米 独 仏
- 剤形…錠 錠剤, 顆 顆粒剤
- 服用量と回数…1日100～200mg(顆粒剤は

1.2～2.4g)を1～2回に分けて服用。

■ 先発品　商品名(メーカー)　規格・保険薬価

フェロミア 写真 (サンノーバ＝エーザイ)
顆 1g 12.30 円　錠 鉄 50mg 1錠 7.70 円

■ ジェネリック　商品名(メーカー)　規格・保険薬価

クエン酸第一鉄 Na 写真 (沢井)
錠 鉄 50mg 1錠 5.70 円
クエン酸第一鉄 Na (武田テバファーマ＝武田)
錠 鉄 50mg 1錠 5.70 円
クエン酸第一鉄 Na (日本ジェネリック)
錠 鉄 50mg 1錠 5.70 円
クエン酸第一鉄ナトリウム (鶴原) 顆 1g 6.50 円
錠 鉄 50mg 1錠 5.70 円

概　要

分類　鉄欠乏性貧血治療薬

処方目的　鉄欠乏性貧血

解説　貧血とは，血液中の赤血球と血色素(ヘモグロビン)の量が減少した状態をいいます。赤血球数(RBC)は，血液 $1\mu L$ 当たり男子で 400 万～550 万，女子では 350 万～500 万が基準値とされます。ヘモグロビン(Hb)は，男子では 14～18g/dL，女子では 12～16g/dL が基準値とされます。ヘマトクリット値(Ht)の基準値は，男子で 36～50%，女子で 34～46%と考えればよいでしょう。

　鉄欠乏性貧血は多いのですが，ビタミン B_6, B_{12}, 葉酸の不足による貧血もあるので，いたずらに鉄剤のみに頼らないことが大切です。また赤血球は鉄とグロブリンでできているので，鉄剤を服用するときは良質のアミノ酸を十分にとることが必要です。

使用上の注意
＊フェロ・グラデュメット，フェロミアの添付文書による

基本的注意

(1)服用してはいけない場合……鉄の欠乏状態にない人

(2)慎重に服用すべき場合……胃腸疾患(消化性潰瘍，慢性潰瘍性大腸炎，限局性腸炎など)／発作性夜間血色素尿症／[乾燥硫酸鉄のみ]腸管に憩室または強度の狭窄のある人，腸管の運動機能が低下している人／嚥下障害のある人／高齢者／[クエン酸第一鉄ナトリウムのみ]鉄含有製剤(鉄剤，MRI 用肝臓造影剤など)の服用中

(3)服用法……[乾燥硫酸鉄]本剤は徐放錠なので，水とともに噛み砕かずに服用してください。また，本剤が口腔内や食道に停留し，潰瘍を形成することがあるので，たくさんの水とともに服用し，直ちに飲み下してください。

(4)検査……[クエン酸第一鉄ナトリウム]過量服用にならないよう，適宜，血液検査を受ける必要があります。過量服用による主な症状は，胃粘膜刺激による悪心，嘔吐，腹

痛，血性下痢，吐血などの消化器症状です。また，頻脈，血圧低下，チアノーゼなどがみられます。

(5)飲食物……タンニン酸を含む食品は，本剤の吸収を阻害することがあるので，服用の前後各2時間は摂取しないでください。お茶については無関係であるという説もありますが，鉄剤を服用する1時間前あるいは服用後2時間は避けたほうがいいでしょう。米国薬局方協会発行の情報集(USP-DI)では，その他にもチーズ，ヨーグルト，卵，ミルク，ほうれんそう，全がゆなども同様にしたほうがよいとしています。

(6)排便など……①服用によって便が黒くなることがあります。胃腸管からの出血などと間違えないために，黒色便が出たら処方医へ連絡してください。②[クエン酸第一鉄ナトリウム]服用によって歯が一時的に着色(茶褐色)することがあります。重曹などで歯磨きすると色が落ちます。

(7)保存法……[クエン酸第一鉄ナトリウム]本剤の開封後は，湿気を避けて保存してください。

(8)その他……

● 小児での安全性：[クエン酸第一鉄ナトリウム]未確立。(1714頁を参照)

| 重大な副作用 | 重大な副作用はありませんが，そのほかの副作用はあるので，体調がいつもと違うと感じたときは，処方医・薬剤師に相談してください。 |

| 併用してはいけない薬 | 併用してはいけない薬は特にありません。ただし，併用する薬があるときは，念のため処方医・薬剤師に報告してください。 |

内 09-06-01 カルバゾクロム

内 09 ビタミン剤と栄養補給・貧血・止血の薬　06 止血薬など

01　カルバゾクロム

製剤情報

一般名：カルバゾクロムスルホン酸ナトリウム水和物

● 保険収載年月…1965年11月
● 海外評価…0点 英 米 独 仏
● 剤形…錠 錠剤，散 散剤，細 細粒剤
● 服用量と回数…1日30～90mg(散・細粒剤は0.3～0.9g)を3回に分けて服用。

■先発品　商品名(メーカー)　規格・保険薬価

アドナ (ニプロES) 散 10% 1g 37.70円
錠 10mg 1錠 5.90円　錠 30mg 1錠 9.00円

■ジェネリック　商品名(メーカー)　規格・保険薬価

カルバゾクロムスルホン酸Na (あすか=千寿=武田) 錠 30mg 1錠 5.90円

カルバゾクロムスルホン酸Na (鶴原)
細 10% 1g 8.40円　錠 30mg 1錠 5.90円

カルバゾクロムスルホン酸Na (東和)
錠 30mg 1錠 5.90円

カルバゾクロムスルホン酸Na (陽進堂=日本ジェネリック) 錠 30mg 1錠 5.90円

カルバゾクロムスルホン酸ナトリウム (日医工) 散 10% 1g 8.40円　錠 10mg 1錠 5.10円
錠 30mg 1錠 5.90円

一般名：カルバゾクロム・ビタミンC・ビタミンK配合剤

- 保険収載年月…1967年7月
- 剤形…錠錠剤

概　要

分類　止血薬

処方目的　毛細血管抵抗性の減弱および透過性の亢進によると考えられる出血傾向（例えば紫斑病など）／毛細血管抵抗性の減弱による皮膚・粘膜・内膜からの出血，眼底出血・腎出血・子宮出血，手術中・術後の異常出血，鼻出血（オフタルムKのみ）

解説　アドレノクロムはアドレナリンの酸化誘導体です。これは非常に不安定な物質であるため，この点を改善したカルバゾクロムなどが用いられています。カルバゾクロムは，毛細血管壁を丈夫にすることにより，出血しやすい傾向を改善します。

使用上の注意

*アドナ，オフタルムK配合錠の添付文書による

基本的注意

(1)慎重に服用すべき場合……本剤の成分に対するアレルギーの前歴／[オフタルムKのみ]糖尿病性網膜症，網膜静脈血栓症などによる網膜出血で血液凝固能が亢進し血栓形成傾向のある人

(2)尿の色……服用によって尿が橙黄色になることがありますが，心配はいりません。

(3)その他……

[オフタルムK]

- 妊婦での安全性：未確立。有益と判断されたときのみ服用。妊娠末期の女性は大量服用を避けます。
- 小児での安全性：未確立。(1714頁を参照)

重大な副作用　　重大な副作用はありませんが，そのほかの副作用はあるので，体調がいつもと違うと感じたときは，処方医・薬剤師に相談してください。

併用してはいけない薬　　併用してはいけない薬は特にありません。ただし，併用する薬があるときは，念のため処方医・薬剤師に報告してください。

- 服用量と回数…1回1～2錠を1日2回。

■先発品　　商品名(メーカー)　規格・保険薬価

オフタルム K 配合錠 (アルフレッサ)
錠1錠 14.00 円

02　トラネキサム酸

製剤情報

一般名：トラネキサム酸

- 保険収載年月…1965年12月
- 海外評価…6点 英 米 独 仏

- 剤形…錠錠剤，カ カプセル剤，散散剤，細細粒剤，シ シロップ剤
- 服用量と回数…1日750～2,000mg(散・細粒剤は1.5～4g，シロップは15～40mL)を3～4

回に分けて服用。小児の場合は処方医の指示通りに服用。

■**先発品**　商品名(メーカー)　規格・保険薬価

トランサミン[写真](第一三共) [散] 50% 1g 13.70 円
[錠] 250mg 1錠 10.10 円　[錠] 500mg 1錠 15.30 円
[カ] 250mg 1ｶﾌﾟ 10.10 円

トランサミンシロップ(ニプロファーマ＝第一三共) [シ] 5% 1mL 4.40 円

■**ジェネリック**　商品名(メーカー)　規格・保険薬価

トラネキサム酸(旭化成) [カ] 250mg 1ｶﾌﾟ 10.10 円

トラネキサム酸(三恵) [錠] 250mg 1錠 10.10 円

トラネキサム酸(鶴原) [細] 50% 1g 6.90 円

トラネキサム酸(東和) [カ] 250mg 1ｶﾌﾟ 10.10 円

トラネキサム酸(日医工) [錠] 250mg 1錠 10.10 円

トラネキサム酸(日本新薬) [カ] 250mg 1ｶﾌﾟ 10.10 円

トラネキサム酸(陽進堂) [錠] 500mg 1錠 9.50 円

トラネキサム酸(陽進堂＝日医工)
[錠] 250mg 1錠 10.10 円

トラネキサム酸シロップ(武田テバファーマ＝武田) [シ] 5% 1mL 3.50 円

概　要

分類　止血薬

処方目的　全身性線溶亢進が関係すると考えられる出血傾向(白血病，再生不良性貧血，紫斑病，手術中・術後の異常出血)／局所線溶亢進が関係すると考えられる異常出血(肺出血，鼻出血，性器出血，腎出血，前立腺手術中および術後の異常出血)／湿疹・じん麻疹・薬疹・中毒疹の紅斑・腫れ・かゆみ／扁桃炎・咽喉頭炎における咽喉痛・発赤・充血・腫れ／口内炎による口内痛と口内粘膜アフタ

解説　血管に傷がついて出血すると，血中の血小板がその部位に集まり，不溶性のフィブリン(線維素)をつくって出血を止めます。止血が完成したあとがそのままでは都合が悪いので，プラスミンという酵素が中心になって，不溶性フィブリンを溶解性ポリペプタイドにする仕組みがあります。これを「線溶系」と呼びますが，この機構が亢進すると，また出血することになります。

トラネキサム酸は，このような線溶系において，プラスミンがその前駆体のプラスミノーゲンからつくられるのを阻止する働きがあります。

なお，トラネキサム酸は皮膚疾患治療薬としても使われます。

使用上の注意

＊トラネキサム酸(トランサミン)の添付文書による

基本的注意

(1)服用してはいけない場合……トロンビンの服用中
(2)慎重に服用すべき場合……脳血栓・心筋梗塞・血栓性静脈炎などの血栓症が現れるおそれのある人／消費性凝固障害(ヘパリンなどと併用すること)／術後の臥床状態にある人および圧迫止血の処置を受けている人／腎不全／本剤の成分に対するアレルギーの前歴

重大な副作用　①(人工透析者において)けいれん。

そのほかにも報告された副作用はあるので，体調がいつもと違うと感じたときは，処方医・薬剤師に相談してください。

併用してはいけない薬 トロンビン→併用すると血栓形成傾向が現れるおそれがあります。

内 09 ビタミン剤と栄養補給・貧血・止血の薬 06 止血薬など

03 トロンビン

製剤情報

一般名：トロンビン

- 保険収載年月…1992年7月
- 海外評価…0点 英 米 独 仏
- 剤形… 細 細粒剤
- 服用量と回数…処方医の指示通りに服用。

■先発品　商品名(メーカー)　規格・保険薬価

経口用トロンビン (持田)

細 5,000 単位 0.5g 1包 845.40 円

細 10,000 単位 1g 1包 1,070.80 円

■ジェネリック　商品名(メーカー)　規格・保険薬価

経口用トロンビン (沢井)

細 5,000 単位 0.5g 1包 354.00 円

細 10,000 単位 1g 1包 418.70 円

概要

分類 局所用止血薬

処方目的 上部消化管出血

解説 トロンビンは，血液凝固に関係するフィブリノーゲンを直接加水分解し，フィブリン(線維素)を形成させます。できたフィブリンは生理条件下で速やかにゲル化し，このゲルに活性化された血液凝固第13因子が作用してフィブリン分子を共有結合で結びつけ，安定したフィブリン血栓を形成します。また，トロンビンは血液凝固第13因子，第5因子，第8因子などを活性化して止血作用を示します。

使用上の注意

警告

本剤は血液を凝固させるので，血管内に注入してはいけません。

基本的注意

(1)服用してはいけない場合……本剤または牛血液を原料とする製剤(フィブリノリジン，幼牛血液抽出物など)に対するアレルギーの前歴／凝血促進薬(ヘモコアグラーゼ)・抗プラスミン薬(トラネキサム酸)・アプロチニン製剤の使用中

(2)慎重に服用すべき場合……重い肝機能障害，播種性血管内凝固症候群(DIC)など網内系活性の低下が考えられる病態のある人

(3)服用法……本剤の至適 pH(ペーハー)は約 7 で，酸により酵素活性を失うので，服用前に牛乳またはリン酸緩衝液など(アジ化ナトリウムなどの防腐剤を含む緩衝液を除く)で胃酸を中和させます。たとえば，まず牛乳を約 50mL 飲んで，5 分後に 1 万〜2 万単位のトロンビンを約 50mL の牛乳で溶かして服用します。

(4)その他……

- 妊婦での安全性：未確立。有益と判断されたときのみ服用。
- 小児での安全性：未確立。(1714 頁を参照)

重大な副作用　　　①ショック(呼吸困難，チアノーゼ，血圧降下など)。②凝固異常，異常出血。

　そのほかにも報告された副作用はあるので，体調がいつもと違うと感じたときは，処方医・薬剤師に相談してください。

併用してはいけない薬　　ヘモコアグラーゼ(レプチラーゼ)，トラネキサム酸，アプロチニン製剤→血栓形成傾向が現れるおそれがあります。

内 09 ビタミン剤と栄養補給・貧血・止血の薬　06 止血薬など

04　ファレカルシトリオール

🄛 製 剤 情 報

一般名：ファレカルシトリオール

- 保険収載年月…2001年6月
- 海外評価…0点 英 米 独 仏
- 規制…劇薬
- 剤形…錠 錠剤
- 服用量と回数…二次性副甲状腺機能亢進症の

場合は1日1回0.3μg。その他の場合は1日1回0.3〜0.9μg。

■**先発品**　　商品名(メーカー)　規格・保険薬価

フルスタン (住友ファーマ＝キッセイ)
錠 0.15μg 1錠 219.20 円　錠 0.3μg 1錠 322.20 円

ホーネル (大正製薬) 錠 0.15μg 1錠 225.80 円
錠 0.3μg 1錠 352.90 円

📋 概　要

分類　ビタミン D 誘導体(活性型ビタミン D_3 製剤)

処方目的　維持透析下の二次性副甲状腺機能亢進症／副甲状腺機能低下症(腎不全におけるものを除く)における低カルシウム血症とそれに伴う諸症状(テタニー，けいれん，しびれ感，知覚異常など)の改善／クル病・骨軟化症(腎不全におけるものを除く)に伴う諸症状(骨病変，骨痛，筋力低下)の改善

解説　食物から摂取されたり，紫外線を浴びて皮膚で 7-デヒドロコレステロールからつくられたビタミン D は，そのままでは有効に働きません。肝臓，次に腎臓で代謝を受けて活性型ビタミン D_3 となってはじめて，カルシウムの吸収を高める，血液中のカルシウム濃度を一定に保つ，骨の形成を促進するなどの働きをしています。

📝 使用上の注意

＊ファレカルシトリオール(フルスタン)の添付文書による

基本的注意

(1)服用してはいけない場合……本剤の成分に対するアレルギーの前歴

(2)慎重に服用すべき場合……妊婦または妊娠している可能性のある人，授乳婦，小児，高齢者

(3)定期検査……本剤を服用すると，高カルシウム血症とそれに基づく症状が現れるこ

とがあります。過量服用を防ぐため，服用中は定期的(投与初期や増量時には少なくとも2週に1回)に血清カルシウム値を測定する必要があります。その他，投与量を調整するために，血清リン値や，副甲状腺機能低下症・クル病・骨軟化症の人は尿中カルシウム値，尿中クレアチニン値を定期的に測定する必要があります。

(4)その他……

●妊婦での安全性：未確立。有益と判断されたときのみ服用。

●授乳婦での安全性：原則として服用しない。やむを得ず服用するときは授乳を中止。

●小児での安全性：未確立。(1714 頁を参照)

重大な副作用 ①高カルシウム血症(かゆみ，いらいら感など)。②尿管結石，腎結石。③肝機能障害，黄疸。

　そのほかにも報告された副作用はあるので，体調がいつもと違うと感じたときは，処方医・薬剤師に相談してください。

併用してはいけない薬 併用してはいけない薬は特にありません。ただし，併用する薬があるときは，念のため処方医・薬剤師に報告してください。

内 09 ビタミン剤と栄養補給・貧血・止血の薬　06 止血薬など

05 鉄過剰症治療薬

💊 製 剤 情 報

一般名：デフェラシロクス

●保険収載年月…2008年6月

●海外評価…6点 英 米 独 仏　●PC…B

●規制…劇薬

●剤形…顆 顆粒剤

●服用量と回数…1日1回，12mg／kg(体重)を服用。1日最大18mg／kg。

■先発品　　商品名(メーカー)　規格・保険薬価

ジャドニュ (ノバルティス) 顆 90mg 1包 852.80 円
顆 360mg 1包 3,390.20 円

■ジェネリック　　商品名(メーカー)　規格・保険薬価

デフェラシロクス (沢井) 顆 90mg 1包 471.20 円
顆 360mg 1包 1,784.20 円

デフェラシロクス (サンド) 顆 90mg 1包 471.20 円
顆 360mg 1包 1,784.20 円

📋 概　　要

分類　鉄キレート剤

処方目的　輸血による慢性鉄過剰症(注射用鉄キレート剤治療が不適当な場合)

解説　赤血球輸血は難治性貧血患者に不可欠な療法ですが，継続的な輸血により細胞内に鉄の蓄積が進むと，肝障害，心障害，糖尿病，皮膚色素沈着などの合併症を引きおこし，不可逆的な臓器障害を生じます。本剤は3価の鉄イオンと選択的にキレート結合して，体内に蓄積した鉄は胆汁を介して排泄され，体内の鉄過剰を改善します。

📖 使用上の注意

*デフェラシロクス(ジャドニュ)の添付文書による

警告

　本剤の服用により重篤な肝機能障害，腎機能障害，胃腸出血がおこり，死亡した例も報告されています。服用の開始前，服用中は定期的に血液検査（血清トランスアミナーゼや血清クレアチニンなど）を受けなければなりません。これらの副作用は，特に高齢者，高リスク骨髄異形成症候群の患者，肝障害または腎障害のある患者，血小板数50,000/mm^3 未満の患者で認められます。

基本的注意

(1)服用してはいけない場合……本剤の成分に対するアレルギーの前歴／高度な腎機能障害／全身状態の悪い高リスク骨髄異形成症候群／全身状態の悪い進行した悪性腫瘍

(2)慎重に服用すべき場合……腎機能障害／腎機能を低下させる薬剤の服用中／軽度（Child-Pugh 分類 A）・中等度（同 B）の肝機能障害（高度（Child-Pugh 分類 C）の肝機能障害では服用を避けることが望ましい）／血小板数が 50,000/mm^3 未満の人／高リスク骨髄異形成症候群／進行した悪性腫瘍／高齢者

(3)定期検査……本剤を服用中は，4 週ごとに尿タンパクおよびクレアチニン比を，また定期的に肝機能検査を受ける必要があります。

(4)危険作業に注意……本剤を服用すると，めまい，視覚・聴力障害などがおこることがあります。服用中は，高所作業や自動車の運転など危険を伴う機械の操作は十分に注意してください。

(5)その他……

● 妊婦での安全性：有益と判断されたときのみ服用。

● 授乳婦での安全性：服用するときは授乳しないことが望ましい。（1714 頁を参照）

重大な副作用

①ショック，アナフィラキシー，血管神経性浮腫。②急性腎障害，腎尿細管障害（ファンコニー症候群，尿細管壊死）。③肝炎，肝不全。④消化管穿孔，胃潰瘍（多発性潰瘍を含む），十二指腸潰瘍，胃腸出血。⑤皮膚粘膜眼症候群（スティブンス-ジョンソン症候群），多形紅斑。⑥聴力障害（難聴など）。⑦水晶体混濁（初期の白内障），視神経炎。

　そのほかにも報告された副作用はあるので，体調がいつもと違うと感じたときは，処方医・薬剤師に相談してください。

併用してはいけない薬

併用してはいけない薬は特にありません。ただし，併用する薬があるときは，念のため処方医・薬剤師に報告してください。

内 09 ビタミン剤と栄養補給・貧血・止血の薬　06 止血薬など

06　エルトロンボパグ オラミン

製剤情報

一般名：エルトロンボパグ オラミン

● 保険収載年月…2010年12月

● 海外評価…6点 英米独仏　● PC…C

● 規制…劇薬

● 剤形…錠 錠剤

● 服用量と回数……「基本的注意」の(3)を参照。

■先発品　　商品名(メーカー)　規格・保険薬価

レボレード(ノバルティス)
錠 12.5mg 1錠 2,211.40円　錠 25mg 1錠 4,356.50円

左側縦書き：
内 09－06－06
エルトロンボパグ オラミン

概　要

分類　経口造血刺激薬(トロンボポエチン受容体作動薬)

処方目的　慢性特発性血小板減少性紫斑病／再生不良性貧血

解説　本剤は，ヒトトロンボポエチン受容体との特異的な相互作用を介して，トロンボポエチンのシグナル伝達経路を活性化することにより，巨核球と骨髄前駆細胞・骨髄幹細胞の増殖および分化を促進させ，血小板および多系統の血球が増加すると考えられています。本剤は希少疾病用医薬品に指定されています。

使用上の注意

基本的注意

(1)服用してはいけない場合……本剤の成分に対するアレルギーの前歴

(2)慎重に服用すべき場合……肝機能障害／腎機能障害／アンチトロンビンⅢ欠損，抗リン脂質抗体症候群などの血栓塞栓症の素因のある人

(3)服用方法……①本剤は，食事とともに服用すると血中濃度が低下することがあるので，食事の前後2時間を避けて空腹時に服用します。②制酸剤，乳製品，多価陽イオン(鉄，カルシウム，アルミニウム，マグネシウム，セレン，亜鉛など)含有製剤などとともに服用すると本剤の血中濃度が低下するので，本剤服用の前4時間および後2時間はこれらの摂取を避けてください。

[慢性特発性血小板減少性紫斑病の場合]　①初回服用量12.5mgを1日1回，空腹時に服用し，血小板数，症状に応じて適宜増減します。1日最大50mg。②本剤を1日50mg，4週間服用しても血小板数が増加せず，臨床的に問題となる出血傾向の改善が認められない場合には，本剤の服用中止を考慮します。

[再生不良性貧血の場合]　①〔抗胸腺細胞免疫グロブリンで未治療の場合〕抗胸腺細胞免疫グロブリンとの併用において75mgを1日1回，空腹時に服用し，患者の状態に応じて適宜減量します。26週間服用しても血球数の改善が認められない場合は服用を中止します。②〔既存治療で効果不十分な場合〕初回服用量25mgを1日1回，空腹時に服用し，患者の状態に応じて適宜増減します。1日最大服用量100mg。16週間服用しても血球数の改善が認められない場合は服用を中止します。

(4)頻回に検査……本剤の服用中止後2週間以内に，血小板数が服用開始前の値まで低下し，出血を生じることがあるので，本剤の服用中止後4週間程度は頻回に血小板数を測定します。

(5)白内障……げっ歯類を用いた毒性試験において，白内障がみられました。また，臨床試験において，白内障が報告されているので，白内障に対する眼科的な検査を定期的に行います。

(6)**検査前に伝達**……本剤は赤色〜褐色であるため，服用により血清の色が濃い赤褐色または暗褐色に変色し，臨床検査値に影響を与えることがあります。服用中に検査を受ける場合は，事前にその旨を医師に伝えてください。

(7)**その他**……

● 妊婦での安全性：未確立。有益と判断されたときのみ服用。

● 授乳婦での安全性：原則として服用しない。やむを得ず服用するときは授乳を中止。

● 小児での安全性：未確立。(1714頁を参照)

| 重大な副作用 | ①肝機能障害。②血栓塞栓症(肺塞栓症，深部静脈血栓症，一過性脳虚血発作，心筋梗塞，虚血性脳卒中など)。③(服用中止後)出血。④骨髄線維化。

そのほかにも報告された副作用はあるので，体調がいつもと違うと感じたときは，処方医・薬剤師に相談してください。

| 併用してはいけない薬 | 併用してはいけない薬は特にありません。ただし，併用する薬があるときは，念のため処方医・薬剤師に報告してください。

内
09
―
06
―
06

エルトロンボパグ オラミン

内服 10 婦人科の薬

薬剤番号 10-01-01 ～ 10-02-04

■女性に特有の病気に用いる薬を説明します

◆更年期障害・不妊症・月経異常・子宮内膜症などの治療に用いる薬

◆避妊のために用いる低用量ピル（保険適応外です）

◆切迫流産を抑える薬，流産時の子宮出血に用いる薬，トリコモナス症の治療薬など

■副作用・相互作用に注意すべき薬

■ ホルモン剤

　卵胞ホルモンは，血栓性静脈炎のある人は使わないようにします。また，閉経後の女性が卵胞ホルモンを長期間（約1年以上）使用した場合，子宮内膜がんを発生する確率が対照群より高く，その危険性の上昇は，使用期間や使用量に相関があることを示唆する疫学調査があります。子宮摘出をしていない女性の場合には，黄体ホルモンとの併用が望ましいとされています。さらに，グリベンクラミド・グリクラジド・アセトヘキサミドなどの経口糖尿病薬との併用で，血糖降下作用を弱めることがあるので注意が必要です。黄体ホルモンの場合は，肝機能検査値に注意をはらう必要があります。

　低用量ピルは，卵胞ホルモンと黄体ホルモンを含んでいるので，血栓症や肝機能異常，糖尿病薬との併用などにも気をくばらなくてはいけません。長期にわたって服用することが多いので，血栓症（下肢の痛み・むくみ，突然の息切れ，胸痛，激しい頭痛など）には十分な警戒が必要です。

　こうした血栓症の危険性は，年齢や喫煙本数が増すとそれにつれて増大するといわれています。35歳以上で，1日に15本以上のタバコを吸う人は使ってはいけません。また，子宮がんの発生の危険性もあるということなので，長期間使用する場合は6カ月ごとに検診を受け，1年に1回は子宮・卵巣を中心とした骨盤内臓器の検査，特に子宮頸部の細胞診を受けなければいけません。

● 薬剤師の眼

低用量ピルも「医薬分業」すべき

　更年期障害などに一時繁用されたガンマ-オリザノールも，最近ではあまり使用されなくなりました。英米独仏のいずれの国においても薬として認められていないので，これでよいと思われます。

　低用量ピルを使っている女性はどれくらいいるのでしょうか？

　発売している会社の売り上げから逆算して人数を割り出すことができるかもしれませんが，健康保険の適応になっていないので，公表されたデータはありません。医療機関が直接使用者に販売しているわけですが，このように注意事項がいろいろある薬だからこそ，職種がちがう複数の専門家が，それぞれの立場でアドバイスすべきだと思います。

　欧米では，医師が直接患者にピルを売ることはありませんので，日本でもそうすべきではないでしょうか。もちろん「性」に対する考え方の違いなどもあって，プライバシーの保護ということになると複雑ではありますが，適正な使用や副作用情報の入手という観点のみで考えれば，ピルについてこそ「医薬分業」をすべきです。

内 10 婦人科の薬　01 女性用ホルモン剤

01 卵胞ホルモン

製 剤 情 報

一般名：結合型エストロゲン
- 保険収載年月…1965年12月
- 海外評価…6点 英 米 独 仏　●PC…X
- 剤形…錠 錠剤
- 服用量と回数…1日0.625～1.25mg（1～2錠）。腟炎および機能性子宮出血の場合は、1日0.625～3.75mg。

■**先発品**　　商品名(メーカー)　規格・保険薬価
プレマリン (ファイザー) 錠 0.625mg 1錠 18.90 円

一般名：エストリオール
- 保険収載年月…1961年12月
- 海外評価…4点 英 米 独 仏
- 剤形…錠 錠剤
- 服用量と回数…1回0.1～1mgを1日1～2回。老人性骨粗鬆症の場合は、1回1mgを1日2回。

■**先発品**　　商品名(メーカー)　規格・保険薬価
エストリール (持田) 錠 0.1mg 1錠 9.80 円
錠 0.5mg 1錠 12.50 円　錠 1mg 1錠 13.00 円
エストリオール (富士製薬) 錠 1mg 1錠 10.10 円
ホーリン (あすか = 武田) 錠 1mg 1錠 13.70 円

一般名：エチニルエストラジオール
- 保険収載年月…1981年9月

- 海外評価…4点 英 米 独 仏
- 剤形…錠 錠剤
- 服用量と回数…1回0.5～1mgを1日3回。

■**先発品**　　商品名(メーカー)　規格・保険薬価
プロセキソール (あすか = 武田)
錠 0.5mg 1錠 29.30 円

一般名：エストラジオール
- 保険収載年月…2008年6月
- 海外評価…6点 英 米 独 仏　●PC…X
- 剤形…錠 錠剤
- 服用量と回数…[更年期障害・卵巣欠落症状に伴う症状]1日1回0.5～1.0mg。[閉経後骨粗鬆症]1日1回1.0mg。[調節卵巣刺激の開始時期の調整]1日1回0.5～1.0mgを21～28日間服用し、服用期間の後半に黄体ホルモン剤を併用する。[ホルモン補充周期]1日0.5～4.5mgを服用し、子宮内膜の十分な肥厚が得られた時点で黄体ホルモン剤の併用を開始して、妊娠8週まで本剤の服用を継続する。1回の服用量は2.0mgを超えないこと。

■**先発品**　　商品名(メーカー)　規格・保険薬価
ジュリナ (バイエル) 錠 0.5mg 1錠 56.90 円

概　　要

分類　女性ホルモン

処方目的　[結合型エストロゲンの適応症] 卵巣欠落症状，卵巣機能不全症，更年期障害，腟炎（老人，小児および非特異性），機能性子宮出血

[エストリオールの適応症] 更年期障害，腟炎（老人，小児および非特異性），子宮頸管炎ならびに子宮腟部びらん／老人性骨粗鬆症

[エチニルエストラジオールの適応症] 閉経後の末期乳がん（男性ホルモン療法に抵抗を示す場合）／前立腺がん

[エストラジオールの適応症] 更年期障害および卵巣欠落症状に伴う血管運動神経症状（ホットフラッシュ，発汗）・腟萎縮症状／閉経後骨粗鬆症／生殖補助医療における調節卵巣刺激の開始時期の調整／凍結融解胚移植におけるホルモン補充周期

解説 卵胞ホルモンは，主として卵巣と胎盤でつくられますが，一部は副腎や男性の睾丸によってもつくられます。子宮発育不全，無月経，月経不順，子宮不正出血，老人性腟炎などの卵巣機能不全による障害や，更年期障害の諸症状に処方されます。エチニルエストラジオールのみは，閉経後の末期乳がん，および前立腺がんが適応症です。

エストラジオールは，2022 年に不妊治療薬として保険適応となりました。不妊治療に十分な知識と経験のある医師のもとで，本剤の使用により予想されるリスクおよび注意すべき症状について，あらかじめ説明を受け，納得したのち治療が始まります。

🖉 使用上の注意
*結合型エストロゲン（プレマリン），エストリオール（エストリール）の添付文書による

基本的注意

(1)**服用してはいけない場合**……エストロゲン依存性悪性腫瘍（例えば乳がん，子宮内膜がん）およびその疑いのある人／乳がんの前歴／血栓性静脈炎・肺塞栓症またはその前歴／動脈性の血栓塞栓疾患（例えば冠動脈性心疾患，脳卒中）またはその前歴／妊婦または妊娠している可能性のある人／重い肝機能障害／診断の確定していない異常性器出血／未治療の子宮内膜増殖症／[結合型エストロゲンのみ]本剤の成分に対するアレルギーの前歴

(2)**慎重に服用すべき場合**……子宮内膜症／子宮筋腫／心疾患またはその前歴／腎疾患またはその前歴／肝機能障害（重い肝機能障害を除く）／てんかん／糖尿病／全身性エリテマトーデス／手術前 4 週以内または長期臥床状態／乳がんの家族素因が強い人，乳房結節のある人，乳腺症のある人，乳房 X 線像に異常がみられた人／思春期前の少女／[結合型エストロゲンのみ]片頭痛のある人／[エストリオールのみ]骨成長が終了していない可能性のある人

(3)**定期検査**……服用中は，定期的に乳房検診，婦人科検診を受ける必要があります。

(4)**血栓症**……本剤を服用すると血栓症が現れることがあります。下肢の疼痛・むくみ，突然の呼吸困難，息切れ，胸痛，中枢神経症状（めまい，意識障害，四肢麻痺など），急性視力障害などの初期症状が現れたら，ただちに処方医へ連絡してください。

(5)**肝腫瘍**……[結合型エストロゲン]長期服用により，肝腫瘍が発生したとの報告があります。

(6)**ホルモン補充療法（HRT）とがんなど各種疾患の危険性**……本剤（卵胞ホルモン剤）および黄体ホルモン剤，卵胞ホルモン・黄体ホルモン配合剤による治療をホルモン補充療法（HRT）といいます。さまざまな臨床試験や疫学調査において，本剤を服用すると子宮内膜がん（子宮体がん），卵巣がんの危険性が高くなり，卵胞ホルモン・黄体ホルモン配合剤を服用すると，乳がん，冠動脈性心疾患，脳卒中（主として脳梗塞），認知症，胆のう疾患の危険性が高くなると報告されています。

(7)**骨密度を測定**……[エストリオール，エストラジオール]老人性骨粗鬆症あるいは閉

経後骨粗鬆症の人が本剤を服用する場合は，服用後6カ月〜1年後に骨密度を測定し，効果がない場合は他の療法を考慮することになります。

(8)セイヨウオトギリソウ（セント・ジョーンズ・ワート）含有食品……[エチニルエストラジオール，エストラジオール]本剤と併用すると，本剤の効果を弱めたり，不正性器出血の発現率を増大させるおそれがあります。服用中はセイヨウオトギリソウ含有食品を摂取しないでください。

(9)その他……

● 授乳婦での安全性：治療上の有益性・母乳栄養の有益性を考慮し，授乳の継続・中止を検討。

重大な副作用 ①下肢の痛み・むくみ，呼吸困難，胸痛，中枢神経症状（めまい，意識障害など），視力障害などを初期症状とする血栓症，血栓塞栓症（四肢，肺，心，脳，網膜など）。

[エチニルエストラジオールのみ] ②心不全，狭心症。

　そのほかにも報告された副作用はあるので，体調がいつもと違うと感じたときは，処方医・薬剤師に相談してください。

併用してはいけない薬 併用してはいけない薬は特にありません。ただし，併用する薬があるときは，念のため処方医・薬剤師に報告してください。

内 10 婦人科の薬　01 女性用ホルモン剤

02 黄体ホルモン

製剤情報

一般名：メドロキシプロゲステロン酢酸エステル

● 保険収載年月…1965年11月
● 海外評価…4点 英 米 独 仏　●PC…X
● 剤形…錠 錠剤
● 服用量と回数…1日2.5〜15mgを1〜3回に分けて服用。ヒスロンによる「調節卵巣刺激下における早発排卵の防止」の場合は月経周期2〜5日目より1日5〜10mgを1回または2回に分けて服用。

■先発品　商品名(メーカー)　規格・保険薬価

| ヒスロン （協和キリン） 錠 5mg 1錠 30.30 円 |
| プロベラ （ファイザー） 錠 2.5mg 1錠 21.50 円 |

■ジェネリック　商品名(メーカー)　規格・保険薬価

| メドロキシプロゲステロン酢酸エステル （東和） 錠 2.5mg 1錠 7.20 円 |
| メドロキシプロゲステロン酢酸エステル （富士製薬） 錠 2.5mg 1錠 16.30 円　錠 5mg 1錠 17.00 円 |

一般名：ジドロゲステロン

● 保険収載年月…1965年12月
● 海外評価…3点 英 米 独 仏
● 剤形…錠 錠剤
● 服用量と回数…1日5〜15mgを1〜3回に分けて服用。子宮内膜症の場合は，1日5〜20mg。「調節卵巣刺激下における早発排卵の防止」の場合は，月経周期2〜5日目より1日20mgを1回または2回に分けて服用。

■**先発品　商品名(メーカー)　規格・保険薬価**

デュファストン (マイランEPD)
錠 5mg 1錠 30.70円

一般名：ノルエチステロン

- 保険収載年月…1958年4月
- 海外評価…5点 英米独仏 ●PC…X
- 剤形…錠 錠剤
- 服用量と回数…1日5〜10mgを1〜2回に分けて服用。月経周期変更の場合は,処方医の指示通りに服用。

■**先発品　商品名(メーカー)　規格・保険薬価**

ノアルテン (富士製薬) 錠 5mg 1錠 34.10円

一般名：クロルマジノン酢酸エステル

- 保険収載年月…1965年11月
- 海外評価…2点 英米独仏
- 剤形…錠 錠剤
- 服用量と回数…1日2〜12mgを1〜3回に分けて服用。「生殖補助医療における黄体補充」で用いる場合,服用期間は①新鮮胚移植の場合は採卵後から胚移植日まで,②凍結融解胚移植の場合は子宮内膜が十分に厚くなった時点から胚移植日までとし,他の黄体補充法と組み合わせて用いる。

■**先発品　商品名(メーカー)　規格・保険薬価**

ルトラール (富士製薬) 錠 2mg 1錠 24.40円

内
10
―
01
―
02

黄体ホルモン

📄 **概　要**

分類　女性ホルモン

処方目的　[すべての製剤] 無月経,月経周期異常(稀発月経,多発月経),機能性子宮出血,黄体機能不全による不妊症

[メドロキシプロゲステロン酢酸エステルの適応症] 月経量異常(過少月経,過多月経),切迫流早産,習慣性流早産／[ヒスロンのみの適応症] 生殖補助医療における調節卵巣刺激の開始時期の調整,調節卵巣刺激下における早発排卵の防止

[ジドロゲステロンの適応症] 切迫流早産,習慣性流早産,月経困難症,子宮内膜症,生殖補助医療における調節卵巣刺激の開始時期の調整,調節卵巣刺激下における早発排卵の防止

[ノルエチステロンの適応症] 月経量異常(過少月経,過多月経),月経困難症,卵巣機能不全症,月経周期の変更(短縮および延長),生殖補助医療における調節卵巣刺激の開始時期の調整

[クロルマジノン酢酸エステルの適応症] 月経量異常(過少月経,過多月経),月経困難症,卵巣機能不全症,生殖補助医療における調節卵巣刺激の開始時期の調整,生殖補助医療における黄体補充

解説　黄体ホルモンは,月経周期の後半・妊娠中の黄体および胎盤から分泌されるホルモンで,卵胞ホルモンと協力して,女性ホルモンとしての機能を発揮します。妊娠を維持させるためのホルモンといえます。卵胞ホルモン同様,服用しても分解されない合成黄体ホルモンがよく使われます。

本剤は,卵巣に対して未熟な卵胞の成熟を阻止し,排卵・月経をおこさなくする作用があるため,連続服用すれば避妊の効果があります。

本剤を不妊症に用いる場合は,不妊治療に十分な知識と経験のある医師のもとで使用しなければなりません。「黄体機能不全による不妊症」にはすべての製剤,「生殖補助医療

における調節卵巣刺激の開始時期の調整」にはヒスロン，デュファストン，ノアルテン，ルトラール，「調節卵巣刺激下における早発排卵の防止」にはヒスロンとデュファストン，「生殖補助医療における黄体補充」にはルトラールが用いられます。

なお，クロルマジノン酢酸エステルには 25mg 錠，50mg 錠もありますが，その適応症は前立腺肥大症と前立腺がん，また，メドロキシプロゲステロン酢酸エステルには 200mg 錠もありますが，その適応症は乳がんと子宮体がん（内膜がん）です。

内 10 ― 01 ― 02 黄体ホルモン

📝 使用上の注意

＊メドロキシプロゲステロン酢酸エステル（ヒスロン）の添付文書による

基本的注意

(1)服用してはいけない場合……重い肝機能障害・肝疾患／脳梗塞，心筋梗塞，血栓静脈炎などの血栓性疾患またはその前歴／診断未確定の性器出血，尿路出血／稽留流産／本剤の成分に対するアレルギーの前歴

(2)慎重に服用すべき場合……心疾患・腎疾患またはそれらの前歴／うつ病またはその前歴／てんかん，またはその前歴／片頭痛，ぜんそく，慢性の肺機能障害またはその前歴／糖尿病／ポルフィリン症

(3)妊娠……①大量または長期服用を避けること。妊娠初期・中期に服用すると，女子胎児の外性器の男性化，男子胎児の女性化が報告されています。②黄体ホルモン剤と先天異常児出産との因果関係は，いまだ確立されたものではありませんが，心臓・四肢などの先天異常児を出産した母親では，妊娠初期に黄体または黄体・卵胞ホルモン剤を服用していた群と対照群との間に有意差があったとの報告があります。③無月経・月経周期異常（稀発月経，多発月経）・月経量異常（過少月経，過多月経），機能性子宮出血，黄体機能不全による不妊症の人が服用する場合は，服用前に医師による問診，内診，基礎体温の測定，免疫学的妊娠診断などにより，妊娠していないことを十分に確認してもらってください。

(4)検査値への影響……本剤の服用により，血清または尿中ステロイドホルモン（コルチゾール，エストロゲン，プロゲステロンなど），血清または尿中ゴナドトロピン（黄体形成ホルモンなど），性ホルモン結合グロブリンが低値を示す可能性があります。

(5)その他……

●授乳婦での安全性：服用するときは授乳しないことが望ましい。

●小児での安全性：未確立。（1714 頁を参照）

重大な副作用　①脳梗塞，心筋梗塞，肺塞栓症，腸間膜血栓症，網膜血栓症，血栓静脈炎などの重い血栓症。②うっ血性心不全。③乳頭水腫（視力の低下や消失，眼球突出，複視，片頭痛など）。④ショック，アナフィラキシー（呼吸困難，全身潮紅，血管浮腫，じん麻疹など）。

そのほかにも報告された副作用はあるので，体調がいつもと違うと感じたときは，処方医・薬剤師に相談してください。

併用してはいけない薬　併用してはいけない薬は特にありません。ただし，併用する薬があるときは，念のため処方医・薬剤師に報告してください。

03 卵胞・黄体ホルモン配合剤

製剤情報

一般名：ノルゲストレル・エチニルエストラジオール配合剤

- 保険収載年月…1979年4月
- 海外評価…5点 英米独仏 ● PC…X
- 剤形…錠 錠剤
- 服用量と回数…機能性子宮出血の場合は，1日1錠を7〜10日間連続服用。その他の場合は，1日1錠を月経周期第5日より約3週間連続服用。

■**先発品** 商品名(メーカー) 規格・保険薬価

プラノバール配合錠 (あすか＝武田)
錠 1錠 13.80 円

一般名：ノルエチステロン・エチニルエストラジオール配合剤

- 保険収載年月…2008年6月
- 海外評価…3点 英米独仏
- 剤形…錠 錠剤
- 服用量と回数…[月経困難症]1日1錠を毎日一定の時刻に21日間服用し，その後7日間休薬。以上28日間を投与1周期として，29日目から次の周期の錠剤を服用する。[調節卵巣刺激の開始時期の調整(フリウェル配合錠を除く)]1日1錠を毎日一定の時刻に，通常14〜21日間連続服用。

■**先発品** 商品名(メーカー) 規格・保険薬価

ルナベル配合錠 LD (ノーベル＝日本新薬＝富士製薬) 錠 1錠 204.00 円

ルナベル配合錠 ULD 写真 (ノーベル＝日本新薬＝富士製薬) 錠 1錠 213.10 円

■**ジェネリック** 商品名(メーカー) 規格・保険薬価

フリウェル配合錠 LD (あすか＝武田)
錠 1錠 97.10 円

フリウェル配合錠 LD (沢井) 錠 1錠 97.10 円

フリウェル配合錠 LD (東和) 錠 1錠 97.10 円

フリウェル配合錠 LD (持田販売＝持田)
錠 1錠 97.10 円

フリウェル配合錠 ULD (あすか＝武田)
錠 1錠 90.00 円

フリウェル配合錠 ULD (沢井) 錠 1錠 90.00 円

フリウェル配合錠 ULD (東和) 錠 1錠 90.00 円

フリウェル配合錠 ULD (持田販売＝持田)
錠 1錠 90.00 円

一般名：ドロスピレノン・エチニルエストラジオール配合剤

- 保険収載年月…2010年9月
- 海外評価…6点 英米独仏 ● PC…X
- 剤形…錠 錠剤
- 服用量と回数…[ヤーズ配合錠]〈月経困難症〉1日1錠を28日間服用。以上を1周期として，出血が終わっているか続いているかにかかわらず，29日目から次の周期の錠剤を服用する。[ヤーズフレックス配合錠]〈子宮内膜症に伴う疼痛の改善の場合〉1日1錠を，24日目までは出血の有無にかかわらず連続服用する。25日目以降に3日間連続で出血(点状出血を含む)が認められた場合，または連続投与が120日に達した場合は，4日間休薬する。以後，連続服用と休薬を繰り返す。〈月経困難症の場合〉以下のいずれかを選択する。①上記〈子宮内膜症に伴う疼痛の改善の場合〉と同じ。②1日1錠を24日間連続服用し，4日間休薬する。以上28日間を1周期とし，出血が終わっているか続いているかにかかわらず，29日目から次の周期の錠剤を服用し，以後同様に繰り返す。〈調節卵巣刺激の開始時期の調整〉1日1錠を毎日一定の時刻に，通常14〜28日間連続服用。

内
10
―
01
―
03

卵胞・黄体ホルモン配合剤

■先発品　商品名(メーカー)　規格・保険薬価

ヤーズ配合錠 (バイエル) 錠 1シート 6,328.50 円

ヤーズフレックス配合錠 (バイエル)
錠 1錠 280.10 円

一般名：レボノルゲストレル・エチニルエストラジオール配合剤

● 保険収載年月…2018年8月
● 海外評価…6点 **英 米 独 仏**
● 剤形…錠 錠剤

📋 概　　要

分類　卵胞・黄体ホルモン

処方目的　月経困難症／[プラノバール配合錠, ルナベル配合錠, ヤーズフレックス配合錠, ジェミーナ配合錠の適応症]生殖補助医療における調節卵巣刺激の開始時期の調整／[プラノバール配合錠のみの適応症]機能性子宮出血, 月経周期異常(稀発月経, 頻発月経), 過多月経, 子宮内膜症, 卵巣機能不全／[ヤーズフレックス配合錠のみの適応症]子宮内膜症に伴う疼痛の改善

解説　日本では長年にわたり経口避妊薬が許可されていなかったため, 月経困難症などの効能で承認された高中用量ピルで代用されてきました。ここでいう高用量・中用量・低用量は錠剤に含有される卵胞ホルモンの量により分けられ, $50\mu g$ のものを中用量, それ以下のものを低用量, $30\mu g$ 以下の場合を超低用量といいます。

ピルの副作用の多くは卵胞ホルモンの量に関連するので, 1999 年以前の女性は後進的な厚生行政によりリスクを負わされていたわけです。治療を目的とした薬品でも, 副作用の軽減はもちろん大切なことです。近年承認されたものは低用量(ルナベル配合錠 LD, フリウェル配合錠 LD), 超低用量(ルナベル配合錠 ULD, フリウェル配合錠 ULD, ヤーズ配合錠, ヤーズフレックス配合錠, ジェミーナ配合錠)となっています。なお, ジェミーナ配合錠は上記の「服用量と回数」に記したように, 21 日連続服用または 77 日連続服用の 2 通りの服用方法が選択可能です。

プラノバール配合錠, ルナベル配合錠, ヤーズフレックス配合錠, ジェミーナ配合錠は, 2022 年に不妊治療薬として保険適応となりました。不妊治療に十分な知識と経験のある医師のもとで, 本剤の使用により予想されるリスクおよび注意すべき症状について, あらかじめ説明を受け, 納得したのち治療が始まります。

📋 使用上の注意

*ノルゲストレル・エチニルエストラジオール配合剤(プラノバール配合錠)ほかの添付文書による

警告

[ヤーズ配合錠, ヤーズフレックス配合錠] 本剤の服用により血栓症が現れ, 致死的な

● 服用量と回数…[月経困難症]1日1錠を毎日一定の時刻に, 21日間または77日間, 連続服用し, その後7日間休薬。以上28日間または84日間を1周期とし, 出血が終わっているか続いているかにかかわらず, 29日目または85日目から次の周期を開始し, 以後同様に繰り返す。[調節卵巣刺激の開始時期の調整]1日1錠を毎日一定の時刻に, 通常14〜28日間連続服用。

■先発品　商品名(メーカー)　規格・保険薬価

ジェミーナ配合錠 (ノーベル) 錠 1錠 292.30 円

経過をたどることがあります。下肢の急激な疼痛・腫脹，突然の息切れ，胸痛，激しい頭痛，四肢の脱力・麻痺，構語障害，急性視力障害などの症状が現れたら，直ちに服用を中止し，救急医療機関を受診してください。

基本的注意

(1)**服用してはいけない場合**……血栓性静脈炎・肺塞栓症またはその前歴／エストロゲン依存性悪性腫瘍（例えば乳がん，子宮内膜がん）およびその疑いのある人／重い肝機能障害／前回の妊娠中に黄疸または持続性の掻痒症（かゆみ）があった人／前回の妊娠中に悪化した耳硬化症があった人／妊娠ヘルペスの前歴／鎌状赤血球貧血／デュビン・ジョンソン症候群，ローター症候群／脂質代謝異常／診断の確定していない異常性器出血／妊婦または妊娠している可能性のある人

(2)**慎重に服用すべき場合**……肝機能障害（重い肝機能障害を除く）／子宮筋腫／乳がんの前歴／乳がん家族素因の強い人，乳房結節，乳腺症，乳房 X 線像に異常のある人／心疾患またはその前歴／腎疾患またはその前歴／てんかん／糖尿病／ポルフィリン症／テタニーのある人／高血圧／骨成長が終了していない可能性がある人，40 歳以上の女性，授乳中の女性

(3)**妊娠の確認**……本剤の服用前には，医師による問診，内診，基礎体温の測定，免疫学的妊娠診断などにより，妊娠していないことを十分に確認してもらってください。

(4)**婦人科検査**……本剤を長期に服用する場合は，約 6 カ月ごとに婦人科検査を受ける必要があります。

(5)**禁煙**……外国で，喫煙が類薬（経口避妊薬）による心・血管系の重い副作用（血栓症など）の危険性を増大させ，また，この危険性は年齢・喫煙量（1 日 15 本以上）により増大し，35 歳以上の女性で特に著しいとの報告があります。本剤を服用する場合は，禁煙するようにしてください。

(6)**乳がん・子宮頸がん**……外国での疫学調査で，類薬（経口避妊薬）の服用によって乳がん・子宮頸がんになる可能性が高くなるとの報告があります。

(7)**肝腫瘍**……黄体・卵胞ホルモン配合剤の長期服用によって肝腫瘍が発生したとの報告があります。また，腫瘍の破裂により腹腔内出血をおこす可能性があります。

(8)**コンタクトレンズ**……本剤を服用していると，コンタクトレンズがうまく調節されないことがあります。本剤によるものか否か，処方医に相談してください。

(9)**色素沈着**……本剤を服用していると，皮膚に色素の沈着がおこることがあります。服用中は長時間，太陽光をあびないようにしてください。

(10)**先天異常児**……黄体ホルモン剤と先天異常児出産との因果関係は，いまだ確立されたものではありませんが，心臓・四肢などの先天異常児を出産した母親では，妊娠初期に黄体または黄体・卵胞ホルモン剤を服用していた群と対照群との間に有意差があったとの報告があります。

(11)**血栓症**……本剤の服用により血栓症が現れることがあります。下肢の急激な疼痛・腫脹，突然の息切れ，胸痛，激しい頭痛，四肢の脱力・麻痺，構語障害，急性視力障害などの症状が現れたら，直ちに服用を中止し，救急医療機関を受診してください。

内 10—01—03

卵胞・黄体ホルモン配合剤

(12)セイヨウオトギリソウ(セント・ジョーンズ・ワート)含有食品……本剤と併用すると，本剤の効果を弱めたり，不正性器出血の発現率を増大させるおそれがあります。服用中はセイヨウオトギリソウ含有食品を摂取しないでください。

(13)その他……

● 授乳婦での安全性：治療上の有益性・母乳栄養の有益性を考慮し，授乳の継続・中止を検討。

重大な副作用 ①血栓症(脳・心臓・肺・網膜・手足など)。

[ルナベル配合錠，フリウェル配合錠のみ] ②アナフィラキシー(呼吸困難，じん麻疹，血管浮腫，かゆみなど)。

そのほかにも報告された副作用はあるので，体調がいつもと違うと感じたときは，処方医・薬剤師に相談してください。

併用してはいけない薬 併用してはいけない薬は特にありません。ただし，併用する薬があるときは，念のため処方医・薬剤師に報告してください。

内 10 婦人科の薬　01 女性用ホルモン剤

04 低用量ピル

⊘ 製 剤 情 報

一般名：ノルエチステロン・エチニルエストラジオール配合剤

● 発売年月…1999年9月

● 海外評価…5点 英 米 独 仏 　●PC…X

● 剤形…錠 錠剤

● 服用量と回数…1日1錠(決められた錠剤を決められた順番に)を毎日一定の時刻に淡青色錠から開始し，28日間連続服用。これを1周期として繰り返す。

■健康保険適応外　商品名(メーカー)　規格・保険薬価

シンフェーズ T28 (科研)
錠 28日分1組【健康保険適応外】

一般名：レボノルゲストレル・エチニルエストラジオール配合剤

● 発売年月…1999年9月

● 海外評価…4点 英 米 独 仏 　●PC…X

● 剤形…錠 錠剤

● 服用量と回数…1日1錠(決められた錠剤を決

められた順番にて)毎日一定の時刻に服用。21日型の製剤は21日間服用後，7日間休薬。28日型の製剤は28日間連続で服用。以上28日間を1周期として，29日目から次の周期の錠剤を服用する。

■健康保険適応外　商品名(メーカー)　規格・保険薬価

アンジュ 21 (あすか＝武田)
錠 21日分1組【健康保険適応外】
アンジュ 28 (あすか＝武田)
錠 28日分1組【健康保険適応外】
トリキュラー 21 (バイエル)
錠 21日分1組【健康保険適応外】
トリキュラー 28 (バイエル)
錠 28日分1組【健康保険適応外】
ラベルフィーユ 21 (富士製薬)
錠 21日分1組【健康保険適応外】
ラベルフィーユ 28 (富士製薬)
錠 28日分1組【健康保険適応外】

一般名：デソゲストレル・エチニルエストラジオール配合剤

- 発売年月…2005年4月
- 海外評価…6点 英 米 独 仏　● PC…X
- 剤形…錠 錠剤
- 服用量と回数…1日1錠(決められた錠剤を決められた順番にて)毎日一定の時刻に服用。21日型の製剤は21日間服用後、7日休薬。28日型の製剤は28日間連続で服用。以上28日間を1周期として、29日目から次の周期の錠剤を服用する。

■健康保険適応外　商品名(メーカー)　規格・保険薬価

ファボワール 21 (富士製薬)
錠 21日分1組【健康保険適応外】

ファボワール 28 (富士製薬)
錠 28日分1組【健康保険適応外】

マーベロン 21 (オルガノン)
錠 21日分1組【健康保険適応外】

マーベロン 28 (オルガノン)
錠 28日分1組【健康保険適応外】

概　　要

分類　卵胞・黄体ホルモン配合剤

処方目的　避妊

解説　卵胞・黄体ホルモン配合剤は、月経異常症を適応症として許可され、一部では避妊を目的にしても使われてきました。欧米では副作用などの観点から低用量ピルが早くから使われ、日本でも長年にわたって検討されてきましたが、1999年に医薬品として承認されました。

排卵抑制作用を主作用とし、子宮内膜変化による着床阻害作用および頸管粘液変化による精子通過阻害作用などにより、避妊効果を発揮します。

〈注意〉経口避妊薬使用開始1年間の、のみ忘れを含めた一般的使用における失敗率は9%との報告があります。経口避妊薬は、HIV感染(エイズ)・他の性感染症(例えば梅毒、性器ヘルペス、淋病、クラミジア感染症、尖形コンジローマ、腟トリコモナス症、B型肝炎など)を防止するものではないこと、これらの感染防止にはコンドームの使用が有効であることを十分理解してください。

使用上の注意

＊アンジュ21、アンジュ28の添付文書による

基本的注意

(1)服用してはいけない場合……本剤の成分に対するアレルギーの素因がある人／エストロゲン依存性悪性腫瘍(例えば乳がん、子宮内膜がん)・子宮頸がん、およびその疑いがある人／診断の確定していない異常性器出血／血栓性静脈炎・肺塞栓症・脳血管障害・冠動脈疾患またはその前歴／35歳以上で1日15本以上の喫煙者／前兆(閃輝暗点、星型閃光など)を伴う片頭痛／肺高血圧症または心房細動を合併する心臓弁膜症、亜急性細菌性心内膜炎の前歴のある心臓弁膜症／血管病変を伴う糖尿病(糖尿病性腎症、糖尿病性網膜症など)／血栓性素因のある女性／抗リン脂質抗体症候群／手術前4週以内、術後2週以内、産後4週以内および長期間安静状態の人／重い肝機能障害／肝腫瘍／脂質代謝異常／高血圧(軽度の高血圧を除く)／耳硬化症／妊娠中に黄疸、持続性の掻痒症

(かゆみ)，妊娠ヘルペスを経験した人／妊婦または妊娠している可能性がある人，授乳中の人，骨成長が終了していない可能性がある女性

(2)慎重に服用すべき場合……40歳以上の女性(ただし1日15本以上の喫煙者は服用しないこと)／子宮筋腫／乳がんの前歴／乳がんの家族歴または乳房に結節のある人／喫煙者(ただし35歳以上で1日15本以上の喫煙者は服用しないこと)／肥満の女性／血栓症の家族歴を持つ女性／前兆を伴わない片頭痛／心臓弁膜症(ただし，肺高血圧症または心房細動を合併する心臓弁膜症，亜急性細菌性心内膜炎の前歴のある心臓弁膜症の人は服用しないこと)／軽度の高血圧(妊娠中に高血圧になった人も含む)／耐糖能が低下している女性(糖尿病，耐糖能異常)／ポルフィリン症／肝機能障害(重い肝機能障害を除く)／心疾患・腎疾患またはその前歴／てんかん／テタニーのある人

(3)妊娠……①服用前に医師による問診，内診，基礎体温の測定，免疫学的妊娠診断などで，妊娠していないことを十分に確認してもらってください。また，血圧測定，乳房・腹部の検査および臨床検査を受けてください。②服用中，2周期連続して消退出血がなかったときは妊娠している可能性があるため，妊娠の有無を調べてもらってください。服用中に妊娠が確認されたときは，ただちに中止するようにしてください。妊娠中の服用についての安全性は確立されていません。③服用を中止して妊娠を希望する場合は，月経周期が回復するまで避妊するようにしてください。

(4)のみ方についての注意……①毎日，一定の時刻に本剤を服用してください。②経口避妊薬を初めて服用する場合，月経第1日目から服用を開始してください。服用開始日が月経第1日目から遅れた場合，のみ始めの最初の1週間は，他の避妊法を併用してください。③のみ忘れしないように注意しましょう。万一のみ忘れた場合，翌日までに気づいたなら，ただちにのみ忘れた錠剤を服用し，その日の錠剤も通常通りに服用してください。2日以上連続してのみ忘れがあった場合は服用を中止し，次の月経を待って服用を再開してください。その場合，のみ忘れにより妊娠する可能性が高くなるので，その周期は他の方法で避妊してください。

(5)定期検診……①本剤を長期にわたって服用する場合には，6カ月ごとの検診，また1年に1回，子宮・卵巣を中心とした骨盤内臓器の検査，特に子宮頸部細胞診を受ける必要があります。②外国での疫学調査で，本剤の服用により乳がんになる可能性が高くなるとの報告があります。服用中は，乳がんの自己検診を行ってください。特に乳がんの家族歴または乳房に結節がある人は，自己検診に加えて定期的に乳房検診を受けることが必要です。

(6)セイヨウオトギリソウ(セント・ジョーンズ・ワート)含有食品……本剤と併用すると，本剤の効果を弱めたり，不正性器出血の発現率を増大させるおそれがあります。服用中はセイヨウオトギリソウ含有食品を摂取しないでください。

(7)授乳婦……服用しないこと。母乳の量的質的低下，本剤の母乳中への移行，子どもの黄疸，乳房腫大がおこることがあるので，授乳中の人は他の方法で避妊をしてください。

(8)他の経口避妊薬から本剤に切り替える場合……①21錠タイプの経口避妊薬から本剤に切り替える場合は，以前に服用していた薬剤をすべて服用し，7日間の休薬をした

後，続けて本剤の服用を開始してください。服用開始が遅れると，妊娠する可能性があります。②28錠タイプの経口避妊薬から切り替える場合は，以前に服用していた薬剤をすべて服用後，続けて本剤の服用を開始してください。服用開始が遅れると，妊娠する可能性があります。

(9)**経口避妊薬と感染防止**……経口避妊薬は，HIV感染（エイズ）および他の性感染症（例えば梅毒，性器ヘルペス，淋病，クラミジア感染症，尖形コンジローマ，腟トリコモナス症，B型肝炎など）を防止するものではありません。これらの感染防止のためには，コンドームを使用することが必要です。服用中は，必要に応じて性感染症の検査を受ける必要があります。

(10)**不正性器出血**……服用中に不正性器出血がおこることがあります。通常は服用継続中に消失しますが，長期間持続する場合は悪性疾患の可能性もあるので，処方医へ連絡してください。腟細胞診などの検査を行います。

(11)**激しい下痢，嘔吐**……服用中に激しい下痢，嘔吐が続くと，吸収不良になることがあるので，その周期は他の避妊法を併用してください。

(12)**静脈血栓症**……外国の疫学調査によれば，静脈血栓症のリスクは，経口避妊薬を服用している女性は服用していない女性に比べ，3.25〜4倍高くなるとの報告があります。また，静脈血栓症のリスクは経口避妊薬服用開始の最初の1年間が最も高くなるとの報告があります。さらに，外国での大規模市販後調査の結果，初めて経口避妊薬の服用を開始したときだけでなく，4週間以上の中断後に服用を再開したとき，または4週間以上の中断後に別の経口避妊薬へ切り替えたときにも静脈血栓症のリスクが上昇し，そのリスクは服用開始後3カ月間が特に高いとの報告があります。

(13)**血栓症**……本剤を服用すると血栓症が現れることがあります。下肢の疼痛・むくみ，突然の呼吸困難，息切れ，胸痛，中枢神経症状（めまい，意識障害，四肢麻痺など），急性視力障害などの初期症状が現れたら，ただちに救急医療機関を受診してください。

(14)**禁煙**……外国で，喫煙が類薬（経口避妊薬）による心・血管系の重い副作用（血栓症など）の危険性を増大させ，また，この危険性は年齢・喫煙量（1日15本以上）により増大し，35歳以上の女性で特に著しいとの報告があります。本剤を服用する場合は，禁煙するようにしてください。

(15)**各種疾患の危険性**……外国で本剤の服用により，①子宮頸がんになる可能性が高くなる，②2年以上の服用で良性の肝腫瘍が10万人当たり3，4人発生する（悪性の発生率は極めて低い），③全身性エリテマトーデス（SLE）の悪化，アナフィラキシー，溶血性尿毒症症候群（HUS）が現れた，などの報告があります。

(16)**コンタクトレンズ**……本剤を服用していると，コンタクトレンズがうまく調節されないことがあります。本剤によるものか否か，処方医に相談してください。

(17)**色素沈着**……本剤を服用していると，皮膚に色素の沈着がおこることがあります。服用中は長時間，太陽光をあびないようにしてください。

重大な副作用　①下肢の痛み・むくみ，突然の息切れ，胸痛，激しい頭痛，四肢の脱力・麻痺，構語障害，急性視力障害などを症状とする血栓症（四肢，肺，心筋，

脳, 網膜など）。

［ノルエチステロン・エチニルエストラジオール配合剤のみ］②アナフィラキシー（呼吸困難, じん麻疹, 血管浮腫, かゆみなど）。

そのほかにも報告された副作用はあるので, 体調がいつもと違うと感じたときは, 処方医・薬剤師に相談してください。

併用してはいけない薬　併用してはいけない薬は特にありません。ただし, 併用する薬があるときは, 念のため処方医・薬剤師に報告してください。

内 10 婦人科の薬　01 女性用ホルモン剤

05 排卵誘発ホルモン剤

製剤情報

一般名：クロミフェンクエン酸塩
- 保険収載年月…1970年8月
- 海外評価…6点 英 米 独 仏　●PC…X
- 剤形…錠 錠剤
- 服用量と回数…[不妊症の排卵誘発]第1クール「1日50mgを5日間」で開始し, それで無効の場合は「1日100mgを5日間」に増量。[精子形成の誘導]1回50mgを隔日服用。

■先発品　商品名(メーカー)　規格・保険薬価
クロミッド (富士製薬) 錠 50mg 1錠 96.40 円

一般名：シクロフェニル
- 保険収載年月…1972年11月
- 海外評価…0点 英 米 独 仏
- 剤形…錠 錠剤
- 服用量と回数…1日400～600mgを2～3回に分けて5～10日間服用。

■先発品　商品名(メーカー)　規格・保険薬価
セキソビット (あすか＝武田)
錠 100mg 1錠 31.20 円

概　要

分類　排卵誘発薬

処方目的　[クロミフェンクエン酸塩] 排卵障害にもとづく不妊症の排卵誘発／乏精子症における精子形成の誘導

[シクロフェニル] 第1度無月経, 無排卵性月経, 稀発月経の排卵誘発

解説　本剤は脳下垂体前葉に作用し, ゴナドトロピン(性腺刺激ホルモン)を分泌して排卵を促進し, 妊娠を可能にします。多胎妊娠の可能性があります。

クロミフェンクエン酸塩は, 男性不妊症の原因の一つである「乏精子症(精子の数が少ない)における精子形成の誘導」も適応で, 不妊治療に十分な知識と経験のある医師のもとで使用されます。

使用上の注意

*クロミフェンクエン酸塩(クロミッド)の添付文書による

基本的注意

(1)服用してはいけない場合……エストロゲン依存性悪性腫瘍(例えば乳がん, 子宮内膜

がん)およびその疑いのある人／卵巣腫瘍・多のう胞性卵巣症候群を原因としない卵巣腫大のある人／肝機能障害・肝疾患／アンドロゲン依存性悪性腫瘍(たとえば前立腺がん)およびその疑いのある人／妊婦

(2)特に慎重に服用すべき場合(治療上やむを得ないと判断される場合を除き服用しないこと)……出産を望まない無排卵の人

(3)慎重に服用すべき人……子宮筋腫／子宮内膜症／乳がんの前歴／乳がんの家族素因が強い人,乳房結節のある人,乳腺症,乳房X線像に異常がみられた人／多のう胞性卵巣／肝機能障害・肝疾患の前歴／未治療の子宮内膜増殖症／前立腺肥大

(4)多胎妊娠……本剤を服用すると,卵巣過剰刺激による多胎妊娠の可能性があります。それを避けるため,服用前・服用期間中は毎日内診を受け,自覚症状(特に下腹部痛),卵巣腫大,基礎体温異常上昇(毎日測定すること),頸管粘液量とその性状についてチェックする必要があります。異常がみられたら,すぐに服用を中止します。

(5)妊娠する可能性のある人……妊娠初期の不注意な服用を避けるため,以下の点に注意します。①服用前少なくとも1カ月間および治療期間中は基礎体温を必ず記録し,排卵誘発の有無を確認する必要があります。②無月経の人は服用前に検査を行って,消退性出血開始日を第1日として5日目に,また服用前に自然出血(無排卵周期症)があった場合はその5日目に服用を開始することになります。③服用後,基礎体温が高温相に移行した場合は服用を中止し,必ず妊娠成立の有無を確認する必要があります。

(6)卵巣腫瘍……外国で,本剤の長期服用によって卵巣腫瘍発症の危険性が増加するとの報告があります。

(7)脳梗塞,静脈血栓症……本剤服用後,血栓症の素因のある人に脳梗塞,静脈血栓症が現れたとの報告があります。

(8)遺伝毒性……動物実験(ラット)でクロミフェンクエン酸塩の遺伝毒性の報告があります。「乏精子症における精子形成の誘導」でクロミッドを服用する場合は,このことに関する説明を十分に受け,納得してから治療を開始してください。

(9)危険作業は中止……本剤を服用すると,霧視などの視覚症状が現れることがあります。服用中は,自動車の運転など危険を伴う機械の操作は行わないようにしてください。

(10)その他……

● 授乳婦での安全性:治療上の有益性・母乳栄養の有益性を考慮し,授乳の継続・中止を検討。(1714頁を参照)

重大な副作用 [クロミフェンクエン酸塩]①卵巣過剰刺激症候群(卵巣腫大,卵巣茎捻転,下腹部痛,下腹部緊迫感,腹水・胸水の貯留)。

[シクロフェニル]②肝機能障害,黄疸。

そのほかにも報告された副作用はあるので,体調がいつもと違うと感じたときは,処方医・薬剤師に相談してください。

併用してはいけない薬 併用してはいけない薬は特にありません。ただし,併用する薬があるときは,念のため処方医・薬剤師に報告してください。

内10 婦人科の薬　01 女性用ホルモン剤

06　ダナゾール

💊 製剤情報

一般名：ダナゾール

- 保険収載年月…1996年7月
- 海外評価…5点 英米独仏　●PC…X
- 剤形…錠 錠剤
- 服用量と回数…子宮内膜症の場合は1日200〜400mgを2回に分け, 月経周期第2〜5日より

約4カ月間連続服用。乳腺症の場合は1日200mgを2回に分け, 月経周期第2〜5日より4〜6週間連続服用。

■**先発品**　　商品名(メーカー)　規格・保険薬価

ボンゾール(田辺三菱) 錠 100mg 1錠 148.00 円
錠 200mg 1錠 315.00 円

📋 概　要

分類　抗エストロゲン薬(エチステロン誘導体・合成男性ホルモン)

処方目的　子宮内膜症／[100mg 錠のみ]乳腺症

解説　元来, 子宮腔内面にのみ存在する子宮膜組織が, 子宮壁内や子宮外の骨盤腔などに発育すると, 子宮内膜症となります。性ホルモンの影響で増殖して, 骨盤内のいろいろな臓器の癒着や閉鎖をまねいて, 多様な自覚症状を引きおこします。

　ダナゾールは, 脳下垂体に作用して, ゴナドトロピン(性腺刺激ホルモン放出ホルモン)の分泌を抑制するとともに, 子宮外にある子宮内膜症組織に直接作用して萎縮・壊死させる働きをもっています。

👉 使用上の注意

警告

　本剤の服用によって, 血栓症をおこすおそれがあります。

基本的注意

(1)服用してはいけない場合……血栓症の前歴／アンチトロンビンⅢ, プロテインC, プロテインS などの凝固制御因子の欠損または減少のある人／重い肝機能障害・肝疾患／重い心疾患／重い腎疾患／ポルフィリン症／アンドロゲン依存性腫瘍／診断のつかない異常性器出血／妊婦または妊娠している可能性のある人, 授乳中の人

(2)慎重に服用すべき場合……心疾患またはその前歴(重い心疾患を除く)／てんかん／片頭痛／糖尿病／腎疾患またはその前歴(重い腎疾患を除く)／肝機能障害・肝疾患(重い肝機能障害・肝疾患を除く)

(3)服用期間と避妊……女性胎児の男性化をおこすことがあるので, 以下の点を守って服用します。①本剤の服用開始は妊娠していないことを確認し, 必ず月経周期第2〜5日より始めます。服用中に異常出血や子宮の腫瘤などを感じたときは, すぐに処方医に連絡してください。②服用中は, 経口避妊薬以外の方法で避妊してください。

(4)血栓症……本剤の服用によって血栓症をおこすおそれがあります。下肢の疼痛・むくみ, 激しい頭痛, 嘔吐, 吐き気, めまいなどの症状が現れたら, ただちに処方医へ連絡し

てください。血栓症の危険性は高齢者，特に40歳以上で高くなります。

(5)喫煙……外国で，喫煙が類薬（経口避妊薬）による重い副作用（血栓症など）の危険性を増大させ，また，この危険性は年齢・喫煙量により増大すると報告されています。この機会に禁煙するようにしましょう。

(6)卵巣がん……服用により卵巣がんのリスクが高まるとの報告があります。

重大な副作用 ①血栓症（脳梗塞，肺塞栓症，深部静脈血栓症，網膜血栓症など）。②劇症肝炎，長期服用による肝腫瘍・肝臓紫斑病（肝ペリオーシス）。③心筋梗塞。④間質性肺炎（発熱，せき，呼吸困難など）。

　そのほかにも報告された副作用はあるので，体調がいつもと違うと感じたときは，処方医・薬剤師に相談してください。

併用してはいけない薬 併用してはいけない薬は特にありません。ただし，併用する薬があるときは，念のため処方医・薬剤師に報告してください。

内 10 婦人科の薬　01 女性用ホルモン剤
07 ジエノゲスト

製剤情報

一般名：ジエノゲスト
- 保険収載年月…2007年12月
- 海外評価…6点 英 米 独 仏
- 剤形…錠 錠剤
- 服用量と回数…[子宮内膜症,子宮腺筋症]1日2mg（1mg2錠）を2回に分け，月経周期2～5日目より服用。[月経困難症]1日1mg（0.5mg2錠）を2回に分け，月経周期2～5日目より服用。

■先発品　商品名（メーカー）　規格・保険薬価

ディナゲスト 写真 （持田）0.5mg 1錠 144.90円
錠 1mg 1錠 221.60円

ディナゲスト OD （持田）錠 1mg 1錠 221.60円

■ジェネリック　商品名（メーカー）　規格・保険薬価

ジエノゲスト （小林化工＝あすか＝武田）
錠 1mg 1錠 87.90円

ジエノゲスト （沢井）錠 1mg 1錠 87.90円

ジエノゲスト （サンファーマ＝ケミックス）
錠 1mg 1錠 73.40円

ジエノゲスト （ジェイドルフ＝キッセイ）
錠 1mg 1錠 87.90円

ジエノゲスト （東和）錠 1mg 1錠 87.90円

ジエノゲスト （ニプロ）錠 1mg 1錠 87.90円

ジエノゲスト （日本ジェネリック）
錠 1mg 1錠 126.70円

ジエノゲスト （富士製薬）錠 1mg 1錠 87.90円

ジエノゲスト （マイランEPD）錠 1mg 1錠 87.90円

ジエノゲスト 写真 （持田販売）錠 1mg 1錠 87.90円

ジエノゲスト OD （小林化工＝あすか＝武田）
錠 1mg 1錠 87.90円

ジエノゲスト OD （ジェイドルフ＝キッセイ）
錠 1mg 1錠 87.90円

ジエノゲスト OD （東和）錠 1mg 1錠 87.90円

ジエノゲスト OD （富士製薬）錠 1mg 1錠 87.90円

ジエノゲスト OD （持田販売）錠 1mg 1錠 87.90円

概　要

分類 子宮内膜症治療薬・子宮腺筋症に伴う疼痛改善治療薬・月経困難症治療薬

処方目的　子宮内膜症／子宮腺筋症に伴う疼痛の改善／［ディナゲスト 0.5mg の適応症］月経困難症

解説　卵巣機能および子宮内膜細胞の増殖を抑えて子宮内膜症を治療します。治療中は経口避妊薬（ピル）以外の方法で避妊しなければなりません。

　本剤の 1mg は子宮腺筋症にも用いられます。子宮腺筋症は月経時に日常生活に支障をきたすほどの強い疼痛を訴えることが多い疾患で，その疼痛の改善に効果を発揮します。ディナゲストの 0.5mg は月経困難症のみが適応症です。

使用上の注意

＊ジエノゲスト（ディナゲスト，OD）の添付文書による

基本的注意

(1)服用してはいけない場合……本剤の成分に対するアレルギーの前歴／診断のつかない異常性器出血のある人／高度の子宮腫大または重度の貧血のある人／妊婦または妊娠している可能性のある人

(2)慎重に服用すべき場合……子宮筋腫／うつ病・うつ状態またはその前歴／肝機能障害／最大骨塩量に達していない人

(3)不正出血・貧血……本剤の服用によって不正出血（月経ではない出血）が現れ，重度の貧血に至ることがあります。出血の程度には個人差があり，服用中に出血が持続する場合や，一度に大量の出血が生じる場合もあります。出血量が多く持続日数が長い場合や，一度に大量の出血が認められた場合には，すぐに処方医に連絡してください。貧血のある人では，必要に応じて本剤の服用前に貧血の治療を行うことがあります。

(4)その他……

●授乳婦での安全性：服用するときは授乳しないことが望ましい。

●小児での安全性：未確立。(1714 頁を参照)

重大な副作用　　①重篤な不正出血，重度の貧血。②アナフィラキシー（呼吸困難，血管浮腫，じん麻疹，かゆみなど）。

　そのほかにも報告された副作用はあるので，体調がいつもと違うと感じたときは，処方医・薬剤師に相談してください。

併用してはいけない薬　　併用してはいけない薬は特にありません。ただし，併用する薬があるときは，念のため処方医・薬剤師に報告してください。

内 10 婦人科の薬　01 女性用ホルモン剤

08　陣痛誘発・促進ホルモン剤

✎ 製剤情報

一般名：ジノプロストン

●保険収載年月…1984年3月

●海外評価…1点 英 米 独 仏

●規制…劇薬

●剤形…錠 錠剤

●服用量と回数…1回0.5mg(1錠)を1時間ごと

に6回，1日最大3mgを1クールとし，開始後効果が認められたら服用中止。

プロスタグランジン E$_2$ (科研＝富士製薬)
錠 0.5mg 1錠 264.50 円

概　要

分類　プロスタグランジン誘導体

処方目的　妊娠末期の陣痛誘発・促進

解説　内服により妊娠末期の陣痛促進に使用される，プロスタグランジンの誘導体です。

使用上の注意

警告

　過強陣痛や強直性子宮収縮により胎児機能不全，子宮破裂，頸管裂傷，羊水塞栓などがおこることがあり，母体または児が重篤な転帰に至ったとの報告があります。本剤は，分娩監視装置を用いて母体および胎児の状態を連続モニタリングできる設備をもつ医療施設において，分娩の管理についての十分な知識・経験および本剤の安全性についての十分な知識をもつ医師のもとで使用すること。使用に先立ち，本剤を用いた陣痛誘発，陣痛促進の必要性・危険性を十分に聞き・たずね，同意してから服用しなければなりません。

基本的注意

(1)服用してはいけない場合……骨盤狭窄・児頭骨盤不均衡・骨盤位または横位などの胎位異常／前置胎盤／常位胎盤早期剥離／胎児機能不全／帝王切開または子宮切開などの前歴／オキシトシン，ジノプロスト(PGF$_{2\alpha}$)，ジノプロストン(PGE$_2$腟用剤)の使用中／プラステロン硫酸(レボスパ)の使用中，または使用後十分な時間が経過していない人／吸湿性頸管拡張材(ラミナリアなど)を挿入中，またはメトロイリンテル挿入後1時間以上経過していない人／オキシトシン，ジノプロスト(PGF$_{2\alpha}$)，ジノプロストン(PGE$_2$腟用剤)の使用終了後1時間以上経過していない人／過強陣痛／本剤の成分に対するアレルギーの前歴

(2)慎重に服用すべき場合……緑内障，眼圧亢進のある人／ぜんそく，またはその前歴／多産婦／多胎妊娠／児頭骨盤不均衡の疑いがある人

(3)服用法……本剤は経口剤のため調節性に欠けるので，処方医が常に監視できる条件下で服用する必要があります。

(4)妊婦……本剤は，動物実験で催奇形性が認められています。妊娠末期以外の妊婦は服用しないでください。

重大な副作用　①過強陣痛，子宮破裂，頸管裂傷。②胎児機能不全徴候(仮死，徐脈，頻脈など)，羊水の混濁。

　そのほかにも報告された副作用はあるので，体調がいつもと違うと感じたときは，処方医・薬剤師に相談してください。

併用してはいけない薬　オキシトシン(注射薬)，ジノプロスト(注射薬)，ジノプロストン(PGE$_2$腟用剤)→これらの薬剤と同時併用すると過強陣痛がおこりやすくなります。

内 10 婦人科の薬　01 女性用ホルモン剤

09 レボノルゲストレル

製 剤 情 報

一般名：レボノルゲストレル
- 発売年月…2011年5月
- 海外評価…6点 英米独仏　●PC…X
- 剤形…錠 錠剤
- 服用量と回数…1.5mgを性交後72時間以内に

1回。

■健康保険適応外　商品名(メーカー)　規格・保険薬価

ノルレボ (あすか＝武田)
錠 1.5mg【健康保険適応外】

レボノルゲストレル (富士製薬)
錠 1.5mg【健康保険適応外】

概　要

分類　緊急避妊薬

処方目的　緊急避妊

解説　本剤は，合成黄体ホルモンであるノルゲストレルの左旋性光学異性体を有効成分とする避妊薬(ピル)です。ただし，通常の経口避妊薬のように計画的に妊娠を回避するためのものではなく，避妊措置に失敗したり，避妊措置を行わなかった場合に，性交後72時間以内に緊急的に服用するもので，緊急避妊薬と呼ばれています。およそ80%の妊娠を防ぐことが可能で，性交後の服用が早ければ早いほど避妊の成功率が高くなるとされています。

　本剤単独かつ1回の服用で有効であり，副作用の発現もあまりありません。本剤を服用するときは医師の処方が必要で，健康保険は適用されません。

使用上の注意

*ノルレボの添付文書による

基本的注意

(1)**服用してはいけない場合**……本剤の成分に対するアレルギーの前歴／重い肝機能障害／妊婦

(2)**慎重に服用すべき場合**……心疾患またはその前歴／重い消化管障害または消化管の吸収不良症候群／腎疾患またはその前歴／肝機能障害(重い肝機能障害を除く)

(3)**服用前の確認**……本剤の服用に際しては，妊娠していないことを確認します。また，問診などにより，肝機能異常，心疾患，腎疾患およびその前歴の有無を確認します。

(4)**避妊**……本剤を服用しても妊娠する可能性があります。服用後も適切な避妊を行ってください。

(5)**月経との区別**……本剤の服用後に出血があったとき，不正性器出血や妊娠初期の出血と月経とを区別できない場合があります。改めて受診して，出血の原因を調べてもらうことが必要です。

(6)**消化管障害・吸収不良症候群**……重い消化管障害または消化管の吸収不良症候群がある場合には，本剤が十分に吸収されずに有効性が期待できないおそれがあります。

(7)セイヨウオトギリソウ(セント・ジョーンズ・ワート)含有食品……本剤を服用しているときは，セイヨウオトギリソウ含有食品を摂取しないでください。本剤の効果が弱まるおそれがあります。

(8)授乳婦……本剤の成分は乳汁中に移行するので，服用後24時間は授乳を行わないでください。

重大な副作用　　　重大な副作用はありませんが，そのほかの副作用はあるので，体調がいつもと違うと感じたときは，処方医・薬剤師に相談してください。

併用してはいけない薬　　　併用してはいけない薬は特にありません。ただし，併用する薬があるときは，念のため処方医・薬剤師に報告してください。

内 10 婦人科の薬　01 女性用ホルモン剤
10 レルゴリクス

製剤情報
一般名：レルゴリクス
- 保険収載年月…2019年2月
- 海外評価…0点 英 米 独 仏
- 規制…劇薬
- 剤形…錠 錠剤

- 服用量と回数…1日1回40mg(1錠)を食前に服用。初回は月経周期1〜5日目に服用。

■先発品　　商品名(メーカー)　規格・保険薬価

レルミナ 写真 (あすか＝武田)
錠 40mg 1錠 893.40 円

概　要
分類　GnRH アンタゴニスト
処方目的　子宮筋腫に基づく以下の諸症状の改善→貧血，腰痛，下腹痛，過多月経／子宮内膜症に基づく疼痛の改善
解説　本剤は，GnRH(性腺刺激ホルモン放出ホルモン)アンタゴニストの一つです。性腺刺激ホルモン放出ホルモンとは視床下部から分泌され，下垂体に作用して性腺刺激ホルモンの分泌を促進するホルモンです。

アンタゴニストとは，生体内の受容体分子に働いてホルモンや神経伝達物質などの働きを阻害する薬で，日本語では拮抗薬とか遮断薬と呼ばれます。

本剤は，下垂体のGnRH受容体を阻害し，GnRHの作用を遮断します。その結果，下垂体からの性腺刺激ホルモンの分泌が阻害され，卵巣からのエストラジオールやプロゲステロンなどの性ホルモンの分泌が抑制されることで，子宮筋腫に伴う諸症状の改善，子宮内膜症に基づく疼痛の改善に効果を発揮します。

使用上の注意
基本的注意
(1)服用してはいけない場合……本剤の成分に対するアレルギーの前歴／診断のつかない異常性器出血／妊婦または妊娠している可能性のある人，授乳中の人

(2)慎重に服用すべき場合……粘膜下筋腫

(3)服用法……①治療に際しては妊娠していないことを確認し，必ず月経周期1〜5日目より服用を開始します。②エストロゲン低下作用に基づく骨塩量の低下がみられることがあるので，6カ月を超える服用は原則として行いません（6カ月を超える服用の安全性は確立していない）。やむを得ず長期にわたる服用や再服用が必要な場合には，可能なかぎり骨塩量の検査を行います。

(4)うつ状態……服用すると更年期障害様のうつ状態が現れることがあります。異常を感じたら，すぐに処方医に伝えてください。

(5)非ホルモン性の避妊……服用期間中は，非ホルモン性の避妊（子宮内避妊システム，子宮内避妊具，コンドームなど）をしてください。低用量ピルには卵胞ホルモンと黄体ホルモンが含まれているので，使用しないでください。

■重大な副作用　①うつ状態。②肝機能障害（AST・ALTの上昇など）。

　そのほかにも報告された副作用はあるので，体調がいつもと違うと感じたときは，処方医・薬剤師に相談してください。

■併用してはいけない薬　併用してはいけない薬は特にありません。ただし，併用する薬があるときは，念のため処方医・薬剤師に報告してください。

内 10 婦人科の薬　01 女性用ホルモン剤

11 子宮内膜増殖症抑制薬

製 剤 情 報

一般名：プロゲステロン
● 保険収載年月…2021年11月
● 海外評価…6点 英 米 独 仏　● PC…B

● 剤形…カ カプセル剤
● 服用量と回数…「基本的注意」の(3)を参照

■先発品　商品名(メーカー)　規格・保険薬価
エフメノ（富士製薬）カ 100mg 1カプセル 229.30円

概　要

分類　天然型黄体ホルモン製剤

処方目的　更年期障害および卵巣欠落症状に対する卵胞ホルモン剤投与時の子宮内膜増殖症の発症抑制

解説　更年期障害の治療法の一つにホルモン補充療法（HRT）があります。卵胞ホルモン（エストロゲン）剤に黄体ホルモン（プロゲステロン）剤を併用して治療するのが標準的です。HRTにおける黄体ホルモン剤投与の目的は，卵胞ホルモン剤の投与による子宮内膜がん，子宮内膜過形成のリスクを増加させないことにありますが，これまでHRTにおいて子宮内膜増殖抑制の適応をもった黄体ホルモン剤はなく，やむを得ず適応のない製剤（合成黄体ホルモン剤）が使用されていました。

　本剤は，人体がつくるホルモンと同等の働きをする天然型黄体ホルモン製剤です。通常，経口投与では吸収しにくい天然型黄体ホルモンをマイクロナイズド化（微粒子化）す

るることで，経口投与によっても吸収しやすくした新規の製剤で，卵胞ホルモン剤投与時の子宮内膜増殖症の発症抑制に効果を発揮します。

使用上の注意

基本的注意

(1)服用してはいけない場合……本剤の成分に対するアレルギーの前歴／診断未確定の性器出血／重度の肝機能障害／乳がんの前歴または疑いがある患者／生殖器がんの前歴または疑いがある患者／動脈または静脈の血栓塞栓症あるいは重度の血栓性静脈炎の患者または前歴のある患者／脳出血／ポルフィリン症

(2)慎重に服用すべき場合……てんかんまたはその前歴／うつ病またはその前歴／片頭痛，ぜんそくまたはその前歴／心機能障害／糖尿病／乳がん家族素因が強い患者，乳房結節のある患者，乳腺症の患者または乳房 X 線像に異常がみられた患者／術前または長期臥床状態の患者／腎機能障害／中等度以下の肝機能障害

(3)服用法……本剤は卵胞ホルモン剤と併用して使用します（ホルモン補充療法：HRT）。以下のいずれかの方法で服用します。①卵胞ホルモン剤の服用開始日から本剤100mg（1 カプセル）を 1 日 1 回就寝前に服用する。②卵胞ホルモン剤の服用開始日を 1日目として，卵胞ホルモン剤の服用 15 日目から 28 日目まで本剤 200mg（2 カプセル）を1 日 1 回就寝前に服用する。これを 1 周期とし，以後この周期を繰り返す。なお，本剤は食事によって作用が強くなるため，食後の服用は避けること。

(4)長期服用と乳がん……外国において，卵胞ホルモン剤と黄体ホルモン剤を長期併用した女性では，乳がんになる危険性がホルモン補充療法（HRT）未実施群の女性と比較して高くなり，その危険性は併用期間が長期になるに従って高くなるとの報告があるので，必要最小限の使用にとどめ，漫然と長期服用を行わないようにします。

(5)血栓症……本剤の服用により血栓症が現れることがあるので，次のような症状・状態が認められた場合には直ちに処方医に連絡してください。

● 血栓症の初期症状→下肢の疼痛・浮腫，突然の呼吸困難，息切れ，胸痛，中枢神経症状（めまい，意識障害，四肢麻痺など），急性視力障害など

● 血栓症のリスクが高まる状態→体を動かせない状態，顕著な血圧上昇がみられた場合など

(6)服用中止……本剤の服用中止により，不安，気分変化，発作感受性の増大を引きおこす可能性があるので，自己判断で服用を中止しないでください。

(7)危険作業に注意……本剤を服用すると傾眠状態や浮動性めまいを引きおこすことがあるので，自動車の運転など危険を伴う機械の操作に従事する際には十分注意してください。

(8)その他……

● 授乳婦での安全性：治療上の有益性・母乳栄養の有益性を考慮し，授乳の継続・中止を検討。（1714 頁を参照）

重大な副作用

①心筋梗塞，脳血管障害，動脈・静脈の血栓塞栓症（静脈血栓塞栓症，肺塞栓症），血栓性静脈炎，網膜血栓症。

そのほかにも報告された副作用はあるので，体調がいつもと違うと感じたときは，処方医・薬剤師に相談してください。

併用してはいけない薬 併用してはいけない薬は特にありません。ただし，併用する薬があるときは，念のため処方医・薬剤師に報告してください。

内10婦人科の薬　02 その他の婦人科の薬

01 ガンマオリザノール

製剤情報

一般名：ガンマオリザノール

- 保険収載年月…1970年8月
- 海外評価…0点 英 米 独 仏
- 剤形…錠 錠剤，細 細粒剤
- 服用量と回数…脂質異常症の場合は1日300mg（細粒剤は1.5g）を3回に分けて服用。心身症の場合は1日10〜50mg，過敏性腸症候群には1日最大50mg。

■先発品　　商品名（メーカー）　規格・保険薬価

| ハイゼット（大塚）細 20% 1g 27.20 円 |
| 錠 25mg 1錠 7.80 円　錠 50mg 1錠 8.30 円 |

■ジェネリック　　商品名（メーカー）　規格・保険薬価

| ガンマオリザノール（鶴原）細 20% 1g 6.30 円 |
| 錠 50mg 1錠 5.70 円 |

| ガンマオリザノール 写真（東和） |
| 錠 50mg 1錠 5.70 円 |

概　要

分類 高脂血症治療薬，心身症（更年期障害，過敏性腸症候群）治療薬

処方目的 脂質異常症（高脂質血症）／心身症（更年期障害，過敏性腸症候群）における身体症状・不安・緊張・抑うつ

解説 米の胚芽油から抽出される物質ですが，日本以外の国では全く使われていません。脂質異常症には1日300mgが処方されますが，有効な薬剤が多い今日では意味のない使い方かもしれません。

使用上の注意

＊ガンマオリザノール（ハイゼット）の添付文書による

基本的注意

(1)慎重に服用すべき場合……肝機能障害またはその前歴／妊婦または妊娠している可能性のある人，授乳中の人

(2)定期検査……脂質異常症の人が本剤を服用するときは，定期的に血中脂質の検査を受ける必要があります。

(3)発がん性……動物実験において，ガンマオリザノールを0.2%以上の濃度で飼料に混ぜて与えたところ，肺腫瘍発生頻度を上昇させたとの報告があります。0.04%の濃度では，肺腫瘍発生頻度は上昇しなかったことが報告されています。

(4)その他……

- 妊婦での安全性：有益と判断されたときのみ服用。

- 授乳婦での安全性：服用するときは授乳を中止。
- 小児での安全性：未確立。(1714 頁を参照)

重大な副作用 重大な副作用はありませんが，そのほかの副作用はあるので，体調がいつもと違うと感じたときは，処方医・薬剤師に相談してください。

併用してはいけない薬 併用してはいけない薬は特にありません。ただし，併用する薬があるときは，念のため処方医・薬剤師に報告してください。

内 10 婦人科の薬　02 その他の婦人科の薬

02 メチルエルゴメトリンマレイン酸塩

製剤情報

一般名：メチルエルゴメトリンマレイン酸塩

- 保険収載年月…1955年1月
- 海外評価…3点 英 米 独 仏
- 規制…劇薬
- 剤形…錠 錠剤
- 服用量と回数…1回0.125〜0.25mg(1〜2錠)を1日2〜4回。

■先発品　　商品名(メーカー)　規格・保険薬価

| パルタン M (持田) 錠 0.125mg 1錠 10.10 円 |
| メチルエルゴメトリン (あすか＝武田) 錠 0.125mg 1錠 10.10 円 |
| メチルエルゴメトリンマレイン酸塩 (富士製薬) 錠 0.125mg 1錠 9.80 円 |

概　　要

分類　子宮収縮止血薬

処方目的　子宮収縮の促進，子宮出血の予防・治療のため次の場合に使用→胎盤娩出後，子宮復古不全，流産，人工妊娠中絶

解説　バッカクアルカロイドの一種で，選択的に妊娠時の子宮筋を収縮させます。

使用上の注意

＊メチルエルゴメトリンマレイン酸塩(パルタン M)の添付文書による

基本的注意

(1)服用してはいけない場合……児頭娩出前／本剤の成分またはバッカクアルカロイドに対するアレルギーの前歴／重い虚血性心疾患またはその前歴／敗血症／HIV プロテアーゼ阻害薬(リトナビル，アタザナビル，ホスアンプレナビル，ダルナビル)，エファビレンツ，アゾール系真菌治療薬(イトラコナゾール，ボリコナゾール，ポサコナゾール)，コビシスタット含有製剤，レテルモビル，$5HT_{1B/1D}$ 受容体作動薬(スマトリプタン，ゾルミトリプタン，エレトリプタン，リザトリプタン，ナラトリプタン)，エルゴタミン酒石酸塩の服用中／妊婦または妊娠している可能性のある人

(2)慎重に服用すべき場合……高血圧症，妊娠高血圧症候群，子癇(意識喪失，けいれんなど)／心疾患／閉塞性血管障害／肝疾患／腎疾患

(3)グレープフルーツジュース……併用すると本剤の血中濃度を低下させて作用を弱め

内 10—02—02　メチルエルゴメトリンマレイン酸塩

ることがあるので，服用中はグレープフルーツジュースを避けてください。

(4)その他……

●授乳婦での安全性：治療上の有益性・母乳栄養の有益性を考慮し，授乳の継続・中止を検討。(1714頁を参照)

重大な副作用 ①心筋梗塞，狭心症，冠動脈れん縮，房室ブロック。②アナフィラキシー(呼吸困難，血管浮腫，じん麻疹，かゆみなど)。

そのほかにも報告された副作用はあるので，体調がいつもと違うと感じたときは，処方医・薬剤師に相談してください。

併用してはいけない薬 ①HIV プロテアーゼ阻害薬(リトナビル，アタザナビル，ホスアンプレナビル，ダルナビル)，エファビレンツ，アゾール系真菌治療薬(イトラコナゾール，ボリコナゾール，ポサコナゾール)，コビシスタット含有製剤(スタリビルド配合錠)，レテルモビル→本剤の血中濃度が上昇し，血管れん縮などの重い副作用がおこるおそれがあります。

②$5HT_{1B/1D}$ 受容体作動薬(スマトリプタン，ゾルミトリプタン，エレトリプタン，リザトリプタン，ナラトリプタン)，エルゴタミン酒石酸塩→血圧上昇や血管れん縮が強まるおそれがあります。これらの薬剤と併用する場合は 24 時間以上の間隔をあけて服用します。

内 10 婦人科の薬　02 その他の婦人科の薬

03 リトドリン塩酸塩

製剤情報

一般名：リトドリン塩酸塩

- 保険収載年月…1986年6月
- 海外評価…0点 英 米 独 仏
- 剤形…錠 錠剤
- 服用量と回数…1回5mg(1錠)を1日3回。

■先発品　商品名(メーカー)　規格・保険薬価

ウテメリン (キッセイ) 錠 5mg 1錠 53.40 円

リトドリン塩酸塩 (あすか＝武田)
錠 5mg 1錠 54.60 円

■ジェネリック　商品名(メーカー)　規格・保険薬価

塩酸リトドリン (陽進堂) 錠 5mg 1錠 12.90 円

リトドリン塩酸塩 (大原) 錠 5mg 1錠 12.90 円

リトドリン塩酸塩 (日医工) 錠 5mg 1錠 12.90 円

リトドリン塩酸塩 (日新＝日本ジェネリック)
錠 5mg 1錠 12.90 円

リトドリン塩酸塩 (富士製薬) 錠 5mg 1錠 12.90 円

概　要

分類　交感神経 β_2 受容体刺激薬

処方目的　切迫早産，切迫流産

解説　交感神経 β_2(ベーターツー)受容体が刺激されると，気管支が拡張したり，子宮がゆるんだりします。リトドリン塩酸塩は特に後者の作用が強いので，切迫早産を防止するために用いられます。

使用上の注意
＊リトドリン塩酸塩（ウテメリン）の添付文書による

基本的注意
(1)**服用してはいけない場合**……強度の子宮出血，子癇（妊娠高血圧症候群によっておこるけいれん発作），前期破水のうち子宮内感染を合併している人，常位胎盤早期剥離の人，子宮内胎児死亡の人，妊娠の継続が危険と判断される人／重い甲状腺機能亢進症・高血圧症・心疾患・糖尿病・肺高血圧症／本剤の成分に対する重いアレルギーの前歴／妊娠16周未満の妊婦

(2)**慎重に服用すべき場合**……甲状腺機能亢進症・高血圧症・心疾患・糖尿病・肺高血圧症（いずれも重篤な人を除く）／糖尿病の家族歴，高血糖あるいは肥満などの糖尿病の危険因子のある人／筋緊張性（強直性）ジストロフィーなどの筋疾患またはその前歴／本剤の成分に対するアレルギーの前歴（重篤なアレルギーの前歴のある人を除く）

(3)**胎児・新生児**……服用によって胎児に頻脈や不整脈が，新生児に頻脈，低血糖症がおこることがあります。状態に注意し，異常がみられたらすぐに処方医へ連絡してください。

(4)**授乳回避**……出産直前に本剤を服用した場合は，母乳栄養の有益性を考慮し，出産直後の授乳について検討します。動物実験で，本剤成分の乳汁中への移行が報告されています。

重大な副作用
①新生児腸閉塞。②血清カリウム値の低下。③横紋筋融解症。④汎血球減少。⑤高血糖，糖尿病性ケトアシドーシス。⑥〔本剤の注射薬において〕肺水腫，心不全，無顆粒球症，白血球減少，血小板減少，ショック，不整脈，肝機能障害，黄疸，中毒性表皮壊死融解症（TEN），皮膚粘膜眼症候群（スティブンス-ジョンソン症候群），胸水，母体の腸閉塞，胎児および新生児における心不全，可逆的な新生児心室中隔壁の肥大，新生児低血糖，新生児高カリウム血症。

　そのほかにも報告された副作用はあるので，体調がいつもと違うと感じたときは，処方医・薬剤師に相談してください。

併用してはいけない薬
併用してはいけない薬は特にありません。ただし，併用する薬があるときは，念のため処方医・薬剤師に報告してください。

内 10 婦人科の薬　02 その他の婦人科の薬
04　メトロニダゾール

製剤情報
一般名：メトロニダゾール
- 保険収載年月…1963年1月
- 海外評価…6点 英 米 独 仏　●PC…B
- 剤形…錠 錠剤

- 服用量と回数…トリコモナス症の場合は，1クールとして1回250mgを1日2回，10日間服用。その他の場合は，処方医の指示通りに服用。

■**先発品**　**商品名(メーカー)**　規格・保険薬価
フラジール内服錠 (シオノギファーマ＝塩野義)
錠 250mg 1錠 36.20 円

一般名：チニダゾール
●保険収載年月…1992年7月
●海外評価…5点 英米独仏　●PC…C

● 剤形…錠 錠剤
● 服用量と回数…1回200mgを1日2回，7日間を1クール。または2,000mgを1回。

■**先発品**　**商品名(メーカー)**　規格・保険薬価
チニダゾール (富士製薬) 錠 200mg 1錠 46.90 円
錠 500mg 1錠 125.00 円

📋 **概　　要**

分類 トリコモナス治療薬

処方目的 トリコモナス症(腟トリコモナスによる感染症)

[メトロニダゾールのみの適応症] ①嫌気性菌感染症(深在性皮膚感染症，外傷・熱傷・手術創などの二次感染，骨髄炎，肺炎，肺膿瘍，骨盤内炎症性疾患，腹膜炎，腹腔内膿瘍，肝膿瘍，脳膿瘍)，②感染性腸炎(偽膜性大腸炎を含む)，③細菌性腟症，④ヘリコバクター・ピロリ感染症(胃潰瘍・十二指腸潰瘍・胃 MALT リンパ腫・特発性血小板減少性紫斑病・早期胃がんに対する内視鏡的治療後胃におけるヘリコバクター・ピロリ感染症，ヘリコバクター・ピロリ感染胃炎)，⑤アメーバ赤痢，⑥ランブル鞭毛虫感染症

解説 トリコモナス症は，原虫の一種であるトリコモナス・ブルガリスの感染によっておこる性感染症(STD)です。本剤は，この原虫の核酸合成を阻害して，その発育を阻止します。

なお，メトロニダゾールは2012年に対象となる菌種が大幅に増えて，「処方目的」に示す疾患に対しても適応となっています。

📖 **使用上の注意**
＊両剤の添付文書による

基本的注意

(1)服用してはいけない場合……本剤の成分に対するアレルギーの前歴／脳・脊髄の器質的疾患(メトロニダゾールでは脳膿瘍を除く)／妊娠3カ月以内(治療上の有益性が危険性を上回ると判断される疾患の場合は除く)／[チニダゾールのみ]血液疾患
(2)慎重に服用すべき場合……[メトロニダゾール]血液疾患／肝機能障害／脳膿瘍／コカイン症候群
(3)禁酒……本剤を服用中，アルコールを飲むと腹部の疝痛，嘔吐，潮紅がおこることがあります。服用期間中は禁酒してください。
(4)神経障害……[メトロニダゾール]末梢神経障害(四肢のしびれ・異常感など)，中枢神経障害や脳症(初期症状：ふらつき，歩行障害，意識障害，構語障害，四肢のしびれなど)が現れることがあります。特に10日を超えて本剤を服用する場合や1日に1500mg以上の高用量服用時には現れやすいので十分に注意し，これらの症状が現れたら服用を中止し，ただちに処方医に連絡してください。
(5)その他……

●授乳婦での安全性：服用するときは授乳しないことが望ましい。

●小児での安全性：未確立。(1714 頁を参照)

重大な副作用　　　［メトロニダゾール］①末梢神経障害（四肢のしびれ・異常感など）。②中枢神経障害（脳症，けいれん，意識障害，構語障害，錯乱，幻覚，小脳失調など）。③無菌性髄膜炎（項部硬直，発熱，頭痛，悪心・嘔吐，意識混濁など）。④中毒性表皮壊死融解症(TEN)，皮膚粘膜眼症候群（スティブンス-ジョンソン症候群）。⑤急性膵炎（腹痛，背部痛，悪心・嘔吐など）。⑥白血球減少，好中球減少。⑦出血性大腸炎（ヘリコバクター・ピロリ感染症に用いた場合：腹痛，血便，頻回の下痢）。⑧肝機能障害。

　そのほかにも報告された副作用はあるので，体調がいつもと違うと感じたときは，処方医・薬剤師に相談してください。

併用してはいけない薬　　　併用してはいけない薬は特にありません。ただし，併用する薬があるときは，念のため処方医・薬剤師に報告してください。

内服
11

内服 11 内分泌疾患の薬

薬剤番号 11-01-01 〜 11-03-05

- 01：糖尿病の内服薬 ……………… 800
- 02：甲状腺の薬 ……………… 828
- 03：その他のホルモン剤・抗ホルモン剤 ……………… 832

■性ホルモンを除くホルモンに関係する薬を説明します

◆いろいろな作用で高血糖を防ぐ経口糖尿病薬

◆甲状腺ホルモンが低下状態にある橋本病・クレチン症などに用いる甲状腺製剤

◆甲状腺ホルモンが過剰になっているバセドウ病（甲状腺機能亢進症）に用いる抗甲状腺製剤

◆長く血液透析を受けている人に見られる副甲状腺機能亢進症に用いる薬

◆下垂体ホルモンに関係する末端肥大症などに用いる薬

＊自己注射薬のインスリン製剤については，「在宅で管理する注射薬」の糖尿病治療薬（1）（インスリン製剤）をご覧ください。

■副作用・相互作用に注意すべき薬

▌経口糖尿病薬

　スルフォニルウレア系・ビグアナイド系の糖尿病薬は，使い方や副作用のデータも蓄積されており，割合安心して服用することができます。共通して注意する副作用は，薬が効きすぎるための低血糖症です。初期症状は，脱力感・高度の空腹感・発汗・動悸・ふるえ・頭痛・知覚異常・不安・興奮・神経過敏・集中力低下・精神障害・意識障害・けいれんなどです。このような変化を感じたら，ただちに5〜10gのブドウ糖（砂糖なら10〜20g）が入った吸収のよいジュースやキャンディをとってください。

　なお，スルフォニルウレア系の場合には，再生不良性貧血・溶血性貧血・無顆粒球症がおこることがあるので，原因不明の発熱・皮膚や粘膜の出血・のどの痛み・ひどい疲れを感じたら，そのことを処方医に伝えてください。ビグアナイド系の場合は乳酸アシドーシスにも注意が必要です。悪心・嘔吐・腹痛・下痢・倦怠感・筋肉痛・過呼吸・生あくびなどの症状に気づいたら，すぐに医療機関と連絡をとってください。

　食後過血糖改善薬では，低血糖症状のほかに腸閉塞症状や肝機能障害，劇症肝炎の発生にも注意が必要です。インスリン抵抗性改善薬も劇症肝炎に注意が必要です。悪心・嘔吐・全身倦怠感・食欲不振・黄疸などが現れたら，ただちに服用を中止しなければなりません。

　DPP-4阻害薬は，単独で使用する場合は低血糖のリスクは少ないとされていますが，他の血糖降下薬と併用する場合は注意が必要です。SGLT2阻害薬では，単独で

使用する場合，低血糖のリスクはほとんどありませんが，他の血糖降下薬と併用する場合はやはり注意が必要です。また糖分を尿を介して排泄するため，尿に糖が多い状態が続き，尿路感染症のリスクが高くなります。年配の方では，頻回にトイレに行くのを避けるため水分を控える傾向がありますが，SGLT2 阻害薬の副作用リスクを何倍にもする行為です。意識的に水分を多めに取って，どんどん排尿する必要があります。このことは脱水リスクの予防にもなりますので心がけてください。

◉ 薬剤師の眼

経口糖尿病薬の第一選択はどう変わるのか

　この数年で経口糖尿病治療薬には DPP-4 阻害薬，SGLT2 阻害薬が加わり，選択の幅が広がり，処方される薬も変化してきています。

　欧米では第一選択薬のメトホルミンは，わが国でも処方される人が増えていますが，スタンダードとはなっていません。メトホルミンが再評価されて処方が増えだした時期に DPP-4 阻害薬が大々的に発売されたためでしょうか？ DPP-4 阻害薬 15 種類（配合剤を含む）の合計出荷額が 2,400 億円以上に対し，メトグルコ（メトホルミンの先発薬）の出荷額は 101 億円です（2021 年推計，『薬事ハンドブック 2022 年版』より）。

　メトホルミンは先発薬も後発薬も薬価は 1 錠 10 円前後（平均的な使用量の 1 日薬価として 30〜60 円），それに対して DPP-4 阻害薬は平均的に 1 日薬価 150 円前後です。製薬メーカーが特許期間が残っている新薬である DPP-4 阻害薬を売り込むことは当たり前ですが，治療指針となるガイドラインを作る立場の専門医たちには，製薬メーカーの影響を受けない医療経済を含めた総合的な判断をしてもらいたいと思います。

　さて，一番新しく加わった SGLT2 阻害薬は，今までの糖尿病薬とはメカニズムが異なります。腎臓の近位尿細管では原尿から体に必要な栄養素（ブドウ糖も含む）を再吸収して取り除き，老廃物と余分な水分を尿として排泄しますが，SGLT2 阻害薬はこのうちのブドウ糖の再吸収を抑えて尿の中にブドウ糖を排泄します。作用の仕方が異なるので，副作用も脱水や尿路感染症など他の経口糖尿病薬ではあまり考えなくてもよかった事象がおこります。また，脱水による死亡例も報告されたために，医師の間では積極的に処方されているとはいえない状況です。

　そんななか，2015 年秋に発表されたエンパグリフロジン（ジャディアンス）の臨床試験の結果で，心筋梗塞・脳卒中やそれらを含めた全死亡が有意に減少することが示されました。DPP-4 阻害薬の臨床試験では期待されていたものの減少が示されていなかったので，現在行われている他の SGLT2 阻害薬の臨床試験の結果次第で，欧米での第一選択薬は変わるであろうといわれています。日本ではどうでしょうか。

内 11 内分泌疾患の薬　01 糖尿病の内服薬

01 糖尿病治療薬(スルフォニルウレア系)

💊 製剤情報

一般名:アセトヘキサミド
- 保険収載年月…1969年1月
- 海外評価…0点 英 米 独 仏
- 規制…劇薬
- 剤形…錠 錠剤
- 服用量と回数…1日250mgから開始し, 必要に応じ適宜増量して維持量を決定。1日1回または2回。1日最大1,000mg。

■**先発品**　商品名(メーカー)　規格・保険薬価

ジメリン (共和) 錠 250mg 1錠 18.30 円

一般名:グリクラジド
- 保険収載年月…1984年3月
- 海外評価…4点 英 米 独 仏
- 規制…劇薬
- 剤形…錠 錠剤
- 服用量と回数…1日40mgより開始し, 1〜2回に分けて服用。維持量40〜120mg, 1日最大160mg。

■**先発品**　商品名(メーカー)　規格・保険薬価

グリミクロン 写真 (住友ファーマ) 錠 40mg 1錠 12.10 円

グリミクロン HA 写真 (住友ファーマ) 錠 20mg 1錠 10.30 円

■**ジェネリック**　商品名(メーカー)　規格・保険薬価

グリクラジド (東和) 錠 20mg 1錠 5.70 円 錠 40mg 1錠 5.90 円

グリクラジド (日新) 錠 20mg 1錠 5.70 円 錠 40mg 1錠 5.90 円

グリクラジド (ニプロ) 錠 20mg 1錠 5.70 円 錠 40mg 1錠 5.90 円

グリクラジド (メディサ=沢井) 錠 20mg 1錠 5.90 円 錠 40mg 1錠 5.90 円

一般名:グリクロピラミド
- 保険収載年月…1965年12月
- 海外評価…0点 英 米 独 仏
- 規制…劇薬
- 剤形…錠 錠剤
- 服用量と回数…1日125〜250mgを1〜2回に分けて服用。1日最大500mg。

■**先発品**　商品名(メーカー)　規格・保険薬価

デアメリン S (杏林) 錠 250mg 1錠 27.30 円

一般名:グリベンクラミド
- 保険収載年月…1981年9月
- 海外評価…5点 英 米 独 仏
- PC…B(3カ月以降はC)
- 規制…劇薬
- 剤形…錠 錠剤
- 服用量と回数…1日1.25〜2.5mgを1〜2回に分けて服用。1日最大10mg。

■**先発品**　商品名(メーカー)　規格・保険薬価

オイグルコン (太陽ファルマ) 錠 1.25mg 1錠 5.90 円 錠 2.5mg 1錠 9.90 円

■**ジェネリック**　商品名(メーカー)　規格・保険薬価

グリベンクラミド (沢井) 錠 1.25mg 1錠 5.70 円 錠 2.5mg 1錠 5.70 円

グリベンクラミド (サンノーバ=エルメッド=日医工) 錠 1.25mg 1錠 5.70 円 錠 2.5mg 1錠 5.70 円

グリベンクラミド (三和) 錠 1.25mg 1錠 5.70 円 錠 2.5mg 1錠 5.70 円

グリベンクラミド (武田テバ薬品=武田テバファーマ=武田) 錠 1.25mg 1錠 5.70 円 錠 2.5mg 1錠 5.70 円

グリベンクラミド (東和) 錠 1.25mg 1錠 5.70 円 錠 2.5mg 1錠 5.70 円

グリベンクラミド（日医工）錠 1.25mg 1錠 5.70 円　錠 2.5mg 1錠 5.70 円

一般名：クロルプロパミド

- 保険収載年月…1976年12月
- 海外評価…2点 英 米 独 仏　●PC…C
- 規制…劇薬
- 剤形…錠 錠剤
- 服用量と回数…1日1回100～125mg。1日最大500mg。

■**先発品**　商品名(メーカー)　規格・保険薬価

クロルプロパミド（小林化工）錠 250mg 1錠 9.80 円

一般名：グリメピリド

- 保険収載年月…2000年4月
- 海外評価…5点 英 米 独 仏　●PC…C
- 規制…劇薬
- 剤形…錠 錠剤
- 服用量と回数…1日0.5～1mgより開始し，1～2回に分けて服用。維持量1日1～4mg，1日最大6mg。

■**先発品**　商品名(メーカー)　規格・保険薬価

アマリール 写真（サノフィ）錠 0.5mg 1錠 10.10 円　錠 1mg 1錠 13.10 円　錠 3mg 1錠 26.00 円

■**ジェネリック**　商品名(メーカー)　規格・保険薬価

グリメピリド（あすか＝武田）錠 0.5mg 1錠 9.80 円　錠 1mg 1錠 10.10 円　錠 3mg 1錠 10.10 円

グリメピリド（Me ファルマ）錠 0.5mg 1錠 9.80 円　錠 1mg 1錠 10.10 円　錠 3mg 1錠 10.10 円

グリメピリド（エルメッド＝日医工）錠 0.5mg 1錠 9.80 円　錠 1mg 1錠 10.10 円　錠 3mg 1錠 10.10 円

グリメピリド（大原＝第一三共エスファ＝共創未来）錠 0.5mg 1錠 9.80 円　錠 1mg 1錠 10.10 円　錠 3mg 1錠 10.10 円

グリメピリド（共和）錠 0.5mg 1錠 9.80 円　錠 1mg 1錠 10.10 円　錠 3mg 1錠 10.10 円

グリメピリド（キョーリン＝杏林）錠 0.5mg 1錠 9.80 円　錠 1mg 1錠 10.10 円　錠 3mg 1錠 10.10 円

グリメピリド（小林化工）錠 0.5mg 1錠 9.80 円　錠 1mg 1錠 10.10 円　錠 3mg 1錠 10.10 円

グリメピリド（沢井）錠 0.5mg 1錠 9.80 円　錠 1mg 1錠 10.10 円　錠 3mg 1錠 10.10 円

グリメピリド（サンド）錠 0.5mg 1錠 9.80 円　錠 1mg 1錠 10.10 円　錠 3mg 1錠 10.10 円

グリメピリド（三和）錠 0.5mg 1錠 9.80 円　錠 1mg 1錠 10.10 円　錠 3mg 1錠 10.10 円

グリメピリド（全星）錠 0.5mg 1錠 9.80 円　錠 1mg 1錠 10.10 円　錠 3mg 1錠 10.10 円

グリメピリド（ダイト＝科研）錠 0.5mg 1錠 9.80 円　錠 1mg 1錠 10.10 円　錠 3mg 1錠 10.10 円

グリメピリド（武田テバ薬品＝武田テバファーマ＝武田）錠 0.5mg 1錠 9.80 円　錠 1mg 1錠 10.10 円　錠 3mg 1錠 10.10 円

グリメピリド（辰巳）錠 0.5mg 1錠 9.80 円　錠 1mg 1錠 10.10 円　錠 3mg 1錠 10.10 円

グリメピリド 写真（東和）錠 0.5mg 1錠 9.80 円　錠 1mg 1錠 10.10 円　錠 3mg 1錠 10.10 円

グリメピリド（日医工）錠 0.5mg 1錠 9.80 円　錠 1mg 1錠 10.10 円　錠 3mg 1錠 10.10 円

グリメピリド（日薬工＝ケミファ）錠 0.5mg 1錠 9.80 円　錠 1mg 1錠 10.10 円　錠 3mg 1錠 16.60 円

グリメピリド（日新）錠 0.5mg 1錠 9.80 円　錠 1mg 1錠 10.10 円　錠 3mg 1錠 10.10 円

グリメピリド 写真（ニプロ）錠 0.5mg 1錠 9.80 円　錠 1mg 1錠 10.10 円　錠 3mg 1錠 10.10 円

グリメピリド（ニプロ ES）錠 0.5mg 1錠 9.80 円　錠 1mg 1錠 10.10 円　錠 3mg 1錠 10.10 円

グリメピリド（日本ジェネリック）錠 0.5mg 1錠 9.80 円　錠 1mg 1錠 10.10 円　錠 3mg 1錠 10.10 円

グリメピリド（ファイザー）錠 0.5mg 1錠 9.80 円　錠 1mg 1錠 10.10 円　錠 3mg 1錠 10.10 円

グリメピリド (フェルゼン) 錠 0.5mg 1錠 9.80 円
錠 1mg 1錠 10.10 円 　錠 3mg 1錠 10.10 円

グリメピリド (陽進堂) 錠 0.5mg 1錠 9.80 円
錠 1mg 1錠 10.10 円 　錠 3mg 1錠 10.10 円

グリメピリド OD (エルメッド＝日医工)
錠 0.5mg 1錠 9.80 円 　錠 1mg 1錠 10.10 円
錠 3mg 1錠 10.10 円

グリメピリド OD (小林化工) 錠 0.5mg 1錠 9.80 円
錠 1mg 1錠 10.10 円 　錠 3mg 1錠 10.10 円

グリメピリド OD (シオノ＝ケミファ)
錠 0.5mg 1錠 9.80 円 　錠 1mg 1錠 10.10 円
錠 3mg 1錠 16.60 円

グリメピリド OD (武田テバファーマ＝武田)
錠 0.5mg 1錠 9.80 円 　錠 1mg 1錠 10.10 円
錠 3mg 1錠 10.10 円

グリメピリド OD (東和) 錠 0.5mg 1錠 9.80 円
錠 1mg 1錠 10.10 円 　錠 3mg 1錠 10.10 円

グリメピリド OD (日医工) 錠 0.5mg 1錠 9.80 円
錠 1mg 1錠 10.10 円 　錠 3mg 1錠 10.10 円

概　要

分類　糖尿病用薬(スルフォニルウレア系)

処方目的　２型糖尿病(食事・運動療法のみで十分な効果が得られない場合に限る)

解説　本剤は，抗菌薬のサルファ剤を使用中に，たまたま血糖降下作用があることが発見されて開発されました。

　インスリン分泌促進薬の一つで，膵臓のβ細胞膜上のスルフォニルウレア受容体に結合し，インスリンの分泌を促進して血糖値を下げます。

使用上の注意

＊グリクラジド(グリミクロン)，グリメピリド(アマリール)の添付文書による

警告

　重篤で遷延性(長引くこと)の低血糖症がおこることがあるため，用法・用量など指示されたことは厳守しなければなりません。

基本的注意

(1)服用してはいけない場合……重症ケトーシス，糖尿病性昏睡または前昏睡，インスリン依存型(1型)糖尿病(若年型糖尿病，ブリットル型糖尿病など)／重い肝機能障害・腎機能障害／重症感染症，手術前後，重い外傷／下痢・嘔吐などの胃腸障害／本剤の成分またはスルフォンアミド系薬剤に対するアレルギーの前歴／妊婦または妊娠している可能性のある人／[グリベンクラミドのみ]ボセンタン水和物の服用中

(2)慎重に服用すべき場合……肝機能障害・腎機能障害(重い肝・腎機能障害を除く)／以下にあげる低血糖をおこすおそれのある状態または人：脳下垂体機能不全，副腎機能不全，栄養不良状態，飢餓状態，不規則な食事摂取，食事摂取量の不足，衰弱状態，激しい筋肉運動，過度のアルコール摂取，高齢者／[グリクラジド]血液透析中の人

(3)低血糖対策……①服用すると，重くかつ長引く低血糖症をおこすことがあります。処方医から指示された低血糖症に関する対策をきちんと守ってください。特に，高所作業や自動車の運転などに従事している人は注意が必要です。②平素から，3~4個の袋入りの砂糖やアメを持ち歩き，低血糖症状を感じたら，すぐにその場でなめてください。なお，α-グルコシダーゼ阻害薬(アカルボース，ボグリボース，ミグリトール)を併用して

いる人は必ずブドウ糖を用いてください。③低血糖はいったん回復したと思われる場合でも，数日間は再発することがあるので十分注意してください。

(4)**低血糖症状**……初期症状として脱力感，高度の空腹感，発汗など。引き続いて動悸，ふるえ，頭痛，知覚異常，不安，興奮，神経過敏，集中力低下，精神障害，意識障害，けいれんなどが現れます。

(5)**危険作業に注意**……本剤を服用すると，重篤で遷延性の低血糖症をおこすことがあります。服用中は，高所作業や自動車の運転など危険を伴う機械の操作は十分に注意してください。

(6)**その他**……
- 授乳婦での安全性：治療上の有益性・母乳栄養の有益性を考慮し，授乳の継続・中止を検討。
- 小児での安全性：未確立。(1714頁を参照)

重大な副作用　①低血糖症状。②無顆粒球症，溶血性貧血，汎血球減少，血小板減少。③肝機能障害，黄疸。
[グリメピリドのみ] ④再生不良性貧血。

　そのほかにも報告された副作用はあるので，体調がいつもと違うと感じたときは，処方医・薬剤師に相談してください。

併用してはいけない薬　[グリベンクラミド] ボセンタン水和物(トラクリア)→本剤との併用で肝酵素値上昇の発現率が増加したとの報告があります。

内 11 内分泌疾患の薬　01 糖尿病の内服薬

02 糖尿病治療薬(ビグアナイド系)

製剤情報

一般名：ブホルミン塩酸塩
- 保険収載年月…1968年12月
- 海外評価…0点 英米独仏
- 規制…劇薬
- 剤形…錠剤
- 服用量と回数…1日100mgより開始し，2～3回に分けて服用。1日最大150mg。

■ジェネリック　商品名(メーカー)　規格・保険薬価
ジベトス (日医工) 錠 50mg 1錠 9.80円
ブホルミン塩酸塩腸溶錠 (寿)
錠 50mg 1錠 9.80円

一般名：メトホルミン塩酸塩
- 保険収載年月…1961年12月
- 海外評価…6点 英米独仏　●PC…B
- 規制…劇薬
- 剤形…錠剤
- 服用量と回数…1日500mgより開始し，2～3回に分けて服用。1日最大750mg。メトグルコとメトホルミン塩酸塩MTの場合は，1日500mgより開始し，2～3回に分けて服用。維持量1日750～1,500mg，1日最大2,250mg。小児の場合は処方医の指示通りに服用。

■先発品　商品名(メーカー)　規格・保険薬価
グリコラン (日本新薬) 錠 250mg 1錠 9.80円

メトグルコ 写真 （住友ファーマ）
錠 250mg 1錠 10.10 円　　錠 500mg 1錠 11.60 円
メトホルミン塩酸塩 MT （三和）
錠 250mg 1錠 10.10 円
メトホルミン塩酸塩 MT （住友ファーマプロモ＝住友ファーマ）錠 250mg 1錠 10.10 円
メトホルミン塩酸塩 MT （第一三共エスファ）
錠 250mg 1錠 10.10 円
メトホルミン塩酸塩 MT （辰巳）
錠 250mg 1錠 10.10 円
メトホルミン塩酸塩 MT 写真 （東和）
錠 250mg 1錠 10.10 円
メトホルミン塩酸塩 MT （トーアエイヨー）
錠 250mg 1錠 10.10 円
メトホルミン塩酸塩 MT （日医工）
錠 250mg 1錠 10.10 円
メトホルミン塩酸塩 MT （ニプロ）
錠 250mg 1錠 10.10 円
メトホルミン塩酸塩 MT （日本ジェネリック）
錠 250mg 1錠 10.10 円
メトホルミン塩酸塩 MT 写真 （ファイザー）
錠 250mg 1錠 10.10 円
メトホルミン塩酸塩 MT （MeijiSeika＝Me ファルマ＝フェルゼン）錠 250mg 1錠 10.10 円

■ジェネリック　　商品名(メーカー)　規格・保険薬価
メトホルミン塩酸塩 （シオノ＝日医工＝武田）
錠 250mg 1錠 9.80 円
メトホルミン塩酸塩 （東和）錠 250mg 1錠 9.80 円
メトホルミン塩酸塩 MT （三和）
錠 500mg 1錠 10.10 円
メトホルミン塩酸塩 MT 写真 （住友ファーマプロモ＝住友ファーマ）錠 500mg 1錠 10.10 円
メトホルミン塩酸塩 MT （第一三共エスファ）
錠 500mg 1錠 10.10 円
メトホルミン塩酸塩 MT （辰巳）
錠 500mg 1錠 10.10 円
メトホルミン塩酸塩 MT （東和）
錠 500mg 1錠 10.10 円
メトホルミン塩酸塩 MT （トーアエイヨー）
錠 500mg 1錠 10.10 円
メトホルミン塩酸塩 MT （日医工）
錠 500mg 1錠 10.10 円
メトホルミン塩酸塩 MT （ニプロ）
錠 500mg 1錠 10.10 円
メトホルミン塩酸塩 MT （日本ジェネリック）
錠 500mg 1錠 10.10 円
メトホルミン塩酸塩 MT （ファイザー）
錠 500mg 1錠 10.10 円
メトホルミン塩酸塩 MT （MeijiSeika＝Me ファルマ＝フェルゼン）錠 500mg 1錠 10.10 円

概　要

分類　糖尿病用薬（ビグアナイド系）

処方目的　２型糖尿病（①食事療法・運動療法のみの治療，②食事療法・運動療法に加えてスルホニルウレア系糖尿病薬の服用によっても十分な効果が得られない場合に限る）

解説　ビグアナイド系は，中東原産のマメ科のガレガから発見されたグアニジン誘導体から開発された薬剤です。インスリン抵抗性改善薬の一つで，肝臓での糖新生の抑制，小腸からの糖吸収の抑制，末梢組織でのインスリン感受性の改善などの作用によって血糖値を下げます。

使用上の注意

＊メトホルミン塩酸塩（メトグルコ）の添付文書による

警告

①重い乳酸アシドーシスをおこすことがあるので，乳酸アシドーシスをおこしやすい人は服用してはいけません。

②腎機能障害または肝機能障害のある人，高齢者が服用する場合には，定期的に腎機能・肝機能の検査を受けなければなりません。特に 75 歳以上の高齢者は十分に注意。

基本的注意

(1)服用してはいけない場合……乳酸アシドーシスをおこしやすい以下の患者→乳酸アシドーシスの前歴，重度の腎機能障害(eGFR30mL/分/1.73m^2 未満)または透析している人(腹膜透析を含む)，重度の肝機能障害，心血管系・肺機能に高度の障害（ショック，心不全，心筋梗塞，肺塞栓など）のある人およびその他の低酸素血症を伴いやすい状態にある人／脱水症・脱水状態が懸念される人，過度のアルコール摂取者／重症ケトーシス，糖尿病性昏睡または前昏睡，1 型糖尿病／重症感染症，手術前後，重い外傷／栄養不良状態，飢餓状態，衰弱状態，脳下垂体機能不全，副腎機能不全／本剤の成分またはビグアナイド系薬剤に対するアレルギーの前歴／妊婦または妊娠している可能性のある人

(2)慎重に服用すべき場合……低血糖をおこすおそれのある以下の人・状態→不規則な食事摂取，食事摂取量の不足，激しい筋肉運動／軽度～中等度の腎機能障害／軽度～中等度の肝機能障害／感染症／高齢者

(3)乳酸アシドーシス・低血糖対策……①服用すると，まれに重い乳酸アシドーシス，低血糖をおこすことがあります。処方医から指示された乳酸アシドーシス・低血糖に関する注意をきちんと守ってください。特に高所作業や自動車の運転などに従事している人は注意が必要です。②乳酸アシドーシスとは，血中乳酸値の上昇，乳酸・ピルビン酸比の上昇，血液 pH の低下などを示す病態で予後不良のことが少なくありません。初期症状としては下痢，悪心，食欲不振，消化不良，嘔吐，腹痛などの胃腸症状，その他，全身倦怠感，筋肉痛，過呼吸などが多くみられます。これらの症状が現れた場合には直ちに処方医に連絡してください。③低血糖に対しては，平素からショ糖（砂糖の主成分）やブドウ糖を持ち歩き，脱力感，高度の空腹感，発汗などの症状が現れたら，すぐに服用してください。本剤の服用によって症状が現れたら通常はショ糖を服用し，α-グルコシダーゼ阻害薬（アカルボース，ボグリボース，ミグリトール）を併用している場合にはブドウ糖を服用します。

(4)脱水症状……脱水がおこると乳酸アシドーシスが現れることがあります。利尿作用のある薬剤（利尿薬，選択的 SGLT2 阻害薬など）との併用時には，特に脱水に注意してください。口渇，尿量の減少，頭痛，全身倦怠感，食欲不振，めまい，吐きけ・嘔吐などの脱水症状が現れた場合には直ちに処方医に連絡してください。

(5)ヨード造影剤……本剤の服用中にヨード造影剤を服用して CT などの検査を行うと，乳酸アシドーシスをおこすことがあります。検査を受けるときは必ず本剤を服用していることを医師に伝えてください。ヨード造影剤の服用後 48 時間は本剤を服用してはいけません。

(6)過度のアルコール摂取……過度の飲酒は乳酸アシドーシスをおこすことがあるので，

服用中は節酒・禁酒を心がけてください。

(7)その他……

- 授乳婦での安全性：治療上の有益性・母乳栄養の有益性を考慮し，授乳の継続・中止を検討。
- 小児(10歳未満)での安全性：未確立。(1714頁を参照)

重大な副作用　　　　　　　①乳酸アシドーシス(胃腸症状，倦怠感，筋肉痛，過呼吸など)。②低血糖症状(初期症状：脱力感，高度の空腹感，発汗など)。③肝機能障害，黄疸。④横紋筋融解症(筋肉痛，脱力感など)。

　そのほかにも報告された副作用はあるので，体調がいつもと違うと感じたときは，処方医・薬剤師に相談してください。

併用してはいけない薬　　　　併用してはいけない薬は特にありません。ただし，併用する薬があるときは，念のため処方医・薬剤師に報告してください。

内 11 内分泌疾患の薬　01 糖尿病の内服薬

03 食後過血糖改善薬

製 剤 情 報

一般名：アカルボース

- 保険収載年月…1993年11月
- 海外評価…6点 英 米 独 仏　●PC…B
- 剤形…錠 錠剤
- 服用量と回数…1回100mgを1日3回。ただし，1回50mgより開始し，忍容性を確認したうえで，1回100mgに増量することもできる。

■先発品　　商品名(メーカー)　規格・保険薬価

グルコバイ (バイエル) 錠 50mg 1錠 14.50 円
錠 100mg 1錠 25.60 円

グルコバイ OD (バイエル) 錠 50mg 1錠 14.50 円
錠 100mg 1錠 25.60 円

■ジェネリック　　商品名(メーカー)　規格・保険薬価

アカルボース 写真 (沢井) 錠 50mg 1錠 8.90 円
錠 100mg 1錠 15.50 円

アカルボース (武田テバファーマ＝武田)
錠 50mg 1錠 8.90 円　錠 100mg 1錠 15.50 円

アカルボース (日医工) 錠 50mg 1錠 8.90 円
錠 100mg 1錠 15.50 円

アカルボース (日新) 錠 50mg 1錠 8.90 円
錠 100mg 1錠 15.50 円

アカルボース (日本ジェネリック)
錠 50mg 1錠 8.90 円　錠 100mg 1錠 15.50 円

アカルボース (陽進堂＝第一三共エスファ)
錠 50mg 1錠 8.90 円　錠 100mg 1錠 15.50 円

アカルボース OD (武田テバファーマ＝武田)
錠 50mg 1錠 8.90 円　錠 100mg 1錠 15.50 円

一般名：ボグリボース

- 保険収載年月…1994年5月
- 海外評価…0点 英 米 独 仏
- 剤形…錠 錠剤
- 服用量と回数…食後過血糖の改善の場合は，1回0.2mgを1日3回。効果が不十分なときは，1回0.3mgまで増量できる。2型糖尿病の発生抑制の場合は，1回0.2mgを1日3回。

■先発品　　商品名(メーカー)　規格・保険薬価

ベイスン 写真 (武田テバ薬品＝武田)
錠 0.2mg 1錠 20.90 円　錠 0.3mg 1錠 24.40 円

ベイスン OD 写真 (武田テバ薬品＝武田)

錠 0.2mg 1錠 20.90 円　　錠 0.3mg 1錠 24.40 円

■ジェネリック　　商品名(メーカー)　規格・保険薬価

ボグリボース (大原＝エルメッド＝日医工)

錠 0.2mg 1錠 10.10 円　　錠 0.3mg 1錠 10.90 円

ボグリボース (キョーリン＝杏林)

錠 0.2mg 1錠 10.10 円　　錠 0.3mg 1錠 10.90 円

ボグリボース (小林化工) 錠 0.2mg 1錠 10.10 円

錠 0.3mg 1錠 10.90 円

ボグリボース (沢井) 錠 0.2mg 1錠 10.10 円

錠 0.3mg 1錠 10.90 円

ボグリボース (高田) 錠 0.2mg 1錠 10.10 円

錠 0.3mg 1錠 10.90 円

ボグリボース (武田テバファーマ＝武田)

錠 0.2mg 1錠 10.10 円　　錠 0.3mg 1錠 10.90 円

ボグリボース (辰巳) 錠 0.2mg 1錠 10.10 円

錠 0.3mg 1錠 10.90 円

ボグリボース (長生堂＝日本ジェネリック)

錠 0.2mg 1錠 10.10 円　　錠 0.3mg 1錠 10.90 円

ボグリボース (東和) 錠 0.2mg 1錠 10.10 円

錠 0.3mg 1錠 10.90 円

ボグリボース (日医工) 錠 0.2mg 1錠 10.10 円

錠 0.3mg 1錠 10.90 円

ボグリボース 写真 (日薬工＝ケミファ)

錠 0.2mg 1錠 10.10 円　　錠 0.3mg 1錠 10.90 円

ボグリボース (日新＝科研) 錠 0.2mg 1錠 10.10 円

錠 0.3mg 1錠 10.90 円

ボグリボース (ニプロ) 錠 0.2mg 1錠 10.10 円

錠 0.3mg 1錠 10.90 円

ボグリボース (ファイザー) 錠 0.2mg 1錠 10.10 円

錠 0.3mg 1錠 10.90 円

ボグリボース (陽進堂＝第一三共エスファ＝共創未来) 錠 0.2mg 1錠 10.10 円　　錠 0.3mg 1錠 10.90 円

ボグリボース OD (小林化工)

錠 0.2mg 1錠 10.10 円　　錠 0.3mg 1錠 10.90 円

ボグリボース OD 写真 (沢井)

錠 0.2mg 1錠 10.10 円　　錠 0.3mg 1錠 10.90 円

ボグリボース OD (シオノ＝ケミファ)

錠 0.2mg 1錠 10.10 円　　錠 0.3mg 1錠 10.90 円

ボグリボース OD 写真 (武田テバファーマ＝武田) 0.2mg 1錠 10.10 円　　錠 0.3mg 1錠 10.90 円

ボグリボース OD (高田) 錠 0.2mg 1錠 10.10 円

錠 0.3mg 1錠 10.90 円

ボグリボース OD (東和) 錠 0.2mg 1錠 10.10 円

錠 0.3mg 1錠 10.90 円

ボグリボース OD (日医工) 錠 0.2mg 1錠 10.10 円

錠 0.3mg 1錠 10.90 円

ボグリボース OD (マイラン＝ファイザー＝キョーリン＝杏林) 錠 0.2mg 1錠 10.10 円

錠 0.3mg 1錠 10.90 円

ボグリボース OD (メディサ＝日本ジェネリック)

錠 0.2mg 1錠 10.10 円　　錠 0.3mg 1錠 10.90 円

ボグリボース OD フィルム (救急薬品＝持田)

錠 0.2mg 1錠 10.10 円　　錠 0.3mg 1錠 10.90 円

一般名：ミグリトール

- 保険収載年月…2005年12月
- 海外評価…3点 英 米 独 仏　　●PC…B
- 剤形…錠 錠剤
- 服用量と回数…1回50mgを1日3回。効果が不十分なときは，1回75mgまで増量できる。

■先発品　　商品名(メーカー)　規格・保険薬価

セイブル (三和) 錠 25mg 1錠 17.00 円

錠 50mg 1錠 28.70 円　　錠 75mg 1錠 39.90 円

セイブル OD (三和) 錠 25mg 1錠 17.00 円

錠 50mg 1錠 28.70 円　　錠 75mg 1錠 39.90 円

■ジェネリック　　商品名(メーカー)　規格・保険薬価

ミグリトール 写真 (東和) 錠 25mg 1錠 6.90 円

錠 50mg 1錠 10.80 円　　錠 75mg 1錠 13.70 円

ミグリトール (日本ジェネリック)

錠 25mg 1錠 6.90 円　　錠 50mg 1錠 10.80 円

錠 75mg 1錠 13.70 円

ミグリトール OD 写真 (沢井) 錠 25mg 1錠 6.90 円

錠 50mg 1錠 10.80 円　　錠 75mg 1錠 13.70 円

ミグリトール OD (東和) 錠25mg 1錠 6.90 円
錠50mg 1錠 10.80 円 錠75mg 1錠 13.70 円

概　要

分類　α-グルコシダーゼ阻害薬

処方目的　［アカルボース，ボグリボースの適応症］糖尿病の食後過血糖の改善(ただし，食事療法・運動療法を行っている患者で十分な効果が得られない場合，または食事療法・運動療法に加えて経口血糖降下薬，もしくはインスリン製剤を使用している人で十分な効果が得られない場合に限る)

［ミグリトールの適応症］糖尿病の食後過血糖の改善(ただし，食事療法・運動療法を行っている患者で十分な効果が得られない場合，または食事療法・運動療法に加えてスルフォニルウレア剤，ビグアナイド系薬剤，もしくはインスリン製剤を使用している人で十分な効果が得られない場合に限る)

［ボグリボース 0.2mg のみの適応症］耐糖能異常における 2 型糖尿病の発症抑制(ただし，食事療法・運動療法を十分に行っても改善されない場合に限る)

解説　α-アミラーゼ，スクラーゼ，マルターゼ，グルコアミラーゼなどの消化酵素の働きを阻害して，糖質の消化・吸収を抑えたり，遅らせたりして食後の血糖上昇を抑えます。

使用上の注意

＊アカルボース(グルコバイ)の添付文書による

基本的注意

(1)服用してはいけない場合……重症ケトーシス，糖尿病性昏睡または前昏睡／重症感染症，手術前後，重い外傷／本剤の成分に対するアレルギーの前歴／妊婦または妊娠している可能性のある人

(2)慎重に服用すべき場合……開腹手術の前歴／腸閉塞の前歴／胃腸障害／重い肝機能障害・腎機能障害／ロエムヘルド症候群／重度のヘルニア／大腸の狭窄・潰瘍／高齢者

(3)糖尿病の場合の服用基準……①食事療法・運動療法のみを行っている人は，服用の際に食後血糖 2 時間値が 200mg/dL 以上を示す場合に限ります。②食事療法・運動療法に加えて，経口血糖降下薬またはインスリン製剤を服用している人は，服用の際の空腹時血糖値が 140mg/dL 以上を目安として処方されます。

(4)耐糖能異常の場合の服用方法……ボグリボースの 0.2mg は，耐糖能異常(糖尿病予備群)の治療にも使われます。服用開始後は，1〜3 カ月ごとを目安に空腹時血糖，随時血糖，HbA_{1c} などの検査や体重測定を実施するとともに，6〜12 カ月ごとを目安に 75g 経口ブドウ糖負荷試験を実施して十分に経過を観察します。本剤を服用して耐糖能異常が改善すれば，服用を中止して食事療法・運動療法のみで対処することが可能です。一方，2 型糖尿病へと進展した場合には，適切と考えられる治療への変更が考慮されます。

(5)定期検査……本剤の服用によって，劇症肝炎などの重い肝機能障害がおこることがあるので，6 カ月間は月に 1 回，その後も定期的に肝機能検査を，また定期的に血糖検査も受ける必要があります。

(6)低血糖対策……平素からブドウ糖を持ち歩き，低血糖症状を感じたら，すぐにその場でのんでください。

(7)危険作業に注意……本剤を服用すると，低血糖をおこすことがあります。服用中は，高所作業，自動車の運転など危険を伴う機械の操作には十分に注意してください。

(8)その他……

● 授乳婦での安全性：治療上の有益性・母乳栄養の有益性を考慮し，授乳の継続・中止を検討。

● 小児での安全性：未確立。(1714頁を参照)

重大な副作用　①（他の糖尿病薬との併用により）低血糖。②腸閉塞（腹部膨満・鼓腸，放屁増加など）。③肝機能障害，黄疸，劇症肝炎，意識障害を伴う高アンモニア血症（重い肝硬変の場合）。

　そのほかにも報告された副作用はあるので，体調がいつもと違うと感じたときは，処方医・薬剤師に相談してください。

併用してはいけない薬　併用してはいけない薬は特にありません。ただし，併用する薬があるときは，念のため処方医・薬剤師に報告してください。

内 11 内分泌疾患の薬　01 糖尿病の内服薬

04　ピオグリタゾン塩酸塩

製剤情報

一般名：ピオグリタゾン塩酸塩

● 保険収載年月…1999年11月
● 海外評価…5点 英 米 独 仏　● PC…C
● 剤形…錠 錠剤
● 服用量と回数…1日1回15〜30mg，最大45mg。インスリン製剤併用時は1日1回15mg，1日最大30mg。

■ 先発品　　商品名(メーカー)　規格・保険薬価

アクトス 写真 (武田テバ薬品＝武田)
錠 15mg 1錠 40.40 円　錠 30mg 1錠 77.40 円

アクトス OD (武田テバ薬品＝武田)
錠 15mg 1錠 40.40 円　錠 30mg 1錠 77.40 円

■ ジェネリック　　商品名(メーカー)　規格・保険薬価

ピオグリタゾン (エルメッド＝日医工)
錠 15mg 1錠 15.60 円　錠 30mg 1錠 29.10 円

ピオグリタゾン (大原) 錠 15mg 1錠 15.60 円
錠 30mg 1錠 29.10 円

ピオグリタゾン (共創未来) 錠 15mg 1錠 15.60 円
錠 30mg 1錠 29.10 円

ピオグリタゾン (共和) 錠 15mg 1錠 15.60 円
錠 30mg 1錠 29.10 円

ピオグリタゾン (キョーリン＝杏林)
錠 15mg 1錠 15.60 円　錠 30mg 1錠 29.10 円

ピオグリタゾン (ケミファ＝日薬工)
錠 15mg 1錠 15.60 円　錠 30mg 1錠 29.10 円

ピオグリタゾン (小林化工) 錠 15mg 1錠 12.00 円
錠 30mg 1錠 29.10 円

ピオグリタゾン (沢井) 錠 15mg 1錠 15.60 円
錠 30mg 1錠 29.10 円

ピオグリタゾン (サンド) 錠 15mg 1錠 15.60 円
錠 30mg 1錠 29.10 円

ピオグリタゾン (全星) 錠 15mg 1錠 15.60 円
錠 30mg 1錠 23.70 円

ピオグリタゾン (第一三共エスファ)
錠 15mg 1錠 15.60 円　錠 30mg 1錠 29.10 円

ピオグリタゾン塩酸塩

ピオグリタゾン (高田) 錠 15mg 1錠 15.60 円
錠 30mg 1錠 29.10 円

ピオグリタゾン 写真 (武田テバファーマ＝武田)
錠 15mg 1錠 12.00 円　錠 30mg 1錠 29.10 円

ピオグリタゾン (辰巳) 錠 15mg 1錠 15.60 円
錠 30mg 1錠 29.10 円

ピオグリタゾン (鶴原) 錠 15mg 1錠 12.00 円
錠 30mg 1錠 29.10 円

ピオグリタゾン 写真 (東和) 錠 15mg 1錠 15.60 円
錠 30mg 1錠 29.10 円

ピオグリタゾン (日医工) 錠 15mg 1錠 15.60 円
錠 30mg 1錠 29.10 円

ピオグリタゾン (日薬工) 錠 15mg 1錠 12.00 円
錠 30mg 1錠 23.70 円

ピオグリタゾン (日新＝科研)
錠 15mg 1錠 15.60 円　錠 30mg 1錠 29.10 円

ピオグリタゾン (ニプロ) 錠 15mg 1錠 12.00 円
錠 30mg 1錠 23.70 円

ピオグリタゾン (ニプロ ES) 錠 15mg 1錠 15.60 円
錠 30mg 1錠 29.10 円

ピオグリタゾン (日本ジェネリック)
錠 15mg 1錠 15.60 円　錠 30mg 1錠 29.10 円

ピオグリタゾン (ファイザー)
錠 15mg 1錠 15.60 円　錠 30mg 1錠 29.10 円

ピオグリタゾン (持田販売＝持田)
錠 15mg 1錠 15.60 円　錠 30mg 1錠 29.10 円

ピオグリタゾン OD (共創未来)
錠 15mg 1錠 15.60 円　錠 30mg 1錠 29.10 円

ピオグリタゾン OD (キョーリン＝杏林)
錠 15mg 1錠 15.60 円　錠 30mg 1錠 23.70 円

ピオグリタゾン OD (ケミファ)
錠 15mg 1錠 15.60 円　錠 30mg 1錠 29.10 円

ピオグリタゾン OD (小林化工)
錠 15mg 1錠 12.00 円　錠 30mg 1錠 29.10 円

ピオグリタゾン OD (第一三共エスファ)
錠 15mg 1錠 15.60 円　錠 30mg 1錠 29.10 円

ピオグリタゾン OD (高田) 錠 15mg 1錠 15.60 円
錠 30mg 1錠 29.10 円

ピオグリタゾン OD (東和) 錠 15mg 1錠 15.60 円
錠 30mg 1錠 29.10 円

ピオグリタゾン OD (日医工)
錠 15mg 1錠 15.60 円　錠 30mg 1錠 29.10 円

ピオグリタゾン OD (日薬工)
錠 15mg 1錠 12.00 円　錠 30mg 1錠 29.10 円

ピオグリタゾン OD (日新＝科研)
錠 15mg 1錠 15.60 円　錠 30mg 1錠 29.10 円

ピオグリタゾン OD (ファイザー)
錠 15mg 1錠 15.60 円　錠 30mg 1錠 29.10 円

一般名：ピオグリタゾン塩酸塩・メトホルミン塩酸塩配合剤

- 保険収載年月…2010年6月
- 海外評価…4点 英 米 独 仏　　●PC…C
- 規制…劇薬
- 剤形…錠 錠剤
- 服用量と回数…1日1回1錠。

■先発品　　商品名(メーカー)　規格・保険薬価

メタクト配合錠 LD 写真 (武田テバ薬品＝武田)
錠 1錠 48.50 円

メタクト配合錠 HD 写真 (武田テバ薬品＝武田)
錠 1錠 77.40 円

一般名：ピオグリタゾン塩酸塩・グリメピリド配合剤

- 保険収載年月…2011年3月
- 海外評価…2点 英 米 独 仏　　●PC…C
- 規制…劇薬
- 剤形…錠 錠剤
- 服用量と回数…1日1回1錠。

■先発品　　商品名(メーカー)　規格・保険薬価

ソニアス配合錠 LD (武田テバ薬品＝武田)
錠 1錠 42.40 円

ソニアス配合錠 HD (武田テバ薬品＝武田)
錠 1錠 77.40 円

内 11—01—04

📋 概　　要

分類　インスリン抵抗性改善薬（糖尿病治療薬）

処方目的　［ピオグリタゾン塩酸塩の適応症］2型糖尿病。ただし、以下のいずれかの治療で十分な効果が得られず、インスリン抵抗性が推定される場合に限る→①食事療法・運動療法のみ／②食事療法・運動療法に加えてスルフォニルウレア剤を使用／③食事療法・運動療法に加えてα-グルコシダーゼ阻害薬を使用／④食事療法、運動療法に加えてビグアナイド系薬剤を使用／⑤食事療法、運動療法に加えてインスリン製剤を使用
［ピオグリタゾン塩酸塩・メトホルミン塩酸塩配合剤の適応症］2型糖尿病。ただし、ピオグリタゾン塩酸塩およびメトホルミン塩酸塩の併用による治療が適切と判断される場合に限る。
［ピオグリタゾン塩酸塩・グリメピリド配合剤の適応症］2型糖尿病。ただし、ピオグリタゾン塩酸塩およびグリメピリドの併用による治療が適切と判断される場合に限る。

解説　日本の糖尿病のほとんどを占める2型糖尿病は、主にインスリン分泌能低下と末梢でのインスリン抵抗性（インスリンの効きが悪いこと）によりおこると考えられています。従来は、インスリン分泌を促すスルフォニルウレア系が経口薬としては広く使われてきましたが、インスリン抵抗性を改善する薬剤として本剤が日本で開発されました。

　この系統（チアゾリジン系）の薬として最初に市販されたトログリタゾンは、アメリカでの劇症肝炎発生による発売中止を受けて、日本の市場からも姿を消しました。ピオグリタゾンも日本の開発品ですが、作用や構造が似ているので、劇症肝炎への注意を怠ってはいけません。従来から使われているスルフォニルウレア系薬剤などで糖尿病がコントロールできている人は、そのままの治療を続けたほうが安全です。

　なお、メタクト配合錠を服用する場合はメトホルミン塩酸塩、ソニアス配合錠の場合はグリメピリドの「使用上の注意」も参照してください。

📝 使用上の注意

＊ピオグリタゾン塩酸塩（アクトス）の添付文書による

警告

［ピオグリタゾン塩酸塩・メトホルミン塩酸塩配合剤のみ］①重篤な乳酸アシドーシスあるいは低血糖症がおこることがあるので、用法・用量など指示されたことは厳守しなければなりません。②腎機能障害または肝機能障害のある人、高齢者が服用する場合には、定期的に腎機能・肝機能の検査を受けなければなりません。特に75歳以上の高齢者は十分に注意。
［ピオグリタゾン塩酸塩・グリメピリド配合剤のみ］重篤で遷延性（長引くこと）の低血糖症がおこることがあるので、用法・用量など指示されたことは厳守しなければなりません。

基本的注意

(1)服用してはいけない場合……心不全またはその前歴／重症ケトーシス、糖尿病性昏睡または前昏睡、1型糖尿病／重い肝機能障害・腎機能障害／重症感染症、手術前後、重い外傷／本剤の成分に対するアレルギーの前歴／妊婦または妊娠している可能性のある人

(2)慎重に服用すべき場合……心不全発症のおそれのある心疾患(心筋梗塞, 狭心症, 心筋症, 高血圧性心疾患など)／肝機能障害・腎機能障害(重篤な場合は禁忌)／低血糖をおこすおそれのある以下の人・状態→脳下垂体機能不全, 副腎機能不全, 栄養不良状態, 飢餓状態, 不規則な食事摂取, 食事摂取量の不足, 衰弱状態, 激しい筋肉運動, 過度のアルコール摂取／高齢者

(3)定期検査……心電図異常や心胸比増大がおこることがあるので心電図検査を, さらに血糖, 尿糖, 血液などの検査を定期的に受ける必要があります。

(4)低血糖対策……①他の糖尿病用薬と併用すると, 低血糖症状が現れることがあります。初期症状として脱力感, 高度の空腹感, 発汗など。引き続いて動悸, ふるえ, 頭痛, 知覚異常, 不安, 興奮, 神経過敏, 集中力低下, 精神障害, 意識障害, けいれんなどが現れます。処方医から指示された低血糖症状に関する対策をきちんと守ってください。特に高所作業や自動車の運転などに従事している人は注意が必要です。②平素からショ糖(砂糖の主成分)やブドウ糖を持ち歩き, 低血糖症状が現れたら, すぐに服用してください。本剤の服用によって症状が現れたら通常はショ糖を服用し, α-グルコシダーゼ阻害薬(アカルボース, ボグリボース, ミグリトール)を併用している場合にはブドウ糖を服用します。

(5)むくみ……①本剤を服用し始めると, むくみ(浮腫)が短期間でおこり, また心不全が悪化または発症することがあります。服用中にむくみや急激な体重増加, 心不全症状(息切れ, 動悸, 心胸比増大, 胸水など)などがみられたら, すぐに処方医へ連絡してください。②むくみは, 比較的女性に多くおこります。また, 1日1回30mgから45mgに増量した後にむくみがおこる例が多くみられています。45mgに増量した人は状態に十分注意してください。

(6)糖尿病性網膜症の悪化……服用すると, 急激な血糖下降に伴い, 糖尿病性網膜症が悪化することがあります。

(7)膀胱がん……海外において, 膀胱がんの発生リスク増加の可能性を示唆する疫学研究が報告されています。膀胱がんの治療中の人は服用を避けてください。また, 膀胱がんのリスクがあることを納得してから服用する, 服用中に血尿・頻尿・排尿痛などの症状が現れた場合には直ちに受診する, 定期的に尿検査などを受ける, 服用終了後も継続して十分な経過観察を行うことが大切です。

(8)その他……

●授乳婦での安全性：治療上の有益性・母乳栄養の有益性を考慮し, 授乳の継続・中止を検討。

●小児での安全性：未確立。(1714頁を参照)

| 重大な副作用 | ①肝機能障害, 黄疸。②むくみ, 急激な体重増加, 心不全の発症・悪化(息切れ, 動悸, 心胸比増大, 胸水など)。③(他の糖尿病用薬との併用により)低血糖症状。④胃潰瘍の再燃。⑤横紋筋融解症。⑥間質性肺炎(発熱, せき, 呼吸困難, 肺音の異常など)。

　そのほかにも報告された副作用はあるので, 体調がいつもと違うと感じたときは, 処

方医・薬剤師に相談してください。

併用してはいけない薬　併用してはいけない薬は特にありません。ただし，併用する薬があるときは，念のため処方医・薬剤師に報告してください。

内 11 内分泌疾患の薬　01 糖尿病の内服薬

05 速効型食後血糖降下薬

製剤情報

一般名：ナテグリニド
- 保険収載年月…1999年8月
- 海外評価…5点 英 米 独 仏　●PC…C
- 剤形…錠 錠剤
- 服用量と回数…1回90mgを1日3回, 毎食直前（10分以内）。効果が不十分なときは, 1回120mgまで増量できる。

■**先発品**　商品名(メーカー)　規格・保険薬価
スターシス 写真 (アステラス) 錠 30mg 1錠 12.20 円
錠 90mg 1錠 31.40 円
ファスティック 写真 (EA ファーマ＝持田) 錠 30mg 1錠 12.80 円　錠 90mg 1錠 32.50 円

■**ジェネリック**　商品名(メーカー)　規格・保険薬価
ナテグリニド 写真 (武田テバ薬品＝武田テバファーマ＝武田) 錠 30mg 1錠 10.10 円
錠 90mg 1錠 20.50 円
ナテグリニド (日医工) 錠 30mg 1錠 10.10 円
錠 90mg 1錠 20.50 円

一般名：ミチグリニドカルシウム水和物
- 保険収載年月…2004年4月
- 海外評価…0点 英 米 独 仏
- 剤形…錠 錠剤
- 服用量と回数…1回10mgを1日3回, 毎食直前（5分以内）。

■**先発品**　商品名(メーカー)　規格・保険薬価
グルファスト 写真 (キッセイ＝武田)
錠 5mg 1錠 17.30 円　錠 10mg 1錠 30.50 円

グルファスト OD (キッセイ) 錠 5mg 1錠 17.30 円
錠 10mg 1錠 30.50 円

■**ジェネリック**　商品名(メーカー)　規格・保険薬価
ミチグリニド Ca・OD (シオノ＝江州)
錠 5mg 1錠 6.70 円　錠 10mg 1錠 11.50 円
ミチグリニド Ca・OD 写真 (大興＝三和)
錠 5mg 1錠 6.70 円　錠 10mg 1錠 11.50 円
ミチグリニド Ca・OD (辰巳)
錠 5mg 1錠 6.70 円　錠 10mg 1錠 11.50 円
ミチグリニド Ca・OD (日本ジェネリック)
錠 5mg 1錠 6.70 円　錠 10mg 1錠 11.50 円
ミチグリニド Ca・OD 写真 (リョートー＝扶桑)
錠 5mg 1錠 6.70 円　錠 10mg 1錠 11.50 円

一般名：ミチグリニドカルシウム水和物・ボグリボース配合剤
- 保険収載年月…2011年7月
- 海外評価…0点 英 米 独 仏
- 剤形…錠 錠剤
- 服用量と回数…1回1錠を1日3回, 毎食直前（5分以内）。

■**先発品**　商品名(メーカー)　規格・保険薬価
グルベス配合錠 写真 (キッセイ) 錠 1錠 34.50 円
グルベス配合 OD 錠 (キッセイ) 錠 1錠 34.50 円

一般名：レパグリニド
- 保険収載年月…2011年3月
- 海外評価…6点 英 米 独 仏
- 規制…劇薬
- 剤形…錠 錠剤

- 服用量と回数…1回0.25mgを1日3回,毎食直前(10分以内)より開始。維持量1回0.25～0.5mg,最大1回1mg。

■先発品　　商品名(メーカー)　規格・保険薬価
シュアポスト 写真 (住友ファーマ)
錠 0.25mg 1錠 21.70 円　　錠 0.5mg 1錠 37.50 円

■ジェネリック　　商品名(メーカー)　規格・保険薬価
レパグリニド (沢井) 錠 0.25mg 1錠 10.00 円
錠 0.5mg 1錠 17.60 円

概　　要

分類　速効型食後血糖降下薬

処方目的　[ミチグリニドカルシウム水和物,レパグリニドの適応症] 2型糖尿病
[ナテグリニドの適応症] 2型糖尿病における食後血糖推移の改善。ただし,以下のいずれかの治療で十分な効果が得られない場合に限る→①食事療法・運動療法のみ／②食事療法・運動療法に加えてα-グルコシダーゼ阻害薬を使用／③食事療法・運動療法に加えてビグアナイド系薬剤を使用／④食事療法・運動療法に加えてチアゾリジン系薬剤を使用
[ミチグリニドカルシウム水和物・ボグリボース配合剤の適応症] 2型糖尿病。ただし,ミチグリニドカルシウム水和物およびボグリボースの併用による治療が適切と判断される場合に限る。

解説　日本で開発されたアミノ酸誘導体からなる,新しいタイプの即効・短時間型インスリン分泌促進薬です。これらのグリニド系薬剤は,スルフォニルウレア系薬剤と同様にインスリン分泌促進薬の一つで,膵臓のβ細胞膜上のスルフォニルウレア受容体に結合し,インスリンの分泌を促進して血糖値を下げます。グリニド系は,スルフォニルウレア系に比べて速く効いて速く効果がなくなるのが特徴で,食直前に服用する必要があるため,速効型食後血糖降下薬といわれています。

なお,グルベス配合錠を服用する場合は食後過血糖改善薬(ボグリボース)の項も参照してください。

使用上の注意

*ナテグリニド(スターシス),ミチグリニドカルシウム水和物(グルファスト),レパグリニド(シュアポスト)の添付文書による

基本的注意

(1)服用してはいけない場合……重症ケトーシス,糖尿病性昏睡または前昏睡,1型糖尿病／重症感染症,手術前後,重い外傷／本剤の成分に対するアレルギーの前歴／妊婦または妊娠している可能性のある人／[ナテグリニドのみ]透析を必要とするような重い腎機能障害

(2)慎重に服用すべき場合……虚血性心疾患／低血糖をおこすおそれのある以下の人・状態→脳下垂体機能不全,副腎機能不全,下痢・嘔吐などの胃腸障害,栄養不良状態,飢餓状態,不規則な食事摂取,食事摂取量の不足,衰弱状態,激しい筋肉運動,過度のアルコール摂取／肝機能障害／高齢者

[ナテグリニド]腎機能障害(重篤な場合を除く)／[ミチグリニドカルシウム水和物]腎機能障害／[レパグリニド]重度の腎機能障害

(3)**服用基準**……[ナテグリニド]①糖尿病治療の基本である食事療法・運動療法のみを行っている人では，服用の際の空腹時血糖が120mg/dL以上，あるいは食後血糖の1または2時間値が200mg/dL以上を示す場合に限ります。②食事療法・運動療法に加えてα-グルコシダーゼ阻害薬を使用している人では，服用の際の空腹時血糖値が140mg/dL以上を目安とします。

[ミチグリニドカルシウム水和物，レパグリニド]服用の際の空腹時血糖が126mg/dL以上，あるいは食後血糖の1または2時間値が200mg/dL以上を示す場合に限ります。

(4)**服用法**……食後の服用では，速やかな吸収が得られず効果が弱くなります。ナテグリニドとレパグリニドは毎食前10分以内，ミチグリニドカルシウム水和物，グルベス配合錠は毎食前5分以内に服用してください。効果の発現が速いため，食事前30分に服用すると低血糖になることがあります。

(5)**低血糖対策**……①本剤を服用すると，低血糖・低血糖症状をおこすことがあります。初期症状として脱力感，高度の空腹感，発汗など。引き続いて動悸，ふるえ，頭痛，知覚異常，不安，興奮，神経過敏，集中力低下，精神障害，意識障害，けいれんなどが現れます。処方医から指示された低血糖症に関する対策をきちんと守ってください。特に高所作業や自動車の運転などに従事している人は注意が必要です。②低血糖に対しては，平素からショ糖(砂糖の主成分)やブドウ糖を持ち歩き，症状が現れたらすぐに服用してください。本剤の服用によって症状が現れたら通常はショ糖を服用し，α-グルコシダーゼ阻害薬(アカルボース，ボグリボース，ミグリトール)を併用している場合にはブドウ糖を服用します。

(6)**ピオグリタゾン塩酸塩との併用**……[ナテグリニド，ミチグリニドカルシウム水和物]ピオグリタゾン塩酸塩の常用量は15〜30mgですが，上限量の1日45mgと本剤との併用については検討されていないため，安全性は確立していません。

(7)**GLP-1受容体作動薬との併用**……[ミチグリニドカルシウム水和物，レパグリニド]本剤とGLP-1受容体作動薬との併用における有効性・安全性は検討されていないため，有効性・安全性は確立していません。

(8)**その他**……
●授乳婦での安全性：治療上の有益性・母乳栄養の有益性を考慮し，授乳の継続・中止を検討。
●小児での安全性：未確立。(1714頁を参照)

重大な副作用 ①低血糖・低血糖症状。②肝機能障害，劇症肝炎，黄疸。③心筋梗塞。
[ナテグリニドのみ]④突然死。
[ミチグリニドカルシウム水和物・ボグリボース配合剤のみ]⑤腸閉塞(腹部膨満・鼓腸，放屁増加など)。⑥意識障害。
　そのほかにも報告された副作用はあるので，体調がいつもと違うと感じたときは，処

方医・薬剤師に相談してください。

併用してはいけない薬 併用してはいけない薬は特にありません。ただし，併用する薬があるときは，念のため処方医・薬剤師に報告してください。

内 11 内分泌疾患の薬　01 糖尿病の内服薬

06 選択的ジペプチジルペプチターゼ(DPP)-4 阻害薬

製剤情報

一般名：シタグリプチンリン酸塩水和物
- 保険収載年月…2009年12月
- 海外評価…6点 英 米 独 仏　●PC…B
- 剤形…錠 錠剤
- 服用量と回数…1日1回50mg。効果が不十分なときは1日1回100mgまで増量できる。中等度以上の腎機能障害患者は1日1回25mgまたは12.5mg。

■先発品　商品名(メーカー)　規格・保険薬価

グラクティブ 写真 (小野) 錠 12.5mg 1錠 53.10 円
錠 25mg 1錠 65.00 円　錠 50mg 1錠 120.00 円
錠 100mg 1錠 176.60 円

ジャヌビア 写真 (MSD) 錠 12.5mg 1錠 53.00 円
錠 25mg 1錠 63.70 円　錠 50mg 1錠 118.10 円
錠 100mg 1錠 174.90 円

一般名：ビルダグリプチン
- 保険収載年月…2010年4月
- 海外評価…3点 英 米 独 仏
- 剤形…錠 錠剤
- 服用量と回数…1回50mgを1日2回(朝夕)。患者の状態に応じて1日1回(朝)50mg。中等度以上の腎機能障害患者は1日1回50mg。

■先発品　商品名(メーカー)　規格・保険薬価

エクア 写真 (ノバルティス＝住友ファーマ)
錠 50mg 1錠 65.50 円

一般名：アログリプチン安息香酸塩
- 保険収載年月…2010年6月

- 海外評価…4点 英 米 独 仏
- 剤形…錠 錠剤
- 服用量と回数…1日1回25mg。中等度以上の腎機能障害患者は1日1回6.25mgまたは12.5mg。

■先発品　商品名(メーカー)　規格・保険薬価

ネシーナ (武田) 錠 6.25mg 1錠 49.20 円
錠 12.5mg 1錠 90.90 円　錠 25mg 1錠 169.60 円

一般名：リナグリプチン
- 保険収載年月…2011年9月
- 海外評価…4点 英 米 独 仏　●PC…B
- 剤形…錠 錠剤
- 服用量と回数…1日1回5mg。

■先発品　商品名(メーカー)　規格・保険薬価

トラゼンタ 写真 (ベーリンガー)
錠 5mg 1錠 131.80 円

一般名：テネリグリプチン臭化水素酸塩水和物
- 保険収載年月…2012年8月
- 海外評価…0点 英 米 独 仏
- 剤形…錠 錠剤
- 服用量と回数…1日1回20mg，効果が不十分なときは1日1回40mgに増量できる。

■先発品　商品名(メーカー)　規格・保険薬価

テネリア 写真 (田辺三菱＝第一三共)
錠 20mg 1錠 124.20 円　錠 40mg 1錠 186.30 円

テネリア OD (田辺三菱＝第一三共)
錠 20mg 1錠 124.20 円　錠 40mg 1錠 186.30 円

一般名：アナグリプチン

- 保険収載年月…2012年11月
- 海外評価…0点 英 米 独 仏
- 剤形…錠 錠剤
- 服用量と回数…1回100mgを1日2回（朝夕）。効果が不十分なときは1回目量を200mgまで増量できる。重度以上の腎機能障害患者は1日1回100mg。

■先発品　　商品名（メーカー）　規格・保険薬価
スイニー 写真 （三和＝興和）錠 100mg 1錠 45.90 円

一般名：サキサグリプチン水和物

- 保険収載年月…2013年5月
- 海外評価…6点 英 米 独 仏　●PC…B
- 規制…劇薬
- 剤形…錠 錠剤
- 服用量と回数…1日1回5mg。患者の状態に応じて1日1回2.5mg。中等度以上の腎機能障害患者は1日1回2.5mg。

■先発品　　商品名（メーカー）　規格・保険薬価
オングリザ 写真 （協和キリン）
錠 2.5mg 1錠 65.90 円　　錠 5mg 1錠 98.80 円

一般名：トレラグリプチンコハク酸塩

- 保険収載年月…2015年5月
- 海外評価…0点 英 米 独 仏
- 剤形…錠 錠剤
- 服用量と回数…1回100mgを1週間に1回。中等度以上の腎機能障害患者は25mgまたは50mgを1週間に1回。

■先発品　　商品名（メーカー）　規格・保険薬価
ザファテック （武田）錠 25mg 1錠 255.00 円
錠 50mg 1錠 480.70 円　　錠 100mg 1錠 905.20 円

一般名：オマリグリプチン

- 保険収載年月…2015年11月
- 海外評価…0点 英 米 独 仏
- 剤形…錠 錠剤
- 服用量と回数…1回25mgを1週間に1回。重度以上の腎機能障害患者は12.5mgを1週間に1回。

■先発品　　商品名（メーカー）　規格・保険薬価
マリゼブ 写真 （MSD＝キッセイ）
錠 12.5mg 1錠 421.40 円　錠 25mg 1錠 792.00 円

一般名：アログリプチン安息香酸塩・ピオグリタゾン塩酸塩配合剤

- 保険収載年月…2011年9月
- 海外評価…2点 英 米 独 仏
- 剤形…錠 錠剤
- 服用量と回数…1日1回1錠，朝食前または朝食後に服用。

■先発品　　商品名（メーカー）　規格・保険薬価
リオベル配合錠 HD （武田）錠 1錠 158.00 円
リオベル配合錠 LD （武田）錠 1錠 193.00 円

一般名：ビルダグリプチン・メトホルミン塩酸塩配合剤

- 保険収載年月…2015年11月
- 海外評価…3点 英 米 独 仏
- 規制…劇薬
- 剤形…錠 錠剤
- 服用量と回数…1回1錠を1日2回（朝夕）。

■先発品　　商品名（メーカー）　規格・保険薬価
エクメット配合錠 HD 写真 （ノバルティス＝住友ファーマ）錠 1錠 60.20 円
エクメット配合錠 LD （ノバルティス＝住友ファーマ）錠 1錠 60.80 円

一般名：アログリプチン安息香酸塩・メトホルミン塩酸塩配合剤

- 保険収載年月…2016年11月
- 海外評価…4点 英 米 独 仏　●PC…B
- 規制…劇薬
- 剤形…錠 錠剤
- 服用量と回数…1日1回1錠。食直前または食後

に服用。

■**先発品**　商品名(メーカー)　規格・保険薬価

イニシンク配合錠[写真](武田) 錠 1錠 148.40 円

一般名：テネリグリプチン臭化水素酸塩水和物・カナグリフロジン水和物配合剤

● 保険収載年月…2017年8月
● 海外評価…0点 英 米 独 仏
● 剤形…錠 錠剤
● 服用量と回数…1日1回1錠を，朝食前または朝食後に服用。

■**先発品**　商品名(メーカー)　規格・保険薬価

カナリア配合錠[写真](田辺三菱＝第一三共)
錠 1錠 246.00 円

一般名：シタグリプチンリン酸塩水和物・イプラグリフロジン L-プロリン配合剤

● 保険収載年月…2018年5月

● 海外評価…0点 英 米 独 仏
● 剤形…錠 錠剤
● 服用量と回数…1日1回1錠を朝食前または朝食後に服用。

■**先発品**　商品名(メーカー)　規格・保険薬価

スージャヌ配合錠[写真](MSD＝アステラス)
錠 1錠 217.60 円

一般名：アナグリプチン・メトホルミン塩酸塩配合剤

● 保険収載年月…2018年11月
● 海外評価…0点 英 米 独 仏
● 規制…劇薬
● 剤形…錠 錠剤
● 服用量と回数…1回1錠を1日2回，朝夕に服用。

■**先発品**　商品名(メーカー)　規格・保険薬価

メトアナ配合錠 HD[写真](三和) 錠 1錠 48.50 円
メトアナ配合錠 LD(三和) 錠 1錠 48.60 円

概　要

分類　選択的ジペプチジルペプチターゼ(DPP)-4 阻害薬(2型糖尿病治療薬)

処方目的　2型糖尿病

＊リオベル配合錠，エクメット配合錠，イニシンク配合錠，カナリア配合錠，スージャヌ配合錠，メトアナ配合錠は，配合されている薬剤の併用による治療が適切と判断される場合に限る。

解説　本剤は，インクレチンと呼ばれる消化管ホルモンの血糖コントロール作用を利用した血糖降下薬です。食事摂取に伴い消化管で産生されるインクレチンには，グルカゴン様ポリペプチド(GLP)-1 とグルコース依存性インスリン分泌促進ポリペプチド(GIP)があります。

　GLP-1 は，血流によって膵臓の α 細胞に運ばれてグルカゴンの分泌を抑制し，肝臓での糖新生を抑制します。GIP および GLP-1 は，膵臓の β 細胞に運ばれ，インスリンの分泌を増強するホルモンです。グルコース依存性であるので，血糖値が高値のときはインスリンの分泌を増強し，血糖値が正常あるいは低値のときはインスリンの分泌を増強しません。このため，副作用の低血糖が少なくなることが期待できます。

　ジペプチジルペプチターゼ(DPP)-4 は，これらのインクレチンを分解し，失活させる酵素です。DPP-4 阻害薬である本剤は，インクレチンによる血糖コントロール作用の持続・強化が図られています。

　なお，ザファテックとマリゼブは週1回服用で効果を発揮する糖尿病薬で，同一曜日

に服用します。服用を忘れた場合は，気づいた時点で決められた用量のみを服用し，その後はあらかじめ定められた曜日に服用します。

　また，本項に掲載の配合剤は，DPP-4阻害薬にピオグリタゾン塩酸塩，メトホルミン塩酸塩，カナグリフロジン水和物，イプラグリフロジン L-プロリンを加えた製剤なので，それぞれの項も参照してください。

使用上の注意

＊シタグリプチンリン酸塩水和物（グラクティブ）の添付文書による

警告

［エクメット配合錠，イニシンク配合錠，メトアナ配合錠］本剤成分のメトホルミン塩酸塩により重篤な乳酸アシドーシスをおこすことがあり，死亡に至った例も報告されています。乳酸アシドーシスをおこしやすい人は服用してはいけません。また，腎機能障害・肝機能障害のある人，高齢者が服用する場合は，定期的に腎機能や肝機能の検査を行うことが必要です。

基本的注意

(1)**服用してはいけない場合**……本剤の成分に対するアレルギーの前歴／重いケトーシス，糖尿病性昏睡または前昏睡，1型糖尿病／重い感染症，手術前後，重い外傷のある人

(2)**慎重に服用すべき場合**……低血糖をおこすおそれのある以下の人・状態→脳下垂体機能不全，副腎機能不全，栄養不良状態，飢餓状態，不規則な食事摂取，食事摂取量不足または衰弱状態，激しい筋肉運動，過度のアルコール摂取者，高齢者／中等度・重度の腎機能障害，血液透析・腹膜透析を要する末期腎不全／腹部手術の前歴／腸閉塞の前歴

(3)**定期検査**……①本剤服用中は血糖を定期的に検査し，服用継続の可否，服用量の増量や減量などに注意する必要があります。本剤を3カ月服用しても食後血糖に対する効果が不十分な場合は，より適切な治療薬への変更を考慮し，十分な血糖コントロールが得られた場合は服用を中止します。②本剤は主に腎臓で排泄されるため，腎機能障害のある人は本剤の排泄が遅延し血中濃度が上昇するおそれがあるので，腎機能を定期的に検査します。

(4)**低血糖対策**……本剤の服用，および他の糖尿病薬との併用（特にインスリン製剤またはスルフォニルウレア系薬剤，速効型インスリン分泌促進薬）によって低血糖がおこることがあります。平素からショ糖（砂糖の主成分）やブドウ糖を持ち歩き，脱力感，高度の空腹感，発汗などの症状が現れたら，すぐに服用してください。本剤の服用によって症状が現れたら通常はショ糖を服用し，α-グルコシダーゼ阻害薬（アカルボース，ボグリボース，ミグリトール）を併用している場合にはブドウ糖を服用します。

(5)**禁酒**……［エクメット配合錠，イニシンク配合錠，メトアナ配合錠］アルコール（過度の摂取）と併用すると乳酸アシドーシスをおこすことがあります。服用中は過度のアルコール摂取（飲酒）を避けてください。

(6)**危険作業に注意**……本剤を服用すると，低血糖をおこすことがあります。服用中は，高所作業，自動車の運転など危険を伴う機械の操作には十分に注意してください。

(7)**その他**……

- 妊婦での安全性：有益と判断されたときのみ服用。
- 授乳婦での安全性：治療上の有益性・母乳栄養の有益性を考慮し，授乳の継続・中止を検討。
- 小児での安全性：未確立。(1714 頁を参照)

重大な副作用　①アナフィラキシー反応。②皮膚粘膜眼症候群(スティブンス-ジョンソン症候群)，剥脱性皮膚炎。③低血糖。④肝機能障害，黄疸。⑤急性腎障害。⑥急性膵炎(持続的な激しい腹痛，嘔吐など)。⑦間質性肺炎(発熱，せき，呼吸困難など)。⑧腸閉塞(高度の便秘，腹部膨満，持続する腹痛，嘔吐など)。⑨横紋筋融解症(筋肉痛，脱力感など)。⑩血小板減少。⑪類天疱瘡(水疱，びらんなど)。

そのほかにも報告された副作用はあるので，体調がいつもと違うと感じたときは，処方医・薬剤師に相談してください。

併用してはいけない薬　併用してはいけない薬は特にありません。ただし，併用する薬があるときは，念のため処方医・薬剤師に報告してください。

内 11 内分泌疾患の薬　01 糖尿病の内服薬

07 選択的 SGLT2 阻害薬

⊘ 製剤情報

一般名：イプラグリフロジン L-プロリン
- 保険収載年月…2014年4月
- 海外評価…0点 英 米 独 仏
- 剤形…錠 錠剤
- 服用量と回数…1日1回50mgを朝食前または朝食後に服用。効果が不十分なときは，1日1回100mgまで増量できる。

■**先発品**　商品名(メーカー)　規格・保険薬価
スーグラ 写真 (アステラス) 錠 25mg 1錠 121.00 円
錠 50mg 1錠 180.90 円

一般名：トホグリフロジン水和物
- 保険収載年月…2014年5月
- 海外評価…0点 英 米 独 仏
- 剤形…錠 錠剤
- 服用量と回数…1日1回20mgを朝食前または朝食後に服用。

■**先発品**　商品名(メーカー)　規格・保険薬価
デベルザ 写真 (興和) 錠 20mg 1錠 176.60 円

一般名：ダパグリフロジンプロピレングリコール水和物
- 保険収載年月…2014年5月
- 海外評価…5点 英 米 独 仏　●PC…C
- 剤形…錠 錠剤
- 服用量と回数…[2型・1型糖尿病]1日1回5mg。効果が不十分なときは，1日1回10mgまで増量できる。[慢性心不全，慢性腎臓病]1日1回10mg。

■**先発品**　商品名(メーカー)　規格・保険薬価
フォシーガ 写真 (アストラ＝小野)
錠 5mg 1錠 179.00 円　錠 10mg 1錠 264.90 円

一般名：ルセオグリフロジン水和物
- 保険収載年月…2014年5月
- 海外評価…0点 英 米 独 仏
- 剤形…錠 錠剤

- 服用量と回数…1日1回2.5mgを朝食前または朝食後に服用。効果が不十分なときは、1日1回5mgまで増量できる。

■先発品　商品名(メーカー)　規格・保険薬価
ルセフィ 写真 (大正製薬) 錠 2.5mg 1錠 161.20 円
錠 5mg 1錠 240.00 円

一般名：カナグリフロジン水和物
- 保険収載年月…2014年9月
- 海外評価…4点 英米独仏　●PC…C
- 剤形…錠 錠剤
- 服用量と回数…1日1回100mgを朝食前または朝食後に服用。

■先発品　商品名(メーカー)　規格・保険薬価
カナグル 写真 (田辺三菱) 錠 100mg 1錠 169.10 円

一般名：エンパグリフロジン
- 保険収載年月…2015年2月
- 海外評価…5点 英米独仏　●PC…C
- 剤形…錠 錠剤

- 服用量と回数…1日1回10mgを朝食前または朝食後に服用。2型糖尿病において効果が不十分なときは、1日1回25mgまで増量できる。

■先発品　商品名(メーカー)　規格・保険薬価
ジャディアンス 写真 (ベーリンガー)
錠 10mg 1錠 189.00 円　錠 25mg 1錠 322.70 円

一般名：エンパグリフロジン・リナグリプチン配合剤
- 保険収載年月…2018年11月
- 海外評価…2点 英米独仏
- 剤形…錠 錠剤
- 服用量と回数…1日1回1錠を朝食前または朝食後に服用。

■先発品　商品名(メーカー)　規格・保険薬価
トラディアンス配合錠 AP (ベーリンガー)
錠 1錠 257.70 円
トラディアンス配合錠 BP (ベーリンガー)
錠 1錠 360.60 円

概　要
分類　選択的 SGLT2 阻害薬（2 型糖尿病治療薬）
処方目的　2 型糖尿病（トラディアンス配合錠は，配合されている薬剤の併用による治療が適切と判断される場合に限る）／[スーグラ，フォシーガのみの適応症]1 型糖尿病（インスリン製剤と併用）／[フォシーガ，ジャディアンスのみ]慢性心不全（ただし，慢性心不全の標準的な治療を受けている患者に限る）／[フォシーガのみ]慢性腎臓病（ただし，末期腎不全または透析施行中の患者を除く）

解説　本剤を選択的 SGLT2 阻害薬といいます。日本では 2014 年 4 月の発売以降，多くの種類の薬剤が販売されています。

　SGLT は細胞表面に存在する膜タンパク質で，ブドウ糖（グルコース）の細胞内への輸送を司っています。SGLT2 は SGLT のサブタイプの一つで，腎臓近位尿細管でのブドウ糖の再吸収において重要な役割を担っています。本剤はこの SGLT2 を選択的に阻害することでブドウ糖の再吸収を抑制し，血液中の過剰なブドウ糖を体外に排出して血糖値を下げます。

　スーグラとフォシーガは 1 型糖尿病も適応で，あらかじめ適切なインスリン製剤による治療を十分に行ったうえで，血糖コントロールが不十分な場合に限り，インスリン製剤に本剤を併用して用います。また，フォシーガとジャディアンスは慢性心不全，フォシ

ーガはさらに慢性腎臓病も適応となっています。

　トラディアンス配合錠は，選択的SGLT2阻害薬のエンパグリフロジンと選択的DPP-4阻害薬のリナグリプチンとの合剤です。服用する人はそちらのほうも参照してください。

使用上の注意

＊イプラグリフロジン　L-プロリン(スーグラ)，カナグリフロジン水和物(カナグル)の添付文書による

基本的注意

(1)服用してはいけない場合……本剤の成分に対するアレルギーの前歴／重症ケトーシス，糖尿病性昏睡または前昏睡／重症感染症，手術前後，重篤な外傷のある人

(2)慎重に服用すべき場合……低血糖をおこすおそれのある以下の人・状態→脳下垂体機能不全または副腎機能不全，栄養不良状態，るいそう(やせ)，飢餓状態，食事摂取量の不足または衰弱状態，不規則な食事摂取，激しい筋肉運動を行った状態，過度のアルコール摂取／尿路感染・性器感染／脱水をおこしやすい人(血糖コントロールが極めて不良の人，高齢者，利尿薬の併用中など)／中等度の腎機能障害
[イプラグリフロジン L-プロリンのみ] 重度の肝機能障害／[カナグリフロジン水和物のみ]心不全(NYHA 心機能分類Ⅳ)

(3)定期検査……①本剤の服用中は血糖値などを定期的に検査し，薬剤の効果を確かめ，3カ月服用しても効果が不十分な場合には，より適切な治療法へ変更することがあります。②本剤の服用により腎臓の機能が低下することがあるため，腎機能を定期的に検査します。

(4)感染症……本剤の服用によって尿路感染および性器感染をおこし，腎盂腎炎，外陰部・会陰部の壊死性筋膜炎(フルニエ壊疽)，敗血症などの重篤な感染症に至ることがあるので，十分な注意が必要です。尿路感染・性器感染の症状や対処方法について医師に説明を受けましょう。

(5)低血糖対策……本剤の服用，および他の糖尿病用薬との併用(特にスルフォニルウレア系製剤，速効型インスリン分泌促進薬，インスリン製剤，GLP-1受容体作動薬)によって低血糖がおこることがあります。平素から糖質(ショ糖)を含む食品やブドウ糖を持ち歩き，脱力感，高度の空腹感，発汗などの症状が現れたら，すぐに摂取してください。本剤の服用によって症状が現れたら通常は糖質を含む食品を摂取し，α-グルコシダーゼ阻害薬 (アカルボース，ボグリボース，ミグリトール)を併用している場合にはブドウ糖を摂取してください。

(6)多尿・頻尿……本剤の利尿作用により多尿・頻尿がおこることがあります。また，体液量が減少することがあるので適度な水分補給を行うようにします。多尿・頻尿，脱水(口渇など)，血圧低下などの異常が認められた場合は，直ちに処方医に連絡してください。特に体液量減少をおこしやすい人(高齢者や利尿薬を併用している人など)においては，脱水や糖尿病性ケトアシドーシス，高浸透圧高血糖症候群，脳梗塞を含む血栓・塞栓症などの発現に注意してください。

(7)ケトアシドーシス……本剤の服用によって，血糖コントロールが良好であってもケト

ーシスが現れ，ケトアシドーシスに至ることがあります。ケトアシドーシスの症状（悪心・嘔吐，食欲減退，腹痛，過度な口渇，倦怠感，呼吸困難，意識障害など）が認められた場合には直ちに処方医に連絡してください。

(8)**危険作業に注意**……本剤を服用すると低血糖症状をおこすことがあります。高所作業や自動車の運転など危険を伴う機械の操作に従事している人は十分に注意してください。

(9)**その他**……

- ●妊婦での安全性：妊婦または妊娠している可能性のある人は本剤を使用せずにインスリン製剤などを使用。
- ●授乳婦での安全性：服用するときは授乳しないことが望ましい。
- ●小児での安全性：未確立。(1714頁を参照)

重大な副作用 ①低血糖。②腎盂腎炎，外陰部・会陰部の壊死性筋膜炎（フルニエ壊疽），敗血症（敗血症性ショックを含む）。③脱水（口渇，多尿，頻尿，血圧低下など）。④ケトアシドーシス（糖尿病性ケトアシドーシスを含む）。
[イプラグリフロジン L-プロリンのみ] ⑤ショック，アナフィラキシー。

そのほかにも報告された副作用はあるので，体調がいつもと違うと感じたときは，処方医・薬剤師に相談してください。

併用してはいけない薬 併用してはいけない薬は特にありません。ただし，併用する薬があるときは，念のため処方医・薬剤師に報告してください。

内 11 内分泌疾患の薬 01 糖尿病の内服薬

08 GLP-1 受容体作動薬

製剤情報

一般名：セマグルチド（遺伝子組み換え）
- ●保険収載年月…2020年11月
- ●海外評価…4点 英 米 独 仏
- ●規制…劇薬
- ●剤形…錠 錠剤
- ●服用量と回数…1日1回3mgから開始し，4週

間以上服用した後，1日1回7mgに増量する。状態に応じて適宜増減するが，1日1回7mgを4週間以上服用しても効果不十分な場合は1日1回14mgに増量できる。

■**先発品** 商品名（メーカー） 規格・保険薬価
リベルサス（ノボ＝MSD）錠 3mg 1錠 143.20円
錠 7mg 1錠 334.20円 錠 14mg 1錠 501.30円

概 要

分類 経口 GLP-1 受容体作動薬（2型糖尿病治療薬）
処方目的 2型糖尿病
解説 食事の摂取に伴い，消化管から産生されるホルモン「インクレチン」の1つであるグルカゴン様ペプチド-1（GLP-1）には，膵臓の β 細胞にある GLP-1 受容体と結合してインスリンの分泌を促し，血糖値を下げる働きがあります。本剤は，この GLP-1 の血糖

コントロール作用を利用した血糖降下薬(GLP-1受容体作動薬)です。

　本剤はすでに注射薬(オゼンピック皮下注SD)として使用されています。注射薬は週1回の投与で，内服薬のリベルサスは1日1回の服用です。どちらも，あらかじめ糖尿病治療の基本である食事療法，運動療法を十分に行ったうえで効果が不十分な場合に限り処方されます。

🖋 使用上の注意

基本的注意

(1)**服用してはいけない場合**……本剤の成分に対するアレルギーの前歴／糖尿病性ケトアシドーシス，糖尿病性昏睡または前昏睡，1型糖尿病／重症感染症，手術などの緊急の場合

(2)**慎重に服用すべき場合**……膵炎の前歴／重度胃不全麻痺など，重度の胃腸障害／低血糖をおこすおそれがある人・状態→脳下垂体機能不全または副腎機能不全，栄養不良状態，飢餓状態，不規則な食事摂取，食事摂取量の不足または衰弱状態，激しい筋肉運動，過度のアルコール摂取者／胃摘出術を受けた人／高齢者

(3)**服用方法**……①本剤の吸収は胃の内容物により低下することから，本剤は1日のうちの最初の食事または飲水の前に，空腹の状態でコップ約半分の水(約120mL以下)とともに1錠服用します。②服用時および服用後少なくとも30分は，飲食や他の薬剤の経口摂取をしないでください。③本剤を分割・粉砕したり，かみ砕いて服用しないように。④服用を忘れた場合はその日は服用せず，翌日服用してください。

(4)**定期検査**……本剤の服用中は血糖，尿糖を定期的に検査して薬剤の効果を確かめ，3～4カ月服用しても効果が不十分な場合には，より適切と考えられる治療法への変更を考慮します。

(5)**低血糖対策**……本剤の服用，および他の糖尿病用薬との併用によって低血糖がおこることがあります。特にインスリン製剤またはスルフォニルウレア系製剤との併用時には，より重篤な低血糖がおこりやすくなります。平素から糖質(ショ糖)を含む食品を持ち歩き，脱力感，倦怠感，高度の空腹感，冷汗などの症状が現れたら，すぐに摂取してください。ただし，α-グルコシダーゼ阻害薬を併用している場合にはブドウ糖を摂取してください。

(6)**危険作業に注意**……本剤を服用すると低血糖症状をおこすことがあります。高所作業や自動車の運転など危険を伴う機械の操作に従事している人は十分に注意してください。

(7)**妊娠**……2カ月以内に妊娠を予定する女性，および妊婦，妊娠している可能性のある女性は本剤を服用せず，インスリン製剤を使用してください。

(8)**その他**……

● 授乳婦での安全性：治療上の有益性・母乳栄養の有益性を考慮し，授乳の継続・中止を検討。

● 小児での安全性：未確立。(1714頁を参照)

重大な副作用

①低血糖(脱力感，倦怠感，高度の空腹感，冷汗，顔面蒼

白，動悸，ふるえ，頭痛，めまい，吐きけ，視覚異常など）。②急性膵炎（嘔吐を伴う持続的な激しい腹痛など）。

　そのほかにも報告された副作用はあるので，体調がいつもと違うと感じたときは，処方医・薬剤師に相談してください。

併用してはいけない薬　併用してはいけない薬は特にありません。ただし，併用する薬があるときは，念のため処方医・薬剤師に報告してください。

内 11 内分泌疾患の薬　01 糖尿病の内服薬

09　イメグリミン

製剤情報

一般名：イメグリミン塩酸塩
- 保険収載年月…2021年8月
- 海外評価…0点 英 米 独 仏
- 剤形…錠 錠剤

- 服用量と回数…1回1000mgを1日2回，朝，夕に服用。

先発品　　商品名（メーカー）　　規格・保険薬価

ツイミーグ（住友ファーマ）錠 500mg 1錠 34.40 円

概　要

分類　糖尿病用薬
処方目的　2型糖尿病
解説　細胞内小器官のミトコンドリアの機能の低下は，糖尿病の発症や悪化に深く関わっています。本剤は，既存の経口糖尿病治療薬とは異なる構造を有する新しいタイプの薬剤で，ミトコンドリアへの作用を介して，肝臓での糖の生成を抑え，血糖値に応じてインスリン（血糖値を下げる働き）の分泌を促進したり，インスリンが働きにくい状態（インスリン抵抗性）を改善します。

　本剤の適用は，あらかじめ糖尿病治療の基本である食事療法，運動療法を十分に行ったうえで効果が不十分な場合に限り考慮されます。

使用上の注意

基本的注意

(1)**服用してはいけない場合**……本剤の成分に対するアレルギーの前歴／重症ケトーシス，糖尿病性昏睡または前昏睡，1型糖尿病／重症感染症，手術前後，重篤な外傷

(2)**慎重に服用すべき場合**……低血糖をおこすおそれがある人・状態→脳下垂体機能不全または副腎機能不全，栄養不良状態，飢餓状態，不規則な食事摂取，食事摂取量の不足または衰弱状態，激しい筋肉運動，過度のアルコール摂取者／eGFR が 45mL/分/1.73m² 未満の腎機能障害（透析患者を含む）→服用は推奨されない／肝機能障害／高齢者

(3)**定期検査**……①本剤の服用中は血糖を定期的に検査して薬剤の効果を確かめ，3カ月服用しても効果が不十分な場合には，より適切と考えられる治療法への変更を考慮し

ます。②腎機能障害のある場合，本剤の排泄が遅延し血中濃度が上昇するおそれがあるので，腎機能を定期的に検査することが望ましいです。

(4)低血糖対策……本剤の服用，および他の糖尿病用薬との併用，特にインスリン製剤，スルフォニルウレア系製剤，速効型インスリン分泌促進薬と併用した場合に，低血糖が現れるおそれがあります。低血糖症状（初期症状：脱力感，高度の空腹感，発汗など）が認められた場合には，糖質を含む食品を摂取するなど適切な処置を行ってください。ただし，α-グルコシダーゼ阻害薬との併用により低血糖症状が認められた場合にはブドウ糖を摂取してください。

(5)ビグアナイド系薬剤との併用……本剤とビグアナイド系薬剤は作用機序の一部が共通している可能性があること，また，両剤を併用した場合，他の糖尿病用薬との併用療法と比較して消化器症状が多く認められたことから，併用薬剤の選択の際には留意してください。

(6)危険作業に注意……本剤の服用により低血糖症状をおこすことがあるので，高所作業，自動車の運転などに従事している人は十分に注意してください。

(7)その他……

- 妊婦での安全性：妊婦または妊娠している可能性のある人は本剤を使用せずにインスリン製剤を使用。
- 授乳婦での安全性：治療上の有益性・母乳栄養の有益性を考慮し，授乳の継続・中止を検討。
- 小児での安全性：未確立。（1714頁を参照）

**　重大な副作用　**①低血糖。

そのほかにも報告された副作用はあるので，体調がいつもと違うと感じたときは，処方医・薬剤師に相談してください。

**　併用してはいけない薬　**併用してはいけない薬は特にありません。ただし，併用する薬があるときは，念のため処方医・薬剤師に報告してください。

内 11 内分泌疾患の薬　01 糖尿病の内服薬

10 低血糖治療薬

💊 製剤情報

一般名：ジアゾキシド

- 保険収載年月…2008年6月
- 海外評価…6点 英 米 独 仏 ・PC…C
- 規制…劇薬
- 剤形…カ カプセル剤
- 服用量と回数…1歳以上の幼小児および成人：

1日3～8mg／kg（体重）を2～3回に分けて服用。1日最大20mg／kg。1歳未満の乳児：1日8～15mg／kgを2～3回に分けて服用。1日最大20mg／kg。

■**先発品　商品名(メーカー)** 規格・保険薬価

ジアゾキシド（オーファン）カ 25mg 1カプセル 261.70円

概　要

分類　高インスリン血性低血糖症治療薬

処方目的　高インスリン血性低血糖症

〈注1〉高インスリン血性低血糖症と確定診断を受けた人のみ服用します。

〈注2〉重症低血糖症による中枢神経症状（酩酊していると間違えられるような不適当な行動，視覚障害，昏迷・昏睡，けいれん発作）に対しては有効性が認められていません。

解説　高インスリン血性低血糖症は，膵臓の膵島 β 細胞からのインスリンの過剰分泌によっておこる低血糖をいい，低血糖時の血中インスリン濃度（インスリン値）および他の間接的指標（遊離脂肪酸等）を測定して診断されます。

　ジアゾキシドは，膵島 β 細胞からのインスリン分泌を抑制することにより血糖を正常範囲に維持します。本剤はチアジド系薬剤に分類されますが，チアジド系利尿降圧薬と異なり，抗利尿・降圧作用があります。そのため，副作用としてナトリウムおよび体液の貯留が現れることがあり，特に腎機能障害のある人は，服用中は血清電解質を検査する必要があります。また，降圧薬との併用は，降圧作用が増強することがあるので注意が必要です。過剰服用では高血糖が現れることがあります。

　本剤を2～3週間服用しても効果が認められない場合には，服用を中止します。

使用上の注意

基本的注意

(1)**服用してはいけない場合**……本剤の成分またはチアジド系利尿薬に対するアレルギーの前歴

(2)**慎重に服用すべき場合**……心予備能（安静時には利用されていない，組織へ酸素を供給する心筋の能力）の低下／高尿酸血症・痛風またはその前歴／腎機能障害

(3)**過剰服用**……本剤を過剰に服用すると，ケトアシドーシスを伴う高血糖が現れることがあります。

(4)**定期検査**……本剤の服用を開始した後，状態が安定するまで（通常数日間）臨床症状および血糖値を検査する必要があります。また，長期に服用する場合には血糖，尿糖および尿ケトン値を定期的に検査する必要があります。

(5)**一過性高インスリン血性低血糖症**……本剤の服用により低血糖が改善し，その後再燃しない場合には，一過性の高インスリン血性低血糖症の可能性があるので，服用の中止を検討します。

(6)**肺高血圧症**……新生児～小児が本剤を服用すると肺高血圧症が現れることがあります。呼吸困難，チアノーゼ，易疲労感，失神，末梢性浮腫，胸痛などの症状がみられたら，直ちに処方医に連絡してください。

(7)**その他**……

●妊婦での安全性：未確立。有益と判断されたときのみ服用。

●授乳婦での安全性：原則として服用しない。やむを得ず服用するときは授乳中止。
　（1714頁を参照）

重大な副作用　　①重篤なナトリウムおよび体液の貯留，うっ血性心不全。

②ケトアシドーシス，高浸透圧性昏睡。③急性膵炎，膵壊死。④血小板減少。⑤(新生児〜小児に)肺高血圧症。

そのほかにも報告された副作用はあるので，体調がいつもと違うと感じたときは，処方医・薬剤師に相談してください。

併用してはいけない薬　併用してはいけない薬は特にありません。ただし，併用する薬があるときは，念のため処方医・薬剤師に報告してください。

内 11 内分泌疾患の薬　02 甲状腺の薬

01 甲状腺製剤

製剤情報

一般名：リオチロニンナトリウム
- 保険収載年月…1961年1月
- 海外評価…6点 英 米 独 仏　●PC…A
- 規制…劇薬(25μg錠のみ)
- 剤形…錠 錠剤
- 服用量と回数…初回1日1回5〜25μgから開始し，1〜2週間間隔で徐々に増量，維持量1日25〜75μg。

■先発品　商品名(メーカー)　規格・保険薬価

| チロナミン (武田) | 錠 5μg 1錠 9.80 円 |
| | 錠 25μg 1錠 10.10 円 |

一般名：レボチロキシンナトリウム水和物
- 保険収載年月…1950年9月

- 海外評価…6点 英 米 独 仏　●PC…A
- 規制…劇薬
- 剤形…錠 錠剤，散 散剤
- 服用量と回数…1日1回25〜400μg。乳幼児甲状腺機能低下症の場合は，処方医の指示通りに服用。

■先発品　商品名(メーカー)　規格・保険薬価

チラーヂンS (あすか＝武田)	散 0.01% 1g 59.10 円
錠 12.5μg 1錠 9.80 円	錠 25μg 1錠 9.80 円
錠 50μg 1錠 9.80 円	錠 75μg 1錠 9.80 円
錠 100μg 1錠 11.60 円	
レボチロキシンNa 写真 (サンド＝富士製薬)	
錠 25μg 1錠 9.80 円	錠 50μg 1錠 9.80 円

概要

分類　甲状腺ホルモン

処方目的　[チラーヂンS散剤を除く] 粘液水腫，クレチン症，甲状腺機能低下症(原発性・下垂体性)，甲状腺腫，慢性甲状腺炎(リオチロニンナトリウムのみ)
[チラーヂンS散剤の適応症] 乳幼児甲状腺機能低下症

解説　甲状腺は首の喉頭前下部にあり，サイロキシンとトリヨードサイロニンという2種類のホルモンを分泌しています。甲状腺ホルモンの働きは，ブドウ糖の腸管からの吸収と肝臓でのグリコーゲンの分解を促して，血糖値を上昇させたり，タンパク質や脂質の分解を促進したりするもので，ひと口でいえば新陳代謝の促進です。

使用上の注意
＊リオチロニンナトリウム(チロナミン)の添付文書による

基本的注意

(1) 服用してはいけない場合……新鮮な心筋梗塞

(2) 慎重に服用すべき場合……重い心臓・血管系障害（狭心症，陳旧性心筋梗塞，動脈硬化症，高血圧症など）／副腎皮質機能不全，脳下垂体機能不全／糖尿病／高齢者

(3) その他……

● 妊婦での安全性：未確立。有益と判断されたときのみ服用。(1714 頁を参照)

重大な副作用

①ショック。②狭心症，うっ血性心不全。③肝機能障害，黄疸。④（副腎皮質機能不全，脳下垂体機能不全のある人の場合）副腎クリーゼ（全身倦怠感，血圧低下，尿量低下，呼吸困難など）。

[レボチロキシンナトリウム水和物のみ] ⑤（低出生体重児，早産児に）晩期循環不全（血圧低下，尿量低下など）。

　そのほかにも報告された副作用はあるので，体調がいつもと違うと感じたときは，処方医・薬剤師に相談してください。

併用してはいけない薬

併用してはいけない薬は特にありません。ただし，併用する薬があるときは，念のため処方医・薬剤師に報告してください。

内 11 内分泌疾患の薬　02 甲状腺の薬

02 抗甲状腺製剤

製剤情報

一般名：チアマゾール

● 保険収載年月……1957年12月

● 海外評価……4点 英 米 独 仏　● PC…D

● 剤形…錠 錠剤

● 服用量と回数……初期量として1日30mgを3～4回に分けて服用。重症時には1日40～60mg。機能亢進症状がほぼ消失したら1～4週間ごとに徐々に減量し，維持量1日5～10mgを1～2回に分けて服用。小児・妊婦の場合は処方医の指示通りに服用。

■ 先発品　商品名(メーカー)　規格・保険薬価

メルカゾール (あすか＝武田) 錠 2.5mg 1錠 9.80 円
錠 5mg 1錠 9.80 円

概　要

分類　抗甲状腺ホルモン

処方目的　甲状腺機能亢進症

一般名：プロピルチオウラシル

● 保険収載年月……1967年10月

● 海外評価……6点 英 米 独 仏　● PC…D

● 剤形…錠 錠剤

● 服用量と回数……初期量として1日300mgを3～4回に分けて服用。重症時には1日400～600mg。機能亢進症状がほぼ消失したら1～4週間ごとに徐々に減量し，維持量1日50～100mgを1～2回に分けて服用。小児・妊婦の場合は処方医の指示通りに服用。

■ 先発品　商品名(メーカー)　規格・保険薬価

チウラジール 写真 (ニプロ ES)
錠 50mg 1錠 9.80 円

プロパジール (あすか＝武田) 錠 50mg 1錠 9.80 円

解説　　甲状腺機能が高まっているためにおこるバセドウ病の治療には，1950年頃から生体内でL-サイロキシンの生合成を阻止する薬剤が使用されています。この製剤の副作用としては，造血組織に対する障害が多いので，白血球数の減少に特に注意することが必要です。

使用上の注意

＊メルカゾール，チウラジールの添付文書による

警告

[チアマゾール]重い無顆粒球症が，主に服用開始後2カ月以内に発現し，死亡に至った例も報告されています。少なくとも服用開始後2カ月間は原則として2週に1回の定期的な血液検査を行い，無顆粒球症の症状(咽頭痛，発熱など)が現れた場合には速やかに処方医に連絡してください。

基本的注意

(1)服用してはいけない場合……本剤の成分に対するアレルギーの前歴／[プロピルチオウラシルのみ]本剤の服用後，肝機能が悪化した人

(2)慎重に服用すべき場合……肝機能障害／中等度以上の白血球減少または他の血液障害

(3)定期検査……①妊娠している人が服用すると，胎児・新生児に甲状腺の障害などがおこることがあります。妊婦または妊娠している可能性のある人は，定期的に甲状腺機能検査を受ける必要があります。②[チアマゾール]服用開始後2カ月間は，原則として2週に1回，それ以降も定期的に白血球分画を含めた血液の検査を受ける必要があります。③[プロピルチオウラシル]定期的に肝機能検査も受ける必要があります。

(4)その他……

[チアマゾール]

● 妊婦での安全性：有益と判断されたときのみ服用。

● 授乳婦での安全性：服用するときは授乳を中止。(1714頁を参照)

重大な副作用

①間質性肺炎(発熱，せき，呼吸困難など)。②抗好中球細胞質抗体(ANCA)陽性血管炎症候群(急速進行性腎炎症候群，肺出血など)。③汎血球減少，再生不良性貧血，無顆粒球症，白血球減少。④低プロトロンビン血症，第Ⅶ因子欠乏症，血小板減少，血小板減少性紫斑病。⑤肝機能障害，黄疸。⑥SLE(全身性エリテマトーデス)様症状。

[チアマゾールのみ]⑦インスリン自己免疫症候群(低血糖など)。⑧横紋筋融解症。⑨多発性・移動性関節炎。

[プロピルチオウラシルのみ]⑩アナフィラキシー(かゆみ，発疹，顔面浮腫，呼吸困難など)。⑪薬剤性過敏症症候群(発疹，発熱，リンパ節腫脹など)。

そのほかにも報告された副作用はあるので，体調がいつもと違うと感じたときは，処方医・薬剤師に相談してください。

併用してはいけない薬

併用してはいけない薬は特にありません。ただし，併用す

る薬があるときは，念のため処方医・薬剤師に報告してください。

【内】11 内分泌疾患の薬　02 甲状腺の薬

03　カルシウム受容体作動薬

製剤情報

一般名：シナカルセト塩酸塩
- 保険収載年月…2007年12月
- 海外評価…6点 英米独仏　●PC…C
- 剤形…錠 錠剤
- 服用量と回数…二次性副甲状腺機能亢進症の場合：1日1回25〜75mg服用，最大100mg。高カルシウム血症の場合：1回25〜75mgを1日2回。血清カルシウム濃度の改善が認められない場合は1回75mgを1日3〜4回まで服用できる。

■**先発品**　商品名(メーカー)　規格・保険薬価
レグパラ 写真 (協和キリン) 錠 12.5mg 1錠 372.40 円
錠 25mg 1錠 545.70 円　錠 75mg 1錠 1,008.70 円

一般名：エボカルセト
- 保険収載年月…2018年5月
- 海外評価…0点 英米独仏
- 規制…劇薬
- 剤形…錠 錠剤
- 服用量と回数…二次性副甲状腺機能亢進症の場合：1日1回1〜2mgから開始。状態に応じて徐々に8mgまで増量し，それでも効果不十分な場合は12mgまで増量できる。高カルシウム血症の場合：1回2mgを1日1回または2回から開始。以後は患者の血清カルシウム濃度により適宜増減し，服用量は1回6mgまで，回数は1日4回まで。

■**先発品**　商品名(メーカー)　規格・保険薬価
オルケディア 写真 (協和キリン)
錠 1mg 1錠 271.90 円　錠 2mg 1錠 399.00 円

概　要

分類　カルシウム受容体作動薬
処方目的　維持透析下の二次性副甲状腺機能亢進症／以下の疾患における高カルシウム血症→副甲状腺がん，副甲状腺摘出術不能または術後再発の原発性副甲状腺機能亢進症
解説　甲状腺の周囲にある米粒大の小さな組織を副甲状腺といい，副甲状腺ホルモンを分泌します。このホルモンは骨から血液中へのカルシウム溶出を促し，体内のカルシウムバランスを調整する役目をしています。血液中のカルシウムが増えてくると，このホルモンの分泌は治まります。

　二次性副甲状腺機能亢進症とは，慢性腎不全で長く透析を受けている人に多くみられる病気で，副甲状腺ホルモンが過剰に分泌されるため，カルシウムが骨から必要以上に溶出し，血液中のカルシウム濃度が高くなります。放置すると骨の病気などさまざまな症状を引きおこし，生活に支障をきたします。

　シナカルセト塩酸塩は，副甲状腺のカルシウムを感知する受容体に直接働きかけ，過剰な副甲状腺ホルモンの分泌を抑える，初めての「カルシウム受容体作動薬」として2007年に登場，2018年に第二弾としてエボカルセトが発売されました。

使用上の注意
＊両剤の添付文書による

基本的注意

(1)使用してはいけない場合……本剤の成分に対するアレルギーの前歴／[エボカルセトのみ]妊婦または妊娠している可能性のある人

(2)慎重に服用すべき場合……低カルシウム血症／肝機能障害／[シナカルセト塩酸塩のみ]けいれん発作またはその前歴／消化管出血, 消化管潰瘍またはその前歴

(3)カルシウム血症……服用中は定期的に血清カルシウム濃度を測定し, 低カルシウム血症が発現しないよう十分注意します。低カルシウム血症と関連のある可能性がある症状として, QT延長, しびれ, 筋けいれん, 気分不良, 不整脈, 血圧低下, けいれんなどが報告されています。

(4)グレープフルーツジュース……[シナカルセト塩酸塩]併用すると本剤の作用が強まることがあるので, 服用中はグレープフルーツジュースを飲まないようにしてください。

(5)その他……

●妊婦での安全性:[シナカルセト塩酸塩]服用しないことが望ましい。

●授乳婦での安全性:[シナカルセト塩酸塩]治療上の有益性・母乳栄養の有益性を考慮し, 授乳の継続・中止を検討。[エボカルセト]服用するときは授乳しないことが望ましい。

●小児での安全性:未確立。(1714頁を参照)

重大な副作用 ①低カルシウム血症。②QT延長。

[シナカルセト塩酸塩のみ]③消化管出血, 消化管潰瘍。④意識レベルの低下, 一過性意識消失。⑤原因不明の突然死。

そのほかにも報告された副作用はあるので, 体調がいつもと違うと感じたときは, 処方医・薬剤師に相談してください。

併用してはいけない薬 併用してはいけない薬は特にありません。ただし, 併用する薬があるときは, 念のため処方医・薬剤師に報告してください。

内 11 内分泌疾患の薬　03 その他のホルモン剤・抗ホルモン剤

01 乳汁分泌異常症治療薬

製剤情報

一般名:ブロモクリプチンメシル酸塩

●保険収載年月…1979年4月

●海外評価…5点 英 米 独 仏　●PC…B

●規制…劇薬

●剤形…錠剤

●服用量と回数…1日1回2.5mg。効果をみながら1日5〜7.5mgまで徐々に増量(2〜3回に分けて服用)。末端肥大症・下垂体性巨人症・パーキンソン症候群の場合は, 処方医の指示通りに服用。

■先発品　商品名(メーカー)　規格・保険薬価

パーロデル (サンファーマ) 錠 2.5mg 1錠 41.60円

■ジェネリック　商品名(メーカー)　規格・保険薬価

ブロモクリプチン (寿) 錠 2.5mg 1錠 41.30円

ブロモクリプチン (ダイト=扶桑)
錠 2.5mg 1錠 41.30円

ブロモクリプチン (東和) 錠 2.5mg 1錠 14.10円

ブロモクリプチン（富士製薬）

錠 2.5mg 1錠 14.10 円

📄 概　要

分類　バッカクアルカロイド

処方目的　末端肥大症，下垂体性巨人症，乳汁漏出症，産褥性乳汁分泌抑制，高プロラクチン血性排卵障害，高プロラクチン血性下垂体腺腫（外科的処置を必要としない場合に限る），パーキンソン症候群

解説　本剤は，イネ科植物の花穂に寄生するキノコの仲間（真菌植物）のバッカク（麦角）の誘導体で，プロラクチンというホルモンの分泌を抑制して乳汁漏出症や排卵障害の改善，下垂体腺腫の縮小に効果を発揮します。

　また，脳内のドパミン系の神経に対する作用もあり（ドパミン受容体作動薬），手足のふるえ・こわばり・体の動作が不自由になるなどのパーキンソン病症状の改善にも使われます。

📝 使用上の注意

＊ブロモクリプチンメシル酸塩（パーロデル）の添付文書による

基本的注意

(1)**服用してはいけない場合**……本剤の成分またはバッカクアルカロイドに対するアレルギーの前歴／妊娠高血圧症候群／産褥期高血圧／心臓弁膜の病変またはその前歴

(2)**慎重に服用すべき場合**……下垂体腫瘍がトルコ鞍外に進展し，視力障害などが著明な末端肥大症（先端巨大症）・下垂体性巨人症の人／下垂体腫瘍がトルコ鞍外に進展し，視力障害などが著明な高プロラクチン血性下垂体腺腫の人／肝機能障害・消化性潰瘍・精神病・重い心血管障害・腎疾患またはその前歴／レイノー病／妊婦または妊娠している可能性のある人

(3)**減量・中止**……本剤の減量また中止が必要な場合は，少しずつ減らしていくことが必要です。本剤の急激な減量・中止により，悪性症候群を誘発することがあります。また，ドパミン受容体作動薬の急激な減量・中止により，薬剤離脱症候群（無感情，不安，うつ，疲労感，発汗，疼痛などを特徴とする）が現れることがあります。

(4)**氷嚢法**……産褥性乳汁分泌の抑制のために本剤を服用するときは，氷嚢法（氷のうなどで冷やす）などの補助的方法を併用することがあります。

(5)**女性**……①動物実験（ラット）で，長期大量投与によって子宮腫瘍が発生したとの報告があります。女性が本剤を長期に連用するときには，定期的に婦人科検査を受ける必要があります。②妊娠を希望する人は，妊娠を早期に発見するため，定期的に妊娠反応などの検査を受ける必要があります。妊娠を望まない人は避妊をしてください。③高プロラクチン血性排卵障害の人が，本剤の服用中に妊娠が確認されたときは，ただちに服用を中止します。

(6)**衝動制御障害**……パーキンソン病の治療に本剤を服用すると，病的賭博（不利な結果を招くにもかかわらず，持続的にギャンブルを繰り返す状態），病的性欲亢進，強迫性購

買，暴食などの衝動制御障害がおこることがあります。これらの場合には減量または服用を中止します。また，本人および家族は，このような衝動制御障害の病状について説明を受けることが必要です。

(7)危険作業は中止……本剤を服用すると，著しい血圧下降，前兆のない突発的睡眠，傾眠などが現れるおそれがあります。服用中は，高所作業や自動車の運転など危険を伴う機械の操作は行わないようにしてください。

(8)その他……

- ●妊婦での安全性：未確立。有益と判断されたときのみ服用。
- ●授乳婦での安全性：授乳を望む場合は服用しない。
- ●小児での安全性：未確立。(1714頁を参照)

重大な副作用 ①急激な血圧低下・起立性低血圧によるショック（悪心・嘔吐，顔面蒼白，冷汗，失神など）。②胸水，心膜液，胸膜炎，心膜炎，胸膜線維症，肺線維症。③幻覚・妄想，せん妄，錯乱。④胃・十二指腸潰瘍の発現・悪化。⑤悪性症候群（発熱，意識障害，無動無言，強度の筋強剛，嚥下困難，頻脈，発汗）。⑥心臓弁膜症。⑦けいれん，脳血管障害，心臓発作，高血圧。⑧後腹膜線維症（背部痛，下肢浮腫，腎機能障害など）。⑨突発性睡眠。

　そのほかにも報告された副作用はあるので，体調がいつもと違うと感じたときは，処方医・薬剤師に相談してください。

併用してはいけない薬 併用してはいけない薬は特にありません。ただし，併用する薬があるときは，念のため処方医・薬剤師に報告してください。

内 11 内分泌疾患の薬　03 その他のホルモン剤・抗ホルモン剤

02 トルバプタン

製剤情報

一般名：トルバプタン

- ●保険収載年月…2010年12月
- ●海外評価…6点 英 米 独 仏　●PC…C
- ●規制…劇薬
- ●剤形… 錠 錠剤，顆 顆粒剤
- ●服用量と回数…心不全における体液貯留の場合は1日1回15mg。肝硬変における体液貯留の場合は1日1回7.5mg。SIADHにおける低ナトリウム血症の場合は1日1回7.5mg，最大1日60mgまで。多発性のう胞腎の場合は1日60mgを2回（朝45mg，夕方15mg）に分けて服用，最大120mg（朝90mg，夕方30mg）まで。

■先発品　商品名(メーカー)　規格・保険薬価

サムスカ (大塚)	顆 1% 1g 1,613.00 円	
サムスカ OD 写真 (大塚)	錠 7.5mg 1錠 1,084.70 円	
錠 15mg 1錠 1,650.10 円	錠 30mg 1錠 2,505.90 円	

概　　要

分類　バソプレシン V_2 受容体拮抗薬

処方目的　ループ利尿薬などの他の利尿薬で効果不十分な心不全あるいは肝硬変にお

ける体液貯留／抗利尿ホルモン不適合分泌症候群（SIADH）における低ナトリウム血症の改善／腎容積がすでに増大しており，かつ腎容積の増大速度が速い常染色体優性多発性のう胞腎の進行抑制

解説　本剤は，電解質排泄を増やさずに水だけを出す，水利尿薬という全く新しい作用機序の薬剤です。最初に「心不全・肝硬変における体液貯留」および「常染色体優性多発性のう胞腎の進行抑制」を適応症として登場し，ついで2020年に「抗利尿ホルモン不適合分泌症候群（SIADH）における低ナトリウム血症の改善」が追加適応となりました。

　「心不全・肝硬変における体液貯留」の場合は他の利尿薬（ループ利尿薬，チアジド系利尿薬，抗アルドステロン薬など）と併用して使用します。尿中から血中への水の再吸収を減少させ，ナトリウムなどの電解質排泄に直接の影響を与えずに水分のみを体外へ排出するメカニズムをもつ，新しい治療法として期待されています。

使用上の注意

警告

[心不全・肝硬変における体液貯留の場合]　本剤の服用により急激な水利尿から脱水症状や高ナトリウム血症をおこし，意識障害に至った症例が報告されており，また，急激な血清ナトリウム濃度の上昇による浸透圧性脱髄症候群をおこすおそれがあることから，入院して服用を開始または再開すること。また，特に投与開始日または再開日には血清ナトリウム濃度を頻回に測定する必要があります。

[SIADHにおける低ナトリウム血症の改善の場合]　①本剤の服用により急激な血清ナトリウム濃度の上昇による浸透圧性脱髄症候群をおこすおそれがあることから，入院して服用を開始，増量または再開し，急激な血清ナトリウム濃度の上昇がみられた場合には適切な処置を行います。特に投与開始日，増量日または再開日には水分制限を解除し，血清ナトリウム濃度を頻回に測定します。②本剤服用中は血清ナトリウム濃度をモニタリングしながら，患者ごとに飲水量を調節し，適切な水分制限を行います。

[常染色体優性多発性のう胞腎の場合]　①本剤は，常染色体優性多発性のう胞腎について十分な知識をもつ医師のもとで，治療上の有益性が危険性を上回ると判断される場合にのみ服用しなければなりません。また，本剤の服用開始に先立ち，本剤は疾病を完治させる薬剤ではないこと，重篤な肝機能障害が発現するおそれがあること，適切な水分摂取および定期的な血液検査などによるモニタリングの実施が必要であることを含め，本剤の有効性および危険性について十分に説明を受け，同意したのちに服用しなければなりません。②特に服用開始時または漸増期において，過剰な水利尿に伴う脱水症状，高ナトリウム血症などの副作用が現れるおそれがあるので，少なくとも本剤の服用開始は入院して行い，適切な水分補給の必要性について指導を受け，また，服用中は少なくとも月1回は血清ナトリウム濃度を測定する必要があります。③本剤の服用により，重篤な肝機能障害が発現した症例が報告されていることから，血清トランスアミナーゼ値，総ビリルビン値を含めた肝機能検査を必ず服用開始前および増量時に実施し，服用中は少なくとも月1回は肝機能検査を実施し，異常が認められた場合にはただちに服用を中止します。

内
11
―
03
―
02

トルバプタン

基本的注意

(1)**服用してはいけない場合**……[効能共通]本剤の成分または類似化合物(モザバプタン塩酸塩など)に対するアレルギーの前歴／口渇を感じないまたは水分摂取が困難な人／妊婦または妊娠している可能性のある人／[心不全・肝硬変における体液貯留, SIADH における低ナトリウム血症]無尿の人／適切な水分補給が困難な肝性脳症／[心不全・肝硬変における体液貯留, 常染色体優性多発性のう胞腎]高ナトリウム血症／[常染色体優性多発性のう胞腎]重篤な腎機能障害(eGFR が 15mL/分/1.73m^2 未満)／慢性肝炎, 薬剤性肝機能障害などの肝機能障害またはその前歴

(2)**慎重に服用すべき場合**……[効能共通]重篤な冠動脈疾患または脳血管疾患／高カリウム血症／高齢者／[心不全・肝硬変における体液貯留, SIADH における低ナトリウム血症]血清ナトリウム濃度125mEq/L 未満の人(24 時間以内に 12mEq/L を超える上昇がみられた場合には服用を中止)／重篤な腎機能障害／肝性脳症またはその前歴／[常染色体優性多発性のう胞腎]重度の腎機能障害(クレアチニンクリアランス 30mL/分未満), 腎機能が低下している人

(3)**服用中止**……本剤を「心不全・肝硬変における体液貯留」に用いた場合, 体液貯留所見が消失した際には服用を中止します。また,「心不全における体液貯留」の場合は, 目標体重に戻った際には漫然と服用しないこととされています。

(4)**口渇, 脱水**……本剤は入院して服用します。本剤の利尿作用に伴い, 口渇, 脱水などの症状が現れることがあります。このような症状が現れた場合には, 速やかに看護師などに伝え, 水分を補給してください。

(5)**避妊**……妊娠する可能性のある人は, 避妊を行ってください。動物実験で胚あるいは胎児への移動などが報告されています。

(6)**飲食物**……グレープフルーツジュースは本剤の作用を強めるおそれ, セイヨウオトギリソウ(セント・ジョーンズ・ワート)含有食品は本剤の作用を弱めるおそれがあるので, 服用しているときは摂取しないでください。

(7)**高齢者**……心不全における体液貯留の場合, 高ナトリウム血症が発現するおそれがあるので, 高齢者は半量(7.5mg)から開始することが勧められています。

(8)**転倒・危険作業**……[心不全・肝硬変における体液貯留, SIADH における低ナトリウム血症の場合]めまいなどが現れることがあるので, 転倒に注意してください。服用中は, 高所作業や自動車の運転など危険を伴う機械を操作する際は十分に注意してください。[常染色体優性多発性のう胞腎の場合]失神, 意識消失, めまいなどが現れることがあるので, 転倒に注意してください。服用中は, 高所作業や自動車の運転など危険を伴う機械の操作には従事しないでください。

(9)**その他**……

● 授乳婦での安全性:治療上の有益性・母乳栄養の有益性を考慮し, 授乳の継続・中止を検討。

● 小児での安全性:未確立。(1714 頁を参照)

重大な副作用　　①重い腎機能障害(腎不全など)。②血栓症, 血栓塞栓症。

③高ナトリウム血症(口渇,脱水など)。④急激な血清ナトリウム濃度上昇。⑤肝機能障害,急性肝不全。⑥ショック,アナフィラキシー(全身発赤,血圧低下,呼吸困難など)。⑦過度の血圧低下,心室細動,心室頻拍。⑧(肝硬変の人で)意識障害を伴う肝性脳症。⑨汎血球減少,血小板減少。

　そのほかにも報告された副作用はあるので,体調がいつもと違うと感じたときは,処方医・薬剤師に相談してください。

併用してはいけない薬　　　併用してはいけない薬は特にありません。ただし,併用する薬があるときは,念のため処方医・薬剤師に報告してください。

内 11 内分泌疾患の薬　03 その他のホルモン剤・抗ホルモン剤

03　夜尿症・夜間頻尿治療薬

製剤情報

一般名:デスモプレシン酢酸塩水和物

- 保険収載年月…2012年5月
- 海外評価…6点 英 米 独 仏　●PC…B
- 規制…劇薬
- 剤形…錠 錠剤
- 服用量と回数…夜尿症:1日1回120〜240µgを就寝前に服用。中枢性尿崩症:1回60〜240µgを1日1〜3回服用。夜間頻尿:1日1回50µgを就寝前に服用。

■**先発品**　　商品名(メーカー)　規格・保険薬価

ミニリンメルト OD（フェリング＝キッセイ）

錠 25µg 1錠 52.00 円　錠 50µg 1錠 88.00 円
錠 60µg 1錠 93.00 円　錠 120µg 1錠 160.60 円
錠 240µg 1錠 267.40 円

概　要

分類　抗利尿ホルモン用薬

処方目的　尿浸透圧あるいは尿比重の低下に伴う夜尿症／中枢性尿崩症／男性における夜間多尿による夜間頻尿

解説　デスモプレシン酢酸塩水和物は,脳の下垂体から分泌されて尿量を調節する抗利尿ホルモン(バソプレシン)の類似物質です。これまで外用薬として販売されていましたが,ミニリンメルト OD は日本ではじめての内服薬(口腔内崩壊錠)で,ICCS(国際小児禁制学会)において夜尿症治療の第一選択薬に位置づけられています。

　また本剤は,男性における夜間多尿による夜間頻尿にも使用されますが,この場合の用量は1回 50µg(条件により 25µg)です。

使用上の注意

警告

　本剤の服用によって,重い低ナトリウム血症(水中毒)によるけいれんがおこることがあるため,医師の指示を守って水分摂取の管理を行わなければなりません。

基本的注意

(1)服用してはいけない場合……[効能共通]本剤の成分に対するアレルギーの前歴／低

ナトリウム血症／習慣性または心因性多飲症／抗利尿ホルモン不適合分泌症候群／中等度以上の腎機能障害(クレアチニンクリアランスが50mL/分未満)／[夜尿症, 中枢性尿崩症]心不全の前歴またはその疑いがあり, 利尿薬による治療を要する人／[夜間頻尿]低ナトリウム血症の前歴／心不全またはその前歴あるいはその疑いがある人／利尿薬による治療を要する体液貯留またはその前歴／チアジド系利尿薬, チアジド系類似薬, ループ利尿薬の服用中／副腎皮質ステロイド薬(注射薬, 経口薬, 吸入薬, 注腸薬, 坐薬)の使用中

(2)慎重に服用すべき場合……高血圧を伴う循環器疾患, 高度動脈硬化症, 冠動脈血栓症, 狭心症／下垂体前葉不全／軽度の腎機能障害(クレアチニンクリアランスが50〜80mL/分)／高齢者

(3)水中毒を予防……本剤の服用中に過度に飲水すると, 脳浮腫, 昏睡, けいれんなどを伴う重い水中毒がおこることがあります。患者および家族は以下のことを守って水分の管理を行い, 水中毒を予防することが大切です。①過度の飲水を避けること(飲水制限)。夜尿症, 夜間頻尿の場合は, 服用(就寝前)の2〜3時間前から起床時までの飲水は極力避けること。②過度に飲水してしまった場合は本剤を服用しないこと。③他院や他科を受診する際には, 本剤を服用中である旨を担当医師に報告すること。④水中毒を示唆する症状(倦怠感, 頭痛, 悪心・嘔吐など)が現れた場合には直ちに服用を中断し, 速やかに処方医に連絡します。

(4)定期的に休薬……[夜尿症]本疾患は年齢とともに自然に軽快, 治癒する傾向がみられます。定期的(3カ月前後)に治療を1〜2週間中止して夜尿状況を観察するなどして, 漫然と服用を継続しないようにします。

(5)まずは原因疾患を治療……[夜間頻尿]夜間頻尿の原因には, 夜間多尿のほかに前立腺肥大症, 過活動膀胱などの膀胱蓄尿障害などがあります。また, 夜間多尿の原因には, 高血圧症, 糖尿病, 心不全, 腎不全, 肝胆道疾患, 睡眠時無呼吸症候群などがあります。これらの疾患がある場合はまずその治療を行い, それでも夜間頻尿が改善しない場合に本剤の服用を考慮します。ここでいう夜間頻尿とは, 夜間多尿指数(24時間の尿排出量に対する夜間の尿排出量の割合)が33%以上, かつ夜間排尿が2回以上ある場合です。

(6)その他……

●妊婦での安全性：[夜尿症, 中枢性尿崩症]有益と判断されたときのみ服用。

●授乳婦での安全性：[夜尿症, 中枢性尿崩症]治療上の有益性・母乳栄養の有益性を考慮し, 授乳の継続・中止を検討。

●小児での安全性：[夜尿症, 中枢性尿崩症]6歳未満は未確立。(1714頁を参照)

重大な副作用　①低ナトリウム血症による脳浮腫, 昏睡, けいれんなどを伴う重い水中毒。

[夜間頻尿のみ]②うっ血性心不全(初期症状：下腿浮腫, 急激な体重増加, 労作時息切れ, 起座呼吸など)。

そのほかにも報告された副作用はあるので, 体調がいつもと違うと感じたときは, 処方医・薬剤師に相談してください。

併用してはいけない薬　　[夜間頻尿] チアジド系利尿薬(トリクロルメチアジド含有製剤), ヒドロクロロチアジド含有製剤, ベンチルヒドロクロロチアジド含有製剤, チアジド系類似薬(インダパミド, トリパミド, メフルシド, メチクラン), ループ利尿薬, 副腎皮質ステロイド薬(注射薬, 経口薬, 吸入薬, 注腸薬, 坐薬)→低ナトリウム血症が現れるおそれがあります。

内 11 内分泌疾患の薬　03 その他のホルモン剤・抗ホルモン剤

04 メチロシン

🔲 製剤情報

一般名:メチロシン

- 保険収載年月…2019年2月
- 海外評価…2点 英 米 独 仏　●PC…C
- 規制…劇薬

- 剤形…カ カプセル剤
- 服用量と回数…処方医の指示通りに服用。

■先発品　　商品名(メーカー)　　規格・保険薬価

| デムサー (小野) カ 250mg 1カプセル 5,961.90 円 |

📄 概　要

分類　チロシン水酸化酵素阻害薬

処方目的　褐色細胞腫のカテコールアミン分泌過剰状態の改善

解説　褐色細胞腫の人は, 腫瘍からのカテコールアミン(ドーパミン, ノルアドレナリン, アドレナリンなど)の分泌が過剰になっています。本剤は, カテコールアミンの生合成を抑制することによりカテコールアミン分泌過剰に伴う諸症状(高血圧, 頭痛, 動悸, 発汗, 便秘など)や合併症(糖代謝異常, 脂質代謝異常)を改善する薬剤です。

　本剤は, 以下のいずれも満たす場合に使用されます→①既存の交感神経受容体遮断薬による治療では十分な治療効果が得られていない場合, ②外科手術前の処置, 外科手術が適応とならない患者の管理, 悪性褐色細胞腫患者の慢性的治療を目的とする。

　本剤は, 原則として交感神経受容体遮断薬と併用して使用します。

✍️ 使用上の注意

基本的注意

(1)服用してはいけない場合……本剤の成分に対するアレルギーの前歴／重度の腎機能障害(eGFR<30mL/分)

(2)慎重に服用すべき場合……腎機能障害

(3)血圧低下……本剤はカテコールアミンの低下作用をもつため, 血圧が低下することがあります。服用中は定期的に尿中カテコールアミン量を測定するとともに血圧測定を行います。

(4)結晶尿……服用すると, 本剤を成分とする結晶尿が現れることがあるので, 1日 1L を目安に積極的に水分を摂取してください。本剤は状態に応じて 1 日 500〜4,000mg を服用しますが, 1 日量が 2,000mg を超える場合は 1 日の排尿量が 2L 以上になるように

水分を摂取します。結晶尿が現れた場合には，さらに水分摂取量を増やします。

(5)服用中止後の症状……本剤の服用を中止すると睡眠障害（不眠症，過覚醒，活力増進，精神運動亢進など）が現れることがあるので，中止後にこれらの症状が発現したら，すぐに処方医に伝えてください。

(6)危険作業は中止……本剤を服用すると鎮静，傾眠，錐体外路障害などが現れることがあるので，服用中は自動車の運転などの危険を伴う機械の操作には従事しないでください。

(7)その他……

● 妊婦での安全性：未確立。有益と判断されたときのみ服用。

● 授乳婦での安全性：服用するときは授乳を中止。

● 小児（12歳未満）での安全性：未確立。（1714頁を参照）

重大な副作用　①鎮静，傾眠。②精神障害（不安，不眠症，うつ病，幻覚，失見当識，錯乱状態など）。③錐体外路障害（よだれ，会話障害，開口障害，パーキンソニズム，ふるえ，運動緩慢，表情減少など）。④下痢，軟便。⑤結晶尿（排尿障害，血尿）。

　そのほかにも報告された副作用はあるので，体調がいつもと違うと感じたときは，処方医・薬剤師に相談してください。

併用してはいけない薬　併用してはいけない薬は特にありません。ただし，併用する薬があるときは，念のため処方医・薬剤師に報告してください。

内 11 内分泌疾患の薬　03 その他のホルモン剤・抗ホルモン剤

05 クッシング症候群治療薬

製剤情報

一般名：オシロドロスタットリン酸塩

● 保険収載年月…2021年5月

● 海外評価…6点 英 米 独 仏

● 規制…劇薬

● 剤形…錠 錠剤

● 服用量と回数…通常1回1mgを1日2回から始

める。用量を漸増する場合は1～2週間に1回を目安に増量し，増量幅は1回1～2mgが目安。最大量は1回30mgを1日2回。

■ **先発品**　　商品名（メーカー）　規格・保険薬価

イスツリサ（レコルダティ）錠 1mg 1錠 3,335.90円
錠 5mg 1錠 13,249.00円

概要

分類　副腎皮質ホルモン合成阻害薬

処方目的　クッシング症候群（外科的処置で効果が不十分または施行が困難な場合）

解説　クッシング症候群は，コルチゾール（副腎皮質から分泌されるホルモンの一つ）の慢性過剰分泌によりおこる疾患です。本剤は，副腎でのコルチゾール生合成の最終段階を触媒する 11β-水酸化酵素を阻害する経口薬で，11-デオキシコルチゾールからコルチゾールへの変換を抑制することでコルチゾール濃度を正常化します。

📝 使用上の注意

基本的注意

(1)**服用してはいけない場合**……本剤の成分に対するアレルギーの前歴／副腎皮質機能不全／妊婦または妊娠している可能性のある人

(2)**慎重に服用すべき場合**……QT 延長をおこしやすい人(先天性 QT 延長症候群，うっ血性心不全，徐脈性不整脈，電解質異常など)／高血圧／重度(Child-Pugh 分類クラス C)，中等度(Child-Pugh 分類クラス B)の肝機能障害／高齢者

(3)**低コルチゾール血症**……本剤の服用中に副腎皮質機能が低下し低コルチゾール血症が現れることがあり，副腎皮質機能不全に至るおそれがあります。定期的に血中・尿中コルチゾール値などを測定し，状態を十分に観察します。特にストレスなどでコルチゾール需要が増加している状態のときは注意します。低コルチゾール血症が疑われる症状(悪心，嘔吐，疲労，腹痛，食欲不振，めまいなど)が認められた場合は速やかに処方医に連絡してください。

(4)**飲み忘れ**……本剤の服用を忘れた場合は，次のあらかじめ定めた服用時に 1 回分の量を服用してください。

(5)**避妊**……妊娠可能な女性は，本剤服用中および服用終了後 1 週間は適切な避妊を行ってください。動物実験で交配率および受胎率の低下などが報告されています。

(6)**危険作業に注意**……本剤の服用により，めまい，眠けなどが現れることがあるので，自動車の運転など危険を伴う機械の操作をする際には注意してください。

(7)**その他**……
- 授乳婦での安全性：服用するときは授乳しないことが望ましい。
- 小児での安全性：未確立。(1714 頁を参照)

重大な副作用
①低コルチゾール血症。②QT 延長。

そのほかにも報告された副作用はあるので，体調がいつもと違うと感じたときは，処方医・薬剤師に相談してください。

併用してはいけない薬
併用してはいけない薬は特にありません。ただし，併用する薬があるときは，念のため処方医・薬剤師に報告してください。

内服 **12** 皮膚科・泌尿器科の薬

薬剤番号 12-01-01 ～ 12-02-13

- ● 01：皮膚科の薬（アレルギー用薬 を含む）‥‥‥‥‥‥‥‥‥ 844
- ● 02：泌尿器科の薬 ‥‥‥‥‥‥‥ 890

■さまざまな皮膚疾患に用いる内服治療薬，泌尿器科用内服薬を説明します

〈皮膚科用薬剤〉

◆湿疹やじん麻疹の薬，アレルギーの薬，水虫の内服薬など

◆ヘルペスウイルスが原因の帯状疱疹に用いる薬

〈泌尿器科用薬剤〉

◆尿路結石や排尿障害，頻尿・尿失禁に用いる内服治療薬

◆勃起不全の治療薬（保険適応外です）

■副作用・相互作用に注意すべき薬

▐ 皮膚科用薬剤

尋常性白斑の治療には，メトキサレンを内服して2時間後に日光浴をしたり，人工の紫外線を照射したりします。光線アレルギーがおこりやすいピリドンカルボン酸系薬剤（ニューキノロン系抗菌薬を含む），テトラサイクリン系抗生物質，サルファ剤，チアジド系利尿薬，フェノチアジン系薬剤などとの併用には気をつけてください。

また，この薬を服用しているときに，フロクマリンを含んでいるセロリ，ライム，ニンジン，パセリ，イチジク，アメリカボウフウ，カラシなどをとると，光線アレルギーが助長される可能性がありますので注意が必要です。

内服で白癬に有効なテルビナフィン塩酸塩とイトラコナゾールは，最近よく処方されます。この薬では重い肝機能障害がおこることがあります。発熱・悪心・嘔吐・食欲不振・倦怠感・発疹・かゆみなどを感じたら，すぐに肝機能検査を受けてください。

また，汎血球減少症，無顆粒球症，血小板減少症なども報告されています。原因不明ののどの痛み・発熱・皮膚や粘膜からの出血・ひどい疲れなどは，こうした血液疾患の前駆症状かもしれませんので，すぐに処方医に連絡をとってください。

エトレチナートも副作用に注意が必要です。スイスのロシュ社が開発した薬で，かつては英米独仏いずれの国においても使われてきましたが，現在は日本だけで許可になっています。ビタミンAの誘導体ですから，催奇形性に注意をはらうことが大切です。

　また，動物実験で精子形成能に異常をおこすことが報告されていますので，男性が服用するときも，服用中はもちろん服用を中止してからも6カ月は避妊することが大切です。

■ 抗ヒスタミン薬

　最大の副作用は眠けです。花粉症治療のために服用した抗ヒスタミン薬のせいで，車の運転中眠くなって弱ったなんてことになりかねません。夜間の服用はぐっすり眠れたりして好都合ですが，昼間は注意が必要です。最近では眠けが少なく，作用時間が長い製剤が売り出されています。

◉ 薬剤師の眼

拡大する泌尿器系の薬剤市場

　高齢化に伴い，男性の前立腺炎や排尿困難，あるいは神経性の頻尿などの治療薬が大きな市場になろうとしています。アミノ酸製剤のパラプロストや，植物の花粉や胚芽などのエキスであるセルニルトンやエビプロスタットなど，使われるようになってからずいぶん時間が経っている薬もまだ使われています。

　オキシブチニン塩酸塩，フラボキサート塩酸塩，プロピベリン塩酸塩など抗コリン作用がある薬剤のうち，前二者は欧米諸国においても発売されていますが，プロピベリンはアメリカとフランスでは使われていません。日本では1日1回の服用というのが受けたこともあり，2021年でも年間9億円（先発品）を売り上げています。

　一方で，2006〜2007年に過活動膀胱治療薬として3種類の新薬が相次いで承認されました。その後，追加されたものを含めた計7種類を合わせると，2021年の推計売り上げは約880億円です（じほう発行『薬事ハンドブック』2022年版）。過活動膀胱という概念もまだ最近のものですが，今まで「歳のせい」としてきたことが病気と認識されたこととなります。

　治療で良くなるのであれば素晴らしいことですが，実態は今まで使用されてきた抗コリン作用薬を大幅に超えるものではなさそうです。もちろん，抗コリン作用のある薬は，眼圧亢進・緑内障，便秘やイレウス，尿閉などの副作用も心配しなければなりません。

内
12
─
01
─
01

メトキサレン

01 メトキサレン

製剤情報

一般名：メトキサレン

- 保険収載年月…1965年11月
- 海外評価…3点 英 米 独 仏　●PC…C
- 剤形…錠 錠剤
- 服用量と回数…成人1日20mg, 7〜12歳1日

10〜20mg, 6歳以下1日10mg。服用2時間後に日光浴あるいは人工紫外線の照射を行う(PUVA療法)。

■**先発品**　　商品名(メーカー)　規格・保険薬価

オクソラレン(大正製薬) 錠 10mg 1錠 70.60 円

概要

分類　尋常性白斑治療薬

処方目的　尋常性白斑

解説　尋常性白斑とは，皮膚の色素の一部が脱色して白斑になる病気です。

　本剤を内服することで，皮膚の光線に対する感受性を高め，皮膚のメラニン色素の形成と沈着を促します。

使用上の注意

警告

　本剤の PUVA 療法(紫外線療法の一つ)により，皮膚がんが発生したとの報告があります。

基本的注意

(1)**服用してはいけない場合**……皮膚がんまたはその前歴／光線過敏症(ポルフィリン症, 紅斑性狼瘡, 色素性乾皮症, 多型性日光皮膚炎など)／肝疾患

(2)**慎重に服用すべき場合**……糖尿病／薬剤性光線過敏症・光線過敏症の前歴

(3)**紫外線に注意**……服用後 6〜8 時間は，紫外線に対する感受性が高まっています。この間は，治療をする場合を除いて紫外線にあたらないようにしてください。紫外線による治療の際は目に遮光眼帯をはめたり，正常な皮膚は黒い布で覆うなどして障害発生を防ぐ対策が必要です。

(4)**皮膚がん**……乾癬のある人が服用すると，皮膚がんが現れやすくなるおそれがあります。

(5)**光線過敏症と食物**……セロリ, ライム, ニンジン, パセリ, イチジク, アメリカボウフウ, カラシなどのフロクマリンという物質を含む食物は光線過敏症を助長することがあるので，服用中は控えてください。

(6)**その他**……

- 妊婦での安全性：未確立。有益と判断されたときのみ服用。
- 小児での安全性：未確立。(1714 頁を参照)

重大な副作用　　重大な副作用はありませんが，そのほかの副作用はあるの

で，体調がいつもと違うと感じたときは，処方医・薬剤師に相談してください。

併用してはいけない薬　　併用してはいけない薬は特にありません。ただし，併用する薬があるときは，念のため処方医・薬剤師に報告してください。

内 12 皮膚科・泌尿器科の薬　01 皮膚科の薬（アレルギー用薬を含む）

02 セファランチン

💊 製 剤 情 報

一般名：セファランチン

- 保険収載年月…1969年1月
- 剤形…錠 錠剤，末 末剤
- 服用量と回数…円形脱毛症・粃糠性脱毛症の場合は，1日1.5〜2mg（散剤は0.15〜0.2g）を2〜

3回に分けて服用。白血球減少症の場合は，1日3〜6mgを2〜3回に分けて服用。

■**先発品**　　商品名（メーカー）　規格・保険薬価

セファランチン（メディサ＝化研生薬）	
末 1% 1g 52.70 円	錠 1mg 1錠 7.20 円

📋 概　　要

分類　円形脱毛症治療薬

処方目的　円形脱毛症・粃糠性脱毛症／放射線による白血球減少症

解説　タマサキツヅラフジから抽出した植物成分です。経験的に，生体膜安定化作用，抗アレルギー作用，免疫機能増強作用などがあるといわれています。

円形脱毛症は自己免疫疾患と考えられており，本剤はこれらの作用によって脱毛の改善に効果を発揮します。

📝 使用上の注意

基本的注意

(1)服用してはいけない場合……本剤の成分に対するアレルギーの前歴

(2)慎重に服用すべき場合……薬物過敏症またはその前歴

(3)その他……

- 妊婦での安全性：未確立。有益と判断されたときのみ服用。
- 授乳婦での安全性：原則として服用しない。
- 小児での安全性：未確立。（1714頁を参照）

重大な副作用　　①ショック，アナフィラキシー（顔面潮紅，じん麻疹，胸部不快感，喉頭浮腫，呼吸困難，血圧低下など）。

そのほかにも報告された副作用はあるので，体調がいつもと違うと感じたときは，処方医・薬剤師に相談してください。

併用してはいけない薬　　併用してはいけない薬は特にありません。ただし，併用する薬があるときは，念のため処方医・薬剤師に報告してください。

内 12 皮膚科・泌尿器科の薬　01 皮膚科の薬（アレルギー用薬を含む）

03　エトレチナート

💊 製 剤 情 報

一般名：エトレチナート
- 保険収載年月…1985年12月
- 海外評価…0点 英 米 独 仏
- 規制…劇薬
- 剤形…カ カプセル剤

- 服用量と回数…1日10〜50mgを1〜3回に分けて服用，1日最大75mg。小児の場合は，処方医の指示通りに服用。

■**先発品　　商品名（メーカー）　規格・保険薬価**

チガソン（太陽ファルマ）カ 10mg 1カプ 343.70 円
カ 25mg 1カプ 795.50 円

📋 概　　要

分類　乾癬治療薬

処方目的　諸治療が無効で，しかも重症な次の諸疾患→乾癬群（尋常性乾癬，膿疱性乾癬，乾癬性紅皮症，関節症性乾癬）／魚鱗癬群（尋常性魚鱗癬，水疱型先天性魚鱗癬様紅皮症，非水疱型先天性魚鱗癬様紅皮症）／掌蹠角化症，ダリエー病，掌蹠膿疱症，毛孔性紅色粃糠疹，紅斑性角化症／口腔白板症，口腔乳頭腫，口腔扁平苔癬

解説　スイスのホフマン・ロシュ社が開発したビタミン A 誘導体です。副作用がきわめて多く，また薬剤の性質上，蓄積性があるので，常に処方医の厳重な監督下で服用することが必要です。

✍ 使用上の注意

警告

　本剤には催奇形性があるので，妊婦または妊娠している可能性のある人は服用してはいけません。また，妊娠する可能性のある女性も原則として服用してはいけませんが，本剤にかわるべき治療法がなく，やむを得ず服用するときは服用中および服用中止後少なくとも 2 年間は避妊しなければなりません。

基本的注意

(1)服用してはいけない場合……本剤の成分に対するアレルギーの前歴／肝機能障害／腎機能障害／ビタミン A 製剤の服用中／ビタミン A 過剰症／妊婦または妊娠している可能性のある人

(2)特に慎重に服用すべき場合（原則禁忌，処方医と連絡を絶やさないこと）……妊娠する可能性のある人

(3)慎重に服用すべき場合……糖尿病／アルコール中毒／脂質代謝異常など高中性脂肪血症の素因がある人／肥満者／25 歳以下，特に幼・小児／低出生体重児，新生児，乳児，高齢者

(4)定期検査……①服用すると肝機能障害をおこすことがあります。服用開始 1 カ月後および服用中は 3 カ月ごとに肝機能検査を受ける必要があります。②長期に服用すると過骨症や骨端の早期閉鎖（関節痛，骨痛など）をおこすことがあります。長期服用中は，

定期的に X 線検査や生化学的検査(AL-P, カルシウム, リン, マグネシウムなど)を受ける必要があります。

(5)男性も避妊……本剤は精子形成能に異常をおこすことがあるので，男性が服用するときは服用中および服用中止後少なくとも 6 カ月間は避妊をしてください。

(6)献血禁止……本剤には催奇形性があり，また副作用の発現頻度が高いので，服用中および服用中止後少なくとも 2 年間は献血をしないでください。

(7)25 歳以下……骨の成長が終了していない 25 歳以下の人は，治療上の有益性が危険性を上回ると判断された場合にのみ処方されることがあります。服用する場合は，上記の定期検査をきちんと受けながら状態に十分注意してください。

(8)頭蓋内圧亢進……服用によって頭蓋内圧亢進が現れることがあります。頭痛，悪心，嘔吐，視覚異常，うっ血乳頭などの初期症状がみられたら，すぐに処方医へ連絡してください。

(9)牛乳・高脂肪食……服用中に牛乳や高脂肪食を摂取すると，本剤の吸収が増加するとの報告があります。

(10)その他……
- 授乳婦での安全性：服用するときは授乳を中止。
- 低出生体重児，新生児，乳児での安全性：未確立。(1714 頁を参照)

重大な副作用　　　　①中毒性表皮壊死融解症(TEN)，多形紅斑，血管炎。
　そのほかにも報告された副作用はあるので，体調がいつもと違うと感じたときは，処方医・薬剤師に相談してください。

併用してはいけない薬　　　ビタミン A 製剤→ビタミン A 過剰症と類似した副作用症状が現れることがあります。

内 12 皮膚科・泌尿器科の薬　01 皮膚科の薬(アレルギー用薬を含む)

04　テルビナフィン塩酸塩

製剤情報

一般名：テルビナフィン塩酸塩
- 保険収載年月…1997年9月
- 海外評価…6点 **英 米 独 仏**　　●PC…B
- 剤形…錠 錠剤
- 服用量と回数…1日1回125mg。

■先発品　　商品名(メーカー)　規格・保険薬価

ラミシール 写真 (サンファーマ)
錠 125mg 1錠 100.90 円

■ジェネリック　　商品名(メーカー)　規格・保険薬価

商品名(メーカー)	規格・保険薬価
テルビナフィン (岩城) 錠	125mg 1錠 67.70 円
テルビナフィン (小林化工) 錠	125mg 1錠 40.90 円
テルビナフィン (沢井) 錠	125mg 1錠 40.90 円
テルビナフィン (サンド＝第一三共エスファ) 錠	125mg 1錠 40.90 円
テルビナフィン (ダイト＝持田) 錠	125mg 1錠 40.90 円
テルビナフィン (高田＝マルホ) 錠	125mg 1錠 67.70 円

テルビナフィン（武田テバファーマ＝武田） 錠 125mg 1錠 40.90 円	テルビナフィン（ニプロ）錠 125mg 1錠 40.90 円
	テルビナフィン（ニプロ ES） 錠 125mg 1錠 40.90 円
テルビナフィン（辰巳＝科研） 錠 125mg 1錠 67.70 円	テルビナフィン（ファイザー） 錠 125mg 1錠 40.90 円
テルビナフィン（長生堂＝日本ジェネリック） 錠 125mg 1錠 40.90 円	
テルビナフィン（東和）錠 125mg 1錠 67.70 円	テルビナフィン（富士製薬）錠 125mg 1錠 40.90 円
テルビナフィン（日医工）錠 125mg 1錠 67.70 円	テルビナフィン（陽進堂）錠 125mg 1錠 40.90 円
テルビナフィン（日薬工＝ケミファ） 錠 125mg 1錠 40.90 円	テルビナフィン塩酸塩（フェルゼン） 錠 125mg 1錠 40.90 円

概　要

分類　アリルアミン系経口抗真菌薬

処方目的　①深在性皮膚真菌症（白癬性肉芽腫，スポロトリコーシス，クロモミコーシス）／②表在性皮膚真菌症：(a)白癬（爪白癬，手・足白癬，生毛部白癬，頭部白癬，ケルスス禿瘡，白癬性毛瘡，生毛部急性深在性白癬，硬毛部急性深在性白癬），(b)カンジダ症（爪カンジダ症）

解説　爪白癬（爪の水虫）に使うときには，服用期間が長期になることを覚悟しなければいけません。肝機能障害や無顆粒球症，汎血球減少などの重い副作用が報告されているので，外用の抗真菌薬では治療が困難な場合にのみ使用します。

使用上の注意

*テルビナフィン塩酸塩（ラミシール）の添付文書による

警告

　重い肝機能障害（肝不全，肝炎，胆汁うっ滞，黄疸など）や血液障害（汎血球減少，無顆粒球症，血小板減少）がおこることがあり，死亡例も報告されています。服用する場合は，定期的に検査を受けながら，状態に十分注意しなければなりません。

基本的注意

(1)服用してはいけない場合……重い肝機能障害／血液障害（汎血球減少，無顆粒球症，血小板減少など）／本剤の成分に対するアレルギーの前歴

(2)慎重に服用すべき場合……肝機能障害／腎機能障害／高齢者

(3)定期検査……①服用すると，「警告」にもあるように重い肝機能障害（肝不全，肝炎，胆汁うっ滞，黄疸など）が現れることがあり，死亡した例も報告されています。服用開始後2カ月間は月1回，その後も定期的に肝機能の検査を受ける必要があります。②汎血球減少，無顆粒球症，血小板減少がおこることがあるので，服用中は定期的に血液検査（血球数算定，白血球分画など）を受ける必要があります。③動物実験（サル）で，網膜上に黄白色点が現れたとの報告があるので，6カ月以上服用するときは眼科検査を受ける必要があります。

(4)危険作業に注意……本剤を服用すると，眠け，めまい・ふらつきなどをおこすことが

あります。服用中は，高所作業や自動車の運転など危険を伴う機械の操作は十分に注意してください。

（5）その他……

● 妊婦での安全性：未確立。有益と判断されたときのみ服用。

● 授乳婦での安全性：原則として服用しない。やむを得ず服用するときは授乳を中止。

● 小児での安全性：未確立。（1714頁を参照）

重大な副作用 ①重い肝機能障害（発疹，皮膚のかゆみ，発熱，食欲不振，悪心・嘔吐，倦怠感など）。②汎血球減少症・無顆粒球症・血小板減少（のどの痛み，発熱，リンパ節の腫れ，紫斑，皮下出血など）。③皮膚粘膜眼症候群（スティブンス-ジョンソン症候群），中毒性表皮壊死融解症（TEN），急性全身性発疹性膿疱症，紅皮症（剝脱性皮膚炎）。④横紋筋融解症。⑤ショック，アナフィラキシー（呼吸困難，全身潮紅，血管浮腫，じん麻疹など）。⑥薬剤性過敏症症候群（発疹，発熱，リンパ節腫脹など）。⑦亜急性皮膚エリテマトーデス。

そのほかにも報告された副作用はあるので，体調がいつもと違うと感じたときは，処方医・薬剤師に相談してください。

併用してはいけない薬 併用してはいけない薬は特にありません。ただし，併用する薬があるときは，念のため処方医・薬剤師に報告してください。

内 12 皮膚科・泌尿器科の薬 01 皮膚科の薬（アレルギー用薬を含む）

05 ジアフェニルスルホン

製剤情報

一般名：ジアフェニルスルホン

● 保険収載年月…1991年8月

● 海外評価…6点 英 米 独 仏 ● PC…C

● 剤形…錠 錠剤

● 服用量と回数…1日50～100mgを2～3回に

分けて服用。ハンセン病の場合は，原則として他の薬剤と併用しながら，1日75～100mg。

■ **先発品** 商品名（メーカー） 規格・保険薬価

レクチゾール 写真（田辺三菱）
錠 25mg 1錠 76.30円

概要

分類 難治性皮膚疾患治療薬

処方目的 持久性隆起性紅斑，ジューリング疱疹状皮膚炎，天疱瘡，類天疱瘡，色素性痒疹／ハンセン病

解説 本剤はスルホン化合物で，プロトゲンという名称でハンセン病治療薬として用いられていました。1994年に「らい予防法」が廃止されたのに伴い，薬価基準に収載されていなかったプロトゲンが使用できなくなり，同一成分のレクチゾールにハンセン病の適応症が加わりました。

🖊 使用上の注意

基本的注意

(1)服用してはいけない場合……本剤または類似化合物に対するアレルギーの前歴

(2)慎重に服用すべき場合……肝機能障害／腎機能障害／血液障害／グルコース‐6‐リン酸脱水素酵素欠損症／糖尿病／糖尿病性ケトーシス／小児

(3)血糖コントロール……ヘモグロビンA1cの検査は，糖尿病の血糖コントロールのよしあしを判断する重要な指標です。本剤の服用によりヘモグロビンA1cが偽低値を示すことがあるため，糖尿病の人が本剤を服用するときはヘモグロビンA1c以外の検査値の推移に十分注意することが必要です。

(4)その他……

● 妊婦での安全性：有益と判断されたときのみ服用。

● 授乳婦での安全性：服用するときは授乳しないことが望ましい。

● 小児での安全性：未確立。(1714頁を参照)

重大な副作用

①薬剤性過敏症症候群（初期症状：発疹，発熱）。②血液障害（無顆粒球症，溶血性貧血，白血球減少症，血小板減少，再生不良性貧血，溶血性貧血，汎血球減少症，メトヘモグロビン血症，巨赤芽球性貧血など）。③SLE（全身性エリテマトーデス）様症状（発熱，紅斑，筋肉痛，関節炎，関節痛，胸部痛など）。④ネフローゼ症候群，腎乳頭壊死。⑤皮膚粘膜眼症候群（スティブンス-ジョンソン症候群），中毒性表皮壊死融解症（TEN）。⑥好酸球性肺炎（発熱，せき，呼吸困難など）。

そのほかにも報告された副作用はあるので，体調がいつもと違うと感じたときは，処方医・薬剤師に相談してください。

併用してはいけない薬

併用してはいけない薬は特にありません。ただし，併用する薬があるときは，念のため処方医・薬剤師に報告してください。

内 12 皮膚科・泌尿器科の薬　01 皮膚科の薬（アレルギー用薬を含む）

06　クロルフェニラミンマレイン酸塩ほか

ⅬⅬ 製 剤 情 報

一般名：クロルフェニラミンマレイン酸塩

● 保険収載年月…1959年10月

● 海外評価…6点 英米独仏　●PC…B

● 剤形…散 散剤，シ シロップ剤

● 服用量と回数…1回2〜6mg（散剤は0.2〜0.6g，シロップは4〜12mL）を1日2〜4回。小児の場合は，処方医の指示通りに服用。

■先発品	商品名(メーカー)	規格・保険薬価
アレルギン （アルフレッサ） 散 1% 1g 7.50 円		
クロダミンシロップ （日医工） シ 0.05% 10mL 7.90 円		
クロルフェニラミンマレイン酸塩 （日医工） 散 1% 1g 7.70 円		
ネオレスタミンコーワ （興和） 散 1% 1g 7.50 円		
ビスミラー （扶桑） 散 1% 1g 7.50 円		
マレイン酸クロルフェニラミン （マイラン＝ファイザー） 散 1% 1g 7.00 円		

■ジェネリック　商品名（メーカー）　規格・保険薬価

クロルフェニラミンマレイン酸塩シロップ
（ニプロ）⊘ 0.05% 10mL 6.70 円

一般名：d-クロルフェニラミンマレイン酸塩

- 保険収載年月…1959年10月
- 海外評価…6点 英 米 独 仏　●PC…B
- 剤形…錠 錠剤，散 散剤，⊘ シロップ剤，ド ドライシロップ剤
- 服用量と回数…1回2mg（散剤0.2g，シロップ5mL，ドライシロップ1g）を1日1～4回。徐放錠（ネオマレルミンTR）の場合は，1回6mgを1日2回。

■先発品　商品名（メーカー）　規格・保険薬価

ポララミン 写真 （高田）散 1% 1g 11.70 円
錠 2mg 1錠 5.70 円　⊘ 0.04% 10mL 16.10 円
ド 0.2% 1g 5.80 円

■ジェネリック　商品名（メーカー）　規格・保険薬価

d-クロルフェニラミンマレイン酸塩（武田テバファーマ＝武田）錠 2mg 1錠 5.70 円

d-クロルフェニラミンマレイン酸塩徐放錠（武田テバファーマ＝武田）錠 6mg 1錠 5.70 円

d-クロルフェニラミンマレイン酸塩シロップ（鶴原）⊘ 0.04% 10mL 9.90 円

d-クロルフェニラミンマレイン酸塩シロップ（東和）⊘ 0.04% 10mL 9.90 円

d-クロルフェニラミンマレイン酸塩シロップ（日新）⊘ 0.04% 10mL 9.90 円

一般名：クロルフェニラミンマレイン酸塩配合剤

- 保険収載年月…1967年7月
- 海外評価…6点 英 米 独 仏　●PC…B
- 規制…劇薬
- 剤形…顆 顆粒剤
- 服用量と回数…成人：1回1gを1日3～4回。小児：1回，2～4歳は1g，5～8歳は2g，9～12歳は3gを1日3～4回。

■先発品　商品名（メーカー）　規格・保険薬価

小児用ペレックス配合顆粒（大鵬）顆 1g 6.30 円

ペレックス配合顆粒（大鵬）顆 1g 6.30 円

一般名：ジフェンヒドラミン塩酸塩

- 保険収載年月…1987年10月
- 海外評価…4点 英 米 独 仏　●PC…B
- 剤形…錠 錠剤
- 服用量と回数…1回30～50mg（3～5錠）を1日2～3回。

■先発品　商品名（メーカー）　規格・保険薬価

レスタミンコーワ（興和）錠 10mg 1錠 5.90 円

概　要

分類　第一世代抗ヒスタミン薬

処方目的　[ペレックス配合顆粒を除く製剤の適応症] じん麻疹，皮膚疾患に伴うかゆみ（湿疹・皮膚炎，皮膚掻痒症，薬疹など），アレルギー性鼻炎，血管運動性鼻炎，枯草熱，血管運動性浮腫，感冒など上気道炎に伴うくしゃみ・鼻汁・せき，春季カタルに伴うかゆみなど

＊製剤により多少異なります。

[ペレックス配合顆粒の適応症] 感冒もしくは上気道炎に伴う以下の症状の改善・緩和→鼻汁，鼻閉，咽・喉頭痛，せき，痰，頭痛，関節痛，筋肉痛，発熱

解説　アレルギーや炎症などを引きおこすヒスタミンの作用を抑える薬です。ヒスタ

ミンの受容体には現在，H_1 から H_4 の 4 種類が知られています。この章で述べる抗ヒスタミン薬は H_1 受容体の作用を抑えて効果を発揮します。

　抗ヒスタミン薬は，第一世代と第二世代(1983 年以降に発売されたもの)に分類され，本剤は第一世代です。なお，クロルフェニラミンマレイン酸塩配合剤には，アセトアミノフェンやサリチルアミドなどが入っているため，他の製剤とは「服用してはいけない場合」や「重大な副作用」などが大幅に異なります。また「警告」もあるで，服用する場合は十分に注意してください。

　ジフェンヒドラミン塩酸塩は 1945 年に開発された最も基本的な抗ヒスタミン薬ですが，新しい抗ヒスタミン薬が多く開発され，眠けの副作用が出やすいジフェンヒドラミンが実際に処方されることはそれほど多くありません。その副作用に注目して，OTC 薬の睡眠改善薬(ドリエルなど)として発売されています。

内
12
―
01
―
06

クロルフェニラミンマレイン酸塩ほか

使用上の注意

＊ポララミン，ペレックス配合顆粒，レスタミンコーワの添付文書による

警告

[クロルフェニラミンマレイン酸塩配合剤]

①本剤中のアセトアミノフェンにより重い肝機能障害が現れるおそれがあるので十分に注意してください。

②本剤とアセトアミノフェンを含む他の薬剤(一般用医薬品を含む)を併用すると，アセトアミノフェンの過量服用による重い肝機能障害が発現するおそれがあるので，これらの薬剤を併用してはいけません。

基本的注意

(1)服用してはいけない場合……閉塞隅角緑内障／前立腺肥大など下部尿路の閉塞性疾患

[d-クロルフェニラミンマレイン酸塩のみ] 本剤の成分または類似化合物に対するアレルギーの前歴／低出生体重児，新生児

[クロルフェニラミンマレイン酸塩配合剤のみ] 本剤の成分またはサリチル酸系製剤(アスピリンなど)に対するアレルギーの前歴／消化性潰瘍／アスピリンぜんそく(非ステロイド性解熱鎮痛薬などによるぜんそく発作の誘発)またはその前歴／重い肝機能障害

(2)慎重に服用すべき場合……開放隅角緑内障

[d-クロルフェニラミンマレイン酸塩のみ] 眼内圧亢進／甲状腺機能亢進症／狭窄性消化性潰瘍，幽門十二指腸通過障害／循環器系疾患／高血圧症

[クロルフェニラミンマレイン酸塩配合剤のみ] 肝機能障害／腎機能障害／出血傾向／気管支ぜんそく／アルコール多量常飲者／絶食・低栄養状態・摂食障害などによるグルタチオン欠乏，脱水症状がある人

(3)小児とライ症候群……[クロルフェニラミンマレイン酸塩配合剤]サリチル酸系製剤とライ症候群との関連性を示す疫学調査報告があります。ライ症候群とは，水痘(水ぼうそう)やインフルエンザなどのウイルス感染症にかかっている小児にまれに発症する致死率の高い病気です。そのため，本剤は原則として 15 歳未満の水痘，インフルエンザにか

かっている小児は服用してはいけません。治療上やむを得ず服用する場合は状態に注意し，激しい嘔吐，意識障害，けいれん（急性脳浮腫）などが現れたら，直ちに処方医に連絡してください。

(4)危険作業は中止……本剤を服用すると，眠けを催すおそれがあります。服用中は，高所作業や自動車の運転など危険を伴う機械の操作は行わないようにしてください。

(5)その他……

● 妊婦での安全性：有益と判断されたときのみ服用。／［ジフェンヒドラミン塩酸塩］服用しないことが望ましい。

● 授乳婦での安全性：［クロルフェニラミンマレイン酸塩配合剤］長期連用は避ける。［ジフェンヒドラミン塩酸塩］服用するときは授乳を中止。（1714頁を参照）

重大な副作用　　［クロルフェニラミンマレイン酸塩］①再生不良性貧血，無顆粒球症。

［d-クロルフェニラミンマレイン酸塩］①ショック（チアノーゼ，呼吸困難，胸内苦悶，血圧低下など）。②けいれん，錯乱。③再生不良性貧血，無顆粒球症。

［クロルフェニラミンマレイン酸塩配合剤］①ショック，アナフィラキシー（呼吸困難，全身潮紅，血管浮腫，じん麻疹など）。②中毒性表皮壊死融解症（TEN），皮膚粘膜眼症候群（スティブンス-ジョンソン症候群），急性汎発性発疹性膿疱症，剥脱性皮膚炎。③再生不良性貧血，無顆粒球症。④ぜんそく発作の誘発。⑤間質性肺炎（発熱，せき，呼吸困難など）。⑥劇症肝炎，肝機能障害，黄疸。⑦間質性腎炎，急性腎障害。⑧横紋筋融解症（筋肉痛，脱力感など）。

　そのほかにも報告された副作用はあるので，体調がいつもと違うと感じたときは，処方医・薬剤師に相談してください。

併用してはいけない薬　　併用してはいけない薬は特にありません。ただし，併用する薬があるときは，念のため処方医・薬剤師に報告してください。

内 12 皮膚科・泌尿器科の薬　01 皮膚科の薬（アレルギー用薬を含む）

07 ホモクロルシクリジン塩酸塩

製剤情報

一般名：ホモクロルシクリジン塩酸塩

● 保険収載年月…1965年12月

● 海外評価…0点 英 米 独 仏

● 剤形…錠 錠剤

● 服用量と回数…1回10〜20mgを1日3回。

■ ジェネリック　　商品名（メーカー）　規格・保険薬価

ホモクロルシクリジン塩酸塩（鶴原）
錠 10mg 1錠 5.50円

概要

分類　第一世代抗ヒスタミン薬

処方目的　皮膚疾患に伴うかゆみ（湿疹，皮膚炎，皮膚掻痒症，薬疹，中毒疹，小児ス

トロフルス), じん麻疹, アレルギー性鼻炎

解説　クロルフェニラミンマレイン酸塩と同様に第一世代の抗ヒスタミン薬です。

この薬剤は抗ヒスタミン作用のほかに, かゆみなどをおこす化学伝達物質のセロトニンを抑える作用もあるといわれています。

☞ 使用上の注意

基本的注意

(1)服用してはいけない場合……閉塞隅角緑内障／前立腺肥大など下部尿路の閉塞性疾患

(2)慎重に服用すべき場合……開放隅角緑内障

(3)危険作業は中止……本剤を服用すると, 眠けを催すおそれがあります。服用中は, 高所作業や自動車の運転など危険を伴う機械の操作は行わないようにしてください。

(4)その他……

●妊婦での安全性：未確立。原則として服用しない。(1714頁を参照)

重大な副作用　　重大な副作用はありませんが, そのほかの副作用はあるので, 体調がいつもと違うと感じたときは, 処方医・薬剤師に相談してください。

併用してはいけない薬　　併用してはいけない薬は特にありません。ただし, 併用する薬があるときは, 念のため処方医・薬剤師に報告してください。

内 12 皮膚科・泌尿器科の薬　01 皮膚科の薬(アレルギー用薬を含む)

08　シプロヘプタジン塩酸塩水和物

💊 製 剤 情 報

一般名：シプロヘプタジン塩酸塩水和物
●保険収載年月…1963年1月
●海外評価…6点 英米独仏　●PC…B
●規制…劇薬(散剤のみ)
●剤形…錠 錠剤, 散 散剤, シ シロップ剤
●服用量と回数…1回4mg(散剤0.4g, シロップ10mL)を1日1〜3回。

■先発品　　商品名(メーカー)　規格・保険薬価
ペリアクチン(日医工)　散 1% 1g 6.50円
錠 4mg 1錠 5.80円　シ 0.04% 10mL 16.00円

■ジェネリック　　商品名(メーカー)　規格・保険薬価
シプロヘプタジン塩酸塩シロップ(武田テバファーマ＝武田)　シ 0.04% 10mL 8.20円

📋 概　　要

分類　第一世代抗ヒスタミン薬

処方目的　皮膚疾患に伴うかゆみ(湿疹・皮膚炎・皮膚掻痒症, 薬疹), じん麻疹, 枯草熱, 血管運動性浮腫, アレルギー性鼻炎, 血管運動性鼻炎, かぜに伴うくしゃみ・鼻汁・せき

解説　クロルフェニラミンマレイン酸塩と同様に第一世代の抗ヒスタミン薬です。また, ホモクロルシクリジン塩酸塩と同様, 抗セロトニン作用があるといわれています。

使用上の注意

＊シプロヘプタジン塩酸塩水和物（ペリアクチン）の添付文書による

基本的注意

(1)服用してはいけない場合……閉塞隅角緑内障／狭窄性胃潰瘍，幽門十二指腸閉塞／前立腺肥大など下部尿路の閉塞性疾患／気管支ぜんそくの急性発作時／本剤の成分に対するアレルギーの前歴／新生児・低出生体重児，老齢の衰弱した人

(2)慎重に服用すべき場合……気管支ぜんそく，またはその前歴／開放隅角緑内障／眼内圧亢進／甲状腺機能亢進症／心血管障害／高血圧症／乳・幼児

(3)定期検査……重い血液障害がおこることがあるので，定期的に血液検査を受ける必要があります。

(4)危険作業は中止……本剤を服用すると，眠けを催すおそれがあります。服用中は，高所作業や自動車の運転など危険を伴う機械の操作は行わないようにしてください。

(5)その他……

● 妊婦での安全性：有益と判断されたときのみ服用。

● 授乳婦での安全性：未確立。服用するときは授乳を中止。（1714 頁を参照）

重大な副作用

①錯乱，幻覚。②けいれん。③重い血液障害（無顆粒球症）。

そのほかにも報告された副作用はあるので，体調がいつもと違うと感じたときは，処方医・薬剤師に相談してください。

併用してはいけない薬

併用してはいけない薬は特にありません。ただし，併用する薬があるときは，念のため処方医・薬剤師に報告してください。

内 12 皮膚科・泌尿器科の薬　01 皮膚科の薬（アレルギー用薬を含む）

09 オキサトミド

製剤情報

一般名：オキサトミド

● 保険収載年月…1987年5月

● 海外評価…0点 英米独仏

● 剤形…錠錠剤，シシロップ剤，ドドライシロップ剤

● 服用量と回数…成人の場合は（錠剤），1回30mgを1日2回。小児の場合は（シロップ，ドライシロップ），ドライシロップ25mg／kg（体重），シロップ0.25mL／kg（体重）を1日2回，1回量最大ドライシロップ37.5mg／kg，シロップ0.375mL／kg。

■ジェネリック　商品名（メーカー）　規格・保険薬価

商品名（メーカー）	規格・保険薬価
オキサトミド（皇漢堂）錠	30mg 1錠 5.90 円
オキサトミド（沢井）錠	30mg 1錠 5.90 円
オキサトミド（サンノーバ＝エルメッド＝日医工）錠	30mg 1錠 14.30 円
オキサトミド（全星）錠	30mg 1錠 5.90 円
オキサトミド（長生堂＝日本ジェネリック）錠	30mg 1錠 5.90 円
オキサトミド（鶴原）錠	30mg 1錠 5.90 円
ド 2% 1g（小児用）	7.20 円
オキサトミド（日医工）錠	30mg 1錠 5.90 円
ド 2% 1g（小児用）	7.20 円

オキサトミド (日薬エ＝ケミファ)
錠 30mg 1錠 14.30 円

オキサトミド (ニプロ) 錠 30mg 1錠 5.90 円

オキサトミド DS (沢井) ド 2% 1g(小児用) 7.20 円
オキサトミドシロップ小児用 (マイラン＝ファイザー) シ 0.2% 1mL 7.00 円

概　要

分類　第二世代抗ヒスタミン薬

処方目的　①成人(錠剤)→アレルギー性鼻炎，じん麻疹，皮膚掻痒症，湿疹・皮膚炎，痒疹／②小児(ドライシロップ・シロップ)→アトピー性皮膚炎，じん麻疹，痒疹，気管支ぜんそく

解説　オキサトミドは第二世代抗ヒスタミン薬に属します。抗ヒスタミン・抗ロイコトリエン作用の両方を持つベンズイミダゾロン系の抗アレルギー薬で，1日2回の服用で有効といわれています。

使用上の注意

＊オキサトミドの添付文書による

基本的注意

(1)服用してはいけない場合……本剤の成分に対するアレルギーの前歴／妊婦または妊娠している可能性のある人

(2)慎重に服用すべき場合……肝機能障害またはその前歴／幼児

(3)服用目的……本剤は，気管支ぜんそくにも使われます。ただし，気管支拡張薬や全身性ステロイド薬などと異なり，すでにおこっている気管支ぜんそく発作を速やかに抑える薬ではありません。

(4)季節性アレルギー疾患……本剤(錠剤)を季節性アレルギー性疾患の人が服用するときは，発作の出やすい季節の直前から服用を開始し，その季節が終了するまで続ける必要があります。

(5)事前に伝達……本剤はアレルゲン皮内反応を抑制します。アレルゲン皮内反応検査を受ける人は，事前にその旨を医師に伝えてください。実施する3～5日前より服用が中止になります。

(6)処方医へ報告……肝機能障害を経験したことがある人は，そのことを処方医に伝えてください。

(7)幼児……特に2歳以下の幼児が服用する場合は，錐体外路様症状がおこることがあるので，状態に十分気をつけてください。

(8)危険作業は中止……本剤を服用すると，眠けを催すおそれがあります。服用中は，高所作業や自動車の運転など危険を伴う機械の操作は行わないようにしてください。

(9)その他……

●授乳婦での安全性：服用するときは授乳を中止。(1714頁を参照)

重大な副作用　①肝炎，肝機能障害，黄疸。②ショック，アナフィラキシー(血圧低下，呼吸困難，全身紅潮，咽頭・喉頭浮腫など)。③皮膚粘膜眼症候群(スティブンス-ジョンソン症候群)，中毒性表皮壊死融解症(TEN)。④血小板減少。

　そのほかにも報告された副作用はあるので，体調がいつもと違うと感じたときは，処方医・薬剤師に相談してください。

併用してはいけない薬　併用してはいけない薬は特にありません。ただし，併用する薬があるときは，念のため処方医・薬剤師に報告してください。

内 12 皮膚科・泌尿器科の薬　01 皮膚科の薬（アレルギー用薬を含む）

10 クレマスチンフマル酸塩

製剤情報

一般名：クレマスチンフマル酸塩

- 保険収載年月…1970年8月
- 海外評価…5点 **英 米 独 仏**　●PC…B
- 規制…劇薬（錠剤を除く）
- 剤形…錠 錠剤，散 散剤，シ シロップ剤，ド ドライシロップ剤
- 服用量と回数…1日2mg（0.1%散剤2g，1%散剤0.2g，シロップ20mL，ドライシロップ2g）を2回に分けて服用。幼少児の場合は，処方医の指示通りに服用。

■**先発品**　　商品名（メーカー）　規格・保険薬価

タベジール （日新） 散 0.1% 1g 7.80 円
散 1% 1g 67.20 円　錠 1mg 1錠 6.80 円
シ 0.01% 10mL 25.10 円

■**ジェネリック**　　商品名（メーカー）　規格・保険薬価

クレマスチン （高田） 錠 1mg 1錠 5.10 円
クレマスチン （日医工） 錠 1mg 1錠 5.10 円
シ 0.01% 10mL 13.40 円　ド 0.1% 1g 7.90 円
クレマスチン （陽進堂） 錠 1mg 1錠 5.10 円
クレマスチン DS （高田） ド 0.1% 1g 7.90 円
クレマスチンドライシロップ （あゆみ製薬）
ド 0.1% 1g 7.90 円

概　要

分類　第一世代抗ヒスタミン薬（効力持続型）

処方目的　①錠剤・散剤→アレルギー性皮膚疾患（じん麻疹，湿疹，皮膚炎，掻痒症），アレルギー性鼻炎／②ドライシロップ・シロップ→①に加えて感冒などの上気道炎に伴うくしゃみ，鼻汁，せき

解説　クロルフェニラミンマレイン酸塩と同様に第一世代の抗ヒスタミン薬です。本剤は，効力が10〜12時間続く持続型の製剤です。

使用上の注意

＊クレマスチンフマル酸塩（タベジール）の添付文書による

基本的注意

(1)服用してはいけない場合……本剤の成分に対するアレルギーの前歴／閉塞隅角緑内障／前立腺肥大など下部尿路の閉塞性疾患／狭窄性消化性潰瘍，幽門十二指腸閉塞

(2)慎重に服用すべき場合……てんかんなどのけいれん性疾患またはこれらの前歴／開放隅角緑内障

(3)危険作業は中止……本剤を服用すると，眠けを催すおそれがあります。服用中は，高所作業や自動車の運転など危険を伴う機械の操作は行わないようにしてください。

（4）その他……

- 妊婦での安全性：未確立。有益と判断されたときのみ服用。
- 授乳婦での安全性：原則として服用しない。やむを得ず服用するときは授乳を中止。
  （1714頁を参照）

重大な副作用　①けいれん，興奮（特に乳児，幼児の場合は注意が必要です）。②肝機能障害，黄疸。

そのほかにも報告された副作用はあるので，体調がいつもと違うと感じたときは，処方医・薬剤師に相談してください。

併用してはいけない薬　併用してはいけない薬は特にありません。ただし，併用する薬があるときは，念のため処方医・薬剤師に報告してください。

内 12 皮膚科・泌尿器科の薬　01 皮膚科の薬（アレルギー用薬を含む）

11　フェノチアジン系抗ヒスタミン薬

製剤情報

一般名：プロメタジン

- 保険収載年月…1956年9月
- 海外評価…6点 英 米 独 仏　● PC…C
- 規制…劇薬（散・細粒剤のみ）
- 剤形…錠錠剤，散散剤，細細粒剤
- 服用量と回数…1回5〜25mg（散・細粒剤は0.05〜0.25g）を1日1〜3回。振戦麻痺，パーキンソニズムの場合は，1日25〜200mg（同0.25〜2g）を適宜分割服用。

■先発品　商品名（メーカー）　規格・保険薬価

| ヒベルナ（田辺三菱＝吉富）散 10% 1g 6.30 円 |
| 錠 5mg 1錠 5.70 円　錠 25mg 1錠 5.70 円 |

| ピレチア 写真（高田）細 10% 1g 6.30 円 |
| 錠 5mg 1錠 5.70 円　錠 25mg 1錠 5.70 円 |

一般名：アリメマジン酒石酸塩

- 保険収載年月…1960年6月
- 海外評価…3点 英 米 独 仏
- 剤形…シ シロップ剤
- 服用量と回数…1回5mLを1日3〜4回。就寝時の頓用には10mL。

■先発品　商品名（メーカー）　規格・保険薬価

| アリメジン（ニプロファーマ＝第一三共） |
| シ 0.05% 10mL 19.60 円 |

一般名：メキタジン

- 保険収載年月…1983年2月
- 海外評価…1点 英 米 独 仏
- 剤形…錠錠剤，細細粒剤，シ シロップ剤
- 服用量と回数…1回3mgを1日2回。気管支ぜんそく：1回6mgを1日2回。小児の場合は処方医の指示通りに服用。

■先発品　商品名（メーカー）　規格・保険薬価

| ゼスラン（旭化成）錠 3mg 1錠 8.40 円 |
| シ 0.03%（小児用）1mL 6.70 円 |
| 細 0.6% 1g（小児用）46.10 円 |

| ニポラジン 写真（アルフレッサ）錠 3mg 1錠 8.40 円 |
| シ 0.03%（小児用）1mL 6.70 円 |
| 細 0.6% 1g（小児用）45.40 円 |

■ジェネリック　商品名（メーカー）　規格・保険薬価

| メキタジン（沢井）錠 3mg 1錠 5.70 円 |
| メキタジン（ダイト＝わかもと）錠 3mg 1錠 5.70 円 |
| メキタジン（武田テバファーマ＝武田） |
| 錠 3mg 1錠 5.70 円 |

メキタジン（鶴原）錠 3mg 1錠 5.70 円	メキタジン（日医工）錠 3mg 1錠 5.70 円
メキタジン（東和）錠 3mg 1錠 5.70 円	

概　要

分類　第一世代抗ヒスタミン薬（フェノチアジン系）

処方目的　皮膚疾患に伴うかゆみ（湿疹，皮膚掻痒症，小児ストロフルス，中毒疹，咬刺症など）／じん麻疹／アレルギー性鼻炎／[プロメタジンのみの適応症]感冒など上気道炎に伴うくしゃみ・鼻汁・せき／振戦麻痺，パーキンソニズム／枯草熱／血管運動性浮腫／動揺病／麻酔前投薬，人工（薬物）冬眠／[アリメマジン酒石酸塩のみの適応症]感冒など上気道炎に伴うくしゃみ・鼻汁・せき／[メキタジンのみの適応症]気管支ぜんそく

解説　クロルフェニラミンマレイン酸塩と同様に第一世代の抗ヒスタミン薬です。抗精神病薬として用いられるフェノチアジン系薬剤のうち，抗ヒスタミン作用のあるもので，フェノチアジン系薬剤としての特徴も残しています。

使用上の注意

＊プロメタジン（ヒベルナ），アリメマジン酒石酸塩（アリメジン），メキタジン（ニポラジン）の添付文書による

基本的注意

(1)服用してはいけない場合……本剤の成分，フェノチアジン系化合物およびその類似化合物に対するアレルギーの前歴／閉塞隅角緑内障／前立腺肥大など下部尿路の閉塞性疾患／[プロメタジン，アリメマジン酒石酸塩]昏睡状態の人／バルビツール酸誘導体・麻酔薬などの中枢神経抑制薬の強い影響下にある人／[プロメタジン]2歳未満の乳幼児

(2)慎重に服用すべき場合……開放隅角緑内障／[プロメタジン]肝機能障害／脱水・栄養不良状態などを伴う身体的疲弊／[アリメマジン酒石酸塩]肝機能障害／[メキタジン]腎機能障害／高齢者

(3)服用・取扱い法……[メキタジン・シロップ]①小児は一般に自覚症状を訴える能力に欠けるので，本剤の服用中，保護者は十分に状態を観察し，異常が現れたら，すぐに処方医へ連絡してください。②本剤は甘みがあるので，誤飲を避けるために保管・取扱いに注意してください。③本剤は防腐剤を添加していないので，他の容器に分割して使用する場合は微生物の汚染などないようにしてください。④本剤は強い光にあたると着色することがあるので，分割して使用する場合は取扱いに注意してください。

(4)色素沈着……[メキタジン]①他のフェノチアジン系薬剤の長期服用または大量服用により，角膜・水晶体の混濁，網膜・角膜の色素沈着が報告されています。②動物実験（ラット）で，メラニンに対する親和性が認められています。

(5)危険作業は中止……本剤を服用すると，眠けを催すおそれがあるので，高所作業や自動車の運転など危険を伴う機械の操作は行わないようにしてください。

(6)その他……
●妊婦での安全性：未確立。原則として服用しない。
●授乳婦での安全性：[メキタジン]服用するときは授乳を中止。

●小児での安全性：［プロメタジン］未確立。2歳以上の幼少児は有益と判断されたときのみ服用。［メキタジン］未確立。(1714頁を参照)

重大な副作用 ［プロメタジン］①悪性症候群（発熱，意識障害，無動無言，強度の筋強剛，嚥下困難，頻脈，発汗など）。②小児（特に2歳以下）に，乳児突然死症候群（SIDS），乳児睡眠時無呼吸発作。
［メキタジン］③ショック，アナフィラキシー（呼吸困難，咽頭浮腫，じん麻疹，吐きけ，血圧低下など）。④肝機能障害，黄疸，劇症肝炎。⑤血小板減少。

　そのほかにも報告された副作用はあるので，体調がいつもと違うと感じたときは，処方医・薬剤師に相談してください。

併用してはいけない薬 併用してはいけない薬は特にありません。ただし，併用する薬があるときは，念のため処方医・薬剤師に報告してください。

内 12 皮膚科・泌尿器科の薬　01 皮膚科の薬（アレルギー用薬を含む）

12 ケトチフェンフマル酸塩

⚖ 製 剤 情 報

一般名：ケトチフェンフマル酸塩

● 保険収載年月…1983年2月
● 海外評価…4点 英 米 独 仏
● 剤形…カ カプセル剤，シ シロップ剤，ド ドライシロップ剤
● 服用量と回数…1回1mgを1日2回。小児の場合（シロップ，ドライシロップ）は，処方医の指示通りに服用。

■先発品　商品名(メーカー)　規格・保険薬価

ザジテン 写真 (サンファーマ) カ 1mg 1カプセル 11.40円
シ 0.02% 1mL(小児用) 14.70円
ド 0.1% 1g(小児用) 13.40円

ケトチフェンシロップ (日医工=高田)
シ 0.02% 1mL(小児用) 16.70円

■ジェネリック　商品名(メーカー)　規格・保険薬価
ケトチフェン (沢井) カ 1mg 1カプセル 5.90円

ケトチフェン (武田テバファーマ=武田)
カ 1mg 1カプセル 5.90円　シ 0.02% 1mL(小児用) 6.50円

ケトチフェン (鶴原) カ 1mg 1カプセル 5.90円
ド 0.1% 1g(小児用) 6.50円

ケトチフェン (東和) カ 1mg 1カプセル 5.90円
シ 0.02% 1mL(小児用) 6.50円

ケトチフェン (日医工ファーマ=日医工)
カ 1mg 1カプセル 5.90円　ド 0.1% 1g(小児用) 6.50円

ケトチフェン (陽進堂) カ 1mg 1カプセル 5.90円

ケトチフェン DS (沢井)
ド 0.1% 1g(小児用) 6.50円

ケトチフェン DS (東和)
ド 0.1% 1g(小児用) 6.50円

ケトチフェンシロップ (キョーリン=杏林)
シ 0.02% 1mL(小児用) 6.50円

ケトチフェンドライシロップ (武田テバファーマ=武田=三和) ド 0.1% 1g(小児用) 6.50円

📋 概　要

分類　第二世代抗ヒスタミン薬
処方目的　アレルギー性鼻炎，湿疹・皮膚炎，じん麻疹，皮膚掻痒症／気管支ぜんそく
解説　抗ヒスタミン薬は，第一世代と第二世代に分類され，本剤は1983年以降に発

売された第二世代です。第一世代と比較して，眠けや口渇，胸やけなどの副作用が少ないとされています。2008年よりスイッチOTCとして市販されています。

使用上の注意

*ケトチフェンフマル酸塩(ザジテン)の添付文書による

基本的注意

(1)服用してはいけない場合……本剤の成分に対するアレルギーの前歴／てんかんまたはその前歴

(2)慎重に服用すべき場合……てんかんを除くけいれん性疾患またはその前歴

(3)事前に伝達……本剤はアレルゲン皮内反応を抑制します。アレルゲン皮内反応検査を受ける人は，事前にその旨を医師に伝えてください。実施する3〜5日前より服用が中止になります。

(4)服用目的……本剤は，気管支ぜんそくにも使われます。ただし，気管支拡張薬や全身性ステロイド薬などと異なり，すでにおこっている気管支ぜんそく発作を速やかに抑える薬ではありません。

(5)事前に伝達……本剤はアレルゲン皮内反応を抑制します。アレルゲン皮内反応検査を受ける人は，事前にその旨を医師に伝えてください。実施する3〜5日前より服用が中止になります。

(6)危険作業は中止……本剤を服用すると，眠けを催すおそれがあるので，高所作業や自動車の運転など危険を伴う機械の操作は行わないようにしてください。

(7)その他……

●妊婦での安全性：未確立。有益と判断されたときのみ服用。

●授乳婦での安全性：原則として服用しない。やむを得ず服用するときは授乳を中止。

(1714頁を参照)

重大な副作用

①けいれん，興奮。②肝機能障害，黄疸。

そのほかにも報告された副作用はあるので，体調がいつもと違うと感じたときは，処方医・薬剤師に相談してください。

併用してはいけない薬

併用してはいけない薬は特にありません。ただし，併用する薬があるときは，念のため処方医・薬剤師に報告してください。

内 12 皮膚科・泌尿器科の薬　01 皮膚科の薬(アレルギー用薬を含む)

13 トラニラスト

製剤情報

一般名：トラニラスト

●保険収載年月…1982年8月

●海外評価…0点 英 米 独 仏

●剤形…カ カプセル剤，細 細粒剤，ド ドライシ

ロップ剤

●服用量と回数…1回100mg(細粒剤は1g)を1日3回。小児の場合：細粒剤は1日0.05g／kg(体重)，ドライシロップは1日0.1g／kg(体重)を3回に分けて服用。

内
12
―
01
―
13

トラニラスト

■先発品　　商品名(メーカー)　規格・保険薬価

リザベン(キッセイ) 細 10% 1g 14.30 円

カ 100mg 1ｶﾌﾟｾﾙ 14.30 円　ﾄﾞ 5% 1g(小児用) 15.00 円

■ジェネリック　　商品名(メーカー)　規格・保険薬価

トラニラスト(武田テバファーマ=武田)

カ 100mg 1ｶﾌﾟｾﾙ 7.80 円

トラニラスト 写真 (長生堂=日本ジェネリック)

カ 100mg 1ｶﾌﾟｾﾙ 7.80 円

トラニラスト(東和) カ 100mg 1ｶﾌﾟｾﾙ 7.80 円

トラニラスト DS(長生堂=日本ジェネリック)

ﾄﾞ 5% 1g(小児用) 7.90 円

概　要

分類　ケミカルメディエーター遊離抑制薬

処方目的　アレルギー性鼻炎，アトピー性皮膚炎，ケロイド・肥厚性瘢痕／気管支ぜんそく

解説　各種炎症細胞からのケミカルメディエーター，サイトカイン($TGF\text{-}\beta_1$)，活性酸素の産生あるいは遊離を抑制するといわれています。

　皮膚科としては，ケロイド・肥厚性瘢痕の治療によく処方されます。また，抗ヒスタミン作用はないため，眠けの心配はありません。

使用上の注意

＊トラニラスト(リザベン)の添付文書による

基本的注意

(1)**服用してはいけない場合**……本剤の成分に対するアレルギーの前歴／妊婦(特に約3カ月以内)または妊娠している可能性のある人

(2)**慎重に服用すべき場合**……肝機能・腎機能障害またはその前歴

(3)**定期検査**……服用によって，血液中の好酸球増多を伴う膀胱炎様症状や肝機能障害が現れることがあるので，定期的に血液検査(特に白血球数・末梢血液像)を受ける必要があります。

(4)**服用目的**……本剤は，気管支ぜんそくにも使われます。ただし，気管支拡張薬や全身性ステロイド薬などと異なり，すでにおこっている気管支ぜんそく発作を速やかに抑える薬ではありません。

(5)**季節性アレルギー疾患**……本剤を季節性アレルギー性疾患の人が服用するときは，発作の出やすい季節の直前から服用を開始し，その季節が終了するまで続けます。

(6)**事前に伝達**……本剤はアレルゲン皮内反応を抑制します。アレルゲン皮内反応検査を受ける人は，事前にその旨を医師に伝えてください。実施する3〜5日前より服用が中止になります。

(7)**その他**……

● 授乳婦での安全性：服用するときは授乳を中止。(1714 頁を参照)

重大な副作用　　①膀胱炎様症状(頻尿，排尿痛，血尿，残尿感など)。②黄疸，肝機能障害，肝炎。③腎機能障害。④白血球減少，血小板減少。

　そのほかにも報告された副作用はあるので，体調がいつもと違うと感じたときは，処方医・薬剤師に相談してください。

併用してはいけない薬 併用してはいけない薬は特にありません。ただし，併用する薬があるときは，念のため処方医・薬剤師に報告してください。

14　フェキソフェナジン塩酸塩ほか

製剤情報

一般名：フェキソフェナジン塩酸塩

- 保険収載年月…2000年11月
- 海外評価…6点 英米独仏　●PC…C
- 剤形…錠錠剤，ドドライシロップ剤
- 服用量と回数…1回60mg（ドライシロップ5%は1.2g，6%は1g）を1日2回。12歳未満は処方医の指示通りに服用。

■**先発品**　商品名(メーカー)　規格・保険薬価

アレグラ 写真 (サノフィ) 錠 30mg 1錠 32.70 円
錠 60mg 1錠 41.60 円　ド 5% 1g 88.20 円

■**ジェネリック**　商品名(メーカー)　規格・保険薬価

フェキソフェナジン塩酸塩 写真 (エルメッド＝日医工) 錠 30mg 1錠 10.90 円　錠 60mg 1錠 13.60 円

フェキソフェナジン塩酸塩 (共創未来)
錠 30mg 1錠 10.90 円　錠 60mg 1錠 13.60 円

フェキソフェナジン塩酸塩 (共和)
錠 30mg 1錠 18.50 円　錠 60mg 1錠 13.60 円

フェキソフェナジン塩酸塩 (キョーリン＝杏林)
錠 30mg 1錠 10.90 円　錠 60mg 1錠 11.40 円

フェキソフェナジン塩酸塩 (ケミファ＝日薬工)
錠 30mg 1錠 10.90 円　錠 60mg 1錠 13.60 円

フェキソフェナジン塩酸塩 (小林化工)
錠 30mg 1錠 10.90 円　錠 60mg 1錠 13.60 円

フェキソフェナジン塩酸塩 (沢井)
錠 30mg 1錠 10.90 円　錠 60mg 1錠 13.60 円

フェキソフェナジン塩酸塩 (セオリア＝武田)
錠 30mg 1錠 10.90 円　錠 60mg 1錠 13.60 円

フェキソフェナジン塩酸塩 (全星)
錠 30mg 1錠 18.50 円　錠 60mg 1錠 13.60 円

フェキソフェナジン塩酸塩 (ダイト＝科研＝フェルゼン) 錠 30mg 1錠 18.50 円
錠 60mg 1錠 23.30 円

フェキソフェナジン塩酸塩 (高田)
錠 30mg 1錠 10.90 円　錠 60mg 1錠 13.60 円

フェキソフェナジン塩酸塩 (辰巳)
錠 30mg 1錠 18.50 円　錠 60mg 1錠 13.60 円

フェキソフェナジン塩酸塩 (鶴原)
錠 30mg 1錠 10.10 円　錠 60mg 1錠 11.40 円

フェキソフェナジン塩酸塩 (東和)
錠 30mg 1錠 10.90 円　錠 60mg 1錠 13.60 円

フェキソフェナジン塩酸塩 写真 (日医工)
錠 30mg 1錠 18.50 円　錠 60mg 1錠 23.30 円

フェキソフェナジン塩酸塩 (日薬工＝三和)
錠 30mg 1錠 10.90 円　錠 60mg 1錠 13.60 円

フェキソフェナジン塩酸塩 (日新)
錠 30mg 1錠 10.90 円　錠 60mg 1錠 13.60 円

フェキソフェナジン塩酸塩 (ニプロ)
錠 30mg 1錠 10.10 円　錠 60mg 1錠 11.40 円

フェキソフェナジン塩酸塩 (日本ジェネリック)
錠 30mg 1錠 10.90 円　錠 60mg 1錠 13.60 円

フェキソフェナジン塩酸塩 (ファイザー)
錠 30mg 1錠 10.90 円　錠 60mg 1錠 13.60 円

フェキソフェナジン塩酸塩 (ビオメディクス)
錠 30mg 1錠 18.50 円　錠 60mg 1錠 13.60 円

フェキソフェナジン塩酸塩 (MeijiSeika)
錠 30mg 1錠 10.90 円　錠 60mg 1錠 13.60 円

フェキソフェナジン塩酸塩 (陽進堂)
錠 30mg 1錠 10.10 円　錠 60mg 1錠 11.40 円

フェキソフェナジン塩酸塩 DS (東和)
ド 5% 1g 34.00 円

フェキソフェナジン塩酸塩 OD (エルメッド = 日医工) 錠30mg 1錠 10.90 円 錠60mg 1錠 13.60 円

フェキソフェナジン塩酸塩 OD (共創未来) 錠60mg 1錠 13.60 円

フェキソフェナジン塩酸塩 OD (小林化工) 錠30mg 1錠 10.90 円 錠60mg 1錠 13.60 円

フェキソフェナジン塩酸塩 OD (沢井) 錠30mg 1錠 10.90 円 錠60mg 1錠 13.60 円

フェキソフェナジン塩酸塩 OD (東和) 錠30mg 1錠 10.90 円 錠60mg 1錠 13.60 円

フェキソフェナジン塩酸塩 OD (ニプロ) 錠30mg 1錠 10.90 円 錠60mg 1錠 11.40 円

フェキソフェナジン塩酸塩 OD (陽進堂 = 日本ジェネリック) 錠60mg 1錠 11.40 円

一般名：フェキソフェナジン塩酸塩・塩酸プソイドエフェドリン配合剤

- 保険収載年月…2013年2月
- 海外評価…2点 英 米 独 仏 ● PC…C
- 規制…劇薬
- 剤形…錠 錠剤
- 服用量と回数…1回2錠を1日2回, 朝・夕の空腹時に服用。

■先発品　商品名(メーカー)　規格・保険薬価

ディレグラ配合錠 (LTL ファーマ) 錠1錠 38.30 円

■ジェネリック　商品名(メーカー)　規格・保険薬価

プソフェキ配合錠 (沢井) 錠1錠 18.80 円

プソフェキ配合錠 (日医工) 錠1錠 20.50 円

一般名：エバスチン

- 保険収載年月…1996年6月
- 海外評価…2点 英 米 独 仏
- 剤形…錠 錠剤
- 服用量と回数…1日1回5〜10mg。

■先発品　商品名(メーカー)　規格・保険薬価

エバステル (住友ファーマ = MeijiSeika) 錠5mg 1錠 47.80 円 錠10mg 1錠 64.20 円

エバステル OD (住友ファーマ = MeijiSeika) 錠5mg 1錠 47.80 円 錠10mg 1錠 64.20 円

■ジェネリック　商品名(メーカー)　規格・保険薬価

エバスチン (キョーリン = 杏林) 錠5mg 1錠 22.10 円 錠10mg 1錠 28.10 円

エバスチン (ケミファ = 共創未来 = 日薬工) 錠5mg 1錠 22.10 円 錠10mg 1錠 28.10 円

エバスチン (沢井) 錠5mg 1錠 22.10 円 錠10mg 1錠 28.10 円

エバスチン (ダイト = 科研) 錠5mg 1錠 22.10 円 錠10mg 1錠 28.10 円

エバスチン (高田) 錠5mg 1錠 22.10 円 錠10mg 1錠 28.10 円

エバスチン (長生堂 = 日本ジェネリック) 錠5mg 1錠 22.10 円 錠10mg 1錠 28.10 円

エバスチン (東和) 錠5mg 1錠 22.10 円 錠10mg 1錠 28.10 円

エバスチン (日医工) 錠5mg 1錠 22.10 円 錠10mg 1錠 28.10 円

エバスチン (日新) 錠5mg 1錠 22.10 円 錠10mg 1錠 28.10 円

エバスチン (ファイザー) 錠5mg 1錠 22.10 円 錠10mg 1錠 28.10 円

エバスチン (陽進堂) 錠5mg 1錠 22.10 円 錠10mg 1錠 28.10 円

エバスチン OD (キョーリン = 杏林) 錠5mg 1錠 22.10 円 錠10mg 1錠 28.10 円

エバスチン OD (ケミファ = 共創未来 = 日薬工) 錠5mg 1錠 22.10 円 錠10mg 1錠 28.10 円

エバスチン OD (沢井) 錠5mg 1錠 22.10 円 錠10mg 1錠 28.10 円

エバスチン OD (全星 = サンド) 錠5mg 1錠 22.10 円 錠10mg 1錠 28.10 円

エバスチン OD (ダイト = 科研) 錠5mg 1錠 22.10 円 錠10mg 1錠 28.10 円

エバスチン OD (高田) 錠5mg 1錠 22.10 円 錠10mg 1錠 28.10 円

エバスチン OD（日医工）錠 5mg 1錠 22.10 円	エバスチン OD 写真（ファイザー）
錠 10mg 1錠 28.10 円	錠 5mg 1錠 22.10 円　錠 10mg 1錠 28.10 円
エバスチン OD（日新）錠 5mg 1錠 22.10 円	エバスチン OD（陽進堂）錠 5mg 1錠 22.10 円
錠 10mg 1錠 28.10 円	錠 10mg 1錠 28.10 円
エバスチン OD（ニプロ）錠 5mg 1錠 22.10 円	
錠 10mg 1錠 28.10 円	

概　要

分類　第二世代抗ヒスタミン薬

処方目的　［フェキソフェナジン塩酸塩の適応症］アレルギー性鼻炎，じん麻疹，皮膚疾患（湿疹・皮膚炎，皮膚搔痒症，アトピー性皮膚炎）に伴うかゆみ
［ディレグラ配合錠，プソフェキ配合錠の適応症］アレルギー性鼻炎
［エバスチンの適応症］アレルギー性鼻炎，じん麻疹，湿疹・皮膚炎，皮膚搔痒症，痒疹

解説　ケトチフェンフマル酸塩と同様に第二世代の抗ヒスタミン薬で，ピペリジン系に属します。

　フェキソフェナジンは眠けの副作用はほとんど発現しません。そのため，「自動車の運転」「危険を伴う機械操作」などに注意する必要がないので医療現場ではよく処方されます。なお，エバスチンは少し眠けが出るため注意が必要です。

　フェキソフェナジン塩酸塩と塩酸プソイドエフェドリンの配合剤の適応症はアレルギー性鼻炎のみです。鼻閉（鼻づまり）症状が中等症以上の場合に使用され，鼻閉症状が強い期間のみの最小限の期間にとどめることになっています。

　フェキソフェナジン塩酸塩は，日本でも 2012 年に第 1 類（現在は第 2 類）の OTC 薬（大衆薬）として発売されました。すでに塩酸プソイドエフェドリンは第 2 類の OTC 薬として販売されており，この配合薬を公的保険で使用する薬剤として承認する合理性があるとは思えません。アメリカでは配合薬も OTC 薬として販売されています。

使用上の注意

*フェキソフェナジン塩酸塩（アレグラ），エバスチン（エバステル），ディレグラ配合錠の添付文書による

基本的注意

(1)服用してはいけない場合……本剤の成分に対するアレルギーの前歴
［ディレグラ配合錠］本剤の成分および塩酸プソイドエフェドリンと構造が類似する化合物（エフェドリン塩酸塩またはメチルエフェドリン塩酸塩を含む製剤）に対するアレルギーの前歴／重症の高血圧／重症の冠動脈疾患／閉塞隅角緑内障／尿閉／交感神経刺激薬による不眠，めまい，脱力，ふるえ，不整脈などの前歴
(2)慎重に服用すべき場合……［エバスチン］肝機能障害またはその前歴
［ディレグラ配合錠］糖尿病／高血圧／虚血性心疾患／眼圧上昇／甲状腺機能亢進症／前立腺肥大／腎機能障害
(3)季節性アレルギー疾患……本剤を季節性アレルギー性疾患の人が服用するときは，

発作の出やすい季節の直前から服用を開始し，その季節が終了するまで続けます。

(4)事前に伝達……本剤はアレルゲン皮内反応を抑制します。アレルゲン皮内反応検査を受ける人は，事前にその旨を医師に伝えてください。実施する3〜5日前より服用が中止になります。

(5)ジュース……[フェキソフェナジン塩酸塩]外国の添付文書には，グレープフルーツジュースで本剤の効果が弱まる可能性が指摘されています。日本においても同様な研究がされています。それによるとグレープフルーツだけでなく，オレンジジュースやリンゴジュースでも本剤の吸収が弱まり，効果が弱まる結果が出たとの報告があります。薬は，水か白湯で飲む習慣をつけてください。

(6)危険作業の注意……[エバスチン]本剤を服用すると眠けを催すことがあるので，高所作業や自動車の運転など危険を伴う機械の操作は十分に注意してください。

(7)その他……

●妊婦での安全性：有益と判断されたときのみ服用。

●授乳婦での安全性：[フェキソフェナジン塩酸塩，エバスチン]治療上の有益性・母乳栄養の有益性を考慮し，授乳の継続・中止を検討。[ディレグラ配合錠]服用するときは授乳を中止。

●小児での安全性：未確立。(1714頁を参照)

重大な副作用　①肝機能障害，黄疸。②ショック，アナフィラキシー(呼吸困難，血圧低下，血管浮腫，胸痛，潮紅など)。

[フェキソフェナジン塩酸塩，ディレグラ配合錠のみ]③無顆粒球症，白血球減少，好中球減少。

[ディレグラ配合錠のみ]④けいれん。⑤急性汎発性発疹性膿疱症(発熱，紅斑，多数の小膿疱など)。

　そのほかにも報告された副作用はあるので，体調がいつもと違うと感じたときは，処方医・薬剤師に相談してください。

併用してはいけない薬　併用してはいけない薬は特にありません。ただし，併用する薬があるときは，念のため処方医・薬剤師に報告してください。

内 12 皮膚科・泌尿器科の薬　01 皮膚科の薬（アレルギー用薬を含む）

15 セチリジン塩酸塩

🔖 製剤情報

一般名：セチリジン塩酸塩

●保険収載年月…1998年8月

●海外評価…6点 英米独仏　●PC…B

●剤形…錠錠剤，ﾄﾞドライシロップ剤

●服用量と回数…1日1回10mg(ドライシロップは0.8g)，1日最大20mg。7〜15歳未満は1回5mg(ドライシロップは0.4g)，2歳以上7歳未満はドライシロップ1回0.2gをいずれも1日2回。

■先発品　商品名(メーカー)　規格・保険薬価

ジルテック (UCB＝グラクソ＝第一三共)
錠 5mg 1錠 31.80 円　錠 10mg 1錠 38.80 円
ド 1.25% 1g 149.20 円

■ジェネリック　商品名(メーカー)　規格・保険薬価

セチリジン塩酸塩 (岩城) 錠 5mg 1錠 10.10 円
錠 10mg 1錠 11.20 円

セチリジン塩酸塩 (大原) 錠 5mg 1錠 18.90 円
錠 10mg 1錠 24.60 円

セチリジン塩酸塩 (共和) 錠 5mg 1錠 10.10 円
錠 10mg 1錠 24.60 円

セチリジン塩酸塩 (キョーリン＝杏林)
錠 5mg 1錠 10.10 円　錠 10mg 1錠 11.20 円

セチリジン塩酸塩 (皇漢堂) 錠 5mg 1錠 10.10 円
錠 10mg 1錠 11.20 円

セチリジン塩酸塩 (寿＝三和) 錠 5mg 1錠 18.90 円
錠 10mg 1錠 24.60 円

セチリジン塩酸塩 (沢井) 錠 5mg 1錠 18.90 円
錠 10mg 1錠 24.60 円

セチリジン塩酸塩 (ダイト＝科研)
錠 5mg 1錠 18.90 円　錠 10mg 1錠 24.60 円

セチリジン塩酸塩 (高田) 錠 5mg 1錠 18.90 円
錠 10mg 1錠 24.60 円

セチリジン塩酸塩 (武田テバ薬品＝武田テバファ
ーマ＝武田) 錠 5mg 1錠 10.10 円
錠 10mg 1錠 11.20 円

セチリジン塩酸塩 (辰巳) 錠 5mg 1錠 10.10 円
錠 10mg 1錠 11.20 円

セチリジン塩酸塩 (長生堂＝日本ジェネリック)
錠 5mg 1錠 10.10 円　錠 10mg 1錠 11.20 円

セチリジン塩酸塩 (鶴原) 錠 5mg 1錠 10.10 円
錠 10mg 1錠 11.20 円

セチリジン塩酸塩 (東和) 錠 5mg 1錠 18.90 円
錠 10mg 1錠 24.60 円

セチリジン塩酸塩 (日医工) 錠 5mg 1錠 18.90 円
錠 10mg 1錠 24.60 円　ド 1.25% 1g 90.60 円

セチリジン塩酸塩 (日薬工＝ケミファ)
錠 5mg 1錠 18.90 円　錠 10mg 1錠 24.60 円

セチリジン塩酸塩 (日新＝MeijiSeika)
錠 5mg 1錠 18.90 円　錠 10mg 1錠 24.60 円

セチリジン塩酸塩 写真 (ニプロ)
錠 5mg 1錠 10.10 円　錠 10mg 1錠 11.20 円

セチリジン塩酸塩 (ニプロ ES)
錠 5mg 1錠 18.90 円　錠 10mg 1錠 24.60 円

セチリジン塩酸塩 (陽進堂) 錠 5mg 1錠 10.10 円

セチリジン塩酸塩 (陽進堂＝共創未来)
錠 10mg 1錠 11.20 円

セチリジン塩酸塩 DS (高田)
ド 1.25% 1g 90.60 円

セチリジン塩酸塩 OD (沢井)
錠 5mg 1錠 18.90 円　錠 10mg 1錠 24.60 円

一般名：レボセチリジン塩酸塩

- 保険収載年月…2010年12月
- 海外評価…6点 英 米 独 仏　● PC…B
- 剤形… 錠 錠剤, シ シロップ剤, ド ドライシ
ロップ剤
- 服用量と回数…1日1回, 錠剤は5mg, シロップ
剤は10mL。1日最大10mg(20mL)。15歳未満
は処方医の指示通りに服用。

■先発品　商品名(メーカー)　規格・保険薬価

ザイザル 写真 (グラクソ) 錠 5mg 1錠 66.20 円
シ 0.05% 1mL 12.10 円

■ジェネリック　商品名(メーカー)　規格・保険薬価

レボセチリジン塩酸塩 (共創未来＝三和)
錠 5mg 1錠 22.30 円

レボセチリジン塩酸塩 (共和)
錠 5mg 1錠 16.00 円　シ 0.05% 1mL 6.70 円

レボセチリジン塩酸塩 写真 (キョーリン＝杏林)
錠 2.5mg 1錠 13.20 円　錠 5mg 1錠 16.00 円

レボセチリジン塩酸塩 (小財家＝日本臓器)
錠 2.5mg 1錠 16.80 円　錠 5mg 1錠 22.30 円

レボセチリジン塩酸塩 (小林化工)
錠 2.5mg 1錠 13.20 円　錠 5mg 1錠 16.00 円
シ 0.05% 1mL 7.50 円

レボセチリジン塩酸塩 (沢井) 錠 5mg 1錠 22.30 円　　シ 0.05% 1mL 6.70 円	**レボセチリジン塩酸塩** (MeijiSeika) 錠 5mg 1錠 22.30 円
レボセチリジン塩酸塩 (セオリア＝武田) 錠 2.5mg 1錠 16.80 円　錠 5mg 1錠 22.30 円	**レボセチリジン塩酸塩** (陽進堂＝アルフレッサ) 錠 2.5mg 1錠 16.80 円　錠 5mg 1錠 16.00 円
レボセチリジン塩酸塩 (ダイト＝サンド) 錠 5mg 1錠 22.30 円	**レボセチリジン塩酸塩 DS** (キョーリン＝杏林) ド 0.5% 1g 63.00 円
レボセチリジン塩酸塩 (高田) 錠 2.5mg 1錠 16.80 円　錠 5mg 1錠 22.30 円	**レボセチリジン塩酸塩 DS** (高田) ド 0.5% 1g 63.00 円
レボセチリジン塩酸塩 (武田テバファーマ＝武田) 錠 5mg 1錠 22.30 円	**レボセチリジン塩酸塩 DS** (辰巳) ド 0.5% 1g 63.00 円
レボセチリジン塩酸塩 (辰巳) 錠 5mg 1錠 22.30 円	**レボセチリジン塩酸塩 OD** (沢井) 錠 5mg 1錠 22.30 円
レボセチリジン塩酸塩 (長生堂＝日本ジェネリック＝岩城)　錠 5mg 1錠 16.00 円	**レボセチリジン塩酸塩 OD** (高田) 錠 2.5mg 1錠 16.80 円　錠 5mg 1錠 22.30 円
レボセチリジン塩酸塩 (東亜薬品＝ニプロ) シ 0.05% 1mL 6.70 円	**レボセチリジン塩酸塩 OD** (日新) 錠 2.5mg 1錠 16.80 円　錠 5mg 1錠 22.30 円
レボセチリジン塩酸塩 (東和) 錠 5mg 1錠 22.30 円　シ 0.05% 1mL 6.70 円	**レボセチリジン塩酸塩 OD** (陽進堂) 錠 2.5mg 1錠 16.80 円　錠 5mg 1錠 16.00 円
レボセチリジン塩酸塩 (日医工) 錠 2.5mg 1錠 13.20 円　錠 5mg 1錠 16.00 円	**レボセチリジン塩酸塩 ドライシロップ** (日本臓器) ド 0.5% 1g 63.00 円
レボセチリジン塩酸塩 (ニプロ) 錠 2.5mg 1錠 16.80 円　錠 5mg 1錠 22.30 円	**レボセチリジン塩酸塩 ドライシロップ** (陽進堂) ド 0.5% 1g 63.00 円
レボセチリジン塩酸塩 (フェルゼン) 錠 5mg 1錠 22.30 円	

概　要

分類　第二世代抗ヒスタミン薬

処方目的　アレルギー性鼻炎，じん麻疹，湿疹・皮膚炎，痒疹，皮膚掻痒症

解説　セチリジン塩酸塩は，ヒドロキシジン塩酸塩の誘導体で，副作用を抑えた長時間作用する抗ヒスタミン薬として使われています。レボセチリジン塩酸塩は，セチリジン塩酸塩の光学異性体のうち，より強い生理活性を有する R-エナンチオマーのみを光学分割により生産したものです。わかりやすく言えば，最新の技術でセチリジン塩酸塩の良いところだけを取り出したのがレボセチリジン塩酸塩ということで，およそ 2 倍の抗ヒスタミン作用があるといわれています。

使用上の注意

*セチリジン塩酸塩(ジルテック)の添付文書による

基本的注意

(1)服用してはいけない場合……本剤の成分またはピペラジン誘導体(レボセチリジン，

ヒドロキシジンを含む）に対するアレルギーの前歴／重度の腎機能障害（クレアチニンクリアランス 10mL/分未満）

(2)**慎重に服用すべき場合**……中等度または軽度の腎機能障害（クレアチニンクリアランス 10mL/分以上 60mL/分以下）／肝機能障害／高齢者／てんかんなどのけいれん性疾患またはこれらの前歴

(3)**季節性アレルギー疾患**……本剤を季節性アレルギー性疾患の人が服用するときは、発作の出やすい季節の直前から服用を開始し、その季節が終了するまで続けます。

(4)**事前に伝達**……本剤はアレルゲン皮内反応を抑制します。アレルゲン皮内反応検査を受ける人は、事前にその旨を医師に伝えてください。実施する 3〜5 日前より服用が中止になります。

(5)**危険作業は中止**……本剤を服用すると、眠けを催すおそれがあります。服用中は、高所作業や自動車の運転など危険を伴う機械の操作は行わないようにしてください。

(6)**その他**……

●妊婦での安全性：有益と判断されたときのみ服用。

●授乳婦での安全性：治療上の有益性・母乳栄養の有益性を考慮し、授乳の継続・中止を検討。

●小児での安全性（2 歳未満）：未確立。（1714 頁を参照）

重大な副作用　①ショック、アナフィラキシー（呼吸困難、血圧低下、じん麻疹、発赤など）。②けいれん。③肝機能障害（全身倦怠感、食欲不振、発熱、吐きけなど）、黄疸。④血小板減少。

　そのほかにも報告された副作用はあるので、体調がいつもと違うと感じたときは、処方医・薬剤師に相談してください。

併用してはいけない薬　併用してはいけない薬は特にありません。ただし、併用する薬があるときは、念のため処方医・薬剤師に報告してください。

内 12 皮膚科・泌尿器科の薬　01 皮膚科の薬（アレルギー用薬を含む）

16 ロラタジン

製剤情報

一般名：ロラタジン

●保険収載年月…2002年8月
●海外評価…6点 英米独仏　●PC…B
●剤形…錠錠剤、ドライシロップ剤
●服用量と回数…1日1回10mg（ドライシロップは1g）。3〜7歳未満の場合は、1日1回5mg。

■**先発品**　商品名（メーカー）　規格・保険薬価

クラリチン（バイエル＝塩野義）
錠 10mg 1錠 50.20 円　ド 1% 1g 105.80 円

クラリチンレディタブ 写真 （バイエル＝塩野義）
錠 10mg 1錠 50.20 円

■**ジェネリック**　商品名（メーカー）　規格・保険薬価

ロラタジン（あすか＝武田）錠 10mg 1錠 19.20 円

内
12
―
01
―
16

ロラタジン

□ラタジン（エルメッド＝日医工）
錠 10mg 1錠 19.20 円

□ラタジン（共創未来）錠 10mg 1錠 19.20 円

□ラタジン（共和）錠 10mg 1錠 19.20 円

□ラタジン（小林化工＝アルフレッサ）
錠 10mg 1錠 19.20 円

□ラタジン 写真（沢井）錠 10mg 1錠 19.20 円

□ラタジン（ダイト＝ケミファ＝日薬工）
錠 10mg 1錠 31.00 円

□ラタジン（辰巳＝ニプロ ES）
錠 10mg 1錠 19.20 円

□ラタジン（日医工）錠 10mg 1錠 19.20 円
ド 1% 1g 42.30 円

□ラタジン（日新）錠 10mg 1錠 19.20 円

□ラタジン（ニプロ）錠 10mg 1錠 19.20 円
ド 1% 1g 42.30 円

□ラタジン（日本ジェネリック）
錠 10mg 1錠 19.20 円

□ラタジン（ファイザー）錠 10mg 1錠 19.20 円

□ラタジン（陽進堂）錠 10mg 1錠 19.20 円

□ラタジン DS（沢井）ド 1% 1g 42.30 円

□ラタジン DS（長生堂＝日本ジェネリック）
ド 1% 1g 42.30 円

□ラタジン DS（東和）ド 1% 1g 42.30 円

□ラタジン OD（あすか＝武田）
錠 10mg 1錠 19.20 円

□ラタジン OD（エルメッド＝日医工）
錠 10mg 1錠 19.20 円

□ラタジン OD（共創未来）錠 10mg 1錠 19.20 円

□ラタジン OD（共和＝三和）
錠 10mg 1錠 19.20 円

□ラタジン OD（キョーリン＝杏林）
錠 10mg 1錠 19.20 円

□ラタジン OD（沢井）錠 10mg 1錠 19.20 円

□ラタジン OD（ダイト＝ケミファ＝日薬工）
錠 10mg 1錠 31.00 円

□ラタジン OD（武田テバ薬品＝武田テバファーマ＝武田）錠 10mg 1錠 19.20 円

□ラタジン OD（東和）錠 10mg 1錠 19.20 円

□ラタジン OD（日医工）錠 10mg 1錠 19.20 円

□ラタジン OD（日新）錠 10mg 1錠 19.20 円

□ラタジン OD（ニプロ）錠 10mg 1錠 19.20 円

□ラタジン OD（日本ジェネリック）
錠 10mg 1錠 19.20 円

□ラタジン OD 写真（ファイザー）
錠 10mg 1錠 19.20 円

□ラタジン OD（陽進堂）錠 10mg 1錠 19.20 円

□ラタジン OD フィルム（救急薬品＝持田）
錠 10mg 1錠 19.20 円

一般名：デスロラタジン
● 保険収載年月…2016年11月
● 海外評価…6点 英 米 独 仏　●PC…B
● 剤形…錠 錠剤
● 服用量と回数…1日1回5mg（12歳以上）。
■ 先発品　商品名（メーカー）　規格・保険薬価
デザレックス 写真（オルガノン＝杏林）
錠 5mg 1錠 51.70 円

概　要
分類　第二世代抗ヒスタミン薬
処方目的　アレルギー性鼻炎，じん麻疹，皮膚疾患（湿疹・皮膚炎，皮膚掻痒症）に伴うかゆみ
解説　ロラタジンは，ケトチフェンフマル酸塩などと同様に第二世代の抗ヒスタミン薬です。アメリカでは 2002 年より OTC 薬（一般用薬）として市販されていますが，日本では 2017 年 1 月にやっと市販されました（クラリチン EX，大正製薬）。
　ロラタジンは肝臓の薬物代謝酵素（CYP3A4 および CYP2D6）で代謝され，活性代謝

物のデスロラタジンになって効果を示します。このデスロラタジンを主成分としたのが2016年11月に発売されたデザレックスで，代謝される必要がなく最初から活性代謝物として作用するため，より速やかに効果を発揮します。

　どちらもケトチフェンフマル酸塩などと異なり，眠けの副作用はほとんど発現しません。そのため「高所作業・自動車の運転などの危険を伴う機械の操作など」に関する使用上の注意はありません。

📋 使用上の注意

*ロラタジン(クラリチン)，デスロラタジン(デザレックス)の添付文書による

基本的注意

(1)服用してはいけない場合……本剤の成分に対するアレルギーの前歴
[デスロラタジンのみ]ロラタジンに対するアレルギーの前歴
(2)慎重に服用すべき場合……てんかんの前歴／腎機能障害／肝機能障害
(3)服用法……[ロラタジン]本剤のレディタブ錠(OD錠)は口の中ですぐに崩壊するため，唾液のみ(水なし)でも服用可能です。しかし，口の粘膜から吸収されることはないので，できれば水で服用を，水なしで服用するときは唾液でのみこんでください。
(4)季節性アレルギー疾患……本剤(錠剤)を季節性アレルギー性疾患の人が服用するときは，発作の出やすい季節の直前から服用を開始し，その季節が終了するまで続ける必要があります。
(5)事前に伝達……本剤はアレルゲン皮内反応を抑制します。アレルゲン皮内反応検査を受ける人は，事前にその旨を医師に伝えてください。実施する3〜5日前より服用が中止になります。
(6)その他……
●妊婦での安全性：服用しないことが望ましい。
●授乳婦での安全性：治療上の有益性・母乳栄養の有益性を考慮し，授乳の継続・中止を検討。
●小児での安全性：[ロラタジン]3歳未満は未確立，[デスロラタジン]12歳未満は未確立。(1714頁を参照)

重大な副作用

①ショック，アナフィラキシー(チアノーゼ，呼吸困難，血圧低下，血管浮腫など)。②てんかん。③けいれん。④肝機能障害，黄疸。

　そのほかにも報告された副作用はあるので，体調がいつもと違うと感じたときは，処方医・薬剤師に相談してください。

併用してはいけない薬

併用してはいけない薬は特にありません。ただし，併用する薬があるときは，念のため処方医・薬剤師に報告してください。

内
12
—
01
—
17

アゼラスチン塩酸塩ほか

17 アゼラスチン塩酸塩ほか

製 剤 情 報

一般名：アゼラスチン塩酸塩

- 保険収載年月…1986年6月
- 海外評価…2点 英 米 独 仏
- 剤形…錠 錠剤
- 服用量と回数…1回1mgを1日2回。気管支ぜんそくの場合は、1回2mgを1日2回。

■**先発品**　商品名（メーカー）　規格・保険薬価

| アゼプチン（エーザイ）錠 0.5mg 1錠 11.60 円 |
| 錠 1mg 1錠 12.00 円 |

■**ジェネリック**　商品名（メーカー）　規格・保険薬価

| アゼラスチン塩酸塩（武田テバファーマ＝武田） |
| 錠 0.5mg 1錠 5.70 円　錠 1mg 1錠 5.90 円 |

| アゼラスチン塩酸塩（辰巳）錠 0.5mg 1錠 5.70 円 |
| 錠 1mg 1錠 5.90 円 |

| アゼラスチン塩酸塩（鶴原）錠 0.5mg 1錠 5.70 円 |

| アゼラスチン塩酸塩（鶴原＝日本ジェネリック） |
| 錠 1mg 1錠 5.90 円 |

| アゼラスチン塩酸塩（東和）錠 0.5mg 1錠 5.70 円 |
| 錠 1mg 1錠 5.90 円 |

| アゼラスチン塩酸塩（日医工） |
| 錠 0.5mg 1錠 5.70 円　錠 1mg 1錠 5.90 円 |

一般名：エメダスチンフマル酸塩

- 保険収載年月…1993年5月
- 海外評価…0点 英 米 独 仏
- 剤形…カ カプセル剤
- 服用量と回数…1回1〜2mgを1日2回。

■**先発品**　商品名（メーカー）　規格・保険薬価

| レミカット（興和）カ 1mg 1ｾﾙ 24.10 円 |
| カ 2mg 1ｾﾙ 31.00 円 |

■**ジェネリック**　商品名（メーカー）　規格・保険薬価

| エメダスチンフマル酸塩（東和） |
| カ 1mg 1ｾﾙ 23.10 円　カ 2mg 1ｾﾙ 28.20 円 |

一般名：エピナスチン塩酸塩

- 保険収載年月…1994年5月
- 海外評価…0点 英 米 独 仏
- 剤形…錠 錠剤，ド ドライシロップ剤，液 液剤
- 服用量と回数…アレルギー性鼻炎：1日1回10〜20mg。じん麻疹：1日1回20mg。その他の適応症・小児の場合：処方医の指示通りに服用。

■**先発品**　商品名（メーカー）　規格・保険薬価

| アレジオン 写真（ベーリンガー） |
| 錠 10mg 1錠 34.00 円　錠 20mg 1錠 44.20 円 |
| ド 1% 1g 43.80 円 |

■**ジェネリック**　商品名（メーカー）　規格・保険薬価

| エピナスチン塩酸塩 写真（岩城） |
| 錠 10mg 1錠 19.10 円　錠 20mg 1錠 24.10 円 |

| エピナスチン塩酸塩（キョーリン＝杏林） |
| 錠 10mg 1錠 13.10 円　錠 20mg 1錠 24.10 円 |

| エピナスチン塩酸塩（沢井）錠 10mg 1錠 19.10 円 |
| 錠 20mg 1錠 24.10 円 |

| エピナスチン塩酸塩（シオノ） |
| 錠 10mg 1錠 13.10 円　錠 20mg 1錠 24.10 円 |

| エピナスチン塩酸塩（ダイト＝セオリア＝武田） |
| 錠 10mg 1錠 19.10 円　錠 20mg 1錠 24.10 円 |

| エピナスチン塩酸塩（武田テバファーマ＝武田） |
| 錠 10mg 1錠 13.10 円　錠 20mg 1錠 18.90 円 |
| 液 0.2% 1mL 17.40 円 |

| エピナスチン塩酸塩（辰巳）錠 10mg 1錠 13.10 円 |
| 錠 20mg 1錠 18.90 円 |

| エピナスチン塩酸塩（長生堂＝日本ジェネリック） |
| 錠 10mg 1錠 13.10 円　錠 20mg 1錠 18.90 円 |

エピナスチン塩酸塩（東和）錠 10mg 1錠 19.10 円
錠 20mg 1錠 24.10 円

エピナスチン塩酸塩 写真（日医工）
錠 10mg 1錠 19.10 円　錠 20mg 1錠 24.10 円

エピナスチン塩酸塩（日薬工＝ケミファ）
錠 10mg 1錠 19.10 円　錠 20mg 1錠 24.10 円

エピナスチン塩酸塩（日新）錠 10mg 1錠 13.10 円
錠 20mg 1錠 24.10 円

エピナスチン塩酸塩（ファイザー）
錠 10mg 1錠 13.10 円　錠 20mg 1錠 18.90 円

エピナスチン塩酸塩（陽進堂＝共創未来）
錠 10mg 1錠 13.10 円　錠 20mg 1錠 18.90 円

エピナスチン塩酸塩 DS（沢井）
ド 1% 1g(小児用) 17.50 円

エピナスチン塩酸塩 DS（東和）
ド 1% 1g(小児用) 29.40 円

エピナスチン塩酸塩 DS（日医工）
ド 1% 1g(小児用) 17.50 円

塩酸エピナスチン（共和）錠 10mg 1錠 13.10 円
錠 20mg 1錠 18.90 円

一般名：ベポタスチンベシル酸塩
- 保険収載年月…2000年9月
- 海外評価…0点 英 米 独 仏
- 剤形…錠 錠剤
- 服用量と回数…1回10mgを1日2回(7歳以上)。

■ 先発品　商品名(メーカー)　規格・保険薬価

タリオン 写真（田辺三菱）錠 5mg 1錠 25.80 円
錠 10mg 1錠 30.50 円

タリオン OD 写真（田辺三菱）錠 5mg 1錠 25.80 円
錠 10mg 1錠 30.50 円

■ ジェネリック　商品名(メーカー)　規格・保険薬価

ベポタスチンベシル酸塩（小林化工）
錠 5mg 1錠 11.60 円　錠 10mg 1錠 13.80 円

ベポタスチンベシル酸塩（沢井）
錠 5mg 1錠 11.60 円　錠 10mg 1錠 13.80 円

ベポタスチンベシル酸塩（シオノ＝サンド）
錠 5mg 1錠 11.60 円　錠 10mg 1錠 13.80 円

ベポタスチンベシル酸塩（大興＝江州）
錠 5mg 1錠 11.60 円　錠 10mg 1錠 13.80 円

ベポタスチンベシル酸塩（東和）
錠 5mg 1錠 11.60 円　錠 10mg 1錠 13.80 円

ベポタスチンベシル酸塩（日医工）
錠 5mg 1錠 11.60 円　錠 10mg 1錠 10.10 円

ベポタスチンベシル酸塩（ニプロ ES＝ニプロ）
錠 5mg 1錠 11.60 円　錠 10mg 1錠 13.80 円

ベポタスチンベシル酸塩（日本ジェネリック）
錠 5mg 1錠 15.10 円　錠 10mg 1錠 17.70 円

ベポタスチンベシル酸塩 OD（小林化工）
錠 5mg 1錠 11.60 円　錠 10mg 1錠 13.80 円

ベポタスチンベシル酸塩 OD（沢井）
錠 5mg 1錠 11.60 円　錠 10mg 1錠 13.80 円

ベポタスチンベシル酸塩 OD 写真（東和）
錠 5mg 1錠 11.60 円　錠 10mg 1錠 13.80 円

ベポタスチンベシル酸塩 OD（日医工）
錠 5mg 1錠 11.60 円　錠 10mg 1錠 13.80 円

ベポタスチンベシル酸塩 OD 写真（ニプロ ES
＝ニプロ）錠 5mg 1錠 11.60 円　錠 10mg 1錠 13.80 円

一般名：ビラスチン
- 保険収載年月…2016年11月
- 海外評価…4点 英 米 独 仏
- 剤形…錠 錠剤
- 服用量と回数…1回20mgを1日1回, 空腹時に服用。

■ 先発品　商品名(メーカー)　規格・保険薬価

ビラノア 写真（大鵬＝MeijiSeika）
錠 20mg 1錠 61.90 円

ビラノア OD（大鵬＝MeijiSeika）
錠 20mg 1錠 61.90 円

内 12―01―17　アゼラスチン塩酸塩ほか

▤ 概　要

分類　第二世代抗ヒスタミン薬

処方目的　アレルギー性鼻炎, じん麻疹, 湿疹・皮膚炎, アトピー性皮膚炎, 皮膚掻痒症, 痒疹／[アゼラスチン塩酸塩, エピナスチン塩酸塩のみの適応症]気管支ぜんそく／[エピナスチン塩酸塩のみの適応症]かゆみを伴う尋常性乾癬

解説　本剤は, アレルギー反応に関与する生理活性物質のロイコトリエンに対する拮抗作用があるという報告もありますが, 確定したものではありません。ヒスタミン H_1 受容体に対する遮断作用(抗ヒスタミン作用)は認められています。

アゼラスチン塩酸塩, エピナスチン塩酸塩は気管支ぜんそくにも使われます。この両薬とケトチフェンフマル酸塩との二重盲検試験では, 改善度, 安全性, 有用度に有意差はないと報告されています。なお, ケトチフェンフマル酸塩と同様, この両薬もぜんそく発作をその場で抑える薬剤ではありません。

エピナスチン塩酸塩は, 2012 年に第 1 類医薬品の OTC 薬(アレルギー専用鼻炎薬)として発売されました(現在は第 2 類)。

⚙ 使用上の注意

*エピナスチン塩酸塩(アレジオン)の添付文書による

基本的注意

(1)服用してはいけない場合……本剤の成分に対するアレルギーの前歴

(2)慎重に服用すべき場合……肝機能障害またはその前歴／フェニルケトン尿症(ドライシロップのみ)

(3)服用目的……エピナスチン塩酸塩とアゼラスチン塩酸塩は, 気管支ぜんそくにも使われます。ただし, 気管支拡張薬や全身性ステロイド薬などと異なり, すでにおこっている気管支ぜんそく発作を速やかに抑える薬ではありません。

(4)季節性アレルギー疾患……本剤を季節性アレルギー性疾患の人が服用するときは, 発作の出やすい季節の直前から服用を開始し, その季節が終了するまで続けます。

(5)危険作業に注意……本剤を服用すると, 眠けを催すことがあります。服用中は, 高所作業や自動車の運転など危険を伴う機械の操作は十分に注意してください。

(6)その他……

● 妊婦での安全性：未確立。有益と判断されたときのみ服用。

● 授乳婦での安全性：原則として服用しない。やむを得ず服用するときは授乳を中止。

● 小児での安全性：未確立。(1714 頁を参照)

重大な副作用　　　　[エピナスチン塩酸塩] ①肝機能障害, 黄疸。②血小板減少。[ビラスチン] ③ショック, アナフィラキシー。

そのほかにも報告された副作用はあるので, 体調がいつもと違うと感じたときは, 処方医・薬剤師に相談してください。

併用してはいけない薬　　　　併用してはいけない薬は特にありません。ただし, 併用する薬があるときは, 念のため処方医・薬剤師に報告してください。

18　オロパタジン塩酸塩

製剤情報

一般名：オロパタジン塩酸塩

- 保険収載年月…2001年2月
- 海外評価…0点 英 米 独 仏
- 剤形… 錠 錠剤， 顆 顆粒剤， ド ドライシロップ剤
- 服用量と回数…7歳以上は1回5mg（顆粒剤は1g，ドライシロップは0.5g），2歳以上7歳未満は顆粒剤1回0.5g，ドライシロップは0.25gをいずれも1日2回。

■先発品　商品名（メーカー）　規格・保険薬価

アレロック 写真 （協和キリン） 顆 0.5% 1g 44.00 円
錠 2.5mg 1錠 25.80 円　錠 5mg 1錠 32.50 円

アレロック OD 写真 （協和キリン）
錠 2.5mg 1錠 25.80 円　錠 5mg 1錠 32.50 円

■ジェネリック　商品名（メーカー）　規格・保険薬価

オロパタジン塩酸塩 （エルメッド＝日医工）
錠 2.5mg 1錠 10.10 円　錠 5mg 1錠 10.50 円

オロパタジン塩酸塩 （大原） 錠 2.5mg 1錠 10.10 円
錠 5mg 1錠 10.50 円

オロパタジン塩酸塩 （共和） 錠 2.5mg 1錠 10.10 円
錠 5mg 1錠 10.50 円

オロパタジン塩酸塩 写真 （キョーリン＝杏林）
錠 2.5mg 1錠 10.10 円　錠 5mg 1錠 10.50 円

オロパタジン塩酸塩 （ケミファ＝日薬工）
錠 2.5mg 1錠 13.40 円　錠 5mg 1錠 10.50 円

オロパタジン塩酸塩 （皇漢堂）
錠 2.5mg 1錠 10.10 円　錠 5mg 1錠 10.10 円

オロパタジン塩酸塩 （小林化工）
顆 0.5% 1g 16.60 円　錠 2.5mg 1錠 10.10 円
錠 5mg 1錠 10.50 円

オロパタジン塩酸塩 写真 （沢井）
錠 2.5mg 1錠 10.10 円　錠 5mg 1錠 10.50 円

オロパタジン塩酸塩 （サンド）
錠 2.5mg 1錠 10.10 円　錠 5mg 1錠 10.50 円

オロパタジン塩酸塩 （シオノ）
錠 2.5mg 1錠 10.10 円　錠 5mg 1錠 10.10 円

オロパタジン塩酸塩 （全星＝ニプロ）
錠 2.5mg 1錠 10.10 円　錠 5mg 1錠 10.50 円

オロパタジン塩酸塩 （ダイト＝あすか＝武田）
錠 2.5mg 1錠 10.10 円　錠 5mg 1錠 10.50 円

オロパタジン塩酸塩 （高田） 錠 2.5mg 1錠 10.10 円
錠 5mg 1錠 10.50 円

オロパタジン塩酸塩 （鶴原） 錠 2.5mg 1錠 10.10 円
錠 5mg 1錠 10.10 円

オロパタジン塩酸塩 （東和） 顆 0.5% 1g 24.10 円
錠 2.5mg 1錠 10.10 円　錠 5mg 1錠 10.50 円

オロパタジン塩酸塩 （日医工）
錠 2.5mg 1錠 10.10 円　錠 5mg 1錠 10.10 円

オロパタジン塩酸塩 （日薬工）
錠 2.5mg 1錠 10.10 円　錠 5mg 1錠 10.50 円

オロパタジン塩酸塩 （日本ジェネリック）
錠 2.5mg 1錠 10.10 円　錠 5mg 1錠 10.50 円

オロパタジン塩酸塩 （ビオメディクス）
錠 2.5mg 1錠 11.00 円　錠 5mg 1錠 10.50 円

オロパタジン塩酸塩 （ファイザー）
錠 2.5mg 1錠 10.10 円　錠 5mg 1錠 10.50 円

オロパタジン塩酸塩 （MeijiSeika）
錠 2.5mg 1錠 10.10 円　錠 5mg 1錠 10.50 円

オロパタジン塩酸塩 （陽進堂）
錠 2.5mg 1錠 10.10 円　錠 5mg 1錠 10.50 円

オロパタジン塩酸塩 OD （キョーリン＝杏林）
錠 2.5mg 1錠 10.10 円　錠 5mg 1錠 10.50 円

オロパタジン塩酸塩 OD （ケミファ＝日薬工）
錠 2.5mg 1錠 10.10 円　錠 5mg 1錠 10.50 円

オロパタジン塩酸塩 OD （小林化工）
錠 2.5mg 1錠 10.10 円　錠 5mg 1錠 10.50 円

内
12
—
01
—
18

オロパタジン塩酸塩

オロパタジン塩酸塩 OD 写真（沢井） 錠 2.5mg 1錠 10.10 円　錠 5mg 1錠 10.50 円	**オロパタジン塩酸塩 OD**（日本ジェネリック） 錠 2.5mg 1錠 10.10 円　錠 5mg 1錠 10.50 円
オロパタジン塩酸塩 OD（ダイト＝あすか＝武田）錠 2.5mg 1錠 10.10 円　錠 5mg 1錠 10.50 円	**オロパタジン塩酸塩 OD**（ファイザー） 錠 2.5mg 1錠 10.10 円　錠 5mg 1錠 10.50 円
オロパタジン塩酸塩 OD（高田） 錠 2.5mg 1錠 10.10 円　錠 5mg 1錠 10.50 円	**オロパタジン塩酸塩 OD**（フェルゼン） 錠 2.5mg 1錠 10.10 円　錠 5mg 1錠 10.10 円
オロパタジン塩酸塩 OD（武田テバ薬品＝武田テバファーマ＝武田）錠 2.5mg 1錠 10.10 円 錠 5mg 1錠 10.50 円	**オロパタジン塩酸塩 OD**（MeijiSeika） 錠 2.5mg 1錠 10.10 円　錠 5mg 1錠 10.50 円
オロパタジン塩酸塩 OD（東和） 錠 2.5mg 1錠 10.10 円　錠 5mg 1錠 10.50 円	**オロパタジン塩酸塩 OD フィルム**（救急薬品＝マルホ）錠 2.5mg 1錠 10.10 円　錠 5mg 1錠 16.70 円
オロパタジン塩酸塩 OD（日医工） 錠 2.5mg 1錠 10.10 円　錠 5mg 1錠 10.10 円	**オロパタジン塩酸塩ドライシロップ**（日本臓器）ﾄ 1% 1g 57.90 円

概　　要

分類　第二世代抗ヒスタミン薬

処方目的　アレルギー性鼻炎，じん麻疹，皮膚疾患に伴うかゆみ（湿疹・皮膚炎，痒疹，皮膚掻痒症，尋常性乾癬，多形滲出性紅斑）

解説　ケトチフェンフマル酸塩と同様に第二世代の抗ヒスタミン薬で，トラニラストと同様に，日本のメーカーの開発品です。アメリカでは，アレルギー性結膜炎に用いられる目薬として発売されています。アレルギー性鼻炎の鼻閉にはよく効くといわれますが，眠けも強く出ることがあるので注意が必要です。

使用上の注意

＊オロパタジン塩酸塩（アレロック）の添付文書による

基本的注意

(1)服用してはいけない場合……本剤の成分に対するアレルギーの前歴

(2)慎重に服用すべき場合……腎機能低下（クレアチニンクリアランス 30mL/分未満）／肝機能障害／高齢者

(3)心筋梗塞……因果関係は明らかではありませんが，本剤を服用中の人に心筋梗塞の発症がみられた症例が報告されています。

(4)季節性アレルギー疾患……本剤を季節性アレルギー性疾患の人が服用するときは，発作の出やすい季節の直前から服用を開始し，その季節が終了するまで続けます。

(5)事前に伝達……本剤はアレルゲン皮内反応を抑制します。アレルゲン皮内反応検査を受ける人は，事前にその旨を医師に伝えてください。実施する 3〜5 日前より服用が中止になります。

(6)危険作業は中止……本剤を服用すると，眠けを催すおそれがあります。服用中は，高所作業や自動車の運転など危険を伴う機械の操作は行わないようにしてください。

(7)その他……

- 妊婦での安全性：有益と判断されたときのみ服用。
- 授乳婦での安全性：治療上の有益性・母乳栄養の有益性を考慮し，授乳の継続・中止を検討。
- 小児での安全性（2歳未満）：未確立。（1714頁を参照）

重大な副作用 ①劇症肝炎，肝機能障害，黄疸。

そのほかにも報告された副作用はあるので，体調がいつもと違うと感じたときは，処方医・薬剤師に相談してください。

併用してはいけない薬 併用してはいけない薬は特にありません。ただし，併用する薬があるときは，念のため処方医・薬剤師に報告してください。

内 12 皮膚科・泌尿器科の薬　01 皮膚科の薬（アレルギー用薬を含む）

19 スプラタストトシル酸塩

製剤情報

一般名：スプラタストトシル酸塩
- 保険収載年月…1995年3月
- 海外評価…0点 英 米 独 仏
- 剤形…カ カプセル剤，ド ドライシロップ剤
- 服用量と回数…1回100mgを1日3回。小児の場合は，処方医の指示通りに服用。

■先発品　商品名（メーカー）　規格・保険薬価
アイピーディ（大鵬）カ 50mg 1カプセル 21.90円
カ 100mg 1カプセル 24.20円　ド 5% 1g 35.70円

■ジェネリック　商品名（メーカー）　規格・保険薬価
スプラタストトシル酸塩（沢井）
カ 50mg 1カプセル 17.60円　カ 100mg 1カプセル 17.60円
スプラタストトシル酸塩（長生堂＝日本ジェネリック）カ 50mg 1カプセル 17.60円　カ 100mg 1カプセル 17.60円
スプラタストトシル酸塩（東和）
カ 50mg 1カプセル 17.60円　カ 100mg 1カプセル 17.60円

概要

分類 トロンボキサンサイトカイン阻害薬
処方目的 ［カプセル剤］アトピー性皮膚炎，アレルギー性鼻炎／気管支ぜんそく／［ドライシロップ剤］気管支ぜん息
解説 ヘルパーT細胞からのインターロイキン-4およびインターロイキン-5の産生抑制にもとづく，好酸球浸潤抑制作用，IgE抗体産生抑制作用などにより，抗アレルギー作用が発揮されるものと考えられています。

本剤は，気管支ぜんそくにも使用されます。

使用上の注意
＊スプラタストトシル酸塩（アイピーディ）の添付文書による
基本的注意
(1)服用してはいけない場合……本剤の成分に対するアレルギーの前歴
(2)慎重に服用すべき場合……長期ステロイド療法を受けている人／肝機能障害

(3)口臭……本剤を服用すると，本剤からジメチルスルフィドが生じ，口臭がおこることがあります。

(4)服用目的……本剤は，気管支ぜんそくにも使われます。ただし，気管支拡張薬や全身性ステロイド薬などと異なり，すでにおこっている気管支ぜんそく発作を速やかに抑える薬ではありません。気管支ぜんそくに使用する場合は，ぜんそくが良好にコントロールされている場合でも，十分に注意観察しながら継続して服用してください。

(5)季節性アレルギー疾患……本剤を季節性アレルギー性疾患の人が服用するときは，発作の出やすい季節の直前から服用を開始し，その季節が終了するまで続けます。

(6)事前に伝達……本剤はアレルゲン皮内反応を抑制します。アレルゲン皮内反応検査を受ける人は，事前にその旨を医師に伝えてください。実施する3〜5日前より服用が中止になります。

(7)その他……

●妊婦での安全性：有益と判断されたときのみ服用。

●授乳婦での安全性：治療上の有益性・母乳栄養の有益性を考慮し，授乳の継続・中止を検討。

●小児での安全性：未確立。(1714頁を参照)

■重大な副作用■ ①肝機能障害（初期症状：全身倦怠感，食欲不振，発熱，吐きけ・嘔吐など），黄疸。②ネフローゼ症候群。

そのほかにも報告された副作用はあるので，体調がいつもと違うと感じたときは，処方医・薬剤師に相談してください。

■併用してはいけない薬■ 併用してはいけない薬は特にありません。ただし，併用する薬があるときは，念のため処方医・薬剤師に報告してください。

■内 12 皮膚科・泌尿器科の薬 01 皮膚科の薬（アレルギー用薬を含む）

20 ルパタジン

⊘ 製剤情報

一般名：ルパタジンフマル酸塩

●保険収載年月…2017年11月

●海外評価…4点 英 米 独 仏

●剤形…錠 錠剤

●服用量と回数…1日1回，10mg(1錠)または20mg(2錠)。

■先発品　商品名(メーカー)　規格・保険薬価

ルパフィン 写真 (帝国製薬＝田辺三菱)
錠 10mg 1錠 54.90 円

≡ 概　要

分類　アレルギー性疾患治療薬

処方目的　アレルギー性鼻炎，じん麻疹，皮膚疾患（湿疹・皮膚炎，皮膚そう痒症）に伴うそう痒（かゆみ）

解説　本剤は，抗ヒスタミン作用と抗PAF（血小板活性化因子）作用を併せもつ，新

しい作用機序のアレルギー性疾患治療薬です。ヒスタミンも PAF もアレルギー反応に深く関わる化学伝達物質（ケミカルメディエーター）で，本剤はこれら 2 つの化学伝達物質を抑える DUAL 作用（抗ヒスタミン作用と抗 PAF 作用）によって効果を発揮し，アレルギー性疾患によるさまざまな症状を抑制します。なお，本剤は抗ヒスタミン薬としてはケトチフェンフマル酸塩などと同様に第二世代に分類されます。

使用上の注意

基本的注意

(1)**服用してはいけない場合**……本剤の成分に対するアレルギーのある人

(2)**慎重に服用すべき場合**……てんかんの前歴／肝機能障害／腎機能障害

(3)**季節性アレルギー疾患**……本剤を季節性アレルギー疾患の人が服用するときは，好発季節を考えて，その直前から服用を開始し，好発季節終了時まで続けることが望まれます。

(4)**危険作業は中止**……本剤を服用すると眠けを催すことがあるので，服用中は自動車の運転など危険を伴う機械の操作に従事しないでください。

(5)**飲み物**……①グレープフルーツジュースは，本剤の血中濃度を上昇させて効果を強めるおそれがあるので，服用中はグレープフルーツジュースを飲まないでください。②本剤とアルコールを併用すると，中枢神経抑制作用が強まる可能性があるので，服用中にアルコールを摂取するときは十分に注意してください。

(6)**その他**……

● 妊婦での安全性：服用しないことが望ましい。

● 授乳婦での安全性：服用しないことが望ましい。やむを得ず服用するときは授乳を中止。

● 小児（12 歳未満）での安全性：未確立。（1714 頁を参照）

重大な副作用　　①ショック，アナフィラキシー（チアノーゼ，呼吸困難，血圧低下，血管浮腫など）。②てんかん発作（てんかんの既往のある人）。③けいれん。④肝機能障害，黄疸。

そのほかにも報告された副作用はあるので，体調がいつもと違うと感じたときは，処方医・薬剤師に相談してください。

併用してはいけない薬　　併用してはいけない薬は特にありません。ただし，併用する薬があるときは，念のため処方医・薬剤師に報告してください。

内 12 皮膚科・泌尿器科の薬　01 皮膚科の薬（アレルギー用薬を含む）

21 L-システイン製剤

製剤情報

一般名：L-システイン

● 発売年月…1982年9月

● 剤形…錠 錠剤，散 散剤

● 服用量と回数…1回80mg（散剤は250mg）を1日2〜3回。白血球減少症の場合は，1回160

mg（散剤は500mg）を1日3回。

■ジェネリック　　商品名(メーカー)　規格・保険薬価

| ハイチオール (久久) | 散 32% 1g 10.60 円 |
| 錠 40mg 1錠 5.70 円 | 錠 80mg 1錠 5.70 円 |

概　要

分類　アミノ酸製剤

処方目的　湿疹，じん麻疹，薬疹，中毒疹，尋常性ざ瘡，多形滲出性紅斑／放射線障害による白血球減少症

解説　グルタチオンなどと同様に，分子構造中に SH 基(イオウと水素)を持つアミノ酸で，皮膚や肝臓をはじめとして体内に広く分布しています。

ビタミン C を付加した一般用薬(OTC 薬)の適応症は，しみ・そばかす，全身倦怠，二日酔の改善などとなっています。

使用上の注意

基本的注意

特に注意はありません。

重大な副作用　　重大な副作用はありませんが，そのほかの副作用はあるので，体調がいつもと違うと感じたときは，処方医・薬剤師に相談してください。

併用してはいけない薬　　併用してはいけない薬は特にありません。ただし，併用する薬があるときは，念のため処方医・薬剤師に報告してください。

内 12 皮膚科・泌尿器科の薬　01 皮膚科の薬(アレルギー用薬を含む)

22　グリチルリチン製剤

製剤情報

一般名：グリチルリチン配合剤

- 保険収載年月…1968年12月
- 海外評価…0点 英 米 独 仏
- 剤形…錠 錠剤
- 服用量と回数…1回2〜3錠(小児の場合は1錠)

を1日3回。

■先発品　　商品名(メーカー)　規格・保険薬価

グリチロン配合錠 写真 (ミノファーゲン＝EA ファーマ)	錠 1錠 5.70 円
ニチファーゲン配合錠 (日新)	錠 1錠 5.10 円
ネオファーゲン C 配合錠 (大鵬)	錠 1錠 5.70 円

概　要

分類　グリチルリチン含有製剤

処方目的　湿疹・皮膚炎，小児ストロフルス，円形脱毛症，口内炎／慢性肝疾患における肝機能異常の改善

解説　本剤の中には，グリチルリチン(甘草の抽出成分)，メチオニン(アミノ酸の一種)，アミノ酢酸(グリシン：アミノ酸の一種)が含まれています。

　グリチルリチンには抗アレルギー作用，免疫調節作用，ウイルス増殖抑制・不活化作用などがあり，メチオニンとグリシンには解毒作用などがあります。

　また，グリチルリチンには肝細胞障害抑制作用，肝細胞増殖促進作用もあり，慢性肝炎の治療にも使われます。セファランチンとの併用で，円形脱毛症の治療にもよく処方されます。

使用上の注意

*グリチルリチン（グリチロン配合錠）の添付文書による

基本的注意

(1)服用してはいけない場合……アルドステロン症／ミオパシー／低カリウム血症／血清アンモニウム値の上昇傾向にある末期肝硬変症

(2)慎重に服用すべき場合……高齢者

(3)偽アルドステロン症……本剤と甘草を含む製剤とを併用すると，偽アルドステロン症がおこりやすくなります。

(4)その他……

● 妊婦での安全性：未確立。有益と判断されたときのみ服用。

● 授乳婦での安全性：未確立。有益と判断されたときのみ服用。（1714頁を参照）

重大な副作用

①偽アルドステロン症（低カリウム血症，血圧上昇，ナトリウム・体液の貯留，むくみ，尿量減少，体重増加など）。②横紋筋融解症（脱力感，筋力低下，筋肉痛，四肢けいれん・麻痺など）。

　そのほかにも報告された副作用はあるので，体調がいつもと違うと感じたときは，処方医・薬剤師に相談してください。

併用してはいけない薬

併用してはいけない薬は特にありません。ただし，併用する薬があるときは，念のため処方医・薬剤師に報告してください。

内 **12 皮膚科・泌尿器科の薬　01 皮膚科の薬（アレルギー用薬を含む）**

23 抗ヘルペスウイルス薬（1）

製剤情報

一般名：アシクロビル

● 保険収載年月…1988年8月

● 海外評価…4点 英 米 独 仏

● 剤形…錠 錠剤，顆 顆粒剤，シ シロップ剤，ド ドライシロップ剤，ゼ ゼリー剤

● 服用量と回数…単純疱疹：1回200mg（顆粒剤は0.5g，シロップは2.5mL，ドライシロップは0.25g）を1日5回。帯状疱疹：1回800mgを1日5回。その他の適応症・小児の場合：処方医の指示通りに服用。

■ 先発品　　商品名（メーカー）　規格・保険薬価

ゾビラックス 写真 （グラクソ） 顆 40% 1g 123.60 円
錠 200mg 1錠 36.50 円　　錠 400mg 1錠 59.40 円

■ ジェネリック　　商品名（メーカー）　規格・保険薬価

アシクロビル （小林化工＝MeijiSeika）
顆 40% 1g 97.00 円　　錠 200mg 1錠 24.30 円
錠 400mg 1錠 39.60 円　　シ 8% 1mL 23.80 円

アシクロビル （沢井） 顆 40% 1g 48.70 円
錠 200mg 1錠 24.30 円　　錠 400mg 1錠 39.60 円

アシクロビル（高田）顆 40% 1g 97.00 円
シ 8% 1mL 23.80 円

アシクロビル（武田テバ薬品＝武田テバファーマ
＝武田）顆 40% 1g 48.70 円

アシクロビル（長生堂＝日本ジェネリック）
顆 40% 1g 48.70 円　錠 200mg 1錠 24.30 円
錠 400mg 1錠 39.60 円

アシクロビル（東和）顆 40% 1g 48.70 円
錠 200mg 1錠 24.30 円　錠 400mg 1錠 39.60 円

アシクロビル（日医工）顆 40% 1g 48.70 円
錠 200mg 1錠 24.30 円　錠 400mg 1錠 39.60 円

アシクロビル 写真（マイラン＝ファイザー）
錠 200mg 1錠 24.30 円　錠 400mg 1錠 39.60 円

アシクロビル DS（沢井）ド 80% 1g 150.60 円

アシクロビル DS（日本化薬）ド 80% 1g 150.60 円

アシクロビル内服ゼリー（日医工）
ゼ 200mg 1包 149.20 円　ゼ 800mg 1包 401.30 円

一般名：バラシクロビル塩酸塩

- 保険収載年月…2000年8月
- 海外評価…6点 英 米 独 仏　●PC…B
- 剤形…錠 錠剤，顆 顆粒剤
- 服用量と回数…単純疱疹：1回500mg（顆粒剤
  は1g）を1日2回。帯状疱疹：1回1,000mgを1
  日3回。その他の適応症・小児の場合：処方医の
  指示通りに服用。

■先発品　　商品名（メーカー）　規格・保険薬価

バルトレックス 写真（グラクソ）
顆 50% 1g 286.60 円　錠 500mg 1錠 244.20 円

■ジェネリック　　商品名（メーカー）　規格・保険薬価

バラシクロビル（岩城）錠 500mg 1錠 97.60 円

バラシクロビル（エルメッド＝日医工）
錠 500mg 1錠 97.60 円

バラシクロビル（大原）錠 500mg 1錠 97.60 円

バラシクロビル（共創未来）錠 500mg 1錠 97.60 円

バラシクロビル（共和）錠 500mg 1錠 97.60 円

バラシクロビル（キョーリン＝杏林）
錠 500mg 1錠 97.60 円

バラシクロビル（ケミックス）
錠 500mg 1錠 65.60 円

バラシクロビル（ケミファ＝日薬工）
錠 500mg 1錠 97.60 円

バラシクロビル（小林化工）顆 50% 1g 124.10 円
錠 500mg 1錠 97.60 円

バラシクロビル（佐藤）錠 500mg 1錠 97.60 円

バラシクロビル（沢井）錠 500mg 1錠 97.60 円

バラシクロビル（サンドファーマ＝サンド）
顆 50% 1g 124.10 円　錠 500mg 1錠 97.60 円

バラシクロビル（サンファーマ）
錠 500mg 1錠 97.60 円

バラシクロビル（三和）錠 500mg 1錠 97.60 円

バラシクロビル（シオノ＝科研）
錠 500mg 1錠 178.50 円

バラシクロビル（第一三共エスファ）
錠 500mg 1錠 97.60 円

バラシクロビル（武田テバファーマ＝武田）
錠 500mg 1錠 97.60 円

バラシクロビル（辰巳）錠 500mg 1錠 97.60 円

バラシクロビル（鶴原）錠 500mg 1錠 97.60 円

バラシクロビル（東洋カプセル＝日本臓器）
錠 500mg 1錠 178.50 円

バラシクロビル（東和）顆 50% 1g 183.10 円
錠 500mg 1錠 97.60 円

バラシクロビル（日医工）顆 50% 1g 183.10 円
錠 500mg 1錠 97.60 円

バラシクロビル（日薬工）錠 500mg 1錠 97.60 円

バラシクロビル（ニプロ）錠 500mg 1錠 97.60 円

バラシクロビル（日本ジェネリック）
錠 500mg 1錠 97.60 円

バラシクロビル（富士製薬）錠 500mg 1錠 97.60 円

バラシクロビル（MeijiSeika）顆 50% 1g 183.10 円
錠 500mg 1錠 97.60 円

バラシクロビル（陽進堂）錠 500mg 1錠 97.60 円

バラシクロビル粒状錠 写真（持田販売＝持田）
錠 500mg 1包 97.60 円

一般名：ファムシクロビル

- 保険収載年月…2008年6月
- 海外評価…5点 英 米 独 仏　●PC…B
- 剤形…錠 錠剤
- 服用量と回数…単純疱疹：1回250mgを1日3回。再発性の単純疱疹の場合は1回1000mgを1日2回服用することもできる。帯状疱疹：1回500mgを1日3回。

■**先発品**　商品名(メーカー)　規格・保険薬価

ファムビル 写真 (旭化成＝マルホ)
錠 250mg 1錠 320.20 円

■**ジェネリック**　商品名(メーカー)　規格・保険薬価

ファムシクロビル (共創未来)
錠 250mg 1錠 102.40 円

ファムシクロビル (コーアバイオテックベイ＝陽進堂) 錠 250mg 1錠 102.40 円

ファムシクロビル (小財家＝日本臓器)
錠 250mg 1錠 102.40 円　錠 500mg 1錠 146.20 円

ファムシクロビル (小林化工)
錠 250mg 1錠 102.40 円　錠 500mg 1錠 146.20 円

ファムシクロビル (沢井) 錠 250mg 1錠 102.40 円

ファムシクロビル (第一三共エスファ)
錠 250mg 1錠 102.40 円　錠 500mg 1錠 146.20 円

ファムシクロビル (ダイト＝日本ジェネリック)
錠 250mg 1錠 102.40 円

ファムシクロビル (高田) 錠 250mg 1錠 102.40 円

ファムシクロビル (東和) 錠 250mg 1錠 102.40 円

ファムシクロビル (日医工) 錠 250mg 1錠 92.70 円

ファムシクロビル (ファイザー)
錠 250mg 1錠 102.40 円

📄 概　要

分類　抗ヘルペスウイルス薬

処方目的　単純疱疹／帯状疱疹／[ファムシクロビルを除く]造血幹細胞移植における単純ヘルペスウイルス感染症（単純疱疹）の発症抑制，性器ヘルペスの再発抑制（体重40kg 以上の小児のみ）／[バラシクロビル塩酸塩のみ]水痘

解説　選択毒性の優れた抗ウイルス薬としては最初のもので，ウイルスの DNA の複製を阻害することで効果を示すといわれています。アシクロビルはヘルペスウイルスに効く医薬品として最初に開発されたものです。内服して薬効が持続する時間が短いため，1 日 4〜5 回内服する必要があります。

　バラシクロビルはアシクロビルのプロドラッグ（体内で代謝されてから作用が現れる薬）です。服用後吸収され，肝臓で分解されてアシクロビルになります。また，ファムシクロビルはアシクロビルと似た作用のある薬で，肝臓でペンシクロビルに代謝されて抗ウイルス活性を示すプロドラッグです。

📋 使用上の注意

＊アシクロビル（ゾビラックス）の添付文書による

基本的注意

(1)**服用してはいけない場合**……本剤の成分またはバラシクロビル塩酸塩に対するアレルギーの前歴

(2)**慎重に服用すべき場合**……腎機能障害，腎機能が低下している人／肝機能障害／高齢者

(3)**服用期間**……本剤は，単純疱疹の治療では 5 日間，帯状疱疹の治療では 7 日間服用

し，改善の兆しがみられないか，悪化する場合には他の治療法に切りかえます。ただし，初発型性器ヘルペスは重症化する場合があるため，10日間まで服用できます。

(4)小児への投与……小児の性器ヘルペスの再発抑制には，体重40kg以上にかぎり服用できます。成人の性器ヘルペスの再発抑制には使えません。

(5)水分の補給……脱水症状をおこしやすい人(高齢者など)は服用中，水分を十分に補給してください。

(6)過量服用……本剤を過量に服用すると，精神神経症状(頭痛，錯乱など)や腸管症状(吐きけ，嘔吐など)が現れる危険性が高くなるので，必ず処方医に指示された服用量を守ってください。異常を感じたら直ちに処方医へ連絡してください。一般に精神神経症状は本剤の服用中止により回復します。

(7)危険作業……本剤を服用すると意識障害などが現れることがあるので，自動車の運転など危険を伴う機械の操作には十分に注意してください。特に腎機能障害がある人は意識障害などが現れやすいので，状態によっては危険作業を行わないようにします。

(8)その他……

●妊婦での安全性：有益と判断されたときのみ服用。

●授乳婦での安全性：治療上の有益性・母乳栄養の有益性を考慮し，授乳の継続・中止を検討。

●低出生体重児・新生児での安全性：未確立。(1714頁を参照)

重大な副作用　　　　[すべての製剤] ①アナフィラキシーショック，アナフィラキシー(呼吸困難，血管浮腫など)。②汎血球減少，無顆粒球症，血小板減少，播種性血管内凝固症候群(DIC)，血小板減少性紫斑病。③急性腎障害，尿細管間質性腎炎。④精神神経症状(意識障害(昏睡)，せん妄，妄想，幻覚，錯乱，けいれん，てんかん発作，麻痺，脳症など)。⑤皮膚粘膜眼症候群(スティブンス-ジョンソン症候群)，中毒性表皮壊死融解症(TEN)。⑥呼吸抑制，無呼吸。⑦間質性肺炎(発熱，せき，呼吸困難など)。⑧肝炎，肝機能障害，黄疸。⑨急性膵炎。

[ファムシクロビルのみ] ⑩横紋筋融解症(筋肉痛，脱力感など)。⑪多形紅斑。

　そのほかにも報告された副作用はあるので，体調がいつもと違うと感じたときは，処方医・薬剤師に相談してください。

併用してはいけない薬　　　　併用してはいけない薬は特にありません。ただし，併用する薬があるときは，念のため処方医・薬剤師に報告してください。

内 12 皮膚科・泌尿器科の薬　01 皮膚科の薬(アレルギー用薬を含む)

24 抗ヘルペスウイルス薬(2)

◯ **製 剤 情 報**

一般名：アメナメビル

●保険収載年月…2017年8月

●海外評価…0点 英米独仏

●剤形…錠錠剤

●服用量と回数…1日1回400mgを食後に服用。

■**先発品**　**商品名(メーカー)**　規格・保険薬価

アメナリーフ 写真 (マルホ)
錠 200mg 1錠 1,272.10 円

概　　要

分類　抗ヘルペスウイルス薬(帯状疱疹治療薬)

処方目的　帯状疱疹

解説　アメナメビルは，既存の抗ヘルペスウイルス薬とは異なる新しい作用機序の薬剤です。ヘルペスウイルスの DNA 複製に必須の酵素であるヘリカーゼ・プライマーゼ複合体の活性を直接阻害することで，ヘルペスウイルスの増殖を抑制します。DNA の複製を行う際には，まず最初に 2 重らせん構造をほどく必要があるのですが，このとき働くのがヘリカーゼ・プライマーゼ複合体で，本剤はこの DNA 複製の初期段階で作用するのが特徴です。

　ヘルペスウイルスによる感染症は数多くありますが，本剤は現在のところ帯状疱疹のみが適応となっています。本剤の服用は発病初期に近いほど効果が期待でき，目安として皮疹出現後 5 日以内に服用を開始することが望まれます。なお，悪性腫瘍や自己免疫性疾患など免疫機能の低下を伴う患者に対する本剤の有効性・安全性は確立していません。

使用上の注意

基本的注意

(1)**服用してはいけない場合**……本剤の成分に対するアレルギーの前歴／リファンピシンの服用中

(2)**服用方法**……①原則として 7 日間服用します。改善の兆しがみられないか，あるいは悪化する場合には，速やかに他の治療法に切り替えます。②空腹時に服用すると血中濃度などが上がらずに期待した効果が得られないので，必ず食後に服用します。

(3)**飲食物**……グレープフルーツジュースと一緒に摂取すると，本剤の血中濃度が上昇し，作用が強まるおそれがあります。一方，セイヨウオトギリソウ(セント・ジョーンズ・ワート)含有食品と一緒に摂取すると，本剤の血中濃度が低下し，作用が弱まるおそれがあります。本剤の服用中はどちらも摂取しないでください。

(4)**その他**……

●妊婦での安全性：有益と判断されたときのみ服用。

●授乳婦での安全性：治療上の有益性・母乳栄養の有益性を考慮し，授乳の継続・中止を検討。

●小児での安全性：未確立。(1714 頁を参照)

重大な副作用　　①多形紅斑。

　そのほかにも報告された副作用はあるので，体調がいつもと違うと感じたときは，処方医・薬剤師に相談してください。

併用してはいけない薬　　リファンピシン→相互に血中濃度が低下し，作用が弱まるおそれがあります。

内 12 皮膚科・泌尿器科の薬　01 皮膚科の薬(アレルギー用薬を含む)

25 ナルフラフィン塩酸塩

製剤情報

一般名：ナルフラフィン塩酸塩
- 保険収載年月…2009年3月
- 海外評価…0点 英 米 独 仏
- 規制…劇薬
- 剤形… 錠 錠剤, 力 カプセル剤
- 服用量と回数…1日1回2.5μg, 1日最大5μg。

■先発品　商品名(メーカー)　規格・保険薬価

レミッチ (東レ=鳥居) 力 2.5μg 1カプ セル 812.80 円

レミッチ OD (東レ=鳥居) 錠 2.5μg 1錠 812.80 円

■ジェネリック　商品名(メーカー)　規格・保険薬価

ナルフラフィン塩酸塩 (あすか=武田)
力 2.5μg 1カプ セル 334.90 円

ナルフラフィン塩酸塩 (キッセイ)
力 2.5μg 1カプ セル 334.90 円

ナルフラフィン塩酸塩 (CHO=東和)
力 2.5μg 1カプ セル 334.90 円

ナルフラフィン塩酸塩 (日医工)
力 2.5μg 1カプ セル 334.90 円

ナルフラフィン塩酸塩 (日薬工=ケミファ)
力 2.5μg 1カプ セル 334.90 円

ナルフラフィン塩酸塩 (ニプロ)
力 2.5μg 1カプ セル 334.90 円

ナルフラフィン塩酸塩 (ビオメディクス=日本ジェネリック) 力 2.5μg 1カプ セル 172.80 円

ナルフラフィン塩酸塩 (陽進堂)
力 2.5μg 1カプ セル 172.80 円

ナルフラフィン塩酸塩 OD (沢井)
錠 2.5μg 1錠 334.90 円

ナルフラフィン塩酸塩 OD (扶桑)
錠 2.5μg 1錠 334.90 円

ナルフラフィン塩酸塩 OD フィルム (ニプロ)
錠 2.5μg 1錠 334.90 円

概　要

分類　経口掻痒症改善薬

処方目的　透析患者, 慢性肝疾患患者における掻痒症(かゆみ)の改善(既存治療で効果不十分な場合に限る)

解説　血液透析患者, 慢性肝疾患患者にみられる掻痒症(かゆみ)は, 抗ヒスタミン薬, 抗アレルギー薬, 保湿剤, 外用ステロイドなどでは症状を改善することが難しい場合があります。本剤は, このようなかゆみを対象として開発された薬剤で, 抗ヒスタミン薬などの既存治療で効果不十分な場合に用います。

使用上の注意

*ナルフラフィン塩酸塩(レミッチ)の添付文書による

基本的注意

(1)服用してはいけない場合……本剤の成分に対するアレルギーの前歴

(2)慎重に服用すべき場合……重度(Child-Pugh 分類グレード C)の肝機能障害／高齢者／[血液透析患者]中等度(Child-Pugh 分類グレード B)の肝機能障害／[慢性肝疾患患者]腎機能障害

(3)定期検査……本剤の服用により, プロラクチン値上昇などの内分泌機能異常が現れ

ることがあるので，定期的に検査を受けることが必要です。

(4)**グレープフルーツジュース**……一緒に摂取すると本剤の作用を強めるおそれがあるので，本剤の服用中はグレープフルーツジュースを摂取しないでください。

(5)**危険作業は中止**……本剤を服用すると，眠け，めまいなどが現れるおそれがあります。服用中は，高所作業や自動車の運転など危険を伴う機械の操作は行わないようにしてください。

(6)**過量服用**……本剤の過量服用により，幻覚，不安，重度の眠け，不眠などが現れるおそれがあるので，これらの症状が現れたら処方医に連絡してください。服用を中止し，必要に応じて適切な対症療法を受けることになります。

(7)**その他**……

● 妊婦での安全性：服用しないことが望ましい。

● 授乳婦での安全性：治療上の有益性・母乳栄養の有益性を考慮し，授乳の継続・中止を検討。

● 小児での安全性：未確立。(1714 頁を参照)

| 重大な副作用 | ①肝機能障害，黄疸。

　そのほかにも報告された副作用はあるので，体調がいつもと違うと感じたときは，処方医・薬剤師に相談してください。

| 併用してはいけない薬 | 併用してはいけない薬は特にありません。ただし，併用する薬があるときは，念のため処方医・薬剤師に報告してください。

内 12 皮膚科・泌尿器科の薬　01 皮膚科の薬（アレルギー用薬を含む）

26 アプレミラスト

製剤情報

一般名：アプレミラスト

● 保険収載年月…2017年2月

● 海外評価…6点 **英 米 独 仏**　● PC…C

● 規制…劇薬

● 剤形…錠 錠剤

● 服用量と回数…服用1日目は10mgを朝1回服用。2日目以降は1日2回，朝・夕に服用。服用2日目の朝から3日目の朝までは1回10mg，3日目の夕から5日目の朝までは1回20mg，以降は1回30mg服用。

■ **先発品**　　商品名（メーカー）　規格・保険薬価

オテズラ 写真 （アムジェン）錠 10mg 1錠 329.90 円　錠 20mg 1錠 659.70 円　錠 30mg 1錠 989.60 円

概要

| 分類 | PDE4 阻害薬

| 処方目的 | 局所療法で効果不十分な尋常性乾癬／関節症性乾癬／局所療法で効果不十分なベーチェット病による口腔潰瘍

| 解説 | 乾癬の人の免疫細胞や表皮細胞では PDE4（ホスホジエステラーゼ 4）と呼ばれる酵素が過剰に発現しており，サイトカイン（細胞間情報伝達を担うタンパク質）などの炎症

性メディエーター（炎症部位などに浸潤した白血球などから放出される生理活性物質）の産生が亢進しています。本剤はこの PDE4 を阻害する薬剤で，炎症性メディエーターの産生を調節することで過剰な炎症反応を抑制し，乾癬の症状を改善すると考えられています。

　本剤はまた，国の指定難病の一つベーチェット病による口腔潰瘍にも効果のあることが判明し，2019 年 9 月に処方目的に追加されました。

使用上の注意

基本的注意

(1)服用してはいけない場合……本剤の成分に対するアレルギーの前歴／妊婦または妊娠している可能性のある人

(2)慎重に服用すべき場合……重度の腎機能障害（Cockcroft-Gault 式によるクレアチニンクリアランス値が 30mL/分未満）／感染症の人，感染症が疑われるまたは再発性感染症の前歴のある人／高齢者

(3)治療反応……本剤による治療反応は，通常服用開始から 24 週以内に得られます。24週以内に治療反応が得られない場合は，本剤の治療計画の継続を慎重に再考します。

(4)避妊……本剤の服用中は適切な避妊を行ってください。本剤は胚胎児毒性のリスクを有する可能性があります。

(5)その他……

● 授乳婦での安全性：治療上の有益性・母乳栄養の有益性を考慮し，授乳の継続・中止を検討。

● 小児での安全性：未確立。（1714 頁を参照）

重大な副作用

①ウイルス，細菌，真菌などによる重篤な感染症。②アナフィラキシーなどの重篤な過敏症。③重度の下痢。

　そのほかにも報告された副作用はあるので，体調がいつもと違うと感じたときは，処方医・薬剤師に相談してください。

併用してはいけない薬

併用してはいけない薬は特にありません。ただし，併用する薬があるときは，念のため処方医・薬剤師に報告してください。

内 12 皮膚科・泌尿器科の薬　01 皮膚科の薬（アレルギー用薬を含む）

27 アブロシチニブ

製剤情報

一般名：アブロシチニブ

● 保険収載年月…2021年11月

● 海外評価…2点 英 米 独 仏

● 規制…劇薬

● 剤形…錠 錠剤

● 服用量と回数…1日1回100mg。状態に応じて1日1回200mgも可。

■先発品　　商品名（メーカー）　規格・保険薬価

サイバインコ（ファイザー）

錠 50mg 1錠 2,587.40 円　　錠 100mg 1錠 5,044.00 円

錠 200mg 1錠 7,566.10 円

概　要

分類　ヤヌスキナーゼ（JAK）阻害薬

処方目的　既存治療で効果不十分なアトピー性皮膚炎

解説　本剤はバリシチニブ，ウパダシチニブ水和物に続く，難治性のアトピー性皮膚炎に対する内服のヤヌスキナーゼ（JAK）阻害薬です。アトピー性皮膚炎の炎症やかゆみ，バリア機能の低下を引きおこす JAK-STAT シグナル伝達経路を阻害することで炎症やかゆみを抑えます。

　いずれの薬剤も，ステロイド外用薬やタクロリムス外用薬などの抗炎症外用薬による適切な治療を一定期間受けても十分な効果が得られず，強い炎症を伴う皮疹が広範囲に及ぶ場合が適応で，原則としてアトピー性皮膚炎の病変部位の状態に応じて抗炎症外用薬を併用します。また，服用時も保湿外用薬を継続使用します。なお，本剤とウパダシチニブ水和物は 12 歳以上が適応ですが，バリシチニブは 15 歳以上が適応です。またバリシチニブとウパダシチニブ水和物は関節リウマチも適応ですが，本剤はアトピー性皮膚炎のみが適応です。

使用上の注意

警告

①本剤の服用により肺炎，敗血症，ウイルス感染などによる重い感染症の新たな発現もしくは悪化などが報告されており，悪性腫瘍の発現も報告されています。本剤が疾病を完治させる薬剤でないことも含め，これらのことを十分に話し合い納得したうえで，治療上の有益性が危険性を上回ると判断される場合にのみ使用されるべき薬剤です。また，本剤の服用により重い副作用が発現し，致命的な経過をたどることがあるので，緊急時の対応が十分可能な医療施設および医師によって処方され，服用後に副作用が発現した場合にはすぐに主治医に連絡しなければなりません。

②敗血症，肺炎，真菌感染症を含む日和見感染症などの致死的な感染症が報告されているため，十分な観察を行うなど感染症の発症に注意する必要があります。

③ヤヌスキナーゼ（JAK）阻害薬において，播種性結核（粟粒結核）および肺外結核（脊椎，リンパ節など）を含む結核が報告されています。結核の既感染者では症状の顕在化および悪化のおそれがあるため，本剤の服用に先立って結核に関する十分な問診および胸部 X 線検査に加え，インターフェロン-γ遊離試験またはツベルクリン反応検査を行い，適宜胸部 CT 検査などを行うことにより，結核感染の有無を確認する必要があります。結核の前歴のある人・結核の感染が疑われる人には，結核などの感染症について診療経験を有する医師と連携のもと，原則として本剤の服用開始前に適切な抗結核薬を服用することが必要です。JAK 阻害薬において，ツベルクリン反応などの検査が陰性の患者が服用後に活動性結核が認められた例も報告されています。

④本剤は，本剤についての十分な知識と適応疾患の治療の知識・経験をもつ医師が使用すること。

基本的注意

（1）服用してはいけない場合……本剤の成分に対するアレルギーの前歴／重い感染症

（敗血症など）／活動性結核／重度の肝機能障害（Child Pugh分類C）／好中球数が1,000/mm^{3}未満／リンパ球数が500/mm^{3}未満／ヘモグロビン値が8g/dL未満／血小板数が50,000/mm^{3}未満／妊婦または妊娠している可能性のある人

(2)慎重に服用すべき場合……感染症（重い感染症を除く）または感染症が疑われる人／結核の既感染者（特に結核の前歴のある人および胸部X線上で結核治癒所見のある人）または結核感染が疑われる人／感染症にかかりやすい状態にある人／静脈血栓塞栓症のリスク（喫煙，高血圧，糖尿病，冠動脈疾患の既往など）のある人／好中球・リンパ球・ヘモグロビン値・血小板減少／間質性肺炎の前歴／腸管憩室／中等度（30≦eGFR〔mL/分/1.73m^2〕<60）・重度（eGFR<30）の腎機能障害／高齢者

(3)服用量……通常，成人および12歳以上の小児は，1日1回100mgまたは200mgを服用します。ただし，①中等度・重度の腎機能障害のある人は1日1回50mg，中等度の場合は状態に応じて100mgも可。②強いCYP2C19阻害薬と併用する場合は，1日1回50mgまたは100mgの服用です。

(4)避妊……妊娠可能な女性は，本剤服用中と服用終了後一定期間は適切な避妊を行ってください。動物実験で妊娠率の低下，黄体数および着床数の減少などが認められています。

(5)その他……

● 授乳婦での安全性：服用するときは授乳しないことが望ましい。

● 小児（12歳未満）での安全性：未確立。（1714頁を参照）

重大な副作用　①重い感染症（単純ヘルペス，帯状疱疹，肺炎など），敗血症，日和見感染。②静脈血栓塞栓症（肺塞栓症，深部静脈血栓症を含む）。③血小板減少，ヘモグロビン減少，貧血，リンパ球減少，好中球減少。④間質性肺炎（発熱，せき，呼吸困難など）。⑤肝機能障害。⑥消化管穿孔。

　そのほかにも報告された副作用はあるので，体調がいつもと違うと感じたときは，処方医・薬剤師に相談してください。

併用してはいけない薬　併用してはいけない薬は特にありません。ただし，併用する薬があるときは，念のため処方医・薬剤師に報告してください。

内 12 皮膚科・泌尿器科の薬　02 泌尿器科の薬

01 植物成分尿路結石治療薬

製剤情報

一般名：植物成分尿路結石治療薬

● 保険収載年月…1961年1月

● 剤形…錠錠剤

● 服用量と回数…1回450mg（2錠）を1日3回。

■先発品　　商品名（メーカー）　規格・保険薬価

ウロカルン（日本新薬）錠 225mg 1錠 7.00円

概　要

分類　尿路結石治療薬

処方目的　腎結石・尿管結石の排出促進

解説　ウロカルンは，ウラジロガシ（常緑の樫）のエキスです。結石発育阻止・結石成分溶解作用のほかに，消炎作用・利尿作用などをもっているといわれています。

使用上の注意

基本的注意　特に注意はありません。

重大な副作用　重大な副作用はありませんが，そのほかの副作用はあるので，体調がいつもと違うと感じたときは，処方医・薬剤師に相談してください。

併用してはいけない薬　併用してはいけない薬は特にありません。ただし，併用する薬があるときは，念のため処方医・薬剤師に報告してください。

02　パラプロスト

製剤情報

一般名：L-グルタミン酸・L-アラニン・アミノ酢酸配合剤

- 保険収載年月…1970年6月
- 剤形…カ カプセル剤

- 服用量と回数…1回2カプセルを1日3回。

■先発品　　商品名(メーカー)　規格・保険薬価

パラプロスト配合カプセル (陽進堂)
カ 1カプセル 7.60 円

概　要

分類　排尿障害治療薬

処方目的　前立腺肥大に伴う排尿障害，残尿および残尿感，頻尿

解説　前立腺肥大症は，尿の出が悪い，排尿に時間がかかる，頻尿，残尿(感)などの症状が現れます。病状はゆっくり進行することが多く，内服薬で気長に治療することが多いのですが，全く尿が出なくなることもあり，その場合は手術をします。本剤は，配合されているアミノ酸の抗浮腫作用によって，前立腺肥大の腫れをとるといわれていますが，証明はされていません。

使用上の注意

基本的注意　特に注意はありません。

重大な副作用　重大な副作用はありませんが，そのほかの副作用はあるので，体調がいつもと違うと感じたときは，処方医・薬剤師に相談してください。

併用してはいけない薬　併用してはいけない薬は特にありません。ただし，併用する薬があるときは，念のため処方医・薬剤師に報告してください。

内
12
—
02
—
03

植物成分前立腺肥大治療薬

03 植物成分前立腺肥大治療薬

製剤情報

一般名：オオウメガサソウエキス・ハコヤナギエキス配合剤

- 保険収載年月…1967年7月
- 海外評価…1点 英 米 独 仏
- 剤形…錠 錠剤
- 服用量と回数…1回1錠(エピカルス配合錠, エルサメット配合錠は1回2錠)を1日3回。

■**先発品**　商品名(メーカー)　規格・保険薬価

エビプロスタット配合錠 DB (日本新薬)
錠 1錠 32.90 円

■**ジェネリック**　商品名(メーカー)　規格・保険薬価

エピカルス配合錠 (シオノ＝岩城) 錠 1錠 5.90 円

エルサメット S 配合錠 (日医工岐阜＝日医工＝武田) 錠 1錠 5.90 円

エルサメット配合錠 (日医工岐阜＝日医工＝武田) 錠 1錠 5.90 円

一般名：セルニチンポーレンエキス

- 保険収載年月…1969年1月
- 海外評価…3点 英 米 独 仏
- 剤形…錠 錠剤
- 服用量と回数…1回2錠を1日2～3回。

■**先発品**　商品名(メーカー)　規格・保険薬価

セルニルトン 写真 (東菱＝扶桑) 錠 1錠 16.00 円

概要

分類　前立腺疾患治療薬

処方目的　前立腺肥大症による諸症状(排尿困難, 頻尿, 残尿および残尿感, 排尿痛, 尿線細小, 会陰部不快感など)／[セルニチンポーレンエキスのみの適応症]慢性前立腺炎

解説　セルニルトンは, チモシイ・トウモロコシ・ライムギ・ヘーゼル・ネコヤナギ・ハコヤナギ・フランスギク・マツの花粉の混合物のエキスです。その他の薬剤は, オオウメガサソウ・ハコヤナギ・セイヨウオキナグサ・スギナ・コムギ胚芽のエキスが混合されています。膀胱・尿道平滑筋の緊張を高めたり, 膀胱排尿筋の収縮力を強めたりして排尿を促進させます。

使用上の注意

＊エビプロスタット配合錠 DB, セルニルトンの添付文書による

基本的注意
特に注意はありません。

重大な副作用　重大な副作用はありませんが, そのほかの副作用はあるので, 体調がいつもと違うと感じたときは, 処方医・薬剤師に相談してください。

併用してはいけない薬　併用してはいけない薬は特にありません。ただし, 併用する薬があるときは, 念のため処方医・薬剤師に報告してください。

内 12 皮膚科・泌尿器科の薬　02 泌尿器科の薬

04　オキシブチニン塩酸塩

製剤情報

一般名：オキシブチニン塩酸塩
- 保険収載年月…1988年5月
- 海外評価…6点 **英米独仏**　●PC…B
- 剤形…錠 錠剤
- 服用量と回数…1回2〜3mgを1日3回。

■**先発品**　商品名(メーカー)　規格・保険薬価
ポラキス 写真 (クリニジェン) 錠 1mg 1錠 11.50 円
錠 2mg 1錠 12.20 円　錠 3mg 1錠 12.20 円

■**ジェネリック**　商品名(メーカー)　規格・保険薬価
オキシブチニン塩酸塩 (沢井) 錠 1mg 1錠 5.70 円
錠 2mg 1錠 5.90 円　錠 3mg 1錠 5.90 円

オキシブチニン塩酸塩 写真 (東和)
錠 1mg 1錠 5.70 円　錠 2mg 1錠 5.90 円
錠 3mg 1錠 5.90 円

オキシブチニン塩酸塩 (日医工)
錠 1mg 1錠 5.70 円　錠 2mg 1錠 5.90 円
錠 3mg 1錠 5.90 円

オキシブチニン塩酸塩 (陽進堂)
錠 1mg 1錠 5.70 円　錠 3mg 1錠 5.90 円

オキシブチニン塩酸塩 (陽進堂＝日本ジェネリック) 錠 2mg 1錠 5.90 円

概　要

分類　頻尿・尿失禁治療薬

処方目的　神経因性膀胱，不安定膀胱(無抑制収縮を伴う過緊張性膀胱状態)における頻尿，尿意切迫感，尿失禁

解説　アトロピン作用を持つ抗ムスカリン物質で，膀胱平滑筋への直接作用，抗アレルギー作用，局所麻酔作用などを示します。

使用上の注意

＊オキシブチニン塩酸塩(ポラキス)の添付文書による

基本的注意

(1)服用してはいけない場合……本剤の成分に対するアレルギーの前歴／明らかな下部尿路閉塞症状(排尿困難・尿閉など)のある人／閉塞隅角緑内障／重い心疾患／麻痺性イレウス(腸閉塞)／高齢者・衰弱者の腸アトニー／重症筋無力症／授乳婦

(2)慎重に服用すべき場合……排尿困難のおそれがある前立腺肥大症／甲状腺機能亢進症／うっ血性心不全／不整脈／潰瘍性大腸炎／重い肝疾患・腎疾患／高温環境にある人／パーキンソン症候群または認知症・認知機能障害のある高齢者／開放隅角緑内障

(3)危険作業に注意……本剤を服用すると，視調整障害，眠けをおこすことがあります。服用中は，高所作業や自動車の運転など危険を伴う機械の操作は十分に注意してください。

(4)その他……
- 妊婦での安全性：未確立。原則として服用しない。
- 小児での安全性：未確立。(1714頁を参照)

重大な副作用 ①血小板減少。②麻痺性イレウス(腸閉塞)。③尿閉。

　そのほかにも報告された副作用はあるので，体調がいつもと違うと感じたときは，処方医・薬剤師に相談してください。

併用してはいけない薬 併用してはいけない薬は特にありません。ただし，併用する薬があるときは，念のため処方医・薬剤師に報告してください。

内 12 皮膚科・泌尿器科の薬　02 泌尿器科の薬

05 フラボキサート塩酸塩

製剤情報

一般名：フラボキサート塩酸塩

- 保険収載年月…1979年4月
- 海外評価…5点 英 米 独 仏　●PC…B
- 剤形…錠 錠剤
- 服用量と回数…1回200mg(顆粒剤は1g)を1日3回。

■先発品　　商品名(メーカー)　規格・保険薬価
ブラダロン (日本新薬) 錠 200mg 1錠 12.90 円

■ジェネリック　　商品名(メーカー)　規格・保険薬価
フラボキサート塩酸塩 (沢井)
錠 200mg 1錠 6.30 円

フラボキサート塩酸塩 (日医工)
錠 200mg 1錠 6.30 円

概　要

分類　頻尿治療薬

処方目的　神経性頻尿，慢性前立腺炎，慢性膀胱炎に伴う頻尿・残尿感

解説　第三級アミンに属し，膀胱収縮の抑制，膀胱容量の増大，尿意発現の遅延，排尿回数の減少などの作用によって，頻尿を改善します。

　日本では繁用されています。イギリス，アメリカでも発売されていますが，その評価は芳しいものではありません。イギリスの医薬品集「BNF」では，特記すべき副作用は少ないが効きめもさほどではない，と記述されています。

　日本では 2008 年，スイッチ OTC 化され，女性専用の頻尿・残尿感改善薬として発売されました。

使用上の注意

*フラボキサート塩酸塩(ブラダロン)の添付文書による

基本的注意

(1)服用してはいけない場合……幽門・十二指腸および腸管の閉塞／下部尿路の高度の通過障害

(2)慎重に服用すべき場合……緑内障／肝機能障害またはその前歴

(3)その他……

- 妊婦での安全性：服用しないことが望ましい。
- 授乳婦での安全性：治療上の有益性・母乳栄養の有益性を考慮し，授乳の継続・中止を検討。

●小児での安全性：未確立。服用しないことが望ましい。（1714頁を参照）

重大な副作用　　①ショック，アナフィラキシー（じん麻疹，冷汗，呼吸困難，喉頭浮腫，血圧低下など）。②肝機能障害・黄疸（全身倦怠感，食欲不振，発熱，かゆみ，眼球黄染など）。

　そのほかにも報告された副作用はあるので，体調がいつもと違うと感じたときは，処方医・薬剤師に相談してください。

併用してはいけない薬　　併用してはいけない薬は特にありません。ただし，併用する薬があるときは，念のため処方医・薬剤師に報告してください。

内 12 皮膚科・泌尿器科の薬　02 泌尿器科の薬

06 プロピベリン塩酸塩

製剤情報

一般名：プロピベリン塩酸塩
- 保険収載年月…1993年5月
- 海外評価…3点 英 米 独 仏
- 剤形… 錠 錠剤，細 細粒剤
- 服用量と回数…1日1回20mg（細粒剤は1g）。効果が不十分なときは，1回20mgを1日2回まで増量できる。

■先発品　商品名（メーカー）　規格・保険薬価

バップフォー 写真 （大鵬）細 2% 1g 95.10 円
錠 10mg 1錠 36.30 円　錠 20mg 1錠 64.00 円

■ジェネリック　商品名（メーカー）　規格・保険薬価

塩酸プロピベリン（共和）錠 10mg 1錠 15.00 円
錠 20mg 1錠 31.70 円

塩酸プロピベリン（沢井）錠 10mg 1錠 15.00 円
錠 20mg 1錠 31.70 円

塩酸プロピベリン（辰巳）錠 10mg 1錠 15.00 円
錠 20mg 1錠 21.40 円

プロピベリン塩酸塩（あすか＝武田）
錠 10mg 1錠 22.50 円　錠 20mg 1錠 31.70 円

プロピベリン塩酸塩（キョーリン＝杏林）
錠 10mg 1錠 15.00 円　錠 20mg 1錠 21.40 円

プロピベリン塩酸塩（高田）錠 10mg 1錠 15.00 円
錠 20mg 1錠 31.70 円

プロピベリン塩酸塩（武田テバ薬品＝武田テバファーマ＝武田）錠 10mg 1錠 15.00 円
錠 20mg 1錠 31.70 円

プロピベリン塩酸塩（長生堂＝日本ジェネリック）
錠 10mg 1錠 15.00 円　錠 20mg 1錠 21.40 円

プロピベリン塩酸塩 写真 （東和）
錠 10mg 1錠 22.50 円　錠 20mg 1錠 31.70 円

プロピベリン塩酸塩（日医工）
錠 10mg 1錠 22.50 円　錠 20mg 1錠 31.70 円

プロピベリン塩酸塩（日医工岐阜＝日医工＝武田）錠 10mg 1錠 15.00 円　錠 20mg 1錠 31.70 円

プロピベリン塩酸塩（日新＝ケミファ）
錠 10mg 1錠 15.00 円　錠 20mg 1錠 31.70 円

プロピベリン塩酸塩（ニプロ ES）
錠 10mg 1錠 15.00 円　錠 20mg 1錠 31.70 円

プロピベリン塩酸塩（富士製薬）
錠 10mg 1錠 15.00 円　錠 20mg 1錠 31.70 円

プロピベリン塩酸塩 写真 （メディサ＝沢井）
錠 10mg 1錠 22.50 円　錠 20mg 1錠 31.70 円

プロピベリン塩酸塩（陽進堂＝第一三共エスファ）10mg 1錠 15.00 円　錠 20mg 1錠 31.70 円

概　要

分類　尿失禁・頻尿治療薬(抗コリン薬)

処方目的　神経因性膀胱, 神経性頻尿, 不安定膀胱, 膀胱刺激状態(慢性膀胱炎・慢性前立腺炎)における頻尿・尿失禁／過活動膀胱における尿意切迫感・頻尿・切迫性尿失禁

解説　フラボキサート塩酸塩と同じように, 第三級アミンに属しています。膀胱平滑筋に対する直接作用(排尿運動の抑制)と抗コリン作用を持っています。

使用上の注意

*プロピベリン塩酸塩(バップフォー)の添付文書による

基本的注意

(1)服用してはいけない場合……幽門・十二指腸・腸管の閉塞／胃アトニー・腸アトニー／尿閉／閉塞偶角緑内障／重症筋無力症／重い心疾患

(2)慎重に服用すべき場合……排尿困難／不整脈またはその前歴／肝機能・腎機能障害またはその前歴／パーキンソン症状, 脳血管障害／潰瘍性大腸炎／甲状腺機能亢進症／緑内障／高齢者

(3)危険作業は中止……本剤を服用すると, 眼調節障害, 眠け, めまいをおこすおそれがあります。服用中は, 自動車の運転など危険を伴う機械の操作は行わないようにしてください。

(4)その他……

●妊婦での安全性：服用しないことが望ましい。

●授乳婦での安全性：治療上の有益性・母乳栄養の有益性を考慮し, 授乳の継続・中止を検討。

●小児での安全性：未確立。(1714頁を参照)

重大な副作用　　①急性緑内障発作(吐きけ, 頭痛を伴う眼痛, 視力低下など)。②尿閉。③著しい便秘や腹部膨満感を伴う麻痺性イレウス(腸閉塞)。④幻覚, せん妄。⑤腎機能障害。⑥QT延長, 心室性頻拍, 房室ブロック, 徐脈。⑦横紋筋融解症。⑧血小板減少。⑨発熱・紅斑・かゆみ・眼充血・口内炎などを伴う皮膚粘膜眼症候群(スティブンス-ジョンソン症候群)。⑩肝機能障害, 黄疸。

　そのほかにも報告された副作用はあるので, 体調がいつもと違うと感じたときは, 処方医・薬剤師に相談してください。

併用してはいけない薬　　併用してはいけない薬は特にありません。ただし, 併用する薬があるときは, 念のため処方医・薬剤師に報告してください。

内 12 皮膚科・泌尿器科の薬　02 泌尿器科の薬

07 排尿障害改善α1受容体遮断薬

製剤情報

一般名：タムスロシン塩酸塩

●保険収載年月…1993年8月

- 海外評価…6点 英 米 独 仏　●PC…B
- 剤形…錠 錠剤, カ カプセル剤
- 服用量と回数…1日1回0.2mg。

■先発品　　商品名(メーカー)　　規格・保険薬価

ハルナール D 写真 (アステラス)
錠 0.1mg 1錠 28.80 円　錠 0.2mg 1錠 50.00 円

■ジェネリック　　商品名(メーカー)　　規格・保険薬価

タムスロシン塩酸塩 (沢井) カ 0.1mg 1カプセル 14.90 円
カ 0.2mg 1カプセル 25.90 円

タムスロシン塩酸塩 (武田テバファーマ=武田)
カ 0.1mg 1カプセル 14.90 円　カ 0.2mg 1カプセル 25.90 円

タムスロシン塩酸塩 (日医工)
カ 0.1mg 1カプセル 14.90 円　カ 0.2mg 1カプセル 25.90 円

タムスロシン塩酸塩 (日薬工=ケミファ)
カ 0.1mg 1カプセル 14.90 円　カ 0.2mg 1カプセル 25.90 円

タムスロシン塩酸塩 (メディサ=沢井)
カ 0.1mg 1カプセル 14.90 円　カ 0.2mg 1カプセル 25.90 円

タムスロシン塩酸塩 OD (あすか=武田)
錠 0.1mg 1錠 14.90 円　錠 0.2mg 1錠 25.90 円

タムスロシン塩酸塩 OD (小林化工=第一三共エスファ) 錠 0.1mg 1錠 14.90 円
錠 0.2mg 1錠 25.90 円

タムスロシン塩酸塩 OD 写真 (沢井)
錠 0.1mg 1錠 14.90 円　錠 0.2mg 1錠 25.90 円

タムスロシン塩酸塩 OD (武田テバ薬品=武田テバファーマ=武田) 錠 0.1mg 1錠 14.90 円
錠 0.2mg 1錠 25.90 円

タムスロシン塩酸塩 OD (長生堂=日本ジェネリック) 錠 0.1mg 1錠 14.90 円　錠 0.2mg 1錠 25.90 円

タムスロシン塩酸塩 OD (東和)
錠 0.1mg 1錠 14.90 円　錠 0.2mg 1錠 25.90 円

タムスロシン塩酸塩 OD 写真 (日医工)
錠 0.1mg 1錠 14.90 円　錠 0.2mg 1錠 25.90 円

タムスロシン塩酸塩 OD (日薬工=ケミファ)
錠 0.1mg 1錠 14.90 円　錠 0.2mg 1錠 25.90 円

タムスロシン塩酸塩 OD (日新)
錠 0.1mg 1錠 14.90 円　錠 0.2mg 1錠 25.90 円

タムスロシン塩酸塩 OD (ファイザー)
錠 0.1mg 1錠 9.50 円　錠 0.2mg 1錠 21.40 円

タムスロシン塩酸塩 OD 写真 (MeijiSeika)
錠 0.1mg 1錠 14.90 円　錠 0.2mg 1錠 21.40 円

一般名：ナフトピジル

- 保険収載年月…1999年2月
- 海外評価…0点 英 米 独 仏
- 剤形…錠 錠剤
- 服用量と回数…1日1回25mgより開始し, 効果が不十分なときは1〜2週間の間隔をおき1回50〜75mgに徐々に増量。1日最大75mg。

■先発品　　商品名(メーカー)　　規格・保険薬価

フリバス 写真 (旭化成) 錠 25mg 1錠 28.20 円
錠 50mg 1錠 57.80 円　錠 75mg 1錠 76.40 円

フリバス OD 写真 (旭化成) 錠 25mg 1錠 28.20 円
錠 50mg 1錠 57.80 円　錠 75mg 1錠 76.40 円

■ジェネリック　　商品名(メーカー)　　規格・保険薬価

ナフトピジル (あすか=武田) 錠 25mg 1錠 10.10 円
錠 50mg 1錠 14.00 円　錠 75mg 1錠 27.00 円

ナフトピジル (エルメッド=日医工)
錠 25mg 1錠 10.10 円　錠 50mg 1錠 14.00 円
錠 75mg 1錠 20.60 円

ナフトピジル (キョーリン=杏林)
錠 25mg 1錠 10.10 円　錠 50mg 1錠 14.00 円
錠 75mg 1錠 20.60 円

ナフトピジル (小林化工) 錠 25mg 1錠 10.10 円
錠 50mg 1錠 14.00 円　錠 75mg 1錠 20.60 円

ナフトピジル (高田) 錠 25mg 1錠 10.10 円
錠 50mg 1錠 18.50 円　錠 75mg 1錠 20.60 円

ナフトピジル (辰巳) 錠 25mg 1錠 10.10 円
錠 50mg 1錠 14.00 円　錠 75mg 1錠 20.60 円

ナフトピジル (長生堂=日本ジェネリック)
錠 25mg 1錠 10.10 円　錠 50mg 1錠 18.50 円
錠 75mg 1錠 27.00 円

ナフトピジル (東和) 錠 25mg 1錠 10.10 円
錠 50mg 1錠 18.50 円　錠 75mg 1錠 27.00 円

内12—02—07

排尿障害改善α1受容体遮断薬

ナフトピジル（日医工）錠 25mg 1錠 10.10 円
錠 50mg 1錠 14.00 円　錠 75mg 1錠 20.60 円

ナフトピジル（マイラン＝ファイザー）
錠 25mg 1錠 10.10 円　錠 50mg 1錠 14.00 円
錠 75mg 1錠 27.00 円

ナフトピジル（陽進堂）錠 25mg 1錠 10.10 円
錠 50mg 1錠 14.00 円　錠 75mg 1錠 20.60 円

ナフトピジル OD（あすか＝武田）
錠 25mg 1錠 10.10 円　錠 50mg 1錠 14.00 円
錠 75mg 1錠 20.60 円

ナフトピジル OD（エルメッド＝日医工）
錠 25mg 1錠 10.10 円　錠 50mg 1錠 14.00 円
錠 75mg 1錠 20.60 円

ナフトピジル OD（共創未来）
錠 25mg 1錠 10.10 円　錠 50mg 1錠 14.00 円
錠 75mg 1錠 20.60 円

ナフトピジル OD（キョーリン＝杏林）
錠 25mg 1錠 10.10 円　錠 50mg 1錠 14.00 円
錠 75mg 1錠 20.60 円

ナフトピジル OD（小林化工）
錠 25mg 1錠 10.10 円　錠 50mg 1錠 14.00 円
錠 75mg 1錠 20.60 円

ナフトピジル OD 写真（沢井）
錠 25mg 1錠 10.10 円　錠 50mg 1錠 14.00 円
錠 75mg 1錠 20.60 円

ナフトピジル OD（シオノ＝扶桑）
錠 25mg 1錠 10.10 円　錠 50mg 1錠 14.00 円
錠 75mg 1錠 27.00 円

ナフトピジル OD（第一三共エスファ）
錠 25mg 1錠 10.10 円　錠 50mg 1錠 18.50 円
錠 75mg 1錠 27.00 円

ナフトピジル OD（高田）錠 25mg 1錠 10.10 円
錠 50mg 1錠 14.00 円　錠 75mg 1錠 20.60 円

ナフトピジル OD（武田テバファーマ＝武田）
錠 25mg 1錠 10.10 円　錠 50mg 1錠 18.50 円
錠 75mg 1錠 27.00 円

ナフトピジル OD（辰巳）錠 25mg 1錠 10.10 円
錠 50mg 1錠 14.00 円　錠 75mg 1錠 20.60 円

ナフトピジル OD 写真（東和）
錠 25mg 1錠 10.10 円　錠 50mg 1錠 18.50 円
錠 75mg 1錠 27.00 円

ナフトピジル OD（日医工）錠 25mg 1錠 10.10 円
錠 50mg 1錠 14.00 円　錠 75mg 1錠 20.60 円

ナフトピジル OD 写真（日薬工＝ケミファ）
錠 25mg 1錠 10.10 円　錠 50mg 1錠 18.50 円
錠 75mg 1錠 27.00 円

ナフトピジル OD（日新）錠 25mg 1錠 10.10 円
錠 50mg 1錠 14.00 円　錠 75mg 1錠 20.60 円

ナフトピジル OD（ニプロ ES）
錠 25mg 1錠 10.10 円　錠 50mg 1錠 14.00 円
錠 75mg 1錠 20.60 円

ナフトピジル OD（日本ジェネリック）
錠 25mg 1錠 10.10 円　錠 50mg 1錠 18.50 円
錠 75mg 1錠 27.00 円

ナフトピジル OD（マイラン＝ファイザー）
錠 25mg 1錠 10.10 円　錠 50mg 1錠 14.00 円
錠 75mg 1錠 20.60 円

ナフトピジル OD（陽進堂）錠 25mg 1錠 10.10 円
錠 50mg 1錠 14.00 円　錠 75mg 1錠 20.60 円

一般名：シロドシン
- 保険収載年月…2006年4月
- 海外評価…4点 英 米 独 仏　　●PC…B
- 規制…劇薬
- 剤形…錠 錠剤
- 服用量と回数…1回4mgを1日2回。

■**先発品**　　商品名(メーカー)　規格・保険薬価

ユリーフ 写真（キッセイ＝第一三共）
錠 2mg 1錠 27.20 円　錠 4mg 1錠 51.80 円

ユリーフ OD（キッセイ＝第一三共）
錠 2mg 1錠 27.20 円　錠 4mg 1錠 51.80 円

■**ジェネリック**　　商品名(メーカー)　規格・保険薬価

シロドシン（あすか＝武田）錠 2mg 1錠 10.10 円
錠 4mg 1錠 12.10 円

シロドシン（大原）錠 2mg 1錠 10.10 円
錠 4mg 1錠 17.70 円

| シロドシン（共創未来＝三和）錠 2mg 1錠 10.10 円 |
錠 4mg 1錠 17.70 円 |

シロドシン（共創未来＝三和）錠 2mg 1錠 10.10 円
錠 4mg 1錠 17.70 円

シロドシン OD（大原）錠 2mg 1錠 10.10 円
錠 4mg 1錠 17.70 円

シロドシン（キョーリン＝杏林）
錠 2mg 1錠 10.10 円　錠 4mg 1錠 17.70 円

シロドシン OD（共創未来＝三和）
錠 2mg 1錠 10.10 円　錠 4mg 1錠 17.70 円

シロドシン（小林化工）錠 2mg 1錠 10.10 円
錠 4mg 1錠 12.10 円

シロドシン OD（キョーリン＝杏林）
錠 2mg 1錠 10.10 円　錠 4mg 1錠 17.70 円

シロドシン 写真（第一三共エスファ）
錠 2mg 1錠 10.10 円　錠 4mg 1錠 17.70 円

シロドシン OD（ケミファ＝日薬工）
錠 2mg 1錠 10.10 円　錠 4mg 1錠 12.10 円

シロドシン（辰巳）錠 2mg 1錠 10.10 円
錠 4mg 1錠 17.70 円

シロドシン OD（小林化工）錠 2mg 1錠 10.10 円
錠 4mg 1錠 12.10 円

シロドシン（東和）錠 2mg 1錠 10.10 円
錠 4mg 1錠 12.10 円

シロドシン OD（沢井）錠 2mg 1錠 10.10 円
錠 4mg 1錠 12.10 円

シロドシン（日医工）錠 2mg 1錠 10.10 円
錠 4mg 1錠 12.10 円

シロドシン OD（第一三共エスファ）
錠 2mg 1錠 10.10 円　錠 4mg 1錠 17.70 円

シロドシン（ニプロ）錠 2mg 1錠 10.10 円
錠 4mg 1錠 12.10 円

シロドシン OD（鶴原）錠 2mg 1錠 10.10 円
錠 4mg 1錠 17.70 円

シロドシン（日本ジェネリック）錠 2mg 1錠 10.10 円
錠 4mg 1錠 17.70 円

シロドシン OD（日新＝日本ジェネリック）
錠 2mg 1錠 10.10 円　錠 4mg 1錠 17.70 円

シロドシン（陽進堂＝東和）錠 2mg 1錠 10.10 円
錠 4mg 1錠 12.10 円

シロドシン OD（ニプロ）錠 2mg 1錠 10.10 円
錠 4mg 1錠 17.70 円

シロドシン OD（あすか＝武田）
錠 2mg 1錠 10.10 円　錠 4mg 1錠 12.10 円

シロドシン OD（日本ジェネリック）
錠 2mg 1錠 10.10 円　錠 4mg 1錠 17.70 円

シロドシン OD（Me ファルマ）
錠 2mg 1錠 10.10 円　錠 4mg 1錠 12.10 円

シロドシン OD（陽進堂）錠 2mg 1錠 10.10 円
錠 4mg 1錠 17.70 円

シロドシン OD（エルメッド＝日医工）
錠 2mg 1錠 10.10 円　錠 4mg 1錠 12.10 円

概　要

分類　交感神経 α_1 受容体遮断薬（排尿障害改善薬）

処方目的　前立腺肥大症に伴う排尿障害

解説　プラゾシン塩酸塩と同系統の薬で，血圧降下作用と前立腺の緊張を和らげる作用があります。

使用上の注意

＊タムスロシン塩酸塩（ハルナール D），ナフトピジル（フリバス）の添付文書による

基本的注意

(1)服用してはいけない場合……本剤の成分に対するアレルギーの前歴
(2)慎重に服用すべき場合……[タムスロシン塩酸塩]起立性低血圧／重い肝機能障害・腎機能障害／高齢者／[ナフトピジル]肝機能障害／重い心疾患・脳血管障害／高齢者

(3)**低血圧**……①本剤を服用すると，立位低血圧・起立性低血圧がおこることがあります。めまいやふらつき，動悸などがみられたら，すぐに処方医へ連絡してください。②［タムスロシン塩酸塩］本剤を過量に服用していると血圧低下がおこりやすくなります。③起立性低血圧がある人，高血圧の治療を受けている人は，そのことを必ず処方医に伝えてください。

(4)**危険作業に注意**……本剤を服用すると，めまい，立ちくらみなどをおこすことがあります。服用中は，高所作業や自動車の運転など危険を伴う機械の操作は十分に注意してください。

重大な副作用　①肝機能障害，黄疸。②血圧降下に伴う一時的な意識喪失，失神。

　そのほかにも報告された副作用はあるので，体調がいつもと違うと感じたときは，処方医・薬剤師に相談してください。

併用してはいけない薬　併用してはいけない薬は特にありません。ただし，併用する薬があるときは，念のため処方医・薬剤師に報告してください。

内 12 皮膚科・泌尿器科の薬　02 泌尿器科の薬

08 5α還元酵素阻害薬

製剤情報

一般名：デュタステリド

- 保険収載年月…2009年9月
- 海外評価…6点 英 米 独 仏　●PC…X
- 規制…劇薬
- 剤形…錠錠剤，カカプセル剤
- 服用量と回数…1日1回0.5mg（1カプセル）。

■先発品　商品名(メーカー)　規格・保険薬価

アボルブ (グラクソ) カ 0.5mg 1カプセル 116.20 円

■ジェネリック　商品名(メーカー)　規格・保険薬価

デュタステリドAV (沢井) カ 0.5mg 1カプセル 39.20 円

デュタステリドAV (CHO = MeijiSeika)
錠 0.5mg 1錠 39.20 円

デュタステリドAV 写真 (第一三共エスファ)
錠 0.5mg 1錠 39.20 円　カ 0.5mg 1カプセル 39.20 円

デュタステリドAV 写真 (武田テバファーマ＝武田) カ 0.5mg 1カプセル 39.20 円

デュタステリドAV (東亜薬品＝アルフレッサ)
カ 0.5mg 1カプセル 39.20 円

デュタステリドAV (東洋カプセル＝中北)
カ 0.5mg 1カプセル 39.20 円

デュタステリドAV (東和＝共創未来＝三和)
カ 0.5mg 1カプセル 39.20 円

デュタステリドAV (日医工)
カ 0.5mg 1カプセル 39.20 円

デュタステリドAV (日新＝ケミファ＝日薬工)
錠 0.5mg 1錠 39.20 円

デュタステリドAV (ニプロ)
カ 0.5mg 1カプセル 39.20 円

デュタステリドAV (日本ジェネリック)
カ 0.5mg 1カプセル 39.20 円

デュタステリドAV (ビオメディクス＝フェルゼン) カ 0.5mg 1カプセル 39.20 円

デュタステリドAV (扶桑) カ 0.5mg 1カプセル 30.10 円

デュタステリドAV (森下仁丹＝キョーリン＝杏林) カ 0.5mg 1カプセル 30.10 円

デュタステリド AV（陽進堂）
錠 0.5mg 1錠 39.20 円

概　要
分類　5α還元酵素阻害薬（前立腺肥大症治療薬）

処方目的　前立腺肥大症

解説　男性ホルモンの一種であるテストステロンは，5α還元酵素の働きによって活性の高いジヒドロテストステロンに変換され，前立腺肥大など男性特有の症状を引きおこすことがあります。本剤は，この5α還元酵素の働きを阻害し，ジヒドロテストステロンの産生を抑制することにより，肥大した前立腺を縮小させ，下部尿路症状の軽減や尿流の改善をもたらします。

　同じ作用を有する5α還元酵素阻害薬には，プロペシア，ザガーロがあります。プロペシア，ザガーロの適応症が男性型脱毛症であるのに対し，本剤は，前立腺肥大症に適用されます。

使用上の注意
＊デュタステリド（アボルブ）の添付文書による

基本的注意

(1)服用してはいけない場合……本剤の成分および他の5α還元酵素阻害薬に対するアレルギーの前歴／重度の肝機能障害／女性／小児

(2)慎重に服用すべき場合……肝機能障害（重度の肝機能障害を除く）

(3)服用法……①本剤は内容物が口腔咽頭粘膜を刺激する場合があるので，カプセルは噛んだり開けたりせずに服用してください。②服用開始すぐに改善が認められる場合もありますが，通常6カ月間の治療が必要なので，勝手に服用をやめてはいけません。

(4)経皮吸収……本剤は皮膚を通して吸収（経皮吸収）されますから，女性や小児はカプセルから漏れた薬剤に触れてはいけません。漏れた薬剤に触れたときには，直ちに石鹸と水で洗ってください。

重大な副作用　①肝機能障害，黄疸。

　そのほかにも報告された副作用はあるので，体調がいつもと違うと感じたときは，処方医・薬剤師に相談してください。

併用してはいけない薬　併用してはいけない薬は特にありません。ただし，併用する薬があるときは，念のため処方医・薬剤師に報告してください。

内 12 皮膚科・泌尿器科の薬　02 泌尿器科の薬

09　黄体ホルモン

製剤情報

一般名：クロルマジノン酢酸エステル
●保険収載年月…1965年11月

- 海外評価…2点 英 米 独 仏
- 剤形…錠 錠剤
- 服用量と回数…前立腺肥大症：1回25mgを1日2回。50mg徐放錠は1日1回50mg。前立腺がん：1回50mgを1日2回。

■先発品　　商品名(メーカー)　規格・保険薬価

プロスタール (あすか＝武田)
錠 25mg 1錠 49.10 円

プロスタール L (あすか＝武田)
錠 50mg 1錠 92.20 円

クロルマジノン酢酸エステル (日新)
錠 25mg 1錠 49.10 円

■ジェネリック　　商品名(メーカー)　規格・保険薬価

クロルマジノン酢酸エステル (小林化工)
錠 25mg 1錠 9.80 円

クロルマジノン酢酸エステル (武田テバファーマ＝武田) 錠 25mg 1錠 9.80 円

クロルマジノン酢酸エステル 写真 (日医工)
錠 25mg 1錠 9.80 円

クロルマジノン酢酸エステル (陽進堂＝共創未来) 錠 25mg 1錠 9.80 円

概　要

分類　黄体ホルモン

処方目的　〈25mg，50mg〉→前立腺肥大症／〈25mg〉→前立腺がん(ただし，転移のある前立腺がんに対しては他の療法による治療が困難な場合に使用する)

解説　黄体ホルモンの低容量製剤は，無月経，月経周期異常(稀発月経，多発月経)，月経量異常(過少月経，過多月経)，月経困難症，機能性子宮出血，卵巣機能不全症，黄体機能不全による不妊症などに用いられますが，クロルマジノン酢酸エステルの 50mg錠(徐放錠)は前立腺肥大症に，クロルマジノン酢酸エステルの 25mg 錠は前立腺肥大症や前立腺がんの治療に処方されます。

使用上の注意

*クロルマジノン酢酸エステル(プロスタール，プロスタール L)の添付文書による

基本的注意

(1)服用してはいけない場合……重い肝機能障害・肝疾患

(2)慎重に服用すべき場合……心疾患・腎疾患またはその前歴／糖尿病／高齢者

(3)服用目的・期間……本剤による前立腺肥大症に対する治療は根治療法ではありません。また，服用期間は 16 週間が基準です。期待する効果が得られない場合は手術療法などを含めて，以後の治療について処方医と相談してください。

(4)定期検査……本剤の服用 1〜2 カ月後に，劇症肝炎などの重篤な肝機能障害による死亡例が報告されています。服用中は，服用開始後 3 カ月までは少なくとも 1 カ月に1回，それ以降も定期的に肝機能検査を受ける必要があります。

重大な副作用　　①劇症肝炎，肝機能障害，黄疸。②うっ血性心不全。③血栓症(脳，心，肺，四肢など)。④糖尿病，糖尿病の悪化，高血糖。

そのほかにも報告された副作用はあるので，体調がいつもと違うと感じたときは，処方医・薬剤師に相談してください。

併用してはいけない薬　　併用してはいけない薬は特にありません。ただし，併用す

る薬があるときは，念のため処方医・薬剤師に報告してください。

10　ホスホジエステラーゼ 5 阻害薬

製剤情報

一般名：タダラフィル

- 保険収載年月…2014年4月
- 海外評価…6点 英 米 独 仏　●PC…B
- 剤形…錠 錠剤
- 服用量と回数…1日1回2.5〜5mg。

■**先発品**　　商品名(メーカー)　規格・保険薬価

ザルティア 写真 (日本新薬) 錠 2.5mg 1錠 79.90 円
錠 5mg 1錠 150.50 円

■**ジェネリック**　　商品名(メーカー)　規格・保険薬価

タダラフィル ZA (あすか＝武田)
錠 2.5mg 1錠 28.60 円　錠 5mg 1錠 58.90 円

タダラフィル ZA (キョーリン＝杏林)
錠 2.5mg 1錠 28.60 円　錠 5mg 1錠 58.90 円

タダラフィル ZA (沢井) 錠 2.5mg 1錠 28.60 円
錠 5mg 1錠 58.90 円

タダラフィル ZA 写真 (サンド)
錠 2.5mg 1錠 28.60 円　錠 5mg 1錠 58.90 円

タダラフィル ZA (シオエ＝日本新薬)
錠 2.5mg 1錠 28.60 円　錠 5mg 1錠 58.90 円

タダラフィル ZA (シオノ＝扶桑)
錠 2.5mg 1錠 28.60 円　錠 5mg 1錠 58.90 円

タダラフィル ZA (日医工) 錠 2.5mg 1錠 28.60 円
錠 5mg 1錠 58.90 円

タダラフィル ZA (ニプロ) 錠 2.5mg 1錠 28.60 円
錠 5mg 1錠 58.90 円

タダラフィル ZA (日本ジェネリック)
錠 2.5mg 1錠 40.90 円　錠 5mg 1錠 80.60 円

タダラフィル OD 錠 ZA (東和＝共創未来＝三和) 錠 2.5mg 1錠 40.90 円　錠 5mg 1錠 58.90 円

概　　要

分類　前立腺肥大症に伴う排尿障害改善薬(ホスホジエステラーゼ 5 阻害薬)

処方目的　前立腺肥大症に伴う排尿障害

解説　タダラフィルは，これまでに勃起不全治療薬(シアリス)，肺動脈性肺高血圧症治療薬(アドシルカ)として販売されていますが，前立腺肥大症に伴う排尿障害に対しても有効であることがわかり，2014 年 1 月，新たに「前立腺肥大症に伴う排尿障害改善薬」として承認されました。

　ザルティアは「前立腺肥大症に伴う排尿障害」に用いた場合のみ，健康保険の適応となり，勃起不全に対して用いる場合はシアリスと同様に保険適応外となります。

使用上の注意

警告

①本剤と硝酸剤または一酸化窒素(NO)供与剤(ニトログリセリン，亜硝酸アミル，硝酸イソソルビド，ニコランジルなど)との併用により降圧作用が増強し，過度に血圧を下降させることがあります。本剤服用の前には，硝酸剤・一酸化窒素供与剤を服用していないことを十分確認し，服用中および服用後もそれらを服用しないように十分注意してください。

②服用によって死亡例を含む心筋梗塞などの重篤な心血管系などの有害事象が報告されているので，事前に心血管系障害の有無などを十分確認することが必要です。

基本的注意

(1)服用してはいけない場合……本剤の成分に対するアレルギーの前歴／硝酸剤または一酸化窒素(NO)供与剤(ニトログリセリン，亜硝酸アミル，硝酸イソソルビド，ニコランジルなど)の服用中／可溶性グアニル酸シクラーゼ(sGC)刺激薬(リオシグアト)の服用中／不安定狭心症／心不全(NYHA分類Ⅲ度以上)／コントロール不良の不整脈，低血圧(血圧＜90/50mmHg)またはコントロール不良の高血圧(安静時血圧＞170/100mmHg)／心筋梗塞の前歴が最近3カ月以内にある人／脳梗塞・脳出血の前歴が最近6カ月以内にある人／重度の腎機能障害／重度の肝機能障害

(2)慎重に服用すべき場合……軽度・中等度の腎機能障害／軽度・中等度の肝機能障害／ホスホジエステラーゼ(PDE)5阻害薬(シルデナフィルクエン酸塩，タダラフィル，バルデナフィル塩酸塩水和物)の服用中／陰茎の構造上の欠陥(屈曲，陰茎の線維化，ペイロニー病など)／持続勃起症の素因となり得る疾患(鎌状赤血球性貧血，多発性骨髄腫，白血病など)／出血性疾患または消化性潰瘍／網膜色素変性症

(3)持続勃起……本剤を服用すると，4時間以上の勃起の延長または持続勃起(6時間以上持続する痛みを伴う勃起)がごくまれにおこると外国で報告されています。持続勃起に対する処置を速やかに行わないと陰茎組織を損傷したり勃起機能を永続的に損なうことがあるので，勃起が4時間以上持続する症状がみられたら直ちに処方医に連絡してください。

(4)視力・聴力障害……本剤の服用後に，急激な視力の低下・喪失，急激な聴力の低下・突発性難聴(耳鳴り，めまいを伴うことがある)が現れることがあります。異常を感じたら服用を中止し，速やかに眼科・耳鼻科専門医の診察を受けてください。

(5)グレープフルーツジュース……グレープフルーツジュースは本剤の作用を強めるので，本剤の服用中は飲まないようにしてください。

(6)危険作業に注意……本剤を服用すると，めまいや視覚障害をおこすことがあります。高所作業や自動車の運転など危険を伴う機械の操作に従事している人は十分に注意してください。

重大な副作用　　①過敏症(発疹，じん麻疹，顔面浮腫，剥脱性皮膚炎，スティブンス-ジョンソン症候群など)。

　そのほかにも報告された副作用はあるので，体調がいつもと違うと感じたときは，処方医・薬剤師に相談してください。

併用してはいけない薬　　①硝酸剤および一酸化窒素(NO)供与剤(ニトログリセリン，亜硝酸アミル，硝酸イソソルビド，ニコランジルなど)→降圧作用を増強するとの報告があります。②sGC刺激薬(リオシグアト)→血圧低下をおこすおそれがあります。

11　シルデナフィルクエン酸塩ほか

製 剤 情 報

一般名：シルデナフィルクエン酸塩
- 発売年月…1999年3月
- 海外評価…6点 **英米独仏**　●PC…B
- 剤形…錠 錠剤
- 服用量と回数…1日1回, 性行為の約1時間前に25〜50mgを服用。高齢者(65歳以上), 肝機能障害, 重度の腎機能障害がある場合の開始服用量は25mg。

■先発品　商品名(メーカー)　規格・保険薬価

バイアグラ (ヴィアトリス) 錠 25mg 1錠 959.60 円
錠 50mg 1錠 1,380.00 円

バイアグラ OD フィルム (ヴィアトリス)
錠 25mg 1錠 991.60 円　錠 50mg 1錠 1,424.10 円

■健康保険適応外　商品名(メーカー)　規格・保険薬価

シルデナフィル VI (あすか＝武田)
錠 50mg【健康保険適応外】

シルデナフィル VI (キッセイ)
錠 25mg【健康保険適応外】
錠 50mg【健康保険適応外】

シルデナフィル VI (シオノ＝アルフレッサ)
錠 25mg【健康保険適応外】
錠 50mg【健康保険適応外】

シルデナフィル VI (大興＝本草＝江州)
錠 25mg【健康保険適応外】
錠 50mg【健康保険適応外】

シルデナフィル VI (武田テバファーマ＝武田)
錠 25mg【健康保険適応外】
錠 50mg【健康保険適応外】

シルデナフィル VI (富士化学)
錠 25mg【健康保険適応外】
錠 50mg【健康保険適応外】

シルデナフィル VI (陽進堂)
錠 50mg【健康保険適応外】

シルデナフィル OD 錠 VI (東和)
錠 50mg【健康保険適応外】

一般名：バルデナフィル塩酸塩水和物
- 発売年月…2004年6月
- 海外評価…6点 **英米独仏**　●PC…B
- 剤形…錠 錠剤
- 服用量と回数…1日1回, 性行為の約1時間前に10mgを服用。勃起不全の状態により20mgに増量可。高齢者(65歳以上), 中等度の肝機能障害がある場合の開始服用量は5mg, 最大10mg。

■健康保険適応外　商品名(メーカー)　規格・保険薬価

レビトラ (バイエル) 錠 5mg【健康保険適応外】
錠 10mg【健康保険適応外】
錠 20mg【健康保険適応外】

バルデナフィル (沢井)
錠 10mg【健康保険適応外】
錠 20mg【健康保険適応外】

バルデナフィル (東和)
錠 10mg【健康保険適応外】
錠 20mg【健康保険適応外】

一般名：タダラフィル
- 発売年月…2007年9月
- 海外評価…6点 **英米独仏**　●PC…B
- 剤形…錠 錠剤
- 服用量と回数…1日1回, 性行為の約1時間前に10mgを服用。勃起不全の状態により20mgに増量可。軽度〜中等度の肝機能障害あるいは中等度〜重度の腎機能障害がある場合は, 処方医の指示通りに服用。

■先発品　商品名(メーカー)　規格・保険薬価

シアリス (日本新薬) 錠 5mg 1錠 1,343.80 円
錠 10mg 1錠 1,454.60 円　錠 20mg 1錠 1,529.90 円

内
12
—
02
—
11

シルデナフィルクエン酸塩ほか

■健康保険適応外　商品名(メーカー)　規格・保険薬価

タダラフィル CI (江州)

錠 10mg【健康保険適応外】

錠 20mg【健康保険適応外】

タダラフィル CI (沢井)

錠 10mg【健康保険適応外】

錠 20mg【健康保険適応外】

タダラフィル CI (シオノ=クラシエ)

錠 10mg【健康保険適応外】

錠 20mg【健康保険適応外】

タダラフィル CI (大興=あすか=武田)

錠 10mg【健康保険適応外】

錠 20mg【健康保険適応外】

タダラフィル CI (辰巳=本草)

錠 10mg【健康保険適応外】

錠 20mg【健康保険適応外】

タダラフィル CI (富士化学)

錠 10mg【健康保険適応外】

錠 20mg【健康保険適応外】

タダラフィル CI (リョートー=ファイザー)

錠 10mg【健康保険適応外】

錠 20mg【健康保険適応外】

タダラフィル OD 錠 CI (東和)

錠 10mg【健康保険適応外】

錠 20mg【健康保険適応外】

概　　要

分類　勃起不全治療薬

処方目的　勃起不全(満足な性行為を行うに十分な勃起とその維持ができない人)

＊バイアグラとシアリスのみ，「勃起不全による男性不妊」を目的とした場合に限り保険適応となります。

解説　アメリカで最初に発売され，日本でも個人輸入する人が増えたため，製造許可がおりました。シルデナフィルはアメリカでは50mgと100mg錠の発売ですが，日本では25mgと50mg錠です。シルデナフィルの類似薬として，2004年にはバルデナフィル，2007年にはタダラフィルが日本でも発売されました。

　本剤は医師の処方がないと買えません。まず受診してください。よくEDという言葉を耳にします。これはerectile dysfunctionの略です。イギリスのNHS(公営医療保険)では，前立腺がん・脊髄損傷・腎不全・糖尿病・パーキンソン病・多発性硬化症などを治療している場合は，シルデナフィルについて保険給付しています。

　日本では2022年に，バイアグラとシアリスのみは「勃起不全による男性不妊」を目的とした場合に限り保険適応となりました。

使用上の注意

＊すべての製剤の添付文書による

警告

①本剤と硝酸剤または一酸化窒素(NO)供与剤(ニトログリセリン，亜硝酸アミル，硝酸イソソルビド，ニコランジルなど)との併用により降圧作用が増強し，過度に血圧を下降させることがあります。本剤服用の前には，硝酸剤・一酸化窒素供与剤を服用していないことを十分確認し，服用中および服用後もそれらを服用しないように十分注意してください。

②服用によって死亡例を含む心筋梗塞などの重篤な心血管系などの有害事象が報告されているので，事前に心血管系障害の有無などを十分確認することが必要です。

基本的注意

(1)**服用してはいけない場合**……[すべての製剤]本剤の成分に対するアレルギーの前歴／硝酸剤・一酸化窒素(NO)供与剤(ニトログリセリン，亜硝酸アミル，硝酸イソソルビド，ニコランジルなど)の服用中／心血管系障害を有するなど性行為が不適当と考えられる人／重い肝機能障害／低血圧，治療による管理をしていない高血圧／脳梗塞・脳出血・心筋梗塞の前歴が最近6カ月以内にある人／網膜色素変性症／可溶性グアニル酸シクラーゼ(sGC)刺激薬(リオシグアト)の服用中

[シルデナフィルクエン酸塩，バルデナフィル塩酸塩水和物のみ]脳梗塞・脳出血・心筋梗塞の前歴が最近6カ月以内にある人

[シルデナフィルクエン酸塩のみ]アミオダロン塩酸塩の服用中

[バルデナフィル塩酸塩水和物のみ]先天性のQT延長の人(QT延長症候群)，クラスⅠa(キニジン，プロカインアミドなど)またはクラスⅢ(アミオダロン塩酸塩，ソタロールなど)の抗不整脈薬の服用中／血液透析が必要な腎障害／不安定狭心症／CYP3A4を阻害する薬剤(リトナビル，アタザナビル，ホスアンプレナビル，ロピナビル・リトナビル配合剤，ダルナビルを含有する製剤，ケトコナゾール(外用薬を除く)，イトラコナゾール，コビシスタットを含有する製剤)の服用中

[タダラフィルのみ]コントロール不良の不整脈／心筋梗塞の前歴が最近3カ月以内にある人／脳梗塞・脳出血の前歴が最近6カ月以内にある人

(2)**慎重に服用すべき場合**……陰茎の構造上欠陥(屈曲，陰茎の線維化，ペイロニー病など)のある人／持続勃起症の素因となり得る疾患(鎌状赤血球性貧血，多発性骨髄腫，白血病など)のある人／PDE5阻害薬または他の勃起不全治療薬の服用中／出血性疾患，消化性潰瘍／高齢者

[シルデナフィルクエン酸塩のみ]重い腎機能障害／肝機能障害(重度の肝機能障害を除く)／多系統萎縮症(シャイ・ドレーガー症候群など)

[バルデナフィル塩酸塩水和物のみ]中等度の肝機能障害／CYP3A4を阻害する薬剤(マクロライド系抗生物質など)の服用中／α-遮断薬の服用中

[タダラフィルのみ]重度勃起不全／コントロールが十分でない高血圧

(3)**服用法**……①通常，性行為の1時間前に服用します。1日の服用は1回，24時間以上の間隔をあけます。シルデナフィルクエン酸塩は，食事とともに服用すると，空腹時に服用した場合に比べて効果の発現時間が遅れることがあります。②本剤は，催淫剤，性欲増進剤ではありません。また，性行為感染症を防ぐ効果はありません。

(4)**検査**……①[シルデナフィルクエン酸塩]動物実験において，メラニン色素に富む網膜との親和性が高いとの報告があります。長期に服用するときには，眼科的検査を受ける必要があります。②[バルデナフィル塩酸塩水和物]臨床薬理試験で，服用によるQTc延長がみられていることから，心血管系障害・肝機能障害がある人は必要に応じて心電図検査を受ける必要があります。

(5)**服用中止**……本剤の服用後に急激な視力低下や急激な視力喪失が現れた場合には，本剤の服用を中止し，速やかに眼科専門医の診察を受けてください。

(6)グレープフルーツジュース……[タダラフィル]本剤とグレープフルーツジュースを一緒にとると，本剤の作用が強まることがあるので，服用中はグレープフルーツジュースを飲まないようにしてください。

(7)危険作業に注意……本剤を服用すると，めまい，視覚障害などをおこすことがあります。服用中は，自動車の運転など危険を伴う機械の操作は十分に注意してください。

重大な副作用 [タダラフィル]①発疹，じん麻疹，顔面浮腫，剥脱性皮膚炎，皮膚粘膜眼症候群(スティブンス-ジョンソン症候群)などの過敏症。

そのほかにも報告された副作用はあるので，体調がいつもと違うと感じたときは，処方医・薬剤師に相談してください。

併用してはいけない薬 [すべての製剤]①硝酸剤および NO 供与剤→降圧作用を強め，過度に血圧を下げることがあります。②可溶性グアニル酸シクラーゼ(sGC)刺激薬(リオシグアト)→血圧低下をおこすおそれがあります。

[シルデナフィルクエン酸塩のみ]アミオダロン塩酸塩→QTc 延長作用が強まるおそれがあります。

[バルデナフィル塩酸塩水和物のみ]①CYP3A4 を阻害する薬剤(リトナビル，アタザナビル，ホスアンプレナビル，ロピナビル・リトナビル配合剤，ダルナビル，ケトコナゾール(外用薬を除く)，イトラコナゾール，コビシスタットを含有する製剤)→本剤の作用を著しく強めます。②クラス Ⅰa 抗不整脈薬(キニジン，プロカインアミドなど)，クラスⅢ抗不整脈薬(アミオダロン塩酸塩，ソタロール塩酸塩など)→QTc 延長がみられます。

内 12 皮膚科・泌尿器科の薬　02 泌尿器科の薬

12 過活動膀胱治療薬(1)

製剤情報

一般名：トルテロジン酒石酸塩
- 保険収載月…2006年6月
- 海外評価…6点 英 米 独 仏 ● PC…C
- 剤形… カ カプセル剤
- 服用量と回数…1日1回4mg。

■**先発品**　商品名(メーカー)　規格・保険薬価

デトルシトール 写真 (ヴィアトリス)	
カ 2mg 1カプセル 69.20 円	カ 4mg 1カプセル 115.80 円

一般名：コハク酸ソリフェナシン
- 保険収載月…2006年6月
- 海外評価…6点 英 米 独 仏 ● PC…C
- 剤形… 錠 錠剤
- 服用量と回数…1日1回5mg, 1日最大10mg。

■**先発品**　商品名(メーカー)　規格・保険薬価

ベシケア 写真 (アステラス)	錠 2.5mg 1錠 69.00 円
錠 5mg 1錠 117.30 円	

ベシケア OD 写真 (アステラス)	
錠 2.5mg 1錠 69.00 円	錠 5mg 1錠 117.30 円

■**ジェネリック**　商品名(メーカー)　規格・保険薬価

ソリフェナシンコハク酸塩 (沢井)	
錠 2.5mg 1錠 30.70 円	錠 5mg 1錠 51.80 円

ソリフェナシンコハク酸塩 (辰巳)	
錠 2.5mg 1錠 30.70 円	錠 5mg 1錠 51.80 円

ソリフェナシンコハク酸塩 (鶴原)	
錠 2.5mg 1錠 30.70 円	錠 5mg 1錠 59.90 円

ソリフェナシンコハク酸塩（東和）
錠 2.5mg 1錠 30.70 円　錠 5mg 1錠 51.80 円

ソリフェナシンコハク酸塩（日医工）
錠 2.5mg 1錠 30.70 円　錠 5mg 1錠 51.80 円

ソリフェナシンコハク酸塩（陽進堂）
錠 2.5mg 1錠 30.70 円　錠 5mg 1錠 51.80 円

ソリフェナシンコハク酸塩 OD（沢井）
錠 2.5mg 1錠 30.70 円　錠 5mg 1錠 51.80 円

ソリフェナシンコハク酸塩 OD 写真（東和）
錠 2.5mg 1錠 30.70 円　錠 5mg 1錠 51.80 円

ソリフェナシンコハク酸塩 OD（日医工）
錠 2.5mg 1錠 30.70 円　錠 5mg 1錠 51.80 円

ソリフェナシンコハク酸塩 OD（ニプロ）
錠 2.5mg 1錠 30.70 円　錠 5mg 1錠 51.80 円

ソリフェナシンコハク酸塩 OD（日本ジェネリック）錠 2.5mg 1錠 30.70 円　錠 5mg 1錠 51.80 円

一般名：イミダフェナシン
- 保険収載年月…2007年6月
- 海外評価…0点 英 米 独 仏
- 剤形…錠 錠剤
- 服用量と回数…1回0.1mgを1日2回。効果が不十分なときは1回0.2mg, 1日最大0.4mg。

■ 先発品　　商品名（メーカー）　規格・保険薬価

ウリトス（杏林）錠 0.1mg 1錠 56.30 円

ウリトス OD（杏林）錠 0.1mg 1錠 56.30 円

ステーブラ（小野）錠 0.1mg 1錠 61.20 円

ステーブラ OD（小野）錠 0.1mg 1錠 61.20 円

■ ジェネリック　　商品名（メーカー）　規格・保険薬価

イミダフェナシン 写真（キョーリン＝杏林）
錠 0.1mg 1錠 23.70 円

イミダフェナシン（沢井）錠 0.1mg 1錠 23.70 円

イミダフェナシン（長生堂＝日本ジェネリック）
錠 0.1mg 1錠 23.70 円

イミダフェナシン 写真（陽進堂＝共創未来）
錠 0.1mg 1錠 23.70 円

イミダフェナシン OD（キョーリン＝杏林）
錠 0.1mg 1錠 23.70 円

イミダフェナシン OD（沢井）
錠 0.1mg 1錠 23.70 円

イミダフェナシン OD（辰巳）
錠 0.1mg 1錠 23.70 円

イミダフェナシン OD（長生堂＝日本ジェネリック）錠 0.1mg 1錠 23.70 円

イミダフェナシン OD（鶴原）
錠 0.1mg 1錠 23.70 円

イミダフェナシン OD（東和）
錠 0.1mg 1錠 23.70 円

イミダフェナシン OD（陽進堂＝共創未来）
錠 0.1mg 1錠 23.70 円

一般名：フェソテロジンフマル酸塩
- 保険収載年月…2013年2月
- 海外評価…6点 英 米 独 仏　● PC…C
- 剤形…錠 錠剤
- 服用量と回数…4～8mgを1日1回。

■ 先発品　　商品名（メーカー）　規格・保険薬価

トビエース 写真（ファイザー）錠 4mg 1錠 146.00 円
錠 8mg 1錠 217.70 円

概　要

分類　過活動膀胱治療薬

処方目的　過活動膀胱における尿意切迫感，頻尿および切迫性尿失禁

解説　過活動膀胱とは，尿意切迫感，頻尿，夜間頻尿，切迫性尿失禁といった症状を示す状態です。加齢に伴ったり，他の病気などで膀胱が過敏になっておこるもので，原因不明なことも少なくありません。命に直接関わりませんが，QOL（生活の質）は著しく

低下します。以前から泌尿器科では抗コリン作用薬が治療に用いられてきましたが，過活動膀胱という概念は比較的新しく，その効能の薬は2006年に初めて承認されました。抗コリン作用薬の一種なので，同じ注意が必要です。

使用上の注意

＊コハク酸ソリフェナシン（ベシケア）の添付文書による

基本的注意

(1)**服用してはいけない場合**……本剤の成分に対するアレルギーの前歴／尿閉がある人／閉塞隅角緑内障／幽門部・十二指腸・腸管閉塞，麻痺性イレウス／胃アトニー，腸アトニー／重症筋無力症／重篤な心疾患／重度の肝機能障害

(2)**慎重に服用すべき場合**……排尿困難のある人（前立腺肥大症などの下部尿路閉塞疾患または排尿筋収縮障害など）／下部尿路閉塞疾患（前立腺肥大症など）を合併している人／QT延長症候群／潰瘍性大腸炎／甲状腺機能亢進症／認知症，認知機能障害／パーキンソン症状／脳血管障害／腎機能障害／中等度・軽度の肝機能障害

(3)**危険作業に注意**……本剤を服用すると，眼調節障害（霧視など），傾眠をおこすことがあります。服用中は，高所作業や自動車の運転など危険を伴う機械の操作は十分に注意してください。

(4)**その他**……

● 妊婦での安全性：有益と判断されたときのみ服用。

● 授乳婦での安全性：治療上の有益性・母乳栄養の有益性を考慮し，授乳の継続・中止を検討。

● 小児での安全性：未確立。（1714頁を参照）

重大な副作用　　①ショック，アナフィラキシー（じん麻疹，呼吸困難，血圧低下など）。②肝機能障害。③尿閉。④QT延長，心室頻拍，房室ブロック，洞不全症候群，高度徐脈。⑤麻痺性イレウス（腸閉塞）。⑥幻覚，せん妄。⑦急性緑内障発作。

そのほかにも報告された副作用はあるので，体調がいつもと違うと感じたときは，処方医・薬剤師に相談してください。

併用してはいけない薬　　併用してはいけない薬は特にありません。ただし，併用する薬があるときは，念のため処方医・薬剤師に報告してください。

内 **12 皮膚科・泌尿器科の薬　02 泌尿器科の薬**

13 過活動膀胱治療薬（2）

製剤情報

一般名：ミラベグロン

● 保険収載年月…2011年9月

● 海外評価…5点 英米独仏　●PC…C

● 規制…劇薬

● 剤形…錠 錠剤

● 服用量と回数…1日1回50mg。中等度の肝機能障害・重度の腎機能障害がある場合は1日1回25mgから開始。

■**先発品**　**商品名(メーカー)**　規格・保険薬価

ベタニス 写真 (アステラス) 錠 25mg 1錠 94.90 円
錠 50mg 1錠 160.20 円

一般名：ビベグロン

● 保険収載年月…2018年11月

概　要

分類　選択的 β_3 アドレナリン受容体作動性過活動膀胱治療薬

処方目的　過活動膀胱における尿意切迫感，頻尿および切迫性尿失禁

解説　酒石酸トルテロジンなどと同様に過活動膀胱を改善する薬剤です。ミラベグロン，ビベグロンともに膀胱平滑筋の β_3 アドレナリン受容体を刺激し，膀胱を弛緩させることで蓄尿機能を高め，尿意切迫感や頻尿，切迫性尿失禁を改善します。

使用上の注意

＊両剤の添付文書による

警告

[ミラベグロン] 生殖可能な年齢の人は，本剤の服用をできるかぎり避けること。動物実験(ラット)で，精のう・前立腺・子宮の重量低値あるいは萎縮などの生殖器系への影響が認められ，高用量では発情休止期の延長，黄体数の減少に伴う着床数および生存胎児数の減少が認められています。

基本的注意

(1)服用してはいけない場合……本剤の成分に対するアレルギーの前歴
[ミラベグロンのみ] 重篤な心疾患／重度の肝機能障害／抗不整脈薬のフレカイニド酢酸塩あるいはプロパフェノン塩酸塩の服用中／妊婦または妊娠している可能性のある人／授乳婦

(2)慎重に服用すべき場合……[ミラベグロン]心血管系障害／QT 延長または不整脈の前歴／クラスⅠa(キニジン硫酸塩水和物，プロカインアミド塩酸塩など)またはクラスⅢ(アミオダロン塩酸塩，ソタロール塩酸塩など)の抗不整脈薬を服用中の人を含む QT 延長症候群の人／重度の徐脈などの不整脈，急性心筋虚血などの不整脈をおこしやすい人／低カリウム血症／肝機能障害(重度を除く)／腎機能障害／緑内障／高齢者
[ビベグロン] 重篤な心疾患／高度の肝機能障害

(3)前立腺肥大症など……下部尿路閉塞疾患(前立腺肥大症など)を合併している人には，それに対する治療を優先して行います。

(4)服用方法……[ミラベグロン]本剤は徐放性製剤であるため，割ったり，砕いたり，すりつぶしたりして服用すると，本剤の徐放性が失われるおそれがあるので，そのままかまずに服用してください。

(5)定期検査……[ミラベグロン]①QT 延長または不整脈の前歴がある人，抗不整脈薬のクラスⅠa・クラスⅢなどの QT 延長をおこすことが知られている薬剤を本剤と併用し

● 海外評価…0点 英 米 独 仏
● 剤形…錠 錠剤
● 服用量と回数…1日1回50mg(1錠)。

■**先発品**　**商品名(メーカー)**　規格・保険薬価

ベオーバ 写真 (杏林＝キッセイ) 錠 50mg 1錠 169.00 円

ている人など，QT 延長をおこすリスクが高いと考えられる人は，定期的に心電図検査を行います。②緑内障の人が本剤を服用する場合には，定期的な眼科的診察を行います。③血圧が上昇することがあるので，服用開始前および服用中は定期的に血圧測定を行います。

(6)併用に注意する薬剤……[ミラベグロン]①過活動膀胱の適応がある抗コリン薬と併用する際は，尿閉などの副作用の発現に十分注意してください。②現時点では，ステロイド合成・代謝系への作用がある 5α 還元酵素阻害薬と併用した際の安全性や効果が確認されていないため，本剤との併用は避けることが望ましいとされています。

(7)その他……

- 妊婦での安全性：[ビベグロン]有益と判断されたときのみ服用。
- 授乳婦での安全性：[ビベグロン]治療上の有益性・母乳栄養の有益性を考慮し，授乳の継続・中止を検討。
- 小児での安全性：未確立。(1714 頁を参照)

 重大な副作用 ①尿閉。

[ミラベグロンのみ] ②高血圧。

　そのほかにも報告された副作用はあるので，体調がいつもと違うと感じたときは，処方医・薬剤師に相談してください。

 併用してはいけない薬 [ミラベグロン] フレカイニド酢酸塩，プロパフェノン塩酸塩→QT 延長，心室性不整脈などをおこすおそれがあります。

内服 13 その他の薬

薬剤番号 13-01-01 ～ 13-09-25

内服
13

■薬効別の区分が難しい薬や，特異と思われる疾患の治療薬について説明します

- ◆緑内障の内服治療薬
- ◆めまいや吐きけの薬
- ◆回虫や，いわゆるサナダムシなどの寄生虫駆除薬
- ◆熱帯では毎年数億人が発症するマラリアの治療薬
- ◆臓器移植時の免疫抑制薬
- ◆エイズ治療薬，そのほかの抗ウイルス薬
- ◆先天的な代謝異常症のウイルソン病や高フェニルアラニン血症などの治療薬
- ◆男性型脱毛症治療薬，禁煙補助薬，アルコール依存症用薬など

■副作用・相互作用に注意すべき薬

　01の眼科の内服薬から03の代謝性薬剤を除くと，特殊な病気に使用される薬がほとんどですので，場合によっては副作用を覚悟の上で使われる場合もあります。しかし，その場合でも患者としてはおこりうる副作用をあらかじめ頭の中に整理しておいて，それがおこった場合には直ちに医療関係者に連絡をとるようにすることが，患者の責任ということになります。

　希少疾患に対する薬剤がいろいろ承認されてきましたが，なかには効き目がそれほどはっきりしていなくても，ほかに選択の余地がないため使い続けられているものもあります。対象患者数も少ないため当然臨床試験のデータ数も少なく，副作用や相互作用のデータもいろいろ漏れがあるのが現実です。服薬日誌をつけるなどして普段から自身（介護している人であれば要介護者）の観察を続けることが，副作用・相互作用の早期発見につながります。

◉ 薬剤師の眼

有用性に疑問のある薬が多く残っている

　この章で取り扱っている薬のうち，かなり以前から使われているアミノエチルスルホン酸，アデノシン3リン酸2ナトリウム水和物，アルドース還元酵素阻害薬（エパルレスタット）などの外国における評判は芳しいものではありません。

　イギリスの医薬品集『マーティンデール』は，全世界で使われている医薬品を網羅していることで有名です。私たち薬剤師が医薬品に関する情報を勉強する際には，必ず座右に置くべき書とされています。その本は54の章からなり，一般的な薬，広く使われていたり，かつては広く使われた薬が治療目的別に53の章に分けられて記載されています。54番めの章は以前はパートⅠと呼ばれた1章～53章と区別してパートⅡとされていましたが，「補助的に使用される薬品」で普遍的には使われていない薬が集められています。この54章に出てくる薬は，私たちの過去の経験からいうと，あまりよい薬とはいえません。

　『マーティンデール』の2011年発行第37版で前記の薬品を調べてみると，主要な薬品パートに名前が出てくるのはエパルレスタットだけです。また，製品として名前があげられているのは日本のものだけで，他の国では売られていません。

　なぜ，それが主要な薬品に入っているのかと考えると，かつてアイルランドやイタリアで使われたことのあるトルレスタットという薬に近い薬だからです。どのような理由で使われなくなったのかはわかりませんが，それらの国では現在販売されていないことを考えると，それほど有用性のあるものとも思えません。

　エパルレスタット以外では，すべての薬剤が54番めの章に入っています。1998年に有効性に疑問を持たれて販売が中止されるまで，認知症の薬として年間何百億円もの売り上げをあげていた，イデベノン，塩酸インデロキサジン，ビフェメランなどもすべて54番めの章に掲載されていることからみても，こうした薬を保険給付の対象として残す必要はないのではないかと思います。次から次へと出てくるジェネリックの品揃えで悲鳴をあげている，門前薬局ではない一般の保険薬局の薬剤師も，同じような想いでいるだろうと推察できます。

内 13 その他の薬　01 眼科の内服薬

01　アセタゾラミド

製剤情報

一般名：アセタゾラミド

- 保険収載年月…1955年9月
- 海外評価…6点 **英 米 独 仏**　●PC…C
- 剤形… 錠 錠剤，末 末剤
- 服用量と回数…緑内障の場合は，1日250〜

1,000mgを分割服用。その他の適応症は，処方医の指示通りに服用。

■ **先発品**　**商品名(メーカー)**　規格・保険薬価

ダイアモックス 写真 (三和) 末 1g 90.10 円
錠 250mg 1錠 20.40 円

概　要

分類　炭酸脱水酵素抑制薬

処方目的　緑内障／てんかん(他の抗てんかん薬の効果不十分な場合に付加)／肺気腫における呼吸性アシドーシスの改善／心性浮腫，肝性浮腫／月経前緊張症／メニエール病・メニエール症候群／[錠剤のみ]睡眠時無呼吸症候群

解説　ここで取り上げる薬剤は，炭酸脱水素酵素阻害薬と呼ばれるもので，利尿薬として開発されました。

　しかし，他に有効な利尿薬(チアジド系など)が多数開発されたため，アメリカでは浮腫(むくみ)に使われることはありません。

使用上の注意

基本的注意

(1)**服用してはいけない場合**……本剤の成分またはスルフォンアミド系薬剤に対するアレルギーの前歴／肝硬変などの進行した肝疾患，高度の肝機能障害／無尿，急性腎不全／高クロール血症性アシドーシス，体液中のナトリウム・カリウムが明らかに減少している人，副腎機能不全，アジソン病

(2)**長期間，服用してはいけない場合**……慢性閉塞隅角緑内障

(3)**慎重に服用すべき場合**……重い冠動脈硬化症または脳動脈硬化症／重い腎機能障害／肝疾患，肝機能障害／糖尿病，耐糖能異常／レスピレータなどを必要とする重い高炭酸ガス血症／ジギタリス製剤，糖質副腎皮質ホルモン薬・副腎皮質刺激ホルモン(ACTH)の服用中／減塩療法中／乳児，高齢者

(4)**ビタミンC**……本剤を服用中にビタミンCを大量にとると，腎結石や尿路結石がおこりやすくなります。摂取量などについて処方医と相談してください。

(5)**妊娠初期**……動物実験で，死亡胎児の増加や骨形成不全などが認められています。妊娠の初期または妊娠している可能性のある人は服用しないほうがよいでしょう。

(6)**危険作業に注意**……本剤を服用すると，めまい・ふらつきなどをおこすことがあります。服用中は，高所作業や自動車の運転など危険を伴う機械の操作は十分に注意してください。

内
13
—
01
—
02

ヘレニエン

(7)その他……

● 授乳婦での安全性：治療上の有益性・母乳栄養の有益性を考慮し，授乳の継続・中止を検討。

● 小児での安全性：未確立。(1714頁を参照)

重大な副作用　①代謝性アシドーシス，電解質異常。②ショック，アナフィラキシー(不快感，口内異常感，めまい，便意，耳鳴り，喘鳴，発汗，血圧低下，呼吸困難，じん麻疹など)。③再生不良性貧血，溶血性貧血，無顆粒球症，骨髄機能低下，白血球減少，血小板減少，血小板減少性紫斑病。④中毒性表皮壊死融解症(TEN)，皮膚粘膜眼症候群(スティブンス-ジョンソン症候群)。⑤急性腎障害，腎・尿路結石。⑥精神錯乱，けいれん。⑦肝機能障害，黄疸。

そのほかにも報告された副作用はあるので，体調がいつもと違うと感じたときは，処方医・薬剤師に相談してください。

併用してはいけない薬　併用してはいけない薬は特にありません。ただし，併用する薬があるときは，念のため処方医・薬剤師に報告してください。

内 **13 その他の薬　01 眼科の内服薬**

02 ヘレニエン

製剤情報

一般名：ヘレニエン

● 保険収載年月…1958年4月

● 海外評価…0点 英 米 独 仏

● 剤形…錠 錠剤

● 服用量と回数…1回5mg(1錠)を1日2〜4回。

■ **先発品**　　商品名(メーカー)　規格・保険薬価

アダプチノール(バイエル) 錠 5mg 1錠 36.00円

概要

分類　眼科用薬

処方目的　網膜色素変性症における一時的な視野・暗順応の改善

解説　キク科植物マリーゴールドの花弁より抽出したキサントフィル脂肪酸エステル混合物です。暗順応とは，明るいところから暗いところに移動したとき，最初は何も見えませんが，次第に眼が慣れてくる現象で，本剤はこの暗順応の障害などの改善に効果を示します。

使用上の注意

基本的注意

特に注意はありません。

重大な副作用　重大な副作用はありませんが，そのほかの副作用はあるので，体調がいつもと違うと感じたときは，処方医・薬剤師に相談してください。

併用してはいけない薬　併用してはいけない薬は特にありません。ただし，併用する薬があるときは，念のため処方医・薬剤師に報告してください。

01　ジメンヒドリナート

製剤情報

一般名：ジメンヒドリナート
- 保険収載年月…1952年5月
- 海外評価…2点 英 米 独 仏
- 剤形…錠 錠剤

- 服用量と回数…1回50mgを1日3～4回。予防のためには, その30分～1時間前に1回50～100mgを服用。原則として1日200mgまで。

■ **先発品**　　商品名(メーカー)　規格・保険薬価

ドラマミン 写真 (陽進堂) 錠 50mg 1錠 10.40 円

概要

分類　鎮うん・制吐薬

処方目的　動揺病(乗り物酔い)・メニエール症候群・放射線宿酔による悪心・嘔吐・めまい／手術後の悪心・嘔吐

解説　薬の系列としては, 抗ヒスタミン薬に属します。脳の嘔吐中枢に働いて吐きけを止めます。

使用上の注意

基本的注意

(1)**服用してはいけない場合**……モノアミン酸化酵素阻害薬(1716頁を参照)の服用中／ジフェニルメタン系薬剤(ジメンヒドリナート, 塩酸メクリジンなど)に対するアレルギー

(2)**慎重に服用すべき場合**……てんかん, 甲状腺機能亢進症, 急性腎炎／麻酔を行う前／小児

(3)**かくされる難聴**……本剤は, アミノグリコシド系の抗生物質(ストレプトマイシン, カナマイシンなど)がおこす難聴をかくすことがあります。

(4)**危険作業は中止**……本剤を服用すると, 眠けがおこることがあります。服用中は, 自動車の運転など危険を伴う機械の操作は行わないようにしてください。

(5)**その他**……
- 妊婦での安全性：有益と判断されたときのみ服用。(1714頁を参照)

重大な副作用　　重大な副作用はありませんが, そのほかの副作用はあるので, 体調がいつもと違うと感じたときは, 処方医・薬剤師に相談してください。

併用してはいけない薬　　モノアミン酸化酵素阻害薬→併用すると本剤の作用が持続・増強されます。

内 13
―02
―02

ジフェニドール塩酸塩

02　ジフェニドール塩酸塩

製剤情報

一般名：ジフェニドール塩酸塩
- 保険収載年月…1974年2月
- 海外評価…0点 英 米 独 仏
- 剤形…錠 錠剤, 顆 顆粒剤
- 服用量と回数…1回25～50mg(顆粒剤は0.25～0.5g)を1日3回。

■先発品　　商品名(メーカー)　規格・保険薬価

セファドール 写真 (日本新薬) 顆 10% 1g 35.70 円
錠 25mg 1錠 9.20 円

■ジェネリック　　商品名(メーカー)　規格・保険薬価

ジフェニドール塩酸塩 (武田テバファーマ＝武田) 錠 25mg 1錠 5.70 円

ジフェニドール塩酸塩 (長生堂＝日本ジェネリック) 錠 25mg 1錠 5.90 円

ジフェニドール塩酸塩 (鶴原) 錠 25mg 1錠 5.70 円

ジフェニドール塩酸塩 (東和) 錠 25mg 1錠 5.70 円

ジフェニドール塩酸塩 写真 (日医工) 錠 25mg 1錠 5.70 円

概要

分類　鎮うん薬

処方目的　内耳障害にもとづくめまい

解説　日本では多くの会社が発売し, しばしば使用されている鎮うん薬です。しかし, 本剤の制吐作用が他の原因による嘔吐をかくすことがあるため, かなり使い方のむずかしい薬です。アメリカでも一時発売されていましたが, 現在は使用されていません。

使用上の注意

＊ジフェニドール塩酸塩(セファドール)の添付文書による

基本的注意

(1)服用してはいけない場合……重い腎機能障害／本剤に対するアレルギーの前歴

(2)慎重に服用すべき場合……緑内障／薬疹・じん麻疹などの前歴／前立腺肥大など尿路の閉塞性疾患／胃腸管閉塞

(3)かくされる嘔吐……本剤には嘔吐を抑える作用があるので, 他の薬剤(ジギタリスなど)の過量服用でおこる中毒, 腸閉塞, 脳腫瘍などによる嘔吐症状をかくすことがあります。

(4)その他……
- 妊婦での安全性：未確立。有益と判断されたときのみ服用。
- 授乳婦での安全性：治療上の有益性・母乳栄養の有益性を考慮し, 授乳の継続・中止を検討。
- 小児での安全性：未確立。(1714 頁を参照)

重大な副作用　　　　重大な副作用はありませんが, そのほかの副作用はあるので, 体調がいつもと違うと感じたときは, 処方医・薬剤師に相談してください。

併用してはいけない薬は特にありません。ただし、併用する薬があるときは、念のため処方医・薬剤師に報告してください。

内 13 その他の薬　02 めまい・吐き気止めの薬

03 ベタヒスチンメシル酸塩

製剤情報

一般名：ベタヒスチンメシル酸塩

- 発売年月…1969年1月
- 海外評価…4点 英 米 独 仏
- 剤形…錠 錠剤
- 服用量と回数…1回6〜12mgを1日3回。

■**先発品**　　商品名(メーカー)　規格・保険薬価

メリスロン 写真 (エーザイ) 錠 6mg 1錠 8.70 円
錠 12mg 1錠 10.10 円

■**ジェネリック**　　商品名(メーカー)　規格・保険薬価

ベタヒスチンメシル酸塩 写真 (ジェイドルフ＝東和) 錠 6mg 1錠 6.10 円　錠 12mg 1錠 6.40 円

ベタヒスチンメシル酸塩 (セオリア＝武田)
錠 6mg 1錠 6.10 円　錠 12mg 1錠 6.40 円

ベタヒスチンメシル酸塩 (辰巳)
錠 6mg 1錠 6.10 円　錠 12mg 1錠 6.40 円

ベタヒスチンメシル酸塩 (鶴原)
錠 12mg 1錠 6.40 円

ベタヒスチンメシル酸塩 (鶴原＝日本ジェネリック) 錠 6mg 1錠 6.10 円

ベタヒスチンメシル酸塩 (日医工)
錠 6mg 1錠 6.10 円　錠 12mg 1錠 6.40 円

ベタヒスチンメシル酸塩 (日医工ファーマ＝日医工) 錠 6mg 1錠 6.10 円　錠 12mg 1錠 6.40 円

概　要

分類　　鎮うん薬

処方目的　　メニエール病・メニエール症候群・眩暈症に伴うめまい・めまい感

解説　　内耳の血流量を増加させることにより、めまいを治すと説明されています。

使用上の注意

＊ベタヒスチンメシル酸塩(メリスロン)の添付文書による

基本的注意

(1)慎重に服用すべき場合……消化性潰瘍の前歴・活動性の消化性潰瘍／気管支ぜんそく／褐色細胞腫

(2)その他……

- 妊婦での安全性：有益と判断されたときのみ服用。
- 授乳婦での安全性：治療上の有益性・母乳栄養の有益性を考慮し、授乳の継続・中止を検討。
- 小児での安全性：未確立。(1714 頁を参照)

重大な副作用　　重大な副作用はありませんが、そのほかの副作用はあるので、体調がいつもと違うと感じたときは、処方医・薬剤師に相談してください。

併用してはいけない薬　　併用してはいけない薬は特にありません。ただし、併用する薬があるときは、念のため処方医・薬剤師に報告してください。

04　イソプレナリン塩酸塩

製剤情報

一般名：イソプレナリン塩酸塩
- 保険収載年月…1976年6月
- 海外評価…3点 英 米 独 仏　●PC…C

- 剤形…カ カプセル剤
- 服用量と回数…1回7.5～15mgを1日3回。

■先発品　商品名(メーカー)　規格・保険薬価

イソメニール(科研) カ 7.5mg 1ｶﾌﾟｾﾙ 10.00 円

概　要

分類　鎮うん薬

処方目的　内耳障害にもとづくめまい

解説　交感神経を刺激して末梢血管を拡張することにより，効果を発揮すると考えられています。特殊な徐放コーティング(徐々に溶けるような工夫)をしてあるので，服用時に噛まないように注意してください。

使用上の注意

基本的注意

(1)服用してはいけない場合……重い冠動脈疾患／頭部・頸部の外傷直後／カテコールアミン製剤・エフェドリン塩酸塩・dl-メチルエフェドリン塩酸塩の服用中
(2)慎重に服用すべき場合……甲状腺機能亢進症／糖尿病／高血圧症／心疾患
(3)その他……
- 妊婦での安全性：有益と判断されたときのみ服用。(1714頁を参照)

重大な副作用　①重い血清カリウムの低下(特に，ぜんそくの人が服用するキサンチン系薬剤やステロイド薬，利尿薬との併用でおこりやすい)。
　そのほかにも報告された副作用はあるので，体調がいつもと違うと感じたときは，処方医・薬剤師に相談してください。

併用してはいけない薬　カテコールアミン製剤(アドレナリン)，エフェドリン塩酸塩，dl-メチルエフェドリン塩酸塩→併用すると不整脈，場合によっては心停止のおそれがあります。

05　トラベルミン

製剤情報

一般名：ジフェンヒドラミン・ジプロフィリン配合剤
- 保険収載年月…1953年8月
- 海外評価…0点 英 米 独 仏

- 剤形…錠 錠剤
- 服用量と回数…1回1錠，必要により1日3〜4回。

■**先発品**　商品名(メーカー)　規格・保険薬価

トラベルミン配合錠 写真 (サンノーバ＝エーザイ) 錠 1錠 5.90 円

概　要

分類　鎮うん薬

処方目的　船・航空機・自動車などの動揺病(乗り物酔い)・メニエール症候群に伴う悪心・嘔吐・めまい

解説　抗ヒスタミン薬の一種であるジフェンヒドラミンと，血管を拡張する働きがあるジプロフィリンの配合剤です。1錠の持続時間は約4時間とされています。

使用上の注意

基本的注意

(1)**服用してはいけない場合**……閉塞隅角緑内障／前立腺肥大など下部尿路の閉塞性疾患

(2)**慎重に服用すべき場合**……開放隅角緑内障／てんかん／甲状腺機能亢進症／急性腎炎

(3)**服用法**……噛みくだくと苦みがあり，しびれ感が現れることがあるので，噛まずに服用してください。

(4)**危険作業は中止**……本剤を服用すると，眠けがおこることがあります。服用中は，自動車の運転など危険を伴う機械の操作は行わないようにしてください。

(5)**その他**……

- 妊婦での安全性：未確立。原則として服用しない。
- 授乳婦での安全性：原則として服用しない。やむを得ず服用するときは授乳を中止。
  (1714頁を参照)

重大な副作用　　　　　重大な副作用はありませんが，そのほかの副作用はあるので，体調がいつもと違うと感じたときは，処方医・薬剤師に相談してください。

併用してはいけない薬　　　　併用してはいけない薬は特にありません。ただし，併用する薬があるときは，念のため処方医・薬剤師に報告してください。

内 **13 その他の薬　02 めまい・吐き気止めの薬**

06　**イソソルビド**

製 剤 情 報

一般名：イソソルビド

- 保険収載年月…1968年6月
- 海外評価…2点 英 米 独 仏
- 剤形…シ シロップ剤，液 液剤，セ ゼリー剤

- 服用量と回数…脳圧降下，眼圧降下，利尿：1日70〜140mL(ゼリー剤は49〜98g)を2〜3回に分けて服用。メニエール病：1日90〜120mL(ゼリー剤は63〜84g)を3回に分けて服用。

■先発品　商品名(メーカー)　規格・保険薬価

イソソルビド内服ゼリー (三和＝エルメッド＝日医工)
ゼ 70%20g 1個 84.80 円

ゼ 70%30g 1個 121.10 円

イソソルビド内用液 (セオリア＝武田)
液 70%30mL 1包 121.10 円

イソバイドシロップ (興和＝日本新薬)
シ 70% 1mL 3.50 円　シ 70%20mL 1包 74.10 円

シ 70%23mL 1包 80.70 円

シ 70%30mL 1包 105.90 円

■ジェネリック　商品名(メーカー)　規格・保険薬価

イソソルビド内用液 (セオリア＝武田)
液 70% 1mL 3.30 円　液 70%40mL 1包 154.00 円

📖 概　要

分類　経口浸透圧利尿・メニエール病改善剤

処方目的　脳腫瘍時の脳圧降下，頭部外傷に起因する脳圧亢進時の脳圧降下／腎・尿管結石時の利尿／緑内障の眼圧降下／メニエール病

解説　本剤は，浸透圧を利用して利尿を図るもので，体内ではほとんど代謝されずに24時間で80%がそのまま尿中に排泄されます。味は，はじめは甘味と酸味があり，後になってやや苦くなります。

📋 使用上の注意

＊イソソルビド(イソバイドシロップ)の添付文書による

基本的注意

(1)服用してはいけない場合……本剤の成分に対するアレルギーの前歴／急性頭蓋内血腫

(2)慎重に服用すべき場合……脱水状態／尿閉／腎機能障害／うっ血性心不全

(3)その他……

●妊婦での安全性：有益と判断されたときのみ服用。(1714頁を参照)

重大な副作用　　　①ショック，アナフィラキシー(発疹，呼吸困難，血圧低下，動悸など)。

　そのほかにも報告された副作用はあるので，体調がいつもと違うと感じたときは，処方医・薬剤師に相談してください。

併用してはいけない薬　　　併用してはいけない薬は特にありません。ただし，併用する薬があるときは，念のため処方医・薬剤師に報告してください。

内 13 その他の薬　03 代謝性薬剤

01 タウリン

💊 製剤情報

一般名：アミノエチルスルホン酸

●保険収載年月…1987年10月

●海外評価…0点 英 米 独 仏

●剤形… 散 散剤

●服用量と回数…1回1gを1日3回。うっ血性心不全の場合は，強心利尿薬で十分な効果が認められないときに，その薬剤と本剤を併用。脳卒

内
13
─
03
─
02

アデノシン3リン酸2ナトリウム水和物

中様発作の抑制の場合は1回1～4gを1日3回。

■**先発品**　商品名(メーカー)　規格・保険薬価
タウリン(大正製薬) 散 98% 1g 14.80 円

概　要

分類　他に分類されない代謝性医薬品(肝・循環機能改善薬／MELAS脳卒中様発作抑制薬)

処方目的　高ビリルビン血症(閉塞性黄疸を除く)における肝機能の改善／うっ血性心不全／ミトコンドリア脳筋症・乳酸アシドーシス・脳卒中様発作(MELAS)症候群における脳卒中様発作の抑制

解説　タウリンは，1827年にウシの胆汁中から発見された含硫アミノ酸で，その作用は，循環系，胆肝系をはじめとして広きに渡り，特に肝臓での胆汁酸抱合，心筋の興奮調節などの薬理作用を有しています。

　本剤はまた，ミトコンドリア病の一つであるMELAS(メラス)症候群の主要症状である脳卒中様発作(視覚異常，片麻痺，失語など)の抑制にも効果を示します。

使用上の注意

基本的注意

(1)慎重に服用すべき場合……[MELAS症候群における脳卒中様発作の抑制]腎機能障害

(2)その他……

●小児(13歳以下)での安全性：[MELAS症候群における脳卒中様発作の抑制]未確立。

重大な副作用　重大な副作用はありませんが，そのほかの副作用はあるので，体調がいつもと違うと感じたときは，処方医・薬剤師に相談してください。

併用してはいけない薬　併用してはいけない薬は特にありません。ただし，併用する薬があるときは，念のため処方医・薬剤師に報告してください。

内 13 その他の薬　03 代謝性薬剤

02 アデノシン3リン酸2ナトリウム水和物

製剤情報

一般名：アデノシン3リン酸2ナトリウム水和物

●保険収載年月…1970年8月
●海外評価…0点 英 米 独 仏
●剤形… 錠 錠剤, 顆 顆粒剤
●服用量と回数…1回40～60mg(顆粒剤は0.4～0.6g)を1日3回。メニエール病や内耳障害にも

とづくめまいの場合は，1回100mgを1日3回。

■**先発品**　商品名(メーカー)　規格・保険薬価
ATP腸溶錠(アルフレッサ) 錠 20mg 1錠 5.70 円
アデホスコーワ顆粒 写真 (興和)
　顆 10% 1g 19.90 円
アデホスコーワ腸溶錠 写真 (興和)
　錠 60mg 1錠 8.60 円

内
13
—
04
—
01

寄生虫駆除薬

アデホスコーワ腸溶錠 写真 (興和=日医工)
錠 20mg 1錠 5.70 円

トリノシン顆粒 (トーアエイヨー)
顆 10% 1g 14.60 円

トリノシン腸溶錠 (トーアエイヨー)
錠 20mg 1錠 5.70 円　錠 60mg 1錠 7.40 円

■ジェネリック　　商品名(メーカー)　規格・保険薬価
ATP 腸溶錠 (日医工) 錠 20mg 1錠 5.50 円

概　　要

分類　他に分類されない代謝性医薬品

処方目的　頭部外傷後遺症に伴う諸症状の改善／心不全／調節性眼精疲労における調節機能の安定化／消化管機能低下のみられる慢性胃炎／[アデホスコーワ顆粒，トリノシン顆粒のみ]メニエール病や内耳障害にもとづくめまい

解説　アデノシン３リン酸２ナトリウム水和物は「ATP」と呼ぶほうがわかる人が多いほどで，組織内における高エネルギー源としてよく知られています。内服した場合に期待どおりの効果が出るかというと，はなはだ疑わしいといえます。

　日本的な薬の典型で，もちろん英米ではアデノシン３リン酸２ナトリウム水和物の内服薬はありません。

使用上の注意

＊アデノシン３リン酸２ナトリウム水和物(アデホスコーワ顆粒)の添付文書による

基本的注意

●妊婦での安全性：服用しないことが望ましい。

●授乳婦での安全性：治療上の有益性・母乳栄養の有益性を考慮し，授乳の継続・中止を検討。

●小児での安全性：未確立。(1714 頁を参照)

重大な副作用　　　　重大な副作用はありませんが，そのほかの副作用はあるので，体調がいつもと違うと感じたときは，処方医・薬剤師に相談してください。

併用してはいけない薬　　　併用してはいけない薬は特にありません。ただし，併用する薬があるときは，念のため処方医・薬剤師に報告してください。

内 13 その他の薬　04 寄生虫・原虫用の薬

01 寄生虫駆除薬

製剤情報

一般名：ピランテルパモ酸塩

●保険収載月…1974年2月

●海外評価…2点 英 米 独 仏

●剤形…錠 錠剤，ド ドライシロップ剤

●服用量と回数…10mg／kg(体重)を1回。

■先発品　　商品名(メーカー)　規格・保険薬価
コンバントリン (佐藤) 錠 100mg 1錠 53.20 円
ド 10% 1g 79.80 円

一般名：イベルメクチン

●保険収載月…2002年12月

●海外評価…6点 英 米 独 仏　●PC…C

● 規制…劇薬

● 剤形…錠 錠剤

● 服用量と回数…疥癬：約200μg／kg（体重）を
1回（体重50kgでは通常3錠）。腸管糞線虫症：
約200μg／kgを2週間間隔で2回。ともに必

ず空腹時に水で服用する。

■先発品　　商品名(メーカー)　規格・保険薬価

ストロメクトール 写真 (MSD＝マルホ)

錠 3mg 1錠 632.90 円

概　要

分類　寄生虫駆除薬

処方目的　[ピランテルパモ酸塩の適応症]回虫・鉤虫・蟯虫・東洋毛様線虫の駆除
[イベルメクチンの適応症]腸管糞線虫の駆除／疥癬（確定診断された人，またはその人
と接触し，かつ疥癬の症状が出ている人）

解説　回虫の成虫は長さが20〜30cm，太さが0.5cmほど。野菜などに付着した卵が
口から体内に入り，小腸で成虫になります。日本では20世紀末にはほとんどみられなく
なりましたが，下肥を用いた野菜の流通や輸入野菜類の増加などに伴い，再び回虫寄生
の増加が懸念されています。

使用上の注意

＊コンバントリン，ストロメクトールの添付文書による

基本的注意

(1)服用してはいけない場合……[ピランテルパモ酸塩]本剤の成分に対するアレルギー
の前歴／ピペラジン系駆虫薬の服用中／[イベルメクチン]本剤の成分に対するアレルギ
ーの前歴

(2)慎重に服用すべき場合……[イベルメクチン]ロア糸状虫による重度の感染者

(3)中枢精神神経系症状など……[イベルメクチン]オンコセルカ症またはロア糸状虫症
を併発している糞線虫症の人が本剤を服用すると，中枢精神神経系（脳症，頭痛，昏睡，
精神状態変化，起立困難，歩行困難，錯乱，嗜眠，昏迷など），筋骨格系（関節痛など），そ
の他（発熱，結膜出血，眼充血，尿失禁，便失禁，むくみ，呼吸困難，背部痛などの疼痛な
ど）の重大な副作用およびマゾッティ反応が報告されています。これらの症状がみられた
ら，すぐに処方医へ連絡してください。

(4)危険作業に注意……[イベルメクチン]本剤を服用すると意識障害が現れることがあ
るので，自動車の運転など危険を伴う機械の操作には十分に注意してください。

(5)その他……

● 妊婦での安全性：未確立。有益と判断されたときのみ服用。

● 授乳婦での安全性：[イベルメクチン]服用するときは授乳を中止。

● 小児での安全性：[ピランテルパモ酸塩（2歳未満）]未確立。[イベルメクチン（体重
15kg未満）]未確立。(1714頁を参照)

重大な副作用　　　　　[イベルメクチン]①中毒性表皮壊死融解症（TEN），皮膚
粘膜眼症候群（スティブンス-ジョンソン症候群）。②肝機能障害，黄疸。③血小板減少。
④意識障害（昏睡，意識レベルの低下，意識変容状態など）。

そのほかにも報告された副作用はあるので，体調がいつもと違うと感じたときは，処方医・薬剤師に相談してください。

併用してはいけない薬 ［ピランテルパモ酸塩］ピペラジン系駆虫剤→双方の効力が弱くなります。

内 13 その他の薬　04 寄生虫・原虫用の薬

02 メベンダゾール

製剤情報

一般名：メベンダゾール
- 保険収載年月…1988年5月
- 海外評価…5点 英米独仏 ●PC…C
- 剤形…錠 錠剤
- 服用量と回数…1回100mgを1日2回，3日間

服用。体重20kg未満の場合は，半量にするなど処方医の指示通りに服用。

■**先発品**　　**商品名(メーカー)**　規格・保険薬価

メベンダゾール（ヤンセン）
錠 100mg 1錠 366.40 円

概要

分類　鞭虫駆除薬

処方目的　鞭虫症

解説　鞭虫は，外界から経口摂取された卵が小腸内で孵化して盲腸に至り，成虫になります。少数の寄生では無症状ですが，多数寄生すると下痢や腹痛などの症状が現れることがあります。症例としては少ないのですが，外国から持ち込まれる場合などに適当な薬剤がなく，オーファンドラッグ（希少疾病用薬）として開発されました。

使用上の注意

基本的注意

(1)服用してはいけない場合……妊婦または妊娠している可能性のある人

(2)特に慎重に服用すべき場合(原則禁忌，処方医と連絡を絶やさないこと)……本剤の成分に対するアレルギーの前歴

(3)回虫の駆除……鞭虫とともに回虫が混合感染しているときに服用すると，回虫が迷入することがあるので，他の薬剤でまず回虫を駆除してから服用してください。

(4)重い肝機能障害など……本剤の服用期間は3日間ですが，長期大量服用した人に重い肝機能障害が，また長期または大量服用した人に肝炎，無顆粒球症，糸球体腎炎が認められたとの報告があります。

(5)小児……服用により，けいれん発作などが現れたとの報告があります。

(6)その他……

●授乳婦での安全性：原則として服用しない。やむを得ず服用するときは授乳を中止。
　(1714頁を参照)

重大な副作用　　　①ショック，アナフィラキシー(呼吸困難，全身潮紅，血管

浮腫，じん麻疹など）。②皮膚粘膜眼症候群（スティブンス-ジョンソン症候群），中毒性表皮壊死融解症（TEN）。

そのほかにも報告された副作用はあるので，体調がいつもと違うと感じたときは，処方医・薬剤師に相談してください。

併用してはいけない薬　　併用してはいけない薬は特にありません。ただし，併用する薬があるときは，念のため処方医・薬剤師に報告してください。

内 13 その他の薬　04 寄生虫・原虫用の薬

03　アルベンダゾール

🗋 製剤情報

一般名：アルベンダゾール
- 保険収載年月…1994年4月
- 海外評価…6点 **英 米 独 仏**　●PC…C
- 規制…**劇薬**

- 剤形…錠錠剤
- 服用量と回数…1日600mgを3回に分けて服用。28日間連続服用した後，14日間休薬。

■ 先発品　　商品名（メーカー）　規格・保険薬価

エスカゾール（グラクソ）錠 200mg 1錠 344.80 円

📋 概　要

分類　包虫駆除薬
処方目的　包虫症
解説　包虫症（エキノコックス症）はキタキツネなどを宿主とするエキノコックスが原因でおこる，肝臓に囊胞をおこす寄生虫病です。日本で問題となるのは北海道でみられる多包虫症で，平均潜伏期間は20年ともいわれ，肝不全などに進行することもあります。

🈂 使用上の注意

基本的注意

（1）**服用してはいけない場合**……妊婦または妊娠している可能性のある人（治療終了後も1カ月は妊娠を避ける）／本剤の成分に対するアレルギーの前歴
（2）**定期検査**……服用中は定期的に肝機能検査・血液検査を受け，異常の有無を確認しなければなりません。
（3）**服用法**……のみ込みにくい場合はかみ砕いてもかまいません。薬物の血中濃度の研究から，食事（脂肪食）とともに服用することが望ましいとされています。
（4）**その他**……
- 授乳婦での安全性：未確立。服用するときは授乳を中止。
- 小児での安全性：未確立。6歳未満は原則として服用しない。（1714頁を参照）

重大な副作用　　①汎血球減少症。②皮膚粘膜眼症候群（スティブンス-ジョンソン症候群），多形紅斑。③肝機能障害，黄疸。

そのほかにも報告された副作用はあるので，体調がいつもと違うと感じたときは，処方医・薬剤師に相談してください。

内
13
ー
04
ー
04

プラジカンテル

併用してはいけない薬は特にありません。ただし，併用する薬があるときは，念のため処方医・薬剤師に報告してください。

内 13 その他の薬　04 寄生虫・原虫用の薬

04 プラジカンテル

製剤情報

一般名：プラジカンテル

- 保険収載月…1988年11月
- 海外評価…6点 英 米 独 仏 ●PC…B
- 剤形…錠 錠剤
- 服用量と回数…肝吸虫症・肺吸虫症：1回20

mg／kg（体重）を1日2回，2日間服用。横川吸虫症：1回20mg／kg（体重）を1～2回，1日のみ服用。

■ 先発品　　商品名（メーカー）　規格・保険薬価

ビルトリシド（バイエル）錠 600mg 1錠 1,283.50 円

概　要

分類　吸虫駆除薬

処方目的　肝吸虫症，肺吸虫症，横川吸虫症

解説　吸虫症には，住血吸虫症，肝吸虫症，肺吸虫症，横川吸虫症がありますが，このうち住血吸虫症は日本ではほぼ絶滅しています。残りの患者発生数も非常に少なくなりましたが，世界的には3億人の治療が必要とされ，WHO（世界保健機関）のエッセンシャルドラッグ（最低必須薬剤）になっています。

使用上の注意

基本的注意

(1)**服用してはいけない場合**……本剤の成分に対するアレルギーの前歴／有鉤のう虫（条虫）症の人／リファンピシンの服用中

(2)**慎重に服用すべき場合**……腎機能障害／肝機能障害／不整脈

(3)**服用法**……本剤を1日2回服用の場合は，昼食後と夕食後に服用してください。服用間隔は，少なくとも4時間以上とってください。

(4)**授乳婦**……授乳中の人が服用するときは，服用当日およびその後の72時間は授乳を中止してください。本剤の成分が母乳中へ移行することがあります。

(5)**危険作業に注意**……本剤を服用すると，眠けを催すことがあります。服用中は，高所作業や自動車の運転など危険を伴う機械の操作は十分に注意してください。

(6)**その他**……

- 妊婦での安全性：未確立。原則として服用しない。（1714頁を参照）

重大な副作用　重大な副作用はありませんが，そのほかの副作用はあるので，体調がいつもと違うと感じたときは，処方医・薬剤師に相談してください。

併用してはいけない薬　リファンピシン→本剤の血中濃度が約100％低下することが報告されています。

05 抗マラリア薬(1)

製剤情報

一般名：メフロキン塩酸塩
- 保険収載年月…2001年6月
- 海外評価…6点 英米独仏　● PC…C

- 剤形…錠 錠剤
- 服用量と回数…処方医の指示通りに服用。

■先発品　　商品名(メーカー)　規格・保険薬価

メファキン (久光) 錠 275mg 1錠 784.40 円

概　要

分類　抗マラリア薬

処方目的　マラリア

解説　マラリアは，マラリア原虫を保有しているハマダラカに刺されることで感染し，発熱，寒け，頭痛，嘔吐，関節痛などの症状が現れる急性の感染症です。全世界では年間数億人が感染し，数十万人が死亡し，日本では年間数十人が輸入感染で発症しています。
　メフロキンは，4-キノリンメタノールの誘導体で，マラリアの予防と治療の両方に用いられます。

使用上の注意

警告

　本剤を予防に用いる場合には，現地のマラリア汚染状況も踏まえて，本剤の必要性を慎重に検討しなければなりません。

基本的注意

(1)服用してはいけない場合……本剤の成分または類似化合物(キニーネなど)に対するアレルギーの前歴／てんかん，またはその前歴／精神病またはその前歴／キニーネ，ハロファントリン(国内未承認)の服用中／妊婦または妊娠している可能性のある人，低出生体重児，新生児，乳児
(2)慎重に服用すべき場合……腎機能障害／肝機能障害／心臓の伝導障害
(3)有効性・安全性……本剤は国内では比較臨床試験が実施されていません。一般臨床試験において，少数例で有効性と安全性が検討された薬剤です。
(4)服用法……本剤は空腹時を避けて，大量の水(150mL以上)で服用してください。
(5)予防のための服用……①マラリア予防のためには，目的地到着1週間前より4分の3～1錠を1週間おき(同じ曜日)に服用します。流行地域を離れた後も，たとえ滞在日数が短くても，4週間は服用してください。②マラリア予防の第一は，マラリア媒介蚊に刺されないことです。防虫スプレーや肌を露出しない服装，防虫剤を染み込ませた蚊帳の使用も効果があるとされています。
(6)危険作業など……服用すると，めまい，平衡感覚障害，精神神経障害がおこることがあるので，服用後少なくとも4週間は自動車の運転などに従事しないでください。また，ジェットコースターなどの動きの激しい乗物へは乗らないようにしてください。

(7)飲料……①アルコールは，本剤による中枢毒性を強める可能性，アルコールの代謝阻害による急性アルコール精神病発症の可能性があり，幻覚，幻聴，妄想，自殺願望などが現れることがあります。服用中は禁酒してください。②グレープフルーツジュースは，本剤の血中濃度を変動させる可能性があるので，服用中は飲まないでください。

(8)避妊……妊娠する可能性のある人は，服用中および服用終了後3カ月までは避妊してください。

(9)動物実験……ラットの実験で網膜の変性・むくみ，水晶体の混濁，また精巣上体の萎縮・変性，前立腺の萎縮，授胎率の低下が報告されています。

(10)その他……
● 授乳婦での安全性：服用するときは授乳を中止。
● 小児での安全性：未確立。(1714頁を参照)

重大な副作用　①皮膚粘膜眼症候群（スティブンス-ジョンソン症候群），中毒性表皮壊死融解症（TEN）。②けいれん，錯乱・幻覚・妄想。③肺炎，呼吸困難。④循環不全，心ブロック。⑤脳症。⑥肝炎。⑦外国で，類似薬のクロロキンで，呼吸抑制，循環不全，ショック，けいれん，ミオパシー，視野欠損，網膜障害が報告されています。

そのほかにも報告された副作用はあるので，体調がいつもと違うと感じたときは，処方医・薬剤師に相談してください。

併用してはいけない薬　①キニーネおよび類似化合物（キニジン硫酸塩水和物，クロロキン（国内未承認）など）→急性脳症候群，暗赤色尿，呼吸困難，貧血，溶血がおこることがあります。②ハロファントリン（国内未承認）→致死的なQTc間隔の延長が現れることがあります。

内 13 その他の薬　04 寄生虫・原虫用の薬

06 抗マラリア薬(2)

⊘ 製剤情報

一般名：アトバコン・プログアニル塩酸塩配合剤
● 保険収載年月…2013年2月
● 海外評価…6点 英 米 独 仏　● PC…C
● 規制…劇薬
● 剤形…錠 錠剤
● 服用量と回数…[治療]成人（マラロン配合錠）

は1日1回4錠を3日間，小児（マラロン小児用配合錠）は体重に応じて1日1回2～16錠を3日間服用。[予防]「基本的注意」の(4)を参照。

■先発品　　商品名（メーカー）　規格・保険薬価

| マラロン配合錠（グラクソ）錠 1錠 507.30円 |
| マラロン小児用配合錠（グラクソ） 錠 1錠 246.80円 |

☰ 概　要
分類　抗マラリア薬
処方目的　マラリア

解説　本剤は，ニューモシスチス肺炎治療薬のアトバコンと，海外でマラリア予防薬として使用されてきたプログアニル塩酸塩との配合錠です。メフロキン塩酸塩と同様に，マラリアの治療と予防の両方に用いられます。

使用上の注意
＊両剤の添付文書による

基本的注意

(1)服用してはいけない場合……[治療・予防の場合]本剤の成分に対するアレルギーの前歴／[予防の場合]重い腎機能障害

(2)慎重に服用すべき場合……腎機能障害／高齢者

(3)服用法……①本剤の配合成分であるアトバコンは絶食下では吸収量が低下するため，食後または乳飲料とともに1日1回毎日定められた時刻に服用します。②下痢や嘔吐をきたしている人ではアトバコンの吸収が低下する可能性があります。本剤の服用後1時間以内に嘔吐した場合には，再び服用します。

(4)予防のための服用……①通常，成人(マラロン配合錠)は1日1回1錠を，小児(マラロン小児用配合錠)は体重に応じて，11〜20kgは1錠，21〜30kgは2錠，31〜40kgは3錠，41kg以上は4錠を，マラリア流行地域到着24〜48時間前より服用開始し，流行地域滞在中および流行地域を離れた後7日間，毎日食後に服用します。②マラリア予防の第一は，マラリア媒介蚊に刺されないことです。防虫スプレーや肌を露出しない服装，防虫剤を染み込ませた蚊帳の使用も効果があるとされています。なお，本剤を予防目的で使用した場合は保険給付されません。

(5)その他……
●妊婦での安全性：有益と判断されたときのみ服用。
●授乳婦での安全性：治療上の有益性・母乳栄養の有益性を考慮し，授乳の継続・中止を検討。
●小児(体重5kg未満)での安全性：未確立。(1714頁を参照)

重大な副作用　　　①皮膚粘膜眼症候群(スティブンス-ジョンソン症候群)，多形紅斑。②重い肝機能障害，肝炎，胆汁うっ滞。③アナフィラキシー。④汎血球減少症，無顆粒球症，白血球減少。

　そのほかにも報告された副作用はあるので，体調がいつもと違うと感じたときは，処方医・薬剤師に相談してください。

併用してはいけない薬　　　併用してはいけない薬は特にありません。ただし，併用する薬があるときは，念のため処方医・薬剤師に報告してください。

内 13 その他の薬　04 寄生虫・原虫用の薬

07 抗マラリア薬（3）

💊 製 剤 情 報

一般名：プリマキンリン酸塩

- 保険収載年月…2016年5月
- 海外評価…4点 英 米 独 仏
- 規制…劇薬
- 剤形…錠 錠剤

- 服用量と回数…成人は30mg, 小児は体重1kgにつき0.5mg（最大30mg）を1日1回14日間, 食後に服用。

■先発品　　商品名（メーカー）　規格・保険薬価

プリマキン（サノフィ）錠 15mg 1錠 2,252.80 円

📋 概　　要

分類　抗マラリア薬

処方目的　三日熱マラリアおよび卵形マラリア

解説　本剤は，三日熱マラリアおよび卵形マラリアの根治治療薬です。メフロキン塩酸塩などの急性期治療薬を用いて赤血球中のマラリア原虫を殺滅した後に，本剤によって肝細胞中に残存する原虫の休眠体（ヒプノゾイト）を殺滅します。

📖 使用上の注意

警告

　グルコース-6-リン酸脱水素酵素（G6PD）欠損症の患者が本剤を服用すると，重篤な溶血性貧血のおこることが認められています。事前に G6PD 欠損症などの溶血性貧血のリスクの有無について十分に確認することが必要です。

基本的注意

（1）服用してはいけない場合……本剤の成分に対するアレルギーの前歴／グルコース-6-リン酸脱水素酵素（G6PD）欠損症／妊婦または妊娠している可能性のある人

（2）慎重に服用すべき場合……関節リウマチやエリテマトーデスなどによって顆粒球減少の傾向を呈する人／溶血性貧血の前歴・家族歴，および先天性 NADH・メトヘモグロビン還元酵素欠損症／溶血または骨髄抑制を引きおこす可能性のある薬剤の使用中

（3）溶血性貧血……本剤の服用により溶血性貧血が現れるおそれがあります。溶血性貧血は服用開始後 1 週間以内に認められることがあるので，服用前および服用中はヘモグロビン値，ハプトグロビン値などの血液検査を頻回に行い，異常が認められた場合は本剤による治療継続の可否を慎重に判断します。

（4）避妊……本剤は遺伝毒性の可能性が報告されています。妊娠する可能性のある女性，およびパートナーが妊娠する可能性のある男性は適切な避妊を行ってください。

（5）その他……

- 授乳婦での安全性：原則として服用しない。やむを得ず服用するときは授乳を中止。
（1714 頁を参照）

重大な副作用　　①溶血性貧血（尿の暗色化，ヘモグロビン値あるいは赤血

球数の急激な減少など），白血球減少，メトヘモグロビン血症。

　そのほかにも報告された副作用はあるので，体調がいつもと違うと感じたときは，処方医・薬剤師に相談してください。

併用してはいけない薬　　併用してはいけない薬は特にありません。ただし，併用する薬があるときは，念のため処方医・薬剤師に報告してください。

内 13 その他の薬　04 寄生虫・原虫用の薬

08 抗マラリア薬（4）

製剤情報

一般名：アルテメテル・ルメファントリン配合剤

- 保険収載年月…2017年2月
- 海外評価…5点 英 米 独 仏　●PC…C
- 規制…劇薬

- 剤形…錠 錠剤
- 服用量と回数…処方医の指示通りに服用。

■**先発品**　　商品名（メーカー）　規格・保険薬価

リアメット配合錠（ノバルティス）
錠 1錠 246.80 円

概要

分類　抗マラリア薬

処方目的　マラリア

解説　本剤は，古くからマラリアの治療に使われていた漢方薬の一種であるヨモギ属植物から抽出されたアルテメテルと，抗マラリア薬のルメファントリンを含有する配合剤で，特に重症化しやすい「合併症のない急性熱帯熱マラリア」治療の代表的な薬剤です。いずれも赤血球内に侵入したマラリア原虫に対して活性を示すことで，効果を発揮すると考えられています。

使用上の注意

基本的注意

(1)**服用してはいけない場合**……本剤の成分に対するアレルギーの前歴／リファンピシン，カルバマゼピン，フェノバルビタール，フェニトイン，リファブチン，ホスフェニトイン（注射薬）の服用中／セイヨウオトギリソウ（セント・ジョーンズ・ワート）含有食品の摂取中／妊婦（妊娠14週未満）または妊娠している可能性のある人

(2)**慎重に服用すべき場合**……QT延長をおこしやすい人（先天性QT延長症候群，心疾患，低カリウム血症や低マグネシウム血症のある人など）

(3)**嘔吐**……下痢または嘔吐をきたしている人では本剤の吸収が低下する可能性があります。本剤の服用後1時間以内に嘔吐した場合には，再服用してください。

(4)**避妊**……妊娠する可能性のある人では，必要に応じて本剤服用開始前に妊娠検査を実施し，妊娠していないことを確認します。また，本剤服用中は有効な避妊を行ってください。動物実験の結果から，胎児の器官形成期に本剤を服用すると，重篤な先天性欠

損がおこる可能性などが示唆されています。

(5)飲食物……①セイヨウオトギリソウ（セント・ジョーンズ・ワート）含有食品は，本剤の作用を弱める可能性があるので，本剤の服用中はセイヨウオトギリソウ含有食品を摂取しないでください。②グレープフルーツジュースは，本剤の作用を強める可能性があるので，本剤の服用中はグレープフルーツジュースを飲まないでください。

(6)その他……

● 妊婦（妊娠14週以降）での安全性：有益と判断されたときのみ服用。

● 授乳婦での安全性：治療上の有益性・母乳栄養の有益性を考慮し，授乳の継続・中止を検討。

● 小児（体重5kg未満）での安全性：未確立。（1714頁を参照）

重大な副作用 ①QT延長。②アナフィラキシー（じん麻疹，血管浮腫など）。

そのほかにも報告された副作用はあるので，体調がいつもと違うと感じたときは，処方医・薬剤師に相談してください。

併用してはいけない薬 リファンピシン，カルバマゼピン，フェノバルビタール，フェニトイン，リファブチン，ホスフェニトイン（注射薬）→本剤の血中濃度が低下し，抗マラリア作用が弱まる可能性があります。

内 13 その他の薬　04 寄生虫・原虫用の薬

09 パロモマイシン

製剤情報

一般名：パロモマイシン硫酸塩

● 保険収載年月…2013年2月

● 海外評価…3点 英 米 独 仏

● 剤形… カ カプセル剤

● 服用量と回数…1日1500mgを3回に分けて10日間，食後に服用。

■ **先発品　商品名(メーカー)　規格・保険薬価**

アメパロモ（ファイザー） カ 250mg 1カプセル 445.40円

概　要

分類 腸管アメーバ症治療薬

処方目的 腸管アメーバ症

解説 パロモマイシン硫酸塩は服用時に消化管から吸収されにくいため，腸管内にて赤痢アメーバの原虫およびシスト（囊子）に高濃度で作用し，殺アメーバ作用をもちます。国内外のガイドラインなどでは腸管アメーバ症の標準治療薬の一つとされています。なお，本剤は腸内の原虫およびシストに対してのみ活性を有するため，腸管外アメーバ症の治療には使用しません。

使用上の注意

基本的注意

(1)服用してはいけない場合……イレウス（腸閉塞）／本剤の成分または他のアミノグリ

コシド系抗生物質およびバシトラシンに対するアレルギーの前歴

(2)慎重に服用すべき場合……便秘, 消化管潰瘍などの腸病変／腎障害／重症筋無力症／前庭器官または蝸牛器官の損傷, 難聴／経口摂取の不良な人, 非経口栄養の人, 全身状態の悪い人／妊婦または妊娠している可能性のある人, 授乳婦／高齢者

(3)聴力障害……本剤は消化管からほとんど吸収されませんが, 一般にアミノグリコシド系抗生物質では回転性めまい, 難聴などが現れることがあるので注意が必要です。特に腎機能障害, 高齢者, 腸病変のある人では血中濃度が高まる可能性が考えられ, 聴力障害の危険性がより大きくなるので, 聴力検査を実施することが望まれます。

(4)偽膜性大腸炎……本剤による治療中または治療後に激しい下痢が続く場合には, 抗生物質に関連する偽膜性大腸炎の可能性があるので直ちに処方医に相談してください。

(5)服用期間……本剤の治療効果を確実に得るためには 10 日間の服用が必要です。

(6)その他……

●妊婦での安全性：未確立。有益と判断されたときのみ服用。

●授乳婦での安全性：服用するときは授乳を中止。

●小児での安全性：未確立。(1714 頁を参照)

重大な副作用 ①腎障害。②回転性めまい, 難聴などの第 8 脳神経障害。

　そのほかにも報告された副作用はあるので, 体調がいつもと違うと感じたときは, 処方医・薬剤師に相談してください。

併用してはいけない薬 併用してはいけない薬は特にありません。ただし, 併用する薬があるときは, 念のため処方医・薬剤師に報告してください。

内 13 その他の薬　04 寄生虫・原虫用の薬

10 抗トキソプラズマ原虫薬

製剤情報

一般名：スピラマイシン

●保険収載年月…2018年8月

●海外評価…2点 英 米 独 仏

●剤形…錠 錠剤

●服用量と回数…1回2錠を1日3回。

■先発品　　商品名(メーカー)　規格・保険薬価

スピラマイシン(サノフィ)

錠 150 万国際単位 1錠 228.80 円

概要

分類　抗トキソプラズマ原虫薬

処方目的　先天性トキソプラズマ症の発症抑制

解説　妊婦がトキソプラズマという原虫に初感染した場合, トキソプラズマが胎盤を介して胎児に感染し, 先天性トキソプラズマ症を発症する可能性があります。胎児に感染すると, 流死産や胎児に重大な臨床症状(水頭症, 網脈絡膜炎による視力障害, 脳内石灰化, 精神運動機能障害など)が現れることがあります。

　本剤は日本初の先天性トキソプラズマ症の治療薬で，妊娠中にトキソプラズマに初感染した妊婦に投与すると，経胎盤的な胎児感染の頻度が低下することが示されており，海外ではトキソプラズマに初感染した妊婦に対する標準的治療薬として推奨されています。本剤は，トキソプラズマ抗体検査，問診などにより妊娠成立後のトキソプラズマ初感染が疑われる妊婦に対して使用します。

使用上の注意

基本的注意

(1)服用してはいけない場合……本剤の成分に対するアレルギーの前歴

(2)慎重に服用すべき場合……QT 延長をおこすおそれのある人（電解質異常，先天性QT 延長症候群，心疾患）

(3)その他……

● 授乳婦での安全性：治療上の有益性・母乳栄養の有益性を考慮し，授乳の継続・中止を検討。(1714 頁を参照)

重大な副作用　①ショック，アナフィラキシー（じん麻疹，血管浮腫，血圧低下，呼吸困難など）。②偽膜性大腸炎（腹痛，頻回の下痢など）。③中毒性表皮壊死融解症（TEN），皮膚粘膜眼症候群（スティブンス-ジョンソン症候群），急性汎発性発疹性膿疱症。④QT 延長，心室頻拍（トルサード・ドゥ・ポアントを含む），心室細動。⑤肝機能障害（胆汁うっ滞性肝炎，混合型肝炎）。

　そのほかにも報告された副作用はあるので，体調がいつもと違うと感じたときは，処方医・薬剤師に相談してください。

併用してはいけない薬　併用してはいけない薬は特にありません。ただし，併用する薬があるときは，念のため処方医・薬剤師に報告してください。

内 13 その他の薬　05 特殊な血液障害の薬

01 高アンモニア血症治療薬

製剤情報

一般名：ラクツロース

● 保険収載年月…1975年9月

● 海外評価…6点 英 米 独 仏　●PC…B

● 剤形…散 散剤，シ シロップ剤，ゼ ゼリー剤

● 服用量と回数…処方医の指示通りに服用。

■ 先発品　　商品名(メーカー)　規格・保険薬価

モニラック原末 (中外) 散 1g 6.50 円

モニラック・シロップ (中外)
シ 65% 1mL 6.50 円

ラクツロース・シロップ (興和)
シ 60% 1mL 5.90 円　シ 60%10mL 1包 44.30 円
シ 60%15mL 1包 60.30 円

■ ジェネリック　　商品名(メーカー)　規格・保険薬価

ラクツロース経口ゼリー分包 (佐藤)
ゼ 40.496% 1g 2.60 円

ラクツロースシロップ (高田 = 日本化薬)
シ 65% 1mL 4.90 円

ラクツロースシロップ (武田テバ薬品 = 武田テバファーマ = 武田) シ 65% 1mL 4.90 円

ラグノス NF 経口ゼリー分包 (三和)
ゼ 54.167%12g 1包 42.50 円

一般名：ラクチトール水和物
- 保険収載年月…1998年11月
- 海外評価…2点 英 米 独 仏

- 剤形… 末 末剤
- 服用量と回数…1日18gを3回に分けて服用から開始, 徐々に増量する。1日最大36g。

■先発品　　商品名(メーカー)　規格・保険薬価
ポルトラック原末 (日本新薬) 末 1g 6.50 円

📄 概　　要

分類　高アンモニア血症治療薬

処方目的　[ラクツロースの適応症] ①高アンモニア血症に伴う精神神経障害・手指振戦(ふるえ)・脳波異常の改善, ②産婦人科術後の排ガス・排便の促進, ③小児の便秘の改善→ラクツロース・シロップ(興和)は①のみ。ラクツロース経口ゼリー分包は①②のみ。ラグノス NF 経口ゼリーは①②および慢性便秘症(器質的疾患による便秘を除く)／[ラクチトール水和物の適応症]非代償性肝硬変に伴う高アンモニア血症

解説　血中アンモニアの主要発生部位である腸で作用して腸内菌叢を交換し, 腸内ペーハー(pH)を酸性にして, アンモニアの発生を防止します。

📝 使用上の注意

＊ラクツロース(ラクツロース・シロップ), ラクチトール水和物(ポルトラック原末)の添付文書による

基本的注意

(1)服用してはいけない場合……ガラクトース血症

(2)慎重に服用すべき場合……[ラクツロース(モニラック原末, ラグノス NF 経口ゼリー分包を除く)]糖尿病

(3)その他……
- 妊婦での安全性：有益と判断されたときのみ服用。
- 授乳婦での安全性：治療上の有益性・母乳栄養の有益性を考慮し, 授乳の継続・中止を検討。
- 小児での安全性：[ラクチトール水和物]未確立。(1714 頁を参照)

重大な副作用　重大な副作用はありませんが, そのほかの副作用はあるので, 体調がいつもと違うと感じたときは, 処方医・薬剤師に相談してください。

併用してはいけない薬　併用してはいけない薬は特にありません。ただし, 併用する薬があるときは, 念のため処方医・薬剤師に報告してください。

内 13 その他の薬　05 特殊な血液障害の薬

02 高リン血症治療薬（1）

💊 製 剤 情 報

一般名：沈降炭酸カルシウム
- 保険収載年月…2002年12月
- 海外評価…6点 英 米 独 仏
- 剤形…錠 錠剤, 細 細粒剤
- 服用量と回数…1日3gを3回に分けて服用。

■先発品　　商品名(メーカー)　規格・保険薬価

カルタン (マイラン＝ファイザー)
錠 250mg 1錠 5.90 円　細 83% 1g 7.50 円

カルタン (マイラン＝ファイザー＝扶桑)
錠 500mg 1錠 6.40 円

カルタン OD (マイラン＝ファイザー)
錠 250mg 1錠 5.90 円

カルタン OD 写真 (マイラン＝ファイザー＝扶桑)
錠 500mg 1錠 6.40 円

■ジェネリック　　商品名(メーカー)　規格・保険薬価

沈降炭酸カルシウム (三和) 錠 250mg 1錠 5.70 円
錠 500mg 1錠 5.80 円

沈降炭酸カルシウム (武田テバファーマ＝武田)
錠 250mg 1錠 5.70 円　錠 500mg 1錠 5.80 円

一般名：炭酸ランタン水和物
- 保険収載年月…2008年12月
- 海外評価…6点 英 米 独 仏　●PC…C
- 剤形…錠 錠剤, 顆 顆粒剤
- 服用量と回数…1日750mgを3回に分けて服用から開始, 1日最大2,250mg。

■先発品　　商品名(メーカー)　規格・保険薬価

ホスレノール 写真 (バイエル)
顆 250mg 1包 104.90 円　顆 500mg 1包 153.60 円

ホスレノール OD 写真 (バイエル)
錠 250mg 1錠 105.30 円　錠 500mg 1錠 153.90 円

ホスレノールチュアブル (バイエル)
錠 250mg 1錠 130.80 円　錠 500mg 1錠 192.20 円

■ジェネリック　　商品名(メーカー)　規格・保険薬価

炭酸ランタン (ケミファ＝日薬工)
顆 250mg 1包 38.10 円　顆 500mg 1包 61.20 円

炭酸ランタン (沢井) 顆 250mg 1包 38.10 円
顆 500mg 1包 61.20 円

炭酸ランタン 写真 (東和) 顆 250mg 1包 38.10 円
顆 500mg 1包 61.20 円

炭酸ランタン (ニプロ) 顆 250mg 1包 38.10 円
顆 500mg 1包 61.20 円

炭酸ランタン (日本ジェネリック)
顆 250mg 1包 38.10 円　顆 500mg 1包 61.20 円

炭酸ランタン (扶桑) 顆 250mg 1包 53.30 円
顆 500mg 1包 61.20 円

炭酸ランタン (陽進堂) 顆 250mg 1包 38.10 円
顆 500mg 1包 61.20 円

炭酸ランタン OD (コーアイセイ)
錠 250mg 1錠 52.90 円　錠 500mg 1錠 77.40 円

炭酸ランタン OD 写真 (日本ジェネリック)
錠 250mg 1錠 47.60 円　錠 500mg 1錠 70.50 円

炭酸ランタン OD (扶桑) 錠 250mg 1錠 52.90 円
錠 500mg 1錠 77.40 円

一般名：クエン酸第2鉄水和物
- 保険収載年月…2014年4月
- 海外評価…0点 英 米 独 仏
- 剤形…錠 錠剤
- 服用量と回数…[高リン血症の改善] 1回500mgを1日3回。1日最大6,000mg。[鉄欠乏性貧血] 1回500mgを1日1回。最大1回500mgを1日2回。

■先発品　　商品名(メーカー)　規格・保険薬価

リオナ 写真 (日本たばこ＝鳥居)
錠 250mg 1錠 76.00 円

一般名：スクロオキシ水酸化鉄

- 保険収載年月…2015年11月
- 海外評価…6点 英米独仏　● PC…B
- 剤形…錠錠剤，顆顆粒剤
- 服用量と回数…1回250mgを1日3回。1日最大3,000mg。

■先発品　　商品名(メーカー)　規格・保険薬価

ピートル顆粒分包 (キッセイ)
顆 250mg 1包 159.10 円　顆 500mg 1包 233.10 円

ピートルチュアブル (キッセイ)
錠 250mg 1錠 159.40 円　錠 500mg 1錠 235.00 円

概　要

分類　高リン血症治療薬

処方目的　[沈降炭酸カルシウムの適応症] 保存期および透析中の慢性腎不全における高リン血症の改善／[炭酸ランタン水和物の適応症]慢性腎臓病における高リン血症の改善／[クエン酸第2鉄水和物の適応症]慢性腎臓病における高リン血症の改善，鉄欠乏性貧血／[スクロオキシ水酸化鉄の適応症]透析中の慢性腎臓病患者における高リン血症の改善

解説　沈降炭酸カルシウム，炭酸ランタン水和物，クエン酸第2鉄水和物は，消化管内で食物由来のリン酸イオンと結合して不溶性のカルシウム塩，ランタン塩，あるいは第2鉄塩を形成し，腸管からのリン吸収を抑制することで血中のリン濃度を低下させます。スクロオキシ水酸化鉄は消化管内で消化され，吸収されにくい多核性の酸化水酸化鉄となり，食物由来のリン酸イオンと結合して消化管からのリンの吸収を抑制することで血中のリン濃度を低下させます。クエン酸第2鉄水和物はさらに，貧血および鉄欠乏状態の改善効果が認められ，2021年3月に鉄欠乏性貧血が適応に追加されました。

使用上の注意

*すべての製剤の添付文書による

基本的注意

(1)服用してはいけない場合……本剤の成分に対するアレルギーの前歴／[沈降炭酸カルシウム]甲状腺機能低下症／[クエン酸第2鉄水和物]〈鉄欠乏性貧血の場合〉鉄欠乏状態にない人

(2)慎重に服用すべき場合……[沈降炭酸カルシウム]薬物過敏症の前歴／心機能障害，肺機能障害／便秘／高カルシウム血症(血中カルシウム濃度として 11mg/dL 以上)／無酸症／高齢者／[炭酸ランタン水和物]重い肝機能障害／活動性消化性潰瘍，潰瘍性大腸炎，クローン病，腸管狭窄／腸管憩室／腹膜炎，腹部外科手術の前歴／消化管潰瘍またはその前歴／高齢者／[クエン酸第2鉄水和物]消化性潰瘍，炎症性腸疾患などの胃腸疾患／ヘモクロマトーシスなどの鉄過剰／C 型慢性肝炎などの肝炎／血清フェリチンなどから鉄過剰が疑われる人／他の鉄含有製剤の服用中／発作性夜間血色素尿症／高齢者／[スクロオキシ水酸化鉄]消化性潰瘍，炎症性腸疾患などの胃腸疾患／鉄過剰症または鉄過剰状態／C 型慢性肝炎などの肝炎／他の鉄含有製剤の服用中／発作性夜間血色素尿症／高齢者

(3)定期検査……①服用中は定期的に血中のリンおよびカルシウム濃度を測定します。②[クエン酸第2鉄水和物，スクロオキシ水酸化鉄のみ]服用すると本剤の成分である鉄

が一部血中に吸収されるため，血清フェリチンなどを定期的に測定し，鉄過剰に注意します。また，ヘモグロビンなどを定期的に測定し，特に赤血球造血刺激因子製剤と併用する場合には過剰造血に注意します。

(4)リン摂取制限……本剤は，血液中のリンの排泄を促進するものではありません。食事療法などによるリン摂取の制限を考慮する必要があるので，処方医と相談してください。

(5)服用法……[炭酸ランタン水和物，スクロオキシ水酸化鉄]かみ砕いて飲む薬(チュアブル錠)では，かみ砕かずに服用すると溶けにくいので，口内で十分にかみ砕いてから唾液または少量の水で飲み込むようにします。

(6)大量の牛乳……[沈降炭酸カルシウム]本剤の服用中，大量の牛乳を飲むとミルク・アルカリ症候群(高カルシウム血症，高窒素血症，アルカローシスなど)が現れることがあります。服用中は牛乳を控えめにし，異常を感じたらすぐに処方医へ連絡してください。

(7)バリウム様の陰影……[炭酸ランタン水和物]腹部 X 線撮影時には，ランタンが存在する胃腸管にバリウム様の陰影を認めることがあります。

(8)黒色便……[クエン酸第 2 鉄水和物，スクロオキシ水酸化鉄]本剤の服用により便が黒色を呈することがあります。

(9)その他……

- 妊婦での安全性：[炭酸ランタン水和物]服用しないことが望ましい。[クエン酸第 2 鉄水和物，スクロオキシ水酸化鉄]有益と判断されたときのみ服用。
- 授乳婦での安全性：[炭酸ランタン水和物，クエン酸第 2 鉄水和物，スクロオキシ水酸化鉄]治療上の有益性・母乳栄養の有益性を考慮し，授乳の継続・中止を検討。
- 小児での安全性：[炭酸ランタン水和物]服用しないことが望ましい。[クエン酸第 2 鉄水和物，スクロオキシ水酸化鉄]未確立。(1714 頁を参照)

重大な副作用　　　[炭酸ランタン水和物]①腸管穿孔，イレウス。②消化管出血(吐血，下血など)，消化管潰瘍(胃，十二指腸，結腸など)。

そのほかにも報告された副作用はあるので，体調がいつもと違うと感じたときは，処方医・薬剤師に相談してください。

併用してはいけない薬　　　併用してはいけない薬は特にありません。ただし，併用する薬があるときは，念のため処方医・薬剤師に報告してください。

内 13 その他の薬　05 特殊な血液障害の薬

03 高リン血症治療薬(2)

💊 製 剤 情 報

一般名：セベラマー塩酸塩
- 保険収載年月…2003年4月
- 海外評価…6点 英 米 独 仏　● PC…C
- 剤形…錠 錠剤

- 服用量と回数…1回1〜2gを1日3回。1日最大9g。

■先発品　　商品名(メーカー)　規格・保険薬価
フォスブロック(協和キリン)
錠 250mg 1錠 17.90 円

レナジェル (中外) 錠 250mg 1錠 17.70 円

一般名：ビキサロマー

- 保険収載年月…2012年5月
- 海外評価…0点 英 米 独 仏
- 剤形… カ カプセル剤, 顆 顆粒剤

● 服用量と回数…1回500mg（顆粒剤580mg）を1日3回。1日最大7,500mg（顆粒剤8,700mg）。

■ 先発品　　商品名(メーカー)　規格・保険薬価

キックリン 写真 (アステラス) 顆 86.2% 1g 82.20 円
カ 250mg 1カブセル 24.40 円

📋 概　　要

分類　高リン血症治療薬

処方目的　［セベラマー塩酸塩の適応症］透析中の慢性腎不全患者における高リン血症の改善／［ビキサロマーの適応症］慢性腎臓病患者における高リン血症の改善

解説　腎臓は唯一のリン排泄器官で，リンの恒常性維持に極めて重要です。そのため，腎機能が低下した慢性腎不全の人では腎臓からのリンの排泄が低下し，しばしば高リン血症を発症します。高リン状態が続くと，骨がもろくなったり，異所性石灰化(血管壁，心臓弁膜，関節周囲，結膜，皮下，腎臓など骨ではないところに沈着)などをおこして冠動脈疾患(心筋梗塞や脳卒中)になる率や死亡リスクが上昇します。

　セベラマー塩酸塩，ビキサロマーともに，消化管内でリン酸と結合し，体内へのリン吸収を阻害することにより血清リン濃度を低下させます。セベラマー塩酸塩は現在のところ，透析中の慢性腎不全の人にのみ適応が限定されています。

📝 使用上の注意

＊セベラマー塩酸塩(フォスブロック)，ビキサロマー(キックリン)の添付文書による

基本的注意

(1)**服用してはいけない場合**……本剤の成分に対するアレルギーの前歴／腸閉塞

(2)**慎重に服用すべき場合**……腸管狭窄／便秘／腸管憩室／腹部手術の前歴／痔疾患／消化管潰瘍またはその前歴／重度の消化管運動障害／出血傾向のある人(セベラマー塩酸塩のみ)

(3)**服用法**……[セベラマー塩酸塩]本剤は口中に長く留めていると膨潤するため，かまないで速やかにのみ込んでください。また，本剤を砕いて服用しないでください。

(4)**定期検査**……服用中は，定期的に血清リン・カルシウムなどを測定する必要があります。

(5)**排便状況**……服用中は，消化管への本剤の蓄積を避けるため，便秘がおきないようにしてください。排便の状況に注意し，便秘や腹部膨満感，腹痛，嘔吐などの症状が現れたら，すぐに処方医へ連絡してください。

(6)**リン，ビタミン**……①本剤は，血中のリンの排泄を促進する薬剤ではないため，服用中は必要に応じて食事療法などにより，リンの摂取制限を行います。②[セベラマー塩酸塩]服用によって，脂溶性ビタミン(A, D, E, K)や葉酸塩の吸収が悪くなる可能性があります。長期服用するときは，これらを補給する必要があります。

(7)**その他**……

内
13
—
05
—
04

高カリウム血症治療薬

- 妊婦での安全性：有益と判断されたときのみ服用。
- 授乳婦での安全性：[セベラマー塩酸塩]治療上の有益性・母乳栄養の有益性を考慮し，授乳の継続・中止を検討。
- 小児での安全性：未確立。(1714 頁を参照)

重大な副作用　　①便秘・便秘の増悪，腹痛，腹部膨満。②憩室炎，虚血性腸炎。③消化管出血(吐血，下血など)，消化管潰瘍(胃，十二指腸，結腸，直腸など)。④腸管穿孔，腸閉塞(高度の便秘，持続する腹痛，嘔吐など)。⑤肝機能障害。

　そのほかにも報告された副作用はあるので，体調がいつもと違うと感じたときは，処方医・薬剤師に相談してください。

併用してはいけない薬　　併用してはいけない薬は特にありません。ただし，併用する薬があるときは，念のため処方医・薬剤師に報告してください。

内 13 その他の薬　05 特殊な血液障害の薬

04 高カリウム血症治療薬

製剤情報

一般名：ポリスチレンスルホン酸カルシウム

- 保険収載年月…1975年9月
- 海外評価…4点 英 米 独 仏
- 剤形…末 末剤, 散 散剤, 顆 顆粒剤, ド ドライシロップ剤, 液 液剤, ゼ ゼリー剤
- 服用量と回数…1日15〜30g(分包散剤3〜6包，ゼリー75〜150g，ドライシロップ16.2〜32.4g，液剤75〜150g)を2〜3回に分けて服用。

■先発品　　商品名(メーカー)　規格・保険薬価

カリエード (東洋製化＝小野) 散 1g 13.50 円

カリメート 写真 (興和) 散 1g 11.60 円
ド 92.59% 1g 12.10 円　液 20%25g 1包 66.10 円

ポリスチレンスルホン酸 Ca 原末 (キョーリン＝杏林) 末 1g 11.60 円

ポリスチレンスルホン酸 Ca 原末 (ニプロ)
末 1g 11.60 円

ポリスチレンスルホン酸 Ca 原末 (扶桑)
末 1g 13.30 円

■ジェネリック　　商品名(メーカー)　規格・保険薬価

ポリスチレンスルホン酸 Ca 写真 (三和)
顆 89.29% 1g 9.80 円　ゼ 20%25g 1個 61.40 円

ポリスチレンスルホン酸 Ca (東洋製化＝小野)
散 96.7% 1g 10.60 円

一般名：ポリスチレンスルホン酸ナトリウム

- 保険収載年月…1972年2月
- 海外評価…6点 英 米 独 仏
- 剤形…末 末剤, 散 散剤, ド ドライシロップ剤
- 服用量と回数…1日30g(ドライシロップは39.24g)を2〜3回に分けて服用。

■先発品　　商品名(メーカー)　規格・保険薬価

ケイキサレート 写真 (鳥居) 散 1g 12.90 円
ド 76% 1g 11.70 円

■ジェネリック　　商品名(メーカー)　規格・保険薬価

ポリスチレンスルホン酸 Na 原末 (扶桑)
末 1g 11.00 円

一般名：ジルコニウムシクロケイ酸ナトリウム水和物

- 保険収載年月…2020年5月
- 海外評価…4点 英 米 独 仏
- 剤形…散 散剤
- 服用量と回数…開始用量として1回10gを水で懸濁して1日3回，2〜3日間服用。以後，1回5g

を水で懸濁して1日1回服用。血液透析施行中の場合は，1回5gを水で懸濁して非透析日に1日1回服用。いずれの場合も最大1日1回15gまで。

■先発品　　商品名(メーカー)　規格・保険薬価

ロケルマ懸濁用散 (アストラ)
散 5g 1包 1,069.30 円　散 10g 1包 1,567.00 円

概　要

分類　血清カリウム抑制薬

処方目的　[ポリスチレンスルホン酸カルシウム，ポリスチレンスルホン酸ナトリウムの適応症] 急性・慢性腎不全に伴う高カリウム血症／[ジルコニウムシクロケイ酸ナトリウム水和物の適応症] 高カリウム血症

解説　陽イオン交換により，本剤に含まれるカルシウムイオン(またはナトリウムイオン)とカリウムイオンが入れかわり，カリウムが体外へ排泄されます。ジルコニウムシクロケイ酸ナトリウム水和物は効果の発現が緩徐であるため，緊急治療を要する高カリウム血症には使用しません。

使用上の注意

*カリメート，ケイキサレートの添付文書による

基本的注意

(1)服用してはいけない場合……[ポリスチレンスルホン酸カルシウム]腸閉塞

(2)慎重に服用すべき場合……[ポリスチレンスルホン酸カルシウム]便秘をおこしやすい人／腸管狭窄／消化管潰瘍／副甲状腺機能亢進症／多発性骨髄腫

(3)定期検査……服用中は過量服用を防ぐため，定期的に血清カリウム・カルシウムを測定する必要があります。

(4)ナトリウム，カルシウム……[ポリスチレンスルホン酸ナトリウム]服用によって，むくみや血圧上昇，低カルシウム血症がおこることがあります。むくみや血圧上昇がみられたらナトリウムの摂取を制限し，低カルシウム血症がみられたらカルシウム剤の補給などする必要があります。

(5)排便状況……服用中は，消化管への本剤の蓄積を避けるため，便秘がおきないようにしてください。排便の状況に注意し，便秘や腹部膨満感，腹痛，嘔吐などの症状が現れたら，すぐに処方医へ連絡してください。

(6)その他……

- 妊婦での安全性：[ポリスチレンスルホン酸カルシウム]有益と判断されたときのみ服用。[ポリスチレンスルホン酸ナトリウム]未確立。(1714頁を参照)

重大な副作用　　[ポリスチレンスルホン酸カルシウム，ポリスチレンスルホン酸ナトリウム] ①腸管穿孔・腸閉塞・大腸潰瘍・腸壊死(高度の便秘，激しい腹痛，持続する腹痛，嘔吐，下痢，下血など)。

[ポリスチレンスルホン酸ナトリウムのみ] ②心不全の誘発。

[ジルコニウムシクロケイ酸ナトリウム水和物のみ] ③低カリウム血症。④うっ血性心不全。

そのほかにも報告された副作用はあるので，体調がいつもと違うと感じたときは，処方医・薬剤師に相談してください。

併用してはいけない薬 併用してはいけない薬は特にありません。ただし，併用する薬があるときは，念のため処方医・薬剤師に報告してください。

内 13 その他の薬　05 特殊な血液障害の薬

05 白血球減少症治療薬

💊 製剤情報

一般名：アデニン
- 保険収載年月…1961年1月
- 剤形…錠 錠剤

- 服用量と回数…1日20〜60mg。

■先発品　　商品名（メーカー）　規格・保険薬価
ロイコン（大原）錠 10mg 1錠 5.70円

📋 概　要

分類　白血球減少症治療薬

処方目的　放射線曝射または薬物による白血球減少症

解説　アデニンは注射薬と内服薬があります。白血球平衡に関与する物質といわれています。イギリスの医薬品集『マーティンデール』では，「補助的な薬品」の部に収載されています。

✍ 使用上の注意

基本的注意

(1)服用してはいけない場合……痛風，尿路結石／本剤の成分に対するアレルギーの前歴

(2)慎重に服用すべき場合……高尿酸血症／腎機能障害／高齢者

(3)定期検査……服用中は，定期的に尿酸値の測定，腎機能の検査などを受ける必要があります。

(4)その他……

- 妊婦での安全性：有益と判断されたときのみ服用。（1714頁を参照）

重大な副作用　①高尿酸血症，痛風，尿路結石，急性腎不全。

そのほかにも報告された副作用はあるので，体調がいつもと違うと感じたときは，処方医・薬剤師に相談してください。

併用してはいけない薬 併用してはいけない薬は特にありません。ただし，併用する薬があるときは，念のため処方医・薬剤師に報告してください。

06 低リン血症治療薬

製剤情報

一般名：リン酸2水素ナトリウム1水和物・無水リン酸水素2ナトリウム配合剤

- 保険収載年月…2013年2月
- 海外評価…0点 英 米 独 仏
- 剤形…顆 顆粒剤

- 服用量と回数…1日，体重1kgあたり20～40mgを数回に分けて服用。1日最大3,000mg。

■**先発品**　　商品名(メーカー)　規格・保険薬価

ホスリボン配合顆粒 (ゼリア)
顆 100mg 1包 71.20 円

概　要

分類　低リン血症治療薬

処方目的　低リン血症

解説　本剤は，血液中で低下しているリンの濃度を高める薬剤です。低リン血症が慢性化すると骨の石灰化障害がおこり，骨の変形や低身長，著明な骨痛や筋力低下，偽骨折といった症状を示す「くる病・骨軟化症」を発症します。本剤は，原発性低リン血症性くる病・骨軟化症，ファンコニー症候群，腫瘍性骨軟化症，未熟児くる病などの低リン血症の人に用いられます。

使用上の注意

警告

　本剤と同一成分である腸管洗浄剤のビジクリア配合錠で，急性腎不全，急性リン酸腎症(腎石灰沈着症)が報告されているので注意してください。特に重度の腎機能障害がある人の場合は，くる病・骨軟化症の治療に十分な知識をもつ医師のもとで服用しなければなりません。

基本的注意

(1)服用してはいけない場合……本剤の成分に対するアレルギーの前歴

(2)慎重に服用すべき場合……腎機能障害／副甲状腺機能亢進症／ナトリウム摂取制限を必要とする人

(3)その他……

- 妊婦での安全性：有益と判断されたときのみ服用。
- 授乳婦での安全性：原則として服用しない。やむを得ず服用するときは授乳を中止。
  （1714 頁を参照）

重大な副作用　　重大な副作用はありませんが，そのほかの副作用はあるので，体調がいつもと違うと感じたときは，処方医・薬剤師に相談してください。

併用してはいけない薬　　併用してはいけない薬は特にありません。ただし，併用する薬があるときは，念のため処方医・薬剤師に報告してください。

内13 その他の薬　05 特殊な血液障害の薬

07 ルストロンボパグ

製剤情報

一般名：ルストロンボパグ
- 保険収載年月…2015年11月
- 海外評価…0点 英米独仏

- 剤形…錠 錠剤
- 服用量と回数…1日1回3mg(1錠)，7日間服用。

■先発品　　商品名(メーカー)　規格・保険薬価

ムルプレタ(塩野義)錠 3mg 1錠 15,324.60 円

概要

分類　経口血小板産生促進薬(トロンボポエチン受容体作動薬)

処方目的　待機的な観血的手技を予定している慢性肝疾患患者における血小板減少症の改善

解説　慢性肝疾患ではさまざまな要因によって血小板数の減少がみられますが，血小板数が不足している慢性肝疾患の人に観血的な検査や手術(医療行為のうち出血を伴う処置)を行う際には，出血のリスクを回避する目的で事前に血小板数を増やす治療が行われています。主に血小板の輸血が行われていますが，血小板製剤そのものや輸血の実施過程にはリスクを伴うことが問題となっていました。

　本剤は低分子のトロンボポエチン(TPO)受容体作動薬で，内服によってTPO受容体に選択的に作用し，血小板数を増加させるため，血小板減少を伴う慢性肝疾患患者に観血的手技を行う際の，血小板製剤の代替医薬品として期待されています。

使用上の注意

基本的注意

(1)服用してはいけない場合……本剤の成分に対するアレルギーの前歴／重度の肝機能障害(チャイルド・プー分類C)

(2)慎重に服用すべき場合……血栓症，血栓塞栓症のある人，またはそれらの前歴／門脈血流の方向が遠肝性の人

(3)血小板数を測定……本剤の服用中は血小板数に留意し，少なくとも服用開始から5日後を目安に1回は血小板数を測定し，それ以降も必要に応じて血小板数を測定します。血小板数が5万/μL以上となり，かつ服用開始前から2万/μL以上増加した場合は，本剤の服用を中止するなどの処置がとられます。

(4)その他……
- 妊婦での安全性：有益と判断されたときのみ服用。
- 授乳婦での安全性：治療上の有益性・母乳栄養の有益性を考慮し，授乳の継続・中止を検討。
- 小児での安全性：未確立。(1714頁を参照)

重大な副作用　　①血栓症(門脈血栓症，腸間膜静脈血栓症など)。

　そのほかにも報告された副作用はあるので，体調がいつもと違うと感じたときは，処

方医・薬剤師に相談してください。

併用してはいけない薬　併用してはいけない薬は特にありません。ただし，併用する薬があるときは，念のため処方医・薬剤師に報告してください。

内 13 その他の薬　05 特殊な血液障害の薬

08　腎性貧血治療薬

製剤情報

一般名：ロキサデュスタット
- 保険収載年月…2019年11月
- 海外評価…0点 英 米 独 仏
- 規制…劇薬
- 剤形…錠 錠剤
- 服用量と回数…赤血球造血刺激因子製剤で未治療の場合は1回50mgを週3回，赤血球造血刺激因子製剤から切り替える場合は1回70mgまたは100mgを週3回。最大量は1回3.0mg/kg(体重)を超えないこと。

■先発品　商品名(メーカー)　規格・保険薬価
エベレンゾ 写真 (アステラス)
錠 20mg 1錠 367.70円　錠 50mg 1錠 777.30円
錠 100mg 1錠 1,370.50円

一般名：ダプロデュスタット
- 保険収載年月…2020年8月
- 海外評価…0点 英 米 独 仏
- 規制…劇薬
- 剤形…錠 錠剤
- 服用量と回数…[保存期慢性腎臓病患者]赤血球造血刺激因子製剤で未治療の場合は1日1回2〜24mg。赤血球造血刺激因子製剤から切り替える場合は1日1回4〜24mg。[透析患者]1日1回4〜24mg。

■先発品　商品名(メーカー)　規格・保険薬価
ダーブロック (グラクソ＝協和キリン)
錠 1mg 1錠 102.70円　錠 2mg 1錠 179.70円
錠 4mg 1錠 316.80円　錠 6mg 1錠 431.30円

一般名：バダデュスタット
- 保険収載年月…2020年8月
- 海外評価…0点 英 米 独 仏
- 規制…劇薬
- 剤形…錠 錠剤
- 服用量と回数…1日1回300〜600mg。

■先発品　商品名(メーカー)　規格・保険薬価
バフセオ (田辺三菱) 錠 150mg 1錠 208.20円
錠 300mg 1錠 366.00円

一般名：エナロデュスタット
- 保険収載年月…2020年11月
- 海外評価…0点 英 米 独 仏
- 規制…劇薬
- 剤形…錠 錠剤
- 服用量と回数…[保存期慢性腎臓病患者・腹膜透析患者]1日1回2〜8mg。[血液透析患者]1日1回4〜8mg。いずれの場合も食前または就寝前に服用。

■先発品　商品名(メーカー)　規格・保険薬価
エナロイ (日本たばこ＝鳥居) 錠 2mg 1錠 270.50円
錠 4mg 1錠 477.90円

一般名：モリデュスタットナトリウム
- 保険収載年月…2021年4月
- 海外評価…0点 英 米 独 仏
- 規制…劇薬
- 剤形…錠 錠剤
- 服用量と回数…[保存期慢性腎臓病患者]赤血球造血刺激因子製剤で未治療の場合は1回25mgを1日1回，赤血球造血刺激因子製剤から切

り替える場合は1回25mgまたは50mgを1日
1回,いずれの場合も最大量1回200mg.[透析
患者]1回75mgを1日1回,最大量1回200mg.

■先発品　　商品名(メーカー)　規格・保険薬価

マスーレッド (バイエル) 錠 5mg 1錠 44.00 円
錠 12.5mg 1錠 92.90 円　錠 25mg 1錠 163.80 円
錠 75mg 1錠 403.60 円

概　要

分類　腎性貧血治療薬(HIF-PH 阻害薬)

処方目的　腎性貧血

解説　腎性貧血とは,腎障害による腎臓でのエリスロポエチン(赤血球の産生を促進する造血因子)の産生能の低下による貧血のことを指します.ロキサデュスタットは世界初の HIF-PH(低酸素誘導因子-プロリン水酸化酵素)阻害薬で,HIF-α の分解を妨げることでエリスロポエチンを増加させて赤血球を増やし,貧血を改善します.適応は,保存期慢性腎臓病(CKD)および腹膜・血液透析施行中の腎性貧血です.

使用上の注意

*全剤の添付文書による

警告

本剤の服用中に,脳梗塞,心筋梗塞,肺塞栓などの重篤な血栓塞栓症が現れ,死亡に至るおそれがあります.服用中は血栓塞栓症が疑われる徴候や症状の発現に十分注意し,血栓塞栓症が疑われる症状が現れた場合には速やかに医療機関を受診します.

基本的注意

(1)服用してはいけない場合……本剤の成分に対するアレルギーの前歴/[ロキサデュスタット,エナロデュスタット,モリデュスタットナトリウムのみ]妊婦または妊娠している可能性のある人

(2)慎重に服用すべき場合……脳梗塞,心筋梗塞,肺塞栓など,またはそれらの前歴/高血圧症の合併/悪性腫瘍の合併/増殖糖尿病網膜症,黄斑浮腫,滲出性加齢黄斑変性症,網膜静脈閉塞症などの合併/[ロキサデュスタット,モリデュスタットナトリウム]中等度以上の肝機能障害(Child-Pugh 分類 B および C)/[ダプロデュスタット]軽度・中等度の肝機能障害(Child-Pugh 分類 A および B)

(3)定期的に確認……服用中はヘモグロビン濃度などを定期的に確認し,必要以上の造血作用が現れないように十分注意します.臨床試験においてヘモグロビンの目標値を高く設定した場合に,死亡,心血管系障害,脳卒中の発現頻度が高くなったとの報告があります.

(4)鉄の補給……造血には鉄が必要なので,必要に応じて鉄の補充を行ってください.

(5)避妊……[ロキサデュスタット,エナロデュスタット,モリデュスタットナトリウム]妊娠可能な女性は,本剤服用中と服用終了後一定期間は適切な避妊を行ってください.

(6)その他……

●妊婦での安全性:[ダプロデュスタット,バダデュスタット]有益と判断されたときのみ服用.

- 授乳婦での安全性：［ロキサデュスタット］本剤服用中および最終服用後 28 日までは授乳を中止。［ダプロデュスタット，モリデュスタットナトリウム］治療上の有益性・母乳栄養の有益性を考慮し，授乳の継続・中止を検討。［バダデュスタット］授乳しないことが望ましい。［エナロデュスタット］本剤服用中および服用終了後 4 日間は授乳を中止。
- 小児での安全性：未確立。（1714 頁を参照）

重大な副作用　①血栓塞栓症（脳梗塞，急性心筋梗塞，シャント閉塞，肺塞栓症，網膜静脈閉塞，深部静脈血栓症など）。
［ロキサデュスタットのみ］②けいれん発作。
［バダデュスタットのみ］③肝機能障害。
［モリデュスタットナトリウム］④間質性肺疾患（初期症状：呼吸困難，せき，発熱など）。
　そのほかにも報告された副作用はあるので，体調がいつもと違うと感じたときは，処方医・薬剤師に相談してください。

併用してはいけない薬　併用してはいけない薬は特にありません。ただし，併用する薬があるときは，念のため処方医・薬剤師に報告してください。

内 13 その他の薬　06 免疫抑制薬

01 シクロスポリン

製剤情報

一般名：シクロスポリン
- 保険収載年月…1990年11月
- 海外評価…6点 英 米 独 仏　●PC…C
- 規制…劇薬
- 剤形…力 カプセル剤，細 細粒剤，液 液剤
- 服用量と回数…処方医の指示通りに服用。

■先発品　商品名（メーカー）　規格・保険薬価

サンディミュン（ノバルティス）
液 10% 1mL 798.70 円

ネオーラル 写真（ノバルティス）
力 10mg 1カプセル 61.10 円　力 25mg 1カプセル 132.90 円
力 50mg 1カプセル 225.40 円　液 10% 1mL 546.70 円

■ジェネリック　商品名（メーカー）　規格・保険薬価

シクロスポリン（サンド） 力 10mg 1カプセル 26.30 円
力 25mg 1カプセル 57.10 円　力 50mg 1カプセル 91.50 円

シクロスポリン（東洋カプセル＝沢井）
力 10mg 1カプセル 42.40 円　力 25mg 1カプセル 57.10 円
力 50mg 1カプセル 135.60 円

シクロスポリン（東和） 力 10mg 1カプセル 26.30 円
力 25mg 1カプセル 57.10 円　力 50mg 1カプセル 91.50 円

シクロスポリン（日医工） 力 10mg 1カプセル 26.30 円
力 25mg 1カプセル 72.10 円　力 50mg 1カプセル 91.50 円

シクロスポリン（ビオメディクス＝日本ジェネリック＝富士製薬＝フェルゼン） 力 10mg 1カプセル 42.40 円
力 25mg 1カプセル 72.10 円　力 50mg 1カプセル 135.60 円

シクロスポリン（マイラン＝ファイザー）
細 17% 1g 602.50 円　力 10mg 1カプセル 42.40 円

シクロスポリン（マイラン＝ファイザー＝サンファーマ） 25mg 1カプセル 72.10 円　力 50mg 1カプセル 135.60 円

概　要
分類　免疫抑制薬

内
13
—
06
—
01
シクロスポリン

内
13
—
06
—
01

シクロスポリン

処方目的　腎移植・肝移植・心移植・肺移植・膵移植における拒絶反応の抑制／骨髄移植における拒否反応および移植片対宿主病の抑制／ベーチェット病(眼症状がある場合)／尋常性乾癬(皮疹が30%以上に及ぶ場合，難治性の場合)，膿疱性乾癬，乾癬性紅皮症，関節症性乾癬／再生不良性貧血，赤芽球癆／ネフローゼ症候群(頻回再発型，ステロイドに抵抗性を示す場合)

[ネオーラルのみの適応症] 小腸移植における拒絶反応の抑制／全身型重症筋無力症(胸腺摘出後の治療において，ステロイドの服用が効果不十分または副作用により困難な場合)／アトピー性皮膚炎(既存治療で十分な効果が得られない場合)／非感染性ぶどう膜炎(既存治療で効果不十分であり，視力低下のおそれのある活動性の中間部・後部の非感染性ぶどう膜炎に限る)／川崎病の急性期(重症であり，冠動脈障害の発生の危険がある場合)／細胞移植に伴う免疫反応の抑制

解説　体外からの異物や体内で生じた物質を自分のものとは違うと判断し，それらを排除するなどして身体の恒常性を保とうとする反応を「免疫」といいます。臓器移植などで，この免疫反応が強すぎたとき，それを弱める薬です。

シクロスポリンは，ノルウェーの土壌に含まれていた真菌の培養液から発見された物質です。カルシニューリンという酵素を介した細胞内情報伝達を阻害することで，免疫担当細胞の活動を抑制します。

使用上の注意

＊シクロスポリン(サンディミュン，ネオーラル)の添付文書による

警告

①臓器移植を受ける人は，免疫抑制療法および移植者の管理に精通している医師の指導のもとで服用しなければなりません。

②サンディミュンとネオーラルは生物学的に同等ではありません。そのため，サンディミュンからネオーラルへ切り換えるとシクロスポリンの血中濃度の上昇によって副作用が現れやすくなるので十分に注意しなければなりません。一方，ネオーラルからサンディミュンへの切り換えは，シクロスポリンの血中濃度が低下することがあるので原則として行いません。

③[ネオーラルのみ]アトピー性皮膚炎で本剤を使用する場合は，アトピー性皮膚炎の治療に精通している医師のもとで有効性および危険性を十分説明してもらい，納得したうえで服用します。

基本的注意

(1)服用してはいけない場合……本剤の成分に対するアレルギーの前歴／タクロリムス水和物(外用薬を除く)，ピタバスタチンナトリウム，ロスバスタチンカルシウム，ボセンタン水和物，アリスキレンフマル酸塩，アスナプレビル，グラゾプレビル水和物，ペマフィブラートの服用中／肝臓または腎臓に障害があり，コルヒチンを服用中の人

(2)特に慎重に服用すべき場合(治療上やむを得ないと判断される場合を除き服用は避けること)……神経ベーチェット病／サンディミュンからネオーラルに，あるいはネオー

ラルからサンディミュンに切り換えて服用する人

(3)慎重に服用すべき場合……腎機能・肝機能・膵機能障害／高血圧症／感染症／悪性腫瘍またはその前歴／PUVA(プーヴァー)療法を含む紫外線療法中／小児，高齢者

(4)定期検査……服用中は定期的に本剤の血中濃度を測定し，服用量を調節します。また，繰り返し血液や尿，肝・腎・膵機能などの検査を受ける必要があります。

(5)飲食物……①グレープフルーツは本剤の血中濃度を上昇させることがあるので，服用中はジュースや果実を飲食しないようにしてください。②セイヨウオトギリソウ(セント・ジョーンズ・ワート)を含む食品は本剤の血中濃度を低下させることがあるので，服用中は食べないようにしてください。

(6)本剤と各種疾患……①因果関係は確立されていませんが，本剤の服用者に心不全などの重い循環器障害が現れたとの報告があります。②長期に PUVA 療法を受けていた乾癬の人が服用すると，皮膚がんのリスクが高まる可能性があります。③外国で，ネフローゼ症候群の人が本剤を服用すると，クレアチニンの上昇を伴わない腎臓の組織変化がおこったとの報告があります。

(7)小児の服用……①本剤の副作用のひとつに多毛があり，一般に成人に比べて小児のほうがおこりやすい傾向にあります。特にネフローゼ症候群の小児が服用する場合は注意し，異常がみられたらすぐに処方医へ連絡してください。②[ネオーラル]アトピー性皮膚炎の患者，または川崎病の急性期患者のうち低出生体重児，新生児，4 カ月未満の乳児に対しては，本剤の服用による治療上の有益性が危険性を上回ると判断される場合にのみ処方されます。

(8)その他……
● 妊婦での安全性：有益と判断されたときのみ服用。
● 授乳婦での安全性：服用するときは授乳しないことが望ましい。(1714 頁を参照)

重大な副作用 ①腎機能障害。②肝機能障害，肝不全。③可逆性後白質脳症症候群・高血圧性脳症などの中枢神経系障害(全身けいれん，意識障害，失見当識，錯乱，運動麻痺，小脳性運動失調，視覚障害，視神経乳頭浮腫，不眠など)。④重篤な感染症(肺炎，敗血症，尿路感染症，単純疱疹，帯状疱疹など)。⑤進行性多巣性白質脳症(意識障害，認知障害，麻痺症状(片麻痺，四肢麻痺)，言語障害など)。⑥BK ウイルス腎症。⑦急性膵炎(上腹部の激痛，発熱，アミラーゼの上昇など)。⑧血栓性微小血管障害(溶血性尿毒症症候群，血栓性血小板減少性紫斑病(TTP)様症状など)。⑨溶血性貧血，血小板減少。⑩横紋筋融解症(筋肉痛，脱力感など)。⑪悪性リンパ腫，リンパ増殖性疾患，悪性腫瘍(特に皮膚)。⑫(ベーチェット病の場合)神経ベーチェット病症状(頭痛，発熱，情動失禁，運動失調，錐体外路症状，意識障害など)の誘発または悪化。
[ネオーラルのみ] ⑬(全身型重症筋無力症の場合)クリーゼ(急激な全身の筋力低下から呼吸不全に至った状態)。

　そのほかにも報告された副作用はあるので，体調がいつもと違うと感じたときは，処方医・薬剤師に相談してください。

併用してはいけない薬 ①生ワクチン→免疫抑制下で生ワクチンを接種すると増殖

し，病原性を現す可能性があります。②タクロリムス水和物（プログラフ）→本剤の血中濃度が上昇，また腎障害などの副作用がおこりやすくなります。③ピタバスタチンナトリウム水和物・ロスバスタチンカルシウム→ピタバスタチンナトリウム水和物，ロスバスタチンカルシウムの血中濃度が上昇，また横紋筋融解症などの重い副作用がおこるおそれがあります。④ボセンタン水和物の血中濃度の急激な上昇がおこることがあります。⑤アリスキレンフマル酸塩→アリスキレンフマル酸塩の血中濃度が上昇するおそれがあります。⑥アスナプレビル→アスナプレビルの治療効果が減少するおそれがあります。⑦グラゾプレビル水和物，ペマフィブラート→これらの薬剤の血中濃度が上昇するおそれがあります。

内 13 その他の薬　06 免疫抑制薬
02　ミゾリビン

製 剤 情 報

一般名：ミゾリビン
- 保険収載年月…1984年3月
- 海外評価…0点 英 米 独 仏
- 剤形…錠 錠剤
- 服用量と回数…処方医の指示通りに服用。

■先発品	商品名(メーカー)	規格・保険薬価
ブレディニン (旭化成)	錠 25mg 1錠 89.20 円	
	錠 50mg 1錠 146.50 円	
ブレディニン OD (旭化成)	錠 25mg 1錠 89.20 円	
	錠 50mg 1錠 146.50 円	

■ジェネリック	商品名(メーカー)	規格・保険薬価
ミゾリビン 写真 (沢井)	錠 25mg 1錠 48.50 円	
	錠 50mg 1錠 72.30 円	

概　　要

分類　免疫抑制薬

処方目的　腎移植における拒否反応の抑制／原発性糸球体疾患を原因とするネフローゼ症候群（副腎皮質ホルモン薬のみでは治療困難な場合に限る。また頻回再発型のネフローゼ症候群を除く）／ループス腎炎（持続性タンパク尿，ネフローゼ症候群または腎機能低下が認められ，副腎皮質ステロイド薬だけでは治療困難な場合に限る）／関節リウマチ（過去の治療で，非ステロイド系解熱鎮痛薬さらに他の抗リウマチ薬の少なくとも1剤で十分な効果が得られない場合に限る）

解説　体外からの異物や体内で生じた物質を自分のものとは違うと判断し，それらを排除するなどして身体の恒常性を保とうとする反応を「免疫」といいます。臓器移植などで，この免疫反応が強すぎたとき，それを弱める薬です。

　ミゾリビンは，糸状菌のオイペニシリウム・ブレフェルディアナムの培養液から発見された，核酸のプリン合成系を阻害する代謝拮抗物質です。

使用上の注意
＊ミゾリビン（ブレディニン）の添付文書による

基本的注意

(1)**服用してはいけない場合**……本剤の成分に対する重いアレルギーの前歴／白血球数が3,000/mm³以下の人／妊婦または妊娠している可能性のある人

(2)**慎重に服用すべき場合**……骨髄機能抑制のある人／細菌・ウイルス・真菌などの感染症を合併している人／出血性素因のある人／腎機能障害

(3)**定期検査**……服用中は定期的に血液や肝機能・腎機能などの検査が必要です。

(4)**皮膚がんなど**……免疫抑制薬の治療を受けた人では，本剤の服用で悪性腫瘍(特に悪性リンパ腫，皮膚がんなど)の発生率が高くなるとの報告があります。服用中は，UVカット素材の衣類の着用やサンスクリーンを使用し，直射日光を避けてください。

(5)**その他**……

● 授乳婦での安全性：未確立。服用するときは授乳を中止。

● 小児での安全性：未確立。(1714頁を参照)

重大な副作用

①骨髄機能抑制(汎血球減少，顆粒球減少，白血球減少，血小板減少など)。②感染症。③間質性肺炎(発熱，せき，呼吸困難)。④肝機能障害，黄疸。⑤急性腎不全。⑥消化管潰瘍，消化管出血，消化管穿孔。⑦皮膚粘膜眼症候群(スティブンス-ジョンソン症候群)，中毒性表皮壊死融解症(TEN)。⑧膵炎。⑨高血糖，糖尿病および糖尿病の悪化。

そのほかにも報告された副作用はあるので，体調がいつもと違うと感じたときは，処方医・薬剤師に相談してください。

併用してはいけない薬

生ワクチン(乾燥弱毒生麻疹ワクチン，乾燥弱毒生風疹ワクチン，経口生ポリオワクチン，乾燥BCGなど)→免疫抑制下で生ワクチンを接種すると増殖し，感染の可能性が増加するおそれがあります。

内 13 その他の薬　06 免疫抑制薬

03 アザチオプリン

製剤情報

一般名：アザチオプリン

● 保険収載年月…1970年8月

● 海外評価…6点 英 米 独 仏　● PC…D

● 剤形…錠 錠剤

● 服用量と回数…処方医の指示通りに服用。

■ **先発品**　　商品名(メーカー)　規格・保険薬価

アザニン (田辺三菱) 錠 50mg 1錠 104.10円

イムラン 写真 (サンドファーマ＝サンド)
錠 50mg 1錠 97.50円

概　要

分類　免疫抑制薬

処方目的　腎移植・肝移植・心移植・肺移植における拒絶反応の抑制／ステロイド依存性のクローン病の寛解導入および寛解維持／ステロイド依存性の潰瘍性大腸炎の寛解維持／治療抵抗性の以下のリウマチ性疾患→全身性血管炎(顕微鏡的多発血管炎，多発

血管炎性肉芽腫症，結節性多発動脈炎，好酸球性多発血管炎性肉芽腫症，高安動脈炎など），全身性エリテマトーデス（SLE），多発性筋炎，皮膚筋炎，強皮症，混合性結合組織病，難治性リウマチ性疾患／自己免疫性肝炎

解説 体外からの異物や体内で生じた物質を自分のものとは違うと判断し，それらを排除するなどして身体の恒常性を保とうとする反応を「免疫」といいます。臓器移植などで，この免疫反応が強すぎたとき，それを弱める薬です。

アザチオプリンは，体内で抗原抗体反応を抑制する 6-メルカプトプリンに変換された後，核酸合成を阻害することで免疫抑制作用を発現します。

使用上の注意

*両剤の添付文書による

警告

①臓器移植を受ける人は，免疫抑制療法および移植者の管理に精通している医師のもとで服用しなければなりません。

②治療抵抗性のリウマチ性疾患にて服用するときは，緊急時に十分対応できる医療施設において，十分な知識と治療抵抗性のリウマチ性疾患治療の経験を持つ医師のもとで服用しなければなりません。

基本的注意

(1)服用してはいけない場合……本剤の成分またはメルカプトプリン水和物に対するアレルギーの前歴／白血球数が 3,000/mm³ 以下の人／フェブキソスタットまたはトピロキソスタットの服用中

(2)慎重に服用すべき場合……骨髄機能抑制／感染症の合併／出血性素因／肝機能障害または肝炎の前歴／腎不全／水痘／[イムランのみ]アロプリノールの服用中

(3)水痘・帯状疱疹……本剤の服用中に水痘（水ぼうそう）または帯状疱疹に感染すると，命にかかわることがあります。水痘・帯状疱疹にかかったことのない人はもちろん，かかったことのある人，予防接種を受けたことがある人でも，本剤の服用中は発症する可能性があるので十分な注意が必要です。水痘の症状（突然の発熱，全身の小紅斑・小水疱など），帯状疱疹の症状（皮膚に帯状の紅斑・小水疱，その部分の疼痛など）が現れたら，ただちに処方医へ連絡してください。

(4)避妊……本剤の服用によって，リンパ球に染色体異常のある児が出生したとの報告，出生した児で先天奇形，血球数の減少，免疫担当細胞の減少が認められたとの報告，また，動物実験で催奇形性が認められたとの報告があります。本剤を服用中は，本人・パートナーともに避妊をしてください。

(5)本剤と各種疾患……①動物実験で，悪性リンパ腫，外耳道の扁平上皮がんが発生したとの報告があります。②長波の紫外線と相乗的に作用して染色体異常をおこすとの報告があります。③肝中心静脈閉塞(症)，結節性再生性過形成などの所見を認めたとの報告があります。④チオプリンメチルトランスフェラーゼ（TPMT）が遺伝的に欠損している人は，骨髄抑制が現れやすいとの報告があります。⑤副腎皮質ステロイド薬を含む免疫抑制治療を受けている臓器移植の人に，大腸炎，憩室炎，腸管穿孔などの重い消化器

症状の発現が報告されています。

(6)定期検査……服用中は，定期的に血液や肝機能・腎機能などの検査を受けます。

(7)皮膚がん……免疫抑制薬の治療を受けた人では，本剤の服用で悪性腫瘍(特に皮膚がんなど)の発生率が高くなるとの報告があります。服用中は，UV カット素材の衣類の着用やサンスクリーンを使用し，直射日光を避けてください。

(8)その他……

- 妊婦での安全性：有益と判断されたときのみ服用。
- 授乳婦での安全性：[アザニン]治療上の有益性・母乳栄養の有益性を考慮し，授乳の継続・中止を検討。[イムラン]未確立。服用するときは授乳を中止。
- 低出生体重児，新生児～幼児での安全性：未確立。(1714 頁を参照)

重大な副作用 ①血液障害(再生不良性貧血，汎血球減少，貧血，巨赤芽球性貧血，赤血球形成不全，無顆粒球症，血小板減少，出血)。②ショック様症状(悪寒，戦慄，血圧降下など)。③感染症。④肝機能障害，黄疸。⑤悪性新生物(リンパ腫，皮膚がん，肉腫，子宮頸がん，急性骨髄性白血病，骨髄異形成症候群など)。⑥ひどい下痢。⑦進行性多巣性白質脳症(意識障害，認知障害，片麻痺，四肢麻痺，言語障害など)。⑧間質性肺炎(発熱，せき，呼吸困難など)。

　そのほかにも報告された副作用はあるので，体調がいつもと違うと感じたときは，処方医・薬剤師に相談してください。

併用してはいけない薬 ①生ワクチン(乾燥弱毒生麻疹ワクチン，乾燥弱毒生風疹ワクチン，経口生ポリオワクチン，乾燥 BCG など)→免疫抑制下で生ワクチンを接種すると増殖し，病原性を現す可能性があります。②フェブキソスタット，トピロキソスタット→骨髄抑制などの副作用が強まるおそれがあります。

内 13 その他の薬　06 免疫抑制薬

04 タクロリムス水和物ほか

製剤情報

一般名：タクロリムス水和物

- 保険収載年月…1993年5月
- 海外評価…6点 英米独仏 ●PC…C
- 規制…劇薬
- 剤形…錠 錠剤, カ カプセル剤, 顆 顆粒剤
- 服用量と回数…処方医の指示通りに服用。

■**先発品**　商品名(メーカー)　規格・保険薬価

グラセプター (アステラス) カ 0.5mg 1ｶﾌﾟｾﾙ 428.10 円

カ 1mg 1ｶﾌﾟｾﾙ 757.50 円　カ 5mg 1ｶﾌﾟｾﾙ 2,838.20 円

プログラフ (アステラス) カ 0.5mg 1ｶﾌﾟｾﾙ 266.80 円

カ 1mg 1ｶﾌﾟｾﾙ 495.30 円　カ 5mg 1ｶﾌﾟｾﾙ 1,901.50 円

顆 0.2mg 1包 141.70 円　顆 1mg 1包 544.40 円

■**ジェネリック**　商品名(メーカー)　規格・保険薬価

タクロリムス (あゆみ製薬) 錠 0.5mg 1錠 114.40 円

錠 1mg 1錠 199.80 円　錠 1.5mg 1錠 327.90 円

錠 2mg 1錠 396.90 円　錠 3mg 1錠 539.30 円

錠 5mg 1錠 724.10 円

タクロリムス (東和) 錠 0.5mg 1錠 114.40 円
錠 1mg 1錠 199.80 円　錠 1.5mg 1錠 327.90 円
錠 2mg 1錠 396.90 円　錠 3mg 1錠 539.30 円
錠 5mg 1錠 724.10 円

タクロリムス (日医工) 錠 0.5mg 1錠 156.90 円
錠 1mg 1錠 282.00 円　錠 5mg 1錠 1,562.40 円

タクロリムス (ニプロ) カ 0.5mg 1カプセル 114.40 円
カ 1mg 1カプセル 199.80 円　カ 5mg 1カプセル 1,562.40 円

タクロリムス 写真 (ニプロファーマ＝サンド)
カ 0.5mg 1カプセル 114.40 円　カ 1mg 1カプセル 199.80 円
カ 5mg 1カプセル 1,562.40 円

タクロリムス (日本ジェネリック)
カ 0.5mg 1カプセル 156.90 円　カ 1mg 1カプセル 282.00 円
カ 5mg 1カプセル 1,562.40 円

タクロリムス (マイラン＝ファイザー)
カ 0.5mg 1カプセル 114.40 円　カ 1mg 1カプセル 199.80 円
カ 5mg 1カプセル 724.10 円

一般名：エベロリムス

- 保険収載年月…2007年3月
- 海外評価…6点 英 米 独 仏
- 規制…劇薬
- 剤形…錠剤
- 服用量と回数…1日1.5mgを2回に分服。

■先発品　　商品名(メーカー)　規格・保険薬価
サーティカン (ノバルティス)
錠 0.25mg 1錠 420.80 円　錠 0.5mg 1錠 769.40 円
錠 0.75mg 1錠 1,180.40 円

概　要

分類　免疫抑制薬

処方目的　[プログラフの適応症] 腎移植・肝移植・心移植・肺移植・膵移植・小腸移植における拒絶反応の抑制／骨髄移植における拒絶反応および移植片対宿主病の抑制／重症筋無力症／[カプセル剤のみ]関節リウマチ(既存の治療で効果不十分な場合)／ループス腎炎(ステロイド薬の使用が効果不十分，または副作用により困難な場合)／難治性(ステロイド抵抗性，ステロイド依存性)の活動期潰瘍性大腸炎 (中等症〜重症に限る)／多発性筋炎・皮膚筋炎に合併する間質性肺炎

[グラセプターの適応症] 肝移植・腎移植・心移植・肺移植・膵移植・小腸移植における拒絶反応の抑制／骨髄移植における拒絶反応および移植片対宿主病の抑制

[エベロリムスの適応症] 心移植，腎移植における拒絶反応の抑制

解説　タクロリムス水和物は日本のメーカーが開発した免疫抑制薬で，シクロスポリンとともに臓器移植には欠かせません。なお，グラセプターは徐放性製剤です。

使用上の注意

＊タクロリムス水和物(プログラフ)，エベロリムス(サーティカン)の添付文書による

警告

[タクロリムス水和物] 本剤を服用すると，重い副作用(腎不全，心不全，感染症，全身けいれん，意識障害，脳梗塞，血栓性微小血管障害，汎血球減少症など)により致死的な経過をたどることがあります。本剤は，緊急時に十分に措置できる医療施設で，本剤に対する十分な知識と経験，適応疾患(臓器移植，関節リウマチ，多発性筋炎・皮膚筋炎に合併する間質性肺炎など)に精通している医師に，本剤の有効性・危険性を十分に聞き・たずね，同意してから受けなければなりません。

[エベロリムス] 本剤を心移植，腎移植，肝移植で使用するときは，免疫抑制療法および

移植患者の管理に精通している医師の指導のもとで行われなければなりません。

基本的注意

(1)**服用してはいけない場合**……[タクロリムス水和物]本剤の成分に対するアレルギーの前歴／シクロスポリンまたはボセンタン水和物の服用中／カリウム保持性利尿薬(スピロノラクトン，トリアムテレンなど)の服用中／[エベロリムス]本剤の成分，シロリムスまたはシロリムス誘導体に対するアレルギーの前歴／妊婦または妊娠している可能性のある人

(2)**慎重に服用すべき場合**……肝機能障害／腎機能障害／感染症／高齢者／[タクロリムス水和物のみ]関節リウマチに間質性肺炎を合併している人／[エベロリムスのみ]高脂血症(脂質異常症)

(3)**定期検査**……服用中は定期的に本剤の血中濃度を測定し，服用量を調節する必要があります。また繰り返し血液や尿，肝・腎・膵機能，血清カリウム，空腹時血糖，アミラーゼ，尿糖，血圧などの検査を受ける必要があります。

(4)**飲食物**……①グレープフルーツは本剤の血中濃度を上昇させることがあるので，服用中はジュースや果実を飲食しないようにしてください。②セイヨウオトギリソウ(セント・ジョーンズ・ワート)を含む食品は本剤の血中濃度を低下させることがあるので，服用中は食べないようにしてください。

(5)**皮膚がん**……[タクロリムス水和物]免疫抑制薬の治療を受けた人では，本剤の服用で悪性腫瘍(特にリンパ腫，皮膚がんなど)の発生率が高くなるとの報告があります。服用中は，UVカット素材の衣類の着用やサンスクリーンを使用し，直射日光を避けてください。

(6)**その他**……
● 妊婦での安全性：[タクロリムス水和物]有益と判断されたときのみ服用。
● 授乳婦での安全性：服用するときは授乳しないことが望ましい。
● 小児での安全性：未確立。(1714頁を参照)

重大な副作用　　　[タクロリムス水和物]①急性腎障害，ネフローゼ症候群。②心不全，不整脈，心筋梗塞，狭心症，心膜液貯留，心筋障害。③中枢神経系障害(可逆性後白質脳症症候群，高血圧性脳症など：全身けいれん，意識障害，錯乱，言語障害，視覚障害，麻痺など)。④脳血管障害(脳梗塞，脳出血など)。⑤血栓性微小血管障害(溶血性尿毒症症候群，血栓性血小板減少性紫斑病など)。⑥汎血球減少症，血小板減少性紫斑病，無顆粒球症，溶血性貧血，赤芽球癆。⑦イレウス(腸閉塞)。⑧皮膚粘膜眼症候群(スティブンス-ジョンソン症候群)。⑨呼吸困難，急性呼吸窮迫症候群。⑩感染症の発現・悪化。⑪進行性多巣性白質脳症(意識障害，認知障害，麻痺症状(片麻痺，四肢麻痺)，言語障害など)。⑫BKウイルス腎症。⑬悪性腫瘍(リンパ腫など)。⑭膵炎。⑮高血糖，糖尿病の発症・増悪。⑯肝機能障害，黄疸。⑰(重症筋無力症の場合)クリーゼ。⑱(関節リウマチの場合)間質性肺炎(発熱，せき，呼吸困難など)。

[エベロリムス]①腎障害(腎尿細管壊死など)。②重篤な感染症の併発(肺炎，敗血症，尿路感染症，単純疱疹，帯状疱疹，腎盂腎炎など)。③移植腎血栓症。④肝動脈血栓症。

⑤悪性リンパ腫，リンパ増殖性疾患，悪性腫瘍(特に皮膚)。⑥創傷治癒不良，創傷治癒不良による創傷感染，瘢痕ヘルニア，創離開など。⑦汎血球減少，白血球減少，貧血，血小板減少，好中球減少。⑧進行性多巣性白質脳症(意識障害，認知障害，麻痺症状(片麻痺，四肢麻痺)，言語障害など)。⑨BKウイルス腎症。⑩血栓性微小血管障害(溶血性尿毒症症候群，血栓性血小板減少性紫斑病様症状など)。⑪間質性肺疾患(間質性肺炎，肺臓炎)。⑫肺胞蛋白症。⑬心のう液貯留。⑭高血糖，糖尿病の発症・増悪。⑮肺塞栓症，深部静脈血栓症。⑯急性呼吸窮迫症候群(急速に進行する呼吸困難，低酸素症など)。

そのほかにも報告された副作用はあるので，体調がいつもと違うと感じたときは，処方医・薬剤師に相談してください。

併用してはいけない薬 [タクロリムス水和物，エベロリムス]生ワクチン(乾燥弱毒生麻疹ワクチン，乾燥弱毒生風疹ワクチン，経口生ポリオワクチンなど)→免疫抑制作用により発症の可能性が増加します。

[タクロリムス水和物のみ]①シクロスポリン→シクロスポリンの副作用が増強されたとの報告があります。②カリウム保持性利尿薬(スピロノラクトン，トリアムテレンなど)→高カリウム血症が現れることがあります。③ボセンタン水和物→ボセンタン水和物の副作用が現れる可能性があります。

内 13 その他の薬　06 免疫抑制薬

05 ミコフェノール酸モフェチル

製剤情報

一般名：ミコフェノール酸モフェチル
- 保険収載年月…1999年11月
- 海外評価…6点 **英米独仏** ●PC…C
- 規制…劇薬
- 剤形…カ カプセル剤，散 散剤
- 服用量と回数…処方医の指示通りに服用。

■先発品　商品名(メーカー)　規格・保険薬価
セルセプト (中外) カ 250mg 1カプセル 156.80 円

セルセプト懸濁用散 (中外)
散 200mg 1mL 159.10 円

■ジェネリック　商品名(メーカー)　規格・保険薬価
ミコフェノール酸モフェチル (武田テバファーマ＝武田) カ 250mg 1カプセル 65.20 円
ミコフェノール酸モフェチル (マイラン＝ファイザー) カ 250mg 1カプセル 65.20 円

概　要

分類　免疫抑制薬

処方目的　腎移植後の難治性拒絶反応の治療(他の治療薬が無効または副作用などのため投与できず，難治性拒絶反応と診断された場合)／心移植・肝移植・腎移植・膵移植・肺移植における拒絶反応の抑制／ループス腎炎／造血幹細胞移植における移植片対宿主病の抑制

解説　本剤は，米国で合成されたミコフェノール酸誘導体であり，消化管粘膜，肝臓，血液で加水分解されてミコフェノール酸となり，強い免疫抑制作用を示します。

　なお，本剤をループス腎炎に用いるときは，本剤の服用開始時には原則として副腎皮質ステロイド薬を併用します。

使用上の注意

＊ミコフェノール酸モフェチル（セルセプト）の添付文書による

警告

①本剤はヒトにおいて催奇形性が報告されているので，妊娠する可能性のある女性が服用する際は，服用開始前に妊娠検査を行い，陰性であることを確認したうえで服用を開始すること。また，服用前から服用中止後6週間は，信頼できる確実な避妊法の実施を徹底するとともに，問診，妊娠検査などにより，妊娠していないことを定期的に確認することが必要です。

②臓器移植および造血幹細胞移植における本剤の服用は，免疫抑制療法および移植患者の管理に精通している医師の指導のもとで行わなければなりません。

③ループス腎炎における本剤の服用は，ループス腎炎の治療に十分精通している医師のもとで行わなければなりません。

基本的注意

(1)服用してはいけない場合……本剤の成分に対するアレルギーの前歴／妊婦または妊娠している可能性のある人

(2)慎重に服用すべき場合……重い消化器系疾患／慢性腎不全／腎移植後の臓器機能再開が遅れている人／腎移植における拒絶反応の抑制時の小児（特に6歳未満）／［懸濁用散のみ］フェニルケトン尿症／遺伝性フルクトース不耐症

(3)皮膚がん……免疫抑制薬の治療を受けた人では，本剤の服用で悪性リンパ腫および悪性腫瘍（特に皮膚がんなど）の発生率が高くなるとの報告があります。服用中は，帽子などの衣類や日焼けどめ効果の高いサンスクリーンを使用して，日光やUV光線の照射を避けてください。

(4)避妊……本剤は催奇形性が報告されているので，服用開始前に妊娠検査が陰性であることを確認し，服用前・服用中・服用中止後6週間は避妊してください。

(5)その他……

●授乳婦での安全性：治療上の有益性・母乳栄養の有益性を考慮し，授乳の継続・中止を検討。

●小児での安全性：未確立。（1714頁を参照）

重大な副作用　①感染症（サイトメガロウイルス・アスペルギルス・カンジダ・ムコール・黄色ブドウ球菌などの日和見感染，肺炎，敗血症，帯状疱疹，気管支炎，肺炎，髄膜炎，食道炎，腸炎など）。②汎血球減少，好中球減少，無顆粒球症，白血球減少，血小板減少，貧血，赤芽球癆。③悪性リンパ腫，リンパ増殖性疾患，悪性腫瘍（特に皮膚）。④消化管の潰瘍・出血・穿孔，腸閉塞。⑤アシドーシス，低酸素症，糖尿病，脱水症。⑥脳

梗塞，網膜静脈血栓症，動脈血栓症。⑦腎不全，腎尿細管壊死，水腎症，腎機能障害。⑧心不全，狭心症，心停止，不整脈（期外収縮，心房細動，上室性・心室性頻脈など），肺高血圧症，心のう液貯留。⑨肝機能障害，黄疸。⑩肺水腫，無呼吸，気胸。⑪けいれん，錯乱，幻覚，精神病。⑫アレルギー反応，難聴。⑬ひどい下痢。⑭進行性多巣性白質脳症（意識障害，認知障害，麻痺症状（片麻痺，四肢麻痺），言語障害など）。⑮BK ウイルス腎症。

　そのほかにも報告された副作用はあるので，体調がいつもと違うと感じたときは，処方医・薬剤師に相談してください。

併用してはいけない薬　　生ワクチン（乾燥弱毒生麻疹ワクチン，乾燥弱毒生風疹ワクチン，経口生ポリオワクチンなど）→免疫抑制作用により発症の可能性が増加します。

内 13 その他の薬　07 抗ウイルス薬

01 エイズ治療薬（1）

⚗ 製 剤 情 報

一般名：ジドブジン
- 保険収載年月…1987年11月
- 海外評価…6点 英米独仏　●PC…C
- 規制…劇薬
- 剤形…カ カプセル剤
- 服用量と回数…（他のエイズ治療薬と併用しながら）1日500～600mgを2～6回に分けて服用。

■**先発品**　　商品名（メーカー）　規格・保険薬価
レトロビル （ヴィーブ＝グラクソ）
カ 100mg 1カセル 266.30 円

一般名：ラミブジン
- 保険収載年月…1997年2月
- 海外評価…6点 英米独仏　●PC…C
- 規制…劇薬
- 剤形…錠 錠剤
- 服用量と回数…（他のエイズ治療薬と併用しながら）1日300mgを1～2回に分けて服用。

■**先発品**　　商品名（メーカー）　規格・保険薬価
エピビル （ヴィーブ＝グラクソ）
錠 150mg 1錠 677.30 円　錠 300mg 1錠 1,314.20 円

一般名：ジドブジン・ラミブジン配合剤
- 保険収載年月…1999年6月
- 海外評価…6点 英米独仏　●PC…C
- 規制…劇薬
- 剤形…錠 錠剤
- 服用量と回数…1回1錠を1日2回。

■**先発品**　　商品名（メーカー）　規格・保険薬価
コンビビル配合錠 （ヴィーブ＝グラクソ）
錠 1錠 1,248.60 円

一般名：アバカビル硫酸塩
- 保険収載年月…1999年9月
- 海外評価…6点 英米独仏　●PC…C
- 規制…劇薬
- 剤形…錠 錠剤
- 服用量と回数…（他のエイズ治療薬と併用しながら）1日600mgを1～2回に分けて服用。

■**先発品**　　商品名（メーカー）　規格・保険薬価
ザイアジェン （ヴィーブ＝グラクソ）
錠 300mg 1錠 716.30 円

一般名：ラミブジン・アバカビル硫酸塩配合剤
- 保険収載年月…2005年1月

- 海外評価…6点 英 米 独 仏　●PC…C
- 規制…劇薬
- 剤形…錠 錠剤
- 服用量と回数…1日1回1錠。

■ **先発品**　商品名(メーカー)　規格・保険薬価

エプジコム配合錠 (ヴィーブ＝グラクソ)
錠 1錠 2,433.90 円

■ **ジェネリック**　商品名(メーカー)　規格・保険薬価

ラバミコム配合錠 (共和) 錠 1錠 987.20 円

一般名：テノホビルジソプロキシルフマル酸塩

- 保険収載年月…2005年1月
- 海外評価…6点 英 米 独 仏　●PC…B
- 規制…劇薬
- 剤形…錠 錠剤
- 服用量と回数…(他のエイズ治療薬と併用しながら)1日1回300mg。

■ **先発品**　商品名(メーカー)　規格・保険薬価

ビリアード (ギリアド) 錠 300mg 1錠 1,539.00 円

一般名：エムトリシタビン

- 保険収載年月…2005年4月
- 海外評価…6点 英 米 独 仏　●PC…B
- 規制…劇薬
- 剤形…カ カプセル剤
- 服用量と回数…(他のエイズ治療薬と併用しながら)1日1回200mg。

■ **先発品**　商品名(メーカー)　規格・保険薬価

エムトリバ (ギリアド) カ 200mg 1ｶﾌﾟ 1,111.60 円

一般名：エムトリシタビン・テノホビルジソプロキシルフマル酸塩配合剤

- 保険収載年月…2005年4月
- 海外評価…6点 英 米 独 仏　●PC…B
- 規制…劇薬
- 剤形…錠 錠剤
- 服用量と回数…(他のエイズ治療薬と併用しな

がら)1日1回1錠。

■ **先発品**　商品名(メーカー)　規格・保険薬価

ツルバダ配合錠 (ギリアド) 錠 1錠 2,509.00 円

一般名：エトラビリン

- 保険収載年月…2009年1月
- 海外評価…6点 英 米 独 仏　●PC…B
- 規制…劇薬
- 剤形…錠 錠剤
- 服用量と回数…(他のエイズ治療薬と併用しながら)1回200mgを1日2回。

■ **先発品**　商品名(メーカー)　規格・保険薬価

インテレンス (ヤンセン) 錠 100mg 1錠 648.20 円

一般名：ネビラピン

- 保険収載年月…1998年11月
- 海外評価…6点 英 米 独 仏　●PC…C
- 規制…劇薬
- 剤形…錠 錠剤
- 服用量と回数…(他のエイズ治療薬と併用しながら)1日1回200mgを14日間, その後, 維持量として1日400mgを2回に分けて服用。

■ **先発品**　商品名(メーカー)　規格・保険薬価

ビラミューン (ベーリンガー)
錠 200mg 1錠 728.20 円

一般名：エファビレンツ

- 保険収載年月…1999年6月
- 海外評価…6点 英 米 独 仏　●PC…C
- 規制…劇薬
- 剤形…錠 錠剤
- 服用量と回数…(他のエイズ治療薬と併用しながら)1日1回600mg。

■ **先発品**　商品名(メーカー)　規格・保険薬価

ストックリン (MSD) 錠 200mg 1錠 478.30 円
錠 600mg 1錠 1,353.40 円

一般名：リルピビリン塩酸塩

- 保険収載年月…2012年5月
- 海外評価…6点 英 米 独 仏　●PC…B
- 規制…劇薬
- 剤形…錠 錠剤
- 服用量と回数…(他のエイズ治療薬と併用しながら)1日1回25mg(1錠)を食事中または食直後に服用。

■ 先発品　　商品名(メーカー)　規格・保険薬価

エジュラント (ヤンセン) 錠 25mg 1錠 2,128.50 円

一般名：ドラビリン

- 保険収載年月…2020年1月
- 海外評価…6点 英 米 独 仏
- 剤形…錠 錠剤
- 服用量と回数…(他のエイズ治療薬と併用しながら)1日1回100mg(1錠)。抗菌薬のリファブチンも併用する場合は，本剤100mgを約12時間の間隔をあけて1日2回に増量，併用を中止した場合は本剤100mgを1日1回に減量。

■ 先発品　　商品名(メーカー)　規格・保険薬価

ピフェルトロ (MSD) 錠 100mg 1錠 2,147.80 円

一般名：エムトリシタビン・テノホビルアラフェナミドフマル酸塩配合剤

- 保険収載年月…2016年12月

- 海外評価…6点 英 米 独 仏
- 規制…劇薬
- 剤形…錠 錠剤
- 服用量と回数…(他のエイズ治療薬と併用しながら)リトナビルまたはコビシスタットと併用する場合：デシコビ配合錠LTを1日1回1錠。リトナビルまたはコビシスタットと併用しない場合：デシコビ配合錠HTを1日1回1錠。

■ 先発品　　商品名(メーカー)　規格・保険薬価

デシコビ配合錠 HT (ギリアド) 錠 1錠 3,991.50 円

デシコビ配合錠 LT (ギリアド) 錠 1錠 2,781.10 円

一般名：リルピビリン塩酸塩・エムトリシタビン・テノホビルアラフェナミドフマル酸塩配合剤

- 保険収載年月…2018年8月
- 海外評価…6点 英 米 独 仏
- 規制…劇薬
- 剤形…錠 錠剤
- 服用量と回数…1日1回1錠を食事中または食直後に服用(成人および12歳以上かつ体重35kg以上の小児)。

■ 先発品　　商品名(メーカー)　規格・保険薬価

オデフシィ配合錠 (ヤンセン) 錠 1錠 6,152.50 円

概　　要

分類　エイズ治療薬

処方目的　HIV 感染症(HIV-1 感染症)

解説　エイズ(後天性免疫不全症候群)を引きおこす HIV ウイルス(ヒト免疫不全ウイルス)には，HIV-1 ウイルスと HIV-2 ウイルスがあります。世界的に広まっているのは HIV-1 で，日本でもほとんどがこのウイルスによるものです。

エイズ治療薬にはいくつかのタイプがありますが，この項では逆転写酵素阻害薬(ヌクレオシド系，非ヌクレオシド系)と呼ばれるタイプをまとめています。HIV ウイルスの遺伝子 RNA を DNA に逆転写する酵素の働きを阻害してウイルスの増殖を抑えます。

これらの薬剤は，「必ず他の抗 HIV 薬と併用」して使用します。ただし，ジドブジン・ラミブジン配合剤などの配合剤の場合は，配合されている薬剤をさらに加えて併用する

ことはできません。

使用上の注意

警告

　本剤は，以下に示すさまざまな重い症状をおこしやすいので，医師の説明を十分に聞き，納得したのち服用しなければなりません。服用中に異常がみられたら，直ちに医師に連絡してください。なお，配合錠については，それぞれに配合されている薬剤でチェックしてください。

［ジドブジン］骨髄機能抑制がおこることがあります。

［ラミブジン］①膵炎の前歴のある小児，膵炎を発症させることが知られている薬剤との併用療法を受けている小児は，膵炎を発症する可能性が高くなります。②B型慢性肝炎を合併している人は，本剤の服用中止により肝炎が再燃するおそれがあります。

［アバカビル硫酸塩］皮疹，発熱，胃腸症状（吐きけ，嘔吐，下痢など），疲労感，倦怠感，呼吸器症状（呼吸困難，咽頭痛，せきなど）を伴う過敏症が現れることがあります。

［テノホビルジソプロキシルフマル酸塩］B型慢性肝炎を合併している人は，本剤の服用中止により肝炎が再燃するおそれがあります。

［エムトリシタビン］B型慢性肝炎を合併している人は，本剤の服用中止により肝炎が再燃するおそれがあります。

［ネビラピン］①中毒性表皮壊死融解症（TEN），皮膚粘膜眼症候群（スティブンス-ジョンソン症候群），過敏症症候群を含めた重い皮膚障害が現れることがあります。②肝不全などの重い肝機能障害が現れることがあります。

基本的注意

（1）処方医の指示を厳守……使い方が特別なので，処方医の指示どおりに服用し，服用中は血液検査を定期的に受けてください。また，服用している薬はすべて記録しておいて，それにもとづいて処方医とのコミュニケーションをとってください。

内 13 その他の薬　07 抗ウイルス薬

02 エイズ治療薬（2）

製剤情報

一般名：リトナビル

- 保険収載年月…1998年9月
- 海外評価…6点 英 米 独 仏　●PC…B
- 規制…劇薬
- 剤形…錠 錠剤
- 服用量と回数…（他のエイズ治療薬と併用しながら）1回600mgを1日2回。

■**先発品**　　商品名（メーカー）　規格・保険薬価

ノービア（アッヴィ）錠 100mg 1錠 94.00 円

一般名：ロピナビル・リトナビル配合剤

- 保険収載年月…2000年12月
- 海外評価…6点 英 米 独 仏　●PC…C
- 規制…劇薬
- 剤形…錠 錠剤，液 液剤
- 服用量と回数…錠剤は1回2錠を1日2回，ある

いは1日1回4錠。液剤は1回5mLを1日2回。小児の場合は処方医の指示通りに服用。

■先発品　商品名(メーカー)　規格・保険薬価

カレトラ配合錠 (アッヴィ) 錠 1錠 308.00 円

カレトラ配合内用液 (アッヴィ) 液 1mL 144.50 円

一般名：アタザナビル硫酸塩

- 保険収載年月…2003年12月
- 海外評価…6点 英 米 独 仏 ●PC…B
- 規制…劇薬
- 剤形…カ カプセル剤
- 服用量と回数…(他のエイズ治療薬と併用しながら)エイズ治療薬経験がない場合：本剤300mgとリトナビル100mgを1日1回併用服用，あるいは本剤のみを1日1回400mg。エイズ治療薬経験がある場合：本剤300mgとリトナビル100mgを1日1回併用服用。

■先発品　商品名(メーカー)　規格・保険薬価

レイアタッツ (ブリストル) カ 150mg 1カプセル 384.90 円

カ 200mg 1カプセル 614.30 円

一般名：ホスアンプレナビルカルシウム水和物

- 保険収載年月…2005年1月
- 海外評価…6点 英 米 独 仏 ●PC…C
- 規制…劇薬
- 剤形…錠 錠剤
- 服用量と回数…処方医の指示通りに服用。

■先発品　商品名(メーカー)　規格・保険薬価

レクシヴァ (ヴィーブ＝グラクソ)

錠 700mg 1錠 549.80 円

一般名：ダルナビルエタノール付加物

- 保険収載年月…2007年11月
- 海外評価…5点 英 米 独 仏 ●PC…B

概　要

分類　エイズ治療薬

- 規制…劇薬
- 剤形…錠 錠剤
- 服用量と回数…(他のエイズ治療薬と併用しながら)プリジスタの場合：1回600mgをリトナビル100mgと併用服用，1日2回。プリジスタナイーブの場合：1回800mgをリトナビル100mgと併用服用，1日1回。

■先発品　商品名(メーカー)　規格・保険薬価

プリジスタ (ヤンセン) 錠 600mg 1錠 891.10 円

プリジスタナイーブ (ヤンセン)

錠 800mg 1錠 1,900.20 円

一般名：ダルナビルエタノール付加物・コビシスタット配合剤

- 保険収載年月…2016年12月
- 海外評価…4点 英 米 独 仏 ●PC…C
- 規制…劇薬
- 剤形…錠 錠剤
- 服用量と回数…(他のエイズ治療薬と併用しながら)1回1錠を1日1回食事中または食直後に服用。

■先発品　商品名(メーカー)　規格・保険薬価

プレジコビックス配合錠 (ヤンセン)

錠 1錠 2,039.90 円

一般名：ダルナビルエタノール付加物・コビシスタット・エムトリシタビン・テノホビルアラフェナミドフマル酸塩配合剤

- 保険収載年月…2019年7月
- 海外評価…6点 英 米 独 仏
- 規制…劇薬
- 剤形…錠 錠剤

■先発品　商品名(メーカー)　規格・保険薬価

シムツーザ配合錠 (ヤンセン) 錠 1錠 4,833.20 円

処方目的　HIV 感染症（HIV-1 感染症）

解説　逆転写酵素阻害薬とは違い，HIV プロテアーゼという酵素の活性を阻害することで，HIV ウイルスの産生を阻止します。

　プレジコビックス配合錠は，プロテアーゼ阻害薬のダルナビルと薬物動態学的増強因子のコビシスタットの配合剤です。またシムツーザ配合錠は，その 2 剤にさらに逆転写酵素阻害薬のエムトリシタビンとテノホビルアラフェナミドの計 4 成分を配合しています。

🔖 使用上の注意

警告

［シムツーザ配合錠］B 型慢性肝炎を合併している人は，本剤の服用中止により肝炎が再燃するおそれがあります。

基本的注意

(1)処方医の指示を厳守……使い方が特別なので，処方医の指示どおりに服用し，服用中は血液検査を定期的に受けてください。また，服用している薬はすべて記録しておいて，それにもとづいて処方医とのコミュニケーションをとってください。

内 13 その他の薬　07 抗ウイルス薬

03　エイズ治療薬（3）

📖 製 剤 情 報

一般名：ラルテグラビルカリウム
- 保険収載月月…2008年6月
- 海外評価…6点 英米独仏　●PC…C
- 規制…劇薬
- 剤形…錠 錠剤
- 服用量と回数…（他のエイズ治療薬と併用しながら）1回400mgを1日2回，または1日1回1,200mg。

■先発品　　商品名(メーカー)　規格・保険薬価
アイセントレス (MSD) 錠 400mg 1錠 1,582.40 円
錠 600mg 1錠 1,533.80 円

一般名：マラビロク
- 保険収載月月…2008年6月
- 海外評価…6点 英米独仏　●PC…B
- 規制…劇薬
- 剤形…錠 錠剤
- 服用量と回数…（他のエイズ治療薬と併用しな

がら）1回300mgを1日2回。

■先発品　　商品名(メーカー)　規格・保険薬価
シーエルセントリ (ヴィーブ＝グラクソ)
錠 150mg 1錠 2,320.60 円

一般名：エルビテグラビル・コビシスタット・エムトリシタビン・テノホビルジソプロキシルフマル酸塩配合剤
- 保険収載月月…2013年4月
- 海外評価…4点 英米独仏　●PC…B
- 規制…劇薬
- 剤形…錠 錠剤
- 服用量と回数…1日1回1錠を食事中または食直後に服用。

■先発品　　商品名(メーカー)　規格・保険薬価
スタリビルド配合錠 (ギリアド)
錠 1錠 7,046.90 円

一般名：ドルテグラビルナトリウム
- 保険収載年月…2014年4月
- 海外評価…6点 英米独仏 ●PC…B
- 規制…劇薬
- 剤形…錠錠剤
- 服用量と回数…(他のエイズ治療薬と併用しながら)通常、1日1回50mg。インテグラーゼ阻害薬に対する耐性を有する人は1回50mgを1日2回。

■先発品　　商品名(メーカー)　規格・保険薬価
テビケイ (ヴィーブ＝グラクソ)
錠 50mg 1錠 3,219.60 円

一般名：ドルテグラビルナトリウム・アバカビル硫酸塩・ラミブジン配合剤
- 保険収載年月…2015年3月
- 海外評価…5点 英米独仏 ●PC…C
- 規制…劇薬
- 剤形…錠錠剤
- 服用量と回数…1日1回1錠を食事の有無にかかわらず服用。

■先発品　　商品名(メーカー)　規格・保険薬価
トリーメク配合錠 (ヴィーブ＝グラクソ)
錠 1錠 6,877.90 円

一般名：エルビテグラビル・コビシスタット・エムトリシタビン・テノホビルアラフェナミドフマル酸塩配合剤
- 保険収載年月…2016年6月
- 海外評価…6点 英米独仏 ●PC…B
- 規制…劇薬
- 剤形…錠錠剤
- 服用量と回数…1日1回1錠を食後に服用。

■先発品　　商品名(メーカー)　規格・保険薬価
ゲンボイヤ配合錠 (ギリアド) 錠 1錠 7,040.50 円

一般名：ドルテグラビルナトリウム・リルピビリン塩酸塩配合剤
- 保険収載年月…2018年12月
- 海外評価…6点 英米独仏
- 規制…劇薬
- 剤形…錠錠剤
- 服用量と回数…1日1回1錠を食事中または食直後に服用。

■先発品　　商品名(メーカー)　規格・保険薬価
ジャルカ配合錠 (ヴィーブ＝グラクソ)
錠 1錠 5,397.30 円

一般名：ビクテグラビルナトリウム・エムトリシタビン・テノホビルアラフェナミドフマル酸塩配合剤
- 保険収載年月…2019年4月
- 海外評価…6点 英米独仏
- 規制…劇薬
- 剤形…錠錠剤
- 服用量と回数…1日1回1錠を服用。

■先発品　　商品名(メーカー)　規格・保険薬価
ビクタルビ配合錠 (ギリアド) 錠 1錠 7,094.10 円

一般名：ドルテグラビルナトリウム・ラミブジン配合剤
- 保険収載年月…2020年1月
- 海外評価…6点 英米独仏
- 規制…劇薬
- 剤形…錠錠剤
- 服用量と回数…1日1回1錠(成人および12歳以上かつ体重40kg以上の小児)。

■先発品　　商品名(メーカー)　規格・保険薬価
ドウベイト配合錠 (ヴィーブ＝グラクソ)
錠 1錠 4,795.40 円

≣ 概　　要
分類　エイズ治療薬

処方目的　HIV 感染症（HIV-1 感染症）／[マラビロクの適応症]CCR5 指向性 HIV-1 感染症

＊製剤により使用規定は若干異なる。

解説　エイズの治療は，ヌクレオシド系および非ヌクレオシド系の逆転写酵素阻害薬と HIV プロテアーゼ阻害薬の 3 種類の薬品を組み合わせて用いることで大きく改善されました。しかし，耐性ウイルスの出現，あるいはさまざまな副作用により服薬継続が困難な場合などの問題も生じ，上記 3 種類とは異なる作用機序の薬品が求められていました。ここで解説するのは，その新しいタイプのエイズ治療薬です。

　ラルテグラビルカリウムとドルテグラビルナトリウムは，HIV ウイルスの複製に必要な 3 つの酵素の一つである HIV インテグラーゼの触媒活性を阻害して，HIV ウイルスの増殖を抑えます。マラビロクは，HIV ウイルスに感染しにくい人が存在することから開発が始まりました。特に感染早期において多い，細胞上の CC ケモカイン受容体 5（CCR5）を足がかりに細胞内に侵入するタイプの HIV ウイルスを，細胞上の CCR5 と選択的に結合することにより細胞内への侵入を阻害します。その作用から予防薬としての可能性も考えられています。3 剤とも必ず，他のタイプのエイズ治療薬と併用します。

　現在，エイズ治療は，複数の抗 HIV 薬を組み合わせて使用する多剤併用療法が標準ですが，組み合わせにより服用回数，服用時点が異なったり，服用錠数が多くなる問題点があります。その点，ここに提示した配合剤は，1 日 1 回 1 錠で服用が完結するため，のみ忘れなどにより治療効果が弱まる可能性を小さくできます。

使用上の注意

警告

[スタリビルド配合錠，トリーメク配合錠，ゲンボイヤ配合錠，ビクタルビ配合錠，ドウベイト配合錠] B 型慢性肝炎を合併している人は，本剤の服用中止により B 型慢性肝炎が再燃するおそれがあります。特に非代償性の場合は重症化するおそれがあるので注意が必要です。

[トリーメク配合錠] 本剤に含まれるアバカビル硫酸塩によって，皮疹，発熱，胃腸症状（吐きけ，嘔吐，下痢，腹痛など），疲労感，倦怠感，呼吸器症状（呼吸困難，咽頭痛，せきなど）を伴う過敏症が現れることがあります。

[ドウベイト配合錠] 膵炎を発症する可能性のある小児の患者（膵炎の既往歴のある小児，膵炎を発症させることが知られている薬剤との併用療法を受けている小児）では，他に十分な効果の認められる治療法がない場合にのみ服用することができます。

基本的注意

(1)処方医の指示を厳守……使い方が特別なので，処方医の指示どおりに服用し，服用中は血液検査を定期的に受けてください。また，服用している薬はすべて記録しておいて，それにもとづいて処方医とのコミュニケーションをとってください。

内 13 その他の薬　07 抗ウイルス薬

04 サイトメガロウイルス感染症治療薬

✏ 製 剤 情 報

一般名：バルガンシクロビル塩酸塩

- 保険収載年月…2004年11月
- 海外評価…6点 英 米 独 仏 　●PC…C
- 規制…毒薬
- 剤形…錠 錠剤, ド ドライシロップ剤
- 服用量と回数…初期治療：1回900mgを1日2回。維持治療：1日1回900mg。発症抑制：1日1回900mg。小児（ドライシロップ）は処方医の指示通りに服用。

■ 先発品　　商品名（メーカー）　規格・保険薬価
バリキサ（田辺三菱）錠 450mg 1錠 2,403.10 円
ド 50mg 1mL 498.80 円

一般名：レテルモビル

- 保険収載年月…2018年5月
- 海外評価…2点 英 米 独 仏
- 規制…劇薬
- 剤形…錠 錠剤
- 服用量と回数…1日1回480mg（2錠）。シクロスポリンと併用する場合は1日1回240mg（1錠）。

■ 先発品　　商品名（メーカー）　規格・保険薬価
プレバイミス（MSD）錠 240mg 1錠 14,645.50 円

📋 概　　要

分類　抗サイトメガロウイルス化学療法薬

処方目的　［バルガンシクロビル塩酸塩の適応症］後天性免疫不全症候群（エイズ），臓器移植（造血幹細胞移植も含む），悪性腫瘍におけるサイトメガロウイルス感染症／臓器移植（造血幹細胞移植を除く）におけるサイトメガロウイルス感染症の発症抑制
［レテルモビルの適応症］同種造血幹細胞移植患者におけるサイトメガロウイルス感染症の発症抑制

解説　通常，私たちはサイトメガロウイルス（CMV）に感染していますが，ほとんどの場合は潜伏感染で，生涯，何の症状も現れません。しかし，何らかの原因で免疫力が低下すると CMV は再活性化し，腸炎，肺炎，網膜炎などの重篤な CMV 感染症を引き起こし，死に至るケースもあります。特に臓器移植や造血幹細胞移植を行った人では免疫力が著しく低下しており，CMV の再活性化が高頻度におこります。

　現在のところ，CMV 感染症に対する発症抑制薬（再活性化する前に用いる薬剤）にはバルガンシクロビルとレテルモビルがありますが，バルガンシクロビルは臓器移植後における発症抑制，レテルモビルは造血幹細胞移植後の発症抑制に用いられます。

　なお，レテルモビルには注射薬もあり，医師の判断で錠剤と注射薬を切り替えて使用することができますが，経口で服用できる人では注射薬より副作用の少ない錠剤を選択することが勧められています。

✍ 使用上の注意

＊バルガンシクロビル塩酸塩（バリキサ）の添付文書による

警告

[バルガンシクロビル塩酸塩]

①服用により重い白血球減少，好中球減少，貧血，血小板減少，汎血球減少，再生不良性貧血，骨髄抑制がおこります。

②動物実験で，一時的または不可逆的な精子形成機能障害をおこすこと，またメスの妊孕性低下が示唆されています。ヒトにおいては精子形成機能障害をおこすおそれがあります。

③動物実験で，催奇形性，遺伝毒性，発がん性が報告されています。

[レテルモビル]

①同種造血幹細胞移植患者の感染管理に十分な知識・経験をもつ医師のもとで，本剤の服用が適切と判断される人のみに使用します。

基本的注意

(1)服用してはいけない場合……[バルガンシクロビル塩酸塩]好中球数 500/mm^3 未満または血小板数 25,000/mm^3 未満などの著しい骨髄抑制／バルガンシクロビル，ガンシクロビル，または本剤の成分，およびバルガンシクロビルやガンシクロビルと化学構造が類似する化合物(アシクロビル，バラシクロビルなど)に対するアレルギーの前歴／妊婦または妊娠している可能性がある人

[レテルモビル] 本剤の成分に対するアレルギーの前歴／ピモジド，エルゴタミン含有製剤，メチルエルゴメトリンマレイン酸塩，エルゴメトリンマレイン酸塩(注射薬)の使用中

(2)慎重に服用すべき場合……薬剤などによる白血球減少の前歴／免疫抑制薬の服用中，血小板減少(25,000/mm^3 以上 100,000/mm^3 未満)／腎機能障害／肝機能障害／精神病・思考異常の前歴，過去に薬剤による精神病反応・神経毒性を呈したことのある人／小児，高齢者

(3)催奇形性および発がん性……本剤には催奇形性および発がん性のおそれがありますから，錠剤を割ってはいけません。粉砕してもいけません。やむを得ず割った場合や粉砕した場合は，皮膚や粘膜に直接触れないように注意しましょう。もし，触れた場合は石鹸と水で十分に洗浄し，眼に入った場合も水で十分に洗浄してください。

(4)避妊……妊娠する可能性のある女性の場合，服用中有効な避妊を行ってください。動物実験で催奇形性・遺伝毒性などが報告されています。また，パートナーが妊娠する可能性のある男性の場合は，服用中および服用後 90 日間有効な避妊を行ってください。動物実験で遺伝毒性が認められています。

(5)危険作業は中止……本剤を服用すると，けいれん，鎮静，めまい，運動失調，錯乱などをおこすおそれがあります。服用中は，高所作業や自動車の運転など危険を伴う機械の操作は行わないようにしてください。

(6)その他……

● 授乳婦での安全性：服用するときは授乳しないことが望ましい。

● 小児での安全性：未確立。(1714 頁を参照)

重大な副作用　①白血球減少，骨髄抑制，汎血球減少，再生不良性貧血，

好中球減少，貧血，血小板減少。②腎不全。③膵炎。④深在性血栓性静脈炎。⑤けいれん，精神病性障害，幻覚，錯乱，激越，昏睡。⑥敗血症などの骨髄障害や免疫系障害に関連する感染症。⑦血小板減少に伴う重い出血(消化管出血を含む)。

そのほかにも報告された副作用はあるので，体調がいつもと違うと感じたときは，処方医・薬剤師に相談してください。

併用してはいけない薬　[レテルモビル]①ピモジド→ピモジドの血漿中濃度が上昇し，QT延長および心室性不整脈を引きおこすおそれがあります。②エルゴタミン含有製剤，メチルエルゴメトリンマレイン酸塩，エルゴメトリンマレイン酸塩(注射薬)→これらの薬剤の血漿中濃度が上昇し，麦角(バッカク)中毒を引きおこすおそれがあります。

内13 その他の薬　07 抗ウイルス薬
05 オセルタミビルリン酸塩

製剤情報

一般名：オセルタミビルリン酸塩
- 保険収載年月…2001年2月
- 海外評価…6点 英米独仏　●PC…C
- 剤形…力カプセル剤，ドドライシロップ剤
- 服用量と回数…1回75mg(ドライシロップは2.5g)を1日2回，5日間。感染症予防の場合は，1日1回75mgを7〜10日間。小児は処方医の指示通りに服用。

■**先発品**　商品名(メーカー)　規格・保険薬価
タミフル 写真(中外) 力75mg 1ｶﾌﾟ 242.20円
ド 3% 1g 163.90円

■**ジェネリック**　商品名(メーカー)　規格・保険薬価
オセルタミビル (沢井) 力75mg 1ｶﾌﾟ 114.40円
ド 3% 1g 85.00円

概要

分類　抗インフルエンザウイルス薬
処方目的　A型またはB型インフルエンザウイルス感染症およびその予防
解説　2009年は，豚由来の新型インフルエンザがWHO(世界保健機関)によって，世界的流行(パンデミック)と認定されましたが，日本の国家としての対応は初期対応もワクチンに関してもスマートなものとはいえませんでした。医療機関等に在庫として大量に残ってしまったワクチンはどうなったのか，気にかかるところです。

タミフルに関しては，小児用のドライシロップ製剤が底をつき，薬局に対して大人用のカプセルを加工して小児への処方に対応するように指示が出たほどでした。前のシーズンで，Aソ連型のウイルスでは大半がタミフル耐性を獲得していたことが判明していましたが，幸いなことに新型インフルエンザでは耐性ウイルスはまだ単発的に見出される程度ですみました。

それでも，「次」と考えられている鳥インフルエンザへの対応の観点からも，節度ある使用が求められます。また，因果関係は不明とされている異常行動との関連についても納得のいく説明が求められます。

使用上の注意

警告

インフルエンザウイルス感染症の予防の基本はワクチンによる予防であり，本剤の予防のための服用はワクチンによる予防に変わるものではありません。服用にあたっては，慎重に検討することが必要です。

基本的注意

(1)服用してはいけない場合……本剤の成分に対するアレルギーの前歴

(2)慎重に服用すべき場合……高度の腎機能障害

(3)服用目的……①本剤を予防に用いる場合は，原則として，インフルエンザウイルス感染症を発症している人と一緒に住んでいる以下の人を対象とします→65歳以上の高齢者，慢性呼吸器疾患または慢性心疾患をもっている人，糖尿病などの代謝性疾患のある人，腎機能障害のある人。②本剤は，A型・B型インフルエンザウイルス感染症以外の感染症には効果がありません。

(4)服用法……①本剤は，インフルエンザ発症後できるだけ早く服用する必要があります。発症後48時間以上たってからの服用開始では有効性を裏づけるデータはありません。②成人で腎機能障害がある人は，服用量を減らす必要があるので，服用前にその旨を処方医に伝えてください。

(5)異常行動の発現……抗インフルエンザウイルス薬の服用の有無または種類にかかわらず，インフルエンザ罹患時には異常行動(急に走り出す，徘徊するなど)を発現した例が報告されています。転落などの事故に至るおそれのある重度の異常行動は，就学以降の小児・未成年者の男性で報告が多いこと，発熱から2日間以内に発現することが多いことが知られています。服用する場合は，異常行動による転落などの万が一の事故を防止するための予防的な対応法について，事前に処方医から説明を受け，厳守してください(自宅で療養を行う場合は少なくとも発熱から2日間，保護者などは小児・未成年者が一人にならないようにするなど)。

(6)出血症状……本剤を服用すると出血が現れることがあります。血便，吐血，不正子宮出血などの出血症状が現れた場合には速やかに処方医に連絡してください。

(7)その他……

●妊婦での安全性：有益と判断されたときのみ服用。

●授乳婦での安全性：治療上の有益性・母乳栄養の有益性を考慮し，授乳の継続・中止を検討。

●1歳未満での安全性：未確立。(1714頁を参照)

重大な副作用

①ショック，アナフィラキシー(じん麻疹，顔面・喉頭浮腫，呼吸困難，血圧低下など)。②劇症肝炎，肝機能障害，黄疸。③皮膚粘膜眼症候群(スティブンス-ジョンソン症候群)，中毒性表皮壊死融解症(TEN)。④急性腎障害。⑤白血球減少症，血小板減少。⑥肺炎。⑦精神・神経症状(意識障害，せん妄，幻覚，妄想，けいれんなど)，異常行動(急に走り出す，徘徊するなど)。⑧出血性大腸炎・虚血性大腸炎(血便，血性下痢など)。

そのほかにも報告された副作用はあるので，体調がいつもと違うと感じたときは，処方医・薬剤師に相談してください。

併用してはいけない薬 併用してはいけない薬は特にありません。ただし，併用する薬があるときは，念のため処方医・薬剤師に報告してください。

内 13 その他の薬　07 抗ウイルス薬

06 バロキサビル マルボキシル

製剤情報

一般名：バロキサビル マルボキシル

- 保険収載年月…2018年3月
- 海外評価…0点 英 米 独 仏
- 剤形…錠 錠剤

- 服用量と回数…「基本的注意」の(3)を参照。

■**先発品**　商品名(メーカー)　規格・保険薬価

ゾフルーザ (塩野義) 錠 10mg 1錠 1,535.40 円
　　錠 20mg 1錠 2,438.80 円

概要

分類　抗インフルエンザウイルス薬

処方目的　〈20mg 錠〉A 型または B 型インフルエンザウイルス感染症の治療およびその予防／〈10mg 錠〉A 型または B 型インフルエンザウイルス感染症

解説　本剤は，インフルエンザウイルスがヒトなどの宿主生物の細胞内で増殖するのに不可欠な酵素(キャップ依存性エンドヌクレアーゼ)の活性を選択的に阻害することで，ウイルスの増殖を抑制する新しい作用機序をもつ薬剤です(キャップ依存性エンドヌクレアーゼ阻害薬)。

　タミフルなどの従来の治療薬は，ヒトなどの細胞の中で増えたインフルエンザウイルスを細胞から遊離させるノイラミニダーゼという酵素の働きを阻害するのが特徴(ノイラミニダーゼ阻害薬)で，ウイルスの増殖を抑制する効果はありませんでしたが，本剤はウイルスそのものが細胞の中で増殖するのを阻害するのが特徴で，そのため本剤は 1 回の服用で治療が完結します。本剤を「治療」に用いる場合は 10mg または 20mg の錠剤，「予防」の場合は 20mg の錠剤を用います(10mg 錠は予防には効果がありません)。

使用上の注意

警告

　インフルエンザウイルス感染症の予防の基本はワクチンによる予防であり，本剤の予防のための服用はワクチンによる予防に換わるものではありません。服用にあたっては，慎重に検討することが必要です。

基本的注意

(1)服用してはいけない場合……本剤の成分に対するアレルギーの前歴
(2)治療・予防上の注意……[治療]症状発現後，可能なかぎり速やかに服用を開始することが望まれます。症状発現から 48 時間経過後に服用を開始した患者における有効性

を裏づけるデータは得られていません。[予防]①インフルエンザウイルス感染症患者に接触後2日以内に服用を開始すること。接触後48時間経過後に服用を開始した場合における有効性を裏づけるデータは得られていません。②本剤を服用した日から10日を超えた期間のインフルエンザウイルス感染症に対する予防効果は確認されていません。③原則として，インフルエンザウイルス感染症を発症している患者の同居家族または共同生活者のうち，インフルエンザウイルス感染症罹患時に重症化のリスクが高いと判断される以下の人を対象とします。→高齢者(65歳以上)，慢性呼吸器疾患・慢性心疾患の患者，代謝性疾患(糖尿病など)の患者など

(3)服用量……本剤は1回のみの服用です。[治療・予防]〈成人および12歳以上の小児〉体重80kg以上→20mg錠4錠。体重80kg未満→20mg錠2錠。〈12歳未満の小児〉体重40kg以上→20mg錠2錠。体重20kg以上40kg未満→20mg錠1錠。[以下は治療のみ]〈12歳未満の小児〉体重10kg以上20kg未満→10mg錠1錠。

(4)異常行動の発現……抗インフルエンザウイルス薬の服用の有無または種類にかかわらず，インフルエンザ罹患時には異常行動(急に走り出す，徘徊するなど)を発現した例が報告されています。転落などの事故に至るおそれのある重度の異常行動は，就学以降の小児・未成年者の男性で報告が多いこと，発熱から2日間以内に発現することが多いことが知られています。服用する場合は，異常行動による転落などの万が一の事故を防止するための予防的な対応法について，事前に処方医から説明を受け，厳守してください(自宅で療養を行う場合は少なくとも発熱から2日間，保護者などは小児・未成年者が1人にならないようにするなど)。

(5)出血症状……本剤を服用すると出血が現れることがあります。血便，鼻出血，血尿などの出血症状が現れた場合には速やかに処方医に連絡してください。服用数日後にも症状が現れることがあります。

(6)その他……

● 妊婦での安全性：有益と判断されたときのみ服用。

● 授乳婦での安全性：治療上の有益性・母乳栄養の有益性を考慮し，授乳の継続・中止を検討。

● 低出生体重児・新生児・乳児での安全性：未確立。(1714頁を参照)

重大な副作用　　　　　　①ショック，アナフィラキシー。②異常行動(急に走り出す，徘徊するなど)。③虚血性大腸炎(腹痛，下痢，血便など)。④出血(血便，鼻出血，血尿など)。

　そのほかにも報告された副作用はあるので，体調がいつもと違うと感じたときは，処方医・薬剤師に相談してください。

併用してはいけない薬　　　　　併用してはいけない薬は特にありません。ただし，併用する薬があるときは，念のため処方医・薬剤師に報告してください。

内
13
―
07
―
06

バロキサビル マルボキシル

内 13 その他の薬　07 抗ウイルス薬

07　モルヌピラビル

製剤情報

一般名：モルヌピラビル

- 発売年月…2021年12月
- 海外評価…4点 英 米 独 仏
- 剤形…カ カプセル剤

- 服用量と回数…通常18歳以上，1回800mg（4カプセル）を1日2回，5日間服用。

■健康保険適応外　商品名（メーカー）　規格・保険薬価

ラゲブリオ（MSD）カ 200mg【健康保険適応外】

概要

分類　抗ウイルス薬

処方目的　SARS-CoV-2 による感染症

解説　本剤は，SARS-CoV-2（サーズ-シーオーブイ-ツー）ウイルス，いわゆる新型コロナウイルスに対する国内初の経口抗ウイルス薬で，SARS-CoV-2 のウイルス RNA に取り込まれることでウイルスの増殖を阻害し，抗ウイルス作用を示します。

①本剤は，本邦で 2021 年 12 月に特例承認されたものであり，承認時において有効性，安全性，品質に係る情報は限られており，引き続き情報を収集中である。本剤の投与にあたっては，あらかじめ患者または代諾者にその旨ならびに有効性・安全性に関する情報を十分に説明し，文書による同意を得てから投与すること。

②SARS-CoV-2 による感染症の重症化リスク因子を有するなど，本剤の投与が必要と考えられる患者に投与すること。

＊重症化リスク因子：61 歳以上，活動性のがん（免疫抑制または高い死亡率を伴わないがんは除く），慢性腎臓病，慢性閉塞性肺疾患，肥満（BMI30kg/m^2 以上），重篤な心疾患（心不全，冠動脈疾患または心筋症），糖尿病，ダウン症，脳神経疾患（多発性硬化症，ハンチントン病，重症筋無力症など），コントロール不良の HIV 感染症およびエイズ（免疫抑制された病態），肝硬変などの重度の肝臓疾患，臓器移植・骨髄移植・幹細胞移植後（COVID-19 に対する薬物治療の考え方 第 11 版，日本感染症学会）

③重症度の高い SARS-CoV-2 による感染症患者に対する有効性は確立していない。

④SARS-CoV-2 による感染症の症状が発現してから速やかに投与すること。症状発現から 6 日目以降に服用を開始した患者における有効性を裏づけるデータは得られていない。

使用上の注意

基本的注意

(1)**使用してはいけない場合**……本剤の成分に対する重いアレルギーの前歴／妊婦または妊娠している可能性のある人

(2)**避妊**……妊娠可能な女性は，本剤服用中と服用終了後一定期間は適切な避妊を行ってください。動物実験で胎児毒性が報告されています。

(3)**その他**……

- 授乳婦での安全性：治療上の有益性・母乳栄養の有益性を考慮し，授乳の継続・中止を検討。
- 小児での安全性：未確立(18歳未満)。(1714頁を参照)

重大な副作用　重大な副作用はありませんが，そのほかの副作用はあるので，体調がいつもと違うと感じたときは，処方医・薬剤師に相談してください。

併用してはいけない薬　併用してはいけない薬は特にありません。ただし，併用する薬があるときは，念のため処方医・薬剤師に報告してください。

内　13 その他の薬　07 抗ウイルス薬

08　パキロビッドパック

製剤情報

一般名：ニルマトレルビル／リトナビル

- 発売年月…2022年2月
- 海外評価…4点 英 米 独 仏
- 規制…劇薬
- 剤形…錠 錠剤
- 服用量と回数…通常，成人および12歳以上かつ体重40kg以上の小児に，ニルマトレルビル

として1回300mg(2錠)およびリトナビルとして1回100mg(1錠)を同時に，1日2回，5日間服用する。腎機能障害のある人は「基本的注意」の(3)を参照。

■健康保険適応外　商品名(メーカー)　規格・保険薬価

パキロビッドパック (ファイザー)
錠 1パック (ニルマトレルビル 150mg×2錠，リトナビル 100mg×1錠)【健康保険適応外】

概　要

分類　抗ウイルス薬

処方目的　SARS-CoV-2 による感染症

解説　本剤は，新型コロナウイルス(SARS-CoV-2：サーズ-シーオーブイ-ツー)を標的に創製された新規化合物の「ニルマトレルビル」と，既存の HIV(エイズウイルス)感染症治療薬の「リトナビル」をパックにした製剤です。ニルマトレルビルは，新型コロナウイルスの複製にかかわる酵素(メインプロテアーゼ)の機能を阻害することでウイルスの増殖を抑制します。一方，リトナビルは SARS-CoV-2 に対する抗ウイルス活性はありませんが，ニルマトレルビルの主要代謝酵素(CYP3A)を阻害する作用を有するため，ニルマトレルビルの代謝を遅らせ，ニルマトレルビルの体内濃度をウイルスに作用する濃度に維持する目的で同時に服用します。

　本剤は併用薬剤と相互作用をおこすことがあり，後述する併用禁忌や併用注意の薬剤がたくさんあります。服用にあたっては，服薬中のすべての薬剤を確認する必要があるので，必ず医師に提示してください。また，本剤で治療中に新たに他の薬剤を服用する場合は事前に相談してください。

①本剤は，本邦で特例承認されたものであり，承認時において有効性，安全性，品質にかかわる情報は限られており，引き続き情報を収集中である。そのため，本剤の使用に

あたっては，あらかじめ患者または代諾者に，その旨ならびに有効性・安全性に関する情報を十分に説明し，文書による同意を得てから投与すること。

②SARS-CoV-2 による感染症の重症化リスク因子を有するなど，本剤の投与が必要と考えられる患者に投与すること。

＊重症化リスク因子：60 歳以上，BMI25kg/m² 超，喫煙者（過去 30 日以内の喫煙があり，かつ生涯に 100 本以上の喫煙がある），免疫抑制疾患または免疫抑制剤の継続投与，慢性肺疾患（ぜんそくは，処方薬の連日投与を要する場合のみ），高血圧の診断を受けている，心血管疾患（心筋梗塞，脳卒中，一過性脳虚血発作，心不全，ニトログリセリンが処方された狭心症，冠動脈バイパス術，経皮的冠動脈形成術，頸動脈動脈内膜剥離術または大動脈バイパス術の既往を有する），1 型または 2 型糖尿病，限局性皮膚がんを除く活動性のがん，慢性腎臓病，神経発達障害（脳性麻痺，ダウン症候群など）または医学的複雑性を付与するその他の疾患（遺伝性疾患，メタボリックシンドローム，重度の先天異常など），医療技術への依存（SARS-CoV-2 による感染症と無関係な持続陽圧呼吸療法など）など（COVID-19 に対する薬物治療の考え方 第 13 版，日本感染症学会，2022 年 2 月 10 日より）

③重症度の高い SARS-CoV-2 による感染症患者に対する有効性は確立していない。

④SARS-CoV-2 による感染症の症状が発現してから速やかに投与を開始すること。臨床試験において，症状発現から 6 日目以降に投与を開始した患者における有効性を裏づけるデータは得られていない。

使用上の注意

基本的注意

(1)服用してはいけない場合……本剤の成分に対するアレルギーの前歴／アンピロキシカム，ピロキシカム，エレトリプタン臭化水素酸塩，アゼルニジピン，レザルタス配合錠，アミオダロン塩酸塩，ベプリジル塩酸塩水和物，フレカイニド酢酸塩，プロパフェノン塩酸塩，キニジン硫酸塩水和物，リバーロキサバン，リファブチン，ブロナンセリン，ルラシドン塩酸塩，クリアミン配合錠，メチルエルゴメトリンマレイン酸塩，シルデナフィルクエン酸塩（レバチオ），タダラフィル（アドシルカ），バルデナフィル塩酸塩水和物（レビトラ），ロミタピドメシル酸塩，ベネトクラクス（再発または難治性の慢性リンパ性白血病（小リンパ球性リンパ腫を含む）の用量漸増期），ジアゼパム，クロラゼプ酸 2 カリウム，エスタゾラム，フルラゼパム塩酸塩，トリアゾラム，ミダゾラム（注射薬），リオシグアト，ボリコナゾール，アパルタミド，カルバマゼピン，フェノバルビタール，フェニトイン，ホスフェニトインナトリウム水和物（注射薬），リファンピシンの服用中／セイヨウオトギリソウ（セント・ジョーンズ・ワート）含有食品の摂取中／腎機能または肝機能障害のある人でコルヒチンの服用中

(2)慎重に服用すべき場合……HIV（エイズウイルス）に感染している人／中等度の腎機能障害（コルヒチンを服用中の患者を除く）／肝機能障害（コルヒチンを服用中の患者を除く）

(3)腎機能障害者の服用法……①腎機能障害があってコルヒチンを服用中の人は，たとえ腎機能障害が軽度であっても本剤を服用してはいけません。②中等度の腎機能障害

(eGFR〔推算糸球体ろ過量〕30mL/分以上 60mL/分未満)があってコルヒチンを服用していない場合は，ニルマトレルビルの血中濃度が上昇するおそれがあるため，ニルマトレルビルの量を通常の1回300mg(2錠)の半分の150mg(1錠)に減量して慎重に服用します。リトナビルの量は100mg(1錠)で変わりません。③重度の腎機能障害(eGFR30mL/分未満)があってコルヒチンを服用していない場合，本剤の服用は推奨されません。

(4)セイヨウオトギリソウ(セント・ジョーンズ・ワート)含有食品……本剤の濃度が低下し，抗ウイルス作用の消失や耐性出現のおそれがあるので，本剤の服用中はセイヨウオトギリソウ含有食品を摂取しないでください。

(5)その他……
- 妊婦での安全性：有益と判断されたときのみ使用。
- 授乳婦での安全性：治療上の有益性・母乳栄養の有益性を考慮し，授乳の継続・中止を検討。
- 小児での安全性：有益と判断されたときのみ使用。(1714頁を参照)

重大な副作用　①肝機能障害。②中毒性表皮壊死融解症(TEN)，皮膚粘膜眼症候群(スティブンス-ジョンソン症候群)。

　そのほかにも報告された副作用はあるので，体調がいつもと違うと感じたときは，処方医・薬剤師に相談してください。

併用してはいけない薬　①アンピロキシカム，ピロキシカム，エレトリプタン臭化水素酸塩，アゼルニジピン，レザルタス配合錠，アミオダロン塩酸塩，ベプリジル塩酸塩水和物，フレカイニド酢酸塩，プロパフェノン塩酸塩，キニジン硫酸塩水和物，リバーロキサバン，リファブチン，ブロナンセリン，ルラシドン塩酸塩，クリアミン配合錠，メチルエルゴメトリンマレイン酸塩，シルデナフィルクエン酸塩(レバチオ)，タダラフィル(アドシルカ)，バルデナフィル塩酸塩水和物(レビトラ)，ロミタピドメシル酸塩→不整脈，血液障害，血管れん縮など，これらの薬剤による重篤なまたは生命に危険を及ぼすような事象がおこるおそれがあります。②ベネトクラクス(再発または難治性の慢性リンパ性白血病(小リンパ球性リンパ腫を含む)の用量漸増期)→腫瘍崩壊症候群の発現が増強されるおそれがあります。③ジアゼパム，クロラゼプ酸2カリウム，エスタゾラム，フルラゼパム塩酸塩，トリアゾラム，ミダゾラム(注射薬)→過度の鎮静や呼吸抑制などがおこるおそれがあります。④リオシグアト→リオシグアトの血中濃度が上昇し，クリアランスが低下するおそれがあります。⑤ボリコナゾール→ボリコナゾールの血中濃度が低下したとの報告があります。⑥アパルタミド→アパルタミドの血中濃度が上昇し，副作用が強まるおそれがあります。また，本剤の血中濃度が減少することで，抗ウイルス作用の消失や耐性出現のおそれがあります。⑦カルバマゼピン→カルバマゼピンの血中濃度が上昇するおそれがあります。また，本剤の血中濃度が減少することで，抗ウイルス作用の消失や耐性出現のおそれがあります。⑧フェノバルビタール，フェニトイン，ホスフェニトインナトリウム水和物(注射薬)，リファンピシン→本剤の濃度が低下し，抗ウイルス作用の消失や耐性出現のおそれがあります。

内 13 その他の薬　08 先天性代謝異常症の薬

01　レボカルニチン

💊 製 剤 情 報

一般名：レボカルニチン
- 保険収載年月…1990年5月
- 海外評価…6点 英 米 独 仏　●PC…B
- 剤形…錠 錠剤, 液 液剤
- 服用量と回数…成人は1日1.5～3g(液剤15～30mL)を, 小児は1日体重1kgあたり25～100mg(0.25～1mL)を, いずれも3回に分けて服用。

■先発品　　商品名(メーカー)　規格・保険薬価

エルカルチン FF(大塚) 錠 100mg 1錠 80.70 円
錠 250mg 1錠 237.50 円

エルカルチン FF 内用液(大塚)
液 10% 1mL 61.10 円　液 10%5mL 1包 312.40 円
液 10%10mL 1包 609.60 円

■ジェネリック　　商品名(メーカー)　規格・保険薬価

レボカルニチン塩化物(コーアイセイ)
錠 100mg 1錠 25.60 円　錠 300mg 1錠 72.90 円

レボカルニチン塩化物(コーアバイオテックベイ
＝陽進堂) 錠 100mg 1錠 25.60 円
錠 300mg 1錠 72.90 円

レボカルニチン塩化物(日医工)
錠 100mg 1錠 25.60 円　錠 300mg 1錠 72.90 円

レボカルニチン塩化物(扶桑)
錠 100mg 1錠 25.60 円　錠 300mg 1錠 72.90 円

📋 概　　要

分類　ミトコンドリア機能賦活薬

処方目的　カルニチン欠乏症

解説　カルニチンは, 食事による摂取と生体内(肝臓, 腎臓, 脳など)での生合成により供給される生体内物質で, ビタミンではありませんが, ビタミン様物質といわれることもあります。細胞内のカルニチンが何らかの原因により欠乏するとカルニチンの機能が不十分となり, 肝臓, 脳, 骨格筋, 心筋など種々の臓器で異常が生じ, 重篤なカルニチン欠乏症では生命を脅かす不可逆的な臓器障害をきたします。

　レボカルニチン(L-カルニチン)は, 臨床症状・検査所見からカルニチン欠乏症と診断された場合, あるいはカルニチン欠乏症が発症する可能性が極めて高い状態である場合にのみ服用します。

⚗️ 使用上の注意

*レボカルニチン(エルカルチン FF)の添付文書による

基本的注意

(1)服用してはいけない場合……本剤の成分に対するアレルギーの前歴
(2)慎重に服用すべき場合……重い腎機能障害, 透析下の末期腎疾患
(3)定期検査……本剤服用中は, 定期的に血液や肝・腎機能, 尿の検査, バイタルサイン, カルニチンの欠乏状態のモニタリングを受けることが大切です。
(4)服用法……錠剤(FF 錠を除く)を飲み込むことが困難な場合は, 水に溶かして服用してもかまいません。

(5)その他……
● 妊婦での安全性：有益と判断されたときのみ服用。
● 授乳婦での安全性：治療上の有益性・母乳栄養の有益性を考慮し，授乳の継続・中止を検討。
● 低出生体重児，新生児，乳児での安全性：未確立。(1714頁を参照)

重大な副作用　重大な副作用はありませんが，そのほかの副作用はあるので，体調がいつもと違うと感じたときは，処方医・薬剤師に相談してください。

併用してはいけない薬　併用してはいけない薬は特にありません。ただし，併用する薬があるときは，念のため処方医・薬剤師に報告してください。

内 13 その他の薬　08 先天性代謝異常症の薬

02 ウイルソン病治療薬（1）

製剤情報

一般名：トリエンチン塩酸塩
● 保険収載年月…1994年8月
● 海外評価…4点 英 米 独 仏　● PC…C
● 規制…劇薬

● 剤形…カ カプセル剤
● 服用量と回数…1日1,500mgを2〜4回に分けて服用。1日1,000〜2,500mgの範囲で増減。

■ 先発品　商品名(メーカー)　規格・保険薬価
メタライト (ツムラ) カ 250mg 1カプセル 293.30 円

概要

分類　ウイルソン病治療薬

処方目的　ウイルソン病(ペニシラミンに不耐性である場合)

解説　ウイルソン病は，5万人に1人の割合で発生する稀な常染色体劣性遺伝の先天的な銅代謝異常症です。肝臓・大脳基底部・角膜・腎尿細管などの臓器に過剰な銅が沈着し，肝硬変，錐体外路症状(筋肉が勝手に動き出すなど)などを示します。本症は進行性で，放置すれば発病後数年で不幸な転帰をとります。

治療薬は，組織に過剰蓄積した銅に対するキレート剤がきわめて有効で，現在，第一選択薬としてペニシラミンが用いられており，早期に治療すれば全く健常の社会生活も可能となります。ここで紹介するトリエンチン塩酸塩は，ペニシラミンが副作用などで使えない場合に処方されます。

使用上の注意

基本的注意

(1)慎重に服用すべき場合……重度の合併症(心臓疾患，がん，腎疾患，糖尿病，血液障害，脳血管障害など)／薬物アレルギー
(2)服用法……①食前1時間または食後2時間以上の空腹時に服用し，他剤の服用あるいは食事の摂取から1時間以上の間隔をあけて服用してください。②カプセルをあけたり噛んだりせず，多めの水で服用してください。③カプセルの内容物に触ると，接触性

皮膚炎がおこることがあるので，触れた部位は速やかに洗い流してください。

（3）定期検査……本剤を長期に服用するときには，3～12カ月ごとに血清中の遊離銅濃度ならびに尿中銅排泄量の検査を受ける必要があります。

（4）その他……

● 妊婦での安全性：有益と判断されたときのみ服用。

● 授乳婦での安全性：服用するときは授乳を中止。

● 小児での安全性：未確立。（1714頁を参照）

重大な副作用　　①SLE（全身性エリテマトーデス）。②間質性肺炎などの肺病変。

そのほかにも報告された副作用はあるので，体調がいつもと違うと感じたときは，処方医・薬剤師に相談してください。

併用してはいけない薬　　併用してはいけない薬は特にありません。ただし，併用する薬があるときは，念のため処方医・薬剤師に報告してください。

内 13 その他の薬　08 先天性代謝異常症の薬

03　ウイルソン病治療薬（2）

✎ 製 剤 情 報

一般名：酢酸亜鉛水和物

● 保険収載年月…2008年4月

● 海外評価…6点 英 米 独 仏

● 規制…劇薬

● 剤形…錠 錠剤，顆 顆粒剤

● 服用量と回数…1回50mgを1日3回，1日最大250mg（1回50mgを1日5回）。1歳以上6歳未満：1回25mgを1日2回。6歳以上の小児：1回25mgを1日3回。低亜鉛血症の場合は処方医の指示通りに服用。

■先発品　　商品名（メーカー）　規格・保険薬価

| ノベルジン 写真 （ノーベル） 顆 5% 1g 460.80 円 |
| 錠 25mg 1錠 230.40 円　錠 50mg 1錠 361.00 円 |

📋 概　要

分類　ウイルソン病治療薬（銅吸収阻害薬）・低亜鉛血症治療薬

処方目的　ウイルソン病（肝レンズ核変性症）／低亜鉛血症

解説　本剤は，メタロチオネインという銅と結合するタンパク質を生成誘導します。メタロチオネインと結合した銅は体内へ吸収されず，銅の代謝異常であるウイルソン病の治療に用います。ペニシラミン，トリエンチン塩酸塩といったキレート剤（体にたまった銅を尿中へ排泄する薬）よりも比較的副作用が少ないことなどから，欧米ではウイルソン病の第一選択薬として用いられています。

症候性のウイルソン病で初期治療として本剤を使用する場合は，トリエンチン塩酸塩などのキレート剤と併用します。ただし，無症候性のウイルソン病には初期治療として本剤単独服用でもよいことになっています。

また，本剤は亜鉛製剤であり，低亜鉛血症の人に対して，食事などによる亜鉛摂取で

十分な効果が期待できない場合に亜鉛の補充療法として用いられます。

🎋 使用上の注意

基本的注意

(1)**服用してはいけない場合**……本剤の成分に対するアレルギーの前歴

(2)**慎重に服用すべき場合**……非代償性肝障害／高齢者／妊婦・授乳婦／小児

(3)**定期的検査**……[ウイルソン病]①本剤の服用開始初期には，少なくとも1カ月ごとに尿中銅排泄量検査を行い，尿中銅排泄量に応じて用量を調節します。②本剤の用量を変更する場合は，尿中銅排泄量検査に加え，必要に応じて尿中亜鉛排泄量検査・肝機能検査を行います。③妊婦が服用する場合は，1カ月ごとに尿中銅排泄量検査を行い，銅欠乏をきたすことがないよう，尿中銅排泄量に応じて用量を調節します。[低亜鉛血症]血清銅濃度が低下する可能性があるため，定期的に血清銅濃度を確認します。[ウイルソン病，低亜鉛血症]アミラーゼおよびリパーゼの異常が長期に持続する場合には，膵機能検査(腫瘍マーカーを含む)を行います。

(4)**服用法**……ウイルソン病の場合，食物と同時に摂取すると本剤の効果が遅延するおそれがあります。食前1時間以上または食後2時間以上あけて服用します。

(5)**その他**……

● 授乳婦での安全性：服用するときは授乳を中止。

● 小児での安全性：未確立。(1714頁を参照)

重大な副作用
①銅欠乏症(汎血球減少，貧血，神経障害)。

　そのほかにも報告された副作用はあるので，体調がいつもと違うと感じたときは，処方医・薬剤師に相談してください。

併用してはいけない薬
併用してはいけない薬は特にありません。ただし，併用する薬があるときは，念のため処方医・薬剤師に報告してください。

内 13 その他の薬　08 先天性代謝異常症の薬

04　サプロプテリン塩酸塩

💊 製剤情報

一般名：サプロプテリン塩酸塩

● 保険収載年月…1992年5月

● 海外評価…5点 英 米 独 仏

● 剤形…顆 顆粒剤

● 服用量と回数…異型高フェニルアラニン血症の場合は，1日2〜5mg／kg(体重)を1〜3回に分けて服用。テトラヒドロビオプテリン反応性高フェニルアラニン血症の場合は，1日10mg／kgを1〜3回に分けて服用。

■ **先発品**　　商品名(メーカー)　規格・保険薬価

ビオプテン (第一三共) 顆 2.5%0.4g 1包 3,736.10円

顆 10%1g 1包 37,360.50円

📋 概　　要

分類
高フェニルアラニン血症治療薬

処方目的　ジヒドロビオプテリン合成酵素欠損，ジヒドロプテリジン還元酵素欠損にもとづく高フェニルアラニン血症（異型高フェニルアラニン血症）における血清フェニルアラニン値の低下／テトラヒドロビオプテリン反応性フェニルアラニン水酸化酵素欠損に基づく高フェニルアラニン血症（テトラヒドロビオプテリン反応性高フェニルアラニン血症）における血清フェニルアラニン値の低下

解説　現在，わが国では，生まれてきた子ども全員に対して，血液濾紙による先天性代謝異常症のスクリーニング（第一次検査）を行っています（新生児マススクリーニング）。高フェニルアラニン血症はアミノ酸代謝の異常で，放置すると知能障害やけいれんなど重大な障害になりますが，早期に治療すればほぼ確実に予防することができます。現在の治療の主流は食事療法ですが，薬物による治療も有効です。

使用上の注意

基本的注意

(1)慎重に服用すべき場合……重い脳器質障害，てんかん，けいれん発作などある人／重い肝機能障害／薬物アレルギー／食事摂取不良などによる栄養不良／低出生体重児，新生児，乳児

(2)その他……

●妊婦での安全性：有益と判断されたときのみ服用。

●授乳婦での安全性：治療上の有益性・母乳栄養の有益性を考慮し，授乳の継続・中止を検討。（1714頁を参照）

重大な副作用　重大な副作用はありませんが，そのほかの副作用はあるので，体調がいつもと違うと感じたときは，処方医・薬剤師に相談してください。

併用してはいけない薬　併用してはいけない薬は特にありません。ただし，併用する薬があるときは，念のため処方医・薬剤師に報告してください。

内 13 その他の薬　08 先天性代謝異常症の薬

05 尿素サイクル異常症治療薬（1）

製剤情報

一般名：L-アルギニン・L-アルギニン塩酸塩配合剤

●保険収載年月…1999年11月

●海外評価…1点 英 米 独 仏

概要

分類　尿素サイクル異常症治療薬

処方目的　以下の疾患における血中アンモニア濃度の上昇抑制：先天性尿素サイクル異常症〔カルバミルリン酸合成酵素欠損症，オルニチントランスカルバミラーゼ欠損症，

●剤形…顆 顆粒剤

●服用量と回数…1日0.15〜0.5g／kg（体重）を3〜6回に分けて服用。

■先発品　　商品名（メーカー）　規格・保険薬価

アルギ U 配合顆粒（EA ファーマ） 顆 1g 40.80 円

アルギニノコハク酸合成酵素欠損症（シトルリン血症），アルギニノコハク酸分解酵素欠損症（アルギニノコハク酸尿症）〕またはリジン尿性蛋白不耐症（ただし，アルギニンの吸収阻害が強い人を除く）

解説　尿素サイクル異常症は，アンモニアを尿素に変換する尿素サイクル内のさまざまな酵素の遺伝的欠損に起因する遺伝性疾患です。高アンモニア血症をきたし，食欲不振，嗜眠，錯乱，昏睡，脳障害などが現れる難病です。

　本剤は，L-アルギニンと塩酸アルギニンを有効成分とする先天性尿素サイクル酵素異常症治療薬です。1993年11月にオーファンドラッグ（希少疾病用薬）に指定されました。

使用上の注意

基本的注意

（1）服用してはいけない場合……アルギナーゼ欠損症／リジン尿性タンパク不耐症でアルギニンの吸収阻害の程度が大きい人

（2）その他……

●妊婦での安全性：未確立。有益と判断されたときのみ服用。

●授乳婦での安全性：原則として服用しない。やむを得ず服用するときは授乳を中止。
　（1714頁を参照）

重大な副作用　　重大な副作用はありませんが，そのほかの副作用はあるので，体調がいつもと違うと感じたときは，処方医・薬剤師に相談してください。

併用してはいけない薬　　併用してはいけない薬は特にありません。ただし，併用する薬があるときは，念のため処方医・薬剤師に報告してください。

内13その他の薬　08先天性代謝異常症の薬

06 尿素サイクル異常症治療薬（2）

製剤情報

一般名：フェニル酪酸ナトリウム

●保険収載年月…2012年11月

●海外評価…6点 英米独仏　●PC…C

●剤形…錠錠剤，顆顆粒剤

●服用量と回数…1日9.9〜13.0g／m²（体表面積）を3〜6回に分けて服用。体重20kg未満の小児は医師の指示通りに服用。

■**先発品**　商品名（メーカー）　規格・保険薬価

ブフェニール（オーファン）顆94% 1g 871.30円
錠500mg 1錠 470.60円

概要

分類　尿素サイクル異常症治療薬

処方目的　尿素サイクル異常症

解説　尿素サイクル異常症は，アンモニアを尿素に変換する尿素サイクル内のさまざまな酵素の遺伝的欠損に起因する遺伝性疾患です。高アンモニア血症をきたし，食欲不振，嗜眠，錯乱，昏睡，脳障害などが現れる難病です。本剤はフェニル酢酸のプロドラッ

グで，生体内で酸化されてフェニル酢酸となり，グルタミンと結合して腎臓から尿中に排泄され，血中のアンモニア濃度を低下させます。適応は，①新生児期に発症する尿素サイクル異常症（出生後28日以内に発症する完全な尿素サイクル酵素欠損症），②高アンモニア血症の前歴を有する遅発型尿素サイクル異常症となっています。

使用上の注意

基本的注意

(1)服用してはいけない場合……本剤の成分に対するアレルギーの前歴

(2)慎重に服用すべき場合……うっ血性心不全，腎不全，浮腫を伴うナトリウムの貯留がある人／肝機能障害／腎機能障害／先天性のβ酸化異常がある人

(3)その他……

● 妊婦での安全性：未確立。有益と判断されたときのみ服用。

● 授乳婦での安全性：原則として服用しない。やむを得ず服用するときは授乳を中止。
（1714頁を参照）

重大な副作用　　　重大な副作用はありませんが，そのほかの副作用はあるので，体調がいつもと違うと感じたときは，処方医・薬剤師に相談してください。

併用してはいけない薬　　　併用してはいけない薬は特にありません。ただし，併用する薬があるときは，念のため処方医・薬剤師に報告してください。

内 13 その他の薬　08 先天性代謝異常症の薬

07 ニーマン・ピック病C型治療薬

製剤情報

一般名：ミグルスタット

● 保険収載年月…2012年5月

● 海外評価…6点 英 米 独 仏　● PC…X

● 剤形…カ カプセル剤

● 服用量と回数…成人は1回200mgを1日3回。小児は処方医の指示通りに服用。

■先発品　　商品名(メーカー)　規格・保険薬価

ブレーザベス (ヤンセン)
カ 100mg 1カプセル 10,266.70 円

概要

分類　　ニーマン・ピック病C型治療薬（グルコシルセラミド合成酵素阻害薬）

処方目的　　ニーマン・ピック病C型

解説　　ニーマン・ピック病は先天性脂質代謝異常症（ライソゾーム病）の一つで，小児期から10代で好発する遺伝病です。A型，B型，C型などがありますが，C型はヒト染色体18番の中のNPC1遺伝子などの欠損によって脂質代謝異常がおこり，脳などの細胞内にスフィンゴ糖脂質などの脂質が蓄積することによって引きおこされます。

　本剤は，このスフィンゴ糖脂質の生合成経路における第一段階のグルコシルセラミド合成酵素の活性を阻害することで，細胞内へのスフィンゴ糖脂質の蓄積を減少させ，症状の悪化を遅延させる薬剤です。アメリカでは，同じライソゾーム病の一種であるゴー

シェ病Ⅰ型の治療薬として認可されています。

🔖 使用上の注意

基本的注意

(1)服用してはいけない場合……本剤の成分に対するアレルギーの前歴／妊婦または妊娠している可能性のある人

(2)慎重に服用すべき場合……腎機能障害／肝機能障害／胃腸障害

(3)消化器系症状……本剤の服用により消化器系症状(主として下痢)が発現することがあるので，下痢が認められた場合には処方医に連絡してください。食事内容の変更(炭水化物を多く含む食事を避けるなど)，服用時期を食事時間から離す，止瀉薬(下痢止め)を服用する，本剤を一時的に減量するなどの処置によって対処します。

(4)受胎……男性患者で受胎を希望する場合には，事前に本剤の服用を中止し，3カ月間は避妊してください。動物試験で雄性生殖器重量・精子形成の低下，受胎率の低下が報告されています。

(5)危険作業は中止……浮動性めまいが現れることがあるので，服用中は自動車の運転など危険を伴う機械の操作は行わないようにしてください。

(6)その他……

●授乳婦での安全性：治療上の有益性・母乳栄養の有益性を考慮し，授乳の継続・中止を検討。

●小児での安全性：4歳未満に対する本剤の使用経験はなし。(1714頁を参照)

重大な副作用　　①重い下痢。

そのほかにも報告された副作用はあるので，体調がいつもと違うと感じたときは，処方医・薬剤師に相談してください。

併用してはいけない薬　　併用してはいけない薬は特にありません。ただし，併用する薬があるときは，念のため処方医・薬剤師に報告してください。

内 13 その他の薬　08 先天性代謝異常症の薬

08 ホモシスチン尿症治療薬

💊 製剤情報

一般名：ベタイン

●保険収載年月…2014年5月
●海外評価…5点 英米独仏　●PC…C
●剤形…末 末剤

●服用量と回数…11歳以上は1回3g，11歳未満は1回50mg/kg(体重)を1日2回服用。

■**先発品**　　商品名(メーカー)　　規格・保険薬価
サイスタダン原末(レコルダティ)末 1g 456.00円

📋 概要

分類　ホモシスチン尿症治療薬
処方目的　ホモシスチン尿症

解説 ホモシスチンは，必須アミノ酸の一つであるメチオニンの代謝経路における中間生成物です。メチオニンはシスタチオン合成酵素の働きによってホモシステインという物質に変換され，その後，システインとシスチンにつくり変えられます。ホモシスチン尿症は先天性アミノ酸代謝異常症の一つで，主にこのメチオニン代謝経路の障害によってホモシステインおよびホモシスチンが体内に蓄積し，ホモシスチンが尿中へ大量に排出される疾患です。出生直後に行われる新生児マススクリーニングの対象疾患の一つで，十分な治療が施されない場合，眼・骨格・中枢神経・血管の障害を引きおこします。

本剤は，メチオニン代謝経路においてホモシステインをメチオニンにすることによって体液中のホモシステインを低下させる，国内初のホモシスチン尿症の治療薬です。

使用上の注意

基本的注意

(1) 服用してはいけない場合……本剤の成分に対するアレルギーの前歴

(2) 慎重に服用すべき場合……小児／高齢者

(3) 脳浮腫……本剤を服用すると脳浮腫がおこることがあります。頭痛，嘔吐，視覚異常などの脳浮腫が疑われる症状が現れたら，すぐに処方医に連絡してください。

(4) その他……

● 妊婦での安全性：有益と判断されたときのみ服用。

● 授乳婦での安全性：治療上の有益性・母乳栄養の有益性を考慮し，授乳の継続・中止を検討。

● 小児での安全性：未確立。（1714頁を参照）

重大な副作用 ①脳浮腫（頭痛，嘔吐，視覚異常など）。

そのほかにも報告された副作用はあるので，体調がいつもと違うと感じたときは，処方医・薬剤師に相談してください。

併用してはいけない薬 併用してはいけない薬は特にありません。ただし，併用する薬があるときは，念のため処方医・薬剤師に報告してください。

内13 その他の薬 08 先天性代謝異常症の薬

09 腎性シスチン症治療薬

製剤情報

一般名：システアミン酒石酸塩

● 保険収載年月…2014年9月

● 海外評価…6点 英米独仏 ● PC…C

● 規制…劇薬

● 剤形…カ カプセル剤

● 服用量と回数…12歳未満または体重50kg未

満の人は1日1.3g/m²(体表面積)を，体重50kgを超える12歳以上の人は2gを，いずれも4回に分けて服用。最大服用量1日1.95g/m²(体表面積)まで。

先発品 商品名(メーカー) 規格・保険薬価

ニシスタゴン (マイラン＝マイラン EPD)

カ 50mg 1カプセル 218.90円 カ 150mg 1カプセル 573.50円

概　要

分類　腎性シスチン症治療薬

処方目的　腎性シスチン症

解説　腎性シスチン症は，先天的な遺伝子の異常により，アミノ酸の一種のシスチンを細胞外へ排出する機能が失われることで体内にシスチンが蓄積され，腎臓，肝臓，骨髄，角膜などに障害を与える全身性の進行性疾患です。本剤は，細胞内のシスチン濃度を低下させることで病態の進行を遅らせ，透析および腎移植の回避または開始時期の延長，その他の臓器における症状の発症時期の遅延に効果を示します。

使用上の注意

基本的注意

(1)服用してはいけない場合……システアミンまたはペニシラミンに対するアレルギーの前歴

(2)慎重に服用すべき場合……消化性潰瘍またはその前歴／肝機能障害またはその前歴／透析中の人／高齢者

(3)透析中の人……本剤を透析中の人が服用すると副作用の発現が増加する傾向にあるので，状態に十分注意し，定期的に医師の診察を受け，服用量を調節していきます。

(4)窒息の危険性……本剤の服用によって誤嚥による窒息の危険性があるため，誤嚥をおこすおそれのある人(嚥下困難がある人，高齢者，小児など)は十分注意してください。

(5)定期的に診察……本剤を服用すると，良性頭蓋内圧亢進(偽性脳腫瘍)・視神経乳頭浮腫(頭痛，悪心・嘔吐，一過性視力障害，複視など)やエーラース・ダンロス症候群様の症状(皮膚血管障害，関節痛，皮膚の過伸展，骨病変)などの重大な副作用が現れることがあるので，定期的に眼や皮膚の診察を行っていきます。上記の症状が現れたら，速やかに主治医に伝えてください。

(6)服用上の注意……本剤を服用するときは，酸性の飲料水(オレンジジュースなど)で飲まないでください。カプセルの内容物との混合性が悪い場合や，凝固することがあります。

(7)危険作業に注意……本剤を服用すると眠けが現れることがあります。自動車の運転など危険を伴う機械の操作に従事している人は十分注意してください。

(8)その他……

●妊婦での安全性：有益と判断されたときのみ服用。

●授乳婦での安全性：治療上の有益性・母乳栄養の有益性を考慮し，授乳の継続・中止を検討。(1714頁を参照)

重大な副作用

①中毒性表皮壊死融解症(TEN)，皮膚粘膜眼症候群(スティブンス-ジョンソン症候群)，多形紅斑。②良性頭蓋内圧亢進(偽性脳腫瘍)・視神経乳頭浮腫(頭痛，悪心・嘔吐，一過性視力障害，複視など)。③エーラース・ダンロス症候群様の症状(皮膚血管障害，関節痛，皮膚の過伸展，骨病変)。④けいれん，脳症。⑤消化性潰瘍，消化管出血。⑥腎不全を伴う尿細管間質性腎炎。

そのほかにも報告された副作用はあるので，体調がいつもと違うと感じたときは，処

方医・薬剤師に相談してください。

併用してはいけない薬　併用してはいけない薬は特にありません。ただし，併用する薬があるときは，念のため処方医・薬剤師に報告してください。

內 13 その他の薬　08 先天性代謝異常症の薬

10 高チロシン血症治療薬

製剤情報

一般名：ニチシノン

- 保険収載年月…2015年2月
- 海外評価…5点 英 米 独 仏　● PC…C
- 規制…劇薬
- 剤形…カ カプセル剤
- 服用量と回数…1日1mg/kg(体重)を2回に分けて服用。最大1日2mg/kgまで。

■先発品　商品名(メーカー)　規格・保険薬価

オーファディン（アステラス）
カ 2mg 1カプ 4,033.30 円　カ 5mg 1カプ 8,809.20 円
カ 10mg 1カプ 16,060.20 円

概要

分類　高チロシン血症治療薬

処方目的　高チロシン血症Ⅰ型

解説　高チロシン血症Ⅰ型は，チロシン(アミノ酸の一つ)を効率的に分解できない先天的な代謝異常によって，主に小児期より発症する重篤な遺伝性疾患で，重度の肝機能障害，血液凝固障害，痛みを伴う神経症状，腎尿細管障害，肝細胞がんの発症リスクが高いことが特徴です。この疾患による障害は，チロシン分解経路の中間代謝物であるフマリルアセト酢酸およびマレイルアセト酢酸などが組織中に蓄積することでおこります。本剤は，これらの物質の産生・蓄積を抑制することで病態を改善します。今日ではこの疾患の第一選択の治療法とされていて，チロシンおよびフェニルアラニン(アミノ酸の一つ)の制限食による食事療法と併用して使用されます。

使用上の注意

基本的注意

(1)服用してはいけない場合……本剤の成分に対するアレルギーの前歴

(2)食事療法……本剤の服用により血漿中のチロシン濃度が上昇し，副作用の発現リスクが増加するおそれがあります。そのため，チロシンおよびフェニルアラニンを制限した食事療法(低タンパク食)を行い，定期的に検査を行ってチロシン濃度を 500μmol/L 未満に保つようにします。

(3)眼障害……本剤の服用によって眼障害が現れることがあります。本剤による治療開始前には，眼の細隙灯顕微鏡検査を行うことが望まれます。服用後，結膜炎，角膜混濁，角膜炎，羞明 (まぶしさ)，眼痛，眼瞼炎などが現れたら，直ちに処方医に連絡してください。眼科医に受診することになります。また，自覚症状がない場合があるため，血漿中チロシン濃度のコントロールが不良な場合など，状態に応じて治療開始後も定期的に眼

の細隙灯顕微鏡検査を行います。

(4)定期的に検査……高チロシン血症Ⅰ型の人では肝悪性腫瘍が発生することが報告されているため，定期的に肝機能検査および肝画像検査を行います。また，血小板減少症，白血球減少症，顆粒球減少症がおこることがあるため，血小板数，白血球数の定期的な検査も行います。

(5)危険作業に注意……本剤を服用すると，前述したように眼障害が現れることがあるため，自動車の運転など危険を伴う機械の操作に従事する際には十分注意してください。

(6)その他……
- 妊婦での安全性：有益と判断されたときのみ服用。催奇形性に十分注意。
- 授乳婦での安全性：治療上の有益性・母乳栄養の有益性を考慮し，授乳の継続・中止を検討。(1714頁を参照)

`重大な副作用` ①眼障害(結膜炎，角膜混濁，角膜炎，羞明，眼痛，眼瞼炎など)。②血小板減少症，白血球減少症，顆粒球減少症。

そのほかにも報告された副作用はあるので，体調がいつもと違うと感じたときは，処方医・薬剤師に相談してください。

`併用してはいけない薬` 併用してはいけない薬は特にありません。ただし，併用する薬があるときは，念のため処方医・薬剤師に報告してください。

内 **13 その他の薬　08 先天性代謝異常症の薬**

11 ゴーシェ病治療薬

製剤情報

一般名：エリグルスタット酒石酸塩
- 保険収載年月…2015年5月
- 海外評価…4点 英 米 独 仏　● PC…C
- 規制…劇薬

- 剤形…カ カプセル剤
- 服用量と回数…処方医の指示通りに服用。

■ **先発品**

商品名(メーカー)	規格・保険薬価
サデルガ (サノフィ) カ	100mg 1カプセル 78,350.50円

概要

`分類` グルコシルセラミド合成酵素阻害薬

`処方目的` ゴーシェ病の諸症状(貧血，血小板減少症，肝脾腫および骨症状)の改善

`解説` ゴーシェ病は，世界でも稀な先天性の脂質代謝異常症です。糖脂質を分解するグルコセレブロシダーゼという酵素が生まれつき少ないため，糖脂質が体内の細胞に蓄積し重い全身性の症状を引きおこします。本剤は，肝臓，脾臓，骨髄などに蓄積する糖脂質(グルコシルセラミド)の合成を抑制し，貧血，血小板減少症，肝脾腫および骨症状などを改善します。

本剤は服用に先立って，肝薬物代謝酵素の1種であるチトクローム P450(CYP) 2D6 (CYP2D6)の遺伝子型を確認します。CYP2D6 の遺伝子型には EM，IM，PM といった

内
13
―
08
―
11

ゴーシェ病治療薬

タイプがあり，それによって服用方法や併用禁忌の薬剤などが異なるので，処方医の指示を厳守して服用してください。

使用上の注意

基本的注意

(1)**服用してはいけない場合**……本剤の成分に対するアレルギーの前歴／本剤の血中濃度が大幅に上昇するおそれがある以下の患者：(1)チトクローム P450(CYP)2D6 の活性が通常の患者(Extensive Metabolizer, EM)で，以下に該当する患者→①中等度以上の肝機能障害(Child-pugh 分類 B または C)がある患者，②軽度肝機能障害(Child-pugh 分類 A)があり，中程度以上の CYP2D6 阻害作用をもつ薬剤を使用中の患者，③軽度肝機能障害(Child-pugh 分類 A)があり，弱い CYP2D6 阻害作用をもつ薬剤と中程度以上の CYP3A 阻害作用をもつ薬剤の両方を使用中の患者，④肝機能が正常であり，中程度以上の CYP2D6 阻害作用をもつ薬剤と中程度以上の CYP3A 阻害作用をもつ薬剤の両方を使用中の患者。(2)CYP2D6 の活性が低い患者(Intermediate Metabolizer, IM)で，以下に該当する患者→①肝機能障害(Child-pugh 分類 A, B または C)がある患者，②肝機能が正常であり，中程度以上の CYP3A 阻害作用をもつ薬剤を使用中の患者。(3)CYP2D6 の活性が欠損している患者(Poor Metabolizer, PM)で，以下に該当する患者→②肝機能障害(Child-pugh 分類 A, B または C)がある患者，②肝機能が正常であり，中程度以上の CYP3A 阻害作用をもつ薬剤を使用中の患者／QT 延長のある人(先天性 QT 延長症候群など)／クラス Ⅰa(キニジン硫酸塩水和物，プロカインアミド塩酸塩など)およびクラス Ⅲ(アミオダロン塩酸塩，ソタロール塩酸塩など)の抗不整脈薬またはベプリジル塩酸塩水和物を使用中／妊婦または妊娠している可能性のある人

(2)**慎重に服用すべき場合**……心疾患(うっ血性心不全，虚血性心疾患，心筋症，徐脈，心ブロック，重篤な心室性不整脈)／失神の前歴／腎機能障害／CYP2D6 の活性が欠損している患者(PM)

(3)**飲み忘れ**……本剤の服用を忘れた場合は，1 回分を次の服用時間に服用し，一度に 2 回分を服用しないようにします。

(4)**使用上の注意**……本剤と CYP2D6 または CYP3A 阻害作用をもつ薬剤などを併用した場合，本剤の血中濃度が高くなるおそれがあります。本剤の使用にあたっては以下のことを守ってください→①現在併用しているすべての医薬品など(CYP 阻害作用をもつ食品やサプリメントを含む)を処方医に伝えること。②「患者カード」などを携帯し，他の病院や薬局を利用する場合には，本剤の使用を医師または薬剤師に伝えること。

(5)**飲食物**……グレープフルーツジュースは本剤の作用を強めるおそれがあります。一方，セイヨウオトギリソウ(セント・ジョーンズ・ワート)含有食品は本剤の作用を弱めるおそれがあります。本剤の服用中はこれらを摂取しないでください。

(6)**危険作業に注意**……本剤の服用によって，めまいなどが現れることがあるので，自動車の運転など危険を伴う機械の操作に従事する際には十分に注意してください。

(7)**その他**……

●授乳婦での安全性：服用するときは授乳を中止。

●小児での安全性：未確立。(1714 頁を参照)

<u>重大な副作用</u> ①失神。

　そのほかにも報告された副作用はあるので，体調がいつもと違うと感じたときは，処方医・薬剤師に相談してください。

<u>併用してはいけない薬</u>　[CYP2D6 の活性が通常の患者(EM)で軽度肝機能障害(Child-pugh 分類 A)がある患者] ①中程度以上の CYP2D6 阻害作用をもつ薬剤。②弱い CYP2D6 阻害作用をもつ薬剤と中程度以上の CYP3A 阻害作用をもつ薬剤の両方を併用→併用により本剤の血中濃度が上昇し QT 延長などが生じるおそれがあります。

[CYP2D6 の活性が通常の患者(EM)で肝機能が正常な患者] 中程度以上の CYP2D6 阻害作用をもつ薬剤と中程度以上の CYP3A 阻害作用をもつ薬剤の両方を併用→併用により本剤の血中濃度が上昇し QT 延長などが生じるおそれがあります。

[CYP2D6 の活性が低い患者(IM)] 中程度以上の CYP3A 阻害作用をもつ薬剤→併用により本剤の血中濃度が上昇し QT 延長などが生じるおそれがあります。

[CYP2D6 の活性が欠損している患者(PM)] 中程度以上の CYP3A 阻害作用をもつ薬剤→本剤の血中濃度が上昇することにより QT 延長などが生じるおそれがあります。

[EM, IM, PM の患者] クラス Ⅰa 抗不整脈薬(キニジン硫酸塩水和物，プロカインアミド塩酸塩など)，クラスⅢ抗不整脈薬(アミオダロン塩酸塩，ソタロール塩酸塩など)，ベプリジル塩酸塩水和物→相加的に作用が強まり，QT 延長などが生じるおそれがあります。

〔CYP2D6 または CYP3A 阻害作用を有すると考えられる薬剤名〕

・CYP2D6 阻害作用をもつ薬剤：①強い CYP2D6 阻害作用をもつ薬剤→パロキセチン塩酸塩水和物，シナカルセト塩酸塩，テルビナフィン塩酸塩など。②中程度の CYP2D6 阻害作用をもつ薬剤→デュロキセチン塩酸塩，ミラベグロンなど。③弱い CYP2D6 阻害作用をもつ薬剤→アビラテロン酢酸エステル，リトナビル，セレコキシブなど。

・CYP3A 阻害作用をもつ薬剤：①強い CYP3A 阻害作用をもつ薬剤→クラリスロマイシン，イトラコナゾール，スタリビルド配合錠，リトナビル，ボリコナゾール，ネルフィナビルメシル酸塩など。②中程度の CYP3A 阻害作用をもつ薬剤→エリスロマイシンエチルコハク酸エステル，フルコナゾール，アタザナビル硫酸塩，シクロスポリン，アプレピタント，ジルチアゼム塩酸塩など。③弱い CYP3A 阻害作用をもつ薬剤→シロスタゾール，ラニチジン塩酸塩，タクロリムス水和物

内 13 その他の薬　08 先天性代謝異常症の薬

12 カルグルミン酸

製剤情報　　　　　**一般名：カルグルミン酸**
●保険収載年月…2016年11月
●海外評価…5点 英 米 独 仏　●PC…C

- 剤形…錠 錠剤
- 服用量と回数…1日に体重1kgあたり100～250mgより開始し，1日2～4回に分けて，用時，水に分散して服用。

■**先発品**　　**商品名(メーカー)**　規格・保険薬価

カーバグル分散錠（レコルダティ）
錠 200mg 1錠 16,596.90 円

📋 概　要

分類　高アンモニア血症治療薬

処方目的　以下の疾患による高アンモニア血症→N-アセチルグルタミン酸合成酵素欠損症，イソ吉草酸血症，メチルマロン酸血症，プロピオン酸血症

解説　タンパク質やアミノ酸は，体内での代謝の過程でアンモニアが生じます。アンモニアは人体にとって有害なもので蓄積すると高アンモニア血症となり，意識障害などさまざまな症状を引き起こしてしまいます。本剤は，国内で初めて承認された N-アセチルグルタミン酸合成酵素(NAGS)欠損症，および有機酸代謝異常症による高アンモニア血症の治療薬です。

　NAGS 欠損症は，アンモニアを尿素に変換して排泄する尿素サイクルに必要な酵素が先天的に欠損していることでおこります。有機酸代謝異常症は，アミノ酸を代謝するうえで必要なさまざまな酵素が先天的に欠損していて代謝の流れがせきとめられ，有機酸という物質が体内に過剰にたまる疾患で，イソ吉草酸血症，メチルマロン酸血症，プロピオン酸血症などがあります。

📋 使用上の注意

基本的注意

(1)服用してはいけない場合……本剤の成分に対するアレルギーの前歴

(2)服用法……①本剤を噛み砕いたり，丸ごと飲み込んだりせず，水に分散させて服用すること。分散に際しては，水以外の液体は使用しないこと。②コップや経口用シリンジなどの容器に本剤 1 錠あたり 2.5mL 以上の水を加え，静かに振盪して速やかに分散させ，分散後は速やかに服用すること。③本剤は完全には水に溶けないことから，本剤が容器に残った場合は再度水に分散させて服用すること。

(3)保存法……①開封前は交付されたボトルのまま 2～8℃で冷蔵保存し，開封時には室温に戻してから使用すること。開封後はボトルの蓋をしっかりと閉め，湿気を避けて30℃以下の室温で保存する。②未使用の錠剤および分割錠はボトルの中で保存する。

(4)その他……

- 妊婦での安全性：有益と判断されたときのみ服用。
- 授乳婦での安全性：治療上の有益性・母乳栄養の有益性を考慮し，授乳の継続・中止を検討。（1714 頁を参照）

重大な副作用　重大な副作用はありませんが，そのほかの副作用はあるので，体調がいつもと違うと感じたときは，処方医・薬剤師に相談してください。

併用してはいけない薬　併用してはいけない薬は特にありません。ただし，併用する薬があるときは，念のため処方医・薬剤師に報告してください。

13　ファブリー病治療薬

製剤情報

一般名：ミガーラスタット塩酸塩

- 保険収載年月…2018年5月
- 海外評価…1点 英 米 独 仏
- 剤形… カ カプセル剤

- 服用量と回数…1回123mg（1カプセル）を隔日服用（「基本的注意(3)」を参照）。

■**先発品**　商品名(メーカー)　規格・保険薬価

ガラフォルド（アミカス）

カ 123mg 1カプセル 145,304.00 円

概　要

分類　ファブリー病治療薬

処方目的　ミガーラスタットに反応性のある GLA 遺伝子変異を伴うファブリー病

解説　ファブリー病は，先天的な遺伝子の異常（α-ガラクトシダーゼ A 遺伝子（GLA）の変異）によって，α-ガラクトシダーゼという酵素の働きが十分でないために，グロボトリアオシルセラミドなどの物質が細胞内に蓄積し，腎障害，心筋症，脳血管疾患などが現れる疾患です。これまでファブリー病の治療薬として注射薬（酵素補充療法）が発売されていますが，本剤は経口服用による世界初の治療薬で，本剤の有効成分であるミガーラスタットに反応性がある場合に使用されます。

使用上の注意

基本的注意

(1)**服用してはいけない場合**……本剤の成分に対するアレルギーの前歴

(2)**慎重に服用すべき場合**……高齢者

(3)**服用法**……①本剤は食事の影響を受けるため，食事の前後2時間を避けて服用します。②服用時刻は原則毎回一定にします。服用予定時刻に服用できなかった場合は，服用予定時刻から12時間以内に服用します。服用予定時刻から12時間を超えた場合は，次の服用予定日時から服用を再開します。

(4)**定期的検査**……本剤の服用中は，定期的に腎機能，心機能，臨床検査値などを確認するなど経過を十分に観察し，効果が認められない場合には治療法の変更を考慮します。

(5)**重度の腎機能障害**……本剤の血中濃度が上昇するおそれがあることから，重度の腎機能障害がある人の服用は推奨されていません。

(6)**その他**……

- 妊婦での安全性：有益と判断されたときのみ服用。
- 授乳婦での安全性：服用するときは授乳しないことが望ましい。
- 小児での安全性：未確立。(1714頁を参照)

重大な副作用　重大な副作用はありませんが，そのほかの副作用はあるので，体調がいつもと違うと感じたときは，処方医・薬剤師に相談してください。

併用してはいけない薬　併用してはいけない薬は特にありません。ただし，併用す

る薬があるときは，念のため処方医・薬剤師に報告してください。

内 13 その他の薬　09 その他の薬

01　筋無力症治療薬

💊 製 剤 情 報

一般名：アンベノニウム塩化物

- 保険収載年月…1959年3月
- 海外評価…1点 英 米 独 仏
- 剤形…錠 錠剤
- 服用量と回数…1日15mgを3回に分けて服用。

■先発品　　商品名(メーカー)　規格・保険薬価

マイテラーゼ (アルフレッサ)
錠 10mg 1錠 17.30 円

一般名：ジスチグミン臭化物

- 保険収載年月…1968年3月
- 海外評価…1点 英 米 独 仏
- 規制…毒薬
- 剤形…錠 錠剤
- 服用量と回数…重症筋無力症：1日5〜20mgを1〜4回に分けて服用。低緊張性膀胱による排尿困難：1日5mg。

■先発品　　商品名(メーカー)　規格・保険薬価

ウブレチド (鳥居) 錠 5mg 1錠 15.80 円

ジスチグミン臭化物 (武田テバ薬品＝武田テバファーマ＝武田) 錠 5mg 1錠 10.10 円

一般名：ピリドスチグミン臭化物

- 保険収載年月…2002年9月
- 海外評価…6点 英 米 独 仏
- 規制…劇薬
- 剤形…錠 錠剤
- 服用量と回数…1日180mgを3回に分けて服用。

■先発品　　商品名(メーカー)　規格・保険薬価

メスチノン (共和) 錠 60mg 1錠 19.70 円

一般名：ネオスチグミン臭化物

- 保険収載年月…1955年9月
- 海外評価…2点 英 米 独 仏
- 規制…劇薬
- 剤形…散 散剤
- 服用量と回数…重症筋無力症：1回15〜30mgを1日1〜3回。その他の適応症：1回5〜15mgを1日1〜3回。

■先発品　　商品名(メーカー)　規格・保険薬価

ワゴスチグミン散 (共和) 散 0.5% 1g 15.20 円

📋 概　　要

分類　重症筋無力症治療薬

処方目的　重症筋無力症／[ジスチグミン臭化物のみの適応症]手術後および神経因性膀胱などの低緊張性膀胱による排尿困難／[ネオスチグミン臭化物のみの適応症]消化管機能低下のみられる次の疾患→慢性胃炎，手術後および分娩後の腸管麻痺，弛緩性便秘症／手術後および分娩後における排尿困難

解説　重症筋無力症は，血液中にある種の抗体が過剰に存在するため，神経による筋肉のコントロールが正常に働かなくなることによりおこると考えられています。ここに分類した抗コリンエステラーゼ剤は，アセチルコリンを分解する酵素の働きを抑えて，

副交感神経（迷走神経）を興奮させます。

🈂 **使用上の注意**

＊全剤の添付文書による

　警告

［ジスチグミン臭化物］本剤の服用により意識障害を伴う重篤なコリン作動性クリーゼを発現し，致命的な転帰をたどる例が報告されているので，服用に際しては下記の点に注意し，医師の厳重な監督のもと，状態に十分な注意を払ってください。

①本剤の服用中にコリン作動性クリーゼの徴候（初期症状：悪心・嘔吐，腹痛，下痢，唾液分泌過多，気道分泌過多，発汗，徐脈，縮瞳，呼吸困難など／臨床検査：血清コリンエステラーゼ低下）が認められた場合には，直ちに服用を中止すること。

②コリン作動性クリーゼが現れた場合は，アトロピン硫酸塩水和物0.5〜1mg（患者の症状に合わせて適宜増量）を静脈内投与すること。また，呼吸不全に至ることもあるので，その場合は気道を確保し，人工換気を考慮すること。

③本剤の服用に際しては，副作用の発現の可能性について患者またはそれに代わる適切な人は十分に理解し，上記のコリン作動性クリーゼの初期症状が認められた場合には服用を中止するとともに直ちに医師に連絡し，指示を仰ぐこと。

　基本的注意

（1）服用してはいけない場合……本剤の成分に対するアレルギーの前歴／消化管または尿路の器質的閉塞／迷走神経緊張症／脱分極性筋弛緩薬（スキサメトニウム塩化物水和物）の使用中

（2）慎重に服用する場合……気管支ぜんそく／徐脈／消化性潰瘍／てんかん／パーキンソン症候群／甲状腺機能亢進症（ピリドスチグミン臭化物を除く）／心臓障害（冠動脈疾患・閉塞，不整脈など）／［ジスチグミン臭化物・ピリドスチグミン臭化物のみ］腎機能障害／［ジスチグミン臭化物のみ］コリン作動薬やコリンエステラーゼ阻害薬の服用中／高齢者／［アンベノニウム塩化物のみ］糖尿病

（3）筋無力症状の悪化など……重症筋無力症の人が本剤を服用すると，ときに筋無力症状の重篤な悪化，呼吸困難，嚥下障害（クリーゼ）がおこることがあります。

（4）その他……

● 妊婦での安全性：［アンベノニウム塩化物，ピリドスチグミン臭化物］未確立。有益と判断されたときのみ服用。［ネオスチグミン臭化物］未確立。服用しないことが望ましい。

● 授乳婦での安全性：［アンベノニウム塩化物，ジスチグミン臭化物］未確立。原則として服用しない。やむを得ず服用するときは授乳を中止。［ピリドスチグミン臭化物］未確立。服用するときは授乳を中止。

● 小児での安全性：未確立。（1714頁を参照）

　重大な副作用　①コリン作動性クリーゼ（悪心，嘔吐，腹痛，下痢，発汗，唾液分泌過多，気道分泌過多，縮瞳，徐脈，呼吸困難など）。

［ジスチグミン臭化物］②狭心症，不整脈（心室頻脈，心房細動，房室ブロック，洞停止

など）。

　そのほかにも報告された副作用はあるので，体調がいつもと違うと感じたときは，処方医・薬剤師に相談してください。

併用してはいけない薬　脱分極性筋弛緩剤であるスキサメトニウム塩化物水和物（レラキシン注射液）→本剤との併用により作用が強まり，全身麻酔時に持続性呼吸麻痺をおこすことがあります。

内 13 その他の薬　09 その他の薬

02　イノシンプラノベクス

💊 製 剤 情 報

一般名：イノシンプラノベクス
- 保険収載年月…1988年8月
- 海外評価…4点 **英 米 独 仏**
- 剤形… 錠 錠剤

- 服用量と回数…1日50〜100mg／kg（体重）を3〜4回に分けて服用。

■**先発品**　**商品名（メーカー）**　規格・保険薬価

イソプリノシン（持田）錠 400mg 1錠 171.30 円

📋 概　　要

分類　亜急性硬化性全脳炎（SSPE）治療薬
処方目的　亜急性硬化性全脳炎患者における生存期間の延長
解説　亜急性硬化性全脳炎（SSPE）は，ウイルスの感染によっておこる脳の炎症です。進行性の非常に重い病気で，国の難病に認定されています。

　本剤は，Ｔリンパ球に作用して抗体の産生を増強して感染防御能を高めるとともに，高濃度では SSPE ウイルスの増殖を直接抑制します。

☞ 使用上の注意

基本的注意
(1)**慎重に服用すべき場合**……痛風，尿酸値が上昇している人／尿路結石，腎結石／重い腎機能障害
(2)**定期検査**……服用中は定期的に尿酸値の測定，腎機能の検査などが必要です。
(3)**その他**……
- 妊婦での安全性：未確立。有益と判断されたときのみ服用。
- 授乳婦での安全性：原則として服用しない。やむを得ず服用するときは授乳を中止。
　（1714 頁を参照）

重大な副作用　重大な副作用はありませんが，そのほかの副作用はあるので，体調がいつもと違うと感じたときは，処方医・薬剤師に相談してください。

併用してはいけない薬　併用してはいけない薬は特にありません。ただし，併用する薬があるときは，念のため処方医・薬剤師に報告してください。

03　セビメリン塩酸塩水和物

製剤情報

一般名：セビメリン塩酸塩水和物
- 保険収載年月…2001年8月
- 海外評価…2点 英 米 独 仏　●PC…C
- 剤形…カ カプセル剤

- 服用量と回数…1回30mg(1カプセル)を1日3回。

■先発品　　商品名(メーカー)　規格・保険薬価

| エボザック (アルフレッサ) カ 30mg 1ガセル 89.70 円 |
| サリグレン (日本化薬) カ 30mg 1ガセル 84.20 円 |

概　要

分類　口腔乾燥症改善薬

処方目的　シェーグレン症候群患者の口腔乾燥症状の改善

解説　本剤は,唾液腺のムスカリン受容体作動薬で,唾液腺を刺激して唾液の分泌を促し,口腔乾燥症状の自覚症状,他覚所見を改善します。

使用上の注意

＊セビメリン塩酸塩水和物(エボザック)の添付文書による

基本的注意

(1)**服用してはいけない場合**……重い虚血性心疾患(心筋梗塞,狭心症など)／気管支ぜんそく,慢性閉塞性肺疾患(COPD)／消化管・膀胱頸部の閉塞／てんかん／パーキンソニズムまたはパーキンソン病／虹彩炎

(2)**慎重に服用すべき場合**……高度の唾液腺の腫れや痛み／間質性肺炎／膵炎／過敏性腸疾患／消化性潰瘍／胆のう障害,胆石／尿路結石,腎結石／前立腺肥大に伴う排尿障害／甲状腺機能亢進症／全身性進行性硬化症／肝機能障害,腎機能障害／妊婦または妊娠している可能性のある人,高齢者

(3)**夜間の作業**……本剤を服用すると縮瞳(瞳孔が縮むこと)をおこすおそれがあるので,夜間の自動車の運転や暗所での危険を伴う作業には十分に注意してください。

(4)**その他**……
- 妊婦での安全性：有益と判断されたときのみ服用。
- 授乳婦での安全性：服用するときは授乳を中止。
- 小児での安全性：未確立。(1714頁を参照)

重大な副作用　　①間質性肺炎の悪化。

そのほかにも報告された副作用はあるので,体調がいつもと違うと感じたときは,処方医・薬剤師に相談してください。

併用してはいけない薬　　併用してはいけない薬は特にありません。ただし,併用する薬があるときは,念のため処方医・薬剤師に報告してください。

内 13 その他の薬　09 その他の薬

04　トリロスタン

製剤情報

一般名：トリロスタン
- 保険収載年月…1985年12月
- 海外評価…0点 英 米 独 仏
- 剤形… 錠 錠剤

- 服用量と回数…1日240mgを3〜4回に分けて服用, 維持量1日240〜480mg。

■**先発品**　商品名(メーカー)　規格・保険薬価

デソパン (持田) 錠 60mg 1錠 535.50 円

概　要

分類　副腎皮質ホルモン合成阻害薬

処方目的　特発性アルドステロン症, 手術適応とならない原発性アルドステロン症やクッシング症候群におけるアルドステロン, コルチゾール分泌過剰状態ならびにそれに伴う諸症状の改善

解説　副腎皮質ホルモンのアルドステロンの分泌過剰でおこるのがアルドステロン症, コルチゾールの分泌過剰でおこるのがクッシング症候群です。

トリロスタンは, これらのホルモンの生合成過程を阻害して, 高血圧などの症状を改善します。

使用上の注意

基本的注意
(1)服用してはいけない場合……妊婦または妊娠している可能性のある人
(2)慎重に服用すべき場合……重い腎機能障害・肝機能障害／副腎皮質機能の低下
(3)その他……

- 授乳婦での安全性：治療上の有益性・母乳栄養の有益性を考慮し, 授乳の継続・中止を検討。
- 小児での安全性：未確立。(1714頁を参照)

重大な副作用　重大な副作用はありませんが, そのほかの副作用はあるので, 体調がいつもと違うと感じたときは, 処方医・薬剤師に相談してください。

併用してはいけない薬　併用してはいけない薬は特にありません。ただし, 併用する薬があるときは, 念のため処方医・薬剤師に報告してください。

内 13 その他の薬　09 その他の薬

05　ウラリットU

製剤情報

一般名：クエン酸カリウム・クエン酸ナトリウム水和物配合剤

- 保険収載年月…1988年4月
- 海外評価…3点 英 米 独 仏
- 剤形…錠 錠剤, 散 散剤
- 服用量と回数…酸性尿の改善の場合は, 1回2錠（散剤は1g）を1日3回。アシドーシスの改善の場合は, 1日12錠（散剤は6g）を3〜4回に分けて服用。

■**先発品**　商品名(メーカー)　規格・保険薬価

ウラリットU配合散 写真 (ケミファ)
散 1g 14.30 円

ウラリット配合錠 (ケミファ) 錠 1錠 8.20 円

■**ジェネリック**　商品名(メーカー)　規格・保険薬価

ウタゲン配合散 (全星＝高田) 散 1g 6.80 円
ウロアシス配合散 (日医工) 散 1g 6.80 円
クエンメット配合散 (日薬工) 散 1g 6.80 円
クエンメット配合錠 写真 (日薬工) 錠 1錠 5.90 円
トロノーム配合散 (大原) 散 1g 6.80 円
トロノーム配合錠 (大原) 錠 1錠 5.90 円
ポトレンド配合散 (東和) 散 1g 6.80 円
ポトレンド配合錠 (東和) 錠 1錠 5.90 円

概要

分類　尿アルカリ化薬

処方目的　痛風・高尿酸血症における酸性尿の改善／アシドーシスの改善

解説　成分はクエン酸カリウムとクエン酸ナトリウム水和物で, 代謝産物の炭酸水素塩が尿を中和します。

使用上の注意

＊尿アルカリ化薬（ウラリットU配合散, 配合錠）の添付文書による

基本的注意

(1) 服用してはいけない場合……ヘキサミン（注射薬）の使用中
(2) 慎重に服用すべき場合……腎機能障害／肝疾患・肝機能障害／尿路感染症
(3) 服用法……ウラリットU配合散は, 塩味が強いため, 服用しにくい人は水に溶かして服用してもかまいません。
(4) 結石防止……①リン酸カルシウムは, アルカリ側では不溶性となることが知られているので, 結石防止のために尿のpH（ペーハー）検査を受けながら服用してください（過度のアルカリ化を避け, pH6.2〜6.8が望ましい）。②痛風・高尿酸血症の人は, 水分を十分にとり尿量を増加させてください。

重大な副作用　①高カリウム血症（徐脈, 全身倦怠感, 脱力感など）。

そのほかにも報告された副作用はあるので, 体調がいつもと違うと感じたときは, 処方医・薬剤師に相談してください。

併用してはいけない薬　ヘキサミン→本剤との併用により効果が弱まることがあり

ます。

内 13 その他の薬　09 その他の薬
06 薬用炭

製剤情報

一般名：球形吸着炭
- 保険収載年月…1991年11月
- 海外評価…0点 英 米 独 仏
- 剤形… 錠 錠剤, カ カプセル剤, 細 細粒剤
- 服用量と回数…1日6gを3回に分けて服用。

■先発品　商品名(メーカー)　規格・保険薬価

クレメジン (クレハ＝田辺三菱) 細 1g 63.80 円
カ 200mg 1ｶﾌﾟ 13.50 円

クレメジン速崩錠 写真 (クレハ＝田辺三菱)
錠 500mg 1錠 32.10 円

■ジェネリック　商品名(メーカー)　規格・保険薬価

球形吸着炭 (日医工) 細 1g 46.80 円
カ 286mg 1ｶﾌﾟ 15.70 円

球形吸着炭 (マイラン＝マイラン EPD＝扶桑)
細 1g 46.80 円　カ 200mg 1ｶﾌﾟ 11.00 円

概要

分類　尿毒症症状改善薬
処方目的　慢性腎不全(進行性)における尿毒症症状の改善および透析導入の遅延
解説　石油に含まれる炭化水素の球形多孔質炭素を，高温で処理した黒色球形の粒子です。本剤は，慢性腎不全における尿毒症の毒素を消化管内で吸着して便とともに排泄することで，尿毒症症状の改善や透析導入を遅らせる効果があります。

使用上の注意
＊球形吸着炭(クレメジン)の添付文書による

基本的注意
(1)服用してはいけない場合……消化管の通過障害
(2)慎重に服用すべき場合……消化管潰瘍，食道静脈瘤／便秘しやすい人
(3)その他……
- 妊婦での安全性：未確立。有益と判断されたときのみ服用。
- 授乳婦での安全性：未確立。有益と判断されたときのみ服用。
- 小児での安全性：未確立。(1714 頁を参照)

重大な副作用　　　重大な副作用はありませんが，そのほかの副作用はあるので，体調がいつもと違うと感じたときは，処方医・薬剤師に相談してください。
併用してはいけない薬　　本剤は吸着剤ですので，いかなる薬とも同時に服用してはいけません。

07 アルドース還元酵素阻害薬

💊 製 剤 情 報

一般名：エパルレスタット

- 保険収載年月…1992年4月
- 海外評価…0点 英 米 独 仏
- 剤形…錠 錠剤
- 服用量と回数…1回50mgを1日3回。

■**先発品**　　商品名(メーカー)　規格・保険薬価

| キネダック (アルフレッサ) 錠 50mg 1錠 50.70 円 |

■**ジェネリック**　　商品名(メーカー)　規格・保険薬価

| エパルレスタット (大原) 錠 50mg 1錠 19.00 円 |

| エパルレスタット (共和) 錠 50mg 1錠 27.00 円 |

| エパルレスタット (キョーリン＝杏林) 錠 50mg 1錠 27.00 円 |

| エパルレスタット (小林化工＝エルメッド＝日医工) 錠 50mg 1錠 27.00 円 |

| エパルレスタット (沢井) 錠 50mg 1錠 27.00 円 |

| エパルレスタット (第一三共エスファ) 錠 50mg 1錠 27.00 円 |

| エパルレスタット (高田＝三和) 錠 50mg 1錠 27.00 円 |

| エパルレスタット (武田テバファーマ＝武田＝科研) 錠 50mg 1錠 27.00 円 |

| エパルレスタット (辰巳) 錠 50mg 1錠 27.00 円 |

| エパルレスタット (東菱＝扶桑) 錠 50mg 1錠 27.00 円 |

| エパルレスタット (東和) 錠 50mg 1錠 27.00 円 |

| エパルレスタット (日医工) 錠 50mg 1錠 27.00 円 |

| エパルレスタット (ニプロ) 錠 50mg 1錠 19.00 円 |

| エパルレスタット (日本ジェネリック) 錠 50mg 1錠 27.00 円 |

| エパルレスタット 写真 (ファイザー) 錠 50mg 1錠 19.00 円 |

| エパルレスタット (メディサ＝日薬工) 錠 50mg 1錠 27.00 円 |

| エパルレスタット (陽進堂＝共創未来) 錠 50mg 1錠 27.00 円 |

📋 概　　要

分類　末梢神経障害治療薬

処方目的　糖尿病性末梢神経障害に伴う自覚症状(しびれ感，疼痛)，振動覚異常，心拍変動異常の改善→糖化ヘモグロビンが高値を示す場合

解説　エパルレスタットは，糖尿病性神経障害に関与しているとされているソルビトール(糖アルコールの一種)を生成するアルドース還元酵素の働きを阻害することによって，末梢神経障害の自覚症状を改善するといわれています。ただ，外国でも開発の動きがあったにもかかわらず，まだ発売されていません。理由として，肝機能障害などの副作用が噂されています。

　本剤は，糖尿病治療の基本である食事療法，運動療法，経口血糖降下薬，インスリンなどの治療を行った上でなお，糖化ヘモグロビン(HbA_{1c})の検査値が NGSP 値(国際標準値)で 7.0%以上を目安として用いられます。不可逆的な器質的変化を伴う糖尿病性末梢神経障害の人では，効果が確立されていません。

📑 使用上の注意

*エパルレスタット(キネダック)の添付文書による

内
13
―
09
―
08

マジンドール

(1)服用期間……本剤は 12 週間が目安になっているので，効果が現れない場合は処方医とよく相談してください。

(2)医師へ伝達……服用により，尿が黄褐色または赤色になることがありますが心配はありません。ただし，ビリルビンやケトン体の尿定性試験に影響することがあるので，他科を受診する際にはその旨を伝えてください。

(3)その他……

●妊婦での安全性：有益と判断されたときのみ服用。

●授乳婦での安全性：治療上の有益性・母乳栄養の有益性を考慮し，授乳の継続・中止を検討。

●小児での安全性：未確立。(1714 頁を参照)

重大な副作用　①劇症肝炎，肝機能障害，黄疸，胚不全。②血小板減少。

　そのほかにも報告された副作用はあるので，体調がいつもと違うと感じたときは，処方医・薬剤師に相談してください。

併用してはいけない薬　併用してはいけない薬は特にありません。ただし，併用する薬があるときは，念のため処方医・薬剤師に報告してください。

内 13 その他の薬　09 その他の薬

08 マジンドール

製 剤 情 報

一般名：マジンドール

●保険収載年月…1992年8月

●海外評価…0点 英 米 独 仏

●規制…劇薬

●剤形…錠 錠剤

●服用量と回数…1日1回0.5mg(1錠)。1日最大1.5mg(2〜3回に分けて服用)。

■先発品　　商品名(メーカー)　規格・保険薬価

サノレックス (富士フイルム富山)

錠 0.5mg 1錠 184.80 円

概　要

分類　食欲抑制薬

処方目的　あらかじめ適用した食事療法や運動療法の効果が不十分な高度肥満症(肥満度が＋70%以上，または BMI が 35 以上)における食事療法および運動療法の補助

解説　覚醒アミンのアンフェタミンに類似した作用で，食欲を抑制して体重調節の補助療法に用いられます。しかし副作用も多く，必ず処方医と連絡をとりながら服用する必要があります。

　肥満治療の基本は，食事療法・運動療法であることを忘れないでください。

使用上の注意

警告

　本剤に対する依存性が現れることがあります。また，数週間以内に薬物耐性がみられることがあります。

基本的注意

(1)**服用してはいけない場合**……本剤の成分に対するアレルギーの前歴／閉塞隅角緑内障／重症の心・膵・腎・肝機能障害／重症高血圧／脳血管障害／不安・抑うつ・異常興奮状態および統合失調症などの精神障害／薬物・アルコールの乱用歴／モノアミン酸化酵素阻害薬(1716頁を参照)服用中または服用中止後2週間以内／妊婦または妊娠している可能性のある人，小児

(2)**慎重に服用すべき場合**……糖尿病／精神病の前歴／てんかんまたはその前歴／開放隅角緑内障／高齢者

(3)**服用期間**……服用すると肺高血圧症の出現，また外国で，食欲抑制薬の長期服用で肺高血圧症発症の危険性が増加するとの報告があります。本剤は3カ月以上服用してはいけません。

(4)**服用法**……本剤は睡眠障害を引きおこすことがあるので，夕刻の服用は避けてください。また，服用中は，高所作業や自動車の運転など危険を伴う機械の操作は行わないようにしてください。

(5)**体重チェック**……服用中は体重の推移に注意してください。急激な減量によって，心血管系の合併症の危険性が高くなります。

(6)**飲酒**……めまいや眠けなどの副作用が強まるおそれがあります。服用中はできるだけ飲酒を避けてください。

(7)**その他**……

●授乳婦での安全性：原則として服用しない。やむを得ず服用するときは授乳を中止。
　(1714頁を参照)

重大な副作用

①薬に頼りきってしまう依存性(最も注意すべき副作用です)。②肺高血圧症(労作性呼吸困難，胸痛，失神など)。

　そのほかにも報告された副作用はあるので，体調がいつもと違うと感じたときは，処方医・薬剤師に相談してください。

併用してはいけない薬

モノアミン酸化酵素阻害薬(1716頁を参照)→高血圧クリーゼをおこすことがあります。

内
13
—
09
—
09
リルゾール

内 13 その他の薬　09 その他の薬

09　リルゾール

製剤情報

一般名：リルゾール
●保険収載年月…1999年2月

- 海外評価…6点 英 米 独 仏　　●PC…C
- 剤形…錠 錠剤
- 服用量と回数…1回50mg(1錠)を1日2回。

■先発品　　商品名(メーカー)　　規格・保険薬価

リルテック (サノフィ) 錠 50mg 1錠 1,315.30 円

■ジェネリック　　商品名(メーカー)　　規格・保険薬価

リルゾール (ダイト＝あすか＝武田)
錠 50mg 1錠 536.20 円

リルゾール (ニプロ ES) 錠 50mg 1錠 536.20 円

概　　要

分類　　筋萎縮性側索硬化症治療薬

処方目的　　筋萎縮性側索硬化症(ALS)の治療および病勢進展の抑制

解説　　筋萎縮性側索硬化症(ALS)は難治性の神経変性疾患で，大脳から筋肉に命令を出して動かす運動ニューロンが徐々になくなる病気です。呼吸機能を含め自発的な運動機能がなくなるまで進展します。本剤が有効だという決定的な証拠はありませんが，他に薬剤がないので許可されました。

使用上の注意

*リルゾール(リルテック)の添付文書による

基本的注意

(1)服用してはいけない場合……重い肝機能障害／本剤または本剤の成分に対するアレルギーの前歴／妊婦または妊娠している可能性のある人

(2)慎重に服用すべき場合……肝機能異常の前歴，肝機能障害／発熱があって感染症が疑われる人／腎機能の低下している人

(3)定期検査……本剤の服用中は，定期的に ALT を含むトランスアミナーゼや赤血球数の検査を受ける必要があります。

(4)膵炎……服用によって膵炎が現れるとの報告があります。突然の激しい腹痛があったら，ただちに処方医へ連絡するか，救急車を呼んでください。

(5)危険作業は中止……本剤を服用すると，めまい，眠けなどをおこすおそれがあります。服用中は，高所作業や自動車の運転など危険を伴う機械の操作は行わないようにしてください。

(6)その他……

- 授乳婦での安全性：原則として服用しない。やむを得ず服用するときは授乳を中止。
- 小児での安全性：未確立。(1714 頁を参照)

重大な副作用　　①アナフィラキシー様症状(血管浮腫，呼吸困難，喘鳴，発汗など)。②重い好中球減少(発熱など)。③間質性肺炎(発熱，せき，呼吸困難など)。④肝機能異常，黄疸。

そのほかにも報告された副作用はあるので，体調がいつもと違うと感じたときは，処方医・薬剤師に相談してください。

併用してはいけない薬　　併用してはいけない薬は特にありません。ただし，併用する薬があるときは，念のため処方医・薬剤師に報告してください。

10　タルチレリン水和物

製剤情報

一般名：タルチレリン水和物

- 保険収載年月…2000年8月
- 海外評価…0点 英 米 独 仏
- 剤形…錠 錠剤
- 服用量と回数…1回5mgを1日2回。

■**先発品**　商品名(メーカー)　規格・保険薬価

| セレジスト 写真 (田辺三菱) 錠 5mg 1錠 814.00 円 |
| セレジスト OD (田辺三菱) 錠 5mg 1錠 814.00 円 |

■**ジェネリック**　商品名(メーカー)　規格・保険薬価

| タルチレリン (共和) 錠 5mg 1錠 292.50 円 |
| タルチレリン (沢井) 錠 5mg 1錠 292.50 円 |
| タルチレリン (日本ジェネリック) 錠 5mg 1錠 292.50 円 |
| タルチレリン OD (共和) 錠 5mg 1錠 292.50 円 |
| タルチレリン OD (沢井) 錠 5mg 1錠 292.50 円 |
| タルチレリン OD (日医工) 錠 5mg 1錠 292.50 円 |
| タルチレリン OD (日本ジェネリック) 錠 5mg 1錠 292.50 円 |

概要

分類　脊髄小脳変性症治療薬

処方目的　脊髄小脳変性症における運動失調の改善

解説　甲状腺刺激ホルモン放出ホルモン(TRH)から導きだされたものです。注射剤のプロチレリン酒石酸塩水和物に近い薬剤です。

　脊髄小脳変性症は，小脳から脊髄にかけての神経細胞が徐々に破壊，消失していく病気です。運動失調を主な症状とする神経疾患の総称で，国の難病に指定されています。

使用上の注意

＊タルチレリン水和物(セレジスト)の添付文書による

基本的注意

(1)慎重に服用すべき場合……内分泌異常／腎機能障害

(2)その他……

- 妊婦での安全性：有益と判断されたときのみ服用。
- 授乳婦での安全性：服用するときは授乳しないことが望ましい。
- 小児での安全性：未確立。(1714 頁を参照)

重大な副作用　①けいれん。②悪性症候群(発熱，無動無言，筋のこわばり，脱力，頻脈，血圧の変動など)。③肝機能障害，黄疸。④ショック様症状(一過性の血圧低下，意識喪失など)。⑤血小板減少。

　そのほかにも報告された副作用はあるので，体調がいつもと違うと感じたときは，処方医・薬剤師に相談してください。

併用してはいけない薬　併用してはいけない薬は特にありません。ただし，併用する薬があるときは，念のため処方医・薬剤師に報告してください。

11 フィナステリドほか

内
13
―
09
―
11

フィナステリドほか

💊 製剤情報

一般名：フィナステリド

- 発売年月…2005年12月
- 海外評価…6点 英 米 独 仏
- 規制…劇薬
- 剤形…錠 錠剤
- 服用量と回数…1日1回0.2mg，1日最大1mg。

■健康保険適応外　商品名(メーカー)　規格・保険薬価

プロペシア (オルガノン)

錠 0.2mg【健康保険適応外】

錠 1mg【健康保険適応外】

フィナステリド (小林化工 = SKI)

錠 0.2mg【健康保険適応外】

錠 1mg【健康保険適応外】

フィナステリド (沢井)

錠 0.2mg【健康保険適応外】

錠 1mg【健康保険適応外】

フィナステリド (シオノ = あすか = 武田)

錠 0.2mg【健康保険適応外】

錠 1mg【健康保険適応外】

フィナステリド (大興 = クラシエ)

錠 0.2mg【健康保険適応外】

錠 1mg【健康保険適応外】

フィナステリド (武田テバファーマ = 武田)

錠 0.2mg【健康保険適応外】

錠 1mg【健康保険適応外】

フィナステリド (辰巳 = 岩城 = 本草)

錠 0.2mg【健康保険適応外】

錠 1mg【健康保険適応外】

フィナステリド (東和)

錠 0.2mg【健康保険適応外】

錠 1mg【健康保険適応外】

フィナステリド (ファイザー)

錠 0.2mg【健康保険適応外】

錠 1mg【健康保険適応外】

フィナステリド (富士化学)

錠 0.2mg【健康保険適応外】

錠 1mg【健康保険適応外】

フィナステリド (リョートー = 江州)

錠 0.2mg【健康保険適応外】

錠 1mg【健康保険適応外】

一般名：デュタステリド

- 発売年月…2016年6月
- 海外評価…0点 英 米 独 仏
- 規制…劇薬
- 剤形…錠 錠剤，カ カプセル剤
- 服用量と回数…1日1回0.1mg，必要に応じて1日1回0.5mgを服用。

■健康保険適応外　商品名(メーカー)　規格・保険薬価

ザガーロ (グラクソ) カ 0.1mg【健康保険適応外】

カ 0.5mg【健康保険適応外】

デュタステリド ZA (岩城)

カ 0.1mg【健康保険適応外】

カ 0.5mg【健康保険適応外】

デュタステリド ZA (沢井)

カ 0.5mg【健康保険適応外】

デュタステリド ZA (シオノ)

カ 0.5mg【健康保険適応外】

デュタステリド ZA (東洋カプセル = アルフレッサ) カ 0.5mg【健康保険適応外】

デュタステリド ZA (東和)

カ 0.1mg【健康保険適応外】

カ 0.5mg【健康保険適応外】

デュタステリド ZA（日新）

錠 0.1mg【健康保険適応外】

錠 0.5mg【健康保険適応外】

デュタステリド ZA（ビオメディクス＝SKI）

力 0.5mg【健康保険適応外】

デュタステリド ZA（富士製薬）

錠 0.5mg【健康保険適応外】

デュタステリド ZA（マイラン EPD）

力 0.5mg【健康保険適応外】

デュタステリド ZA（MeijiSeika）

錠 0.5mg【健康保険適応外】

デュタステリド ZA（陽進堂）

力 0.5mg【健康保険適応外】

概　要

分類　男性型脱毛症用薬

処方目的　男性における男性型脱毛症の進行遅延

解説　フィナステリドは脱毛症の薬としては初めての内服薬です。2016 年 6 月に同系統の薬としてデュタステリドも発売されました。いわゆる生活改善薬に属するため，健康保険の適応にはなっていません。

　本剤は医師の処方がないと買えません。まず医師に受診して相談してください。

使用上の注意

*フィナステリド（プロペシア）の添付文書による

基本的注意

(1)**服用してはいけない場合**……本剤の成分に対するアレルギーの前歴／妊婦または妊娠している可能性のある人，授乳婦

(2)**慎重に服用すべき場合**……肝機能障害

(3)**取り扱い**……本剤を割ったり粉砕したりしないでください。もし，そうなった場合は，妊娠・授乳期の女性は触れてはいけません。本剤の成分には，男子胎児の生殖器官などの正常発育に影響を及ぼすおそれがあるためです。ただし，本剤はコーティングされているので，割れたり砕けたりしないかぎり，通常の取扱いでは成分に接触することはありません。

(4)**年齢**……20 歳未満での安全性および有効性は確立されていません。

重大な副作用　①肝機能障害。

　そのほかにも報告された副作用はあるので，体調がいつもと違うと感じたときは，処方医・薬剤師に相談してください。

併用してはいけない薬　併用してはいけない薬は特にありません。ただし，併用する薬があるときは，念のため処方医・薬剤師に報告してください。

内 13 その他の薬　09 その他の薬

12 大腸内視鏡前処置薬

製剤情報

一般名：クエン酸マグネシウム

- 保険収載年月…1974年3月
- 海外評価…6点 英 米 独 仏
- 剤形… 散 散剤, 液 液剤
- 服用量と回数…大腸内視鏡検査前処置：①マグコロール内用液→[高張液投与]1回200〜250mLを検査予定時間の10〜15時間前に服用。[等張液投与]500mLを水に溶解して全量約1,800mLとし, 検査予定時間の4時間以上前に200mLずつ約1時間かけて服用。②マグコロール散→[高張液投与]50gを水に溶解して全量約180mLとし, 144〜180mLを検査予定時間の10〜15時間前に服用。[等張液投与]100gを水に溶解して全量約1,800mLとし, 検査予定時間の4時間以上前に200mLずつ約1時間かけて服用。

■先発品　　商品名(メーカー)　規格・保険薬価

マグコロール内用液 (堀井)
液 13.6%250mL 1包 396.40 円

マグコロール散 (堀井) 散 68%50g 1包 379.20 円
散 68%100g 1包 769.10 円

一般名：ナトリウム・カリウム配合剤

- 発売年月…1992年6月
- 海外評価…2点 英 米 独 仏　●PC…C
- 剤形… 散 散剤, 液 液剤
- 服用量と回数…1袋を水に溶解して約2Lの溶解液をつくる。溶解液2〜4Lを1時間あたり約1Lの速度で服用。排泄液が透明になった時点で終了。

■先発品　　商品名(メーカー)　規格・保険薬価

ニフレック配合内用剤 (EA ファーマ)
散 1袋 851.90 円

■ジェネリック　　商品名(メーカー)　規格・保険薬価

オーペグ配合内用剤 (日医工) 散 1袋 542.90 円

ムーベン配合内用液 (日本製薬＝武田)
液 500mL 1瓶 540.30 円

一般名：リン酸2水素ナトリウム1水和物・無水リン酸水素2ナトリウム配合剤

- 保険収載年月…2007年6月
- 海外評価…0点 英 米 独 仏
- 剤形… 錠 錠剤
- 服用量と回数…1回5錠を約200mLの水とともに15分ごとに計10回。

■先発品　　商品名(メーカー)　規格・保険薬価

ビジクリア配合錠 (ゼリア) 錠 1錠 53.50 円

一般名：ナトリウム・カリウム・アスコルビン酸配合剤

- 保険収載年月…2013年5月
- 海外評価…6点 英 米 独 仏　●PC…C
- 剤形… 散 散剤
- 服用量と回数…1袋を水に溶解して約2Lの溶解液をつくる。溶解液2Lを1時間あたり約1Lの速度で服用。排泄液が透明になった時点で終了し, 服用した溶解液量の半量の水またはお茶を飲用する。

■先発品　　商品名(メーカー)　規格・保険薬価

モビプレップ配合内用剤 (EA ファーマ)
散 1袋 1,839.40 円

一般名：ピコスルファートナトリウム水和物・酸化マグネシウム・無水クエン酸配合剤

- 保険収載年月…2016年8月
- 海外評価…6点 英 米 独 仏　●PC…B
- 剤形… 散 散剤
- 服用量と回数…1回1包を約150mLの水に溶

解し, 検査または手術前に2回服用する。1回目の服用後は1回250mLの透明な飲料を数時間かけて最低5回, 2回目の服用後は1回250mLの透明な飲料を検査または手術の2時間前までに最低3回飲用する。透明な飲料は, 水のみの飲用は避け, 総飲量の半量以上はお茶やソフトドリンクなどの他の透明な飲料を飲用する。

■先発品	商品名(メーカー)	規格・保険薬価
ピコプレップ配合内用剤 (ケミファ)		
散 1包 994.10 円		

一般名：無水硫酸ナトリウム・硫酸カリウム・硫酸マグネシウム水和物配合剤

● 保険収載年月…2021年4月

● 海外評価…6点 英米独仏　● PC…C
● 剤形…液 液剤
● 服用量と回数…[検査当日に服用する場合]本剤480mLを30分かけて服用。服用後, 水またはお茶約1Lを1時間かけて飲用。以降, 排泄液が透明になるまで本剤240mLあたり15分かけて服用し, 服用後に水またはお茶約500mLを飲用するが, 本剤の服用量は合計960mLまでとする。なお, 検査前日と当日に分けて2回服用する場合もある。

■先発品	商品名(メーカー)	規格・保険薬価
サルプレップ配合内用液 (日本製薬＝武田)		
液 480mL 1瓶 983.50 円		

📋 概　要

分類　経口腸管洗浄剤

処方目的　[クエン酸マグネシウムの適応症] 大腸検査(X線・内視鏡)前処置における腸管内容物の排除, 腹部外科手術時における前処置用下剤

[ナトリウム・カリウム配合剤の適応症] 大腸内視鏡検査・大腸手術時の前処置における腸管内容物の排除／[ムーベン配合内用液を除く]バリウム注腸X線造影検査の前処置における腸管内容物の排除

[ビジクリア配合錠, サルプレップ配合内用液の適応症] 大腸内視鏡検査の前処置における腸管内容物の排除

[モビプレップ配合内用剤, ピコプレップ配合内用剤の適応症] 大腸内視鏡検査・大腸手術時の前処置における腸管内容物の排除

解説　大腸の内視鏡検査や手術を行うときに, 大腸内に便がたまっていると検査や手術をすることができません。本剤は, 前処置として大腸内をきれいに洗浄するための薬剤で, 散剤, 液剤, 錠剤があります。検査や手術を行うときは, 前日の夜から絶食などのさまざまな規定, また服用方法も細かに規定されているので, 指示を守って受けるようにしましょう。

🖋 使用上の注意

*ニフレック配合内用剤, ビジクリア配合錠の添付文書による

警告

[ニフレック配合内用剤, モビプレップ配合内用剤, サルプレップ配合内用液, ピコプレップ配合内用剤(①のみ)]

①腸管内圧上昇による腸管穿孔をおこすことがあるので, 腹痛などの消化器症状が現れた場合は直ちに処方医に連絡してください。特に, 腸閉塞の疑いがある人, 腸管狭窄・

高度な便秘・腸管憩室のある人は注意が必要です。

②ショック，アナフィラキシーなどがおこるおそれがあるので，自宅で服用する人は，特に副作用発現時の対応方法について十分に説明を受けてください。

[ビジクリア配合錠]

①重い急性腎障害，急性リン酸腎症（腎石灰沈着症）が現れることがあるので，高血圧症の高齢者は本剤を服用してはいけません。また，以下の人は注意が必要です→高齢者／高血圧症の人／循環血液量の減少，腎疾患，活動期の大腸炎のある人／腎血流量・腎機能に影響を及ぼす薬剤（利尿薬，アンジオテンシン変換酵素阻害薬，アンジオテンシン受容体阻害薬，NSAID など）を服用している人

②重い不整脈やけいれんなどが現れることがあるので，以下の注意が必要です→心疾患や腎疾患，脱水などの電解質異常がないこと／電解質濃度や QT 延長に影響を及ぼす薬剤を服用中でないこと／血清電解質濃度が正常値であること

③類似薬において，腸管内圧上昇による腸管穿孔が認められているので，腸閉塞や腸管狭窄，高度な便秘，腸管憩室のある人は注意が必要です。

基本的注意

(1)服用してはいけない場合……[ニフレック配合内用剤]胃腸管閉塞症・腸閉塞の疑いのある人／腸管穿孔／中毒性巨大結腸症

[ビジクリア配合錠] 高血圧症の高齢者／うっ血性心不全または不安定狭心症／QT 延長症候群，重い心室性不整脈／腹水を伴う疾患／胃腸管閉塞症または胃腸管閉塞症の疑い／腸管穿孔または腸管穿孔の疑い／中毒性巨大結腸症／重い腎機能障害（透析治療を含む），急性リン酸腎症／本剤の成分に対するアレルギーの前歴

(2)慎重に服用すべき場合……[ニフレック配合内用剤]狭心症，陳旧性心筋梗塞／腎機能障害／腸管狭窄，ひどい便秘／腸管憩室／腹部手術の前歴／誤嚥をおこすおそれのある人／高齢者

[ビジクリア配合錠] 高血圧症（高齢者を除く）／循環血流量の減少（脱水など）／腎血流量・腎機能に影響を及ぼす薬剤（利尿薬，アンジオテンシン変換酵素阻害薬，アンジオテンシン受容体阻害薬，NSAID など）の服用中／慢性炎症性腸疾患の急性憎悪／急性心筋梗塞および心臓手術（冠動脈バイパス手術など）の前歴／基礎心疾患（弁膜症，心筋症，不整脈など）のある人／過去に心筋症，QT 延長および不整脈のコントロールができなかったことのある人／けいれん発作の前歴およびけいれん発作のリスクが高い人（三環系抗うつ薬など発作の閾値を低下させる薬剤を使用している人，アルコールやベンゾジアゼピン系薬剤の退薬症状（禁断症状）がある人）／高度な便秘／腹部手術の前歴／過去に大腸内視鏡検査や X 線造影検査によって腸管狭窄や腸管憩室が認められ，その症状を呈している人／薬物アレルギーの前歴／糖尿病用薬の服用中／腎機能障害（透析を含む重い腎機能障害，急性リン酸腎症を除く）／高齢者

(3)その他……

● 妊婦での安全性：有益と判断されたときのみ服用。

● 授乳婦での安全性：[ビジクリア配合錠]治療上の有益性・母乳栄養の有益性を考慮し，

授乳の継続・中止を検討。

●小児での安全性：未確立。(1714頁を参照)

重大な副作用 **[ニフレック配合内用剤]** ①ショック，アナフィラキシー（顔面蒼白，血圧低下，嘔吐，吐きけ持続，気分不良，めまい，冷感，じん麻疹，呼吸困難，顔面浮腫など）。②腸管穿孔，腸閉塞，鼠径ヘルニア嵌頓。③低ナトリウム血症（意識障害，けいれんなど）。④虚血性大腸炎。⑤マロリー・ワイス症候群（嘔吐，吐きけ，吐血，血便など）。

[ビジクリア配合錠] ⑥嘔吐などによる低ナトリウム血症（意識障害，けいれんなど）。⑦急性腎障害，急性リン酸腎症。⑧低カルシウム血症（テタニー，しびれ，ピリピリ感，筋力低下，意識障害など）。

そのほかにも報告された副作用はあるので，体調がいつもと違うと感じたときは，処方医・薬剤師に相談してください。

併用してはいけない薬 併用してはいけない薬は特にありません。ただし，併用する薬があるときは，念のため処方医・薬剤師に報告してください。

内 13その他の薬　09 その他の薬

13 バレニクリン酒石酸塩

🔬 **製剤情報**

一般名：バレニクリン酒石酸塩

●保険収載年月…2008年4月
●海外評価…6点 英米独仏　●PC…C
●規制…劇薬
●剤形…錠錠剤

●服用量と回数…1〜3日目：1日1回0.5mg。4〜7日目：1回0.5mgを1日2回。8日目以降：1回1mgを1日2回。

■**先発品**　商品名(メーカー)　規格・保険薬価
チャンピックス写真(ファイザー)
錠0.5mg 1錠 138.70円　錠1mg 1錠 248.00円

📋 **概　要**

分類 禁煙補助薬
処方目的 ニコチン依存症の喫煙者に対する禁煙の補助
解説 本剤は，日本初となる飲み薬の禁煙補助薬です。これまでわが国の禁煙治療では，ガム製剤や貼付剤が使用されていて経口剤は存在しませんでした。ガム製剤や貼付剤の主成分はニコチンで，苦しい禁煙時のニコチン離脱状態を和らげることによって禁煙達成を補助するのに対し，本剤はニコチンを含みません。

主成分はバレニクリン酒石酸塩で，大脳皮質にある$\alpha_4\beta_2$ニコチン受容体にニコチンに代わって結合することで禁煙に伴う離脱症状を軽減する作用をもっています。また，ニコチンに先んじて受容体を占有することで，再喫煙した場合にも満足感が得られにくくなり，禁煙を持続しやすくなる効果が期待されています。

使用上の注意

基本的注意

(1)使用してはいけない場合……本剤の成分に対するアレルギーの前歴

(2)慎重に服用すべき場合……重度の腎機能障害／統合失調症，双極性障害，うつ病などの精神疾患／血液透析患者

(3)禁煙治療プログラム……本剤は医師の指導のもと，禁煙治療プログラムに基づいて適切に服用してください。

(4)服用上の注意……本剤は，原則として他の禁煙補助剤と併用してはいけません。

(5)保険給付上の注意……本剤の薬剤料は，「ニコチン依存症管理料」の算定に伴って処方された場合のみ保険が適用になります。また，処方箋による投薬の場合には，備考欄に「ニコチン依存症管理料の算定に伴う処方である」との記載が必要です。保険適用施設については，いろいろな条件が付随していますので，すべての医療機関で保険が適用になるとは限りません。「禁煙外来のある施設」でネット検索するか，地域の医師会・薬剤師会にお問い合わせください。

(6)危険作業は中止……本剤を服用すると，傾眠，意識障害などをおこすおそれがあり，自動車事故に至った例も報告されています。服用中は，高所作業や自動車の運転など危険を伴う機械の操作は行わないようにしてください。

(7)その他……

●妊婦での安全性：未確立。有益と判断されたときのみ服用。

●授乳婦での安全性：治療上の有益性・母乳栄養の有益性を考慮し，授乳の継続・中止を検討。

●小児での安全性：未確立。(1714頁を参照)

重大な副作用

①皮膚粘膜眼症候群(スティブンス-ジョンソン症候群)，多形紅斑。②血管浮腫(顔面，舌，口唇，咽頭，喉頭などの腫れ)。③意識障害(意識レベルの低下，意識消失など)。④肝機能障害，黄疸。

　そのほかにも報告された副作用はあるので，体調がいつもと違うと感じたときは，処方医・薬剤師に相談してください。

併用してはいけない薬

併用してはいけない薬は特にありません。ただし，併用する薬があるときは，念のため処方医・薬剤師に報告してください。

内 13 その他の薬　09 その他の薬

14 多発性硬化症治療薬(1)

製剤情報

一般名：フィンゴリモド塩酸塩

●保険収載年月…2011年11月

●海外評価…6点 英 米 独 仏　　●PC…C

●規制…劇薬

●剤形…カ カプセル剤

●服用量と回数…0.5mg(1カプセル)を1日1回。

■**先発品**　**商品名(メーカー)**　規格・保険薬価

ジレニア（ノバルティス）カ 0.5mg 1ⁿ¿ʔ 8,299.60 円

イムセラ（田辺三菱）カ 0.5mg 1ⁿ¿ʔ 8,166.90 円

概　要

分類　多発性硬化症治療薬

処方目的　多発性硬化症の再発予防および身体的障害の進行抑制

解説　本剤は，ツクツクボウシ(蝉)の幼虫に寄生する冬虫夏草(菌)の一種ツクツクボウシタケ(菌)に由来したマイリオシンを構造変換してつくられた化合物です。

　多発性硬化症は，脳や脊髄などに自己のリンパ球などが浸潤する自己免疫疾患ですが，本剤は自己反応性 T 細胞のリンパ節からの移出を抑制し，中枢神経系組織への浸潤を阻止することによって免疫調節作用を発揮すると考えられています。

　なお，一次性進行型多発性硬化症患者を対象とした海外のプラセボ対照臨床試験において，「身体的障害の進行抑制」効果は示されなかったとの報告があります。

使用上の注意

＊イムセラ，ジレニアの添付文書による

警告

①本剤の服用は，緊急時に十分対応できる医療施設において，本剤の安全性および有効性についての十分な知識と多発性硬化症の治療経験をもつ医師のもとで，本療法が適切と判断される症例についてのみ実施しなければなりません。また，黄斑浮腫などの重い眼疾患が発現することがあるので，十分に対応できる眼科医と連携がとれる場合にのみ使用されなければなりません。

②本剤の服用開始後，数日間にわたり心拍数の低下がおこります。特に服用初期は大きく心拍数が低下することがあるので，循環器を専門とする医師と連携するなど適切な処置が行える管理下で服用を開始しなければなりません。

③重い感染症が現れ，死亡に至る例が報告されています。また，本剤との関連性は明らかではありませんが，エプスタイン・バーウイルスに関連した悪性リンパ腫，リンパ増殖性疾患の発現も報告されています。本剤の服用によって重い副作用で致命的な経過をたどることがあるので，治療上の有益性が危険性を上回ると判断される場合にのみ使用しなければなりません。

基本的注意

(1)服用してはいけない場合……本剤の成分に対するアレルギーの前歴／重い感染症／クラス Ia 抗不整脈薬(プロカインアミド塩酸塩，キニジン硫酸塩水和物など)，またはクラス Ⅲ 抗不整脈薬(アミオダロン塩酸塩，ソタロール塩酸塩など)の服用中／妊婦または妊娠している可能性のある人

(2)慎重に服用すべき場合……感染症のある人または感染症が疑われる人／水痘または帯状疱疹にかかったことがなく，予防接種を受けていない人／感染しやすい状態にある人／第 Ⅱ 度以上の房室ブロック，洞不全症候群，虚血性心疾患またはうっ血性心不全／心拍数の低い人／失神の前歴／低カリウム血症／先天性 QT 延長症候群または QT 延

長／高血圧／黄斑浮腫／糖尿病またはブドウ膜炎の前歴／肝機能障害またはその前歴／重度の呼吸器疾患／高齢者

(3)予防接種の有無の確認……本剤の服用中に水痘（みずぼうそう）または帯状疱疹に初感染すると重症化するおそれがあるため，服用開始前には水痘・帯状疱疹の既往や予防接種の有無を確認し，必要に応じてワクチンの接種を行います。

(4)バイタルサインのチェック……本剤を服用すると徐脈性不整脈が現れることがあるため，初回服用後少なくとも6時間はバイタルサイン（脈拍，呼吸，血圧，体温）の観察を行い，初回服用前および初回服用6時間後に心電図を測定します。また，初回服用後24時間は心拍数・血圧の測定に加え，連続的に心電図をモニターすることが望まれます。

(5)避妊……本剤は胎児に悪影響を及ぼす可能性があります。服用中および最終服用後2カ月間は適切な避妊を徹底し，服用中に妊娠が確認された場合には直ちに服用を中止し，処方医に連絡してください。

(6)危険作業に注意……服用の初期には，めまい，ふらつきが現れることがあるので，自動車の運転など危険を伴う機械の作業をする際には十分に注意してください。

(7)その他……
● 授乳婦での安全性：服用するときは授乳しないことが望ましい。
● 小児での安全性：未確立。（1714頁を参照）

重大な副作用　①感染症。②徐脈性不整脈（徐脈，房室ブロックなど）。③黄斑浮腫。④悪性リンパ腫。⑤可逆性後白質脳症候群（頭痛，意識障害，けいれん，視力障害など）。⑥虚血性および出血性脳卒中（頭痛，吐きけ，麻痺，言語障害など）。⑦末梢動脈閉塞性疾患（四肢の疼痛，しびれなど）。⑧進行性多巣性白質脳症（PML：意識障害，認知障害，麻痺症状〈片麻痺，四肢麻痺〉，言語障害など）。⑨血小板減少。

　そのほかにも報告された副作用はあるので，体調がいつもと違うと感じたときは，処方医・薬剤師に相談してください。

併用してはいけない薬　①生ワクチン（乾燥弱毒生麻疹ワクチン，乾燥弱毒生風疹ワクチン，経口生ポリオワクチン，乾燥BCGなど）→本剤は免疫系に抑制的に作用するため，生ワクチンを接種するとその病原体が増殖し，病原性を現すおそれがあります。②クラスIa抗不整脈薬（プロカインアミド塩酸塩，キニジン硫酸塩水和物など），クラスIII抗不整脈薬（アミオダロン塩酸塩，ソタロール塩酸塩など）→本剤の服用によって心拍数が低下するため，併用すると不整脈が強まるおそれがあります。

内 13 その他の薬　09 その他の薬

15 多発性硬化症治療薬（2）

● 製剤情報

一般名：フマル酸ジメチル
● 保険収載年月…2017年2月

● 海外評価…6点 英米独仏　● PC…C
● 剤形…カ カプセル剤
● 服用量と回数…1回120mg1日2回から開始

し，1週間後に1回240mg1日2回に増量。

■**先発品**　　商品名(メーカー)　　規格・保険薬価

テクフィデラ (バイオジェン)

カ 120mg 1カプセル 2,061.70 円　　カ 240mg 1カプセル 4,132.00 円

📋 概　　要

分類　　多発性硬化症治療薬

処方目的　　多発性硬化症の再発予防および身体的障害の進行抑制

解説　　本剤は，多発性硬化症の治療を目的とした，新しい作用機序をもつ病態修飾(進行を阻止する)薬です。末梢免疫系および中枢神経系(CNS)の両方で炎症反応を抑制し，有害な損傷から CNS 細胞を保護する作用をもっています。複数の経路を介して進行する多発性硬化症に対して複数の作用を有することから，効果の高い治療法となることが期待されています。

📝 使用上の注意

基本的注意

(1)**服用してはいけない場合**……本剤の成分に対するアレルギーの前歴

(2)**慎重に服用すべき場合**……リンパ球減少のある人／感染症を合併している人または感染症が疑われる人／易感染性の状態にある人／重度の腎機能障害／重度の肝機能障害／高齢者

(3)**進行性多巣性白質脳症**……本剤の服用によりリンパ球数が減少することがあります。リンパ球数の減少が 6 カ月以上継続した人では，進行性多巣性白質脳症(PML)の発症リスクが高まる可能性があり，PML によって重度の障害(片麻痺，四肢麻痺，認知機能障害，失語症，視覚障害など)に至った例が報告されています。本剤の服用開始前および服用中は少なくとも 3 カ月に 1 回，リンパ球を含む全血球数の測定を行います。

(4)**嘔吐，下痢**……本剤の服用後に嘔吐，下痢などが発現して脱水状態となった人において，急性腎不全に至った例が報告されています。嘔吐または下痢がみられた場合にはすぐに処方医へ連絡してください。

(5)**潮紅**……本剤の服用に関連したアナフィラキシー(呼吸困難，じん麻疹，喉・舌の腫脹など)が現れることがあります。また，服用時には潮紅(皮膚が赤っぽくなる)が高頻度で認められます。潮紅が現れた場合は，アナフィラキシーとの鑑別が必要となるため，すぐに処方医へ連絡してください。

(6)**その他**……

● 妊婦での安全性：有益と判断されたときのみ服用。

● 授乳婦での安全性：治療上の有益性・母乳栄養の有益性を考慮し，授乳の継続・中止を検討。

● 小児での安全性：未確立。(1714 頁を参照)

重大な副作用　　①リンパ球減少，白血球減少。②進行性多巣性白質脳症(PML：片麻痺，四肢麻痺，認知機能障害，失語症，視覚障害など)。③日和見感染症(重

篤なサイトメガロウイルス感染，ヘルペスウイルス感染など)を含む感染症。④急性腎不全。⑤肝機能障害。⑥アナフィラキシー。

　そのほかにも報告された副作用はあるので，体調がいつもと違うと感じたときは，処方医・薬剤師に相談してください。

併用してはいけない薬　　併用してはいけない薬は特にありません。ただし，併用する薬があるときは，念のため処方医・薬剤師に報告してください。

内 13 その他の薬　09 その他の薬

16 多発性硬化症治療薬(3)

製剤情報

一般名：シポニモドフマル酸
- 保険収載年月…2020年8月
- 海外評価…5点 英 米 独 仏
- 規制…劇薬
- 剤形…錠 錠剤
- 服用量と回数…1日0.25mgから開始し，2日目

に0.25mg，3日目に0.5mg，4日目に0.75mg，5日目に1.25mg，6日目に2mgを1日1回朝に服用し，7日目以降は維持用量である2mgを1日1回服用。

■先発品　　商品名(メーカー)　規格・保険薬価
メーゼント (ノバルティス)
錠 0.25mg 1錠 1,083.50 円　　錠 2mg 1錠 8,668.00 円

概　要

分類　多発性硬化症治療薬

処方目的　二次性進行型多発性硬化症の再発予防および身体的障害の進行抑制

解説　多発性硬化症は，脳や脊髄などに自己のリンパ球などが浸潤する自己免疫疾患です。本剤はリンパ球に作用し，神経の炎症を抑えたり神経を保護することで多発性硬化症の再発を予防し，身体的障害の進行を抑えます。

　本剤を服用する前には，CYP2C9(シトクローム P450 2C9)遺伝子型を確認します。この遺伝子は，本剤を含め多くの薬物の代謝を行っているため，代謝活性を検査することで服用の可否や用量を判定できます。CYP2C9 のうちの*3/*3 を保有している人は，代謝活性が失われているあるいは著しく低いため，本剤を服用することができません。また，CYP2C9*1/*3 または*2/*3 を保有している人は代謝活性が低いため慎重に服用することが大切で，維持用量は1日1回 1mg とすることが望ましいとされています。

使用上の注意

警告

①本剤の服用は，緊急時に十分対応できる医療施設において，本剤の安全性および有効性についての十分な知識と多発性硬化症の治療経験をもつ医師のもとで，本療法が適切と判断される症例についてのみ実施しなければなりません。また，黄斑浮腫などの重い眼疾患が発現することがあるので，十分に対応できる眼科医と連携がとれる場合にのみ使用されなければなりません。

②重い感染症により死亡に至る例が報告されているので，治療上の有益性が危険性を上回ると判断される場合にのみ使用します。

③本剤の漸増期間中に心拍数の低下作用がみられるため，循環器を専門とする医師と連携するなど，適切な処置が行える管理下で本剤の服用を開始します。

基本的注意

(1)**服用してはいけない場合**……本剤の成分に対するアレルギーの前歴／重い感染症／本剤の服用開始前6カ月以内に心筋梗塞，不安定狭心症，入院を要する非代償性心不全，NYHA分類Ⅲ度またはⅣ度の心不全を発症した人／モビッツⅡ型第2度房室ブロックまたはそれより重度の房室ブロック，洞不全症候群(ペースメーカー使用患者を除く)／著明なQT延長／生ワクチンの接種／クラスⅠa抗不整脈薬(キニジン硫酸塩水和物，プロカインアミド塩酸塩，ジソピラミド，シベンゾリンコハク酸塩，ピルメノール塩酸塩水和物)またはクラスⅢ抗不整脈薬(アミオダロン塩酸塩，ソタロール塩酸塩，ニフェカラント)，ベプリジル塩酸塩水和物の服用中／CYP2C9*3/*3を保有している人

(2)**特に慎重に服用すべき場合**……心拍数減少作用のあるカルシウムチャネル拮抗薬(ベラパミル塩酸塩，ジルチアゼム塩酸塩など)または心拍数が減少する可能性のある他の薬剤の服用中→これらの薬剤の服用中は本剤の投与を避けることが望ましい。

(3)**慎重に服用すべき場合**……CYP2C9*1/*3または*2/*3を保有している人／感染症のある人／糖尿病，ブドウ膜炎，網膜の疾患またはこれらの前歴／心拍数低下または房室伝導の遅延によるリスクが高い人(心停止，脳血管疾患，コントロール不良の高血圧症または重度かつ未治療の睡眠時無呼吸の前歴，洞性徐脈(心拍数55bpm未満)，第1度またはウェンケバッハ型(モビッツⅠ型)第2度房室ブロック，心筋梗塞または心不全の前歴(本剤の投与開始前6カ月以内に心筋梗塞，入院を要する非代償性心不全，NYHA分類Ⅲ度またはⅣ度の心不全を発症した患者を除く)，再発性の失神または症候性の徐脈の前歴)／QT延長，不整脈原性を有することが知られているQT延長作用のある薬剤の服用中／β遮断薬の服用中(安静時心拍数が50bpmを超える場合は，本剤の服用を開始してもよい)／重度の呼吸器疾患／けいれん発作またはその前歴／肝機能障害

(4)**感染症**……本剤を服用すると感染症のリスクが増大するおそれがあるので，服用開始前および服用中は定期的に血液検査などを行いながら慎重に観察・評価していきます。重い感染症のある人は，感染症が回復するまで本剤の服用は行いません。服用中に感染症の症状が現れた場合は，直ちに処方医に連絡してください。

(5)**黄斑浮腫**……特に服用初期には黄斑浮腫(目の黄斑部分がむくむ状態)が現れることがあるため，服用期間中は定期的に眼底検査を含む眼科検査を行います。

(6)**心拍数の減少**……本剤の漸増期間中は心拍数が減少するため，失神，浮動性めまい，息切れなどの症状がみられた場合には処方医に連絡してください。また，少なくとも服用開始7日目までは家庭で脈拍数を測定し，脈拍数が50bpm未満を示した場合にも処方医に連絡します。

(7)**危険作業に注意**……服用初期には，めまい，ふらつきが現れることがあるので，自動車の運転など危険を伴う機械の作業をする際には十分に注意してください。

（8）**避妊**……妊娠可能な女性は，服用期間中および服用中止後少なくとも 10 日間は適切な避妊法を行ってください。動物実験で本剤が発達中の胎児に有害であることが示されています。服用中に妊娠が確認された場合には直ちに服用を中止します。

（9）**その他**……

● 授乳婦での安全性：服用するときは授乳しないことが望ましい。

● 小児での安全性：未確立。（1714 頁を参照）

重大な副作用 ①感染症（帯状疱疹，クリプトコッカス性髄膜炎など）。②黄斑浮腫。③徐脈性不整脈（徐脈，房室ブロック）。④QT 間隔延長。⑤悪性リンパ腫。⑥末梢動脈閉塞性疾患（四肢の疼痛，しびれなど）。⑦進行性多巣性白質脳症（PML；意識障害，認知障害，麻痺症状（片麻痺，四肢麻痺），言語障害など）。⑧可逆性後白質脳症症候群（頭痛，意識障害，けいれん，視力障害など）。

　そのほかにも報告された副作用はあるので，体調がいつもと違うと感じたときは，処方医・薬剤師に相談してください。

併用してはいけない薬 ①生ワクチン（乾燥弱毒性麻疹ワクチン，乾燥弱毒性風疹ワクチン，乾燥 BCG など）→本剤の服用中に生ワクチンを接種すると発症するおそれがあります。服用中および服用終了後最低 4 週間は接種を避けること。②クラスⅠa 抗不整脈薬（キニジン硫酸塩水和物，プロカインアミド塩酸塩，ジソピラミド，シベンゾリンコハク酸塩，ピルメノール塩酸塩水和物）またはクラスⅢ抗不整脈薬（アミオダロン塩酸塩，ソタロール塩酸塩，ニフェカラント），ベプリジル塩酸塩水和物→重い不整脈（トルサード・ドゥ・ポアントなど）を生じるおそれがあります。

内 13 その他の薬　09 その他の薬

17 テトラベナジン

⊘ 製剤情報

一般名：テトラベナジン

● 保険収載年月…2013年2月

● 海外評価…6点 英 米 独 仏

● 規制…劇薬

● 剤形…錠 錠剤

● 服用量と回数…1日1回12.5mgから服用を開始し，1週ごとに1日量として12.5mgずつ増量して維持量を定める。1日最大100mgまで。1日25mgの場合は1日2回，1日37.5mg以上の場合は1日3回に分けて服用。1回最大37.5mg。

■ 先発品　　商品名（メーカー）　規格・保険薬価

コレアジン（アルフレッサ）
錠 12.5mg 1錠 402.10 円

概要

分類 非律動性不随意運動治療薬

処方目的 ハンチントン病に伴う舞踏運動

解説 ハンチントン病は，舞踏運動（舞踏様不随意運動），精神症状，行動異常，認知障害を特徴とする遺伝性進行性神経変性疾患で，国が指定している難病の一つです。

　本剤の効果は，ハンチントン病に伴う舞踏運動の改善のみに限定されており，そのほかの症状の改善は期待できないとされています。

使用上の注意

警告

　本剤を服用すると，うつ病・うつ状態，自殺念慮，自殺企図が発現または悪化することがあります。患者・家族はそのことを十分に理解し，服用した場合は状態および病態の変化に注意し，関連する症状が現れた場合には直ちに処方医に連絡してください。

基本的注意

(1)服用してはいけない場合……本剤の成分に対するアレルギーの前歴／自殺念慮，自殺企図のある人，不安定なうつ病・うつ状態／重い肝機能障害／MAO（モノアミン酸化酵素）阻害薬を服用中あるいは服用中止後2週間以内

(2)慎重に服用すべき場合……うつ病・うつ状態またはその前歴，自殺念慮または自殺企図の前歴／QT延長（先天性QT延長症候群など），QT延長をおこしやすい人（著明な徐脈などの不整脈またはその前歴，低カリウム血症，低マグネシウム血症など）／脱水・栄養不良状態などを伴う身体的疲弊／遺伝的にCYP2D6（薬物代謝酵素の一つ）の活性が欠損している人，またはCYP2D6の活性が低い人／肝機能障害（重い肝機能障害を除く）／重い腎機能障害

(3)月経異常，嚥下障害など……本剤を服用すると，プロラクチンというホルモンの値が上昇し，月経異常，乳汁漏出，性欲減退などがおこることがあります。また，服用によって嚥下障害が発現・悪化するおそれがあり，肺炎，気管支炎に至ることがあります。このような異常がみられたらすぐに処方医に連絡してください。

(4)危険作業は中止……本剤を服用すると，鎮静，傾眠などがおこることがあります。服用中は，自動車の運転など危険を伴う機械の操作は行わないようにしてください。

(5)その他……

●妊婦での安全性：有益と判断されたときのみ服用。

●授乳婦での安全性：治療上の有益性・母乳栄養の有益性を考慮し，授乳の継続・中止を検討。

●小児での安全性：未確立。(1714頁を参照)

重大な副作用

①うつ病・うつ状態，自殺念慮，自殺企図。②悪性症候群（無動無言，強度の筋強剛，嚥下困難，頻脈，発汗，発熱など）。

　そのほかにも報告された副作用はあるので，体調がいつもと違うと感じたときは，処方医・薬剤師に相談してください。

併用してはいけない薬

MAO（モノアミン酸化酵素）阻害薬（セレギリン塩酸塩）→MAO阻害薬の作用が強まることがあります。

18 断酒薬

💊 製剤情報

一般名：シアナミド

- 発売年月…1963年4月
- 海外評価…0点 英米独仏
- 規制…劇薬
- 剤形…液 液剤
- 服用量と回数…断酒療法の場合：通常1日50〜200mg(1%溶液として5〜20mL)を1〜2回に分けて服用。節酒療法の場合：酒量を清酒で180mL前後、ビールで600mL前後程度に抑えるには、通常15〜60mg(1%溶液として1.5〜6mL)を1日1回服用。飲酒抑制効果が持続する人は隔日に服用してもよい。

■**先発品**　商品名(メーカー)　規格・保険薬価

シアナマイド内用液 (田辺三菱＝吉富)
液 1% 1mL 6.30 円

一般名：ジスルフィラム

- 発売年月…1983年3月
- 海外評価…5点 英米独仏　●PC…C
- 規制…劇薬
- 剤形…末 末剤
- 服用量と回数…通常1日0.1〜0.5gを1〜3回に分けて服用。飲酒試験の結果により用量を調整し維持量を決める。維持量は通常1日0.1〜0.2gで、毎日続けるか、あるいは1週ごとに1週間の休薬期間を設ける。

■**先発品**　商品名(メーカー)　規格・保険薬価

ノックビン原末 (田辺三菱＝吉富) 末 1g 61.70 円

📋 概　　要

分類　アルコール中毒治療薬(断酒薬)

処方目的　[シアナミドの適応症]慢性アルコール中毒および過飲酒者に対する抗酒療法／[ジスルフィラムの適応症]慢性アルコール中毒に対する抗酒療法

解説　シアナミドおよびジスルフィラムは、ともに肝臓中のアルデヒド脱水素酵素を阻害することで体内にアセトアルデヒドを蓄積させ、吐き気などの不快な症状をおこします。その結果としてアルコール類の摂取を避けさせる、または酒量を減らす効果を示します。

使用上の注意

*両剤の添付文書による

基本的注意

(1)服用してはいけない場合……[共通]重い心障害／重い肝障害／重い腎障害／重い呼吸器疾患／アルコールを含む医薬品(エリキシル剤、薬用酒など)の使用中／妊婦または妊娠している可能性のある人／[ジスルフィラムのみ]アルコールを含む食品(奈良漬など)の摂取中、アルコールを含む化粧品(アフターシェーブローションなど)の使用中

(2)慎重に服用すべき場合……肝障害／腎障害／てんかんなどのけいれん性疾患またはこれらの前歴／脳の器質障害／糖尿病／甲状腺機能低下症／本剤に対するアレルギーの前歴／ジギタリスの使用中

(3)基本的な注意……本剤を服用中に飲酒した場合，急性アルコール中毒症状(顔面潮紅，血圧降下，吐き気，頻脈，めまい，呼吸困難，視力低下)が現れる場合があります。患者さんとその家族は十分に理解できるまで医師の説明を受けてください。また，飲酒試験が終了するまでは入院することが望まれます。本剤服用中は医師の指示によらないアルコール摂取は禁止です。

(4)危険作業は中止……注意力・集中力・反射運動能力などが低下することがあるので，本剤服用中は自動車の運転など危険を伴う機械の操作は行わないようにしてください。

重大な副作用　　　①AST, ALT, γ-GTP, LDH, AL-P, ビリルビンなどの上昇を伴う肝機能障害や黄疸(シアナミドのみ長期投与時に肝細胞にスリガラス様封入体が現れることがあります)。

[シアナミドのみ] ②皮膚粘膜眼症候群(スティブンス-ジョンソン症候群)，中毒性表皮壊死融解症(TEN)，落屑性紅斑。③再生不良性貧血，汎血球減少，無顆粒球症，血小板減少。④薬剤性過敏症症候群(発疹，発熱，リンパ節腫脹，肝機能障害，白血球増加，好酸球増多，異型リンパ球出現など)。

[ジスルフィラムのみ] ⑤重い脳障害(見当識障害，記憶障害，錯乱など)。

　そのほかにも報告された副作用はあるので，体調がいつもと違うと感じたときは，処方医・薬剤師に相談してください。

併用してはいけない薬　　　[共通] アルコールを含む医薬品(エリキシル剤，薬用酒など)→急性アルコール中毒症状(顔面潮紅，血圧下降，吐き気，頻脈，めまい，呼吸困難，視力低下)が現れることがあります。

[ジスルフィラム] アルコールを含む食品(奈良漬など)，アルコールを含む化粧品(アフターシェーブローションなど)→急性アルコール中毒症状(顔面潮紅，血圧降下，吐き気，頻脈，めまい，呼吸困難，視力低下)をおこすおそれがあります。

内 13 その他の薬　09 その他の薬

19 断酒補助薬

製剤情報

一般名：アカンプロサートカルシウム
- 保険収載年月…2013年5月
- 海外評価…6点 英米独仏　● PC…C
- 剤形…錠 錠剤

- 服用量と回数…1回666mg(2錠)を1日3回，食後に服用。

■先発品　　商品名(メーカー)　規格・保険薬価
レグテクト（日本新薬）錠 333mg 1錠 43.50円

概　要

分類　　断酒補助薬

処方目的　　アルコール依存症患者における断酒維持の補助

解説　　本剤は，シアナマイドなどのように肝臓でのアルコール分解過程を抑制する断

酒薬とは作用機序が異なり，脳内のグルタミン酸（脳の興奮に関わる物質）を標的とする薬剤です。アルコール依存症になると中枢神経系の主要な興奮性神経であるグルタミン酸作動性神経の活動が亢進し，これが強い飲酒欲求を引きおこすため，グルタミン酸作動性神経の活動を抑制して飲酒欲求を抑え断酒が続けられるようにするものです。

📋 使用上の注意

基本的注意

(1)服用してはいけない場合……本剤の成分に対するアレルギーの前歴／高度の腎機能障害

(2)慎重に服用すべき場合……軽度から中等度の腎機能障害／自殺念慮または自殺企図の前歴のある人，自殺念慮のある人／高度の肝機能障害／高齢者

(3)服用方法……①本剤は食後に服用してください。本剤の吸収は食事の影響を受けやすく，有効性・安全性は食後の服用により確認されています。空腹時に服用すると，本剤の作用が強まるおそれがあります。②本剤は腸溶性のフィルムコーティング錠であるため，かんだり，割ったり，砕いたりせずにそのまま服用します。③離脱症状がみられる人は，離脱症状に対する治療を終了してから服用します。

(4)自殺念慮，自殺企図……本剤の服用により自殺念慮，自殺企図が報告されています。服用する際には，本人・家族がこのリスクを十分に納得してから服用しなければなりません。服用後，医師と緊密に連絡をとりあい，異常を感じたら直ちに医師に連絡してください。

(5)その他……

●妊婦での安全性：未確立。有益と判断されたときのみ服用。

●授乳婦での安全性：治療上の有益性・母乳栄養の有益性を考慮し，授乳の継続・中止を検討。

●小児での安全性：未確立。(1714頁を参照)

重大な副作用　①アナフィラキシー（全身性皮疹，発疹，じん麻疹，口内炎，喉頭けいれん，息切れなど）。②血管浮腫（舌腫脹，リンパ節腫脹など）。

そのほかにも報告された副作用はあるので，体調がいつもと違うと感じたときは，処方医・薬剤師に相談してください。

併用してはいけない薬　併用してはいけない薬は特にありません。ただし，併用する薬があるときは，念のため処方医・薬剤師に報告してください。

内 13 その他の薬　09 その他の薬

20 飲酒量低減薬

💊 **製 剤 情 報**

一般名：ナルメフェン塩酸塩水和物
●保険収載年月…2019年2月

●海外評価…4点 英 米 独 仏
●規制…劇薬
●剤形…錠 錠剤

● 服用量と回数…1日1回10〜20mgを飲酒の1〜2時間前に服用。

セリンクロ(大塚) 錠 10mg 1錠 301.50 円

内
13
―
09
―
20

飲酒量低減薬

概　要

分類　飲酒量低減薬

処方目的　アルコール依存症患者における飲酒量の低減

解説　本剤は、オピオイド受容体に選択的に結合して効果を発揮する選択的オピオイド受容体調節薬です。これまで断酒薬や断酒補助薬は発売されていますが、本剤はアルコール依存症における飲酒量低減を効能・効果とする国内で初めての薬剤で、最終的には断酒に導くための中間的ステップの治療薬です。

本剤は、習慣的に多量飲酒が認められる人に使用されます。その目安は、純アルコールとして1日平均男性60g超、女性40g超の飲酒量で、60g相当のアルコール量は、日本酒で160mL×3杯、ビールで500mg×3杯、ワインで200mg×3杯、ウイスキーで60mL×3杯、などです。

使用上の注意

基本的注意

(1)服用してはいけない場合……本剤の成分に対するアレルギーの前歴／オピオイド系薬剤(鎮痛、麻酔)を投与中または投与中止後1週間以内の人／オピオイドの依存症または離脱の急性症状がある人

(2)慎重に服用すべき場合……アルコール離脱症状を呈したことのある人／肝機能障害／腎機能障害／自殺念慮または自殺企図の前歴のある人、自殺念慮のある人／高齢者

(3)服用方法……①本剤を服用せずに飲酒し始めた場合には、気づいた時点で直ちに服用してください。ただし、飲酒終了後には服用しないでください。②本剤を分割したり、粉砕したりしないように。動物実験(マウス)で皮膚感作性が報告されています。

(4)自殺念慮、自殺企図……本剤との因果関係は明らかではありませんが、自殺念慮、自殺企図などが報告されています。服用中に関連する症状が現れた場合は、直ちに処方医に連絡してください。

(5)危険作業に注意……注意力障害、浮動性めまい、傾眠などがおこることがあるので、服用中に危険を伴う機械を操作する際は十分に注意してください。

(6)その他……

● 妊婦での安全性：有益と判断されたときのみ服用。

● 授乳婦での安全性：治療上の有益性・母乳栄養の有益性を考慮し、授乳の継続・中止を検討。(1714頁を参照)

重大な副作用　重大な副作用はありませんが、そのほかの副作用はあるので、体調がいつもと違うと感じたときは、処方医・薬剤師に相談してください。

併用してはいけない薬　オピオイド系薬剤(鎮痛、麻酔)：ただし、緊急事態により使用する場合を除く→モルヒネ硫酸塩水和物(MSコンチンなど)、フェンタニルクエン酸塩(フェントスなど)、フェンタニルクエン酸塩・ドロペリドール(タラモナール静注)、レミフ

ェンタニル塩酸塩(アルチバ静注など),オキシコドン塩酸塩水和物(オキシコンチンなど),メサドン塩酸塩(メサペイン),ブプレノルフィン塩酸塩(ノルスパンテープなど),タペンタドール塩酸塩(タペンタ),トラマドール(トラマールなど),トラマドール塩酸塩・アセトアミノフェン配合剤(トラムセット),ペチジン塩酸塩注射液,ペチジン塩酸塩・レバロルファン酒石酸塩(ペチロルファン注射液),塩酸ペンタゾシン(ソセゴンなど),ヒドロモルフォン塩酸塩(ナルサスなど)→本剤によりオピオイド受容体作動薬の離脱症状をおこすおそれがあります。本剤を服用する際には,事前にその旨を医療従事者へ伝えることが必要です。

内 13 その他の薬　09 その他の薬

21 タファミジス

製剤情報

一般名:タファミジスメグルミン
- 保険収載年月…2013年11月
- 海外評価…4点 英 米 独 仏
- 規制…劇薬
- 剤形…カ カプセル剤
- 服用量と回数…家族性アミロイドポリニューロパチーの場合は1日1回20mg。心アミロイドーシスの場合は1日1回80mg,忍容性がない場合は減量できる。

■先発品　商品名(メーカー)　規格・保険薬価
ビンダケル(ファイザー) カ 20mg 1ｶﾌﾟｾﾙ 9,716.50 円

一般名:タファミジス
- 保険収載年月…2021年11月
- 海外評価…6点 英 米 独 仏
- 規制…劇薬
- 剤形…カ カプセル剤
- 服用量と回数…1日1回61mg。

■先発品　商品名(メーカー)　規格・保険薬価
ビンマック(ファイザー) カ 61mg 1ｶﾌﾟｾﾙ 36,021.60 円

概　　要

分類　TTR型アミロイドーシス治療薬

処方目的　トランスサイレチン型心アミロイドーシス(野生型および変異型)/[タファミジスメグルミンのみの適応症]トランスサイレチン型家族性アミロイドポリニューロパチーの末梢神経障害の進行抑制

解説　アミロイドーシスとは,アミロイドと呼ばれる異常なタンパク質がさまざまな臓器や神経などに沈着しておこる病気のことです。アミロイドには数多くの種類がありますが,本剤は,そのうちのトランスサイレチン(TTR)からつくられるアミロイドの沈着を抑制する新規作用機序の薬剤です。通常,4つ1組(4量体)で血液中に存在しているトランスサイレチンを安定化させ,単量体への解離を阻害することで効果を示します。ビンダケルには一つ難点があります。トランスサイレチン型心アミロイドーシス(ATTR-CM)に用いるとき,服用量は1日1回80mgなので1回に4カプセル必要です。しかし長径約21mm,短径約8mmという大きなカプセルであり,これを4つ服用するのはかなりの負担です。そこで登場したのがビンマックで,大きさは同じですが1カプセル

(61mg)でビンダケル 4 カプセル(80mg)と同等の効果を示すようにつくられています。

🖉 使用上の注意

*両剤の添付文書による

基本的注意

(1)服用してはいけない場合……本剤の成分に対するアレルギーの前歴

(2)避妊……本剤の服用によって胎児の生存率減少などが報告されているので，服用期間中および最終服用後 1 カ月間は，妊娠する可能性のある人は適切な方法で避妊してください。

(3)その他……

●妊婦での安全性：有益と判断されたときのみ服用。

●授乳婦での安全性：治療上の有益性・母乳栄養の有益性を考慮し，授乳の継続・中止を検討。

●小児での安全性：未確立。(1714 頁を参照)

重大な副作用　　　　　重大な副作用はありませんが，そのほかの副作用はあるので，体調がいつもと違うと感じたときは，処方医・薬剤師に相談してください。

併用してはいけない薬　　　　併用してはいけない薬は特にありません。ただし，併用する薬があるときは，念のため処方医・薬剤師に報告してください。

内 13 その他の薬　09 その他の薬

22 エリテマトーデス治療薬

💊 製剤情報

一般名：ヒドロキシクロロキン硫酸塩

●保険収載年月…2015年8月

●海外評価…5点 英 米 独 仏　●PC…D

●規制…毒薬

●剤形…錠 錠剤

●服用量と回数…処方医の指示通りに服用。

■先発品　　商品名(メーカー)　規格・保険薬価

プラケニル (サノフィ＝旭化成)
錠 200mg 1錠 402.40 円

📋 概　要

分類　免疫調整薬

処方目的　皮膚エリテマトーデス，全身性エリテマトーデス

解説　皮膚エリテマトーデス(CLE)，全身性エリテマトーデス(SLE)は現在，国の難病に指定されている皮膚疾患です。SLE は圧倒的に多くが若い女性に発症する自己免疫疾患で，多くは寛解と増悪を繰り返して慢性の経過をたどります。

　本剤は，抗炎症作用，免疫調節作用，抗マラリア作用など多くの作用をもっている薬剤で，海外の標準的な教科書や治療ガイドラインでは CLE，SLE の第一選択薬として推奨されています。

使用上の注意

警告

①本剤の使用は，本剤の安全性および有効性についての十分な知識とエリテマトーデスの治療経験をもつ医師のもとで行わなければなりません。

②本剤の服用により，網膜症などの重篤な眼障害が発現することがあります。網膜障害に関するリスクは用量に依存して大きくなり，また長期に服用する場合にも網膜障害発現の可能性が高くなります。このため，本剤の服用に際しては，網膜障害に対して十分に対応できる眼科医と連携のもとに使用し，本剤の服用開始時ならびに服用中は定期的に眼科検査を受けなければなりません。

基本的注意

(1)服用してはいけない場合……本剤の成分に対するアレルギーの前歴／網膜症(ただしSLE 網膜症を除く)あるいは黄斑症，またはそれらの前歴／6 歳未満の幼児

(2)慎重に服用すべき場合……キニーネに対する過敏症／グルコース-6-リン酸脱水素酵素欠損症／ポルフィリン症／乾癬／肝機能障害または腎機能障害／胃腸障害，神経系障害，血液障害／SLE 網膜症／眼障害のリスク因子のある人／妊婦または妊娠している可能性のある人

(3)眼の障害……本剤を服用すると網膜症などの重篤な眼障害が現れることがあるため，事前に眼科検査(視力検査，細隙灯顕微鏡検査，眼圧検査，眼底検査，視野テスト，色覚検査)を行います。長期にわたって服用する場合には少なくとも年に 1 回検査を行い，特に累積服用量が 200g を超えた人，肝機能障害・腎機能障害のある人，視力障害のある人，高齢者に対してはより頻回に検査を実施します。眼に異常がみられたら，直ちに処方医に連絡してください。

(4)低血糖……本剤を服用すると意識障害に至る重度の低血糖が現れることがあるので，低血糖のリスク，低血糖の臨床徴候・症状および対処方法について処方医に十分な説明を受けてください。服用中に低血糖症状(発汗，ふるえ，動悸，不安，頭痛，けいれん，意識の混乱など)がみられた場合には，直ちに処方医に連絡してください。

(5)避妊……妊娠可能な女性は，本剤には催奇形性・胎児毒性のリスクを有する可能性があることを理解し，服用中は適切な避妊措置をとってください。

(6)危険作業に注意……本剤を服用すると視調節障害，霧視などの視覚異常や低血糖症状が現れることがあります。自動車の運転など危険を伴う機械の操作に従事するときは十分に注意してください。

(7)その他……

● 妊婦での安全性：有益と判断されたときのみ服用。

● 授乳婦での安全性：服用するときは授乳を中止。

● 小児(低出生体重児，新生児，乳児または 6 歳未満の幼児)での安全性：未確立。(1714 頁を参照)

重大な副作用
①眼障害(網膜症，黄斑症，黄斑変性)。②中毒性表皮壊死融解症(TEN)，皮膚粘膜眼症候群(スティブンス-ジョンソン症候群)，多形紅斑，紅皮症

（剥脱性皮膚炎），薬剤性過敏症症候群，急性汎発性発疹性膿疱症。③骨髄抑制（血小板減少症，無顆粒球症，白血球減少症，再生不良性貧血など）。④心筋症。⑤ミオパチー，ニューロミオパチー。⑥低血糖。⑦QT延長，心室頻拍（トルサード・ドゥ・ポアントを含む）。

　そのほかにも報告された副作用はあるので，体調がいつもと違うと感じたときは，処方医・薬剤師に相談してください。

併用してはいけない薬　　併用してはいけない薬は特にありません。ただし，併用する薬があるときは，念のため処方医・薬剤師に報告してください。

内 13 その他の薬　09 その他の薬
23 乳児血管腫治療薬

🏷 製剤情報

一般名：プロプラノロール塩酸塩（乳児血管腫用）
- 保険収載年月…2016年8月
- 海外評価…4点 英 米 独 仏　● PC…C
- 規制…劇薬

- 剤形…シ シロップ剤
- 服用量と回数…1日1〜3mg／kg（体重）を2回に分け，空腹時を避けて服用。

■ **先発品**　　商品名（メーカー）　規格・保険薬価

ヘマンジオルシロップ小児用（マルホ）
シ 0.375% 1mL 263.60 円

📋 概要

分類　乳児血管腫治療薬
処方目的　乳児血管腫
解説　乳児血管腫は「いちご状血管腫」とも呼ばれ，皮膚の表面や内部にできるいちごのような外観をしている「赤あざ」の一種で，未熟な毛細血管が増殖して現れる良性の腫瘍です。

　本剤は，プロプラノロール塩酸塩を有効成分とする国内初の乳児血管腫治療薬です。プロプラノロール塩酸塩（非選択的 β 遮断薬）の錠剤は，1960年代から高血圧，狭心症，不整脈などの治療薬として使用されており，このたび乳児血管腫が適応に加わりました。血管腫に対する作用機序は明らかではありませんが，血管収縮作用や細胞増殖抑制作用などが関係していると考えられています。

　本剤はバニラいちご味のシロップ剤で，専用ピペットを用いて乳幼児に投与することで，血管腫の治癒・改善が期待されます。

✍ 使用上の注意

基本的注意

（1）服用してはいけない場合……本剤の成分に対するアレルギーの前歴／気管支ぜんそく，気管支けいれんのおそれのある人／低血糖／重度の徐脈，房室ブロック（Ⅱ・Ⅲ度），洞房ブロック，洞不全症候群／心原性ショック／コントロール不良の心不全／重度の低血圧症／重度の末梢循環障害／褐色細胞腫／異型狭心症

(2)**慎重に服用すべき場合**……心不全／徐脈／房室ブロック（Ⅰ度）／低血圧／重い肝機能障害／重い腎機能障害／潰瘍を伴う乳児血管腫／PHACE 症候群／出生後 5 週未満
(3)**服用法**……本剤の服用により低血糖をおこすおそれがあるため，空腹時の投与を避け，授乳中・食事中または食直後に投与します。食事を十分に摂取していない場合や嘔吐している場合は投与しないこと。また，薬剤を吐き出した場合や，急性の気管支・肺の異常，呼吸困難および喘鳴を伴う下気道感染が疑われた場合は投与せず，処方医に連絡してください。
(4)**有効性の評価**……本剤による治療にあたっては経過を十分観察し，投与開始 24 週間を目安に有効性を評価し，本剤による治療継続の必要性を検討します。
(5)**その他**……
●低出生体重児，新生児，出生後 5 週未満の乳児での安全性：未確立。(1714 頁を参照)

重大な副作用　①低血圧，徐脈，房室ブロック。②低血糖，けいれん，意識障害(意識混濁，昏睡)。③気管支けいれん，気管支反応性亢進(喘鳴，せきや発熱を伴う気管支炎および細気管支炎などの気道感染症の悪化)。④高カリウム血症。⑤無顆粒球症。

　そのほかにも報告された副作用はあるので，体調がいつもと違うと感じたときは，処方医・薬剤師に相談してください。

併用してはいけない薬　併用してはいけない薬は特にありません。ただし，併用する薬があるときは，念のため処方医・薬剤師に報告してください。

内 13 その他の薬　09 その他の薬

24 ベロトラルスタット

製剤情報

一般名：ベロトラルスタット塩酸塩
●保険収載年月…2021年4月
●海外評価…2点 英 米 独 仏
●剤形…カ カプセル剤

●服用量と回数…150mg(1カプセル)を1日1回服用(成人および12歳以上の小児)。

■先発品　商品名(メーカー)　規格・保険薬価
オラデオ(オーファン＝鳥居)
カ 150mg 1カプセル 74,228.20 円

概要

分類　血漿カリクレイン阻害薬(遺伝性血管性浮腫発作抑制用)
処方目的　遺伝性血管性浮腫の急性発作の発症抑制
解説　血漿カリクレインはタンパク質分解酵素の一つで，この酵素の活性が亢進すると強力な血管拡張物質であるブラジキニンが放出され，その結果，遺伝性血管性浮腫，糖尿病性網膜症，高血圧などを引きおこすことが知られています。
　遺伝性血管性浮腫は，体のあらゆる部位に突然の腫れやむくみが現れる常染色体優性遺伝性疾患です。本剤は選択的血漿カリクレイン阻害作用をもち，血管性浮腫の発作の原因となるブラジキニンの産生を抑制することで急性発作の発症を抑制します。

使用上の注意

基本的注意

(1)服用してはいけない場合……本剤の成分に対するアレルギーの前歴

(2)慎重に服用すべき場合……QT 延長またはその前歴，QT 延長をおこしやすい患者（不整脈，虚血性心疾患，低カリウム血症などの患者）／中等度および重度の肝機能障害（Child-Pugh 分類 B および C）

(3)QT 延長……QT 延長が現れるおそれがあるので，本剤服用前および服用中は心電図検査を行うなど状態を十分に確認します。

(4)その他……

●妊婦での安全性：有益と判断されたときのみ服用。

●授乳婦での安全性：治療上の有益性・母乳栄養の有益性を考慮し，授乳の継続・中止を検討。

●小児(12歳未満)での安全性：未確立。(1714頁を参照)

重大な副作用　①肝機能障害。②QT 延長。

　そのほかにも報告された副作用はあるので，体調がいつもと違うと感じたときは，処方医・薬剤師に相談してください。

併用してはいけない薬　併用してはいけない薬は特にありません。ただし，併用する薬があるときは，念のため処方医・薬剤師に報告してください。

内 13その他の薬　09その他の薬

25 リスジプラム

製剤情報

一般名：リスジプラム

●保険収載年月…2021年8月
●海外評価…6点 英米独仏
●規制…劇薬
●剤形…ドライシロップ剤
●服用量と回数…[生後2カ月以上2歳未満]体重

1kgあたり0.2mgを1日1回食後に服用。[2歳以上]体重20kg未満では0.25mg/kgを，体重20kg以上では5mgを1日1回食後に服用。

■先発品　商品名(メーカー)　規格・保険薬価

エブリスディドライシロップ (中外)
Ｄ 60mg 1瓶 974,463.70 円

概要

分類　脊髄性筋萎縮症治療薬
処方目的　脊髄性筋萎縮症
解説　脊髄性筋萎縮症(SMA)は，筋肉の維持・発達に必要な SMN タンパク質をつくる SMN1 遺伝子の欠失や変異による遺伝性の神経筋疾患で，SMN タンパク質の欠乏により引きおこされます。本剤は SMA に対する初めての経口薬で，服用により全身に分布し，中枢神経系および全身の機能性 SMN タンパク質を増加させて症状(筋力低下，筋

萎縮など)の改善をはかります。現在のところ生後 2 カ月以上に使用され, 早産児および生後 2 カ月未満の乳児に対する有効性・安全性は確立していません。

🔖 使用上の注意

基本的注意

(1)服用してはいけない場合……本剤の成分に対するアレルギーの前歴

(2)慎重に服用すべき場合……重度の肝機能障害(Child-Pugh 分類 C)

(3)服用にあたって……本剤を服用する場合, 事前に「患者さん向け服用の手順説明リーフレット」が渡されます。服用方法, 服用時間, 服用量, 保存方法などをよく読み, 不明な点は処方医・薬剤師に確認し, 適正に使用してください。

(4)避妊……妊娠可能な女性, パートナーが妊娠する可能性のある男性は, 服用中および最終服用から一定期間, 適切な方法で避妊を行ってください。動物実験で, 胚胎児毒性, 精子の変性・減少・運動能力の低下などが報告されています。なお, パートナーが妊娠する可能性のある男性では, パートナーの妊娠を希望する場合は休薬することが必要です。

(5)その他……

● 妊婦での安全性:服用しないことが望ましい。

● 授乳婦での安全性:治療上の有益性・母乳栄養の有益性を考慮し, 授乳の継続・中止を検討。

● 小児(早産児および生後 2 カ月未満の乳児)での安全性:未確立。(1714 頁を参照)

重大な副作用

重大な副作用はありませんが, そのほかの副作用はあるので, 体調がいつもと違うと感じたときは, 処方医・薬剤師に相談してください。

併用してはいけない薬

併用してはいけない薬は特にありません。ただし, 併用する薬があるときは, 念のため処方医・薬剤師に報告してください。

内服 14 抗生物質

薬剤番号 14-01-01 ～ 14-06-05

■感染症治療に用いる薬のうち，抗生物質について説明します

◆抗生物質とは，微生物によってつくられる化学物質で，他の微生物の発育や増殖を抑えます。

◆皮膚感染症，外傷・熱傷，咽頭・扁桃炎，気管支炎，肺炎，外耳・中耳炎，副鼻腔炎，膀胱炎など，細菌や真菌による感染症の治療に用いる薬。

◆化学構造によりペニシリン系，マクロライド系などに分類され，その系統ごとに特徴があります。

■副作用・相互作用に注意すべき薬

■抗生物質全般

　抗生物質を服用するとき，まず注意すべきはアレルギーです。いかに効き目がすばらしくても，ひどい薬疹が出たり呼吸困難をおこすようではのむことができません。不幸にしてそのような体質の場合には，あなたが何の薬でアレルギーを経験したのかがとても大切です。ケガをしたり肺炎になったりした場合には，細菌をやっつけてくれる抗生物質(または次章の抗菌製剤)のお世話にならざるをえません。そのようなとき，「この抗生物質は過去に使ったけれどアレルギーはおこらなかった」と自信を持っていえる薬剤を覚えておいてください。

　副作用として次にこわいのは，血液障害です。特に細菌をやっつけてくれる白血球の数が少なくなるのは困ります。かぜなどの炎症があるとふつう，白血球の数は増加します。からだの防衛反応として侵入してきた細菌などに対応するために，からだのほうで白血球の動員を命令するからです。のんだ薬がそれとは反対の行動をとるわけですから，困ったものです。白血球減少など血液障害のはじめには，原因のはっきりしない発熱，のどの痛み，皮膚や粘膜からの出血，ひどい倦怠感が現れます。そうした症状を感じたら，すぐに処方医に知らせてください。

　発熱やのどの痛みと同様に，もとの疾患の症状なのか副作用によるものなのかがはっきりしないものに，間質性肺炎や PIE 症候群(好酸球肺浸潤症候群)があります。初期症状として発熱やせき，呼吸困難などが出てきますので，かぜの症状の悪化とまちがえてしまう危険性があります。

内服
14

　また，血液障害と同じようにひどい疲れを感じる副作用に肝機能障害があります。血液障害，肝機能障害のいずれもが血液検査でわかりますので，処方医に連絡して必ず検査を受けるようにしてください。

　もう一つ重大な副作用は，下痢です。抗生物質を連用するとからだにとって害になる細菌だけでなく，必要な細菌までも殺してしまいます。そのため腸内細菌のバランスがくずれて下痢がおこります。こうした単純な下痢だけならまだよいのですが，腹痛や血便を伴い回数も多い偽膜性大腸炎と呼ばれる下痢には注意が必要です。抗生物質は，処方された分だけはきちんと服用するようにと指示されることが多いのですが，下痢がおこったらすぐに処方医に連絡をとったほうがよいでしょう。

◉ 薬剤師の眼

かぜをひいたときに抗生物質は本当に必要か

　かぜは，80〜90%がウイルス感染によっておこります。抗生物質（抗菌薬も含む，以下同）は細菌には効きますが，ウイルスには効きません。なぜ，かぜのときに抗生物質が処方されるかというと，ウイルスが原因なのか，それとも細菌が原因なのかを判別することが困難であるためです。早期に抗生物質を服用し重症化を防ぐことと，高齢者や乳幼児など免疫力が低下している患者では，ウイルスが原因であるかぜであっても細菌による二次感染を引き起こし，肺炎，腎盂腎炎，髄膜炎，扁桃腺炎，中耳炎などが重症化する，いわゆる「かぜをこじらせる」ことを防ぐためです。

　しかし，最近ではウイルスが原因であるかぜに対する抗生物質の投与によって，二次感染を防ぎ，重症化を防ぐことができる可能性は非常に低いことがわかりました。また，抗生物質が頻繁に使用されることで，抗生物質が効かない薬剤耐性（AMR）をもつ細菌が増える問題も出てきました。耐性菌が増えると細菌による感染症が重症化しやすく，治療が難しくなります。

　そこで厚生労働省は薬剤耐性（AMR）対策として「抗微生物薬適正使用の手引き」を作成し，抗生物質の適正な使用を啓発しています。この手引きでは，ほとんどウイルスが原因である急性のかぜ症候群では抗生物質の投与は必要ないとされ，症状が重いときや症状が重症化してから，抗生物質を服用することを勧めています。

　すべての抗生物質・抗菌薬の添付文書において，ほとんどウイルスが原因である咽頭炎・喉頭炎・扁桃炎・急性気管支炎・感染性腸炎・中耳炎・副鼻腔炎への抗生物質の使用にあたっては「抗微生物薬適正使用の手引き」を参照し，投与の必要性を判断した上で，抗生物質の投与が適切と判断される場合に投与すること，また使用にあたっては耐性菌の発現などを防ぐため，原則として感受性を確認し，疾病の治療上必要な最小限の期間の投与にとどめることが記載されるようになりました。

　かぜの治療の基本は対症療法になります。発熱なら解熱鎮痛薬，せきなら鎮咳薬，鼻水なら抗ヒスタミン薬といった薬を服用することにより症状が抑えられ，体力の消耗を防ぎます。それにより，免疫力が高められ治癒に導かれます。そういった意味においても，かぜのときには安静にして，栄養価の高い食事をとることにより，免疫力を高めることが大切です。

01 グラム陽性菌用ペニシリン

製剤情報

一般名：ベンジルペニシリンベンザチン水和物

- 保険収載年月…1961年9月
- 海外評価…0点 英 米 独 仏

- 剤形… 顆 顆粒剤
- 服用量と回数…1回40万単位を1日2〜4回。梅毒の場合は，1回40万単位を1日3〜4回。

■ 先発品　　商品名(メーカー)　規格・保険薬価

バイシリンG (MSD) 顆 40万単位 1g 22.40 円

概　要

分類　ペニシリン系薬剤

処方目的　リンパ管・リンパ節炎／咽頭・喉頭炎，扁桃炎，急性気管支炎，肺炎，慢性呼吸器病変の二次感染／梅毒／中耳炎，副鼻腔炎／猩紅熱（しょうこうねつ）／リウマチ熱の発症予防

[有効菌種] レンサ球菌属，肺炎球菌，梅毒トレポネーマ

解説　ペニシリンが効くのは，細菌の細胞壁の合成を阻害して，細菌を死滅させるためです。人間の細胞には細胞壁がないので，ショックを除けば比較的安全な薬といえます。ここで解説するペニシリン類の有効菌種に対する殺菌力は強力で，広域感性ペニシリンと同じ程度です。

　なおショックとは，何らかの原因で心機能が抑制され，脳をはじめとして体中に血液が十分に流れていない状態のことで，とても危険な状態です。ペニシリンによるショック症状は，口内異常感，くしゃみ，冷や汗，しびれ感，悪心・嘔吐，尿意・便意，喘鳴（ぜんめい）（ゼイゼイ，ヒューヒューいう呼吸），胸内苦悶，呼吸困難などです。

使用上の注意

基本的注意

(1)服用してはいけない場合……本剤の成分に対するアレルギーの前歴

(2)慎重に服用すべき場合……ペニシリン系またはセフェム系抗生物質に対するアレルギーの前歴（ただし，本剤に対するアレルギーの前歴がある人は服用しないこと）／本人・両親・兄弟にアレルギー症状（気管支ぜんそく，発疹，じん麻疹など）をおこしやすい体質がある人／高度の腎機能障害

(3)その他……

- 妊婦での安全性：有益と判断されたときのみ服用。
- 授乳婦での安全性：治療上の有益性・母乳栄養の有益性を考慮し，授乳の継続・中止を検討。(1714頁を参照)

重大な副作用　　①ショック（初期症状→不快感，口内異常感，喘鳴，めまい，便意，耳鳴り，発汗など）。②溶血性貧血。③間質性腎炎，急性腎障害。④偽膜性大腸炎（血便を伴う重篤な大腸炎）。

そのほかにも報告された副作用はあるので，体調がいつもと違うと感じたときは，処方医・薬剤師に相談してください。

併用してはいけない薬 併用してはいけない薬は特にありません。ただし，併用する薬があるときは，念のため処方医・薬剤師に報告してください。

内14 抗生物質　01 ペニシリン系の抗生物質

02 広域感性ペニシリン

製剤情報

一般名：アモキシシリン水和物
- 保険収載年月…1975年1月
- 海外評価…6点 英 米 独 仏 ●PC…B
- 剤形… 錠 錠剤， カ カプセル剤， 細 細粒剤
- 服用量と回数…1回250mg(細粒剤は2.5g)を1日3〜4回。小児の場合，1日20〜40mg／kg(体重)を3〜4回に分けて服用。ヘリコバクター・ピロリ感染症の場合，他剤と併用し，処方医の指示通りに服用。

■先発品　商品名(メーカー)　規格・保険薬価

サワシリン (LTLファーマ) 細 100mg 1g 8.80 円
錠 250mg 1錠 10.80 円　カ 125mg 1ｶﾌﾟｾﾙ 10.80 円
カ 250mg 1ｶﾌﾟｾﾙ 10.50 円

パセトシン (サンドファーマ＝サンド)
細 100mg 1g 9.40 円　カ 125mg 1ｶﾌﾟｾﾙ 10.10 円

■ジェネリック　商品名(メーカー)　規格・保険薬価

アモキシシリン 写真 (武田テバ薬品＝武田)
細 100mg 1g 6.70 円　カ 125mg 1ｶﾌﾟｾﾙ 10.10 円
カ 250mg 1ｶﾌﾟｾﾙ 10.10 円

アモキシシリン (辰巳) 細 100mg 1g 6.70 円
細 200mg 1g 11.60 円　カ 125mg 1ｶﾌﾟｾﾙ 10.10 円

アモキシシリン (辰巳＝日本ジェネリック＝昭和薬化) カ 250mg 1ｶﾌﾟｾﾙ 10.10 円

アモキシシリン (東和) カ 125mg 1ｶﾌﾟｾﾙ 10.10 円
カ 250mg 1ｶﾌﾟｾﾙ 10.10 円

アモキシシリン (日医工ファーマ＝日医工)
カ 125mg 1ｶﾌﾟｾﾙ 10.10 円　カ 250mg 1ｶﾌﾟｾﾙ 10.10 円

ワイドシリン (MeijiSeika) 細 100mg 1g 6.70 円
細 200mg 1g 11.60 円

一般名：アンピシリン水和物
- 保険収載年月…1965年11月
- 海外評価…2点 英 米 独 仏
- 剤形… カ カプセル剤， ド ドライシロップ剤
- 服用量と回数…1回250〜500mg(ドライシロップは2.5〜5g)を1日4〜6回。小児の場合は1日ドライシロップ0.25〜0.5g／kg(体重)を4回に分けて服用。

■先発品　商品名(メーカー)　規格・保険薬価

ビクシリン (MeijiSeika) カ 250mg 1ｶﾌﾟｾﾙ 21.00 円
ド 100mg 1g 12.30 円

一般名：アンピシリン水和物・クロキサシリンナトリウム水和物配合剤
- 保険収載年月…1970年8月
- 海外評価…0点 英 米 独 仏
- 剤形… 錠 錠剤
- 服用量と回数…肺炎，肺膿瘍，慢性呼吸器病変の二次感染：1回250〜500mgを6時間ごとに服用。

■ジェネリック　商品名(メーカー)　規格・保険薬価

ビクシリンS配合錠 (MeijiSeika)
錠 250mg 1錠 23.90 円

一般名：バカンピシリン塩酸塩
- 保険収載年月…1972年4月

- 海外評価…2点 英 米 独 仏　●PC…B
- 剤形…錠 錠剤
- 服用量と回数…1日500～1,000mg(小児の場合は15～40mg／kg(体重))を3～4回に分けて服用。

■先発品　　商品名(メーカー)　規格・保険薬価
ペングッド (日医工) 錠 250mg 1錠 11.90 円

一般名：スルタミシリントシル酸塩水和物
- 保険収載年月…1986年11月
- 海外評価…1点 英 米 独 仏
- 剤形…錠 錠剤, 細 細粒剤
- 服用量と回数…1回375mgを1日2～3回。小児の場合は1日15～30mg(細粒0.15～0.3g)／kg(体重)を3回に分けて服用。

■先発品　　商品名(メーカー)　規格・保険薬価
ユナシン 写真 (ファイザー) 錠 375mg 1錠 60.00 円
細 100mg 1g(小児用) 76.10 円

一般名：アモキシシリン水和物・クラブラン酸カリウム配合剤
- 保険収載年月…1985年7月
- 海外評価…6点 英 米 独 仏　●PC…B
- 剤形…錠 錠剤, ド ドライシロップ剤
- 服用量と回数…オーグメンチン配合錠RSは1

回1錠,オーグメンチン配合錠SSは1回2錠を,1日3～4回(6～8時間ごと)。小児の場合は1日ドライシロップ96.4mg／kg(体重)を2回に分けて服用。

■先発品　　商品名(メーカー)　規格・保険薬価
オーグメンチン配合錠 RS (グラクソ)
錠 375mg 1錠 45.70 円
オーグメンチン配合錠 SS 写真 (グラクソ)
錠 187.5mg 1錠 31.80 円
クラバモックス小児用配合ドライシロップ
写真 (グラクソ) ド 636.5mg 1g 129.40 円

一般名：ファロペネムナトリウム水和物
- 保険収載年月…1997年6月
- 海外評価…0点 英 米 独 仏
- 剤形…錠 錠剤, ド ドライシロップ剤
- 服用量と回数…1回150mg～200mgを1日3回。適応症によっては1回200～300mgを1日3回。小児の場合：1回5mg(ドライシロップ0.05g)／kg(体重)を1日3回, 1回最大10mg／kg(体重)。

■先発品　　商品名(メーカー)　規格・保険薬価
ファロム (マルホ) 錠 150mg 1錠 91.80 円
錠 200mg 1錠 116.00 円
ファロムドライシロップ (マルホ)
ド 100mg 1g (小児用) 106.10 円

概　要
分類　広域感性ペニシリン
処方目的　[アモキシシリン水和物の適応症] 表在性皮膚感染症, 深在性皮膚感染症, リンパ管・リンパ節炎, 慢性膿皮症／外傷・熱傷・手術創などの二次感染, びらん・潰瘍の二次感染, 乳腺炎／骨髄炎／咽頭・喉頭炎, 扁桃炎, 急性気管支炎, 肺炎, 慢性呼吸器病変の二次感染／膀胱炎, 腎盂腎炎, 前立腺炎(急性・慢性症), 精巣上体炎(副睾丸炎)／淋菌感染症, 梅毒／子宮内感染, 子宮付属器炎, 子宮旁結合織炎, 涙のう炎, 麦粒腫／中耳炎／歯周組織炎, 歯冠周囲炎, 顎炎／猩紅熱／胃潰瘍・十二指腸潰瘍・胃マルトリンパ腫・特発性血小板減少性紫斑病・早期胃がんに対する内視鏡的治療後の胃におけるヘリコバクター・ピロリ感染症, ヘリコバクター・ピロリ感染胃炎
[有効菌種] ブドウ球菌属, レンサ球菌属, 肺炎球菌, 腸球菌属, 淋菌, 大腸菌, プロテ

ウス・ミラビリス，インフルエンザ菌，ヘリコバクター・ピロリ，梅毒トレポネーマ

解説 「広域感性」といっても，有効菌種はそれほど広くなく，グラム陰性桿菌のうち感受性があるのは，大腸菌，インドール陰性プロテウス，赤痢菌，インフルエンザ菌，サルモネラ菌くらいで，それがこの系統の第1選択菌といえます。ブドウ球菌，連鎖球菌，肺炎球菌などにも効きますが，その効果はグラム陽性菌用ペニシリンと同程度です。

この系統のうち，バカンピシリン塩酸塩はアンピシリン水和物のエステル化物で，体内でアンピシリン水和物となって働きます（プロドラッグ）。この薬は，他のものが空腹時に服用したほうが効果がよいといわれるのに反し，食事による影響を受けないといわれています。

なお，ファロペネムナトリウム水和物（ファロム）は，世界初のペネム系抗生物質といわれていますが，基本的にはペニシリンです。

使用上の注意

＊アモキシシリン水和物（サワシリン）の添付文書による

基本的注意

（1）服用してはいけない場合……本剤の成分に対するアレルギーの前歴／伝染性単核症
（2）慎重に服用すべき場合……ペニシリン系またはセフェム系抗生物質に対するアレルギーの前歴（ただし，本剤に対するアレルギーの前歴がある人は服用しないこと）／本人・両親・兄弟にアレルギー症状（気管支ぜんそく，発疹，じん麻疹など）をおこしやすい体質がある人／高度の腎機能障害／経口摂取の不良な人，非経口栄養の人，全身状態の悪い人／高齢者
（3）服用法……本剤が食道に停留し，崩壊すると食道潰瘍をおこすおそれがあるので，多めの水（150mL以上）で服用してください。特に就寝直前の服用などには注意してください。
（4）その他……

●妊婦での安全性：有益と判断されたときのみ服用。
●授乳婦での安全性：治療上の有益性・母乳栄養の有益性を考慮し，授乳の継続・中止を検討。
●低出生体重児，新生児での安全性：未確立。（1714頁を参照）

重大な副作用 ①ショック，アナフィラキシー（不快感，口内異常感，めまい，便意，耳鳴り，発汗，呼吸困難，全身潮紅，血管浮腫，じん麻疹など）。②皮膚粘膜眼症候群（スティブンス-ジョンソン症候群），中毒性表皮壊死融解症（TEN），多形紅斑，急性汎発性発疹性膿疱症，紅皮症（剥脱性皮膚炎）。③黄疸，肝機能障害。④急性腎障害などの重い腎疾患。⑤偽膜性大腸炎・出血性大腸炎（腹痛，頻回の下痢，血便など）。⑥顆粒球減少，血小板減少。⑦間質性肺炎・好酸球性肺炎（せき，呼吸困難，発熱など）。⑧無菌性髄膜炎（項部硬直，発熱，頭痛，悪心・嘔吐，意識混濁など）。

そのほかにも報告された副作用はあるので，体調がいつもと違うと感じたときは，処方医・薬剤師に相談してください。

併用してはいけない薬 併用してはいけない薬は特にありません。ただし，併用す

る薬があるときは，念のため処方医・薬剤師に報告してください。

01 セフェム系抗生物質

製剤情報

一般名：セファレキシン

- 保険収載年月…1970年8月
- 海外評価…5点 英 米 独 仏　●PC…B
- 剤形… 錠 錠剤, 力 カプセル剤, 顆 顆粒剤, ド ドライシロップ剤
- 服用量と回数…カプセル・錠剤：1回250mgを6時間ごと。50%顆粒：1日1gを2回に分けて服用。幼小児, 体重20kg未満の小児, 重症, 分離菌の感受性が比較的低い場合は, 処方医の指示通りに服用。

■先発品　　商品名(メーカー)　規格・保険薬価

L-ケフレックス (共和)		
顆 200mg 1g (小児用) 71.40 円		
顆 500mg 1g 80.90 円		
ケフレックス (共和) 力 250mg 1ｶﾌﾟｾﾙ 31.50 円		
ド 100mg 1g 24.20 円	ド 200mg 1g 38.10 円	
セファレキシン (長生堂＝日本ジェネリック)		
顆 500mg 1g 80.70 円		
セファレキシン (東和) 力 250mg 1ｶﾌﾟｾﾙ 31.50 円		
セファレキシン (日医工) 錠 250mg 1錠 31.50 円		
ド 500mg 1g (小児用) 19.00 円		
セファレキシン複合顆粒 (東和＝ジェイドルフ)		
顆 500mg 1g 80.90 円		
ラリキシン (富士フイルム富山)		
錠 250mg 1錠 31.50 円		
ド 100mg 1g (小児用) 24.20 円		
ド 200mg 1g (小児用) 38.10 円		

一般名：セファクロル

- 保険収載年月…1981年12月
- 海外評価…6点 英 米 独 仏　●PC…B
- 剤形… 力 カプセル剤, 細 細粒剤, 顆 顆粒剤
- 服用量と回数…1日750mgを3回に分けて服用(L-ケフラールは2回)。幼小児, 体重20kg未満の小児, 重症, 分離菌の感受性が比較的低い場合は, 処方医の指示通りに服用。

■先発品　　商品名(メーカー)　規格・保険薬価

L-ケフラール (共和) 顆 375mg 1包 105.40 円		
ケフラール (共和) 力 250mg 1ｶﾌﾟｾﾙ 54.70 円		
細 100mg 1g (小児用) 44.30 円		
セファクロル (沢井)		
細 100mg 1g(小児用) 44.30 円		
力 250mg 1ｶﾌﾟｾﾙ 54.70 円		
セファクロル (シオノ＝あゆみ製薬)		
力 250mg 1ｶﾌﾟｾﾙ 49.30 円		
セファクロル (辰巳) 力 250mg 1ｶﾌﾟｾﾙ 54.70 円		
セファクロル (長生堂＝日本ジェネリック)		
細 100mg 1g(小児用) 44.30 円		
力 250mg 1ｶﾌﾟｾﾙ 54.70 円		
セファクロル (東和) 力 250mg 1ｶﾌﾟｾﾙ 54.70 円		
セファクロル (日医工) 力 250mg 1ｶﾌﾟｾﾙ 41.00 円		
細 100mg 1g 44.30 円	細 200mg 1g 19.60 円	

一般名：セフィキシム

- 保険収載年月…1987年8月
- 海外評価…5点 英 米 独 仏　●PC…B
- 剤形… 力 カプセル剤, 細 細粒剤
- 服用量と回数…1回50〜100mgを1日2回, 重症または効果が不十分なときは1回200mgを1日2回。体重30kg未満の小児の場合は, 1回細粒1.5〜3mg／kg(体重)を1日2回, 重症または効果が不十分なときは1回細粒6mg／kgを1日2回。

■先発品　商品名(メーカー)　規格・保険薬価

セフィキシム (武田テバファーマ＝武田)
細 50mg 1g(小児用) 53.00 円

セフスパン (長生堂＝日本ジェネリック)
細 50mg 1g 53.00 円　　力 50mg 1ｶﾌﾟ 62.40 円
力 100mg 1ｶﾌﾟ 69.60 円

■ジェネリック　商品名(メーカー)　規格・保険薬価

セフィキシム (武田テバファーマ＝武田)
細 100mg 1g(小児用) 55.50 円

一般名：セフテラムピボキシル

● 保険収載年月…1987年8月
● 海外評価…0点 英 米 独 仏
● 剤形…錠 錠剤, 細 細粒剤
● 服用量と回数…1日300～600mgを3回に分けて服用。適応症によっては1日150～300mgを3回に分けて服用。小児の場合：1日9～18mg(細粒0.09～0.18g)／kg(体重)を3回に分けて服用。

■先発品　商品名(メーカー)　規格・保険薬価

トミロン (富士フイルム富山＝昭和薬化)
錠 100mg 1錠 39.50 円

トミロン (富士フイルム富山) 錠 50mg 1錠 31.80 円
細 200mg 1g(小児用) 189.40 円

一般名：セフロキサジン水和物

● 保険収載年月…1984年3月
● 海外評価…0点 英 米 独 仏
● 剤形…ド ドライシロップ剤
● 服用量と回数… 幼少児に対して1日30mg／kg(体重)を3回に分けて服用。

■先発品　商品名(メーカー)　規格・保険薬価

オラスポアドライシロップ (アルフレッサ)
ド 100mg 1g (小児用) 31.60 円

一般名：セフロキシムアキセチル

● 保険収載年月…1988年4月
● 海外評価…6点 英 米 独 仏　　●PC…B

● 剤形…錠 錠剤
● 服用量と回数…1回250mgを1日3回。重症または効果が不十分なときは, 1回500mgを1日3回。

■先発品　商品名(メーカー)　規格・保険薬価

オラセフ (グラクソ＝第一三共)
錠 250mg 1錠 62.00 円

一般名：セフポドキシムプロキセチル

● 保険収載年月…1989年11月
● 海外評価…4点 英 米 独 仏　　●PC…B
● 剤形…錠 錠剤, ド ドライシロップ剤
● 服用量と回数…1回100mgを1日2回。重症または効果が不十分なときは1回200mgを1日2回。幼少児の場合は1回3mg(ドライシロップ0.06g)／kg(体重)を1日2～3回, 重症または効果が不十分なときは1回4.5mg／kgを1日3回。

■先発品　商品名(メーカー)　規格・保険薬価

バナン (第一三共＝グラクソ) 錠 100mg 1錠 56.00 円
ド 50mg 1g 48.00 円

■ジェネリック　商品名(メーカー)　規格・保険薬価

セフポドキシムプロキセチル (沢井)
錠 100mg 1錠 29.80 円

セフポドキシムプロキセチル (長生堂＝日本ジェネリック) 錠 100mg 1錠 29.80 円

セフポドキシムプロキセチル 写真 (東和)
錠 100mg 1錠 29.80 円

セフポドキシムプロキセチル DS (沢井)
ド 50mg 1g(小児用) 25.30 円

一般名：セフジニル

● 保険収載年月…1991年11月
● 海外評価…2点 英 米 独 仏　　●PC…B
● 剤形…錠 錠剤, 力 カプセル剤, 細 細粒剤
● 服用量と回数…1回100mgを1日3回。小児の場合は1日9～18mg(10%細粒0.09～0.18g, 20%細粒0.045～0.09g)／kg(体重)を3回に分けて服用。

■**先発品**　商品名(メーカー)　規格・保険薬価

セフゾン（LTL ファーマ）力 50mg 1カプ 52.00 円
力 100mg 1カプ 59.70 円
細 100mg 1g（小児用）76.90 円

セフジニル（沢井）錠 50mg 1錠 40.20 円
錠 100mg 1錠 44.90 円

セフジニル（武田テバ薬品＝武田テバファーマ＝
武田）力 50mg 1カプ 28.30 円　力 100mg 1カプ 29.40 円

セフジニル（長生堂＝日本ジェネリック）
力 50mg 1カプ 52.00 円　力 100mg 1カプ 59.70 円

セフジニル（東和）力 50mg 1カプ 40.20 円
力 100mg 1カプ 44.90 円

セフジニル（日医工）力 50mg 1カプ 52.00 円
力 100mg 1カプ 59.70 円

セフジニル（陽進堂）力 50mg 1カプ 40.20 円
力 100mg 1カプ 44.90 円

■**ジェネリック**　商品名(メーカー)　規格・保険薬価

セフジニル（沢井）細 100mg 1g（小児用）47.70 円

セフジニル（武田テバ薬品＝武田テバファーマ＝
武田）細 100mg 1g（小児用）47.70 円

セフジニル（長生堂＝日本ジェネリック）
細 100mg 1g（小児用）41.00 円

セフジニル（東和）細 100mg 1g（小児用）47.70 円

セフジニル（日医工）
細 100mg 1g（小児用）47.70 円

セフジニル（陽進堂）
細 100mg 1g（小児用）47.70 円

一般名：セフジトレンピボキシル

- 保険収載年月…1994年5月
- 海外評価…0点 英 米 独 仏
- 剤形… 錠 錠剤，細 細粒剤
- 服用量と回数…1回100mgを1日3回，重症ま
  たは効果が不十分なときは1回200mgを1日3
  回。小児の場合は1回3mg（細粒0.03g）／kg
  （体重）を1日3回。

■**先発品**　商品名(メーカー)　規格・保険薬価

メイアクト MS（MeijiSeika）
錠 100mg 1錠 46.00 円
細 100mg 1g（小児用）166.30 円

セフジトレンピボキシル（大蔵＝MeijiSeika）
錠 100mg 1錠 37.70 円
細 100mg 1g（小児用）166.30 円

セフジトレンピボキシル（沢井）
錠 100mg 1錠 37.70 円
細 100mg 1g（小児用）128.50 円

セフジトレンピボキシル（長生堂＝日本ジェネリ
ック）錠 100mg 1錠 46.00 円
細 100mg 1g（小児用）166.30 円

セフジトレンピボキシル 写真 （東和）
錠 100mg 1錠 37.70 円
細 100mg 1g（小児用）128.50 円

セフジトレンピボキシル（日医工ファーマ＝日医
工）錠 100mg 1錠 37.70 円
細 100mg 1g（小児用）128.50 円

一般名：セフカペンピボキシル塩酸塩水和物

- 保険収載年月…1997年6月
- 海外評価…0点 英 米 独 仏
- 剤形… 錠 錠剤，細 細粒剤
- 服用量と回数…1回100mgを1日3回，難治性
  または効果が不十分なときは1回150mgを1
  日3回。小児の場合は1回3mg（細粒0.03g）
  ／kg（体重）を1日3回。

■**先発品**　商品名(メーカー)　規格・保険薬価

フロモックス（塩野義）
細 100mg 1g（小児用）115.40 円
錠 75mg 1錠 36.30 円　錠 100mg 1錠 41.10 円

■**ジェネリック**　商品名(メーカー)　規格・保険薬価

セフカペンピボキシル塩酸塩（沢井）
細 100mg 1g（小児用）82.50 円　錠 75mg 1錠 24.80 円
錠 100mg 1錠 24.60 円

セフカペンピボキシル塩酸塩 (CHO＝東和)
錠 75mg 1錠 24.80 円　錠 100mg 1錠 24.60 円

セフカペンピボキシル塩酸塩 (長生堂＝日本ジェネリック) 細 100mg 1g(小児用) 82.50 円
錠 75mg 1錠 24.80 円　錠 100mg 1錠 24.60 円

セフカペンピボキシル塩酸塩 (東和)
細 100mg 1g(小児用) 82.50 円

セフカペンピボキシル塩酸塩 (日医工ファーマ＝日医工) 細 100mg 1g(小児用) 82.50 円
錠 75mg 1錠 24.80 円　錠 100mg 1錠 24.60 円

セフカペンピボキシル塩酸塩 (マイラン＝ファイザー) 細 100mg 1g(小児用) 82.50 円
錠 75mg 1錠 24.80 円　錠 100mg 1錠 24.60 円

セフカペンピボキシル塩酸塩 (陽進堂)
細 100mg 1g(小児用) 82.50 円

概　要

分類　セフェム系薬剤

処方目的　［セフカペンピボキシル塩酸塩水和物の適応症］表在性皮膚感染症，深在性皮膚感染症，リンパ管・リンパ節炎，慢性膿皮症／外傷・熱傷・手術創などの二次感染，乳腺炎，肛門周囲膿瘍／咽頭・喉頭炎，扁桃炎(扁桃周囲炎，扁桃周囲膿瘍を含む)，急性気管支炎，肺炎，慢性呼吸器病変の二次感染／膀胱炎，腎盂腎炎／尿道炎，子宮頸管炎／胆のう炎，胆管炎／バルトリン腺炎，子宮内感染，子宮付属器炎／涙のう炎，麦粒腫，瞼板腺炎／外耳炎，中耳炎，副鼻腔炎／歯周組織炎，歯冠周囲炎，顎炎

［有効菌種］ブドウ球菌属，レンサ球菌属，肺炎球菌，淋菌，モラクセラ(ブランハメラ)・カタラーリス，大腸菌，シトロバクター属，クレブシエラ属，エンテロバクター属，セラチア属，プロテウス属，モルガネラ・モルガニー，プロビデンシア属，インフルエンザ菌，ペプトストレプトコッカス属，バクテロイデス属，プレボテラ属(プレボテラ・ビビアを除く)，アクネ菌

解説　ペニシリン系薬剤と同様に，細菌の細胞壁合成を阻止することで増殖を防ぐので，比較的安全な抗生物質といえます。ショックの発生度合も，ペニシリン系薬剤に比較すれば小さいといわれています。

　なおショックとは，何らかの原因で心機能が抑制され，脳をはじめとして体中に血液が十分に流れていない状態のことで，とても危険な状態です。ペニシリンによるショック症状は，口内異常感，くしゃみ，冷や汗，しびれ感，悪心・嘔吐，尿意・便意，喘鳴(ゼイゼイ，ヒューヒューいう呼吸)，胸内苦悶，呼吸困難などです。

　セフジトレンピボキシル，セフカペンピボキシル塩酸塩水和物は，従来のセフェム系で効果の乏しかったエンテロバクター属やセラチア属の菌種にも抗菌力を示すようになりました。

使用上の注意

＊セフカペンピボキシル塩酸塩水和物(フロモックス)，セフジニル(セフゾン)，セフジトレンピボキシル(メイアクト MS)の添付文書による

基本的注意

(1)服用してはいけない場合……本剤の成分に対するアレルギーの前歴

(2)特に慎重に服用すべき場合(治療上やむを得ないと判断される場合を除き服用は避

けること)……[セフカペンピボキシル塩酸塩水和物]セフェム系抗生物質に対するアレルギーの前歴(ただし,本剤に対するアレルギーの前歴のある人は服用しないこと)

(3)慎重に服用すべき場合……本人・両親・兄弟にアレルギー症状(気管支ぜんそく,発疹,じん麻疹など)をおこしやすい体質がある人／高度の腎機能障害／経口摂取の不良な人,非経口栄養の人,全身状態の悪い人／高齢者／[セフカペンピボキシル塩酸塩水和物]ペニシリン系抗生物質に対するアレルギーの前歴／[セフジニル,セフジトレンピボキシル]セフェム系抗生物質またはペニシリン系抗生物質に対するアレルギーの前歴(ただし,本剤に対するアレルギーの前歴のある人は服用しないこと)

(4)便・尿の色……[セフジニル]粉ミルクや経腸栄養剤などの鉄添加製品と併用すると,便が赤色調になることがあります。また,尿が赤色調になることがあります。心配はありませんが,血便・血尿などと区別するために,処方医へ連絡してください。

(5)成人にも使用……[セフカペンピボキシル塩酸塩水和物,セフジトレンピボキシル]小児用の薬剤(細粒)は,成人でも嚥下困難などにより錠剤の服用が困難な場合は使用することができます。

(6)併用注意……[セフジニル]鉄剤,制酸剤(アルミニウム,マグネシウム含有)との併用により本剤の吸収が低下するので,鉄剤とは3時間以上,制酸剤とは2時間以上の間隔をあけて服用してください。

(7)先天性代謝異常……[セフカペンピボキシル塩酸塩,セフジトレンピボキシル]小児(特に乳幼児)において,ピボキシル基を有する抗生物質(小児用製剤)の服用により,低カルニチン血症に伴う低血糖が現れることがあります。ピボキシル基を有する抗生物質の服用に際してはカルニチンの低下に注意し,血清カルニチンが低下する先天性代謝異常であることが判明した場合には,本剤を服用してはいけません。

(8)その他……

●妊婦での安全性:未確立。有益と判断されたときのみ服用。

●低出生体重児,新生児での安全性:未確立。(1714頁を参照)

重大な副作用　　①ショック,アナフィラキシー(不快感,口内異常感,めまい,便意,耳鳴り,発汗,呼吸困難など)。②急性腎障害などの重い腎障害。③皮膚粘膜眼症候群(スティブンス-ジョンソン症候群),中毒性表皮壊死融解症(TEN),紅皮症(剥脱性皮膚炎)。④偽膜性大腸炎,出血性大腸炎(腹痛,頻回の下痢,血便など)。⑤無顆粒球症,血小板減少,溶血性貧血。⑥間質性肺炎,好酸球性肺炎(発熱,せき,呼吸困難など)。⑦黄疸,肝機能障害,劇症肝炎。

[セフカペンピボキシル塩酸塩水和物]⑧横紋筋融解症。

[セフカペンピボキシル塩酸塩細粒,セフジトレンピボキシル細粒]⑨(小児,とくに乳幼児で)低カルニチン血症に伴う低血糖(けいれん,意識障害など)。

　そのほかにも報告された副作用はあるので,体調がいつもと違うと感じたときは,処方医・薬剤師に相談してください。

併用してはいけない薬　　併用してはいけない薬は特にありません。ただし,併用する薬があるときは,念のため処方医・薬剤師に報告してください。

01 テトラサイクリン系抗生物質

製剤情報

一般名：テトラサイクリン塩酸塩

- 保険収載年月…1958年4月
- 海外評価…6点 英 米 独 仏　●PC…D
- 剤形…カ カプセル剤
- 服用量と回数…1日1g(小児は30mg／kg(体重))を4回に分けて服用。

■**先発品**　　商品名(メーカー)　規格・保険薬価

アクロマイシンV (サンファーマ)

カ 50mg 1カセル 8.30 円　　カ 250mg 1カセル 11.30 円

一般名：デメチルクロルテトラサイクリン塩酸塩

- 保険収載年月…1965年11月
- 海外評価…4点 英 米 独 仏　●PC…D
- 剤形…カ カプセル剤
- 服用量と回数…1日450~600mgを2~4回に分けて服用。

■**先発品**　　商品名(メーカー)　規格・保険薬価

レダマイシン (サンファーマ)

カ 150mg 1カセル 17.00 円

一般名：ドキシサイクリン塩酸塩水和物

- 保険収載年月…1976年9月
- 海外評価…6点 英 米 独 仏　●PC…D
- 剤形…錠 錠剤
- 服用量と回数…初日：1日200mgを1~2回に

分けて服用。2日目以降：1日1回100mg。

■**先発品**　　商品名(メーカー)　規格・保険薬価

ビブラマイシン (ファイザー)

錠 50mg 1錠 12.50 円　　錠 100mg 1錠 22.00 円

一般名：ミノサイクリン塩酸塩

- 保険収載年月…1981年9月
- 海外評価…6点 英 米 独 仏　●PC…D
- 剤形…錠 錠剤, カ カプセル剤, 顆 顆粒剤
- 服用量と回数…初回100~200mg, 以後12時間あるいは24時間ごとに100mg。小児の場合は1日2~4mg(顆粒0.1~0.2g)／kg(体重)を12時間あるいは24時間ごと。

■**先発品**　　商品名(メーカー)　規格・保険薬価

ミノサイクリン塩酸塩 写真 (沢井)

顆 20mg 1g 20.00 円

ミノマイシン 写真 (ファイザー)

顆 20mg 1g 20.00 円　　錠 50mg 1錠 16.50 円

カ 50mg 1カセル 16.50 円　　カ 100mg 1カセル 33.60 円

■**ジェネリック**　　商品名(メーカー)　規格・保険薬価

ミノサイクリン塩酸塩 (沢井)

錠 50mg 1錠 11.80 円　　錠 100mg 1錠 22.00 円

ミノサイクリン塩酸塩 (東和)

錠 50mg 1錠 11.80 円　　錠 100mg 1錠 22.00 円

ミノサイクリン塩酸塩 (日医工ファーマ＝日医工) 錠 50mg 1錠 11.80 円　　カ 100mg 1カセル 22.00 円

概　要

分類　広域感性抗生物質

処方目的　[ミノサイクリン塩酸塩の適応症] 表在性皮膚感染症, 深在性皮膚感染症, リンパ管・リンパ節炎, 慢性膿皮症／外傷・熱傷・手術創などの二次感染, 乳腺炎, 骨髄炎／咽頭・喉頭炎, 扁桃炎(扁桃周囲炎を含む), 急性気管支炎, 肺炎, 肺膿瘍, 慢性呼吸器病変の二次感染／膀胱炎, 腎盂腎炎, 前立腺炎(急性症, 慢性症), 精巣上体炎(副

睾丸炎)，尿道炎／淋菌感染症，梅毒／腹膜炎，感染性腸炎／外陰炎，細菌性腟炎，子宮内感染／涙のう炎，麦粒腫／外耳炎，中耳炎，副鼻腔炎／化膿性唾液腺炎，歯周組織炎，歯冠周囲炎，上顎洞炎，顎炎，感染性口内炎／炭疽，つつが虫病，オウム病，猩紅熱

[有効菌種] ブドウ球菌属，レンサ球菌属，肺炎球菌，腸球菌属，淋菌，炭疽菌，大腸菌，赤痢菌，シトロバクター属，クレブシエラ属，エンテロバクター属，プロテウス属，モルガネラ・モルガニー，プロビデンシア属，緑膿菌，梅毒トレポネーマ，リケッチア属（オリエンチア・ツツガムシ），クラミジア属，肺炎マイコプラズマ（マイコプラズマ・ニューモニエ）

解説　クロラムフェニコールとともに，一時は抗生物質の双璧としてしばしば使用されました。しかし，耐性菌が多くなったために，その王座をペニシリン系やセフェム系抗生物質にあけ渡しました。

使用上の注意

＊ミノサイクリン塩酸塩（ミノマイシン）の添付文書による

基本的注意

(1)服用してはいけない場合……テトラサイクリン系薬剤に対するアレルギーの前歴

(2)慎重に服用すべき場合……肝機能障害／腎機能障害／食道通過障害／経口摂取の不良な人，非経口栄養の人，全身状態の悪い人／高齢者

(3)尿の色など……服用によって，尿が黄褐〜茶褐色，緑色，青色に変色したという報告が，また甲状腺が黒色になることがあります。心配はありませんが，処方医に伝えておいてください。

(4)小児……特に歯牙形成期にある8歳未満の小児が服用すると，歯牙の着色・エナメル質形成不全，一過性の骨発育不全をおこすことがあります。本剤は，他の薬剤が使用できないか無効の場合にのみ処方されます。

(5)服用法……①錠剤・カプセル剤は，食道に停留し崩壊すると食道潰瘍をおこすおそれがあるので，多めの水（150mL以上）で服用してください。特に就寝直前の服用などには注意してください。②顆粒剤は，粉末のまま，または水を加えてシロップ状にして服用してください。

(6)菌交代症……服用によって，菌交代症にもとづく新しい感染症がおこることがあります。感染症の変化があったり，治療が長びくようなときは薬の変更が必要なこともあるので，処方医に病状をよく伝えることが大切です。

(7)危険作業は中止……本剤を服用すると，めまい感が現れるおそれがあります。服用中は，高所作業や自動車の運転など危険を伴う機械の操作は行わないようにしてください。

(8)その他……

●妊婦での安全性：有益と判断されたときのみ服用。

●授乳婦での安全性：原則として服用しない。やむを得ず服用するときは授乳を中止。（1714頁を参照）

重大な副作用　①ショック，アナフィラキシー（不快感，口内異常感，めまい，便意，耳鳴り，発汗，呼吸困難，全身潮紅，意識障害など）。②全身性紅斑性狼瘡

（SLE）様症状の悪化。③急性腎不全，間質性腎炎。④皮膚粘膜眼症候群（スティブンス-ジョンソン症候群），中毒性表皮壊死融解症（TEN），多形紅斑，剥脱性皮膚炎。⑤呼吸困難，間質性肺炎，PIE症候群。⑥けいれん，意識障害などの精神神経障害。⑦膵炎。⑧肝不全などの重い肝機能障害（特に服用開始後1週間以内は注意が必要です）。⑨汎血球減少，顆粒球減少，無顆粒球症，白血球減少，血小板減少，貧血。⑩出血性腸炎，偽膜性大腸炎。⑪薬剤性過敏症症候群（初期症状として発疹，発熱がみられ，さらにリンパ節腫脹，肝機能障害，白血球増加，好酸球増多，異型リンパ球出現などを伴う）。⑫結節性多発動脈炎・顕微鏡的多発血管炎（発熱，倦怠感，体重減少，関節痛，網状皮斑，しびれ）。⑬自己免疫性肝炎。

　そのほかにも報告された副作用はあるので，体調がいつもと違うと感じたときは，処方医・薬剤師に相談してください。

併用してはいけない薬　併用してはいけない薬は特にありません。ただし，併用する薬があるときは，念のため処方医・薬剤師に報告してください。

内 14 抗生物質　03 その他の広域感性抗生物質

02　クロラムフェニコール

製 剤 情 報

一般名：クロラムフェニコール
- 保険収載年月…1959年3月
- 海外評価…2点 英 米 独 仏
- 剤形…錠 錠剤

- 服用量と回数…1日1.5～2g（小児は30～50mg/kg（体重））を3～4回に分けて服用。

■**先発品**　**商品名（メーカー）**　規格・保険薬価
クロロマイセチン（アルフレッサ）
錠 50mg 1錠 9.30円　　錠 250mg 1錠 24.60円

概　　要

分類　広域感性抗生物質

処方目的　表在性皮膚感染症，深在性皮膚感染症，リンパ管・リンパ節炎，慢性膿皮症／外傷・熱傷・手術創などの二次感染，乳腺炎，骨髄炎／咽頭・喉頭炎，扁桃炎，急性気管支炎，肺炎，肺膿瘍，膿胸，慢性呼吸器病変の二次感染／膀胱炎，腎盂腎炎，尿道炎，淋菌感染症，軟性下疳，性病性（鼠径）リンパ肉芽腫／腹膜炎，感染性腸炎，腸チフス，パラチフス／子宮内感染，子宮付属器炎／涙のう炎，角膜炎／中耳炎，副鼻腔炎／歯周組織炎，歯冠周囲炎／猩紅熱，百日ぜき，野兎病，ガス壊疽，発疹チフス，発疹熱，つつが虫病

[有効菌種]　ブドウ球菌属，レンサ球菌属，肺炎球菌，腸球菌属，淋菌，髄膜炎菌，大腸菌，サルモネラ属，チフス菌，パラチフス菌，クレブシエラ属，プロテウス属，モルガネラ・モルガニー，インフルエンザ菌，軟性下疳菌，百日ぜき菌，野兎病菌，ガス壊疽菌群，リケッチア属，トラコーマクラミジア（クラミジア・トラコマティス）

解説　かつては，テトラサイクリン系抗生物質と同様，抗生物質の代名詞のようにしばしば使用されました。しかし，骨髄機能抑制などの重大な副作用のため，現在では特

別な場合(腸チフス, パラチフス, サルモネラ腸炎, 発疹チフス, 発疹熱, つつが虫病, 性病性(鼠径)リンパ肉芽腫)以外は, 他の抗生物質で効果がなかったときのみに使われるようになりました。

使用上の注意

基本的注意

(1)**服用してはいけない場合**……造血機能の低下／本剤の成分に対するアレルギーの前歴／骨髄機能抑制をおこす可能性のある薬剤の服用中／低出生体重児, 新生児

(2)**慎重に服用すべき場合**……肝機能障害, 腎機能障害／経口摂取の不良な人, 非経口栄養の人, 全身状態の悪い人／高齢者

(3)**菌交代症**……服用によって, 菌交代症にもとづく新しい感染症がおこることがあります。感染症の変化があったり, 治療が長びくようなときは薬の変更が必要なこともあるので, 処方医に病状をよく伝えることが大切です。

(4)**グレイシンドローム**……低出生体重児, 新生児が本剤を服用するとグレイシンドローム(腹部膨張に始まる嘔吐, 下痢, 皮膚蒼白, 虚脱, 呼吸停止など)が現れるので, 服用してはいけません。

(5)**その他**……

● 妊婦での安全性：有益と判断されたときのみ服用。(1714頁を参照)

重大な副作用　①再生不良性貧血。②グレイシンドローム。③(長期服用により)視神経炎, 末梢神経炎。

そのほかにも報告された副作用はあるので, 体調がいつもと違うと感じたときは, 処方医・薬剤師に相談してください。

併用してはいけない薬　骨髄抑制をおこす可能性がある薬剤(抗がん薬など)→重い血液障害が報告されています。

内14 抗生物質　03 その他の広域感性抗生物質

03 ホスホマイシン

製剤情報

一般名：ホスホマイシンカルシウム水和物
● 保険収載年月…1990年7月
● 海外評価…6点 英米独仏　● PC…B
● 剤形…錠 錠剤, 力 カプセル剤, ド ドライシロップ剤
● 服用量と回数…1日2〜3g(小児は40〜120mg／kg(体重))を3〜4回に分けて服用。

■先発品　**商品名(メーカー)**　規格・保険薬価
ホスミシン (MeijiSeika) 錠 250mg 1錠 40.20円
錠 500mg 1錠 64.10円　ド 200mg 1g 55.70円
ド 400mg 1g 86.20円

ホスホマイシンカルシウム (日医工)
力 250mg 1カプ 40.20円　力 500mg 1カプ 64.10円
ド 400mg 1g 86.20円

概　要

分類　ホスホマイシン系抗生物質

処方目的　深在性皮膚感染症／膀胱炎，腎盂腎炎／感染性腸炎／涙のう炎，麦粒腫，瞼板腺炎／中耳炎，副鼻腔炎

[有効菌種] ブドウ球菌属，大腸菌，赤痢菌，サルモネラ属，セラチア属，プロテウス属，モルガネラ・モルガニー，プロビデンシア・レットゲリ，緑膿菌，カンピロバクター属

解説　ペニシリン系やセフェム系抗生物質と同様に，細菌の細胞壁合成を阻止することにより細菌を殺します。しかし，構造的には全く別の系統に属するものです。

使用上の注意

*ホスホマイシンカルシウム水和物（ホスミシン）の添付文書による

基本的注意

(1)慎重に服用すべき場合……肝機能障害

(2)菌交代症……服用によって，菌交代症にもとづく新しい感染症がおこることがあります。感染症の変化があったり，治療が長びくようなときは薬の変更が必要なこともあるので，処方医に病状をよく伝えることが大切です。

(3)その他……

● 妊婦での安全性：未確立。原則として服用しない。(1714 頁を参照)

重大な副作用　　①偽膜性大腸炎などの血便を伴う重篤な大腸炎。

　そのほかにも報告された副作用はあるので，体調がいつもと違うと感じたときは，処方医・薬剤師に相談してください。

併用してはいけない薬　　併用してはいけない薬は特にありません。ただし，併用する薬があるときは，念のため処方医・薬剤師に報告してください。

内 14 抗生物質　03 その他の広域感性抗生物質

04 テビペネム ピボキシル

製剤情報

一般名：テビペネム ピボキシル

● 保険収載年月…2009年6月

● 海外評価…0点 英 米 独 仏

● 剤形…細 細粒剤

● 服用量と回数…1回4mg／kg（体重）を1日2回，最大1回量6mg／kg。

■ 先発品　　商品名（メーカー）　規格・保険薬価

オラペネム小児用細粒 (MeijiSeika)

細 100mg 1g 596.40 円

概　要

分類　カルバペネム系抗生物質

処方目的　肺炎，中耳炎，副鼻腔炎

[有効菌種] 黄色ブドウ球菌，レンサ球菌属，肺炎球菌，モラクセラ（ブランハメラ）・カタラーリス，インフルエンザ菌

解説　世界初の経口カルバペネム系抗菌薬です。小児の肺炎や急性中耳炎，急性副鼻腔炎は，肺炎球菌やインフルエンザ菌が主な起炎菌であり，今まではペニシリン系，セフェム系，マクロライド系といった経口抗菌薬が使用されていました。

　しかし，これらの抗菌薬は耐性菌の増加のため，効きめが悪くなってきました。本剤は，小児感染症で問題になっている耐性菌にも有効性が確認されています。本剤の使用に際しては，他の抗菌薬による治療効果が期待できないときに限り使用することとなっています。

使用上の注意

基本的注意

(1)**服用してはいけない場合**……本剤の成分に対するアレルギーの前歴／バルプロ酸ナトリウムの服用中

(2)**慎重に服用すべき場合**……カルバペネム系，ペニシリン系およびセフェム系抗生物質に対するアレルギーの前歴／本人または両親，兄弟に気管支喘息，発疹，じん麻疹などのアレルギー症状を起こしやすい体質を有する人／重い腎機能障害／経口摂取の不良な人または非経口栄養の人，全身状態の悪い人／てんかんなどのけいれん性疾患の前歴

(3)**先天性代謝異常**……小児（特に乳幼児）において，ピボキシル基を有する抗生物質（小児用製剤）の服用により，低カルニチン血症に伴う低血糖が現れることがあります。ピボキシル基を有する抗生物質の服用に際してはカルニチンの低下に注意し，血清カルニチンが低下する先天性代謝異常であることが判明した場合には，本剤を服用してはいけません。

(4)**下痢・軟便**……3歳未満の小児では下痢・軟便がおこる頻度が高いので，これらの症状がみられた場合には速やかに処方医へ連絡してください。

(5)**その他**……

- 妊婦での安全性：有益と判断されたときのみ服用。
- 低出生体重児，新生児での安全性：未確立。（1714頁を参照）

重大な副作用
①（小児，とくに乳幼児で）低カルニチン血症に伴う低血糖（けいれん，意識障害など）。

[他のカルバペネム系抗生物質において] ②ショック，アナフィラキシー（不快感，口内異常感，喘鳴，めまい，便意，耳鳴り，発汗など）。③けいれん，意識障害などの中枢神経症状。④偽膜性大腸炎などの血便を伴う重篤な大腸炎（腹痛，頻回の下痢）。⑤急性腎障害などの重い腎機能障害。⑥無顆粒球症，溶血性貧血，汎血球減少症。⑦皮膚粘膜眼症候群（スティブンス-ジョンソン症候群），中毒性表皮壊死融解症（TEN）。⑧間質性肺炎，PIE症候群。⑨劇症肝炎などの重い肝機能障害，黄疸。

　そのほかにも報告された副作用はあるので，体調がいつもと違うと感じたときは，処方医・薬剤師に相談してください。

併用してはいけない薬
バルプロ酸ナトリウム→本剤との併用で作用が弱まり，てんかん発作が再発するおそれがあります。

内 14 抗生物質　04 中範囲抗生物質

01 マクロライド

製剤情報

一般名：エリスロマイシンエチルコハク酸エステル

- 保険収載年月…1976年9月
- 海外評価…6点 英 米 独 仏　●PC…B
- 剤形…顆 顆粒剤, ド ドライシロップ剤
- 服用量と回数…1日800〜1,200mg（顆粒・20%ドライシロップ4〜6g, 10%ドライシロップ8〜12g）を4〜6回に分けて服用。小児の場合は1日25〜50mg／kg（体重）を4〜6回に分けて服用。

■**先発品**　商品名（メーカー）規格・保険薬価

エリスロシンW（マイラン EPD）
顆 200mg 1g 23.00 円

エリスロシンドライシロップ（マイラン EPD）
ド 100mg 1g 12.60 円

エリスロシンドライシロップW（マイラン EPD）ド 200mg 1g 21.30 円

一般名：エリスロマイシン

- 保険収載年月…1974年3月
- 海外評価…6点 英 米 独 仏　●PC…B
- 剤形…錠 錠剤
- 服用量と回数…1日800〜1,200mg（小児は25〜50mg／kg（体重））を4〜6回に分けて服用。

■**ジェネリック**　商品名（メーカー）規格・保険薬価

エリスロマイシン（沢井）錠 200mg 1錠 8.80 円

一般名：エリスロマイシンステアリン酸塩

- 保険収載年月…1978年4月
- 海外評価…6点 英 米 独 仏　●PC…B
- 剤形…錠 錠剤
- 服用量と回数…1日800〜1,200mg（小児は25〜50mg／kg（体重））を4〜6回に分けて服用。

■**先発品**　商品名（メーカー）規格・保険薬価

エリスロシン（マイラン EPD）
錠 100mg 1錠 6.70 円　錠 200mg 1錠 11.70 円

一般名：ジョサマイシン

- 保険収載年月…1970年6月
- 海外評価…1点 英 米 独 仏
- 剤形…錠 錠剤
- 服用量と回数…1日800〜1,200mg（小児は30mg／kg（体重））を3〜4回に分けて服用。

■**先発品**　商品名（メーカー）規格・保険薬価

ジョサマイシン（LTL ファーマ）
錠 50mg 1錠 10.10 円　錠 200mg 1錠 18.80 円

一般名：ジョサマイシンプロピオン酸エステル

- 保険収載年月…1975年9月
- 海外評価…1点 英 米 独 仏
- 剤形…シ シロップ剤, ド ドライシロップ剤
- 服用量と回数…幼少児1日30mg（シロップ1mL, ドライシロップ0.3g）／kg（体重）を3〜4回に分けて服用。

■**先発品**　商品名（メーカー）規格・保険薬価

ジョサマイ（LTL ファーマ）シ 30mg 1mL 6.70 円
ド 100mg 1g 15.70 円

一般名：ロキシスロマイシン

- 保険収載年月…1991年3月
- 海外評価…1点 英 米 独 仏
- 剤形…錠 錠剤
- 服用量と回数…1日300mgを2回に分けて服用。

■**先発品**　商品名（メーカー）規格・保険薬価

ルリッド（サノフィ）錠 150mg 1錠 37.30 円

■ジェネリック　商品名(メーカー)　規格・保険薬価

ロキシスロマイシン(沢井)
錠 150mg 1錠 16.10 円

ロキシスロマイシン(長生堂＝日本ジェネリック)
錠 150mg 1錠 16.10 円

ロキシスロマイシン(東和)
錠 150mg 1錠 26.10 円

ロキシスロマイシン(日医工ファーマ＝日医工)
錠 150mg 1錠 16.10 円

一般名：スピラマイシン酢酸エステル
- 発売年月…1967年9月
- 海外評価…0点 英 米 独 仏
- 剤形… 錠 錠剤
- 服用量と回数…1回200mgを1日4〜6回服用。

■先発品　商品名(メーカー)　規格・保険薬価

アセチルスピラマイシン(サンドファーマ＝サンド) 錠 100mg 1錠 30.60 円　錠 200mg 1錠 52.60 円

一般名：クラリスロマイシン
- 保険収載年月…1991年5月
- 海外評価…6点 英 米 独 仏　●PC…C
- 剤形… 錠 錠剤, ド ドライシロップ剤
- 服用量と回数…処方医の指示通りに服用。

■先発品　商品名(メーカー)　規格・保険薬価

クラリシッド 写真 (ケミファ)
錠 200mg 1錠 43.50 円
錠 50mg 1錠(小児用) 29.40 円
ド 100mg 1g (小児用) 61.90 円

クラリス 写真 (大正製薬) 錠 200mg 1錠 43.50 円
錠 50mg 1錠(小児用) 29.40 円
ド 100mg 1g (小児用) 57.30 円

■ジェネリック　商品名(メーカー)　規格・保険薬価

クラリスロマイシン(キョーリン＝杏林)
錠 200mg 1錠 20.70 円
錠 50mg 1錠(小児用) 14.00 円

クラリスロマイシン(小林化工＝MeijiSeika)
錠 200mg 1錠 20.70 円
錠 50mg 1錠(小児用) 14.00 円

クラリスロマイシン(沢井)
錠 200mg 1錠 20.70 円
錠 50mg 1錠(小児用) 14.00 円

クラリスロマイシン(シオノ＝科研)
錠 200mg 1錠 20.70 円

クラリスロマイシン(セオリア＝武田)
錠 200mg 1錠 20.70 円
錠 50mg 1錠(小児用) 14.00 円

クラリスロマイシン(高田＝大原)
錠 200mg 1錠 20.70 円
錠 50mg 1錠(小児用) 14.00 円

クラリスロマイシン(武田テバファーマ＝武田)
錠 200mg 1錠 20.70 円
錠 50mg 1錠(小児用) 14.00 円
ド 100mg 1g (小児用) 33.50 円

クラリスロマイシン(辰巳)
錠 200mg 1錠 20.70 円

クラリスロマイシン(辰巳＝ニプロ ES)
錠 50mg 1錠(小児用) 14.00 円

クラリスロマイシン(長生堂＝日本ジェネリック)
錠 200mg 1錠 20.70 円
錠 50mg 1錠(小児用) 14.00 円

クラリスロマイシン(東和)
錠 200mg 1錠 20.70 円
錠 50mg 1錠(小児用) 14.00 円

クラリスロマイシン(日医工)
錠 200mg 1錠 20.70 円
錠 50mg 1錠(小児用) 14.00 円

クラリスロマイシン(日薬工＝ケミファ)
錠 200mg 1錠 20.70 円
錠 50mg 1錠(小児用) 14.00 円

クラリスロマイシン(ニプロ)
錠 200mg 1錠 20.70 円
錠 50mg 1錠(小児用) 14.00 円

クラリスロマイシン(ニプロ ES)
錠 200mg 1錠 20.70 円

クラリスロマイシン（フェルゼン）
錠 200mg 1錠 20.70 円

クラリスロマイシン（マイラン＝ファイザー）
錠 200mg 1錠 20.70 円
錠 50mg 1錠（小児用）14.00 円

クラリスロマイシン（メディサ＝エルメッド＝日医工）
錠 200mg 1錠 20.70 円
錠 50mg 1錠（小児用）14.00 円

クラリスロマイシン DS（小林化工＝MeijiSeika）
ド 100mg 1g（小児用）33.50 円

クラリスロマイシン DS（沢井）
ド 100mg 1g（小児用）23.60 円

クラリスロマイシン DS（シオノ＝科研）
ド 100mg 1g（小児用）33.50 円

クラリスロマイシン DS（高田＝大原）
ド 100mg 1g（小児用）33.50 円

クラリスロマイシン DS（東和）
ド 100mg 1g（小児用）33.50 円

クラリスロマイシン DS（メディサ＝エルメッド＝日医工）
ド 100mg 1g（小児用）33.50 円

一般名：アジスロマイシン水和物
- 保険収載年月…2000年5月
- 海外評価…6点 英 米 独 仏 ●PC…B
- 剤形…錠 錠剤，カ カプセル剤，細 細粒剤
- 服用量と回数…処方医の指示通りに服用。

■先発品　　商品名（メーカー）　規格・保険薬価

ジスロマック（ファイザー）
錠 250mg 1錠 205.60 円
錠 600mg 1錠 563.40 円
細 100mg 1g（小児用）191.10 円
カ 100mg 1カプセル（小児用）135.20 円

■ジェネリック　　商品名（メーカー）　規格・保険薬価

アジスロマイシン（共和）
錠 250mg 1錠 58.50 円

アジスロマイシン（ケミックス＝昭和薬化）
錠 250mg 1錠 69.10 円

アジスロマイシン（小林化工＝ニプロ ES）
細 100mg 1g（小児用）73.90 円
錠 250mg 1錠 58.50 円

アジスロマイシン（沢井）
錠 250mg 1錠 69.10 円

アジスロマイシン（全星＝第一三共エスファ）
錠 250mg 1錠 69.10 円

アジスロマイシン（高田）
細 100mg 1g（小児用）73.90 円
錠 100mg 1錠（小児用）50.90 円
錠 250mg 1錠 69.10 円

アジスロマイシン（武田テバ薬品＝武田テバファーマ＝武田）
錠 250mg 1錠 69.10 円

アジスロマイシン（辰巳）
細 100mg 1g（小児用）73.90 円
カ 100mg 1カプセル（小児用）81.20 円
錠 250mg 1錠 69.10 円

アジスロマイシン（長生堂＝日本ジェネリック）
細 100mg 1g（小児用）112.20 円
カ 100mg 1カプセル（小児用）81.20 円
錠 250mg 1錠 69.10 円

アジスロマイシン（東和）
細 100mg 1g（小児用）73.90 円
錠 250mg 1錠 69.10 円　錠 500mg 1錠 170.40 円

アジスロマイシン（日医工）
錠 250mg 1錠 69.10 円
錠 500mg 1錠 170.40 円

アジスロマイシン（ニプロ）
錠 250mg 1錠 69.10 円

アジスロマイシン（富士製薬＝ケミファ）
錠 250mg 1錠 69.10 円

アジスロマイシン（陽進堂）
細 100mg 1g（小児用）112.20 円
カ 100mg 1カプセル（小児用）81.20 円

概　　要
分類　マクロライド製剤

処方目的　［クラリスロマイシンの適応症］表在性皮膚感染症，深在性皮膚感染症，リンパ管・リンパ節炎，慢性膿皮症／外傷・熱傷・手術創などの二次感染／肛門周囲膿瘍

／咽頭・喉頭炎，扁桃炎，急性気管支炎，肺炎，肺膿瘍，慢性呼吸器病変の二次感染／尿道炎／子宮頸管炎／感染性腸炎／中耳炎，副鼻腔炎／歯周組織炎，歯冠周囲炎，顎炎／猩紅熱／百日咳／マイコバクテリウム・アビウムコンプレックス(MAC)症を含む非結核性抗酸菌症／胃潰瘍・十二指腸潰瘍，胃マルトリンパ腫，特発性血小板減少性紫斑病，早期胃がんに対する内視鏡的治療後の胃におけるヘリコバクター・ピロリ感染症，ヘリコバクター・ピロリ感染胃炎／後天性免疫不全症候群(エイズ)に伴う播種性マイコバクテリウム・アビウムコンプレックス(MAC)症

[有効菌種] ブドウ球菌属，レンサ球菌属，肺炎球菌，モラクセラ(ブランハメラ)・カタラーリス，インフルエンザ菌，レジオネラ属，百日咳菌，カンピロバクター属，ペプトストレプトコッカス属，クラミジア属，マイコプラズマ属，マイコバクテリウム・アビウムコンプレックス(MAC)，ヘリコバクター・ピロリ

[アジスロマイシン水和物の適応症] 深在性皮膚感染症，リンパ管・リンパ節炎／咽頭・喉頭炎，扁桃炎(扁桃周囲炎，扁桃周囲膿瘍を含む)，急性気管支炎，肺炎，肺膿瘍，慢性呼吸器病変の二次感染／尿道炎／子宮頸管炎，骨盤内炎症性疾患／副鼻腔炎／歯周組織炎，歯冠周囲炎，顎炎／中耳炎／後天性免疫不全症候群(エイズ)に伴う播種性マイコバクテリウム・アビウムコンプレックス(MAC)症の発症抑制・治療

[有効菌種] ブドウ球菌属，レンサ球菌属，肺炎球菌，淋菌，モラクセラ(ブランハメラ)・カタラーリス，インフルエンザ菌，レジオネラ属，ペプトストレプトコッカス属，プレボテラ属，クラミジア属，マイコプラズマ属，マイコバクテリウム・アビウムコンプレックス(MAC)

解説 ペニシリン系やセフェム系抗生物質よりショックがおこる可能性は少なく，テトラサイクリン系抗生物質ほど耐性菌は多くありませんが，有効菌種は，それらに比べるとせまくなっています。しかし，異型肺炎ともいうマイコプラズマ感染症にはよく効くことがあります。副作用も比較的少ないようです。

　なおショックとは，何らかの原因で心機能が抑制され，脳をはじめとして体中に血液が十分に流れていない状態のことで，とても危険な状態です。ペニシリンによるショック症状は，口内異常感，くしゃみ，冷や汗，しびれ感，悪心・嘔吐，尿意・便意，喘鳴(ゼイゼイ，ヒューヒューいう呼吸)，胸内苦悶，呼吸困難などです。

使用上の注意
＊クラリスロマイシン(クラリス)，アジスロマイシン水和物(ジスロマック)の添付文書による

基本的注意

(1)服用してはいけない場合……本剤に対するアレルギーの前歴

[クラリスロマイシンのみ] ピモジド，エルゴタミン含有製剤，スボレキサント，ロミタピドメシル酸塩，タダラフィル(アドシルカ)，チカグレロル，イブルチニブ，イバブラジン塩酸塩，ベネトクラクス(再発または難治性の慢性リンパ性白血病(小リンパ球性リンパ腫を含む)の用量漸増期)，ルラシドン塩酸塩，アナモレリン塩酸塩の服用中／肝または腎機能障害でコルヒチンを服用中の人

内
14
—
04
—
01

マクロライド

(2)慎重に服用すべき場合……他のマクロライド系薬剤に対するアレルギーの前歴
[クラリスロマイシン] 肝機能障害／腎機能障害／心疾患，低カリウム血症
[アジスロマイシン水和物] ケトライド系薬剤に対するアレルギーの前歴／高度な肝機能障害／心疾患

(3)事前に伝達……[クラリスロマイシン]ランソプラゾールなどのプロトンポンプ阻害薬やアモキシシリン水和物，クラリスロマイシンなどの抗生物質の服用中や服用終了直後では，^{13}C-尿素呼気試験の判定結果が偽陰性になる可能性があります。この試験でヘリコバクター・ピロリの除菌判定を受ける人は，医師へその旨を伝えてください。これらの薬剤の服用終了後4週以降の時点で実施することになります。

(4)服用終了後も注意……[アジスロマイシン水和物]服用中だけでなく，服用終了後にも副作用が現れることがあります→発疹，口唇・目・外陰部のびらん，水ぶくれなどを伴う皮膚粘膜眼症候群（スティブンス-ジョンソン症候群）・中毒性表皮壊死融解症（TEN）など。

(5)危険作業に注意……[アジスロマイシン水和物(小児用を除く)]本剤を服用すると意識障害などが現れることがあるので，自動車の運転など危険を伴う機械の操作には十分に注意してください。

(6)その他……
●妊婦での安全性：有益と判断されたときのみ服用。
●授乳婦での安全性：[クラリスロマイシン]治療上の有益性・母乳栄養の有益性を考慮し，授乳の継続・中止を検討。[アジスロマイシン水和物]原則として服用しない。やむを得ず服用するときは授乳を中止。
●低出生体重児，新生児での安全性：未確立。(1714頁を参照)

重大な副作用　①ショック，アナフィラキシー（呼吸困難，けいれん，発赤，喘鳴，血管浮腫など）。②肝機能障害，黄疸，劇症肝炎，肝不全。③QT延長。④皮膚粘膜眼症候群（スティブンス-ジョンソン症候群），中毒性表皮壊死融解症（TEN）。⑤間質性肺炎，好酸球性肺炎（PIE症候群）。⑥偽膜性大腸炎，出血性大腸炎。⑦急性腎障害。⑧血小板減少，白血球減少。⑨横紋筋融解症。⑩薬剤性過敏症症候群。
[クラリスロマイシンのみ] ⑪心室頻拍，心室細動。⑫汎血球減少，溶血性貧血，無顆粒球症。⑬多形紅斑。⑭けいれん。⑮尿細管間質性腎炎。⑯IgA血管炎
[アジスロマイシン水和物のみ] ⑰急性汎発性発疹性膿疱症。⑱心室性頻脈。⑲顆粒球減少。

　そのほかにも報告された副作用はあるので，体調がいつもと違うと感じたときは，処方医・薬剤師に相談してください。

併用してはいけない薬　[クラリスロマイシン] ①ピモジド→QT延長，心室性不整脈などの心血管系の副作用が報告されています。②エルゴタミン（エルゴタミン酒石酸塩，ジヒドロエルゴタミンメシル酸塩）含有製剤→血管れん縮などの重篤な副作用をおこすおそれがあります。③スボレキサント→スボレキサントの血中濃度が顕著に上昇し，その作用が著しく強まるおそれがあります。④ロミタピドメシル酸塩→ロミタピド

メシル酸塩の血中濃度が著しく上昇するおそれがあります。⑤タダラフィル（アドシル
カ）→アドシルカの作用が著しく強まるおそれがあります。⑥チカグレロル→チカグレロ
ルの血中濃度が著しく上昇するおそれがあります。⑦イブルチニブ→イブルチニブの血
中濃度が上昇し，その作用が強まるおそれがあります。⑧アスナプレビル→アスナプレ
ビルの血中濃度が上昇し，肝臓に関連した副作用が発現，重症化するおそれがあります。
⑨イバブラジン塩酸塩→過度の徐脈が現れることがあります。⑩ベネトクラクス（再発ま
たは難治性の慢性リンパ性白血病（小リンパ球性リンパ腫を含む）の用量漸増期）→腫瘍
崩壊症候群の発現が強まるおそれがあります。⑪ルラシドン塩酸塩→ルラシドン塩酸塩
の血中濃度が上昇し，作用が強まるおそれがあります。⑫アナモレリン塩酸塩→アナモ
レリン塩酸塩の血中濃度が上昇し，副作用の発現が強まるおそれがあります。

内 14 抗生物質　04 中範囲抗生物質
02 リンコマイシン系抗生物質

製剤情報

一般名：クリンダマイシン塩酸塩
- 保険収載年月…1972年2月
- 海外評価…5点 英 米 独 仏　●PC…C
- 剤形…カ カプセル剤
- 服用量と回数…1回150mgを6時間ごと（重症感染症：1回300mgを8時間ごと）に服用。小児の場合は1日15mg／kg（体重）を3〜4回に分けて服用（重症感染症：1日20mg／kgを3〜4回に分けて服用）。

■ **先発品**　商品名（メーカー）　規格・保険薬価
ダラシン 写真 （ファイザー）カ 75mg 1カプセル 17.60 円
カ 150mg 1カプセル 23.80 円

一般名：リンコマイシン塩酸塩水和物
- 保険収載年月…1965年12月
- 海外評価…1点 英 米 独 仏
- 剤形…カ カプセル剤
- 服用量と回数…1日1.5〜2g（小児は20〜30mg／kg（体重））を3〜4回に分けて服用。

■ **先発品**　商品名（メーカー）　規格・保険薬価
リンコシン （ファイザー）カ 250mg 1カプセル 19.50 円

概　要

分類　リンコマイシン系抗生物質
処方目的　表在性皮膚感染症，深在性皮膚感染症／咽頭・喉頭炎，扁桃炎，急性気管支炎，肺炎，慢性呼吸器病変の二次感染／中耳炎／副鼻腔炎／猩紅熱
[クリンダマイシン塩酸塩のみの適応症] 慢性膿皮症／涙のう炎，麦粒腫／外耳炎／顎骨周辺の蜂巣炎，顎炎
[リンコマイシン塩酸塩水和物のみの適応症] リンパ管・リンパ節炎／乳腺炎／骨髄炎／肺膿瘍／膀胱炎，腎盂腎炎／感染性腸炎／角膜炎（角膜潰瘍を含む）
[有効菌種] ブドウ球菌，連鎖球菌，肺炎球菌／[リンコマイシン塩酸塩水和物のみ]赤痢菌

解説　効果のある菌種は広くありませんが，グラム陽性菌に対する効果は強力です。嫌気性菌にも有効です。

使用上の注意

＊ダラシン，リンコシンの添付文書による

基本的注意

(1)服用してはいけない場合……本剤の成分またはリンコマイシン系抗生物質に対するアレルギーの前歴

(2)慎重に服用すべき場合……大腸炎などの前歴／腎機能障害／食道通過障害／重症筋無力症／衰弱している人，高齢者／[クリンダマイシン塩酸塩]肝機能障害／アトピー性体質／[リンコマイシン塩酸塩水和物]肝機能障害またはその前歴／気管支ぜんそく，著しいアレルギーの前歴

(3)服用法……一緒に飲む水が少ないと，薬剤が食道にとどまって潰瘍をおこすおそれがあります。特に寝る前には注意してください。

(4)菌交代症……服用によって，菌交代症にもとづく新しい感染症がおこることがあります。感染症の変化があったり，治療が長びくようなときは薬の変更が必要なこともあるので，処方医に病状をよく伝えることが大切です。

(5)その他……

●妊婦での安全性：未確立。原則として服用しない。

●授乳婦での安全性：原則として服用しない。やむを得ず服用するときは授乳を中止。

●低出生体重児，新生児での安全性：未確立。(1714頁を参照)

重大な副作用　　①ショック，アナフィラキシー(呼吸困難，全身潮紅，血管浮腫，じん麻疹など)。②偽膜性大腸炎などの血便を伴う重い大腸炎。③皮膚粘膜眼症候群(スティブンス-ジョンソン症候群)，中毒性表皮壊死融解症(TEN)，剥脱性皮膚炎。④無顆粒球症，再生不良性貧血，汎血球減少，血小板減少性紫斑病。⑤類似薬(クリンダマイシンリン酸エステル)で，間質性肺炎，PIE症候群，肝機能障害や黄疸，急性腎不全など。[クリンダマイシン塩酸塩のみ]　⑥急性汎発性発疹性膿疱症。⑦薬剤性過敏症症候群(初期症状として発疹，発熱)。

　そのほかにも報告された副作用はあるので，体調がいつもと違うと感じたときは，処方医・薬剤師に相談してください。

併用してはいけない薬　　エリスロマイシン→併用しても本剤の効果が現れないと考えられます。

内14 抗生物質　05 真菌症の抗生物質

01 カンジダ治療薬

製剤情報　　　　　　　　　　**一般名：アムホテリシンB**

●保険収載年月…1965年11月

- 海外評価…4点 英 米 独 仏
- 規制…劇薬
- 剤形…錠 錠剤, シ シロップ剤
- 服用量と回数…1回100mgを1日2〜4回。小児の場合は，1回50〜100mg(シロップ0.5〜1mL)を1日2〜4回。

■ 先発品　　商品名(メーカー)　規格・保険薬価

ハリゾン (富士製薬) 錠 100mg 1錠 31.10 円

シ 100mg 1mL 52.00 円

ファンギゾンシロップ (クリニジェン)

シ 100mg 1mL 54.60 円

一般名：ミコナゾール
- 保険収載年月…1993年3月

- 海外評価…6点 英 米 独 仏
- 剤形…錠 錠剤, ゲ ゲル剤
- 服用量と回数…[フロリードゲル]口腔カンジダ症：1日10〜20gを4回に分けて口腔内にまんべんなく塗布。食道カンジダ症：1日10〜20gを4回に分けて，口腔内に含んだ後,少量ずつのみこむ。
  [オラビ錠口腔用]1回1錠(50mg)を1日1回,上顎歯肉(犬歯窩)に付着して用いる。

■ 先発品　　商品名(メーカー)　規格・保険薬価

フロリードゲル (持田＝昭和薬化)

ゲ 2% 1g 98.20 円

オラビ錠口腔用 (そーせい＝久光)

錠 50mg 1錠 1,125.50 円

📋 概　　要

分類　　真菌症治療用抗生物質

処方目的　　[アムホテリシンBの適応症] 消化管におけるカンジダ異常増殖
[ミコナゾール：フロリードゲルの適応症] カンジダ属による口腔・食道カンジダ症／
[ミコナゾール：オラビ錠口腔用の適応症] カンジダ属による口腔咽頭カンジダ症

解説　　カンジダは，ふつうの抗生物質では死にません。そればかりか抗生物質の長期投与によってカンジダ症になることがあります(菌交代症)。また，カンジダは人間のからだに広く存在してはいるものの，病気をおこさない程度にしか増殖しないのですが,からだの抵抗力が落ちた場合には異常に数を増すことがあります。

📋 使用上の注意

＊アムホテリシンB(ファンギゾンシロップ)，ミコナゾール(フロリードゲル，オラビ錠口腔用)の添付文書による

基本的注意

[アムホテリシンB]
(1)服用してはいけない場合……本剤の成分に対するアレルギーの前歴
(2)服用法など……[シロップ]①服用前にはよく振って，均等な懸濁液にしてのんでください。②口腔内カンジダ症の人が服用するときは，舌で患部に広くゆきわたらせ，できるだけ長く含んだ後,のみこんでください。③服用によって歯が黄色くなることがありますが,歯磨きで簡単に除去できます。
(3)その他……
- 妊婦での安全性：未確立。有益と判断されたときのみ服用。
- 授乳婦での安全性：服用するときは授乳を中止。(1714頁を参照)
[ミコナゾール]

(1)服用してはいけない場合……本剤の成分に対するアレルギーの前歴／ワルファリンカリウム，キニジン硫酸塩水和物，トリアゾラム，シンバスタチン，アゼルニジピン，レザルタス配合錠，ピモジド，ニソルジピン，クリアミン配合錠，ジヒドロエルゴタミンメシル酸塩，ブロナンセリン，リバーロキサバン，ロミタピドメシル酸塩，ルラシドン塩酸塩の服用中／妊婦または妊娠している可能性のある人

(2)慎重に服用すべき場合……経口血糖降下薬(グリベンクラミド・グリクラジド・アセトヘキサミドなど)の服用中

(3)使用法……[フロリードゲル]①口腔カンジダ症の人は，舌で口腔内にまんべんなく塗布し，できるだけ長く含んだ後，のみこみます。②食道カンジダ症の人は，口腔内に含んだ後，少量ずつのみこみます。③義歯の人は十分な効果が得られにくいことがあるので，義歯をよく洗い，義歯にも塗布します。④本剤の誤嚥により呼吸困難，嚥下性肺炎などをおこすおそれがあります。高齢者，乳児，嚥下に障害のある人，ぜんそくの人などは特に注意して服用してください。⑤服用後は，うがいや食物摂取を控えてください。

[オラビ錠口腔用]①乾いた手でボトルから取り出し，刻印(L)のない面(曲面)を上顎歯肉に置き，30秒間上唇の上から指で軽く押しながら本剤を保持して上顎歯肉に付着し，その後，数分間は舌で本剤を触らないようにします。②本剤はいったん付着したら徐々に溶解するので，そのままにしておきます。③次に本剤を使用する場合は反対側の歯肉に付着します。その際，前回の製剤が残っていたら取り除いてから使用します。④本剤が付着しないか6時間以内にはがれたときは，はがれた製剤を速やかに元の位置に付着します。はがれた製剤が付着しないときは，新たな本剤を使用します。⑤付着後6時間以内に本剤をのみこんだときは，コップ1杯の水をのんでから，一度だけ新たな本剤を使用します。⑥付着後6時間以上経ってから本剤がはがれたり，本剤をのみこんだりしたときは，翌日まで新たな本剤を使用しないこと。

(4)その他……

●授乳婦での安全性：治療上の有益性・母乳栄養の有益性を考慮し，授乳の継続・中止を検討。

●小児での安全性：未確立。(1714頁を参照)

重大な副作用　　　　[アムホテリシンB]①皮膚粘膜眼症候群(スティブンス-ジョンソン症候群)，中毒性表皮壊死融解症(TEN)。

　そのほかにも報告された副作用はあるので，体調がいつもと違うと感じたときは，処方医・薬剤師に相談してください。

併用してはいけない薬　　　　[ミコナゾール]①ワルファリンカリウム→ワルファリンカリウムの作用が増強し，重篤な出血あるいは著しいINR上昇が現れることがあります。ワルファリンカリウムの治療を必要とする場合はワルファリンカリウムの治療を優先し，本剤を服用しないこと。②キニジン硫酸塩水和物，ピモジド→QT延長などの心臓血管系の副作用が現れるおそれがあります。③トリアゾラム，アゼルニジピン，レザルタス配合錠，ニソルジピン，ブロナンセリン，ルラシドン塩酸塩→これらの薬剤の作用が強まるおそれがあります。④シンバスタチン→横紋筋融解症が現れるおそれがあり

ます。⑤クリアミン配合錠，ジヒドロエルゴタミンメシル酸塩→血管れん縮などの重い副作用が現れるおそれがあります。⑥リバーロキサバン→抗凝固作用が増強され，出血の危険性が増大するおそれがあります。⑦ロミタピドメシル酸塩→ロミタピドメシル酸塩の血中濃度が著しく上昇するおそれがあります。

内 14 抗生物質　06 腸内細菌用抗生物質

01　ポリミキシン系抗生物質

📋 製剤情報

一般名：コリスチンメタンスルホン酸ナトリウム

- 保険収載年月…1965年11月
- 海外評価…3点 英 米 独 仏
- 剤形…カ カプセル剤，散 散剤，顆 顆粒剤
- 服用量と回数…1回300〜600万単位（散・顆粒剤は1.5〜3g）を1日3〜4回。小児の場合は1日30〜40万単位／kg（体重）を3〜4回に分けて服用。

■ 先発品　　商品名（メーカー）　規格・保険薬価

コリマイシン（サンファーマ）

散 200万単位 1g 43.00円

メタコリマイシン（サンファーマ）

顆 200万単位 1g 41.40円　カ 300万単位 1カプセル 58.70円

一般名：ポリミキシンB硫酸塩

- 保険収載年月…1981年8月
- 海外評価…0点 英 米 独 仏
- 剤形…錠 錠剤，散 散剤
- 服用量と回数…1日300万単位を3回に分けて服用。

■ 先発品　　商品名（メーカー）　規格・保険薬価

硫酸ポリミキシンB（ファイザー）

錠 25万単位 1錠 82.20円

錠 100万単位 1錠 265.40円

硫酸ポリミキシンB 散（ファイザー）

散 50万単位 1瓶 349.90円

散 300万単位 1瓶 1,546.60円

📖 概　　要

分類　ポリミキシン系抗生物質

処方目的　［コリスチンメタンスルホン酸ナトリウムの適応症］感染性腸炎

［有効菌種］大腸菌，赤痢菌

［ポリミキシンB硫酸塩の適応症］白血病治療時の腸管内殺菌

解説　ポリミキシン系抗生物質は，注射薬としてグラム陰性菌（緑膿菌など）による各種感染症に使用しますが，内服の場合は，薬の吸収の問題などのため，主として腸内細菌疾患に使用します。なお，硫酸ポリミキシンBの散剤は外用薬としても用いられます。

⚗️ 使用上の注意

＊コリスチンメタンスルホン酸ナトリウム（メタコリマイシン），ポリミキシンB硫酸塩（硫酸ポリミキシンB）の添付文書による

基本的注意

(1)服用してはいけない場合……ポリミキシンBまたはコリスチンに対するアレルギー

の前歴

(2)慎重に服用すべき場合……[ポリミキシンB硫酸塩]腸疾患または腸管障害を伴う腎機能障害

(3)その他……

● 妊婦での安全性：有益と判断されたときのみ服用。

● 授乳婦での安全性：治療上の有益性・母乳栄養の有益性を考慮し，授乳の継続・中止を検討。(1714頁を参照)

重大な副作用　　　　[硫酸ポリミキシンB散] ①ショック。②難聴，神経筋遮断作用による呼吸抑制。

　そのほかにも報告された副作用はあるので，体調がいつもと違うと感じたときは，処方医・薬剤師に相談してください。

併用してはいけない薬　　　併用してはいけない薬は特にありません。ただし，併用する薬があるときは，念のため処方医・薬剤師に報告してください。

内 14 抗生物質　06 腸内細菌用抗生物質

02 カナマイシン

製 剤 情 報

一般名：カナマイシン一硫酸塩

● 保険収載年月…1963年1月
● 海外評価…0点 英 米 独 仏
● 剤形…カ カプセル剤，シ シロップ剤

● 服用量と回数…1日2〜4g（シロップは1〜2mL／kg（体重））を4回に分けて服用。

■先発品　　商品名(メーカー)　規格・保険薬価

カナマイシン (MeijiSeika) カ 250mg 1カプセル 40.00 円
シ 50mg 1mL (小児用) 6.70 円

概　　要

分類　アミノグリコシド系抗生物質

処方目的　感染性腸炎

[有効菌種] 大腸菌，赤痢菌，腸炎ビブリオ

解説　カナマイシンの注射は，主として結核の治療に用いられるほか，肺炎，中耳炎，尿路疾患，化膿性皮膚炎などに用いられますが，内服は薬剤の吸収の問題もあり，腸内細菌疾患の治療に限られて用いられます。

使用上の注意

基本的注意

(1)服用してはいけない場合……本剤の成分・アミノグリコシド系薬剤・バシトラシンに対するアレルギーの前歴

(2)慎重に服用すべき場合……腎機能障害／難聴／腸管潰瘍／経口摂取の不良な人，非経口栄養の人，全身状態の悪い人／高齢者

重大な副作用　　　　重大な副作用はありませんが，そのほかの副作用はあるの

で，体調がいつもと違うと感じたときは，処方医・薬剤師に相談してください。

併用してはいけない薬　併用してはいけない薬は特にありません。ただし，併用する薬があるときは，念のため処方医・薬剤師に報告してください。

内 14 抗生物質　06 腸内細菌用抗生物質
03　バンコマイシン

製剤情報

一般名：バンコマイシン塩酸塩
- 保険収載年月…1991年11月
- 海外評価…5点 英米独仏　●PC…B
- 剤形…散 散剤
- 服用量と回数…感染性腸炎：1回0.125〜0.5gを1日4回。骨髄移植時の消化管内殺菌：1回0.5gを非吸収性の抗菌薬，抗真菌薬と併用して1日4〜6回。

■先発品　商品名(メーカー)　規格・保険薬価
塩酸バンコマイシン (大蔵 = MeijiSeika)
散 500mg 1瓶 909.60 円

バンコマイシン塩酸塩 (小林化工 = MeijiSeika)
散 500mg 1瓶 860.80 円

バンコマイシン塩酸塩 (沢井)
散 500mg 1瓶 860.80 円

バンコマイシン塩酸塩 (武田テバファーマ = 武田) 散 500mg 1瓶 909.60 円

バンコマイシン塩酸塩 (マイラン = ファイザー)
散 500mg 1瓶 860.80 円

バンコマイシン塩酸塩 (MeijiSeika)
散 500mg 1瓶 909.60 円

概　要

分類　グリコペプチド系抗生物質

処方目的　MRSA(メチシリン耐性黄色ブドウ球菌)，クロストリジウム・ディフィシルによる感染性腸炎(偽膜性大腸炎を含む)／骨髄移植時の消化管内殺菌

解説　バンコマイシンは MRSA 感染症に対する特効薬として，主に院内感染時などに点滴用静脈注射薬として使用されています。しかし，近年，バンコマイシンに対する耐性菌が増加しており，問題となっています。内服薬としては，上部消化管の術後(主として胃がん)に発症した MRSA 腸炎などに用いられます。

使用上の注意
*バンコマイシン塩酸塩(塩酸バンコマイシン)の添付文書による

警告

近年，バンコマイシンに対する耐性菌が増加しており，現在，バンコマイシン耐性腸球菌(VRE)感染症とバンコマイシン耐性黄色ブドウ球菌(VRSA)感染症が，感染症法の五類感染症に指定されています。本剤の服用にあたっては，感染症の治療に十分な知識と経験をもつ医師のもとで指導を受け，耐性菌の発現を防がなければなりません。

基本的注意

(1)服用してはいけない場合……本剤の成分によるショックの前歴

(2)慎重に服用すべき場合……本剤の成分，またはペプチド系・アミノグリコシド系抗生物質に対するアレルギーの前歴／ペプチド系・アミノグリコシド系抗生物質による難聴，またはその他の難聴がある人／腎障害／高齢者

(3)耐性菌発現の防止……「警告」にもあるように本剤に対する耐性菌が増加しています。感染性腸炎で服用したあと7〜10日以内に下痢，腹痛，発熱などの症状改善の兆候がまったくみられないときは，すぐに処方医に連絡してください。服用が中止になります。

(4)その他……

● 妊婦での安全性：未確立。有益と判断されたときのみ服用。
● 授乳婦での安全性：原則として服用しない。やむを得ず服用するときは授乳を中止。
　（1714 頁を参照）

■ 重大な副作用 ■　　　　　①ショック。②注射薬で，アナフィラキシー，急性腎障害，間質性腎炎，汎血球減少，無顆粒球症，血小板減少，皮膚粘膜眼症候群（スティブンス-ジョンソン症候群），中毒性表皮壊死融解症（TEN），剥脱性皮膚炎，薬剤性過敏症症候群，第8脳神経障害，偽膜性大腸炎，肝機能障害，黄疸。

　　そのほかにも報告された副作用はあるので，体調がいつもと違うと感じたときは，処方医・薬剤師に相談してください。

■ 併用してはいけない薬 ■　　　併用してはいけない薬は特にありません。ただし，併用する薬があるときは，念のため処方医・薬剤師に報告してください。

内14 抗生物質　06 腸内細菌用抗生物質

04 リファキシミン

⚕ 製 剤 情 報

一般名：リファキシミン
● 保険収載年月…2016年11月
● 海外評価…5点 英 米 独 仏　● PC…C
● 剤形…錠 錠剤

● 服用量と回数…1回400mgを1日3回，食後に服用。

■先発品　　商品名(メーカー)　規格・保険薬価
リフキシマ（あすか＝武田）錠 200mg 1錠 204.40 円

概　　要

分類　難吸収性リファマイシン系抗菌薬
処方目的　肝性脳症における高アンモニア血症の改善

解説　肝性脳症は，劇症肝炎や肝硬変などに伴う重篤な合併症の一つで，主な発症要因としては肝細胞障害や門脈-大循環短絡路（シャント）形成による血中アンモニアの上昇などが考えられています。

　本剤は，グラム陽性菌，グラム陰性菌，好気性菌および嫌気性菌に対して抗菌活性を示す，腸管で吸収されない難吸収性リファマイシン系抗菌薬です。この系の抗菌薬としては，リファンピシンやリファブチンなどが結核の治療薬として使用されていますが，

肝性脳症への適応は本剤が初めてで，腸内のアンモニア産生菌を抑制して血中アンモニアを低下させ，高アンモニア血症を改善します。

🏷 使用上の注意

基本的注意

（1）服用してはいけない場合……本剤の成分に対するアレルギーの前歴

（2）慎重に服用すべき場合……重度の肝機能障害

（3）結核菌の耐性化……本剤は抗酸菌に対しても抗菌活性を示し，他のリファマイシン系抗菌薬と交差耐性を示す可能性があります。他のリファマイシン系抗菌薬に対する結核菌の耐性化を防ぐため，肺結核およびその他の結核症を合併している肝性脳症患者における高アンモニア血症に対しては，本剤ではなく他の治療法を選択します。

（4）尿の色……本剤の服用により，尿が橙赤色となることがあります。

（5）その他……

● 妊婦での安全性：有益と判断されたときのみ服用。

● 授乳婦での安全性：治療上の有益性・母乳栄養の有益性を考慮し，授乳の継続・中止を検討。

● 小児での安全性：未確立。（1714頁を参照）

重大な副作用

① 偽膜性大腸炎（クロストリジウム・ディフィシル関連下痢症：腹痛，頻回な下痢）

そのほかにも報告された副作用はあるので，体調がいつもと違うと感じたときは，処方医・薬剤師に相談してください。

併用してはいけない薬

併用してはいけない薬は特にありません。ただし，併用する薬があるときは，念のため処方医・薬剤師に報告してください。

内 14 抗生物質　06 腸内細菌用抗生物質

05 クロストリジウム・ディフィシル感染症治療薬

💊 製 剤 情 報

一般名：フィダキソマイシン

● 保険収載年月…2018年8月

● 海外評価…6点 英 米 独 仏　●PC…B

● 剤形…錠 錠剤

● 服用量と回数…1回200mgを1日2回。原則として10日間服用。

■ 先発品　　商品名（メーカー）　規格・保険薬価

ダフクリア（アステラス）錠 200mg 1錠 4,012.80円

📋 概　　要

分類　クロストリジウム・ディフィシル感染症治療薬

処方目的　感染性腸炎（偽膜性大腸炎を含む）

解説　クロストリジウム・ディフィシルは，健常者の腸管内に少数生息している細菌です。抗生物質の服用などでこの菌が異常に増殖するとクロストリジウム・ディフィシ

ル感染症(感染性腸炎)を引きおこし,下痢,発熱,腹痛などの症状が現れ,重篤な症例では中毒性巨大結腸症,敗血症,消化管穿孔を併発するなど,致死的な病態をおこすことがあります。

　本剤はクロストリジウム・ディフィシルに強い抗菌活性があり,また他の腸内細菌のバランスを攪乱する作用が弱いという特性をもちます。この感染症の治療薬には,これまでメトロニダゾールとバンコマイシンがありましたが,2018年7月に新たに本剤が承認され,欧米並みになりました。

📝 使用上の注意

基本的注意

(1)服用してはいけない場合……本剤の成分に対するアレルギーの前歴

(2)服用期間……本剤の服用期間は原則として10日間です。この期間を超えて服用する場合は,ベネフィット(効き目)とリスク(副作用)を考慮して服用の継続を慎重に判断します。

(3)その他……

● 妊婦での安全性:有益と判断されたときのみ服用。

● 授乳婦での安全性:治療上の有益性・母乳栄養の有益性を考慮し,授乳の継続・中止を検討。

● 小児での安全性:未確立。(1714頁を参照)

重大な副作用　　　①アナフィラキシー(発疹,かゆみ,血管浮腫,呼吸困難など)。

　そのほかにも報告された副作用はあるので,体調がいつもと違うと感じたときは,処方医・薬剤師に相談してください。

併用してはいけない薬　　併用してはいけない薬は特にありません。ただし,併用する薬があるときは,念のため処方医・薬剤師に報告してください。

内服 15 抗菌製剤と結核の薬

薬剤番号 15-01-01 ～ 15-02-08

● 01：抗菌製剤……………… 1065　● 02：結核の薬……………… 1080

■感染症治療に用いる薬のうち，抗菌製剤・抗結核薬について説明します

〈抗菌製剤〉

◆抗菌製剤は，化学的に合成し開発された薬剤で，抗生物質と同様に微生物の発育や増殖を抑え，各種の細菌や真菌による感染症の治療に用います。

◆抗生物質と同様に化学構造により分類されていますが，今では抗菌力，有効菌種の広さなどから，一般にニューキノロン剤のことをさしていいます。そのほか，日和見感染症として現れる深在性真菌感染症に用いる内服の抗真菌薬などがあります。

〈抗結核薬〉

◆肺結核やその他の結核症の治療薬

◆ハンセン病や非結核性抗酸菌症に用いる薬

■副作用・相互作用に注意すべき薬

■ ニューキノロン剤

　ニューキノロン剤で最も注意すべき副作用は，けいれんです。単独で服用した場合にもおこりえますが，非ステロイド系解熱鎮痛薬（NSAID）との併用で，その危険性がさらに増大します。特に，エノキサシン水和物とフェンブフェン（現在はともに発売中止）の併用が危険といわれ，厚生労働省は 1985 年 10 月発行の『医薬品副作用情報 No.81』と 89 年 9 月発行の『同情報 No.98』，91 年 10 月発行の『同情報 No.110』において，警告を出しています。

　エノキサシン水和物以外のニューキノロン剤とフェンブフェン以外の NSAID の併用においても，注意する必要があります。

　その他には，ショック・中毒性表皮壊死融解症（TEN）・皮膚粘膜眼症候群（スティブンス–ジョンソン症候群）・無顆粒球症・偽膜性大腸炎・間質性肺炎・急性腎不全や肝機能障害など，抗生物質と同じような副作用にも注意が必要です。抗生物質にはなくてニューキノロン剤にだけある副作用としては，横紋筋融解症・アキレス腱炎や腱断裂・過敏性血管炎などがあります。

■ 抗結核薬

　抗結核薬の副作用として特異なものは，イソニアジドでの肝機能障害，エタンブトール塩酸塩での視神経障害による視力低下・中心暗点・視野狭窄・色神異常などが

内服
15

あります。これらの副作用は，同じ抗結核薬であるリファンピシンとの併用で強められます。リファンピシンは肝臓における薬物代謝酵素（CYP3A4 など）誘導作用により，いろいろな薬剤の効果を減弱させるので注意が必要です。

ところで，リファンピシンの相互作用を利用した特異な事件がありました。元ユーゴスラビア大統領のミロシェビッチ被告が関与した事件で，読売新聞（2006.3.16）によると，旧ユーゴ戦犯法廷の拘置施設に収容されていた同被告は，持病の高血圧治療のため，法廷の医療チームは降圧剤を与えていたのですが，血圧はいっこうに下がりませんでした。そこで被告の血液を検査したところ，結核やハンセン病の治療に使われるリファンピシンが検出されたのです。

血液検査を行ったオランダ・フローニンゲン大学のドナルド・ユーヘス教授は次のように言っています。「リファンピシンは肝臓の機能を非常に活発にするため，体内にある他の薬品を短時間に破壊する。これをのまなかったら血圧は下がったはずである」。さらに，教授はこう続けます。「被告は健康状態を自ら悪化させ，家族のいるモスクワに渡り，ここに戻らずにすむように薬を摂取していたと解釈する」。

この薬の特徴をよく表す逸話です。相互作用にはくれぐれも気をつけてください。

◉ 薬剤師の眼

薬の危険性を未然に防ぐために「お薬手帳」の活用を

本書の内容の多くが，副作用・相互作用・使用上の注意（妊婦，授乳婦，基礎疾患の有無により服用不可など）など，薬の有害について書かれています。薬を服用するうえで，やはり副作用などの危険性を避けては通れません。それを防ぐには，医師，歯科医師，薬剤師など投薬する側の努力だけでなく，服用する患者にも協力していただきたいと思います。そのためにも，お薬手帳を携帯し活用してください。

お薬手帳は，使用する薬品名，用量・用法，使用上の注意点などが記載された薬局が提供する情報書類を貼ったり，自分でメモしたりします。患者本人だけではなく，その介護者も一緒に，処方された薬について把握し管理することができます。お薬手帳を受診の際，医師，歯科医師，薬剤師に提示することにより，薬の副作用，重複投与，相互作用を確認でき未然に薬の危険性を防ぐことにつながります。病院や薬局で薬をもらうたびに，お薬手帳に内容を記載してもらえます。

お薬手帳は，受診する医療機関，薬局ごとに手帳を分けるのではなく，1冊にまとめることにより，服用歴，のみ合わせなど薬の管理がよりしやすくなります。また，患者自身が「お薬手帳」に積極的に書き込んで活用してください。例えば，服用した市販薬名，薬が変わったときの体調の変化，検査のデータ，質問や気になる点をメモしておくなど，ご自分ののんでいる薬・体調について関心をもち，記録として残してください。それが治療のうえにも役立つことでしょう。

01 ニューキノロン剤

製剤情報

一般名：ノルフロキサシン
- 保険収載年月…1984年3月
- 海外評価…2点 英 米 独 仏
- 剤形…錠 錠剤
- 服用量と回数…1回100～200mgを1日3～4回。腸チフス，パラチフスの場合は，1回400mgを3回，14日間。50mg錠(小児用)は他の抗菌剤が無効と判断されたときのみ服用，処方医の指示通りに。

■**先発品**　商品名(メーカー)　規格・保険薬価

小児用バクシダール (杏林) 錠 50mg 1錠 67.10 円

バクシダール 写真 (杏林) 錠 100mg 1錠 40.90 円
錠 200mg 1錠 64.20 円

ノルフロキサシン (エルメッド＝日医工)
錠 100mg 1錠 23.70 円　錠 200mg 1錠 35.60 円

ノルフロキサシン (沢井) 錠 100mg 1錠 40.90 円
錠 200mg 1錠 64.20 円

ノルフロキサシン (鶴原) 錠 100mg 1錠 23.70 円
錠 200mg 1錠 35.60 円

ノルフロキサシン (陽進堂) 錠 100mg 1錠 23.70 円
錠 200mg 1錠 35.60 円

一般名：オフロキサシン
- 保険収載年月…1985年7月
- 海外評価…6点 英 米 独 仏　●PC…C
- 剤形…錠 錠剤
- 服用量と回数…1日300～600mgを2～3回に分けて服用。ハンセン病：(原則として他の抗ハンセン病薬と併用)1日400～600mgを2～3回に分けて服用。腸チフス・パラチフス：1回200mgを1日4回，14日間。

■**先発品**　商品名(メーカー)　規格・保険薬価

タリビッド (アルフレッサ) 錠 100mg 1錠 82.80 円

オフロキサシン (沢井) 錠 100mg 1錠 82.80 円

オフロキサシン (長生堂＝日本ジェネリック)
錠 100mg 1錠 48.80 円

オフロキサシン (鶴原) 錠 100mg 1錠 65.90 円

一般名：シプロフロキサシン塩酸塩
- 保険収載年月…1988年5月
- 海外評価…6点 英 米 独 仏　●PC…C
- 剤形…錠 錠剤
- 服用量と回数…1回100～200mgを1日2～3回。炭疽の場合は，1回400mgを1日2回。

■**先発品**　商品名(メーカー)　規格・保険薬価

シプロキサン (バイエル) 錠 100mg 1錠 32.90 円
錠 200mg 1錠 42.90 円

■**ジェネリック**　商品名(メーカー)　規格・保険薬価

シプロフロキサシン (沢井)
錠 100mg 1錠 17.00 円　錠 200mg 1錠 21.00 円

シプロフロキサシン (鶴原)
錠 100mg 1錠 10.30 円　錠 200mg 1錠 12.10 円

シプロフロキサシン (東和)
錠 100mg 1錠 17.00 円　錠 200mg 1錠 21.00 円

シプロフロキサシン (日医工)
錠 100mg 1錠 17.00 円　錠 200mg 1錠 21.00 円

一般名：ロメフロキサシン塩酸塩
- 保険収載年月…1990年4月
- 海外評価…1点 英 米 独 仏
- 剤形…錠 錠剤，カ カプセル剤
- 服用量と回数…1回100～200mgを1日2～3回。

■**先発品**　商品名(メーカー)　規格・保険薬価

バレオン (マイランEPD) 錠 200mg 1錠 98.20 円
カ 100mg 1カプセル 59.50 円

一般名：トスフロキサシントシル酸塩水和物

- 保険収載年月…1990年4月
- 海外評価…0点 英 米 独 仏
- 剤形… 錠 錠剤, 細 細粒剤
- 服用量と回数…1日300～450mgを2～3回に分けて服用。骨髄炎・関節炎・腸チフス・パラチフスおよび小児用の場合は, 処方医の指示通りに服用。

■先発品　商品名(メーカー)　規格・保険薬価

オゼックス (富士フイルム富山)
錠 75mg 1錠 51.40 円　錠 150mg 1錠 60.40 円
錠 60mg 1錠 (小児用) 116.20 円
細 150mg 1g (小児用) 358.90 円

トスキサシン (マイラン EPD)
錠 75mg 1錠 59.60 円　錠 150mg 1錠 63.30 円

■ジェネリック　商品名(メーカー)　規格・保険薬価

トスフロキサシントシル酸塩 (沢井)
錠 75mg 1錠 25.90 円　錠 150mg 1錠 27.50 円

トスフロキサシントシル酸塩 (高田)
細 150mg 1g(小児用) 144.20 円

トスフロキサシントシル酸塩 (武田テバファーマ＝武田) 錠 75mg 1錠 25.90 円
錠 150mg 1錠 27.50 円

トスフロキサシントシル酸塩 (辰巳＝日本ジェネリック) 錠 75mg 1錠 25.90 円　錠 150mg 1錠 27.50 円
細 150mg 1g(小児用) 144.20 円

トスフロキサシントシル酸塩 (東和)
細 150mg 1g(小児用) 144.20 円

トスフロキサシントシル酸塩 (日医工)
錠 75mg 1錠 25.90 円　錠 150mg 1錠 27.50 円

トスフロキサシントシル酸塩 (ニプロ)
錠 75mg 1錠 25.90 円　錠 150mg 1錠 27.50 円

トスフロキサシントシル酸塩 (ニプロ ES)
錠 75mg 1錠 25.90 円　錠 150mg 1錠 27.50 円

トスフロキサシントシル酸塩 (MeijiSeika)
細 150mg 1g(小児用) 144.20 円

一般名：レボフロキサシン水和物

- 保険収載年月…1993年11月
- 海外評価…6点 英 米 独 仏　●PC…C
- 剤形… 錠 錠剤, 細 細粒剤, 液 液剤
- 服用量と回数…1回500mgを1日1回。肺結核およびその他の結核症の場合は, 原則として他の抗結核薬と併用すること。腸チフス, パラチフスの場合は1回500mgを1日1回14日間服用。

■先発品　商品名(メーカー)　規格・保険薬価

クラビット 写真 (第一三共) 細 100mg 1g 71.10 円
錠 250mg 1錠 104.50 円　錠 500mg 1錠 199.80 円

■ジェネリック　商品名(メーカー)　規格・保険薬価

レボフロキサシン (岩城) 錠 250mg 1錠 32.00 円
錠 500mg 1錠 57.00 円

レボフロキサシン (大原) 錠 250mg 1錠 54.20 円
錠 500mg 1錠 87.20 円

レボフロキサシン (共和) 錠 250mg 1錠 32.00 円
錠 500mg 1錠 57.00 円

レボフロキサシン (キョーリン＝杏林＝三和)
錠 250mg 1錠 32.00 円

レボフロキサシン (キョーリン＝杏林＝三和＝日薬工) 錠 500mg 1錠 57.00 円

レボフロキサシン (コーアイセイ)
錠 250mg 1錠 32.00 円　錠 500mg 1錠 57.00 円

レボフロキサシン (小林化工)
錠 250mg 1錠 32.00 円　錠 500mg 1錠 57.00 円

レボフロキサシン (沢井) 錠 250mg 1錠 42.90 円
錠 500mg 1錠 87.20 円

レボフロキサシン (サンド) 錠 250mg 1錠 32.00 円
錠 500mg 1錠 57.00 円

レボフロキサシン (シオノ＝科研)
錠 250mg 1錠 54.20 円　錠 500mg 1錠 87.20 円

レボフロキサシン (セオリア＝武田)
錠 250mg 1錠 54.20 円　錠 500mg 1錠 87.20 円

レボフロキサシン (全星) 錠 250mg 1錠 42.90 円
錠 500mg 1錠 57.00 円

レボフロキサシン [写真]（第一三共エスファ）
[細] 100mg 1g 35.00 円　[錠] 250mg 1錠 42.90 円
[錠] 500mg 1錠 87.20 円

レボフロキサシン（大興＝ケミファ）
[錠] 250mg 1錠 54.20 円　[錠] 500mg 1錠 87.20 円

レボフロキサシン（高田）[錠] 250mg 1錠 32.00 円
[錠] 500mg 1錠 57.00 円

レボフロキサシン（武田テバファーマ＝武田）
[錠] 250mg 1錠 32.00 円　[錠] 500mg 1錠 57.00 円

レボフロキサシン（辰巳＝フェルゼン）
[錠] 250mg 1錠 32.00 円　[錠] 500mg 1錠 87.20 円

レボフロキサシン（長生堂＝日本ジェネリック）
[錠] 250mg 1錠 42.90 円　[錠] 500mg 1錠 87.20 円

レボフロキサシン（東和）
[液] 250mg10mL 1包 111.60 円　[錠] 250mg 1錠 54.20 円
[錠] 500mg 1錠 87.20 円

レボフロキサシン（日医工）[錠] 250mg 1錠 42.90 円
[錠] 500mg 1錠 87.20 円

レボフロキサシン（ニプロ）[錠] 250mg 1錠 32.00 円
[錠] 500mg 1錠 57.00 円

レボフロキサシン（ニプロ ES）
[錠] 250mg 1錠 32.00 円　[錠] 500mg 1錠 57.00 円

レボフロキサシン（富士製薬）
[錠] 250mg 1錠 42.90 円　[錠] 500mg 1錠 57.00 円

レボフロキサシン（MeijiSeika）
[錠] 250mg 1錠 32.00 円　[錠] 500mg 1錠 57.00 円

レボフロキサシン（ヤクハン＝日医工）
[錠] 250mg 1錠 32.00 円　[錠] 500mg 1錠 87.20 円

レボフロキサシン（陽進堂）[錠] 250mg 1錠 32.00 円
[錠] 500mg 1錠 57.00 円

レボフロキサシン OD（東和）
[錠] 250mg 1錠 54.20 円　[錠] 500mg 1錠 87.20 円

レボフロキサシン粒状錠（持田販売＝持田）
[錠] 250mg 1包 42.90 円　[錠] 500mg 1包 57.00 円

一般名：プルリフロキサシン
● 保険収載年月…2002年12月
● 海外評価…0点 [英][米][独][仏]

● 剤形…[錠] 錠剤
● 服用量と回数…1回200mgを1日2回，1回量最大300mg。肺炎，慢性呼吸器病変の二次感染の場合は，1回300mgを1日2回。

■先発品　　商品名（メーカー）　規格・保険薬価
スオード（MeijiSeika）[錠] 100mg 1錠 76.70 円

一般名：モキシフロキサシン塩酸塩
● 保険収載年月…2005年12月
● 海外評価…6点 [英][米][独][仏]　●PC…C
● 規制…劇薬
● 剤形…[錠] 錠剤
● 服用量と回数…1日1回400mg（1錠）。

■先発品　　商品名（メーカー）　規格・保険薬価
アベロックス（バイエル）[錠] 400mg 1錠 291.30 円

一般名：メシル酸ガレノキサシン水和物
● 保険収載年月…2007年9月
● 海外評価…0点 [英][米][独][仏]
● 剤形…[錠] 錠剤
● 服用量と回数…1日1回400mg（2錠）。

■先発品　　商品名（メーカー）　規格・保険薬価
ジェニナック（富士フイルム富山＝アステラス）
[錠] 200mg 1錠 205.70 円

一般名：シタフロキサシン水和物
● 保険収載年月…2008年4月
● 海外評価…0点 [英][米][独][仏]
● 剤形…[錠] 錠剤，[細] 細粒剤
● 服用量と回数…1回50mg（細粒剤は0.5g）を1日2回，または1回100mgを1日1回。効果不十分な場合は1回100mgを1日2回服用できる。

■先発品　　商品名（メーカー）　規格・保険薬価
グレースビット [写真]（第一三共）
[細] 100mg 1g 397.30 円　[錠] 50mg 1錠 130.10 円

■ジェネリック　　商品名（メーカー）　規格・保険薬価
シタフロキサシン（沢井）[錠] 50mg 1錠 72.10 円

一般名：ラスクフロキサシン塩酸塩

- 保険収載年月…2019年11月
- 海外評価…0点 英 米 独 仏
- 剤形…錠 錠剤

- 服用量と回数…1日1回75mg（1錠）。

■先発品　商品名(メーカー)　規格・保険薬価

ラスビック (杏林) 錠 75mg 1錠 334.50 円

概　要

分類　ジャイレース阻害薬

処方目的　[レボフロキサシン水和物の適応症] 表在性皮膚感染症, 深在性皮膚感染症／リンパ管・リンパ節炎／慢性膿皮症, にきび（化膿性炎症を伴うもの）／外傷・熱傷・手術創などの二次感染／乳腺炎／肛門周囲膿瘍／咽頭・喉頭炎, 扁桃炎（扁桃周囲炎, 扁桃周囲膿瘍を含む）, 急性気管支炎, 肺炎, 慢性呼吸器病変の二次感染／膀胱炎, 腎盂腎炎, 急性・慢性前立腺炎, 精巣上体炎（副睾丸炎）, 尿道炎／胆のう炎, 胆管炎／感染性腸炎, 腸チフス, パラチフス, コレラ／子宮頸管炎, バルトリン腺炎, 子宮内感染, 子宮付属器炎, 涙のう炎, 麦粒腫, 瞼板腺炎／外耳炎, 中耳炎／副鼻腔炎, 化膿性唾液腺炎／歯周組織炎, 歯冠周囲炎, 顎炎／炭疽, ブルセラ症, ペスト, 野兎病, 肺結核およびその他の結核症, Q熱

[有効菌種] ブドウ球菌属, レンサ球菌属, 肺炎球菌, 腸球菌属, 淋菌, モラクセラ（ブランハメラ）・カタラーリス, 炭疽菌, 結核菌, 大腸菌, 赤痢菌, サルモネラ属, チフス菌, パラチフス菌, シトロバクター属, クレブシエラ属, エンテロバクター属, セラチア属, プロテウス属, モルガネラ・モルガニー, プロビデンシア属, ペスト菌, コレラ菌, インフルエンザ菌, 緑膿菌, アシネトバクター属, ブルセラ属, 野兎病菌, カンピロバクター属, ペプトストレプトコッカス属, アクネ菌, Q熱リケッチア（コクシエラ・ブルネティ）, トラコーマクラミジア（クラミジア・トラコマティス）, レジオネラ属, 肺炎クラミジア（クラミジア・ニューモニエ）, 肺炎マイコプラズマ（マイコプラズマ・ニューモニエ）

解説　キノロン系薬剤はナリジクス酸の開発から始まりました。ナリジクス酸は緑膿菌を除くグラム陰性菌に対してのみ効果を有しましたが, 組織移行性が低いことから腸管・尿路感染症治療薬としてのみ使用されました。その後開発が進み, 緑膿菌を含むグラム陰性菌やグラム陽性菌にも有効であるノルフロキサシンが開発され, キノロン系薬剤が臨床で幅広く使用されるようになりました。

　ノルフロキサシンより前に開発されたキノロン剤は「オールドキノロン」, 以降のキノロン剤は「ニューキノロン」と分類されています。また, レボフロキサシン以降に開発されたものは「レスピラトリーキノロン」と呼ばれており, 特に肺炎の原因となるペニシリン耐性菌を含む肺炎球菌やインフルエンザ菌に強い抗菌力を有しています。

　ときに低血糖および高血糖などの血糖異常, 光線過敏症, 心電図のQT延長, 鎮痛薬との併用でけいれんなどの重篤な副作用が発生して発売中止となった薬剤も多くありました。キノロン系薬剤は他の抗菌薬と同様に耐性菌の増加が問題となっています。耐性菌を増加させないためにも, 抗菌薬は漫然と使用せず, より適正に使用することが望まれます。

使用上の注意

＊レボフロキサシン水和物（クラビット）の添付文書による

基本的注意

(1)**服用してはいけない場合**……本剤の成分またはオフロキサシンに対するアレルギーの前歴／妊婦または妊娠している可能性のある人，小児

(2)**慎重に服用すべき場合**……腎機能障害／てんかんなどのけいれん性疾患またはその前歴／キノロン系抗菌薬に対するアレルギーの前歴／重い心疾患（不整脈，虚血性心疾患など）／重症筋無力症／大動脈瘤または大動脈解離を合併している人，またはその前歴・家族歴もしくはリスク因子（マルファン症候群など）をもつ人／高齢者

(3)**大動脈瘤，大動脈解離**……本剤を服用すると大動脈瘤，大動脈解離を引きおこすことがあります。腹部，胸部，背部に痛みなどの症状が現れた場合は直ちに医師の診察を受けてください。

(4)**妊婦・小児**……妊婦または妊娠している可能性のある人，小児は，本剤の服用は禁忌です。ただし，炭疽などの重い疾患にかぎり，治療上の有益性が危険性を上回ると判断されたときのみ，処方されることがあります。

(5)**定期的検査**……本剤と他の抗結核薬との併用により，重篤な肝機能障害が現れることがあるので，併用する場合は定期的に肝機能検査を行うことが必要です。

(6)**危険作業に注意**……本剤を服用すると，意識障害などが現れることがあります。服用中は自動車の運転など危険を伴う機械の操作には十分に注意してください。

(7)**その他**……

●授乳婦での安全性：服用するときは授乳しないことが望ましい。（1714頁を参照）

重大な副作用　　　①ショック，アナフィラキシー（紅斑，悪寒，呼吸困難など）。②中毒性表皮壊死融解症（TEN），皮膚粘膜眼症候群（スティブンス-ジョンソン症候群）。③けいれん。④急性腎障害，間質性腎炎。⑤肝機能障害，黄疸，劇症肝炎。⑥無顆粒球症，汎血球減少症，血小板減少，溶血性貧血。⑦間質性肺炎，好酸球性肺炎。⑧腹痛，頻回の下痢，血便などを伴う偽膜性大腸炎。⑨横紋筋融解症。⑩低血糖。⑪アキレス腱炎，腱断裂などの腱障害（腱周辺の痛み，浮腫，発赤など）。⑫錯乱，せん妄，抑うつなどの精神症状。⑬過敏性血管炎。⑭QT延長，心室頻拍。⑮重症筋無力症の悪化。⑯大動脈瘤，大動脈解離。⑰末梢神経障害（しびれ，筋力低下，痛みなど）。

そのほかにも報告された副作用はあるので，体調がいつもと違うと感じたときは，処方医・薬剤師に相談してください。

併用してはいけない薬　　　［ノルフロキサシン，ロメフロキサシン塩酸塩，プルリフロキサシン］フルルビプロフェン，フルルビプロフェンアキセチル→けいれんがおこることがあります。

［シプロフロキサシン塩酸塩］①ケトプロフェン（皮膚外用剤を除く）→けいれんがおこることがあります。②チザニジン塩酸塩→血圧低下，傾眠，めまいなどが現れることがあります。③ロミタピドメシル酸塩→本剤の血中濃度が著しく上昇するおそれがあります。

［モキシフロキサシン塩酸塩］クラスIa抗不整脈薬（キニジン硫酸塩水和物，プロカイン

アミド塩酸塩など），クラスⅢ抗不整脈薬（アミオダロン塩酸塩，ソタロールなど）→併用すると QT 延長，心室性不整脈がおこることがあります。

内 15 抗菌製剤と結核の薬　01 抗菌製剤

02 深在性真菌治療薬

◎ 製 剤 情 報

一般名：フルシトシン

- 保険収載年月…1979年4月
- 海外評価…3点 英米独仏　●PC…C
- 規制…劇薬
- 剤形…錠 錠剤
- 服用量と回数…1日100〜200mg／kg（体重）を4回に分けて服用。尿路・消化管真菌症の場合は，1日50〜100mg／kgを4回に分けて服用。

■**先発品**　商品名（メーカー）　規格・保険薬価

アンコチル（共和）錠 500mg 1錠 224.90 円

一般名：フルコナゾール

- 保険収載年月…1989年5月
- 海外評価…6点 英米独仏　●PC…C
- 剤形…カ カプセル剤，ド ドライシロップ剤
- 服用量と回数…カンジダ症：1日1回50〜100mg。クリプトコッカス症：1日1回50〜200mg。重症・難治性真菌感染症：1日最大400mg。造血幹細胞移植患者における深在性真菌症の予防：1日1回400mg。腟炎・外陰腟炎：150mgを1回。小児は処方医の指示通りに服用。

■**先発品**　商品名（メーカー）　規格・保険薬価

ジフルカン（ファイザー）カ 50mg 1錠 188.10 円
カ 100mg 1カプ 295.80 円　ド 10mg 1mL 87.60 円
ド 40mg 1mL 392.00 円

■**ジェネリック**　商品名（メーカー）　規格・保険薬価

フルコナゾール（共和）カ 50mg 1カプ 125.40 円
カ 100mg 1カプ 226.90 円

フルコナゾール（沢井）カ 50mg 1カプ 145.00 円
カ 100mg 1カプ 197.20 円

フルコナゾール（サンド）カ 50mg 1カプ 125.40 円
カ 100mg 1カプ 197.20 円

フルコナゾール（高田）カ 50mg 1カプ 125.40 円
カ 100mg 1カプ 197.20 円

フルコナゾール（日医工）カ 50mg 1カプ 125.40 円
カ 100mg 1カプ 197.20 円

フルコナゾール（日本ジェネリック）
カ 50mg 1カプ 125.40 円　カ 100mg 1カプ 197.20 円

フルコナゾール（富士製薬）カ 50mg 1カプ 125.40 円
カ 100mg 1カプ 197.20 円

一般名：イトラコナゾール

- 保険収載年月…1993年8月
- 海外評価…5点 英米独仏　●PC…C
- 剤形…錠 錠剤，カ カプセル剤，液 液剤
- 服用量と回数…処方医の指示通りに服用。

■**先発品**　商品名（メーカー）　規格・保険薬価

イトリゾール 写真（ヤンセン）
カ 50mg 1カプ 189.20 円　液 1% 1mL 54.10 円

■**ジェネリック**　商品名（メーカー）　規格・保険薬価

イトラコナゾール（科研）錠 50mg 1錠 90.10 円

イトラコナゾール（沢井＝ケミファ）
カ 50mg 1カプ 90.10 円

イトラコナゾール 写真（日医工）
錠 50mg 1錠 90.10 円　錠 100mg 1錠 177.90 円

イトラコナゾール内用液（ファイザー）
液 1% 1mL 29.50 円

一般名：ボリコナゾール

- 保険収載年月…2005年6月
- 海外評価…6点 英米独仏　●PC…D

- 規制…劇薬
- 剤形…錠錠剤，ドドライシロップ剤
- 服用量と回数…初日：1回300mgを1日2回。2日目以降：1回150mgまたは200mgを1日2回。効果不十分または体重40kg未満，小児の場合：処方医の指示通りに服用。

■先発品　商品名(メーカー)　規格・保険薬価

ブイフェンド (ファイザー) 錠50mg 1錠 542.90 円
錠200mg 1錠 1,761.80 円
ド40mg 1mL (懸濁後) 919.00 円

■ジェネリック　商品名(メーカー)　規格・保険薬価

ボリコナゾール (共和) 錠50mg 1錠 205.80 円
錠100mg 1錠 300.20 円　錠200mg 1錠 655.50 円

ボリコナゾール (第一三共エスファ)
錠50mg 1錠 205.80 円　錠200mg 1錠 655.50 円

ボリコナゾール (高田) 錠50mg 1錠 205.80 円
錠200mg 1錠 655.50 円

ボリコナゾール (武田テバファーマ＝武田)
錠50mg 1錠 205.80 円　錠200mg 1錠 655.50 円

ボリコナゾール (東和) 錠50mg 1錠 205.80 円
錠200mg 1錠 655.50 円

ボリコナゾール (日医工) 錠50mg 1錠 205.80 円
錠200mg 1錠 655.50 円

ボリコナゾール (日本ジェネリック)
錠50mg 1錠 205.80 円　錠100mg 1錠 300.20 円
錠200mg 1錠 655.50 円

一般名：ホスラブコナゾール　L-リシンエタノール付加物
- 保険収載年月…2018年5月
- 海外評価…0点 英米独仏
- 剤形…カカプセル剤
- 服用量と回数…1日1回1カプセルを12週間服用。

■先発品　商品名(メーカー)　規格・保険薬価

ネイリン (佐藤) カ100mg 1カプセル 814.90 円

一般名：ポサコナゾール
- 保険収載年月…2020年4月
- 海外評価…6点 英米独仏
- 規制…劇薬
- 剤形…錠錠剤
- 服用量と回数…初日は1回300mgを1日2回，2日目以降は300mgを1日1回服用。

■先発品　商品名(メーカー)　規格・保険薬価

ノクサフィル (MSD) 錠100mg 1錠 3,003.80 円

内15—01—02

深在性真菌治療薬

概　要

分類　抗真菌化学療法薬

処方目的　[フルシトシンの適応症] 真菌血症，真菌性髄膜炎，真菌性呼吸器感染症，黒色真菌症，尿路真菌症，消化管真菌症
[フルコナゾールの適応症] カンジダ属・クリプトコッカス属による感染症(真菌血症，呼吸器真菌症，消化管真菌症，尿路真菌症，真菌髄膜炎)，造血幹細胞移植患者における深在性真菌症の予防／[カプセル剤のみ]カンジダ属に起因する腟炎および外陰腟炎
[イトラコナゾール錠剤・カプセル剤の適応症] ①内臓真菌症(真菌血症，呼吸器真菌症，消化器真菌症，尿路真菌症，真菌髄膜炎)／②深在性皮膚真菌症(スポロトリコーシス，クロモミコーシス)／③表在性皮膚真菌症：(a)白癬(体部白癬，股部白癬，手白癬，足白癬，頭部白癬，ケルスス禿瘡，白癬性毛瘡)，(b)カンジダ症(口腔カンジダ症，皮膚カンジダ症，爪カンジダ症，カンジダ性爪囲爪炎，カンジダ性毛瘡，慢性皮膚粘膜カンジダ症)，(c)癜風，(d)マラセチア毛包炎／④爪白癬
[イトラコナゾール内用液の適応症] ①真菌血症，呼吸器真菌症，消化器真菌症，尿路

真菌症，真菌髄膜炎，口腔咽頭カンジダ症，食道カンジダ症，ブラストミセス症，ヒストプラスマ症／②真菌感染が疑われる発熱性好中球減少症／③好中球減少が予測される血液悪性腫瘍または造血幹細胞移植者における深在性真菌症の予防

[ボリコナゾールの適応症]（A）以下の重症または難治性の真菌感染症：①侵襲性アスペルギルス症，肺アスペルギローマ，慢性壊死性肺アスペルギルス症／②カンジダ血症，食道カンジダ症，カンジダ腹膜炎，気管支・肺カンジダ症／③クリプトコックス髄膜炎，肺クリプトコックス症／④フサリウム症／⑤スケドスポリウム症／（B）造血幹細胞移植患者における深在性真菌症の予防

[ホスラブコナゾール L-リシンエタノール付加物の適応症] 爪白癬

[ポサコナゾールの適応症] 造血幹細胞移植患者または好中球減少が予測される血液悪性腫瘍患者における深在性真菌症の予防／以下の真菌症の治療→侵襲性アスペルギルス症，フサリウム症，ムーコル症，コクシジオイデス症，クロモブラストミコーシス，菌腫

[有効菌種]：[フルシトシン]クリプトコックス属，カンジダ属，アスペルギルス属，ヒアロホーラ属，ホンセカエア属／[フルコナゾール]カンジダ属，クリプトコックス属／[イトラコナゾール]皮膚糸状菌（トリコフィトン属，ミクロスポルム属，エピデルモフィトン属），カンジダ属，マラセチア属，アスペルギルス属，クリプトコックス属，スポロトリックス属，ホンセカエア属／[ボリコナゾール]アスペルギルス属，カンジダ属，クリプトコックス属，フサリウム属，スケドスポリウム属／[ホスラブコナゾール L-リシンエタノール付加物]皮膚糸状菌（トリコフィトン属）

> 解説　皮膚深部や内臓諸器官へ寄生した真菌による病変を治療する薬です。フルオロピリミジン系のフルシトシンとトリアゾール系のフルコナゾール，イトラコナゾール，ボリコナゾール，ポサコナゾールなどが用いられます。イトラコナゾールでは，薬物相互作用に特に注意が必要です。
>
> 　2018年5月に発売されたネイリンもトリアゾール系の抗真菌薬ですが，適応症は爪白癬（爪の水虫）のみで，「使用上の注意」もこの項の他の薬剤に比べてごくわずかです（併用してはいけない薬がない，など）。

使用上の注意

*イトラコナゾール（イトリゾールカプセル）などの添付文書による

警告

[フルシトシン] テガフール・ギメラシル・オテラシルカリウム配合剤と併用すると，重い血液障害などの副作用がおこるおそれがあるので，併用してはいけません。

[ボリコナゾール] ①感染症の治療に十分な知識と経験を持つ医師の指導のもと，重症または難治性の真菌感染症患者に使用します。

②重い肝障害が現れることがあるので，肝機能検査を定期的に受け，異常の際には服用を中止し適切な処置を受けます。

③羞明，霧視，視覚障害などの症状が現れ，服用中止後も症状が持続することがあります。服用中および服用中止後も，これらの症状が回復するまでは自動車の運転など危険を伴う機械の操作に従事してはいけません。

基本的注意

(1)**服用してはいけない場合**……キニジン硫酸塩水和物，ベプリジル塩酸塩水和物，トリアゾラム，シンバスタチン，アゼルニジピン，レザルタス配合錠，ニソルジピン，クリアミン配合錠，エルゴメトリンマレイン酸塩(注射薬)，メチルエルゴメトリン，バルデナフィル塩酸塩水和物，エプレレノン，ブロナンセリン，シルデナフィルクエン酸塩(レバチオ)，タダラフィル(アドシルカ)，スボレキサント，イブルチニブ，チカグレロル，ロミタピドメシル酸塩，イバブラジン塩酸塩，ベネトクラクス(再発または難治性の慢性リンパ性白血病(小リンパ球性リンパ腫を含む)の用量漸増期)，ルラシドン塩酸塩，アナモレリン塩酸塩，アリスキレンフマル酸塩，ダビガトラン，リバーロキサバン，リオシグアトの服用中／本剤の成分に対するアレルギーの前歴／肝臓または腎臓に障害がありコルヒチンを服用中の人／重い肝疾患またはその前歴／妊婦または妊娠している可能性のある人

(2)**慎重に服用すべき場合**……薬物過敏症・アレルギーの前歴／肝機能障害(コルヒチンを服用中の人または重い肝疾患のある人を除く)／腎機能障害(コルヒチンを服用中の人を除く)／うっ血性心不全またはその前歴／ワルファリンカリウムの服用中／高齢者

(3)**定期検査**……本剤を長期に服用するときは，定期的に肝機能の検査を受ける必要があります。

(4)**うっ血性心不全**……本剤の服用によって，うっ血性心不全がおこることがあります。基礎心疾患(弁膜症など)，慢性閉塞性肺疾患(COPD)，腎不全など，うっ血性心不全をおこすおそれのある人は十分に注意し，下肢のむくみ，呼吸困難などがみられたら，ただちに処方医へ連絡してください。

(5)**相互作用**……本剤は，代謝酵素(CYP3A4)と親和性を持つため，CYP3A4で代謝される薬物の代謝を阻害し，血中濃度を高める可能性があります。また，他の薬剤との相互作用は，すべての薬剤との組み合わせについて検討されてはいないので，併用には十分気をつけてください。

(6)**避妊**……妊娠する可能性のある女性は，本剤の服用中・服用終了後一定期間は適切な避妊をしてください。動物実験で催奇形性が報告されています。

(7)**その他**……

●授乳婦での安全性：治療上の有益性・母乳栄養の有益性を考慮し，授乳の継続・中止を検討。

●小児での安全性：有益と判断されたときのみ服用。(1714頁を参照)

重大な副作用　　　　　　　　[フルシトシン]①汎血球減少，無顆粒球症。②腎不全。

[フルコナゾール]①ショック，アナフィラキシー(血管浮腫，顔面浮腫，かゆみなど)。②中毒性表皮壊死融解症(TEN)，皮膚粘膜眼症候群(スティブンス-ジョンソン症候群)。③薬剤性過敏症症候群(発疹，発熱，さらに肝機能障害，リンパ節腫脹，白血球増加，好酸球増多など)。④血液障害(無顆粒球症，汎血球減少症，血小板減少，白血球減少，貧血など)。⑤急性腎障害などの重い腎障害。⑥肝障害(黄疸，肝炎，胆汁うっ滞性肝炎，肝壊死，肝不全など)。⑦意識障害(錯乱，見当識障害など)。⑧神経障害(けいれんなど)。⑨高カリウム血症。⑩心室頻拍，QT延長，心室細動，房室ブロック，徐脈など。

⑪間質性肺炎(発熱，せき，呼吸困難，肺音の異常など)。⑫偽膜性大腸炎などの重い大腸炎(発熱，腹痛，頻回の下痢など)。

[イトラコナゾール] ①うっ血性心不全・肺水腫(下肢浮腫，呼吸困難など)。②肝機能障害・胆汁うっ滞・黄疸(食欲不振，吐きけ，嘔吐，倦怠感，腹痛，褐色尿など)。③中毒性表皮壊死融解症(TEN)，皮膚粘膜眼症候群(スティブンス-ジョンソン症候群)，急性汎発性発疹性膿疱症，剥脱性皮膚炎，多形紅斑。④ショック，アナフィラキシー(チアノーゼ，冷汗，血圧低下，呼吸困難，胸内苦悶など)。⑤間質性肺炎(せき，呼吸困難，発熱，肺音の異常など)。

[ボリコナゾール] ①ショック，アナフィラキシー。②中毒性表皮壊死融解症(TEN)，皮膚粘膜眼症候群(スティブンス-ジョンソン症候群)，多形紅斑。③重い肝障害(肝炎，黄疸，肝不全，肝性昏睡など)。④心電図 QT 延長，心室頻拍，心室細動，不整脈，完全房室ブロック，心室性二段脈，心室性期外収縮，頻脈など。⑤心不全。⑥重い腎障害(急性腎障害，腎炎，腎尿細管壊死など)。⑦呼吸窮迫症候群。⑧ギラン・バレー症候群。⑨血液障害(骨髄抑制，汎血球減少，再生不良性貧血，無顆粒球症，播種性血管内凝固など)。⑩偽膜性大腸炎などの重い大腸炎(腹痛，下痢など)。⑪神経障害(けいれんなど)。⑫横紋筋融解症。⑬間質性肺炎(せき，呼吸困難，発熱，肺音の異常など)。⑭重い低血糖。⑮意識障害(意識消失，意識レベルの低下など)。

[ホスラブコナゾール L-リシンエタノール付加物] ①肝機能障害。②多形紅斑。

[ポサコナゾール] ①肝機能障害(重度の肝機能異常，肝毒性，胆汁うっ滞，胆汁うっ滞性肝炎，肝不全，肝炎，黄疸)。②溶血性尿毒症症候群，血栓性血小板減少性紫斑病。③QT 延長，心室頻拍。④副腎機能不全。⑤低カリウム血症。⑥皮膚粘膜眼症候群(スティブンス-ジョンソン症候群)。⑦脳血管発作。⑧急性腎障害，腎不全。⑨白血球減少症，汎血球減少症。

そのほかにも報告された副作用はあるので，体調がいつもと違うと感じたときは，処方医・薬剤師に相談してください。

併用してはいけない薬 　　[フルシトシン] ティーエスワン→早期に重い血液障害や下痢，口内炎などの消化管障害などが現れるおそれがあります。

[フルコナゾール] トリアゾラム，クリアミン配合錠，キニジン硫酸塩水和物，アゼルニジピン，レザルタス配合錠，ロミタピドメシル酸塩，ブロナンセリン，ルラシドン塩酸塩→これらの薬剤の血中濃度が上昇するおそれがあります。

[イトラコナゾール] キニジン硫酸塩水和物，ベプリジル塩酸塩水和物，トリアゾラム，シンバスタチン，アゼルニジピン，レザルタス配合錠，ニソルジピン，クリアミン配合錠，エルゴメトリンマレイン酸塩(注射薬)，メチルエルゴメトリン，バルデナフィル塩酸塩水和物，エプレレノン，ブロナンセリン，シルデナフィルクエン酸塩(レバチオ)，タダラフィル(アドシルカ)，スボレキサント，イブルチニブ，チカグレロル，ロミタピドメシル酸塩，イバブラジン塩酸塩，ベネトクラクス(再発または難治性の慢性リンパ性白血病(小リンパ球性リンパ腫を含む)の用量漸増期)，ルラシドン塩酸塩，アナモレリン塩酸塩，アリスキレンフマル酸塩，ダビガトラン，リバーロキサバン，リオシグアト→これら

の薬剤の血中濃度が上昇するおそれがあります。

[ボリコナゾール] リファンピシン，リファブチン，エファビレンツ，リトナビル，カレトラ配合錠，カルバマゼピン，長時間作用型バルビツール酸誘導体，キニジン硫酸塩水和物，イバブラジン塩酸塩，バッカクアルカロイド(クリアミン配合錠，エルゴメトリンマレイン酸塩(注射薬)，メチルエルゴメトリンマレイン酸塩)，トリアゾラム，チカグレロル，ロミタピドメシル酸塩，ブロナンセリン，スボレキサント，リバーロキサバン，リオシグアト，アゼルニジピン，レザルタス配合錠，ベネトクラクス(再発または難治性の慢性リンパ性白血病(小リンパ球性リンパ腫を含む)の用量漸増期)，アナモレリン塩酸塩，ルラシドン塩酸塩→これらの薬剤の血中濃度が上昇するおそれがあります。

[ポサコナゾール] クリアミン配合錠，メチルエルゴメトリンマレイン酸塩，エルゴメトリンマレイン酸塩(注射薬)，シンバスタチン，アトルバスタチンカルシウム水和物，キニジン硫酸塩水和物，ベネトクラクス(再発または難治性の慢性リンパ性白血病(小リンパ球性リンパ腫を含む)の用量漸増期)，スボレキサント，ルラシドン塩酸塩，ブロナンセリン→これらの薬剤の血中濃度が上昇するおそれがあります。

内 15 抗菌製剤と結核の薬 　01 抗菌製剤

03 　複合化学療法薬

製剤情報

一般名：スルファメトキサゾール・トリメトプリム配合剤

- 保険収載年月…1976年6月
- 海外評価…6点 英 米 独 仏 ●PC…C
- 剤形…錠 錠剤，顆 顆粒剤
- 服用量と回数…1日4錠(ミニ配合錠は16錠，顆粒剤は4g)を2回に分けて服用。ニューモシスチス肺炎の場合は処方医の指示通りに服用。

■先発品 　商品名(メーカー) 　規格・保険薬価

ダイフェン配合顆粒 (鶴原) 顆 1g 54.90 円

| ダイフェン配合錠 写真 (鶴原) 錠 1錠 14.60 円 |
| バクタ配合顆粒 (シオノギファーマ＝塩野義) |
| 顆 1g 78.80 円 |
| バクタ配合錠 写真 (シオノギファーマ＝塩野義) |
| 錠 1錠 69.20 円 |
| バクタミニ配合錠 (シオノギファーマ＝塩野義) |
| 錠 1錠 33.70 円 |
| バクトラミン配合顆粒 (太陽ファルマ) |
| 顆 1g 78.80 円 |
| バクトラミン配合錠 (太陽ファルマ) |
| 錠 1錠 42.60 円 |

概　要

分類 　化学療法薬

処方目的 　以下の疾患で他剤が無効または副作用などのため使えない場合→肺炎，慢性呼吸器病変の二次感染／複雑性膀胱炎，腎盂腎炎／感染性腸炎，腸チフス，パラチフス／ニューモシスチス肺炎の治療および発症抑制

解説 　サルファ剤の一種スルファメトキサゾールと，サルファ剤と同じように細菌に必須の葉酸合成を阻害するトリメトプリムの配合剤です。両者を一緒に服用することにより，

それらの効果が相乗的に増大します。サルファ剤の頭文字ＳとトリメトプリムのＴをとってＳＴ合剤といわれています。しかし副作用が多く，使い方がむずかしい薬の一つです。

　免疫抑制剤を使用している場合，真菌の一種ニューモシスチスによる肺炎（カリニ肺炎）に感染する可能性が高いため，治療だけでなく予防的にも本剤が使われます。

使用上の注意
＊スルファメトキサゾール・トリメトプリム配合剤（バクタ）の添付文書による

警告

　血液障害，ショックなどの重い副作用がおこることがあるので，他剤が無効または使用できないときにのみ服用すべき薬剤です。

基本的注意

(1)服用してはいけない場合……本剤の成分またはサルファ剤に対するアレルギーの前歴／グルコース-6-リン酸脱水素酵素（G-6-PD）欠乏の人／妊婦または妊娠している可能性のある人，低出生体重児，新生児

(2)特に慎重に服用すべき場合（治療上やむを得ないと判断される場合を除き服用は避けること）……血液障害またはその前歴／本人・両親・兄弟にアレルギー症状（気管支ぜんそく，発疹，じん麻疹など）をおこしやすい体質がある人，または他の薬剤に対するアレルギーの前歴

(3)慎重に服用すべき場合……肝機能障害／腎機能障害／葉酸欠乏または代謝異常（胃の摘出術の前歴，他の葉酸代謝拮抗薬の服用中，分娩後，先天性葉酸代謝異常症など）／高齢者

(4)服用法……本剤の顆粒剤は，顆粒をつぶさずに水・ジュースなどとともに服用してください。

(5)検査……服用中は副作用の早期発見のため，必要に応じて血液，肝機能，腎機能，電解質などの検査を受ける必要があります。

(6)副作用……貧血，出血傾向などの血液障害や発疹などの皮膚の異常が認められた場合には，速やかに主治医に連絡してください。

(7)事前に伝達……服用によって，クレアチニン値の測定（ヤッフェ反応など）で，見かけ上の高値を示すことがあります。検査を受けるときは事前にその旨を伝えてください。

(8)動物実験……ラットで甲状腺腫，甲状腺機能異常をおこすことが報告されています。

(9)その他……
- 授乳婦での安全性：治療上の有益性・母乳栄養の有益性を考慮し，授乳の継続・中止を検討。（1714頁を参照）

重大な副作用　①ショック，アナフィラキシー（不快感，口内異常感，喘鳴，めまい，便意，耳鳴り，発汗，浮腫など）。②皮膚粘膜眼症候群（スティブンス-ジョンソン症候群），中毒性表皮壊死融解症（TEN），多形紅斑。③再生不良性貧血，溶血性貧血，巨赤芽球性貧血，メトヘモグロビン血症，汎血球減少，無顆粒球症，血小板減少症。④急性膵炎。⑤偽膜性大腸炎などの血便を伴う重い大腸炎。⑥重い肝機能障害。⑦急性腎障害，間質性腎炎。⑧無菌性髄膜炎，末梢神経炎。⑨間質性肺炎，PIE症候群。

⑩低血糖発作。⑪高カリウム血症，低ナトリウム血症。⑫横紋筋融解症。⑬薬剤性過敏症症候群。⑭血栓性血小板減少性紫斑病(血小板減少，破砕赤血球の出現を認める溶血性貧血，精神神経症状，発熱，腎機能障害)，溶血性尿毒症症候群(血小板減少，破砕赤血球の出現を認める溶血性貧血，急性腎障害)。

そのほかにも報告された副作用はあるので，体調がいつもと違うと感じたときは，処方医・薬剤師に相談してください。

併用してはいけない薬　併用してはいけない薬は特にありません。ただし，併用する薬があるときは，念のため処方医・薬剤師に報告してください。

内 15 抗菌製剤と結核の薬　01 抗菌製剤

04 オキサゾリジノン系抗菌薬

✒ 製剤情報

一般名：リネゾリド
- 保険収載年月…2001年6月
- 海外評価…6点 **英米独仏**　●PC…C
- 剤形…錠 錠剤
- 服用量と回数…1回600mgを1日2回(12時間ごと)。小児は処方医の指示通りに服用。

■**先発品**　商品名(メーカー)　規格・保険薬価
ザイボックス (ファイザー)
錠 600mg 1錠 8,083.40 円

■**ジェネリック**　商品名(メーカー)　規格・保険薬価

| リネゾリド (沢井) | 錠 600mg 1錠 4,970.30 円 |
| リネゾリド (MeijiSeika) | 錠 600mg 1錠 4,970.30 円 |

一般名：テジゾリドリン酸エステル
- 保険収載年月…2018年5月
- 海外評価…5点 **英米独仏**　●PC…C
- 剤形…錠 錠剤
- 服用量と回数…1日1回200mg(1錠)。

■**先発品**　商品名(メーカー)　規格・保険薬価
シベクトロ (MSD) 錠 200mg 1錠 20,366.30 円

📋 概　要

分類　オキサゾリジノン系合成抗菌薬

処方目的　[リネゾリドの適応症] 本剤に感性のあるメチシリン耐性黄色ブドウ球菌(MRSA)による敗血症，深在性皮膚感染症，慢性膿皮症，外傷・熱傷および手術創などの二次感染，肺炎／本剤に感性のあるバンコマイシン耐性エンテロコッカス・フェシウムによる各種感染症

[テジゾリドリン酸エステルの適応症] 本剤に感性のあるメチシリン耐性黄色ブドウ球菌(MRSA)による深在性皮膚感染症，慢性膿皮症，外傷・熱傷および手術創などの二次感染，びらん・潰瘍の二次感染

解説　メチシリン耐性黄色ブドウ球菌(MRSA)とは，メチシリンなどのペニシリン系抗生物質をはじめとして，セフェム系，マクロライド系など，多くの抗菌薬に対して多剤耐性を示す黄色ブドウ球菌です。以前から院内感染の原因菌として問題となっていましたが，近年では市中(病院外)感染の菌としても広がってきています。MRSA感染症は

治療が難しく，死亡率の高い感染症の一つです。

　リネゾリドとテジゾリドはオキサゾリジノン系の新しい抗MRSA薬で，細菌のタンパク合成を阻害し，菌の増殖を抑制します。どちらにも注射薬があり，注射薬から投与を開始した患者において，経口投与可能と医師が判断した場合は，同じ用量の錠剤に切り替えることができます。

使用上の注意

＊リネゾリド（ザイボックス）の添付文書による

警告

　本剤の服用に際しては，耐性菌の発現などを防ぐため，感染症の治療に十分な知識と経験を持つ医師のもとで治療を受けなければなりません。

基本的注意

(1)服用してはいけない場合……本剤の成分に対するアレルギーの前歴

(2)慎重に服用すべき場合……貧血・白血球減少・汎血球減少・血小板減少などの骨髄機能抑制のある人／骨髄機能抑制作用のある薬剤との併用が必要な人／感染症のため，長期にわたって他の抗菌薬を本剤の服用前に服用していた人あるいは本剤と併用して服用する人／14日を超えて本剤を服用する可能性のある人／高度の腎機能障害／体重40kg未満の人／授乳婦

(3)耐性菌発現の予防……本剤の服用期間は，本剤の耐性菌が発現しないように，感染部位，重症度，症状などを考慮して決められます。適切な時期に本剤の継続服用が必要か否かを判定し，治療上必要な最小限の期間の服用（28日以下）にとどめられます。

(4)定期検査……貧血，白血球減少，汎血球減少，血小板減少などの骨髄機能抑制や低ナトリウム血症がおこることがあるので，定期的に血液検査を受ける必要があります。

(5)代謝性アシドーシス……本剤を服用すると乳酸アシドーシスなどの代謝性アシドーシスが現れることがあります。吐きけ，嘔吐の症状が繰り返し現れた場合には，直ちに処方医へ連絡してください。

(6)服用終了後も注意……本剤は，服用中だけでなく，服用終了後2〜3週間までに副作用が現れることがあります。繰り返す下痢，出血を伴う下痢，腹痛などが現れたら偽膜性大腸炎のおそれがあるので，ただちに処方医へ連絡してください。

(7)飲食物……服用中に，チラミンを多く含む飲食物（チーズ，ビール，赤ワインなど）をとると，血圧上昇や動悸がおこることがあります。服用中は，これらの飲食物を過量に（1食あたりチラミン100mg以上）摂取しないようにしてください。（チラミン含有量：チーズ→0〜5.3mg/10g，ビール→1.1mg/100mL，赤ワイン→0〜2.5mg/100mL）

(8)その他……

● 妊婦での安全性：有益と判断されたときのみ服用。

● 授乳婦での安全性：治療上の有益性・母乳栄養の有益性を考慮し，授乳の継続・中止を検討。（1714頁を参照）

重大な副作用
　　　　　　　　　[リネゾリド，テジゾリドリン酸エステル]　①貧血，白血球減少，血小板減少，汎血球減少などの骨髄機能抑制。②代謝性アシドーシス（乳酸ア

シドーシスなど）。③偽膜性大腸炎（腹痛，頻回の下痢）。④視神経症。
[リネゾリドのみ] ⑤ショック，アナフィラキシー。⑥間質性肺炎。⑦腎不全。⑧低ナトリウム血症（意識障害，吐きけ・嘔吐，食欲不振など）。⑨肝機能障害。

　そのほかにも報告された副作用はあるので，体調がいつもと違うと感じたときは，処方医・薬剤師に相談してください。

併用してはいけない薬　　　併用してはいけない薬は特にありません。ただし，併用する薬があるときは，念のため処方医・薬剤師に報告してください。

内 15 抗菌製剤と結核の薬　01 抗菌製剤
05 ニューモシスチス肺炎治療薬

⚗ 製 剤 情 報

一般名：アトバコン
- 保険収載年月…2012年4月
- 海外評価…6点 英 米 独 仏 ● PC…C
- 剤形…液 液剤
- 服用量と回数…ニューモシスチス肺炎の治療：

1回5mLを1日2回21日間，食後に服用。ニューモシスチス肺炎の発症抑制：1回10mLを1日1回，食後に服用。

■ **先発品**　　**商品名(メーカー)**　規格・保険薬価

サムチレール内用懸濁液（グラクソ）
液 750mg5mL 1包 1,471.10 円

📋 概　　要

分類　ニューモシスチス肺炎治療薬

処方目的　　ニューモシスチス肺炎，ニューモシスチス肺炎の発症抑制

解説　　ニューモシスチス肺炎は，ニューモシスチス・イロベチーという真菌によって引きおこされる肺炎です。多くの人の肺に定着しており，HIV 感染症や血液腫瘍疾患などで免疫機能が低下すると発症する代表的な日和見感染症です。ニューモシスチス肺炎の治療には通常，スルファメトキサゾール・トリメトプリム配合剤（ST 合剤）が使われますが，副作用により ST 合剤の使用が困難な場合に本剤を使用します。

📝 使用上の注意

基本的注意

(1) 服用してはいけない場合……本剤の成分に対するアレルギーの前歴
(2) 慎重に服用すべき場合……重い腎機能障害／重い肝機能障害
(3) その他……

- 妊婦での安全性：有益と判断されたときのみ服用。
- 授乳婦での安全性：治療上の有益性・母乳栄養の有益性を考慮し，授乳の継続・中止を検討。
- 小児での安全性：未確立。（1714 頁を参照）

重大な副作用　　　①皮膚粘膜眼症候群（スティブンス-ジョンソン症候群），多形紅斑。②重い肝機能障害。③無顆粒球症，白血球減少。

そのほかにも報告された副作用はあるので，体調がいつもと違うと感じたときは，処方医・薬剤師に相談してください。

併用してはいけない薬　　併用してはいけない薬は特にありません。ただし，併用する薬があるときは，念のため処方医・薬剤師に報告してください。

内 15 抗菌製剤と結核の薬　02 結核の薬

01 パラアミノサリチル酸カルシウム水和物

製剤情報

一般名：パラアミノサリチル酸カルシウム水和物
- 保険収載年月…1954年1月
- 海外評価…4点 英 米 独 仏　●PC…C
- 剤形…顆 顆粒剤
- 服用量と回数…1日10〜15gを2〜3回に分けて服用。

■先発品　商品名(メーカー)　規格・保険薬価
ニッパスカルシウム (田辺三菱) 顆 1g 30.50 円

一般名：アルミノパラアミノサリチル酸カルシウム水和物
- 保険収載年月…1957年4月
- 剤形…顆 顆粒剤
- 服用量と回数…1日10〜15gを2〜3回に分けて服用。

■先発品　商品名(メーカー)　規格・保険薬価
アルミノニッパスカルシウム (田辺三菱)
顆 1g 32.80 円

概　要

分類　抗結核化学療法剤

処方目的　肺結核，その他の結核症

解説　本剤は，現在用いられている抗結核薬のうちではいちばん古くからあるもので，1946年にスウェーデンのレーマンによって発見されています。耐性菌が生じにくく，ストレプトマイシンやイソニアジドと併用することで，それらに対する耐性菌の出現を阻止します。副作用は比較的少ないのですが，服用量が1日10〜15gと多く，胃腸障害が現れることがあります。一般に「パス」と呼ばれています。

使用上の注意

*パラアミノサリチル酸カルシウム水和物(ニッパスカルシウム)の添付文書による

基本的注意

(1)服用してはいけない場合……高カルシウム血症

(2)慎重に服用すべき場合……肝機能障害，腎機能障害，血液障害／薬物過敏症の前歴

(3)その他……

- 妊婦での安全性：原則として服用しない。
- 授乳婦での安全性：原則として服用しない。やむを得ず服用するときは授乳を中止。
 （1714 頁を参照）

重大な副作用　　①無顆粒球症，溶血性貧血。②肝炎，黄疸など。

[アルミノパラアミノサリチル酸カルシウム水和物]③低リン血症。

そのほかにも報告された副作用はあるので，体調がいつもと違うと感じたときは，処方医・薬剤師に相談してください。

併用してはいけない薬　併用してはいけない薬は特にありません。ただし，併用する薬があるときは，念のため処方医・薬剤師に報告してください。

内 15 抗菌製剤と結核の薬　02 結核の薬

02　イソニアジド

製剤情報

一般名：イソニアジド
- 保険収載年月…1960年6月
- 海外評価…6点 英米独仏　●PC…C
- 剤形…錠 錠剤，末 末剤
- 服用量と回数…1日200～500mg（4～10mg／kg（体重））を1～3回に分けて服用，毎日または週2日。成人では1日1g，13歳未満では1日20mg／kg（体重）まで増量できる。

■**先発品**　商品名（メーカー）　規格・保険薬価

イスコチン（アルフレッサ）錠	100mg 1錠 9.80 円
イスコチン原末（アルフレッサ）末	1g 8.70 円
ヒドラ（大塚工場＝大塚）錠	50mg 1錠 9.80 円

一般名：イソニアジドメタンスルホン酸ナトリウム水和物
- 保険収載年月…1960年6月
- 剤形…錠 錠剤，末 末剤
- 服用量と回数…1日0.4～1g（8～20mg／kg（体重））を1～3回に分けて服用，毎日または週2日。1日1.5gまで増量できる。

■**先発品**　商品名（メーカー）　規格・保険薬価

| ネオイスコチン（アルフレッサ）錠 | 100mg 1錠 5.80 円 |
| ネオイスコチン原末（アルフレッサ）末 | 1g 13.10 円 |

概　要

分類　抗結核化学療法剤
処方目的　肺結核，その他の結核症
解説　パスと同様に，古くから使われていますが，耐性菌がやや発現しやすい傾向があります。一般に，INAH（アイナー）と呼ばれています。

使用上の注意

＊イスコチン，ネオイスコチンの添付文書による

基本的注意

(1)服用してはいけない場合……重い肝機能障害
(2)慎重に服用すべき場合……肝機能障害，またはその前歴，あるいはその疑いのある人／腎機能障害またはその疑いのある人／精神障害の前歴／アルコール中毒／てんかんなどのけいれん性疾患またはこれらの前歴／薬物過敏症／血液障害，出血傾向
(3)定期検査……他の抗結核薬（リファンピシンなど）と併用すると，重い肝機能障害がおこることがあるので，併用する場合は，定期的に肝機能検査を受ける必要があります。

(4)**飲食物**……本剤を服用中に，①ヒスチジンを多く含む魚（マグロ，イワシ，サバなど）を食べると，頭痛，紅斑，嘔吐，かゆみなどのヒスタミン中毒症状がおこることがあります。服用中はこれらの魚を控えめにしてください。②また，チラミンを多く含む飲食物（チーズ，ビール，赤ワインなど）をとると，血圧上昇や動悸がおこることがあります。服用中は，これらの飲食物を過量に（1食あたりチラミン100mg以上）摂取しないようにしてください。（チラミン含有量：チーズ→0～5.3mg/10g，ビール→1.1mg/100mL，赤ワイン→0～2.5mg/100mL）

(5)**その他**……
- 妊婦での安全性：原則として服用しない。
- 授乳婦での安全性：服用するときは授乳を中止。（1714頁を参照）

重大な副作用　　①劇症肝炎などの重い肝機能障害。②皮膚粘膜眼症候群（スティブンス-ジョンソン症候群），中毒性表皮壊死融解症（TEN），紅皮症（剥脱性皮膚炎）。③間質性肺炎（発熱，せき，呼吸困難など）。④発熱，紅斑，筋肉痛，関節炎，関節痛，リンパ節腫脹などを伴うSLE（全身性エリテマトーデス）様症状。⑤けいれん。⑥血小板減少，無顆粒球症。⑦腎不全，間質性腎炎，ネフローゼ症候群。⑧視神経炎，視神経萎縮。⑨末梢神経炎。⑩薬剤性過敏症症候群。

　そのほかにも報告された副作用はあるので，体調がいつもと違うと感じたときは，処方医・薬剤師に相談してください。

併用してはいけない薬　　併用してはいけない薬は特にありません。ただし，併用する薬があるときは，念のため処方医・薬剤師に報告してください。

内 15 抗菌製剤と結核の薬　02 結核の薬

03　エチオナミド

製剤情報

一般名：エチオナミド
- 保険収載年月…1965年11月
- 海外評価…2点 英 米 独 仏　● PC…C
- 剤形…錠 錠剤

- 服用量と回数…初日は1日300mg, 2日目以降は1日500～700mgを1～3回に分けて服用。

■**先発品**　**商品名(メーカー)**　**規格・保険薬価**

ツベルミン (MeijiSeika) 錠 100mg 1錠 126.40円

概要

分類　抗結核化学療法剤

処方目的　肺結核，その他の結核症

解説　INAH（アイナー）に対する耐性菌にも有効で，他の抗結核薬と併用すると，耐性菌が出現するのを遅らせるといわれています。1314THと呼ばれることがあります。

使用上の注意

基本的注意

(1)**慎重に服用すべき場合**……肝機能障害／腎機能障害またはその疑いのある人／高齢者

(2)**動物実験**……メスのマウスで長期間強制経口投与したところ，甲状腺がんが発生したとの報告があります。

(3)**定期検査**……他の抗結核薬(リファンピシンなど)と併用すると，重い肝機能障害がおこることがあるので，併用する場合は，定期的に肝機能検査を受ける必要があります。

(4)**その他**……

●妊婦での安全性：原則として服用しない。(1714頁を参照)

重大な副作用
①重い肝機能障害(劇症肝炎，急性肝炎など)。

そのほかにも報告された副作用はあるので，体調がいつもと違うと感じたときは，処方医・薬剤師に相談してください。

併用してはいけない薬
併用してはいけない薬は特にありません。ただし，併用する薬があるときは，念のため処方医・薬剤師に報告してください。

内 15 抗菌製剤と結核の薬　02 結核の薬

04 エタンブトール塩酸塩

製剤情報

一般名：エタンブトール塩酸塩

●保険収載年月…1967年1月

●海外評価…6点 英 米 独 仏　●PC…C

●規制…劇薬

●剤形…錠 錠剤

●服用量と回数…肺結核・その他の結核症：1日750〜1,000mgを1〜2回に分けて服用。MAC症を含む非結核性抗酸菌症：1日1回500〜750mg, 1日最大1,000mg。

■**先発品**　商品名(メーカー)　規格・保険薬価

エサンブトール 写真 (サンド)
錠 125mg 1錠 6.50円　錠 250mg 1錠 13.50円

エブトール 写真 (科研)　錠 125mg 1錠 8.50円
錠 250mg 1錠 16.70円

概　要

分類　抗結核化学療法剤

処方目的　肺結核，その他の結核症／マイコバクテリウム・アビウムコンプレックス(MAC)症を含む非結核性抗酸菌症

解説　視力障害がおこりやすいことで有名な薬です。服用する人は，「基本的注意」の(4)をよく理解しておく必要があります。

使用上の注意
*エタンブトール塩酸塩(エブトール)の添付文書による

基本的注意

(1)服用してはいけない場合……本剤の成分に対するアレルギーの前歴

(2)特に慎重に服用すべき場合(原則禁忌,処方医と連絡を絶やさないこと)……視神経炎／糖尿病／アルコール中毒／乳幼児

(3)慎重に服用すべき場合……腎機能障害

(4)視力障害の予防法……服用により視力障害がおこることがあります。一般に,早期に発見して服用を中止すれば回復しますが,発見が遅れると回復しないこともあるので注意が必要です。高齢者の場合は特に注意しましょう。〈早期発見の方法〉は,①新聞を片目ずつ一定の距離で毎朝読む,②霧の中にいるように見える(霧視),注視している対象物が何となく見えにくい,黒ずんで見える,色調が変わって見えるなどの症状に気をつける,③視力などの定期検査を必ず受けることです。異常がみられたら,ただちに処方医へ連絡してください。

(5)定期検査……他の抗結核薬(リファンピシンなど)と併用すると,重い肝機能障害がおこることがあるので,併用する場合は,定期的に肝機能検査を受ける必要があります。

(6)その他……

● 妊婦での安全性：未確立。有益と判断されたときのみ服用。

● 授乳婦での安全性：服用するときは授乳中止。(1714頁を参照)

重大な副作用

①視神経障害による視力低下,中心暗点,視野狭窄,色神異常など。②劇症肝炎などの重い肝機能障害。③ショック,アナフィラキシー(呼吸困難,全身潮紅,顔面・喉頭浮腫,じん麻疹など)。④間質性肺炎,好酸球性肺炎(発熱,せき,呼吸困難など)。⑤皮膚粘膜眼症候群(スティーブンス-ジョンソン症候群),中毒性表皮壊死融解症(TEN),紅皮症(剥脱性皮膚炎)。⑥血小板減少。

そのほかにも報告された副作用はあるので,体調がいつもと違うと感じたときは,処方医・薬剤師に相談してください。

併用してはいけない薬

併用してはいけない薬は特にありません。ただし,併用する薬があるときは,念のため処方医・薬剤師に報告してください。

内 15 抗菌製剤と結核の薬　02 結核の薬

05 サイクロセリン

製剤情報

一般名：サイクロセリン

● 保険収載年月…1965年11月

● 海外評価…4点 英 米 独 仏　● PC…C

● 剤形… カ カプセル剤

● 服用量と回数…1回250mgを1日2回。

■先発品　商品名(メーカー)　規格・保険薬価

サイクロセリン (MeijiSeika)

カ 250mg 1カプセル 340.10円

概　要

分類　抗結核抗生物質

処方目的　肺結核，その他の結核症

解説　かびからつくった抗生物質です。結核菌，その他の菌に対する抗菌作用は強くありませんが，ストレプトマイシンやイソニアジド（アイナー）と併用すると，これらの薬剤の効力が増強されます。

使用上の注意

基本的注意

(1)服用してはいけない場合……精神障害（てんかんなど）

(2)慎重に服用すべき場合……腎機能障害

(3)飲酒……本剤は，アルコールの作用を強めることがあります。服用中，飲酒するときは注意してください。

(4)その他……

●妊婦での安全性：未確立。有益と判断されたときのみ服用。

●授乳婦での安全性：服用するときは授乳を中止。（1714頁を参照）

重大な副作用　①精神錯乱，てんかん様発作，けいれん。

　そのほかにも報告された副作用はあるので，体調がいつもと違うと感じたときは，処方医・薬剤師に相談してください。

併用してはいけない薬　併用してはいけない薬は特にありません。ただし，併用する薬があるときは，念のため処方医・薬剤師に報告してください。

内 **15** 抗菌製剤と結核の薬　**02** 結核の薬

06　リファンピシン

製剤情報

一般名：リファンピシン

●保険収載年月…1971年9月

●海外評価…6点 英米独仏　●PC…C

●剤形…カ カプセル剤

●服用量と回数…肺結核・その他の結核症：1日1回450mg（感性併用剤のある場合は週2日も可能）。ハンセン病：1回600mgを1カ月に1〜2回，または1回450mgを毎日1回。MAC症を含む非結核性抗酸菌症：1日1回450mg，1日最大600mg。

■**先発品**　商品名（メーカー）　規格・保険薬価

リファジン 写真 （第一三共）カ 150mg 1カプセル 19.80 円

■**ジェネリック**　商品名（メーカー）　規格・保険薬価

リファンピシン（サンド＝ニプロ）
カ 150mg 1カプセル 12.10 円

概　要

分類　抗結核抗生物質

処方目的　肺結核，その他の結核症／マイコバクテリウム・アビウムコンプレックス（MAC）症を含む非結核性抗酸菌症／ハンセン病

[有効菌種] マイコバクテリウム属

解説 細菌のリボ核酸(RNA)合成の初期段階を阻害して, 抗菌作用を示します。抗生物質リファマイシンの誘導体で, 2011年5月に結核, ハンセン病に加えて非結核性抗酸菌症が適応症となりました。

エタンブトール塩酸塩との協力作用が強いといわれています。原則として朝食前空腹時に服用します。

使用上の注意

*リファンピシン(リファジン)の添付文書による

基本的注意

(1)**服用してはいけない場合**……胆道閉塞症, 重い肝機能障害／ルラシドン塩酸塩, タダラフィル(アドシルカ), マシテンタン, ペマフィブラート, チカグレロル, ロルラチニブ, ボリコナゾール, HIV感染症治療薬(ホスアンプレナビル, アタザナビル, リルピビリン, オデフシィ配合錠, ジャルカ配合錠, スタリビルド配合錠, ゲンボイヤ配合錠, ドラビリン, ビクタルビ配合錠), C型肝炎治療薬(ソホスブビル, ハーボニー配合錠, エプクルーサ配合錠, マヴィレット配合錠, エルバスビル, グラゾプレビル), テノホビルアラフェナミド, アメナメビル, リアメット配合錠, プラジカンテルの服用中／本剤の成分に対するアレルギーの前歴

(2)**慎重に服用すべき場合**……アレルギーの前歴／間欠服用または服用を一時中止して再服用する人／副腎皮質不全／慢性甲状腺炎／肝機能障害またはその前歴

(3)**尿などの色**……本剤を服用すると, 尿, 大便, 唾液, たん, 汗, 涙が橙赤色に着色することがあります。また, コンタクトレンズが変色することもあります。心配はありませんが, その旨を処方医へ伝えてください。

(4)**ピル(経口避妊薬)服用中**……本剤は, 黄体・卵胞ホルモン混合製剤の月経周期調整作用を弱めることがあります。低用量ピルを長期に服用している女性は, 必ず処方医に相談してください。

(5)**事前に伝達**……服用によって, 色素排泄試験(BSPまたはICG試験)で排泄の遅延がみられることがあります。また, 微生物学的検査法による血清中の葉酸, ビタミンB_{12}の値が異常を示すことがあります。検査を受けるときは事前にその旨を伝えてください。

(6)**定期検査**……他の抗結核薬と併用すると, 重い肝機能障害がおこることがあるので, 併用する場合は, 定期的に肝機能検査を受ける必要があります。

(7)**その他**……

●妊婦での安全性:原則として服用しない。

●授乳婦での安全性:有益と判断されたときのみ服用。(1714頁を参照)

重大な副作用 ①劇症肝炎などの重い肝機能障害。②ショック, アナフィラキシー(悪寒, 顔面潮紅, 呼吸困難など)。③腎不全, ネフローゼ症候群, 間質性腎炎。④溶血性貧血, 無顆粒球症, 血小板減少。⑤皮膚粘膜眼症候群(スティブンス-ジョンソン症候群), 中毒性表皮壊死融解症(TEN), 扁平苔癬型皮疹, 天疱瘡様・類天疱瘡様皮疹, 紅皮症(剥脱性皮膚炎)。⑥偽膜性大腸炎などの血便を伴う重い大腸炎。⑦間質性肺炎。

そのほかにも報告された副作用はあるので，体調がいつもと違うと感じたときは，処方医・薬剤師に相談してください。

併用してはいけない薬 ①ルラシドン塩酸塩，タダラフィル（アドシルカ），マシテンタン，ペマフィブラート，チカグレロル，ボリコナゾール，HIV感染症治療薬（ホスアンプレナビル，アタザナビル，リルピビリン，オデフシィ配合錠，ジャルカ配合錠，スタリビルド配合錠，ゲンボイヤ配合錠，ドラビリン，ビクタルビ配合錠），C型肝炎治療薬（ソホスブビル，ハーボニー配合錠，エプクルーサ配合錠，マヴィレット配合錠，エルバスビル），テノホビルアラフェナミド，アメナメビル，リアメット配合錠，プラジカンテル→これらの薬剤の作用が弱まるおそれがあります。
②ロルラチニブ→肝機能検査のALT，ASTが上昇するおそれがあります。
③グラゾプレビル→併用初期にグラゾプレビルの血中濃度が上昇するおそれがあります。また，併用継続により，併用初期よりもグラゾプレビルの血中濃度が低下するおそれがあります。

内 15 抗菌製剤と結核の薬　02 結核の薬
07 リファブチン

製剤情報

一般名：リファブチン
- 保険収載年月…2008年9月
- 海外評価…5点 英米独仏　●PC…B
- 剤形…カ カプセル剤
- 服用量と回数…1日1回300mg。結核症：1日1回150～300mg。多剤耐性結核症：1日1回300～450mg。

■先発品　商品名（メーカー）　規格・保険薬価
ミコブティン（ファイザー）
カ 150mg 1カプセル 764.30円

概要

分類 抗酸菌症治療薬
処方目的 結核症／マイコバクテリウム・アビウムコンプレックス（MAC）症を含む非結核性抗酸菌症／HIV感染患者における播種性MAC症の発症抑制
[有効菌種] マイコバクテリウム属
解説 抗酸菌とは表面が脂質や蠟質でおおわれ，酸に対して強い抵抗力をもつ菌のことです。結核菌が代表的ですが，MAC菌（マイコバクテリウム・アビウム・イントラセルラーレ）などの非結核性抗酸菌も存在します。結核の減少とは逆に，この非結核性抗酸菌が原因の発病者（抗酸菌症）が増えてきており，確実に有効な薬がないため，患者数が多くなってきています。

本剤は，これらの菌のリボ核酸（RNA）合成を抑制することにより抗菌作用を示し，結核や非結核性抗酸菌症の治療，さらにHIVに感染している患者さんが発症しやすい抗酸菌症の抑制に効果が期待されています。また，抗菌薬として日本で初めてHIV非感

染者の非結核性抗酸菌症への適応が認められました。

使用上の注意

基本的注意

(1)服用してはいけない場合……本剤の成分または他のリファマイシン系薬剤(リファンピシン)に対するアレルギーの前歴／ボリコナゾール，グラゾプレビル水和物，エルバスビル，チカグレロル，リアメット配合錠，オデフシィ配合錠の服用中

(2)慎重に服用する場合……重度の肝機能障害／重度の腎機能障害

(3)定期検査……白血球減少症，血小板減少症などの血液障害や肝機能障害がおこることがあるので，定期的に検査を受ける必要があります。

(4)尿などの色……本剤を服用すると，尿，大便，唾液，たん，汗，涙が橙赤色に着色することがあります。また，コンタクトレンズが変色することもあります。心配はありませんが，その旨を処方医へ伝えてください。

(5)ピル(経口避妊薬)服用中……本剤は，黄体・卵胞ホルモン混合製剤の月経周期調整作用を弱めることがあります。低用量ピルを長期に服用している女性は，必ず処方医に相談してください。

(6)その他……

● 妊婦での安全性：有益と判断されたときのみ服用。

● 授乳婦での安全性：服用するときは授乳を中止。

● 小児での安全性：未確立。(1714頁を参照)

重大な副作用

①白血球減少，貧血，血小板減少，汎血球減少。②肝機能障害，黄疸，肝炎。③ショック。④心停止，心室細動，不整脈。⑤脳出血。⑥溶血性貧血。⑦消化管出血(吐血，メレナ，胃腸出血)。⑧偽膜性大腸炎。⑨深部静脈血栓症，血栓性血小板減少性紫斑病。⑩腎機能障害。⑪筋痙縮。⑫けいれん。⑬精神病性障害。⑭歩行障害。⑮ブドウ膜炎。

そのほかにも報告された副作用はあるので，体調がいつもと違うと感じたときは，処方医・薬剤師に相談してください。

併用してはいけない薬

①ボリコナゾール→本剤の作用が増強するおそれがあります。また，ボリコナゾールの作用が減弱するおそれがあります。②グラゾプレビル水和物，エルバスビル，チカグレロル，リアメット配合錠，オデフシィ配合錠→これらの薬剤の作用が弱まるおそれがあります。

内 15 抗菌製剤と結核の薬　02 結核の薬

08 多剤耐性肺結核治療薬

製剤情報

一般名：デラマニド

● 保険収載年月…2014年9月

● 海外評価…4点 英 米 独 仏

● 規制…劇薬

● 剤形…錠 錠剤

- 服用量と回数…1回100mgを1日2回, 朝食・夕食後に服用。

■先発品	商品名(メーカー)	規格・保険薬価
デルティバ (大塚) 錠 50mg 1錠 5,999.20円		

一般名：ベダキリンフマル酸塩

- 保険収載年月…2018年4月
- 海外評価…6点 英 米 独 仏 ・PC…B

■ 概　　要

分類　結核化学療法薬

処方目的　多剤耐性肺結核

解説　結核は現在では治癒する病気ですが, 治療薬が効きにくい多剤耐性肺結核は根治が難しく, 治癒率は向上していません。デラマニドは, 結核菌の細胞壁を構成するミコール酸の生成を阻害することで殺菌効果を示す, 新たなメカニズムをもつ国内初の多剤耐性肺結核治療薬です。ベダキリンフマル酸塩はデラマニドに続いて発売された二つめの多剤耐性肺結核治療薬で, 結核菌のATP合成酵素を特異的に阻害することで殺菌効果を示します。

どちらも, 結核治療の第一選択薬で長期間使用されるイソニアジド, リファンピシンに耐性を有する場合に限って使用されます。

☞ 使用上の注意

＊両剤の添付文書による

警告

①本剤に対する耐性菌の発現を防ぐため, 結核症の治療に十分な知識と経験をもつ医師またはその指導のもとで服用し, 適正使用に努めること。[本剤の使用は, 製造販売業者が行うRAP(Responsible Access Program)に登録された医師・薬剤師のいる登録医療機関・薬局において, 登録患者に対して使用します。]

②本剤の服用により心電図のQT延長が現れるおそれがあるので, 服用開始前および服用中は定期的に心電図検査, 電解質および血清アルブミンの検査を行い, リスクとベネフィットを考慮して本剤の服用を慎重に判断しなければなりません。

基本的注意

(1)服用してはいけない場合……本剤の成分に対するアレルギーの前歴／[デラマニドのみ]妊婦または妊娠している可能性のある人

(2)慎重に服用すべき場合……QT延長(先天性QT延長症候群など)／QT延長をおこすことが知られている薬剤の服用中

[デラマニド]QT延長をおこしやすい状態(著明な徐脈, 電解質異常〔低カリウム血症, 低マグネシウム血症, 低カルシウム血症〕, 心疾患)／肝機能障害／低アルブミン血症／高齢者

- 規制…劇薬
- 剤形…錠 錠剤
- 服用量と回数…服用開始後2週間は1日1回400mgを食直後に服用。3週以降は1回200mgを週3回, 48時間以上の間隔をあけて食直後に服用。

■先発品	商品名(メーカー)	規格・保険薬価
サチュロ (ヤンセン) 錠 100mg 1錠 22,277.50円		

内
15
―
02
―
08

多剤耐性肺結核治療薬

[ベダキリンフマル酸塩] QT 延長をおこしやすい状態(電解質異常〔低カリウム血症，低マグネシウム血症，低カルシウム血症〕，QT 延長症候群の前歴または家族歴，甲状腺機能低下の前歴または合併，徐脈性不整脈の前歴または合併，トルサード・ドゥ・ポワントの前歴)

(3)その他……

● 妊婦での安全性：[ベダキリンフマル酸塩]未確立。有益と判断されたときのみ服用。

● 授乳婦での安全性：服用するときは授乳を中止。

● 小児での安全性：未確立。(1714 頁を参照)

重大な副作用 　①QT 延長。

[ベダキリンフマル酸塩のみ] ②肝機能障害。

　そのほかにも報告された副作用はあるので，体調がいつもと違うと感じたときは，処方医・薬剤師に相談してください。

併用してはいけない薬 　併用してはいけない薬は特にありません。ただし，併用する薬があるときは，念のため処方医・薬剤師に報告してください。

内服 16 がんに使われる内服薬

薬剤番号 16-01-01 〜 16-08-13

■各種の抗がん薬と，がん治療に使われるその他の薬剤を説明します

◆免疫力を増強させる薬

◆がん細胞の DNA を破壊したり複製を阻止するアルキル化剤

◆がん細胞の分裂増殖に必要な生合成の過程を阻害する代謝拮抗薬

◆動植物から抽出した成分に基づく薬や，抗がん作用のあるホルモン剤など

◆がん増殖に必要な酵素を選択的に阻害するなどの作用を持つ分子標的治療薬

◆抗がん薬の副作用を軽減する薬や，がん特有の痛みを和らげる薬など

■副作用・相互作用に注意すべき薬

　現時点の抗がん薬においては，副作用はある程度は受忍すべきものとして使用される場合がほとんどです。

　アルキル化剤，代謝拮抗薬では無顆粒球症，白血球減少など骨髄機能の状況や，肝臓・腎臓機能の検査値，消化器症状などを確認しながら，服薬の継続あるいは休薬や減量のタイミングを考慮します。副作用が比較的軽いホルモン療法薬でも，乳がんに用いる抗エストロゲン薬では血栓塞栓症のリスクが上がりますし，前立腺がんに用いる抗男性ホルモン薬での女性化乳房などはやむを得ないものです。どこまで受忍するか，主治医とのコミュニケーションがとても大切です。

　抗がん薬での相互作用は，1993 年におきたヘルペス治療薬ソリブジンとフルオロウラシルのケースのように，死亡を含む重大なケースに発展する場合があります。もともと細胞毒性が強い成分が多く使用されているので，その代謝に影響を及ぼす薬剤は慎重に併用する必要があります。

　フルオロウラシル系の抗がん薬で治療中に，治療法（使用する薬剤）を変更する場合があります。その際には，休薬期間（たとえばどちらの薬剤も 7 日間服用しないなど）が必要となります。薬剤が変更になったので翌日から連続して服用したために，重篤な副作用が現れた例も報告されています。

内服
16

◉ 薬剤師の眼

負担の少ない「がん休眠療法」はなぜ普及しないのか

　日本でも一部の医師が実践している「がん休眠療法（休火山療法）」というものがあります。1990 年代に当時の金沢大学助教授の高橋豊医師が提唱した「がんの増殖，発育を抑制して，がんと長く共存する」抗がん薬治療法です。

　いわゆる標準療法では，「がん細胞をできる限り叩き，小さくする」ことが評価の対象でした。つまり抗がん薬として認められるためには，使用量は患者さんが耐えられるギリギリの量が設定され，その結果，がんは縮小したが副作用により治療が継続できなくなるケースが多々ありました。

　がん休眠療法は，副作用が出ない程度の少ない抗がん薬で「少しでも長く，がんが大きくならない」ことを目標に，つまり，がんと少しでも長く共存することを目標とします。がんは縮小するが副作用発現の可能性が高い治療法と，がんは縮小しないが増大を抑える最小限の抗がん薬で穏やかな日々を 1 日でも長く保つ治療法。患者の立場なら多くの人が後者を選ぶのではないでしょうか。

　患者さんの身体的負担が少なく，薬剤使用量も少ないので健康保険財政の負担も少ないこの治療法がどうして普及しないのか，不思議でなりません。

内 16 がんに使われる内服薬　01 免疫増強剤

01　ウベニメクス

製剤情報

一般名：ウベニメクス
- 発売年月…1987年6月
- 海外評価…0点 英 米 独 仏

- 剤形… カ カプセル剤
- ■ 先発品　商品名(メーカー)　規格・保険薬価

ベスタチン (日本化薬) カ 10mg 1ᵃ²ᵖ 554.50 円
カ 30mg 1ᵃ²ᵖ 949.20 円

概要

分類　免疫増強剤

処方目的　成人急性非リンパ性白血病に対する完全緩解導入後の維持強化化学療法剤との併用による生存期間の延長

解説　この薬は 2018 年に販売中止となったクレスチン(PSK)と同じように，薬としては日本でしか通用していません。1 日量薬価が 30mg で 949 円と高価であるのも気になります。

使用上の注意

基本的注意

(1)動物での試験……本剤をラットに 4 週間，餌に混ぜて与えた試験において，25mg/kg(体重)/日以上の投与量で腎臓の変性・壊死が認められています。
(2)その他……
- 妊婦での安全性：有益と判断されたときのみ服用。
- 授乳婦での安全性：原則として服用しない。
- 小児での安全性：未確立。(1714 頁を参照)

重大な副作用　重大な副作用はありませんが，そのほかの副作用はあるので，体調がいつもと違うと感じたときは，処方医・薬剤師に相談してください。

併用してはいけない薬　併用してはいけない薬は特にありません。ただし，併用する薬があるときは，念のため処方医・薬剤師に報告してください。

内 16 がんに使われる内服薬　02 アルキル化剤

01　シクロホスファミド水和物

製剤情報

一般名：シクロホスファミド水和物
- 保険収載年月…1992年7月
- 海外評価…6点 英 米 独 仏　●PC…D
- 規制…劇薬

- 剤形… 錠 錠剤，末 末剤
- ■ 先発品　商品名(メーカー)　規格・保険薬価

エンドキサン (塩野義) 錠 50mg 1錠 25.90 円
経口用エンドキサン原末 (塩野義)
末 100mg 1瓶 160.30 円

概　要

分類　ナイトロジェンマスタード系薬剤

処方目的　①次の疾患の自覚的・他覚的症状の緩解→多発性骨髄腫，悪性リンパ腫（ホジキン病，リンパ肉腫，細網肉腫），乳がん，急性白血病，真性多血症，肺がん，神経腫瘍（神経芽腫，網膜芽腫），骨腫瘍。ただし，次の疾患については他の抗腫瘍薬と併用することが必要。→慢性リンパ性白血病，慢性骨髄性白血病，咽頭がん，胃がん，膵がん，肝がん，結腸がん，子宮頸がん，子宮体がん，卵巣がん，睾丸腫瘍，絨毛性疾患（絨毛がん，破壊胞状奇胎，胞状奇胎），横紋筋肉腫，悪性黒色腫

②細胞移植に伴う免疫反応の抑制

③全身性 AL アミロイドーシス

④治療抵抗性の次のリウマチ性疾患：全身性エリテマトーデス，全身性血管炎（顕微鏡的多発血管炎，多発血管炎性肉芽腫症，結節性多発動脈炎，好酸球性多発血管炎性肉芽腫症，高安動脈炎など），多発性筋炎・皮膚筋炎，強皮症，混合性結合組織病，および血管炎を伴う難治性リウマチ性疾患

⑤ネフローゼ症候群（副腎皮質ステロイド薬による適切な治療を行っても十分な効果がみられない場合に限る）

解説　毒ガス兵器マスタードガスから導き出された代表的なアルキル化剤です。さまざまながんの治療に用いられるほか，全身性 AL アミロイドーシス，治療抵抗性のリウマチ性疾患（全身性エリテマトーデスなど），ネフローゼ症候群，さらに細胞移植に伴う免疫反応の抑制にも使用されます。全身性 AL アミロイドーシスの場合は他の薬剤と併用します。

使用上の注意

＊シクロホスファミド水和物（エンドキサン）の添付文書による

警告

①本剤とペントスタチンを併用してはいけません。外国で，錯乱，呼吸困難，低血圧，肺水腫などが現れ，心毒性により死亡した例が報告されています。

②本剤を含むがん化学療法は，緊急時に十分対応できる医療施設において，がん化学療法に十分な知識・経験をもつ医師に，本療法の有効性・危険性を十分に聞き・たずね，同意してから受けなければなりません。

③全身性 AL アミロイドーシス，治療抵抗性のリウマチ性疾患，ネフローゼ症候群の人が本剤を服用する場合には，緊急時に十分対応できる医療施設において，本剤についての十分な知識とこれらの疾患の治療の経験をもつ医師のもとで行わなければなりません。

基本的注意

（1）服用してはいけない場合……ペントスタチンの使用中／重症感染症の合併／本剤の成分に対する重いアレルギーの前歴

（2）慎重に服用すべき場合……肝機能障害／腎機能障害／骨髄機能抑制／感染症の合併／水痘／小児

（3）頻回に検査……骨髄機能抑制，出血性膀胱炎などの重い副作用がおこることがあるので，頻回に血液，尿，肝機能，腎機能などの検査を受ける必要があります。

(4)尿量の増加……出血性膀胱炎を防ぐため尿量の増加をはかってください。

(5)水痘……水痘(水ぼうそう)の人が服用すると，致命的な全身状態が現れることがあるので，状態に十分注意してください。

(6)感染症，出血傾向……服用によって，感染症，出血傾向の発現または悪化がおこりやすくなるので，状態に十分注意してください。

(7)二次発がん……服用によって急性白血病，骨髄異形成症候群(MDS)，膀胱腫瘍，悪性リンパ腫，腎盂・尿管腫瘍などが発生したとの報告があります。

(8)避妊……本剤は，動物試験で胚・胎児の死亡および催奇形作用が報告されています。妊娠中に本剤を使用するか，本剤を使用中に妊娠した場合は，胎児に異常が生じる危険性があります。妊娠する可能性のある人およびパートナーが妊娠する可能性のある男性は，服用中および服用終了後一定期間は適切な避妊を行ってください。

(9)その他……
● 妊婦での安全性：服用しないことが望ましい。
● 授乳婦での安全性：服用するときは授乳を中止。
● 小児での安全性：未確立。(1714 頁を参照)

重大な副作用　①ショック，アナフィラキシー(血圧低下，呼吸困難，じん麻疹，喘鳴，不快感など)。②骨髄機能抑制(汎血球減少，貧血，白血球減少，血小板減少，出血など)。③出血性膀胱炎，排尿障害。④イレウス(腸閉塞)，胃腸出血。⑤心筋障害，心不全。⑥間質性肺炎，肺線維症。⑦皮膚粘膜眼症候群(スティブンス-ジョンソン症候群)，中毒性表皮壊死融解症(TEN)。⑧肝機能障害，黄疸。⑨急性腎障害などの重い腎機能障害。⑩高張尿，けいれん，意識障害などを伴う抗利尿ホルモン不適合分泌症候群(SIADH)。⑪横紋筋融解症(筋肉痛，脱力感など)。

そのほかにも報告された副作用はあるので，体調がいつもと違うと感じたときは，処方医・薬剤師に相談してください。

併用してはいけない薬　ペントスタチン→錯乱，呼吸困難，低血圧，肺水腫などが現れ，心毒性により死亡した例が報告されています。

内 **16 がんに使われる内服薬　02 アルキル化剤**

02 メルファラン

◎ **製 剤 情 報**

一般名：メルファラン
● 発売年月…1979年5月
● 海外評価…6点 英 米 独 仏　● PC…D
● 規制…毒薬

● 剤形…錠 錠剤

■ **先発品**　商品名(メーカー)　規格・保険薬価
アルケラン (サンドファーマ＝サンド)
錠 2mg 1錠 146.60 円

内
16
―
02
―
02

メルファラン

📋 概　要

分類　アルキル化剤

処方目的　多発性骨髄腫の自覚的・他覚的症状の緩解

解説　多発性骨髄腫の第一選択薬として欧米では1960年代から，わが国でも1979年以来，長年にわたり用いられています。MP療法といって，プレドニゾロンと併用する治療がよく行われています。また，本剤の注射薬は，多発性骨髄腫，白血病，悪性リンパ腫，小児固形がんにおける造血幹細胞移植の前処置に使われます。

✍️ 使用上の注意

基本的注意

(1)服用してはいけない場合……白血球数が2,000/mm³以下，または血小板数が5万/mm³以下に減少した人／本剤の成分に対するアレルギーの前歴

(2)慎重に服用すべき場合……他の化学療法剤の使用中・使用直後／放射線照射中・照射直後／感染症／尿毒症／腎機能障害

(3)血液検査……服用によって骨髄機能抑制がおこるので，十分に血液検査を行う必要があります。特に，白血球数3,000/mm³以下または血小板数10万/mm³以下に減少した場合は骨髄機能が回復するまで減量・休薬が必要です。

(4)避妊……本剤は，動物試験で胚・胎児の死亡および催奇形作用が報告されています。妊娠中に本剤を使用するか，本剤を使用中に妊娠した場合は，胎児に異常が生じる危険性があります。妊娠する可能性のある人およびパートナーが妊娠する可能性のある男性が本剤を使用する場合は，適切な避妊を行ってください。

(5)二次発がん……服用によって急性白血病，骨髄異形成症候群(MDS)が発生したとの報告があります。

(6)その他……

●妊婦での安全性：有益と判断されたときのみ服用。

●授乳婦での安全性：服用するときは授乳を中止。(1714頁を参照)

重大な副作用　①ショック，アナフィラキシー(血圧低下，呼吸困難，じん麻疹，喘鳴，不快感など)。②骨髄機能抑制(汎血球減少，白血球減少，血小板減少，貧血)。③重症の肝機能障害，黄疸。④間質性肺炎，肺線維症。⑤溶血性貧血。

　そのほかにも報告された副作用はあるので，体調がいつもと違うと感じたときは，処方医・薬剤師に相談してください。

併用してはいけない薬　併用してはいけない薬は特にありません。ただし，併用する薬があるときは，念のため処方医・薬剤師に報告してください。

内 16 がんに使われる内服薬　02 アルキル化剤

03　ブスルファン

製剤情報

一般名：ブスルファン
- 発売年月…1957年10月
- 海外評価…6点 英 米 独 仏　●PC…D

- 規制…劇薬
- 剤形…散 散剤

■先発品　　商品名(メーカー)　規格・保険薬価

マブリン (大原) 散 1% 1g 109.10 円

概　要

分類　アルキル化剤

処方目的　慢性骨髄性白血病, 真性多血症の自覚的・他覚的症状の緩解

解説　わが国では散剤しかありませんが, 英米では錠剤として局方に収載されています。胃腸からよく吸収されるので, 内服薬として慢性骨髄性白血病などに用いますが, 完治は難しいといわれています。また, 2006 年に認可された注射薬(ブスルフェクス)は, 造血幹細胞移植の前治療薬として使われています。

使用上の注意

基本的注意

(1)**服用してはいけない場合**……本剤の成分に対する重いアレルギーの前歴

(2)**慎重に服用すべき場合**……肝機能障害／腎機能障害／骨髄機能抑制／感染症の合併／肺機能障害／水痘

(3)**頻回に検査**……骨髄機能抑制, 肺線維症などの重い副作用がおこることがあるので, 頻回に血液, 肝機能, 腎機能などの検査を受ける必要があります。

(4)**性腺への影響**……小児および生殖可能な年齢の人が服用すると, 性腺に影響がでることがあります。処方医とよく相談してください。

(5)**水痘**……水痘(水ぼうそう)の人が服用すると, 致命的な全身状態が現れることがあるので, 状態に十分注意してください。

(6)**感染症, 出血傾向**……服用によって, 感染症, 出血傾向の発現または悪化がおこりやすくなるので, 状態に十分注意してください。

(7)**二次発がん**……服用によって急性白血病, 骨髄異形成症候群(MDS), 固形がんが発生したとの報告があります。

(8)**その他**……

- 妊婦での安全性：原則として服用しない。
- 授乳婦での安全性：服用するときは授乳を中止。(1714 頁を参照)

重大な副作用　　①骨髄機能抑制(白血球減少, 血小板減少, 貧血, 汎血球減少など)。②間質性肺炎, 肺線維症(発熱, せき, 呼吸困難など)。③白内障。

そのほかにも報告された副作用はあるので, 体調がいつもと違うと感じたときは, 処方医・薬剤師に相談してください。

併用してはいけない薬　　併用してはいけない薬は特にありません。ただし，併用する薬があるときは，念のため処方医・薬剤師に報告してください。

内 16 がんに使われる内服薬　02 アルキル化剤

04 テモゾロミド

製剤情報

一般名：テモゾロミド

- 保険収載年月…2006年9月
- 海外評価…6点 英 米 独 仏 ●PC…D
- 規制…毒薬
- 剤形… 錠 錠剤，カ カプセル剤

■先発品　　商品名(メーカー)　規格・保険薬価

| テモダール (MSD) カ 20mg 1カプセル 1,932.40 円 |
| カ 100mg 1カプセル 9,576.60 円 |

■ジェネリック　　商品名(メーカー)　規格・保険薬価

| テモゾロミド (日本化薬) 錠 20mg 1錠 1,018.10 円 |
| 錠 100mg 1錠 5,015.70 円 |

概　要

分類　アルキル化剤

処方目的　悪性神経膠腫／再発または難治性のユーイング肉腫

解説　本剤は，がん細胞の DNA の合成を阻害して死滅させる薬剤です。悪性神経膠腫(グリオーマ)は脳腫瘍の一つで，脳や脊髄に存在する神経膠細胞(グリア細胞)から発生します。ユーイング肉腫は，小児や若年者に最も多く発生する骨(まれに軟部組織)の悪性腫瘍(肉腫)です。初発の悪性神経膠腫では放射線照射と併用して，再発または難治性のユーイング肉腫ではイリノテカン塩酸塩と併用して使用します。

使用上の注意

＊テモゾロミド(テモダール)の添付文書による

警告

①本剤による治療は，緊急時に十分に対応できる医療施設で，がん化学療法の治療に対して十分な知識・経験をもつ医師に，本療法の有効性・危険性を十分に聞き・たずね，同意してから受けなければなりません。

②本剤と放射線照射を併用する場合に，重い副作用や放射線照射による合併症が発現する可能性があるため，放射線照射とがん化学療法の併用治療に十分な知識・経験をもつ医師のもとで実施されなければなりません。

③本剤の投与後にニューモシスチス肺炎が発生することがあるため，適切な措置の実施を考慮する必要があります。

基本的注意

(1)服用してはいけない場合……本剤またはダカルバジンに対するアレルギーの前歴／妊婦または妊娠している可能性のある婦人

(2)慎重に服用すべき場合……骨髄機能抑制／重度の肝機能障害／重度の腎機能障害／感染症の合併／肝炎ウイルスの感染またはその前歴／水痘／小児，高齢者

(3)**服用法**……本剤は空腹時に服用することが望まれます。

(4)**併用療法**……悪性神経膠腫の場合，本剤と他の抗悪性腫瘍薬との併用療法については有効性も安全性も確立していません。初発の場合は放射線照射と併用して，再発の場合は単剤で使用されます。

(5)**頻回に検査**……骨髄機能抑制などの重い副作用がおこることがあるので，頻回に血液，肝機能，腎機能などの検査を受ける必要があります。

(6)**二次発がん**……本剤の治療後に，骨髄異形成症候群（MDS）や骨髄性白血病を含む二次性のがんが発生したとの報告があります。

(7)**ニューモシスチス肺炎**……放射線療法との併用療法を行っている期間中は，特にニューモシスチス肺炎が発症しやすいため，あらかじめ適切な予防措置を行います。

(8)**避妊**……本剤は，動物実験で胎児などの死亡や奇形が認められたとの報告があります。妊婦または妊娠している可能性のある人は，本剤を服用することはできません。また，妊娠が可能な年齢の人は服用期間中，妊娠しないように避妊することが大切です。

(9)**感染症，出血傾向**……服用によって，感染症，出血傾向の発現または悪化がおこりやすくなるので，状態に十分注意してください。

(10)**性腺への影響**……小児および生殖可能な年齢の人が服用すると，性腺に影響がでることがあります。処方医とよく相談してください。

(11)**その他**……
●授乳婦での安全性：未確立。服用するときは授乳を中止。
●小児での安全性：未確立（ユーイング肉腫の場合は2歳未満は未確立）。（1714頁を参照）

重大な副作用　①骨髄機能抑制（汎血球減少，好中球減少，血小板減少，貧血，リンパ球減少，白血球減少）。②ニューモシスチス肺炎，サイトメガロウイルス感染症などの日和見感染や敗血症などの重い感染症（敗血症の合併症として，播種性血管内凝固症候群（DIC），急性腎障害，呼吸不全など）。③間質性肺炎（発熱，せき，呼吸困難など）。④脳出血。⑤アナフィラキシー。⑥肝機能障害，黄疸，劇症肝炎，肝炎，肝不全。⑦中毒性表皮壊死融解症（TEN），皮膚粘膜眼症候群（スティブンス-ジョンソン症候群）。

そのほかにも報告された副作用はあるので，体調がいつもと違うと感じたときは，処方医・薬剤師に相談してください。

併用してはいけない薬　併用してはいけない薬は特にありません。ただし，併用する薬があるときは，念のため処方医・薬剤師に報告してください。

内 **16 がんに使われる内服薬　03 代謝拮抗薬**

01 **メトトレキサート**

🖊 **製剤情報**
　　　　　　　　　　一般名：メトトレキサート
　　　　　　　　　　●保険収載年月…1965年11月

内
16
―
03
―
01

メトトレキサート

● 海外評価…**6点** 英 米 独 仏　● PC…X

● 規制…**劇薬**

● 剤形…錠 錠剤

■ **先発品**　　商品名(メーカー)　規格・保険薬価
メトトレキセート (ファイザー)
錠 2.5mg 1錠 29.00 円

概　要

分類　葉酸代謝拮抗薬

処方目的　次の疾患の自覚的・他覚的症状の緩解→急性白血病, 慢性リンパ性白血病, 慢性骨髄性白血病, 絨毛性疾患(絨毛がん, 破壊胞状奇胎, 胞状奇胎)

＊保険適応外で難治性皮膚疾患の乾癬の治療に処方されることがあります。

解説　メトトレキサートは現在ではリウマチ治療薬として使われることのほうが多くなっていますが, 元々は白血病の治療薬として開発されたものです。

使用上の注意

基本的注意

(1)**服用してはいけない場合**……本剤の成分に対する重いアレルギーの前歴／肝機能障害／腎機能障害／胸水・腹水などがある人

(2)**慎重に服用すべき場合**……骨髄機能抑制／感染症の合併／水痘

(3)**放射線療法との併用**……本剤と放射線療法を併用すると, 軟部組織壊死, 骨壊死の発現頻度が高まるとの報告があります。併用治療後も状態に注意し, 異常がみられたら, すぐに処方医へ連絡してください。

(4)**水痘**……水痘(水ぼうそう)の人が服用すると, 致命的な全身状態が現れることがあるので, 状態に十分注意してください。

(5)**感染症, 出血傾向**……服用によって, 感染症, 出血傾向の発現または悪化がおこりやすくなるので, 状態に十分注意してください。

(6)**二次発がん**……本剤の長期服用, および他の抗がん薬を併用した人に悪性リンパ腫, 急性白血病, 骨髄異形成症候群(MDS)が発生したとの報告があります。

(7)**頻回に検査**……骨髄機能抑制, 肝・腎機能障害などの重い副作用がおこることがあるので, 頻回に血液, 肝機能, 腎機能, 尿などの検査を受ける必要があります。

(8)**性腺への影響**……小児および生殖可能な年齢の人が服用すると, 性腺に影響がでることがあります。処方医とよく相談してください。

(9)**その他**……

● 妊婦での安全性：服用しないことが望ましい。

● 授乳婦での安全性：服用しないこと。

● 低出生体重児, 新生児, 乳児(1歳未満)での安全性：未確立。(1714頁を参照)

重大な副作用　　　①ショック, アナフィラキシー(冷感, 呼吸困難, 血圧低下など)。②汎血球減少, 無顆粒球症, 白血球減少, 血小板減少, 貧血などの骨髄機能抑制。③呼吸不全に至るような肺炎(ニューモシスティス肺炎などを含む), 敗血症, サイトメガロウイルス感染症, 帯状疱疹などの重い感染症(日和見感染症を含む)。④劇症肝炎, 肝不全, 肝組織の壊死・線維化, 肝硬変。⑤急性腎不全, 尿細管壊死, 重症ネフロ

パチー。⑥間質性肺炎，肺線維症，胸水（発熱，せき，呼吸困難など）。⑦皮膚粘膜眼症候群（スティブンス-ジョンソン症候群），中毒性表皮壊死融解症（TEN）。⑧出血性腸炎，壊死性腸炎（激しい腹痛・下痢）。⑨膵炎。⑩骨粗鬆症。⑪脳症（白質脳症を含む）。

　そのほかにも報告された副作用はあるので，体調がいつもと違うと感じたときは，処方医・薬剤師に相談してください。

併用してはいけない薬　　併用してはいけない薬は特にありません。ただし，併用する薬があるときは，念のため処方医・薬剤師に報告してください。

内 16 がんに使われる内服薬　03 代謝拮抗薬
02 メルカプトプリン水和物

製剤情報
一般名：メルカプトプリン水和物
- 発売年月…1956年12月
- 海外評価…6点 英米独仏　●PC…D

- 規制…劇薬
- 剤形…散 散剤

■ 先発品　　商品名（メーカー）　規格・保険薬価
ロイケリン（大原）散 10% 1g 102.20 円

概　要
分類　核酸代謝拮抗薬
処方目的　急性白血病，慢性骨髄性白血病の自覚的・他覚的症状の緩解
解説　1950 年代に開発され，現在でも急性白血病ではメトトレキサートとの併用などで使われます。小児急性白血病のみならず，成人急性白血病にも効果が認められています。

使用上の注意
基本的注意

(1)**服用してはいけない場合**……本剤の成分に対する重いアレルギーの前歴／フェブキソスタット，トピロキソスタットの服用中
(2)**慎重に服用すべき場合**……肝機能障害／腎機能障害／骨髄機能抑制／感染症の合併／水痘
(3)**水痘**……水痘（水ぼうそう）の人が服用すると，致命的な全身状態が現れることがあるので，状態に十分注意してください。
(4)**感染症，出血傾向**……服用によって，感染症，出血傾向の発現または悪化がおこりやすくなるので，状態に十分注意してください。
(5)**二次発がん**……他の抗がん薬との併用で急性白血病，骨髄異形成症候群（MDS）などの二次発がんが発生したとの報告があります。
(6)**頻回に検査**……骨髄機能抑制，肝機能障害などの重い副作用がおこることがあるので，頻回に血液，肝機能，腎機能などの検査を受ける必要があります。
(7)**性腺への影響**……小児および生殖可能な年齢の人が服用すると，性腺に影響がでることがあります。処方医とよく相談してください。

内
16
—
03
—
03

テガフール

(8)その他……
● 妊婦での安全性：原則として服用しない。
● 授乳婦での安全性：服用するときは授乳を中止。（1714頁を参照）

重大な副作用　　①骨髄機能抑制（白血球減少，血小板減少，貧血，汎血球減少，無顆粒球症など）。

そのほかにも報告された副作用はあるので，体調がいつもと違うと感じたときは，処方医・薬剤師に相談してください。

併用してはいけない薬　　①生ワクチン（乾燥弱毒麻疹ワクチン，乾燥弱毒生風疹ワクチン，経口生ポリオワクチン，乾燥BCGなど）→接種すると麻疹などの感染症が発症するおそれがあります。②フェブキソスタット，トピロキソスタット→骨髄機能抑制などの副作用が強まる可能性があります。

内 **16 がんに使われる内服薬　03 代謝拮抗薬**

03 テガフール

🖉 製剤情報

一般名：テガフール
● 発売年月…1974年2月
● 海外評価…0点 英米独仏

● 規制…劇薬
● 剤形…カ カプセル剤

■ 先発品　　商品名（メーカー）　規格・保険薬価

フトラフール（大鵬）カ 200mg 1カプセル 114.70円

📋 概　　要

分類　　フルオロウラシル系薬剤
処方目的　　消化器がん（胃がん，結腸・直腸がん），乳がんの自覚的・他覚的症状の緩解
解説　　消化管から吸収後，肝臓で代謝されてフルオロウラシルとなって抗腫瘍効果を発揮するとされています。ただし，欧米ではテガフール単剤の製剤はありません。

📝 使用上の注意
＊テガフール（フトラフール）の添付文書による

警告

①本剤の服用で，劇症肝炎などの重い肝機能障害がおこることがあります。定期的に肝機能検査を受け，食欲不振を伴う倦怠感や黄疸（眼球黄染）などがみられたら，ただちに処方医へ連絡してください。
②本剤とテガフール・ギメラシル・オテラシルカリウム配合剤を併用すると，重い血液障害などの副作用がおこることがあるので，併用してはいけません。

基本的注意

（1）服用してはいけない場合……本剤の成分に対する重いアレルギーの前歴／テガフール・ギメラシル・オテラシルカリウム配合剤の服用中または服用中止後7日以内／妊婦または妊娠している可能性のある人

(2)慎重に服用すべき場合……骨髄機能抑制／肝機能障害またはその前歴／腎機能障害／感染症の合併／心疾患またはその前歴／消化管潰瘍または出血／耐糖能異常／水痘

(3)水痘……水痘(水ほうそう)の人が服用すると，致命的な全身状態が現れることがあるので，状態に十分注意してください。

(4)感染症，出血傾向……服用によって，感染症，出血傾向の発現または悪化がおこりやすくなるので，状態に十分注意してください。

(5)定期的に検査……骨髄機能抑制などの重い副作用がおこることがあるので，定期的に血液，肝機能，腎機能などの検査を受ける必要があります。

(6)性腺への影響……小児および生殖可能な年齢の人が服用すると，性腺に影響がでることがあります。処方医とよく相談してください。

(7)二次発がん……服用によって急性白血病(前白血病相を伴う場合もある)，骨髄異形成症候群(MDS)が発生したとの報告があります。

(8)その他……

● 授乳婦での安全性：服用するときは授乳を中止。

● 小児での安全性：未確立。(1714頁を参照)

　重大な副作用　　　　　①劇症肝炎などの重い肝機能障害，肝硬変。②汎血球減少，無顆粒球症(発熱，咽頭痛，倦怠感など)，白血球減少，貧血などの骨髄機能抑制，溶血性貧血。③脱水症状，出血性腸炎，虚血性腸炎，壊死性腸炎など重症の腸炎。④白質脳症(歩行時のふらつき，四肢末端のしびれ感，舌のもつれなど)，精神神経症状(錐体外路症状，顔面麻痺，言語障害，運動失調，眼振，せん妄，意識障害，見当識障害など)。⑤重い口内炎，消化管潰瘍，消化管出血。⑥嗅覚障害(長期服用者に多い)，嗅覚脱失。⑦間質性肺炎(せき，息切れ，呼吸困難，発熱など)。⑧急性膵炎。⑨狭心症，心筋梗塞，不整脈(心室性頻拍などを含む)。⑩急性腎障害，ネフローゼ症候群。⑪皮膚粘膜眼症候群(スティブンス-ジョンソン症候群)，中毒性表皮壊死融解症(TEN)。

　そのほかにも報告された副作用はあるので，体調がいつもと違うと感じたときは，処方医・薬剤師に相談してください。

　併用してはいけない薬　　　　テガフール・ギメラシル・オテラシルカリウム配合剤(ティーエスワン)→フルオロウラシルの代謝が阻害されて血中濃度が上昇し，重い血液障害，下痢・口内炎などの消化管障害などがおこることがあります。

内 16 がんに使われる内服薬　03 代謝拮抗薬

04　テガフール配合剤

ⓛ 製 剤 情 報

一般名：テガフール・ウラシル配合剤

● 発売年月…1984年3月

● 海外評価…0点 英 米 独 仏

● 規制…劇薬

● 剤形… カ カプセル剤，顆 顆粒剤

■先発品　商品名(メーカー)　規格・保険薬価

ユーエフティ E 配合顆粒 T(大鵬)

顆 100mg 1包 214.50 円　　顆 150mg 1包 319.10 円

顆 200mg 1包 413.00 円

ユーエフティ配合カプセル T(大鵬)

カ 100mg 1ｶﾌﾟｾﾙ 171.60 円

一般名：テガフール・ギメラシル・オテラシルカリウム配合剤

- 保険収載年月…1999年3月
- 海外評価…2点 英 米 独 仏
- 規制…劇薬
- 剤形…錠 錠剤, カ カプセル剤, 顆 顆粒剤

■先発品　商品名(メーカー)　規格・保険薬価

ティーエスワン配合カプセル T(大鵬)

カ 20mg 1ｶﾌﾟｾﾙ 404.10 円　　カ 25mg 1ｶﾌﾟｾﾙ 492.20 円

ティーエスワン配合 OD 錠 T 写真(大鵬)

錠 20mg 1錠 404.10 円　　錠 25mg 1錠 492.20 円

ティーエスワン配合顆粒 T(大鵬)

顆 20mg 1包 550.20 円　　顆 25mg 1包 684.00 円

■ジェネリック　商品名(メーカー)　規格・保険薬価

EE エスワン配合錠 T(エルメッド＝日医工)

錠 20mg 1錠 169.40 円　　錠 25mg 1錠 200.40 円

エスエーワン配合 OD 錠 T(沢井＝日本ジェネリック)　錠 20mg 1錠 169.40 円

錠 25mg 1錠 143.50 円

エスエーワン配合カプセル T(沢井)

カ 20mg 1ｶﾌﾟｾﾙ 169.40 円　　カ 25mg 1ｶﾌﾟｾﾙ 143.50 円

エスエーワン配合顆粒 T(沢井)

顆 20mg 1包 161.20 円　　顆 25mg 1包 193.30 円

エスワンケーケー配合錠 T(小林化工)

錠 20mg 1錠 169.40 円　　錠 25mg 1錠 200.40 円

エスワンタイホウ配合 OD 錠 T(岡山大鵬)

錠 20mg 1錠 169.40 円　　錠 25mg 1錠 251.20 円

エヌケーエスワン配合 OD 錠 T(日本化薬)

錠 20mg 1錠 169.40 円　　錠 25mg 1錠 143.50 円

エヌケーエスワン配合カプセル T(日本化薬)

カ 20mg 1ｶﾌﾟｾﾙ 169.40 円　　カ 25mg 1ｶﾌﾟｾﾙ 143.50 円

エヌケーエスワン配合顆粒 T(日本化薬)

顆 20mg 1包 167.60 円　　顆 25mg 1包 193.30 円

概　要

分類　フルオロウラシル系薬剤

処方目的　[テガフール・ウラシル配合剤の適応症]頭頸部がん，胃がん，結腸・直腸がん，肝臓がん，胆のう・胆管がん，膵臓がん，肺がん，乳がん，膀胱がん，前立腺がん，子宮頸がんの自覚的・他覚的症状の緩解

[テガフール・ギメラシル・オテラシルカリウム配合剤の適応症]胃がん，結腸・直腸がん，頭頸部がん，非小細胞肺がん，乳がん(手術不能または再発)，膵がん，胆道がん

解説　ユーエフティは，テガフールと，その抗腫瘍作用を増強するウラシルを1:4の比率で配合した製剤です。ティーエスワンは，テガフールと，その体内濃度を保つギメラシル，消化管への副作用を抑えるオテラシルカリウムを1:0.4:1の比率で配合した製剤です。標準的な治療法ではありませんが，がん休眠療法でしばしば用いられます。

使用上の注意

＊テガフール・ウラシル配合剤(ユーエフティ E 配合顆粒 T)の添付文書による

警告

[両剤共通]

①本剤を含むがん化学療法は，緊急時に十分対応できる医療施設において，がん化学療法に十分な知識・経験をもつ医師に，本療法の有効性・危険性を十分に聞き・たずね，

同意してから受けなければなりません。

②本剤の服用で，劇症肝炎などの重い肝機能障害がおこることがあります。定期的に肝機能検査を受け，食欲不振を伴う倦怠感や黄疸（眼球黄染）などがみられたら，ただちに処方医へ連絡してください。

[テガフール・ウラシル配合剤]

①本剤とテガフール・ギメラシル・オテラシルカリウム配合剤を併用すると，重い血液障害などの副作用がおこることがあるので，併用してはいけません。

②ホリナート・テガフール・ウラシル療法（テガフール・ウラシル配合剤の細胞毒性を増強する療法）は重い副作用がおこりやすく，死亡例もあるので，緊急時に十分に措置できる医療施設で，がん化学療法に十分な経験のある医師のもとで行わなければなりません。

[テガフール・ギメラシル・オテラシルカリウム配合剤]

　他のフッ化ピリミジン系抗悪性腫瘍剤，これらの薬剤との併用療法（ホリナート・テガフール・ウラシル療法など），あるいは抗真菌薬のフルシトシンと併用すると，重い血液障害などの副作用が現れるおそれがあるので，併用してはいけません。

基本的注意

(1)**服用してはいけない場合**……重い骨髄機能抑制／重い下痢／重い感染症の合併／本剤の成分に対する重いアレルギーの前歴／テガフール・ギメラシル・オテラシルカリウム配合剤の服用中または服用中止後7日以内／妊婦または妊娠している可能性のある人

(2)**慎重に服用すべき場合**……骨髄機能抑制（重い骨髄機能抑制を除く）／肝機能障害またはその前歴／腎機能障害／感染症の合併（重い感染症を除く）／心疾患またはその前歴／消化管潰瘍または出血／耐糖能異常／水痘／前化学療法を受けていた人／高齢者

(3)**服用法**……[ユーエフティE配合顆粒]腸で溶ける薬剤（腸溶剤）なので，かまずに水でのみこんでください。

(4)**ホリナート・テガフール・ウラシル療法**……テガフール・ウラシル配合剤の細胞毒性を増強するこの療法を行うと，激しい腹痛や下痢，脱水症状，劇症肝炎，重い骨髄機能抑制などがおこり，致命的な経過をたどることがあるので，状態に十分注意してください。療法中は，定期的に（少なくとも1クールに1回以上，特に服用開始から2クールは各クール開始前および当該クール中に1回以上），肝機能や血液の検査などを受けることが必要です。

(5)**水痘**……水痘（水ぼうそう）の人が服用すると，致命的な全身状態が現れることがあるので，状態に十分注意してください。

(6)**感染症，出血傾向**……服用によって，感染症，出血傾向の発現または悪化がおこりやすくなるので，状態に十分注意してください。

(7)**定期的に検査**……骨髄機能抑制などの重い副作用がおこることがあるので，定期的に血液，肝機能，腎機能などの検査を受ける必要があります。

(8)**性腺への影響**……小児および生殖可能な年齢の人が服用すると，性腺に影響がでることがあります。処方医とよく相談してください。

(9)**二次発がん**……服用によって急性白血病（前白血病相を伴う場合もある），骨髄異形

成症候群(MDS)が発生したとの報告があります。

(10)その他……

●授乳婦での安全性:服用するときは授乳しないことが望ましい。

●小児での安全性:未確立。(1714頁を参照)

重大な副作用 　[両剤]①劇症肝炎などの重い肝機能障害,肝硬変。②骨髄機能抑制,溶血性貧血などの血液障害。③脱水症状,重症の腸炎(出血性腸炎,虚血性腸炎,壊死性腸炎など)。④白質脳症(意識障害,小脳失調,認知症様症状など),意識障害,失見当識,傾眠,記憶力低下,錐体外路症状,言語障害,四肢麻痺,歩行障害,尿失禁,知覚障害など。⑤重い口内炎,消化管潰瘍,消化管出血。⑥嗅覚障害(長期服用者に多い),嗅覚脱失。⑦間質性肺炎(初期症状:せき,息切れ,呼吸困難,発熱など)。⑧急性膵炎。⑨狭心症,心筋梗塞,不整脈。⑩急性腎障害,ネフローゼ症候群。⑪皮膚粘膜眼症候群(スティブンス-ジョンソン症候群),中毒性表皮壊死融解症(TEN)。[テガフール・ギメラシル・オテラシルカリウム配合剤のみ]⑫播種性血管内凝固症候群(DIC)。⑬横紋筋融解症(筋肉痛,脱力感など)。⑭涙道閉塞。

　そのほかにも報告された副作用はあるので,体調がいつもと違うと感じたときは,処方医・薬剤師に相談してください。

併用してはいけない薬 　[テガフール・ウラシル配合剤]テガフール・ギメラシル・オテラシルカリウム配合剤(ティーエスワン)/[テガフール・ギメラシル・オテラシルカリウム配合剤]フッ化ピリミジン系抗悪性腫瘍剤(フルオロウラシル,テガフール・ウラシル配合剤,テガフール,ドキシフルリジン,カペシタビン),ホリナート・テガフール・ウラシル療法(ユーゼル,ユーエフティなど),レボホリナート・フルオロウラシル療法(アイソボリン,5-FUなど),フッ化ピリミジン系抗真菌薬(フルシトシン)→フルオロウラシルの代謝が阻害されて血中濃度が上昇し,重い血液障害,下痢・口内炎などの消化管障害などがおこることがあります。

内 16 がんに使われる内服薬　03 代謝拮抗薬

05　カペシタビンほか

製剤情報

一般名:カペシタビン
●保険収載年月…2003年6月
●海外評価…6点 英 米 独 仏 　●PC…D
●規制…劇薬
●剤形…錠 錠剤

■先発品　商品名(メーカー)　規格・保険薬価

ゼローダ 写真 (中外) 錠 300mg 1錠 191.60 円

■ジェネリック　商品名(メーカー)　規格・保険薬価

カペシタビン (沢井) 錠 300mg 1錠 79.80 円
カペシタビン (ダイト=ヤクルト) 錠 300mg 1錠 79.80 円
カペシタビン (東和) 錠 300mg 1錠 79.80 円
カペシタビン (日医工) 錠 300mg 1錠 79.80 円
カペシタビン (日本化薬) 錠 300mg 1錠 79.80 円
カペシタビン (日本ジェネリック) 錠 300mg 1錠 79.80 円

▤ 概　要

分類 フルオロウラシル系薬剤

処方目的 手術不能または再発乳がん／結腸がん・直腸がん／胃がん

解説 カペシタビンは日本で開発された製剤で，体内でフルオロウラシルに変換されて効果を発揮します。FDA（アメリカ食品医薬品局）が承認した最初の経口フッ化ピリミジン系の抗がん薬です。

✍ 使用上の注意

＊カペシタビン（ゼローダ）の添付文書による

警告

①本剤を含むがん化学療法は，緊急時に十分対応できる医療施設において，がん化学療法に十分な知識・経験をもつ医師に，本療法の有効性・危険性を十分に聞き・たずね，同意してから受けなければなりません。

②本剤とテガフール・ギメラシル・オテラシルカリウム配合剤を併用すると，重い血液障害などがおこることがあるので併用してはいけません。

③本剤とワルファリンカリウムを併用すると，血液凝固能検査値異常，出血がおこり，死亡に至った例もあるので，定期的に血液凝固能検査を受ける必要があります。

基本的注意

(1)服用してはいけない場合……本剤の成分またはフルオロウラシルに対するアレルギーの前歴／テガフール・ギメラシル・オテラシルカリウム配合剤の服用中または服用中止後7日以内／重い腎機能障害／妊婦または妊娠している可能性のある人

(2)慎重に服用すべき場合……腎機能障害（重篤な場合を除く）／冠動脈疾患の前歴／骨髄機能抑制／消化管潰瘍または出血／高齢者

(3)感染症，出血傾向……服用によって，感染症，出血傾向の発現または悪化がおこりやすくなるので，状態に十分注意してください。

(4)定期的に検査……骨髄機能抑制などの重い副作用がおこることがあるので，定期的に血液，肝機能，腎機能などの検査を受ける必要があります。

(5)性腺への影響……小児および生殖可能な年齢の人が服用すると，性腺に影響がでることがあります。処方医とよく相談してください。

(6)避妊……妊娠可能な年齢の女性およびパートナーが妊娠する可能性のある男性は，服用期間中および服用終了後一定期間は適切な避妊を行ってください。動物実験で胚致死作用や催奇形作用が報告されています。

(7)その他……

● 授乳婦での安全性：服用するときは授乳しないことが望ましい。

● 小児での安全性：未確立。（1714頁を参照）

重大な副作用 ①激しい下痢，脱水症状。②手足症候群（手のひら・足底に湿性落屑，皮膚潰瘍，水疱，疼痛，知覚不全，有痛性紅斑，腫脹など）。③心障害（心筋梗塞，狭心症，律動異常，心停止，心不全，突然死，心電図異常（心房性不整脈，心房細動，心室性期外収縮）など）。④肝機能検査値異常，黄疸を伴う肝機能障害，肝不全。

⑤腎機能検査値異常を伴う腎機能障害。⑥骨髄機能抑制(汎血球減少, 顆粒球減少, 易感染症, 敗血症など), 感染症, 敗血症。⑦口内炎(粘膜炎, 粘膜潰瘍, 口腔内潰瘍など)。⑧間質性肺炎(初期症状:せき, 息切れ, 呼吸困難, 発熱など)。⑨重い腸炎(出血性腸炎, 虚血性腸炎, 壊死性腸炎など)。⑩重篤な精神神経系障害(白質脳症など)。⑪血栓塞栓症(深部静脈血栓症, 脳梗塞, 肺塞栓症など)。⑫皮膚粘膜眼症候群(スティブンス-ジョンソン症候群)。⑬溶血性貧血。

そのほかにも報告された副作用はあるので, 体調がいつもと違うと感じたときは, 処方医・薬剤師に相談してください。

併用してはいけない薬 テガフール・ギメラシル・オテラシルカリウム配合剤→重い血液障害, 下痢・口内炎などの消化管障害などがおこることがあります。

内 16 がんに使われる内服薬　03 代謝拮抗薬

06 ヒドロキシカルバミド

製剤情報

一般名:ヒドロキシカルバミド
- 保険収載年月…1992年8月
- 海外評価…6点 英 米 独 仏　● PC…D

- 規制…劇薬
- 剤形…カ カプセル剤

■先発品　　商品名(メーカー)　規格・保険薬価

ハイドレア (ブリストル) カ 500mg 1ｶﾌﾟｾﾙ 212.10 円

概　要

分類　その他の代謝拮抗薬

処方目的　慢性骨髄性白血病, 本態性血小板血症, 真性多血症

解説　アメリカでは 1960 年代から白血病やメラノーマに使用されていましたが, わが国で承認されたのは 1992 年です。2013 年, 新たに本態性血小板血症と真性多血症が適応症に加えられました。

使用上の注意

警告

本剤を含むがん化学療法は, 緊急時に十分対応できる医療施設において, 造血器悪性腫瘍に十分な知識・経験をもつ医師に, 本剤の有効性・危険性を十分に聞き・たずね, 同意してから受けなければなりません。

基本的注意

(1)服用してはいけない場合……本剤の成分に対するアレルギーの前歴／妊婦または妊娠している可能性のある人

(2)慎重に服用すべき場合……肝機能障害／腎機能障害／骨髄機能抑制／感染症の合併／水痘

(3)二次発がん……①本剤の長期維持療法で, 皮膚がんが発生したとの報告があります。②真性多血症や血小板血症などの骨髄増殖性疾患で本剤を長期服用している人に, 二次

性の白血病が報告されています。

(4)**水痘**……水痘(水ぼうそう)の人が服用すると，致命的な全身状態が現れることがあるので，状態に十分注意してください。

(5)**感染症，出血傾向**……服用によって，感染症，出血傾向の発現または悪化がおこりやすくなるので，状態に十分注意してください。

(6)**頻回に検査**……骨髄機能抑制などの重い副作用がおこることがあるので，頻回に血液，肝機能，腎機能などの検査を受ける必要があります。

(7)**性腺への影響**……小児および生殖可能な年齢の人が服用すると，性腺に影響がでることがあります。処方医とよく相談してください。

(8)**避妊**……妊娠可能な年齢の女性およびパートナーが妊娠する可能性のある男性は，服用期間中および服用終了後一定期間は適切な避妊を行ってください。本剤は，動物実験で催奇形作用や胚・胎児死亡が報告されています。

(9)**その他**……

●授乳婦での安全性：服用するときは授乳を中止。

●小児での安全性：未確立。(1714頁を参照)

重大な副作用　①間質性肺炎(発熱，呼吸困難など)。②骨髄機能抑制(汎血球減少，白血球減少，血小板減少，貧血など)。③長期の服用による皮膚潰瘍。

　そのほかにも報告された副作用はあるので，体調がいつもと違うと感じたときは，処方医・薬剤師に相談してください。

併用してはいけない薬　併用してはいけない薬は特にありません。ただし，併用する薬があるときは，念のため処方医・薬剤師に報告してください。

内 16 がんに使われる内服薬　03 代謝拮抗薬

07　シタラビンオクホスファート

製剤情報

一般名：シタラビンオクホスファート水和物

●保険収載年月…1992年11月

●海外評価…0点 英 米 独 仏

●規制…**劇薬**

●剤形…カ カプセル剤

■先発品　商品名(メーカー)　規格・保険薬価

スタラシド (日本化薬) カ 50mg 1カプセル 328.30円

カ 100mg 1カプセル 578.70円

概要

分類　ピリミジン代謝拮抗薬(シタラビンプロドラッグ)

処方目的　成人急性非リンパ性白血病(ただし，強力な化学療法が対象となる人はその療法を優先)／骨髄異形成症候群

解説　注射薬として白血病治療に用いられてきたシタラビンから導き出された誘導体で，そのものには抗腫瘍活性はほとんどありませんが，内服後肝臓で代謝を受けて有効

成分のシタラビンになります。

使用上の注意

基本的注意

(1)服用してはいけない場合……本剤の成分に対する重いアレルギーの前歴

(2)慎重に服用すべき場合……骨髄機能抑制／感染症の合併／薬物過敏症の前歴／肝機能障害／小児, 高齢者

(3)治療の優先順位……本剤は, 2～3週間連日服用することで効果が現れる薬剤です。そのため, 寛解導入療法などの強力な化学療法が対象となる人は本剤の服用は避け, 寛解導入療法を優先的に実施することになります。

(4)感染症, 出血傾向……服用によって, 感染症, 出血症状の発現または悪化がおこりやすくなるので, 状態に十分注意してください。

(5)頻回に検査……骨髄機能抑制などの重い副作用がおこることがあるので, 頻回に血液, 肝機能, 腎機能などの検査を受ける必要があります。

(6)性腺への影響……小児および生殖可能な年齢の人が服用すると, 性腺に影響がでることがあります。処方医とよく相談してください。

(7)その他……

●妊婦での安全性：原則として服用しない。

●授乳婦での安全性：原則として服用しない。やむを得ず服用するときは授乳を中止。

●小児での安全性：未確立。(1714頁を参照)

重大な副作用　　①骨髄機能抑制(白血球減少, 貧血, 血小板減少, 汎血球減少など)。②間質性肺炎(発熱, 呼吸困難など)。

　そのほかにも報告された副作用はあるので, 体調がいつもと違うと感じたときは, 処方医・薬剤師に相談してください。

併用してはいけない薬　　併用してはいけない薬は特にありません。ただし, 併用する薬があるときは, 念のため処方医・薬剤師に報告してください。

内 **16 がんに使われる内服薬　03 代謝拮抗薬**

08　ソブゾキサン

製剤情報

一般名：ソブゾキサン

●発売年月…1994年7月

●海外評価…0点 英 米 独 仏

●規制…劇薬

●剤形…細 細粒剤

■先発品　　商品名(メーカー)　規格・保険薬価

ペラゾリン (全薬) 細 400mg 1包 1,418.60円

　　　　　　細 800mg 1包 2,415.70円

概　　要

分類　抗がん薬(ビスジオキソピペラジン誘導体)

処方目的　悪性リンパ腫，成人Ｔ細胞白血病リンパ腫の自覚的・他覚的症状の緩解

解説　かつてイギリスで使用されていたラゾキサンに類似した薬品です。今ではラゾキサンもほとんど使用されていませんが，ソブゾキサンは日本でのみ使用されているローカルドラッグです。

🖐 使用上の注意

警告

　本剤を服用すると，骨髄抑制などの重い副作用がおこることがあります。本剤は，緊急時に十分処置できる医療施設で，化学療法に十分な経験を持つ医師のもとで，本剤が適切と判断される人だけが服用すべき薬剤です。また，治療開始に先立ち，患者またはその家族は医師から有効性および危険性について十分な説明を聞き・たずね，同意したうえで服用することが大切です。

基本的注意

(1)服用してはいけない場合……重い骨髄機能抑制のある人／本剤に対する重いアレルギーの前歴

(2)慎重に服用すべき場合……消化管潰瘍／出血傾向／骨髄機能抑制／肝機能障害／腎機能障害／感染症の合併／水痘／高齢者

(3)高齢者への投与……高齢者では一般に生理機能が低下しており，本剤の投与で貧血などの副作用が高い頻度で発現しています。

(4)水痘……水痘(水ぼうそう)の人が服用すると，致命的な全身状態が現れることがあるので，状態に十分注意してください。

(5)感染症，出血傾向……服用によって，感染症，出血傾向の発現または悪化がおこりやすくなるので，状態に十分注意してください。

(6)頻回に検査……骨髄機能抑制などの重い副作用がおこることがあるので，頻回に血液，肝機能，腎機能などの検査を受ける必要があります。

(7)性腺への影響……小児および生殖可能な年齢の人が服用すると，性腺に影響がでることがあります。処方医とよく相談してください。

(8)二次発がん……他の抗がん薬との併用で，急性白血病，骨髄異形成症候群(MDS)が発生したとの報告があります。

(9)その他……

● 妊婦での安全性：原則として服用しない。

● 授乳婦での安全性：服用するときは授乳を中止。

● 小児での安全性：未確立。(1714頁を参照)

重大な副作用　①白血球減少，貧血，血小板減少，好中球減少，汎血球減少。②間質性肺炎(発熱，せき，呼吸困難など)。③出血しやすい，血が止まりにくいなどの出血傾向。

　そのほかにも報告された副作用はあるので，体調がいつもと違うと感じたときは，処方医・薬剤師に相談してください。

併用してはいけない薬 併用してはいけない薬は特にありません。ただし，併用する薬があるときは，念のため処方医・薬剤師に報告してください。

内 16 がんに使われる内服薬　03 代謝拮抗薬

09 フルダラビンリン酸エステル

🗔 製 剤 情 報

一般名：フルダラビンリン酸エステル
- 保険収載年月…2007年6月
- 海外評価…3点 英 米 独 仏

- 規制…劇薬
- 剤形…錠 錠剤

■先発品　　商品名(メーカー)　規格・保険薬価

フルダラ (サノフィ) 錠 10mg 1錠 3,811.00 円

📋 概　　　要

分類　核酸代謝拮抗薬

処方目的　低悪性度 B 細胞性非ホジキンリンパ腫，マントル細胞リンパ腫(いずれも再発または難治性の場合)／貧血または血小板減少症を伴う慢性リンパ性白血病

解説　海外評価は 3 点になりますが，海外での適応症は慢性リンパ性白血病です。

✍ 使用上の注意

警告

①本剤は，緊急時に十分に措置できる医療施設で，がん化学療法に十分な経験を持つ医師のもとで，適切と判断される人にのみ使用されるべき薬剤です。また，医師よりその有効性・危険性の十分な説明を受け，患者本人(もしくは家族)が納得・同意できなければ治療に入っていくべきではありません。

②骨髄機能抑制による感染症・出血傾向などの重い副作用，リンパ球の減少による重い免疫不全の発現または悪化の可能性があるので，頻回に検査(血液，肝機能・腎機能など)を受ける必要があります。

③致命的な自己免疫性溶血性貧血が報告されています。

④放射線非照射血の輸血により，移植片対宿主病(GVHD)が現れることがあるので，本剤による治療中・治療後の人で輸血が必要な場合は，照射処理された血液を輸血することが必要です。

⑤本剤とペントスタチンとの併用によって，致命的な肺毒性が報告されているので併用してはいけません。

基本的注意

(1)服用してはいけない場合……重い腎機能障害(クレアチニンクリアランス〈24 時間蓄尿〉が 30mL/分未満の人)／ペントスタチンの使用中／本剤による溶血性貧血の前歴／本剤の成分に対するアレルギーの前歴／妊婦または妊娠している可能性のある人

(2)慎重に服用すべき場合……腎機能低下(クレアチニンクリアランスが 30〜70mL/分の人)／感染症の合併／肝機能障害／高齢者

(3)二次発がん……他の抗がん薬との併用で急性白血病, 骨髄異形成症候群(MDS), エプスタイン・バーウイルス関連リンパ増殖性疾患が発生したとの報告があります。

(4)感染症, 出血傾向……服用によって, 感染症, 出血傾向の発現または悪化がおこりやすくなるので, 状態に十分注意してください。

(5)頻回に検査……骨髄機能抑制などの重い副作用がおこることがあるので, 頻回に血液, 肝機能, 腎機能などの検査を受ける必要があります。

(6)性腺への影響……小児および生殖可能な年齢の人が服用すると, 性腺に影響がでることがあります。処方医とよく相談してください。

(7)その他……

- 授乳婦での安全性：服用するときは授乳を中止。
- 小児での安全性：未確立。(1714頁を参照)

重大な副作用 ①骨髄機能抑制(好中球減少, ヘモグロビン減少, 汎血球減少, 赤血球減少など)。②間質性肺炎(呼吸困難, せき, 発熱など)。③精神神経障害(錯乱, 昏睡, 興奮, けいれん発作, 末梢神経障害など)。④腫瘍崩壊症候群(初期症状：側腹部痛, 血尿など)。⑤重症日和見感染(敗血症, 肺炎など)。⑥致命的な自己免疫性溶血性貧血。⑦脳出血, 肺出血, 消化管出血。⑧発熱, 口腔粘膜の発疹, 口内炎などを伴う皮膚粘膜眼症候群(スティブンス-ジョンソン症候群), 中毒性表皮壊死融解症(TEN)。⑨心不全。⑩自己免疫性血小板減少症。⑪赤芽球癆。⑫出血性膀胱炎。⑬進行性多巣性白質脳症(PML：意識障害, 認知障害, 麻痺症状, 言語障害など)

　そのほかにも報告された副作用はあるので, 体調がいつもと違うと感じたときは, 処方医・薬剤師に相談してください。

併用してはいけない薬 ペントスタチン→致命的な肺毒性がおこることがあります。

内 16 がんに使われる内服薬　03 代謝拮抗薬

10 トリフルリジン

製剤情報

一般名：トリフルリジン・チピラシル塩酸塩配合剤

- 保険収載年月…2014年5月
- 海外評価…5点 英 米 独 仏
- 規制…劇薬

- 剤形…錠 錠剤

■先発品　　商品名(メーカー)　規格・保険薬価

ロンサーフ配合錠 T15 (大鵬)
錠 15mg 1錠 2,511.30 円

ロンサーフ配合錠 T20 (大鵬)
錠 20mg 1錠 3,369.20 円

概　要

分類 経口ヌクレオシド系抗悪性腫瘍薬

処方目的 治癒切除不能な進行・再発の結腸・直腸がん／がん化学療法後に増悪した治癒切除不能な進行・再発の胃がん

内
16
―
03
―
10

トリフルリジン

解説 本剤は，トリフルリジンとチピラシル塩酸塩を配合した新規の経口ヌクレオシド系抗悪性腫瘍薬です。トリフルリジンは抗がん活性成分で，直接 DNA に取り込まれて DNA 機能障害をおこすことで抗腫瘍効果を示すと考えられています。チピラシル塩酸塩はトリフルリジンの分解酵素であるチミジンホスホリラーゼを特異的に阻害することにより，トリフルリジンの作用を強める働きをします。

使用上の注意

警告

①本剤を含むがん化学療法は，緊急時に十分に対応できる医療施設で，がん化学療法に十分な知識・経験をもつ医師のもと，本療法が適切と判断される人にのみ実施されるべき治療です。また，治療に先立ち，医師からその有効性，危険性の十分な説明を受け，患者および家族が納得・同意したのち使用を開始しなければなりません。

②フッ化ピリミジン系抗悪性腫瘍薬，これらの薬剤との併用療法(ホリナート・テガフール・ウラシル療法など)，抗真菌薬フルシトシンまたは葉酸代謝拮抗薬(メトトレキサート，ペメトレキセドナトリウム水和物)との併用により，重い骨髄抑制などの副作用が発現するおそれがあるので十分な注意が必要です。

基本的注意

(1)服用してはいけない場合……本剤の成分に対する重いアレルギーの前歴／妊婦または妊娠している可能性のある人

(2)慎重に服用すべき場合……骨髄抑制のある人／感染症の合併／腎機能障害／中等度・重度の肝機能障害／高齢者

(3)頻回に検査……本剤の服用により骨髄機能が抑制され，感染症などの重い副作用が増悪または現れることがあるので，頻回に血液検査などを受ける必要があります。

(4)性腺への影響……生殖可能な年齢の人が服用すると，性腺に影響がでることがあります。処方医とよく相談してください。

(5)避妊……妊娠可能な女性およびパートナーが妊娠する可能性のある男性は，服用期間中および服用終了後一定期間は適切な避妊を行ってください。動物実験で胎児への影響(胎児発育抑制，胚致死作用)，催奇形性が報告されています。

(6)その他……

● 授乳婦での安全性：服用するときは授乳を中止。

● 小児での安全性：未確立。(1714 頁を参照)

重大な副作用

①骨髄抑制(白血球減少，好中球減少，リンパ球減少，貧血，血小板減少，発熱性好中球減少症など)。②感染症(敗血症，肺炎など)。③間質性肺疾患(せき，呼吸困難，発熱など)。

そのほかにも報告された副作用はあるので，体調がいつもと違うと感じたときは，処方医・薬剤師に相談してください。

併用してはいけない薬

併用してはいけない薬は特にありません。ただし，併用する薬があるときは，念のため処方医・薬剤師に報告してください。

11　フォロデシン

製剤情報

一般名：フォロデシン塩酸塩
- 保険収載年月…2017年5月
- 海外評価…0点 英 米 独 仏

- 規制…劇薬
- 剤形…カ カプセル剤

■ **先発品**　　商品名(メーカー)　規格・保険薬価

ムンデシン(ムンディ) カ 100mg 1カプセル 2,666.10 円

概　要

分類　抗悪性腫瘍薬(プリンヌクレオシドホスホリラーゼ阻害薬)

処方目的　再発または難治性の末梢性T細胞リンパ腫

解説　本剤は，ヒトT細胞の増殖に関与すると考えられているプリンヌクレオシドホスホリラーゼ(PNP)を阻害し，細胞内で2'-デオキシグアノシン三リン酸(dGTP)を蓄積させることで，がん細胞のアポトーシス(プログラム化された細胞死)を誘導し，T細胞由来の腫瘍の増殖を抑制すると考えられています。

　末梢性T細胞リンパ腫の治療は，これまで注射薬による多剤併用療法くらいしかありませんでしたが，本剤による経口薬の単剤療法の登場によって選択肢が増え，また外来での治療が可能となるなど患者さんの負担を軽減することが期待されています。

使用上の注意

警告

　本剤は，緊急時に十分対応できる医療施設で，造血器悪性腫瘍の治療に十分な知識・経験をもつ医師のもと，本剤が適切と判断される人にのみ使用されるべき薬剤です。また，治療開始に先立ち，患者または家族は医師からその有効性，危険性の十分な説明を受け，納得・同意したのち使用を開始しなければなりません。

基本的注意

(1)服用してはいけない場合……本剤の成分に対するアレルギーの前歴
(2)慎重に服用すべき場合……感染症の合併／重篤な骨髄機能低下／腎機能障害
(3)定期的に検査……本剤の服用で，リンパ球減少，好中球減少，血小板減少などの骨髄抑制が現れることがあるので，服用開始前と服用中は定期的に血液検査を行います。
(4)感染症の発現・増悪……本剤の服用によって，重篤な感染症や日和見感染が発現または増悪することがあり，B型肝炎ウイルス，帯状疱疹ウイルスなどが再活性化するおそれがあるので，本剤の服用に先立って肝炎ウイルスなどの感染の有無を確認し，適切な処置を行います。本剤服用中は感染症の発現・増悪に十分注意してください。
(5)その他……
- 妊婦での安全性：有益と判断されたときのみ服用。
- 授乳婦での安全性：治療上の有益性・母乳栄養の有益性を考慮し，授乳の継続・中止を検討。

●小児での安全性：未確立。(1714 頁を参照)

重大な副作用 　①感染症(帯状疱疹，サイトメガロウイルス感染，肺炎，ニューモシスチス・イロベチイ肺炎など)。②骨髄抑制(リンパ球減少，白血球減少，好中球減少，血小板減少など)。③エプスタイン・バーウイルス関連悪性リンパ腫。

　そのほかにも報告された副作用はあるので，体調がいつもと違うと感じたときは，処方医・薬剤師に相談してください。

併用してはいけない薬 　併用してはいけない薬は特にありません。ただし，併用する薬があるときは，念のため処方医・薬剤師に報告してください。

内 16 がんに使われる内服薬　04 植物・動物由来製剤

01 エトポシド

⊘ 製剤情報

一般名：エトポシド
- 発売年月…1994年3月
- 海外評価…6点 英 米 独 仏 ●PC…D
- 規制…劇薬
- 剤形…カ カプセル剤

■先発品	商品名(メーカー)	規格・保険薬価
ベプシド (クリニジェン) カ 25mg 1カプセル 563.20 円		
カ 50mg 1カプセル 1,083.60 円		
ラステット S (日本化薬) カ 25mg 1カプセル 575.10 円		
カ 50mg 1カプセル 1,034.00 円		

≡ 概　要

分類 　植物由来抗腫瘍薬

処方目的 　肺小細胞がん／悪性リンパ腫／子宮頸がん／がん化学療法後に増悪した卵巣がん

解説 　ポドフィロトキシンの誘導体で，イギリス，ドイツ，オランダなどでも発売されています。DNA トポイソメラーゼは，DNA の複製，転写，組み換えなどのあらゆる DNA の代謝に関わる重要な酵素です。エトポシドはトポイソメラーゼの働きを阻害することにより，がん細胞の代謝に拮抗します。イリノテカン注・ノギテカン注・エトポシド注・内服などは，トポイソメラーゼ阻害剤という分類をつくることもあります。

📝 使用上の注意
＊エトポシド(ラステット S)の添付文書による

警告

　本剤は，緊急時に十分に措置できる医療施設で，がん化学療法に十分な経験を持つ医師のもとで，適切と判断される人にのみ使用されるべき薬剤です。また，医師よりその有効性・危険性の十分な説明を受け，患者本人(もしくは家族)が納得・同意できなければ治療に入っていくべきではありません。

基本的注意

(1)服用してはいけない場合……重い骨髄機能抑制のある人／本剤の成分に対する重い

アレルギーの前歴／妊婦または妊娠している可能性のある人

(2)慎重に服用すべき場合……骨髄機能抑制／肝機能障害／腎機能障害／感染症の合併／水痘／本剤の長期服用中／小児，高齢者

(3)水痘……水痘（水ぼうそう）の人が服用すると，致命的な全身状態が現れることがあるので，状態に十分注意してください。

(4)感染症，出血傾向……服用によって，感染症，出血傾向の発現または悪化がおこりやすくなるので，状態に十分注意してください。

(5)頻回に検査……重い副作用がおこることがあるので，頻回に血液，肝機能，腎機能などの検査を受ける必要があります。

(6)避妊……妊婦または妊娠している可能性のある女性は服用してはいけません。また，妊娠する可能性のある女性およびパートナーが妊娠する可能性のある男性が服用する場合には，適切な避妊を行ってください。妊娠中に本剤を服用した患者で児の奇形が報告されており，動物実験（ラット・ウサギ）で催奇形性，胎児毒性が認められています。

(7)性腺への影響……小児および生殖可能な年齢の人が服用すると，性腺に影響がでることがあります。処方医とよく相談してください。

(8)二次発がん……他の抗がん薬との併用で，急性白血病（前白血病相を伴う場合もある），骨髄異形成症候群（MDS）が発生したとの報告があります。

(9)その他……

●授乳婦での安全性：服用するときは授乳を中止。

●小児での安全性：未確立。（1714頁を参照）

| 重大な副作用 | ①骨髄機能抑制（貧血，出血傾向，白血球減少，血小板減少，汎血球減少など）。②間質性肺炎（発熱，せき，呼吸困難など）。

そのほかにも報告された副作用はあるので，体調がいつもと違うと感じたときは，処方医・薬剤師に相談してください。

| 併用してはいけない薬 | 併用してはいけない薬は特にありません。ただし，併用する薬があるときは，念のため処方医・薬剤師に報告してください。

内16 がんに使われる内服薬　05 ホルモン剤・抗ホルモン剤

01 エストラムスチンリン酸エステルナトリウム

製剤情報

一般名：エストラムスチンリン酸エステルナトリウム水和物

●発売年月…1984年4月

●海外評価…5点 英 米 独 仏

●規制…劇薬

●剤形…力 カプセル剤

■先発品　　商品名（メーカー）　規格・保険薬価

エストラサイト（日本新薬）

力 156.7mg 1カプセル 250.70円

📋 概　　要

分類　前立腺がん治療薬

処方目的　前立腺がん

解説　卵胞ホルモンのエストラジオールと抗がん薬（アルキル化剤）を結合させた薬品で，1970 年代から欧米で使用されています。日本では 1983 年に承認されましたが，現在の使用頻度はそれほど高くありません。

📖 使用上の注意

基本的注意

(1)**服用してはいけない場合**……本剤・エストラジオール・ナイトロジェンマスタードに対するアレルギーの前歴／血栓性静脈炎・脳血栓・肺塞栓などの血栓塞栓性障害，虚血などの重い冠血管疾患，またはその前歴／重い肝機能障害・血液障害／消化性潰瘍

(2)**慎重に服用すべき場合**……肝機能障害／心疾患またはその前歴／腎疾患またはその前歴／てんかん／糖尿病／血液障害

(3)**飲食物**……牛乳や乳製品，カルシウムを多量に含む食物，カルシウム製剤は本剤の作用を弱めるので，同時には摂取しないでください。

(4)**二次発がん**……本剤を服用した人（ホルモン療法または放射線療法などの併用例を含む）に，白血病，骨髄異常形成症候群，乳がんなどが発生したとの報告があります。

(5)**頻回に検査**……肝機能異常，血液障害などの重い副作用がおこることがあるので，頻回に血液，肝機能，腎機能などの検査を受ける必要があります。

(6)**性腺への影響**……小児および生殖可能な年齢の人が服用すると，性腺に影響がでることがあります。処方医とよく相談してください。

重大な副作用

①血栓性静脈炎，脳血栓，肺血栓，脳梗塞などの血栓塞栓症。②心筋梗塞，心不全，狭心症。③呼吸困難を伴う血管浮腫（顔面・舌・声門・咽喉の腫れなど）。④胸水。⑤肝機能障害，黄疸。

そのほかにも報告された副作用はあるので，体調がいつもと違うと感じたときは，処方医・薬剤師に相談してください。

併用してはいけない薬

併用してはいけない薬は特にありません。ただし，併用する薬があるときは，念のため処方医・薬剤師に報告してください。

内 16 がんに使われる内服薬　05 ホルモン剤・抗ホルモン剤

02　タモキシフェンクエン酸塩ほか

💊 製剤情報

一般名：タモキシフェンクエン酸塩

- 保険収載年月…1981年9月
- 海外評価…6点 英 米 独 仏　● PC…D
- 剤形…錠 錠剤

■先発品　**商品名(メーカー)**　規格・保険薬価

ノルバデックス（アストラ）錠 10mg 1錠 61.90 円
錠 20mg 1錠 111.10 円

内
16
―
05
―
02

タモキシフェンクエン酸塩ほか

■ジェネリック　商品名(メーカー)　規格・保険薬価

タモキシフェン(沢井＝日本ジェネリック)
錠 10mg 1錠 21.90 円　錠 20mg 1錠 38.80 円

タモキシフェン 写真 (第一三共エスファ)
錠 10mg 1錠 21.90 円　錠 20mg 1錠 38.80 円

タモキシフェン(日医工ファーマ＝日医工)
錠 10mg 1錠 21.90 円　錠 20mg 1錠 38.80 円

タモキシフェン(マイラン EPD)
錠 10mg 1錠 55.80 円　錠 20mg 1錠 108.00 円

タモキシフェン(メディサ＝MeijiSeika)
錠 10mg 1錠 55.80 円　錠 20mg 1錠 108.00 円

一般名：トレミフェンクエン酸塩

● 保険収載年月…1995年5月
● 海外評価…5点 英 米 独 仏　●PC…D
● 規制…劇薬
● 剤形…錠剤

■先発品　商品名(メーカー)　規格・保険薬価

フェアストン(日本化薬) 錠 40mg 1錠 212.50 円
錠 60mg 1錠 318.40 円

■ジェネリック　商品名(メーカー)　規格・保険薬価

トレミフェン(メディサ＝沢井)
錠 60mg 1錠 151.60 円

トレミフェン(メディサ＝沢井＝日本ジェネリック) 錠 40mg 1錠 101.20 円

概　要

分類　抗エストロゲン剤

処方目的　[タモキシフェンクエン酸塩の適応症]乳がん／[トレミフェンクエン酸塩の適応症]閉経後乳がん

解説　卵胞ホルモン(エストロゲン)の作用を妨害することで，エストロゲン受容体がある乳がんの増殖を抑えます。抗がん薬としては副作用が少なく，長期服用による予防効果も認められています。

使用上の注意

＊ノルバデックス，フェアストンの添付文書による

基本的注意

(1)**服用してはいけない場合**……妊婦または妊娠している可能性のある人／[タモキシフェンクエン酸塩]本剤の成分に対するアレルギーの前歴／[トレミフェンクエン酸塩]QT延長またはその前歴／低カリウム血症／クラスIa(キニジン塩酸塩，プロカインアミド塩酸塩など)またはクラスⅢ(アミオダロン塩酸塩，ソタロール塩酸塩など)の抗不整脈薬の服用中／授乳婦

(2)**慎重に服用すべき場合**……[タモキシフェンクエン酸塩]白血球減少・血小板減少のある人／[トレミフェンクエン酸塩]骨髄機能抑制／重度の徐脈などの不整脈，心筋虚血などの不整脈をおこしやすい心疾患／高齢者

(3)**妊娠・避妊**……①本剤は，妊娠していないことを確認して処方されます(トレミフェンクエン酸塩は，閉経初期の人に処方されることがあります)。②服用中は，ホルモン剤以外の方法で避妊してください。③服用中に妊娠が確認された場合・疑われた場合は，ただちに服用を中止します。

(4)**定期検査**……服用により，子宮体がん，子宮内膜ポリープ，子宮内膜増殖症などがおこることがあります。服用中は定期的に検査を受け，不正出血などの婦人科症状がみら

内
16
—
05
—
03

メピチオスタン

れたら，ただちに処方医に連絡してください。

(5)その他……

● 授乳婦での安全性：[タモキシフェンクエン酸塩]原則として服用しない。やむを得ず服用するときは授乳を中止。

● 小児での安全性：[タモキシフェンクエン酸塩]未確立。(1714頁を参照)

重大な副作用　　　　　[タモキシフェンクエン酸塩]①無顆粒球症，白血球減少，好中球減少，貧血，血小板減少。②視力異常，視覚障害(白内障，網膜症，網膜萎縮，視神経症，視神経炎，視神経萎縮など)。③血栓塞栓症・静脈炎(肺塞栓症，下肢静脈血栓症，脳血栓症，下肢血栓性静脈炎など)。④重篤な肝機能障害(劇症肝炎，肝炎，胆汁うっ滞，肝不全など)。⑤(骨転移のある人で服用開始初期に)高カルシウム血症。⑥子宮筋腫，子宮内膜ポリープ，子宮内膜増殖症，子宮内膜症。⑦間質性肺炎。⑧アナフィラキシー(冷感，呼吸困難，血圧低下など)，血管浮腫。⑨皮膚粘膜眼症候群(スティブンス-ジョンソン症候群)。⑩水疱性類天疱瘡。⑪膵炎。

[トレミフェンクエン酸塩]①血栓塞栓症・静脈炎(脳梗塞，肺塞栓，血栓塞栓症，静脈炎，血栓性静脈炎)。②肝機能障害，黄疸。③子宮筋腫。

　そのほかにも報告された副作用はあるので，体調がいつもと違うと感じたときは，処方医・薬剤師に相談してください。

併用してはいけない薬　　　　[トレミフェンクエン酸塩]クラスIa抗不整脈薬（キニジン塩酸塩，プロカインアミド塩酸塩など），クラスⅢ抗不整脈薬(アミオダロン塩酸塩，ソタロール塩酸塩など)→QT延長を強め，心室性頻拍などをおこすおそれがあります。

内 16 がんに使われる内服薬　05 ホルモン剤・抗ホルモン剤

03 メピチオスタン

🖊 製 剤 情 報

一般名：メピチオスタン

● 保険収載年月…1979年4月

● 海外評価…0点 英 米 独 仏

● 規制…劇薬

● 剤形…カ カプセル剤

■ 先発品　　商品名(メーカー)　規格・保険薬価

チオデロン (日医工) カ 5mg 1カプ 74.60円

📋 概　　要

分類　アンドロスタン系腎性貧血・抗乳腺腫瘍薬

処方目的　透析施行中の腎性貧血／乳がん

解説　わが国で開発された抗エストロゲン薬で，日本薬局方にも収載されていますが，日本以外では使用されていないローカルドラッグです。

🖋 使用上の注意

基本的注意

(1)服用してはいけない場合……アンドロゲン依存性悪性腫瘍(例えば前立腺がん，男子

乳がん）またはその疑いがある人／妊婦または妊娠している可能性のある人

(2)**慎重に服用すべき場合**……前立腺肥大／心疾患／腎疾患／がんの骨転移／幼児, 小児, 高齢者

(3)**透析中の服用**……透析中の腎性貧血の人が服用すると, 尿量の減少, 基準体重(dry weight)の増加がおこることがあります。異常がみられたら処方医へ連絡してください。

(4)**肝腫瘍**……蛋白同化・男性ホルモン剤を長期大量に服用した再生不良性貧血の人などに, 肝腫瘍が発生したとの報告があります。

(5)**幼児・小児**……服用すると, 骨端の早期閉鎖, 性的早熟をおこすことがあります。

(6)**その他**……
- 授乳婦での安全性：服用するときは授乳を中止。(1714 頁を参照)

重大な副作用　　　重大な副作用はありませんが, そのほかの副作用はあるので, 体調がいつもと違うと感じたときは, 処方医・薬剤師に相談してください。

併用してはいけない薬　　　併用してはいけない薬は特にありません。ただし, 併用する薬があるときは, 念のため処方医・薬剤師に報告してください。

内 16 がんに使われる内服薬　05 ホルモン剤・抗ホルモン剤

04 抗アンドロゲン薬

✏️ 製 剤 情 報

一般名：フルタミド
- 発売年月…1994年12月
- 海外評価…5点 英 米 独 仏　●PC…D
- 規制…劇薬
- 剤形…錠 錠剤

■**先発品**　　商品名(メーカー)　規格・保険薬価

オダイン (日本化薬) 錠 125mg 1錠 171.40 円

■**ジェネリック**　　商品名(メーカー)　規格・保険薬価

フルタミド 写真 (小林化工＝ヤクルト)
錠 125mg 1錠 81.60 円
フルタミド (マイラン＝ファイザー＝日本ジェネリック) 錠 125mg 1錠 81.60 円

一般名：ビカルタミド
- 保険収載年月…1999年5月
- 海外評価…6点 英 米 独 仏　●PC…X
- 規制…劇薬
- 剤形…錠 錠剤

■**先発品**　　商品名(メーカー)　規格・保険薬価

カソデックス (アストラ) 錠 80mg 1錠 327.80 円
カソデックス OD (アストラ)
錠 80mg 1錠 327.80 円

■**ジェネリック**　　商品名(メーカー)　規格・保険薬価

ビカルタミド (あすか＝武田)
錠 80mg 1錠 166.90 円
ビカルタミド (大原＝エッセンシャル)
錠 80mg 1錠 166.90 円
ビカルタミド (小林化工) 錠 80mg 1錠 166.90 円
ビカルタミド (沢井) 錠 80mg 1錠 166.90 円
ビカルタミド (サンド) 錠 80mg 1錠 119.20 円
ビカルタミド (シオノ＝科研)
錠 80mg 1錠 166.90 円
ビカルタミド 写真 (第一三共エスファ)
錠 80mg 1錠 166.90 円
ビカルタミド (大興＝ケミファ)
錠 80mg 1錠 166.90 円

ビカルタミド（武田テバファーマ＝武田）
錠 80mg 1錠 166.90 円

ビカルタミド（辰巳＝フェルゼン）
錠 80mg 1錠 119.20 円

ビカルタミド 写真 （東和）錠 80mg 1錠 166.90 円

ビカルタミド（日医工）錠 80mg 1錠 166.90 円

ビカルタミド（日本化薬）錠 80mg 1錠 166.90 円

ビカルタミド（日本ジェネリック）
錠 80mg 1錠 166.90 円

ビカルタミド（ニプロ）錠 80mg 1錠 166.90 円

ビカルタミド（ファイザー）錠 80mg 1錠 166.90 円

ビカルタミド（マイラン＝キョーリン＝杏林）
錠 80mg 1錠 166.90 円

ビカルタミド（MeijiSeika）錠 80mg 1錠 166.90 円

ビカルタミド OD（あすか＝武田）
錠 80mg 1錠 166.90 円

ビカルタミド OD（小林化工）
錠 80mg 1錠 166.90 円

ビカルタミド OD（沢井）錠 80mg 1錠 166.90 円

ビカルタミド OD（第一三共エスファ）
錠 80mg 1錠 166.90 円

ビカルタミド OD（東和）錠 80mg 1錠 166.90 円

ビカルタミド OD（日医工）錠 80mg 1錠 166.90 円

ビカルタミド OD（日本化薬）
錠 80mg 1錠 166.90 円

ビカルタミド OD（ニプロ）錠 80mg 1錠 166.90 円

ビカルタミド OD（富士化学＝ケミファ）
錠 80mg 1錠 166.90 円

ビカルタミド OD（MeijiSeika）
錠 80mg 1錠 166.90 円

一般名：エンザルタミド
- 保険収載年月…2014年5月
- 海外評価…6点 英米独仏 ・PC…X
- 規制…劇薬
- 剤形…錠 錠剤

■ **先発品**　商品名（メーカー）　規格・保険薬価
イクスタンジ（アステラス）
錠 40mg 1錠 2,391.60 円　錠 80mg 1錠 4,636.10 円

一般名：アビラテロン酢酸エステル
- 保険収載年月…2014年9月
- 海外評価…6点 英米独仏 ・PC…X
- 規制…劇薬
- 剤形…錠 錠剤

■ **先発品**　商品名（メーカー）　規格・保険薬価
ザイティガ（ヤンセン）錠 250mg 1錠 3,759.30 円

一般名：アパルタミド
- 保険収載年月…2019年5月
- 海外評価…6点 英米独仏
- 規制…劇薬
- 剤形…錠 錠剤

■ **先発品**　商品名（メーカー）　規格・保険薬価
アーリーダ（ヤンセン）錠 60mg 1錠 2,290.10 円

一般名：ダロルタミド
- 保険収載年月…2020年4月
- 海外評価…4点 英米独仏
- 規制…劇薬
- 剤形…錠 錠剤

■ **先発品**　商品名（メーカー）　規格・保険薬価
ニュベクオ（バイエル）錠 300mg 1錠 2,302.90 円

概　要

分類　前立腺がん治療薬

処方目的　［フルタミド，ビカルタミドの適応症］前立腺がん
［エンザルタミドの適応症］去勢抵抗性前立腺がん，遠隔転移を有する前立腺がん
［アビラテロン酢酸エステルの適応症］去勢抵抗性前立腺がん，内分泌療法未治療のハ

イリスクの予後因子を有する前立腺がん

[アパルタミドの適応症] 遠隔転移を有しない去勢抵抗性前立腺がん，遠隔転移を有する前立腺がん

[ダロルタミドの適応症] 遠隔転移を有しない去勢抵抗性前立腺がん

解説　前立腺がんは，男性ホルモンのアンドロゲンの影響によって増殖するがんです。治療法にはアンドロゲンを産生する精巣を摘除する外科手術（外科的去勢法）と，アンドロゲンの作用を抑制する内科的治療（ホルモン療法）があります。両者の有効性はほぼ同等とされ，フルタミドとビカルタミドはこのホルモン療法の主要な抗アンドロゲン薬です。

　しかし，ホルモン療法を長期間継続すると次第にこの療法に抵抗性を示すがん細胞が増え，治療効果が消失してしまいます。このホルモン療法抵抗性となった状態は，外科的去勢後に症状が悪化した場合とあわせて「去勢抵抗性前立腺がん」と呼ばれています。エンザルタミドとアビラテロン酢酸エステル，アパルタミド，ダロルタミドは，このような前立腺がんをも対象とした新規の抗アンドロゲン薬です。

　アビラテロン酢酸エステルはさらに「内分泌療法未治療のハイリスクの予後因子を有する前立腺がん」も適応となっています。ハイリスクの予後因子とは，①グリソンスコアが８以上，②骨スキャンで３カ所以上の骨病変あり，③内臓転移あり（リンパ節転移を除く）のことで，このうち２つ以上を有する前立腺がんが対象です。

使用上の注意

＊全剤の添付文書による

警告

[フルタミド]

　劇症肝炎などの重い肝機能障害がおこることがあり，死亡例が報告されています。服用中は定期的に（少なくとも１カ月に１回）肝機能検査を受けるとともに，食欲不振，悪心・嘔吐，倦怠感，かゆみ，発疹，黄疸などの症状が現れたら服用を中止し，ただちに処方医へ連絡してください。

基本的注意

(1)服用してはいけない場合……本剤の成分に対するアレルギーの前歴／[フルタミドのみ]肝機能障害／[ビカルタミドのみ]女性，小児／[アビラテロン酢酸エステルのみ]重度の肝機能障害

(2)慎重に服用すべき場合……[フルタミド]薬物過敏症の前歴／高齢者

[ビカルタミド] 肝機能障害

[エンザルタミド] てんかんなどのけいれん性疾患またはこれらの前歴／けいれん発作をおこしやすい人（脳損傷，脳卒中などの合併またはこれらの前歴のある人，けいれん発作の閾値を低下させる薬剤を使用中の人など）／間質性肺疾患またはその前歴

[アビラテロン酢酸エステル] 心血管疾患またはその前歴／低カリウム血症，または合併症などにより低カリウム血症をおこすおそれのある人／中等度の肝機能障害

[アパルタミド] てんかんなどのけいれん性疾患またはこれらの前歴／けいれん発作をおこしやすい人（脳損傷，脳卒中などの合併またはこれらの前歴のある人，けいれん発作の

閾値を低下させる薬剤を使用中の人など）／重度の肝機能障害／間質性肺疾患またはその既往歴

[ダロルタミド] 重度（Child-Pugh 分類 C）の肝機能障害

(3)定期検査……①[フルタミド，ビカルタミド，アビラテロン酢酸エステル]服用によって肝機能障害が現れることがあるので，定期的に肝機能検査を行います。②[アビラテロン酢酸エステル]服用によって，血圧の上昇，低カリウム血症，体液貯留が現れることがあるので，定期的に血圧測定，血液検査，体重の測定などを行います。③[アパルタミド，ダロルタミド]服用によって，不整脈（心房細動など），心不全，心筋梗塞などの心臓障害が現れることがあるので，服用開始前および服用中は適宜，心機能検査（心電図，心エコーなど）を行います。

(4)外国での報告……[ビカルタミド]本剤の服用者で，本剤との関連性が否定できなかった前立腺がん以外の死亡例（心不全，心筋梗塞，脳血管障害など）が報告されています。

(5)尿の色……[フルタミド]服用すると尿が琥珀色または黄緑色になることがあります。

(6)危険作業に注意……[エンザルタミド，アパルタミド]本剤を服用するとけいれん発作が現れることがあります。服用中は，自動車の運転など危険を伴う機械の操作には十分注意してください。

(7)その他……

● 小児での安全性：[エンザルタミド，アパルタミド]未確立。（1714 頁を参照）

　重大な副作用　　　　　　　　　[フルタミド] ①劇症肝炎などの重篤な肝障害（初期症状：食欲不振，悪心・嘔吐，全身倦怠感，かゆみ，発疹，黄疸など）。②間質性肺炎（発熱，せき，呼吸困難など）。③心不全，心筋梗塞。

[ビカルタミド] ①劇症肝炎，肝機能障害，黄疸。②白血球減少，血小板減少。③間質性肺炎。④心不全，心筋梗塞。

[エンザルタミド] ①けいれん発作（てんかん重積状態など）。②血小板減少。③間質性肺疾患。

[アビラテロン酢酸エステル] ①心不全などの重い心障害。②劇症肝炎，肝不全，肝機能障害。③低カリウム血症（けいれん，筋力低下など），QT 延長，不整脈（トルサード・ドゥ・ポアントを含む）。④血小板減少。⑤横紋筋融解症（筋力低下，筋肉痛など）。

[アパルタミド] ①けいれん発作。②心臓障害（狭心症，心筋梗塞，心不全など）。③重度の皮膚障害（中毒性表皮壊死融解症（TEN），多形紅斑など）。④間質性肺疾患。

[ダロルタミド] ①心臓障害（不整脈など）。

　そのほかにも報告された副作用はあるので，体調がいつもと違うと感じたときは，処方医・薬剤師に相談してください。

　併用してはいけない薬　　　　　併用してはいけない薬は特にありません。ただし，併用する薬があるときは，念のため処方医・薬剤師に報告してください。

内 **16** がんに使われる内服薬 **05** ホルモン剤・抗ホルモン剤

05 アロマターゼ阻害薬

✎ 製 剤 情 報

一般名：アナストロゾール
- 保険収載年月…2001年2月
- 海外評価…6点 英 米 独 仏 　●PC…D
- 規制…劇薬
- 剤形…錠 錠剤

■**先発品**　　商品名(メーカー)　規格・保険薬価

アリミデックス (アストラ) 錠 1mg 1錠 274.60 円

■**ジェネリック**　　商品名(メーカー)　規格・保険薬価

アナストロゾール (沢井) 錠 1mg 1錠 88.70 円
アナストロゾール (サンド＝持田) 錠 1mg 1錠 54.90 円
アナストロゾール (第一三共エスファ) 錠 1mg 1錠 88.70 円
アナストロゾール (ダイト＝ケミファ) 錠 1mg 1錠 88.70 円
アナストロゾール (武田テバ薬品＝武田テバファーマ＝武田) 錠 1mg 1錠 88.70 円
アナストロゾール (東和) 錠 1mg 1錠 88.70 円
アナストロゾール (日医工) 錠 1mg 1錠 88.70 円
アナストロゾール (日本化薬) 錠 1mg 1錠 88.70 円
アナストロゾール (ニプロ) 錠 1mg 1錠 88.70 円
アナストロゾール (日本ジェネリック) 錠 1mg 1錠 180.50 円
アナストロゾール (富士製薬) 錠 1mg 1錠 88.70 円
アナストロゾール (MeijiSeika) 錠 1mg 1錠 88.70 円

一般名：エキセメスタン
- 保険収載年月…2002年8月
- 海外評価…6点 英 米 独 仏 　●PC…D
- 剤形…錠 錠剤

■**先発品**　　商品名(メーカー)　規格・保険薬価

アロマシン (ファイザー) 錠 25mg 1錠 253.40 円

■**ジェネリック**　　商品名(メーカー)　規格・保険薬価

エキセメスタン (武田テバファーマ＝武田) 錠 25mg 1錠 158.70 円
エキセメスタン (日本化薬) 錠 25mg 1錠 158.70 円
エキセメスタン (マイラン) 錠 25mg 1錠 158.70 円

一般名：レトロゾール
- 保険収載年月…2006年4月
- 海外評価…6点 英 米 独 仏 　●PC…D
- 規制…劇薬
- 剤形…錠 錠剤

■**先発品**　　商品名(メーカー)　規格・保険薬価

フェマーラ (ノバルティス) 錠 2.5mg 1錠 321.10 円

■**ジェネリック**　　商品名(メーカー)　規格・保険薬価

レトロゾール (エルメッド＝日医工) 錠 2.5mg 1錠 86.80 円
レトロゾール (共和) 錠 2.5mg 1錠 86.80 円
レトロゾール (小林化工) 錠 2.5mg 1錠 86.80 円
レトロゾール 写真 (沢井) 錠 2.5mg 1錠 86.80 円
レトロゾール (サンド) 錠 2.5mg 1錠 86.80 円
レトロゾール (第一三共エスファ) 錠 2.5mg 1錠 86.80 円
レトロゾール (ダイト＝ケミファ) 錠 2.5mg 1錠 109.00 円
レトロゾール (武田テバファーマ＝武田) 錠 2.5mg 1錠 86.80 円
レトロゾール (東和) 錠 2.5mg 1錠 109.00 円
レトロゾール (日医工) 錠 2.5mg 1錠 86.80 円
レトロゾール (日本化薬) 錠 2.5mg 1錠 86.80 円
レトロゾール (ニプロ) 錠 2.5mg 1錠 86.80 円

レトロゾール（日本ジェネリック）	レトロゾール（富士化学＝ヤクルト）
錠 2.5mg 1錠 219.80 円	錠 2.5mg 1錠 86.80 円

レトロゾール（ファイザー）錠 2.5mg 1錠 86.80 円	レトロゾール（富士製薬）錠 2.5mg 1錠 86.80 円
	レトロゾール（MeijiSeika）錠 2.5mg 1錠 109.00 円

概　要

分類　非ステロイド性アロマターゼ阻害薬

処方目的　閉経後乳がん／生殖補助医療における調節卵巣刺激

解説　アロマターゼは女性ホルモン（エストロゲン）を体内で合成するのに必要な酵素です。アロマターゼ阻害薬は，アロマターゼの作用を抑えることで体内の女性ホルモンの量を少なくし，乳がんの増殖を抑えます。

　レトロゾールのフェマーラのみは，2022 年に不妊治療薬として保険適応となりました。不妊に対するフェマーラの使用は，患者およびパートナーの検査を十分に行ったうえで判断します。原発性卵巣不全が認められる場合や妊娠不能な性器奇形，妊娠に不適切な子宮筋腫の合併など，妊娠に不適当な場合にはフェマーラは用いられません。

使用上の注意

＊アリミデックス，アロマシン，フェマーラの添付文書による

基本的注意

(1)**服用してはいけない場合**……本剤の成分に対するアレルギーの前歴／妊婦または妊娠している可能性がある人，授乳婦

(2)**慎重に服用すべき場合**……重い肝機能障害・腎機能障害

(3)**骨粗鬆症，骨折**……[閉経後乳がんの場合]本剤の影響で骨粗鬆症，骨折がおこりやすくなるので，骨密度などを定期的に検査します。

(4)**卵巣過剰刺激症候群**……[生殖補助医療における調節卵巣刺激の場合]本剤（フェマーラ）を含む生殖補助医療における調節卵巣刺激薬において，卵巣過剰刺激症候群（おなかの張り，腹痛，吐きけ，尿量減少，急に体重が増えたなど）が現れる可能性があります。これらの兆候が認められた場合には直ちに医師などに相談してください。

(5)**危険作業に注意**……本剤の服用により，嗜眠，無力症，傾眠，めまいなどが報告されています。服用中は，高所作業や自動車の運転など危険を伴う機械の操作は十分に注意してください。(1714 頁を参照)

重大な副作用　　①肝炎，肝機能障害，黄疸。

[アナストロゾール，レトロゾール] ②血栓症・塞栓症。

[アナストロゾール] ③皮膚粘膜眼症候群（スティブンス-ジョンソン症候群）。④アナフィラキシー，血管浮腫，じんま疹。⑤間質性肺炎。

[レトロゾール] ⑥心不全，狭心症。⑦中毒性表皮壊死融解症（TEN），多形紅斑。

　そのほかにも報告された副作用はあるので，体調がいつもと違うと感じたときは，処方医・薬剤師に相談してください。

併用してはいけない薬　　併用してはいけない薬は特にありません。ただし，併用す

る薬があるときは，念のため処方医・薬剤師に報告してください。

06　黄体ホルモン（1）

製剤情報

一般名：メドロキシプロゲステロン酢酸エステル

- 保険収載年月…1987年5月
- 海外評価…5点 英 米 独 仏　●PC…X
- 剤形…錠 錠剤

■先発品　　商品名（メーカー）　規格・保険薬価

ヒスロンH（協和キリン）錠 200mg 1錠 171.90 円

■ジェネリック　　商品名（メーカー）　規格・保険薬価

メドロキシプロゲステロン酢酸エステル（富士製薬）錠 200mg 1錠 86.80 円

概　要

分類　黄体ホルモン

処方目的　乳がん，子宮体がん（内膜がん）

解説　合成黄体ホルモンの製剤で，高用量で用いることで抗エストロゲン作用を発揮して，乳がん，子宮体がんの増殖を抑えます。

使用上の注意

＊メドロキシプロゲステロン酢酸エステル（ヒスロンH）の添付文書による

警告

　本剤の服用中に重い動脈・静脈血栓症がおこり，死亡に至ったとの報告があります。

基本的注意

(1)服用してはいけない場合……血栓症をおこすおそれの高い次の場合→脳梗塞・心筋梗塞・血栓静脈炎などの血栓性疾患またはその前歴，動脈硬化症，心臓弁膜症・心房細動・心内膜炎・重い心不全などの心疾患，ホルモン剤（黄体ホルモン・卵胞ホルモン・副腎皮質ホルモンなど）の服用中，手術後1週間以内／妊婦または妊娠している可能性のある人／本剤の成分に対するアレルギーの前歴／診断未確定の性器出血・尿路出血・乳房病変／重い肝機能障害／高カルシウム血症

(2)慎重に服用すべき場合……血栓症をおこすおそれのある次のような場合→高血圧症，糖尿病，高脂血症（脂質異常症），肥満症，手術後1カ月以内／腎機能障害／心疾患／うつ病またはその前歴／てんかんまたはその前歴／片頭痛，ぜんそく，慢性の肺機能障害またはその前歴／ポルファリン症

(3)定期検査……服用によって，脳梗塞，心筋梗塞，肺塞栓などの重い血栓症がおこることがあります。服用前，および服用中は定期的に FDP，α_2 プラスミンインヒビター・プラスミン複合体などの検査を受ける必要があります。

(4)その他……

●授乳婦での安全性：服用するときは授乳しないことが望ましい。（1714頁を参照）

重大な副作用 ①脳梗塞，心筋梗塞，肺塞栓症，腸間膜血栓症，網膜血栓症，血栓性静脈炎などの重い血栓症。②うっ血性心不全。③アナフィラキシー。④乳頭水腫（視力消失，眼球突出，複視，片頭痛）。

そのほかにも報告された副作用はあるので，体調がいつもと違うと感じたときは，処方医・薬剤師に相談してください。

併用してはいけない薬 ホルモン剤（黄体ホルモン，卵胞ホルモン，副腎皮質ホルモンなど）→血栓症をおこすおそれが高くなります。

内 **16 がんに使われる内服薬　05 ホルモン剤・抗ホルモン剤**

07　黄体ホルモン（2）

製剤情報

一般名：クロルマジノン酢酸エステル（25mg錠）

- 保険収載年月…1981年9月
- 海外評価…0点 英 米 独 仏
- 剤形…錠 錠剤

■先発品　商品名(メーカー)　規格・保険薬価

プロスタール（あすか＝武田）
錠 25mg 1錠 49.10 円

クロルマジノン酢酸エステル（日新）
錠 25mg 1錠 49.10 円

■ジェネリック　商品名(メーカー)　規格・保険薬価

クロルマジノン酢酸エステル（小林化工）
錠 25mg 1錠 9.80 円

クロルマジノン酢酸エステル（武田テバファーマ＝武田）錠 25mg 1錠 9.80 円

クロルマジノン酢酸エステル（日医工）
錠 25mg 1錠 9.80 円

クロルマジノン酢酸エステル（陽進堂＝共創未来）錠 25mg 1錠 9.80 円

概　　要

分類　黄体ホルモン

処方目的　前立腺肥大症，前立腺がん（ただし，転移のある前立腺がんに対しては他療法による治療の困難な場合に使用する）

解説　合成黄体ホルモンの製剤ですが，前立腺がんへの効果は抗アンドロゲン作用と血中テストステロン低下作用によるとされています。ただし，がん治療薬としては欧米では使用されていません。

使用上の注意

基本的注意

詳細については，内服 12-02-09 の黄体ホルモンを参照してください。

内 16 がんに使われる内服薬　06 分子標的治療薬

01 イマチニブメシル酸塩

製剤情報

一般名：イマチニブメシル酸塩
- 保険収載年月…2001年12月
- 海外評価…6点 英米独仏　●PC…D
- 規制…劇薬
- 剤形…錠 錠剤

■**先発品**　商品名(メーカー)　規格・保険薬価

グリベック (ノバルティス)
錠 100mg 1錠 1,928.10 円

■**ジェネリック**　商品名(メーカー)　規格・保険薬価

イマチニブ (エルメッド＝日医工)
錠 100mg 1錠 411.00 円

イマチニブ (大原) 錠 100mg 1錠 247.20 円

イマチニブ (共創未来) 錠 100mg 1錠 609.90 円

イマチニブ (ケミファ) 錠 100mg 1錠 609.90 円

イマチニブ (小林化工) 錠 100mg 1錠 411.00 円

イマチニブ (沢井) 錠 100mg 1錠 411.00 円
錠 200mg 1錠 1,300.40 円

イマチニブ (第一三共エスファ)
錠 100mg 1錠 609.90 円

イマチニブ (高田＝ヤクルト)
錠 100mg 1錠 411.00 円　錠 200mg 1錠 1,300.40 円

イマチニブ (武田テバファーマ＝武田)
錠 100mg 1錠 609.90 円

イマチニブ (辰巳) 錠 100mg 1錠 247.20 円

イマチニブ (東和) 錠 100mg 1錠 609.90 円
錠 200mg 1錠 1,300.40 円

イマチニブ (日医工) 錠 100mg 1錠 609.90 円
錠 200mg 1錠 1,300.40 円

イマチニブ (日本化薬) 錠 100mg 1錠 609.90 円

イマチニブ (ニプロ) 錠 100mg 1錠 411.00 円
錠 200mg 1錠 1,300.40 円

イマチニブ (日本ジェネリック)
錠 100mg 1錠 609.90 円

イマチニブ (マイラン＝ファイザー)
錠 100mg 1錠 247.20 円

イマチニブ (MeijiSeika) 錠 100mg 1錠 609.90 円
錠 200mg 1錠 1,300.40 円

概　要

分類　分子標的治療薬

処方目的　慢性骨髄性白血病／KIT (CD117) 陽性消化管間質腫瘍／フィラデルフィア染色体陽性急性リンパ性白血病／[グリベックのみの適応症]FIP1L1-PDGFRα陽性の好酸球増多症候群・慢性好酸球性白血病

解説　慢性骨髄性白血病では，9番と22番の染色体が何らかの原因で途中で切断され，相手方の染色体と結合してしまう異常(フィラデルフィア染色体)がみられます。フィラデルフィア染色体では，9番にある ABL という遺伝子と22番にある BCR 遺伝子が結合しています。この BCR-ABL 遺伝子から異常な蛋白質(BCR-ABL 蛋白)が産生され，これが慢性骨髄性白血病の原因と考えられています。

　本剤は，この BCR-ABL 蛋白の働きを直接抑える薬剤で，内服を続けることで8年生存率が90％以上と極めて良好で，白血病の治療法を根本から変えた分子標的治療薬です。

　また本剤は，KIT と呼ばれるチロシンキナーゼ(細胞の増殖などに関与している酵素)

の異常活性が関与している KIT 陽性消化管間質腫瘍，BCR-ABL チロシンキナーゼの異常活性が関与しているフィラデルフィア染色体陽性急性リンパ性白血病に対して，これらのチロシンキナーゼの働きを選択的に阻害することでがん細胞の増殖を抑えます。さらに，グリベックは FIP1L1-PDGFR α 融合遺伝子も標的分子となっています。

　このように本剤は画期的な薬剤ですが，標準使用量での薬価(先発品)は年間約 280 万円となり，高額医療費の対象とはなりますが，それでも大きな負担です。英仏のように無料とはいかないまでも，肝炎治療のように上限額を低く設定することが必要です。

使用上の注意
*イマチニブメシル酸塩(グリベック)の添付文書による

警告

　本剤は，緊急時に十分に措置できる医療施設で，がん化学療法に十分な経験を持つ医師のもとで，適切と判断される人にのみ使用されるべき薬剤です。また，医師よりその有効性・危険性の十分な説明を受け，患者本人(もしくは家族)が納得・同意できなければ治療に入っていくべきではありません。

基本的注意

(1)服用してはいけない場合……本剤の成分に対するアレルギーの前歴／妊婦または妊娠している可能性のある人／ロミタピドメシル酸塩の服用中

(2)慎重に服用すべき場合……肝機能障害／高齢者／心疾患またはその前歴

(3)服用法……本剤は，消化管刺激作用を最低限に抑えるため，食後に多めの水(150mL以上)で服用してください。

(4)定期検査……服用中は定期的に血液，肝機能，腎機能などの検査，体重測定を受ける必要があります。

(5)避妊……外国で流産の報告があるので，妊娠可能な女性が服用するときは避妊してください。

(6)飲食物……セイヨウオトギリソウ(セント・ジョーンズ・ワート)含有食品は本剤の血中濃度を低下させ，グレープフルーツジュースは血中濃度を上昇させることがあるので，服用中は避けてください。

(7)危険作業の注意……本剤を服用すると，めまい，眠け，霧視などをおこすことがあります。服用中は，自動車の運転など危険を伴う機械の操作は十分に注意してください。

(8)その他……

●授乳婦での安全性：服用するときは授乳しないことが望ましい。

●小児での安全性：未確立。(1714 頁を参照)

重大な副作用　①脳出血，硬膜下出血，消化管出血，胃前庭部毛細血管拡張症。②骨髄機能抑制(汎血球減少，白血球減少，好中球減少，貧血など)。③肝機能障害，黄疸，肝不全。④重い体液貯留(胸水，腹水，肺水腫，心膜滲出液，うっ血性心不全，心タンポナーデ)。⑤感染症(肺炎，敗血症など)，B 型肝炎ウイルスの再活性化。⑥急性腎障害などの重い腎障害。⑦間質性肺炎，肺線維症。⑧皮膚粘膜眼症候群(スティブンス-ジョンソン症候群)，中毒性表皮壊死融解症(TEN)，剥脱性皮膚炎，多形紅斑。⑨心

膜炎。⑩脳浮腫，頭蓋内圧上昇。⑪麻痺性イレウス。⑫深部静脈血栓症，肺塞栓症。⑬腫瘍出血，消化管穿孔，腹膜炎。⑭腫瘍崩壊症候群。⑮ショック，アナフィラキシー。⑯横紋筋融解症。⑰肺高血圧症。

　そのほかにも報告された副作用はあるので，体調がいつもと違うと感じたときは，処方医・薬剤師に相談してください。

併用してはいけない薬　　ロミタピドメシル酸塩（ジャクスタピッド）→ロミタピドメシル酸塩の血中濃度が著しく上昇するおそれがあります。

内 16 がんに使われる内服薬　06 分子標的治療薬

02　イマチニブ抵抗性がん治療薬

製剤情報

一般名：スニチニブリンゴ酸塩
- 保険収載年月…2008年6月
- 海外評価…6点 英 米 独 仏　　●PC…D
- 規制…劇薬
- 剤形…カ カプセル剤

■先発品	商品名(メーカー)	規格・保険薬価
スーテント （ファイザー）	カ 12.5mg 1カセル	7,282.50 円

一般名：ダサチニブ水和物
- 保険収載年月…2009年3月
- 海外評価…6点 英 米 独 仏　　●PC…D
- 規制…劇薬
- 剤形…錠 錠剤

■先発品	商品名(メーカー)	規格・保険薬価
スプリセル （ブリストル）	錠 20mg 1錠	4,047.40 円
	錠 50mg 1錠	9,509.40 円

一般名：ニロチニブ塩酸塩水和物
- 保険収載年月…2009年3月
- 海外評価…6点 英 米 独 仏　　●PC…D

- 規制…劇薬
- 剤形…カ カプセル剤

■先発品	商品名(メーカー)	規格・保険薬価
タシグナ （ノバルティス）	カ 50mg 1カセル	1,313.10 円
カ 150mg 1カセル 3,656.00 円		カ 200mg 1カセル 4,815.90 円

一般名：ボスチニブ水和物
- 保険収載年月…2014年11月
- 海外評価…6点 英 米 独 仏　　●PC…D
- 規制…劇薬
- 剤形…錠 錠剤

■先発品	商品名(メーカー)	規格・保険薬価
ボシュリフ （ファイザー）	錠 100mg 1錠	3,861.20 円

一般名：ポナチニブ塩酸塩
- 保険収載年月…2016年11月
- 海外評価…6点 英 米 独 仏　　●PC…D
- 規制…劇薬
- 剤形…錠 錠剤

■先発品	商品名(メーカー)	規格・保険薬価
アイクルシグ （大塚）	錠 15mg 1錠	6,428.40 円

概　要

分類　キナーゼ阻害薬
処方目的　[スニチニブリンゴ酸塩の適応症] イマチニブ抵抗性の消化管間質腫瘍／根治切除不能または転移性の腎細胞がん／膵神経内分泌腫瘍

[ダサニチブ水和物の適応症] 慢性骨髄性白血病／再発または難治性のフィラデルフィア染色体陽性急性リンパ性白血病

[ニロチニブ塩酸塩水和物の適応症] 慢性期または移行期の慢性骨髄性白血病

[ボスチニブ水和物] 慢性骨髄性白血病

[ポナチニブ塩酸塩] 前治療薬に抵抗性または不耐容の慢性骨髄性白血病／再発または難治性のフィラデルフィア染色体陽性急性リンパ性白血病

解説　多細胞生物のみに存在するチロシンキナーゼは，細胞増殖や免疫反応などのシグナル伝達に関与しています。増殖因子が結合して活性化する受容体型のチロシンキナーゼが数多く見出されており，さまざまながんの増殖に関与していることがわかっています。代表的な分子標的治療薬のイマチニブメシル酸塩は，このチロシンキナーゼを阻害することでがん治療に応用されています。

　この項の薬剤は，イマチニブでは効果が不十分，あるいはイマチニブが使えない場合の薬品として承認されていますが，ボスチニブ水和物のみは 2020 年 6 月に「初発の慢性骨髄性白血病」にも拡大適応となりました。

使用上の注意

*スニチニブリンゴ酸塩（スーテント）の添付文書による

警告

[共通]

①本剤は，緊急時に十分に措置できる医療施設で，がん化学療法に十分な経験をもつ医師のもとで，適切と判断される人にのみ使用されるべき薬剤です。また，医師からその有効性・危険性の十分な説明を受け，患者および家族が納得・同意できなければ治療に入っていくべきではありません。

[スニチニブリンゴ酸塩のみ]

②心不全などの重い心障害が現れ，死亡に至った例も報告されているので，本剤投与開始前には必ず心機能を確認します。また，本剤投与中は適宜心機能検査（心エコーなど）を行い状態を十分に観察しなければなりません。

③可逆性後白質脳症症候群（RPLS）が現れることがあります。RPLS が疑われた場合は，本剤の投与を中止して適切な処置を行う必要があります。

[ニロチニブ塩酸塩水和物のみ]

④本剤投与後に QT 間隔延長が認められており，心タンポナーデによる死亡も報告されているので，状態を十分に観察することが必要です。

[ポナチニブ塩酸塩のみ]

⑤心筋梗塞，脳梗塞，網膜動脈閉塞症，末梢動脈閉塞性疾患，静脈血栓塞栓症などの重篤な血管閉塞性事象が現れることがあり，死亡に至った例も報告されています。本剤の服用開始前に，虚血性疾患（心筋梗塞，末梢動脈閉塞性疾患など），静脈血栓塞栓症などの前歴の有無，心血管系疾患の危険因子（高血圧，糖尿病，脂質異常症など）の有無などを確認したうえで，服用の可否を慎重に判断します。服用中は胸痛，腹痛，四肢痛，片麻痺，視力低下，息切れ，しびれなどの発現に注意してください。

⑥重篤な肝機能障害が現れることがあり，肝不全により死亡に至った例も報告されているので，服用開始前および服用中は定期的に肝機能検査を行います。

基本的注意

(1)**服用してはいけない場合**……本剤の成分に対するアレルギーの前歴／妊婦または妊娠している可能性のある人

(2)**特に慎重に服用すべき場合**(治療上やむを得ないと判断される場合を除き服用は避けること)……QT間隔延長またはその前歴

(3)**慎重に服用すべき場合**……イマチニブメシル酸塩に忍容性のない消化管間質腫瘍／骨髄抑制／高血圧／心疾患・脳血管障害・肺塞栓症またはその前歴／不整脈につながる心疾患，徐脈もしくは電解質異常の前歴／肺の腫瘍／脳転移／甲状腺機能障害

(4)**飲食物**……セイヨウオトギリソウ(セント・ジョーンズ・ワート)含有食品は本剤の血中濃度を低下させ，グレープフルーツジュースは血中濃度を上昇させることがあるので，服用中は避けてください。

(5)**定期検査**……骨髄抑制，高血圧，腫瘍変性・縮小に伴う出血，肝機能異常などがおこることがあるので，定期的な血圧測定，血液や肝機能などの検査が必要です。

(6)**顎骨壊死**……本剤の服用後に顎骨壊死が発現したとの報告があり，その多くはビスホスフォネート系製剤を使用中あるいは使用経験がある人でした。また，本剤を含む血管新生阻害薬とビスホスフォネート系製剤を併用すると，顎骨壊死の発現が増加する可能性があると報告されています。

(7)**避妊**……妊娠可能な女性は，服用期間中および服用終了後一定期間は適切な避妊を行ってください。動物実験で胚・胎児死亡，奇形の発生が報告されています。

(8)**危険作業に注意**……本剤を服用すると，めまい，傾眠，意識消失などをおこすことがあります。服用中は，高所作業や自動車の運転など危険を伴う機械の操作は十分に注意してください。

(9)**その他**……

● 授乳婦での安全性：服用するときは授乳しないことが望ましい。

● 小児での安全性：未確立。(1714頁を参照)

重大な副作用

①骨髄抑制(汎血球・白血球・血小板・好中球減少，貧血など)。②重い感染症(肺炎，敗血症，壊死性筋膜炎など)。③高血圧。④鼻出血，皮下出血，口腔内出血，性器出血，喀血，結膜出血，腫瘍出血，消化管出血，脳出血。⑤消化管穿孔。⑥QT延長，心室性不整脈，心不全，左室駆出率低下。⑦肺塞栓症，深部静脈血栓症。⑧てんかん様発作，可逆性後白質脳症症候群。⑨急性膵炎。⑩甲状腺機能障害。⑪間質性肺炎(息切れ，発熱，呼吸困難，せきなど)。⑫急性腎障害，ネフローゼ症候群。⑬横紋筋融解症，ミオパシー。⑭副腎機能不全。⑮一過性脳虚血発作，脳梗塞。⑯血栓性微小血管症。⑰播種性血管内凝固症候群(DIC)。⑱肝不全，肝機能障害，黄疸。⑲腫瘍崩壊症候群。⑳皮膚粘膜眼症候群(スティブンス-ジョンソン症候群)，多形紅斑。㉑急性胆のう炎(無石胆のう炎を含む)。

そのほかにも報告された副作用はあるので，体調がいつもと違うと感じたときは，処

内
16
―
06
―
03

ソラフェニブトシル酸塩

方医・薬剤師に相談してください。

併用してはいけない薬　　併用してはいけない薬は特にありません。ただし，併用する薬があるときは，念のため処方医・薬剤師に報告してください。

内 16 がんに使われる内服薬　06 分子標的治療薬

03　ソラフェニブトシル酸塩

製剤情報

一般名：ソラフェニブトシル酸塩
- 保険収載年月…2008年4月
- 海外評価…6点 英 米 独 仏　●PC…D

- 規制…劇薬
- 剤形…錠 錠剤

■先発品　　商品名(メーカー)　規格・保険薬価

ネクサバール (バイエル) 錠 200mg 1錠 4,763.70 円

概　　要

分類　キナーゼ阻害薬

処方目的　根治切除不能または転移性の腎細胞がん／切除不能な肝細胞がん／根治切除不能な甲状腺がん

解説　本剤は最初，腫瘍の細胞増殖や血管新生を阻害し，無増悪生存期間を2倍に延ばした，腎細胞がんに対する新しいキナーゼ阻害薬として登場しました。その後，切除不能な肝細胞がん，さらに根治切除不能な甲状腺がんにも有効性が認められ，処方目的に追加されました。

使用上の注意

警告

　本剤は，緊急時に十分に措置できる医療施設で，がん化学療法に十分な経験をもつ医師のもとで，適切と判断される人にのみ使用されるべき薬剤です。また，医師からその有効性・危険性の十分な説明を受け，患者および家族が納得・同意できなければ治療に入っていくべきではありません。

基本的注意

(1)服用してはいけない場合……本剤の成分に対する重いアレルギーの前歴／妊婦または妊娠している可能性のある人
(2)慎重に服用すべき場合……重い肝機能障害／高血圧／血栓塞栓症の前歴／脳転移／高齢者
(3)定期検査……血圧の上昇，肝機能障害，血液障害(白血球減少など)がおこることがあるので，定期的に血圧測定，血液や肝機能などの検査が必要です。本剤を甲状腺がんに用いるときは，定期的に血清カルシウム濃度，甲状腺刺激ホルモン濃度を測定します。
(4)飲食物……セイヨウオトギリソウ(セント・ジョーンズ・ワート)含有食品は，本剤の血中濃度を低下させて有効性を弱める可能性があるので，服用中は避けてください。
(5)二次性腫瘍……本剤の服用後にケラトアカントーマ(皮膚の腫瘍)，皮膚扁平上皮が

んが発生したとの報告があります。

(6)避妊……妊娠可能な女性は，服用期間中および服用終了後少なくとも2週間は適切な避妊を行ってください。動物実験で胚・胎児毒性，催奇形作用が報告されています。

(7)その他……

● 授乳婦での安全性：服用するときは授乳しないことが望ましい。

● 小児での安全性：未確立。(1714頁を参照)

重大な副作用　①手足症候群，剥脱性皮膚炎，中毒性表皮壊死融解症(TEN)，皮膚粘膜眼症候群(スティブンス-ジョンソン症候群)，多形紅斑。②高血圧クリーゼ。③可逆性後白質脳症症候群。④消化管穿孔，消化管潰瘍。⑤出血(消化管出血，気道出血，脳出血，口腔内出血，鼻出血，爪床出血，血腫，腫瘍出血)。⑥心筋虚血，心筋梗塞，うっ血性心不全。⑦肝機能障害，黄疸，劇症肝炎，肝不全，肝性脳症。⑧膵炎。⑨急性肺障害，間質性肺炎(息切れ，発熱，呼吸困難，せきなど)。⑩横紋筋融解症。⑪出血性腸炎，虚血性腸炎などの重い腸炎。⑫白血球減少，好中球減少，リンパ球減少，血小板減少，貧血。⑬タンパク尿，ネフローゼ症候群，腎不全。⑭ショック，アナフィラキシー(呼吸困難，血管浮腫，発疹，血圧低下など)。⑮低ナトリウム血症(意識障害，全身倦怠感，嘔吐など)。⑯ケラトアカントーマ，皮膚有棘細胞がん。⑰低カルシウム血症。

　そのほかにも報告された副作用はあるので，体調がいつもと違うと感じたときは，処方医・薬剤師に相談してください。

併用してはいけない薬　併用してはいけない薬は特にありません。ただし，併用する薬があるときは，念のため処方医・薬剤師に報告してください。

内 **16 がんに使われる内服薬　06 分子標的治療薬**

04　EGFR遺伝子変異陽性がん治療薬

製剤情報

一般名：ゲフィチニブ
● 保険収載年月…2002年8月
● 海外評価…6点 英 米 独 仏　● PC…D
● 規制…劇薬
● 剤形…錠 錠剤

■ **先発品**　商品名(メーカー)　規格・保険薬価

イレッサ(アストラ) 錠 250mg 1錠 3,755.00円

■ **ジェネリック**　商品名(メーカー)　規格・保険薬価

ゲフィチニブ(沢井) 錠 250mg 1錠 1,707.70円

ゲフィチニブ(第一三共エスファ)
錠 250mg 1錠 1,707.70円

ゲフィチニブ(ダイト＝サンド)
錠 250mg 1錠 1,707.70円

ゲフィチニブ(高田＝ヤクルト)
錠 250mg 1錠 1,707.70円

ゲフィチニブ(日医工) 錠 250mg 1錠 1,707.70円

ゲフィチニブ(日本化薬) 錠 250mg 1錠 1,707.70円

ゲフィチニブ(日本ジェネリック)
錠 250mg 1錠 2,112.90円

一般名：エルロチニブ塩酸塩
● 保険収載年月…2007年12月
● 海外評価…6点 英 米 独 仏　● PC…D
● 規制…劇薬

- 剤形…錠 錠剤

■ **先発品**　商品名(メーカー)　規格・保険薬価

タルセバ (中外) 錠 25mg 1錠 2,003.10 円

錠 100mg 1錠 7,369.70 円 | 錠 150mg 1錠 10,777.40 円

一般名：アファチニブマレイン酸塩

- 保険収載年月…2014年4月
- 海外評価…6点 英 米 独 仏　● PC…D
- 規制…劇薬
- 剤形…錠 錠剤

■ **先発品**　商品名(メーカー)　規格・保険薬価

ジオトリフ (ベーリンガー) 錠 20mg 1錠 4,958.20 円

錠 30mg 1錠 7,290.30 円 | 錠 40mg 1錠 9,615.50 円

錠 50mg 1錠 11,118.70 円

一般名：オシメルチニブメシル酸塩

- 保険収載年月…2016年5月

- 海外評価…6点 英 米 独 仏
- 規制…劇薬
- 剤形…錠 錠剤

■ **先発品**　商品名(メーカー)　規格・保険薬価

タグリッソ (アストラ) 錠 40mg 1錠 10,806.60 円

錠 80mg 1錠 20,719.40 円

一般名：ダコミチニブ水和物

- 保険収載年月…2019年2月
- 海外評価…2点 英 米 独 仏
- 規制…劇薬
- 剤形…錠 錠剤

■ **先発品**　商品名(メーカー)　規格・保険薬価

ビジンプロ (ファイザー) 錠 15mg 1錠 3,674.10 円

錠 45mg 1錠 10,255.00 円

■ 概　要

分類　EGFR チロシンキナーゼ阻害薬

処方目的　[エルロチニブ塩酸塩を除く製剤の適応症] EGFR 遺伝子変異陽性の手術不能または再発非小細胞肺がん
[エルロチニブ塩酸塩の適応症] 切除不能な再発・進行性で, がん化学療法施行後に増悪した非小細胞肺がん／EGFR 遺伝子変異陽性の切除不能な再発・進行性で, がん化学療法未治療の非小細胞肺がん／[25mg・100mg のみ]治癒切除不能な膵がん

解説　このグループの薬剤は非小細胞肺がんに対する治療薬で, がん細胞の増殖に関与する EGFR(上皮成長因子受容体)のチロシンキナーゼという酵素を選択的に阻害することで改善を図ります。EGFR をつくるための EGFR 遺伝子に変異がおこっている人に使用します。ゲフィチニブ, エルロチニブ塩酸塩を第一世代薬, アファチニブマレイン酸塩, ダコミチニブ水和物を第二世代薬, オシメルチニブメシル酸塩を第三世代薬と位置づけることができます。
　なお, エルロチニブ塩酸塩のみは, 治癒切除不能な膵がんも適応となっています。

☞ 使用上の注意

＊アファチニブマレイン酸塩(ジオトリフ)の添付文書による

警告

①本剤は, 緊急時に十分に対応できる医療施設で, がん化学療法に十分な知識・経験をもつ医師のもと, 本療法が適切と判断される人にのみ使用されるべき薬剤です。また, 治療に先立ち, 医師からその有効性, 危険性(特に間質性肺疾患の初期症状, 服用中の

注意事項，死亡に至った症例があることなど）の十分な説明を受け，患者および家族が納得・同意したのち使用を開始しなければなりません。

②本剤の服用により間質性肺疾患が現れ，死亡に至った症例が報告されています。初期症状（呼吸困難，せき，発熱など）の確認および定期的な胸部画像検査の実施など，観察を十分に行うことが必要です。

基本的注意

(1) 服用してはいけない場合……本剤の成分に対するアレルギーの前歴

(2) 慎重に服用すべき場合……間質性肺疾患またはその前歴／重い肝機能障害／重い腎機能障害／心不全症状のある人またはその前歴／左室駆出率が低下している人／高齢者

(3) 避妊……本剤を服用すると胎児に影響を及ぼす危険性があります。妊娠可能な女性は服用開始後から確実な避妊を行い，もし妊娠した場合もしくはその疑いがある場合は直ちに処方医へ連絡します。

(4) セイヨウオトギリソウ（セント・ジョーンズ・ワート）含有食品……一緒に摂取すると本剤の作用が弱まる可能性があるので，本剤の服用中は摂取しないでください。

(5) その他……

● 妊婦での安全性：有益と判断されたときのみ服用。

● 授乳婦での安全性：服用するときは授乳しないことが望ましい。

● 小児での安全性：未確立。(1714 頁を参照)

重大な副作用

①間質性肺疾患（間質性肺炎，肺浸潤，肺臓炎，急性呼吸窮迫症候群，アレルギー性胞隔炎など）。②重い下痢。③重い皮膚障害（発疹，ざ瘡（にきび）など）。④肝機能障害，肝不全。⑤重い心障害（左室駆出率低下，心不全など）。⑥中毒性表皮壊死融解症（TEN），皮膚粘膜眼症候群（スティブンス-ジョンソン症候群），多形紅斑などの重い水疱性・剥脱性の皮膚障害。⑦消化管潰瘍，消化管出血。⑧急性膵炎。

そのほかにも報告された副作用はあるので，体調がいつもと違うと感じたときは，処方医・薬剤師に相談してください。

併用してはいけない薬

併用してはいけない薬は特にありません。ただし，併用する薬があるときは，念のため処方医・薬剤師に報告してください。

内 16 がんに使われる内服薬　06 分子標的治療薬

05 ラパチニブトシル酸塩水和物

製剤情報

一般名：ラパチニブトシル酸塩水和物

● 保険収載年月…2009年6月

● 海外評価…6点 英 米 独 仏　● PC…D

● 規制…劇薬

● 剤形…錠 錠剤

■ 先発品　　商品名(メーカー)　規格・保険薬価

タイケルブ（ノバルティス）

錠 250mg 1錠 1,696.90 円

概　要

分類　チロシンキナーゼ阻害薬

処方目的　HER2(ヒト上皮増殖因子受容体2型)の過剰発現が確認された手術不能または再発乳がん

解説　タンパク質を構成するアミノ酸のうち，水酸基(OH)をもつアミノ酸にはセリン，プロリン，チロシンの3種類あります。チロシンキナーゼは，選択的にチロシンの水酸基をリン酸化する酵素です。

　ヒト上皮増殖因子受容体(HER)は，細胞増殖のシグナル伝達系を活性化します。4種類あるヒト上皮増殖因子受容体のうち，上皮増殖因子受容体(EGFR)およびヒト上皮増殖因子受容体2型(HER2)の過剰発現は，予後の不良および生存期間の短縮に関係していると考えられています。本剤はEGFRおよびHER2のチロシン自己リン酸化を選択的かつ可逆的に阻害することにより，腫瘍細胞の増殖を抑制すると考えられています。

　なお，本剤はカペシタビンまたはアロマターゼ阻害薬と併用して用いられます。カペシタビンと併用する場合は，アントラサイクリン系抗悪性腫瘍薬，タキサン系抗悪性腫瘍薬およびトラスツズマブによる化学療法後の増悪もしくは再発例を対象とします。アロマターゼ阻害薬と併用する場合は，ホルモン受容体陽性かつ閉経後の患者を対象とします。

使用上の注意

警告

①本剤を含むがん化学療法は，緊急時に十分対応できる医療施設で，がん化学療法に十分な知識・経験をもつ医師のもとで，適切と判断された人についてのみ実施されるべき療法です。また，医師よりその有効性・危険性の十分な説明を受け，患者本人(もしくは家族)が納得・同意できなければ治療に入っていくべきではありません。

②重い肝機能障害が現れることがあり，死亡に至った例も報告されているので，本剤の服用開始前や服用中は定期的に肝機能検査を受ける必要があります。

③間質性肺炎，肺臓炎などの間質性肺疾患がおこることがあり，死亡に至った例も報告されています。

基本的注意

(1)**服用してはいけない場合**……本剤の成分に対するアレルギーの前歴／妊婦または妊娠している可能性のある人

(2)**慎重に服用すべき場合**……肝機能障害／間質性肺疾患(放射線性肺臓炎を含む)またはその前歴／心不全症状のある人またはその前歴／左室駆出率が低下している人，コントロール不能な不整脈，重い心臓弁膜症／高齢者

(3)**定期検査など**……①重い肝機能障害が現れることがあるので，本剤の服用開始前・服用中は定期的に肝機能検査を受ける必要があります。②心不全などの重い心障害が現れることがあるので，本剤の服用開始前には必ず心機能検査を受けてください。また，服用中は適宜，心機能検査(心エコーなど)を受けてください。③QT間隔延長がおこることがあるので，服用開始前・服用中は適宜，心電図検査を受けてください。

(4)**服用方法**……1日1回，食事の1時間以上前または食後1時間以降に服用します。1

回の服用量を1日2回に分割服用しないでください。

(5)飲食物……セイヨウオトギリソウ(セント・ジョーンズ・ワート)含有食品は本剤の血中濃度を低下させて作用を弱め，グレープフルーツジュースは血中濃度を上昇させて作用を強めることがあるので，服用中は避けてください。

(6)避妊……妊娠可能な女性は，服用期間中および服用終了後一定期間は適切な避妊を行ってください。動物実験で母動物毒性，軽度な胎児異常などが報告されています。

(7)その他……

● 授乳婦での安全性：服用するときは授乳しないことが望ましい。

● 小児での安全性：未確立。(1714頁を参照)

重大な副作用 ①重い肝機能障害。②息切れ，呼吸困難，せき，発熱などを初期症状とする間質性肺疾患(間質性肺炎，肺臓炎など)。③重い心障害(左室駆出率低下，心不全など)。④下痢による脱水症状。⑤QT間隔延長。⑥中毒性表皮壊死融解症(TEN)，皮膚粘膜眼症候群(スティブンス-ジョンソン症候群)，多形紅斑などの重度の皮膚障害。

そのほかにも報告された副作用はあるので，体調がいつもと違うと感じたときは，処方医・薬剤師に相談してください。

併用してはいけない薬 併用してはいけない薬は特にありません。ただし，併用する薬があるときは，念のため処方医・薬剤師に報告してください。

内 **16** がんに使われる内服薬　**06** 分子標的治療薬

06 エベロリムス

💊 製 剤 情 報

一般名：エベロリムス

● 保険収載年月…2010年4月

● 海外評価…6点 **英米独仏** ● PC…D

● 規制…劇薬

● 剤形…錠錠剤

■ **先発品**　　**商品名(メーカー)**　規格・保険薬価

アフィニトール錠 (ノバルティス)
錠 2.5mg 1錠 5,426.70円　錠 5mg 1錠 10,215.50円

アフィニトール分散錠 (ノバルティス)
錠 2mg 1錠 4,327.90円　錠 3mg 1錠 6,333.50円

📋 概　　要

分類 mTOR阻害薬

処方目的 [アフィニトール錠の適応症] 根治切除不能または転移性の腎細胞がん／神経内分泌腫瘍／手術不能または再発乳がん／結節性硬化症

[アフィニトール分散錠の適応症] 結節性硬化症

解説 1日1回の簡便な経口投与が可能な薬剤です。がんの増殖，成長および血管新生の調節因子であるmTORタンパクを選択的に阻害することにより，腫瘍細胞の増殖抑制と血管新生阻害という2つのメカニズムで抗腫瘍効果を発揮します。

なお，アフィニトールの「分散錠」は，水に入れてよく混ぜて(分散させて)から服用する

新しい剤形の薬で，普通の「錠剤」が嚥下できない人（小児など）でも服用しやすいようにつくられたものです。「分散錠」は現在のところ，原則として錠剤が服用できない結節性硬化症に伴う成人腎血管筋脂肪腫および上衣下巨細胞性星細胞腫の人に処方されます。

使用上の注意

警告

[アフィニトール錠・分散錠]

①本剤の服用は，緊急時に十分に対応できる医療施設で，がん化学療法または結節性硬化症の治療に対して十分な知識・経験をもつ医師に，本剤の有効性・危険性（特に間質性肺疾患の初期症状，服用中の注意事項，死亡に至った例があることなどに関する情報）を十分に聞き・たずね，同意してから受けなければなりません。

②本剤の服用による間質性肺疾患が発症し，死亡に至った例が報告されています。服用に際しては，せき，呼吸困難，発熱などの症状に注意するとともに，服用前および服用中は定期的に胸部CT検査を受け，また，異常が認められた場合には直ちに処方医へ伝えなければなりません。

③肝炎ウイルスキャリアの人で，本剤の治療期間中に肝炎ウイルスの再活性化により肝不全に至り，死亡した例が報告されています。服用期間中または治療終了後は，劇症肝炎または肝炎の増悪，肝不全が発現するおそれがあるので定期的に肝機能検査を受けるなど，肝炎ウイルスの再活性化の徴候や症状の発現に注意しなければなりません。

④アフィニトール錠とアフィニトール分散錠の生物学的同等性は示されていないので，両剤の切り換えに際しては，切り換えから2週間後を目安に血中濃度（トラフ濃度）を測定しなければなりません。

基本的注意

(1)服用してはいけない場合……本剤の成分，シロリムスまたはシロリムス誘導体に対するアレルギーの前歴／妊婦または妊娠している可能性のある人

(2)慎重に服用すべき場合……肺に間質性陰影を認める人／感染症の合併／肝機能障害／肝炎ウイルス，結核などの感染の前歴／高齢者

(3)服用法……本剤を高脂肪食および低脂肪食の食後に服用した場合，血中濃度が低下するとの報告があります。食事の影響を避けるため，空腹時に服用してください。

(4)定期検査……間質性肺疾患，重い腎機能障害，高血糖，血液障害（白血球減少など）がおこることがあるので，定期的に胸部CT，腎機能および尿，空腹時血糖値，血液などの検査を受けることが必要です。

(5)避妊……本剤は，動物実験で胎児などに対する毒性が認められたとの報告があります。妊婦または妊娠している可能性のある人は，本剤を服用することはできません。また，妊娠が可能な年齢の人は，服用期間中および治療終了から最低8週間は適切な避妊を行うことが必要です。

(6)飲食物……①グレープフルーツジュースは本剤の作用を強めるおそれがあるので，服用中は摂取しないでください。②セイヨウオトギリソウ（セント・ジョーンズ・ワート）含有食品は本剤の作用を弱めるおそれがあるので，服用中は摂取しないでください。

(7)その他……
- 授乳婦での安全性：服用するときは授乳を中止。
- 小児での安全性：未確立。(1714頁を参照)

重大な副作用　①間質性肺疾患(肺臓炎，間質性肺炎，肺浸潤，胞隔炎，肺胞出血，肺毒性などを含む)。②細菌，真菌，ウイルス，原虫による重い感染症(ニューモシスチス肺炎を含む肺炎，アスペルギルス症，カンジダ症，敗血症など)，日和見感染の発症・悪化。③高血糖，糖尿病の発症または増悪。④貧血，白血球減少，リンパ球減少，血小板減少，ヘモグロビン減少，好中球減少。⑤口内炎，口腔粘膜炎，口腔内潰瘍。⑥アナフィラキシー(呼吸困難，顔面紅潮，胸痛，血管浮腫など)。⑦悪性リンパ腫，リンパ増殖性疾患，悪性腫瘍(特に皮膚)。⑧進行性多巣性白質脳症。⑨BKウイルス腎症。⑩溶血性尿毒症症候群(血小板減少，溶血性貧血，腎不全など)，血栓性血小板減少性紫斑病様症状(血小板減少，微小血管性溶血性貧血，腎機能障害，精神症状など)などの血栓性微小血管障害。⑪肺胞蛋白症。⑫心のう液の貯留。⑬急性呼吸窮迫症候群。⑭肺塞栓症，深部静脈血栓症。⑮腎不全。⑯創傷治癒不良や創傷治癒不良による創傷感染，瘢痕ヘルニア，創離開などの合併症。

　そのほかにも報告された副作用はあるので，体調がいつもと違うと感じたときは，処方医・薬剤師に相談してください。

併用してはいけない薬　生ワクチン(乾燥弱毒生麻疹ワクチン，乾燥弱毒生風疹ワクチン，経口生ポリオワクチン，乾燥BCGなど)→接種すると，麻疹などの感染症が発症するおそれがあります。

内 16 がんに使われる内服薬　06 分子標的治療薬

07 ALK融合遺伝子陽性がん治療薬

製剤情報

一般名：クリゾチニブ
- 保険収載年月…2012年5月
- 海外評価…6点 英 米 独 仏　● PC…D
- 規制…劇薬
- 剤形…カ カプセル剤

■ 先発品　商品名(メーカー)　規格・保険薬価

ザーコリ (ファイザー) カ 200mg 1ガゼル 9,381.40 円
カ 250mg 1ガゼル 11,669.60 円

一般名：アレクチニブ塩酸塩
- 保険収載年月…2014年9月
- 海外評価…2点 英 米 独 仏
- 規制…劇薬
- 剤形…カ カプセル剤

■ 先発品　商品名(メーカー)　規格・保険薬価

アレセンサ (中外) カ 150mg 1ガゼル 6,737.10 円

一般名：セリチニブ
- 保険収載年月…2016年5月
- 海外評価…6点 英 米 独 仏　● PC…D
- 規制…劇薬
- 剤形…錠 錠剤

■ 先発品　商品名(メーカー)　規格・保険薬価

ジカディア (ノバルティス)
錠 150mg 1錠 6,413.60 円

一般名：ロルラチニブ

- 保険収載年月…2018年11月
- 海外評価…2点 英 米 独 仏
- 規制…劇薬
- 剤形…錠 錠剤

■先発品	商品名(メーカー)	規格・保険薬価
ローブレナ (ファイザー)	錠 25mg 1錠 7,350.00 円	
	錠 100mg 1錠 26,441.80 円	

一般名：ブリグチニブ

- 保険収載年月…2021年4月
- 海外評価…6点 英 米 独 仏
- 規制…劇薬
- 剤形…錠 錠剤

■先発品	商品名(メーカー)	規格・保険薬価
アルンブリグ (武田)	錠 30mg 1錠 4,185.20 円	
	錠 90mg 1錠 11,598.00 円	

概　要

分類　チロシンキナーゼ阻害薬

処方目的　[クリゾチニブの適応症] ALK 融合遺伝子陽性の切除不能な進行・再発の非小細胞肺がん／ROS1 融合遺伝子陽性の切除不能な進行・再発の非小細胞肺がん
[アレクチニブ塩酸塩の適応症] ALK 融合遺伝子陽性の切除不能な進行・再発の非小細胞肺がん／再発または難治性の ALK 融合遺伝子陽性の未分化大細胞リンパ腫
[セリチニブ，ロルラチニブ，ブリグチニブの適応症] ALK 融合遺伝子陽性の切除不能な進行・再発の非小細胞肺がん

解説　ALK 融合遺伝子は，2007 年に日本人によって発見された肺がんの原因遺伝子の一つです。このグループの薬剤は，がん細胞の中でこの遺伝子によってつくられた ALK 融合蛋白質の中のチロシンキナーゼという酵素の活性を阻害することにより，がん細胞の増殖を抑制すると考えられています。

　ALK チロシンキナーゼ阻害薬には 2021 年 4 月現在，第一世代のクリゾチニブ，第二世代のアレクチニブ塩酸塩およびセリチニブ，第三世代のロルラチニブ，ブリグチニブの 5 種があります。ロルラチニブ，ブリグチニブおよびセリチニブは，他の ALK チロシンキナーゼ阻害薬に抵抗性を示す変異腫瘍に対しても効果を発揮できるように設計されています。なお，クリゾチニブは，ROS1 融合遺伝子からつくられた ROS1 融合蛋白質の中のチロシンキナーゼの活性も阻害するため，「ROS1 融合遺伝子陽性の切除不能な進行・再発の非小細胞肺がん」も適応となっています。

使用上の注意

＊全剤の添付文書による

警告

①本剤は，緊急時に十分に措置できる医療施設で，がん化学療法に十分な知識・経験をもつ医師のもとで，適切と判断される人にのみ使用されるべき薬剤です。また，医師からその有効性・危険性について十分な説明を受け，患者および家族が納得・同意できなければ治療に入っていくべきではありません。
②[クリゾチニブ，アレクチニブ塩酸塩，セリチニブ，ブリグチニブ]本剤の服用により間質性肺疾患が現れることがあるので(クリゾチニブでは死亡に至った例が報告されている)，息切れ，呼吸困難，せき，発熱などの初期症状がみられたら，直ちに処方医に報告します。

③[クリゾチニブ]本剤の服用により劇症肝炎，肝不全が現れ，死亡に至った例が報告されているので，服用中は定期的に(特に服用初期は頻回に)肝機能検査を行います。

基本的注意

(1)服用してはいけない場合……本剤の成分に対するアレルギーの前歴／[クリゾチニブのみ]ロミタピドメシル酸塩の服用中／[アレクチニブ塩酸塩のみ]妊婦または妊娠している可能性のある人／[ロルラチニブのみ]リファンピシンの服用中

(2)慎重に服用すべき場合……間質性肺疾患またはその前歴／[クリゾチニブ]中等度以上の肝機能障害／QT間隔延長のおそれ，またはその前歴／重度の腎機能障害／[アレクチニブ塩酸塩]肝機能障害／[セリチニブ]重度の肝機能障害／QT間隔延長のおそれ，またはその前歴／高齢者／[ロルラチニブ]重度の腎機能障害(30mL/分＞eGFR)，中等度の腎機能障害(60mL/分＞eGFR≧30mL/分)／中等度以上の肝機能障害／QT間隔延長のおそれ，またはその前歴／高齢者／[ブリグチニブ]重度の腎機能障害(eGFRが30mL/分/1.73m^{2}未満)／重度の肝機能障害

(3)間質性肺疾患……服用すると間質性肺疾患が現れることがあるので，息切れ，呼吸困難，せき，発熱などの初期症状が現れた場合には，速やかに処方医に連絡してください。

(4)飲食物……[セリチニブ，ブリグチニブ]服用中は，セイヨウオトギリソウ(セント・ジョーンズ・ワート)含有食品を摂取しないでください。本剤の血中濃度が低下して有効性が弱まるおそれがあります。[ブリグチニブ]服用中は，グレープフルーツジュースを摂取しないでください。本剤の血中濃度が上昇し，副作用の発現頻度および重症度が増加するおそれがあります。

(5)避妊……妊娠可能な女性およびパートナーが妊娠する可能性のある男性は，服用期間中および服用終了後一定期間は適切な避妊を行ってください。動物実験で胎児などへの悪影響が報告されています。

(6)危険作業に注意……[クリゾチニブ]視覚障害(視力障害，光視症，霧視，硝子体浮遊物，複視，視野欠損，羞明，視力低下など)が現れることがあるので，服用中は自動車の運転など危険を伴う機械の操作には十分に注意してください。

(7)その他……

- 妊婦での安全性：[クリゾチニブ，セリチニブ，ロルラチニブ，ブリグチニブ]有益と判断されたときのみ服用。
- 授乳婦での安全性：[クリゾチニブ，アレクチニブ塩酸塩，セリチニブ，ロルラチニブ]治療上の有益性・母乳栄養の有益性を考慮し，授乳の継続・中止を検討。[ブリグチニブ]服用するときは授乳しないことが望ましい。
- 小児での安全性：未確立。(1714頁を参照)

重大な副作用　　[共通]①間質性肺疾患。②肝機能障害。

[クリゾチニブ]①劇症肝炎，肝不全。②QT間隔延長，徐脈。③血液障害(好中球減少症，白血球減少症，リンパ球減少症，血小板減少症)。④心不全(肺水腫，胸水，心のう液貯留，急激な体重増加，息切れ，呼吸困難，浮腫など)。

[アレクチニブ塩酸塩]①好中球減少，白血球減少。②消化管穿孔。③血栓塞栓症(肺塞

栓症など)。

[セリチニブ] ①QT 間隔延長，徐脈。②重度の下痢。③高血糖・糖尿病。④膵炎。

[ロルラチニブ] ①QT 間隔延長。②認知障害(記憶障害，健忘，注意力障害など)，言語障害(構語障害，言語緩慢，会話障害)などの中枢神経系障害。③膵炎。

[ブリグチニブ] ①膵炎。

　そのほかにも報告された副作用はあるので，体調がいつもと違うと感じたときは，処方医・薬剤師に相談してください。

併用してはいけない薬　　　[クリゾチニブ] ロミタピドメシル酸塩→ロミタピドメシル酸塩の血中濃度が著しく上昇するおそれがあります。

[ロルラチニブ] リファンピシン→ALT・AST が上昇するおそれがあります。

内16 がんに使われる内服薬　06 分子標的治療薬

08 アキシチニブ

製剤情報

一般名：アキシチニブ
- 保険収載年月…2012年8月
- 海外評価…6点 英 米 独 仏　●PC…D
- 規制…劇薬

- 剤形…錠 錠剤
- ■先発品　　商品名(メーカー)　規格・保険薬価

インライタ (ファイザー) 錠 1mg 1錠 1,651.00 円
錠 5mg 1錠 7,462.10 円

概　要

分類　チロシンキナーゼ阻害薬

処方目的　根治切除不能または転移性の腎細胞がん

解説　本剤は，腫瘍の増殖・転移に関与している血管内皮増殖因子受容体(VEGFR)を標的とした分子標的治療薬で，アメリカ，スイスに次いで日本でも承認されました。本剤と同様の適応症をもつ薬剤にソラフェニブトシル酸塩がありますが，臨床試験では，副作用の「手足症候群」の発現頻度がソラフェニブ 67.6%に対し，本剤は 27.0%と半分以上低いのが特徴の一つです。手足症候群とは，手足に炎症や痛みが集中的におこり，重症になると物を持てなくなったり，歩けなくなったりして，日常生活が困難になる病気です。

使用上の注意

警告

　本剤は，緊急時に十分に対応できる医療施設で，がん化学療法に十分な知識・経験をもつ医師のもと，本療法が適切と判断される人にのみ使用されるべき薬剤です。また，治療に先立ち，医師からその有効性・危険性の十分な説明を受け，患者および家族が納得・同意したのち使用を開始しなければなりません。

基本的注意

(1)服用してはいけない場合……本剤の成分に対するアレルギーの前歴／妊婦または妊

娠している可能性のある人

(2)慎重に服用すべき場合……高血圧症／甲状腺機能障害／血栓塞栓症またはその前歴／脳転移のある人／外科的処置後，創傷が治癒していない人／中等度以上の肝機能障害

(3)避妊……動物実験で胚・胎児死亡および奇形の発生が報告されています。妊婦または妊娠している可能性のある人は禁忌，また妊娠可能な女性が本剤を服用するときは服用期間中および服用終了後一定期間，適切な避妊を行うことが必要です。

(4)飲食物……グレープフルーツジュースと併用すると本剤の血中濃度が増加する可能性，セイヨウオトギリソウ(セント・ジョーンズ・ワート)含有食品と併用すると本剤の血中濃度が低下する可能性があるので，服用しているときは摂取しないでください。

(5)その他……

●授乳婦での安全性：治療上の有益性・母乳栄養の有益性を考慮し，授乳の継続・中止を検討。

●小児での安全性：未確立。(1714頁を参照)

重大な副作用 ①高血圧，高血圧クリーゼ。②動脈血栓塞栓症(一過性脳虚血発作，網膜動脈閉塞，脳血管発作，心筋梗塞など)。③静脈血栓塞栓症(肺塞栓症，深部静脈血栓症，網膜静脈閉塞，網膜静脈血栓症など)。④出血(鼻出血，血尿，直腸出血，喀血，脳出血，下部消化管出血，胃出血など)。⑤消化管穿孔，瘻孔形成。⑥甲状腺機能低下症，甲状腺機能亢進症。⑦創傷治癒遅延。⑧可逆性後白質脳症症候群(頭痛，けいれん発作，嗜眠，錯乱，盲目，視覚障害，神経障害)。⑨肝機能障害。⑩心不全。⑪間質性肺疾患。

そのほかにも報告された副作用はあるので，体調がいつもと違うと感じたときは，処方医・薬剤師に相談してください。

併用してはいけない薬 併用してはいけない薬は特にありません。ただし，併用する薬があるときは，念のため処方医・薬剤師に報告してください。

内 16 がんに使われる内服薬　06 分子標的治療薬

09 パゾパニブ塩酸塩

製剤情報

一般名：パゾパニブ塩酸塩

●保険収載年月…2012年11月
●海外評価…6点 英米独仏　●PC…D
●規制…劇薬

●剤形…錠 錠剤

■先発品　商品名(メーカー)　規格・保険薬価

ヴォトリエント (ノバルティス)
錠 200mg 1錠 4,197.50円

概要

分類 マルチキナーゼ阻害薬

処方目的 悪性軟部腫瘍／根治切除不能または転移性の腎細胞がん

解説 悪性軟部腫瘍は，生体のさまざまな部位に分布する軟部組織から発生する悪性

腫瘍です。本剤は，血管内皮増殖因子受容体，血小板由来増殖因子受容体，幹細胞因子受容体という 3 つの標的に作用し，抗腫瘍効果を発揮します。

使用上の注意

警告

①本剤による治療は，緊急時に十分に対応できる医療施設で，がん化学療法の治療に対して十分な知識・経験をもつ医師に，本剤の有効性・危険性を十分に聞き・たずね，同意してから受けなければなりません。

②重い肝機能障害が現れることがあり，肝不全により死亡に至った例も報告されているので，服用開始前および服用中は定期的な肝機能検査が必要です。

③中等度以上の肝機能障害の人は本剤の最大耐用量が低いため，服用量を減量して使用しなければなりません。

基本的注意

(1)服用してはいけない場合……本剤の成分に対するアレルギーの前歴／妊婦または妊娠している可能性のある人

(2)慎重に服用すべき場合……重度の腎機能障害／中等度以上の肝機能障害／高血圧／心機能障害のリスク因子のある人(特にアントラサイクリン系薬剤などの心毒性を有する薬剤および放射線治療による治療歴のある人)／QT 間隔延長の前歴／血栓塞栓症またはその前歴／脳転移のある人／肺転移のある人／外科的処置後，創傷が治癒していない人／高齢者

(3)定期検査……本剤を服用するとさまざまな「重大な副作用」が現れやすくなるため，定期的に以下の検査を受ける必要があります→肝機能検査，血圧測定，心エコーなどの心機能検査，心電図検査，電解質測定，甲状腺機能検査，尿蛋白検査

(4)服用を中断……本剤には創傷(きず)の治癒を遅らせる可能性があります。外科的処置を行う場合には，服用していることを外科医師および処方医に伝えてください。服用を中断することが必要です。

(5)飲食物……グレープフルーツジュースは本剤の作用を強めるおそれがあるので，服用しているときは摂取しないでください。

(6)避妊……妊娠可能な女性が服用するときは，服用中および服用終了後一定期間は避妊をしてください。動物実験で母体毒性，催奇形性(心血管奇形，骨化遅延)，流産などが報告されています。

(7)その他……

● 授乳婦での安全性：服用するときは授乳しないことが望ましい。

● 小児での安全性：未確立。(1714 頁を参照)

重大な副作用
①肝不全，肝機能障害。②高血圧，高血圧クリーゼ。③心機能障害(うっ血性心不全，左室駆出率低下など)。④QT 間隔延長，心室性不整脈。⑤動脈血栓性事象(心筋梗塞，狭心症，虚血性脳卒中，一過性脳虚血発作，心筋虚血など)。⑥静脈血栓性事象(静脈血栓症，肺塞栓症)。⑦出血(脳出血，喀血，消化管出血，血尿，肺出血，鼻出血など)。⑧消化管穿孔，消化管瘻。⑨甲状腺機能障害。⑩ネフローゼ症候

群，蛋白尿。⑪重い感染症。⑫創傷治癒遅延。⑬間質性肺炎。⑭可逆性後白質脳症症候群（頭痛，覚醒低下，精神機能変化，視力消失，高血圧）。⑮血栓性微小血管症（血栓性血小板減少性紫斑病，溶血性尿毒症症候群など）。⑯膵炎。⑰網膜剥離（飛蚊症，光視症，視野欠損，視力低下など）。

そのほかにも報告された副作用はあるので，体調がいつもと違うと感じたときは，処方医・薬剤師に相談してください。

併用してはいけない薬　併用してはいけない薬は特にありません。ただし，併用する薬があるときは，念のため処方医・薬剤師に報告してください。

内 16 がんに使われる内服薬　06 分子標的治療薬

10 レゴラフェニブ

製剤情報

一般名：レゴラフェニブ水和物
- 保険収載年月…2013年5月
- 海外評価…5点 英米独仏　●PC…D

- 規制…劇薬
- 剤形…錠 錠剤

■先発品　商品名(メーカー)　規格・保険薬価
スチバーガ（バイエル）錠 40mg 1錠 5,682.60円

概要

分類　マルチキナーゼ阻害薬
処方目的　治癒切除不能な進行・再発の結腸・直腸がん／がん化学療法後に増悪した消化管間質腫瘍（イマチニブメシル酸塩およびスニチニブリンゴ酸塩による治療後の人が対象）／がん化学療法後に増悪した切除不能な肝細胞がん
解説　本剤は，腫瘍の増殖や血管新生に関与する複数のキナーゼ（酵素）を阻害して抗腫瘍効果を発揮します。がんが進行・再発し，ほかに治療の選択肢がない大腸がんの進行を遅らせることを目的として開発された薬剤です。プラセボ（偽薬）との比較では約一月半の生存延長が認められました。

その後，本剤はがん化学療法後（イマチニブメシル酸塩・スニチニブリンゴ酸塩による治療後）に増悪した消化管間質腫瘍，およびがん化学療法後に増悪した切除不能な肝細胞がんにも効果のあることがわかり，適応症に追加されました。

使用上の注意

警告
①本剤は，緊急時に十分に対応できる医療施設で，がん化学療法に十分な知識・経験をもつ医師のもと，本剤の服用が適切と判断される人にのみ使用されるべき薬剤です。また，治療に先立ち，医師からその有効性・危険性の十分な説明を受け，患者および家族が納得・同意したのち使用を開始しなければなりません。
②重い肝機能障害が現れることがあり，劇症肝炎，肝不全により死亡に至る例も報告されています。本剤の服用開始前および服用中は，定期的に肝機能検査を行うことが必要です。

基本的注意

(1) **服用してはいけない場合**……本剤の成分に対するアレルギーの前歴／妊婦または妊娠している可能性のある人

(2) **慎重に服用すべき場合**……高血圧症／脳転移のある人／血栓塞栓症またはその前歴／高齢者

(3) **服用法**……本剤を空腹時に，あるいは高脂肪食摂取後には服用しないでください。いずれの場合も本剤の作用が減弱してしまいます。

(4) **定期的検査**……本剤の服用によって肝機能障害・黄疸，血圧の上昇，タンパク尿，甲状腺機能低下が現れることがあるので，定期的にこれらの検査を行います。

(5) **避妊**……妊娠可能な女性は，服用期間中および服用終了後一定期間は適切な避妊を行ってください。動物実験で胚・胎児毒性（着床後胚死亡および胎児奇形の増加）が報告されています。

(6) **その他**……

- 授乳婦での安全性：服用するときは授乳しないことが望ましい。
- 小児での安全性：未確立。(1714頁を参照)

重大な副作用

①手足症候群。②中毒性表皮壊死融解症(TEN)，皮膚粘膜眼症候群（スティブンス-ジョンソン症候群），多形紅斑。③肝機能障害，黄疸，劇症肝炎，肝不全。④出血（消化管出血，喀血，肺出血，腹腔内出血，腔出血，脳出血，鼻出血，血尿など）。⑤間質性肺疾患（せき，呼吸困難，発熱など）。⑥血栓塞栓症（心筋虚血，心筋梗塞など）。⑦高血圧，高血圧クリーゼ。⑧可逆性後白質脳症（けいれん，頭痛，錯乱，視覚障害，皮質盲など）。⑨消化管穿孔，消化管瘻。⑩血小板減少。

そのほかにも報告された副作用はあるので，体調がいつもと違うと感じたときは，処方医・薬剤師に相談してください。

併用してはいけない薬

併用してはいけない薬は特にありません。ただし，併用する薬があるときは，念のため処方医・薬剤師に報告してください。

内 **16 がんに使われる内服薬　06 分子標的治療薬**

11 ルキソリチニブ

製剤情報

一般名：ルキソリチニブリン酸塩

- 保険収載年月…2014年9月
- 海外評価…6点 英 米 独 仏　　●PC…C
- 規制…劇薬

- 剤形…錠 錠剤

■先発品　　商品名(メーカー)　　規格・保険薬価

ジャカビ (ノバルティス) 錠 5mg 1錠 3,768.90 円
錠 10mg 1錠 7,513.20 円

概　要

分類　ヤヌスキナーゼ(JAK)阻害薬

処方目的 骨髄線維症／真性多血症（既存治療が効果不十分または不適当な場合に限る）

解説 骨髄線維症は，血液を産生する組織である骨髄が線維化することで，正常な血液の産生が妨げられる進行性の血液がんです。脾腫（脾臓の肥大）や脾腫に伴う腹部の不快感や痛み，倦怠感・寝汗・体重減少などの消耗性の全身症状など，さまざまな症状がみられます。病因はまだはっきりしていませんが，血球の産生を調節する JAK-STAT シグナル伝達経路の恒常的な活性化が大きく関わっていると考えられています。

本剤は，この JAK-STAT 経路のシグナル伝達を阻害することで，諸症状の改善に効果を発揮します。

真性多血症は，造血幹細胞（すべての血液細胞のもとになる細胞）が腫瘍化して発生する血液のがんで，ヒドロキシカルバミドによる適切な治療を行っても効果が不十分，あるいは不適当と判断される場合に本剤の服用を考慮します。

使用上の注意

警告

①本剤は，緊急時に十分に措置できる医療施設で，造血器悪性腫瘍の治療に十分な知識・経験をもつ医師のもとで，適切と判断される人にのみ使用されるべき薬剤です。また，医師からその有効性・危険性について十分な説明を受け，患者および家族が納得・同意できなければ治療に入っていくべきではありません。

②本剤の服用により，結核，敗血症などの重篤な感染症が発現し，死亡に至った症例が報告されていることから，感染症の発症に十分に注意しなければなりません。

基本的注意

(1)服用してはいけない場合……本剤の成分に対するアレルギーの前歴／妊婦または妊娠している可能性のある人

(2)慎重に服用すべき場合……腎機能障害／肝機能障害／結核の既感染者（特に結核の前歴のある人，胸部レントゲン上で結核治癒所見のある人）／感染症（敗血症，肺炎，ウイルス感染など）を合併している人／高齢者

(3)定期的に検査……本剤の服用により，骨髄抑制（血小板減少症，貧血，好中球減少症）が現れることがあり，また，出血（脳出血など）や肝機能障害がおこって死亡に至った例もあるので，定期的に血液検査，肝機能検査を行います。

(4)感染症……本剤の免疫抑制作用により，細菌，真菌，ウイルス，原虫による感染症や日和見感染が発現または悪化することがあり，また，肝炎ウイルス，結核などが再活性化するおそれがあります。本剤の服用に先立って肝炎ウイルス，結核などの感染の有無を確認し，服用開始前に適切な処置を実施します。

(5)帯状疱疹……本剤の投与により帯状疱疹が現れることがあるので，本剤の服用開始前に帯状疱疹について説明を受け，異常が現れた場合には速やかに主治医に連絡してください。

(6)セイヨウオトギリソウ（セント・ジョーンズ・ワート）含有食品……一緒に摂取すると本剤の作用が弱まる可能性があるので，本剤の服用中は摂取しないでください。

（7）避妊……妊娠可能な女性は，服用期間中および服用終了後一定期間は適切な避妊を行ってください。動物実験で胚・胎児毒性（着床後死亡の増加，胎児重量の減少）が報告されています。

（8）その他……

● 授乳婦での安全性：服用するときは授乳しないことが望ましい。

● 小児での安全性：未確立。（1714頁を参照）

重大な副作用　①骨髄抑制（血小板減少症，貧血，好中球減少症，汎血球減少症など）。②重い感染症（帯状疱疹，尿路感染，結核など）。③進行性多巣性白質脳症（意識障害，認知障害，片麻痺，四肢麻痺，言語障害など）。④出血（脳出血などの頭蓋内出血〈初期症状：頭痛，悪心・嘔吐，意識障害，片麻痺など〉，胃腸出血，処置後出血，鼻出血，血尿など）。⑤間質性肺疾患。⑥肝機能障害。⑦心不全。

　そのほかにも報告された副作用はあるので，体調がいつもと違うと感じたときは，処方医・薬剤師に相談してください。

併用してはいけない薬　併用してはいけない薬は特にありません。ただし，併用する薬があるときは，念のため処方医・薬剤師に報告してください。

内 16 がんに使われる内服薬　06 分子標的治療薬

12 BRAF遺伝子変異陽性がん治療薬

製剤情報

一般名：ベムラフェニブ

● 保険収載年月…2015年2月

● 海外評価…6点 英 米 独 仏 ● PC…D

● 規制…劇薬

● 剤形…錠 錠剤

■ 先発品　　商品名（メーカー）　規格・保険薬価

ゼルボラフ（中外）錠 240mg 1錠 5,026.90円

一般名：ダブラフェニブメシル酸塩

● 保険収載年月…2016年5月

● 海外評価…6点 英 米 独 仏 ● PC…D

● 規制…劇薬

● 剤形…カ カプセル剤

■ 先発品　　商品名（メーカー）　規格・保険薬価

タフィンラー（ノバルティス）

カ 50mg 1カプセル 4,950.60円　カ 75mg 1カプセル 7,289.00円

一般名：トラメチニブ　ジメチルスルホキシド付加物

● 保険収載年月…2016年5月

● 海外評価…6点 英 米 独 仏 ● PC…D

● 規制…劇薬

● 剤形…錠 錠剤

■ 先発品　　商品名（メーカー）　規格・保険薬価

メキニスト（ノバルティス）錠 0.5mg 1錠 7,874.90円

錠 2mg 1錠 29,558.40円

一般名：エンコラフェニブ

● 保険収載年月…2019年2月

● 海外評価…2点 英 米 独 仏

● 規制…劇薬

● 剤形…カ カプセル剤

■ 先発品　　商品名（メーカー）　規格・保険薬価

ビラフトビ（小野）カ 50mg 1カプセル 3,239.60円

カ 75mg 1カプセル 4,769.80円

一般名：ビニメチニブ
- 保険収載年月…2019年2月
- 海外評価…2点 英 米 独 仏
- 規制…劇薬

- 剤形…錠 錠剤

■ 先発品　　商品名(メーカー)　規格・保険薬価

メクトビ (小野) 錠 15mg 1錠 4,926.40 円

📄 概　要

分類　BRAF 遺伝子変異陽性がん治療薬

処方目的　［ベムラフェニブの適応症］BRAF 遺伝子変異を有する根治切除不能な悪性黒色腫

［ダブラフェニブメシル酸塩，トラメチニブ　ジメチルスルホキシド付加物の適応症］BRAF 遺伝子変異を有する悪性黒色腫／BRAF 遺伝子変異を有する切除不能な進行・再発の非小細胞肺がん

［エンコラフェニブ，ビニメチニブの適応症］BRAF 遺伝子変異を有する根治切除不能な悪性黒色腫／がん化学療法後に増悪した BRAF 遺伝子変異を有する治癒切除不能な進行・再発の結腸・直腸がん

解説　BRAF は，細胞増殖のシグナル伝達で重要な働きをするタンパク質で，転移性悪性黒色腫の多くでは，このタンパク質のアミノ酸配列 600 番目が変異した BRAF V600 が発現しており，恒常的に活性化してがん細胞の増殖を促進していると推定されています。ベムラフェニブとダブラフェニブメシル酸塩は，BRAF V600 キナーゼを選択的に阻害することで，がん細胞の増殖を抑制して効果を発揮します。

　一方，トラメチニブ　ジメチルスルホキシド付加物は，BRAF 活性が亢進する腫瘍の進行時に活性化する MAPK シグナル伝達経路に作用する MEK 阻害薬で，BRAF 阻害薬(ダブラフェニブメシル酸塩)の耐性獲得を抑制する効果も認められているため，併用することで強力な抗腫瘍作用を示します(タフィンラー・メキニスト併用療法)。

　ダブラフェニブメシル酸塩とトラメチニブ　ジメチルスルホキシド付加物は，その後の研究で「切除不能な進行・再発の非小細胞肺がん」にも有効であることがわかり，2018 年3 月に適応症として追加承認されました。ダブラフェニブメシル酸塩は，悪性黒色腫に対しては単剤療法およびタフィンラー・メキニスト併用療法(術後補助療法)，非小細胞肺がんにはタフィンラー・メキニスト併用療法を行います。この療法は，米国では「画期的な治療薬」および「希少疾病用医薬品」に指定されています。

　エンコラフェニブとビニメチニブは，2019 年 2 月に同時に発売されました。エンコラフェニブが BRAF 阻害薬，ビニメチニブが MEK 阻害薬で，悪性黒色腫には両剤を併用して，結腸・直腸がんには両剤＋セツキシマブの 3 剤併用あるいはエンコラフェニブ＋セツキシマブの 2 剤併用で使用します。

📖 使用上の注意

*ベムラフェニブ(ゼルボラフ)，ダブラフェニブメシル酸塩(タフィンラー)，トラメチニブ　ジメチルスルホキシド付加物(メキニスト)の添付文書による

警告

　本剤は，緊急時に十分に対応できる医療施設で，がん化学療法に十分な知識・経験をもつ医師のもとで，適切と判断される人にのみ使用されるべき薬剤です。また，治療開始に先立ち，医師からその有効性・危険性の十分な説明を受け，患者および家族が納得・同意したのち使用を開始しなければなりません。

基本的注意

(1)服用してはいけない場合……本剤の成分に対するアレルギーの前歴／[ダブラフェニブメシル酸塩のみ]妊婦または妊娠している可能性のある人

(2)慎重に服用すべき場合……[ベムラフェニブ]重度の肝機能障害／QT間隔延長のおそれがある人，またはその前歴／高齢者／[ダブラフェニブメシル酸塩，トラメチニブ ジメチルスルホキシド付加物]中等度以上の肝機能障害／心疾患またはその前歴

(3)避妊……動物実験において，母体・胎児への悪影響が報告されています。妊娠する可能性がある女性および男性患者は，本剤の服用中と服用終了後一定期間は適切な避妊を行ってください。

(4)がんの発生……[ベムラフェニブ，ダブラフェニブメシル酸塩]服用によって，皮膚に有棘細胞がん，あるいは皮膚以外の部位に悪性腫瘍が現れることがあるので，定期的に状態を確認し，異常が認められた場合には速やかに処方医に連絡してください。

(5)光線過敏症……[ベムラフェニブ]本剤を服用すると光線過敏症が現れることがあるので，外出時には帽子や衣類などによる遮光や日焼け止め効果の高いサンスクリーンの使用により，日光やUV光線の照射を避けるようにしてください。

(6)その他……

● 妊婦での安全性：[ダブラフェニブメシル酸塩]服用禁忌。[トラメチニブ ジメチルスルホキシド付加物]原則として服用しない。[ベムラフェニブ]有益と判断されたときのみ服用。

● 授乳婦での安全性：[ベムラフェニブ]服用するときは授乳しないことが望ましい。[ダブラフェニブメシル酸塩，トラメチニブ ジメチルスルホキシド付加物]治療上の有益性・母乳栄養の有益性を考慮し，授乳の継続・中止を検討。

● 小児での安全性：未確立。(1714頁を参照)

重大な副作用　　①肝機能障害，肝不全，黄疸。

[ベムラフェニブ，ダブラフェニブメシル酸塩] ②皮膚有棘細胞がん，ケラトアカントーマ，ボーエン病。③扁平上皮がん(皮膚以外)，原発性悪性黒色腫などの二次発がん。

[ダブラフェニブメシル酸塩，トラメチニブ ジメチルスルホキシド付加物] ④心障害(心不全，左室機能不全，駆出率減少など)。⑤深部静脈血栓症，肺塞栓症。⑥脳血管障害(脳出血，脳血管発作など)。

[ベムラフェニブのみ] ⑦アナフィラキシーを含む重篤な過敏症。⑧皮膚粘膜眼症候群(スティブンス-ジョンソン症候群)，中毒性表皮壊死融解症(TEN)，多形紅斑，紅皮症(剥脱性皮膚炎など)。⑨薬剤性過敏症症候群(初期症状として発疹，発熱)。⑩QT間隔延長。⑪急性腎障害。

[トラメチニブ ジメチルスルホキシド付加物のみ] ⑫間質性肺疾患。⑬横紋筋融解症(筋肉痛，脱力感など)。

そのほかにも報告された副作用はあるので，体調がいつもと違うと感じたときは，処方医・薬剤師に相談してください。

併用してはいけない薬　併用してはいけない薬は特にありません。ただし，併用する薬があるときは，念のため処方医・薬剤師に報告してください。

内 **16 がんに使われる内服薬　06 分子標的治療薬**

13 レンバチニブ

製剤情報

一般名：レンバチニブメシル酸塩
- 保険収載年月…2015年5月
- 海外評価…6点 英 米 独 仏
- 規制…劇薬

- 剤形…カ カプセル剤

■先発品　　商品名(メーカー)　規格・保険薬価

レンビマ(エーザイ) カ 4mg 1カプセル 4,025.50 円
カ 10mg 1カプセル 9,517.60 円

概要

分類　キナーゼ阻害薬

処方目的　根治切除不能な甲状腺がん／切除不能な肝細胞がん(4mgのみ)／切除不能な胸腺がん／がん化学療法後に増悪した切除不能な進行・再発の子宮体がん／根治切除不能または転移性の腎細胞がん

解説　本剤は，腫瘍血管新生，腫瘍増殖などに関わる各種受容体チロシンキナーゼ(RTK)の活性を阻害することで抗腫瘍効果を発揮します(キナーゼ阻害薬)。甲状腺がん，肝細胞がん，胸腺がん，子宮体がんに有効性を示し，甲状腺がん，胸腺がん，子宮体がんの適応にて希少疾病用医薬品(オーファンドラッグ)の指定を受けています。

使用上の注意

警告

本剤は，緊急時に十分に対応できる医療施設で，がん化学療法に十分な知識・経験をもつ医師のもとで，適切と判断される人にのみ使用されるべき薬剤です。また，治療開始に先立ち，医師からその有効性・危険性の十分な説明を受け，患者および家族が納得・同意したのち使用を開始しなければなりません。

基本的注意

(1)服用してはいけない場合……本剤の成分に対するアレルギーの前歴／妊婦または妊娠している可能性のある人

(2)慎重に服用すべき場合……高血圧症／重度の肝機能障害／中等度の肝機能障害のある肝細胞がん／脳転移のある人／血栓塞栓症またはその前歴／外科的処置後，創傷が治癒していない人／頸動脈・静脈などへの腫瘍浸潤のある人／肺転移のある人／高齢者

(3)**定期的検査**……本剤の服用によって血圧の上昇，タンパク尿，骨髄抑制，肝機能障害，心機能不全，甲状腺機能低下などが現れることがあるので，定期的にこれらの検査を行います。

(4)**避妊**……本剤は，動物実験で胚毒性・催奇形性が報告されています。妊娠可能な女性は，服用期間中および服用終了後一定期間は適切な避妊を行ってください。

(5)**セイヨウオトギリソウ(セント・ジョーンズ・ワート)含有食品**……一緒に摂取すると本剤の作用が弱まるおそれがあるので，本剤の服用中はセイヨウオトギリソウ含有食品を摂取しないでください。

(6)**危険作業に注意**……本剤を服用すると，疲労，無力症，めまい，筋痙縮などが現れることがあるので，自動車の運転など危険を伴う機械の操作に従事する際には十分に注意してください。

(7)**その他**……
- 授乳婦での安全性：服用するときは授乳しないことが望ましい。
- 小児での安全性：未確立。(1714頁を参照)

重大な副作用 ①高血圧，高血圧クリーゼ。②出血(鼻出血，血尿，喀血，肺出血，消化管出血，脳出血，腫瘍出血など)。③動脈血栓塞栓症(心筋梗塞，脳血管発作，脾臓梗塞など)。④静脈血栓塞栓症(肺塞栓症，深部静脈血栓症，網膜静脈血栓症，門脈血栓症など)。⑤肝障害(アルブミン低下，肝性脳症，肝不全など)。⑥急性胆のう炎(無石胆のう炎を含む)。⑦腎障害(タンパク尿，腎機能障害，腎不全，ネフローゼ症候群など)。⑧消化管穿孔(腸管穿孔)，瘻孔形成(痔瘻，腸膀胱瘻など)，気胸。⑨可逆性後白質脳症症候群(けいれん，頭痛，錯乱，視覚障害，皮質盲など)。⑩心障害(心電図QT延長，駆出率減少，心房細動・粗動，心不全など)。⑪手足症候群。⑫感染症(気道感染，肺炎，敗血症など)。⑬骨髄抑制(血小板減少，白血球減少，好中球減少，リンパ球減少，貧血など)。⑭低カルシウム血症。⑮創傷治癒遅延(治癒不良，創離開)。⑯間質性肺疾患。⑰甲状腺機能低下。

　そのほかにも報告された副作用はあるので，体調がいつもと違うと感じたときは，処方医・薬剤師に相談してください。

併用してはいけない薬 併用してはいけない薬は特にありません。ただし，併用する薬があるときは，念のため処方医・薬剤師に報告してください。

内 **16 がんに使われる内服薬　06 分子標的治療薬**

14 バンデタニブ

製剤情報

一般名：バンデタニブ
- 保険収載年月…2015年11月
- 海外評価…6点 英米独仏 ●PC…D

- 規制…劇薬
- 剤形…錠 錠剤

■先発品 　商品名(メーカー)　規格・保険薬価

カプレルサ(サノフィ) 錠 100mg 1錠 7,902.20円

概　要

分類　チロシンキナーゼ阻害薬

処方目的　根治切除不能な甲状腺髄様がん

解説　本剤は，腫瘍血管新生，腫瘍増殖などに関わる各種受容体チロシンキナーゼ（VEGFR-2，EGFR，RET）を標的とするマルチキナーゼ阻害薬です。チロシンキナーゼは，甲状腺がんの発病および病勢の進行において重要なシグナル伝達経路にあることから，これらの活性を阻害することで抗腫瘍効果を発揮します。レンバチニブと同様，希少疾病用医薬品（オーファンドラッグ）の指定を受けています。

使用上の注意

警告

①本剤は，緊急時に十分に対応できる医療施設で，がん化学療法に十分な知識・経験をもつ医師のもとで，適切と判断される人にのみ使用されるべき薬剤です。また，治療開始に先立ち，医師からその有効性・危険性の十分な説明を受け，患者および家族が納得・同意したのち使用を開始しなければなりません。

②本剤の服用により間質性肺疾患が現れ，死亡に至った症例が報告されています。息切れ，呼吸困難，せき，疲労などの初期症状が認められた場合には服用を中止し，直ちに処方医に連絡してください。

③QT 間隔延長が現れることがあるので，定期的な心電図検査，電解質検査が必要です。また，QT 間隔延長をおこすことが知られている薬剤と併用する場合には，治療上の有益性が危険性を上回ると判断される場合にのみ使用します。

基本的注意

(1)**服用してはいけない場合**……本剤の成分に対するアレルギーの前歴／先天性 QT 延長症候群／妊婦または妊娠している可能性のある人

(2)**慎重に服用すべき場合**……間質性肺疾患またはその前歴／QT 間隔延長のおそれまたはその前歴／心不全症状のある人またはその前歴／高血圧症／腎機能障害／高齢者

(3)**定期的検査**……本剤の服用中は，胸部画像検査，心電図検査，眼検査，電解質検査（カリウム，マグネシウム，カルシウムなど），肝機能検査，血圧測定，血清カルシウム濃度の測定，甲状腺刺激ホルモン濃度の測定などを定期的に行います。

(4)**セイヨウオトギリソウ（セント・ジョーンズ・ワート）含有食品**……一緒に摂取すると本剤の血中濃度が低下し，作用が弱まる可能性があるので，摂取しないでください。

(5)**危険作業に注意**……疲労，霧視などが現れることがあるので，自動車の運転など危険を伴う機械の操作に従事する際には十分に注意してください。

(6)**避妊**……妊娠可能な女性は，適切な避妊を行ってください。動物実験（ラット）で胎児死亡，胎児発育遅延，心血管系の奇形などが報告されています。

(7)**その他**……

● 授乳婦での安全性：服用するときは授乳しないことが望ましい。

● 小児での安全性：未確立。(1714 頁を参照)

重大な副作用　①間質性肺疾患（間質性肺炎，肺臓炎，肺線維症，急性呼

吸窮迫症候群など）。②QT 間隔延長，心室性不整脈。③頻脈性不整脈（心房細動，頻脈など），心不全などの心障害。④重度の下痢。⑤中毒性表皮壊死融解症（TEN），皮膚粘膜眼症候群（スティブンス-ジョンソン症候群），多形紅斑。⑥重度の皮膚障害（光線過敏反応，発疹，皮膚潰瘍など）。⑦高血圧，血圧上昇，高血圧クリーゼなど。⑧可逆性後白質脳症症候群（けいれん，頭痛，視覚障害，錯乱，皮質盲など）。⑨腎障害（腎不全，蛋白尿など）。⑩低カルシウム血症。⑪肝障害（ALT 増加，AST 増加，血中ビリルビン増加など）。⑫出血（鼻出血，血尿，くも膜下出血など）。⑬消化管穿孔（小腸穿孔など）。

　そのほかにも報告された副作用はあるので，体調がいつもと違うと感じたときは，処方医・薬剤師に相談してください。

併用してはいけない薬　　併用してはいけない薬は特にありません。ただし，併用する薬があるときは，念のため処方医・薬剤師に報告してください。

内 16 がんに使われる内服薬　06 分子標的治療薬

15 ブルトン型チロシンキナーゼ阻害薬

製剤情報

一般名：イブルチニブ
- 保険収載年月…2016年5月
- 海外評価…6点 英 米 独 仏　●PC…D
- 規制…劇薬
- 剤形…カ カプセル剤

■先発品　商品名(メーカー)　規格・保険薬価
イムブルビカ (ヤンセン)
カ 140mg 1カプセル 10,409.50 円

一般名：チラブルチニブ塩酸塩
- 保険収載年月…2020年5月
- 海外評価…0点 英 米 独 仏

- 規制…劇薬
- 剤形…錠 錠剤

■先発品　商品名(メーカー)　規格・保険薬価
ベレキシブル (小野) 錠 80mg 1錠 5,067.40 円

一般名：アカラブルチニブ
- 保険収載年月…2021年4月
- 海外評価…6点 英 米 独 仏
- 規制…劇薬
- 剤形…カ カプセル剤

■先発品　商品名(メーカー)　規格・保険薬価
カルケンス (アストラ) カ 100mg 1カプセル 15,202.20 円

概要

分類　ブルトン型チロシンキナーゼ阻害薬
処方目的　[イブルチニブの適応症] 慢性リンパ性白血病(小リンパ球性リンパ腫を含む)／再発または難治性のマントル細胞リンパ腫／造血幹細胞移植後の慢性移植片対宿主病(ステロイド薬の投与で効果不十分な場合)／[チラブルチニブ塩酸塩の適応症] 再発または難治性の中枢神経系原発リンパ腫／原発性マクログロブリン血症およびリンパ形質細胞リンパ腫／[アカラブルチニブの適応症] 再発または難治性の慢性リンパ性白血病(小リンパ球性リンパ腫を含む)

解説 慢性リンパ性白血病，マントル細胞リンパ腫，中枢神経系原発リンパ腫，リンパ形質細胞リンパ腫およびそのうちの一つの原発性マクログロブリン血症は，リンパ球の中のB細胞が「がん化」して，血液中や骨髄で増える病気です。B細胞性腫瘍の発症，増殖にはB細胞受容体（BCR）からのシグナル伝達経路が関与しています。イブルチニブ，チラブルチニブ塩酸塩，アカラブルチニブは，このシグナル伝達に関与し，B細胞の活性化に貢献しているブルトン型チロシンキナーゼという酵素のシグナル伝達経路を遮断することによって抗腫瘍効果を発揮します。

使用上の注意
＊イブルチニブ（イムブルビカ）の添付文書による

警告
　本剤は，緊急時に十分に対応できる医療施設で，造血器悪性腫瘍の治療または造血幹細胞移植に対して十分な知識・経験をもつ医師のもとで，適切と判断される人にのみ使用されるべき薬剤です。また，治療開始に先立ち，医師からその有効性・危険性の十分な説明を受け，患者および家族が納得・同意したのち使用を開始しなければなりません。

基本的注意
(1)**服用してはいけない場合**……本剤の成分に対するアレルギーの前歴／中等度以上の肝機能障害／ケトコナゾール（経口薬：国内未発売），イトラコナゾール，クラリスロマイシンの服用中／妊婦または妊娠している可能性のある人

(2)**慎重に服用すべき場合**……感染症を合併している人／重篤な骨髄機能低下／不整脈またはその前歴／軽度の肝機能障害

(3)**飲食物**……グレープフルーツジュースと併用すると本剤の血中濃度が上昇して副作用が増強されるおそれがあり，一方，セイヨウオトギリソウ（セント・ジョーンズ・ワート）含有食品と併用すると本剤の血中濃度が低下して効果が弱まるおそれがあるので，服用しているときはこれらの食品を摂取しないでください。

(4)**避妊**……動物実験において胚致死作用，催奇形性が報告されています。妊娠する可能性がある女性は，本剤の服用中と服用終了後一定期間は適切な避妊を行ってください。

(5)**その他**……
● 授乳婦での安全性：治療上の有益性・母乳栄養の有益性を考慮し，授乳の継続・中止を検討。
● 小児での安全性：未確立。(1714頁を参照)

重大な副作用 ①重篤な出血（脳出血，消化管出血など）。②頭蓋内出血，嗜眠，不安定歩行，頭痛などを伴う白血球症。③重篤な感染症（肺炎，敗血症など）。B型肝炎ウイルス・結核・帯状疱疹などの再活性化。④進行性多巣性白質脳症（意識障害，認知障害，片麻痺，四肢麻痺，言語障害など）。⑤重篤な骨髄抑制（貧血，好中球減少症，血小板減少症など）。⑥重篤な不整脈（心房細動，心房粗動，心室性不整脈など）。⑦腫瘍崩壊症候群。⑧重篤な過敏症（アナフィラキシーなど）。⑨皮膚粘膜眼症候群（スティブンス-ジョンソ

ン症候群)。⑩肝不全，肝機能障害。⑪間質性肺疾患(息切れ，呼吸困難，せき，発熱など)。

　そのほかにも報告された副作用はあるので，体調がいつもと違うと感じたときは，処方医・薬剤師に相談してください。

併用してはいけない薬　ケトコナゾール(経口薬：国内未発売)，イトラコナゾール，クラリスロマイシン→本剤の血中濃度が上昇し，副作用が強まるおそれがあります。

内 16 がんに使われる内服薬　06 分子標的治療薬

16 イキサゾミブ

製剤情報

一般名：イキサゾミブクエン酸エステル

●保険収載年月…2017年5月
●海外評価…3点 英 米 独 仏
●規制…毒薬

●剤形… カ カプセル剤

■**先発品**　　商品名(メーカー)　規格・保険薬価

ニンラーロ(武田) カ 2.3mg 1㌫ 98,306.40 円
カ 3mg 1㌫ 125,640.00 円　カ 4mg 1㌫ 163,865.40 円

概　要

分類　抗悪性腫瘍薬(プロテアソーム阻害薬)

処方目的　再発または難治性の多発性骨髄腫／多発性骨髄腫における維持療法

解説　プロテアソームは細胞内で不要になったタンパク質を分解する酵素で，細胞分裂が円滑に進むために必要なものです。この酵素が阻害されると細胞分裂が阻害され，アポトーシス(プログラム化された細胞死)がおこります。本剤はプロテアソームの働きを妨げ，骨髄腫細胞の増殖に関与する転写因子(遺伝子の発現を制御するタンパク質)に影響を及ぼし，骨髄腫細胞をアポトーシスに導きます。

　「再発または難治性の多発性骨髄腫」に対しては，少なくとも一つの標準的な治療が無効だった人，または治療後に再発した人が対象で，レナリドミド水和物およびデキサメタゾンと併用します。「多発性骨髄腫における維持療法」では本剤を単独で用います。

使用上の注意

警告

　本剤は，緊急時に十分対応できる医療施設で，造血器悪性腫瘍の治療に十分な知識・経験をもつ医師のもと，本剤が適切と判断される人にのみ使用されるべき薬剤です。また，治療開始に先立ち，患者または家族は医師からその有効性，危険性の十分な説明を受け，納得・同意したのち使用を開始しなければなりません。

基本的注意

(1)服用してはいけない場合……本剤の成分に対するアレルギーの前歴／妊婦または妊娠している可能性のある人

(2)慎重に服用すべき場合……重度の腎機能障害(クレアチニンクリアランスが30mL/分未満)／中等度以上の肝機能障害(総ビリルビン値が基準値上限の1.5倍超)

(3)**定期的に検査**……本剤の服用によって血小板減少症が現れることがあるので，服用中は定期的に血液学的検査を行います。

(4)**服用方法**……本剤を食後に服用すると作用が弱まるとの報告があります。食事の影響を避けるため，併用療法，単独療法いずれの場合も，食事の1時間前から食後2時間までの間は服用しないでください。

(5)**セイヨウオトギリソウ(セント・ジョーンズ・ワート)含有食品**……一緒に摂取すると，本剤の血中濃度が低下し，効果が減弱するおそれがあるので，本剤の服用中はセイヨウオトギリソウ含有食品を摂取しないでください。

(6)**避妊**……妊娠する可能性がある女性，およびパートナーが妊娠する可能性のある男性は，本剤の服用中および服用中止後の一定期間，適切な方法で避妊してください。動物実験において，催奇形性，精巣毒性が認められています。

(7)**その他**……

- 授乳婦での安全性：治療上の有益性・母乳栄養の有益性を考慮し，授乳の継続・中止を検討。
- 小児での安全性：未確立。(1714頁を参照)

重大な副作用　①血小板減少症。②重度の下痢。③皮膚粘膜眼症候群(スティブンス-ジョンソン症候群)。④末梢神経障害(末梢性感覚ニューロパチー，末梢性ニューロパチー，多発ニューロパチーなど)。⑤可逆性後白質脳症症候群(けいれん発作，血圧上昇，頭痛，意識変容，視覚障害など)。⑥感染症(帯状疱疹，肺炎など)。

　そのほかにも報告された副作用はあるので，体調がいつもと違うと感じたときは，処方医・薬剤師に相談してください。

併用してはいけない薬　併用してはいけない薬は特にありません。ただし，併用する薬があるときは，念のため処方医・薬剤師に報告してください。

内 **16 がんに使われる内服薬　06 分子標的治療薬**

17　サイクリン依存性キナーゼ阻害薬

製剤情報

一般名：パルボシクリブ
- 保険収載年月…2017年11月
- 海外評価…6点 英 米 独 仏
- 規制…劇薬
- 剤形…錠 錠剤，カ カプセル剤

■**先発品**　商品名(メーカー)　規格・保険薬価

イブランス (ファイザー) カ 25mg 1カプセル 5,679.70 円

カ 125mg 1カプセル 22,978.10 円　錠 25mg 1錠 5,679.70 円

錠 125mg 1錠 22,978.10 円

一般名：アベマシクリブ
- 保険収載年月…2018年11月
- 海外評価…5点 英 米 独 仏
- 規制…劇薬
- 剤形…錠 錠剤

■**先発品**　商品名(メーカー)　規格・保険薬価

ベージニオ (イーライリリー)

錠 50mg 1錠 3,319.00 円　錠 100mg 1錠 6,059.40 円

錠 150mg 1錠 8,616.80 円

概　要

分類　抗悪性腫瘍薬（CDK4/6 阻害薬）

処方目的　ホルモン受容体陽性かつ HER2 陰性の手術不能または再発乳がん／[アベマシクリブのみ]ホルモン受容体陽性かつ HER2 陰性で再発高リスクの乳がんにおける術後薬物療法

解説　CDK（サイクリン依存性キナーゼ）4 および 6 と呼ばれる酵素は，細胞分裂の周期（1 つの細胞が 2 つに分裂する周期）の調節に主要な役割を担っています。がん細胞では，この CDK4/6 の発現率が高く，細胞周期を調節するメカニズムが不能となって，無限にがん細胞が増殖してしまいます。

　パルボシクリブおよびアベマシクリブは，この CDK4/6 を特異的に阻害してがん細胞の増殖を抑制する新規の分子標的治療薬（サイクリン依存性キナーゼ阻害薬）です。どちらも，ホルモン受容体陽性，HER2（ハーツー；乳がん細胞に多くみられるタンパク質）陰性の患者が対象で，また内分泌療法薬（レトロゾール，アナストロゾールなど）と併用して使用します。

使用上の注意

＊両剤の添付文書による

警告

①本剤は，緊急時に十分対応できる医療施設で，がん化学療法に十分な知識・経験をもつ医師のもと，本剤が適切と判断される人のみが服用する薬剤です。治療開始に先立ち，患者または家族は医師から有効性および危険性について十分に聞き・たずね，同意してから使用することが大切です。

②間質性肺疾患が現れ死亡に至った例も報告されているので，初期症状（呼吸困難，せき，発熱など）の確認および胸部 X 線検査の実施など，患者の状態を十分に観察します。異常が認められた場合には本剤の投与を中止し，必要に応じて胸部 CT，血清マーカーなどの検査を実施するとともに適切な処置を行います。

基本的注意

(1)服用してはいけない場合……[パルボシクリブ]本剤の成分に対するアレルギーの前歴／妊婦または妊娠している可能性のある人／[アベマシクリブ]本剤の成分に対する重いアレルギーの前歴

(2)慎重に服用すべき場合……重度の肝機能障害／間質性肺疾患またはその前歴／[アベマシクリブ]高齢者

(3)骨髄抑制……骨髄抑制が現れることがあるので，本剤の服用開始前および服用中は定期的に血液検査を行います。

(4)間質性肺疾患……服用すると間質性肺疾患が現れることがあるので，呼吸困難，せき，発熱などの初期症状が現れた場合には，速やかに処方医に連絡してください。

(5)避妊……妊娠可能な女性およびパートナーが妊娠する可能性のある男性は，本剤の服用期間中および治療終了から一定期間は適切な避妊を行ってください。動物実験で催奇形性などが認められています。

(6)飲食物……①グレープフルーツジュース，グレープフルーツは，本剤の血中濃度を上昇させて効果を強めるおそれがあるので，服用中は摂取しないでください。②[パルボシクリブ]セイヨウオトギリソウ（セント・ジョーンズ・ワート）含有食品は，本剤の血中濃度を低下させて効果を弱めるおそれがあるので，服用中は摂取しないでください。

(7)その他……

● 妊婦での安全性：[アベマシクリブ]有益と判断されたときのみ服用。

● 授乳婦での安全性：服用するときは授乳しないことが望ましい。

● 小児での安全性：未確立。（1714頁を参照）

重大な副作用　①骨髄抑制（好中球減少，白血球減少，貧血，血小板減少，リンパ球減少，発熱性好中球減少症など）。②間質性肺疾患。[アベマシクリブ]③肝機能障害。④重度の下痢。⑤静脈血栓塞栓症（深部静脈血栓症，肺塞栓症など）。

　そのほかにも報告された副作用はあるので，体調がいつもと違うと感じたときは，処方医・薬剤師に相談してください。

併用してはいけない薬　併用してはいけない薬は特にありません。ただし，併用する薬があるときは，念のため処方医・薬剤師に報告してください。

内 16 がんに使われる内服薬　06 分子標的治療薬

18 PARP阻害薬

製剤情報

一般名：オラパリブ

● 保険収載年月…2018年4月

● 海外評価…5点 英 米 独 仏

● 規制…劇薬

● 剤形…錠 錠剤

■ 先発品　商品名(メーカー)　規格・保険薬価

リムパーザ 写真 (アストラ)

錠 100mg 1錠 3,492.60 円　錠 150mg 1錠 5,185.10 円

一般名：ニラパリブトシル酸塩水和物

● 保険収載年月…2020年11月

● 海外評価…4点 英 米 独 仏

● 規制…劇薬

● 剤形…カ カプセル剤

■ 先発品　商品名(メーカー)　規格・保険薬価

ゼジューラ (武田) カ 100mg 1カプセル 10,370.20 円

概要

分類　抗悪性腫瘍薬（ポリアデノシン5'二リン酸リボースポリメラーゼ(PARP)阻害薬）

処方目的　[オラパリブの適応症]白金系抗悪性腫瘍薬感受性の再発卵巣がんにおける維持療法／BRCA遺伝子変異陽性の卵巣がんにおける初回化学療法後の維持療法／相同組換え修復欠損を有する卵巣がんにおけるベバシズマブ（遺伝子組み換え）を含む初回化学療法後の維持療法／がん化学療法歴のあるBRCA遺伝子変異陽性かつHER2陰性の手術不能または再発乳がん／BRCA遺伝子変異陽性の遠隔転移を有する去勢抵抗

性前立腺がん／BRCA 遺伝子変異陽性の治癒切除不能な膵がんにおける白金系抗悪性腫瘍薬を含む化学療法後の維持療法

[ニラパリブトシル酸塩水和物の適応症] 卵巣がんにおける初回化学療法後の維持療法／白金系抗悪性腫瘍薬感受性の再発卵巣がんにおける維持療法／白金系抗悪性腫瘍薬感受性の相同組換え修復欠損を有する再発卵巣がん

解説 卵巣がんは，初回治療として腫瘍減量手術の実施後に白金製剤（プラチナ製剤）を含むタキサン系抗悪性腫瘍薬による治療を，少なくとも 6 サイクル行うことが標準療法とされています。しかし，奏効率が高いにもかかわらず，3 年以内に約 70％の人で再発が認められます。オラパリブおよびニラパリブトシル酸塩水和物は，DNA 損傷応答機能を活用した新規作用機序の薬剤（PARP 阻害薬）で，プラチナ製剤ベースの化学療法が奏効している卵巣がんの維持療法薬として期待されています。

オラパリブは，手術不能または再発乳がん，去勢抵抗性前立腺がん，治癒切除不能な膵がんにも有効です。手術不能または再発乳がんの場合，アントラサイクリン系抗悪性腫瘍薬およびタキサン系抗悪性腫瘍薬を含む化学療法歴のある人が対象で，検査でBRCA 遺伝子変異（乳がん，卵巣がん，前立腺がん，膵がんなどの一部でみられる遺伝子変異）を有することが確認された人に使用されます。

使用上の注意
＊両剤の添付文書による

警告

本剤は，緊急時に十分対応できる医療施設で，がん化学療法に十分な知識・経験をもつ医師のもと，本剤が適切と判断される人のみが服用する薬剤です。治療開始に先立ち，患者または家族は医師から有効性および危険性について十分に聞き・たずね，同意してから使用することが大切です。

基本的注意

(1)服用してはいけない場合……本剤の成分に対するアレルギーの前歴

(2)慎重に服用すべき場合……[オラパリブ]重度の肝機能障害／腎機能障害／高齢者／[ニラパリブトシル酸塩水和物]高血圧／中等度以上の肝機能障害（総ビリルビン値が基準値上限の 1.5 倍超）

(3)定期的に検査……本剤の服用によって貧血，好中球減少，白血球減少，血小板減少，リンパ球減少などの骨髄抑制が現れることがあるので，服用開始前および服用中は定期的に血液検査を行います。

(4)避妊……妊娠可能な女性は，本剤の服用期間中および治療終了から一定期間は適切な避妊を行ってください。オラパリブの場合は，パートナーが妊娠する可能性がある男性も同様に適切な避妊が必要です。動物実験で胚・胎児死亡，催奇形性などが報告されています。

(5)飲食物……①グレープフルーツ含有食品は，本剤の血中濃度を上昇させるおそれがあるので，本剤の服用中は摂取しないでください。②セイヨウオトギリソウ（セント・ジョーンズ・ワート）含有食品は，本剤の血中濃度を低下させて有効性を弱めるおそれがあ

るので，本剤の服用中は摂取しないでください。

(6)その他……
- 妊婦での安全性：有益と判断されたときのみ服用。
- 授乳婦での安全性：[オラパリブ]治療上の有益性・母乳栄養の有益性を考慮し，授乳の継続・中止を検討。[ニラパリブトシル酸塩水和物]服用するときは授乳しないことが望ましい。
- 小児での安全性：未確立。(1714頁を参照)

重大な副作用　①骨髄抑制(貧血，好中球減少，白血球減少，血小板減少，リンパ球減少など)。②間質性肺疾患。
[ニラパリブトシル酸塩水和物]③高血圧，高血圧クリーゼ。④可逆性後白質脳症症候群(けいれん発作，頭痛，精神状態変化，視覚障害，皮質盲など)。

　そのほかにも報告された副作用はあるので，体調がいつもと違うと感じたときは，処方医・薬剤師に相談してください。

併用してはいけない薬　併用してはいけない薬は特にありません。ただし，併用する薬があるときは，念のため処方医・薬剤師に報告してください。

内 16 がんに使われる内服薬　06 分子標的治療薬
19 FLT3 遺伝子変異陽性がん治療薬

⌕ 製剤情報

一般名：ギルテリチニブフマル酸塩
- 保険収載年月…2018年11月
- 海外評価…2点 英 米 独 仏
- 規制…劇薬
- 剤形…錠 錠剤

■先発品　商品名(メーカー)　規格・保険薬価

ゾスパタ (アステラス) 錠 40mg 1錠 19,752.30 円

一般名：キザルチニブ塩酸塩
- 保険収載年月…2019年9月
- 海外評価…0点 英 米 独 仏
- 規制…劇薬
- 剤形…錠 錠剤

■先発品　商品名(メーカー)　規格・保険薬価

ヴァンフリタ (第一三共)
錠 17.7mg 1錠 20,059.60 円
錠 26.5mg 1錠 27,074.40 円

▤ 概要

分類　抗悪性腫瘍薬(FLT3阻害薬)
処方目的　[ギルテリチニブフマル酸塩の適応症]再発または難治性のFLT3遺伝子変異陽性の急性骨髄性白血病／[キザルチニブ塩酸塩の適応症]再発または難治性のFLT3-ITD変異陽性の急性骨髄性白血病
解説　急性骨髄性白血病の人の約3分の1は，FLT3(FMS様チロシンキナーゼ3)と呼ばれる遺伝子が変異しています。FLT3には現在，FLT3-ITD変異とFLT3-TKD変異の2種類あり，FLT3-ITD変異のほうが高頻度に発現します。これらの変異があると

再発率が高く，FLT3 遺伝子変異は予後不良因子とされています。

　ギルテリチニブフマル酸塩は ITD 変異と TKD 変異の両方がある FLT3，キザルチニブ塩酸塩は ITD 変異のある FLT3 に阻害活性を示し，がん細胞の増殖を抑制します。

📝 使用上の注意

＊ギルテリチニブフマル酸塩（ゾスパタ）の添付文書による

警告

　本剤は，緊急時に十分対応できる医療施設で，造血器悪性腫瘍の治療に十分な知識・経験をもつ医師のもと，本剤の使用が適切と判断される人にのみ使用されるべき薬剤です。また，治療開始に先立ち，患者または家族は医師からその有効性，危険性について十分な説明を受け，納得・同意したのち使用を開始しなければなりません。

基本的注意

(1)服用してはいけない場合……本剤の成分に対するアレルギーの前歴

(2)慎重に服用すべき場合……QT 間隔延長のおそれ，またはその前歴／重度の肝機能障害／高齢者

(3)定期的に検査……本剤の服用によって，①QT 間隔延長が現れることがあるので心電図検査・電解質検査（カリウム，マグネシウムなど）を，②発熱性好中球減少症・貧血などの骨髄抑制，脳出血・硬膜下血腫などの出血が現れることがあるので血液検査を，③AST・ALT・ビリルビン・γ-GTP などの上昇を伴う肝機能障害が現れることがあるので肝機能検査を，④急性腎障害などの腎障害が現れることがあるので腎機能検査を，本剤の服用開始前および服用中は定期的に行います。

(4)セイヨウオトギリソウ（セント・ジョーンズ・ワート）含有食品……本剤の血中濃度を低下させて効果を弱めるおそれがあるので，服用中はセイヨウオトギリソウ含有食品を摂取しないでください。

(5)避妊……妊娠可能な女性およびパートナーが妊娠する可能性のある男性は，本剤の服用期間中および最終服用後一定期間は適切な避妊を行ってください。動物実験で胎児発育抑制，胚・胎児死亡，催奇形性が認められています。

(6)その他……

● 妊婦での安全性：有益と判断されたときのみ服用。

● 授乳婦での安全性：服用するときは授乳しないことが望ましい。

● 小児での安全性：未確立。（1714 頁を参照）

重大な副作用　　①骨髄抑制（血小板減少，貧血，好中球減少，発熱性好中球減少症，白血球減少など）。②重度の感染症（肺炎，肺感染，敗血症など）。③出血（脳出血，硬膜下血腫など）。④QT 間隔延長，心室性不整脈。⑤腎障害（急性腎障害など）。⑥間質性肺疾患（せき，呼吸困難，発熱など）。

［ギルテリチニブフマル酸塩のみ］⑦心膜炎，心不全，心のう液貯留。⑧肝機能障害（AST・ALT・ビリルビン・γ-GTP などの上昇）。⑨消化管穿孔。⑩重度の過敏症（アナフィラキシーなど）。⑪可逆性後白質脳症症候群（けいれん，頭痛，意識障害，錯乱，視覚障害など）。

そのほかにも報告された副作用はあるので，体調がいつもと違うと感じたときは，処方医・薬剤師に相談してください。

併用してはいけない薬　併用してはいけない薬は特にありません。ただし，併用する薬があるときは，念のため処方医・薬剤師に報告してください。

内 16 がんに使われる内服薬　06 分子標的治療薬

20 NTRK 融合遺伝子陽性がん治療薬

製剤情報

一般名：エヌトレクチニブ
- 保険収載年月…2019年9月
- 海外評価…2点 英 米 独 仏
- 規制…劇薬
- 剤形…カ カプセル剤

■先発品　商品名(メーカー)　規格・保険薬価
ロズリートレク(中外) カ 100mg 1カプセル 5,310.80 円
カ 200mg 1カプセル 10,073.00 円

一般名：ラロトレクチニブ硫酸塩
- 保険収載年月…2021年5月
- 海外評価…6点 英 米 独 仏
- 規制…劇薬
- 剤形…カ カプセル剤，液 液剤

■先発品　商品名(メーカー)　規格・保険薬価
ヴァイトラックビ(バイエル)
カ 25mg 1カプセル 4,042.50 円　カ 100mg 1カプセル 14,542.90 円
液 2% 1mL 2,908.60 円

概要

分類　抗悪性腫瘍薬(チロシンキナーゼ阻害薬)

処方目的　NTRK 融合遺伝子陽性の進行・再発の固形がん／[エヌトレクチニブのみの適応症]ROS1 融合遺伝子陽性の切除不能な進行・再発の非小細胞肺がん

解説　NTRK 融合遺伝子とは，NTRK 遺伝子と他の遺伝子とが染色体転座の結果，融合してできる異常な遺伝子で，がん細胞の増殖を促進すると考えられています。この融合遺伝子の発現は，さまざまな固形がん(血液のがん以外の臓器や組織などで塊をつくるがん)で確認されています。エヌトレクチニブはアメリカ食品医薬品局(FDA)により，NTRK 融合遺伝子陽性の進行・再発の固形がんに対する画期的治療薬として指定されています。エヌトレクチニブについでラロトレクチニブ硫酸塩が 2021 年 5 月に発売されました。

なお，エヌトレクチニブには「ROS1 融合遺伝子陽性の切除不能な進行・再発の非小細胞肺がん」も適応追加となりました。これまでこのタイプの肺がんの治療薬としてはクリゾチニブだけでしたが，本剤にも有効性が認められ，選択肢の幅が広がりました。

使用上の注意
*両剤の添付文書による

警告

本剤は，緊急時に十分対応できる医療施設で，がん化学療法に十分な知識・経験をもつ医師のもと，本剤の使用が適切と判断される人にのみ使用されるべき薬剤です。また，治療開始に先立ち，患者または家族は医師からその有効性，危険性について十分な説明

を受け，納得・同意したのち使用を開始しなければなりません。

基本的注意

(1)服用してはいけない場合……本剤の成分に対するアレルギーの前歴

(2)慎重に服用すべき場合……[エヌトレクチニブ]肝機能障害／[ラロトレクチニブ硫酸塩]中等度以上の肝機能障害(Child-Pugh 分類 B または C)

(3)飲食物……①[エヌトレクチニブ，ラロトレクチニブ硫酸塩]グレープフルーツ含有食品は本剤の作用を強め，副作用が強まるおそれがあるので，服用中は摂取しないでください。②[ラロトレクチニブ硫酸塩]セイヨウオトギリソウ(セント・ジョーンズ・ワート)含有食品は本剤の作用を弱めるおそれがあるので，服用中は摂取しないでください。

(4)避妊……妊娠可能な女性，パートナーが妊娠する可能性のある男性(エヌトレクチニブの場合)は，本剤服用中および服用終了後一定期間は適切な避妊を行ってください。

(5)その他……

●妊婦での安全性：有益と判断されたときのみ服用。

●授乳婦での安全性：服用するときは授乳しないことが望ましい。

●小児での安全性：未確立。(1714 頁を参照)

重大な副作用　　　[エヌトレクチニブ]①心臓障害(心不全，心室性期外収縮，心筋炎など)。②QT 間隔延長。③認知障害，錯乱状態，精神状態変化，記憶障害，幻覚，運動失調，構語障害など。④間質性肺疾患。

　そのほかにも報告された副作用はあるので，体調がいつもと違うと感じたときは，処方医・薬剤師に相談してください。

[ラロトレクチニブ硫酸塩]①肝機能障害。②骨髄抑制(好中球減少，白血球減少，貧血，血小板減少，リンパ球減少など)。③中枢神経系障害(浮動性めまい，錯感覚，歩行障害，運動失調，認知障害など)。

併用してはいけない薬　　　併用してはいけない薬は特にありません。ただし，併用する薬があるときは，念のため処方医・薬剤師に報告してください。

内 16 がんに使われる内服薬　06 分子標的治療薬

21 ベネトクラクス

製 剤 情 報

一般名：ベネトクラクス

●保険収載年月…2019年11月

●海外評価…6点 英 米 独 仏

●規制…劇薬

概　　要

分類　抗悪性腫瘍薬(BCL-2 阻害薬)

●剤形…錠 錠剤

■先発品　　商品名(メーカー)　規格・保険薬価

ベネクレクスタ (アッヴィ) 錠 10mg 1錠 872.80 円
錠 50mg 1錠 3,956.60 円　錠 100mg 1錠 7,585.90 円

処方目的　再発または難治性の慢性リンパ性白血病(小リンパ球性リンパ腫を含む)／急性骨髄性白血病

解説　慢性リンパ性白血病，急性骨髄性白血病の多くでは BCL-2 と呼ばれるタンパク質が過剰に発現して，がん細胞がアポトーシス(自然死または自己破壊)に陥らないようにしています。本剤は，BCL-2 を標的とする新しい作用機序の分子標的治療薬で，失われてしまったアポトーシスを回復・誘導することで，がん細胞を細胞死に導きます。

🔖 使用上の注意

警告

①本剤は，緊急時に十分対応できる医療施設で，造血器悪性腫瘍の治療に十分な知識・経験をもつ医師のもと，本剤の使用が適切と判断される人にのみ使用されるべき薬剤です。また，治療開始に先立ち，患者または家族は医師からその有効性，危険性について十分な説明を受け，納得・同意したのち使用を開始しなければなりません。

②腫瘍崩壊症候群が現れることがあり，特に本剤服用開始および増量後 1～2 日に多く認められています。本剤の服用開始前および休薬後の再開前には，腫瘍量に基づく腫瘍崩壊症候群のリスク評価を行い，リスクに応じた予防措置を適切に行うことが必要です。

基本的注意

(1)服用してはいけない場合……[効能共通]本剤の成分に対するアレルギーの前歴／[慢性リンパ性白血病]用量漸増期における強い CYP3A 阻害薬(リトナビル，クラリスロマイシン，イトラコナゾール，ボリコナゾール，ポサコナゾール，コビシスタット含有製剤)の服用中

(2)慎重に服用すべき場合……重度の肝機能障害(Child-Pugh 分類 C)

(3)腫瘍崩壊症候群……「警告」にもあるように腫瘍崩壊症候群が現れることがあるため，以下の点で対処します。①服用開始前に血液検査(カリウム，カルシウム，リン，尿酸，クレアチニン)を行い，電解質異常のある場合は服用開始に先立ち補正を行います。②服用開始前から高尿酸血症治療薬の服用を行います。③服用開始前に，X 線(CT 検査)などで腫瘍量を評価して腫瘍崩壊症候群のリスク評価を行い，服用開始前および用量漸増期には，腫瘍量に応じて定められた方法(水分補給，頻回な血液検査)で対応します。

(4)飲食物……服用中は以下の飲食物を摂取しないでください。①グレープフルーツジュースは本剤の副作用を強めるおそれがあります。②セイヨウオトギリソウ(セント・ジョーンズ・ワート)含有食品は本剤の効果を弱めるおそれがあります。

(5)避妊……妊娠可能な女性は，本剤服用中および服用終了後一定期間は適切な避妊を行ってください。また，生殖可能な年齢の男性が服用する場合には，不妊など性腺に対する影響を考慮することが必要です。

(6)その他……

● 妊婦での安全性：有益と判断されたときのみ服用。

● 授乳婦での安全性：服用するときは授乳しないことが望ましい。

● 小児での安全性：未確立。(1714 頁を参照)

重大な副作用 ①腫瘍崩壊症候群。②骨髄抑制(好中球減少, 貧血, 血小板減少, 発熱性好中球減少症など)。③感染症(肺炎, 敗血症など)。

そのほかにも報告された副作用はあるので, 体調がいつもと違うと感じたときは, 処方医・薬剤師に相談してください。

併用してはいけない薬 [慢性リンパ性白血病の用量漸増期] 強い CYP3A 阻害薬(リトナビル, クラリスロマイシン, イトラコナゾール, ボリコナゾール, ポサコナゾール, コビシスタット含有製剤)→腫瘍崩壊症候群の発現が増強されるおそれがあります。

内 16 がんに使われる内服薬 06 分子標的治療薬

22 カボザンチニブ

製剤情報

一般名:カボザンチニブリンゴ酸塩

● 保険収載年月…2020年5月
● 海外評価…6点 英 米 独 仏
● 規制…劇薬

● 剤形…錠 錠剤
■ 先発品 商品名(メーカー) 規格・保険薬価
カボメティクス (武田) 錠 20mg 1錠 8,007.60 円
錠 60mg 1錠 22,333.00 円

概　要

分類 キナーゼ阻害薬

処方目的 根治切除不能または転移性の腎細胞がん/がん化学療法後に増悪した切除不能な肝細胞がん

解説 多細胞生物のみに存在するチロシンキナーゼは, 細胞増殖や免疫反応などのシグナル伝達に関与しています。増殖因子が結合して活性化する受容体型チロシンキナーゼが数多く見出されており, さまざまながんの増殖に関与しています。本剤は, 血管内皮細胞増殖因子受容体2(VEGFR2), 肝細胞増殖因子受容体(MET)などの複数の受容体型チロシンキナーゼを阻害することで, 腎細胞がん, 肝細胞がんの増殖を抑えます。

使用上の注意

警告

本剤は, 緊急時に十分対応できる医療施設で, がん化学療法に十分な知識・経験をもつ医師のもと, 本剤の使用が適切と判断される人にのみ使用されるべき薬剤です。また, 治療開始に先立ち, 患者または家族は医師からその有効性, 危険性について十分な説明を受け, 納得・同意したのち使用を開始しなければなりません。

基本的注意

(1)服用してはいけない場合……本剤の成分に対するアレルギーの前歴
(2)慎重に服用すべき場合……高血圧/消化管など腹腔内の炎症の合併, 消化管への腫瘍の浸潤/血栓塞栓症またはその前歴/脳転移のある人/肺転移のある人/外科処置後, 創傷外科的処置後, 創傷が治癒していない人/肝機能障害

(3)**飲食物**……セイヨウオトギリソウ(セント・ジョーンズ・ワート)含有食品は本剤の血中濃度を低下させ，グレープフルーツジュースは血中濃度を上昇させることがあるので，服用中は避けてください。

(4)**定期検査**……高血圧，タンパク尿，肝不全・肝機能障害，血清アミラーゼ・血清リパーゼの上昇，骨髄抑制が現れることがあるので，本剤の服用開始前および服用期間中は定期的にこれらの検査を行います。

(5)**顎骨壊死**……本剤の服用によって顎骨壊死が現れることがあります。報告された症例の多くが抜歯などの顎骨に対する侵襲的な歯科処置や局所感染に関連して発現しています。服用開始前は必要に応じて歯科検査を受け，侵襲的な歯科処置をできるかぎり済ませておきます。服用中に異常が認められた場合は，直ちに歯科・口腔外科を受診してください。

(6)**避妊**……妊娠可能な女性は，服用期間中および服用終了後一定期間は適切な避妊を行ってください。動物実験で着床後胚死亡率の増加，胎児の内臓異常などが報告されています。

(7)**その他**……
● 妊婦での安全性：有益と判断されたときのみ服用。
● 授乳婦での安全性：服用するときは授乳しないことが望ましい。(1714頁を参照)

重大な副作用　①消化管穿孔，瘻孔。②出血(消化管出血，脳出血など)。③血栓塞栓症(肺塞栓症，深部静脈血栓症，虚血性脳卒中など)。④高血圧，高血圧クリーゼ。⑤可逆性後白質脳症症候群(けいれん，頭痛，錯乱，視覚障害，皮質盲など)。⑥顎骨壊死。⑦膵炎。⑧腎障害(急性腎障害，タンパク尿など)。⑨肝不全，肝機能障害，肝性脳症，胆汁うっ滞性肝炎。⑩骨髄抑制(貧血，好中球減少，血小板減少，リンパ球減少など)。⑪虚血性心疾患，不整脈，心不全。⑫横紋筋融解症(筋肉痛，脱力感，CK上昇，血中・尿中ミオグロビン上昇など)。⑬間質性肺疾患。⑭手足症候群。⑮創傷治癒遅延。⑯重度の下痢。

　そのほかにも報告された副作用はあるので，体調がいつもと違うと感じたときは，処方医・薬剤師に相談してください。

併用してはいけない薬　併用してはいけない薬は特にありません。ただし，併用する薬があるときは，念のため処方医・薬剤師に報告してください。

内 **16 がんに使われる内服薬　06 分子標的治療薬**
23 MET 遺伝子変異陽性がん治療薬

製剤情報
一般名：テポチニブ塩酸塩水和物
● 保険収載年月…2020年5月
● 海外評価…0点 英 米 独 仏
● 規制…劇薬

● 剤形…錠 錠剤
■ 先発品　　商品名(メーカー)　　規格・保険薬価
テプミトコ (メルクバイオファーマ)
錠 250mg 1錠 14,399.00 円

一般名：カプマチニブ塩酸塩水和物

- 保険収載年月…2020年8月
- 海外評価…2点 英 米 独 仏
- 規制…劇薬

- 剤形… 錠 錠剤

■先発品　　商品名(メーカー)　規格・保険薬価

タブレクタ (ノバルティス)

錠 150mg 1錠 5,055.50円　錠 200mg 1錠 6,573.50円

概　　要

分類　チロシンキナーゼ阻害薬(MET阻害薬)

処方目的　MET遺伝子エクソン14スキッピング変異陽性の切除不能な進行・再発の非小細胞肺がん

解説　世界における肺がんの約85%は非小細胞肺がんで，そのうちMET(間葉上皮転換因子)遺伝子エクソン14スキッピング変異と呼ばれる変異が陽性の人は約3%と報告されています。テポチニブ塩酸塩水和物およびカプマチニブ塩酸塩水和物は，受容体型チロシンキナーゼ(細胞表面受容体)であるMETに対する阻害作用を有する低分子化合物で，METのリン酸化を阻害し，シグナル伝達を阻害することにより，がん細胞の増殖を抑制します。

使用上の注意

＊両剤の添付文書による

警告

①本剤は，緊急時に十分対応できる医療施設で，がん化学療法に十分な知識・経験をもつ医師のもと，本剤の使用が適切と判断される人にのみ使用されるべき薬剤です。また，治療開始に先立ち，患者または家族は医師からその有効性，危険性について十分な説明を受け，納得・同意したのち使用を開始しなければなりません。

②本剤の服用により間質性肺疾患が現れ，死亡に至った症例が報告されています。息切れ，呼吸困難，せき，発熱などの初期症状が認められた場合には服用を中止し，直ちに処方医に連絡してください。

基本的注意

(1)服用してはいけない場合……本剤の成分に対するアレルギーの前歴

(2)慎重に服用すべき場合……間質性肺疾患またはその前歴／[テポチニブ塩酸塩水和物]重度の肝機能障害(Child-Pugh分類C)

(3)定期検査……間質性肺疾患，肝機能障害，腎機能障害が現れることがあるので，本剤の服用開始前および服用期間中は定期的に胸部画像検査，肝機能検査，腎機能検査などを行います。

(4)避妊……妊娠可能な女性は，服用期間中および服用終了後一定期間は適切な避妊を行ってください。パートナーが妊娠しているまたは妊娠する可能性のある男性は，服用中および服用終了後一定期間はバリア法(コンドーム)を用いて避妊してください。精液を介して胎児に悪影響を及ぼす可能性があります。

(5)その他……

- 妊婦での安全性：有益と判断されたときのみ服用。

●授乳婦での安全性：服用するときは授乳しないことが望ましい。(1714 頁を参照)

重大な副作用　①間質性肺疾患，肺臓炎，急性呼吸不全など。②体液貯留（末梢性浮腫，低アルブミン血症，胸水など）。③肝機能障害。④腎機能障害（血中クレアチニン増加，腎不全，急性腎障害など）。

　そのほかにも報告された副作用はあるので，体調がいつもと違うと感じたときは，処方医・薬剤師に相談してください。

併用してはいけない薬　併用してはいけない薬は特にありません。ただし，併用する薬があるときは，念のため処方医・薬剤師に報告してください。

内 16 がんに使われる内服薬　06 分子標的治療薬

24 FGFR2 融合遺伝子陽性がん治療薬

製剤情報

一般名：ペミガチニブ
●保険収載年月…2021年5月
●海外評価…6点 英 米 独 仏

●規制…劇薬
●剤形…錠 錠剤

■先発品　商品名(メーカー)　規格・保険薬価

ペマジール (インサイト) 錠 4.5mg 1錠 25,631.20 円

概　　要

分類　抗悪性腫瘍薬(FGFR 阻害薬)

処方目的　がん化学療法後に増悪した FGFR2 融合遺伝子陽性の治癒切除不能な胆道がん

解説　本剤は，遺伝子異常を有する線維芽細胞増殖因子受容体(FGFR)という蛋白質の働きを阻害することにより，がんの増殖を抑制します。FGFR はヒトでは 4 種類(FGFR1, FGFR2, FGFR3, FGFR4)が同定されており，なかでも胆道がんの一つの胆管がんでは，FGFR 経路の遺伝子異常として FGFR2 融合遺伝子が高頻度に認められ，この遺伝子が胆管がんの発生・増殖・生存に必須のドライバー遺伝子(がんの発生・進展に直接的に重要な役割を果たす遺伝子)と考えられています。本剤は，この FGFR2 融合遺伝子をターゲットとした新規の FGFR 阻害薬です。

使用上の注意

警告

　本剤は，緊急時に十分対応できる医療施設で，がん化学療法に十分な知識・経験をもつ医師のもと，本剤の使用が適切と判断される人にのみ使用されるべき薬剤です。また，治療開始に先立ち，患者または家族は医師からその有効性，危険性について十分な説明を受け，納得・同意したのち使用を開始しなければなりません。

基本的注意

(1)服用してはいけない場合……本剤の成分に対するアレルギーの前歴
(2)慎重に服用すべき場合……重度の腎機能障害(eGFR が 30mL/分/1.73m^2 未満)／中

等度以上の肝機能障害(Child-Pugh 分類 B または C)

(3)網膜剥離……本剤を服用すると網膜剥離が現れることがあるので，服用中は定期的に眼科検査を行うなど観察を十分に行います。また，眼の異常が認められた場合には速やかに医療機関を受診してください。

(4)避妊……妊娠可能な女性は，本剤服用中および服用終了後一定期間は適切な避妊を行ってください。また，パートナーが妊娠しているまたは妊娠する可能性のある男性は，本剤服用中および服用終了後一定期間はバリア法(コンドーム)を用いて避妊をしてください。精液を介して胎児に悪影響を及ぼす可能性があります。

(5)その他……

● 妊婦での安全性：有益と判断されたときのみ服用。
● 授乳婦での安全性：服用するときは授乳しないことが望ましい。
● 小児での安全性：未確立。(1714 頁を参照)

　重大な副作用　　　①網膜色素上皮剥離・網膜剥離(飛蚊症，視野欠損，光視症，視力低下など)。②高リン血症。

　そのほかにも報告された副作用はあるので，体調がいつもと違うと感じたときは，処方医・薬剤師に相談してください。

　併用してはいけない薬　　　併用してはいけない薬は特にありません。ただし，併用する薬があるときは，念のため処方医・薬剤師に報告してください。

内 **16 がんに使われる内服薬　06 分子標的治療薬**

25 RET 融合遺伝子陽性がん治療薬

製 剤 情 報

● 剤形…㋕カプセル剤

一般名：**セルペルカチニブ**

● 保険収載年月…2021年11月
● 海外評価…6点 英米独仏
● 規制…劇薬

■先発品　　商品名(メーカー)　規格・保険薬価

レットヴィモ (イーライリリー)

㋕ 40mg 1ｶﾌﾟ 3,680.00 円　　㋕ 80mg 1ｶﾌﾟ 6,984.50 円

概　　要

　分類　RET 受容体型チロシンキナーゼ阻害薬

　処方目的　RET 融合遺伝子陽性の切除不能な進行・再発の非小細胞肺がん／RET 融合遺伝子陽性の根治切除不能な甲状腺がん／RET 遺伝子変異陽性の根治切除不能な甲状腺髄様がん

　解説　RET 融合遺伝子とは，RET 遺伝子と他の遺伝子とが染色体転座の結果，融合してできる異常な遺伝子です。RET 融合遺伝子が形成されると RET 融合蛋白質の中のチロシンキナーゼという酵素の活性が上昇し，細胞の「がん化」を引きおこします。また，RET 遺伝子は融合ではなく単独で変異をおこすことがあり，これもがんの原因遺伝子と

なります。本剤は，これらの活性化された RET（RET 融合および変異の双方）を阻害することにより，がん細胞の増殖を抑制すると考えられています。

　RET 融合遺伝子は非小細胞肺がんの人の約 2%，甲状腺乳頭がんの 10〜20% に認められ，RET 遺伝子変異は甲状腺髄様がん（MTC）のうちの遺伝性 MTC で 90% 超，散発性 MTC で 60% 超に認められています。

📝 使用上の注意

警告

　本剤は，緊急時に十分に対応できる医療施設で，がん化学療法に十分な知識・経験をもつ医師のもと，本剤が適切と判断される人にのみ使用される薬剤です。治療開始に先立ち，患者または家族は医師から有効性および危険性について十分に聞き・たずね，同意したのち使用を開始しなければなりません。

基本的注意

(1)服用してはいけない場合……本剤の成分に対するアナフィラキシーなどの重篤なアレルギーの前歴

(2)慎重に服用すべき場合……QT 間隔延長のおそれまたはその前歴／高血圧症／間質性肺疾患またはその前歴／重度の肝機能障害（Child-Pugh 分類 C）

(3)セイヨウオトギリソウ（セント・ジョーンズ・ワート）含有食品……一緒に摂取すると本剤の有効性が弱まる可能性があるので，本剤の服用中は摂取しないでください。

(4)避妊……妊娠可能な女性およびパートナーが妊娠する可能性のある男性は，本剤服用中と服用終了後一定期間は適切な避妊法を用いてください。動物実験で胎児の死亡および奇形が認められています。

(5)成長期にある若年者……①成長期にある若年男性または男児が服用する場合には，造精機能の低下が現れる可能性があります。②成長期にある若年者においては骨端線に異常がないか十分に観察することが必要です。骨端線に異常が認められた場合には，服用継続の可否を慎重に判断します。

(6)その他……

●妊婦での安全性：有益と判断されたときのみ服用。

●授乳婦での安全性：服用するときは授乳しないことが望ましい。

●小児での安全性：未確立。（1714 頁を参照）

重大な副作用

①肝機能障害。②QT 間隔延長。③遅発性の過敏症（発疹，発熱など）。④高血圧。⑤間質性肺疾患。

　そのほかにも報告された副作用はあるので，体調がいつもと違うと感じたときは，処方医・薬剤師に相談してください。

併用してはいけない薬

併用してはいけない薬は特にありません。ただし，併用する薬があるときは，念のため処方医・薬剤師に報告してください。

内 **16 がんに使われる内服薬　07 その他の抗がん薬**

01　ミトタン

製剤情報

一般名：ミトタン

- 保険収載年月…1984年3月
- 海外評価…5点 英 米 独 仏　●PC…C

- 規制…劇薬
- 剤形…力 カプセル剤

■先発品　　商品名(メーカー)　規格・保険薬価

オペプリム(ヤクルト) 力 500mg 1カプセル 729.20 円

概　要

分類　副腎がん治療薬

処方目的　副腎がん／手術適応とならないクッシング症候群

解説　殺虫剤 DDT の誘導体で，副腎皮質への細胞毒作用，ステロイド合成阻害作用があり，副腎がん，クッシング症候群の治療に応用されました。

使用上の注意

警告

　ショック時や重症の外傷を受けたときは，一時的に服用を中止してください。

基本的注意

(1)服用してはいけない場合……重症の外傷／スピロノラクトン，ペントバルビタール，ドラビリンの服用中

(2)特に慎重に服用すべき場合(治療上やむを得ないと判断される場合を除き服用は避けること)……本剤の成分に対するアレルギーの前歴

(3)慎重に服用すべき場合……副腎皮質からの転移腫瘍以外の肝疾患

(4)行動的・神経学的評価……長期連続大量服用により，脳の機能障害がおこることがあります。長期継続する場合は，一定期間ごとに行動的・神経学的評価を受けることが必要です。

(5)避妊……無月経の人が本剤を服用すると月経が再開することがあるので，服用中・服用終了後の十分な期間，避妊をしてください。

(6)危険作業に注意……本剤を服用するとめまい，嗜眠などが現れることがあるので，自動車の運転など危険を伴う機械を操作する際には十分に注意してください。

(7)その他……

- 妊婦での安全性：有益と判断されたときのみ服用。
- 授乳婦での安全性：治療上の有益性・母乳栄養の有益性を考慮し，授乳の継続・中止を検討。
- 小児での安全性：未確立。(1714 頁を参照)

重大な副作用　　①胃潰瘍，胃腸出血。②認知症，妄想。③紅皮症。④副腎不全。⑤低血糖。⑥腎機能障害(尿細管障害)。⑦肝機能障害，黄疸。

　そのほかにも報告された副作用はあるので，体調がいつもと違うと感じたときは，処

方医・薬剤師に相談してください。

併用してはいけない薬 ①スピロノラクトン→本剤の作用が阻害されるおそれがあ
ります。②ペントバルビタール→ペントバルビタールの睡眠作用が弱まるおそれがあり
ます。③ドラビリン→ドラビリンの血中濃度が低下し，作用が弱まるおそれがあります。

---

02 ホリナートカルシウム(ロイコボリンカルシウム)

✐ 製剤情報

一般名：ホリナートカルシウム

- 保険収載年月…1991年11月
- 海外評価…4点 英 米 独 仏　●PC…C
- 剤形…錠 錠剤

■ **先発品**　商品名(メーカー)　規格・保険薬価

ユーゼル (大鵬) 錠 25mg 1錠 1,200.00 円

ロイコボリン 写真 (ファイザー)
錠 5mg 1錠 611.30 円　錠 25mg 1錠 1,363.00 円

■ **ジェネリック**　商品名(メーカー)　規格・保険薬価

ホリナート (大原) 錠 25mg 1錠 586.30 円

ホリナート (岡山大鵬) 錠 25mg 1錠 586.30 円

ホリナート (共和クリティケア)
錠 25mg 1錠 586.30 円

ホリナート (沢井) 錠 25mg 1錠 586.30 円

ホリナート (第一三共エスファ)
錠 25mg 1錠 586.30 円

ホリナート (高田 = 日本化薬)
錠 25mg 1錠 586.30 円

ホリナート (武田テバファーマ = 武田)
錠 25mg 1錠 586.30 円

ホリナート (東和) 錠 25mg 1錠 586.30 円

ホリナート (日医工岐阜 = 日医工 = 武田)
錠 25mg 1錠 586.30 円

ホリナート (日本ジェネリック)
錠 25mg 1錠 586.30 円

▤ 概　要

分類　抗葉酸代謝拮抗薬

処方目的　[25mg] ホリナート・テガフール・ウラシル療法：結腸・直腸がんに対す
るテガフール・ウラシル配合剤の抗腫瘍効果の増強／[5mg] 葉酸代謝拮抗薬の毒性軽減

解説　ホリナートカルシウムはビタミンB群の一つである還元型葉酸で，そのものに
は抗がん作用はありません。フルオロウラシルやテガフールの作用を強化したり，メト
トレキサートの副作用を低減する作用があります。

☞ 使用上の注意

＊ホリナートカルシウム(ロイコボリン25mg)の添付文書による

警告

①ホリナート・テガフール・ウラシル療法は，テガフール・ウラシル配合剤の細胞毒性を
増強する療法です。本療法に関連したと考えられる死亡例が認められているので，緊急
時に十分に措置できる施設で，がん化学療法に十分な経験を持つ医師のもとで行わなけ
ればなりません。

②本療法を行うと，重い下痢，激しい腹痛，脱水などの症状，また劇症肝炎などの重い肝機能障害(食欲不振を伴う倦怠感，眼球黄染など)や骨髄機能抑制がおこり，致命的な経過をたどることがあるので，定期的に臨床検査を受け，異常がみられたら，ただちに処方医へ連絡してください。

③本療法とテガフール・ギメラシル・オテラシルカリウム配合剤との併用で，重い血液障害などの副作用がおこることがあるので，本療法と併用してはいけません。

基本的注意

(1)**服用してはいけない場合**……重い骨髄機能抑制／下痢(水様便)のある人／重い感染症の合併／本剤の成分またはテガフール・ウラシル配合剤の成分に対する重いアレルギーの前歴／テガフール・ギメラシル・オテラシルカリウム配合剤の服用中・服用中止後7日以内／妊婦または妊娠している可能性のある人

(2)**慎重に服用すべき場合**……骨髄機能抑制／肝機能障害またはその前歴／腎機能障害／感染症の合併／心疾患またはその前歴／消化管潰瘍または出血／耐糖能異常／水痘／他の化学療法・放射線治療の治療中／前化学療法を受けていた人／高齢者

(3)**服用法**……①テガフール・ギメラシル・オテラシルカリウム配合剤の服用中止後，本療法を行うときは，少なくとも7日以上の間隔をあけることが必要です。②本療法は食事の影響を受けるので，食事の前後1時間を避けて服用してください。

(4)**かくされる貧血**……葉酸の服用により，ビタミンB_{12}欠乏による巨赤芽球性貧血(悪性貧血など)が隠蔽されるとの報告があります。

(5)**水痘**……水痘(水ぼうそう)の人が服用すると，致命的な全身状態が現れることがあるので，状態に十分注意してください。

(6)**感染症，出血傾向**……服用によって，感染症，出血傾向の発現または悪化がおこりやすくなるので，状態に十分注意してください。

(7)**性腺への影響**……小児および生殖可能な年齢の人が服用すると，性腺に影響がでることがあります。処方医とよく相談してください。

(8)**二次発がん**……テガフール・ウラシル配合剤との併用で，急性白血病(前白血病相を伴う場合もある)，骨髄異形成症候群(MDS)が発生したとの報告があります。

(9)**ホリナート・テガフール・ウラシル療法**……テガフール・ウラシル配合剤の細胞毒性を増強するこの療法を行うと，激しい腹痛や下痢，脱水症状，劇症肝炎，重い骨髄機能抑制などがおこり，致命的な経過をたどることがあるので，状態に十分注意してください。療法中は，定期的に(少なくとも1クールに1回以上，特に服用開始から2クールは各クール開始前および当該クール中に1回以上)，肝機能や血液の検査などを受けることが必要です。

(10)**その他**……
- 授乳婦での安全性：服用するときは授乳を中止。
- 小児での安全性：未確立。(1714頁を参照)

重大な副作用

①劇症肝炎などの重い肝機能障害。②(長期の服用による)肝硬変。③骨髄機能抑制，汎血球減少，無顆粒球症(発熱，咽頭痛，倦怠感など)，白血

球減少，血小板減少，貧血，出血傾向，溶血性貧血など。④激しい下痢，脱水症状。⑤重症の腸炎（出血性腸炎，虚血性腸炎，壊死性腸炎など）。⑥白質脳症（意識障害，小脳失調，認知症様症状など），失見当識，傾眠，記憶力低下，言語障害，錐体外路症状，四肢麻痺，歩行障害，尿失禁，知覚障害などの精神神経障害。⑦狭心症，心筋梗塞，不整脈（心室性頻拍などを含む）。⑧急性腎障害，ネフローゼ症候群。⑨嗅覚障害，嗅覚脱失。⑩間質性肺炎（せき，息切れ，呼吸困難，発熱など）。⑪急性膵炎。⑫重い口内炎，消化管潰瘍，消化管出血。⑬皮膚粘膜眼症候群（スティブンス-ジョンソン症候群），中毒性表皮壊死融解症（TEN）。⑭ショック，アナフィラキシー（発疹，呼吸困難，血圧低下など）。

　そのほかにも報告された副作用はあるので，体調がいつもと違うと感じたときは，処方医・薬剤師に相談してください。

併用してはいけない薬　テガフール・ギメラシル・オテラシルカリウム配合剤（ティーエスワン）→フルオロウラシルの代謝が阻害されて血中濃度が上昇し，重い血液障害，下痢・口内炎などの消化管障害などがおこることがあります。

内 16 がんに使われる内服薬　07 その他の抗がん薬

03　レチノイド類似物質

製剤情報

一般名：トレチノイン
- 保険収載年月…1995年3月
- 海外評価…6点 英 米 独 仏　●PC…D
- 規制…劇薬
- 剤形…カ カプセル剤

■ 先発品　　商品名(メーカー)　規格・保険薬価
ベサノイド (富士製薬) カ 10mg 1カプセル 625.40 円

一般名：タミバロテン
- 保険収載年月…2005年6月
- 海外評価…0点 英 米 独 仏
- 規制…劇薬

- 剤形…錠 錠剤

■ 先発品　　商品名(メーカー)　規格・保険薬価
アムノレイク (東光＝日本新薬)
錠 2mg 1錠 2,952.00 円

一般名：ベキサロテン
- 保険収載年月…2016年4月
- 海外評価…6点 英 米 独 仏
- 規制…劇薬
- 剤形…カ カプセル剤

■ 先発品　　商品名(メーカー)　規格・保険薬価
タルグレチン (ミノファーゲン)
カ 75mg 1カプセル 2,846.70 円

概　要

分類　急性前骨髄球性白血病・皮膚 T 細胞性リンパ腫治療薬

処方目的　［トレチノイン］急性前骨髄球性白血病／［タミバロテン］再発または難治性の急性前骨髄球性白血病／［ベキサロテン］皮膚 T 細胞性リンパ腫

解説　レチノイドはビタミン A と同じような活性をもつ化合物で，細胞の分化，増殖，組織形成，免疫など多岐にわたって重要な働きをしています。抗がん薬としても使

用され，トレチノインおよびタミバロテンは急性前骨髄球性白血病，ベキサロテンは皮膚 T 細胞性リンパ腫に効果を発揮します。なお，タミバロテンによる治療は危険性を伴うため，服用期間中は入院またはそれに準ずる管理のもとで使用されます。

📝 使用上の注意

*トレチノイン（ベサノイド）の添付文書による

警告

①本剤には催奇形性があるので，妊婦または妊娠している可能性のある人は服用してはいけません。また，妊娠する可能性のある婦人も服用しないことが原則ですが，やむを得ず服用する場合は状態に十分注意してください。

②本剤はレチノイン酸症候群などの副作用がおこることがあるので，緊急時に十分処置できる医療施設で，がん化学療法に十分な経験を持つ医師のもとで服用しなければなりません。

基本的注意

(1)服用してはいけない場合……妊婦または妊娠している可能性のある人／本剤の成分に対するアレルギーの前歴／肝機能障害／腎機能障害／ビタミン A 製剤の服用中／ビタミン A 過剰症

(2)特に慎重に服用すべき場合（原則禁忌，処方医と連絡を絶やさないこと）……妊娠する可能性のある人

(3)慎重に服用すべき場合……25 歳以下の人，特に幼・小児／低出生体重児，新生児，乳児／糖尿病／肥満／アルコール中毒症／脂質代謝異常など高トリグリセリド血症の素因がある人／高齢者

(4)女性……本剤には催奇形性があるので，妊娠する可能性のある人は原則禁忌ですが，他に代わるべき治療法がない重症の人には，やむを得ず処方されることがあります。服用する場合は，①服用開始前 2 週間以内の妊娠検査が陰性であること，②次の正常な生理周期の 2 日または 3 日目までは服用を開始しないこと，③服用開始前の少なくとも 1 カ月間，服用中・服用中止後少なくとも 1 カ月間は必ず避妊すること，④服用中は 1 カ月ごとに妊娠検査を行うこと，が必要です。

(5)定期検査……服用中は，定期的に肝機能検査，X 線検査，生化学的検査（カルシウム，マグネシウムなど）を受ける必要があります。関節や骨，筋肉の痛みなどがみられたら，すぐに処方医へ連絡してください。

(6)出血傾向……急性前骨髄球性白血病の人には，播種性血管内凝固症候群（DIC）が併発することがあり，致命的な出血傾向（脳出血，肺出血など）がおこることがあります。異常がみられたら，ただちに処方医へ連絡してください。

(7)その他……

● 授乳婦での安全性：服用するときは授乳を中止。

● 小児での安全性：未確立。(1714 頁を参照)

重大な副作用
①レチノイン酸症候群（発熱，呼吸困難，胸水貯留，肺浸潤，間質性肺炎，肺うっ血，心のう液貯留，低酸素血症，低血圧，肝不全，腎不全，多臓

器不全など）。②白血球増多症。③血栓症（脳梗塞，肺梗塞，その他の動脈・静脈血栓症など）。④血管炎。⑤感染症（肺炎，敗血症など）。⑥錯乱。⑦その他，類似薬（エトレチナート）で，過骨症や骨端の早期閉鎖（長期服用者），肝機能障害，中毒性表皮壊死融解症（TEN），多形紅斑。

　そのほかにも報告された副作用はあるので，体調がいつもと違うと感じたときは，処方医・薬剤師に相談してください。

併用してはいけない薬　　ビタミンA製剤→ビタミンA過剰症と類似した副作用症状がおこるおそれがあります。

内 16 がんに使われる内服薬　07 その他の抗がん薬

04　プロカルバジン塩酸塩

製剤情報

一般名：プロカルバジン塩酸塩
- 保険収載年月…1974年2月
- 海外評価…6点 **英 米 独 仏**　●PC…D
- 規制…劇薬

● 剤形…カ カプセル剤

■ 先発品　　商品名（メーカー）　規格・保険薬価

塩酸プロカルバジン（太陽ファルマ）
カ 50mg 1カプセル 450.10円

概　要

分類　核酸・蛋白合成抑制薬

処方目的　悪性リンパ腫（ホジキン病，細網肉腫，リンパ肉腫）／悪性星細胞腫，乏突起膠腫成分を有する神経膠腫に対する他の抗がん薬との併用療法

解説　本剤は，がん細胞内の核酸や核蛋白の働きを抑制して，抗悪性腫瘍効果を発揮します。1973年に悪性リンパ腫（ホジキン病，細網肉腫，リンパ肉腫）の治療薬として承認され，2005年に脳に発生する悪性腫瘍である悪性星細胞腫，および乏突起膠腫成分を有する神経膠腫が適応症に追加されました。

　悪性星細胞腫，神経膠腫に対しては，本剤とニムスチン，ビンクリスチンの3剤を併用して用います（PAV療法）。併用薬については，それぞれの項もご覧ください。

使用上の注意

警告

　本剤を含むがん化学療法は，緊急時に十分対応できる医療施設で，がん化学療法に十分な知識・経験を持つ医師のもと，本療法が適切と判断される人にのみ行わなければなりません。また，治療開始に先立ち，患者または家族は医師から有効性および危険性について十分に聞き・たずね，同意してから服用することが大切です。

基本的注意

(1)服用してはいけない場合……本剤の成分に対する重いアレルギーの前歴／アルコール（飲酒）の摂取中

(2)慎重に服用すべき場合……骨髄機能抑制／肝機能障害／腎機能障害／感染症の合併／水痘／小児

(3)禁酒……本剤は，アルコールに対する耐性を低下させるおそれがあるので，服用中は禁酒してください。

(4)水痘……水痘（水ぼうそう）の人が服用すると，致命的な全身状態が現れることがあるので，状態に十分注意してください。

(5)感染症，出血傾向……服用によって，感染症，出血傾向の発現または悪化がおこりやすくなるので，状態に十分注意してください。

(6)頻回に検査……骨髄機能抑制などの重い副作用がおこることがあるので，頻回に血液，肝機能，腎機能などの検査を受ける必要があります。

(7)性腺への影響……小児および生殖可能な年齢の人が服用すると，性腺に影響がでることがあります。処方医とよく相談してください。

(8)二次発がん……他の抗がん薬を併用で，急性白血病（前白血病相を伴う場合もある），骨髄異形成症候群（MDS），肺がんなどが発生したとの報告があります。

(9)その他……
●妊婦での安全性：原則として服用しない。
●授乳婦での安全性：服用するときは授乳を中止。
●小児での安全性：未確立。(1714頁を参照)

重大な副作用　①間質性肺炎（発熱，せき，呼吸困難など）。②骨髄抑制（汎血球減少，白血球減少，好中球減少，血小板減少，貧血）。③けいれん発作。

そのほかにも報告された副作用はあるので，体調がいつもと違うと感じたときは，処方医・薬剤師に相談してください。

併用してはいけない薬　アルコール→アルコールに対する耐性を低下させるおそれがあるので，服用中は禁酒してください。

内 16 がんに使われる内服薬　07 その他の抗がん薬
05 造血器悪性腫瘍治療薬

製剤情報

一般名：サリドマイド
●保険収載年月…2008年12月
●海外評価…6点 英 米 独 仏 ●PC…X
●規制…毒薬
●剤形…カ カプセル剤

■先発品　商品名(メーカー)　規格・保険薬価
サレド (藤本) 25mg 1カプセル 4,845.70円
カ 50mg 1カプセル 5,775.30円　カ 100mg 1カプセル 6,883.30円

一般名：レナリドミド水和物
●保険収載年月…2010年7月
●海外評価…6点 英 米 独 仏 ●PC…X
●規制…毒薬
●剤形…カ カプセル剤

■先発品　商品名(メーカー)　規格・保険薬価

レブラミド (ブリストル) ㋕ 2.5mg 1ｶﾌﾟｾﾙ 6,783.90 円
㋕ 5mg 1ｶﾌﾟｾﾙ 8,085.30 円

一般名：ポマリドミド

● 保険収載年月…2015年5月
● 海外評価…6点 英 米 独 仏 ● PC…X

● 規制…毒薬
● 剤形…㋕カプセル剤

■先発品　商品名(メーカー)　規格・保険薬価

ポマリスト (ブリストル) ㋕ 1mg 1ｶﾌﾟｾﾙ 36,902.00 円
㋕ 2mg 1ｶﾌﾟｾﾙ 43,981.40 円　㋕ 3mg 1ｶﾌﾟｾﾙ 48,736.50 円
㋕ 4mg 1ｶﾌﾟｾﾙ 52,418.90 円

📋 概　要

分類　抗造血器悪性腫瘍薬

処方目的　[サリドマイドの適応症] 再発または難治性の多発性骨髄腫／らい性結節性紅斑／クロウ・深瀬(POEMS)症候群

[レナリドミド水和物の適応症] 多発性骨髄腫／5番染色体長腕部欠失を伴う骨髄異形成症候群／再発または難治性の成人 T 細胞白血病リンパ腫／再発または難治性の濾胞性リンパ腫および辺縁帯リンパ腫

[ポマリドミドの適応症] 再発または難治性の多発性骨髄腫

解説　サリドマイドは昭和 30 年代に「安全な睡眠薬，つわりの薬」として発売されましたが，胎児への影響が試験されていなかったため，その催奇形性が世界的な薬害の原因となりました。その後，ハンセン病のらい性結節性紅斑の痛みに有効であることがわかり，その血管新生を抑制する作用から，がん治療へ応用されるようになりました。新たな悲劇を避けるため，厳重な安全管理がなされたうえでの使用が必要不可欠です。なお，本剤は多発性骨髄腫の類縁疾患であるクロウ・深瀬(POEMS)症候群にも効果のあることがわかり，2021 年 6 月に効能追加されました。

　レナリドミド水和物は，サリドマイドの誘導体で，多発性骨髄腫とともに骨髄異形成症候群，成人 T 細胞白血病リンパ腫，濾胞性リンパ腫および辺縁帯リンパ腫にも使用されます。ただし，骨髄異形成症候群の場合，IPSS(国際予後判定システム)によるリスク分類の中間-2(INT-2)および高(High)リスクに対する有効性・安全性は確立していません。

　ポマリドミドもサリドマイドの誘導体で，レナリドミド水和物と同じく IMiDs と呼ばれる新規の免疫調節薬です。本剤による治療は，少なくとも一つの標準的な治療が無効または治療後に再発した人が対象です。

✍ 使用上の注意

＊サリドマイド(サレド)の添付文書による

警告

①本剤は，ヒトにおいて催奇形性が確認されており，妊娠期間中の服用は重い胎児奇形または流産・死産をおこす可能性があるので，妊婦または妊娠している可能性のある人は決して服用しないでください。
②本剤の胎児への曝露を避けるため，定められている安全管理手順をすべての関係者が遵守しなければなりません。

③妊娠する可能性のある人またはそのパートナーが服用する際は，服用開始予定4週間前から服用終了4週間後まで，性交渉を行う場合はパートナーとともに極めて有効な避妊法の実施を徹底(本剤は精液中へ移行するので男性は必ずコンドームを使用)してください。

④本剤の服用は，緊急時に十分対応できる医療施設において，十分な知識・経験をもつ医師のもとで，本剤の服用が適切と判断される患者のみに十分なインフォームドコンセントが行われてから服用を開始してください。

⑤深部静脈血栓症，肺塞栓症を引き起こすおそれがあります。

[サリドマイドのみ] ①らい性結節性紅斑では，ハンセン病の診断および治療に関する十分な知識をもつ医師のもとで本剤を使用してください。

②クロウ・深瀬(POEMS)症候群では，服用により重篤な不整脈などを引きおこすおそれがあるので，服用開始時および服用後は定期的な心電図検査または心電図モニタリングを実施し，循環器を専門とする医師との連携のもと使用しなければなりません。

基本的注意

(1)服用してはいけない場合……妊婦，妊娠している可能性のある人／安全管理手順を遵守できない人／本剤の成分に対するアレルギーの前歴

(2)慎重に服用すべき場合……深部静脈血栓症のリスクがある人／HIV感染者／心疾患または心電図異常(クロウ・深瀬(POEMS)症候群の場合)

(3)危険作業は中止……本剤を服用すると，傾眠，眠け，めまい，徐脈，起立性低血圧，失神，意識消失をおこすおそれがあります。服用中は，高所作業や自動車の運転など危険を伴う機械の操作は行わないようにしてください。

(4)その他……

● 授乳婦での安全性：服用するときは授乳を中止。服用終了4週間後までは授乳を避ける。

● 小児での安全性：未確立。(1714頁を参照)

重大な副作用

①深部静脈血栓症，肺塞栓症。②脳梗塞。③末梢神経障害(末梢性ニューロパチーなど：手足のしびれ，うずき，痛み，灼熱感など)。④骨髄機能抑制(好中球減少，白血球減少，赤血球減少，血小板減少，貧血，発熱性好中球減少症，汎血球減少症など)。⑤重い感染症(肺炎，敗血症など)。⑥間質性肺疾患(せき，呼吸困難，発熱など)。⑦心不全(うっ血性心不全など)，不整脈(心房細動など)，徐脈など。⑧腫瘍崩壊症候群。⑨肝機能障害，黄疸。

[サリドマイド，レナリドミド水和物] ⑩消化管穿孔。⑪虚血性心疾患(心筋梗塞など)。⑫皮膚粘膜眼症候群(スティブンス-ジョンソン症候群)，中毒性表皮壊死症(TEN)。⑬けいれん。⑭起立性低血圧。⑮甲状腺機能低下症。

[レナリドミド水和物，ポマリドミド] ⑯急性腎障害，腎不全。⑰過敏症(アナフィラキシー，血管浮腫，発疹，じん麻疹など)。⑱進行性多巣性白質脳症(PML：意識障害，認知障害，麻痺症状(片麻痺，四肢麻痺)，言語障害，構音障害，失語など)。⑲催奇形性。

[サリドマイド] ⑳催奇形性(サリドマイド胎芽病)。㉑腸閉塞，イレウス。㉒冠れん縮。㉓嗜眠状態，傾眠，鎮静。

[レナリドミド水和物] ㉔一過性脳虚血発作。

そのほかにも報告された副作用はあるので，体調がいつもと違うと感じたときは，処方医・薬剤師に相談してください。

併用してはいけない薬　併用してはいけない薬は特にありません。ただし，併用する薬があるときは，念のため処方医・薬剤師に報告してください。

内 16 がんに使われる内服薬　07 その他の抗がん薬

06 ボリノスタット

製剤情報

一般名：ボリノスタット
- 保険収載年月…2011年9月
- 海外評価…2点 英 米 独 仏　● PC…D

- 規制…劇薬
- 剤形…カ カプセル剤

■先発品　　商品名(メーカー)　規格・保険薬価
ゾリンザ (MSD＝大鵬) カ 100mg 1カプセル 5,723.00 円

概　要

分類　ヒストン脱アセチル化酵素阻害薬

処方目的　皮膚 T 細胞性リンパ腫

解説　DNA に結合するタンパク質であるヒストンは遺伝子の転写に重要な役割を担い，そのヒストンのアセチル化と脱アセチル化のバランスの上に正常な細胞は機能しています。がん細胞ではそのバランスがくずれており，ヒストン脱アセチル化酵素の抑制が，がん抑制遺伝子などの転写活性を促進し，がん細胞の増殖を抑えると考えられています。ボリノスタットはこの作用を応用した抗がん薬として世界で最初のものです。

抗けいれん薬として広く使われているバルプロ酸にもヒストン脱アセチル化酵素阻害作用があることがわかっており，現在各種がんへの臨床試験が行われています。

使用上の注意

警告

本剤の使用にあたっては，緊急時に十分対応できる医療施設で，がん化学療法の治療に十分な知識・経験をもつ医師に，本剤の有効性・危険性を十分に聞き・たずね，同意してから受けなければなりません。

基本的注意

(1)服用してはいけない場合……本剤の成分に対するアレルギーの前歴／重度の肝機能障害

(2)慎重に服用すべき場合……静脈血栓塞栓症またはその前歴／軽度・中等度の肝機能障害／糖尿病またはその疑いのある人／高齢者

(3)脱水症状……本剤を服用すると脱水症状が現れることがあります。服用前に，処方医に脱水の兆候や脱水を避けるための注意点を必ず教えてもらってください。また，服用中に脱水の原因となる過度の嘔吐や下痢などがおこった場合には，すぐに処方医に連

絡します。

(4)定期検査……高血糖が現れることがあるので、服用開始前および開始後は定期的に血糖値の測定を行います。また、血小板減少、貧血、腎機能障害などが現れることがあるので、服用中は定期的に血液検査を行います。

(5)避妊……妊娠する可能性のある女性は、本剤の服用中は避妊をしてください。動物実験で胚・胎児にさまざまな障害の現れることが報告されています。

(6)その他……

● 妊婦での安全性：有益と判断されたときのみ服用。

● 授乳婦での安全性：治療上の有益性・母乳栄養の有益性を考慮し、授乳の継続・中止を検討。

● 小児での安全性：未確立。(1714頁を参照)

重大な副作用　　①肺塞栓症、深部静脈血栓症。②血小板減少症。③貧血。④脱水症状。⑤高血糖。⑥腎不全。

　そのほかにも報告された副作用はあるので、体調がいつもと違うと感じたときは、処方医・薬剤師に相談してください。

併用してはいけない薬　　併用してはいけない薬は特にありません。ただし、併用する薬があるときは、念のため処方医・薬剤師に報告してください。

内 16 がんに使われる内服薬　07 その他の抗がん薬

07　パノビノスタット

💊 製 剤 情 報

一般名：パノビノスタット乳酸塩

● 保険収載年月…2015年8月

● 海外評価…6点 **英 米 独 仏**　● PC…D

● 規制…劇薬

● 剤形…カ カプセル剤

■ 先発品　　商品名(メーカー)　規格・保険薬価

ファリーダック(ノバルティス)

カ 10mg 1カプセル 37,261.40円　カ 15mg 1カプセル 55,892.00円

📋 概　要

分類　ヒストン脱アセチル化酵素(HDAC)阻害薬

処方目的　再発または難治性の多発性骨髄腫

解説　多発性骨髄腫は再発を繰り返す難治性の疾患です。これまで注射薬のボルテゾミブや内服薬のサリドマイド、レナリドミド水和物などが使われていますが、ほとんどの人で再発または病勢の進行がみられ、治癒することが困難です。

　本剤は既存薬剤とは異なる作用機序をもつ新規薬剤で、単独で使用した場合の有効性・安全性は確立していませんが、ボルテゾミブとデキサメタゾンとの3剤を併用することで効果を発揮します。

使用上の注意

警告

①本剤の投与は，緊急時に十分対応できる医療施設で，造血器悪性腫瘍の治療に対して十分な知識・経験をもつ医師のもと，本剤の投与が適切と判断される人のみに行わなければなりません。また，治療開始に先立ち，患者または家族は医師から有効性および危険性について十分に聞き・たずね，同意してから服用することが大切です。
②本剤の使用にあたっては，治療初期は入院またはそれに準ずる管理のもとで適切な処置を行わなければなりません。また，本剤の添付文書などを熟読してください。

基本的注意

(1)慎重に服用すべき場合……血小板数減少のある人または抗凝固薬治療を受けている人／感染症の合併／QT 間隔延長のおそれ，またはその前歴／肝機能障害／高齢者
(2)感染症に注意……本剤の服用により，細菌・真菌・ウイルス・原虫による感染症や日和見感染が発現または悪化することがあります。また，B 型肝炎ウイルスキャリアの人または既往感染者(HBs 抗原陰性，かつ HBc 抗体または HBs 抗体陽性)において B 型肝炎ウイルスの再活性化による肝炎が現れることがあります。本剤の服用に先立って肝炎ウイルス，結核などの感染の有無を確認し，服用前に適切な処置を行います。服用中に異常が認められた場合には，直ちに処方医に連絡してください。
(3)避妊……本剤は胎児へ悪影響を及ぼす可能性があるので，本人とそのパートナーは，服用中および服用終了後一定期間は適切な避妊を行ってください。
(4)セイヨウオトギリソウ(セント・ジョーンズ・ワート)含有食品……一緒に摂取すると本剤の血中濃度が低下し，作用が弱まる可能性があるので，本剤の服用中はセイヨウオトギリソウ含有食品を摂取しないでください。
(5)危険作業は中止……本剤を服用すると低血圧，起立性低血圧，失神，意識消失が現れることがあります。自動車の運転など危険を伴う機械の操作には従事しないでください。
(6)その他……
●妊婦での安全性：有益と判断されたときのみ服用。
●授乳婦での安全性：服用するときは授乳を中止。
●小児での安全性：未確立。(1714 頁を参照)

重大な副作用

①重度の下痢。②脱水症状。③骨髄抑制(血小板減少症，貧血，好中球減少症)。④出血(胃腸出血，肺出血など)。⑤細菌・真菌・ウイルス・原虫による感染症。⑥QT 間隔延長。⑦心障害(頻脈性不整脈〔心房細動，心室性頻脈，頻脈など〕，心筋梗塞，心不全，狭心症など)。⑧肝機能障害。⑨腎機能障害(腎不全など)。⑩静脈血栓塞栓症(肺塞栓症，深部静脈血栓症など)。⑪低血圧，起立性低血圧，失神，意識消失。
　そのほかにも報告された副作用はあるので，体調がいつもと違うと感じたときは，処方医・薬剤師に相談してください。

併用してはいけない薬

併用してはいけない薬は特にありません。ただし，併用する薬があるときは，念のため処方医・薬剤師に報告してください。

内
16
―
07
―
07

パノビノスタット

08　タゼメトスタット

📋 製 剤 情 報

一般名：タゼメトスタット臭化水素酸塩
- 保険収載年月…2021年8月
- 海外評価…2点 英 米 独 仏

- 規制…劇薬
- 剤形…錠 錠剤

■先発品　　商品名(メーカー)　規格・保険薬価

タズベリク(エーザイ) 錠 200mg 1錠 3,004.00 円

📖 概　　要

分類　EZH2 阻害薬

処方目的　再発または難治性の EZH2 遺伝子変異陽性の濾胞性リンパ腫(標準的な治療が困難な場合に限る)

解説　濾胞性リンパ腫は，非ホジキンリンパ腫の 10〜20%を占める低悪性度 B 細胞リンパ腫で，そのうちの 7〜27%に EZH2 遺伝子の変異があるとされています。本剤は，発がんのプロセスに関与する EZH2 を選択的に阻害することでがん関連遺伝子の発現を制御し，がん細胞の増殖を抑制します。

　本剤による治療は，少なくとも 2 つの標準的な治療が無効または治療後に再発した人が対象で，事前に検査によって EZH2 遺伝子変異陽性が確認された人に使用します。

🖐 使用上の注意

警告

　本剤は，緊急時に十分対応できる医療施設で，造血器悪性腫瘍の治療に十分な知識・経験をもつ医師のもと，本剤の使用が適切と判断される人にのみ使用されるべき薬剤です。また，治療開始に先立ち，患者または家族は医師からその有効性，危険性について十分な説明を受け，納得・同意したのち使用を開始しなければなりません。

基本的注意

(1)服用してはいけない場合……本剤の成分に対するアレルギーの前歴
(2)慎重に服用すべき場合……中等度以上の肝機能障害
(3)グレープフルーツジュース……併用すると本剤の血中濃度が上昇し，本剤の副作用が強まるおそれがあるので，本剤と一緒に飲まないようにします。
(4)避妊……妊娠可能な女性は，本剤の服用中および服用終了後一定期間は適切な避妊を行ってください。
(5)その他……
- 妊婦での安全性：服用しないことが望ましい。
- 授乳婦での安全性：服用するときは授乳しないことが望ましい。
- 小児での安全性：未確立。(1714 頁を参照)

重大な副作用　　①骨髄抑制(血小板減少，好中球減少，リンパ球減少，貧血など)。②感染症(肺炎，ニューモシスチス肺炎，異型肺炎，肺感染など)。

そのほかにも報告された副作用はあるので，体調がいつもと違うと感じたときは，処方医・薬剤師に相談してください。

併用してはいけない薬　併用してはいけない薬は特にありません。ただし，併用する薬があるときは，念のため処方医・薬剤師に報告してください。

内 16 がんに使われる内服薬　07 その他の抗がん薬

09 ツシジノスタット

製剤情報

一般名：ツシジノスタット
- 保険収載年月…2021年8月
- 海外評価…0点 英 米 独 仏
- 規制…劇薬

- 剤形…錠 錠剤
- **先発品**　商品名(メーカー)　規格・保険薬価

ハイヤスタ (Huya = MeijiSeika)
錠 10mg 1錠 20,028.40 円

概　要

分類　ヒストン脱アセチル化酵素(HDAC)阻害薬
処方目的　再発または難治性の成人 T 細胞白血病リンパ腫／再発または難治性の末梢性 T 細胞リンパ腫
解説　DNA に結合するタンパク質であるヒストンは遺伝子の転写に重要な役割を担い，そのヒストンのアセチル化と脱アセチル化のバランスの上に正常な細胞は機能しています。がん細胞ではそのバランスがくずれており，ヒストン脱アセチル化酵素(HDAC)の抑制が，がん抑制遺伝子などの転写活性を促進し，がん細胞の増殖を抑えると考えられています。
　HDAC には数多くの種類がありますが，本剤は主にクラス I の HDAC1・HDAC2・HDAC3 ならびにクラス II ｂ の HDAC10 の酵素活性を阻害することで効果を発揮すると考えられています。

使用上の注意

警告

　本剤は，緊急時に十分対応できる医療施設で，造血器悪性腫瘍の治療に十分な知識・経験をもつ医師のもと，本剤の使用が適切と判断される人にのみ使用されるべき薬剤です。また，治療開始に先立ち，患者または家族は医師からその有効性，危険性について十分な説明を受け，納得・同意したのち使用を開始しなければなりません。

基本的注意

(1)服用してはいけない場合……本剤の成分に対するアレルギーの前歴／妊婦または妊娠している可能性のある人
(2)慎重に服用すべき場合……骨髄機能低下／不整脈またはその前歴／QT 間隔延長またはその前歴／肝機能障害
(3)グレープフルーツ含有食品……併用すると本剤の血中濃度が上昇し，本剤の副作用

が強まるおそれがあるので，本剤とグレープフルーツ含有食品を一緒に摂取しないようにします。

(4)避妊……妊娠可能な女性は，本剤の服用中および服用終了後一定期間は適切な避妊を行ってください。

(5)その他……

● 授乳婦での安全性：服用するときは授乳しないことが望ましい。

● 小児での安全性：未確立。（1714頁を参照）

重大な副作用 ①骨髄抑制（血小板減少，好中球減少，白血球減少，貧血，リンパ球減少，発熱性好中球減少症など）。②間質性肺疾患，肺臓炎。③重い感染症（ニューモシスチス・イロベチイ肺炎，尿路感染，肺炎など）。④QT間隔延長，動悸，第一度房室ブロック，心房細動，不整脈など。

そのほかにも報告された副作用はあるので，体調がいつもと違うと感じたときは，処方医・薬剤師に相談してください。

併用してはいけない薬 併用してはいけない薬は特にありません。ただし，併用する薬があるときは，念のため処方医・薬剤師に報告してください。

内 16 がんに使われる内服薬　08 がんに使われるその他の薬剤

01 がん疼痛治療薬（1）

製剤情報

一般名：モルヒネ硫酸塩水和物

● 保険収載年月…1988年11月

● 海外評価…6点 英 米 独 仏　● PC…C

● 規制…劇薬，麻薬

● 剤形…錠 錠剤，カ カプセル剤，細 細粒剤

■先発品　商品名（メーカー）　規格・保険薬価

MS コンチン（シオノギファーマ＝塩野義）

錠 10mg 1錠 245.60 円　錠 30mg 1錠 713.50 円

錠 60mg 1錠 1,288.10 円

MS ツワイスロン（帝国製薬）

カ 10mg 1カプセル 245.60 円　カ 30mg 1カプセル 692.40 円

カ 60mg 1カプセル 1,250.00 円

■ジェネリック　商品名（メーカー）　規格・保険薬価

モルヒネ硫酸塩水和物（藤本）

細 10mg 1包 200.10 円　細 30mg 1包 528.30 円

モルペス細粒（藤本）細 2% 1g 400.10 円

細 6% 1g 1,052.20 円

一般名：モルヒネ塩酸塩水和物

● 保険収載年月…1950年9月

● 海外評価…3点 英 米 独 仏

● 規制…劇薬，麻薬

● 剤形…錠 錠剤，カ カプセル剤，末 末剤，液 液剤

■先発品　商品名（メーカー）　規格・保険薬価

オプソ内服液（住友ファーマ）

液 5mg 2.5mL 1包 114.50 円

液 10mg 5mL 1包 211.90 円

パシーフ（武田）カ 30mg 1カプセル 756.70 円

カ 60mg 1カプセル 1,341.90 円　カ 120mg 1カプセル 2,566.70 円

モルヒネ塩酸塩（住友ファーマ）

錠 10mg 1錠 128.10 円

モルヒネ塩酸塩水和物原末（第一三共プロファーマ＝第一三共）末 1g 2,243.80 円

モルヒネ塩酸塩水和物原末（武田）

末 1g 2,243.80 円

概　　要

分類　持続性疼痛治療薬（医療用麻薬）

処方目的　[モルヒネ硫酸塩水和物の適応症]激しい疼痛を伴う各種がんにおける鎮痛 [モルヒネ塩酸塩水和物の適応症]〈オプソ，パシーフ〉中等度から高度の疼痛を伴う各種がんにおける鎮痛／〈モルヒネ塩酸塩・モルヒネ塩酸塩水和物原末〉激しい疼痛時における鎮痛・鎮静，激しい咳嗽（せき）発作における鎮咳，激しい下痢症状の改善，手術後などの腸管蠕動（ぜんどう）運動の抑制

解説　がんの疼痛緩和に用いられるモルヒネ製剤で，強オピオイド鎮痛薬の一つです。持続痛を抑える徐放製剤と，突出痛を抑える速放製剤があります。

使用上の注意

＊MS コンチン，パシーフの添付文書による

基本的注意

(1)**服用してはいけない場合**……重い呼吸抑制／気管支ぜんそくの発作中／重い肝機能障害／慢性肺疾患に続発する心不全／けいれん状態（てんかん重積症，破傷風，ストリキニーネ中毒）／急性アルコール中毒／アヘンアルカロイドに対するアレルギー／出血性大腸炎／ナルメフェン塩酸塩水和物の服用中または服用中止後1週間以内

(2)**特に慎重に服用すべき場合**（原則禁忌，処方医と連絡を絶やさないこと）……細菌性下痢

(3)**慎重に服用すべき場合**……心・肝・腎・呼吸機能障害／脳の器質的障害／ショック状態／代謝性アシドーシス／甲状腺機能低下症（粘液水腫など）／副腎皮質機能低下症（アジソン病など）／薬物依存の前歴／前立腺肥大による排尿障害，尿道狭窄，尿路手術後／器質的幽門狭窄，麻痺性イレウス（腸閉塞），最近消化管手術を行った人／けいれんの前歴／胆のう障害，胆石／重い炎症性腸疾患／衰弱者／ジドブジンの服用中／新生児，乳児，高齢者

(4)**服用法**……モルヒネ硫酸塩水和物製剤およびモルヒネ塩酸塩水和物のパシーフは徐放性製剤であるため，そのままのみ込み，噛んだり砕いたりして服用しないでください。

(5)**返却**……本剤が不要になった場合は病院・薬局へ返納してください。

(6)**依存性**……本剤の連用により薬物依存が生じることがあるので，処方医の指示を守って服用してください。

(7)**退薬症候**……連用中に服用量を急激に減少または中止すると，あくび，くしゃみ，流涙，発汗，悪心・嘔吐，下痢，腹痛，散瞳，頭痛，不眠，不安，せん妄，ふるえ，全身の筋肉・関節痛，呼吸促迫などの退薬症候が現れることがあります。自己判断で，減量や中止をしないでください。

(8)**分娩前・分娩時**……本剤を分娩前に服用すると出産後，新生児に退薬症候（多動，神経過敏，不眠，ふるえなど）が現れることがあります。分娩時に服用すると，新生児に呼吸抑制が現れることがあります。

(9)**危険作業は中止**……本剤を服用すると，眠け，めまいなどをおこすおそれがあります。服用中は，高所作業や自動車の運転など危険を伴う機械の操作は行わないようにし

てください。

（10）その他……

- ●妊婦での安全性：有益と判断されたときのみ服用。
- ●授乳婦での安全性：服用するときは授乳を中止。（1714頁を参照）

重大な副作用 ①連用による薬物依存。②呼吸抑制（息切れ，不規則な呼吸など）。③錯乱，せん妄。④無気肺，気管支けいれん，のどのむくみ。⑤麻痺性イレウス（腸閉塞），中毒性巨大結腸。

[モルヒネ硫酸塩水和物のみ] ⑥ショック。⑦肝機能障害。

　そのほかにも報告された副作用はあるので，体調がいつもと違うと感じたときは，処方医・薬剤師に相談してください。

併用してはいけない薬 ナルメフェン塩酸塩水和物→本剤の鎮痛作用が弱まることがあります。また，本剤の退薬症候が現れることがあります。

内16 がんに使われる内服薬　08 がんに使われるその他の薬剤

02 がん疼痛治療薬（2）

🔵 製剤情報

一般名：オキシコドン塩酸塩水和物

- ●保険収載年月…2003年6月
- ●海外評価…6点 英 米 独 仏 　●PC…B
- ●規制…劇薬，麻薬
- ●剤形…錠 錠剤，カ カプセル剤，散 散剤，液 液剤

■先発品　商品名（メーカー）　規格・保険薬価

オキシコンチン TR（シオノギファーマ＝塩野義）

錠 5mg 1錠 124.50円　錠 10mg 1錠 233.60円

錠 20mg 1錠 433.70円　錠 40mg 1錠 799.10円

オキノーム（シオノギファーマ＝塩野義）

散 2.5mg 1包 55.20円　散 5mg 1包 111.20円

散 10mg 1包 220.70円　散 20mg 1包 457.50円

■ジェネリック　商品名（メーカー）　規格・保険薬価

オキシコドン（第一三共プロファーマ＝第一三共）

錠 2.5mg 1錠 51.70円　錠 5mg 1錠 94.70円

錠 10mg 1錠 174.00円　錠 20mg 1錠 323.00円

オキシコドン NX（第一三共プロファーマ＝第一三共）錠 2.5mg 1錠 51.70円　錠 5mg 1錠 94.70円

錠 10mg 1錠 174.00円　錠 20mg 1錠 323.00円

オキシコドン徐放カプセル（帝国製薬＝テルモ）

カ 5mg 1カプセル 94.50円　カ 10mg 1カプセル 175.10円

カ 20mg 1カプセル 318.50円　カ 40mg 1カプセル 575.10円

オキシコドン徐放錠 NX（第一三共プロファーマ＝第一三共）錠 5mg 1錠 94.50円

錠 10mg 1錠 175.10円　錠 20mg 1錠 318.50円

錠 40mg 1錠 575.10円

オキシコドン内服液（日本臓器）

液 2.5mg 2.5mL 1包 89.20円

液 5mg 2.5mL 1包 155.10円

液 10mg 5mL 1包 298.30円

液 20mg 5mL 1包 545.50円

📋 概　要

分類 持続性疼痛治療薬（医療用麻薬）

処方目的　中等度から高度の疼痛を伴う各種がんにおける鎮痛／[オキシコンチン TR のみ]非オピオイド鎮痛薬または他のオピオイド鎮痛薬で治療困難な中等度から高度の慢性疼痛における鎮痛

解説　モルヒネと同様に用いられる合成麻薬で，強オピオイド鎮痛薬の一つです。オキシコンチン TR は，2020 年 10 月，これまでの「各種がんにおける鎮痛」に加えて「慢性疼痛における鎮痛」も適応となりました。慢性疼痛に用いる場合，慢性疼痛の原因となる器質的病変，心理的・社会的要因，依存リスクを含めた包括的な診断を行い，学会のガイドラインなどの最新の情報を参考に，本剤の服用の適否を慎重に判断することになっています（警告参照）。

📋 使用上の注意

＊オキシコドン塩酸塩水和物（オキシコンチン TR）の添付文書による

警告

　慢性疼痛に対しては，本剤は，慢性疼痛の診断，治療に精通した医師のみが処方・使用するとともに，本剤のリスクなどについても十分に管理・説明できる医師・医療機関・管理薬剤師のいる薬局のもとでのみ用いること。また，それら薬局においては，調剤前に当該医師・医療機関を確認したうえで調剤を行うこと。

基本的注意

（1）**服用してはいけない場合**……重い呼吸抑制・慢性閉塞性肺疾患／気管支ぜんそく発作中／慢性肺疾患に続発する心不全／けいれん状態（てんかん重積症，破傷風，ストリキニーネ中毒）／麻痺性イレウス（腸閉塞）／急性アルコール中毒／アヘンアルカロイドに対するアレルギー／出血性大腸炎／ナルメフェン塩酸塩水和物の服用中または服用中止後 1 週間以内

（2）**特に慎重に服用すべき場合**（原則禁忌，処方医と連絡を絶やさないこと）……細菌性下痢

（3）**慎重に服用すべき場合**……心機能障害あるいは低血圧／呼吸器機能障害／肝機能障害／腎機能障害／脳の器質的障害／ショック状態／代謝性アシドーシス／甲状腺機能低下症（粘液水腫など）／副腎皮質機能低下症（アジソン病など）／薬物・アルコール依存またはその前歴／薬物・アルコールなどによる精神障害／前立腺肥大による排尿障害，尿道狭窄，尿路手術後／器質的幽門狭窄，最近消化管手術を行った人／けいれんの前歴／胆のう障害，胆石症／膵炎／重い炎症性腸疾患／衰弱者／高齢者

（4）**服用法**……本剤は徐放性製剤なのでそのままのみ込み，噛んだり，砕いたりして服用しないでください。

（5）**適切な使用・管理・返却**……①本剤を目的以外へ使用したり，他人へ譲渡したりしないでください。②本剤を子どもの手の届かないところに保管してください。③本剤が不要になった場合は病院・薬局へ返納してください。

（6）**依存性**……本剤の連用により薬物依存が生じることがあるので，処方医の指示を守って服用してください。

(7)退薬症候……連用中に服用量を急激に減少または中止すると，あくび，くしゃみ，流涙，発汗，悪心・嘔吐，下痢，腹痛，散瞳，頭痛，不眠，不安，せん妄，ふるえ，全身の筋肉・関節痛，呼吸促迫などの退薬症候が現れることがあります。自己判断で，減量や中止をしないでください。

(8)分娩前・分娩時……本剤を分娩前に服用すると出産後，新生児に退薬症候（多動，神経過敏，不眠，ふるえなど）が現れることがあります。分娩時に服用すると，新生児に呼吸抑制が現れることがあります。

(9)危険作業は中止……本剤を服用すると，眠け，めまいなどをおこすおそれがあります。服用中は，高所作業や自動車の運転など危険を伴う機械の操作は行わないようにしてください。

(10)その他……

● 妊婦での安全性：有益と判断されたときのみ服用。

● 授乳婦での安全性：服用するときは授乳を中止。

● 小児での安全性：未確立。(1714 頁を参照)

重大な副作用 ①ショック，アナフィラキシー（顔面蒼白，呼吸困難，チアノーゼ，頻脈，全身発赤，じん麻疹など）。②連用による薬物依存。③呼吸抑制（息切れ，不規則な呼吸など）。④錯乱，せん妄。⑤無気肺，気管支けいれん，喉頭浮腫。⑥麻痺性イレウス，中毒性巨大結腸。⑦肝機能障害。

　そのほかにも報告された副作用はあるので，体調がいつもと違うと感じたときは，処方医・薬剤師に相談してください。

併用してはいけない薬 ナルメフェン塩酸塩水和物→本剤の鎮痛作用が弱まることがあります。また，本剤の退薬症候が現れることがあります。

内 16 がんに使われる内服薬　08 がんに使われるその他の薬剤

03　がん疼痛治療薬（3）

製剤情報

一般名：タペンタドール塩酸塩

● 保険収載年月…2014年5月

● 海外評価…6点 英 米 独 仏　●PC…C

● 規制…劇薬，麻薬

● 剤形…錠 錠剤

■ 先発品　　商品名(メーカー)　規格・保険薬価

タペンタ（ヤンセン＝ムンディ）

錠 25mg 1錠 110.70 円　錠 50mg 1錠 210.10 円

錠 100mg 1錠 399.00 円

概　要

分類　持続性がん疼痛治療薬(医療用麻薬)

処方目的　中等度から高度の疼痛を伴う各種がんにおける鎮痛

解説　タペンタドールはドイツで新たに開発された合成麻薬の一種で，2010 年以降に世界各国で使用されるようになった強オピオイド鎮痛薬です。μ（ミュー）オピオイド受容体に

作用するほかノルアドレナリン再取り込みを阻害する作用があり，両者が相まって鎮痛作用を示します。用い方はオキシコドンとほぼ同様ですが，がん疼痛に対する薬品選択の幅が増えることになりました。なお，タペンタ錠は，かみ砕いて服用するなどの誤用を防ぐため，通常ではかみ砕けない強度を持たせるなど特別な製剤上の工夫がなされています。

🈂 使用上の注意

基本的注意

(1)**服用してはいけない場合**……本剤の成分に対するアレルギーの前歴／重い呼吸抑制，重い慢性閉塞性肺疾患／気管支ぜんそくの発作中／麻痺性イレウス／アルコール・睡眠薬・中枢性鎮痛薬・向精神薬による急性中毒者／モノアミン酸化酵素（MAO）阻害薬（1716頁を参照）（セレギリン塩酸塩，ラサギリンメシル酸塩，サフィナミドメシル酸塩）の服用中または服用中止後14日以内／ナルメフェン塩酸塩水和物の服用中または服用中止後1週間以内／出血性大腸炎

(2)**特に慎重に服用すべき場合**（原則禁忌，処方医と連絡を絶やさないこと）……感染性下痢

(3)**慎重に服用すべき場合**……呼吸機能障害／肝機能障害／腎機能障害／脳器質的障害／ショック状態／薬物依存・アルコール依存またはその前歴／てんかんなどのけいれん性疾患またはこれらの前歴，けいれん発作の危険因子を有する人／胆のう障害，胆石症，膵炎／前立腺肥大による排尿障害，尿道狭窄，尿路手術後／器質的幽門狭窄または最近消化管手術を受けた人／重い炎症性腸疾患／高齢者

(4)**服用法**……本剤は徐放性製剤なので，服用に際して噛んだり，割ったり，砕いたり，溶解したりせず，必ず飲み物と一緒にそのまま服用してください。

(5)**乱用・誤用の禁止**……本剤を連用すると薬物依存を生じることがあり，また乱用や誤用により過量投与や死亡に至る可能性があるので，必ず処方医の指示通りに服用してください。

(6)**保管・返却**……本剤は劇薬，麻薬なので，子どもの手の届かないところに保管し，絶対に他人へ譲渡しないでください。また，本剤が不要となった場合には，未使用製剤を病院または薬局へ返却しなければなりません。

(7)**危険作業は中止**……本剤を服用すると眠け，めまいをおこすことがあります。服用中は自動車の運転など危険を伴う機械の操作は行わないようにしてください。特に本剤服用開始時および用量変更時，ならびに飲酒時や鎮静薬併用時などには，眠け，めまいが増強されるおそれがあるため十分に注意してください。

(8)**その他**……
● 妊婦での安全性：有益と判断されたときのみ服用。
● 授乳婦での安全性：服用するときは授乳を中止。
● 小児での安全性：未確立。（1714頁を参照）

重大な副作用
①呼吸抑制。②アナフィラキシー。③薬物依存。④けいれん。⑤錯乱状態，せん妄。

そのほかにも報告された副作用はあるので，体調がいつもと違うと感じたときは，処

内
16
—
08
—
04
がん疼痛治療薬(4)

方医・薬剤師に相談してください。

併用してはいけない薬　①MAO阻害薬(セレギリン塩酸塩，ラサギリンメシル酸塩，サフィナミドメシル酸塩)→心血管系副作用の増強やセロトニン症候群などの重い副作用が発現するおそれがあります。②ナルメフェン塩酸塩水和物→離脱症状をおこすおそれがあります。また，鎮痛作用が弱まるおそれがあります。

内 16 がんに使われる内服薬　08 がんに使われるその他の薬剤

04　がん疼痛治療薬(4)

製剤情報

一般名：フェンタニルクエン酸塩
- 保険収載年月…2013年8月
- 海外評価…6点 英 米 独 仏　●PC…C
- 規制…劇薬，麻薬
- 剤形…錠 錠剤，バ バッカル剤

■先発品　　商品名(メーカー)　規格・保険薬価

イーフェン (帝国製薬＝大鵬)	
バ 50µg 1錠 491.70円	バ 100µg 1錠 683.50円
バ 200µg 1錠 937.30円	バ 400µg 1錠 1,361.50円
バ 600µg 1錠 1,547.90円	バ 800µg 1錠 1,848.30円

アブストラル舌下錠 (協和キリン＝久光)	
錠 100µg 1錠 549.00円	錠 200µg 1錠 773.90円
錠 400µg 1錠 1,009.50円	

概　要

分類　口腔粘膜吸収がん性疼痛治療薬(医療用麻薬)
処方目的　強オピオイド鎮痛薬を定時投与中のがん患者における突出痛の鎮痛
解説　フェンタニルクエン酸塩は，強い鎮痛効果をもつオピオイド(モルヒネ様物質)です(強オピオイド鎮痛薬)。以前から外用薬，注射薬は発売されていましたが，イーフェンはバッカル剤，アブストラルは舌下錠という口の中に含んで粘膜から徐々に吸収させる剤形で，突出痛(一時的に増強する痛み)に対して速やかに効果を発揮します。飲み込んでしまった場合，小腸から吸収されたフェンタニルは肝臓で代謝され効果を失ってしまうので，注意が必要です。

使用上の注意
＊イーフェンの添付文書による
警告

本剤を小児が誤って口に入れた場合，過量投与となり死に至るおそれがあるため，必ず小児の手の届かないところに保管してください。

基本的注意

(1)服用してはいけない場合……本剤の成分に対するアレルギーの前歴／ナルメフェン塩酸塩水和物の服用中または服用中止後1週間以内
(2)慎重に服用すべき場合……呼吸機能障害(慢性肺疾患など)／ぜんそく／徐脈性不整脈／肝機能障害／腎機能障害／脳の器質的障害(頭蓋内圧の亢進，意識障害・昏睡，脳

腫瘍など)／口内炎, 口腔内出血, 口腔粘膜の欠損／薬物依存の前歴／高齢者

(3)服用方法……イーフェンは口腔粘膜から吸収させる製剤(バッカル剤)であるため, 噛んだり, 舐めたりせずに服用します。上あごの歯茎と頬の間に薬を置き, 溶解させます。なるべく左右交互に使用します。また, アブストラル舌下錠は舌下の奥の方に入れて自然に溶解させ, 舌下の口腔粘膜から吸収させます。

(4)依存性, 乱用・誤用……本剤の連用により薬物依存を生じたり, 乱用や誤用により死亡に至る可能性があるので, 必ず指示された用量を守って服用してください。

(5)グレープフルーツジュース……本剤の作用を強めるおそれがあるので, 本剤とグレープフルーツジュースを一緒に飲まないようにします。

(6)危険作業は中止……本剤を服用すると, 眠け, めまいをおこすことがあります。服用中は, 自動車の運転など危険を伴う機械の操作は行わないようにしてください。

(7)その他……

● 妊婦での安全性：有益と判断されたときのみ服用。

● 授乳婦での安全性：服用するときは授乳を中止。

● 小児での安全性：未確立。(1714 頁を参照)

重大な副作用 ①連用による薬物依存, 連用中の急激な減量・中止による退薬症候。②呼吸抑制(無呼吸, 呼吸困難, 呼吸異常, 呼吸緩慢, 不規則な呼吸, 換気低下など)。③意識障害(意識レベルの低下, 意識消失など)。④ショック, アナフィラキシー。⑤けいれん。

そのほかにも報告された副作用はあるので, 体調がいつもと違うと感じたときは, 処方医・薬剤師に相談してください。

併用してはいけない薬 ナルメフェン塩酸塩水和物→本剤の鎮痛作用が弱まるため, 効果を得るために必要な本剤の用量が通常用量より多くなるおそれがあります。また, 本剤の退薬症候が現れることがあります。

内16 がんに使われる内服薬　08 がんに使われるその他の薬剤

05 がん疼痛治療薬(5)

製剤情報

一般名：メサドン塩酸塩

● 保険収載年月…2012年11月

● 海外評価…6点 英 米 独 仏　● PC…C

● 規制…劇薬, 麻薬

● 剤形…錠 錠剤

■ 先発品　　商品名(メーカー)　規格・保険薬価

メサペイン (帝国製薬 = テルモ = 塩野義)

錠 5mg 1錠 184.80 円　錠 10mg 1錠 351.20 円

概要

分類 がん疼痛治療薬(医療用麻薬)

処方目的 他の強オピオイド鎮痛薬で治療困難な, 中等度から高度の疼痛を伴う各種

がんの鎮痛

解説 本剤は，モルヒネ，オキシコドン，タペンタドール，フェンタニルといった強オピオイド鎮痛薬で十分な効果が得られない場合，これらに変えて使用する薬です。既存のものよりも依存性が少なく，WHO（世界保健機関）は本剤をがんの疼痛に対する必須の鎮痛薬として推奨しています。

使用上の注意

警告

①本剤は，がん性疼痛の治療に精通し，本剤のリスクなどについて十分な知識をもつ医師のもとで服用しなければなりません。

②QT延長や心室頻拍，呼吸抑制などの重い副作用による死亡例が報告されています。特に本剤の服用開始時や増量時には副作用が現れやすいので十分に注意してください。

基本的注意

(1)服用してはいけない場合……重い呼吸抑制・慢性閉塞性肺疾患／気管支ぜんそくの発作中／麻痺性イレウス（腸閉塞）／急性アルコール中毒／本剤の成分に対するアレルギーの前歴／出血性大腸炎／ナルメフェン塩酸塩水和物の服用中または服用中止後1週間以内

(2)特に慎重に服用すべき場合（原則禁忌，処方医と連絡を絶やさないこと）……細菌性下痢

(3)慎重に服用すべき場合……心機能障害，低血圧／QT延長のある人／QT延長をおこしやすい人（QT延長の前歴，低カリウム血症，低マグネシウム血症，低カルシウム血症，心疾患（不整脈，虚血性心疾患など），QT延長をおこすことが知られている薬剤の使用中）／呼吸機能障害／肝機能障害／腎機能障害／脳の器質的障害／ショック状態／代謝性アシドーシス／てんかんなどのけいれん性疾患またはその前歴／甲状腺機能低下症（粘液水腫など），副腎皮質機能低下症（アジソン病など）／前立腺肥大による排尿障害，尿道狭窄，尿路手術後の人／器質的幽門狭窄，重い炎症性腸疾患／最近消化管手術を受けた人／胆のう障害，胆石症／膵炎／薬物依存の前歴／衰弱している人／高齢者

(4)指示通りに服用……本剤は，自己判断で使用を中止したり，量を加減したりすると本来の効果が得られないことがあります。処方医の指示通りに服用してください。

(5)依存性……本剤の連用により薬物依存が生じることがあるので，処方医の指示を守って服用してください。

(6)強い眠け……本剤によって鎮痛効果が得られている人で，通常とは異なる強い眠けがある場合には過量服用の可能性があります。過量服用すると呼吸抑制，意識不明，けいれん，錯乱，血圧低下，重い脱力感，重いめまいなどがおこりやすくなるので，強い眠けを感じたら服用を中止して直ちに処方医に連絡してください。

(7)セイヨウオトギリソウ（セント・ジョーンズ・ワート）含有食品……本剤の血中濃度を低下させて作用を弱めることがあるので，服用中は摂取を避けてください。

(8)適切な使用・管理・返却……①本剤を目的以外へ使用したり，他人へ譲渡したりしないでください。②本剤は子どもの手の届かないところに保管してください。③本剤が

不要になった場合は病院・薬局へ返納してください。

(9)危険作業は中止……本剤を服用すると，眠け，めまいなどをおこすことがあるので，高所作業や自動車の運転など危険を伴う機械の操作は行わないようにしてください。

(10)その他……
- 妊婦での安全性：有益と判断されたときのみ服用。
- 授乳婦での安全性：服用するときは授乳を中止。
- 小児での安全性：未確立。(1714頁を参照)

重大な副作用 　　　①ショック，アナフィラキシー(顔面蒼白，血圧低下，呼吸困難，頻脈，全身発赤，血管浮腫，じん麻疹など)。②連用による薬物依存。③呼吸抑制(息切れ，呼吸緩慢，不規則な呼吸，呼吸異常など)，呼吸停止。④心室細動，心室頻拍，心不全，期外収縮，QT延長，心停止。⑤錯乱，せん妄。⑥肺水腫，無気肺，気管支けいれん，喉頭浮腫。⑦麻痺性イレウス(腸閉塞)，中毒性巨大結腸。⑧肝機能障害。

そのほかにも報告された副作用はあるので，体調がいつもと違うと感じたときは，処方医・薬剤師に相談してください。

併用してはいけない薬 　　　ナルメフェン塩酸塩水和物→本剤の鎮痛作用が弱まるため，効果を得るために必要な本剤の用量が通常用量より多くなるおそれがあります。また，本剤の退薬症候が現れることがあります。

内 16 がんに使われる内服薬　08 がんに使われるその他の薬剤

06 がん疼痛治療薬(6)

製剤情報

一般名：塩酸ペンタゾシン
- 保険収載年月…1997年9月
- 海外評価…4点 英米独仏　●PC…C

- 規制…劇薬
- 剤形…錠 錠剤

■先発品　　商品名(メーカー)　規格・保険薬価

ソセゴン (丸石) 錠 25mg 1錠 32.70円

概要

分類　非麻薬性強力鎮痛薬

処方目的　各種がんにおける鎮痛

解説　非オピオイド鎮痛薬(非麻薬)の一つで，中枢神経における刺激伝導系を抑制することにより，鎮痛効果を発現します。注射剤ではすでに長く使われています。

各種がんにおける鎮痛に適応がありますが，医療用麻薬と異なり，がんの疼痛治療の場合は依存性が生じやすいので注意が必要です。

使用上の注意

警告

本剤を注射してはいけません。水に溶かして注射しても効果はなく，麻薬依存者では離脱症状を誘発し，また肺塞栓，血管閉塞，潰瘍，膿瘍を引きおこすなど，重度で致死

的な事態を生じることがあります。

基本的注意

(1)服用してはいけない場合……本剤またはナロキソン（注射薬）に対するアレルギーの前歴／頭部傷害，頭蓋内圧上昇／重い呼吸抑制状態／全身状態が著しく悪化している人／ナルメフェン塩酸塩水和物の服用中または服用中止後1週間以内

(2)慎重に服用すべき場合……薬物依存の前歴／麻薬依存／胆道疾患／肝機能障害／心筋梗塞／高齢者

(3)依存性……本剤の連用により薬物依存が生じることがあるので，処方医の指示を守って服用してください。

(4)離脱症状……連用中に服用量を急激に減少または中止すると，ふるえ，不安，興奮，悪心，動悸，冷感，不眠などの離脱症状が現れることがあります。自己判断で，減量や中止をしないでください。

(5)危険作業は中止……本剤を服用すると，眠け，めまい，ふらつきなどをおこすおそれがあります。服用中は，高所作業や自動車の運転など危険を伴う機械の操作は行わないようにしてください。

(6)その他……

●妊婦での安全性：未確立。有益と判断されたときのみ服用。
●小児での安全性：未確立。（1714頁を参照）

重大な副作用　　①ショック，アナフィラキシー様症状（顔面蒼白，呼吸困難，チアノーゼ，頻脈，全身発赤，じん麻疹など）。②呼吸抑制（息切れ，不規則な呼吸など）。③連用による薬物依存。④無顆粒球症。

そのほかにも報告された副作用はあるので，体調がいつもと違うと感じたときは，処方医・薬剤師に相談してください。

併用してはいけない薬　　ナルメフェン塩酸塩水和物→本剤の離脱症状が現れることがあります。また，本剤の鎮痛作用が弱まるため，効果を得るために必要な本剤の用量が通常用量より多くなるおそれがあります。

内 16 がんに使われる内服薬　08 がんに使われるその他の薬剤
07 がん疼痛治療薬（7）

製 剤 情 報

一般名：トラマドール塩酸塩

●保険収載月年…2010年9月
●海外評価…6点 英米独仏　●PC…C
●規制…劇薬
●剤形…錠剤剤

■先発品　　商品名（メーカー）　規格・保険薬価

トラマール OD 写真 （日本新薬）
錠 25mg 1錠 30.20円　錠 50mg 1錠 53.10円

ワントラム 写真 （日本新薬）錠 100mg 1錠 93.60円

ツートラム （日本臓器）錠 50mg 1錠 58.50円
錠 100mg 1錠 102.90円　錠 150mg 1錠 141.90円

一般名：トラマドール塩酸塩・アセトアミノフェン配合剤

- 保険収載年月…2011年7月
- 海外評価…5点 英 米 独 仏　　●PC…C
- 規制…劇薬
- 剤形…錠 錠剤

■先発品　商品名(メーカー)　規格・保険薬価

トラムセット配合錠 写真 (ヤンセン＝持田)
錠 1錠 41.70 円

■ジェネリック　商品名(メーカー)　規格・保険薬価

トアラセット配合錠 (あすか) 1錠 9.80 円

トアラセット配合錠 (エルメッド＝日医工)
錠 1錠 9.80 円

トアラセット配合錠 (大原) 1錠 9.80 円

トアラセット配合錠 (共創未来) 1錠 14.60 円

トアラセット配合錠 写真 (キョーリン＝杏林＝ニプロ) 錠 1錠 9.80 円

トアラセット配合錠 (沢井) 錠 1錠 14.60 円

トアラセット配合錠 (サンド) 錠 1錠 14.60 円

トアラセット配合錠 (シオノ＝江州)
錠 1錠 14.60 円

トアラセット配合錠 写真 (第一三共エスファ)
錠 1錠 9.80 円

トアラセット配合錠 (武田テバファーマ＝武田)
錠 1錠 14.60 円

トアラセット配合錠 (辰巳) 1錠 14.60 円

トアラセット配合錠 (東洋カプセル＝中北)
錠 1錠 9.80 円

トアラセット配合錠 (東和) 錠 1錠 14.60 円

トアラセット配合錠 (日医工) 錠 1錠 9.80 円

トアラセット配合錠 (日薬工＝ケミファ)
錠 1錠 9.80 円

トアラセット配合錠 (日新) 錠 1錠 9.80 円

トアラセット配合錠 (日本臓器) 錠 1錠 14.60 円

トアラセット配合錠 (日本ジェネリック)
錠 1錠 14.60 円

トアラセット配合錠 (マイラン＝ファイザー)
錠 1錠 9.80 円

トアラセット配合錠 (丸石) 錠 1錠 9.80 円

トアラセット配合錠 (三笠) 錠 1錠 14.60 円

トアラセット配合錠 (MeijiSeika＝Me ファルマ)
錠 1錠 9.80 円

トアラセット配合錠 (陽進堂) 錠 1錠 9.80 円

概　　要

分類　非麻薬性疼痛治療薬

処方目的　非オピオイド鎮痛薬で治療困難な以下の疾患・症状における鎮痛→[トラマドール塩酸塩]疼痛を伴う各種がん(ツートラムを除く)，慢性疼痛／[トラムセット配合錠]非がん性慢性疼痛，抜歯後の疼痛

解説　トラマドール塩酸塩は非麻薬指定の中枢性鎮痛薬ですが，オピオイド(モルヒネ様物質)受容体の μ-受容体に特異的に結合して興奮性伝達物質の放出を抑制します。また神経伝達物質のセロトニン，ノルアドレナリン再取り込みを阻害し，シナプス間隙のセロトニン，ノルアドレナリンの量を増やして侵害刺激を抑制します。これらの効果はトラマドールの代謝物(O-脱メチル体)にも認められます。

　モルヒネの鎮痛効果を1とした場合，トラマドールの鎮痛効果は0.2と推定されています。トラマール OD は即放性製剤，ワントラムとツートラムは徐放性製剤で，トラマール OD は1日4回，ワントラムは1日1回，ツートラムは1日2回の服用です。トラマール OD とワントラムの適応は，疼痛を伴う各種がんと慢性疼痛ですが，ツートラム

は慢性疼痛のみです。

また，トラムセット配合錠はトラマドールにアセトアミノフェンを加えた配合剤で，非がん性慢性疼痛には1日4回，抜歯後の疼痛には1日2回の服用です。

🖝 使用上の注意

＊トラマドール塩酸塩（トラマールOD）ほかの添付文書による

警告

[トラマドール塩酸塩・アセトアミノフェン配合剤]

①本剤により重い肝機能障害が現れるおそれがあります。アセトアミノフェンの1日総量が1500mg（本剤4錠）を超す高用量で長期服用する場合には，定期的に肝機能などの検査を受けなければなりません。

②本剤とトラマドール塩酸塩またはアセトアミノフェンを含む他の薬剤（一般用医薬品を含む）との併用により，過量服用に至るおそれがあることから，これらの薬剤とは併用してはいけません。

基本的注意

(1)服用してはいけない場合……本剤の成分に対するアレルギーの前歴／アルコール・睡眠薬・鎮痛薬・オピオイド（麻薬性）鎮痛薬・向精神薬による急性中毒患者／モノアミン酸化酵素阻害薬（1716頁を参照）の服用中または服用中止後14日以内／ナルメフェン塩酸塩水和物の服用中または服用中止後1週間以内／治療により十分な管理がされていないてんかん／12歳未満の小児／[トラマールを除く]重い肝機能障害・腎機能障害
[トラムセット配合錠のみ]消化性潰瘍／重い血液の異常／重い心機能不全／アスピリンぜんそく（非ステロイド製剤によるぜんそく発作の誘発）またはその前歴

(2)慎重に服用すべき場合……てんかんのある人・けいれん発作をおこしやすい人・けいれん発作の前歴（治療により十分な管理がされていないてんかんを除く）／薬物乱用または薬物依存傾向／呼吸抑制状態／脳の器質的障害／オピオイド鎮痛薬に対するアレルギーの前歴（本剤の成分に対するアレルギーの前歴を除く）／ショック状態／腎機能障害／肝機能障害／高齢者

(3)依存性……本剤の連用により薬物依存を生じることがあるので，処方医の指示を守って服用してください。

(4)重篤な呼吸抑制……①重篤な呼吸抑制（息切れ，呼吸緩慢，不規則な呼吸など）が現れるおそれがあるので，12歳未満の小児（呼吸抑制の感受性が高い）は服用してはいけません。②重篤な呼吸抑制のリスクが増加するおそれがあるので，18歳未満の肥満，閉塞性睡眠時無呼吸症候群または重篤な肺疾患のある人は服用してはいけません。

(5)アルコール……呼吸抑制がおこることがあるので，服用中は禁酒してください。

(6)適切な使用・管理……①本剤を目的以外に使用しないでください。②本剤は子どもの手の届かないところに保管してください。

(7)危険作業は中止……本剤を服用すると，眠け，めまい，意識消失などをおこすおそれがあります。服用中は，高所作業や自動車の運転など危険を伴う機械の操作は行わないようにしてください。

(8)その他……

● 妊婦での安全性：有益と判断されたときのみ服用。

● 授乳婦での安全性：治療上の有益性・母乳栄養の有益性を考慮し，授乳の継続・中止を検討。

● 小児での安全性：12歳未満は服用禁忌。12歳以上の小児での安全性は未確立。（1714頁を参照）

重大な副作用　①ショック，アナフィラキシー（呼吸困難，気管支けいれん，喘鳴，血管神経性浮腫など）。②けいれん。③意識消失。④長期使用時に，耐性，精神的依存・身体的依存（本剤を中止または減量すると，激越，不安，神経過敏，不眠症，運動過多，ふるえ，胃腸症状，パニック発作，幻覚，錯感覚，耳鳴りなどの退薬症候が現れることがあるので，自己判断で中止・減量をしないようにしてください）。⑤呼吸抑制。[トラムセット配合錠のみ]⑥中毒性表皮壊死融解症（TEN），皮膚粘膜眼症候群（スティブンス-ジョンソン症候群），急性汎発性発疹性膿疱症。⑦間質性肺炎。⑧間質性腎炎，急性腎障害。⑨ぜんそく発作の誘発。⑩劇症肝炎，肝機能障害，黄疸。⑪顆粒球減少症。

　そのほかにも報告された副作用はあるので，体調がいつもと違うと感じたときは，処方医・薬剤師に相談してください。

併用してはいけない薬　①モノアミン酸化酵素阻害薬（セレギリン塩酸塩，ラサギリンメシル酸塩，サフィナミドメシル酸塩）→外国において，セロトニン症候群（錯乱，激越，発熱，発汗，運動失調，反射異常亢進，ミオクローヌス，下痢など）を含む中枢神経系（攻撃的行動，固縮，けいれん，昏睡，頭痛），呼吸器系（呼吸抑制），心血管系（低血圧，高血圧）の重い副作用が報告されています。②ナルメフェン塩酸塩水和物→本剤の離脱症状が現れることがあります。また，本剤の鎮痛作用が弱まるため，効果を得るために必要な本剤の用量が通常用量より多くなるおそれがあり，呼吸抑制などの中枢神経抑制症状が現れるおそれがあります。

内 16 がんに使われる内服薬　08 がんに使われるその他の薬剤

08　がん疼痛治療薬（8）

製剤情報

一般名：ヒドロモルフォン塩酸塩

● 保険収載年月…2017年5月

● 海外評価…6点 英 米 独 仏　●PC…C

● 規制…劇薬，麻薬

● 剤形…錠 錠剤

■先発品　**商品名（メーカー）**　規格・保険薬価

ナルサス（第一三共プロファーマ＝第一三共）

錠 2mg 1錠 206.60 円	錠 6mg 1錠 540.00 円
錠 12mg 1錠 990.20 円	錠 24mg 1錠 1,815.80 円

ナルラピド（第一三共プロファーマ＝第一三共）

錠 1mg 1錠 112.60 円	錠 2mg 1錠 206.60 円
錠 4mg 1錠 378.80 円	

概　　要

分類　がん疼痛治療薬（医療用麻薬）

処方目的　中等度から高度の疼痛を伴う各種がんにおける鎮痛

解説　本剤は，海外において 80 年以上販売されているあへん系麻薬性鎮痛薬（オピオイド鎮痛薬）で，WHO（世界保健機関）のがん疼痛治療のためのガイドラインなどにおいて標準薬に位置づけられています。

　ナルラピドは即効性製剤で，服用後すぐに効果を発揮します。突出痛（一過性の増強する痛み）に対応するための薬で，通常 1 日 4～24mg を 4～6 回に分割して服用します。

　一方，ナルサスは 1 日中ずっと続く持続痛に用い，服用後に有効成分が少しずつ溶け出して効果を発揮します。通常，1 日 4～24mg を 1 日 1 回服用します。

使用上の注意

*両剤の添付文書による

基本的注意

(1)服用してはいけない場合……重篤な呼吸抑制／気管支ぜんそくの発作中／慢性肺疾患に続発する心不全／けいれん状態（てんかん重積症，破傷風，ストリキニーネ中毒）／麻痺性イレウス／急性アルコール中毒／本剤の成分およびアヘンアルカロイドに対するアレルギーの前歴／出血性大腸炎（腸管出血性大腸菌（O157 など）や赤痢菌などの重篤な細菌性下痢）／ナルメフェン塩酸塩水和物の服用中または服用中止後 1 週間以内

(2)特に慎重に服用すべき場合（治療上やむを得ないと判断される場合を除き服用は避けること）……細菌性下痢

(3)慎重に服用すべき場合……心機能障害あるいは低血圧／呼吸機能障害／肝機能障害／腎機能障害／脳の器質的障害／ショック状態／代謝性アシドーシス／甲状腺機能低下症（粘液水腫など）／副腎皮質機能低下症（アジソン病など）／薬物依存・アルコール依存またはその前歴／前立腺肥大による排尿障害，尿道狭窄，尿路手術術後の人／器質的幽門狭窄または最近消化管手術を受けた人／けいれんの前歴／胆のう障害，胆石症または膵炎／重篤な炎症性腸疾患／衰弱者／高齢者

(4)依存性……本剤の連用により薬物依存を生じることがあるので，処方医の指示を守って服用してください。

(5)退薬症候……連用中に服用量を急激に減少または中止すると，あくび，くしゃみ，流涙，発汗，悪心，嘔吐，下痢，腹痛，散瞳，頭痛，不眠，不安，せん妄，ふるえ，全身の筋肉・関節痛，呼吸促迫などの退薬症候が現れることがあります。自己判断で，減量や中止をしないでください。

(6)強い眠け……本剤によって鎮痛効果が得られている人で，通常とは異なる強い眠けがある場合には過量服用の可能性があります。過量服用すると呼吸抑制，意識不明，けいれん，錯乱，血圧低下，重篤な脱力感，重篤なめまい，嗜眠，心拍数の減少，神経過敏，不安，縮瞳，重度の低酸素症による著明な散瞳，皮膚冷感などがおこりやすくなるので，強い眠けを感じたら服用を中止して直ちに処方医に連絡してください。

(7)服用法……[ナルサス]本剤は徐放性製剤であることから，急激な血中濃度の上昇に

よる重篤な副作用の発現を避けるため，服用に際して，割ったり，砕いたり，あるいはかみ砕いたりせず，必ず飲み物と一緒にそのまま服用してください。

(8)**適切な使用・管理**……①本剤を目的以外に使用しないでください。②本剤は子どもの手の届かないところに保管してください。③本剤が不要となった場合には，病院または薬局へ返却してください。

(9)**危険作業は中止**……本剤を服用すると，眠け，めまいがおこるおそれがあります。服用中は自動車の運転など危険を伴う機械の操作は行わないようにしてください。

(10)**その他**……
- 妊婦での安全性：有益と判断されたときのみ服用。
- 授乳婦での安全性：服用するときは授乳しないことが望ましい。
- 小児での安全性：未確立。(1714頁を参照)

重大な副作用 ①連用により薬物依存。②呼吸抑制(息切れ，呼吸緩慢，不規則な呼吸，呼吸異常など)。③意識障害(昏睡，昏迷，錯乱，せん妄など)。④イレウス(麻痺性イレウスを含む)，中毒性巨大結腸。

そのほかにも報告された副作用はあるので，体調がいつもと違うと感じたときは，処方医・薬剤師に相談してください。

併用してはいけない薬 ナルメフェン塩酸塩水和物→本剤の離脱症状が現れることがあります。また，本剤の効果が弱まるおそれがあります。

内 16 がんに使われる内服薬　08 がんに使われるその他の薬剤

09 セロトニン拮抗型制吐薬

製剤情報

一般名：オンダンセトロン塩酸塩水和物
- 保険収載年月…1994年4月
- 海外評価…6点 英米独仏　●PC…B
- 規制…劇薬
- 剤形…錠 錠剤

■ジェネリック　商品名(メーカー)　規格・保険薬価

オンダンセトロン OD フィルム(ツキオカ＝ミヤリサン)　錠 2mg 1錠 328.80 円
錠 4mg 1錠 427.10 円

一般名：グラニセトロン塩酸塩
- 保険収載年月…1995年8月
- 海外評価…6点 英米独仏　●PC…B
- 規制…劇薬

- 剤形…錠 錠剤，細 細粒剤，ゼ ゼリー剤

■先発品　商品名(メーカー)　規格・保険薬価

カイトリル(太陽ファルマ) 錠 1mg 1錠 393.50 円
錠 2mg 1錠 804.30 円　細 2mg 1包 805.10 円

■ジェネリック　商品名(メーカー)　規格・保険薬価

グラニセトロン内服ゼリー(日医工＝ケミファ)
ゼ 1mg 1包 366.10 円　ゼ 2mg 1包 619.30 円

一般名：ラモセトロン塩酸塩
- 保険収載年月…1998年8月
- 海外評価…0点 英米独仏
- 規制…劇薬
- 剤形…錠 錠剤

■先発品　商品名(メーカー)　規格・保険薬価

ナゼア OD(LTL ファーマ) 錠 0.1mg 1錠 841.10 円

概　要

分類　5-HT$_3$受容体拮抗型制吐薬

処方目的　抗がん薬（シスプラチンなど）の服用に伴う消化器症状（悪心，嘔吐）の抑制／
［グラニセトロン塩酸塩のみの適応症］放射線照射に伴う消化器症状（悪心，嘔吐）の抑制

解説　シスプラチンなどの抗がん薬の副作用である激しい催吐作用（吐きけ）を強力に
抑える薬です。これらの登場により化学療法の継続や QOL（生活の質）の確保が助けら
れています。

使用上の注意

＊オンダンセトロン塩酸塩水和物（オンダンセトロン OD フィルム）の添付文書による

基本的注意

(1)服用してはいけない場合……本剤の成分に対するアレルギーの前歴

(2)慎重に服用すべき場合……薬物過敏症の前歴／重い肝機能障害

(3)服用時期・期間……本剤は，抗がん薬服用の 1〜2 時間前に服用します。がん化学療
法の各クールで，本剤の服用期間は 3〜5 日間が目安です。

(4)その他……

● 妊婦での安全性：未確立。有益と判断されたときのみ服用。

● 授乳婦での安全性：服用するときは授乳を中止。

● 小児での安全性：未確立。（1714 頁を参照）

重大な副作用　①ショック，アナフィラキシー（顔面蒼白，呼吸困難，チア
ノーゼ，頻脈，全身発赤，じん麻疹など）。②てんかん様発作。

　そのほかにも報告された副作用はあるので，体調がいつもと違うと感じたときは，処
方医・薬剤師に相談してください。

併用してはいけない薬　併用してはいけない薬は特にありません。ただし，併用す
る薬があるときは，念のため処方医・薬剤師に報告してください。

内 16 がんに使われる内服薬　08 がんに使われるその他の薬剤

10　アプレピタント

製剤情報

一般名：アプレピタント

● 保険収載年月…2009年12月

● 海外評価…6点 英 米 独 仏　●PC…B

● 剤形…カ カプセル剤

■先発品　商品名（メーカー）　規格・保険薬価

イメンドカプセル（小野）カ 80mg 1カプセル 2,137.00 円

カ 125mg 1カプセル 3,191.40 円

カ 1 セット（80mg×2＋125mg×1）7,466.80 円

■ジェネリック　商品名（メーカー）　規格・保険薬価

アプレピタント 写真（沢井）カ 80mg 1カプセル 968.70 円

カ 125mg 1カプセル 1,448.00 円

カ 1 セット（80mg×2＋125mg×1）3,385.40 円

アプレピタント（日本化薬）カ 80mg 1カプセル 968.70 円

カ 125mg 1カプセル 1,448.00 円

カ 1 セット（80mg×2＋125mg×1）3,385.40 円

📑 概　要

分類　選択的 NK_1 受容体拮抗型制吐薬

処方目的　抗がん薬(シスプラチンなど)の投与に伴う消化器症状(悪心,嘔吐)(遅発期を含む)

解説　抗がん薬による副作用のうち中枢性の嘔吐反応を抑制することで,遅発性を含む悪心(吐きけ)や嘔吐を抑えます。

📋 使用上の注意

基本的注意

(1)**服用してはいけない場合**……本剤の成分またはホスアプレピタントメグルミンに対するアレルギーの前歴／ピモジドの服用中

(2)**慎重に服用すべき場合**……重い肝機能障害

(3)**服用方法**……服用期間の目安は 3 日間です。5 日間を超えて本剤を服用した際の有効性・安全性は確立されていません。本剤は,抗がん薬の使用 1 時間～1 時間 30 分前に服用し,2 日目以降は午前中に服用します。

(4)**その他**……

●妊婦での安全性:有益と判断されたときのみ服用。

●授乳婦での安全性:治療上の有益性・母乳栄養の有益性を考慮し,授乳の継続・中止を検討。

●小児での安全性:未確立。(1714 頁を参照)

重大な副作用　　①発熱,紅斑,かゆみ,眼充血,口内炎などを伴う皮膚粘膜眼症候群(スティブンス-ジョンソン症候群)。②穿孔性十二指腸潰瘍(激しい腹痛,嘔吐,下血など)。③ショック,アナフィラキシー(全身発疹,潮紅,血管浮腫,紅斑,呼吸困難,意識消失,血圧低下など)。

　そのほかにも報告された副作用はあるので,体調がいつもと違うと感じたときは,処方医・薬剤師に相談してください。

併用してはいけない薬　　ピモジド→QT 延長,心室性不整脈などの重い副作用をおこすおそれがあります。

内 16 がんに使われる内服薬　08 がんに使われるその他の薬剤

11　ピロカルピン塩酸塩

💊 製剤情報

一般名:ピロカルピン塩酸塩

●保険収載年月…2005年9月

●海外評価…5点 英 米 独 仏　●PC…C

●規制…劇薬

●剤形…錠 錠剤, 顆 顆粒剤

■**先発品**　　**商品名(メーカー)**　規格・保険薬価

サラジェン 写真 (キッセイ) 顆 5mg 1包 84.50 円

錠 5mg 1錠 84.40 円

概　要

分類　口腔乾燥症状改善薬

処方目的　頭頸部の放射線治療に伴う口腔乾燥症状の改善，シェーグレン症候群の口腔乾燥症状の改善

解説　本剤は，南米原産の植物ヤボランジから発見されたアルカロイド（天然由来の有機化合物の総称）です。唾液腺のムスカリン受容体に作用して唾液の分泌を促進させることにより，口の中の乾燥症状を改善します。

使用上の注意

基本的注意

(1)服用してはいけない場合……重い虚血性心疾患（心筋梗塞・狭心症など）／気管支ぜんそく・慢性閉塞性肺疾患／消化管・膀胱頸部の閉塞／てんかん／パーキンソニズムまたはパーキンソン病／虹彩炎／本剤の成分に対するアレルギーの前歴

(2)慎重に服用すべき場合……高度の唾液腺の腫れや痛み／間質性肺炎／膵炎／過敏性腸疾患／消化性潰瘍／胆のう障害・胆石／尿路結石・腎結石／前立腺肥大に伴う排尿障害／甲状腺機能亢進症／全身性進行性硬化症／中等度または高度の肝機能障害／迷走神経緊張症／高齢者／妊婦または妊娠している可能性のある人

(3)過度の発汗，脱水……本剤の服用中に，過度に発汗して十分な水分補給ができない場合には，脱水症状をおこす可能性があります。このような症状が現れた場合には，すぐに担当医に相談してください。

(4)夜間・暗所での作業に注意……縮瞳をおこすおそれがあるので，夜間の自動車の運転や暗所での危険を伴う機械の操作には注意してください。

(5)その他……

●妊婦での安全性：有益と判断されたときのみ服用。

●授乳婦での安全性：服用するときは授乳を中止。

●小児での安全性：未確立。(1714頁を参照)

重大な副作用　①間質性肺炎。②失神・意識喪失。

　そのほかにも報告された副作用はあるので，体調がいつもと違うと感じたときは，処方医・薬剤師に相談してください。

併用してはいけない薬　併用してはいけない薬は特にありません。ただし，併用する薬があるときは，念のため処方医・薬剤師に報告してください。

内 16 がんに使われる内服薬　08 がんに使われるその他の薬剤

12 デキサメタゾン

製剤情報

一般名：デキサメタゾン

●保険収載年月…2010年7月

●海外評価…6点 **英米独仏**　●PC…C

● 剤形…錠 錠剤

■ **先発品**　　**商品名(メーカー)**　規格・保険薬価

レナデックス（ブリストル）錠 4mg 1錠 167.80 円

📋 **概　　要**

分類　副腎皮質ホルモン薬

処方目的　多発性骨髄腫

解説　デキサメタゾンは昔から使われている薬でステロイド系抗炎症薬の一つですが,多発性骨髄腫細胞に対しては増殖抑制作用を示し,本剤の単独療法または併用療法(レナリドミドなど)で用います。

　以前は 1 錠中のデキサメサゾン含有量が 0.5mg のものしかなかったため,標準使用量が 1 日 40mg の多発性骨髄腫の治療には 1 日に 80 錠の服用が必要でした。4mg 錠の開発は QOL(生活の質)の面から好ましいものです。

📖 **使用上の注意**

警告

　本剤を含むがん化学療法は,緊急時に十分対応できる医療施設で,がん化学療法に十分な知識・経験をもつ医師に,本剤の有効性・危険性を十分に聞き・たずね,同意してから受けなければなりません。

基本的注意

(1)**服用してはいけない場合**……本剤の成分に対するアレルギーの前歴／デスモプレシン酢酸塩水和物(男性における夜間多尿による夜間頻尿),リルピビリン塩酸塩,オデフシィ配合錠,ジャルカ配合錠の服用中

(2)**特に慎重に服用すべき場合(治療上やむを得ないと判断される場合を除き服用は避けること)**……有効な抗菌薬の存在しない感染症,全身の真菌症／消化性潰瘍／精神病／結核性疾患／単純疱疹性角膜炎／後のう白内障／緑内障／高血圧症／電解質異常／血栓症／最近行った内臓の手術の傷がある人／急性心筋梗塞／コントロール不良の糖尿病

(3)**慎重に服用すべき場合**……感染症(有効な抗菌薬の存在しない感染症,全身の真菌症を除く)／糖尿病(コントロール不良の糖尿病を除く)／骨粗鬆症／腎不全／甲状腺機能低下／肝硬変／脂肪肝／脂肪塞栓症／重症筋無力症／高齢者

(4)**水痘・麻疹**……本剤の服用中に水痘(みずぼうそう)または麻疹(はしか)に感染すると,致命的な経過をたどることがあります。服用前には必ず,水痘,麻疹にかかったことがあるか否かや予防接種の有無を伝えてください。

(5)**生ワクチンの接種**……本剤の服用中,または服用中止後 6 カ月以内の人は生ワクチンを接種しないようにします。免疫機能の低下によって,生ワクチン由来の感染を増強または持続させる恐れがあります。

(6)**離脱症状**……本剤の服用を中止すると,離脱症状と呼ばれる激しい身体的・精神的症状に襲われることがあります。自己判断で服用を中止しないでください。

(7)**その他**……

●妊婦での安全性：有益と判断されたときのみ服用。

●授乳婦での安全性：治療上の有益性・母乳栄養の有益性を考慮し，授乳の継続・中止を検討。(1714頁を参照)

重大な副作用 ①誘発感染症，感染症の増悪。②続発性副腎皮質機能不全，糖尿病。③消化性潰瘍，消化管穿孔，膵炎。④精神変調，うつ状態，けいれん。⑤骨粗鬆症，大腿骨・上腕骨などの骨頭無菌性壊死，ミオパシー，脊椎圧迫骨折，長骨の病的骨折。⑥緑内障，後のう白内障。⑦血栓塞栓症。

そのほかにも報告された副作用はあるので，体調がいつもと違うと感じたときは，処方医・薬剤師に相談してください。

併用してはいけない薬 ①デスモプレシン酢酸塩水和物(ミニリンメルト：男性における夜間多尿による夜間頻尿)→低ナトリウム血症が現れるおそれがあります。②リルピビリン塩酸塩，オデフシィ配合錠，ジャルカ配合錠→これらの薬剤の血中濃度が低下し，作用が弱まるおそれがあります。

内 **16** がんに使われる内服薬　**08** がんに使われるその他の薬剤

13 アナモレリン

製剤情報

一般名：アナモレリン塩酸塩

●保険収載年月…2021年4月

●海外評価…0点 英 米 独 仏

●規制…劇薬
●剤形…錠 錠剤

■先発品　商品名(メーカー)　規格・保険薬価

エドルミズ(小野) 錠 50mg 1錠 245.70円

概要

分類　グレリン様作用薬

処方目的　以下の悪性腫瘍におけるがん悪液質→非小細胞肺がん，胃がん，膵がん，大腸がん

解説　がん悪液質とは，体重減少と食欲不振を特徴とするがんの合併症の一つで，がん患者の生活の質(QOL)を低下させます。

本剤は選択的かつ新規の経口グレリン様作用薬で，がん悪液質の体重減少と食欲不振の改善を目的として開発されました。グレリンはペプチドホルモンの一種で，成長ホルモン分泌促進，食欲亢進作用，体重増加，脂肪生成促進，糖代謝への関与，消化管運動調節，サイトカイン産生抑制などの生理作用を示すことが確認されています。現在のところ，切除不能な進行・再発の非小細胞肺がん，胃がん，膵がん，大腸がんにおける，がん悪液質患者に使用されます。

使用上の注意

警告

本剤は，がん悪液質の診断および治療に十分な知識・経験をもつ医師のもとで，本剤

の服用が適切と判断される患者のみ服用します。本剤の服用開始に先立ち，患者または
その家族は本剤のベネフィットおよびリスクを十分に聞き・たずね，同意してから治療
を受けなければなりません。

基本的注意

(1)服用してはいけない場合……本剤の成分に対するアレルギーの前歴／うっ血性心不
全／心筋梗塞または狭心症／高度の刺激伝導系障害(完全房室ブロックなど)／次の薬剤
の服用中→クラリスロマイシン，イトラコナゾール，ボリコナゾール，リトナビル含有製
剤，コビシスタット含有製剤／中等度以上の肝機能障害(Child-Pugh 分類 B および C)
／消化管閉塞などの消化管の器質的異常により食事の経口摂取が困難な人

(2)慎重に服用すべき場合……基礎心疾患(弁膜症，心筋症など)のある人／心筋梗塞ま
たは狭心症の前歴／刺激伝導系障害(房室ブロック，洞房ブロック，脚ブロックなど)
／QT 間隔延長のおそれまたはその前歴／電解質異常(低カリウム血症，低マグネシウム
血症，低カルシウム血症)／アントラサイクリン系薬剤の服用歴のある人／軽度の肝機
能障害(Child-Pugh 分類 A)／糖尿病／高齢者

(3)飲食物……①服用中はグレープフルーツジュースを摂取しないでください。本剤の
血中濃度が上昇し，副作用の発現が強まるおそれがあります。②服用中はセイヨウオト
ギリソウ(セント・ジョーンズ・ワート)含有食品を摂取しないでください。本剤の血中濃
度が低下して効果が弱まるおそれがあります。

(4)その他……

● 妊婦での安全性：有益と判断されたときのみ服用。

● 授乳婦での安全性：治療上の有益性・母乳栄養の有益性を考慮し，授乳の継続・中止
を検討。

● 小児での安全性：未確立。(1714 頁を参照)

重大な副作用　①心電図異常(顕著な PR 間隔または QRS 幅の延長，QT
間隔の延長など)，房室ブロック，頻脈，徐脈，動悸，血圧低下，上室性期外収縮など。
②高血糖，糖尿病の悪化(口渇，頻尿など)。③肝機能障害(AST，ALT，AL-P，γ-
GTP，血中ビリルビンの上昇など)。

　そのほかにも報告された副作用はあるので，体調がいつもと違うと感じたときは，処
方医・薬剤師に相談してください。

併用してはいけない薬　クラリスロマイシン，イトラコナゾール，ボリコナゾール，
リトナビル含有製剤，コビシスタット含有製剤→本剤の血中濃度が上昇し，副作用の発
現が強まるおそれがあります。

内
16
08
13
アナモレリン

外用薬 01 〜 12

薬剤番号 01-01-01 〜 12-04-04

■剤形から外用薬をみると

　日本薬局方の製剤総則では，27 の剤形について規定しています。それらのうち，外用薬として用いられるものには，液剤，眼軟膏剤，懸濁剤・乳剤，坐剤，貼付剤，点眼剤，トローチ剤，軟膏剤，パップ剤，リニメント剤，ローション剤などがあります。

■外用薬で注意すべきこと

　外用薬は内服薬とちがって，一部の坐剤（解熱用・鎮咳用・抗生物質）や貼付剤を除いて，体内への吸収は局部に限られるため，血管・血液・肝臓・腎臓などへの影響は少ないのですが，なかには妊婦やウイルス性疾患にかかっている人には使ってはいけない薬剤もあります。また点眼薬では，使用後しばらくは自動車の運転など，危険を伴う機械操作をしてはいけないものもあります。

　解説では，それらの注意を含めて，処方目的・製剤名（商品名）・注意・副作用を記載しました。内服薬と同様に適切にお使いください。

◉ 薬剤師の眼

外用薬はセルフメディケーションに向いている分野

外用薬の多くは，症状の改善・増悪が自覚できるものが多いので，OTC薬（大衆薬）によるセルフメディケーションに向いた薬物治療といえるでしょう。

そのためもあり，ロキソプロフェンのシップ薬（現在は第2類），口唇ヘルペス用のアシクロビル軟膏，腟カンジダ用のミコナゾール，イソコナゾール（クリーム，腟坐剤）など，現在保険診療で使用されている効果の高い薬剤が第1類医薬品のOTC薬として次々に発売されています。ただ，たとえば口唇ヘルペスの場合，以前に医療機関で診断を受けたことがあり，その再発であることなど購入に条件があるので，薬剤師とよく相談してください。

また，薬事法の規定により，ケトプロフェンの貼付剤やトリアムシノロンアセトニドの口腔内貼付剤のように，当初は第1類として発売されたものの中で，すでに指定第2類医薬品に区分変更されたものも出てきています。こちらの場合は薬剤師または登録販売者とご相談ください。

外用薬 01〜12

01 抱水クロラール

外
01
—
01
—
01

抱水クロラール

⚕ 製 剤 情 報

一般名：抱水クロラール

●剤形…坐 坐剤, 腸 注腸用剤

■先発品	商品名(メーカー)	規格・保険薬価
エスクレ坐剤 (久光) 坐	250mg 1個 32.90 円	
坐	500mg 1個 41.80 円	
エスクレ注腸用キット (久光)		
腸	500mg 1筒 332.50 円	

▤ 概　　要

分類 催眠・鎮静薬

処方目的 理学検査時における鎮静・催眠／静脈注射が困難な, けいれん重積状態

解説 19世紀より使用されている古典的な薬品で現在ではほとんど使用されません。この製剤は小児専用の特殊な用途で開発されたものです。

☞ 使用上の注意

*抱水クロラール(エスクレ坐剤)の添付文書による

基本的注意

(1)使用してはいけない場合……本剤の成分(ゼラチンなど)に対するアレルギーの前歴／トリクロホスナトリウムに対するアレルギーの前歴／急性間欠性ポルフィリン症

(2)慎重に使用すべき場合……肝機能障害, 腎機能障害／呼吸機能の低下している人／重い心疾患, 不整脈／虚弱者

(3)その他……

●妊婦での安全性：未確立。原則として使用しない。(1714頁を参照)

重大な副作用 ①連用による依存性, 連用・大量使用時の急激な減量・中止によるけいれん, ふるえ, 不安などの離脱症状。②ショック(呼吸困難, 全身発赤など)。③無呼吸, 呼吸抑制。

そのほかにも報告された副作用はあるので, 体調がいつもと違うと感じたときは, 処方医・薬剤師に相談してください。

併用してはいけない薬 併用してはいけない薬は特にありません。ただし, 併用する薬があるときは, 念のため処方医・薬剤師に報告してください。

02 ベンゾジアゼピン系薬剤

⚕ 製 剤 情 報

一般名：ブロマゼパム

●剤形…坐 坐剤

■先発品	商品名(メーカー)	規格・保険薬価
ブロマゼパム坐剤 (サンド) 坐 3mg 1個 83.30 円		

■先発品	商品名(メーカー)	規格・保険薬価
ダイアップ坐剤 (高田) 坐 4mg 1個 54.10 円		
坐 6mg 1個 62.10 円 坐 10mg 1個 70.30 円		

一般名：ジアゼパム

● 剤形…坐 坐剤

概　　要

分類　催眠・鎮静薬

処方目的　[ブロマゼパムの適応症] 麻酔前の鎮静・催眠

[ジアゼパムの適応症] 小児における熱性けいれん・てんかんのけいれん発作の改善

解説　ジアゼパムの坐薬は熱性けいれんを経験した小児に対して予防的に使用されます。37.5 度以上の発熱時に使用し，8 時間後に解熱していない場合に再度使用するのが標準的です。参考：内服のベンゾジアゼピン系安定薬を参考にしてください。

使用上の注意

＊ジアゼパム(ダイアップ坐剤)の添付文書による

基本的注意

(1)使用してはいけない場合……急性閉塞隅角緑内障／重症筋無力症／低出生体重児・新生児／リトナビル(HIV プロテアーゼ阻害薬)の服用中

(2)慎重に使用すべき場合……心障害, 肝機能障害, 腎機能障害／脳に器質的疾患のある人／中等度または重篤な呼吸不全／乳児／衰弱者

(3)その他……

● 妊婦での安全性：有益と判断されたときのみ使用。

● 授乳婦での安全性：原則として使用しない。やむを得ず使用するときは授乳を中止。
　(1714 頁を参照)

重大な副作用　①連用による依存性，連用中の急激な減量・中止による離脱症状(けいれん発作, せん妄, ふるえ, 不眠, 不安, 幻覚, 妄想など)。②刺激興奮, 錯乱。③(呼吸器疾患に用いた場合)呼吸抑制。

そのほかにも報告された副作用はあるので，体調がいつもと違うと感じたときは，処方医・薬剤師に相談してください。

併用してはいけない薬　リトナビル(ノービア)→過度の鎮静や呼吸抑制をおこすおそれがあります。

外 01 催眠・鎮静薬　01 催眠・鎮静薬

03　フェノバルビタールナトリウム

製剤情報

一般名：フェノバルビタールナトリウム

● 規制…劇薬

●剤形…坐剤 坐剤

■先発品　　商品名(メーカー)　規格・保険薬価
ルピアール坐剤 (久光) 坐 25mg 1個 36.90 円
坐 50mg 1個 50.90 円　坐 100mg 1個 60.80 円

ワコビタール坐剤 (高田) 坐 15mg 1個 31.40 円
坐 30mg 1個 42.80 円　坐 50mg 1個 54.10 円
坐 100mg 1個 69.00 円

📋 概　　要

分類　催眠・鎮静・抗けいれん薬

処方目的　小児に対して経口服用が困難な場合→(a)催眠，(b)不安・緊張状態の鎮静，(c)熱性けいれん・てんかんのけいれん発作の改善

解説　フェノバルビタールの坐薬は作用時間が長いため，効きすぎ(ふらつきなどの副作用)への注意が特に必要です。参考：内服のバルビツール酸誘導体を参考にしてください。

📝 使用上の注意

*フェノバルビタールナトリウム(ワコビタール坐剤)の添付文書による

基本的注意

(1)**使用してはいけない場合**……本剤の成分またはバルビツール酸系薬剤に対するアレルギー／急性間欠性ポルフィリン症／ボリコナゾール，タダラフィル(肺高血圧症を適応とする場合)，マシテンタン，エルバスビル，グラゾプレビル水和物，チカグレロル，ドラビリン，リアメット配合錠，プレジコビックス配合錠，リルピビリン塩酸塩，オデフシィ配合錠，ビクタルビ配合錠，シムツーザ配合錠，ゲンボイヤ配合錠，スタリビルド配合錠，エプクルーサ配合錠，ジャルカ配合錠の服用中／妊婦

(2)**慎重に使用すべき場合**……呼吸機能の低下している人／頭部外傷後遺症または進行した動脈硬化症／心機能障害／肝機能障害，腎機能障害／薬物アレルギー／アルコール中毒／薬物依存傾向またはその前歴／重い神経症／甲状腺機能低下症／新生児・低出生体重児／高齢者，虚弱者

(3)**薬物依存**……連用により薬物依存を生じることがあるので，てんかんの治療に用いる場合以外は漫然と長期にわたって使用してはいけません。

重大な副作用　①皮膚粘膜眼症候群(スティブンス-ジョンソン症候群)，中毒性表皮壊死融解症(TEN)，紅皮症(剥脱性皮膚炎)。②過敏症症候群(初期症状：発疹，発熱，リンパ節腫脹，肝機能障害，白血球増加，好酸球増多，異型リンパ球出現など)。③連用による薬物依存，連用中の急激な減量・中止による離脱症状(不安，不眠，けいれん，悪心，幻覚，妄想，興奮，錯乱など)。④顆粒球減少，血小板減少。⑤肝機能障害。⑥呼吸抑制。

　そのほかにも報告された副作用はあるので，体調がいつもと違うと感じたときは，処方医・薬剤師に相談してください。

併用してはいけない薬　ボリコナゾール，タダラフィル(肺高血圧症を適応とする場合)，マシテンタン，エルバスビル，グラゾプレビル水和物，チカグレロル，ドラビリン，リアメット配合錠，プレジコビックス配合錠，リルピビリン塩酸塩，オデフシィ配合錠，ビクタルビ配合錠，シムツーザ配合錠，ゲンボイヤ配合錠，スタリビルド配合錠，エ

プクルーサ配合錠，ジャルカ配合錠→本剤との併用で代謝が促進され，血中濃度が低下するおそれがあります。

01 アセトアミノフェン

製剤情報

一般名：アセトアミノフェン

● 剤形…坐 坐剤

■ 先発品　商品名(メーカー)　規格・保険薬価

アセトアミノフェン坐剤小児用 (シオエ＝日本新薬) 坐 50mg 1個 19.70 円　坐 100mg 1個 19.70 円

アセトアミノフェン坐剤小児用 (武田テバ薬品＝武田テバファーマ＝武田) 坐 50mg 1個 19.70 円
坐 100mg 1個 19.70 円

アセトアミノフェン坐剤小児用 (長生堂＝日本ジェネリック) 坐 50mg 1個 19.70 円
坐 100mg 1個 19.70 円

アセトアミノフェン坐剤小児用 (日新)
坐 50mg 1個 19.70 円　坐 100mg 1個 19.70 円

アルピニー坐剤 (久光) 坐 50mg 1個 19.70 円
坐 200mg 1個 21.20 円

アルピニー坐剤 (久光＝三和)
坐 100mg 1個 19.70 円

アンヒバ坐剤小児用 (マイラン EPD)
坐 50mg 1個 19.70 円　坐 100mg 1個 19.70 円
坐 200mg 1個 21.90 円

カロナール坐剤 (あゆみ製薬)
坐 400mg 1個 33.70 円

カロナール坐剤 (あゆみ製薬)
坐 100mg 1個 19.70 円　坐 200mg 1個 22.90 円

カロナール坐剤小児用 (あゆみ製薬)
坐 50mg 1個 19.70 円

■ ジェネリック　商品名(メーカー)　規格・保険薬価

アセトアミノフェン坐剤小児用 (シオエ＝日本新薬) 坐 200mg 1個 20.30 円

アセトアミノフェン坐剤小児用 (武田テバ薬品＝武田テバファーマ＝武田) 坐 200mg 1個 20.30 円

アセトアミノフェン坐剤小児用 (長生堂＝日本ジェネリック) 坐 200mg 1個 20.30 円

アセトアミノフェン坐剤小児用 (日新)
坐 200mg 1個 20.30 円

概　要

分類　解熱・鎮痛薬

処方目的　小児科領域の解熱・鎮痛

解説　乳児から使用可能な解熱鎮痛坐薬です。OTC 薬(大衆薬)としても第2類医薬品として販売されています。参考：内服のアセトアミノフェンを参考にしてください。

使用上の注意

＊アセトアミノフェン(アルピニー坐剤)の添付文書による

警告

　重篤な肝機能障害をおこすおそれがあります。また，本剤とアセトアミノフェンを含む他の製剤との併用により，アセトアミノフェン過量投与による重篤な肝機能障害をおこすおそれがあるので，併用は避けてください。

基本的注意

(1)**使用してはいけない場合**……重い血液異常のある人／重い肝機能障害／重い腎機能障害／重い心機能不全／本剤の成分に対するアレルギーの前歴／アスピリンぜんそく（非ステロイド性解熱鎮痛薬により誘発されるぜんそく発作）またはその前歴

(2)**慎重に使用すべき場合**……血液の異常またはその前歴／出血傾向／肝機能障害またはその前歴／腎機能障害またはその前歴／心機能障害／過敏症の前歴／気管支ぜんそく／アルコール多量常飲者／絶食・低栄養状態・摂食障害などによるグルタチオン欠乏，脱水症状／小児／高齢者

(3)**対症療法**……本剤による治療は原因療法ではなく，単に痛みを止めたり，熱を下げたりするだけの対症療法に過ぎないことを忘れないでください。

(4)**5日以内の使用**……急性疾患に対し本剤を用いる場合は，原則として長期使用を避け，5日以内に限ります。

(5)**その他**……

●低出生体重児，新生児，3カ月未満の乳児での安全性：未確立。(1714頁を参照)

重大な副作用　　　①ショック，アナフィラキシー(呼吸困難，全身潮紅，血管浮腫，じん麻疹など)。②皮膚粘膜眼症候群(スティブンス-ジョンソン症候群)，中毒性表皮壊死融解症(TEN)，急性汎発性発疹性膿疱症。③ぜんそく発作の誘発。④劇症肝炎，肝機能障害，黄疸。⑤顆粒球減少症。⑥間質性肺炎。⑦間質性腎炎，急性腎不全。

　そのほかにも報告された副作用はあるので，体調がいつもと違うと感じたときは，処方医・薬剤師に相談してください。

併用してはいけない薬　　　併用してはいけない薬は特にありません。ただし，併用する薬があるときは，念のため処方医・薬剤師に報告してください。

外 02 解熱・鎮痛・消炎薬　01 解熱・鎮痛・消炎薬

02 インドメタシン

製剤情報

一般名：インドメタシン

●規制…劇薬

●剤形…坐剤

■先発品　　商品名(メーカー)　規格・保険薬価

インテバン坐剤 (帝国製薬) 坐 25mg 1個 19.70 円
坐 50mg 1個 19.70 円

インドメタシン坐剤 (長生堂＝日本ジェネリック)
坐 12.5mg 1個 19.70 円　坐 25mg 1個 19.70 円
坐 50mg 1個 19.70 円

インドメタシン坐剤 (ニプロ)
坐 25mg 1個 19.70 円　坐 50mg 1個 19.70 円

概　要

分類　鎮痛・消炎薬

処方目的　関節リウマチ・変形性関節症の消炎・鎮痛／手術後の炎症および腫脹の緩解

解説 NSAID（非ステロイド系解熱鎮痛薬）の坐薬です。40年以上の歴史があります。
参考：内服のインドール酢酸系 NSAID を参考にしてください。

使用上の注意
＊インドメタシン（インドメタシン坐剤）の添付文書による

基本的注意

(1)**使用してはいけない場合**……消化性潰瘍／重い血液異常・肝機能障害・腎機能障害・心機能不全・高血圧症・膵炎／本剤の成分またはサリチル酸系薬剤（内服のアスピリンなど）に対するアレルギーの前歴／直腸炎，直腸出血，痔疾／アスピリンぜんそく（非ステロイド性解熱鎮痛薬などにより誘発されるぜんそく発作），またはその前歴／内服のトリアムテレンの服用中／妊婦または妊娠している可能性のある人

(2)**特に慎重に使用すべき場合**（原則禁忌，処方医と連絡を絶やさないこと）……小児

(3)**慎重に使用すべき場合**……消化性潰瘍の前歴／非ステロイド性消炎鎮痛薬の長期使用による消化性潰瘍のある人で，本剤の長期使用が必要であり，かつミソプロストールによる治療が行われている人／血液異常またはその前歴／出血傾向／肝機能障害またはその前歴／腎機能障害またはその前歴／心機能障害／高血圧症／膵炎／過敏症の前歴／てんかん，パーキンソン症候群などの中枢神経系疾患／気管支ぜんそく／SLE（全身性エリテマトーデス）／潰瘍性大腸炎／クローン病／高齢者

(4)**対症療法**……本剤による治療は原因療法ではなく，単に痛みを止めたり，熱を下げたりするだけの対症療法に過ぎないことを忘れないでください。

(5)**危険作業は中止**……本剤を使用すると，眠け，めまい，ふらつきなどが現れるおそれがあります。本剤の使用中は，高所作業や自動車の運転など危険を伴う機械の操作は行わないようにしてください。

(6)**その他**……
●授乳婦での安全性：使用するときは授乳を中止。（1714頁を参照）

重大な副作用 ①ショック，アナフィラキシー様症状（冷汗，顔面蒼白，呼吸困難など）。②皮膚粘膜眼症候群（スティブンス-ジョンソン症候群），中毒性表皮壊死融解症（TEN），剝脱性皮膚炎。③急性腎不全，間質性腎炎，ネフローゼ症候群。④再生不良性貧血，溶血性貧血，骨髄抑制，無顆粒球症。⑤消化管穿孔，消化管出血，消化性潰瘍，腸管の狭窄・閉塞，潰瘍性大腸炎。⑥ぜんそく発作（アスピリンぜんそく）。⑦けいれん，昏睡，錯乱。⑧うっ血性心不全，肺水腫。⑨性器出血。⑩血管浮腫。⑪肝機能障害，黄疸。
　そのほかにも報告された副作用はあるので，体調がいつもと違うと感じたときは，処方医・薬剤師に相談してください。

併用してはいけない薬 トリアムテレン→相互に副作用が増強され，急性腎不全をおこすことがあります。

03　鎮痛・解熱坐薬

💊 製 剤 情 報

一般名：ケトプロフェン

● 規制…劇薬

● 剤形…坐坐剤

■ ジェネリック　　商品名(メーカー)　規格・保険薬価

ケトプロフェン坐剤 (長生堂＝日本ジェネリック)
坐 50mg 1個 20.30 円　　坐 75mg 1個 22.30 円

ケトプロフェン坐剤 (日新)　坐 50mg 1個 20.30 円
坐 75mg 1個 22.30 円

一般名：ジクロフェナクナトリウム

● 規制…劇薬

● 剤形…軟軟膏剤, 坐坐剤

■ 先発品　　商品名(メーカー)　規格・保険薬価

ボルタレンサポ (ノバルティス)
坐 12.5mg 1個 19.70 円　　坐 25mg 1個 31.90 円
坐 50mg 1個 36.70 円

■ ジェネリック　　商品名(メーカー)　規格・保険薬価

ジクロフェナク Na 坐剤 (武田テバファーマ＝
武田) 坐 12.5mg 1個 19.70 円　　坐 25mg 1個 20.30 円
坐 50mg 1個 20.30 円

ジクロフェナク Na 坐剤 (鶴原)
坐 12.5mg 1個 19.70 円　　坐 25mg 1個 20.30 円
坐 50mg 1個 20.30 円

ジクロフェナク Na 坐剤 (日新)
坐 12.5mg 1個 19.70 円

ジクロフェナク Na 坐剤 (日新＝久光)
坐 25mg 1個 20.30 円　　坐 50mg 1個 20.30 円

ジクロフェナクナトリウム坐剤 (京都＝ゼリ
ア) 坐 12.5mg 1個 19.70 円　　坐 25mg 1個 20.30 円
坐 50mg 1個 20.30 円

ジクロフェナクナトリウム坐剤 (日医工)
坐 12.5mg 1個 19.70 円　　坐 25mg 1個 20.30 円
坐 50mg 1個 20.30 円

ジクロフェナクナトリウム坐剤 (日本ジェネリ
ック) 坐 12.5mg 1個 19.70 円　　坐 25mg 1個 20.30 円
坐 50mg 1個 20.30 円

ジクロフェナクナトリウム注腸軟膏 (日医工)
軟 25mg 1筒 87.20 円　　軟 50mg 1筒 83.10 円

📋 概　　要

分類　解熱・鎮痛・消炎薬

処方目的　［ケトプロフェンの適応症］関節リウマチ・変形性関節症・腰痛症・頸肩腕症候群・症候性神経痛の鎮痛・消炎・解熱／外傷・手術後の鎮痛・消炎
［ジクロフェナクナトリウムの適応症］関節リウマチ・変形性関節症・腰痛症・後陣痛の鎮痛・消炎／手術後の鎮痛・消炎／他の解熱剤では効果が期待できないか，あるいは，他の解熱剤の投与が不可能な場合の急性上気道炎(急性気管支炎を伴う急性上気道炎を含む)の緊急解熱

解説　NSAID(非ステロイド系解熱鎮痛薬)の坐薬です。わが国におけるシェアはジクロフェナクナトリウム坐剤が圧倒的です。参考：内服のジクロフェナクナトリウムを参考にしてください。

🈂 使用上の注意

*ケトプロフェン坐剤，ボルタレンサポの添付文書による

警告

[ジクロフェナクナトリウム]幼小児，高齢者，消耗性疾患の人は，過度の体温下降・血圧低下によるショック症状がおこりやすいので特に注意が必要です。

基本的注意

(1)使用してはいけない場合……本剤の成分に対するアレルギーの前歴／消化性潰瘍／重い血液異常・肝機能障害・腎機能障害・心機能不全／アスピリンぜんそく（非ステロイド性解熱鎮痛薬などにより誘発されるぜんそく発作），またはその前歴／直腸炎，直腸出血，痔疾

[ケトプロフェンのみ]内服のシプロフロキサシン塩酸塩の服用中／妊娠後期／[ジクロフェナクナトリウムのみ]インフルエンザの経過中の脳炎・脳症／重い高血圧症／内服のトリアムテレンの服用中／妊婦または妊娠している可能性のある人

(2)慎重に使用すべき場合……消化性潰瘍の前歴／血液異常またはその前歴／非ステロイド性消炎鎮痛薬の長期使用による消化性潰瘍のある人で，本剤の長期使用が必要であり，かつミソプロストールによる治療が行われている人／血液異常またはその前歴（重い血液異常のある人を除く）／出血傾向／心機能障害（重い心機能障害のある人を除く）／過敏症の前歴／気管支ぜんそく（アスピリンぜんそくまたはその前歴のある人を除く）／潰瘍性大腸炎／クローン病／肝機能障害またはその前歴（重い肝機能障害のある人を除く）／腎機能障害またはその前歴（重い腎機能障害のある人を除く）／高齢者

[ジクロフェナクナトリウム]消耗性疾患／高血圧症（重い高血圧症のある人を除く）／SLE（全身性エリテマトーデス）／消化管手術後／感染症を合併している人／腎血流量が低下しやすい人（心機能障害，利尿薬や腎機能に著しい影響を与える薬剤の使用中，腹水を伴う肝硬変，大手術後，高齢者）

(3)対症療法……本剤による治療は原因療法ではなく，単に痛みを止めたり，熱を下げたりするだけの対症療法に過ぎないことを忘れないでください。

(4)危険作業は中止……[ジクロフェナクナトリウム]本剤を使用すると，眠け，めまい，霧視などが現れるおそれがあります。本剤の使用中は，高所作業や自動車の運転など危険を伴う機械の操作は行わないようにしてください。

(5)その他……

● 妊婦での安全性：[ケトプロフェン]未確立。妊娠後期は禁忌。それ以外は有益と判断されたときのみ使用。

● 授乳婦での安全性：[ケトプロフェン]使用するときは授乳を避けること。[ジクロフェナクナトリウム]治療上の有益性・母乳栄養の有益性を考慮し，授乳の継続・中止を検討。

● 小児での安全性：[ケトプロフェン]未確立。（1714頁を参照）

重大な副作用　①ショック，アナフィラキシー（胸内苦悶，冷汗，四肢冷却，じん麻疹，呼吸困難，意識障害など）。②中毒性表皮壊死融解症（TEN）。③急性腎

不全, ネフローゼ症候群。

[ジクロフェナクナトリウムのみ] ④出血性ショックまたは穿孔(せんこう)を伴う消化管潰瘍。⑤消化管の狭窄・閉塞。⑥再生不良性貧血, 溶血性貧血, 無顆粒球症, 血小板減少。⑦皮膚粘膜眼症候群(スティブンス-ジョンソン症候群), 紅皮症(剥脱性皮膚炎(はくだつ))。⑧重症ぜんそく発作(アスピリンぜんそく)。⑨間質性肺炎。⑩うっ血性心不全, 心筋梗塞。⑪無菌性髄膜炎(項部硬直, 発熱, 頭痛, 悪心・嘔吐, 意識混濁など)。⑫重篤な肝障害(劇症肝炎, 広範な肝壊死など)。⑬急性脳症。⑭横紋筋融解症(筋肉痛, 脱力感, 急激な腎機能悪化など)。⑮脳血管障害。

　そのほかにも報告された副作用はあるので, 体調がいつもと違うと感じたときは, 処方医・薬剤師に相談してください。

併用してはいけない薬　　　[ケトプロフェン] 内服のシプロフロキサシン塩酸塩→けいれんをおこすことがあります。

[ジクロフェナクナトリウム] 内服のトリアムテレン→急性腎不全が現れたとの報告があります。

外02 解熱・鎮痛・消炎薬　01 解熱・鎮痛・消炎薬

04 非ステロイド抗炎症外用薬

製剤情報

一般名:ロキソプロフェンナトリウム水和物

●剤形…ゲ ゲル剤, 噴 噴霧剤

■先発品　　商品名(メーカー)　規格・保険薬価

ロキソニンゲル (第一三共) ゲ 1% 1g 3.90 円

■ジェネリック　　商品名(メーカー)　規格・保険薬価

ロキソプロフェン Na 外用ポンプスプレー (辰巳) 噴 1% 1g 6.10 円
ロキソプロフェン Na 外用ポンプスプレー (陽進堂) 噴 1% 1g 6.10 円
ロキソプロフェン Na ゲル (三友＝ラクール) ゲ 1% 1g 2.60 円
ロキソプロフェン Na ゲル (ニプロファーマ＝ニプロ) ゲ 1% 1g 2.60 円
ロキソプロフェン Na ゲル (日本ジェネリック) ゲ 1% 1g 2.60 円

一般名:ジクロフェナクナトリウム

●剤形…ク クリーム剤, 液 液剤, ゲ ゲル剤

■先発品　　商品名(メーカー)　規格・保険薬価

ナボールゲル (久光) ゲ 1% 1g 6.20 円
ボルタレンゲル (同仁＝ノバルティス) ゲ 1% 1g 4.90 円
ボルタレンローション (同仁＝ノバルティス) 液 1% 1g 4.90 円

■ジェネリック　　商品名(メーカー)　規格・保険薬価

ジクロフェナク Na ゲル (三友＝ラクール) ゲ 1% 1g 3.90 円
ジクロフェナク Na ゲル (シオノ＝日本ジェネリック) ゲ 1% 1g 3.90 円
ジクロフェナク Na ゲル (武田テバファーマ＝武田) ゲ 1% 1g 3.90 円
ジクロフェナク Na ゲル (東光＝日本臓器) ゲ 1% 1g 3.90 円
ジクロフェナク Na クリーム (日本臓器) ゲ 1% 1g 3.90 円

外
02
―
01
―
04

非ステロイド抗炎症外用薬

ジクロフェナク Na ローション (三友 = ラクール) 液 1% 1g 3.90 円

ジクロフェナク Na ローション (東光 = 日本臓器) 液 1% 1g 3.90 円

ジクロフェナクナトリウムクリーム (帝国製薬 = 日医工) ク 1% 1g 3.90 円

ジクロフェナクナトリウムクリーム (祐徳) ク 1% 1g 3.90 円

一般名：フェルビナク

● 剤形… 軟 **軟膏剤**，ク **クリーム剤**，液 **液剤**，噴 **噴霧剤**

■ **先発品**　　商品名(メーカー)　規格・保険薬価

ナパゲルンクリーム (帝国製薬) ク 3% 1g 6.30 円

ナパゲルン軟膏 (帝国製薬) 軟 3% 1g 6.30 円

ナパゲルンローション (帝国製薬) 液 3% 1mL 6.30 円

■ **ジェネリック**　　商品名(メーカー)　規格・保険薬価

フェルビナク外用ポンプスプレー (東光 = ラクール) 噴 3% 1mL 5.80 円

フェルビナク外用ポンプスプレー (三笠) 噴 3% 1mL 5.80 円

フェルビナクスチック軟膏 写真 (三笠 = 大正製薬) 軟 3% 1g 5.70 円

フェルビナクローション (東光 = ラクール) 液 3% 1mL 3.20 円

フェルビナクローション (三笠) 液 3% 1mL 3.20 円

一般名：ピロキシカム

● 剤形… 軟 **軟膏剤**

■ **先発品**　　商品名(メーカー)　規格・保険薬価

バキソ軟膏 (富士フイルム富山) 軟 0.5% 1g 6.80 円

フェルデン軟膏 (ファイザー) 軟 0.5% 1g 6.90 円

一般名：インドメタシン

● 剤形… 軟 **軟膏剤**，ク **クリーム剤**，液 **液剤**

■ **先発品**　　商品名(メーカー)　規格・保険薬価

イドメシンコーワクリーム (興和) ク 1% 1g 4.60 円

イドメシンコーワゲル (興和) 軟 1% 1g 4.60 円

イドメシンコーワゾル (興和) 液 1% 1g 4.60 円

インテバン外用液 (帝国製薬) 液 1% 1mL 4.60 円

インテバンクリーム (帝国製薬) ク 1% 1g 4.60 円

インテバン軟膏 (帝国製薬) 軟 1% 1g 4.60 円

■ **ジェネリック**　　商品名(メーカー)　規格・保険薬価

インドメタシン外用液 (日医工ファーマ = 日医工) 液 1% 1mL 2.20 円

インドメタシンクリーム (沢井) ク 1% 1g 2.20 円

インドメタシンクリーム (日医工ファーマ = 日医工) ク 1% 1g 2.20 円

インドメタシンゲル (日医工ファーマ = 日医工) 軟 1% 1g 2.20 円

一般名：ケトプロフェン

● 剤形… ク **クリーム剤**，液 **液剤**，ゲ **ゲル剤**

■ **先発品**　　商品名(メーカー)　規格・保険薬価

セクタークリーム (久光) ク 3% 1g 5.60 円

セクターゲル (久光) ゲ 3% 1g 5.60 円

セクターローション (久光) 液 3% 1mL 5.60 円

外
02
—
01
—
04

非ステロイド抗炎症外用薬

概　　要

分類　鎮痛・消炎薬

処方目的　次の疾患・症状の消炎・鎮痛→変形性関節症，筋肉痛，外傷後の腫脹・疼痛／(ロキソプロフェンナトリウム水和物を除く)肩関節周囲炎，上腕骨上顆炎(テニス肘など)，腱・腱鞘炎，腱周囲炎／[フェルビナクのみの適応症]筋・筋膜性腰痛症

解説　NSAID(非ステロイド系解熱鎮痛薬)の経皮吸収外用塗布薬です。いずれも第 1

類または第2類のOTC薬(大衆薬)としても販売されています。

使用上の注意

＊ジクロフェナクナトリウム(ボルタレンゲル)，インドメタシン(インテバン軟膏)，ケトプロフェン(セクタークリーム)の添付文書による

基本的注意

(1)使用してはいけない場合……本剤または本剤の成分に対するアレルギーの前歴／アスピリンぜんそく(非ステロイド性解熱鎮痛薬などにより誘発されるぜんそく発作)またはその前歴／[ケトプロフェンのみ]内服のチアプロフェン酸，スプロフェン，内服のフェノフィブラート，オキシベンゾン・オクトクリレンを含有する製品(サンスクリーン，香水など)に対するアレルギーの前歴／光線過敏症の前歴／妊娠後期

(2)対症療法……本剤による治療は原因療法ではなく，単に痛みを止めたり，熱を下げたりするだけの対症療法に過ぎないことを忘れないでください。

(3)その他……

● 妊婦での安全性：未確立。[インドメタシン]大量または広範囲にわたる長期間の使用を避ける。[その他]有益と判断されたときのみ使用(ケトプロフェンは妊娠後期以外)。

● 小児での安全性：[ジクロフェナクナトリウム，ケトプロフェン]未確立。(1714頁を参照)

重大な副作用

[ジクロフェナクナトリウム，ケトプロフェン]①ショック，アナフィラキシー(じん麻疹，呼吸困難，顔面浮腫など)。②接触皮膚炎(発赤，紅斑，発疹，かゆみ，疼痛など)。

[ケトプロフェンのみ]③(塗ってから数時間で)ぜんそく発作の誘発(アスピリンぜんそく)。④光線過敏症(かゆみ，紅斑，発疹，刺激感，腫脹，浮腫，水疱・びらんなど)。

　そのほかにも報告された副作用はあるので，体調がいつもと違うと感じたときは，処方医・薬剤師に相談してください。

併用してはいけない薬

併用してはいけない薬は特にありません。ただし，併用する薬があるときは，念のため処方医・薬剤師に報告してください。

外 02 解熱・鎮痛・消炎薬　01 解熱・鎮痛・消炎薬

05 非ステロイド抗炎症貼付薬

製剤情報

一般名：ロキソプロフェンナトリウム水和物

● 剤形…貼貼付剤

■ **先発品**　　**商品名(メーカー)**　規格・保険薬価

ロキソニンテープ (リードケミカル＝第一三共)
貼 7cm×10cm 1枚 16.70円
貼 10cm×14cm 1枚 24.40円

ロキソニンパップ (リードケミカル＝第一三共)
貼 10cm×14cm 1枚 24.40円

■ジェネリック　商品名(メーカー)　規格・保険薬価

ロキソプロフェン Na テープ 写真 (エルメッド
＝日医工) 貼 7cm×10cm 1枚 12.30 円
貼 10cm×14cm 1枚 17.10 円

ロキソプロフェン Na テープ (救急薬品)
貼 7cm×10cm 1枚 12.30 円
貼 10cm×14cm 1枚 17.10 円

ロキソプロフェン Na テープ (共創未来)
貼 7cm×10cm 1枚 12.30 円
貼 10cm×14cm 1枚 17.10 円

ロキソプロフェン Na テープ (共和)
貼 7cm×10cm 1枚 12.30 円
貼 10cm×14cm 1枚 17.10 円

ロキソプロフェン Na テープ (キョーリン＝杏
林) 貼 7cm×10cm 1枚 12.30 円
貼 10cm×14cm 1枚 17.10 円

ロキソプロフェン Na テープ (三友＝ラクー
ル) 貼 7cm×10cm 1枚 12.30 円
貼 10cm×14cm 1枚 17.10 円

ロキソプロフェン Na テープ (三和)
貼 7cm×10cm 1枚 12.30 円
貼 10cm×14cm 1枚 17.10 円

ロキソプロフェン Na テープ (高田)
貼 7cm×10cm 1枚 12.30 円
貼 10cm×14cm 1枚 17.10 円

ロキソプロフェン Na テープ (帝国製薬＝科
研) 貼 7cm×10cm 1枚 12.30 円
貼 10cm×14cm 1枚 17.10 円

ロキソプロフェン Na テープ (東光＝ラクー
ル) 貼 7cm×10cm 1枚 12.30 円
貼 10cm×14cm 1枚 17.10 円

ロキソプロフェン Na テープ (東和)
貼 7cm×10cm 1枚 12.30 円
貼 10cm×14cm 1枚 17.10 円

ロキソプロフェン Na テープ (ニプロファーマ
＝ニプロ) 貼 7cm×10cm 1枚 12.30 円
貼 10cm×14cm 1枚 17.10 円

ロキソプロフェン Na テープ (日本ジェネリッ
ク) 貼 7cm×10cm 1枚 12.30 円
貼 10cm×14cm 1枚 17.10 円

ロキソプロフェン Na テープ (久光)
貼 7cm×10cm 1枚 12.30 円
貼 10cm×14cm 1枚 17.10 円

ロキソプロフェン Na テープ (三笠)
貼 7cm×10cm 1枚 12.30 円
貼 10cm×14cm 1枚 17.10 円

ロキソプロフェン Na テープ (祐徳)
貼 7cm×10cm 1枚 12.30 円
貼 10cm×14cm 1枚 17.10 円

ロキソプロフェン Na テープ (陽進堂)
貼 7cm×10cm 1枚 12.30 円
貼 10cm×14cm 1枚 17.10 円

ロキソプロフェン Na パップ (救急薬品)
貼 10cm×14cm 1枚 17.10 円

ロキソプロフェン Na パップ (キョーリン＝杏
林) 貼 10cm×14cm 1枚 17.10 円

ロキソプロフェン Na パップ (三和)
貼 10cm×14cm 1枚 17.10 円

ロキソプロフェン Na パップ (高田)
貼 10cm×14cm 1枚 17.10 円

ロキソプロフェン Na パップ (帝国製薬)
貼 10cm×14cm 1枚 17.10 円

ロキソプロフェン Na パップ (東光＝ラクー
ル) 貼 10cm×14cm 1枚 17.10 円
貼 20cm×14cm 1枚 34.10 円

ロキソプロフェン Na パップ (東和)
貼 10cm×14cm 1枚 17.10 円

ロキソプロフェン Na パップ (ニプロファーマ
＝ニプロ) 貼 10cm×14cm 1枚 17.10 円

ロキソプロフェン Na パップ (日本ジェネリッ
ク) 貼 10cm×14cm 1枚 17.10 円

ロキソプロフェン Na パップ (三笠)
貼 10cm×14cm 1枚 17.10 円
貼 20cm×14cm 1枚 34.10 円

外
02
－
01
－
05

非ステロイド抗炎症貼付薬

ロキソプロフェン Na パップ（陽進堂）
貼 10cm×14cm 1枚 17.10 円

ロキソプロフェンナトリウムテープ（岡山大鵬
＝大鵬）貼 7cm×10cm 1枚 12.30 円
貼 10cm×14cm 1枚 17.10 円

ロキソプロフェンナトリウムテープ写真（ケミ
ファ＝日薬工）貼 7cm×10cm 1枚 12.30 円
貼 10cm×14cm 1枚 17.10 円

ロキソプロフェンナトリウムテープ（日医工）
貼 7cm×10cm 1枚 12.30 円
貼 10cm×14cm 1枚 17.10 円

ロキソプロフェンナトリウムパップ写真（ケミ
ファ）貼 10cm×14cm 1枚 17.10 円

ロキソプロフェンナトリウムパップ（日医工）
貼 10cm×14cm 1枚 17.10 円

一般名：インドメタシン

●剤形…貼 貼付剤

■先発品　　商品名(メーカー)　規格・保険薬価

アコニップパップ（テイカ）
貼 10cm×14cm 1枚 11.40 円

イドメシンコーワパップ（興和）
貼 10cm×14cm 1枚 17.10 円

インサイドパップ（久光）
貼 10cm×14cm 1枚 16.70 円

インテナースパップ（東光＝ラクール＝日医工＝
祐徳）貼 10cm×14cm 1枚 11.50 円

カトレップテープ（帝国製薬）
貼 7cm×10cm 1枚 12.30 円
貼 10cm×14cm 1枚 17.30 円

カトレップパップ（帝国製薬）
貼 10cm×14cm 1枚 17.30 円

コリフメシンパップ（東和製薬）
貼 10cm×14cm 1枚 13.30 円

ゼムパックパップ（救急薬品＝三和）
貼 10cm×14cm 1枚 11.80 円

ハップスター ID（大石膏盛堂＝日医工）
貼 10cm×14cm 1枚 11.80 円

ラクティオンパップ（テイカ＝三笠）
貼 10cm×14cm 1枚 17.10 円

■ジェネリック　　商品名(メーカー)　規格・保険薬価

インドメタシンパップ（三友＝ラクール）
貼 10cm×14cm 1枚 17.10 円

インドメタシンパップ（日医工）
貼 10cm×14cm 1枚 17.10 円

インドメタシンパップ（原沢＝高田）
貼 10cm×14cm 1枚 17.10 円

インドメタシンパップ（ビオメディクス）
貼 10cm×14cm 1枚 17.10 円

インドメタシンパップ（陽進堂）
貼 10cm×14cm 1枚 17.10 円

一般名：ケトプロフェン

●剤形…貼 貼付剤

■先発品　　商品名(メーカー)　規格・保険薬価

ミルタックスパップ（ニプロファーマ＝第一三共
エスファ）貼 10cm×14cm 1枚 17.10 円

モーラステープ（久光＝祐徳）
貼 7cm×10cm 1枚 21.10 円

モーラステープ L（久光＝祐徳）
貼 10cm×14cm 1枚 31.60 円

モーラスパップ（久光＝祐徳）
貼 10cm×14cm 1枚 17.10 円
貼 20cm×14cm 1枚 26.00 円

モーラスパップ XR（久光）
貼 20cm×14cm 1枚 49.20 円

モーラスパップ XR（久光＝祐徳）
貼 10cm×14cm 1枚 32.40 円

■ジェネリック　　商品名(メーカー)　規格・保険薬価

ケトプロフェンテープ写真（大石膏盛堂＝キョー
リン＝杏林）貼 7cm×10cm 1枚 12.30 円
貼 10cm×14cm 1枚 17.10 円

ケトプロフェンテープ（救急薬品＝三和）
貼 7cm×10cm 1枚 12.30 円
貼 10cm×14cm 1枚 17.10 円

ケトプロフェンテープ (キョーリン＝杏林)
貼 7cm×10cm 1枚 12.30 円
貼 10cm×14cm 1枚 17.10 円

ケトプロフェンテープ (三友＝ラクール)
貼 7cm×10cm 1枚 12.30 円
貼 10cm×14cm 1枚 17.10 円

ケトプロフェンテープ (シオノ＝日薬工)
貼 7cm×10cm 1枚 12.30 円
貼 10cm×14cm 1枚 17.10 円

ケトプロフェンテープ (帝国製薬＝日本ジェネリック)
貼 7cm×10cm 1枚 12.30 円
貼 10cm×14cm 1枚 17.10 円

ケトプロフェンテープ (東光＝ラクール)
貼 7cm×10cm 1枚 12.30 円
貼 10cm×14cm 1枚 17.10 円

ケトプロフェンテープ (東和)
貼 7cm×10cm 1枚 12.30 円
貼 10cm×14cm 1枚 17.10 円

ケトプロフェンテープ (日医工)
貼 7cm×10cm 1枚 12.30 円
貼 10cm×14cm 1枚 17.10 円

ケトプロフェンテープ (ビオメディクス＝持田)
貼 7cm×10cm 1枚 12.30 円
貼 10cm×14cm 1枚 17.10 円

ケトプロフェンパップ (救急薬品＝三和)
貼 10cm×14cm 1枚 11.90 円
貼 20cm×14cm 1枚 17.10 円

ケトプロフェンパップ (三友＝ラクール)
貼 10cm×14cm 1枚 11.90 円
貼 20cm×14cm 1枚 17.10 円

ケトプロフェンパップ (日医工)
貼 10cm×14cm 1枚 11.90 円

ケトプロフェンパップ XR (帝国製薬)
貼 10cm×14cm 1枚 17.10 円

一般名：フェルビナク
● 剤形…貼 貼付剤

■先発品　　商品名(メーカー)　規格・保険薬価

セルタッチテープ (帝国製薬)
貼 10cm×14cm 1枚 17.10 円

セルタッチパップ (帝国製薬)
貼 10cm×14cm 1枚 17.10 円
貼 20cm×14cm 1枚 23.20 円

■ジェネリック　　商品名(メーカー)　規格・保険薬価

フェルビナクテープ (救急薬品＝エルメッド＝日医工) 貼 10cm×14cm 1枚 14.00 円

フェルビナクテープ (ニプロファーマ＝ニプロ)
貼 7cm×10cm 1枚 9.90 円
貼 10cm×14cm 1枚 14.00 円

フェルビナクテープ (久光)
貼 10cm×14cm 1枚 14.00 円

フェルビナクテープ (三笠)
貼 7cm×10cm 1枚 9.90 円
貼 10cm×14cm 1枚 14.00 円

フェルビナクパップ (大石膏盛堂＝祐徳)
貼 10cm×14cm 1枚 14.00 円

フェルビナクパップ (大原＝大鵬)
貼 10cm×14cm 1枚 14.00 円

フェルビナクパップ (岡山大鵬＝大鵬)
貼 10cm×14cm 1枚 14.00 円

フェルビナクパップ (沢井)
貼 10cm×14cm 1枚 14.00 円

フェルビナクパップ 写真 (三友＝ラクール)
貼 10cm×14cm 1枚 14.00 円
貼 20cm×14cm 1枚 18.60 円

フェルビナクパップ (東光＝日本ジェネリック)
貼 10cm×14cm 1枚 14.00 円
貼 20cm×14cm 1枚 18.60 円

フェルビナクパップ (ニプロファーマ＝ニプロ)
貼 10cm×14cm 1枚 14.00 円

一般名：フルルビプロフェン
● 剤形…貼 貼付剤

外
02
—
01
—
05

非ステロイド抗炎症貼付薬

■先発品　商品名(メーカー)　規格・保険薬価

アドフィードパップ (リードケミカル＝科研)
貼 10cm×14cm 1枚 17.10 円

ゼポラステープ 写真 (三笠)
貼 7cm×10cm 1枚 10.80 円
貼 10cm×14cm 1枚 16.20 円

ゼポラスパップ (三笠)
貼 10cm×14cm 1枚 16.20 円
貼 20cm×14cm 1枚 20.10 円

フルルバンパップ (大協＝科研)
貼 10cm×14cm 1枚 17.10 円

ヤクバンテープ (トクホン＝大正製薬)
貼 7cm×10cm 1枚 12.10 円
貼 10cm×14cm 1枚 17.10 円
貼 15cm×14cm 1枚 17.50 円

■ジェネリック　商品名(メーカー)　規格・保険薬価

フルルビプロフェンテープ (救急薬品＝祐徳)
貼 7cm×10cm 1枚 8.10 円
貼 10cm×14cm 1枚 13.10 円

一般名：ジクロフェナクナトリウム

● 剤形… 貼 貼付剤

■先発品　商品名(メーカー)　規格・保険薬価

ナボールテープ (久光)
貼 7cm×10cm 1枚 12.80 円

ナボールテープ L (久光)
貼 10cm×14cm 1枚 21.20 円

ナボールパップ (久光) 貼 7cm×10cm 1枚 12.80 円
貼 10cm×14cm 1枚 21.20 円

ボルタレンテープ (同仁＝ノバルティス)
貼 7cm×10cm 1枚 12.30 円
貼 10cm×14cm 1枚 17.10 円

■ジェネリック　商品名(メーカー)　規格・保険薬価

ジクロフェナク Na テープ (三友＝ラクール)
貼 7cm×10cm 1枚 11.10 円
貼 10cm×14cm 1枚 17.10 円

ジクロフェナク Na テープ (東和)
貼 7cm×10cm 1枚 11.10 円
貼 10cm×14cm 1枚 17.10 円

ジクロフェナク Na テープ (日医工＝共和)
貼 7cm×10cm 1枚 11.10 円
貼 10cm×14cm 1枚 17.10 円

ジクロフェナク Na テープ (日本臓器)
貼 7cm×10cm 1枚 11.10 円
貼 10cm×14cm 1枚 17.10 円

ジクロフェナクナトリウムテープ (三和)
貼 7cm×10cm 1枚 11.10 円
貼 10cm×14cm 1枚 17.10 円

ジクロフェナクナトリウムテープ (帝国製薬＝
日医工) 貼 7cm×10cm 1枚 11.10 円
貼 10cm×14cm 1枚 17.10 円

ジクロフェナクナトリウムテープ (ニプロファ
ーマ＝ニプロ) 貼 7cm×10cm 1枚 11.10 円
貼 10cm×14cm 1枚 17.10 円

ジクロフェナクナトリウムテープ (日本ジェネ
リック) 貼 7cm×10cm 1枚 11.10 円
貼 10cm×14cm 1枚 12.40 円

ジクロフェナクナトリウムテープ (祐徳)
貼 7cm×10cm 1枚 11.10 円
貼 10cm×14cm 1枚 17.10 円

ジクロフェナク Na パップ (三友＝ラクール)
貼 7cm×10cm 1枚 11.10 円
貼 10cm×14cm 1枚 17.10 円
貼 20cm×14cm 1枚 25.70 円

ジクロフェナク Na パップ (日本臓器)
貼 7cm×10cm 1枚 11.10 円
貼 10cm×14cm 1枚 17.10 円

一般名：エスフルルビプロフェン・ハッカ油

● 規制…劇薬
● 剤形… 貼 貼付剤

■先発品　商品名(メーカー)　規格・保険薬価

ロコアテープ (大正製薬＝帝人)
貼 10cm×14cm 1枚 39.70 円

概　要

分類　鎮痛・消炎薬

処方目的　次の疾患・症状の消炎・鎮痛→変形性関節症，筋肉痛，外傷後の腫脹・疼痛，腰痛，肩関節周囲炎，上腕骨上顆炎(テニス肘など)，腱・腱鞘炎，腱周囲炎など
＊製剤により多少異なります。

[ケトプロフェンのテープ剤・パップ XR 剤のみの適応症]　関節リウマチにおける関節局所の鎮痛

解説　NSAID(非ステロイド系解熱鎮痛薬)の経皮吸収貼り薬です。フルルビプロフェン，エスフルルビプロフェン・ハッカ油は貼り薬としてはまだ OTC 薬(大衆薬)になっていませんが，ほかの成分はすでに OTC 薬が販売されています。

使用上の注意

＊ケトプロフェン(モーラステープ)，フルルビプロフェン(ゼポラステープ)，ジクロフェナクナトリウム(ナボールパップ)の添付文書による

基本的注意

(1)使用してはいけない場合……本剤または本剤の成分に対するアレルギーの前歴／アスピリンぜんそく(非ステロイド性解熱鎮痛薬などにより誘発されるぜんそく発作)またはその前歴

[ケトプロフェンのみ]　内服のチアプロフェン酸，スプロフェン，内服のフェノフィブラート，オキシベンゾン・オクトクリレンを含有する製品(サンスクリーン，香水など)に対するアレルギーの前歴／光線過敏症の前歴／妊娠後期

(2)対症療法……本剤による治療は原因療法ではなく，単に痛みを止めたり，熱を下げたりするだけの対症療法に過ぎないことを忘れないでください。

(3)接触皮膚炎……[ケトプロフェン，ジクロフェナクナトリウム]本剤を貼付すると接触皮膚炎が現れることがあります。貼付部に発現したかゆみ感，刺激感，紅斑，発疹・発赤などが悪化し，腫脹，浮腫，水疱・びらんなどの重度の皮膚炎症状や色素沈着，色素脱失が発現し，さらに全身に皮膚炎症状が拡大し重篤化することがあります。異常が認められた場合には直ちに使用を中止し，処方医に連絡してください。使用後数日を経過してから発現することもあります。

(4)光線過敏症……[ケトプロフェン]本剤の貼付部を紫外線に曝露することにより，強いかゆみを伴う紅斑，発疹，刺激感，腫脹，浮腫，水疱・びらんなどの重度の皮膚炎症状や色素沈着，色素脱失が発現し(光線過敏症)，さらに全身に皮膚炎症状が拡大し重篤化することがあります。使用中は，天候にかかわらず戸外の活動を避けるとともに，日常の外出時は貼付部を衣服やサポーターなどで遮光してください。異常が認められた場合には直ちに使用を中止し，処方医に連絡してください。使用後数日から数カ月を経過してから発現することもあります。なお，ジクロフェナクナトリウムも同様に注意が必要です。

(5)その他……

●妊婦での安全性：未確立。有益と判断されたときのみ使用(ケトプロフェンは妊娠後期

外
02
―
01
―
05

非ステロイド抗炎症貼付薬

以外)。
- ●授乳婦での安全性：［ケトプロフェン］未確立。有益と判断されたときのみ使用。
- ●小児での安全性：未確立。(1714 頁を参照)

重大な副作用 　①ショック，アナフィラキシー(じん麻疹，呼吸困難，顔面浮腫など)。

［ケトプロフェン，フルルビプロフェン］②(貼付後数時間で発現する)ぜんそく発作の誘発(アスピリンぜんそく)。

［ケトプロフェン，ジクロフェナクナトリウム］③接触皮膚炎(発赤，紅斑，発疹，かゆみ，疼痛，腫脹，浮腫，水疱・びらん)。

［ケトプロフェンのみ］④光線過敏症(強いかゆみを伴う紅斑，発疹，刺激感，腫脹，浮腫，水疱・びらん，色素沈着・脱失)。

　そのほかにも報告された副作用はあるので，体調がいつもと違うと感じたときは，処方医・薬剤師に相談してください。

併用してはいけない薬 　併用してはいけない薬は特にありません。ただし，併用する薬があるときは，念のため処方医・薬剤師に報告してください。

外 02 解熱・鎮痛・消炎薬　01 解熱・鎮痛・消炎薬

06 ブプレノルフィン塩酸塩

製剤情報

一般名：ブプレノルフィン塩酸塩
- ●規制…劇薬
- ●剤形…坐坐剤

■先発品　　商品名(メーカー)　規格・保険薬価
レペタン坐剤(大塚)坐 0.2mg 1個 141.90 円
坐 0.4mg 1個 179.00 円

一般名：ブプレノルフィン
- ●規制…劇薬
- ●剤形…貼貼付剤

■先発品　　商品名(メーカー)　規格・保険薬価
ノルスパンテープ 写真 (ムンディ)
貼 5mg 1枚 1,579.40 円　　貼 10mg 1枚 2,431.30 円
貼 20mg 1枚 3,743.90 円

概　　要

分類 　鎮痛薬

処方目的 　［レペタン坐剤の適応症］術後ならびに各種がんにおける鎮痛
［ノルスパンテープの適応症］非オピオイド鎮痛薬で治療困難な変形性関節症，腰痛症に伴う慢性疼痛における鎮痛

解説 　オピオイド薬物(モルヒネの類似薬物)の一種です。麻薬には指定されていませんが，依存性があり，向精神薬に指定されています。

使用上の注意

＊レペタン坐剤，ノルスパンテープの添付文書による

基本的注意

(1)使用してはいけない場合……[レペタン坐剤]本剤の成分に対するアレルギーの前歴／重い呼吸抑制状態，肺機能障害／重い肝機能障害／頭部傷害・脳に病変があり意識混濁が危惧される人／頭蓋内圧上昇／直腸炎，直腸出血，著しい痔疾／ナルメフェン塩酸塩水和物の服用中または服用中止後1週間以内／妊婦または妊娠している可能性のある人／[ノルスパンテープ]本剤の成分に対するアレルギーの前歴／重い呼吸抑制状態・呼吸機能障害

(2)慎重に使用すべき場合……[レペタン坐剤]呼吸機能低下／肝機能または腎機能低下／胆道疾患／麻薬依存／薬物依存の前歴／高齢者／[ノルスパンテープ]呼吸機能の低下している人／心電図でQT延長をおこしやすい人／薬物・アルコール依存，またはその前歴／脳に器質的な障害のある人／ショック状態にある人／肝・腎機能障害／麻薬依存／麻痺性イレウス／胆道疾患／高熱のある人

(3)安全の確認……本剤を使用後，特に起立・歩行時に悪心，嘔吐，めまい，ふらつきなどがおこりやすくなります。使用後はできるだけ安静にし，安全を確認してから行動してください。

(4)危険作業は中止……本剤を使用すると，眠け，めまい，ふらつき，注意力・集中力・反射運動などの低下をおこすおそれがあります。本剤の使用中は，高所作業や自動車の運転など危険を伴う機械の操作は行わないようにしてください。

(5)その他……

●妊婦での安全性：[ノルスパンテープ]有益と判断されたときのみ使用。

●授乳婦での安全性：使用するときは授乳を中止。

●小児での安全性：未確立。(1714頁を参照)

重大な副作用 ①ショック(顔面蒼白，呼吸困難，チアノーゼ，頻脈，全身発赤など)。②連用による依存性，長期使用後の急な中止による不安，不眠，興奮，ふるえ，吐きけ，発汗などの離脱症状。③呼吸抑制，呼吸困難。

[レペタン坐剤のみ]④(手術後早期に)舌根沈下による気道閉塞。⑤せん妄，妄想。⑥急性肺水腫。⑦血圧低下による失神。

そのほかにも報告された副作用はあるので，体調がいつもと違うと感じたときは，処方医・薬剤師に相談してください。

併用してはいけない薬 [レペタン坐剤]ナルメフェン塩酸塩水和物→本剤の効果が弱まり，効果を得るために必要な本剤の用量が通常用量より多くなるおそれがあります。

外 03 眼科の薬　01 散瞳薬

01 散瞳薬

製剤情報

一般名：トロピカミド・フェニレフリン塩酸塩配合剤

● 剤形…液 液剤

■ 先発品　　商品名（メーカー）　規格・保険薬価

ミドリンP点眼液（参天）液 1mL 27.50円

■ ジェネリック　　商品名（メーカー）　規格・保険薬価

オフミック点眼液（わかもと）液 1mL 19.30円

サンドールP点眼液（ロートニッテン）
液 1mL 19.30円

ミドレフリンP点眼液（日東メディック）
液 1mL 19.30円

一般名：アトロピン硫酸塩水和物

● 規制…劇薬

● 剤形…軟 軟膏剤, 液 液剤

■ 先発品　　商品名（メーカー）　規格・保険薬価

アトロピン点眼液（ロートニッテン）
液 1%5mL 1瓶 296.60円

リュウアト眼軟膏（参天）軟 1% 1g 77.00円

一般名：シクロペントラート塩酸塩

● 剤形…液 液剤

■ 先発品　　商品名（メーカー）　規格・保険薬価

サイプレジン点眼液（参天）液 1% 1mL 78.50円

一般名：フェニレフリン塩酸塩

● 剤形…液 液剤

■ 先発品　　商品名（メーカー）　規格・保険薬価

ネオシネジンコーワ点眼液（興和）
液 5% 1mL 42.10円

一般名：トロピカミド

● 剤形…液 液剤

■ 先発品　　商品名（メーカー）　規格・保険薬価

ミドリンM点眼液（参天）液 0.4% 1mL 18.70円

■ ジェネリック　　商品名（メーカー）　規格・保険薬価

トロピカミド点眼液（ロートニッテン）
液 0.4% 1mL 17.70円

概要

分類　散瞳・調節麻痺点眼薬

処方目的　診断または治療を目的とする散瞳と調節麻痺

解説　眼の自律神経のうち交感神経を刺激することで, 瞳孔を広げます。

使用上の注意

＊ミドリンP点眼液ほかの添付文書による

基本的注意

(1)使用してはいけない場合……緑内障および狭隅角や前房が浅いなどの眼圧上昇の素因がある人／[トロピカミド・フェニレフリン塩酸塩配合剤, フェニレフリン塩酸塩のみ]本剤の成分に対するアレルギーの前歴

(2)使用法……原則として, 横になって結膜のう内に点眼して, 1〜5分間まぶたを閉じていてください。その後, 涙のう部を圧迫してから眼を開いてください。

(3)危険作業……使用後，散瞳または調節麻痺が回復するまで，自動車の運転など危険を伴う機械の操作には従事しないでください。また，使用中はサングラスを着用するなどして太陽光や強い光を直接見ないようにしてください。

(4)その他……

- ●妊婦での安全性：有益と判断されたときのみ使用。
- ●授乳婦での安全性：治療上の有益性・母乳栄養の有益性を考慮し，授乳の継続・中止を検討。
- ●小児での安全性：未確立。(1714 頁を参照)

重大な副作用 ［トロピカミド・フェニレフリン塩酸塩配合剤］①ショック，アナフィラキシー(紅斑，発疹，呼吸困難，血圧低下，まぶたのむくみなど)。

そのほかにも報告された副作用はあるので，体調がいつもと違うと感じたときは，処方医・薬剤師に相談してください。

併用してはいけない薬 併用してはいけない薬は特にありません。ただし，併用する薬があるときは，念のため処方医・薬剤師に報告してください。

外 03 眼科の薬　02 縮瞳薬

01 縮瞳薬

✎ 製剤情報

一般名：ピロカルピン塩酸塩

- ●規制…劇薬
- ●剤形…液 液剤

■先発品　商品名(メーカー)　規格・保険薬価

サンピロ点眼液 (参天) 液 0.5%5mL 1瓶 105.90 円

液 1%5mL 1瓶 116.00 円　液 2%5mL 1瓶 134.60 円

液 3%5mL 1瓶 144.50 円　液 4%5mL 1瓶 154.00 円

一般名：ジスチグミン臭化物

- ●規制…毒薬
- ●剤形…液 液剤

■先発品　商品名(メーカー)　規格・保険薬価

ウブレチド点眼液 (鳥居) 液 0.5% 1mL 131.20 円

液 1% 1mL 182.10 円

▤ 概要

分類　緑内障治療薬

処方目的　［ピロカルピン塩酸塩の適応症］緑内障／診断または治療を目的とする縮瞳／［ジスチグミン臭化物の適応症］緑内障／(1%のみ)調節性内斜視，重症筋無力症(眼筋型)

解説　眼の自律神経のうち副交感神経を刺激することで，瞳孔を縮小させたり，緑内障の治療に用います。

☞ 使用上の注意

＊ピロカルピン塩酸塩(サンピロ点眼液)，ジスチグミン臭化物(ウブレチド点眼液)の添付文書による

外
03
―
03
―
01

眼科用ステロイド薬

基本的注意

(1)使用してはいけない場合……[ピロカルピン塩酸塩]虹彩炎
[ジスチグミン臭化物] 前駆期緑内障／脱分極性筋弛緩剤(スキサメトニウム)の使用中
(2)危険作業……[ピロカルピン塩酸塩]使用後,縮瞳(暗黒感)または調節けいれんが回復するまで,自動車の運転など危険を伴う機械の操作には従事しないでください。
(3)使用法……原則として,横になって結膜のう内に点眼して,1〜5分間まぶたを閉じていてください。その後,涙のう部を圧迫してから眼を開いてください。
(4)その他……

- 妊婦での安全性:[ピロカルピン塩酸塩]使用しないことが望ましい。[ジスチグミン臭化物]未確立。
- 授乳婦での安全性:[ピロカルピン塩酸塩]治療上の有益性・母乳栄養の有益性を考慮し,授乳の継続・中止を検討。[ジスチグミン臭化物]未確立。
- 小児での安全性:未確立。(1714頁を参照)

重大な副作用

[ピロカルピン塩酸塩] ①眼類天疱瘡(結膜充血,角膜上皮障害,乾性角結膜炎,結膜萎縮,睫毛内反,眼瞼眼球癒着など)。

そのほかにも報告された副作用はあるので,体調がいつもと違うと感じたときは,処方医・薬剤師に相談してください。

併用してはいけない薬

[ジスチグミン臭化物] 脱分極性筋弛緩剤(スキサメトニウム,レラキシン〔注射薬〕)→本剤との併用で作用が強まるおそれがあります。

外 03 眼科の薬　03 眼科用ステロイド薬

01 眼科用ステロイド薬

製剤情報

一般名:デキサメタゾンメタスルホ安息香酸エステルナトリウム

● 剤形…液 液剤

■ 先発品　　商品名(メーカー)　規格・保険薬価

サンテゾーン点眼液 (参天)
液 0.02% 1mL 17.90 円　　液 0.1% 1mL 39.90 円

■ ジェネリック　　商品名(メーカー)　規格・保険薬価

D・E・X 点眼液 (日東メディック)
液 0.02% 1mL 12.80 円　　液 0.05% 1mL 17.90 円
液 0.1% 1mL 17.90 円

ビジュアリン眼科耳鼻科用液 (千寿=武田)
液 0.1% 1mL 34.80 円

ビジュアリン点眼液 (千寿=武田)
液 0.02% 1mL 12.80 円　　液 0.05% 1mL 17.90 円

一般名:フラジオマイシン硫酸塩・ベタメタゾンリン酸エステルナトリウム配合剤

● 剤形…軟 軟膏剤, 液 液剤

■ 先発品　　商品名(メーカー)　規格・保険薬価

眼・耳科用リンデロン A 軟膏 (シオノギファーマ=塩野義) 軟 1g 67.70 円

点眼・点鼻用リンデロン A 液 (シオノギファーマ=塩野義) 液 1mL 78.20 円

ベルベゾロン F 点眼・点鼻液 (ロートニッテン) 液 1mL 78.20 円

一般名：ベタメタゾンリン酸エステルナトリウム

● 剤形… 液 液剤

■ 先発品　　商品名(メーカー)　規格・保険薬価

リンデロン点眼・点耳・点鼻液 写真 (シオノギファーマ＝塩野義) 液 0.1% 1mL 58.00 円

リンデロン点眼液 (シオノギファーマ＝塩野義)
液 0.01% 1mL 36.80 円

■ ジェネリック　　商品名(メーカー)　規格・保険薬価

サンベタゾン眼耳鼻科用液 (参天)
液 0.1% 1mL 18.40 円

ベタメタゾンリン酸エステル Na・PF 眼耳鼻科用液 (ロートニッテン) 液 0.1% 1mL 18.40 円

ベルベゾロン眼耳鼻科用液 (ロートニッテンファーマ＝ロートニッテン) 液 0.1% 1mL 18.40 円

リノロサール眼科耳鼻科用液 (わかもと)
液 0.1% 1mL 18.40 円

一般名：フルオロメトロン

● 剤形… 液 液剤

■ 先発品　　商品名(メーカー)　規格・保険薬価

フルメトロン点眼液 (参天) 液 0.02% 1mL 30.90 円
液 0.1% 1mL 37.40 円

■ ジェネリック　　商品名(メーカー)　規格・保険薬価

フルオロメトロン点眼液 (千寿＝武田)
液 0.02% 1mL 17.90 円　液 0.05% 1mL 17.90 円
液 0.1% 1mL 17.90 円

フルオロメトロン点眼液 (日東メディック＝キョーリン＝杏林) 液 0.02% 1mL 17.90 円
液 0.1% 1mL 17.90 円

フルオロメトロン点眼液 (ロートニッテン)
液 0.02% 1mL 17.90 円　液 0.05% 1mL 17.90 円
液 0.1% 1mL 17.90 円

フルオロメトロン点眼液 (わかもと)
液 0.02% 1mL 17.90 円　液 0.1% 1mL 17.90 円

一般名：デキサメタゾン

● 剤形… 軟 軟膏剤

■ ジェネリック　　商品名(メーカー)　規格・保険薬価

サンテゾーン眼軟膏 (参天) 軟 0.05% 1g 55.00 円

デキサメタゾン眼軟膏 (日東メディック)
軟 0.1% 1g 40.50 円

一般名：プレドニゾロン酢酸エステル

● 剤形… 軟 軟膏剤

■ 先発品　　商品名(メーカー)　規格・保険薬価

プレドニン眼軟膏 (シオノギファーマ＝塩野義)
軟 0.25% 1g 44.20 円

■ ジェネリック　　商品名(メーカー)　規格・保険薬価

プレドニゾロン酢酸エステル眼軟膏 (日東メディック) 軟 0.25% 1g 44.20 円

一般名：デキサメタゾンリン酸エステルナトリウム

● 剤形… 液 液剤

■ 先発品　　商品名(メーカー)　規格・保険薬価

オルガドロン点眼・点耳・点鼻液 (サンドファーマ＝サンド) 液 0.1% 1mL 38.40 円

■ ジェネリック　　商品名(メーカー)　規格・保険薬価

テイカゾン点眼・点耳・点鼻液 (テイカ)
液 0.1% 1mL 16.20 円

📄 概　　要

分類　副腎皮質ステロイド薬

処方目的　外眼部・前眼部の炎症性疾患(眼瞼炎，結膜炎，角膜炎，強膜炎，上強膜炎，虹彩炎，虹彩毛様体炎，ブドウ膜炎，術後炎症など)

＊製剤により多少異なります。

解説　副腎皮質ステロイドの抗炎症作用・抗アレルギー作用を眼の炎症に応用した点

眼薬です。連用すると副作用が出る可能性があるので，定期的な検査が必要です。

使用上の注意

*フルオロメトロン（フルメトロン点眼液），ベタメタゾンリン酸エステルナトリウム（リンデロン点眼・点耳・点鼻液）の添付文書による

基本的注意

(1)使用してはいけない場合……本剤の成分に対するアレルギーの前歴

(2)特に慎重に使用すべき場合（原則禁忌，処方医と連絡を絶やさないこと）……角膜上皮剥離，角膜潰瘍／ウイルス性結膜・角膜疾患，結核性眼疾患，真菌性眼疾患，化膿性眼疾患／[ベタメタゾンリン酸エステルナトリウムのみ]耳および鼻の結核性・ウイルス性疾患

(3)全身性の作用に注意……[ベタメタゾンリン酸エステルナトリウム（リンデロン点眼液を除く）]全身性のステロイド薬と比較して可能性は低いが，本剤の使用により全身性の作用（クッシング症候群，クッシング様症状，副腎皮質機能抑制，小児の成長遅延，骨密度の低下，白内障，緑内障，中心性漿液性網脈絡膜症を含む）が現れる可能性があります。特に長期間，大量使用の場合には定期的に検査を行い，全身性の作用が認められたら，直ちに処方医に連絡してください。

(4)その他……
- 妊婦での安全性：未確立。原則として長期・頻回に使用しない。
- 小児での安全性：未確立。（1714頁を参照）

重大な副作用

①（連用で数週間後から）眼内圧亢進，緑内障。②角膜ヘルペス，角膜真菌症，緑膿菌感染症などの誘発。③（角膜ヘルペス，角膜潰瘍，外傷などに使った場合）穿孔。④（長期使用で）後のう下白内障。

　そのほかにも報告された副作用はあるので，体調がいつもと違うと感じたときは，処方医・薬剤師に相談してください。

併用してはいけない薬

併用してはいけない薬は特にありません。ただし，併用する薬があるときは，念のため処方医・薬剤師に報告してください。

外 03 眼科の薬　04 感染症に用いる点眼薬

01 眼科用抗生物質

製剤情報

一般名：エリスロマイシンラクトビオン酸塩・コリスチンメタンスルホン酸ナトリウム配合剤
- 剤形…軟 軟膏剤

■先発品　　商品名（メーカー）　規格・保険薬価

エコリシン眼軟膏（参天）軟 1g 67.80 円

一般名：ジベカシン硫酸塩
- 剤形…液 液剤

■先発品　商品名(メーカー)　規格・保険薬価
パニマイシン点眼液 (MeijiSeika)
液 3mg 1mL 35.30 円

一般名：クロラムフェニコール
●剤形…液 液剤
■ジェネリック　商品名(メーカー)　規格・保険薬価
クロラムフェニコール点眼液 (日東メディック) 液 5mg 1mL 18.00 円

一般名：セフメノキシム塩酸塩
●剤形…液 液剤
■先発品　商品名(メーカー)　規格・保険薬価
ベストロン点眼用 (千寿＝武田)
液 5mg 1mL 54.80 円

一般名：コリスチンメタンスルホン酸ナトリウム・クロラムフェニコール配合剤
●剤形…液 液剤
■ジェネリック　商品名(メーカー)　規格・保険薬価
オフサロン点眼液 (わかもと)
液 5mL 1瓶 127.80 円
コリナコール点眼液 (ロートニッテン)
液 5mL 1瓶 127.80 円

一般名：トブラマイシン
●規制…劇薬
●剤形…液 液剤
■先発品　商品名(メーカー)　規格・保険薬価
トブラシン点眼液 (日東メディック)
液 3mg 1mL 36.40 円

一般名：ゲンタマイシン硫酸塩
●規制…劇薬
●剤形…液 液剤
■ジェネリック　商品名(メーカー)　規格・保険薬価
ゲンタマイシン点眼液 (ロートニッテン)
液 3mg 1mL 17.90 円
ゲンタマイシン硫酸塩点眼液 (日東メディック) 液 3mg 1mL 17.90 円

一般名：バンコマイシン塩酸塩
●剤形…軟 軟膏剤
■先発品　商品名(メーカー)　規格・保険薬価
バンコマイシン眼軟膏 (東亜薬品＝日東メディック) 軟 1% 1g 4,905.40 円

一般名：アジスロマイシン水和物
●剤形…液 液剤
■先発品　商品名(メーカー)　規格・保険薬価
アジマイシン点眼液 (千寿＝武田)
液 1% 1mL 301.50 円

概　要
分類　抗生物質
処方目的　眼瞼炎，涙のう炎，麦粒腫，結膜炎，瞼板腺炎，角膜炎(角膜潰瘍を含む)など／[セフメノキシム塩酸塩，コリスチンメタンスホン酸ナトリウム・クロラムフェニコール配合剤のみの適応症]眼科周術期の無菌化療法
解説　抗生物質の点眼薬は細菌性の眼科感染症に用います。耐性菌の発現などを防ぐため，指示通りの用法，用量，治療期間を守る必要があります。

使用上の注意
＊セフメノキシム塩酸塩(ベストロン点眼用)ほかの添付文書による

基本的注意

(1)使用してはいけない場合……[セフメノキシム塩酸塩，アジスロマイシン水和物]本剤の成分に対するアレルギーの前歴／[バンコマイシン塩酸塩]本剤の成分によるショックの前歴／[その他の製剤]本剤の成分または同系列の薬剤に対するアレルギーの前歴

(2)特に慎重に使用すべき場合(原則禁忌，処方医と連絡を絶やさないこと)……[セフメノキシム塩酸塩]セフェム系抗生物質に対するアレルギーの前歴

(3)その他……

[セフメノキシム塩酸塩]
- 低出生体重児，新生児，乳児に対する安全性：未確立。

[バンコマイシン塩酸塩，アジスロマイシン水和物]
- 妊婦での安全性：有益と判断されたときのみ使用。
- 授乳婦での安全性：治療上の有益性・母乳栄養の有益性を考慮し，授乳の継続・中止を検討。
- 低出生体重児，新生児〜小児に対する安全性：未確立。(1714 頁を参照)

重大な副作用

[クロラムフェニコール，コリスチンメタンスルホン酸ナトリウム・クロラムフェニコール配合剤]①(長期投与後)骨髄形成不全が認められたとの報告があるので，長期連用を避けること。

[セフメノキシム塩酸塩]②ショック(不快感，口内異常感，喘鳴，めまい，便意，耳鳴，発汗など)。

[バンコマイシン塩酸塩，アジスロマイシン水和物]③ショック，アナフィラキシー(呼吸困難，全身潮紅，浮腫，紅斑，発疹，血圧低下など)。④角膜びらん，角膜潰瘍などの角膜障害。

そのほかにも報告された副作用はあるので，体調がいつもと違うと感じたときは，処方医・薬剤師に相談してください。

併用してはいけない薬

併用してはいけない薬は特にありません。ただし，併用する薬があるときは，念のため処方医・薬剤師に報告してください。

外 03 眼科の薬　04 感染症に用いる点眼薬

02 眼科用抗菌薬

製剤情報

一般名：ロメフロキサシン塩酸塩
- 剤形…液 液剤

■先発品　商品名(メーカー)　規格・保険薬価

ロメフロン点眼液 (千寿＝武田)
液 0.3% 1mL 110.70 円

ロメフロンミニムス眼科耳科用液 (千寿＝武田) 液 0.3%0.5mL 1個 36.20 円

一般名：モキシフロキサシン塩酸塩
- 剤形…液 液剤

■先発品　　商品名(メーカー)　規格・保険薬価

ベガモックス点眼液 (ノバルティス)
液 0.5% 1mL 80.80 円

■ジェネリック　　商品名(メーカー)　規格・保険薬価

モキシフロキサシン点眼液 (サンド)
液 0.5% 1mL 37.50 円

モキシフロキサシン点眼液 (東亜薬品 = 日東メ
ディック) 液 0.5% 1mL 37.50 円

モキシフロキサシン点眼液 (ロートニッテン =
日本ジェネリック) 液 0.5% 1mL 37.50 円

一般名：トスフロキサシントシル酸塩水和物

● 剤形…液 液剤

■先発品　　商品名(メーカー)　規格・保険薬価

オゼックス点眼液 (富士フイルム富山 = 大塚)
液 0.3% 1mL 97.00 円

トスフロ点眼液 (日東メディック)
液 0.3% 1mL 87.20 円

一般名：ガチフロキサシン水和物

● 剤形…液 液剤

■先発品　　商品名(メーカー)　規格・保険薬価

ガチフロ点眼液 (千寿 = 武田)
液 0.3% 1mL 84.50 円

一般名：レボフロキサシン水和物

● 剤形…液 液剤

■先発品　　商品名(メーカー)　規格・保険薬価

クラビット点眼液 (参天) 液 0.5% 1mL 80.30 円
液 1.5% 1mL 66.70 円

■ジェネリック　　商品名(メーカー)　規格・保険薬価

レボフロキサシン点眼液 (大原)
液 0.5% 1mL 31.60 円　液 1.5% 1mL 21.10 円

レボフロキサシン点眼液 (共創未来)
液 0.5% 1mL 44.30 円　液 1.5% 1mL 41.60 円

レボフロキサシン点眼液 (キョーリン = 杏林)
液 0.5% 1mL 31.60 円

レボフロキサシン点眼液 (キョーリン = 杏林 =
日東メディック = 三和) 液 1.5% 1mL 31.50 円

レボフロキサシン点眼液 (ダイト = 科研)
液 0.5% 1mL 31.60 円　液 1.5% 1mL 41.60 円

レボフロキサシン点眼液 (高田)
液 0.5% 1mL 31.60 円　液 1.5% 1mL 31.50 円

レボフロキサシン点眼液 (武田テバ薬品 = 武田
テバファーマ = 武田) 液 0.5% 1mL 44.30 円
液 1.5% 1mL 41.60 円

レボフロキサシン点眼液 (テイカ)
液 1.5% 1mL 31.50 円

レボフロキサシン点眼液 (テイカ = アルフレッ
サ) 液 0.5% 1mL 31.60 円

レボフロキサシン点眼液 (東亜薬品 = 日東メデ
ィック) 液 0.5% 1mL 31.60 円　液 1.5% 1mL 21.10 円

レボフロキサシン点眼液 (日医工)
液 0.5% 1mL 44.30 円　液 1.5% 1mL 21.10 円

レボフロキサシン点眼液 (日新)
液 0.5% 1mL 31.60 円　液 1.5% 1mL 31.50 円

レボフロキサシン点眼液 (ニプロ)
液 0.5% 1mL 31.60 円　液 1.5% 1mL 21.10 円

レボフロキサシン点眼液 (日本ジェネリック)
液 0.5% 1mL 31.60 円　液 1.5% 1mL 21.10 円

レボフロキサシン点眼液 (ファイザー)
液 0.5% 1mL 31.60 円　液 1.5% 1mL 31.50 円

レボフロキサシン点眼液 (陽進堂)
液 0.5% 1mL 31.60 円　液 1.5% 1mL 31.50 円

レボフロキサシン点眼液 (ロートニッテン)
液 0.5% 1mL 31.60 円　液 1.5% 1mL 21.10 円

レボフロキサシン点眼液 写真 (わかもと)
液 0.5% 1mL 31.60 円　液 1.5% 1mL 21.10 円

一般名：ノルフロキサシン

● 剤形…液 液剤

■先発品　　商品名(メーカー)　規格・保険薬価

ノフロ点眼液 (日医工) 液 0.3% 1mL 110.60 円

バクシダール点眼液 (杏林＝千寿＝武田)
液 0.3% 1mL 110.60 円

ノルフロキサシン点眼液 (キョーリン＝杏林)
液 0.3% 1mL 77.60 円

ノルフロキサシン点眼液 (鶴原)
液 0.3% 1mL 41.30 円

ノルフロキサシン点眼液 (日医工ファーマ＝日
医工) 液 0.3% 1mL 110.60 円

ノルフロキサシン点眼液 (日新)
液 0.3% 1mL 110.60 円

ノルフロキサシン点眼液 (富士薬品＝日東メデ
ィック) 液 0.3% 1mL 41.30 円

ノルフロキサシン点眼液 (わかもと)
液 0.3% 1mL 110.60 円

一般名：オフロキサシン

● 剤形… 軟 軟膏剤, 液 液剤

■ 先発品　　商品名(メーカー)　規格・保険薬価

タリビッド眼軟膏 (参天) 軟 0.3% 1g 113.50 円

タリビッド点眼液 (参天) 液 0.3% 1mL 107.40 円

オフロキサシンゲル化点眼液 (わかもと)
液 0.3% 1mL 36.00 円

オフロキサシン点眼液 (キョーリン＝杏林＝共
創未来) 液 0.3% 1mL 36.00 円

オフロキサシン点眼液 (沢井)
液 0.3% 1mL 107.40 円

オフロキサシン点眼液 (CHO＝ファイザー)
液 0.3% 1mL 36.00 円

オフロキサシン点眼液 (大興＝ロートニッテン)
液 0.3% 1mL 36.00 円

オフロキサシン点眼液 (武田テバ薬品＝武田テ
バファーマ＝武田) 液 0.3% 1mL 36.00 円

オフロキサシン点眼液 (長生堂＝日本ジェネリッ
ク) 液 0.3% 1mL 107.40 円

オフロキサシン点眼液 (東和)
液 0.3% 1mL 73.20 円

オフロキサシン点眼液 (日医工)
液 0.3% 1mL 107.40 円

オフロキサシン点眼液 (日新)
液 0.3% 1mL 73.20 円

オフロキサシン点眼液 (富士薬品＝わかもと)
液 0.3% 1mL 36.00 円

オフロキシン眼軟膏 (東亜薬品＝日東メディッ
ク) 軟 0.3% 1g 57.00 円

オフロキシン点眼液 (東亜薬品＝日東メディッ
ク) 液 0.3% 1mL 36.00 円

概　　要

分類　合成抗菌薬

処方目的　眼瞼炎, 涙のう炎, 麦粒腫, 結膜炎, 瞼板腺炎, 角膜炎(角膜潰瘍を含む)
／眼科周術期の無菌化療法

解説　抗菌薬の点眼薬も抗生物質と同様の注意が必要です。これらの薬剤の多用により角膜真菌症などが増加しているのは, 内服抗生物質・抗菌薬の多用で口腔カンジダなどが増加している状況に似ています。

使用上の注意

＊ガチフロキサシン水和物(ガチフロ点眼液), レボフロキサシン水和物(クラビット点眼液)の添付文書による

基本的注意

(1)使用してはいけない場合……本剤の成分またはキノロン系抗菌薬に対するアレルギーの前歴／[レボフロキサシン水和物のみ]オフロキサシンに対するアレルギーの前歴

(2)その他……
- ●妊婦での安全性：有益と判断されたときのみ使用。
- ●授乳婦での安全性：治療上の有益性・母乳栄養の有益性を考慮し，授乳の継続・中止を検討。
- ●小児での安全性：[ガチフロキサシン水和物]未確立。(1714 頁を参照)

重大な副作用 [ノルフロキサシンを除く製剤] ①ショック，アナフィラキシー(紅斑，発疹，呼吸困難，血圧低下，眼瞼浮腫)。

そのほかにも報告された副作用はあるので，体調がいつもと違うと感じたときは，処方医・薬剤師に相談してください。

併用してはいけない薬 併用してはいけない薬は特にありません。ただし，併用する薬があるときは，念のため処方医・薬剤師に報告してください。

外 03 眼科の薬　04 感染症に用いる点眼薬

03 眼科用抗真菌薬

製 剤 情 報

一般名：ピマリシン
- ●剤形…軟軟膏剤，液液剤

■先発品　　商品名(メーカー)　規格・保険薬価

ピマリシン眼軟膏 (千寿＝武田)
軟 10mg 1g 604.80 円

ピマリシン点眼液 (千寿＝武田)
液 50mg 1mL 628.30 円

概　　要

分類　抗真菌薬
処方目的　角膜真菌症
解説　真菌症では，細菌感染の場合に比べて治療に時間がかかります。軽症と考えられた場合でも点眼，眼軟膏，内服，点滴を併用して治療するのが一般的です。多くは入院治療となります。

使用上の注意
＊ピマリシン(ピマリシン眼軟膏)の添付文書による

基本的注意
(1)使用してはいけない場合……本剤の成分に対するアレルギーの前歴
(2)その他……
- ●妊婦での安全性：未確立。有益と判断されたときのみ使用。
- ●小児での安全性：未確立。(1714 頁を参照)

重大な副作用 重大な副作用はありませんが，そのほかの副作用はあるので，体調がいつもと違うと感じたときは，処方医・薬剤師に相談してください。

併用してはいけない薬 併用してはいけない薬は特にありません。ただし，併用す

る薬があるときは，念のため処方医・薬剤師に報告してください。

04 眼科用抗ウイルス薬

✍ 製 剤 情 報

一般名：アシクロビル

● 剤形…軟 軟膏剤

■ **先発品**　　商品名(メーカー)　規格・保険薬価

ゾビラックス眼軟膏 (日東メディック＝参天)
軟 3% 1g 551.50 円

アシクロビル眼軟膏 (東亜薬品＝日東メディック) 軟 3% 1g 337.50 円

アシクロビル眼軟膏 (ロートニッテン)
軟 3% 1g 337.50 円

▤ 概　　要

分類　抗ウイルス薬

処方目的　単純ヘルペスウイルスに起因する角膜炎

解説　本剤は，単純ヘルペスウイルスの DNA 複製を阻害し，増殖を阻害することで抗ウイルス作用を示します。体内の神経組織に潜んでいた単純ヘルペスウイルスが眼に移動して発症する角膜炎に使用します。ヘルペスウイルスにはさまざまな種類がありますが，本剤は単純ヘルペスウイルス以外には無効です。

✐ 使用上の注意

＊アシクロビル(ゾビラックス眼軟膏)の添付文書による

基本的注意

(1)**使用してはいけない場合**……本剤の成分またはバラシクロビル塩酸塩に対するアレルギーの前歴

(2)**使用法**……①本剤は効果持続時間が短いため，1 日 5 回塗布するとよいです。②使用中はコンタクトレンズを装着しないでください。

(3)**その他**……

● 妊婦での安全性：有益と判断されたときのみ使用。

● 小児での安全性：未確立。(1714 頁を参照)

重大な副作用　　　　重大な副作用はありませんが，そのほかの副作用はあるので，体調がいつもと違うと感じたときは，処方医・薬剤師に相談してください。

併用してはいけない薬　　　併用してはいけない薬は特にありません。ただし，併用する薬があるときは，念のため処方医・薬剤師に報告してください。

01　アズレン

製剤情報

一般名：アズレンスルフォン酸ナトリウム水和物

● 剤形…液 液剤

■ジェネリック　　商品名(メーカー)　規格・保険薬価

AZ 点眼液 写真 (ゼリア) 液 0.02%5mL 1瓶 88.80 円

| アズレン点眼液（日東メディック） |
| 液 0.02%5mL 1瓶 88.80 円 |

| アズレン点眼液（わかもと） |
| 液 0.02%5mL 1瓶 88.80 円 |

概　　要

分類　抗炎症薬

処方目的　急性結膜炎，慢性結膜炎，アレルギー性結膜炎，表層角膜炎，眼瞼縁炎，強膜炎

解説　カミツレの有効成分であるアズレンは抗炎症作用があり，内服薬として胃潰瘍・胃炎治療に，うがい薬として喉の炎症や口内炎にも用いられます。

使用上の注意

基本的注意

特に注意はありません。

重大な副作用　重大な副作用はありませんが，そのほかの副作用はあるので，体調がいつもと違うと感じたときは，処方医・薬剤師に相談してください。

併用してはいけない薬　併用してはいけない薬は特にありません。ただし，併用する薬があるときは，念のため処方医・薬剤師に報告してください。

02　リゾチーム塩酸塩

製剤情報

一般名：リゾチーム塩酸塩

● 剤形…液 液剤

■ジェネリック　　商品名(メーカー)　規格・保険薬価

| ムコゾーム点眼液 (参天) 液 0.5% 1mL 19.10 円 |

概　　要

分類　消化酵素薬

処方目的　慢性結膜炎

解説　消炎酵素の点眼薬で，先発品（アイベル D）はすでに販売中止となっています。

外
03
—
05
—
03

フラビンアデニンジヌクレオチド

使用上の注意

基本的注意

(1)使用してはいけない場合……本剤の成分に対するアレルギーの前歴／卵白アレルギ

重大な副作用

①ショック，アナフィラキシー(じん麻疹，かゆみ，チアノーゼ，意識低下，血圧低下，全身紅斑，発汗，眼球結膜浮腫など)。

そのほかにも報告された副作用はあるので，体調がいつもと違うと感じたときは，処方医・薬剤師に相談してください。

併用してはいけない薬

併用してはいけない薬は特にありません。ただし，併用する薬があるときは，念のため処方医・薬剤師に報告してください。

外 03 眼科の薬　05 眼科用抗炎症薬

03 フラビンアデニンジヌクレオチド

製剤情報

一般名：フラビンアデニンジヌクレオチド

●剤形…軟軟膏剤，液液剤

■**先発品**　商品名(メーカー)　規格・保険薬価

フラビタン眼軟膏 (トーアエイヨー)
軟 0.1% 1g 24.80 円

フラビタン点眼液 写真 (トーアエイヨー)
液 0.05%5mL 1瓶 88.80 円

■**ジェネリック**　商品名(メーカー)　規格・保険薬価

FAD 点眼液 (参天) 液 0.05%5mL 1瓶 86.40 円

FAD 点眼液 (日東メディック)
液 0.05%5mL 1瓶 86.40 円

一般名：フラビンアデニンジヌクレオチドナトリウム・コンドロイチン硫酸エステルナトリウム配合剤

●剤形…液液剤

■**先発品**　商品名(メーカー)　規格・保険薬価

ムコファジン点眼液 (わかもと)
液 5mL 1瓶 86.40 円

■**ジェネリック**　商品名(メーカー)　規格・保険薬価

ムコティア点眼液 (ロートニッテン)
液 5mL 1瓶 86.40 円

概　要

分類　ビタミン B_2 製剤

処方目的　角膜炎・眼瞼炎(ビタミン B_2 の欠乏または代謝障害が関与すると推定される場合)

解説　ビタミン B_2(リボフラビン)から誘導されるフラビンアデニンジヌクレオチド(FAD)は，代謝に必要な酸化還元酵素の補酵素です。

使用上の注意

基本的注意

特に注意はありません。

重大な副作用

重大な副作用はありませんが，そのほかの副作用はあるの

で，体調がいつもと違うと感じたときは，処方医・薬剤師に相談してください。

併用してはいけない薬 併用してはいけない薬は特にありません。ただし，併用する薬があるときは，念のため処方医・薬剤師に報告してください。

外 03 眼科の薬　05 眼科用抗炎症薬
04 非ステロイド抗炎症点眼薬

製剤情報

一般名：ジクロフェナクナトリウム
● 剤形…液 液剤

■ 先発品　商品名(メーカー)　規格・保険薬価

ジクロード点眼液 (わかもと)
液 0.1% 1mL 56.70 円

■ ジェネリック　商品名(メーカー)　規格・保険薬価

ジクロフェナク Na・PF 点眼液 (ロートニッテン) 液 0.1% 1mL 35.20 円

ジクロフェナク Na 点眼液 (シオノ=日医工=武田) 液 0.1% 1mL 35.20 円

ジクロフェナク Na 点眼液 (東亜薬品=日東メディック=キョーリン=杏林) 液 0.1% 1mL 35.20 円

ジクロフェナク Na 点眼液 (日新)
液 0.1% 1mL 29.80 円

ジクロフェナク Na 点眼液 (ロートニッテンファーマ=ロートニッテン=日本ジェネリック)
液 0.1% 1mL 29.80 円

一般名：プラノプロフェン
● 剤形…液 液剤

■ 先発品　商品名(メーカー)　規格・保険薬価

ニフラン点眼液 (千寿=武田)
液 0.1% 1mL 34.90 円

■ ジェネリック　商品名(メーカー)　規格・保険薬価

プラノプロフェン点眼液 (参天)
液 0.1% 1mL 21.30 円

プラノプロフェン点眼液 (日新=三和)
液 0.1% 1mL 17.90 円

プラノプロフェン点眼液 (日東メディック)
液 0.1% 1mL 17.90 円

プラノプロフェン点眼液 (ロートニッテン=日本ジェネリック=フェルゼン) 液 0.1% 1mL 21.30 円

プラノプロフェン点眼液 (わかもと)
液 0.1% 1mL 17.90 円

一般名：ネパフェナク
● 剤形…液 液剤

■ 先発品　商品名(メーカー)　規格・保険薬価

ネバナック懸濁性点眼液 (ノバルティス)
液 0.1% 1mL 153.00 円

一般名：ブロムフェナクナトリウム水和物
● 剤形…液 液剤

■ 先発品　商品名(メーカー)　規格・保険薬価

ブロナック点眼液 (千寿=武田)
液 0.1% 1mL 82.20 円

■ ジェネリック　商品名(メーカー)　規格・保険薬価

ブロムフェナク Na 点眼液 (東亜薬品=日東メディック) 液 0.1% 1mL 40.10 円

ブロムフェナク Na 点眼液 (日新=日本ジェネリック=テイカ) 液 0.1% 1mL 40.10 円

ブロムフェナク Na 点眼液 (ロートニッテン)
液 0.1% 1mL 40.10 円

概要
分類 非ステロイド性抗炎症薬

処方目的　［プラノプロフェン，ブロムフェナクナトリウム水和物の適応症］外眼・前眼部の炎症性疾患の対症療法（眼瞼炎，結膜炎，角膜炎，強膜炎，上強膜炎，前眼部ブドウ膜炎，術後炎症）／［ジクロフェナクナトリウムの適応症］白内障の術後の炎症症状，術中・術後合併症の防止／［ネパフェナクの適応症］内眼部手術における術後炎症

解説　NSAID（非ステロイド系解熱鎮痛薬）の点眼薬で，さまざまな原因による眼の炎症を抑えます。プラノプロフェンを含有する目薬はOTC薬としても販売されています。なお，ネパフェナクは，点眼後に眼内の酵素でNSAIDのアンフェナクに変換されて効果を現します。

使用上の注意

＊ジクロフェナクナトリウム（ジクロード点眼液），ブロムフェナクナトリウム水和物（ブロナック点眼液）などの添付文書による

基本的注意

(1)使用してはいけない場合……本剤の成分に対するアレルギーの前歴
(2)慎重に使用すべき場合……［ジクロフェナクナトリウム］点状表層角膜症／［ネパフェナク，ブロムフェナクナトリウム水和物］角膜上皮障害
(3)その他……

●妊婦での安全性：［プラノプロフェン，ブロムフェナクナトリウム水和物，ネパフェナク］未確立。有益と判断されたときのみ使用。［ネパフェナク］妊娠後期の場合は原則として使用しない。
●授乳婦での安全性：［プラノプロフェン，ブロムフェナクナトリウム水和物，ネパフェナク］有益と判断されたときのみ使用。
●小児での安全性：未確立。(1714頁を参照)

重大な副作用　①［ジクロフェナクナトリウム，ネパフェナク，ブロムフェナクナトリウム水和物］角膜潰瘍，角膜穿孔。
［ジクロフェナクナトリウムのみ］②本剤の他の剤形（内用剤，外皮用剤など）において，ショック，アナフィラキシー（じん麻疹，血管浮腫，呼吸困難など）。

　そのほかにも報告された副作用はあるので，体調がいつもと違うと感じたときは，処方医・薬剤師に相談してください。

併用してはいけない薬　併用してはいけない薬は特にありません。ただし，併用する薬があるときは，念のため処方医・薬剤師に報告してください。

外 03 眼科の薬　06 眼科用抗アレルギー薬

01 グリチルリチン酸２カリウム

製剤情報　　　　　　　　　**一般名：グリチルリチン酸２カリウム**
●剤形…液剤

■**先発品**　商品名(メーカー)　規格・保険薬価

ノイボルミチン点眼液(参天)

液 1%5mL 1瓶 88.80 円

概　要

分類　非ステロイド性消炎薬

処方目的　アレルギー性結膜炎

解説　漢方薬で使用される生薬「甘草」の有効成分で，抗炎症作用・抗アレルギー作用を示します。

使用上の注意

基本的注意

特に注意はありません。

重大な副作用　　重大な副作用はありませんが，そのほかの副作用はあるので，体調がいつもと違うと感じたときは，処方医・薬剤師に相談してください。

併用してはいけない薬　　併用してはいけない薬は特にありません。ただし，併用する薬があるときは，念のため処方医・薬剤師に報告してください。

外 03 眼科の薬　06 眼科用抗アレルギー薬

02 クロモグリク酸ナトリウム

製剤情報

一般名:クロモグリク酸ナトリウム

●剤形…液 液剤

■**ジェネリック**　商品名(メーカー)　規格・保険薬価

クロモグリク酸 Na・PF 点眼液(ロートニッテン)液 100mg 5mL 1瓶 230.20 円

クロモグリク酸 Na 点眼液(科研)
液 100mg 5mL 1瓶 230.20 円

クロモグリク酸 Na 点眼液(キョーリン=杏林=日医工=日本ジェネリック=共創未来)
液 100mg 5mL 1瓶 230.20 円

クロモグリク酸 Na 点眼液(千寿=武田)
液 100mg 5mL 1瓶 230.20 円

クロモグリク酸 Na 点眼液(高田)
液 100mg 5mL 1瓶 230.20 円

クロモグリク酸 Na 点眼液(テイカ=日東メディック)液 100mg 5mL 1瓶 230.20 円

クロモグリク酸 Na 点眼液(東亜薬品=日東メディック)液 100mg 5mL 1瓶 230.20 円

クロモグリク酸 Na 点眼液(東和)
液 100mg 5mL 1瓶 230.20 円

クロモグリク酸 Na 点眼液(日新)
液 100mg 5mL 1瓶 230.20 円

クロモグリク酸 Na 点眼液(マイラン=ファイザー)液 100mg 5mL 1瓶 230.20 円

クロモグリク酸 Na 点眼液(ロートニッテンファーマ=ロートニッテン)
液 100mg 5mL 1瓶 230.20 円

クロモグリク酸 Na 点眼液(わかもと)
液 100mg 5mL 1瓶 230.20 円

概　要

分類　抗アレルギー薬

処方目的　アレルギー性結膜炎，春季カタル

解説　抗原抗体反応におけるヒスタミンなどの化学伝達物質の遊離を抑制する作用があり，あらかじめ規則的に点眼することでアレルギー症状の予防効果が得られます。

使用上の注意

＊クロモグリク酸 Na 点眼液の添付文書による

基本的注意

(1)使ってはいけない場合……本剤の成分に対するアレルギーの前歴

(2)使用法……点眼液が目からあふれ出て，まぶたの皮膚などについたときは，すぐに拭きとってください。また，点眼時に容器の先端が目に触れないようにしてください。

(3)その他……

●妊婦での安全性：有益と判断されたときのみ使用。(1714 頁を参照)

重大な副作用　　　①アナフィラキシー様症状(呼吸困難，血管浮腫，じん麻疹など)。

　そのほかにも報告された副作用はあるので，体調がいつもと違うと感じたときは，処方医・薬剤師に相談してください。

併用してはいけない薬　　併用してはいけない薬は特にありません。ただし，併用する薬があるときは，念のため処方医・薬剤師に報告してください。

外 03 眼科の薬　06 眼科用抗アレルギー薬

03　ペミロラストカリウム

製剤情報

一般名：ペミロラストカリウム

●剤形…液液剤

■**先発品**　商品名(メーカー)　規格・保険薬価

アレギサール点眼液 (参天)
液 5mg 5mL 1瓶 559.60 円

ペミラストン点眼液 (アルフレッサ)
液 5mg 5mL 1瓶 317.10 円

■**ジェネリック**　商品名(メーカー)　規格・保険薬価

ペミロラスト K 点眼液 (キョーリン＝杏林＝日東メディック) 液 5mg 5mL 1瓶 311.80 円

ペミロラスト K 点眼液 (テイカ)
液 5mg 5mL 1瓶 266.60 円

概　要

分類　抗アレルギー薬

処方目的　アレルギー性結膜炎，春季カタル

解説　化学伝達物質の遊離を抑制する作用があり，内服薬ではぜんそくや鼻炎の治療に用いられます。

使用上の注意

*ペミロラストカリウム（アレギサール点眼液）の添付文書による

基本的注意

(1)**使用法**……点眼液が目からあふれ出て，まぶたの皮膚などについたときは，すぐに拭きとってください。また，点眼時に容器の先端が目に触れないようにしてください。

(2)**その他**……

●妊婦での安全性：未確立。有益と判断されたときのみ使用。

●低出生体重児，新生児，乳児での安全性：未確立。（1714頁を参照）

重大な副作用
重大な副作用はありませんが，そのほかの副作用はあるので，体調がいつもと違うと感じたときは，処方医・薬剤師に相談してください。

併用してはいけない薬
併用してはいけない薬は特にありません。ただし，併用する薬があるときは，念のため処方医・薬剤師に報告してください。

外 03 眼科の薬　06 眼科用抗アレルギー薬

04 トラニラスト

製剤情報

一般名：トラニラスト

●剤形…㊚液剤

■**先発品**　商品名(メーカー)　規格・保険薬価

トラメラス PF 点眼液 (ロートニッテン)
㊟ 25mg 5mL 1瓶 441.80 円

トラメラス点眼液 (ロートニッテンファーマ＝ロートニッテン) ㊟ 25mg 5mL 1瓶 402.10 円

リザベン点眼液 (キッセイ)
㊟ 25mg 5mL 1瓶 441.90 円

■**ジェネリック**　商品名(メーカー)　規格・保険薬価

トラニラスト点眼液 (共創未来)
㊟ 25mg 5mL 1瓶 271.50 円

トラニラスト点眼液 (沢井)
㊟ 25mg 5mL 1瓶 271.50 円

トラニラスト点眼液 (シオノ＝日医工＝武田)
㊟ 25mg 5mL 1瓶 271.50 円

トラニラスト点眼液 (テイカ)
㊟ 25mg 5mL 1瓶 271.50 円

トラニラスト点眼液 (東亜薬品＝日東メディック)
㊟ 25mg 5mL 1瓶 271.50 円

トラニラスト点眼液 (日本ジェネリック)
㊟ 25mg 5mL 1瓶 271.50 円

概　要

分類　抗アレルギー薬

処方目的　アレルギー性結膜炎

解説　化学伝達物質の遊離を抑制する作用があり，内服薬では気管支ぜんそく，アレルギー性鼻炎，アトピー性皮膚炎，ケロイド・肥厚性瘢痕の治療に用いられます。

使用上の注意

*トラニラスト（リザベン点眼液）の添付文書による

外
03
—
06
—
05

ケトチフェンフマル酸塩

基本的注意

(1)使用してはいけない場合……本剤の成分に対するアレルギーの前歴

(2)使用法……点眼液が目からあふれ出て，まぶたの皮膚などについたときは，すぐに拭きとってください。また，点眼時に容器の先端が目に触れないようにしてください。

(3)その他……

● 妊婦での安全性：未確立。使用しないことが望ましい（特に妊娠約3カ月以内）。

● 低出生体重児，新生児，乳児での安全性：未確立。（1714頁を参照）

重大な副作用 重大な副作用はありませんが，そのほかの副作用はあるので，体調がいつもと違うと感じたときは，処方医・薬剤師に相談してください。

併用してはいけない薬 併用してはいけない薬は特にありません。ただし，併用する薬があるときは，念のため処方医・薬剤師に報告してください。

外 03 眼科の薬　06 眼科用抗アレルギー薬

05 ケトチフェンフマル酸塩

製剤情報

一般名：ケトチフェンフマル酸塩

● 剤形…液液剤

■ **先発品　商品名(メーカー)　規格・保険薬価**

ザジテン点眼液（ノバルティス）

液 3.45mg 5mL 1瓶 396.80 円

■ **ジェネリック　商品名(メーカー)　規格・保険薬価**

ケトチフェン PF 点眼液（ロートニッテン）

液 3.45mg 5mL 1瓶 201.70 円

ケトチフェン点眼液（キョーリン＝杏林＝共創未来） 液 3.45mg 5mL 1瓶 133.10 円

ケトチフェン点眼液（沢井＝わかもと）

液 3.45mg 5mL 1瓶 201.70 円

ケトチフェン点眼液（武田テバ薬品＝武田テバファーマ＝武田） 液 3.45mg 5mL 1瓶 133.10 円

ケトチフェン点眼液（長生堂＝日本ジェネリック）

液 3.45mg 5mL 1瓶 201.70 円

ケトチフェン点眼液（鶴原）

液 3.45mg 5mL 1瓶 133.10 円

ケトチフェン点眼液（東和）

液 3.45mg 5mL 1瓶 133.10 円

ケトチフェン点眼液（日医工）

液 3.45mg 5mL 1瓶 201.70 円

ケトチフェン点眼液（日新）

液 3.45mg 5mL 1瓶 133.10 円

ケトチフェン点眼液（メディサ＝日東メディック） 液 3.45mg 5mL 1瓶 201.70 円

ケトチフェン点眼液（ロートニッテンファーマ＝ロートニッテン） 液 3.45mg 5mL 1瓶 201.70 円

概　要

分類 抗アレルギー薬

処方目的 アレルギー性結膜炎

解説 ヒスタミン H_1 受容体拮抗薬（第2世代抗ヒスタミン薬）です。内服・点鼻・点眼の各剤形に応用され，すべての剤形で OTC 薬（大衆薬）としても販売されています。

使用上の注意
＊ケトチフェンフマル酸塩（ザジテン点眼液）の添付文書による

基本的注意
(1)使用してはいけない場合……本剤の成分に対するアレルギーの前歴
(2)使用法……点眼液が目からあふれ出て，まぶたの皮膚などについたときは，すぐに拭きとってください。また，点眼時に容器の先端が目に触れないようにしてください。
(3)その他……
● 妊婦での安全性：未確立。有益と判断されたときのみ使用。（1714 頁を参照）

重大な副作用
重大な副作用はありませんが，そのほかの副作用はあるので，体調がいつもと違うと感じたときは，処方医・薬剤師に相談してください。

併用してはいけない薬
併用してはいけない薬は特にありません。ただし，併用する薬があるときは，念のため処方医・薬剤師に報告してください。

外 03 眼科の薬　06 眼科用抗アレルギー薬

06　イブジラスト

製剤情報

一般名：イブジラスト
● 剤形…液 液剤

■先発品	商品名（メーカー）	規格・保険薬価
	ケタス点眼液（杏林＝千寿＝武田）	
	液 0.5mg 5mL 1瓶 717.80 円	

概　要
分類　抗アレルギー薬
処方目的　アレルギー性結膜炎（花粉症を含む）
解説　化学伝達物質の遊離を抑制する作用や抗炎症作用があります。日本薬局方に収載されていますが，日本でしか使われていないローカルドラッグです。

使用上の注意
基本的注意
(1)使用してはいけない場合……本剤の成分に対するアレルギーの前歴
(2)使用法……点眼液が目からあふれ出て，まぶたの皮膚などについたときは，すぐに拭きとってください。また，点眼時に容器の先端が目に触れないようにしてください。
(3)その他……
● 妊婦での安全性：有益と判断されたときのみ使用。
● 授乳婦での安全性：使用するときは授乳を中止。
● 低出生体重児，新生児，乳児での安全性：未確立。（1714 頁を参照）

重大な副作用
重大な副作用はありませんが，そのほかの副作用はあるので，体調がいつもと違うと感じたときは，処方医・薬剤師に相談してください。

併用してはいけない薬
併用してはいけない薬は特にありません。ただし，併用す

る薬があるときは，念のため処方医・薬剤師に報告してください。

外 **03** 眼科の薬　**06** 眼科用抗アレルギー薬

07 アシタザノラスト水和物

外
03
—
06
—
07

アシタザノラスト水和物

⚗ 製 剤 情 報

一般名：アシタザノラスト水和物

●剤形…液 液剤

■**先発品**　　商品名**(メーカー)**　規格・保険薬価

ゼペリン点眼液（わかもと＝興和）

液 5mg 5mL 1瓶 600.40 円

📋 概　　要

分類　抗アレルギー薬

処方目的　アレルギー性結膜炎

解説　化学伝達物質の遊離を抑制する作用や抗炎症作用があります。日本と韓国でしか使われていないローカルドラッグです。

🗐 使用上の注意

基本的注意

(1)使用法……点眼液が目からあふれ出て，まぶたの皮膚などについたときは，すぐに拭きとってください。また，点眼時に容器の先端が目に触れないようにしてください。

(2)その他……

●妊婦での安全性：未確立。有益と判断されたときのみ使用。

●授乳婦での安全性：未確立。使用するときは授乳を中止。

●小児での安全性：未確立。(1714 頁を参照)

重大な副作用　　　重大な副作用はありませんが，そのほかの副作用はあるので，体調がいつもと違うと感じたときは，処方医・薬剤師に相談してください。

併用してはいけない薬　　　併用してはいけない薬は特にありません。ただし，併用する薬があるときは，念のため処方医・薬剤師に報告してください。

外 **03** 眼科の薬　**06** 眼科用抗アレルギー薬

08 レボカバスチン塩酸塩

⚗ 製 剤 情 報

一般名：レボカバスチン塩酸塩

●剤形…液 液剤

■**先発品**　　商品名**(メーカー)**　規格・保険薬価

リボスチン点眼液（ヤンセン＝参天＝日本新薬）

液 0.025% 1mL 98.30 円

■**ジェネリック**　　商品名**(メーカー)**　規格・保険薬価

レボカバスチン塩酸塩点眼液（三和）

液 0.025% 1mL 59.70 円

レボカバスチン塩酸塩点眼液（わかもと）

液 0.025% 1mL 59.70 円

レボカバスチン点眼液 (共創未来)
液 0.025% 1mL 59.70 円

レボカバスチン点眼液 (東亜薬品＝日東メディック) 液 0.025% 1mL 59.70 円

レボカバスチン点眼液 (キョーリン＝杏林)
液 0.025% 1mL 59.70 円

レボカバスチン点眼液 (日本ジェネリック)
液 0.025% 1mL 59.70 円

レボカバスチン点眼液 (沢井)
液 0.025% 1mL 59.70 円

レボカバスチン点眼液 (ファイザー)
液 0.025% 1mL 59.70 円

レボカバスチン点眼液 (テイカ＝千寿＝武田)
液 0.025% 1mL 59.70 円

概　要

分類　抗アレルギー薬

処方目的　アレルギー性結膜炎

解説　強力なヒスタミン H_1 受容体拮抗作用があり，点鼻・点眼に応用されています。

使用上の注意

*レボカバスチン塩酸塩(リボスチン点眼液)の添付文書による

基本的注意

(1)使用してはいけない場合……本剤の成分に対するアレルギーの前歴

(2)コンタクトレンズ……本剤はベンザルコニウム塩化物を含有するので，含水性ソフトコンタクトレンズ装用時の点眼は避けます。

(3)使用法……点眼液が目からあふれ出て，まぶたの皮膚などについたときは，すぐに拭きとってください。また，点眼時に容器の先端が目に触れないようにしてください。

(4)その他……

●妊婦での安全性：未確立。有益と判断されたときのみ使用。

●授乳婦での安全性：原則として使用しない。やむを得ず使用するときは授乳を中止。

●低出生体重児，新生児，乳児，幼児での安全性：未確立。(1714 頁を参照)

重大な副作用　　①ショック，アナフィラキシー(呼吸困難，顔面浮腫など)。

　そのほかにも報告された副作用はあるので，体調がいつもと違うと感じたときは，処方医・薬剤師に相談してください。

併用してはいけない薬　　併用してはいけない薬は特にありません。ただし，併用する薬があるときは，念のため処方医・薬剤師に報告してください。

外 03 眼科の薬　06 眼科用抗アレルギー薬

09　オロパタジン塩酸塩

製剤情報

一般名：オロパタジン塩酸塩

●剤形…液 液剤

■**先発品**　商品名(メーカー)　規格・保険薬価

パタノール点眼液 (ノバルティス＝協和キリン)
液 0.1% 1mL 116.60 円

外
03
─
06
─
09
オロパタジン塩酸塩

外
03
—
06
—
09

オロパタジン塩酸塩

■ジェネリック　　商品名(メーカー)　規格・保険薬価

オロパタジン点眼液 (キョーリン＝杏林)
液 0.1% 1mL 56.50 円

オロパタジン点眼液 (沢井) 液 0.1% 1mL 59.80 円

オロパタジン点眼液 (サンド)
液 0.1% 1mL 56.50 円

オロパタジン点眼液 (三和＝共創未来)
液 0.1% 1mL 56.50 円

オロパタジン点眼液 写真 (CHO＝わかもと)
液 0.1% 1mL 59.80 円

オロパタジン点眼液 (千寿＝武田)
液 0.1% 1mL 59.80 円

オロパタジン点眼液 (高田) 液 0.1% 1mL 59.80 円

オロパタジン点眼液 (テイカ)
液 0.1% 1mL 56.50 円

オロパタジン点眼液 (東亜薬品＝日東メディック) 液 0.1% 1mL 56.50 円

オロパタジン点眼液 (東和) 液 0.1% 1mL 56.50 円

オロパタジン点眼液 (日新) 液 0.1% 1mL 56.50 円

オロパタジン点眼液 (ロートニッテンファーマ＝ロートニッテン＝フェルゼン) 液 0.1% 1mL 56.50 円

概　要

分類　抗アレルギー薬

処方目的　アレルギー性結膜炎

解説　オロパタジンの内服薬は日本と韓国でしか使われていないローカルドラッグですが，点眼薬としては 100 カ国以上で承認されています。

使用上の注意

*オロパタジン塩酸塩(パタノール点眼液)の添付文書による

基本的注意

(1)使用してはいけない場合……本剤の成分に対するアレルギーの前歴

(2)コンタクトレンズ……本剤に含まれるベンザルコニウム塩化物は，含水性ソフトコンタクトレンズに吸着されることがあるので，点眼時はコンタクトレンズを外し，10 分以上経過してから装用してください。

(3)使用法……点眼液が目からあふれ出て，まぶたの皮膚などについたときは，すぐに拭きとってください。また，点眼時に容器の先端が目に触れないようにしてください。

(4)その他……

● 妊婦での安全性：未確立。有益と判断されたときのみ使用。

● 授乳婦での安全性：原則として使用しない。やむを得ず使用するときは授乳を中止。

● 低出生体重児，新生児，乳児での安全性：未確立。(1714 頁を参照)

重大な副作用　重大な副作用はありませんが，そのほかの副作用はあるので，体調がいつもと違うと感じたときは，処方医・薬剤師に相談してください。

併用してはいけない薬　併用してはいけない薬は特にありません。ただし，併用する薬があるときは，念のため処方医・薬剤師に報告してください。

10 シクロスポリン

製剤情報

一般名：シクロスポリン

- 規制…劇薬
- 剤形…液 液剤

■**先発品**　商品名(メーカー)　規格・保険薬価

パピロックミニ点眼液 (参天)

液 0.1% 0.4mL 1個 164.90 円

概要

分類　春季カタル治療薬

処方目的　春季カタル(眼瞼結膜巨大乳頭の増殖があり，抗アレルギー薬が効果不十分の場合)

解説　免疫システムの細胞から分泌されるサイトカインを抑制する免疫抑制剤で，内服薬・注射薬は移植医療に不可欠な薬品となっています。点眼薬は抗アレルギー薬で効果不十分な場合にのみ使用されます。

使用上の注意

基本的注意

(1)**使用してはいけない場合**……本剤の成分に対するアレルギーの前歴／眼感染症のある人

(2)**使用法**……最初の1〜2滴は捨ててから点眼します。点眼液が眼瞼皮膚などについた場合は，すぐにふき取ってください。開封後は1回きりの使い捨てです。

(3)**その他**……

- 妊婦での安全性：有益と判断されたときのみ使用。
- 授乳婦での安全性：原則として使用しない。やむを得ず使用するときは授乳を中止。
- 低出生体重児，新生児，乳児，幼児での安全性：未確立。(1714頁を参照)

重大な副作用　　重大な副作用はありませんが，そのほかの副作用はあるので，体調がいつもと違うと感じたときは，処方医・薬剤師に相談してください。

併用してはいけない薬　　併用してはいけない薬は特にありません。ただし，併用する薬があるときは，念のため処方医・薬剤師に報告してください。

11 タクロリムス水和物

製剤情報

一般名：タクロリムス水和物

- 規制…劇薬
- 剤形…液 液剤

■**先発品** **商品名(メーカー)** 規格・保険薬価

タリムス点眼液(千寿＝武田)
液 0.1%5mL 1瓶 9,785.30 円

概　要

分類　春季カタル治療薬

処方目的　春季カタル(眼瞼結膜巨大乳頭の増殖があり，抗アレルギー薬が効果不十分の場合)

解説　免疫システムの細胞から分泌されるサイトカインを抑制する免疫抑制剤で，内服薬・注射薬は移植医療に不可欠な薬品となっています。点眼薬は抗アレルギー薬で効果不十分な場合にのみ使用されます。

使用上の注意

基本的注意

(1)使用してはいけない場合……本剤の成分に対するアレルギーの前歴／眼感染症のある人

(2)眼圧検査……緑内障の人が使用する場合，眼圧が上昇することがあるため，定期的に眼圧検査を行います。

(3)コンタクトレンズ……本剤に含まれているベンザルコニウム塩化物は，ソフトコンタクトレンズに吸着されることがあるので，点眼時はコンタクトレンズを外し，十分な間隔をあけてから装着してください。

(4)その他……

● 妊婦での安全性：有益と判断されたときのみ使用。

● 授乳婦での安全性：使用するときは授乳を中止。

● 低出生体重児，新生児，乳児，6歳未満の幼児での安全性：未確立。(1714 頁を参照)

重大な副作用　　重大な副作用はありませんが，そのほかの副作用はあるので，体調がいつもと違うと感じたときは，処方医・薬剤師に相談してください。

併用してはいけない薬　　併用してはいけない薬は特にありません。ただし，併用する薬があるときは，念のため処方医・薬剤師に報告してください。

外 **03 眼科の薬　06 眼科用抗アレルギー薬**

12 エピナスチン

製剤情報

一般名：エピナスチン塩酸塩

● 剤形…液 液剤

■**先発品** **商品名(メーカー)** 規格・保険薬価

アレジオン点眼液 写真 (参天)
液 0.05% 1mL 271.70 円

アレジオン LX 点眼液 写真 (参天)
液 0.1% 1mL 541.50 円

外
03
―
06
―
12

エピナスチン

■ジェネリック　　商品名(メーカー)　規格・保険薬価

エピナスチン塩酸塩点眼液 (キョーリン＝杏林)
液 0.05% 1mL 130.90 円

エピナスチン塩酸塩点眼液 (沢井)
液 0.05% 1mL 130.90 円

エピナスチン塩酸塩点眼液 (シオノ＝辰巳)
液 0.05% 1mL 130.90 円

エピナスチン塩酸塩点眼液 (千寿＝武田)
液 0.05% 1mL 130.90 円

エピナスチン塩酸塩点眼液 (大興＝江州)
液 0.05% 1mL 130.90 円

エピナスチン塩酸塩点眼液 (テイカ＝日本ジェネリック) 液 0.05% 1mL 130.90 円

エピナスチン塩酸塩点眼液 (東亜薬品＝日東メディック) 液 0.05% 1mL 130.90 円

エピナスチン塩酸塩点眼液 (東和)
液 0.05% 1mL 130.90 円

エピナスチン塩酸塩点眼液 (日新)
液 0.05% 1mL 130.90 円

エピナスチン塩酸塩点眼液 (リョートー＝ニプロ) 液 0.05% 1mL 130.90 円

エピナスチン塩酸塩点眼液 (ロートニッテン＝フェルゼン) 液 0.05% 1mL 130.90 円

エピナスチン塩酸塩点眼液 写真 (わかもと)
液 0.05% 1mL 130.90 円

概　要

分類　抗アレルギー薬

処方目的　アレルギー性結膜炎

解説　本剤にはヒスタミン H_1 受容体拮抗作用，および肥満細胞からの化学伝達物質の遊離抑制作用があり，アレルギー性結膜炎の主症状である眼のかゆみ，結膜充血を抑えます。

　アレジオン点眼液は，0.05%1mL の濃度で1日4回点眼する必要がありますが，アレジオン LX 点眼液は濃度が 0.1%1mL で，1日2回の点眼で十分効果があります。

使用上の注意

*エピナスチン塩酸塩(アレジオン点眼液)の添付文書による

基本的注意

(1)使用してはいけない場合……本剤の成分に対するアレルギーの前歴
(2)使用法……点眼液が眼からあふれ出て，まぶたの皮膚などについたときは，すぐに拭きとってください。また，点眼時に容器の先端が眼に触れないようにしてください。
(3)コンタクトレンズ……本剤はコンタクトレンズに吸着しない防腐剤を使用しているため，コンタクトレンズを装着したまま点眼することができます(カラーコンタクトレンズを除く)。
(4)その他……
●妊婦での安全性：未確立。有益と判断されたときのみ使用。
●授乳婦での安全性：原則として使用しない。やむを得ず使用するときは授乳を中止。
●小児での安全性：未確立。(1714 頁を参照)

重大な副作用　　重大な副作用はありませんが，そのほかの副作用はあるので，体調がいつもと違うと感じたときは，処方医・薬剤師に相談してください。

併用してはいけない薬　　併用してはいけない薬は特にありません。ただし，併用す

る薬があるときは，念のため処方医・薬剤師に報告してください。

---

01 ピレノキシン

💊 製 剤 情 報

一般名：ピレノキシン

● 剤形…液 液剤

■ **先発品**　　商品名(メーカー)　規格・保険薬価

カタリンK 点眼用（千寿 = 武田）
液 0.005% 1mL 13.00 円

カタリン点眼用（千寿 = 武田）
液 0.005% 1mL 13.00 円

■ **ジェネリック**　　商品名(メーカー)　規格・保険薬価
ピレノキシン懸濁性点眼液 写真 （参天）
液 0.005%5mL 1瓶 64.90 円

📋 概　　要

分類　白内障治療薬

処方目的　初期老人性白内障

解説　水晶体の水溶性蛋白がキノイド物質によって変性し不溶性化することで白内障となる学説に基づいた，キノイド物質を阻害する点眼薬です。欧米では使われていない点眼薬です。

使用上の注意

＊カタリン点眼用，カタリンK 点眼用の添付文書による

基本的注意

(1)使用方法……カタリンK 点眼用は顆粒，カタリン点眼用は錠剤を，それぞれ添付の溶解液に用時溶解して使用します。溶解後は冷所に遮光して保存し，3 週間以内に使用してください。ピレノキシン懸濁性点眼液は成分のピレノキシンが最初から溶かしてあるので，冷所に保存する必要はありません。

重大な副作用　　重大な副作用はありませんが，そのほかの副作用はあるので，体調がいつもと違うと感じたときは，処方医・薬剤師に相談してください。

併用してはいけない薬　　併用してはいけない薬は特にありません。ただし，併用する薬があるときは，念のため処方医・薬剤師に報告してください。

---

02 グルタチオン

💊 製 剤 情 報

一般名：グルタチオン

● 剤形…液 液剤

■ **先発品**　　商品名(メーカー)　規格・保険薬価

タチオン点眼用（長生堂 = 日本ジェネリック）
液 2% 1mL 38.10 円

概　　要

分類　白内障治療薬

処方目的　初期老人性白内障，角膜潰瘍，角膜上皮剥離，角膜炎

解説　内服薬としては薬物中毒や自家中毒，妊娠中毒（妊娠高血圧症候群）などの解毒剤，点眼薬としては白内障の進行防止，角膜障害の軽減が認められていますが，海外ではほとんど使用されていません。

使用上の注意

基本的注意

(1)使用方法……本剤は錠剤を添付の溶解液に用時溶解して使用します。溶解後はできるだけ速やかに使用します（4週間以内）。

重大な副作用　　重大な副作用はありませんが，そのほかの副作用はあるので，体調がいつもと違うと感じたときは，処方医・薬剤師に相談してください。

併用してはいけない薬　　併用してはいけない薬は特にありません。ただし，併用する薬があるときは，念のため処方医・薬剤師に報告してください。

外 03 眼科の薬　08 緑内障の薬

01　交感神経遮断薬

製 剤 情 報

一般名：ブナゾシン塩酸塩

● 剤形…液 液剤

■ **先発品**　　商品名（メーカー）　規格・保険薬価

デタントール点眼液（参天）

液 0.01% 1mL 226.40 円

一般名：カルテオロール塩酸塩

● 剤形…液 液剤

■ **先発品**　　商品名（メーカー）　規格・保険薬価

ミケラン LA 点眼液 写真（大塚）

液 1% 1mL 295.50 円　液 2% 1mL 209.10 円

ミケラン点眼液（大塚）液 1% 1mL 150.70 円

液 2% 1mL 191.70 円

■ **ジェネリック**　　商品名（メーカー）　規格・保険薬価

カルテオロール塩酸塩 LA 点眼液（わかもと＝日東メディック）液 1% 1mL 162.20 円

液 2% 1mL 209.20 円

カルテオロール塩酸塩 PF 点眼液（ロートニッテン）液 1% 1mL 101.20 円　液 2% 1mL 126.00 円

カルテオロール塩酸塩点眼液（東亜薬品＝日東メディック）液 1% 1mL 75.90 円

液 2% 1mL 95.50 円

カルテオロール塩酸塩点眼液（ロートニッテンファーマ＝ロートニッテン）液 1% 1mL 75.90 円

液 2% 1mL 126.00 円

カルテオロール塩酸塩点眼液（わかもと）

液 1% 1mL 75.90 円　液 2% 1mL 126.00 円

一般名：ベタキソロール塩酸塩

● 剤形…液 液剤

■ **先発品**　　商品名（メーカー）　規格・保険薬価

ベトプティックエス懸濁性点眼液（ノバルティス）液 0.5% 1mL 260.80 円

ベトプティック点眼液（ノバルティス）

液 0.5% 1mL 260.80 円

■ジェネリック　商品名(メーカー)　規格・保険薬価

ベタキソロール点眼液(沢井＝日東メディック)
液 0.5% 1mL 135.70 円

一般名：レボブノロール塩酸塩

●剤形… 液 液剤

■ジェネリック　商品名(メーカー)　規格・保険薬価

レボブノロール塩酸塩点眼液(ロートニッテン
ファーマ＝ロートニッテン) 液 0.5% 1mL 217.00 円

レボブノロール塩酸塩 PF 点眼液(ロートニッ
テン) 液 0.5% 1mL 217.00 円

一般名：ニプラジロール

●剤形… 液 液剤

■先発品　商品名(メーカー)　規格・保険薬価

ニプラノール点眼液(テイカ)
液 0.25% 1mL 185.40 円

ハイパジールコーワ点眼液(興和)
液 0.25% 1mL 254.20 円

■ジェネリック　商品名(メーカー)　規格・保険薬価

ニプラジロール PF 点眼液(ロートニッテン)
液 0.25% 1mL 155.50 円

ニプラジロール点眼液(沢井)
液 0.25% 1mL 155.50 円

ニプラジロール点眼液(東亜薬品＝日東メディ
ック) 液 0.25% 1mL 155.50 円

ニプラジロール点眼液(ロートニッテンファーマ
＝ロートニッテン) 液 0.25% 1mL 155.50 円

ニプラジロール点眼液(わかもと)
液 0.25% 1mL 155.50 円

一般名：チモロールマレイン酸塩

●剤形… 液 液剤

■先発品　商品名(メーカー)　規格・保険薬価

チモプトール XE 点眼液(参天)
液 0.25% 1mL 354.90 円　液 0.5% 1mL 497.60 円

チモプトール点眼液(参天)
液 0.25% 1mL 107.10 円　液 0.5% 1mL 141.30 円

リズモン TG 点眼液(わかもと＝キッセイ)
液 0.25% 1mL 340.10 円　液 0.5% 1mL 472.50 円

■ジェネリック　商品名(メーカー)　規格・保険薬価

チモロール PF 点眼液(ロートニッテン)
液 0.25% 1mL 51.00 円　液 0.5% 1mL 67.30 円

チモロール XE 点眼液(キョーリン＝杏林)
液 0.25% 1mL 17.90 円　液 0.5% 1mL 273.00 円

チモロール XE 点眼液(テイカ)
液 0.25% 1mL 229.50 円　液 0.5% 1mL 220.10 円

チモロール XE 点眼液(東亜薬品＝日東メディッ
ク) 液 0.25% 1mL 229.50 円　液 0.5% 1mL 273.00 円

チモロール XE 点眼液(日本ジェネリック)
液 0.25% 1mL 131.80 円　液 0.5% 1mL 273.00 円

チモロール点眼液(キョーリン＝杏林)
液 0.25% 1mL 51.00 円　液 0.5% 1mL 67.30 円

チモロール点眼液(テイカ) 液 0.25% 1mL 51.00 円
液 0.5% 1mL 67.30 円

チモロール点眼液(東亜薬品＝日東メディック)
液 0.25% 1mL 51.00 円　液 0.5% 1mL 67.30 円

チモロール点眼液(日新＝日本ジェネリック)
液 0.25% 1mL 51.00 円　液 0.5% 1mL 67.30 円

チモロール点眼液(ロートニッテンファーマ＝ロ
ートニッテン) 液 0.25% 1mL 51.00 円
液 0.5% 1mL 67.30 円

チモロール点眼液(わかもと)
液 0.25% 1mL 51.00 円　液 0.5% 1mL 67.30 円

■ 概　要

分類　緑内障・高眼圧症治療薬

処方目的　緑内障・高眼圧症(ブナゾシン塩酸塩のみは，他の緑内障治療薬で十分な眼
圧下降効果が得られない場合，または副作用などにより他の緑内障治療薬の使用が継続

外
03
—
08
—
01

交感神経遮断薬

不可能な場合に使用）

解説　カルテオロール塩酸塩，チモロールマレイン酸塩，ニプラジロール，レボブノロール塩酸塩，ベタキソロール塩酸塩の５成分はベーター・ブロッカーです。ブナゾシン塩酸塩は α_1（アルファワン）ブロッカーです。参考：内服のベーター・ブロッカー（カルテオロール塩酸塩，ニプラジロールなど）を参考にしてください。

　なお，ベタキソロール塩酸塩のみは「妊婦または妊娠している可能性のある人」では禁忌（使用してはいけない）ですので注意してください。

使用上の注意
＊ブナゾシン塩酸塩（デタントール点眼液），カルテオロール塩酸塩（ミケラン点眼液），チモロールマレイン酸塩（チモプトール点眼液）などの添付文書による

基本的注意
(1)使用してはいけない場合……本剤の成分に対するアレルギーの前歴
[カルテオロール塩酸塩，レボブノロール塩酸塩，ニプラジロール，チモロールマレイン酸塩] コントロール不十分な心不全／洞性徐脈／房室ブロック（Ⅱ・Ⅲ度）／心原性ショック／気管支ぜんそく・気管支けいれんまたはその前歴／重い慢性閉塞性肺疾患
[ベタキソロール塩酸塩] コントロール不十分な心不全／妊婦または妊娠している可能性のある人
(2)使用法など……①患眼を開瞼して結膜のう内に点眼し，1〜5分間閉瞼して涙のう部を圧迫したのち開瞼します。②[ブナゾシン塩酸塩，チモロールマレイン酸塩]本剤に含まれているベンザルコニウム塩化物はソフトコンタクトレンズに吸着されることがあるので，装着している場合は点眼前にレンズをはずし，点眼後は少なくとも10分間の間隔をあけて再装用してください。
(3)低血糖症状……[カルテオロール塩酸塩]食事摂取不良などの体調不良状態の患児に，カルテオロール塩酸塩点眼液 1%・2% を点眼した症例で低血糖が報告されています。低血糖症状が現れた場合には，経口摂取可能な状態では角砂糖，あめなどの糖分を摂取，意識障害やけいれんを伴う場合には直ちに救急車を呼んでください。
(4)その他……
●妊婦での安全性：有益と判断されたときのみ使用。
●授乳婦での安全性：治療上の有益性・母乳栄養の有益性を考慮し，授乳の継続・中止を検討。
●小児での安全性：未確立。(1714 頁を参照)

重大な副作用
[ブナゾシン塩酸塩を除く] ①ぜんそく発作。②失神。③房室ブロック，洞不全症候群，徐脈性不整脈，心不全，心停止など。④眼類天疱瘡（結膜充血，角膜上皮障害，乾性角結膜炎，結膜萎縮，睫毛内反，眼瞼眼球癒着など）。⑤気管支けいれん，呼吸困難，呼吸不全。⑥脳虚血，脳血管障害。⑦SLE（全身性エリテマトーデス）。
　そのほかにも報告された副作用はあるので，体調がいつもと違うと感じたときは，処方医・薬剤師に相談してください。

併用してはいけない薬
併用してはいけない薬は特にありません。ただし，併用す

る薬があるときは，念のため処方医・薬剤師に報告してください。

02 プロスタグランジン製剤

製剤情報

一般名：トラボプロスト

● 剤形…液 液剤

■ 先発品　商品名(メーカー)　規格・保険薬価

トラバタンズ点眼液 (ノバルティス)
液 0.004% 1mL 615.50 円

■ ジェネリック　商品名(メーカー)　規格・保険薬価

トラボプロスト点眼液 (東亜薬品＝日東メディック) 液 0.004% 1mL 305.20 円

一般名：トラボプロスト・チモロールマレイン酸塩配合剤

● 剤形…液 液剤

■ 先発品　商品名(メーカー)　規格・保険薬価

デュオトラバ配合点眼液 (ノバルティス)
液 1mL 898.50 円

■ ジェネリック　商品名(メーカー)　規格・保険薬価

トラチモ配合点眼液 (東亜薬品＝日東メディック) 液 1mL 451.60 円

一般名：ラタノプロスト・チモロールマレイン酸塩配合剤

● 剤形…液 液剤

■ 先発品　商品名(メーカー)　規格・保険薬価

ザラカム配合点眼液 (ヴィアトリス)
液 1mL 834.80 円

■ ジェネリック　商品名(メーカー)　規格・保険薬価

ラタチモ配合点眼液 (千寿＝武田)
液 1mL 367.10 円

ラタチモ配合点眼液 (テイカ) 液 1mL 367.10 円

ラタチモ配合点眼液 (東亜薬品＝日東メディック) 液 1mL 367.10 円

ラタチモ配合点眼液 (ロートニッテンファーマ＝ロートニッテン＝日本ジェネリック＝わかもと) 液 1mL 367.10 円

一般名：タフルプロスト

● 規制…劇薬

● 剤形…液 液剤

■ 先発品　商品名(メーカー)　規格・保険薬価

タプロス点眼液 (参天) 液 0.0015% 1mL 871.40 円

タプロスミニ点眼液 (参天)
液 0.0015% 0.3mL 88.40 円

一般名：ラタノプロスト

● 剤形…液 液剤

■ 先発品　商品名(メーカー)　規格・保険薬価

キサラタン点眼液 (ヴィアトリス)
液 0.005% 1mL 450.00 円

■ ジェネリック　商品名(メーカー)　規格・保険薬価

ラタノプロスト点眼液 (科研)
液 0.005% 1mL 242.60 円

ラタノプロスト点眼液 (キッセイ)
液 0.005% 1mL 242.60 円

ラタノプロスト点眼液 (キョーリン＝杏林)
液 0.005% 1mL 180.90 円

ラタノプロスト点眼液 (ケミファ)
液 0.005% 1mL 242.60 円

ラタノプロスト点眼液 (沢井)
液 0.005% 1mL 180.90 円

ラタノプロスト点眼液 (参天アイケア＝参天)
液 0.005% 1mL 242.60 円

ラタノプロスト点眼液 (サンド)

液 0.005% 1mL 180.90 円

ラタノプロスト点眼液 (三和)

液 0.005% 1mL 180.90 円

ラタノプロスト点眼液 写真 (千寿＝武田)

液 0.005% 1mL 242.60 円

ラタノプロスト点眼液 (武田テバ薬品＝武田テバファーマ＝武田) 液 0.005% 1mL 242.60 円

ラタノプロスト点眼液 (長生堂＝日本ジェネリック) 液 0.005% 1mL 242.60 円

ラタノプロスト点眼液 (テイカ＝アルフレッサ)

液 0.005% 1mL 180.90 円

ラタノプロスト点眼液 (東亜薬品＝日東メディック＝ニプロ) 液 0.005% 1mL 242.60 円

ラタノプロスト点眼液 (東和)

液 0.005% 1mL 242.60 円

ラタノプロスト点眼液 (日医工)

液 0.005% 1mL 180.90 円

ラタノプロスト点眼液 (日新)

液 0.005% 1mL 242.60 円

ラタノプロスト点眼液 (日東メディック)

液 0.005% 1mL 180.90 円

ラタノプロスト点眼液 (ニプロ＝わかもと)

液 0.005% 1mL 242.60 円

ラタノプロスト点眼液 (ロートニッテンファーマ＝ロートニッテン＝フェルゼン)

液 0.005% 1mL 242.60 円

ラタノプロスト点眼液 (わかもと)

液 0.005% 1mL 180.90 円

ラタノプロスト PF 点眼液 (ロートニッテン)

液 0.005% 1mL 242.60 円

一般名：ビマトプロスト

● 剤形…液 液剤

■先発品　　商品名(メーカー)　規格・保険薬価

ルミガン点眼液 写真 (千寿＝武田)

液 0.03% 1mL 652.50 円

■ジェネリック　　商品名(メーカー)　規格・保険薬価

ビマトプロスト点眼液 (参天アイケア＝参天)

液 0.03% 1mL 232.20 円

ビマトプロスト点眼液 (テイカ＝ロートニッテン)

液 0.03% 1mL 232.20 円

ビマトプロスト点眼液 (東亜薬品＝日東メディック) 液 0.03% 1mL 232.20 円

ビマトプロスト点眼液 (日新＝日本ジェネリック)

液 0.03% 1mL 232.20 円

ビマトプロスト点眼液 (わかもと)

液 0.03% 1mL 232.20 円

一般名：イソプロピルウノプロストン

● 剤形…液 液剤

■先発品　　商品名(メーカー)　規格・保険薬価

レスキュラ点眼液 (日東メディック)

液 0.12% 1mL 252.60 円

■ジェネリック　　商品名(メーカー)　規格・保険薬価

イソプロピルウノプロストン PF 点眼液 (ロートニッテン) 液 0.12% 1mL 144.80 円

イソプロピルウノプロストン点眼液 (沢井＝わかもと) 液 0.12% 1mL 144.80 円

イソプロピルウノプロストン点眼液 (テイカ)

液 0.12% 1mL 144.80 円

イソプロピルウノプロストン点眼液 (ロートニッテンファーマ＝ロートニッテン)

液 0.12% 1mL 144.80 円

一般名：タフルプロスト・チモロールマレイン酸塩配合剤

● 規制…劇薬

● 剤形…液 液剤

■先発品　　商品名(メーカー)　規格・保険薬価

タプコム配合点眼液 写真 (参天)

液 1mL 841.40 円

一般名：カルテオロール塩酸塩・ラタノプロスト配合剤

● 剤形…液 液剤

ミケルナ配合点眼液 写真 （大塚）
液 1mL 611.00 円

📋 概　要

分類 緑内障・高眼圧症治療薬

処方目的 緑内障，高眼圧症

解説 プロスタグランジン $F_2\alpha$ 製剤は，眼のぶどう膜強膜流出経路から房水の流出を促進して，眼圧下降作用を示します。

なお，チモロールマレイン酸塩およびカルテオロール塩酸塩との配合剤については，外用 03-08-01 交感神経遮断薬の注意も参照してください。

🖐 使用上の注意

*デュオトラバ配合点眼液，ザラカム配合点眼液，キサラタン点眼液などの添付文書による

基本的注意

(1)使用してはいけない場合……[イソプロピルウノプロストンを除く]本剤の成分に対するアレルギーの前歴

[タフルプロスト，タプコム配合点眼液のみ] オミデネパグ イソプロピルの使用中

[デュオトラバ配合点眼液，ザラカム配合点眼液，タプコム配合点眼液，ミケルナ配合点眼液のみ] 気管支ぜんそくまたはその前歴，気管支けいれんまたはその前歴，重い慢性閉塞性肺疾患／コントロール不十分な心不全，洞性徐脈，房室ブロック（Ⅱ，Ⅲ度），心原性ショック

(2)色調変化……本剤の使用によって，虹彩やまぶたへの色素沈着（メラニンの増加）による色調変化が現れることがあります。使用を中止しても色調変化が元の状態に戻らないことがあるので，本剤の使用にあたっては処方医と十分に話し合い，納得してから使用することが必要です。

(3)使用方法……①点眼のとき，容器の先端が直接眼に触れないように注意し，液がまぶたの皮膚などについた場合には，よくふき取るか，洗顔します。②[タフルプロスト，ビマトプロスト，タプコム配合点眼液を除く]原則として仰向けになって結膜のう内に点眼し，1〜5分間まぶたを閉じていてください。その後，涙のう部を圧迫してから眼を開いてください。

(4)低血糖症状……[カルテオロール塩酸塩・ラタノプロスト配合剤]食事摂取不良などの体調不良状態の患児に，カルテオロール塩酸塩点眼液 1%・2%を点眼した症例で低血糖が報告されています。低血糖症状が現れた場合には，経口摂取可能な状態では角砂糖，あめなどの糖分を摂取，意識障害やけいれんを伴う場合には直ちに救急車を呼んでください。

(5)危険作業……本剤の点眼後，一時的に霧視（霧がかかったように見える）が現れることがあります。症状が回復するまで機械類の操作や自動車などの運転には従事しないで

ください。

(6)コンタクトレンズ……[ザラカム配合点眼液, ラタノプロスト, ビマトプロスト, タプコム配合点眼液のみ]コンタクトレンズを変色させることがあるので, 点眼前にレンズを外し, 15分以上経過後に再装用します。

(7)その他……

● 妊婦での安全性：有益と判断されたときのみ使用。

● 授乳婦での安全性：治療上の有益性・母乳栄養の有益性を考慮し, 授乳の継続・中止を検討。

● 小児での安全性：未確立。(1714頁を参照)

重大な副作用 ［イソプロピルウノプロストンを除く］①虹彩色素沈着。[デュオトラバ配合点眼液, ザラカム配合点眼液, タプコム配合点眼液のみ]②眼類天疱瘡(結膜充血, 角膜上皮障害, 乾性角結膜炎, 結膜萎縮, 睫毛内反, 眼瞼眼球癒着など)。③気管支けいれん, 呼吸困難, 呼吸不全。④心ブロック, 心不全, 心停止。⑤脳虚血, 脳血管障害。⑥SLE(全身性エリテマトーデス)。
[ミケルナ配合点眼液のみ]⑦ぜんそく発作(せき, 呼吸困難など)。⑧高度な徐脈に伴う失神。⑨徐脈性不整脈(房室ブロック, 洞不全症候群, 洞停止など), うっ血性心不全, 冠れん縮性狭心症。

そのほかにも報告された副作用はあるので, 体調がいつもと違うと感じたときは, 処方医・薬剤師に相談してください。

併用してはいけない薬 ［タフルプロスト, タプコム配合点眼液］オミデネパグ イソプロピル(エイベリス点眼液)→中等度以上の羞明(まぶしさ), 虹彩炎などの眼の炎症が高頻度に認められています。

外03 眼科の薬 08 緑内障の薬

03 炭酸脱水酵素阻害薬

製剤情報

一般名：ドルゾラミド塩酸塩

● 剤形…液 液剤

■ 先発品　商品名(メーカー)　規格・保険薬価

トルソプト点眼液 (参天) 液 0.5% 1mL 148.10円
液 1% 1mL 195.20円

一般名：ドルゾラミド塩酸塩・チモロールマレイン酸塩配合剤

● 剤形…液 液剤

■ 先発品　商品名(メーカー)　規格・保険薬価

コソプト配合点眼液 写真 (参天) 液 1mL 458.30円

コソプトミニ配合点眼液 (参天)
液 0.4mL 1個 50.50円

■ ジェネリック　商品名(メーカー)　規格・保険薬価

ドルモロール配合点眼液 (千寿＝武田)
液 1mL 177.30円

ドルモロール配合点眼液 (テイカ)
液 1mL 177.30円

ドルモロール配合点眼液 (東亜薬品＝日東メディック) 液 1mL 177.30円

ドルモロール配合点眼液（ロートニッテン＝日本ジェネリック＝フェルゼン）液 1mL 177.30 円

ドルモロール配合点眼液（わかもと）
液 1mL 177.30 円

ブリンゾラミド懸濁性点眼液（千寿＝武田）
液 1% 1mL 131.80 円

ブリンゾラミド懸濁性点眼液（東亜薬品＝日東メディック）液 1% 1mL 131.80 円

一般名：ブリンゾラミド

● 剤形…液 液剤

■ 先発品　　商品名（メーカー）　規格・保険薬価

エイゾプト懸濁性点眼液（ノバルティス）
液 1% 1mL 271.60 円

■ ジェネリック　　商品名（メーカー）　規格・保険薬価

ブリンゾラミド懸濁性点眼液（サンド）
液 1% 1mL 139.40 円

一般名：ブリンゾラミド・チモロールマレイン酸塩配合剤

● 剤形…液 液剤

■ 先発品　　商品名（メーカー）　規格・保険薬価

アゾルガ配合懸濁性点眼液（ノバルティス）
液 1mL 331.80 円

📋 概　　要

分類　緑内障・高眼圧症治療薬

処方目的　緑内障，高眼圧症：［トルソプト点眼液］他の緑内障治療薬で効果不十分な場合の併用療法／［コソプト配合点眼液，アゾルガ配合懸濁性点眼液］他の緑内障治療薬で効果不十分な場合／［エイゾプト懸濁性点眼液］他の緑内障治療薬が効果不十分または使用できない場合

解説　眼に存在する炭酸脱水酵素を阻害して房水の産生を抑制し，眼圧を下降させます。チモロールマレイン酸塩との配合剤であるコソプトとアゾルガについては，外用 03-08-01 交感神経遮断薬の注意も参照してください。

📎 使用上の注意

＊全剤の添付文書による

基本的注意

(1)使用してはいけない場合……本剤の成分に対するアレルギーの前歴／重い腎機能障害／［コソプト配合点眼液，アゾルガ配合懸濁性点眼液のみ］気管支ぜんそくまたはその前歴，気管支けいれん，重い慢性閉塞性肺疾患／コントロール不十分な心不全，洞性徐脈，房室ブロック（Ⅱ，Ⅲ度），心原性ショック

(2)使用方法……①点眼のとき，容器の先端が眼やまわりの組織に触れないように注意します。②点眼に際しては原則としてあお向けになり，患側のまぶたを開いて結膜のう内に点眼し，1〜5 分間まぶたを閉じて涙のう部を圧迫させた後，眼を開きます。③他の点眼剤を併用する場合，トルソプトとコソプトは少なくとも 5 分以上，エイゾプトとアゾルガは少なくとも 10 分以上，間隔をあけてから点眼してください。④エイゾプトとアゾルガに含まれているベンザルコニウム塩化物は，ソフトコンタクトレンズに吸着されることがあるので，点眼時はコンタクトレンズをはずし，15 分以上経過後に再装用してください。

(3)危険作業に注意……エイゾプトあるいはアゾルガの点眼後には，一時的に目がかすむことがあるので，機械類の操作や自動車などの運転には十分に注意してください。

(4)その他……

● 妊婦での安全性：有益と判断されたときのみ使用。

● 授乳婦での安全性：[トルソプト点眼液]使用する場合は授乳を中止。[コソプト(ミニ)配合点眼液，エイゾプト懸濁性点眼液，アゾルガ配合懸濁性点眼液]治療上の有益性・母乳栄養の有益性を考慮し，授乳の継続・中止を検討。

● 小児での安全性：未確立。(1714頁を参照)

重大な副作用

[トルソプト点眼液，コソプト(ミニ)配合点眼液のみ] ①皮膚粘膜眼症候群(スティブンス-ジョンソン症候群)，中毒性表皮壊死融解症(TEN)。
[コソプト(ミニ)配合点眼液，アゾルガ配合懸濁性点眼液のみ] ②眼類天疱瘡(結膜充血，角膜上皮障害，乾性角結膜炎，結膜萎縮，睫毛内反，眼瞼眼球癒着など)。③気管支けいれん，呼吸困難，呼吸不全。④心ブロック，うっ血性心不全，脳虚血，心停止，脳血管障害。⑤SLE(全身性エリテマトーデス)。

そのほかにも報告された副作用はあるので，体調がいつもと違うと感じたときは，処方医・薬剤師に相談してください。

併用してはいけない薬

併用してはいけない薬は特にありません。ただし，併用する薬があるときは，念のため処方医・薬剤師に報告してください。

外 03 眼科の薬　08 緑内障の薬

04 ジピベフリン塩酸塩

🔖 製剤情報

一般名：ジピベフリン塩酸塩

● 規制…劇薬
● 剤形…液 液剤

■先発品　　商品名(メーカー)　規格・保険薬価

ピバレフリン点眼液(参天)
液 0.04% 1mL 144.50円　　液 0.1% 1mL 202.20円

📋 概　要

分類 開放隅角緑内障・高眼圧症治療薬

処方目的 開放隅角緑内障，高眼圧症

解説 交感神経の α_1 (アルファワン)，β ，もしくは両者を遮断することで眼圧を下降させます。点眼に使用する量でも全身的な影響があるので，持病や併用薬によっては使用できないことがあります。

📝 使用上の注意

基本的注意

(1)使用してはいけない場合……本剤の成分に対するアレルギーの前歴／狭隅角や前房が浅いなどの眼圧上昇の素因がある人

(2)サングラス……本剤の使用中は，サングラスを着用するなどして太陽光や強い光を直接見ないようにしてください。

(3)使用方法……①点眼のとき，容器の先端が直接眼に触れないように注意します。②点眼に際しては原則としてあお向けになり，患側のまぶたを開いて結膜のう内に点眼し，1〜5分間まぶたを閉じて涙のう部を圧迫させた後，眼を開きます。

(4)危険作業……本剤の点眼後，霧視（霧がかかったように見える）や羞明（まぶしく見える）などが現れることがあります。症状が回復するまで機械類の操作や自動車などの運転には従事しないでください。

(5)その他……

●妊婦での安全性：未確立。有益と判断されたときのみ使用。

●授乳婦での安全性：原則として使用しない。やむを得ず使用する場合は授乳を中止。

●小児での安全性：未確立。（1714 頁を参照）

重大な副作用　　　　　　①眼類天疱瘡（結膜充血，角膜上皮障害，乾性角結膜炎，結膜萎縮，睫毛内反，眼瞼眼球癒着など）。

　そのほかにも報告された副作用はあるので，体調がいつもと違うと感じたときは，処方医・薬剤師に相談してください。

併用してはいけない薬　　　　併用してはいけない薬は特にありません。ただし，併用する薬があるときは，念のため処方医・薬剤師に報告してください。

外 03 眼科の薬　08 緑内障の薬

05 ブリモニジン酒石酸塩

🄻 製剤情報

一般名：ブリモニジン酒石酸塩

●剤形…液 液剤

■**先発品**　商品名(メーカー)　規格・保険薬価

アイファガン点眼液 写真（千寿＝武田）
液 0.1% 1mL 346.10 円

■**ジェネリック**　商品名(メーカー)　規格・保険薬価

ブリモニジン酒石酸塩点眼液（参天アイケア＝参天）液 0.1% 1mL 155.10 円

ブリモニジン酒石酸塩点眼液（テイカ）
液 0.1% 1mL 155.10 円

ブリモニジン酒石酸塩点眼液（東亜薬品＝日東メディック）液 0.1% 1mL 155.10 円

ブリモニジン酒石酸塩点眼液（日新）
液 0.1% 1mL 155.10 円

ブリモニジン酒石酸塩点眼液（ロートニッテン＝フェルゼン＝日本ジェネリック）
液 0.1% 1mL 155.10 円

ブリモニジン酒石酸塩点眼液（わかもと）
液 0.1% 1mL 155.10 円

一般名：ブリモニジン酒石酸塩・チモロールマレイン酸塩配合剤

●剤形…液 液剤

■**先発品**　商品名(メーカー)　規格・保険薬価

アイベータ配合点眼液（千寿＝武田）
液 1mL 436.60 円

一般名：ブリモニジン酒石酸塩・ブリンゾラミド配合剤

● 剤形…液 液剤

アイラミド配合懸濁性点眼液（千寿＝武田）
液 1mL 476.60 円

概　要

分類　緑内障・高眼圧症治療薬（アドレナリン α_2 受容体作動薬）

処方目的　他の緑内障治療薬が効果不十分または使用できない場合の緑内障，高眼圧症

解説　ブリモニジン酒石酸塩は，アドレナリン受容体のうち，α_2（アルファツー）に結合して眼圧を下げます。アイベータは，このブリモニジンと非選択的アドレナリン β（ベータ）受容体遮断薬のチモロールマレイン酸塩の配合点眼薬です。また，アイラミドはブリモニジンと炭酸脱水酵素阻害薬のブリンゾラミドの配合点眼薬です。いずれも他の緑内障治療薬が効果不十分または使用できない場合に使用されます。

使用上の注意

＊ブリモニジン酒石酸塩（アイファガン点眼液）の添付文書による

基本的注意

(1)**使用してはいけない場合**……本剤の成分に対するアレルギーの前歴／低出生体重児，新生児，乳児または2歳未満の幼児

(2)**使用方法**……①点眼に際しては原則としてあお向けになり，患側のまぶたを開いて結膜のう内に点眼し，1～5分間まぶたを閉じて涙のう部を圧迫した後，眼を開きます。②点眼のとき，容器の先端が直接眼に触れないように注意します。液がまぶたの皮膚などについた場合には，よくふき取るか，洗顔します。③他の点眼剤を併用する場合には，少なくとも5分間以上の間隔をあけて点眼します。

(3)**危険作業に注意**……本剤を使用すると，眠け，めまい，霧視をおこすことがあります。使用中は，自動車の運転など危険を伴う機械の操作に従事するときは十分に注意してください。

(4)**その他**……

● 妊婦での安全性：有益と判断されたときのみ使用。

● 授乳婦での安全性：治療上の有益性・母乳栄養の有益性を考慮し，授乳の継続・中止を検討。

● 小児（2歳以上）での安全性：未確立。（1714頁を参照）

重大な副作用　　重大な副作用はありませんが，そのほかの副作用はあるので，体調がいつもと違うと感じたときは，処方医・薬剤師に相談してください。

併用してはいけない薬　　併用してはいけない薬は特にありません。ただし，併用する薬があるときは，念のため処方医・薬剤師に報告してください。

外
03
–
08
–
05

ブリモニジン酒石酸塩

06 リパスジル

製剤情報

一般名：リパスジル塩酸塩水和物

● 剤形…液 液剤

■ **先発品**　　**商品名(メーカー)**　規格・保険薬価

グラナテック点眼液 写真 (興和)
液 0.4% 1mL 449.50 円

概　　要

分類　緑内障・高眼圧症治療薬(Rho キナーゼ阻害薬)

処方目的　他の緑内障治療薬が効果不十分または使用できない場合の緑内障・高眼圧症

解説　Rho キナーゼは生体内に広く発現しており，この酵素の活性亢進が数々の病態を引きおこす原因となります。眼においては毛様体筋，線維柱帯などで発現しています。本剤には Rho キナーゼを阻害する作用があり，線維柱帯 - シュレム管を介する主流出路からの房水の流出を促進して眼圧を低下させます。

使用上の注意

基本的注意

(1)使用してはいけない場合……本剤の成分に対するアレルギーの前歴

(2)使用法など……①原則として仰向けの状態になり，まぶたを開いて結膜のう内に点眼し，1～5分間まぶたを閉じながら涙のう部を圧迫したあと目を開いてください。②ほかの点眼剤と併用する場合には，少なくとも5分間以上の間隔をあけて点眼してください。③ソフトコンタクトレンズ装着時の点眼は避けてください。本剤に含まれている成分がソフトコンタクトレンズに吸着されることがあります。

(3)その他……

● 妊婦での安全性：有益と判断されたときのみ使用。

● 授乳婦での安全性：治療上の有益性・母乳栄養の有益性を考慮し，授乳の継続・中止を検討。

● 小児での安全性：未確立。(1714 頁を参照)

重大な副作用　　重大な副作用はありませんが，そのほかの副作用はあるので，体調がいつもと違うと感じたときは，処方医・薬剤師に相談してください。

併用してはいけない薬　　併用してはいけない薬は特にありません。ただし，併用する薬があるときは，念のため処方医・薬剤師に報告してください。

07　オミデネパグ イソプロピル

製剤情報

一般名：オミデネパグ イソプロピル

●規制…劇薬

●剤形…液 液剤

■先発品　　商品名(メーカー)　規格・保険薬価

エイベリス点眼液 (参天) 液 0.002% 1mL 925.60 円

概　要

分類　緑内障・高眼圧症治療薬(選択的 EP2 受容体作動薬)

処方目的　緑内障，高眼圧症

解説　本剤は，既存の薬剤とは異なる機序をもつ，日本で開発された世界初の選択的 EP2 受容体作動薬です。各種あるプロスタノイド受容体の中でも EP2 受容体を選択的に刺激し，眼の線維柱帯流出路およびぶどう膜強膜流出路からの房水流出を促進することで眼圧を下げます。

使用上の注意

基本的注意

(1)使用してはいけない場合……本剤の成分に対するアレルギーの前歴／無水晶体眼または眼内レンズ挿入眼の人／タフルプロストの使用中

(2)使用方法……①薬液汚染防止のため，点眼のとき，容器の先端が直接目に触れないように注意します。②他の点眼薬と併用する場合は，少なくとも 5 分間以上の間隔をあけて点眼します。③本剤の添加物のベンザルコニウム塩化物によりコンタクトレンズが変色することがあるので，コンタクトレンズを装用している場合は点眼前にレンズを外し，点眼後少なくとも 5～10 分間の間隔をあけて再装用します。

(3)黄斑浮腫・虹彩炎……本剤を使用すると，のう胞様黄斑浮腫を含む黄斑浮腫および虹彩炎が現れることがあります。視力低下などの異常が現れたら，直ちに受診してください。

(4)危険作業……本剤の点眼後，一時的に霧視(霧がかかったように見える)，羞明(まぶしく見える)などが現れることがあります。その症状が回復するまで機械類の操作や自動車などの運転には従事しないでください。

(5)その他……

●妊婦での安全性：有益と判断されたときのみ使用。

●授乳婦での安全性：治療上の有益性・母乳栄養の有益性を考慮し，授乳の継続・中止を検討。

●小児での安全性：未確立。(1714 頁を参照)

重大な副作用　　①のう胞様黄斑浮腫を含む黄斑浮腫(視力低下，視力障害など)。

そのほかにも報告された副作用はあるので，体調がいつもと違うと感じたときは，処方医・薬剤師に相談してください。

併用してはいけない薬 タフルプロスト（タプロス点眼液，タプコム配合点眼液）→中等度以上の羞明，虹彩炎などの眼炎症が高頻度に認められています。

---

01 オキシブプロカイン塩酸塩

💊 製 剤 情 報

一般名：オキシブプロカイン塩酸塩

● 剤形… 液液剤

■ 先発品　商品名（メーカー）　規格・保険薬価

オキシブプロカイン塩酸塩点眼液（日東メディック）液 0.4% 1mL 20.40 円

ネオベノール点眼液（ロートニッテン）
液 0.4% 1mL 20.40 円

ベノキシール点眼液（参天）液 0.4% 1mL 20.40 円

ラクリミン点眼液（参天）
液 0.05%5mL 1瓶 88.80 円

📑 概　　要

分類 流涙症治療薬（眼科用表面麻酔剤）

処方目的 ［液剤 0.05%の適応症］分泌性流涙症
［液剤 0.4%の適応症］眼科領域における表面麻酔

解説 表面麻酔剤で，0.4%のものは検査や手術時に用いられます。0.05%のものは眼の結膜・角膜の知覚麻痺作用と，三叉神経反射弓を遮断することで涙の分泌を抑制します。

📝 使用上の注意

＊オキシブプロカイン塩酸塩（ベノキシール点眼液，ラクリミン点眼液）の添付文書による

基本的注意

（1）使用してはいけない場合……本剤の成分または安息香酸エステル（コカインを除く）系局所麻酔薬に対するアレルギーの前歴

（2）その他……

● 妊婦での安全性：有益と判断されたときのみ使用。

● 授乳婦での安全性：［ベノキシール点眼液］治療上の有益性・母乳栄養の有益性を考慮し，授乳の継続・中止を検討。

● 小児での安全性：［ベノキシール点眼液］未確立。（1714 頁を参照）

重大な副作用 ①ショック，アナフィラキシー（悪心，顔面蒼白，紅斑，発疹，呼吸困難，血圧低下，眼瞼浮腫など）。

そのほかにも報告された副作用はあるので，体調がいつもと違うと感じたときは，処方医・薬剤師に相談してください。

併用してはいけない薬 併用してはいけない薬は特にありません。ただし，併用す

る薬があるときは，念のため処方医・薬剤師に報告してください。

02 シアノコバラミン

💊 製 剤 情 報

一般名：シアノコバラミン

● 剤形…液 液剤

■ **先発品**　商品名(メーカー)　規格・保険薬価

サンコバ点眼液 写真 (参天)

液 0.02%5mL 1瓶 88.80 円

■ **ジェネリック**　商品名(メーカー)　規格・保険薬価

シアノコバラミン点眼液 (キョーリン＝杏林＝
日本ジェネリック) 液 0.02%5mL 1瓶 86.40 円

シアノコバラミン点眼液 (千寿＝武田)

液 0.02%5mL 1瓶 86.40 円

シアノコバラミン点眼液 (東亜薬品＝日東メデ
ィック) 液 0.02%5mL 1瓶 86.40 円

シアノコバラミン点眼液 (ロートニッテン)

液 0.02%5mL 1瓶 86.40 円

📋 概　　要

分類　ビタミン製剤

処方目的　調節性眼精疲労における微動調節の改善

解説　ビタミン B_{12} の製剤で，眼の疲れに用います。市販の OTC 点眼薬でピンク色
をしたものには，このシアノコバラミンが配合されています。

📝 使用上の注意

＊シアノコバラミン(サンコバ点眼液)の添付文書による

基本的注意

● 妊婦での安全性：有益と判断されたときのみ使用。

● 授乳婦での安全性：治療上の有益性・母乳栄養の有益性を考慮し，授乳の継続・中止
を検討。(1714 頁を参照)

重大な副作用　重大な副作用はありませんが，そのほかの副作用はあるの
で，体調がいつもと違うと感じたときは，処方医・薬剤師に相談してください。

併用してはいけない薬　併用してはいけない薬は特にありません。ただし，併用す
る薬があるときは，念のため処方医・薬剤師に報告してください。

03 硫酸亜鉛

💊 製 剤 情 報

一般名：硫酸亜鉛水和物

● 剤形…液 液剤

■ジェネリック　　商品名(メーカー)　規格・保険薬価

サンチンク点眼液(参天) 液 0.2%5mL 1瓶 88.20 円

概　　要

分類　収斂・消炎薬

処方目的　結膜炎に対する収斂作用／モラー・アクセンフェルド菌による結膜炎・眼瞼炎・角膜潰瘍

解説　古くから点眼剤として眼科でよく使われていました。収斂作用・消炎作用があります。

使用上の注意

基本的注意

(1)使用法……就寝前には点眼しないでください。

重大な副作用　　重大な副作用はありませんが、そのほかの副作用はあるので、体調がいつもと違うと感じたときは、処方医・薬剤師に相談してください。

併用してはいけない薬　　併用してはいけない薬は特にありません。ただし、併用する薬があるときは、念のため処方医・薬剤師に報告してください。

外 03 眼科の薬　09 その他の眼科用薬

04 ネオスチグミンメチル硫酸塩含有点眼液

外03-09-04
ネオスチグミンメチル硫酸塩含有点眼液

製剤情報

一般名：ネオスチグミンメチル硫酸塩配合剤

●剤形…液 液剤

■先発品　　商品名(メーカー)　規格・保険薬価

ミオピン点眼液写真(参天) 液 5mL 1瓶 86.40 円

■ジェネリック　　商品名(メーカー)　規格・保険薬価

マイピリン点眼液(ロートニッテン)
液 5mL 1瓶 86.40 円

概　　要

分類　調節機能改善薬

処方目的　調節機能の改善

解説　眼の調節機能に関わるアセチルコリンの分解を抑えて、眼精疲労による神経伝達の低下を抑えます。

使用上の注意

＊ミオピン点眼液の添付文書による

基本的注意

(1)慎重に使用すべき場合……閉塞隅角緑内障の人、狭隅角や前房が浅いなどの眼圧上昇の素因のある人

(2)その他……

- 妊婦での安全性：有益と判断されたときのみ使用。
- 授乳婦での安全性：治療上の有益性・母乳栄養の有益性を考慮し，授乳の継続・中止を検討。
- 小児での安全性：未確立。

重大な副作用　重大な副作用はありませんが，そのほかの副作用はあるので，体調がいつもと違うと感じたときは，処方医・薬剤師に相談してください。

併用してはいけない薬　併用してはいけない薬は特にありません。ただし，併用する薬があるときは，念のため処方医・薬剤師に報告してください。

外 03 眼科の薬　09 その他の眼科用薬
05 ヒアルロン酸ナトリウム点眼液

製剤情報

一般名：ヒアルロン酸ナトリウム

- 剤形…液 液剤

■ 先発品　商品名(メーカー)　規格・保険薬価

ヒアレイン点眼液(参天)
液 0.1%5mL 1瓶 294.10 円　液 0.3%5mL 1瓶 421.60 円

ヒアレインミニ点眼液(参天)
液 0.1%0.4mL 1個 14.20 円
液 0.3%0.4mL 1個 20.20 円

■ ジェネリック　商品名(メーカー)　規格・保険薬価

ヒアルロン酸 Na 点眼液 写真 (科研 = テイカ)
液 0.1%5mL 1瓶 191.90 円　液 0.3%5mL 1瓶 259.00 円

ヒアルロン酸 Na 点眼液(キョーリン = 杏林)
液 0.1%5mL 1瓶 115.20 円　液 0.3%5mL 1瓶 143.80 円

ヒアルロン酸 Na 点眼液(千寿 = 武田)
液 0.1%5mL 1瓶 191.90 円　液 0.3%5mL 1瓶 259.00 円

ヒアルロン酸 Na 点眼液(東亜薬品 = 日東メディック)液 0.1%5mL 1瓶 191.90 円
液 0.3%5mL 1瓶 259.00 円

ヒアルロン酸 Na 点眼液(日新)
液 0.1%5mL 1瓶 115.20 円　液 0.3%5mL 1瓶 143.80 円

ヒアルロン酸 Na 点眼液(日本ジェネリック)
液 0.1%5mL 1瓶 115.20 円　液 0.3%5mL 1瓶 143.80 円

ヒアルロン酸 Na 点眼液(ファイザー)
液 0.1%5mL 1瓶 115.20 円　液 0.3%5mL 1瓶 143.80 円

ヒアルロン酸 Na 点眼液(わかもと)
液 0.1%5mL 1瓶 115.20 円　液 0.3%5mL 1瓶 143.80 円

ヒアルロン酸ナトリウム点眼液(テイカ)
液 0.1%5mL 1瓶 115.20 円　液 0.3%5mL 1瓶 143.80 円

ヒアルロン酸ナトリウム点眼液(東和)
液 0.1%5mL 1瓶 115.20 円　液 0.3%5mL 1瓶 143.80 円

ヒアルロン酸ナトリウム点眼液(ロートニッテンファーマ = ロートニッテン)
液 0.1%5mL 1瓶 115.20 円　液 0.3%5mL 1瓶 143.80 円

ヒアルロン酸ナトリウム点眼液(ロートニッテン)液 0.3%5mL 1瓶 143.80 円

概　要

分類　角結膜上皮障害治療薬

処方目的　次の疾患に伴う角結膜上皮障害→①シェーグレン症候群，皮膚粘膜眼症候群(スティブンス-ジョンソン症候群)，眼球乾燥症候群(ドライアイ)などの内因性疾患。②術後，薬剤性，外傷，コンタクトレンズ装用などによる外因性疾患

解説　角膜上皮細胞の接着，伸展を促進して創傷を治癒する作用と，保水性に富み，涙液層の安定性を増加させる作用があります。

使用上の注意

*ヒアレイン点眼液，ヒアレインミニ点眼液の添付文書による

基本的注意

(1)使用法……①[ヒアレイン点眼液]ソフトコンタクトレンズを装用したまま点眼しないでください。②[ヒアレインミニ点眼液]最初の1～2滴は捨ててから点眼してください。開封後は1回きりの使用です。

重大な副作用　重大な副作用はありませんが，そのほかの副作用はあるので，体調がいつもと違うと感じたときは，処方医・薬剤師に相談してください。

併用してはいけない薬　併用してはいけない薬は特にありません。ただし，併用する薬があるときは，念のため処方医・薬剤師に報告してください。

外 03 眼科の薬　09 その他の眼科用薬

06　涙液補填薬

製剤情報

一般名：ホウ酸・塩化ナトリウム・塩化カリウム・炭酸ナトリウム・リン酸水素ナトリウム複合剤

●剤形…液 液剤

■先発品　　商品名(メーカー)　規格・保険薬価

人工涙液マイティア点眼液 (千寿＝武田)
液 5mL 1瓶 87.10 円

概　要

分類　涙液補填薬

処方目的　涙液減少症，乾性角結膜炎，コンタクトレンズ装着時の涙液補充

解説　正常な涙液に近い点眼液で，涙液の補充に用いられます。

使用上の注意

基本的注意

(1)使用法……ソフトコンタクトレンズ装着時には，本剤を使用しないでください。レンズの中に薬剤が徐々に吸着されて，眼刺激やレンズ物性に影響を与えるおそれがあります。

重大な副作用　重大な副作用はありませんが，そのほかの副作用はあるので，体調がいつもと違うと感じたときは，処方医・薬剤師に相談してください。

併用してはいけない薬　併用してはいけない薬は特にありません。ただし，併用する薬があるときは，念のため処方医・薬剤師に報告してください。

07 充血治療薬

製剤情報

一般名：ナファゾリン硝酸塩

● 剤形…液 液剤

■ 先発品　　商品名（メーカー）　規格・保険薬価

プリビナ点眼液（日新）液 0.05% 1mL 5.30 円

概　要

分類　眼科用局所血管収縮剤

処方目的　表在性充血（原因療法と併用）

解説　末梢血管を収縮させる作用で眼の充血を抑えます。結膜炎，角膜炎など，充血の原因となる疾患の治療薬と併用して使用します。

使用上の注意

基本的注意

(1) 使用してはいけない場合……閉塞隅角緑内障／モノアミン酸化酵素阻害薬（1716 頁を参照）の使用中

(2) その他……

● 妊婦での安全性：未確立。有益と判断されたときのみ使用。（1714 頁を参照）

重大な副作用　重大な副作用はありませんが，そのほかの副作用はあるので，体調がいつもと違うと感じたときは，処方医・薬剤師に相談してください。

併用してはいけない薬　モノアミン酸化酵素阻害薬（1716 頁を参照）→急激な血圧上昇をおこすおそれがあります。

08 ドライアイ治療薬

製剤情報

一般名：ジクアホソルナトリウム

● 剤形…液 液剤

■ 先発品　　商品名（メーカー）　規格・保険薬価

ジクアス点眼液 写真（参天）

液 3%5mL 1瓶 529.80 円

一般名：レバミピド

● 剤形…液 液剤

■ 先発品　　商品名（メーカー）　規格・保険薬価

ムコスタ点眼液 UD（大塚）

液 2%0.35mL 1本 27.30 円

概　要

分類　ドライアイ治療薬（ムチン産生促進剤）

処方目的　ドライアイ

外
03
─
09
─
09

コンドロイチン硫酸エステルナトリウム

解説 ムチンは蛋白質と多糖類が結合した粘性の物質で，眼や消化管，生殖腺などの粘膜を潤し，粘膜を保護しています。ジクアホソルナトリウム，レバミピドには結膜細胞からのムチンの分泌を促進する働きがあり，ドライアイを改善します。

レバミピドのムコスタ点眼液 UD は，二次汚染防止の保存剤を含有しない，1回使い捨ての無菌ディスポーザブルタイプなので，使用後の残液は廃棄してください。

使用上の注意
*両剤の添付文書による

基本的注意

(1)使用してはいけない場合……本剤の成分に対するアレルギーの前歴

(2)使用法……①他の点眼剤と併用する場合には，少なくとも5分間以上の間隔をあけて点眼してください。②[レバミピドのみ]本剤の成分は，眼の表面や涙道などに析出することがあるので，目や鼻の奥に違和感を感じたとき，また，ソフトコンタクトレンズに吸着することがあるので，目に違和感を感じたときは眼科医に相談してください。

(3)保存方法……[レバミピド]本剤のアルミピロー包装を開封後は遮光して室温で保存します。また，保管の仕方によっては振り混ぜても粒子が分散しにくくなる場合があるので，点眼口を上向きにして保管してください。

(4)危険作業に注意……[レバミピド]本剤の点眼後，一時的に目がかすむことがあるので，機械類の操作や自動車などの運転には注意してください。

(5)その他……
- 妊婦での安全性：[レバミピド]未確立。有益と判断されたときのみ使用。
- 授乳婦での安全性：[レバミピド]使用する場合は授乳を中止。
- 低出生体重児，新生児～小児での安全性：未確立。(1714頁を参照)

重大な副作用 [レバミピド]①涙道閉塞，涙のう炎。

そのほかにも報告された副作用はあるので，体調がいつもと違うと感じたときは，処方医・薬剤師に相談してください。

併用してはいけない薬 併用してはいけない薬は特にありません。ただし，併用する薬があるときは，念のため処方医・薬剤師に報告してください。

外 **03 眼科の薬 09 その他の眼科用薬**

09 コンドロイチン硫酸エステルナトリウム

製剤情報

一般名：コンドロイチン硫酸エステルナトリウム

- 剤形…液 液剤

■ジェネリック　商品名(メーカー)　規格・保険薬価

アイドロイチン点眼液 (参天)

液 1%5mL 1瓶 86.40 円　　液 3%5mL 1瓶 88.80 円

コンドロイチン点眼液 (ロートニッテン)

液 1%5mL 1瓶 86.40 円　　液 3%5mL 1瓶 88.80 円

概　　要

分類　その他の眼科用薬

処方目的　角膜表層の保護

解説　酸性ムコ多糖体の一種であるコンドロイチン硫酸エステルナトリウムには，角膜の透明性維持作用，角膜損傷治癒作用，角膜乾燥防止作用があります。

使用上の注意

基本的注意

　特に注意はありません。

重大な副作用　　　　重大な副作用はありませんが，そのほかの副作用はあるので，体調がいつもと違うと感じたときは，処方医・薬剤師に相談してください。

併用してはいけない薬　　　併用してはいけない薬は特にありません。ただし，併用する薬があるときは，念のため処方医・薬剤師に報告してください。

外 04 点耳・点鼻薬　01 点耳・点鼻薬

01　耳科用抗生物質・抗菌薬

製剤情報

一般名：クロラムフェニコール

●剤形…液 液剤

■先発品　商品名(メーカー)　規格・保険薬価

クロロマイセチン耳科用液 (アルフレッサ)

液 5mg 1mL 21.50 円

一般名：ホスホマイシンナトリウム

●剤形…液 液剤

■先発品　商品名(メーカー)　規格・保険薬価

ホスミシン S 耳科用 (MeijiSeika)

液 30mg 1mL 87.10 円

一般名：塩酸ロメフロキサシン

●剤形…液 液剤

■先発品　商品名(メーカー)　規格・保険薬価

ロメフロン耳科用液 (千寿＝武田)

液 0.3% 1mL 113.10 円

一般名：オフロキサシン

●剤形…液 液剤

■先発品　商品名(メーカー)　規格・保険薬価

タリビッド耳科用液 (アルフレッサ)

液 3mg 1mL 111.20 円

オフロキサシン耳科用液 (セオリア＝武田)

液 3mg 1mL 59.70 円

一般名：セフメノキシム塩酸塩

●剤形…液 液剤

■先発品　商品名(メーカー)　規格・保険薬価

ベストロン耳鼻科用 (千寿＝セオリア＝武田＝杏林) 液 10mg 1mL 92.70 円

概　　要

分類　抗生物質・抗菌薬

処方目的　外耳炎，中耳炎／[セフメノキシム塩酸塩のみの適応症]副鼻腔炎（ネブラ

イザーを用いた噴霧吸入においては中鼻道閉塞が高度の症例を除く）

解説　外耳・中耳の感染症に用いる製剤で，セフメノキシム塩酸塩のみは副鼻腔の感染症にも使用されます。外耳炎・中耳炎の場合，クロラムフェニコールを除いた製剤は耳浴（通常1回6〜10滴を点耳して10分間その状態を保つ）を行います。耳浴は冷たいまま使用すると，めまいをおこすことがあるので，体温ぐらいまでに温めて使用します。副鼻腔炎に対してはネブライザーを用いて噴霧吸入するか，上顎洞内に注入します。

　参考：セフメノキシム塩酸塩→内服のセフェム系薬剤を参考にしてください。オフロキサシン，塩酸ロメフロキサシン→内服のニューキノロン剤を参考にしてください。

✍ 使用上の注意

*セフメノキシム塩酸塩（ベストロン耳鼻科用）などの添付文書による

基本的注意

(1)使用してはいけない場合……本剤の成分に対するアレルギーの前歴／[オフロキサシンのみ]レボフロキサシン水和物に対するアレルギー

(2)特に慎重に使用すべき場合（原則禁忌，処方医と連絡を絶やさないこと）……[セフメノキシム塩酸塩]セフェム系抗生物質に対するアレルギーの前歴

(3)その他……

● 妊婦での安全性：[塩酸ロメフロキサシン，タリビッド耳科用液，セフメノキシム塩酸塩]有益と判断されたときのみ使用。

● 授乳婦での安全性：[塩酸ロメフロキサシン，タリビッド耳科用液]治療上の有益性・母乳栄養の有益性を考慮し，授乳の継続・中止を検討。[セフメノキシム塩酸塩]未確立。有益と判断されたときのみ使用。

● 低出生体重児，新生児，乳児での安全性：[ホスホマイシンナトリウム，塩酸ロメフロキサシン，セフメノキシム塩酸塩]未確立。（1714頁を参照）

重大な副作用　　　　[塩酸ロメフロキサシン，セフメノキシム塩酸塩]①ショック，アナフィラキシー（じん麻疹，紅斑，発疹，不快感，口内異常感，喘鳴，めまい，便意，耳鳴り，発汗，チアノーゼ，呼吸困難，血圧低下など）。

[セフメノキシム塩酸塩のみ]②（鼻疾患での使用により）ぜんそく発作，呼吸困難。

　そのほかにも報告された副作用はあるので，体調がいつもと違うと感じたときは，処方医・薬剤師に相談してください。

併用してはいけない薬　　　　併用してはいけない薬は特にありません。ただし，併用する薬があるときは，念のため処方医・薬剤師に報告してください。

02　副腎皮質ステロイド点耳・点鼻薬

製剤情報

一般名：ベタメタゾンリン酸エステルナトリウム

● 剤形…液 液剤

■ 先発品　　商品名(メーカー)　規格・保険薬価

リンデロン点眼・点耳・点鼻液 写真 (シオノギファーマ＝塩野義) 液 0.1% 1mL 58.00 円

■ ジェネリック　　商品名(メーカー)　規格・保険薬価

サンベタゾン眼耳鼻科用液 (参天)
液 0.1% 1mL 18.40 円

ベタメタゾンリン酸エステル Na・PF 眼耳鼻科用液 (ロートニッテン) 液 0.1% 1mL 18.40 円

ベルベゾロン眼耳鼻科用液 (ロートニッテンファーマ＝ロートニッテン) 液 0.1% 1mL 18.40 円

リノロサール眼科耳鼻科用液 (わかもと)
液 0.1% 1mL 18.40 円

一般名：フラジオマイシン硫酸塩・ベタメタゾンリン酸エステルナトリウム配合剤

● 剤形…軟 軟膏剤, 液 液剤

■ 先発品　　商品名(メーカー)　規格・保険薬価

眼・耳科用リンデロン A 軟膏 (シオノギファーマ＝塩野義) 軟 1g 67.70 円

点眼・点鼻用リンデロン A 液 (シオノギファーマ＝塩野義) 液 1mL 78.20 円

ベルベゾロン F 点眼・点鼻液 (ロートニッテン) 液 1mL 78.20 円

概　要

分類　副腎皮質ステロイド薬

処方目的　[ベタメタゾンリン酸エステルナトリウムの適応症]〈耳鼻科〉外耳・中耳(耳管を含む)または上気道の炎症性・アレルギー性疾患(外耳炎, 中耳炎, アレルギー性鼻炎など), 術後処置／〈眼科〉外眼部・前眼部の炎症性疾患の対症療法(眼瞼炎, 結膜炎, 角膜炎, 強膜炎, 上強膜炎, 前眼部ブドウ膜炎, 術後炎症)
[フラジオマイシン硫酸塩・ベタメタゾンリン酸エステルナトリウム配合剤の適応症]〈耳鼻科〉外耳の湿疹・皮膚炎, アレルギー性鼻炎, 進行性壊疽性鼻炎, 耳鼻咽喉科領域における術後処置／〈眼科〉外眼部・前眼部の細菌感染を伴う炎症性疾患

解説　外耳・中耳や鼻腔内の炎症性疾患・アレルギー性疾患に用います。細菌感染症を伴う場合は抗生物質との複合剤を使用します。

使用上の注意

＊リンデロン点眼・点耳・点鼻液, 眼・耳科用リンデロン A 軟膏の添付文書による

基本的注意

(1)使用してはいけない場合……本剤の成分に対するアレルギーの前歴／[フラジオマイシン硫酸塩・ベタメタゾンリン酸エステルナトリウム配合剤のみ]ストレプトマイシン・カナマイシン・ゲンタマイシン・フラジオマイシンなどのアミノグリコシド系抗生物質またはバシトラシンに対するアレルギーの前歴／[眼・耳科用リンデロン A 軟膏のみ]鼓膜

に穿孔のある人への耳内使用

(2)特に慎重に使用すべき場合(原則禁忌, 処方医と連絡を絶やさないこと)……耳・鼻の結核性・ウイルス性疾患／角膜上皮剥離, 角膜潰瘍／ウイルス性結膜・角膜疾患, 結核性眼疾患, 真菌性眼疾患／[ベタメタゾンリン酸エステルナトリウムのみ]化膿性眼疾患

(3)全身性の作用に注意……[軟膏剤を除く]全身性のステロイド薬と比較して可能性は低いが, 本剤の使用により全身性の作用(クッシング症候群, クッシング様症状, 副腎皮質機能抑制, 小児の成長遅延, 骨密度の低下, 白内障, 緑内障, 中心性漿液性網脈絡膜症を含む)が現れる可能性があります。特に長期間, 大量使用の場合には定期的に検査を行い, 全身性の作用が認められたら, 直ちに処方医に連絡してください。

(4)その他……

● 妊婦での安全性：未確立。原則として長期・頻回に使用しない。

● 小児での安全性：未確立。(1714 頁を参照)

重大な副作用　〈眼に使用したとき〉①(連用により数週間後から)眼圧亢進, 緑内障。②角膜ヘルペス, 角膜真菌症, 緑膿菌感染症の誘発。③(角膜ヘルペス, 角膜潰瘍, 外傷などでの使用により)穿孔。④(長期使用により)後のう白内障。

[眼・耳科用リンデロン A 軟膏のみ]⑤元に戻らない難聴。

　そのほかにも報告された副作用はあるので, 体調がいつもと違うと感じたときは, 処方医・薬剤師に相談してください。

併用してはいけない薬　併用してはいけない薬は特にありません。ただし, 併用する薬があるときは, 念のため処方医・薬剤師に報告してください。

外 04 点耳・点鼻薬　01 点耳・点鼻薬

03 副腎皮質ステロイド(鼻用)

製剤情報

一般名：ベクロメタゾンプロピオン酸エステル

● 剤形…液液剤, 吸吸入剤

■ジェネリック　商品名(メーカー)　規格・保険薬価

ベクロメタゾン点鼻液 (キョーリン＝杏林)
液 8.5mg 8.5g 1瓶 347.80 円

ベクロメタゾン点鼻液 (沢井)
液 8.5mg 8.5g 1瓶 347.80 円

ベクロメタゾン点鼻液 (セオリア＝武田)
液 8.5mg 8.5g 1瓶 347.80 円

ベクロメタゾン点鼻液 (東興＝住友ファーマ)
液 8.5mg 8.5g 1瓶 347.80 円

ベクロメタゾン鼻用パウダー (東和)
吸 1.5mg 0.9087g 1瓶 562.50 円

ベクロメタゾンプロピオン酸エステル点鼻液 (マイラン＝ファイザー)
液 9.375mg 7.5g 1瓶 336.70 円

一般名：フルチカゾンプロピオン酸エステル

● 剤形…液液剤

■先発品　　商品名(メーカー)　規格・保険薬価

フルナーゼ点鼻液 (グラクソ)

液 2.04mg 4mL 1瓶 507.80 円

液 4.08mg 8mL 1瓶 912.60 円

液 2.04mg 4mL 1瓶(小児用) 470.40 円

■ジェネリック　　商品名(メーカー)　規格・保険薬価

フルチカゾン点鼻液 (コーアイセイ＝ニプロ)

液 4.08mg 8mL 1瓶 467.90 円

フルチカゾン点鼻液 (キョーリン＝杏林＝共創未来)

液 2.04mg 4mL 1瓶 342.20 円

液 4.08mg 8mL 1瓶 586.80 円

液 2.04mg 4mL 1瓶(小児用) 334.30 円

フルチカゾン点鼻液 (沢井)

液 2.04mg 4mL 1瓶 342.20 円

液 4.08mg 8mL 1瓶 586.80 円

液 2.04mg 4mL 1瓶(小児用) 334.30 円

フルチカゾン点鼻液 (三和)

液 2.04mg 4mL 1瓶 342.20 円

液 4.08mg 8mL 1瓶 586.80 円

フルチカゾン点鼻液 (武田テバ薬品＝武田テバファーマ＝武田)

液 2.04mg 4mL 1瓶 342.20 円

液 4.08mg 8mL 1瓶 586.80 円

フルチカゾン点鼻液 (日医工ファーマ＝日医工)

液 2.04mg 4mL 1瓶 342.20 円

液 4.08mg 8mL 1瓶 586.80 円

液 2.04mg 4mL 1瓶(小児用) 334.30 円

フルチカゾンプロピオン酸エステル点鼻液 (セオリア＝武田)

液 2.04mg 4mL 1瓶 342.20 円

液 4.08mg 8mL 1瓶 586.80 円

フルチカゾンプロピオン酸エステル点鼻液 (長生堂＝日本ジェネリック)

液 2.04mg 4mL 1瓶 342.20 円

液 4.08mg 8mL 1瓶 467.90 円

フルチカゾンプロピオン酸エステル点鼻液 (東興＝住友ファーマ)

液 2.04mg 4mL 1瓶 342.20 円

液 4.08mg 8mL 1瓶 586.80 円

フルチカゾンプロピオン酸エステル点鼻液 (東和)

液 2.04mg 4mL 1瓶 342.20 円

液 4.08mg 8mL 1瓶 586.80 円

フルチカゾン・プロピオン酸エステル点鼻液 (日医工)

液 2.04mg 4mL 1瓶 342.20 円

液 4.08mg 8mL 1瓶 586.80 円

フルチカゾンプロピオン酸エステル点鼻液 (日本臓器)

液 2.04mg 4mL 1瓶 342.20 円

液 4.08mg 8mL 1瓶 586.80 円

液 8.16mg 16mL 1瓶 1,211.80 円

一般名：モメタゾンフランカルボン酸エステル水和物

● 剤形…液 液剤

■先発品　　商品名(メーカー)　規格・保険薬価

ナゾネックス点鼻液 写真 (オルガノン＝杏林)

液 5mg10g 1瓶(噴霧用) 1,114.70 円

液 9mg18g 1瓶(噴霧用) 2,228.70 円

■ジェネリック　　商品名(メーカー)　規格・保険薬価

モメタゾン点鼻液 (キョーリン＝杏林)

液 5mg10g 1瓶(噴霧用) 563.00 円

液 9mg18g 1瓶(噴霧用) 1,090.70 円

モメタゾン点鼻液 (高田)

液 5mg10g 1瓶(噴霧用) 475.10 円

液 9mg18g 1瓶(噴霧用) 1,166.10 円

モメタゾン点鼻液 (東亜薬品＝セオリア)

液 5mg10g 1瓶(噴霧用) 475.10 円

液 9mg18g 1瓶(噴霧用) 1,090.70 円

モメタゾン点鼻液 (東興＝ファイザー)

液 3.5mg7g 1瓶(噴霧用) 475.10 円

液 6.5mg13g 1瓶(噴霧用) 1,090.70 円

モメタゾン点鼻液 (東和)

液 5mg10g 1瓶(噴霧用) 475.10 円

液 9mg18g 1瓶(噴霧用) 1,090.70 円

モメタゾン点鼻液 (日東メディック)

液 5mg10g 1瓶(噴霧用) 475.10 円

液 9mg18g 1瓶(噴霧用) 1,166.10 円

モメタゾン点鼻液 (日本ジェネリック)

液 5mg10g 1瓶(噴霧用) 475.10 円

液 9mg18g 1瓶(噴霧用) 1,090.70 円

外 04 — 01 — 03

副腎皮質ステロイド(鼻用)

外
04
―
01
―
03

副腎皮質ステロイド（鼻用）

一般名：フルチカゾンフランカルボン酸エステル

● 剤形…液 液剤

■ 先発品　商品名(メーカー)　規格・保険薬価

アラミスト点鼻液 (グラクソ)

液 3mg6g 1キット(噴霧用) 1,672.50 円

液 5mg10g 1キット(噴霧用) 3,513.80 円

一般名：デキサメタゾンシペシル酸エステル

● 剤形…噴 噴霧剤, カ カプセル剤

■ 先発品　商品名(メーカー)　規格・保険薬価

エリザスカプセル外用 (日本新薬)

カ 400μg 1カプセル(噴霧用) 97.40 円

エリザス点鼻粉末 (日本新薬)

噴 (200μg28 噴霧用)5.6mg 1瓶 1,347.60 円

概　要

分類　副腎皮質ステロイド薬

処方目的　アレルギー性鼻炎／[ベクロメタゾンプロピオン酸エステル，フルチカゾンプロピオン酸エステルのみの適応症]血管運動性鼻炎

解説　局所における抗炎症作用が強く，全身への影響が少ない副腎皮質ステロイドが用いられています。ナゾネックス，アラミスト，エリザスは1日1回(その他は1日2回)の点鼻(噴霧)で効果が続きます。

使用上の注意

＊フルチカゾンプロピオン酸エステル(フルナーゼ点鼻液)，モメタゾンフランカルボン酸エステル水和物(ナゾネックス点鼻液)などの添付文書による

基本的注意

(1)使用してはいけない場合……有効な抗菌薬のない感染症，全身の真菌症／本剤の成分に対するアレルギーの前歴

(2)特に慎重に使用すべき場合(原則禁忌，処方医と連絡を絶やさないこと)……[ベクロメタゾンプロピオン酸エステル]結核性疾患

(3)全身性の作用に注意……全身性のステロイド薬と比較して可能性は低いが，点鼻ステロイド薬の使用により全身性の作用(クッシング症候群，クッシング様症状，副腎皮質機能抑制，小児の成長遅延，骨密度の低下，白内障，緑内障，中心性漿液性網脈絡膜症を含む)が現れる可能性があります。特に長期間，大量使用の場合には定期的に検査を行い，全身性の作用が認められたら，直ちに処方医に連絡してください。

(4)その他……

● 妊婦での安全性：有益と判断されたときのみ使用。

● 授乳婦での安全性：治療上の有益性・母乳栄養の有益性を考慮し，授乳の継続・中止を検討。

● 小児での安全性：未確立。(1714 頁を参照)

重大な副作用　　　[ベクロメタゾンプロピオン酸エステルを除く] ①アナフィラキシー(呼吸困難，全身潮紅，血管浮腫，じん麻疹など)。

[ベクロメタゾンプロピオン酸エステル] ②眼圧亢進，緑内障。

　そのほかにも報告された副作用はあるので，体調がいつもと違うと感じたときは，処

方医・薬剤師に相談してください。

併用してはいけない薬 併用してはいけない薬は特にありません。ただし，併用す
る薬があるときは，念のため処方医・薬剤師に報告してください。

外 04 点耳・点鼻薬　01 点耳・点鼻薬

04 抗アレルギー薬(鼻用)

製剤情報

一般名：クロモグリク酸ナトリウム
●剤形…液 液剤

■ジェネリック　商品名(メーカー)　規格・保険薬価

クロモグリク酸 Na 点鼻液 (キョーリン＝杏林
＝日医工) 液 190mg 9.5mL 1瓶 251.90 円

クロモグリク酸 Na 点鼻液 (東和)
液 190mg 9.5mL 1瓶 251.90 円

ルゲオン点鼻液 (協和新薬＝わかもと)
液 190mg 9.5mL 1瓶 251.90 円

一般名：ケトチフェンフマル酸塩
●剤形…液 液剤

■先発品　商品名(メーカー)　規格・保険薬価

ザジテン点鼻液 (サンファーマ)
液 6.048mg 8mL 1瓶 535.70 円

■ジェネリック　商品名(メーカー)　規格・保険薬価

ケトチフェン点鼻液 (キョーリン＝杏林)
液 6.048mg 8mL 1瓶 255.10 円

ケトチフェン点鼻液 (沢井)
液 6.048mg 8mL 1瓶 255.10 円

ケトチフェン点鼻液 (長生堂＝日本ジェネリック)
液 6.048mg 8mL 1瓶 255.10 円

ケトチフェン点鼻液 (鶴原)
液 6.048mg 8mL 1瓶 255.10 円

ケトチフェン点鼻液 (東和)
液 6.048mg 8mL 1瓶 255.10 円

ケトチフェン点鼻液 (マイラン＝ファイザー)
液 6.048mg 8mL 1瓶 255.10 円

ケトチフェンネーザル (武田テバ薬品＝武田テバ
ファーマ＝武田) 液 6.048mg 8mL 1瓶 255.10 円

一般名：レボカバスチン塩酸塩
●剤形…液 液剤

■先発品　商品名(メーカー)　規格・保険薬価

リボスチン点鼻液 (日本新薬)
液 0.025%15mL 1瓶 (噴霧用) 622.80 円

概　要

分類 抗アレルギー薬

処方目的 アレルギー性鼻炎

解説 抗原抗体反応におけるヒスタミンなどの化学伝達物質の遊離を抑制する作用が
あり，クロモグリク酸ナトリウムは1日6回，ケトチフェンフマル酸塩とレボカバスチ
ン塩酸塩は1日4回，あらかじめ規則的に点鼻することで予防効果が得られます。

使用上の注意

*クロモグリク酸 Na 点鼻液，レボカバスチン塩酸塩(リボスチン点鼻液)，ケトチフェン
フマル酸塩(ザジテン点鼻液)の添付文書による

外
04
—
01
—
05

ムピロシンカルシウム水和物

基本的注意

(1)使用してはいけない場合……[クロモグリク酸ナトリウム，レボカバスチン塩酸塩]
本剤の成分に対するアレルギーの前歴
(2)危険作業は中止……[ケトチフェンフマル酸塩，レボカバスチン塩酸塩]本剤を使用
すると眠けを催すおそれがあります。本剤の使用中は，高所作業や自動車の運転など危
険を伴う機械の操作は行わないようにしてください。
(3)その他……
● 妊婦での安全性：有益と判断されたときのみ使用。
● 授乳婦での安全性：[ケトチフェンフマル酸塩]原則として使用しない。やむを得ず使
　用するときは授乳を中止。[レボカバスチン塩酸塩]治療上の有益性・母乳栄養の有益
　性を考慮し，授乳の継続・中止を検討。
● 小児での安全性：[クロモグリク酸ナトリウムを除く]未確立。(1714 頁を参照)

重大な副作用　　　　　　　　[クロモグリク酸ナトリウム，レボカバスチン塩酸塩] ①
アナフィラキシー(呼吸困難，血管浮腫，顔面浮腫，じん麻疹など)。
　　そのほかにも報告された副作用はあるので，体調がいつもと違うと感じたときは，処
方医・薬剤師に相談してください。

併用してはいけない薬　　　　併用してはいけない薬は特にありません。ただし，併用す
る薬があるときは，念のため処方医・薬剤師に報告してください。

外 04 点耳・点鼻薬　01 点耳・点鼻薬

05　ムピロシンカルシウム水和物

製 剤 情 報

一般名：ムピロシンカルシウム水和物
● 剤形…軟軟膏剤

■先発品　　商品名(メーカー)　規格・保険薬価
バクトロバン鼻腔用軟膏(グラクソ)
軟 2% 1g 524.40 円

概　　要

分類　鼻腔内 MRSA 除菌剤
処方目的　　　下記における鼻腔内のメチシリン耐性黄色ブドウ球菌(MRSA)の除菌
→MRSA 感染症発症の危険性が高い免疫機能の低下状態にある人(易感染患者)／易感
染患者から隔離することが困難な入院患者／易感染患者に接する医療従事者
解説　　院内感染症の原因菌の一つである MRSA(メチシリン耐性黄色ブドウ球菌)の鼻
腔内保菌者に対し，1 日 3 回，3 日間程度の鼻腔内塗布で鼻腔内の MRSA を除菌します。

使用上の注意

基本的注意

(1)使用してはいけない場合……本剤の成分に対するアレルギーの前歴
(2)その他……

- 妊婦での安全性：有益と判断されたときのみ使用。
- 授乳婦での安全性：治療上の有益性・母乳栄養の有益性を考慮し，授乳の継続・中止を検討。
- 小児での安全性：未確立。(1714 頁を参照)

重大な副作用　　重大な副作用はありませんが，そのほかの副作用はあるので，体調がいつもと違うと感じたときは，処方医・薬剤師に相談してください。

併用してはいけない薬　　併用してはいけない薬は特にありません。ただし，併用する薬があるときは，念のため処方医・薬剤師に報告してください。

外 04 点耳・点鼻薬　01 点耳・点鼻薬

06 血管収縮薬

製剤情報

一般名：塩酸テトラヒドロゾリン・プレドニゾロン配合剤

- 剤形…液 液剤

■先発品　　商品名(メーカー)　規格・保険薬価

コールタイジン点鼻液 写真 (陽進堂)
液 1mL 8.00 円

一般名：ナファゾリン硝酸塩

- 剤形…液 液剤

■先発品　　商品名(メーカー)　規格・保険薬価

プリビナ液 (日新) 局 0.05% 1mL 4.00 円

一般名：トラマゾリン塩酸塩

- 規制…劇薬
- 剤形…液 液剤

■先発品　　商品名(メーカー)　規格・保険薬価

トラマゾリン点鼻液 (アルフレッサ)
液 0.118% 1mL 6.20 円

概　要

分類　血管収縮薬

処方目的　[コールタイジン，トラマゾリンの適応症] 諸種疾患による鼻充血・うっ血
[プリビナの適応症] 上気道の諸疾患の充血・うっ血／上気道粘膜の表面麻酔時における局所麻酔剤の効力持続時間の延長

解説　交感神経のα受容体を刺激することで末梢血管収縮作用があり，鼻粘膜などの充血を抑え，鼻づまりを改善します。使いすぎるとリバウンド現象がおき，かえって鼻粘膜の二次充血，腫脹がおこるので注意が必要です。ナファゾリンは市販の OTC 点鼻薬としても使用されています。

使用上の注意

＊全剤の添付文書による

基本的注意

(1)併用してはいけない場合……本剤の成分に対するアレルギーの前歴／2 歳未満の乳

児・幼児／モノアミン酸化酵素阻害薬（1716頁を参照）の使用中

(2)特に慎重に使用すべき場合（原則禁忌，処方医と連絡を絶やさないこと）……［コールタイジン］鼻の結核性・ウイルス性疾患

(3)乳児・幼児・小児……乳児および2歳未満の幼児は使用禁忌です。2歳以上の幼児，小児は，過量使用により，発汗，徐脈などの全身症状が現れやすいので使用しないことが望ましいです。やむを得ず使用する場合には，正しい使用法を処方医に教えてもらうことが必要です。

(4)その他……

● 妊婦での安全性：未確立。有益と判断されたときのみ使用。

● 授乳婦での安全性：［トラマゾリン塩酸塩］治療上の有益性・母乳栄養の有益性を考慮し，授乳の継続・中止を検討。（1714頁を参照）

重大な副作用　重大な副作用はありませんが，そのほかの副作用はあるので，体調がいつもと違うと感じたときは，処方医・薬剤師に相談してください。

併用してはいけない薬　モノアミン酸化酵素阻害薬（1716頁を参照）→急激な血圧上昇をおこすおそれがあります。

外 04 点耳・点鼻薬　01 点耳・点鼻薬

07 グルカゴン噴霧剤

製剤情報

一般名：グルカゴン

● 規制…**劇薬**

● 剤形…噴 **噴霧剤**

■先発品　　商品名(メーカー)　規格・保険薬価

バクスミー点鼻粉末剤 (イーライリリー)
噴 3mg 1瓶 8,368.60 円

概　要

分類　低血糖時救急治療薬

処方目的　低血糖時の救急処置

解説　グルカゴンは血糖上昇作用を有する物質です。低血糖は，糖尿病の治療中にみられる頻度の高い緊急事態で，すぐに対処しなければならない病態です。低血糖がおきたとき，通常は自分で用意している糖分を飲んで対処しますが，ときに意識がなくなったりして，自分で糖分を摂取できない場合があります。本剤はこのような周りの人の助けが必要な重症低血糖になったとき，看護者(家族など)によって鼻の中に噴霧してもらう，単回使用の使い捨ての救急治療薬です。

　なお，グルカゴンの血糖上昇作用は，主として肝グリコーゲンの分解によるので，飢餓状態，副腎機能低下症，頻発する低血糖，一部糖原病，肝硬変などの場合では，血糖上昇効果はほとんど期待できません。また，アルコール性低血糖の場合には血糖上昇効果はみられません。

🈁 使用上の注意

基本的注意

(1)使用してはいけない場合……本剤の成分に対するアレルギーの前歴／褐色細胞腫

(2)低血糖症状が改善しない場合……低血糖を生じた人に本剤を投与しても意識レベルの低下などの低血糖症状が改善しない場合は, 直ちにブドウ糖などを静脈内投与するなど適切な処置を行う必要があります。本剤の繰り返し投与によるグルコース濃度上昇作用の増大は認められていないため, 本剤または他のグルカゴン製剤の追加投与は行わないでください。なお, 回復した場合でも糖質投与を行うことが望まれます。

(3)危険作業に注意……本剤の投与で意識レベルが一時回復しても, 低血糖の再発や遷延により, めまい, ふらつき, 意識障害をおこすことがあるので, 高所作業, 自動車の運転など危険を伴う機械を操作する際は十分に注意してください。

(4)その他……

- 妊婦での安全性：有益と判断されたときのみ使用。
- 授乳婦での安全性：治療上の有益性・母乳栄養の有益性を考慮し, 授乳の継続・中止を検討。
- 小児での安全性：未確立。(1714 頁を参照)

重大な副作用 ①ショック, アナフィラキシー。

そのほかにも報告された副作用はあるので, 体調がいつもと違うと感じたときは, 処方医・薬剤師に相談してください。

併用してはいけない薬 併用してはいけない薬は特にありません。ただし, 併用する薬があるときは, 念のため処方医・薬剤師に報告してください。

外05 腔用の薬　01 腔用の薬

01 抗真菌薬

🈁 製 剤 情 報

一般名：ミコナゾール硝酸塩

- 剤形…坐坐剤

■先発品　商品名(メーカー)　規格・保険薬価
フロリード腟坐剤 (持田) 坐100mg 1個 40.90 円

一般名：オキシコナゾール硝酸塩

- 剤形…腟腟用剤

■先発品　商品名(メーカー)　規格・保険薬価
オキナゾール腟錠 (田辺三菱)
腟100mg 1錠 51.60 円　腟600mg 1錠 290.50 円

■ジェネリック　商品名(メーカー)　規格・保険薬価
オキシコナゾール硝酸塩腟錠 (富士製薬)
腟100mg 1錠 44.00 円　腟600mg 1錠 242.00 円

一般名：クロトリマゾール

- 剤形…腟腟用剤

■先発品　商品名(メーカー)　規格・保険薬価
エンペシド腟錠 (バイエル) 腟100mg 1錠 51.90 円

■ジェネリック　商品名(メーカー)　規格・保険薬価
クロトリマゾール腟錠 (富士製薬)
腟100mg 1錠 28.30 円

一般名：イソコナゾール硝酸塩

●剤形…腟 腟用剤

■先発品　商品名(メーカー)　規格・保険薬価

アデスタン腟錠 (バイエル)
腟 300mg 1個 182.80 円

■ジェネリック　商品名(メーカー)　規格・保険薬価

イソコナゾール硝酸塩腟錠 (富士製薬)
腟 100mg 1個 46.00 円　腟 300mg 1個 143.90 円

概　要

分類　抗真菌薬

処方目的　カンジダに起因する腟炎および外陰腟炎

解説　真菌の一種カンジダはどこにでも存在しますが，腟内が酸性に保たれている場合は増殖せず，抗生物質の使用などでバランスが崩れると増殖しやすくなります。腟カンジダ症は抗真菌薬の腟剤で治療しますが，内服薬と併用する場合もあります。

使用上の注意

*クロトリマゾール(エンペシド腟錠)などの添付文書による

基本的注意

(1)使用してはいけない場合……本剤の成分に対するアレルギーの前歴
(2)その他……

●妊婦(3 カ月以内)での安全性：未確立。有益と判断されたときのみ使用。
●授乳婦での安全性：[オキシコナゾール硝酸塩]治療上の有益性・母乳栄養の有益性を考慮し，授乳の継続・中止を検討。(1714 頁を参照)

重大な副作用　重大な副作用はありませんが，そのほかの副作用はあるので，体調がいつもと違うと感じたときは，処方医・薬剤師に相談してください。

併用してはいけない薬　併用してはいけない薬は特にありません。ただし，併用する薬があるときは，念のため処方医・薬剤師に報告してください。

外 05 腟用の薬　01 腟用の薬

02 抗トリコモナス薬

製 剤 情 報

一般名：メトロニダゾール

●剤形…腟 腟用剤

■先発品　商品名(メーカー)　規格・保険薬価

フラジール腟錠 写真 (富士製薬)
腟 250mg 1錠 36.20 円

概　要

分類　抗トリコモナス薬

一般名：チニダゾール

●剤形…腟 腟用剤

■ジェネリック　商品名(メーカー)　規格・保険薬価

チニダゾール腟錠 (富士製薬)
腟 200mg 1個 49.90 円

処方目的　トリコモナス腔炎／[メトロニダゾールのみの適応症]細菌性腔症

解説　トリコモナス原虫による感染症は自覚症状が女性にしか出ない場合が多いのですが，パートナーとともに治療する必要があります。女性は腔錠と内服薬，男性は内服薬で治療します。

使用上の注意
*フラジール腔錠，チニダゾール腔錠の添付文書による

基本的注意
(1)使用してはいけない場合……本剤の成分に対するアレルギーの前歴
(2)その他……
●小児での安全性：未確立。(1714頁を参照)

重大な副作用　重大な副作用はありませんが，そのほかの副作用はあるので，体調がいつもと違うと感じたときは，処方医・薬剤師に相談してください。

併用してはいけない薬　併用してはいけない薬は特にありません。ただし，併用する薬があるときは，念のため処方医・薬剤師に報告してください。

外 05 腔用の薬　01 腔用の薬
03 エストリオール

製剤情報

一般名：エストリオール
●剤形…腔腔用剤

■先発品　商品名(メーカー)　規格・保険薬価
エストリール腔錠(持田) 腔 0.5mg 1錠 17.70 円
ホーリン V 腔用錠 (あすか＝武田)
腔 1mg 1錠 26.10 円

概要

分類　卵胞ホルモン

処方目的　腔炎(老人，小児および非特異性)，子宮頸管炎，子宮腔部びらん

解説　卵胞ホルモンの一種で，腔粘液を増量させ腔を清浄化する作用が認められています。ホルモン剤として全身的な作用がありますが，腔錠の適応症は腔から子宮の炎症に限られています。

使用上の注意
*両剤の添付文書による

基本的注意

(1)使用してはいけない場合……本剤の成分に対するアレルギーの前歴／エストロゲン依存性悪性腫瘍(例えば乳がん，子宮内膜がん)およびその疑いのある人／妊婦または妊娠している可能性のある人

(2)慎重に使用すべき場合……未治療の子宮内膜増殖症／子宮筋腫，子宮内膜症／乳がんの前歴／乳がんの家族素因が強い人／乳房結節，乳腺症／乳房レントゲン像に異常が

みられた人／骨成長が終了していない可能性がある人，思春期前

(3)その他……

●授乳婦での安全性：治療上の有益性・母乳栄養の有益性を考慮し，授乳の継続・中止を検討。(1714頁を参照)

重大な副作用　①(卵胞ホルモンの長期連用で)血栓症。②ショック，アナフィラキシー(発疹，潮紅，呼吸困難，血圧低下など)。

　そのほかにも報告された副作用はあるので，体調がいつもと違うと感じたときは，処方医・薬剤師に相談してください。

併用してはいけない薬　併用してはいけない薬は特にありません。ただし，併用する薬があるときは，念のため処方医・薬剤師に報告してください。

外 05 腟用の薬　01 腟用の薬

04　抗生物質腟剤

製剤情報

一般名：**クロラムフェニコール**

●剤形…腟腟用剤

■先発品　　商品名(メーカー)　規格・保険薬価

クロマイ腟錠 (アルフレッサ)
腟 100mg 1錠 71.70 円

クロラムフェニコール腟錠 (富士製薬)
腟 100mg 1錠 71.70 円

概　　要

分類　抗生物質

処方目的　細菌性腟炎(クロラムフェニコール感性菌による炎症)

解説　腟炎には，化学的・機械的刺激によるもの，真菌によるもの，原虫によるものの他に，細菌性の腟炎もあります。それぞれの原因にあった治療が必要です。

使用上の注意

*両剤の添付文書による

基本的注意

(1)使用してはいけない場合……本剤の成分に対するアレルギーの前歴

重大な副作用　①ショック，アナフィラキシー(呼吸困難，発疹，血圧低下など)。

　そのほかにも報告された副作用はあるので，体調がいつもと違うと感じたときは，処方医・薬剤師に相談してください。

併用してはいけない薬　併用してはいけない薬は特にありません。ただし，併用する薬があるときは，念のため処方医・薬剤師に報告してください。

05　幼牛血液抽出物

製剤情報

一般名：幼牛血液抽出物

● 剤形…坐 坐剤

■**先発品**　　**商品名（メーカー）**　規格・保険薬価

ソルコセリル腔坐薬（東菱＝大鵬）
坐 1個 41.90 円

概　要

分類　子宮腔部びらん治療薬

処方目的　帯下（おりもの），出血などを伴う子宮腔部びらん

解説　幼牛の血液から蛋白を除去して得られる抽出物質で，各種アミノ酸，ポリペプチド類，核酸塩基などを含み，組織機能を賦活したり，皮膚・粘膜障害の治癒を促進する作用があります。

使用上の注意

基本的注意

(1)使用してはいけない場合……本剤または牛血液を原料とする製剤（フィブリノリジン，ウシトロンビン）に対するアレルギーの前歴

(2)避妊具……本剤の油脂性成分は，コンドームなどの避妊用ラテックスゴム製品の品質を劣化・破損する可能性があるため，これらとは接触しないようにしてください。

重大な副作用　重大な副作用はありませんが，そのほかの副作用はあるので，体調がいつもと違うと感じたときは，処方医・薬剤師に相談してください。

併用してはいけない薬　併用してはいけない薬は特にありません。ただし，併用する薬があるときは，念のため処方医・薬剤師に報告してください。

06　ゲメプロスト

製剤情報

一般名：ゲメプロスト

● 規制…劇薬
● 剤形…坐 坐剤

■**先発品**　　**商品名（メーカー）**　規格・保険薬価

プレグランディン腔坐剤（小野）
坐 1mg 1個 3,976.60 円

概　要

分類　プロスタグランジン製剤

処方目的　妊娠中期における治療的流産

解説　子宮を収縮させ，子宮頸管を開く作用がある生理活性物質プロスタグランジン

E_1製剤です。

📝 使用上の注意

警告

　子宮破裂，子宮頸管裂傷がおこることがあるので，用法・用量，使用上の注意など，処方医の指示を厳守してください。

基本的注意

(1)使用してはいけない場合……前置胎盤，子宮外妊娠などにおける操作により出血の危険性のある人／骨盤内感染による発熱のある人／本剤の成分に対するアレルギーの前歴
(2)厳重に監視……本剤は，母体保護法指定医師のみが使用できます。入院のうえ厳重な監視のもとで行われます。

重大な副作用　　①子宮破裂，子宮頸管裂傷，子宮出血。②心筋梗塞。③ショック（血圧低下，意識障害など）。

　そのほかにも報告された副作用はあるので，体調がいつもと違うと感じたときは，処方医・薬剤師に相談してください。

併用してはいけない薬　　併用してはいけない薬は特にありません。ただし，併用する薬があるときは，念のため処方医・薬剤師に報告してください。

外 06 便秘・痔の薬　01 便秘・痔の薬

01　グリセリン

💊 製 剤 情 報

一般名：炭酸水素ナトリウム・無水リン酸2水素ナトリウム配合剤

●剤形…坐 坐剤

■先発品　　商品名(メーカー)　規格・保険薬価

新レシカルボン坐剤 (京都＝ゼリア)
坐 1個 61.70 円

一般名：グリセリン

●剤形…浣 浣腸剤

■先発品　　商品名(メーカー)　規格・保険薬価

グリセリン浣腸液 (東豊) 浣 50%10mL 11.30 円

グリセリン浣腸 (帝国製薬＝日医工)
浣 50%30mL 1個 (小児用) 100.10 円
浣 50%60mL 1個 107.70 円
浣 50%120mL 1個 140.60 円
浣 50%150mL 1個 166.90 円

グリセリン浣腸 (山善) 浣 50%30mL 1個 100.10 円
浣 50%60mL 1個 107.70 円
浣 50%120mL 1個 140.60 円

グリセリン浣腸液 (健栄)
浣 50%30mL 1個 100.10 円
浣 50%40mL 1個 107.70 円
浣 50%50mL 1個 107.70 円
浣 50%60mL 1個 107.70 円
浣 50%90mL 1個 111.00 円
浣 50%120mL 1個 140.60 円
浣 50%150mL 1個 166.90 円

グリセリン浣腸液（ムネ＝丸石）

浣 50%30mL 1個 100.10 円
浣 50%60mL 1個 107.70 円
浣 50%120mL 1個 140.60 円
浣 50%150mL 1個 166.90 円

グリセリン浣腸液（明治薬品＝ファイザー）

浣 50%40mL 1個 107.70 円
浣 50%60mL 1個 107.70 円
浣 50%120mL 1個 140.60 円
浣 50%150mL 1個 166.90 円

■ジェネリック　　商品名(メーカー)　規格・保険薬価

グリセリン浣腸（山善）浣 50%10mL 9.20 円

グリセリン浣腸液（健栄）浣 50% 10mL 9.20 円

概　　要

分類　便秘治療薬・浣腸剤

処方目的　便秘症／[グリセリンのみの適応症]腸疾患時の排便

解説　直腸内へ注入して，腸管壁の水分を吸収することに伴う刺激により腸管の蠕動をおこし，また糞便に浸透することで軟化・潤滑化させて排泄を促します。

使用上の注意

＊グリセリン（グリセリン浣腸液），新レシカルボン坐剤の添付文書による

基本的注意

(1)使用してはいけない場合……[グリセリン]腸管内出血，腹腔内炎症，腸管に穿孔またはそのおそれのある人／吐きけ・嘔吐・激しい腹痛などの急性腹症が疑われる人／全身衰弱の強い人／下部消化管術直後

[炭酸水素ナトリウム・無水リン酸２水素ナトリウム配合剤]　本剤の成分に対するアレルギーの前歴

(2)流早産……[グリセリン]子宮収縮を誘発して流早産をおこす危険性があるので，妊婦または妊娠している可能性のある人は使用しないことがのぞましいです。

(3)その他……

●授乳婦での安全性：[グリセリン（ムネ＝丸石）]治療上の有益性・母乳栄養の有益性を考慮し，授乳の継続・中止を検討。

重大な副作用　　　[炭酸水素ナトリウム・無水リン酸２水素ナトリウム配合剤]①ショック（顔面蒼白，呼吸困難，血圧低下など）。

　そのほかにも報告された副作用はあるので，体調がいつもと違うと感じたときは，処方医・薬剤師に相談してください。

併用してはいけない薬　　併用してはいけない薬は特にありません。ただし，併用する薬があるときは，念のため処方医・薬剤師に報告してください。

外 06 便秘・痔の薬　01 便秘・痔の薬

02 ビサコジル

外
06
―
01
―
02

ビサコジル

🄛 製 剤 情 報

一般名：ビサコジル

●剤形…坐坐剤

■**先発品**　商品名(メーカー)　規格・保険薬価

テレミンソフト坐薬 (EA ファーマ)

坐 2mg 1個 19.70 円　坐 10mg 1個 20.30 円

ビサコジル坐剤 (長生堂＝日本ジェネリック)

坐 2mg 1個 (乳幼児用) 19.70 円

坐 10mg 1個 19.70 円

ビサコジル坐剤 (日新) 坐 2mg 1個 19.70 円

坐 10mg 1個 19.70 円

📋 概　　要

分類　排便機能促進薬

処方目的　便秘症／消化管検査時または手術前後における腸内容物の排除

解説　大腸を刺激して排便を促す作用があります。医療用医薬品では坐薬製剤しかありませんが，OTC 薬(大衆薬)としてはコーラックをはじめさまざまな内服下剤の成分として使われています。

📝 使用上の注意

＊全剤の添付文書による

基本的注意

(1)使用してはいけない場合……急性腹症が疑われる人／けいれん性便秘のある人／重症の硬結便のある人／肛門裂創・潰瘍性痔核のある人

(2)その他……

●妊婦での安全性：未確立。有益と判断されたときのみ使用。(1714 頁を参照)

重大な副作用　　重大な副作用はありませんが，そのほかの副作用はあるので，体調がいつもと違うと感じたときは，処方医・薬剤師に相談してください。

併用してはいけない薬　　併用してはいけない薬は特にありません。ただし，併用する薬があるときは，念のため処方医・薬剤師に報告してください。

外 06 便秘・痔の薬　01 便秘・痔の薬

03 痔疾用薬剤(坐薬)

🄛 製 剤 情 報

**一般名：ジフルコルトロン吉草酸エステ
ル・リドカイン配合剤**

●規制…劇薬

●剤形…坐坐剤

■**先発品**　商品名(メーカー)　規格・保険薬価

ネリプロクト坐剤 (レオファーマ＝LTL ファー
マ) 坐 1個 27.80 円

■ジェネリック　　商品名(メーカー)　規格・保険薬価

ネイサート坐剤 (日新) 坐 1個 20.30 円

ネリコルト坐剤 (武田テバ薬品＝武田テバファーマ＝武田) 坐 1個 20.30 円

ネリザ坐剤 (ジェイドルフ) 坐 1個 20.30 円

一般名：トリベノシド・リドカイン配合剤

● 剤形…坐 坐剤

■先発品　　商品名(メーカー)　規格・保険薬価

ボラザ G 坐剤 (天藤＝武田) 坐 1個 28.30 円

一般名：ヒドロコルチゾン・フラジオマイシン硫酸塩・ジブカイン塩酸塩・エスクロシド配合剤

● 剤形…坐 坐剤

■先発品　　商品名(メーカー)　規格・保険薬価

プロクトセディル坐薬 (EA ファーマ)
坐 1個 30.70 円

一般名：リドカイン・アミノ安息香酸エチル・次没食子酸ビスマス配合剤

● 剤形…坐 坐剤

■先発品　　商品名(メーカー)　規格・保険薬価

ヘルミチン S 坐剤 (長生堂＝日本ジェネリック)
坐 1個 20.20 円

外
06
|
01
|
03

痔疾用薬剤（坐薬）

概　　要

分類　痔疾治療薬

処方目的　痔核・裂肛の症状(出血・疼痛・腫れ・かゆみ)の緩解／[ヘルミチン S 坐剤のみの適応症]肛門部手術創

解説　痔疾用坐薬はすべて複合剤で，配合されている成分も市販の OTC 薬(大衆薬)と大差ありません。

使用上の注意

＊ネリプロクト坐剤，プロクトセディル坐薬などの添付文書による

基本的注意

(1)使用してはいけない場合……本剤の成分に対するアレルギーの前歴(ヘルミチン S 坐剤を除く)

[ネリプロクト坐剤，プロクトセディル坐薬] 局所の結核性・化膿性・ウイルス性感染症／局所の真菌症(カンジダ症，白癬など)

[プロクトセディル坐薬] ストレプトマイシン・カナマイシン・ゲンタマイシン・フラジオマイシンなどのアミノグリコシド系抗生物質，バシトラシン，ヒドロコルチゾン，ジブカイン塩酸塩，エスクロシドに対するアレルギーの前歴／デスモプレシン酢酸塩水和物(ミニリンメルト：男性における夜間多尿による夜間頻尿)の服用中

[ネリプロクト坐剤] 梅毒性感染症／ジフルコルトロン吉草酸エステル，リドカインに対するアレルギーの前歴

[ボラザ G 坐剤] トリベノシド，アニリド系局所麻酔剤(リドカインなど)に対するアレルギーの前歴

[ヘルミチン S 坐剤] リドカイン，アニリド系局所麻酔薬，アミノ安息香酸エチルに対するアレルギーの前歴／乳幼児

(2)その他……

- ●妊婦での安全性：[ヘルミチンS坐剤，ボラザG坐剤]未確立。有益と判断されたときのみ使用。[ネリプロクト坐剤，プロクトセディル坐薬]未確立。原則として大量・長期使用しない。
- ●小児での安全性：[ネリプロクト坐剤]未確立。[ヘルミチンS坐剤]乳幼児→使用禁止。小児→未確立。(1714頁を参照)

重大な副作用　　[プロクトセディル坐薬]①(大量または長期使用により)下垂体・副腎皮質系機能の抑制。

[ボラザG坐剤]②アナフィラキシー(顔面浮腫，じん麻疹，呼吸困難など)。

　そのほかにも報告された副作用はあるので，体調がいつもと違うと感じたときは，処方医・薬剤師に相談してください。

併用してはいけない薬　　[プロクトセディル坐薬]デスモプレシン酢酸塩水和物(ミニリンメルト：男性における夜間多尿による夜間頻尿)→低ナトリウム血症が現れるおそれがあります。

外06 便秘・痔の薬　01 便秘・痔の薬

04 痔疾用薬剤(軟膏)

外 06—01—04 痔疾用薬剤(軟膏)

製剤情報

一般名：ヒドロコルチゾン・フラジオマイシン硫酸塩・ジブカイン塩酸塩・エスクロシド配合剤

- ●剤形…軟軟膏剤

■先発品　　商品名(メーカー)　規格・保険薬価

プロクトセディル軟膏 (EA ファーマ)
軟 1g 20.60 円

■ジェネリック　　商品名(メーカー)　規格・保険薬価

ヘモレックス軟膏 (ジェイドルフ＝堀井)
軟 1g 19.40 円

一般名：トリベノシド・リドカイン配合剤

- ●剤形…軟軟膏剤

■先発品　　商品名(メーカー)　規格・保険薬価

ボラザ G 軟膏 (天藤＝武田) 軟 1g 25.60 円

一般名：ジフルコルトロン吉草酸エステル・リドカイン配合剤

- ●規制…劇薬
- ●剤形…軟軟膏剤

■先発品　　商品名(メーカー)　規格・保険薬価

ネリプロクト軟膏 (レオファーマ＝LTL ファーマ) 軟 1g 25.70 円

■ジェネリック　　商品名(メーカー)　規格・保険薬価

ネリザ軟膏 (ジェイドルフ) 軟 1g 14.80 円

一般名：ヒドロコルチゾン・大腸菌死菌

- ●剤形…軟軟膏剤

■先発品　　商品名(メーカー)　規格・保険薬価

強力ポステリザン軟膏 (マルホ) 軟 1g 18.90 円

■ジェネリック　　商品名(メーカー)　規格・保険薬価

ヘモポリゾン軟膏 (ジェイドルフ) 軟 1g 11.70 円

概　要

分類　痔疾治療薬

処方目的　痔核・裂肛の症状（出血，疼痛，腫れ，かゆみ）の緩解／[プロクトセディル軟膏，強力ポステリザン軟膏のみの適応症]肛門周囲の湿疹・皮膚炎／[強力ポステリザン軟膏のみの適応症]肛門部手術創，軽度な直腸炎の症状の緩和／[ボラザ G 軟膏のみの適応症]裂創上皮化の促進

解説　痔疾用軟膏は大半は複合剤で，配合されている成分も市販の OTC 薬（大衆薬）と大差ありません。

使用上の注意

＊プロクトセディル軟膏，ネリプロクト軟膏，強力ポステリザン軟膏などの添付文書による

基本的注意

(1)使用してはいけない場合……本剤の成分に対するアレルギーの前歴

[プロクトセディル軟膏，ネリプロクト軟膏，強力ポステリザン軟膏]局所の結核性感染症・化膿性感染症・ウイルス性疾患・真菌症（カンジダ症，白癬など）

[プロクトセディル軟膏]ストレプトマイシン・カナマイシン・ゲンタマイシン・フラジオマイシンなどのアミノグリコシド系抗生物質，バシトラシン，ヒドロコルチゾン，ジブカイン塩酸塩，エスクロシドに対するアレルギーの前歴

[ボラザ G 軟膏]トリベノシド，アニリド系局所麻酔剤（リドカインなど）に対するアレルギーの前歴

[ネリプロクト軟膏]梅毒性感染症／ジフルコルトロン吉草酸エステル，リドカインに対するアレルギーの前歴

[強力ポステリザン軟膏]ヒドロコルチゾンに対するアレルギーの前歴

(2)その他……

●妊婦での安全性：[ボラザ G 軟膏]未確立。有益と判断されたときのみ使用。[ネリプロクト軟膏，プロクトセディル軟膏，強力ポステリザン軟膏]未確立。原則として大量・長期使用しない。

●小児での安全性：[ネリプロクト軟膏，ボラザ G 軟膏，ポステリザン軟膏]未確立。（1714 頁を参照）

重大な副作用　　[プロクトセディル軟膏]①（大量または長期使用により）下垂体・副腎皮質系機能の抑制。

[ボラザ G 軟膏]②アナフィラキシー（顔面浮腫，じん麻疹，呼吸困難など）。

[強力ポステリザン軟膏]③（連用により）眼圧亢進，緑内障，後のう白内障。

　そのほかにも報告された副作用はあるので，体調がいつもと違うと感じたときは，処方医・薬剤師に相談してください。

併用してはいけない薬　　併用してはいけない薬は特にありません。ただし，併用する薬があるときは，念のため処方医・薬剤師に報告してください。

外 07 皮膚病の薬　01 湿疹・おでき類の薬

01 サルファ剤

製剤情報

一般名：スルファジアジン銀

●剤形…ク クリーム剤

■先発品

商品名（メーカー）	規格・保険薬価
ゲーベンクリーム（田辺三菱）ク	1% 1g 12.80 円

概　要

分類　皮膚感染症治療薬

処方目的　外傷・熱傷・手術創などの二次感染／びらん・潰瘍の二次感染

解説　抗生物質が普及するまで，サルファ剤が感染症治療の主役でした。現在では外用薬の一部で使用されるのみですが，十分有用な薬です。薬価があまりにも安すぎるので，なくなってしまわないか気にかかります。

なお，スルファジアジン銀を熱傷（やけど）に用いる場合は中等度・重症の熱傷が対象で，軽症の熱傷では疼痛が現れるので「禁忌（使用してはいけない）」とされています。

使用上の注意

基本的注意

(1) 使用してはいけない場合……本剤の成分またはサルファ剤に対するアレルギーの前歴／軽症熱傷／新生児，低出生体重児

(2) 慎重に使用すべき場合……薬物過敏症の前歴／光線過敏症の前歴／エリテマトーデス／グルコース-6-リン酸脱水素酵素欠損症／肝障害／腎障害

(3) その他……

●妊婦での安全性：未確立。有益と判断されたときのみ使用。

●授乳婦での安全性：使用するときは授乳を中止。（1714 頁を参照）

重大な副作用　①汎血球減少。②皮膚壊死。③間質性腎炎。

そのほかにも報告された副作用はあるので，体調がいつもと違うと感じたときは，処方医・薬剤師に相談してください。

併用してはいけない薬　併用してはいけない薬は特にありません。ただし，併用する薬があるときは，念のため処方医・薬剤師に報告してください。

外 07 皮膚病の薬　01 湿疹・おでき類の薬

02 広範囲抗生物質

製剤情報

一般名：テトラサイクリン塩酸塩

●剤形…軟 軟膏剤

■先発品　商品名(メーカー)　規格・保険薬価

アクロマイシン軟膏 (サンファーマ)
軟 30mg 1g 21.10 円

一般名：**クロラムフェニコール**

●剤形… 軟 **軟膏剤**, 液 **液剤**

■先発品　商品名(メーカー)　規格・保険薬価

クロロマイセチン軟膏 (アルフレッサ)
軟 20mg 1g 10.40 円

クロロマイセチン局所用液 (アルフレッサ)
液 50mg 1mL 37.10 円

一般名：**クロラムフェニコール・フラジオマイシン硫酸塩・プレドニゾロン配合剤**

●剤形… 軟 **軟膏剤**

■先発品　商品名(メーカー)　規格・保険薬価

クロマイ-P 軟膏 (アルフレッサ) 軟 1g 28.50 円

■ジェネリック　商品名(メーカー)　規格・保険薬価

ハイセチン P 軟膏 (富士製薬) 軟 1g 18.20 円

一般名：**オキシテトラサイクリン塩酸塩・ポリミキシンB硫酸塩配合剤**

●剤形… 軟 **軟膏剤**

■先発品　商品名(メーカー)　規格・保険薬価

テラマイシン軟膏 (陽進堂) 軟 1g 10.70 円

外
07
―
01
―
02

広範囲抗生物質

📄 **概　　要**

分類　抗生物質

処方目的　深在性皮膚感染症，慢性膿皮症，表在性皮膚感染症(クロマイ-P 軟膏，ハイセチン P 軟膏を除く)／外傷・熱傷・手術創などの二次感染／びらん・潰瘍の二次感染(アクロマイシン軟膏を除く)

[クロロマイセチン局所用液のみの適応症] 外耳炎，中耳炎，副鼻腔炎，抜歯創・口腔手術創の二次感染

[クロマイ-P 軟膏，ハイセチン P 軟膏のみの適応症] 湿潤・びらん・結痂(かさぶた)を伴うか，または二次感染を併発している湿疹・皮膚炎群(進行性指掌角皮症，ビダール苔癬，放射線皮膚炎，日光皮膚炎を含む)

解説　抗生物質の塗り薬で，同じものが OTC 薬(大衆薬)としても販売されています。

✍ **使用上の注意**

＊クロマイ-P 軟膏の添付文書による

基本的注意

(1)使用してはいけない場合……クロラムフェニコール・フラジオマイシン硫酸塩耐性菌または非感性菌による皮膚感染のある人／皮膚結核，単純疱疹，水痘，帯状疱疹，種痘疹／真菌症(白癬，カンジダ症など)／鼓膜に穿孔のある湿疹性外耳道炎／潰瘍(ベーチェット病を除く)，第 2 度深在性以上の熱傷・凍傷／フラジオマイシン・カナマイシン・ストレプトマイシン・ゲンタマイシンなどのアミノ糖系抗生物質，バシトラシン，クロラムフェニコールに対するアレルギーの前歴／本剤の成分に対するアレルギーの前歴

(2)その他……
●妊婦での安全性：未確立。原則として大量・長期使用しない。(1714 頁を参照)

重大な副作用　　　　　重大な副作用はありませんが，そのほかの副作用はあるの

で，体調がいつもと違うと感じたときは，処方医・薬剤師に相談してください。

併用してはいけない薬 併用してはいけない薬は特にありません。ただし，併用する薬があるときは，念のため処方医・薬剤師に報告してください。

03 フシジン酸ナトリウム

製剤情報

一般名：フシジン酸ナトリウム
- 剤形…軟軟膏剤

■**先発品** 商品名(メーカー) 規格・保険薬価
フシジンレオ軟膏 写真 (第一三共)
軟 20mg 1g 17.90 円

概　要

分類 抗生物質

処方目的 表在性皮膚感染症，深在性皮膚感染症，慢性膿皮症／外傷・熱傷・手術創などの二次感染

解説 本剤はブドウ球菌属にすぐれた抗菌力を有し，特に黄色ブドウ球菌に対して強い抗菌力を示します。

使用上の注意

基本的注意

(1)使用してはいけない場合……本剤の成分に対するアレルギーの前歴

重大な副作用 重大な副作用はありませんが，そのほかの副作用はあるので，体調がいつもと違うと感じたときは，処方医・薬剤師に相談してください。

併用してはいけない薬 併用してはいけない薬は特にありません。ただし，併用する薬があるときは，念のため処方医・薬剤師に報告してください。

04 アミノグリコシド・その他

製剤情報

一般名：ゲンタマイシン硫酸塩
- 剤形…軟軟膏剤，ククリーム剤

■**先発品** 商品名(メーカー) 規格・保険薬価
ゲンタシンクリーム (高田) ク 1mg 1g 11.00 円
ゲンタシン軟膏 (高田) 軟 1mg 1g 11.00 円

ゲンタマイシン硫酸塩軟膏 (岩城)
軟 1mg 1g 8.70 円
ゲンタマイシン硫酸塩軟膏 (武田テバファーマ＝武田) 軟 1mg 1g 6.00 円
ゲンタマイシン硫酸塩軟膏 (富士製薬)
軟 1mg 1g 11.00 円

一般名：フラジオマイシン硫酸塩

● 剤形…貼 貼付剤

■ 先発品　　商品名(メーカー)　規格・保険薬価

ソフラチュール貼付剤 (テイカ)

貼 10.8mg 10cm×10cm 1枚 54.10 円

貼 32.4mg 10cm×30cm 1枚 131.80 円

一般名：ポリミキシンB硫酸塩

● 剤形…散 散剤

一般名：硫酸ポリミキシンB散 (ファイザー)

■ 先発品　　商品名(メーカー)　規格・保険薬価

硫酸ポリミキシンB散 (ファイザー)

散 50 万単位 1瓶 349.90 円

散 300 万単位 1瓶 1,546.60 円

一般名：バシトラシン・フラジオマイシン硫酸塩配合剤

● 剤形…軟 軟膏剤

■ 先発品　　商品名(メーカー)　規格・保険薬価

バラマイシン軟膏 写真 (東洋製化＝小野)

軟 1g 6.00 円

概　要

分類　抗生物質

処方目的　びらん・潰瘍の二次感染(硫酸ポリミキシンB散を除く)

[ソフラチュール貼付剤，硫酸ポリミキシンB散，バラマイシン軟膏のみの適応症] 外傷・熱傷および手術創などの二次感染

[ゲンタマイシン硫酸塩のみの適応症] 表在性皮膚感染症，慢性膿皮症

[硫酸ポリミキシンB散のみの適応症] 骨髄炎，関節炎，膀胱炎，結膜炎，角膜炎(角膜潰瘍を含む)，中耳炎，副鼻腔炎

[バラマイシン軟膏のみの適応症] 表在性皮膚感染症，深在性皮膚感染症，慢性膿皮症，腋臭症

解説　さまざまな抗生物質が塗り薬に応用されています。OTC薬(大衆薬)として市販されているものもあります。

使用上の注意

＊バラマイシン軟膏などの添付文書による

基本的注意

(1)使用してはいけない場合……本剤の成分に対するアレルギーの前歴／他のアミノグリコシド系抗生物質，バシトラシンに対するアレルギーの前歴(硫酸ポリミキシンB散を除く)／[硫酸ポリミキシンB散のみ]コリスチンメタンスルホン酸ナトリウムに対するアレルギーの前歴

(2)その他……

● 妊婦での安全性：[バラマイシン軟膏，ソフラチュール貼付剤，硫酸ポリミキシンB散]未確立。有益と判断されたときのみ使用。

● 授乳婦での安全性：[硫酸ポリミキシンB散]治療上の有益性・母乳栄養の有益性を考慮し，授乳の継続・中止を検討。

● 小児での安全性：[バラマイシン軟膏]未確立。(1714頁を参照)

重大な副作用　　[バラマイシン軟膏，硫酸ポリミキシンB散] ①ショック，

アナフィラキシー様症状(呼吸困難, 潮紅, 発汗, 吐きけなど)。
[ソフラチュール貼付剤, バラマイシン軟膏] ②(長期連用により)腎機能障害, 難聴。
[硫酸ポリミキシンB散] ③難聴, 神経筋遮断作用による呼吸抑制。

　そのほかにも報告された副作用はあるので, 体調がいつもと違うと感じたときは, 処方医・薬剤師に相談してください。

併用してはいけない薬　　併用してはいけない薬は特にありません。ただし, 併用する薬があるときは, 念のため処方医・薬剤師に報告してください。

外 07 皮膚病の薬　01 湿疹・おでき類の薬

05 ニューキノロン剤

製剤情報

一般名：ナジフロキサシン
● 剤形…軟 軟膏剤, ク クリーム剤, 液 液剤
■先発品　　商品名(メーカー)　規格・保険薬価

アクアチムクリーム (大塚) ク 1% 1g 26.60 円

アクアチム軟膏 写真 (大塚) 軟 1% 1g 26.60 円

アクアチムローション (大塚)
液 1% 1mL 26.60 円

■ジェネリック　　商品名(メーカー)　規格・保険薬価

ナジフロキサシンクリーム (サンファーマ)
ク 1% 1g 24.00 円

ナジフロキサシンクリーム (東和)
ク 1% 1g 24.00 円

ナジフロキサシンローション (サンファーマ)
液 1% 1mL 24.00 円

ナジフロキサシンローション (東和)
液 1% 1mL 24.00 円

一般名：オゼノキサシン
● 剤形…ク クリーム剤, 液 液剤
■先発品　　商品名(メーカー)　規格・保険薬価

ゼビアックスローション 写真 (マルホ)
液 2% 1g 66.10 円

ゼビアックス油性クリーム (マルホ)
ク 2% 1g 66.10 円

概　要

分類　ニューキノロン系抗菌薬
処方目的　[ナジフロキサシンの適応症]〈クリーム, 軟膏〉表在性皮膚感染症, 深在性皮膚感染症／〈クリーム, ローション〉にきび(化膿性炎症を伴うもの)
[オゼノキサシンの適応症] 表在性皮膚感染症, にきび(化膿性炎症を伴うもの)
解説　ナジフロキサシンは, ニューキノロン系の抗菌薬として初めて外用薬に応用された薬品で, 1993 年 9 月に発売されました。同系統の抗菌薬として 22 年ぶり(2015 年11 月)にオゼノキサシンが登場しました。
　ナジフロキサシンは 1 日 2 回, オゼノキサシンは 1 日 1 回の塗布です。

使用上の注意
＊ナジフロキサシン(アクアチムクリーム・軟膏・ローション), オゼノキサシン(ゼビアックスローション)の添付文書による

基本的注意

(1)使用してはいけない場合……[オゼノキサシン]本剤の成分に対するアレルギーの前歴

(2)使用期間……本剤の使用にあたっては，表在性皮膚感染症・深在性皮膚感染症は1週間，にきびは4週間で効果が認められない場合は使用中止になります。

(3)その他……

- 妊婦での安全性：[ナジフロキサシン]有益と判断されたときのみ使用。[オゼノキサシン]使用しないことが望ましい。
- 授乳婦での安全性：[オゼノキサシン]治療上の有益性・母乳栄養の有益性を考慮し，授乳の継続・中止を検討。
- 低出生体重児，新生児，乳児，幼児，または13歳未満（ゼビアックスローション）での安全性：未確立。（1714頁を参照）

重大な副作用

重大な副作用はありませんが，そのほかの副作用はあるので，体調がいつもと違うと感じたときは，処方医・薬剤師に相談してください。

併用してはいけない薬

併用してはいけない薬は特にありません。ただし，併用する薬があるときは，念のため処方医・薬剤師に報告してください。

外 07 皮膚病の薬　01 湿疹・おでき類の薬

06 副腎皮質ステロイド外用薬（ストロンゲスト）

🕐 製剤情報

一般名：クロベタゾールプロピオン酸エステル

- 規制…劇薬
- 剤形…軟軟膏剤，ククリーム剤，液液剤

■先発品　商品名(メーカー)　規格・保険薬価

デルモベートクリーム（グラクソ）
ク 0.05% 1g 17.20 円

デルモベートスカルプローション写真（グラクソ）液 0.05% 1g 17.20 円

デルモベート軟膏写真（グラクソ）
軟 0.05% 1g 17.20 円

コムクロシャンプー写真（マルホ）
液 0.05% 1g 23.10 円

■ジェネリック　商品名(メーカー)　規格・保険薬価

グリジールクリーム（佐藤）ク 0.05% 1g 8.50 円

グリジールスカルプローション（佐藤）
液 0.05% 1g 9.20 円

グリジール軟膏（佐藤）軟 0.05% 1g 8.50 円

クロベタゾールプロピオン酸エステルクリーム（池田薬品＝日医工）ク 0.05% 1g 8.50 円

クロベタゾールプロピオン酸エステルクリーム（東光＝ラクール）ク 0.05% 1g 8.50 円

クロベタゾールプロピオン酸エステルクリーム（久光）ク 0.05% 1g 8.50 円

クロベタゾールプロピオン酸エステルクリーム（前田＝佐藤＝日医工）ク 0.05% 1g 8.50 円

クロベタゾールプロピオン酸エステル軟膏（池田薬品＝日医工）軟 0.05% 1g 8.50 円

クロベタゾールプロピオン酸エステル軟膏（岩城）軟 0.05% 1g 8.50 円

クロベタゾールプロピオン酸エステル軟膏（武田テバファーマ＝武田）軟 0.05% 1g 8.50 円

クロベタゾールプロピオン酸エステル軟膏
（東光＝ラクール）軟 0.05% 1g 8.50 円

クロベタゾールプロピオン酸エステル軟膏
（久光）軟 0.05% 1g 8.50 円

クロベタゾールプロピオン酸エステル軟膏
（前田＝佐藤＝日医工＝日本ジェネリック） 軟 0.05% 1g 8.50 円

クロベタゾールプロピオン酸エステルローション（岩城）液 0.05% 1g 6.30 円

クロベタゾールプロピオン酸エステルローション（東光＝ラクール）液 0.05% 1g 9.20 円

クロベタゾールプロピオン酸エステルローション（前田＝佐藤＝日医工）液 0.05% 1g 9.20 円

一般名：ジフロラゾン酢酸エステル

● 剤形…軟 軟膏剤，ク クリーム剤

■ 先発品　商品名（メーカー）　規格・保険薬価

ダイアコートクリーム（帝国製薬）
ク 0.05% 1g 12.70 円

ダイアコート軟膏（帝国製薬）軟 0.05% 1g 12.70 円

■ ジェネリック　商品名（メーカー）　規格・保険薬価

ジフロラゾン酢酸エステルクリーム（陽進堂）
ク 0.05% 1g 8.70 円

ジフロラゾン酢酸エステル軟膏（陽進堂）
軟 0.05% 1g 8.70 円

概　要

分類　副腎皮質ステロイド薬

処方目的　〈クリーム・軟膏〉湿疹・皮膚炎群（進行性指掌角皮症，ビダール苔癬，日光皮膚炎，脂漏性皮膚炎を含む），痒疹群（じん麻疹様苔癬，ストロフルス，固定じん麻疹を含む），掌蹠膿疱症，乾癬，虫さされ，薬疹・中毒疹，慢性円板状エリテマトーデス，扁平紅色苔癬，紅皮症，肥厚性瘢痕・ケロイド，肉芽腫症（サルコイドーシス，環状肉芽腫），皮膚アミロイドーシス（アミロイド苔癬，斑状型アミロイド苔癬を含む），天疱瘡群，類天疱瘡（ジューリング疱疹状皮膚炎を含む），悪性リンパ腫（菌状息肉症を含む），円形脱毛症

[クロベタゾールプロピオン酸エステルのみの適応症]〈クリーム・軟膏〉ジベルばら色粃糠疹／〈ローション・液〉主として頭部の皮膚疾患（湿疹・皮膚炎群，乾癬）／〈コムクロシャンプー〉頭部の尋常性乾癬

[ジフロラゾン酢酸エステルのみの適応症] 紅斑症（多形滲出性紅斑，ダリエ遠心性環状紅斑，遠心性丘疹性紅斑），毛孔性紅色粃糠疹，特発性色素性紫斑（マヨッキー紫斑，シャンバーク病，紫斑性色素性苔癬様皮膚炎を含む）

解説　副腎皮質ステロイド外用薬には強い抗炎症作用があり，炎症性の皮膚疾患に幅広く使用されます。炎症を抑える力により，ストロンゲストからウィークの5段階に区分されていますが，強力なものがよいというわけではありません。

　病状や使用部位に合わせて選択されます。安易に長期使用すると，皮膚局所ばかりでなく全身的な副作用の恐れもあるので，長期に使い続けるという状況は正常なものではありません。治療が長期にわたる場合は，医師とじっくり相談して納得したうえで使用してください。ウィークからストロングの3段階の薬品は，OTC薬（大衆薬）としても市販されています。

　この項では，以下の①を掲載しています。

①作用が最も強力（strongest）／②作用がかなり強力（very　strong）／③作用が強力

(strong)／④作用が中程度(medium)／⑤作用が弱い(weak)

　なお，コムクロシャンプーは尋常性乾癬のみが適応のシャンプー剤で，通常，1日1回，乾燥した頭部の患部を中心に適量を塗布し，約15分後に水または湯で泡立て，完全に洗い流します(短時間接触療法)。薬剤が眼や眼瞼皮膚に付着すると，白内障，緑内障を含む眼障害をおこす可能性があるので，必ず濡れた髪ではなく乾いた髪でシャンプーし，それでも眼や眼瞼皮膚に付着したときは直ちに水で洗い流してください。

使用上の注意

＊クロベタゾールプロピオン酸エステル(デルモベート)，ジフロラゾン酢酸エステル(ダイアコート)の添付文書による

基本的注意

(1)使用してはいけない場合……細菌・真菌・スピロヘータ・ウイルス皮膚感染症，動物性皮膚疾患(疥癬・けじらみなど)／鼓膜に穿孔のある湿疹性外耳道炎／潰瘍(ベーチェット病は除く)，第2度深在性以上の熱傷・凍傷／本剤の成分に対するアレルギーの前歴

(2)処方医の指示を厳守……長期・大量使用は副作用がおこりやすいので，自分勝手に塗らないで必ず処方医の指示に従ってください。

(3)小児……小児の長期使用または密封法(ODT)は，発育障害をおこすおそれがあるので避けてください。おむつは密封法と同様の作用があるので注意してください。

(4)その他……

● 妊婦での安全性：[クロベタゾールプロピオン酸エステル]有益と判断されたときのみ使用。[ジフロラゾン酢酸エステル]使用しないことが望ましい。

● 授乳婦での安全性：[ジフロラゾン酢酸エステル]使用するときは授乳しないことが望ましい。(1714頁を参照)

重大な副作用

[クロベタゾールプロピオン酸エステル(コムクロシャンプーを除く)] ①(まぶたの皮膚への使用により)眼圧亢進，緑内障，白内障。②(大量または長期にわたる広範囲の使用，密封法(ODT)により)緑内障，白内障など。

[ジフロラゾン酢酸エステル] ①皮膚の細菌性感染症(伝染性膿痂疹，毛のう炎など)，真菌性感染症(カンジダ症，白癬など)。②(大量または長期にわたる広範囲の使用，密封法(ODT)により)下垂体・副腎皮質系機能の抑制。③(まぶたの皮膚への使用により)眼圧亢進，緑内障。④(大量または長期にわたる広範囲の使用，密封法(ODT)により)緑内障，後のう白内障など。

　そのほかにも報告された副作用はあるので，体調がいつもと違うと感じたときは，処方医・薬剤師に相談してください。

併用してはいけない薬

併用してはいけない薬は特にありません。ただし，併用する薬があるときは，念のため処方医・薬剤師に報告してください。

外 07 皮膚病の薬　01 湿疹・おでき類の薬

07 副腎皮質ステロイド外用薬（ベリーストロング）

製剤情報

一般名：アムシノニド
- 規制…劇薬
- 剤形…軟 軟膏剤, ク クリーム剤
■先発品　商品名（メーカー）　規格・保険薬価

ビスダームクリーム（帝国製薬＝日医工）
ク 0.1% 1g 27.40 円

ビスダーム軟膏（帝国製薬＝日医工）
軟 0.1% 1g 27.40 円

一般名：ジフルコルトロン吉草酸エステル
- 規制…劇薬
- 剤形…軟 軟膏剤, ク クリーム剤, 液 液剤
■先発品　商品名（メーカー）　規格・保険薬価

テクスメテン軟膏（佐藤）0.1% 1g 13.30 円

テクスメテンユニバーサルクリーム 写真（佐藤）ク 0.1% 1g 13.30 円

ネリゾナクリーム（レオファーマ＝LTL ファーマ）ク 0.1% 1g 21.00 円

ネリゾナソリューション（レオファーマ＝LTL ファーマ）液 0.1% 1mL 21.00 円

ネリゾナ軟膏 写真（レオファーマ＝LTL ファーマ）
軟 0.1% 1g 21.00 円

ネリゾナユニバーサルクリーム 写真（レオファーマ＝LTL ファーマ）ク 0.1% 1g 21.00 円

一般名：ジフルプレドナート
- 剤形…軟 軟膏剤, ク クリーム剤, 液 液剤
■先発品　商品名（メーカー）　規格・保険薬価

マイザークリーム（田辺三菱）
ク 0.05% 1g 14.20 円

マイザー軟膏 写真（田辺三菱）軟 0.05% 1g 14.20 円

■ジェネリック　商品名（メーカー）　規格・保険薬価

ジフルプレドナートクリーム（岩城）
ク 0.05% 1g 10.50 円

ジフルプレドナート軟膏（岩城）
軟 0.05% 1g 10.50 円

ジフルプレドナート軟膏（前田＝日本ジェネリック）軟 0.05% 1g 10.50 円

ジフルプレドナートローション（岩城）
液 0.05% 1g 10.50 円

ジフルプレドナートローション（前田＝日本ジェネリック）液 0.05% 1g 10.50 円

一般名：フルオシノニド
- 規制…劇薬
- 剤形…軟 軟膏剤, ク クリーム剤, 液 液剤, 噴 噴霧剤
■先発品　商品名（メーカー）　規格・保険薬価

トプシム E クリーム（田辺三菱）
ク 0.05% 1g 18.00 円

トプシムクリーム（田辺三菱）ク 0.05% 1g 18.00 円

トプシムスプレー（田辺三菱）
噴 0.0143% 1g 11.60 円

トプシム軟膏（田辺三菱）軟 0.05% 1g 18.00 円

トプシムローション（田辺三菱）
液 0.05% 1g 18.00 円

■ジェネリック　商品名（メーカー）　規格・保険薬価

フルオシノニドクリーム（帝国製薬＝日医工）
ク 0.05% 1g 7.30 円

フルオシノニドクリーム（東興＝日医工）
ク 0.05% 1g 13.30 円

フルオシノニドゲル（東興＝日医工）
ク 0.05% 1g 13.30 円

フルオシノニド軟膏（帝国製薬＝日医工）
軟 0.05% 1g 7.30 円

フルオシノニド軟膏 (東興＝日医工)
軟 0.05% 1g 13.30 円

一般名：ベタメタゾンジプロピオン酸エステル
- 規制…劇薬
- 剤形…軟軟膏剤, ククリーム剤, 液液剤
■先発品　　商品名(メーカー)　規格・保険薬価

リンデロン-DP クリーム 写真 (シオノギファーマ＝塩野義) ク 0.064% 1g 13.20 円

リンデロン-DP ゾル (シオノギファーマ＝塩野義) 液 0.064% 1g 13.20 円

リンデロン-DP 軟膏 (シオノギファーマ＝塩野義) 軟 0.064% 1g 13.20 円

■ジェネリック　　商品名(メーカー)　規格・保険薬価

デルモゾール DP クリーム (岩城)
ク 0.064% 1g 5.80 円

デルモゾール DP 軟膏 (岩城)
軟 0.064% 1g 5.80 円

デルモゾール DP ローション (岩城)
液 0.064% 1mL 5.80 円

ベタメタゾンジプロピオン酸エステルクリーム (佐藤) ク 0.064% 1g 8.70 円

ベタメタゾンジプロピオン酸エステルクリーム (帝国製薬＝日医工) ク 0.064% 1g 8.70 円

ベタメタゾンジプロピオン酸エステル軟膏 (佐藤) 軟 0.064% 1g 8.70 円

ベタメタゾンジプロピオン酸エステル軟膏 (辰巳) 軟 0.064% 1g 5.80 円

ベタメタゾンジプロピオン酸エステル軟膏 (帝国製薬＝日医工) 軟 0.064% 1g 8.70 円

ベタメタゾンジプロピオン酸エステル軟膏 (東光＝ラクール) 軟 0.064% 1g 8.70 円

ベタメタゾンジプロピオン酸エステル軟膏 (陽進堂) 軟 0.064% 1g 5.80 円

一般名：モメタゾンフランカルボン酸エステル
- 規制…劇薬
- 剤形…軟軟膏剤, ククリーム剤, 液液剤
■先発品　　商品名(メーカー)　規格・保険薬価

フルメタクリーム (シオノギファーマ＝塩野義)
ク 0.1% 1g 25.60 円

フルメタ軟膏 (シオノギファーマ＝塩野義)
軟 0.1% 1g 25.60 円

フルメタローション (シオノギファーマ＝塩野義) 液 0.1% 1g 25.60 円

■ジェネリック　　商品名(メーカー)　規格・保険薬価

モメタゾンフランカルボン酸エステルクリーム (岩城) ク 0.1% 1g 13.10 円

モメタゾンフランカルボン酸エステルクリーム (前田＝日医工) ク 0.1% 1g 13.10 円

モメタゾンフランカルボン酸エステル軟膏 (岩城) 軟 0.1% 1g 13.10 円

モメタゾンフランカルボン酸エステル軟膏 (前田＝日医工) 軟 0.1% 1g 13.10 円

モメタゾンフランカルボン酸エステルローション (岩城) 液 0.1% 1g 13.10 円

モメタゾンフランカルボン酸エステルローション (前田＝日医工) 液 0.1% 1g 13.10 円

一般名：酪酸プロピオン酸ヒドロコルチゾン
- 剤形…軟軟膏剤, ククリーム剤, 液液剤
■先発品　　商品名(メーカー)　規格・保険薬価

パンデルクリーム (大正製薬) ク 0.1% 1g 22.30 円

パンデル軟膏 (大正製薬) 軟 0.1% 1g 22.30 円

パンデルローション (大正製薬)
液 0.1% 1mL 22.30 円

一般名：ベタメタゾン酪酸エステルプロピオン酸エステル
- 規制…劇薬
- 剤形…軟軟膏剤, ククリーム剤, 液液剤

■先発品　商品名(メーカー)　規格・保険薬価

アンテベートクリーム（鳥居）
ク 0.05% 1g 18.70 円

アンテベート軟膏（鳥居）軟 0.05% 1g 18.70 円

アンテベートローション写真（鳥居）
液 0.05% 1g 18.70 円

■ジェネリック　商品名(メーカー)　規格・保険薬価

サレックスクリーム（岩城）ク 0.05% 1g 10.40 円

サレックス軟膏（岩城）軟 0.05% 1g 10.40 円

ベタメタゾン酪酸エステルプロピオン酸エステルクリーム（前田＝日医工＝佐藤）
ク 0.05% 1g 10.40 円

ベタメタゾン酪酸エステルプロピオン酸エステル軟膏（日本ジェネリック）
軟 0.05% 1g 10.40 円

ベタメタゾン酪酸エステルプロピオン酸エステル軟膏（前田＝日医工＝佐藤）
軟 0.05% 1g 10.40 円

ベタメタゾン酪酸エステルプロピオン酸エステルローション（日本ジェネリック）
液 0.05% 1g 10.40 円

ベタメタゾン酪酸エステルプロピオン酸エステルローション写真（前田＝日医工＝佐藤）
液 0.05% 1g 10.40 円

概　　要

分類　副腎皮質ステロイド薬

処方目的　湿疹・皮膚炎群（進行性指掌角皮症，ビダール苔癬，脂漏性皮膚炎，放射線皮膚炎，日光皮膚炎，女子顔面黒皮症を含む），痒疹群（じん麻疹様苔癬，ストロフルス，固定じん麻疹，結節性痒疹を含む），虫さされ，乾癬，掌蹠膿疱症，扁平紅色苔癬，ジベルばら色粃糠疹，薬疹・中毒疹，慢性円板状エリテマトーデス，紅斑症（多形滲出性紅斑，ダリエ遠心性環状紅斑，遠心性丘疹性紅斑），特発性色素性紫斑（マヨッキー紫斑，シャンバーク病，紫斑性色素性苔癬様皮膚炎），紅皮症，肉芽腫症（サルコイドーシス，環状肉芽腫），円形脱毛症，アミロイド苔癬（斑状アミロイドーシスを含む），肥厚性瘢痕・ケロイド，悪性リンパ腫（菌状息肉症を含む），水疱症（天疱瘡群，ジューリング疱疹状皮膚炎・水疱性類天疱瘡），毛孔性紅色粃糠疹，尋常性白斑など
＊製剤により多少異なります。

解説　副腎皮質ステロイド外用薬には強い抗炎症作用があり，炎症性の皮膚疾患に幅広く使用されます。炎症を抑える力により，ストロンゲストからウィークの5段階に区分されていますが，強力なものがよいというわけではありません。病状や使用部位に合わせて選択されます。

　安易に長期使用すると，皮膚局所ばかりでなく全身的な副作用の恐れもあるので，長期に使い続けるという状況は正常なものではありません。治療が長期にわたる場合は，医師とじっくり相談して納得したうえで使用してください。ウィークからストロングの3段階の薬品は，OTC薬（大衆薬）としても市販されています。

　この項では，以下の②を掲載しています。
①作用が最も強力（strongest）／②作用がかなり強力（very strong）／③作用が強力（strong）／④作用が中程度（medium）／⑤作用が弱い（weak）

使用上の注意

＊アムシノニド（ビスダーム），ジフルプレドナート（マイザー），ベタメタゾン酪酸エステ

ルプロピオン酸エステル（アンテベート）の添付文書による

基本的注意

(1)使用してはいけない場合……本剤の成分に対するアレルギーの前歴／鼓膜に穿孔のある湿疹性外耳道炎／潰瘍（ベーチェット病は除く），第2度深在性以上の熱傷・凍傷

[アムシノニドのみ] 皮膚結核，単純疱疹，水痘，帯状疱疹，種痘疹

[ジフルプレドナートのみ] 細菌・真菌・ウイルス皮膚感染症

[ベタメタゾン酪酸エステルプロピオン酸エステルのみ] 細菌・真菌・スピロヘータ・ウイルス皮膚感染症，動物性皮膚疾患（疥癬，けじらみなど）

(2)小児……小児の長期使用または密封法（ODT）は，発育障害をおこすおそれがあるので避けてください。おむつは密封法と同様の作用があるので注意してください。

(3)その他……

●妊婦での安全性：大量または長期にわたる広範囲の使用を避けること。（1714頁を参照）

重大な副作用　　　　　[すべての製剤] ①（まぶたの皮膚への使用により）眼圧亢進，緑内障，白内障。②（大量または長期にわたる広範囲の使用，密封法（ODT）により）後のう白内障，緑内障など。

　そのほかにも報告された副作用はあるので，体調がいつもと違うと感じたときは，処方医・薬剤師に相談してください。

併用してはいけない薬　　　　併用してはいけない薬は特にありません。ただし，併用する薬があるときは，念のため処方医・薬剤師に報告してください。

外07 皮膚病の薬　01 湿疹・おでき類の薬

08 副腎皮質ステロイド外用薬（ストロング）

製剤情報

一般名：デキサメタゾンプロピオン酸エステル

●規制…劇薬

●剤形…軟軟膏剤，ククリーム剤，液液剤

■先発品　　商品名（メーカー）　規格・保険薬価

メサデルムクリーム（岡山大鵬＝大鵬）
ク 0.1% 1g 12.20円

メサデルム軟膏 写真（岡山大鵬＝大鵬）
軟 0.1% 1g 12.20円

メサデルムローション（岡山大鵬＝大鵬）
液 0.1% 1g 12.20円

■ジェネリック　　商品名（メーカー）　規格・保険薬価

デキサメタゾンプロピオン酸エステルクリーム 写真（池田薬品＝日医工）ク 0.1% 1g 9.70円

デキサメタゾンプロピオン酸エステルクリーム（東光＝ラクール）ク 0.1% 1g 9.70円

デキサメタゾンプロピオン酸エステルクリーム（前田＝日本ジェネリック）ク 0.1% 1g 9.70円

デキサメタゾンプロピオン酸エステル軟膏 写真（池田薬品＝日医工）軟 0.1% 1g 9.70円

デキサメタゾンプロピオン酸エステル軟膏（東光＝ラクール）軟 0.1% 1g 9.70円

デキサメタゾンプロピオン酸エステル軟膏（前田＝日本ジェネリック）軟 0.1% 1g 9.70円

デキサメタゾンプロピオン酸エステルローション（前田＝日本ジェネリック）液 0.1% 1g 9.70 円

一般名：デキサメタゾン吉草酸エステル

● 剤形… 軟軟膏剤，ク クリーム剤

■ 先発品　　商品名（メーカー）　規格・保険薬価

ボアラクリーム（マルホ）ク 0.12% 1g 16.40 円

ボアラ軟膏（マルホ）軟 0.12% 1g 16.40 円

一般名：デプロドンプロピオン酸エステル

● 剤形… 軟軟膏剤，ク クリーム剤，液 液剤，貼 貼付剤

■ 先発品　　商品名（メーカー）　規格・保険薬価

エクラークリーム（久光＝鳥居）
ク 0.3% 1g 16.50 円

エクラー軟膏（久光＝鳥居）軟 0.3% 1g 16.50 円

エクラープラスター（久光）
貼 1.5mg 7.5cm×10cm 50.00 円

エクラーローション（久光＝鳥居）
液 0.3% 1g 16.50 円

■ ジェネリック　　商品名（メーカー）　規格・保険薬価

デプロドンプロピオン酸エステルクリーム（岩城）ク 0.3% 1g 9.80 円

デプロドンプロピオン酸エステル軟膏（岩城）
軟 0.3% 1g 9.80 円

一般名：フルオシノロンアセトニド

● 剤形… 軟軟膏剤，ク クリーム剤，液 液剤，噴 噴霧剤

■ 先発品　　商品名（メーカー）　規格・保険薬価

フルコート外用液（田辺三菱）液 0.01% 1g 19.30 円

フルコートクリーム（田辺三菱）
ク 0.025% 1g 18.40 円

フルコートスプレー（田辺三菱）
噴 0.007% 1g 9.70 円

フルコート軟膏 写真（田辺三菱）
軟 0.025% 1g 18.40 円

■ ジェネリック　　商品名（メーカー）　規格・保険薬価

フルオシノロンアセトニド軟膏（陽進堂）
軟 0.025% 1g 7.70 円

一般名：フルオシノロンアセトニド・フラジオマイシン硫酸塩配合剤

● 剤形… 軟軟膏剤

■ 先発品　　商品名（メーカー）　規格・保険薬価

フルコート F 軟膏（田辺三菱）軟 1g 23.80 円

一般名：ベタメタゾン吉草酸エステル

● 剤形… 軟軟膏剤，ク クリーム剤，液 液剤

■ 先発品　　商品名（メーカー）　規格・保険薬価

ベトネベートクリーム（グラクソ＝第一三共）
ク 0.12% 1g 24.00 円

ベトネベート軟膏（グラクソ＝第一三共）
軟 0.12% 1g 24.00 円

リンデロン-V クリーム（シオノギファーマ＝塩野義）ク 0.12% 1g 21.60 円

リンデロン-V 軟膏 写真（シオノギファーマ＝塩野義）軟 0.12% 1g 21.60 円

リンデロン-V ローション（シオノギファーマ＝塩野義）液 0.12% 1mL 21.60 円

■ ジェネリック　　商品名（メーカー）　規格・保険薬価

ベタメタゾン吉草酸エステルクリーム（辰巳）
ク 0.12% 1g 6.10 円

ベタメタゾン吉草酸エステルクリーム（陽進堂）ク 0.12% 1g 6.10 円

ベタメタゾン吉草酸エステル軟膏（岩城）
軟 0.12% 1g 6.10 円

ベタメタゾン吉草酸エステル軟膏（東和）
軟 0.12% 1g 7.60 円

ベタメタゾン吉草酸エステルローション（岩城）液 0.12% 1mL 6.10 円

一般名：ベタメタゾン吉草酸エステル・ゲンタマイシン硫酸塩配合剤

● 剤形… 軟軟膏剤，ク クリーム剤，液 液剤

■**先発品**　商品名(メーカー)　規格・保険薬価

リンデロン-VG クリーム (シオノギファーマ＝塩野義) 図 1g 27.70 円	
リンデロン-VG 軟膏 (シオノギファーマ＝塩野義) 軟 1g 27.70 円	
リンデロン-VG ローション (シオノギファーマ＝塩野義) 液 1mL 27.70 円	
デキサン VG 軟膏 (富士製薬＝日医工) 軟 1g 27.70 円	
デルモゾール G クリーム (岩城＝日本ジェネリック) 図 1g 27.70 円	
デルモゾール G 軟膏 (岩城＝日本ジェネリック) 軟 1g 27.70 円	
デルモゾール G ローション (岩城＝日本ジェネリック) 液 1mL 27.70 円	

ベトノバール G クリーム (佐藤) 図 1g 27.70 円	
ベトノバール G 軟膏 (佐藤) 軟 1g 27.70 円	
ルリクール VG 軟膏 (東和) 軟 1g 26.50 円	

一般名：ベタメタゾン吉草酸エステル・フラジオマイシン硫酸塩配合剤

● 剤形…軟 軟膏剤, 図 クリーム剤

■**先発品**　商品名(メーカー)　規格・保険薬価

ベトネベート N クリーム (グラクソ＝第一三共) 図 1g 21.40 円	
ベトネベート N 軟膏 (グラクソ＝第一三共) 軟 1g 21.40 円	

外
07
―
01
―
08

副腎皮質ステロイド外用薬(ストロング)

📄 概　要

分類　副腎皮質ステロイド薬

処方目的　湿疹・皮膚炎群(進行性指掌角皮症, ビダール苔癬, 日光皮膚炎, 皮脂欠乏性湿疹, 脂漏性皮膚炎, 放射線皮膚炎, 女子顔面黒皮症を含む), 皮膚そう痒症, 痒疹群(じん麻疹様苔癬, ストロフルス, 固定じん麻疹を含む), 虫さされ, 薬疹・中毒疹, 乾癬, 掌蹠膿疱症, 扁平紅色苔癬, 紅皮症, 慢性円板状エリテマトーデス, 紅斑症(多形滲出性紅斑, 結節性紅斑, ダリエ遠心性環状紅斑, 遠心性丘疹性紅斑), 毛孔性紅色粃糠疹, ジベルばら色粃糠疹, 特発性色素性紫斑(マヨッキー紫斑, シャンバーク病, 紫斑性色素性苔癬様皮膚炎), 肥厚性瘢痕・ケロイド, 肉芽腫症(サルコイドーシス, 環状肉芽腫), 悪性リンパ腫(菌状息肉症を含む), アミロイド苔癬, 斑状アミロイドーシス, 天疱瘡群, 家族性良性慢性天疱瘡, 類天疱瘡, 円形脱毛症など

＊製剤により多少異なります。

解説　副腎皮質ステロイド外用薬には強い抗炎症作用があり, 炎症性の皮膚疾患に幅広く使用されます。炎症を抑える力により, ストロンゲストからウィークの5段階に区分されていますが, 強力なものがよいというわけではありません。病状や使用部位に合わせて選択されます。

　安易に長期使用すると, 皮膚局所ばかりでなく全身的な副作用の恐れもあるので, 長期に使い続けるという状況は正常なものではありません。治療が長期にわたる場合は, 医師とじっくり相談して納得したうえで使用してください。ウィークからストロングの3段階の薬品は, OTC薬(大衆薬)としても市販されています。

　この項では, 以下の③を掲載しています。

①作用が最も強力(strongest)／②作用がかなり強力(very strong)／③作用が強力

(strong)／④作用が中程度(medium)／⑤作用が弱い(weak)

🪧 使用上の注意

*デキサメタゾンプロピオン酸エステル(メサデルム)，デプロドンプロピオン酸エステル(エクラー)の添付文書による

基本的注意

(1)使用してはいけない場合……本剤の成分に対するアレルギーの前歴／細菌・真菌・スピロヘータ・ウイルス皮膚感染症／鼓膜に穿孔のある湿疹性外耳道炎／潰瘍(ベーチェット病は除く)，第2度深在性以上の熱傷・凍傷／[デプロドンプロピオン酸エステルのみ]動物性皮膚疾患(疥癬，けじらみなど)

(2)小児……小児の長期使用または密封法(ODT)は，発育障害をおこすおそれがあるので避けてください。おむつは密封法と同様の作用があるので注意してください。

(3)その他……

●妊婦での安全性：未確立。大量または長期にわたる広範囲の使用を避けること。(1714頁を参照)

重大な副作用　　　　　　[すべての製剤]①(まぶたの皮膚への使用により)眼圧亢進，緑内障。②(大量または長期にわたる広範囲の使用，密封法(ODT)により)後のう白内障，緑内障など。

　そのほかにも報告された副作用はあるので，体調がいつもと違うと感じたときは，処方医・薬剤師に相談してください。

併用してはいけない薬　　　　　併用してはいけない薬は特にありません。ただし，併用する薬があるときは，念のため処方医・薬剤師に報告してください。

外 07 皮膚病の薬　01 湿疹・おでき類の薬

09 副腎皮質ステロイド外用薬(ミディアム)

🔵 製剤情報

一般名：アルクロメタゾンプロピオン酸エステル

●剤形…軟軟膏剤

■先発品　　商品名(メーカー)　規格・保険薬価

アルメタ軟膏 (シオノギファーマ＝塩野義)
軟 0.1% 1g 26.60 円

■ジェネリック　　商品名(メーカー)　規格・保険薬価

アルクロメタゾンプロピオン酸エステル軟膏 (岩城) 軟 0.1% 1g 15.00 円

一般名：デキサメタゾン・脱脂大豆乾留タール配合剤

●剤形…軟軟膏剤

■先発品　　商品名(メーカー)　規格・保険薬価

グリメサゾン軟膏 (藤永＝第一三共)
軟 1g 31.80 円

一般名：クロベタゾン酪酸エステル

●剤形…軟軟膏剤，ク クリーム剤，液液剤

■先発品　　商品名(メーカー)　規格・保険薬価

キンダベート軟膏 (グラクソ) 軟 0.05% 1g 16.50 円

外
07
－
01
－
09

副腎皮質ステロイド外用薬(ミディアム)

■ジェネリック　商品名(メーカー)　規格・保険薬価

クロベタゾン酪酸エステルクリーム (岩城)
ク 0.05% 1g 8.50 円

クロベタゾン酪酸エステル軟膏 (岩城)
軟 0.05% 1g 8.50 円

クロベタゾン酪酸エステル軟膏 (帝国製薬＝日医工) 軟 0.05% 1g 8.50 円

クロベタゾン酪酸エステル軟膏 (東光＝ラクール) 軟 0.05% 1g 8.50 円

クロベタゾン酪酸エステル軟膏 (陽進堂)
軟 0.05% 1g 8.50 円

クロベタゾン酪酸エステルローション (岩城)
液 0.05% 1g 8.50 円

一般名：デキサメタゾン

● 剤形…軟 軟膏剤, ク クリーム剤, 液 液剤

■ジェネリック　商品名(メーカー)　規格・保険薬価

オイラゾンクリーム (日新) ク 0.05% 1g 31.20 円
ク 0.1% 1g 34.50 円

デキサメタゾンクリーム (岩城)
ク 0.1% 1g 7.60 円

デキサメタゾン軟膏 (岩城) 軟 0.1% 1g 7.60 円

デキサメタゾンローション (岩城)
液 0.1% 1g 7.60 円

一般名：トリアムシノロンアセトニド

● 剤形…軟 軟膏剤, ク クリーム剤

■先発品　商品名(メーカー)　規格・保険薬価

レダコートクリーム (アルフレッサ)
ク 0.1% 1g 21.20 円

レダコート軟膏 (アルフレッサ)
軟 0.1% 1g 21.20 円

■ジェネリック　商品名(メーカー)　規格・保険薬価

トリアムシノロンアセトニドクリーム (東興＝科研) ク 0.1% 1g 20.10 円

トリアムシノロンアセトニドゲル (東興＝科研) 軟 0.1% 1g 20.10 円

ノギロン軟膏 (陽進堂) 軟 0.1% 1g 4.40 円

一般名：ヒドロコルチゾン酪酸エステル

● 剤形…軟 軟膏剤, ク クリーム剤

■先発品　商品名(メーカー)　規格・保険薬価

ロコイドクリーム 写真 (鳥居)
ク 0.1% 0.1g 11.10 円

ロコイド軟膏 (鳥居) 軟 0.1% 0.1g 11.10 円

一般名：フラジオマイシン硫酸塩・メチルプレドニゾロン配合剤

● 剤形…軟 軟膏剤

■先発品　商品名(メーカー)　規格・保険薬価

ネオメドロール EE 軟膏 (ファイザー)
軟 1g 46.60 円

一般名：プレドニゾロン吉草酸エステル酢酸エステル

● 剤形…軟 軟膏剤, ク クリーム剤, 液 液剤

■先発品　商品名(メーカー)　規格・保険薬価

リドメックスコーワクリーム 写真 (興和)
ク 0.3% 1g 13.30 円

リドメックスコーワ軟膏 (興和)
軟 0.3% 1g 13.30 円

リドメックスコーワローション (興和)
液 0.3% 1g 13.30 円

■ジェネリック　商品名(メーカー)　規格・保険薬価

スピラゾンクリーム (岩城) ク 0.3% 1g 8.70 円

スピラゾン軟膏 (岩城) 軟 0.3% 1g 8.70 円

スピラゾンローション (岩城) 液 0.3% 1g 8.70 円

プレドニゾロン吉草酸エステル酢酸エステルクリーム (辰巳) ク 0.3% 1g 8.70 円

プレドニゾロン吉草酸エステル酢酸エステルクリーム (陽進堂) ク 0.3% 1g 8.70 円

プレドニゾロン吉草酸エステル酢酸エステル軟膏 (辰巳) 軟 0.3% 1g 8.70 円

プレドニゾロン吉草酸エステル酢酸エステル軟膏 (陽進堂) 軟 0.3% 1g 8.70 円

▤ 概　要

分類　副腎皮質ステロイド薬

処方目的　［クロベタゾン酪酸エステル，ネオメドロール EE 軟膏を除く製剤の適応症］湿疹・皮膚炎群(進行性指掌角皮症，女子顔面黒皮症，ビダール苔癬，放射線皮膚炎，日光皮膚炎を含む)，皮膚そう痒症，痒疹群(じん麻疹様苔癬，ストロフルス，固定じん麻疹を含む)，虫さされ，乾癬，掌蹠膿疱症，紅斑症(多形滲出性紅斑，結節性紅斑，ダリエ遠心性環状紅斑)，紅皮症，皮膚粘膜症候群(ベーチェット病を含む)，薬疹・中毒疹，円形脱毛症，熱傷(瘢痕，ケロイドを含む)，天疱瘡群，ジューリング疱疹状皮膚炎(類天疱瘡を含む)，扁平苔癬，毛孔性紅色粃糠疹，特発性色素性紫斑(シャンバーグ病，マヨッキー紫斑，紫斑性色素性苔癬様皮膚炎)，慢性円板状エリテマトーデスなど＊製剤により多少異なります。

［クロベタゾン酪酸エステルの適応症］アトピー性皮膚炎(乳幼児湿疹を含む)，顔面・頸部・腋窩・陰部における湿疹・皮膚炎

［ネオメドロール EE 軟膏の適応症］外眼部・前眼部の細菌感染を伴う炎症性疾患／外耳の湿疹・皮膚炎／耳鼻咽喉科領域における術後処置

解説　副腎皮質ステロイド外用薬には強い抗炎症作用があり，炎症性の皮膚疾患に幅広く使用されます。炎症を抑える力により，ストロンゲストからウィークの５段階に区分されていますが，強力なものがよいというわけではありません。病状や使用部位に合わせて選択されます。

　安易に長期使用すると，皮膚局所ばかりでなく全身的な副作用の恐れもあるので，長期に使い続けるという状況は正常なものではありません。治療が長期にわたる場合は，医師とじっくり相談して納得したうえで使用してください。ウィークからストロングの３段階の薬品は，OTC 薬(大衆薬)としても市販されています。

　この項では，以下の④を掲載しています。

①作用が最も強力(strongest)／②作用がかなり強力(very strong)／③作用が強力(strong)／④作用が中程度(medium)／⑤作用が弱い(weak)

◔ 使用上の注意

＊アルクロメタゾンプロピオン酸エステル(アルメタ)，トリアムシノロンアセトニド(レダコート)の添付文書による

基本的注意

(1)使用してはいけない場合……本剤の成分に対するアレルギーの前歴／鼓膜に穿孔のある湿疹性外耳道炎／潰瘍(ベーチェット病は除く)，第２度深在性以上の熱傷・凍傷／［アルクロメタゾンプロピオン酸エステルのみ］細菌・真菌・スピロヘータ・ウイルス皮膚感染症，動物性皮膚疾患(疥癬，けじらみなど)／［トリアムシノロンアセトニドのみ］皮膚結核，単純疱疹，水痘，帯状疱疹，種痘疹

(2)小児……小児の長期使用または密封法(ODT)は，発育障害をおこすおそれがあるので避けてください。おむつは密封法と同様の作用があるので注意してください。

(3)その他……

● 妊婦での安全性：大量または長期にわたる広範囲の使用を避けること。（1714 頁を参照）

重大な副作用 ［アルメタ，キンダベート，レダコート，ロコイド，ネオメドロール EE 軟膏，リドメックス］①（まぶたの皮膚への使用により）眼圧亢進，緑内障，白内障など。②（大量または長期にわたる広範囲の使用，密封法（ODT）により）後のう白内障，緑内障など。

［ネオメドロール EE 軟膏のみ］③非可逆性の難聴。④角膜ヘルペス，角膜真菌症，緑膿菌感染症など。

そのほかにも報告された副作用はあるので，体調がいつもと違うと感じたときは，処方医・薬剤師に相談してください。

併用してはいけない薬 併用してはいけない薬は特にありません。ただし，併用する薬があるときは，念のため処方医・薬剤師に報告してください。

---

10 副腎皮質ステロイド外用薬（ウィーク）

製剤情報

一般名：ヒドロコルチゾン・クロタミトン配合剤

● 剤形…ク クリーム剤

■ 先発品　　商品名（メーカー）　規格・保険薬価

オイラックス H クリーム（日新）ク 1g 12.70 円

一般名：ヒドロコルチゾン・混合死菌浮遊液配合剤

● 剤形…軟 軟膏剤

■ 先発品　　商品名（メーカー）　規格・保険薬価

エキザルベ（マルホ）軟 1g 29.80 円

一般名：ヒドロコルチゾン酢酸エステル・ジフェンヒドラミン塩酸塩・フラジオマイシン硫酸塩配合剤

● 剤形…軟 軟膏剤

■ 先発品　　商品名（メーカー）　規格・保険薬価

強力レスタミンコーチゾンコーワ軟膏（興和）軟 1g 13.90 円

一般名：フルドロキシコルチド

● 剤形…貼 貼付剤

■ 先発品　　商品名（メーカー）　規格・保険薬価

ドレニゾンテープ（住友ファーマ＝帝国製薬）貼 0.3mg 7.5cm×10cm 64.50 円

一般名：プレドニゾロン

● 剤形…軟 軟膏剤，ク クリーム剤

■ 先発品　　商品名（メーカー）　規格・保険薬価

プレドニゾロンクリーム（辰巳）ク 0.5% 1g 4.50 円

プレドニゾロンクリーム（帝国製薬＝日医工）ク 0.5% 1g 8.10 円

プレドニゾロンクリーム（陽進堂）ク 0.5% 1g 4.50 円

■ ジェネリック　　商品名（メーカー）　規格・保険薬価

プレドニゾロン軟膏（マイラン＝ファイザー）軟 0.5% 1g 5.10 円

一般名：オキシテトラサイクリン塩酸塩・ヒドロコルチゾン配合剤

●剤形…軟膏剤

■先発品　商品名(メーカー)　規格・保険薬価

テラ・コートリル軟膏(陽進堂) 軟 1g 29.50 円

概　要

分類　副腎皮質ステロイド薬

処方目的　湿疹・皮膚炎群(進行性指掌角皮症，女子顔面黒皮症，ビダール苔癬，放射線皮膚炎，日光皮膚炎を含む)，皮膚そう痒症，小児ストロフルス，虫さされ，乾癬，痒疹群(ストロフルス，固定じん麻疹を含む)，掌蹠膿疱症，扁平紅色苔癬，アミロイド苔癬，環状肉芽腫，光沢苔癬，慢性円板状エリテマトーデス，フォックス・フォアダイス病，熱傷，肥厚性瘢痕・ケロイド，尋常性白斑，シャンバーグ病，悪性リンパ腫(菌状息肉症の紅斑・扁平浸潤期など)，薬疹・中毒疹，深在性皮膚感染症，慢性膿皮症など
＊製剤により多少異なります。

解説　副腎皮質ステロイド外用薬には強い抗炎症作用があり，炎症性の皮膚疾患に幅広く使用されます。炎症を抑える力により，ストロンゲストからウィークの5段階に区分されていますが，強力なものが良いというわけではありません。病状や使用部位に合わせて選択されます。

　安易に長期使用すると，皮膚局所ばかりでなく全身的な副作用の恐れもあるので，長期に使い続けるという状況は正常なものではありません。治療が長期にわたる場合は，医師とじっくり相談して納得したうえで使用してください。ウィークからストロングの3段階の薬品は，OTC薬(大衆薬)としても市販されています。

　この項では，以下の⑤を掲載しています。
①作用が最も強力(strongest)／②作用がかなり強力(very strong)／③作用が強力(strong)／④作用が中程度(medium)／⑤作用が弱い(weak)

使用上の注意

＊ヒドロコルチゾン・クロタミトン配合剤(オイラックスHクリーム)，プレドニゾロン(プレドニゾロンクリーム)の添付文書による

基本的注意

(1)使用してはいけない場合……本剤の成分に対するアレルギーの前歴／潰瘍(ベーチェット病は除く)，第2度深在性以上の熱傷・凍傷／[ヒドロコルチゾン・クロタミトン配合剤のみ]細菌・真菌・スピロヘータ・ウイルス皮膚感染症／[プレドニゾロンのみ]皮膚結核，単純疱疹，水痘，帯状疱疹，種痘疹／鼓膜に穿孔のある湿疹性外耳道炎

(2)小児……小児の長期使用または密封法(ODT)は，発育障害をおこすおそれがあるので避けてください。おむつは密封法と同様の作用があるので注意してください。

(3)その他……

●妊婦での安全性：未確立。大量または長期にわたる広範囲の使用を避けること。(1714頁を参照)

重大な副作用　　　[プレドニゾロン，フルドロキシコルチド] ①(まぶたの皮

膚への使用により）眼圧亢進，緑内障，後のう白内障。②（大量または長期にわたる広範囲の使用，密封法（ODT）により）後のう白内障，緑内障。

そのほかにも報告された副作用はあるので，体調がいつもと違うと感じたときは，処方医・薬剤師に相談してください。

併用してはいけない薬　併用してはいけない薬は特にありません。ただし，併用する薬があるときは，念のため処方医・薬剤師に報告してください。

11　外用抗ヒスタミン薬

製剤情報

一般名：ジフェンヒドラミンラウリル硫酸塩

●剤形…軟軟膏剤

■先発品　商品名(メーカー)　規格・保険薬価
ベナパスタ軟膏 (田辺三菱) 軟 4% 10g 26.30 円

一般名：クロタミトン

●剤形…ク クリーム剤

■先発品　商品名(メーカー)　規格・保険薬価
オイラックスクリーム (日新) ク 10% 10g 38.60 円

クロタミトンクリーム (武田テバファーマ＝武田＝岩城) ク 10% 10g 37.50 円

一般名：ジフェンヒドラミン

●剤形…ク クリーム剤

■先発品　商品名(メーカー)　規格・保険薬価
ジフェンヒドラミンクリーム (武田テバファーマ＝武田＝岩城) ク 1% 10g 27.20 円
レスタミンコーワクリーム (興和) ク 1% 10g 26.20 円

概　要

分類　抗ヒスタミン薬

処方目的　湿疹，じん麻疹，皮膚掻痒症，小児ストロフルス，虫さされ，神経皮膚炎

解説　抗ヒスタミン薬の塗り薬は副腎皮質ステロイド製剤が使用できない場合などを除けば，かゆみ止めの主役ではありません。広範囲に塗る必要がある場合は副作用の少ない点から使われます。なお，クロタミトンは抗ヒスタミン薬ではなく疥癬治療薬なのですが，現状はかゆみ止めとして適応症が定められています。

使用上の注意

＊クロタミトン（オイラックスクリーム）の添付文書による

基本的注意

(1) 使用してはいけない場合……本剤の成分に対するアレルギーの前歴

(2) その他……

●妊婦での安全性：未確立。大量または長期にわたる広範囲の使用を避けること。（1714頁を参照）

重大な副作用 重大な副作用はありませんが，そのほかの副作用はあるので，体調がいつもと違うと感じたときは，処方医・薬剤師に相談してください。

併用してはいけない薬 併用してはいけない薬は特にありません。ただし，併用する薬があるときは，念のため処方医・薬剤師に報告してください。

外 **07 皮膚病の薬　01 湿疹・おでき類の薬**

12 非ステロイド抗炎症外用薬（皮膚炎用）

製剤情報

一般名：イブプロフェンピコノール

● 剤形… 軟 軟膏剤，ク クリーム剤

■ 先発品　　商品名(メーカー)　規格・保険薬価

スタデルムクリーム (鳥居)	ク	5% 1g 14.70 円
スタデルム軟膏 (鳥居)	軟	5% 1g 14.70 円
ベシカムクリーム (久光)	ク	5% 1g 15.90 円
ベシカム軟膏 (久光)	軟	5% 1g 15.90 円

一般名：スプロフェン

● 剤形… 軟 軟膏剤

■ 先発品　　商品名(メーカー)　規格・保険薬価

スルプロチン軟膏 (武田テバファーマ＝武田)	軟	1% 1g 17.90 円
スレンダム軟膏 (サンファーマ)	軟	1% 1g 16.40 円
トパルジック軟膏 (アルフレッサ)	軟	1% 1g 15.70 円

一般名：ベンダザック

● 剤形… 軟 軟膏剤

■ 先発品　　商品名(メーカー)　規格・保険薬価

ジルダザック軟膏 (佐藤)	軟	3% 1g 16.80 円

■ ジェネリック　　商品名(メーカー)　規格・保険薬価

ベンダザック軟膏 (岩城)	軟	3% 1g 8.00 円

一般名：ウフェナマート

● 剤形… 軟 軟膏剤，ク クリーム剤

■ 先発品　　商品名(メーカー)　規格・保険薬価

コンベッククリーム 写真 (田辺三菱) ク 5% 1g 16.30 円		
コンベック軟膏 (田辺三菱) 軟 5% 1g 16.30 円		
フエナゾールクリーム (マイラン EPD) ク 5% 1g 16.90 円		
フエナゾール軟膏 (マイラン EPD) 軟 5% 1g 16.90 円		

概　要

分類 非ステロイド系消炎・鎮痛薬

処方目的 急性湿疹，慢性湿疹，脂漏性湿疹，貨幣状湿疹，皮脂欠乏性湿疹，接触皮膚炎，アトピー性皮膚炎，おむつ皮膚炎，酒さ様皮膚炎・口囲皮膚炎，帯状疱疹，尋常性ざ瘡，尋常性乾癬

＊製剤・剤形により多少異なります。

[ベンダザックのみの適応症] 褥瘡，熱傷潰瘍，放射線潰瘍

解説 副腎皮質ステロイド外用薬に匹敵する消炎作用を求めて開発されてきましたが，最も使用されていたブフェキサマク（アンダーム）が，その副作用（接触皮膚炎）リスクが治療上の便益を上回ると判定され，販売中止となったのは皮肉なことです。

使用上の注意

＊スプロフェン（スルプロチン軟膏）の添付文書による

基本的注意

(1)使用してはいけない場合……本剤の成分に対するアレルギーの前歴／オキシベンゾン，チアプロフェン酸，フェノフィブラート，ケトプロフェン（外皮用剤）に対するアレルギーの前歴

(2)その他……

●妊婦での安全性：未確立。有益と判断されたときのみ使用。

●低出生体重児，新生児，乳児での安全性：未確立（長期使用の場合）。（1714頁を参照）

重大な副作用　重大な副作用はありませんが，そのほかの副作用はあるので，体調がいつもと違うと感じたときは，処方医・薬剤師に相談してください。

併用してはいけない薬　併用してはいけない薬は特にありません。ただし，併用する薬があるときは，念のため処方医・薬剤師に報告してください。

13　タクロリムス水和物

製剤情報

一般名：タクロリムス水和物

●規制…劇薬
●剤形…軟 軟膏剤

■先発品　商品名（メーカー）　規格・保険薬価

プロトピック軟膏（マルホ）軟 0.1% 1g 82.60 円

プロトピック軟膏小児用（マルホ）
軟 0.03% 1g 90.10 円

■ジェネリック　商品名（メーカー）　規格・保険薬価

タクロリムス軟膏（岩城＝日本ジェネリック）
軟 0.1% 1g 45.40 円

タクロリムス軟膏（サンファーマ）
軟 0.1% 1g 45.40 円

タクロリムス軟膏（高田）軟 0.1% 1g 40.40 円

概要

分類　アトピー性皮膚炎治療薬

処方目的　アトピー性皮膚炎

解説　タクロリムス水和物は免疫抑制薬として内服薬・注射薬がすでに発売されていました。軟膏剤は，アトピー性皮膚炎の新しい治療薬として開発されたものです。

使用上の注意

＊タクロリムス水和物（プロトピック軟膏）の添付文書による

警告

①本剤はアトピー性皮膚炎の治療法に精通している医師のもとで使用してください。

②潰瘍，明らかに局面を形成しているびらんに使用する場合には，血中濃度が高くなり腎障害などの副作用が現れる可能性があるので，あらかじめ処置を行い，潰瘍，明らかに局

面を形成しているびらんの改善を確認した後，本剤の使用を開始することが必要です。

基本的注意

(1)**使用してはいけない場合**……潰瘍，明らかな局面を形成しているびらん／高度の腎機能障害／高度の高カリウム血症／魚鱗癬様紅皮症(ネサートン症候群など)／PUVA療法などの紫外線療法中／本剤の成分に対するアレルギーの前歴／小児(小児用は2歳未満は禁忌)

(2)**皮膚感染症**……皮膚感染症を伴うアトピー性皮膚炎に対しては使用しないことが原則です。やむを得ず使用する場合には，感染部位を避けて使用するか，またはあらかじめ適切な抗菌薬，抗ウイルス薬，抗真菌薬による治療を行う，もしくはこれらとの併用を考慮します。

(3)**発がんリスク**……本剤には，本剤の免疫抑制作用により潜在的な発がんリスクがあります。本剤の使用例において関連性は明らかではないが，悪性リンパ腫，皮膚がんの発現が報告されています。使用にあたっては医師にこれらの情報の説明を受け，理解し同意したのち使用してください。

(4)**皮膚刺激感**……本剤を塗った直後からしばらくの間，かゆみやほてり感，ヒリヒリ感などの皮膚刺激感が出ることがありますが，通常は皮疹の改善とともに消えていきます。治療の中断は処方医や薬剤師とよく相談してください。

(5)**日光への曝露**……本剤の使用時は日光への曝露を最小限にとどめ，また，日焼けランプや紫外線ランプの使用を避けてください。皮膚腫瘍が発生するおそれがあります。日常生活での外出は問題ありませんが，山や海などに行く前の使用は避け，帰ってから使用してください。

(6)**その他**……
- 妊婦での安全性：有益と判断されたときのみ使用。
- 授乳婦での安全性：治療上の有益性・母乳栄養の有益性を考慮し，授乳の継続・中止を検討。
- 小児での安全性(2歳未満)：未確立。(1714頁を参照)

重大な副作用　　重大な副作用はありませんが，そのほかの副作用はあるので，体調がいつもと違うと感じたときは，処方医・薬剤師に相談してください。

併用してはいけない薬　　PUVA療法などの紫外線療法→マウスに紫外線照射を行うと，すべてのマウスに皮膚の腫瘍が発生し，紫外線照射と並行して本剤を塗布すると皮膚腫瘍の発生時期が早まることが示されています。

外07 皮膚病の薬　01 湿疹・おでき類の薬
14 グリチルレチン酸

製剤情報

一般名：グリチルレチン酸
- 剤形…軟膏剤，クリーム剤

■先発品　　商品名(メーカー)　規格・保険薬価

デルマクリン A 軟膏 (摩耶堂＝ミヤリサン＝ミ
ノファーゲン) 軟 1% 1g 11.40 円

デルマクリンクリーム (摩耶堂＝ミヤリサン＝
ミノファーゲン) ク 1% 1g 11.40 円

ハイデルマートクリーム (摩耶堂＝ミヤリサン＝
ミノファーゲン) ク 2% 1g 13.00 円

概　要

分類　抗炎症・鎮痒薬

処方目的　湿疹, 皮膚そう痒症, 神経皮膚炎

解説　漢方薬「甘草」の成分グリチルレチン酸の消炎作用は強力ではありませんが, 外
用ではほとんど副作用は知られていません。

使用上の注意

＊全剤の添付文書による

基本的注意

(1)使用してはいけない部位……本剤を眼には使用しないでください。

重大な副作用　　　重大な副作用はありませんが, そのほかの副作用はあるの
で, 体調がいつもと違うと感じたときは, 処方医・薬剤師に相談してください。

併用してはいけない薬　　併用してはいけない薬は特にありません。ただし, 併用す
る薬があるときは, 念のため処方医・薬剤師に報告してください。

外07 皮膚病の薬　01 湿疹・おでき類の薬

15 ジメチルイソプロピルアズレン

製剤情報

一般名：ジメチルイソプロピルアズレン

●剤形…軟 軟膏剤

■先発品　　商品名(メーカー)　規格・保険薬価

アズノール軟膏 写真 (日本新薬)
軟 0.033% 10g 25.20 円

概　要

分類　炎症性皮膚疾患治療薬

処方目的　湿疹／やけど・その他の疾患によるびらんや潰瘍

解説　薬用植物カミツレから誘導されたジメチルイソプロピルアズレンには, 抗炎症
作用や創傷治癒促進作用, 抗アレルギー作用が認められています。

使用上の注意

基本的注意

(1)使用してはいけない場合……本剤の成分に対するアレルギーの前歴

(2)使用してはいけない部位……本剤を眼には使用しないでください。

重大な副作用　　　重大な副作用はありませんが, そのほかの副作用はあるの
で, 体調がいつもと違うと感じたときは, 処方医・薬剤師に相談してください。

併用してはいけない薬　併用してはいけない薬は特にありません。ただし，併用する薬があるときは，念のため処方医・薬剤師に報告してください。

16　亜鉛華軟膏・亜鉛華単軟膏

💊 製剤情報

一般名：亜鉛華軟膏

● 剤形…軟膏剤，貼付剤

■ 先発品　　商品名(メーカー)　規格・保険薬価

亜鉛華軟膏 (小堺＝岩城) 軟 10g 22.90 円

亜鉛華軟膏 (シオエ＝日本新薬) 軟 10g 22.90 円

亜鉛華軟膏 (司生堂) 軟 10g 22.90 円

亜鉛華軟膏 (東豊＝日医工) 軟 10g 22.90 円

亜鉛華軟膏 (東洋製化＝小野＝健栄)
軟 10g 22.90 円

亜鉛華軟膏 (日医工) 軟 10g 22.90 円

亜鉛華軟膏 (日興＝丸石＝日興販売)
軟 10g 22.90 円

亜鉛華軟膏 (日本ジェネリック) 軟 10g 22.90 円

亜鉛華軟膏 (マイラン EPD＝ヴィアトリス)
軟 10g 22.90 円

亜鉛華軟膏 (吉田製薬) 軟 10g 22.90 円

■ ジェネリック　　商品名(メーカー)　規格・保険薬価

ボチシート (帝国製薬＝日医工) 貼 20% 5g 12.30 円

一般名：亜鉛華単軟膏

● 剤形…軟膏剤

■ ジェネリック　　商品名(メーカー)　規格・保険薬価

亜鉛華単軟膏 (小堺＝岩城) 軟 10% 10g 19.50 円

亜鉛華単軟膏 (シオエ＝日本新薬)
軟 10% 10g 19.50 円

亜鉛華単軟膏 (日興＝丸石＝健栄＝日興販売)
軟 10% 10g 19.50 円

亜鉛華単軟膏 (マイラン EPD＝ヴィアトリス)
軟 10% 10g 19.50 円

亜鉛華単軟膏 (吉田製薬) 軟 10% 10g 19.50 円

サトウザルベ軟膏 (佐藤) 軟 10% 10g 19.50 円
軟 20% 10g 26.10 円

📋 概　　要

分類　鎮痛・消炎・収斂剤

処方目的　下記皮膚疾患の収斂・消炎・保護・緩和な防腐→外傷，熱傷，凍傷，湿疹・皮膚炎，肛門掻痒症，白癬，面皰，癤，よう／その他の皮膚疾患によるびらん・潰瘍・湿潤面

解説　亜鉛華軟膏などは皮膚の収斂・消炎・保護などのために明治時代から使用されている薬品で，使用部分を乾燥させる働きがあります。以前は傷に対して広く使われていましたが，近年，傷は湿潤療法（バンドエイドの傷パワーパッドに代表される）での治療が推奨されており，浸出液が特に多いなどの場合を除き傷口にはあまり使用されません。ガーゼなどに塗ったものを使用部分に当てて使いますが，最初からリント布に塗布された状態の新製剤も開発されています。

✍ 使用上の注意

＊亜鉛華軟膏，亜鉛華単軟膏の添付文書による

基本的注意

(1)使用してはいけない場合……重度または広範囲の熱傷
(2)使用してはいけない部位……本剤を眼には使用しないでください。

重大な副作用　　　　重大な副作用はありませんが，そのほかの副作用はあるので，体調がいつもと違うと感じたときは，処方医・薬剤師に相談してください。

併用してはいけない薬　　　併用してはいけない薬は特にありません。ただし，併用する薬があるときは，念のため処方医・薬剤師に報告してください。

外 07 皮膚病の薬　01 湿疹・おでき類の薬

17　その他の鎮痛・消炎・収斂剤

🖉 製 剤 情 報

一般名：酸化亜鉛・液状フェノール配合剤

● 剤形…Ⓤリニメント剤

■先発品　　商品名(メーカー)　規格・保険薬価

カチリ (マイラン EPD = ヴィアトリス)
Ⓤ 10g 14.50 円

カチリ (吉田製薬) Ⓤ 10g 17.00 円

フェノール・亜鉛華リニメント (東洋製化 = 健栄) Ⓤ 10g 16.00 円

フェノール・亜鉛華リニメント (日興 = 丸石 = 日興販売) Ⓤ 10g 14.50 円

フェノール・亜鉛華リニメント (日本ジェネリック) Ⓤ 10g 14.50 円

一般名：酸化亜鉛・カラミン配合剤

● 剤形…液液剤

■先発品　　商品名(メーカー)　規格・保険薬価

カラミンローション (丸石) 液 10mL 12.50 円

一般名：チンク油

● 剤形…液液剤

■先発品　　商品名(メーカー)　規格・保険薬価

チンク油 (司生堂) 液 10g 7.40 円

チンク油 (東海製薬) 液 10g 15.50 円

チンク油 (東豊 = 日医工) 液 10g 15.50 円

チンク油 (日医工) 液 10g 14.80 円

チンク油 (日興 = 丸石 = 健栄 = 日興販売)
液 10g 16.50 円

一般名：酸化亜鉛

● 剤形…末末剤

■先発品　　商品名(メーカー)　規格・保険薬価

酸化亜鉛 (健栄) 末 10g 26.50 円

酸化亜鉛 (小堺) 末 10g 20.10 円

酸化亜鉛 (三恵) 末 10g 20.10 円

酸化亜鉛 (司生堂) 末 10g 20.10 円

酸化亜鉛 (日医工) 末 10g 22.50 円

酸化亜鉛 (日興 = 日興販売) 末 10g 20.10 円

酸化亜鉛 (山善) 末 10g 22.50 円

酸化亜鉛 (吉田製薬) 末 10g 22.20 円

酸化亜鉛原末 (マイラン = ファイザー)
末 10g 22.20 円

酸化亜鉛原末 (丸石) 末 10g 26.50 円

一般名：次没食子酸ビスマス

● 剤形…末末剤

■先発品　　商品名(メーカー)　規格・保険薬価

次没食子酸ビスマス (健栄) 末 1g 12.70 円

次没食子酸ビスマス（日興＝日興販売）
末 1g 12.70 円

次没食子酸ビスマス原末（丸石）末 1g 14.90 円

概　要

分類 鎮痛・消炎・収斂剤

処方目的 以下の皮膚疾患の収斂・消炎・保護・緩和な防腐→湿疹・皮膚炎，汗疹，じん麻疹，小児ストロフルス，虫さされ，肛門そう痒症，白癬，面皰，せつ，よう，日焼け，第一度熱傷，凍傷，外傷，びらん・潰瘍など
＊製剤により多少異なります。

解説 ここにまとめた薬剤は，皮膚の収斂・消炎・保護などのために古くから使用されています。次没食子酸ビスマスは，内服の下痢止めとして用いることもあります。

使用上の注意

＊次没食子酸ビスマス，酸化亜鉛・液状フェノール配合剤，酸化亜鉛・カラミン配合剤の添付文書による

基本的注意
(1)使用してはいけない場合……[次没食子酸ビスマス]慢性消化管通過障害，重い消化管潰瘍／出血性大腸炎（O157 など）／[酸化亜鉛・液状フェノール配合剤]びらん・潰瘍・結痂・損傷のある皮膚・粘膜／[酸化亜鉛・カラミン配合剤]重度または広範囲の熱傷／湿潤している患部
(2)使用してはいけない部位……本剤を眼には使用しないでください。

重大な副作用 [次没食子酸ビスマス] ①(ビスマス含有外用剤の長期連続使用〔約 10 年間〕にて)頭痛，記憶力減退，集中力低下，ふるえ，間代性けいれん，昏迷，運動障害などの精神神経系障害。

そのほかにも報告された副作用はあるので，体調がいつもと違うと感じたときは，処方医・薬剤師に相談してください。

併用してはいけない薬 併用してはいけない薬は特にありません。ただし，併用する薬があるときは，念のため処方医・薬剤師に報告してください。

外 07 皮膚病の薬　01 湿疹・おでき類の薬

18 クリンダマイシンリン酸エステル

製 剤 情 報

一般名：クリンダマイシンリン酸エステル

● 剤形…液 液剤，ゲ ゲル剤

■先発品　商品名（メーカー）　規格・保険薬価

ダラシン T ゲル（佐藤）ゲ 1% 1g 27.70 円

ダラシン T ローション（佐藤）
液 1% 1mL 27.70 円

■ジェネリック　商品名（メーカー）　規格・保険薬価

クリンダマイシンゲル（シオノ＝クラシエ）
ゲ 1% 1g 15.50 円

クリンダマイシンゲル (大興＝サンファーマ)
ゲ 1% 1g 15.50 円

クリンダマイシンゲル (武田テバファーマ＝武田) ゲ 1% 1g 15.50 円

クリンダマイシンリン酸エステルゲル (岩城)
ゲ 1% 1g 15.50 円

クリンダマイシンリン酸エステルゲル (沢井)
ゲ 1% 1g 15.50 円

一般名：クリンダマイシンリン酸エステル水和物・過酸化ベンゾイル配合剤

● 剤形…ゲ ゲル剤

■ 先発品　　商品名(メーカー)　規格・保険薬価

デュアック配合ゲル (サンファーマ)
ゲ 1g 123.90 円

概　要

分類　抗生物質

処方目的　ざ瘡(にきび)：化膿性炎症を伴うもの

解説　2002 年にクリンダマイシンの外用薬が開発されるまで，皮膚科ではクリンダマイシンの内服薬や注射薬を外用薬に加工して使用していました。本剤は，尋常性ざ瘡の原因菌であるアクネ菌のタンパク合成を阻害することで，アクネ菌の増殖を抑制します。デュアック配合ゲルは，本剤に過酸化ベンゾイルを加えたもので，過酸化ベンゾイルはアクネ菌の細胞膜において膜の必須構成成分を酸化することで抗菌作用を発揮します。

使用上の注意

＊ダラシン T ゲル・ローション，デュアック配合ゲルの添付文書による

基本的注意

(1)**使用してはいけない場合**……本剤の成分またはリンコマイシン系抗生物質に対するアレルギーの前歴

(2)**慎重に使用すべき場合**……抗生物質による下痢または大腸炎の前歴／アトピー体質

(3)**紅斑，腫脹など**……[デュアック配合ゲル]本剤の使用中に皮膚剥脱，紅斑，刺激感，腫脹などが現れることがあります。紅斑や腫脹が顔面全体や頸部にまで及んだり，水疱，びらんなどが現れ，重症化した症例も報告されているので，異常が認められた場合には使用を中止し，すぐに処方医に連絡してください。

(4)**その他**……

● 妊婦での安全性：未確立。[**クリンダマイシンリン酸エステル**]原則として使用しない。
　[**デュアック配合ゲル**]有益と判断されたときのみ使用。

● 授乳婦での安全性：原則として使用しない。やむを得ず使用するときは授乳を中止。

● 小児での安全性：未確立。(1714 頁を参照)

重大な副作用　①偽膜性大腸炎，限局性腸炎，潰瘍性大腸炎，抗生物質関連大腸炎などの大腸炎(出血性・遷延性・頻回・重症の下痢，腹痛など)。

　そのほかにも報告された副作用はあるので，体調がいつもと違うと感じたときは，処方医・薬剤師に相談してください。

併用してはいけない薬　併用してはいけない薬は特にありません。ただし，併用する薬があるときは，念のため処方医・薬剤師に報告してください。

外 **07 皮膚病の薬　01 湿疹・おでき類の薬**

19　アダパレン

製剤情報

一般名：アダパレン

- 規制…劇薬
- 剤形…ク クリーム剤, ゲ ゲル剤

■**先発品**　商品名(メーカー)　規格・保険薬価

ディフェリンゲル (マルホ) ゲ 0.1% 1g 74.80 円

■**ジェネリック**　商品名(メーカー)　規格・保険薬価

アダパレンクリーム (ニプロ) ク 0.1% 1g 26.40 円

アダパレンゲル (岩城) ゲ 0.1% 1g 26.40 円

アダパレンゲル (共創未来) ゲ 0.1% 1g 26.40 円

アダパレンゲル (ケミックス = 帝国製薬)
ゲ 0.1% 1g 26.40 円

アダパレンゲル (辰巳) ゲ 0.1% 1g 26.40 円

アダパレンゲル (東光 = ラクール)
ゲ 0.1% 1g 26.40 円

アダパレンゲル (日新) ゲ 0.1% 1g 26.40 円

アダパレンゲル (日東メディック)
ゲ 0.1% 1g 26.40 円

アダパレンゲル (ニプロ) ゲ 0.1% 1g 26.40 円

アダパレンゲル (日本ジェネリック)
ゲ 0.1% 1g 26.40 円

アダパレンゲル (陽進堂) ゲ 0.1% 1g 26.40 円

一般名：アダパレン・過酸化ベンゾイル配合剤

- 規制…劇薬
- 剤形…ゲ ゲル剤

■**先発品**　商品名(メーカー)　規格・保険薬価

エピデュオゲル (マルホ) ゲ 1g 127.70 円

概要

分類　尋常性ざ瘡治療薬

処方目的　尋常性ざ瘡 (にきび)

解説　今まで国内での外用薬によるにきび治療は，抗菌薬による治療が主流でした。アダパレン(ディフェリンゲル)はレチノイド製剤(ビタミン A 誘導体)といって，表皮細胞の受容体に結合して表皮の角化を抑えることで，にきびができるのを防ぐ国内初めての治療薬です。エピデュオゲルは，アダパレンと次項で解説する抗菌薬の過酸化ベンゾイルの配合剤で，それぞれの単剤より高い有効性をもたらすことが証明されています。ただし，各単剤よりも皮膚刺激の発現するおそれが高いため，まず先に各単剤による治療を行うことが望まれます。

　ディフェリンゲルは1日1回就寝前に，エピデュオゲルは1日1回夕方から就寝前に，洗顔後，塗布します。

使用上の注意

＊ディフェリンゲル，エピデュオゲルの添付文書による

基本的注意

(1)使用してはいけない場合……本剤の成分に対するアレルギーの前歴／妊婦または妊娠している可能性のある人

(2)塗布部位……本剤は，にきびの治療にのみ使用します。顔面以外の部位には塗らないでください。目や口唇，鼻の粘膜を避けて使用します。万一，目に入った場合は直ちに水で洗い流します。また，切り傷，擦り傷，湿疹のある皮膚には塗ってはいけません。

(3)紅斑，腫脹など……本剤の使用中に皮膚剥脱，紅斑，刺激感，腫脹などが現れることがあります。紅斑や腫脹が顔面全体や頸部にまで及ぶこともあるので，異常が認められた場合には使用を中止し，すぐに処方医に連絡してください。

(4)紫外線曝露……本剤の使用中に皮膚刺激感が現れることがあるので，日光または日焼けランプなどによる過度の紫外線曝露は避けてください。

(5)その他……
● 授乳婦での安全性：原則として使用しない。やむを得ず使用するときは授乳を中止。
● 小児(12歳未満)での安全性：未確立。(1714頁を参照)

| 重大な副作用 | 重大な副作用はありませんが，そのほかの副作用はあるので，体調がいつもと違うと感じたときは，処方医・薬剤師に相談してください。 |

| 併用してはいけない薬 | 併用してはいけない薬は特にありません。ただし，併用する薬があるときは，念のため処方医・薬剤師に報告してください。 |

外 07 皮膚病の薬　01 湿疹・おでき類の薬
20 過酸化ベンゾイル

✒ 製剤情報

一般名：過酸化ベンゾイル
● 剤形…ゲ ゲル剤

■先発品	商品名(メーカー)	規格・保険薬価
ベピオゲル (マルホ) ゲ 2.5% 1g 97.70 円		

📋 概　　要

分類　尋常性ざ瘡治療薬

処方目的　尋常性ざ瘡

解説　尋常性ざ瘡とは，いわゆるニキビのことで，アクネ菌という細菌によって発症します。本剤は，国内初の過酸化ベンゾイルを有効成分とする医療用の尋常性ざ瘡治療薬です。過酸化ベンゾイルは，アクネ菌に対してすぐれた抗菌作用をもち，1日1回，洗顔後に患部に塗布することで皮疹の数を減少させます。

🖊 使用上の注意

基本的注意

(1)使用してはいけない場合……本剤の成分に対するアレルギーの前歴

(2)日光への曝露……本剤の使用中には日光への曝露を最小限にとどめ，日焼けランプの使用，紫外線療法は避けてください。

(3)紅斑，腫脹など……本剤の使用中に皮膚剥脱(鱗屑・落屑)，紅斑，刺激感，腫脹などが現れることがあります。紅斑や腫脹が顔面全体や頸部にまで及ぶ症例も報告されてい

るので，異常が認められた場合には使用を中止し，すぐに処方医に連絡してください。

(4)漂白作用など……本剤には漂白作用があるので，髪，衣料などに付着しないように注意してください。また，眼，口唇，その他の粘膜や傷口には使用しないようにします。これらの部位に本剤が付着した場合は，直ちに水で洗い流してください。

(5)その他……

● 妊婦での安全性：未確立。有益と判断されたときのみ使用。

● 授乳婦での安全性：原則として使用しない。やむを得ず使用するときは授乳を中止。

● 小児（12歳未満）での安全性：未確立。（1714頁を参照）

重大な副作用　重大な副作用はありませんが，そのほかの副作用はあるので，体調がいつもと違うと感じたときは，処方医・薬剤師に相談してください。

併用してはいけない薬　併用してはいけない薬は特にありません。ただし，併用する薬があるときは，念のため処方医・薬剤師に報告してください。

外 07 皮膚病の薬　01 湿疹・おでき類の薬
21 ヤヌスキナーゼ阻害薬

製剤情報

一般名：デルゴシチニブ

● 保険収載年月…2020年4月

● 剤形…軟 軟膏剤

■先発品　　商品名(メーカー)　規格・保険薬価

コレクチム軟膏 写真 (日本たばこ＝鳥居)
軟 0.25% 1g 139.30円　軟 0.5% 1g 144.90円

概要

分類　外用ヤヌスキナーゼ(JAK)阻害薬

処方目的　アトピー性皮膚炎

解説　ヤヌスキナーゼ(JAK)阻害薬は，関節リウマチにおけるトファシチニブクエン酸塩などや，骨髄線維症・真性多血症におけるルキソリチニブリン酸塩がすでに使用されています。本剤もこのグループの一つで，免疫反応の過剰な活性化を抑制することでアトピー性皮膚炎を改善する，世界初の外用JAK阻害薬です。

使用上の注意

基本的注意

(1)使用してはいけない場合……本剤の成分に対するアレルギーの前歴

(2)皮膚感染症……皮膚感染症を伴う人は，皮膚感染部位を避けて使用します。やむを得ず使用する場合には，あらかじめ適切な抗菌薬，抗ウイルス薬，抗真菌薬による治療を行う，もしくはこれらとの併用を考慮します。

(3)その他……

● 妊婦での安全性：有益と判断されたときのみ服用。

● 授乳婦での安全性：治療上の有益性・母乳栄養の有益性を考慮し，授乳の継続・中止

を検討。

● 小児（2歳未満）での安全性：未確立。（1714頁を参照）

重大な副作用　重大な副作用はありませんが，そのほかの副作用はあるので，体調がいつもと違うと感じたときは，処方医・薬剤師に相談してください。

併用してはいけない薬　併用してはいけない薬は特にありません。ただし，併用する薬があるときは，念のため処方医・薬剤師に報告してください。

外 07 皮膚病の薬　02 たむし・水虫類の薬

01 イミダゾール誘導体

製剤情報

一般名：ケトコナゾール

● 剤形…ク クリーム剤，液 液剤，噴 噴霧剤

■先発品　　商品名（メーカー）　規格・保険薬価

ニゾラールクリーム（ヤンセン）
ク 2% 1g 24.10円

ニゾラールローション（岩城）液 2% 1g 24.10円

■ジェネリック　　商品名（メーカー）　規格・保険薬価

ケトコナゾール外用液（東光＝ラクール＝日医工）液 2% 1g 16.00円

ケトコナゾール外用ポンプスプレー（東光＝ラクール）噴 2% 1g 37.10円

ケトコナゾール外用ポンプスプレー（日本臓器）噴 2% 1g 37.10円

ケトコナゾールクリーム 写真 （岩城）
ク 2% 1g 16.00円

ケトコナゾールクリーム（東光＝ラクール＝日医工）ク 2% 1g 16.00円

ケトコナゾールクリーム（日本ジェネリック）
ク 2% 1g 16.00円

ケトコナゾールクリーム（前田＝共和）
ク 2% 1g 16.00円

ケトコナゾールローション（日本ジェネリック）
液 2% 1g 16.00円

ケトコナゾールローション（前田＝共和）
液 2% 1g 16.00円

一般名：ラノコナゾール

● 剤形…軟 軟膏剤，ク クリーム剤，液 液剤

■先発品　　商品名（メーカー）　規格・保険薬価

アスタット外用液（マルホ）液 1% 1mL 26.30円

アスタットクリーム（マルホ）ク 1% 1g 26.30円

アスタット軟膏 写真 （マルホ）軟 1% 1g 26.30円

■ジェネリック　　商品名（メーカー）　規格・保険薬価

ラノコナゾール外用液（岩城）
液 1% 1mL 17.50円

ラノコナゾールクリーム（岩城）
ク 1% 1g 17.50円

ラノコナゾール軟膏（岩城）軟 1% 1g 17.50円

一般名：ルリコナゾール

● 剤形…軟 軟膏剤，ク クリーム剤，液 液剤

■先発品　　商品名（メーカー）　規格・保険薬価

ルリコン液（サンファーマ）液 1% 1mL 36.10円

ルリコンクリーム（サンファーマ）
ク 1% 1g 36.10円

ルリコン軟膏（サンファーマ）軟 1% 1g 36.10円

ルコナック爪外用液（佐藤＝サンファーマ）
液 5% 1g 816.10円

一般名：ネチコナゾール塩酸塩

● 剤形…軟 軟膏剤，ク クリーム剤，液 液剤

左段縦書き：外 07─02─01 イミダゾール誘導体

■先発品　商品名(メーカー)　規格・保険薬価
アトラント外用液 (久光＝田辺三菱＝鳥居)
液 1% 1mL 30.30 円
アトラントクリーム (久光＝田辺三菱＝鳥居)
ク 1% 1g 30.30 円
アトラント軟膏 (久光＝田辺三菱＝鳥居)
軟 1% 1g 30.30 円

一般名：ミコナゾール硝酸塩
●剤形…ク クリーム剤

■先発品　商品名(メーカー)　規格・保険薬価
フロリードD クリーム 写真 (持田)
ク 1% 1g 12.20 円

■ジェネリック　商品名(メーカー)　規格・保険薬価
ミコナゾール硝酸塩クリーム (陽進堂)
ク 1% 1g 6.20 円

一般名：ビホナゾール
●剤形…ク クリーム剤, 液 液剤

■先発品　商品名(メーカー)　規格・保険薬価
マイコスポール外用液 (バイエル)
液 1% 1mL 19.30 円
マイコスポールクリーム (バイエル)
ク 1% 1g 19.30 円

■ジェネリック　商品名(メーカー)　規格・保険薬価
ビホナゾール外用液 (岩城) 液 1% 1mL 9.20 円
ビホナゾールクリーム (岩城) ク 1% 1g 9.20 円
ビホナゾールクリーム (沢井) ク 1% 1g 9.20 円
ビホナゾールクリーム (武田テバ薬品＝武田テバファーマ＝武田) ク 1% 1g 9.20 円
ビホナゾールクリーム (富士製薬)
ク 1% 1g 9.20 円
ビホナゾールクリーム (陽進堂) ク 1% 1g 9.20 円

一般名：スルコナゾール硝酸塩
●剤形…ク クリーム剤, 液 液剤

■先発品　商品名(メーカー)　規格・保険薬価
エクセルダーム外用液 (田辺三菱)
液 1% 1mL 20.80 円
エクセルダームクリーム (田辺三菱)
ク 1% 1g 20.80 円

一般名：オキシコナゾール硝酸塩
●剤形…ク クリーム剤, 液 液剤

■先発品　商品名(メーカー)　規格・保険薬価
オキナゾール外用液 (田辺三菱)
液 1% 1mL 12.30 円
オキナゾールクリーム (田辺三菱)
ク 1% 1g 12.30 円

一般名：クロトリマゾール
●剤形…軟 軟膏剤, ク クリーム剤, 液 液剤

■先発品　商品名(メーカー)　規格・保険薬価
エンペシド外用液 (バイエル) 液 1% 1mL 14.50 円
エンペシドクリーム 写真 (バイエル)
ク 1% 1g 14.50 円

■ジェネリック　商品名(メーカー)　規格・保険薬価
クロトリマゾール外用液 (東興＝日医工)
液 1% 1mL 12.00 円
クロトリマゾールクリーム (岩城)
ク 1% 1g 6.00 円
クロトリマゾールクリーム (東興＝日医工)
ク 1% 1g 12.00 円
クロトリマゾールゲル (東興＝日医工)
軟 1% 1g 12.00 円

一般名：イソコナゾール硝酸塩
●剤形…ク クリーム剤

■先発品　商品名(メーカー)　規格・保険薬価
アデスタンクリーム (バイエル)
ク 1% 1g 19.20 円

📑 概　要

分類　抗真菌薬

処方目的　［ルコナック爪外用液を除く］白癬（足白癬，手白癬，股部白癬，体部白癬），カンジダ症（間擦疹，乳児寄生菌性紅斑，指間びらん症，爪囲炎，外陰部カンジダ症，皮膚カンジダ症など），癜風／脂漏性皮膚炎（ケトコナゾールのみ）
＊製剤により多少異なります。

［ルコナック爪外用液の適応症］爪白癬

解説　いくつかの成分がスイッチOTC薬（大衆薬）として販売されています。ミコナゾールは市販のふけ用シャンプーの主成分です。ルリコナゾールを有効成分とするルコナック爪外用液は，日本ではエフィナコナゾールに続いて発売された2つめの外用の爪水虫治療薬です。

🖐 使用上の注意

＊ニゾラールクリーム，アデスタンクリームなどの添付文書による

基本的注意

(1)使用してはいけない場合……本剤の成分に対するアレルギーの前歴
(2)その他……

●妊婦での安全性：［ケトコナゾール，ラノコナゾール，ルリコナゾール，スルコナゾール硝酸塩，イソコナゾール硝酸塩］未確立。有益と判断されたときのみ使用。［ミコナゾール硝酸塩，ビホナゾール，クロトリマゾール］（妊娠3カ月以内）未確立。有益と判断されたときのみ使用。

●授乳婦での安全性：［ケトコナゾール］治療上の有益性・母乳栄養の有益性を考慮し，授乳の継続・中止を検討。［ルリコナゾールのルコナック爪外用液，ビホナゾール］有益と判断されたときのみ使用。

●低出生体重児，新生児での安全性：［ケトコナゾール，ルリコナゾール，スルコナゾール硝酸塩］未確立。（1714頁を参照）

重大な副作用　重大な副作用はありませんが，そのほかの副作用はあるので，体調がいつもと違うと感じたときは，処方医・薬剤師に相談してください。

併用してはいけない薬　併用してはいけない薬は特にありません。ただし，併用する薬があるときは，念のため処方医・薬剤師に報告してください。

外 **07** 皮膚病の薬　**02** たむし・水虫類の薬

02 チオカルバメート系抗真菌薬

✏ 製剤情報

一般名：トルナフタート
●剤形…軟 軟膏剤，液 液剤

■先発品　商品名(メーカー)　規格・保険薬価
ハイアラージン外用液（長生堂＝日本ジェネリック）液 2% 1mL 6.10 円

ハイアラージン軟膏（長生堂＝日本ジェネリック）
軟 2% 1g 7.80 円

一般名：リラナフタート
●剤形…ク クリーム剤, 液 液剤

■先発品　商品名（メーカー）　規格・保険薬価
ゼフナート外用液（全薬＝鳥居）
液 2% 1mL 32.60 円
ゼフナートクリーム（全薬＝鳥居）
ク 2% 1g 32.60 円

概　要
分類　抗真菌薬
処方目的　[トルナフタートの適応症] 汗疱状白癬, 頑癬, 小水疱性斑状白癬, 癜風
[リラナフタートの適応症] 足白癬, 体部白癬, 股部白癬
解説　チオカルバメート系は, 白癬菌に対する強い抗真菌効果を示します。トルナフタートは 1 日 2～3 回, リラナフタートは 1 日 1 回塗布します。ちなみに頑癬とは股部白癬, いわゆるいんきんたむしのことです。

使用上の注意
＊ハイアラージン軟膏, ゼフナートクリームの添付文書による
基本的注意
(1)使用してはいけない場合……本剤の成分に対するアレルギーの前歴／[リラナフタートのみ]他の外用抗真菌薬に対するアレルギーの前歴／臨床所見上, 皮膚カンジダ症・汗疱・掌蹠膿疱症・膿皮症・他の皮膚炎などとの鑑別が困難な人
(2)その他……
●妊婦での安全性：[リラナフタート]未確立。有益と判断されたときのみ使用。
●小児での安全性：[リラナフタート]未確立。(1714 頁を参照)
重大な副作用　　重大な副作用はありませんが, そのほかの副作用はあるので, 体調がいつもと違うと感じたときは, 処方医・薬剤師に相談してください。
併用してはいけない薬　　併用してはいけない薬は特にありません。ただし, 併用する薬があるときは, 念のため処方医・薬剤師に報告してください。

外07 皮膚病の薬　02 たむし・水虫類の薬
03 ベンジルアミン系抗真菌薬

製剤情報
一般名：ブテナフィン塩酸塩
●剤形…ク クリーム剤, 液 液剤, 噴 噴霧剤
■先発品　商品名（メーカー）　規格・保険薬価
ボレー外用液（久光）液 1% 1mL 27.80 円
ボレークリーム（久光）ク 1% 1g 27.80 円

ボレースプレー（久光）噴 1% 1mL 49.60 円
メンタックス外用液 写真（科研）
液 1% 1mL 28.30 円
メンタックスクリーム 写真（科研）
ク 1% 1g 28.30 円
メンタックススプレー（科研）
噴 1% 1mL 54.00 円

■ジェネリック　商品名(メーカー)　規格・保険薬価

ブテナフィン塩酸塩液 (東和)
液 1% 1mL 18.60 円

ブテナフィン塩酸塩クリーム (東和)
ク 1% 1g 18.60 円

ブテナフィン塩酸塩クリーム (マイラン＝ファイザー) ク 1% 1g 18.60 円

概　　要

分類　抗真菌薬

処方目的　足部白癬，股部白癬，体部白癬／癜風(でんぷう)

解説　最近の水虫治療の主役ですが，スイッチ OTC 薬(大衆薬)としても市販されています。

使用上の注意

＊ブテナフィン塩酸塩(ボレークリーム)の添付文書による

基本的注意

(1)使用してはいけない場合……本剤の成分に対するアレルギーの前歴

(2)その他……

● 妊婦での安全性：未確立。有益と判断されたときのみ使用。

● 低出生体重児，新生児での安全性：未確立。(1714 頁を参照)

重大な副作用　　重大な副作用はありませんが，そのほかの副作用はあるので，体調がいつもと違うと感じたときは，処方医・薬剤師に相談してください。

併用してはいけない薬　　併用してはいけない薬は特にありません。ただし，併用する薬があるときは，念のため処方医・薬剤師に報告してください。

外 **07** 皮膚病の薬　**02** たむし・水虫類の薬

04　アリルアミン系抗真菌薬

製剤情報

一般名：テルビナフィン塩酸塩

● 剤形…ク クリーム剤，液 液剤，噴 噴霧剤

■先発品　商品名(メーカー)　規格・保険薬価

ラミシール外用液 (サンファーマ)
液 1% 1g 25.90 円

ラミシール外用スプレー (サンファーマ)
噴 1% 1g 41.60 円

ラミシールクリーム 写真 (サンファーマ)
ク 1% 1g 25.90 円

■ジェネリック　商品名(メーカー)　規格・保険薬価

テルビナフィン塩酸塩外用液 (岩城)
液 1% 1g 11.40 円

テルビナフィン塩酸塩外用液 (沢井)
液 1% 1g 11.40 円

テルビナフィン塩酸塩外用液 (東和)
液 1% 1g 16.10 円

テルビナフィン塩酸塩外用液 (富士製薬＝共創未来) 液 1% 1g 16.10 円

テルビナフィン塩酸塩外用液 (前田＝日医工)
液 1% 1g 11.40 円

外
07
－
02
－
04

アリルアミン系抗真菌薬

テルビナフィン塩酸塩クリーム（岩城） ク 1% 1g 11.40 円	テルビナフィン塩酸塩クリーム（日医工） ク 1% 1g 11.40 円
テルビナフィン塩酸塩クリーム（小林化工） ク 1% 1g 11.40 円	テルビナフィン塩酸塩クリーム（日本ジェネリック）ク 1% 1g 11.40 円
テルビナフィン塩酸塩クリーム（沢井） ク 1% 1g 11.40 円	テルビナフィン塩酸塩クリーム（富士製薬＝共創未来）ク 1% 1g 16.10 円
テルビナフィン塩酸塩クリーム（武田テバファーマ＝武田）ク 1% 1g 11.40 円	テルビナフィン塩酸塩クリーム（マイラン＝ファイザー）ク 1% 1g 16.10 円
テルビナフィン塩酸塩クリーム（東和） ク 1% 1g 16.10 円	

外
07
―
02
―
05
モルホリン系抗真菌薬

概　要

分類　抗真菌薬

処方目的　足白癬，体部白癬，股部白癬／皮膚カンジダ症→指間びらん症，間擦疹（乳児寄生菌性紅斑を含む）／癜風

解説　本剤は，真菌細胞内のスクアレンエポキシダーゼという酵素を選択的に阻害して抗真菌作用を示します。スイッチ OTC 薬（大衆薬）として販売されています。

使用上の注意

＊テルビナフィン塩酸塩（ラミシールクリーム）の添付文書による

基本的注意

（1）使用してはいけない場合……本剤の成分に対するアレルギーの前歴
（2）その他……
● 妊婦での安全性：未確立。有益と判断されたときのみ使用。
● 小児での安全性：未確立。（1714 頁を参照）

重大な副作用　　　　重大な副作用はありませんが，そのほかの副作用はあるので，体調がいつもと違うと感じたときは，処方医・薬剤師に相談してください。

併用してはいけない薬　　　　併用してはいけない薬は特にありません。ただし，併用する薬があるときは，念のため処方医・薬剤師に報告してください。

外 07 皮膚病の薬　02 たむし・水虫類の薬

05　モルホリン系抗真菌薬

製剤情報

一般名：アモロルフィン塩酸塩
● 剤形…ク クリーム剤

■先発品　　商品名（メーカー）　規格・保険薬価
ペキロンクリーム（テイカ）ク 0.5% 1g 28.30 円

概　　要

分類　抗真菌薬

処方目的　足白癬，手白癬，体部白癬，股部白癬／皮膚カンジダ症→指間びらん症，間擦疹(乳児寄生菌性紅斑を含む)，爪囲炎／癜風

解説　タイプの違う抗真菌薬でヨーロッパでも使用されています。わが国であまり処方されないのは大手メーカーの製品ではないからでしょうか。

使用上の注意

基本的注意

(1)使用してはいけない場合……本剤の成分に対するアレルギーの前歴

(2)その他……

●妊婦での安全性：未確立。有益と判断されたときのみ使用。(1714頁を参照)

重大な副作用　　重大な副作用はありませんが，そのほかの副作用はあるので，体調がいつもと違うと感じたときは，処方医・薬剤師に相談してください。

併用してはいけない薬　　併用してはいけない薬は特にありません。ただし，併用する薬があるときは，念のため処方医・薬剤師に報告してください。

外 07 皮膚病の薬　02 たむし・水虫類の薬

06　トリアゾール系抗真菌薬

製 剤 情 報

一般名：エフィナコナゾール

●剤形…液 液剤

■先発品	商品名(メーカー)	規格・保険薬価
クレナフィン爪外用液 写真 (科研)		
液 10% 1g 1,523.30 円		

概　　要

分類　爪白癬治療薬(トリアゾール系化合物)

処方目的　爪白癬

解説　日本においては，これまで爪白癬の治療薬は経口薬のみでしたが，本剤は日本初の外用薬として発売されました。適応菌種は，爪白癬の原因菌である皮膚糸状菌(トリコフィトン属)という真菌で，本剤は真菌の細胞膜を構成するエルゴステロールの生合成を阻害することで効果を発揮します。

使用上の注意

基本的注意

(1)使用してはいけない場合……本剤の成分に対するアレルギーの前歴

(2)使用方法……①爪白癬の原因菌は爪の甲およびその下の皮膚に存在するため，この部位に薬剤が行きわたるよう皮膚との境界部も含め爪全体に十分に塗布し，周囲の皮膚に付着した薬剤は拭き取ります。②1日1回，決まった時間に塗らないと十分な効果が発揮されません。③開封後12週間経過した場合は，残液を使用しないでください。④必

要に応じて，やすりや爪切りなどで罹患爪の手入れを行います。⑤治療中の爪には化粧品などを使用しないでください。

(3)その他……

●妊婦での安全性：未確立。有益と判断されたときのみ使用。

●授乳婦での安全性：有益と判断されたときのみ使用。

●小児での安全性：未確立。(1714頁を参照)

重大な副作用 重大な副作用はありませんが，そのほかの副作用はあるので，体調がいつもと違うと感じたときは，処方医・薬剤師に相談してください。

併用してはいけない薬 併用してはいけない薬は特にありません。ただし，併用する薬があるときは，念のため処方医・薬剤師に報告してください。

外 07 皮膚病の薬　02 たむし・水虫類の薬

07 サリチル酸系薬剤

製剤情報

一般名：サリチル酸

●剤形…軟軟膏剤，貼貼付剤

■**先発品**　　商品名(メーカー)　規格・保険薬価

スピール膏 M (ニチバン) 貼 25cm² 1枚 79.50円

■**ジェネリック**　　商品名(メーカー)　規格・保険薬価

サリチル酸ワセリン軟膏(東豊＝日医工＝吉田製薬) 軟 5% 10g 30.00円　軟 10% 10g 30.80円

概　要

分類　皮膚軟化薬

処方目的　[スピール膏 M の適応症] 疣贅(いぼ)，鶏眼(うおのめ)，胼胝腫(たこ)の角質剥離／[サリチル酸ワセリン軟膏の適応症]乾癬，白癬(頭部浅在性白癬，小水疱性斑状白癬，汗疱状白癬，頑癬)，癜風，紅色粃糠疹，紅色陰癬，角化症(尋常性魚鱗癬，先天性魚鱗癬，毛孔性苔癬，先天性手掌足底角化症〈腫〉，ダリエー病，遠山連圏状粃糠疹)，角化を伴う湿疹，掌蹠膿疱症，口囲皮膚炎，ヘプラ氏粃糠疹，アトピー性皮膚炎，にきび，わきが，癬，多汗症，その他角化性の皮膚疾患

解説　スピール膏 M は絆創膏基材にサリチル酸を50%配合しています。角質溶解作用と防腐作用があり，硬くなった皮膚の除去などに用いられます。市販されている「うおのめ」の薬品と同じものです。通常2〜5日同じものを貼り続けますが，ずれると正常な皮膚を腐食してしまうので注意が必要です。軟膏にはサリチル酸5%配合と10%配合のものがあり，白癬のほか各種の角化症が適応となっています。

使用上の注意

*サリチル酸(スピール膏 M)の添付文書による

基本的注意

(1)使用してはいけない場合……本剤の成分に対するアレルギーの前歴

(2)その他……

● 妊婦での安全性：有益と判断されたときのみ使用。(1714 頁を参照)

<u>重大な副作用</u>　　　重大な副作用はありませんが，そのほかの副作用はあるので，体調がいつもと違うと感じたときは，処方医・薬剤師に相談してください。

<u>併用してはいけない薬</u>　　　併用してはいけない薬は特にありません。ただし，併用する薬があるときは，念のため処方医・薬剤師に報告してください。

---

01 消炎酵素外用薬

製剤情報

一般名：ブロメライン

● 剤形…**軟**軟膏剤

■**先発品**　　商品名(メーカー)　規格・保険薬価

ブロメライン軟膏 (ジェイドルフ＝マルホ)

軟 50,000 単位 1g 19.80 円

概　　要

<u>分類</u>　褥瘡・皮膚潰瘍治療薬

<u>処方目的</u>　熱傷・褥瘡・表在性各種潰瘍・挫傷・切開傷・切断傷・化膿創などの創傷面の壊死組織の分解，除去，清浄化およびそれに伴う治癒促進

<u>解説</u>　外皮用の消炎酵素製剤で，壊死組織の除去に用いられます。

使用上の注意

<u>基本的注意</u>

(1)使用してはいけない場合……本剤の成分に対するアレルギーの前歴

<u>重大な副作用</u>　　　①ショック，アナフィラキシー(じん麻疹，かゆみ，チアノーゼ，意識低下，全身紅斑，発汗など)。

　そのほかにも報告された副作用はあるので，体調がいつもと違うと感じたときは，処方医・薬剤師に相談してください。

<u>併用してはいけない薬</u>　　　併用してはいけない薬は特にありません。ただし，併用する薬があるときは，念のため処方医・薬剤師に報告してください。

---

02 褥瘡治療薬

製剤情報

一般名：トラフェルミン(遺伝子組み換え)

● 剤形…**噴**噴霧剤

■**先発品**　　商品名(メーカー)　規格・保険薬価

フィブラストスプレー (科研)

噴 250μg 1瓶 6,988.10 円　　**噴** 500μg 1瓶 8,176.50 円

外
07
─
03
─
02

褥瘡治療薬

一般名：トレチノイントコフェリル

● 剤形…軟軟膏剤

■ 先発品　　商品名(メーカー)　規格・保険薬価

オルセノン軟膏 (サンファーマ＝キョーリン＝杏林) 軟 0.25% 1g 44.20 円

一般名：ブクラデシンナトリウム

● 剤形…軟軟膏剤

■ 先発品　　商品名(メーカー)　規格・保険薬価

アクトシン軟膏 (ニプロファーマ＝マルホ) 軟 3% 1g 38.10 円

一般名：精製白糖・ポビドンヨード配合剤

● 剤形…軟軟膏剤

■ 先発品　　商品名(メーカー)　規格・保険薬価

ソアナース軟膏 (テイカ＝サンファーマ) 軟 1g 18.00 円

ユーパスタコーワ軟膏 (興和) 軟 1g 18.00 円

■ ジェネリック　　商品名(メーカー)　規格・保険薬価

イソジンシュガーパスタ軟膏 (ムンディ＝塩野義) 軟 1g 9.00 円

スクロードパスタ (共和＝丸石) 軟 1g 9.00 円

ネオヨジンシュガーパスタ軟膏 (岩城) 軟 1g 9.00 円

ネグミンシュガー軟膏 写真 (マイラン EPD ＝ヴィアトリス) 軟 1g 9.00 円

ポビドリンパスタ軟膏 (東亜薬品＝ニプロ ES ＝キョーリン＝杏林) 軟 1g 9.00 円

メイスパン配合軟膏 (MeijiSeika) 軟 1g 9.00 円

一般名：ヨウ素

● 剤形…軟軟膏剤, 散散剤

■ 先発品　　商品名(メーカー)　規格・保険薬価

カデックス外用散 (スミス＆ネフュー) 散 0.9% 1g 57.70 円

カデックス軟膏 (スミス＆ネフュー) 軟 0.9% 1g 57.70 円

カデックス軟膏分包 (スミス＆ネフュー) 軟 45mg 0.9% 1g 57.70 円　軟 153mg 0.9% 1g 57.70 円

ヨードコート軟膏 (メドレックス＝帝国製薬) 軟 0.9% 1g 55.40 円

概　　要

分類　褥瘡・皮膚潰瘍治療薬

処方目的　褥瘡, 皮膚潰瘍(熱傷潰瘍, 下腿潰瘍)／[トレチノイントコフェリルのみの適応症]糖尿病性潰瘍

解説　褥瘡(床ずれ)の治療には壊死組織の除去, 肉芽形成, 表皮形成の段階があります。一つの薬品で全てに対応できるものはありません。それぞれの段階で最適な手当・薬品を使うことが大切です。

使用上の注意

＊ユーパスタコーワ軟膏, フィブラストスプレーなどの添付文書による

基本的注意

(1)使用してはいけない場合……[トラフェルミン, トレチノイントコフェリル, 精製白糖・ポビドンヨード配合剤, ヨウ素]本剤の成分に対するアレルギーの前歴／[精製白糖・ポビドンヨード配合剤のみ]ヨウ素に対するアレルギーの前歴／[トラフェルミンのみ]使用部位に悪性腫瘍のある人またはその前歴

(2)その他……

- 妊婦での安全性：[トラフェルミン，ブクラデシンナトリウム]未確立。有益と判断されたときのみ使用。[精製白糖・ポビドンヨード配合剤]有益と判断されたときのみ使用。長期・広範囲の使用は避けること。[ヨウ素]長期・広範囲の使用は避けること。
- 授乳婦での安全性：[精製白糖・ポビドンヨード配合剤]治療上の有益性・母乳栄養の有益性を考慮し，授乳の継続・中止を検討。長期にわたる広範囲の使用は避けること。[ヨウ素]長期にわたる広範囲の使用は避けること。
- 小児での安全性：[トラフェルミン，ブクラデシンナトリウム]未確立。(1714頁を参照)

重大な副作用　　[精製白糖・ポビドンヨード複合剤]①ショック，アナフィラキシー様症状(呼吸困難，不快感，むくみ，潮紅，じん麻疹など)。

そのほかにも報告された副作用はあるので，体調がいつもと違うと感じたときは，処方医・薬剤師に相談してください。

併用してはいけない薬　　併用してはいけない薬は特にありません。ただし，併用する薬があるときは，念のため処方医・薬剤師に報告してください。

外 07 皮膚病の薬　03 褥瘡・びらん・潰瘍などの薬

03　アルプロスタジルアルファデクス

✒ 製剤情報

一般名：アルプロスタジルアルファデクス

- 規制…**劇薬**
- 剤形…軟**軟膏剤**

■先発品	商品名(メーカー)	規格・保険薬価
	プロスタンディン軟膏 (小野)	
	軟 0.003% 1g 43.00 円	

📖 概　　要

分類　褥瘡・皮膚潰瘍治療薬

処方目的　褥瘡／糖尿病性潰瘍，熱傷潰瘍，下腿潰瘍，術後潰瘍

解説　プロスタグランジン E_1 製剤で，末梢血管拡張作用と血小板凝集抑制作用により血流障害を改善して，肉芽形成・表皮形成を促進します。

🖊 使用上の注意

基本的注意

(1)使用してはいけない場合……重い心不全／頭蓋内出血・出血性眼疾患・消化管出血・喀血がある人／本剤の成分に対するアレルギーの前歴／妊婦または妊娠している可能性のある人

(2)慎重に使用すべき場合……心不全／重症糖尿病／出血傾向／胃潰瘍の合併症およびその前歴／緑内障，眼圧亢進／抗血小板薬・血栓溶解薬・抗凝血薬の使用中

(3)その他……

- 小児での安全性：未確立。(1714頁を参照)

重大な副作用はありませんが，そのほかの副作用はあるので，体調がいつもと違うと感じたときは，処方医・薬剤師に相談してください。

併用してはいけない薬は特にありません。ただし，併用する薬があるときは，念のため処方医・薬剤師に報告してください。

外 07 皮膚病の薬　03 褥瘡・びらん・潰瘍などの薬

04 幼牛血液抽出物

製剤情報

一般名：幼牛血液抽出物
- 剤形…軟 軟膏剤

■先発品　商品名(メーカー)　規格・保険薬価
ソルコセリル軟膏 (東菱＝大鵬) 軟 5% 1g 9.10 円

概　要

分類　組織修復促進薬

処方目的　熱傷・凍瘡の肉芽形成促進／放射線潰瘍・褥瘡・下腿潰瘍・外傷・一般手術創の肉芽形成促進

解説　幼牛の血液から蛋白を除去して得られる抽出物質で，組織機能を賦活したり，皮膚・粘膜障害の治癒を促進する作用があります。

使用上の注意

基本的注意

(1)使用してはいけない場合……本剤または牛血液を原料とする製剤(フィブリノリジン，ウシトロンビン)に対するアレルギーの前歴

重大な副作用　重大な副作用はありませんが，そのほかの副作用はあるので，体調がいつもと違うと感じたときは，処方医・薬剤師に相談してください。

併用してはいけない薬　併用してはいけない薬は特にありません。ただし，併用する薬があるときは，念のため処方医・薬剤師に報告してください。

外 07 皮膚病の薬　04 その他の皮膚病の薬

01 尋常性白斑治療薬

製剤情報

一般名：メトキサレン
- 剤形…軟 軟膏剤，液 液剤

■先発品　商品名(メーカー)　規格・保険薬価
オクソラレン軟膏 (大正製薬) 軟 0.3% 1g 21.50 円
オクソラレンローション (大正製薬)
液 0.3% 1mL 21.50 円　液 1% 1mL 38.10 円

外
07
—
03
—
04

幼牛血液抽出物

📋 概　　要

分類　尋常性白斑治療薬

処方目的　尋常性白斑（白なまず）

解説　メトキサレン単独では効果はありません。本剤使用後に長波長の人工紫外線（UVA）を照射することで，露光部にメラニンが沈着します（PUVA 療法）。

📑 使用上の注意

＊両剤の添付文書による

警告

　PUVA 療法によって，皮膚がんが発生したとの報告があります。

基本的注意

(1)**使用してはいけない場合**……皮膚がんまたはその前歴／ポルフィリン症・紅斑性狼瘡・色素性乾皮症・多形性日光皮膚炎などの光線過敏症を伴う疾患

(2)**使用法**……紫外線照射後は，そのままに放置しないで，本剤をエタノール綿や石けんなどでよく洗い落としてください。

(3)**注意すべき食品**……本剤使用中にセロリ，ライム，ニンジン，パセリ，イチジク，カラシなどのフロクマリン含有食品を摂取すると，光線過敏症が現れるおそれがあるので使用中は控えてください。発赤や水疱など，皮膚に異常を感じたら使用を中止して処方医に連絡します。

(4)**その他**……

● 妊婦での安全性：未確立。有益と判断されたときのみ使用。

● 小児での安全性：未確立。（1714 頁を参照）

重大な副作用　　重大な副作用はありませんが，そのほかの副作用はあるので，体調がいつもと違うと感じたときは，処方医・薬剤師に相談してください。

併用してはいけない薬　　併用してはいけない薬は特にありません。ただし，併用する薬があるときは，念のため処方医・薬剤師に報告してください。

外 **07** 皮膚病の薬　**04** その他の皮膚病の薬

02 尿素外用薬

💊 製 剤 情 報

一般名：尿素を含む製剤

● 剤形…**軟**軟膏剤，**ク**クリーム剤，**液**液剤

■ **先発品**　商品名(メーカー)　規格・保険薬価

ウレパールクリーム 写真 (大塚工場＝大塚)
ク 10% 1g 5.00 円

ウレパールローション (大塚工場＝大塚)
液 10% 1g 5.00 円

ケラチナミンコーワクリーム (興和)
ク 20% 1g 5.00 円

パスタロンクリーム (佐藤) **ク** 10% 1g 4.90 円
ク 20% 1g 5.10 円

パスタロンソフト軟膏 (佐藤) **軟** 10% 1g 4.90 円
軟 20% 1g 5.10 円

パスタロンローション（佐藤）液 10% 1g 4.90 円

■ジェネリック　商品名(メーカー)　規格・保険薬価

尿素クリーム（池田薬品＝日医工）
ク 10% 1g 3.90 円　ク 20% 1g 4.00 円

尿素クリーム（サンファーマ）ク 10% 1g 3.90 円
ク 20% 1g 4.00 円

尿素クリーム（藤永＝第一三共）ク 10% 1g 3.90 円
ク 20% 1g 4.00 円

概　要

分類　角化症治療薬

処方目的　魚鱗癬，老人性乾皮症，アトピー皮膚，進行性指掌角皮症(主婦湿疹の乾燥型)，掌蹠角化症，足蹠部亀裂性皮膚炎，毛孔性苔癬／[ローションのみの適応症]頭部粃糠疹

解説　先発品であるウレパール，ケラチナミン，パスタロンはいずれも同名の OTC 薬(大衆薬)が発売されています。尿素の含有量が 10% 以下のものは，医薬部外品・化粧品としても認可されています。

使用上の注意

＊ケラチナミンコーワクリームの添付文書による

基本的注意

(1)使用してはいけない部位……眼粘膜などの粘膜

重大な副作用　重大な副作用はありませんが，そのほかの副作用はあるので，体調がいつもと違うと感じたときは，処方医・薬剤師に相談してください。

併用してはいけない薬　併用してはいけない薬は特にありません。ただし，併用する薬があるときは，念のため処方医・薬剤師に報告してください。

外 07 皮膚病の薬　04 その他の皮膚病の薬

03　抗ウイルス外用薬

製剤情報

一般名：ビダラビン

●剤形…軟軟膏剤，ククリーム剤

■先発品　商品名(メーカー)　規格・保険薬価

アラセナ A クリーム（持田）ク 3% 1g 186.10 円

アラセナ A 軟膏写真（持田）軟 3% 1g 186.10 円

■ジェネリック　商品名(メーカー)　規格・保険薬価

ビダラビンクリーム（マルホ）ク 3% 1g 88.60 円

ビダラビン軟膏（岩城）軟 3% 1g 88.60 円

ビダラビン軟膏（小林化工）軟 3% 1g 88.60 円

ビダラビン軟膏（沢井＝日医工）軟 3% 1g 88.60 円

ビダラビン軟膏（シオノ＝日本ジェネリック）
軟 3% 1g 88.60 円

ビダラビン軟膏（武田テバファーマ＝武田）
軟 3% 1g 88.60 円

ビダラビン軟膏（東和）軟 3% 1g 88.60 円

ビダラビン軟膏（富士製薬）軟 3% 1g 88.60 円

一般名：アシクロビル

●剤形…軟軟膏剤，ククリーム剤

■**先発品**　商品名(メーカー)　規格・保険薬価

ゾビラックスクリーム (グラクソ)
ク 5% 1g 175.80 円

ゾビラックス軟膏 (グラクソ) 軟 5% 1g 175.80 円

■**ジェネリック**　商品名(メーカー)　規格・保険薬価

アシクロビルクリーム (東光=ラクール)
ク 5% 1g 83.70 円

アシクロビル軟膏 (武田テバ薬品＝武田テバファーマ＝武田) 軟 5% 1g 83.70 円

アシクロビル軟膏 (東光＝ラクール)
軟 5% 1g 83.70 円

アシクロビル軟膏 (東和) 軟 5% 1g 83.70 円

概　要

分類　抗ウイルス薬

処方目的　単純疱疹／[ビダラビンのみの適応症]帯状疱疹

解説　アシクロビルは単純ヘルペスウイルスの増殖を，ビダラビンは単純ヘルペスウイルス，サイトメガロウイルス，アデノウイルス，水痘・帯状疱疹ウイルスなどの増殖を抑えます。いずれも発病初期に近いほど効果があるので，使用開始は早いことが望まれます。口唇ヘルペスの再発に限ってアシクロビルのOTC薬(大衆薬)が第1類医薬品として発売されているので，薬局でご相談ください。

使用上の注意

*ビダラビン(アラセナA軟膏，クリーム)，アシクロビル(ゾビラックス軟膏，クリーム)の添付文書による

基本的注意

(1)**使用してはいけない場合**……本剤の成分に対するアレルギーの前歴／[アシクロビルのみ]バラシクロビル塩酸塩に対するアレルギーの前歴

(2)**使用法**……[アシクロビル]本剤は効果持続時間が短いため，1日5回塗布するとよいです。

(3)**接触禁止**……ビダラビンのクリーム剤・軟膏剤，およびアシクロビルのクリーム剤は，コンドームなどの避妊用ラテックスゴム製品の品質を劣化・破損する可能性があるため，これらとの接触は避けてください。

(4)**その他**……
●妊婦での安全性：有益と判断されたときのみ使用。
●低出生体重児，新生児，乳児での安全性：未確立。(1714頁を参照)

重大な副作用　　重大な副作用はありませんが，そのほかの副作用はあるので，体調がいつもと違うと感じたときは，処方医・薬剤師に相談してください。

併用してはいけない薬　　併用してはいけない薬は特にありません。ただし，併用する薬があるときは，念のため処方医・薬剤師に報告してください。

外07-04-03 抗ウイルス外用薬

04 活性型ビタミンD₃外用薬

💊 製剤情報

一般名：カルシポトリオール

- 規制…劇薬
- 剤形…軟 軟膏剤

■**先発品**　商品名(メーカー)　規格・保険薬価

ドボネックス軟膏 (レオファーマ＝鳥居)
軟 0.005% 1g 83.40 円

一般名：マキサカルシトール

- 規制…劇薬
- 剤形…軟 軟膏剤, 液 液剤

■**先発品**　商品名(メーカー)　規格・保険薬価

オキサロール軟膏 (マルホ)
軟 0.0025% 1g 77.40 円

オキサロールローション (マルホ)
液 0.0025% 1g 77.40 円

■**ジェネリック**　商品名(メーカー)　規格・保険薬価

マキサカルシトール軟膏 (岩城)
軟 0.0025% 1g 45.30 円

マキサカルシトール軟膏 (サンファーマ)
軟 0.0025% 1g 45.30 円

マキサカルシトール軟膏 (高田)
軟 0.0025% 1g 45.30 円

マキサカルシトール軟膏 (長生堂＝日本ジェネリック) 軟 0.0025% 1g 45.30 円

一般名：タカルシトール

- 規制…劇薬
- 剤形…軟 軟膏剤, ク クリーム剤, 液 液剤

■**先発品**　商品名(メーカー)　規格・保険薬価

ボンアルファクリーム (帝人)
ク 0.0002% 1g 71.80 円

ボンアルファ軟膏 (帝人) 軟 0.0002% 1g 71.80 円

ボンアルファハイ軟膏 (帝人)
軟 0.002% 1g 173.90 円

ボンアルファハイローション (帝人)
液 0.002% 1g 173.90 円

ボンアルファローション (帝人)
液 0.0002% 1g 71.80 円

■**ジェネリック**　商品名(メーカー)　規格・保険薬価

タカルシトールクリーム (武田テバ薬品＝武田テバファーマ＝武田) ク 0.0002% 1g 47.40 円

タカルシトール軟膏 (武田テバ薬品＝武田テバファーマ＝武田) 軟 0.0002% 1g 47.40 円

一般名：カルシポトリオール水和物・ベタメタゾンジプロピオン酸エステル配合剤

- 規制…劇薬
- 剤形…軟 軟膏剤, ゲ ゲル剤, 噴 噴霧剤

■**先発品**　商品名(メーカー)　規格・保険薬価

ドボベットゲル (レオファーマ＝協和キリン)
ゲ 1g 205.80 円

ドボベット軟膏 写真 (レオファーマ＝協和キリン)
軟 1g 205.80 円

ドボベットフォーム 写真 (レオファーマ＝協和キリン) 噴 1g 205.80 円

一般名：マキサカルシトール・ベタメタゾン酪酸エステルプロピオン酸エステル配合剤

- 規制…劇薬
- 剤形…軟 軟膏剤

■**先発品**　商品名(メーカー)　規格・保険薬価

マーデュオックス軟膏 (マルホ) 軟 1g 182.70 円

概　要

分類　活性型ビタミン D₃ 外用薬

処方目的　[タカルシトールの適応症]〈ボンアルファ，タカルシトール〉乾癬，魚鱗癬，掌蹠膿疱症，掌蹠角化症，毛孔性紅色粃糠疹／〈ボンアルファハイ〉尋常性乾癬

[カルシポトリオールの適応症]　尋常性乾癬

[マキサカルシトールの適応症]　尋常性乾癬，魚鱗癬群，掌蹠角化症，掌蹠膿疱症

[ドボベットゲル・軟膏，マーデュオックス軟膏の適応症]　尋常性乾癬

解説　活性型ビタミン D₃ は乾癬などの角化細胞の増殖を抑え，分化異常を正常化する作用があり，角質層が厚くなる症状（かさぶた，赤み，発疹など）を和らげます。

使用上の注意

＊マキサカルシトール（オキサロール）などの添付文書による

基本的注意

(1)使用してはいけない場合……本剤の成分に対するアレルギーの前歴／[ドボベットゲル・軟膏，マーデュオックス軟膏のみ]細菌・真菌・スピロヘータ・ウイルス皮膚感染症および動物性皮膚疾患（疥癬，けじらみなど）／潰瘍（ベーチェット病は除く），第2度深在性以上の熱傷・凍傷

(2)厳重に保管……誤用（内服など）を防ぐため保管に十分注意し，特に小児の手のとどかない場所に保管します。万一誤って内服したときは，高カルシウム血症などの全身性の副作用がおこることがあるので，すぐに処方医へ連絡してください。

(3)その他……

● 妊婦での安全性：使用しないことが望ましい。

● 授乳婦での安全性：治療上の有益性・母乳栄養の有益性を考慮し，授乳の継続・中止を検討。

● 小児での安全性：未確立。（1714 頁を参照）

重大な副作用　[タカルシトールを除く製剤]①高カルシウム血症（口渇，倦怠感，脱力感，食欲不振，嘔吐，腹痛，筋力低下など）。②血清カルシウム上昇を伴った急性腎障害。

[タカルシトールのボンアルファハイのみ]①高カルシウム血症（口渇，倦怠感，脱力感，食欲不振，嘔吐，腹痛，筋力低下など）。

　そのほかにも報告された副作用はあるので，体調がいつもと違うと感じたときは，処方医・薬剤師に相談してください。

併用してはいけない薬　併用してはいけない薬は特にありません。ただし，併用する薬があるときは，念のため処方医・薬剤師に報告してください。

外07-04-04　活性型ビタミンD3外用薬

外07 皮膚病の薬　04 その他の皮膚病の薬

05 ビタミンＡ油

製剤情報

一般名：ビタミンＡ油

●剤形…軟 軟膏剤

■**先発品**　　商品名(メーカー)　規格・保険薬価
ザーネ軟膏（サンノーバ＝エーザイ）
軟 5,000 単位 1g 2.60 円

概　　要

分類　外皮用ビタミン剤

処方目的　角化性皮膚疾患(尋常性魚鱗癬・毛孔性苔癬・単純性粃糠疹)

解説　ビタミン A の欠乏は皮膚の乾燥と異常角化をもたらします。ビタミン A の補充で表皮の新陳代謝を高め，ケラチン形成を抑制することにより，過角化症に効果を現します。なお，OTC 薬(大衆薬)のザーネクリームは，ビタミン E とグリチルリチン酸 2 カリウムの配合剤です。

使用上の注意

基本的注意

●妊婦での安全性：有益と判断されたときのみ使用。(1714 頁を参照)

重大な副作用　　重大な副作用はありませんが，そのほかの副作用はあるので，体調がいつもと違うと感じたときは，処方医・薬剤師に相談してください。

併用してはいけない薬　　併用してはいけない薬は特にありません。ただし，併用する薬があるときは，念のため処方医・薬剤師に報告してください。

外07 皮膚病の薬　04 その他の皮膚病の薬

06 ビタミンＥ配合剤

製剤情報

一般名：ビタミンE配合剤

●剤形…軟 軟膏剤

■**先発品**　　商品名(メーカー)　規格・保険薬価
ユベラ軟膏 （サンノーバ＝エーザイ）軟 1g 2.90 円

概　　要

分類　外皮用ビタミン剤

処方目的　凍瘡，進行性指掌角皮症，尋常性魚鱗癬，毛孔性苔癬，単純性粃糠疹，掌蹠角化症

解説　脂溶性のビタミン E は皮膚から吸収され，末梢の血行を促進します。

📋 使用上の注意

基本的注意

(1)保存法……直射日光を避け，15℃以下の場所に保存してください。

(2)その他……

● 妊婦での安全性：有益と判断されたときのみ使用。（1714頁を参照）

重大な副作用
重大な副作用はありませんが，そのほかの副作用はあるので，体調がいつもと違うと感じたときは，処方医・薬剤師に相談してください。

併用してはいけない薬
併用してはいけない薬は特にありません。ただし，併用する薬があるときは，念のため処方医・薬剤師に報告してください。

07　ベルツ水

💊 製剤情報

一般名：グリセリン・水酸化カリウム配合剤

● 剤形…液 液剤

■先発品	商品名(メーカー)	規格・保険薬価
グリセリンカリ液 (健栄)	液 10mL	11.80円
グリセリンカリ液 (司生堂)	液 10mL	6.50円

グリセリンカリ液 (東豊＝吉田製薬)		
液 10mL 11.50円		
グリセリンカリ液 (日興＝日興販売)		
液 10mL 11.90円		
グリセリンカリ液 (日本ジェネリック)		
液 10mL 11.50円		
グリセリンカリ液 (山善)	液 10mL 12.60円	

📄 概　要

分類　皮膚軟化薬

処方目的　手足の亀裂性・落屑性皮膚炎

解説　明治の初期，お雇い外国人として医学を教えていたベルツ博士が，滞在中の旅館の女中さんの手荒れに処方したのが始めといわれています。

📋 使用上の注意

基本的注意

(1)使用してはいけない部位……粘膜には使用しません。

重大な副作用
重大な副作用はありませんが，そのほかの副作用はあるので，体調がいつもと違うと感じたときは，処方医・薬剤師に相談してください。

併用してはいけない薬
併用してはいけない薬は特にありません。ただし，併用する薬があるときは，念のため処方医・薬剤師に報告してください。

外
07
―
04
―
08

イオウ

08　イオウ

💊 製 剤 情 報

一般名：イオウ

●剤形…末 末剤

■先発品　　商品名(メーカー)　規格・保険薬価

イオウ (小堺) 末 10g 11.70 円

一般名：イオウ・カンフルローション

●剤形…液 液剤

■先発品　　商品名(メーカー)　規格・保険薬価

イオウ・カンフルローション (東豊＝丸石＝吉田製薬) 液 10mL 22.10 円

📋 概　　要

分類 その他の皮膚病薬

処方目的 ［イオウの適応症］ ざ瘡(にきび)，疥癬，汗疱状白癬，小水疱性斑状白癬，頑癬，頭部浅在性白癬，黄癬，乾癬，脂漏，慢性湿疹／[イオウ・カンフルローションの適応症]ざ瘡(にきび)，酒さ

解説 3～10％の軟膏，懸濁またはローション，あるいはイオウ・カンフルローションとして用います。

✏️ 使用上の注意

＊イオウの添付文書による

基本的注意

(1)使用してはいけない場合……本剤の成分に対するアレルギーの前歴

重大な副作用　　　　　　重大な副作用はありませんが，そのほかの副作用はあるので，体調がいつもと違うと感じたときは，処方医・薬剤師に相談してください。

併用してはいけない薬　　　　併用してはいけない薬は特にありません。ただし，併用する薬があるときは，念のため処方医・薬剤師に報告してください。

09　フェノトリン

💊 製 剤 情 報

一般名：フェノトリン

●剤形…液 液剤

■先発品　　商品名(メーカー)　規格・保険薬価

スミスリンローション (クラシエ)

液 5% 1g 73.70 円

📋 概　　要

分類 駆虫薬(ピレスロイド系)

処方目的 疥癬

解説　疥癬は，ヒゼンダニが皮膚表面の角質層に寄生しておこる感染症で，肌と肌が直接触れることで感染します。大別して通常疥癬と角化型疥癬があり，ダニの数は1人あたり通常の疥癬では数十匹ですが，角化型では100万〜200万匹といわれており，角化型は感染力が強くなります。本剤は安全性が高いピレスロイド系の殺虫剤で，広く使用され，アタマジラミやケジラミなどのOTC薬などとしても販売されており，疥癬の治療薬として承認されました。なお，本剤の角化型疥癬および，その一種である爪疥癬における有効性・安全性は，使用経験が少ないため確立していません。

使用上の注意

基本的注意

(1)**使用してはいけない場合**……本剤の成分に対するアレルギーの前歴

(2)**使用方法**……通常は，1週間隔で1回1本(30g)を頸部以下(頸部から足底まで)の皮膚に塗布し，塗布後12時間以上経過したのちに入浴やシャワーなどで洗浄，除去します。ヒゼンダニを確実に駆除するため，少なくとも2回の塗布を行ってください。1回目にヒゼンダニを駆除し，2回目に卵からかえった幼虫も駆除します。卵は3〜5日でかえるので，2回目は必ず1週間あけて塗ってください。

(3)**かゆみ**……疥癬は多くの場合かゆみを伴いますが，本剤による治療初期に一過性にかゆみが増悪することがあります。

(4)その他……

●妊婦での安全性：有益と判断されたときのみ使用。

●授乳婦での安全性：原則として使用しない。やむを得ず使用するときは授乳を中止。

●小児での安全性：未確立。(1714頁を参照)

重大な副作用　重大な副作用はありませんが，そのほかの副作用はあるので，体調がいつもと違うと感じたときは，処方医・薬剤師に相談してください。

併用してはいけない薬　併用してはいけない薬は特にありません。ただし，併用する薬があるときは，念のため処方医・薬剤師に報告してください。

外07 皮膚病の薬　04 その他の皮膚病の薬

10 シロリムス外用薬

製剤情報

一般名：シロリムス
●規制…劇薬

●剤形…ゲ ゲル剤

■先発品　商品名(メーカー)　規格・保険薬価
ラパリムスゲル (ノーベル) ゲ 0.2% 1g 3,926.40 円

概要

分類　結節性硬化症に伴う皮膚病変治療薬(mTOR阻害薬)

処方目的　結節性硬化症に伴う皮膚病変

解説　シロリムス製剤には，これまで錠剤のラパリムス(リンパ脈管筋腫症)，トーリ

セル点滴静注液(腎細胞がん)がありますが, 2018年5月, 新しくラパリムスゲルが発売されました。適応は, 結節性硬化症に高頻度に出現する皮膚病変(顔面の血管線維腫など)で, これまで外科手術やレーザー治療といった侵襲性の高い治療法しかありませんでしたが, 本剤の登場で安全で簡便のみならず患者の QOL の改善にも役立つことが大いに期待できます。

使用上の注意

基本的注意

(1)使用してはいけない場合……本剤の成分またはシロリムス誘導体に対するアレルギーの前歴

(2)光線過敏症……光線過敏症が発現するおそれがあるので, 本剤の使用時は日光または日焼けランプなどによる過度の紫外線曝露を避けてください。

(3)その他……
- 妊婦での安全性：有益と判断されたときのみ使用。
- 小児(3歳未満)での安全性：未確立。(1714頁を参照)

重大な副作用　　　重大な副作用はありませんが, そのほかの副作用はあるので, 体調がいつもと違うと感じたときは, 処方医・薬剤師に相談してください。

併用してはいけない薬　　　併用してはいけない薬は特にありません。ただし, 併用する薬があるときは, 念のため処方医・薬剤師に報告してください。

外 08 抗生物質の坐薬　01 抗生物質の坐薬

01 セフチゾキシムナトリウム

製剤情報

一般名：セフチゾキシムナトリウム
- 剤形…坐坐剤

■先発品　　商品名(メーカー)　規格・保険薬価
エポセリン坐剤(長生堂＝日本ジェネリック)
坐 125mg 1個 233.10 円　坐 250mg 1個 314.10 円

概　要

分類　抗生物質

処方目的　急性気管支炎, 肺炎, 慢性呼吸器病変の二次感染, 膀胱炎, 腎盂腎炎

〔適応菌種〕レンサ球菌属, 肺炎球菌, 大腸菌, シトロバクター属, クレブシエラ属, エンテロバクター属, セラチア属, プロテウス属, モルガネラ・モルガニー, プロビデンシア属, インフルエンザ菌, ペプトストレプトコッカス属, バクテロイデス属, プレボテラ・メラニノジェニカ

解説　セフェム系の抗生物質で当初は注射製剤として開発されましたが, 現在では小児用の坐剤のみが製造されています。参考：内服のセフェム系抗生物質を参考にしてください。

📝 使用上の注意

基本的注意

(1)使用してはいけない場合……本剤の成分に対するアレルギーの前歴

(2)特に慎重に服用すべき場合(原則禁忌,処方医と連絡を絶やさないこと)……セフェム系抗生物質に対するアレルギーの前歴

(3)慎重に使用すべき場合……ペニシリン系抗生物質に対するアレルギーの前歴／本人・両親・兄弟に気管支ぜんそく,発疹,じん麻疹などのアレルギー症状をおこしやすい体質を有する人／高度の腎機能障害／経口摂取の不良な人,非経口栄養の人,全身状態の悪い人

(4)使用法……本剤はできるだけ排便後に使用してください。

(5)その他……

● 低出生体重児,新生児での安全性：未確立。(1714 頁を参照)

重大な副作用　　①ショック(不快感,口内異常感,喘鳴,めまい,便意,耳鳴り,発汗など)。②アナフィラキシー(呼吸困難,全身潮紅,血管浮腫,じん麻疹など)。③汎血球減少,無顆粒球症,溶血性貧血,血小板減少。④肝機能障害。⑤急性腎障害などの重い腎機能障害。⑥偽膜性大腸炎などの血便を伴う重症の大腸炎。⑦間質性肺炎,PIE 症候群(発熱,せき,呼吸困難など)。⑧他のセフェム系抗生物質で,皮膚粘膜眼症候群(スティブンス-ジョンソン症候群),中毒性表皮壊死融解症(TEN)。

　そのほかにも報告された副作用はあるので,体調がいつもと違うと感じたときは,処方医・薬剤師に相談してください。

併用してはいけない薬　　併用してはいけない薬は特にありません。ただし,併用する薬があるときは,念のため処方医・薬剤師に報告してください。

外 09 吸入薬　01 吸入薬

01 β_2-アドレナリン受容体刺激薬

💊 製 剤 情 報

一般名：プロカテロール塩酸塩水和物

● 剤形…吸吸入剤

■**先発品**　商品名(メーカー)　規格・保険薬価

メプチンエアー(大塚)

吸 0.0143%5mL 1キット 726.40 円

メプチンキッドエアー(大塚)

吸 0.0143%2.5mL 1キット 585.70 円

メプチン吸入液(大塚)　吸 0.01%0.3mL 1個 13.00 円

吸 0.01%0.5mL 1個 18.30 円　吸 0.01% 1mL 26.80 円

メプチンスイングヘラー(大塚)

吸 1mg 1キット 770.70 円

一般名：サルブタモール硫酸塩

● 剤形…吸吸入剤

■**先発品**　商品名(メーカー)　規格・保険薬価

サルタノールインヘラー(グラクソ)

吸 0.16%13.5mL 1瓶 675.10 円

ベネトリン吸入液(グラクソ)

吸 0.5% 1mL 19.80 円

一般名：フェノテロール臭化水素酸塩

● 剤形…吸入剤

■ **先発品** 商品名(メーカー) 規格・保険薬価

ベロテックエロゾル 100 (ベーリンガー)

吸 20mg10mL 1瓶 511.70 円

一般名：dl-イソプレナリン塩酸塩

● 剤形…吸入剤

■ **先発品** 商品名(メーカー) 規格・保険薬価

アスプール液 (アルフレッサ)

吸 0.5% 1mL 17.40 円

一般名：トリメトキノール塩酸塩水和物

● 剤形…吸入剤

■ **先発品** 商品名(メーカー) 規格・保険薬価

イノリン吸入液 (ニプロ ES) 吸 0.5% 1mL 28.40 円

一般名：サルメテロールキシナホ酸塩

● 剤形…吸入剤

■ **先発品** 商品名(メーカー) 規格・保険薬価

セレベントディスカス (グラクソ)

吸 50μg60 ブリスター 1キット 2,475.10 円

一般名：インダカテロールマレイン酸塩

● 剤形…吸入剤

■ **先発品** 商品名(メーカー) 規格・保険薬価

オンブレス吸入用カプセル (ノバルティス)

吸 150μg 1カプセル 138.80 円

一般名：ホルモテロールフマル酸塩水和物

● 剤形…吸入剤

■ **先発品** 商品名(メーカー) 規格・保険薬価

オーキシスタービュヘイラー (アストラ ＝ MeijiSeika) 吸 252μg 1キット (9μg) 1,388.50 円

吸 540μg 1キット (9μg) 2,859.80 円

外 09─01─01 β2-アドレナリン受容体刺激薬

概 要

分類 気管支拡張薬

処方目的 以下の疾患の気道閉塞性障害に基づく諸症状の緩解→気管支ぜんそく，小児ぜんそく，慢性閉塞性肺疾患(慢性気管支炎，肺気腫)，急性気管支炎，気管支拡張症，肺結核，塵肺症

＊製剤により多少異なります。

解説 人間の体は自律神経でコントロールされていますが，その1つ，交感神経βは心臓，腎臓，あるいは肺の気管支筋などに作用しています。その中のβ2は特に気管支を拡張する作用があり，β2を刺激する薬品は「ぜんそく」など気管支が閉塞する病気の治療に用いられます。

気管支に直接作用する吸入薬は，ぜんそくの特効薬として登場しましたが，使いすぎると心臓に対する影響が大きすぎ危険なことがわかったため，現在では短時間作用型の薬品は，軽度のぜんそく発作の際などに1日4回までなどと使用回数を限定して用いられます。一方，近年開発された長時間作用型のセレベントおよびオーキシスは1日2回，オンブレスは1日1回の吸入で穏やかに気管支を拡張してくれます。

高血圧や不整脈の薬品として応用されるβブロッカーは，主にβ1を遮断することで効き目を発揮します。しかし，β2を遮断する作用がまったくないわけではなく気管支を狭める作用もあり，ぜんそくがある人には禁忌(使ってはいけない)です。

使用上の注意

*メプチンエアー，セレベントディスカスなどの添付文書による

> 警告

[フェノテロール臭化水素酸塩]

①本剤の使用は，患者が適正な使用方法について十分に理解しており，過量投与になるおそれのないことが確認されている場合に限ります。

②本剤の使用は，他のβ_2刺激薬吸入薬が無効な場合に限ります。

③小児に対しては，他のβ_2刺激薬吸入薬が無効な場合で，入院中など医師の厳重な管理・監督下で本剤を使用する場合を除き，使用してはいけません

> 基本的注意

(1)使用してはいけない場合……本剤の成分に対するアレルギーの前歴

(2)慎重に使用すべき場合……甲状腺機能亢進症／高血圧／心疾患／糖尿病／低酸素血症

(3)指示量の厳守……定められた用量以上を使用すると副作用がおこりやすくなるので，指示された量や回数を厳守してください。

(4)その他……

● 妊婦での安全性：有益と判断されたときのみ使用。

● 授乳婦での安全性：治療上の有益性・母乳栄養の有益性を考慮し，授乳の継続・中止を検討。

● 低出生体重児，新生児，乳児での安全性：未確立。[サルメテロールキシナホ酸塩]4歳以下の幼児：未確立。(1714頁を参照)

> 重大な副作用 　　　　　　　　[すべての製剤]①重い血清カリウム値の低下(この副作用は，キサンチン誘導体，副腎皮質ステロイド薬および利尿薬の併用により増強することがあるので重症ぜんそくの人は特に注意してください)。

[プロカテロール塩酸塩水和物，サルブタモール硫酸塩，サルメテロールキシナホ酸塩]②ショック，アナフィラキシー(呼吸困難，気管支れん縮，血管浮腫，浮腫など)。

そのほかにも報告された副作用はあるので，体調がいつもと違うと感じたときは，処方医・薬剤師に相談してください。

> 併用してはいけない薬 　　　　[dl-イソプレナリン塩酸塩，フェノテロール臭化水素酸塩]カテコールアミン製剤(アドレナリン[エピネフリン]，イソプロテレノールなど)→不整脈，心停止をおこすおそれがあります。

[dl-イソプレナリン塩酸塩のみ]エフェドリン塩酸塩，メチルエフェドリン塩酸塩→不整脈，心停止をおこすおそれがあります。

外 09 吸入薬　01 吸入薬

02　抗コリン薬

製 剤 情 報

一般名：チオトロピウム臭化物水和物

●剤形…吸入剤

■先発品　　商品名(メーカー)　規格・保険薬価

スピリーバ吸入用カプセル (ベーリンガー)

吸 18μg 1ｶﾌﾟ 122.70 円

スピリーバ 1.25μg レスピマット 60 吸入
(ベーリンガー) 吸 75μg 1キット 2,239.40 円

スピリーバ 2.5μg レスピマット 60 吸入
写真 (ベーリンガー) 吸 150μg 1キット 3,947.30 円

一般名：イプラトロピウム臭化物水和物

●剤形…吸入剤

■先発品　　商品名(メーカー)　規格・保険薬価

アトロベントエロゾル (帝人)

吸 4.20mg10mL 1瓶 713.00 円

一般名：グリコピロニウム臭化物

●剤形…吸入剤

■先発品　　商品名(メーカー)　規格・保険薬価

シーブリ吸入用カプセル (ノバルティス)

吸 50μg 1ｶﾌﾟ 163.30 円

一般名：アクリジニウム臭化物

●剤形…吸入剤

■先発品　　商品名(メーカー)　規格・保険薬価

エクリラ 400μg ジェヌエア 30 吸入用 (杏
林) 吸 30 吸入 1キット 2,688.80 円

エクリラ 400μg ジェヌエア 60 吸入用 (杏
林) 吸 60 吸入 1キット 5,109.90 円

一般名：ウメクリジニウム臭化物

●剤形…吸入剤

■先発品　　商品名(メーカー)　規格・保険薬価

エンクラッセ 62.5μg エリプタ 7 吸入用
(グラクソ) 吸 7 吸入 1キット 1,211.60 円

エンクラッセ 62.5μg エリプタ 30 吸入用
(グラクソ) 吸 30 吸入 1キット 4,935.80 円

**一般名：〔抗コリン薬＋β₂刺激薬〕グリコ
ピロニウム・インダカテロール配合剤**

●剤形…吸入剤

■先発品　　商品名(メーカー)　規格・保険薬価

ウルティブロ吸入用カプセル (ノバルティス)

吸 1ｶﾌﾟ 211.60 円

**一般名：〔抗コリン薬＋β₂刺激薬〕ウメク
リジニウム・ビランテロール配合剤**

●剤形…吸入剤

■先発品　　商品名(メーカー)　規格・保険薬価

アノーロエリプタ 7 吸入用 (グラクソ)

吸 7 吸入 1キット 1,645.50 円

アノーロエリプタ 30 吸入用 (グラクソ)

吸 30 吸入 1キット 6,667.80 円

**一般名：〔抗コリン薬＋β₂刺激薬〕チオト
ロピウム・オロダテロール配合剤**

●剤形…吸入剤

■先発品　　商品名(メーカー)　規格・保険薬価

スピオルトレスピマット 28 吸入 (ベーリンガ
ー) 吸 28 吸入 1キット 3,427.70 円

スピオルトレスピマット 60 吸入 (ベーリンガ
ー) 吸 60 吸入 1キット 6,680.40 円

一般名：〔抗コリン薬＋β_2刺激薬〕グリコ
ピロニウム・ホルモテロール配合剤
●剤形…㊤吸入剤

ビベスピエアロスフィア 28 吸入 (アストラ)
㊤ 28 吸入 1キット 1,677.10 円

概　　要

分類　気管支拡張薬

処方目的　慢性閉塞性肺疾患(慢性気管支炎，肺気腫)の気道閉塞性障害に基づく諸症
状の緩和：ウルティブロ，アノーロ，スピオルト，ビベスピは長時間作用性吸入抗コリン
薬および長時間作用性吸入 β_2 刺激薬の併用が必要な場合に使用。
[スピリーバ，アトロベントのみの適応症] 気管支ぜんそくの気道閉塞性障害に基づく
諸症状の緩和：スピリーバは，吸入ステロイド薬などにより症状の改善が得られない場
合，あるいは患者の重症度から吸入ステロイド薬などとの併用による治療が適切と判断
された場合にのみ，本剤と吸入ステロイド薬などを併用して使用。

解説　気管支を収縮させる作用があるアセチルコリンの働きを阻害することで気管支
を拡張させます。スピリーバ，シーブリ，ウルティブロ，エンクラッセ，アノーロ，スピ
オルトは長時間作用型のため，1 日 1 回の吸入で効きめが持続します。ちなみにアトロ
ベントは 1 日 3〜4 回，エクリラとビベスピは 1 日 2 回，吸入します。

使用上の注意

＊スピリーバ，アトロベント，シーブリ，エクリラなどの添付文書による

基本的注意

(1)使用してはいけない場合……閉塞隅角緑内障／前立腺肥大症などによる排尿障害
[チオトロピウム臭化物水和物，イプラトロピウム臭化物水和物，スピオルト] 本剤の成
分またはアトロピン系薬剤に対するアレルギーの前歴
[グリコピロニウム臭化物，アクリジニウム臭化物，ウメクリジニウム臭化物，ウルティ
ブロ，アノーロ，ビベスピ] 本剤の成分に対するアレルギーの前歴
(2)慎重に使用すべき場合……[イプラトロピウム臭化物水和物]上室性不整脈またはそ
の前歴／開放隅角緑内障／[チオトロピウム臭化物水和物]心不全，心房細動，期外収縮
またはこれらの前歴／中等度以上の腎機能低下(クレアチニンクリアランス値 50mL/分
以下)／前立腺肥大／[グリコピロニウム臭化物]心不全，心房細動，期外収縮またはこれ
らの前歴／重度の腎機能障害(推算糸球体濾過量(eGFR)が 30mL/分/1.73m^2 未満)また
は透析を必要とする末期腎不全／前立腺肥大／[アクリジニウム臭化物，ウメクリジニ
ウム臭化物]心不全，心房細動，期外収縮またはこれらの既往歴／前立腺肥大(排尿障害
がある場合を除く)／高齢者(アクリジニウム臭化物のみ)
(3)指示量の厳守……定められた用量以上を使用すると副作用がおこりやすくなるので，
指示された量や回数を厳守してください。
(4)その他……
●妊婦での安全性：有益と判断されたときのみ使用。
●授乳婦での安全性：[チオトロピウム臭化物水和物]原則として使用しない。やむを得

外
09
│
01
│
02

抗コリン薬

ず使用するときは授乳を中止。[イプラトロピウム臭化物水和物，グリコピロニウム臭化物，アクリジニウム臭化物，ウメクリジニウム臭化物]治療上の有益性・母乳栄養の有益性を考慮し，授乳の継続・中止を検討。

● 小児での安全性：未確立。(1714頁を参照)

重大な副作用 [イプラトロピウム臭化物水和物]①アナフィラキシー様症状(じん麻疹，血管浮腫，発疹，気管支けいれん，口腔咽頭浮腫など)。②上室性頻脈，心房細動。

[チオトロピウム臭化物水和物，スピオルト]①心不全，心房細動，期外収縮。②イレウス(腸閉塞)。③閉塞隅角緑内障(視力低下，眼痛，頭痛，眼の充血など)。④アナフィラキシー(じん麻疹，血管浮腫，呼吸困難など)。

[グリコピロニウム臭化物，アクリジニウム臭化物，ウメクリジニウム臭化物，アノーロ]①心房細動。

[ウルティブロ，ビベスピ]①重篤な血清カリウム値の低下。②心房細動。

そのほかにも報告された副作用はあるので，体調がいつもと違うと感じたときは，処方医・薬剤師に相談してください。

併用してはいけない薬 併用してはいけない薬は特にありません。ただし，併用する薬があるときは，念のため処方医・薬剤師に報告してください。

外09 吸入薬 01 吸入薬
03 クロモグリク酸ナトリウム

製剤情報

一般名：クロモグリク酸ナトリウム吸入用薬

● 剤形…吸 吸入剤

■**先発品** 商品名(メーカー) 規格・保険薬価

インタールエアロゾル(サノフィ)
吸 2%10mL 1瓶 1,882.00円

インタール吸入液(サノフィ)
吸 1%2mL 1管 36.30円

■**ジェネリック** 商品名(メーカー) 規格・保険薬価

クロモグリク酸Na吸入液(沢井)
吸 1%2mL 1管 29.70円

クロモグリク酸Na吸入液(武田テバ薬品＝武田テバファーマ＝武田) 吸 1%2mL 1管 29.70円

クロモグリク酸Na吸入液(共和)
吸 1%2mL 1管 29.70円

概要

分類 抗アレルギー薬

処方目的 気管支ぜんそく

解説 本剤は，抗原(アレルギー反応の元になる物質)が体内に入ったときにおこるアレルギー反応を抑える作用があります。体内にほとんど吸収されない性質のため，相互作用はほとんど知られていません。主に吸入ステロイド薬に追加して用いられます。

使用上の注意

*クロモグリク酸ナトリウム吸入用薬（インタール）の添付文書による

基本的注意

(1)使用してはいけない場合……本剤の成分に対するアレルギーの前歴

(2)その他……

● 妊婦での安全性：有益と判断されたときのみ使用。

● 小児（3歳以下）での安全性：［インタールエアロゾル］未確立。（1714頁を参照）

重大な副作用

①（吸入中または直後に）重い気管支けいれん。②発熱，せき，喀痰を伴う PIE 症候群。③アナフィラキシー（呼吸困難，血管浮腫，じん麻疹など）。

そのほかにも報告された副作用はあるので，体調がいつもと違うと感じたときは，処方医・薬剤師に相談してください。

併用してはいけない薬

併用してはいけない薬は特にありません。ただし，併用する薬があるときは，念のため処方医・薬剤師に報告してください。

外 09 吸入薬　01 吸入薬

04 副腎皮質ステロイド吸入薬

製剤情報

一般名：ブデソニド

● 剤形…吸 吸入剤

■ 先発品　商品名（メーカー）　規格・保険薬価

パルミコート吸入液（アストラ）
- 吸 0.25mg2mL 1管 145.40 円
- 吸 0.5mg2mL 1管 196.80 円

パルミコートタービュヘイラー吸入（アストラ）吸 11.2mg 1瓶（100μg）1,166.80 円
- 吸 11.2mg 1瓶（200μg）1,166.80 円
- 吸 22.4mg 1瓶（200μg）1,471.20 円

■ ジェネリック　商品名（メーカー）　規格・保険薬価

ブデソニド吸入液（武田テバファーマ＝武田）
- 吸 0.25mg2mL 1管 60.60 円
- 吸 0.5mg2mL 1管 84.40 円

一般名：ベクロメタゾンプロピオン酸エステル

● 剤形…吸 吸入剤

■ 先発品　商品名（メーカー）　規格・保険薬価

キュバールエアゾール（住友ファーマ）
- 吸 7mg8.7g 1瓶 1,816.80 円
- 吸 15mg8.7g 1瓶 2,345.90 円

一般名：フルチカゾンプロピオン酸エステル

● 剤形…吸 吸入剤

■ 先発品　商品名（メーカー）　規格・保険薬価

フルタイドエアゾール吸入用（グラクソ）
- 吸 8.83mg10.6g 1瓶 1,384.50 円
- 吸 11.67mg7.0g 1瓶 1,445.00 円

フルタイドディスカス（グラクソ）
- 吸 50μg60 ブリスター 1個 1,013.90 円
- 吸 100μg60 ブリスター 1個 1,424.10 円
- 吸 200μg60 ブリスター 1個 1,848.70 円

一般名：シクレソニド

● 剤形…吸 吸入剤

■先発品　商品名(メーカー)　規格・保険薬価

オルベスコインヘラー吸入用(帝人)
- 吸 5.6mg3.3g 1キット 1,521.30 円
- 吸 5.6mg6.6g 1キット 1,489.00 円
- 吸 11.2mg3.3g 1キット 1,863.90 円
- 吸 11.2mg6.6g 1キット 1,927.20 円

一般名：モメタゾンフランカルボン酸エステル
- ●剤形…吸 吸入剤

■先発品　商品名(メーカー)　規格・保険薬価

アズマネックスツイストヘラー吸入(オルガノン) 吸 6mg 1キット 2,088.40 円
- 吸 12mg 1キット 2,546.80 円

一般名：フルチカゾンフランカルボン酸エステル
- ●剤形…吸 吸入剤

■先発品　商品名(メーカー)　規格・保険薬価

アニュイティ 100μg エリプタ(グラクソ)
- 吸 30 吸入 1キット 1,593.00 円

アニュイティ 200μg エリプタ(グラクソ)
- 吸 30 吸入 1キット 2,055.20 円

一般名：〔ステロイド＋β₂刺激薬〕ブデソニド・ホルモテロール配合剤
- ●剤形…吸 吸入剤

■先発品　商品名(メーカー)　規格・保険薬価

シムビコートタービュヘイラー(アストラ)
- 吸 30 吸入 1キット 1,945.60 円
- 吸 60 吸入 1キット 3,596.10 円

■ジェネリック　商品名(メーカー)　規格・保険薬価

ブデホル吸入粉末剤(東亜薬品＝マイラン EPD)
- 吸 30 吸入 1キット 969.40 円
- 吸 60 吸入 1キット 1,845.10 円

ブデホル吸入粉末剤(ニプロ)
- 吸 30 吸入 1キット 989.30 円
- 吸 60 吸入 1キット 1,845.10 円

ブデホル吸入粉末剤(日本ジェネリック)
- 吸 30 吸入 1キット 969.40 円
- 吸 60 吸入 1キット 1,758.40 円

一般名：〔ステロイド＋β₂刺激薬〕サルメテロール・フルチカゾン配合剤
- ●剤形…吸 吸入剤

■先発品　商品名(メーカー)　規格・保険薬価

アドエア 100 ディスカス吸入用(グラクソ)
- 吸 28 ブリスター 1キット 3,039.60 円
- 吸 60 ブリスター 1キット 6,348.70 円

アドエア 250 ディスカス吸入用(グラクソ)
- 吸 28 ブリスター 1キット 3,497.60 円
- 吸 60 ブリスター 1キット 7,301.50 円

アドエア 500 ディスカス吸入用(グラクソ)
- 吸 28 ブリスター 1キット 3,912.80 円
- 吸 60 ブリスター 1キット 8,274.00 円

アドエア 50 エアゾール 120 吸入用(グラクソ) 吸 12.0g 1瓶 6,706.70 円

アドエア 125 エアゾール 120 吸入用(グラクソ) 吸 12.0g 1瓶 7,832.90 円

アドエア 250 エアゾール 120 吸入用(グラクソ) 吸 12.0g 1瓶 8,864.20 円

一般名：〔ステロイド＋β₂刺激薬〕フルチカゾン・ホルモテロール配合剤
- ●剤形…吸 吸入剤

■先発品　商品名(メーカー)　規格・保険薬価

フルティフォーム 50 エアゾール吸入用(杏林) 吸 56 吸入 1瓶 2,398.00 円
- 吸 120 吸入 1瓶 4,973.10 円

フルティフォーム 125 エアゾール吸入用(杏林) 吸 56 吸入 1瓶 2,577.20 円
- 吸 120 吸入 1瓶 5,257.50 円

一般名：〔ステロイド＋β₂刺激薬〕ビランテロール・フルチカゾン配合剤

●剤形…吸入剤

■**先発品** 商品名(メーカー) 規格・保険薬価

レルベア 100 エリプタ吸入用 (グラクソ)

吸 14 吸入 1キット 2,497.60 円

吸 30 吸入 1キット 5,192.20 円

レルベア 200 エリプタ吸入用 (グラクソ)

吸 14 吸入 1キット 2,738.40 円

吸 30 吸入 1キット 5,781.40 円

一般名：〔ステロイド＋β₂刺激薬〕インダカテロール・モメタゾン配合剤

●剤形…吸入剤

■**先発品** 商品名(メーカー) 規格・保険薬価

アテキュラ吸入用カプセル (ノバルティス)

吸 高用量 1カプセル 187.40 円　吸 中用量 1カプセル 168.50 円

吸 低用量 1カプセル 153.70 円

一般名：〔ステロイド＋β₂刺激薬＋抗コリン薬〕フルチカゾン・ウメクリジニウム・ビランテロール配合剤

●剤形…吸入剤

■**先発品** 商品名(メーカー) 規格・保険薬価

テリルジー 100 エリプタ (グラクソ)

吸 14 吸入 1キット 4,160.80 円

吸 30 吸入 1キット 8,805.10 円

テリルジー 200 エリプタ (グラクソ)

吸 14 吸入 1キット 4,738.50 円

吸 30 吸入 1キット 10,043.30 円

一般名：〔ステロイド＋β₂刺激薬＋抗コリン薬〕ブデソニド・グリコピロニウム・ホルモテロール配合剤

●剤形…吸入剤

■**先発品** 商品名(メーカー) 規格・保険薬価

ビレーズトリエアロスフィア 56 吸入 (アストラ) 吸 56 吸入 1キット 4,127.60 円

一般名：〔ステロイド＋β₂刺激薬＋抗コリン薬〕インダカテロール・グリコピロニウム・モメタゾン配合剤

●剤形…吸入剤

■**先発品** 商品名(メーカー) 規格・保険薬価

エナジア吸入用カプセル (ノバルティス)

吸 高用量 1カプセル 331.50 円　吸 中用量 1カプセル 290.30 円

外
09
―
01
―
04

副腎皮質ステロイド吸入薬

📋 **概 要**

分類 副腎皮質ステロイド薬

処方目的 [パルミコート，キュバール，フルタイド，オルベスコ，アズマネックス，アニュイティの適応症] 気管支ぜんそく

[シムビコート，ブデホル，アドエア，フルティフォーム，レルベア，アテキュラの適応症] 気管支ぜんそく(吸入ステロイド薬および長時間作用性吸入 β₂ 刺激薬との併用が必要な場合に使用)

[シムビコート，ブデホル，アドエア 250 ディスカス・125 エアゾール，レルベア 100 エリプタの適応症] 慢性閉塞性肺疾患(慢性気管支炎・肺気腫)の諸症状の緩解(吸入ステロイド薬および長時間作用性吸入 β₂ 刺激薬との併用が必要な場合に使用)

[テリルジー 100，ビレーズトリの適応症] 慢性閉塞性肺疾患(慢性気管支炎・肺気腫)の諸症状の緩解(吸入ステロイド薬，長時間作用性吸入抗コリン薬および長時間作用性吸入 β₂ 刺激薬の併用が必要な場合に使用)

[テリルジー，エナジアの適応症] 気管支ぜんそく(吸入ステロイド薬，長時間作用性吸

入 β_2 刺激薬および長時間作用性吸入抗コリン薬の併用が必要な場合に使用）

解説　気管支ぜんそくの病態が，気管支など気道の炎症であることが明らかになって，ぜんそく治療の主役は気管支拡張薬から吸入ステロイド薬に変化してきました。

　ステロイドは湿疹の塗り薬などで日常的に使用されていますが，使いすぎによる副作用が広く知られているため，抵抗がある人も多いかもしれません。しかし，内服ステロイド薬に比べると，吸入ステロイド薬は少ない量で局所的に作用させるため大きな副作用は少なく，長期的なぜんそくのコントロールに適した薬品です。もちろん，まったく副作用がないわけではありません。使用後のうがいなど正しい使用法を守らないと，口腔カンジダ症や嗄声といった副作用も増えるので注意が必要です。

　なお，シムビコートは通常1回1吸入を1日2回の使用ですが，発作の発現時には頓用吸入ができます。発作発現時に1吸入し，数分経過しても発作が持続する場合にはさらに追加し，1回の発作発現につき最大6吸入まで吸入することができます。

🔖 使用上の注意
＊シムビコート，アドエアの添付文書による

基本的注意

(1)**使用してはいけない場合**……本剤の成分に対するアレルギーの前歴／有効な抗菌薬の存在しない感染症，深在性真菌症

(2)**慎重に使用すべき場合**……結核性疾患，感染症（有効な抗菌薬の存在しない感染症，深在性真菌症を除く），甲状腺機能亢進症，高血圧，心疾患，糖尿病，高齢者／[シムビコートのみ]低カリウム血症，重篤な肝機能障害

(3)**指示回数を厳守**……指示された回数以上は使用しないでください。

(4)**うがい・口すすぎ**……局所的な副作用（口腔カンジダ症，嗄声など）の予防のため，吸入後はうがいを行ってください。うがいが困難な人は口腔内をすすいでください。

(5)**全身性の作用に注意**……全身性のステロイド薬と比較して可能性は低いが，本剤の使用により全身性の作用（クッシング症候群，クッシング様症状，副腎皮質機能抑制，小児の成長遅延，骨密度の低下，白内障，緑内障，中心性漿液性網脈絡膜症を含む）が現れる可能性があります。特に長期間，大量使用の場合には定期的に検査を行い，全身性の作用が認められたら，直ちに処方医に連絡してください。

(6)**その他**……

● 妊婦での安全性：有益と判断されたときのみ使用。

● 授乳婦での安全性：治療上の有益性・母乳栄養の有益性を考慮し，授乳の継続・中止を検討。

● 低出生体重児，新生児，乳児での安全性：未確立。(1714頁を参照)

重大な副作用　　①ショック，アナフィラキシー（呼吸困難，気管支れん縮，全身潮紅，血管浮腫，じん麻疹など）。②重篤な血清カリウム値の低下。[アドエアのみ]③肺炎。

　そのほかにも報告された副作用はあるので，体調がいつもと違うと感じたときは，処方医・薬剤師に相談してください。

併用してはいけない薬　　［キュバール，フルティフォーム，アテキュラ，エナジア］
デスモプレシン酢酸塩水和物（ミニリンメルト：男性における夜間多尿による夜間頻尿）
→低ナトリウム血症が現れるおそれがあります。

外09 吸入薬　01 吸入薬

05　抗インフルエンザウイルス吸入薬

製剤情報

一般名：ザナミビル水和物

● 剤形…吸吸入剤

■先発品　　商品名（メーカー）　規格・保険薬価

リレンザ（グラクソ）吸 5mg 1ブリスター 132.90 円

一般名：ラニナミビルオクタン酸エステル水和物

● 剤形…吸吸入剤

■先発品　　商品名（メーカー）　規格・保険薬価

イナビル吸入粉末剤（第一三共）
吸 20mg 1キット 2,179.50 円

イナビル吸入懸濁用セット（第一三共）
吸 160mg 1瓶 4,241.50 円

概　　要

分類　抗インフルエンザウイルス薬

処方目的　　A 型または B 型インフルエンザウイルス感染症の治療およびその予防（イナビル吸入懸濁用セットは治療のみ）

解説　　インフルエンザウイルスの増殖に不可欠な酵素ノイラミニダーゼの働きを阻害する作用があり，吸入によりウイルスの主な増殖部位（気道粘膜）に直接届いて効き目を発揮します。内服薬と異なり，全身的な影響が少ないという利点があります。治療に用いる場合，ザナミビルは 5 日間（1 日 2 回）の吸入ですが，ラニナミビルは 1 日 1 回だけで完結するため，症状改善による服薬中止や服薬忘れの心配がないという利点も加わりました。

使用上の注意

＊両剤の添付文書による

警告

①どちらの薬も治療のために用いる場合は，真に必要か否かを処方医と十分に話し合うことが必要です。

②インフルエンザウイルス感染症の予防の基本はワクチンによる予防であり，本剤の予防使用はワクチンによる予防に置き換わるものではありません。

基本的注意

（1）使用してはいけない場合……本剤の成分に対するアレルギーの前歴

（2）慎重に使用すべき場合……乳製品に対するアレルギーの前歴（イナビル吸入懸濁用を除く）

（3）予防目的……予防のために用いる場合には，原則として，インフルエンザウイルス感

染症を発症している人の同居家族または共同生活者で，65歳以上の高齢者，慢性呼吸器疾患，慢性心疾患，糖尿病などの代謝性疾患，腎機能障害の人を対象とします。

(4)治療開始時期……本剤は，インフルエンザ様症状が現れてから48時間以内に使用されます。それ以後の場合では，有効性を裏づけるデータが得られていません。

(5)異常行動の発現……抗インフルエンザウイルス薬の服用の有無または種類にかかわらず，インフルエンザ罹患時に異常行動（急に走り出す，徘徊するなど）が発現した例が報告されています。転落などの事故に至るおそれのある重度の異常行動は，就学以降の小児・未成年者の男性で報告が多いこと，発熱から2日間以内に発現することが多いことが知られています。服用する場合は，異常行動による転落などの万が一の事故を防止するための予防的な対応法について，事前に処方医から説明を受け，厳守してください（自宅で療養を行う場合は少なくとも発熱から2日間，保護者などは小児・未成年者が1人にならないようにするなど）。なお，小児に対しては，本剤を適切に吸入できると判断された場合にのみ処方されます。

(6)乳製品に注意……乳製品に対するアレルギーのある人や，その前歴のある人がリレンザ，イナビル吸入粉末剤を使用すると，アナフィラキシーが現れたとの報告があるので，使用する前には処方医にそのことを伝え，使用する場合は十分に注意してください。

(7)その他……

- 妊婦での安全性：有益と判断されたときのみ使用。
- 授乳婦での安全性：治療上の有益性・母乳栄養の有益性を考慮し，授乳の継続・中止を検討。
- 低出生体重児，新生児，乳児，[ザナミビル水和物]4歳以下の幼児での安全性：未確立。（1714頁を参照）

重大な副作用　①ショック，アナフィラキシー（血圧低下，顔面蒼白，冷汗，咽頭・喉頭浮腫，じん麻疹など）。②気管支れん縮，呼吸困難。③皮膚粘膜眼症候群（スティブンス‐ジョンソン症候群），中毒性表皮壊死融解症（TEN），多形紅斑。④異常行動（急に走り出す，徘徊するなど）。

　そのほかにも報告された副作用はあるので，体調がいつもと違うと感じたときは，処方医・薬剤師に相談してください。

併用してはいけない薬　併用してはいけない薬は特にありません。ただし，併用する薬があるときは，念のため処方医・薬剤師に報告してください。

外 09 吸入薬　01 吸入薬

06 ブロムヘキシン塩酸塩

製剤情報

一般名：ブロムヘキシン塩酸塩

- 剤形…吸 吸入剤

■先発品　商品名（メーカー）　規格・保険薬価

ビソルボン吸入液（サノフィ）
吸 0.2% 1mL 12.80 円

■ジェネリック　商品名(メーカー)　規格・保険薬価

ブロムヘキシン塩酸塩吸入液（武田テバファーマ＝武田）吸 0.2% 1mL 6.60 円

概　要

分類　去痰薬

処方目的　以下の場合の去痰→急性・慢性気管支炎，肺結核，塵肺症，手術後

解説　気管支における漿液分泌を増加させます。また，粘液を溶かす作用，線毛運動を亢進させる作用もあり，痰のキレをよくします。

使用上の注意

＊ブロムヘキシン塩酸塩(ビソルボン吸入液)の添付文書による

基本的注意

(1)使用してはいけない場合……本剤の成分に対するアレルギーの前歴

(2)その他……

●妊婦での安全性：未確立。有益と判断されたときのみ使用。

●小児での安全性：未確立。(1714 頁を参照)

重大な副作用　①ショック，アナフィラキシー様症状(発疹，血管浮腫，気管支けいれん，呼吸困難，かゆみなど)。

　そのほかにも報告された副作用はあるので，体調がいつもと違うと感じたときは，処方医・薬剤師に相談してください。

併用してはいけない薬　併用してはいけない薬は特にありません。ただし，併用する薬があるときは，念のため処方医・薬剤師に報告してください。

外 09 吸入薬　01 吸入薬

07 システイン系薬剤

製剤情報

一般名：アセチルシステイン

●剤形…吸 吸入剤

■先発品　商品名(メーカー)　規格・保険薬価

ムコフィリン吸入液（サンノーバ＝エーザイ）吸 17.62%2mL 1包 50.20 円

概　要

分類　去痰薬

処方目的　①次の疾患の去痰→気管支ぜんそく，慢性気管支炎，気管支拡張症，肺結核，肺気腫，咽頭炎，喉頭炎，肺化膿症，肺炎，のう胞性線維症，術後肺合併症／②気管支造影・気管支鏡検査・肺がん細胞診・気管切開術の前後処置

解説　気道内分泌物のムコ蛋白を分解し，痰の粘度を低下させて排出を楽にします。

使用上の注意

基本的注意

(1)慎重に使用すべき場合……気管支ぜんそく，呼吸機能不全／高齢者

(2)その他……

● 小児での安全性：未確立。(1714 頁を参照)

重大な副作用　①気管支閉塞，気管支けいれん。

　そのほかにも報告された副作用はあるので，体調がいつもと違うと感じたときは，処方医・薬剤師に相談してください。

併用してはいけない薬　併用してはいけない薬は特にありません。ただし，併用する薬があるときは，念のため処方医・薬剤師に報告してください。

外 09 吸入薬　01 吸入薬

08 囊胞性線維症改善薬

製剤情報

一般名：ドルナーゼ　アルファ(遺伝子組み換え)

● 剤形…吸吸入剤

■先発品　　商品名(メーカー)　規格・保険薬価

プルモザイム吸入液 (中外)
吸 2.5mg2.5mL 1管 6,982.10 円

概　　要

分類　囊胞性線維症改善薬

処方目的　囊胞性線維症における肺機能の改善

解説　本剤は，囊胞性線維症の人の気道粘液・分泌液中に大量に含まれ，粘度を高くしている好中球由来の DNA を加水分解する酵素で，膿性分泌物(痰)の粘度を低下させて排出しやすくすることで肺機能を改善します。

使用上の注意

基本的注意

(1)使用してはいけない場合……本剤の成分に対するアレルギーの前歴

(2)その他……

● 妊婦での安全性：有益と判断されたときのみ使用。

● 授乳婦での安全性：治療上の有益性・母乳栄養の有益性を考慮し，授乳の継続・中止を検討。

● 小児(5 歳未満)での安全性：未確立。(1714 頁を参照)

重大な副作用　重大な副作用はありませんが，そのほかの副作用はあるので，体調がいつもと違うと感じたときは，処方医・薬剤師に相談してください。

併用してはいけない薬　併用してはいけない薬は特にありません。ただし，併用する薬があるときは，念のため処方医・薬剤師に報告してください。

09　トブラマイシン

製剤情報

一般名：トブラマイシン
- 規制…劇薬
- 剤形…吸 吸入剤

■**先発品**　　**商品名(メーカー)**　規格・保険薬価

トービイ吸入液 (マイラン EPD)
吸 300mg5mL 1管 9,045.00 円

概　　要

分類　アミノグリコシド系抗生物質

処方目的　嚢胞性線維症における緑膿菌による呼吸器感染に伴う症状の改善

解説　本剤は，細菌の蛋白合成を阻害することで殺菌的に作用し，緑膿菌に対して優れた抗菌活性を示します。

使用上の注意

基本的注意

(1)**使用してはいけない場合**……本剤の成分，他のアミノグリコシド系抗生物質，バシトラシンに対するアレルギーの前歴

(2)**慎重に使用すべき場合**……第 8 脳神経障害，腎機能障害，パーキンソン病・重症筋無力症などの神経筋障害のある人，またはこれらが疑われる人

(3)**吸入間隔**……本剤は 1 日 2 回吸入します。吸入間隔は可能なかぎり 12 時間，少なくとも 6 時間以上あけて使用します。

(4)**その他**……

- 妊婦での安全性：有益と判断されたときのみ使用。
- 授乳婦での安全性：原則として使用しない。やむを得ず使用するときは授乳を中止。
- 小児 (6 歳未満) での安全性：未確立。(1714 頁を参照)

重大な副作用　　①重篤な腎障害 (急性腎障害など)。②第 8 脳神経障害 (めまい，耳鳴り，難聴など)。

そのほかにも報告された副作用はあるので，体調がいつもと違うと感じたときは，処方医・薬剤師に相談してください。

併用してはいけない薬　　併用してはいけない薬は特にありません。ただし，併用する薬があるときは，念のため処方医・薬剤師に報告してください。

10　肺動脈性肺高血圧症治療薬

製剤情報

一般名：イロプロスト

● 規制…劇薬

● 剤形…吸吸入剤

■**先発品**　　**商品名(メーカー)**　規格・保険薬価

ベンテイビス吸入液 (バイエル)
吸 10μg1mL 1管 2,001.50 円

概　　要

分類　　プロスタグランジン I_2 誘導体製剤

処方目的　　肺動脈性肺高血圧症

解説　　肺動脈性肺高血圧症の治療薬には，内服薬 (ボセンタン水和物など)，注射薬 (エポプロステノールナトリウム) がありますが，重症の肺高血圧症に対しては注射薬が使われています。ただし，注射薬は携帯用のポンプを身につけて持続的に体内に薬を送り続ける必要があるため (プロスタサイクリン持続静注療法)，患者さんには大きな負担となっていました。

　本剤は，注射薬のエポプロステノールナトリウムと同様のプロスタグランジン I_2 (プロスタサイクリン) 誘導体で，同程度の効果があり，吸入 (1 日 6～9 回) というより簡便な方法で使用することができます。

使用上の注意

基本的注意

(1)**使用してはいけない場合**……本剤の成分に対するアレルギーの前歴／出血している，または出血のリスクが高い人 (活動性消化管潰瘍，外傷，頭蓋内出血など)／肺静脈閉塞性疾患を有する肺高血圧症／重度の冠動脈疾患または不安定狭心症／6 カ月以内に心筋梗塞を発症した人／医師の管理下にない非代償性心不全／重度の不整脈／3 カ月以内に脳血管障害 (一過性脳虚血発作，脳卒中など) を発症した人／肺高血圧症に関連しない心機能障害を伴う先天性または後天性心臓弁疾患のある人

(2)**慎重に使用すべき場合**……気道疾患 (急性気管支炎，急性肺感染症，慢性閉塞性肺疾患，重度の気管支ぜんそくなど) の合併／低血圧／肝機能障害／透析を受けている腎不全患者または腎障害のある患者 (クレアチニンクリアランス 30mL/分以下)／高齢者

(3)**吸入方法**……本剤は I-neb AAD ネブライザを使用して，1 日 6～9 回吸入します。吸入間隔は少なくとも 2 時間以上あけて使用します。

(4)**危険作業に注意**……めまいなどが現れることがあるので，高所作業，自動車の運転など危険を伴う機械の操作には十分に注意してください (特に使用初期)。

(5)**その他**……

● 妊婦での安全性：有益と判断されたときのみ使用。

● 授乳婦での安全性：使用するときは授乳しないことが望ましい。

●小児での安全性：未確立。(1714 頁を参照)

重大な副作用 ①出血(脳出血，頭蓋内出血など)。②気管支けいれん。③過度の血圧低下。④失神。⑤血小板減少症。⑥頻脈。

そのほかにも報告された副作用はあるので，体調がいつもと違うと感じたときは，処方医・薬剤師に相談してください。

併用してはいけない薬 併用してはいけない薬は特にありません。ただし，併用する薬があるときは，念のため処方医・薬剤師に報告してください。

外 09 吸入薬　01 吸入薬

11 アミカシン

製剤情報

一般名：アミカシン硫酸塩

●剤形…吸 吸入剤

■先発品　　商品名(メーカー)　規格・保険薬価

アリケイス吸入液 (インスメッド)
吸 590mg8.4mL 1瓶 42,408.40 円

概　要

分類　アミノグリコシド系抗生物質

処方目的　マイコバクテリウム・アビウムコンプレックス(MAC)による肺非結核性抗酸菌症

解説　MAC による肺非結核性抗酸菌症(肺 MAC 症)は，おおむね数年から十数年かけて進行しますが，多くの場合，最終的に重度の呼吸不全を発症し死に至ることがある重篤な疾患です。本剤は，アミカシン硫酸塩をリポソーム粒子に封入した吸入液剤で，専用のネブライザシステムを用いて使用します。肺 MAC 症に対する従来からの多剤併用療法による前治療において効果不十分な患者にのみ限定して処方され，多剤併用療法と併用して使用します。

使用上の注意

基本的注意

(1)使用してはいけない場合……本剤の成分，他のアミノグリコシド系抗生物質，バシトラシンに対するアレルギーの前歴

(2)慎重に使用すべき場合……第 8 脳神経障害またはその疑いのある人／重症筋無力症などの神経筋障害またはその疑いのある人／腎機能障害

(3)その他……

●妊婦での安全性：有益と判断されたときのみ使用。

●授乳婦での安全性：治療上の有益性・母乳栄養の有益性を考慮し，授乳の継続・中止を検討。

●小児での安全性：未確立。(1714 頁を参照)

重大な副作用 ①過敏性肺臓炎。②気管支けいれん。③第 8 脳神経障害

（めまい，耳鳴り，難聴など）。④急性腎障害。⑤ショック，アナフィラキシー。

そのほかにも報告された副作用はあるので，体調がいつもと違うと感じたときは，処方医・薬剤師に相談してください。

併用してはいけない薬 併用してはいけない薬は特にありません。ただし，併用する薬があるときは，念のため処方医・薬剤師に報告してください。

外 10 経皮吸収型の製剤 01 経皮吸収型の製剤

01 冠血管拡張薬

製剤情報

一般名：硝酸イソルビド

● 剤形…貼貼付剤，噴噴霧剤

■先発品　商品名(メーカー)　規格・保険薬価

ニトロールスプレー（エーザイ）
噴 163.5mg10g 1瓶 1,053.90 円

フランドルテープ 写真 （トーアエイヨー）
貼 40mg 1枚 52.50 円

■ジェネリック　商品名(メーカー)　規格・保険薬価

硝酸イソルビドテープ 写真 （救急薬品＝エルメッド＝日医工）貼 40mg 1枚 27.10 円

硝酸イソルビドテープ（沢井）
貼 40mg 1枚 37.40 円

硝酸イソルビドテープ（帝国製薬）
貼 40mg 1枚 37.40 円

硝酸イソルビドテープ（東光＝ラクール＝日本ジェネリック）貼 40mg 1枚 37.40 円

一般名：ニトログリセリン

● 規制…劇薬

● 剤形…貼貼付剤，噴噴霧剤

■先発品　商品名(メーカー)　規格・保険薬価

ニトロダーム TTS 写真 （サンファーマ）
貼 25mg 10cm² 1枚 55.70 円

バソレーターテープ 写真 （三和）
貼 27mg 14cm² 1枚 48.50 円

ミオコールスプレー（トーアエイヨー）
噴 0.65%7.2g 1缶 1,387.10 円

ミニトロテープ（キョーリン＝杏林＝共創未来）
貼 27mg 14cm² 1枚 57.50 円

ミリステープ（日本化薬）
貼 5mg 4.05cm×4.50cm 1枚 34.30 円

メディトランステープ（トーヨーケム＝協和キリン）貼 27mg 14cm² 1枚 54.80 円

■ジェネリック　商品名(メーカー)　規格・保険薬価

ニトログリセリンテープ（東和＝ニプロ ES）
貼 27mg 9.6cm² 1枚 56.10 円

概　要

分類 冠血管拡張薬

処方目的 ［硝酸イソルビド貼付剤の適応症］狭心症，心筋梗塞（急性期を除く），その他の虚血性心疾患

［ニトログリセリン貼付剤の適応症］狭心症

［ミリステープの適応症］狭心症，急性心不全（慢性心不全の急性増悪期を含む）

［ニトロールスプレー，ミオコールスプレーの適応症］狭心症発作の寛解

解説 狭心症に用いるイソルビドやニトログリセリンを，貼り薬・スプレーの剤形

にしたものです。貼り薬は長期的なコントロールに，スプレーは発作時の舌下錠の代替として開発されました。参考：内服の亜硝酸誘導体を参考にしてください。

使用上の注意

*硝酸イソソルビド（フランドルテープ），ニトログリセリン（ニトロダーム TTS，ミリステープ，ミオコールスプレー）の添付文書による

基本的注意

(1)使用してはいけない場合……重い低血圧／心原性ショック／閉塞隅角緑内障／頭部外傷／脳出血／重い貧血／硝酸・亜硝酸エステル系薬剤に対するアレルギーの前歴／ホスホジエステラーゼ5阻害作用のある勃起不全治療薬（シルデナフィルクエン酸塩，バルデナフィル塩酸塩水和物，タダラフィル），グアニル酸シクラーゼ刺激作用のある薬剤（リオシグアト）の使用中

(2)慎重に使用すべき場合……低血圧／原発性肺高血圧症／肥大型閉塞性心筋症／[ミオコールスプレーのみ]心筋梗塞の急性期／[硝酸イソソルビド貼付剤のみ]肝機能障害／高齢者

(3)血圧低下……本剤の使用により，過度の血圧低下，意識喪失がおこったときは，テープ剤ならテープをはがし，下肢を挙上したり，昇圧薬を使用するなどして，落ち着いたら処方医へ連絡してください。

(4)危険作業は中止……本剤を使用すると，注意力・集中力・反射運動能力の低下などがおこるおそれがあります。本剤の使用中は，高所作業や自動車の運転など危険を伴う機械の操作は行わないようにしてください。

(5)その他……

- 妊婦での安全性：未確立。有益と判断されたときのみ使用。
- 授乳婦での安全性：原則として使用しない。やむを得ず使用するときは授乳を中止。
  [ミリステープ，ミオコールスプレー]使用するときは授乳を中止。
- 小児での安全性：未確立。(1714頁を参照)

重大な副作用

重大な副作用はありませんが，そのほかの副作用はあるので，体調がいつもと違うと感じたときは，処方医・薬剤師に相談してください。

併用してはいけない薬

ホスホジエステラーゼ5阻害作用のある薬剤（シルデナフィルクエン酸塩，バルデナフィル塩酸塩水和物，タダラフィル），グアニル酸シクラーゼ刺激作用のある薬剤（リオシグアト）→本剤との併用で降圧作用が増強することがあります。

外10 経皮吸収型の製剤　01 経皮吸収型の製剤

02 経皮吸収エストラジオール製剤

製剤情報

一般名：エストラジオール

- 剤形…ゲ ゲル剤，貼 貼付剤

■先発品　商品名(メーカー)　規格・保険薬価

エストラーナテープ 写真 (久光)

貼 0.09mg 1.125cm² 1枚 41.20 円

貼 0.18mg 2.25cm² 1枚 60.10 円

貼 0.36mg 4.5cm² 1枚 64.60 円

貼 0.72mg 9cm² 1枚 89.60 円

ディビゲル (サンファーマ = 持田)

ゲ 1mg 1包 54.00 円

ル・エストロジェル (富士製薬)

ゲ 0.06% 1g 22.70 円

一般名：エストラジオール・酢酸ノルエチステロン配合剤

● 剤形… 貼 貼付剤

■先発品　商品名(メーカー)　規格・保険薬価

メノエイドコンビパッチ (久光)

貼 9cm² 1枚 383.60 円

📋 概　要

分類　卵胞ホルモン

処方目的　更年期障害・卵巣欠落症状に伴う血管運動神経症状(ホットフラッシュ,発汗)／[エストラーナテープ,ディビゲル,ル・エストロジェルの適応症]生殖補助医療における調節卵巣刺激の開始時期の調整／凍結融解胚移植におけるホルモン補充周期／[エストラーナテープのみの適応症]更年期障害・卵巣欠落症状に伴う泌尿生殖器の萎縮症状／閉経後骨粗鬆症／性腺機能低下症,性腺摘出または原発性卵巣不全による低エストロゲン症

解説　卵胞ホルモンを補う貼付剤です。貼る場所は下腹部・臀部ですが,全身的に作用するので内服薬と同じ注意が必要です。参考：内服の卵胞ホルモンを参考にしてください。

　エストラーナテープ,ディビゲル,ル・エストロジェルの3剤は,2022年に不妊治療薬として保険適応となりました。これらは,不妊治療に十分な知識と経験のある医師のもとで,本剤の使用により予想されるリスクおよび注意すべき症状について,あらかじめ説明を受け,納得したのち治療が始まります。

🔖 使用上の注意

*経皮吸収エストラジオール製剤(ディビゲルなど)の添付文書による

基本的注意

(1)使用してはいけない場合……エストロゲン依存性悪性腫瘍(例えば乳がん,子宮内膜がん)およびその疑いのある人／血栓性静脈炎・肺塞栓症またはその前歴／動脈性の血栓塞栓疾患(例えば冠動脈性心疾患,脳卒中)またはその前歴／重い肝機能障害／未治療の子宮内膜増殖症のある人／診断の確定していない異常性器出血のある人／乳がんの前歴／ポルフィリン症で急性発作の前歴／本剤の成分に対するアレルギーの前歴／授乳婦
[更年期障害および卵巣欠落症状に伴う血管運動神経症状,生殖補助医療における調節卵巣刺激の開始時期の調整] 妊婦または妊娠している可能性のある人

(2)慎重に使用すべき場合……子宮筋腫／子宮内膜症／乳がんの家族素因が強い人,乳房結節,乳腺症,乳房レントゲン像に異常がみられた人／高血圧・心疾患・腎疾患またはその前歴／糖尿病／片頭痛,てんかん／肝機能障害(重い肝機能障害を除く)／術前または長期臥床状態／全身性エリテマトーデス／高齢者

(3)乳がんなど……本剤は，卵胞ホルモンを含む製剤です。本剤の使用によって，乳がんや血栓症などさまざまな疾患がおこりやすくなるので，必ず内服の卵胞ホルモンの項を読んでください。

(4)血管運動神経症状(ホットフラッシュ・発汗)での使用法……[エストラーナテープ]0.72mg1枚を下腹部，臀部のいずれかに貼付し，2日ごとに貼り替えます。[ディビゲル]1日1回1包を左右いずれかの大腿部もしくは下腹部に，約400cm^2(20cm四方)の範囲に塗布します。[ル・エストロジェル]1日1回1〜2プッシュを両腕の手首から肩までの広い範囲に塗擦します。[メノエイドコンビパッチ]3〜4日ごとに1回(週2回)1枚，下腹部に貼付します。

(5)不妊治療での使用法……不妊治療には，エストラーナテープ，ディビゲル，ル・エストロジェルのいずれかを使用します。いずれの製剤も定められた用量・回数を，①「生殖補助医療における調節卵巣刺激の開始時期の調整」の場合は，21〜28日間，貼付・塗布・塗擦し，使用期間の後半に黄体ホルモン剤を併用します。②「凍結融解胚移植におけるホルモン補充周期」の場合は，貼付・塗布・塗擦により子宮内膜の十分な肥厚が得られた時点で，黄体ホルモン剤の併用を開始して，妊娠8週まで使用を継続します。

(6)セイヨウオトギリソウ(セント・ジョーンズ・ワート)含有食品……本剤の使用中は，セイヨウオトギリソウ含有食品を摂取しないでください。本剤の作用が弱まるおそれがあります。

重大な副作用　①アナフィラキシー(呼吸困難，不快感，むくみ，全身潮紅，じん麻疹など)。②静脈血栓塞栓症・血栓性静脈炎(下肢の疼痛・むくみ，胸痛，突然の息切れ，急性視力障害など)。

　そのほかにも報告された副作用はあるので，体調がいつもと違うと感じたときは，処方医・薬剤師に相談してください。

併用してはいけない薬　併用してはいけない薬は特にありません。ただし，併用する薬があるときは，念のため処方医・薬剤師に報告してください。

外 10 経皮吸収型の製剤　01 経皮吸収型の製剤

03 経皮吸収型閉塞性気道疾患治療薬

✐ 製剤情報

一般名：ツロブテロール

● 剤形…貼 貼付剤

■**先発品**　商品名(メーカー)　規格・保険薬価

ホクナリンテープ 写真 (マイラン EPD)
貼 0.5mg 1枚 26.20 円　貼 1mg 1枚 35.90 円
貼 2mg 1枚 51.50 円

■**ジェネリック**　商品名(メーカー)　規格・保険薬価

ツロブテロールテープ (大原)
貼 0.5mg 1枚 12.50 円　貼 1mg 1枚 25.00 円
貼 2mg 1枚 32.70 円

ツロブテロールテープ (救急薬品＝日医工＝武田) 貼 0.5mg 1枚 17.60 円　貼 1mg 1枚 25.00 円
貼 2mg 1枚 32.70 円

ツロブテロールテープ (沢井)	ツロブテロールテープ (ニプロファーマ＝エルメッド＝日医工) 貼 0.5mg 1枚 17.60 円
貼 0.5mg 1枚 17.60 円　貼 1mg 1枚 17.00 円	貼 1mg 1枚 25.00 円　貼 2mg 1枚 32.70 円
貼 2mg 1枚 32.70 円	

ツロブテロールテープ (高田)
貼 0.5mg 1枚 17.60 円　貼 1mg 1枚 25.00 円
貼 2mg 1枚 32.70 円

ツロブテロールテープ (帝国製薬＝日本ジェネリック) 貼 0.5mg 1枚 17.60 円　貼 1mg 1枚 25.00 円
貼 2mg 1枚 32.70 円

ツロブテロールテープ (東和＝高田)
貼 0.5mg 1枚 17.60 円　貼 1mg 1枚 25.50 円
貼 2mg 1枚 32.70 円

ツロブテロールテープ (日医工)
貼 0.5mg 1枚 17.60 円　貼 1mg 1枚 25.50 円
貼 2mg 1枚 25.90 円

ツロブテロールテープ (ニプロ＝第一三共エスファ) 貼 0.5mg 1枚 12.50 円　貼 1mg 1枚 17.00 円
貼 2mg 1枚 25.90 円

ツロブテロールテープ (久光)
貼 0.5mg 1枚 17.60 円　貼 1mg 1枚 25.50 円
貼 2mg 1枚 32.70 円

ツロブテロールテープ (ファイザー)
貼 0.5mg 1枚 12.50 円　貼 1mg 1枚 17.00 円
貼 2mg 1枚 25.90 円

ツロブテロールテープ (メディサ＝キョーリン＝杏林) 貼 0.5mg 1枚 17.60 円　貼 1mg 1枚 25.00 円
貼 2mg 1枚 32.70 円

ツロブテロールテープ (祐徳＝ケミファ＝日薬工) 貼 0.5mg 1枚 17.60 円　貼 1mg 1枚 25.00 円
貼 2mg 1枚 32.70 円

概　要

分類　気管支拡張薬

処方目的　気管支ぜんそく・急性気管支炎・慢性気管支炎・肺気腫の気道閉塞性障害にもとづく呼吸困難などの諸症状の緩解

解説　交感神経 β_2-アドレナリン受容体刺激薬で，皮膚を通して持続的に吸収されるので気管支拡張の長時間コントロールが可能です。全身に作用するので，内服薬と同じ注意が必要です。

使用上の注意

*ツロブテロール (ホクナリンテープ) の添付文書による

基本的注意

(1)使用してはいけない場合……本剤の成分に対するアレルギーの前歴
(2)慎重に使用すべき場合……甲状腺機能亢進症／高血圧症／心疾患／糖尿病／アトピー性皮膚炎／高齢者
(3)その他……
●妊婦での安全性：有益と判断されたときのみ使用。
●授乳婦での安全性：治療上の有益性・母乳栄養の有益性を考慮し，授乳の継続・中止を検討。
●小児での安全性：未確立。(1714 頁を参照)

重大な副作用　　①アナフィラキシー(呼吸困難，全身潮紅，血管浮腫，じん

麻疹など）。②重症の血清カリウム値の低下（特に重症のぜんそくの人は注意が必要です）。

そのほかにも報告された副作用はあるので，体調がいつもと違うと感じたときは，処方医・薬剤師に相談してください。

併用してはいけない薬　併用してはいけない薬は特にありません。ただし，併用する薬があるときは，念のため処方医・薬剤師に報告してください。

04 禁煙補助剤

製 剤 情 報

一般名：ニコチン

● 規制…**劇薬**
● 剤形…貼 **貼付剤**

■先発品	商品名(メーカー)	規格・保険薬価

ニコチネル TTS（グラクソ CHJ = アルフレッサ）

貼 10cm²(17.5mg) 1枚 223.90 円
貼 20cm²(35mg) 1枚 238.20 円
貼 30cm²(52.5mg) 1枚 244.80 円

概　　要

分類　禁煙補助剤

処方目的　循環器疾患，呼吸器疾患，消化器疾患，代謝性疾患などの基礎疾患を持ち，医師により禁煙が必要と判断された禁煙意志の強い喫煙者が，医師の指導のもとに行う禁煙の補助

解説　本剤は，ニコチンを皮膚から吸収させることにより，苦しい禁煙時のニコチン離脱状態を和らげる，禁煙達成を補助するための貼り薬です。日本では，2006 年 4 月の診療報酬改定で「ニコチン依存症管理料」が新設され，禁煙治療が保険適用となり，薬価収載されました。ただし，保険適用となる対象患者や施設は限定されています（基本的注意〈(5)保険給付上の注意〉を参照）。

使用上の注意

基本的注意

(1)使用してはいけない場合……非喫煙者／妊婦または妊娠している可能性のある人，授乳婦／不安定狭心症，急性期の心筋梗塞（発症 3 カ月以内），重篤な不整脈のある人または経皮的冠動脈形成術直後，冠動脈バイパス術直後／脳血管障害回復初期の人／本剤の成分に対するアレルギーの前歴

(2)慎重に使用すべき場合……心筋梗塞・狭心症（異型狭心症など）の前歴，狭心症で症状の安定している人／高血圧，不整脈，脳血管障害，心不全，末梢血管障害（バージャー病など）／甲状腺機能亢進症，褐色細胞腫などの内分泌疾患／糖尿病（インスリンを使用している）／消化性潰瘍／肝機能障害，腎機能障害／アトピー性皮膚炎，湿疹性皮膚炎などの全身性皮膚疾患／てんかん，またはその前歴／神経筋接合部疾患（重症筋無力症，イートン・ランバート症候群）またはその前歴

(3)基本的注意……禁煙の成功は禁煙指導の質および頻度に依存するので，医師による適切な禁煙指導のもとに禁煙補助の目的で使用してください。また，本剤使用中は喫煙により循環器系などへの影響が増強されることがあるので，喫煙してはいけません。

(4)取扱上の注意……貼り薬であっても幼児が使用すれば重度の中毒症状をおこし，死亡する恐れもあります。取扱いおよび破棄には十分注意してください。

(5)保険給付上の注意……本剤の薬剤料は，「ニコチン依存症管理料」の算定に伴って処方された場合のみ保険が適用になります。また，処方箋による投薬の場合には，備考欄に「ニコチン依存症管理料の算定に伴う処方である」との記載が必要です。保険適用施設についてはいろいろな条件が付随しているので，すべての医療機関で保険が適用になるとは限りません。「禁煙外来のある施設」でネット検索するか，地域の医師会・薬剤師会にお問い合わせください。

重大な副作用 ①アナフィラキシー様症状（低血圧，頻脈，呼吸困難，じん麻疹，血管浮腫など）。

そのほかにも報告された副作用はあるので，体調がいつもと違うと感じたときは，処方医・薬剤師に相談してください。

併用してはいけない薬 併用してはいけない薬は特にありません。ただし，併用する薬があるときは，念のため処方医・薬剤師に報告してください。

外 10 経皮吸収型の製剤　01 経皮吸収型の製剤

05 リバスチグミン

製剤情報

一般名：リバスチグミン

● 規制…劇薬

● 剤形…貼 貼付剤

■先発品　商品名(メーカー)　規格・保険薬価

イクセロンパッチ（ノバルティス）

貼 4.5mg 1枚 226.40 円　　貼 9mg 1枚 255.20 円
貼 13.5mg 1枚 272.30 円　　貼 18mg 1枚 285.10 円

リバスタッチパッチ 写真（小野）

貼 4.5mg 1枚 232.80 円　　貼 9mg 1枚 262.10 円
貼 13.5mg 1枚 282.30 円　　貼 18mg 1枚 294.00 円

■ジェネリック　商品名(メーカー)　規格・保険薬価

リバスチグミンテープ（共創未来＝三和）

貼 4.5mg 1枚 120.00 円　　貼 9mg 1枚 134.60 円
貼 13.5mg 1枚 144.90 円　　貼 18mg 1枚 150.10 円

リバスチグミンテープ（沢井）

貼 4.5mg 1枚 106.00 円　　貼 9mg 1枚 119.00 円
貼 13.5mg 1枚 127.20 円　　貼 18mg 1枚 134.40 円

リバスチグミンテープ（第一三共エスファ）

貼 4.5mg 1枚 106.00 円　　貼 9mg 1枚 119.00 円
貼 13.5mg 1枚 127.20 円　　貼 18mg 1枚 134.40 円

リバスチグミンテープ（帝国製薬＝共和）

貼 4.5mg 1枚 106.00 円　　貼 9mg 1枚 119.00 円
貼 13.5mg 1枚 127.20 円　　貼 18mg 1枚 134.40 円

リバスチグミンテープ（東和）

貼 4.5mg 1枚 106.00 円　　貼 9mg 1枚 119.00 円
貼 13.5mg 1枚 127.20 円　　貼 18mg 1枚 134.40 円

リバスチグミンテープ（日医工）

貼 4.5mg 1枚 106.00 円　　貼 9mg 1枚 119.00 円
貼 13.5mg 1枚 127.20 円　　貼 18mg 1枚 134.40 円

リバスチグミンテープ（ニプロ）

貼 4.5mg 1枚 106.00 円 　貼 9mg 1枚 119.00 円
貼 13.5mg 1枚 127.20 円 　貼 18mg 1枚 134.40 円

リバスチグミンテープ（祐徳＝ケミファ）

貼 4.5mg 1枚 106.00 円 　貼 9mg 1枚 119.00 円
貼 13.5mg 1枚 127.20 円 　貼 18mg 1枚 134.40 円

リバスチグミンテープ（久光）

貼 4.5mg 1枚 120.00 円 　貼 9mg 1枚 134.60 円
貼 13.5mg 1枚 144.90 円 　貼 18mg 1枚 150.10 円

リバスチグミンテープ（陽進堂）

貼 4.5mg 1枚 106.00 円 　貼 9mg 1枚 119.00 円
貼 13.5mg 1枚 127.20 円 　貼 18mg 1枚 134.40 円

概　要

分類　アルツハイマー型認知症治療薬

処方目的　軽度および中等度のアルツハイマー型認知症における認知症症状の進行抑制

解説　リバスチグミンは，アセチルコリンを分解する酵素であるコリンエステラーゼを阻害することで脳内のアセチルコリン量を増加させ，脳内コリン作動性神経を賦活します。当初は内服薬として開発されましたが，消化器系の副作用が認められたことや，高齢の患者では嚥下困難から内服薬の服用が難しい場合もあることから，経皮投与を目的とした貼付製剤が開発されました。

使用上の注意

＊イクセロンパッチ，リバスタッチパッチの添付文書による

基本的注意

(1)**使用してはいけない場合**……本剤の成分またはカルバメート系誘導体に対するアレルギーの前歴

(2)**特に慎重に使用すべき場合**(治療上やむを得ないと判断される場合を除き使用は避けること)……重度の肝機能障害

(3)**慎重に使用すべき場合**……洞不全症候群または伝導障害(洞房ブロック，房室ブロック)などの心疾患／心筋梗塞，弁膜症，心筋症などの心疾患や電解質異常(低カリウム血症など)／胃・十二指腸潰瘍またはこれらの前歴／尿路閉塞またはこれをおこしやすい人／てんかんなどのけいれん性疾患またはこれらの前歴／気管支ぜんそくまたは閉塞性肺疾患あるいはこれらの前歴／錐体外路障害(パーキンソン病，パーキンソン症候群など)／低体重の人

(4)**使用法**……原則として1日に1回，1枚を貼付し，24時間ごとに取り替えます。貼付するときは，医療従事者または介護者などの管理のもとで行います。貼付した部位に高い頻度で皮膚症状(紅斑，かゆみなど)が現れるので，背部，上腕部，胸部のいずれかの正常で健康な皮膚に毎回変更して貼付してください。

(5)**危険作業は中止**……本剤を使用すると，眠けやめまい，注意力の低下などが現れることがあります。使用中は自動車の運転，機械の操作，高所の作業など危険を伴う作業は行わないようにしてください。

(6)**その他**……

●妊婦での安全性：有益と判断されたときのみ使用。

●授乳婦での安全性：治療上の有益性・母乳栄養の有益性を考慮し，授乳の継続・中止

を検討。

● 小児：未確立。(1714 頁を参照)

重大な副作用 ①狭心症，心筋梗塞，徐脈，房室ブロック，洞不全症候群。②脳血管発作，けいれん発作。③食道破裂を伴う重度の嘔吐，胃潰瘍，十二指腸潰瘍，胃腸出血。④肝炎。⑤失神。⑥幻覚，激越，せん妄，錯乱。⑦嘔吐や下痢が続くことによる脱水。

そのほかにも報告された副作用はあるので，体調がいつもと違うと感じたときは，処方医・薬剤師に相談してください。

併用してはいけない薬 併用してはいけない薬は特にありません。ただし，併用する薬があるときは，念のため処方医・薬剤師に報告してください。

外 10 経皮吸収型の製剤 　01 経皮吸収型の製剤

06 経皮吸収型パーキンソン病治療薬

製剤情報

一般名：ロチゴチン

● 規制…劇薬

● 剤形…貼貼付剤

■**先発品** 商品名(メーカー) 規格・保険薬価

ニュープロパッチ 写真 (大塚)

貼 2.25mg 1枚 239.60 円 　貼 4.5mg 1枚 367.70 円

貼 9mg 1枚 563.70 円 　貼 13.5mg 1枚 720.70 円

貼 18mg 1枚 858.50 円

一般名：ロピニロール塩酸塩

● 規制…劇薬

● 剤形…貼貼付剤

■**先発品** 商品名(メーカー) 規格・保険薬価

ハルロピテープ 写真 (久光＝協和キリン)

貼 8mg 1枚 364.10 円 　貼 16mg 1枚 561.20 円

貼 24mg 1枚 716.00 円 　貼 32mg 1枚 870.30 円

貼 40mg 1枚 970.90 円

概　要

分類 ドパミン作動性パーキンソン病治療薬

処方目的 パーキンソン病／[ロチゴチンのみの適応症]中等度から高度の特発性レストレスレッグス症候群(下肢静止不能症候群)

解説 ロチゴチンとロピニロール塩酸塩は，ドパミン受容体に結合して刺激することにより作用を示す経皮吸収型のドパミン作動性パーキンソン病治療薬です。ロチゴチンはさらにレストレスレッグス症候群(主に脚に異常な感覚が生じて，じっとしていられなくなる疾患)にも用いられます。

使用上の注意

＊両剤の添付文書による

警告

前兆のない突発的睡眠や傾眠などがみられることがあり，また突発的睡眠などにより自動車事故をおこした例が報告されています。本剤の貼付中には，自動車の運転，機械

の操作，高所作業など危険を伴う作業に従事してはいけません。

基本的注意

（1）**使用してはいけない場合**……本剤の成分に対するアレルギーの前歴／妊婦または妊娠している可能性のある人

（2）**悪性症候群**……本剤の急激な減量または中止，あるいは非定型抗精神病薬の併用により，悪性症候群が現れることがあるので，処方医の指示を厳守して使用してください。状態に十分気を配り，発熱，意識障害，無動無言，高度の筋硬直，不随意運動，嚥下困難，頻脈，発汗などが現れた場合には，使用を中止して体を冷やす，水分を補給するなどして，ただちに処方医へ連絡してください。

（3）**オーグメンテーション**……［ロチゴチン］レストレスレッグス症候群患者において，本剤を含めたドパミン受容体作動薬の使用によりオーグメンテーション（症状発現が2時間以上早まる，症状の増悪，他の部位への症状拡大）が認められることがあります。このような症状がみられた場合は速やかに処方医に連絡してください。

（4）**その他**……

- 授乳婦での安全性：［ロチゴチン］治療上の有益性・母乳栄養の有益性を考慮し，授乳の継続・中止を検討。［ロピニロール塩酸塩］使用しないことが望ましい。やむを得ず使用するときは授乳を中止。
- 小児での安全性：未確立。（1714頁を参照）

重大な副作用

①前兆のない突発的睡眠。②幻覚（主に幻視），妄想，せん妄，錯乱。③悪性症候群（発熱，意識障害，無動無言，高度の筋硬直，不随意運動，嚥下困難，頻脈，血圧の変動，発汗など）。

［ロチゴチンのみ］④肝機能障害。⑤横紋筋融解症（筋肉痛，脱力感など）。

　そのほかにも報告された副作用はあるので，体調がいつもと違うと感じたときは，処方医・薬剤師に相談してください。

併用してはいけない薬

併用してはいけない薬は特にありません。ただし，併用する薬があるときは，念のため処方医・薬剤師に報告してください。

外 10 経皮吸収型の製剤　01 経皮吸収型の製剤

07 経皮吸収型過活動膀胱治療薬

製剤情報

一般名：オキシブチニン塩酸塩

- 剤形…貼貼付剤

■**先発品**　　商品名（メーカー）　規格・保険薬価
ネオキシテープ（久光）貼 73.5mg 1枚 163.40円

概要

分類　過活動膀胱治療薬

処方目的　過活動膀胱における尿意切迫感，頻尿および切迫性尿失禁

解説 本剤の内服薬は以前からありましたが，過活動膀胱治療用の経皮吸収型製剤としては日本初の薬剤です。皮膚を通して少しずつ体内に吸収され，膀胱の過活動を抑制して尿がスムーズに排出されるようにします。内服よりも抗コリン性の副作用が少ないとされています。

使用上の注意

基本的注意

(1)**使用してはいけない場合**……本剤の成分に対するアレルギーの前歴／尿閉のある人／閉塞隅角緑内障／重い心疾患／幽門閉塞，十二指腸閉塞，腸管閉塞，麻痺性イレウス／胃アトニー，腸アトニー／重症筋無力症／授乳婦

(2)**慎重に使用すべき場合**……下部尿路閉塞疾患(前立腺肥大症など)の合併／甲状腺機能亢進症／うっ血性心不全／不整脈／潰瘍性大腸炎／重い肝機能障害／重い腎機能障害／パーキンソン症状／脳血管障害／認知症，認知機能障害／高温環境にある人

(3)**貼付部位**……本剤を使用すると皮膚症状が現れることがあるため，貼付箇所を毎回変更してください。症状が現れた場合には，貼付を中止してすぐに処方医に連絡してください。また，衣服との摩擦ではがれるおそれがあるため，ベルトラインに貼ることは避けてください。

(4)**高温環境下での使用**……本剤の抗コリン作用により発汗抑制がおこり，外部の温度上昇に対する不耐性が生じて急激に体温が上昇するおそれがあります。高温環境下で使用する場合は体温の上昇に十分注意してください。

(5)**危険作業に注意**……本剤を使用すると，眼調節障害(視力障害，霧視など)，めまい，眠けが現れることがあるので，使用中は自動車の運転など危険を伴う機械の操作には注意してください。

(6)**その他**……
- 妊婦での安全性：使用しないことが望ましい。
- 小児での安全性：未確立。(1714頁を参照)

重大な副作用 ①血小板減少。②麻痺性イレウス。③尿閉。
そのほかにも報告された副作用はあるので，体調がいつもと違うと感じたときは，処方医・薬剤師に相談してください。

併用してはいけない薬 併用してはいけない薬は特にありません。ただし，併用する薬があるときは，念のため処方医・薬剤師に報告してください。

外 10 経皮吸収型の製剤　01 経皮吸収型の製剤

08 ビソプロロール外用薬

製剤情報

一般名：ビソプロロール
- 剤形… 貼 貼付剤

■**先発品** **商品名(メーカー)** 規格・保険薬価

ビソノテープ 写真 (トーアエイヨー)

貼 2mg 1枚 51.00 円　貼 4mg 1枚 69.80 円
貼 8mg 1枚 94.70 円

概　要

分類　経皮吸収型・β_1遮断薬

処方目的　本態性高血圧症(軽症〜中等症)／頻脈性心房細動

解説　内服薬として国内外で広く使われているビソプロロールを有効成分とした，わが国で初めての外用降圧薬です。高血圧の人の約半数は血圧のコントロールが不十分といわれ，その大きな原因の一つが薬の飲み忘れです。そのような経口服用が不向きな人への降圧薬として期待されています。

使用上の注意

基本的注意

(1)使用してはいけない場合……本剤の成分に対するアレルギーの前歴／高度の徐脈(著しい洞性徐脈)，房室ブロック(Ⅱ，Ⅲ度)，洞房ブロック，洞不全症候群／糖尿病性ケトアシドーシス，代謝性アシドーシス／心原性ショック／肺高血圧による右心不全／強心薬または血管拡張薬を静脈内投与する必要のある心不全／非代償性の心不全／重い末梢循環障害／未治療の褐色細胞腫／妊婦または妊娠している可能性のある人

(2)慎重に使用すべき場合……気管支ぜんそく，気管支けいれんのおそれのある人／うっ血性心不全のおそれのある人／特発性低血糖症，コントロール不十分な糖尿病，長期間絶食状態にある人／甲状腺中毒症／腎機能障害／重い肝機能障害／末梢循環障害(レイノー症候群，間欠性跛行症など)／過度に血圧の低い人／徐脈，房室ブロック(Ⅰ度)／異型狭心症／乾癬またはその前歴／高齢者

(3)貼付部位……本剤は1日1回，胸部，上腕部，背部のいずれかに貼付し，24時間ごとに貼りかえます。貼付により皮膚症状をおこすことがあるので，貼付部位を毎回変更します。皮膚症状が現れた場合は，貼付を中止してすぐに処方医に連絡してください。

(4)定期的に検査……使用が長期にわたる場合は，心機能検査(脈拍，血圧，心電図，X線など)を定期的に行います。徐脈または低血圧の症状が現れた場合は，貼付を中止してすぐに処方医に連絡してください。

(5)危険作業に注意……本剤を使用すると，めまい，ふらつきが現れることがあるので，自動車の運転など危険を伴う機械を操作する際には注意してください。

(6)その他……

●授乳婦での安全性：使用するときは授乳を中止。

●小児での安全性：未確立。(1714頁を参照)

重大な副作用　　①心不全，完全房室ブロック，高度徐脈，洞不全症候群。

そのほかにも報告された副作用はあるので，体調がいつもと違うと感じたときは，処方医・薬剤師に相談してください。

外
10
｜
01
｜
08

ビソプロロール外用薬

併用してはいけない薬　併用してはいけない薬は特にありません。ただし，併用する薬があるときは，念のため処方医・薬剤師に報告してください。

09 経皮吸収型アレルギー性鼻炎治療薬

製剤情報

一般名：エメダスチンフマル酸塩

● 剤形…貼 貼付剤

■ 先発品　　商品名(メーカー)　規格・保険薬価

アレサガテープ (久光) 貼 4mg 1枚 62.50 円
貼 8mg 1枚 85.40 円

概　要

分類　経皮吸収型アレルギー性鼻炎治療薬

処方目的　アレルギー性鼻炎

解説　エメダスチンフマル酸塩は，第二世代抗ヒスタミン薬(1983年以降に発売された抗ヒスタミン薬)の一つで，内服薬としては以前から使用されています。アレサガテープは，アレルギー性鼻炎の治療薬としては世界初の経皮吸収型製剤で，血漿中薬物濃度を維持できることから，1日1回の貼付で24時間安定した効果が得られます。

使用上の注意

基本的注意

(1)使用してはいけない場合……本剤の成分に対するアレルギーの前歴

(2)慎重に使用すべき場合……肝機能障害またはその前歴

(3)季節性アレルギー性鼻炎……季節性アレルギー性鼻炎(花粉症)に使用する場合は，好発季節の直前から使用を開始し，好発季節終了時まで続けるようにします。

(4)禁酒……飲酒は本剤の中枢神経系の副作用(おもに眠け)を強めるおそれがあるので，使用中はできるだけ禁酒することが望まれます。

(5)危険作業は中止……本剤を使用すると眠けを催すことがあるので，使用中は自動車の運転など危険を伴う機械の操作は行わないようにしてください。

(6)その他……

● 妊婦での安全性：有益と判断されたときのみ使用。

● 授乳婦での安全性：治療上の有益性・母乳栄養の有益性を考慮し，授乳の継続・中止を検討。

● 小児での安全性：未確立。(1714頁を参照)

重大な副作用　重大な副作用はありませんが，そのほかの副作用はあるので，体調がいつもと違うと感じたときは，処方医・薬剤師に相談してください。

併用してはいけない薬　併用してはいけない薬は特にありません。ただし，併用する薬があるときは，念のため処方医・薬剤師に報告してください。

10 ブロナンセリン外用薬

製剤情報

一般名：ブロナンセリン

- 規制…劇薬
- 剤形…貼貼付剤

■先発品　　商品名(メーカー)　規格・保険薬価

ロナセンテープ (住友ファーマ)
貼 20mg 1枚 258.10 円　　貼 30mg 1枚 379.80 円
貼 40mg 1枚 480.70 円

概要

分類 抗精神病薬

処方目的 統合失調症

解説 本剤は，世界初の統合失調症の外用治療薬です。1日1回，皮膚に貼ることで24時間安定した血中濃度を維持できるため，すでに発売されている内服薬に比べ，より良好な有効性・安全性が期待されています。

使用上の注意

基本的注意

(1)**使用してはいけない場合**……本剤の成分に対するアレルギーの前歴／昏睡状態／バルビツール酸誘導体などの中枢神経抑制薬の強い影響下にある人／アドレナリンの使用中(アドレナリンをアナフィラキシーの救急治療に使用する場合を除く)／アゾール系抗真菌薬(イトラコナゾール，ボリコナゾール，ミコナゾール(経口薬，口腔用薬，注射薬)，フルコナゾール，ホスフルコナゾール(注射薬)，ポサコナゾール)，HIV プロテアーゼ阻害薬(リトナビル，ロピナビル・リトナビル配合剤，ネルフィナビル，ダルナビル，アタザナビル，ホスアンプレナビル)，コビシスタット含有製剤(スタリビルド配合錠，ゲンボイヤ配合錠，プレジコビックス配合錠，シムツーザ配合錠)の服用中

(2)**慎重に使用すべき場合**……心・血管系疾患，低血圧，またはそれらの疑いのある人／パーキンソン病またはレビー小体型認知症／てんかんなどのけいれん性疾患，またはこれらの前歴／自殺企図の前歴および自殺念慮のある人／糖尿病またはその前歴，あるいは糖尿病の家族歴／高血糖，肥満などの糖尿病の危険因子がある人／脱水・栄養不良状態などを伴う身体的疲弊のある人／不動状態，長期臥床，肥満，脱水状態などの人／肝機能障害／高齢者

(3)**陽性症状の悪化**……本剤の使用によって興奮，誇大性，敵意などの陽性症状を悪化させる可能性があります。悪化がみられた場合にはただちに処方医に連絡してください。

(4)**糖尿病の悪化**……本剤の使用によって高血糖や糖尿病の悪化が現れ，糖尿病性ケトアシドーシス，糖尿病性昏睡に至ることがあります。使用中は，口渇，多飲，多尿，頻尿などの症状の発現に注意し，症状が現れた場合にはただちに使用を中止し，処方医に連絡してください。

(5)**悪性症候群**……本剤の使用によって悪性症候群がおこることがあります。無動緘黙

〈緘黙＝無言症〉，強度の筋強剛，嚥下困難，頻脈，血圧の変動，発汗などが発現し，引き続いて発熱がみられたら，使用を中止して体を冷やす，水分を補給するなどして，ただちに処方医へ連絡してください。高熱が続き，意識障害，呼吸困難，循環虚脱，脱水症状，急性腎障害へと移行して死亡することがあります。

(6)光線過敏症……本剤を貼付すると光線過敏症が発現するおそれがあるので，衣服で覆うなど貼付部位への直射日光を避けてください。また，本剤をはがした後1〜2週間は，貼付していた部位への直射日光を避けてください。

(7)危険作業は禁止……本剤を使用すると眠け，注意力・集中力・反射運動能力などの低下がおこることがあります。使用中は，自動車の運転など危険を伴う機械の操作には従事しないでください。

(8)その他……

- 妊婦での安全性：有益と判断されたときのみ使用。
- 授乳婦での安全性：治療上の有益性・母乳栄養の有益性を考慮し，授乳の継続・中止を検討。
- 小児での安全性：未確立。（1714頁を参照）

重大な副作用　①悪性症候群（無動緘黙，強度の筋強剛，嚥下困難，頻脈，血圧の変動，発汗など）。②遅発性ジスキネジア（長期使用による口周部などの不随意運動）。③腸管麻痺（食欲不振，悪心・嘔吐，著しい便秘，腹部の膨満・弛緩，腸内容物のうっ滞など），麻痺性イレウス。④抗利尿ホルモン不適合分泌症候群（SIADH：けいれん，意識障害など）。⑤横紋筋融解症（筋肉痛，脱力感など）。⑥無顆粒球症，白血球減少。⑦血栓塞栓症（肺塞栓症，静脈血栓症など）。⑧肝機能障害。⑨高血糖，糖尿病性ケトアシドーシス，糖尿病性昏睡。

　そのほかにも報告された副作用はあるので，体調がいつもと違うと感じたときは，処方医・薬剤師に相談してください。

併用してはいけない薬　①アドレナリン（アナフィラキシーの救急治療に使用する場合を除く）→アドレナリンの作用を逆転させ，重篤な血圧降下をおこすことがあります。②アゾール系抗真菌薬（外用薬を除く：イトラコナゾール，ボリコナゾール，ミコナゾール（経口薬，口腔用薬，注射薬），フルコナゾール，ホスフルコナゾール（注射薬），ポサコナゾール），HIVプロテアーゼ阻害薬（リトナビル，ロピナビル・リトナビル配合剤，ネルフィナビル，ダルナビル，アタザナビル，ホスアンプレナビル），コビシスタット含有製剤（スタリビルド配合錠，ゲンボイヤ配合錠，プレジコビックス配合錠，シムツーザ配合錠）→本剤の血中濃度が上昇し，作用が強まるおそれがあります。

01　副腎皮質ステロイド坐剤・注腸剤

💊 製 剤 情 報

一般名：ベタメタゾンリン酸エステルナトリウム

● 剤形…腸注腸用剤

■ ジェネリック　　商品名(メーカー)　規格・保険薬価

ステロネマ注腸 (日医工) 腸 1.975mg 1個 342.20 円
腸 3.95mg 1個 469.70 円

一般名：プレドニゾロンリン酸エステルナトリウム

● 剤形…腸注腸用剤

■ ジェネリック　　商品名(メーカー)　規格・保険薬価

プレドネマ注腸 (杏林) 腸 20mg 1個 509.10 円

一般名：ベタメタゾン

● 剤形…坐坐剤

■ 先発品　　商品名(メーカー)　規格・保険薬価

リンデロン坐剤 (シオノギファーマ＝塩野義)
坐 0.5mg 1個 55.10 円　坐 1mg 1個 77.60 円

一般名：ブデソニド

● 剤形…腸注腸用剤

■ 先発品　　商品名(メーカー)　規格・保険薬価

レクタブル注腸フォーム (EA ファーマ＝キッセイ) 腸 48mg30.8g 1瓶 5,805.20 円

📋 概　　要

分類　副腎皮質ステロイド薬

処方目的　[ステロネマ注腸，プレドネマ注腸の適応症] 限局性腸炎，潰瘍性大腸炎
[リンデロン坐剤の適応症] 潰瘍性大腸炎(直腸炎型)
[レクタブル注腸の適応症] 潰瘍性大腸炎(重症を除く)

解説　ベタメタゾンリン酸エステルナトリウムは，外用の点眼液，点耳・点鼻液，ベタメタゾンは内服の抗炎症薬，ブデソニドは内服のクローン病治療薬，外用の気管支ぜんそく治療薬としても使われています。それぞれの項の解説も参考にしてください。

　レクタブルは日本初の泡状の注腸製剤です。病変部に到達した薬剤が局所に留まり，投与後に薬剤が漏れにくく，立ったままでの投与が可能です。本剤が腸内で到達する範囲は概ねS状結腸部までであり，直腸部とS状結腸部の病変に対して使用します。

🖐 使用上の注意

＊すべての製剤の添付文書による

基本的注意

(1)使用してはいけない場合……本剤の成分に対するアレルギーの前歴／デスモプレシン酢酸塩水和物(ミニリンメルト：男性における夜間多尿による夜間頻尿)の服用中
(2)特に慎重に使用すべき場合(治療上やむを得ないと判断される場合を除き使用は避けること)……[ステロネマ注腸，プレドネマ注腸，リンデロン坐剤] 有効な抗菌薬のない感染症・全身の真菌症／消化性潰瘍／精神病／結核性疾患／単純疱疹性角膜炎／後の

う白内障／緑内障／高血圧症／電解質異常／血栓症／急性心筋梗塞の前歴／最近行った内臓の手術創のある人

(3)接触性皮膚炎……[レクタブル注腸]本剤には，接触性皮膚炎を誘発する可能性のあるセタノールやプロピレングリコールが含まれています。接触性皮膚炎の誘発を防ぐため，使用時に薬剤が肛門の外へ漏れた場合や手や目などに付着した場合は速やかにふき取ってください。異常が認められた場合にはすぐに処方医に連絡してください。

(4)グレープフルーツジュース……[レクタブル注腸]グレープフルーツジュースは，本剤の血中濃度を上昇させるおそれがあり，副腎皮質ステロイド剤を全身投与した場合と同様の症状が現れる可能性があるので，本剤の使用中は飲まないでください。

(5)その他……

● 妊婦での安全性：有益と判断されたときのみ使用。

● 授乳婦での安全性：[ステロネマ注腸]使用するときは授乳を中止。[プレドネマ注腸，リンデロン坐剤，レクタブル注腸]治療上の有益性・母乳栄養の有益性を考慮し，授乳の継続・中止を検討。

● 小児での安全性：[レクタブル注腸]未確立。（1714頁を参照）

重大な副作用　　　　　　　　[ステロネマ注腸，プレドネマ注腸，リンデロン坐剤のみ]
①感染症の誘発・悪化。②続発性副腎皮質機能不全，糖尿病。③消化管潰瘍，消化管穿孔。④膵炎。⑤精神変調，うつ状態，けいれん。⑥骨粗鬆症，大腿骨・上腕骨などの骨頭無菌性壊死，ミオパチー。⑦（連用により）眼内圧亢進，緑内障，後のう白内障。⑧血栓症。
[ステロネマ注腸，プレドネマ注腸のみ]⑨アナフィラキシー（呼吸困難，全身潮紅，血管浮腫，じん麻疹など）。⑩（気管支ぜんそくの人で）ぜんそく発作の悪化。
[プレドネマ注腸のみ]⑪中心性漿液性網脈絡膜症，多発性後極部網膜色素上皮症。⑫心筋梗塞，脳梗塞，動脈瘤。

　そのほかにも報告された副作用はあるので，体調がいつもと違うと感じたときは，処方医・薬剤師に相談してください。

併用してはいけない薬　　　　デスモプレシン酢酸塩水和物（ミニリンメルト：男性における夜間多尿による夜間頻尿）→低ナトリウム血症が現れるおそれがあります。

外 11 その他の外用薬　01 潰瘍性大腸炎の薬

02 サラゾスルファピリジン

製剤情報

一般名：サラゾスルファピリジン

● 剤形…坐坐剤

■ 先発品　　商品名（メーカー）　規格・保険薬価
サラゾピリン坐剤（ファイザー）
坐 500mg 1個 119.80 円

概　要

分類　潰瘍性大腸炎治療薬

処方目的 潰瘍性大腸炎

解説 同じ成分の腸溶錠が関節リウマチにも用いられますが，坐剤の適応は潰瘍性大腸炎のみです。参考：内服のサラゾスルファピリジンを参考にしてください。

使用上の注意

基本的注意

(1)使用してはいけない場合……サルファ剤・サリチル酸製剤に対するアレルギーの前歴／新生児，低出生体重児

(2)慎重に使用すべき場合……血液障害／肝機能障害／腎機能障害／気管支ぜんそく／急性間欠性ポルフィリン症／グルコース-6-リン酸脱水素酵素(G-6-PD)欠乏／他の薬物に対するアレルギーの前歴／妊娠または妊娠している可能性のある人，授乳婦

(3)その他……

● 妊婦での安全性：原則として使用しない。

● 授乳婦での安全性：原則として使用しない。やむを得ず使用するときは授乳を中止。

● 乳児，幼児，小児での安全性：未確立。(1714頁を参照)

重大な副作用 ①再生不良性貧血，汎血球減少症，無顆粒球症，血小板減少，貧血(溶血性貧血，巨赤芽球性貧血など)，播種性血管内凝固症候群(DIC)。②皮膚粘膜眼症候群(スティブンス-ジョンソン症候群)，中毒性表皮壊死融解症(TEN)，紅皮症型薬疹。③過敏性症候群，伝染性単核球症様症状(発熱，発疹，感冒様症状，異型リンパ球出現，リンパ節腫脹，肝機能異常，肝腫など)。④間質性肺炎，PIE症候群，薬剤性肺炎，線維性肺胞炎(発熱，せき，呼吸困難など)。⑤急性腎不全，ネフローゼ症候群，間質性腎炎。⑥消化性潰瘍(出血，穿孔を伴うことがある)，S状結腸穿孔。⑦脳症(意識障害，けいれんなど)。⑧無菌性髄膜(脳)炎(発熱，頭痛，悪心・嘔吐，頸部硬直，意識混濁など)。⑨心膜炎，胸膜炎(呼吸困難，胸部痛，胸水など)。⑩SLE(全身性エリテマトーデス)様症状(発熱，紅斑，筋肉痛，関節痛，リンパ節の腫れ，胸部痛など)。⑪劇症肝炎，肝炎，肝機能障害，黄疸。⑫ショック，アナフィラキシー(発疹，血圧低下，呼吸困難など)。

　そのほかにも報告された副作用はあるので，体調がいつもと違うと感じたときは，処方医・薬剤師に相談してください。

併用してはいけない薬 併用してはいけない薬は特にありません。ただし，併用する薬があるときは，念のため処方医・薬剤師に報告してください。

外11 その他の外用薬　01 潰瘍性大腸炎の薬

03 メサラジン

製剤情報

一般名：メサラジン

● 剤形…坐坐剤，腸注腸用剤

■先発品　　商品名(メーカー)　規格・保険薬価

商品名(メーカー)	規格・保険薬価
ペンタサ注腸 (杏林) 腸	1g 1個 454.50 円
ペンタサ坐剤 (杏林) 坐	1g 1個 227.90 円

■ジェネリック　商品名(メーカー)　規格・保険薬価

メサラジン注腸 (健栄) 腸 1g 1個 425.90 円

メサラジン注腸 (日本ジェネリック)
腸 1g 1個 425.90 円

概　要

分類　潰瘍性大腸炎治療薬

処方目的　潰瘍性大腸炎(重症を除く)

解説　内服薬と同じ成分の注腸薬です。薬の届く範囲が限定的なので，すべての症例に用いられるわけではありません。参考：内服のメサラジンを参考にしてください。

使用上の注意

＊メサラジン(ペンタサ注腸)の添付文書による

基本的注意

(1)使用してはいけない場合……重い腎機能障害／重い肝機能障害／本剤の成分に対するアレルギーの前歴／サリチル酸エステル類および塩類に対するアレルギーの前歴

(2)保存法……本剤は光・酸素の影響で分解されやすいので，遮光した気密容器で保存してください。

(3)その他……

●妊婦での安全性：有益と判断されたときのみ使用。

●授乳婦での安全性：治療上の有益性・母乳栄養の有益性を考慮し，授乳の継続・中止を検討。

●小児での安全性：未確立。(1714 頁を参照)

重大な副作用　①間質性肺疾患(好酸球性肺炎，肺胞炎，肺臓炎，間質性肺炎など)。②再生不良性貧血，汎血球減少，無顆粒球症，血小板減少症。③間質性腎炎，ネフローゼ症候群，腎機能低下，急性腎障害。④心筋炎，心膜炎，胸膜炎。⑤肝炎，肝機能障害，黄疸。⑥膵炎。

　　そのほかにも報告された副作用はあるので，体調がいつもと違うと感じたときは，処方医・薬剤師に相談してください。

併用してはいけない薬　併用してはいけない薬は特にありません。ただし，併用する薬があるときは，念のため処方医・薬剤師に報告してください。

外 11 その他の外用薬　02 婦人科系の外用薬

01　ブセレリン酢酸塩

製剤情報

一般名：ブセレリン酢酸塩

●剤形…液 液剤

■先発品　商品名(メーカー)　規格・保険薬価

スプレキュア点鼻液 (クリニジェン)
液 15.75mg10mL 1瓶 7,122.10 円

外
11
―
02
―
01
ブセレリン酢酸塩

■ジェネリック　　商品名(メーカー)　規格・保険薬価
ブセレリン点鼻液(ILS＝日医工＝日本ジェネリック)　液 15.75mg10mL 1瓶 5,073.90 円

ブセレリン点鼻液(富士製薬)
液 15.75mg10mL 1瓶 5,073.90 円

概　要

分類　GnRH(性腺刺激ホルモン放出ホルモン)誘導体製剤

処方目的　子宮内膜症／子宮筋腫の縮小および子宮筋腫にもとづく諸症状(過多月経,下腹痛,腰痛,貧血)／中枢性思春期早発症／[スプレキュア点鼻液のみの適応症]生殖補助医療における卵胞成熟

解説　性ホルモンの分泌を抑え,性ホルモンに依存する子宮内膜症や中枢性思春期早発症,子宮筋腫による種々の症状を改善します。

　先発品のスプレキュア点鼻液は,2022 年に不妊治療薬(卵胞成熟)として保険適応となりました。不妊治療に十分な知識と経験のある医師のもとで,本剤の使用により予想されるリスクおよび注意すべき症状について,あらかじめ説明を受け,納得したのち治療が始まります。

使用上の注意

＊ブセレリン酢酸塩(スプレキュア点鼻液)の添付文書による

基本的注意

(1)**使用してはいけない場合**……診断のつかない異常性器出血／本剤の成分または他の GnRH 誘導体に対するアレルギーの前歴／妊婦または妊娠している可能性のある人,授乳婦

(2)**卵巣過剰刺激症候群**……本剤により卵胞成熟を行った場合に卵巣過剰刺激症候群(おなかの張り,腹痛,吐きけ,尿量減少,急に体重が増えたなど)が現れることがあります。兆候が認められた場合には直ちに医師などに相談してください。

(3)**その他**……

●低出生体重児,幼児,小児での安全性：未確立。(1714 頁を参照)

重大な副作用　①更年期障害に似たうつ症状。②脱毛。③ショック,アナフィラキシー(呼吸困難,熱感,全身紅潮,血圧低下など)。④狭心症,心筋梗塞,脳梗塞。⑤血小板減少,白血球減少。⑥肝機能障害,黄疸。⑦大量の不正出血。⑧腹部膨満感,下腹部痛(圧痛など)などを伴う卵巣のう胞の破裂。⑨糖尿病の発症・増悪。

　そのほかにも報告された副作用はあるので,体調がいつもと違うと感じたときは,処方医・薬剤師に相談してください。

併用してはいけない薬　併用してはいけない薬は特にありません。ただし,併用する薬があるときは,念のため処方医・薬剤師に報告してください。

外11 その他の外用薬　02 婦人科系の外用薬

02 酢酸ナファレリン

外
11
|
02
|
02

酢酸ナファレリン

製剤情報

一般名：ナファレリン酢酸塩水和物

● 規制…劇薬

● 剤形…液 液剤

■先発品　　商品名(メーカー)　規格・保険薬価

ナサニール点鼻液 (ファイザー)

液 10mg5mL 1瓶 6,263.20 円

■ジェネリック　　商品名(メーカー)　規格・保険薬価

ナファレリン点鼻液 (富士製薬)

液 10mg5mL 1瓶 5,295.10 円

概　要

分類　GnRH(性腺刺激ホルモン放出ホルモン)誘導体製剤

処方目的　子宮内膜症／子宮筋腫の縮小および子宮筋腫にもとづく症状(過多月経, 下腹痛, 腰痛, 貧血)の改善

解説　子宮内膜症は, エストロゲン(卵胞ホルモン)に反応して悪化します。アメリカでは, 本剤はダナゾールが使えない場合にのみ使うとされています。理由は, 本剤の継続使用が骨粗鬆症をおこす可能性があるからで, せいぜい 6 カ月の使用に制限すべきだと書かれています(USP-DI2005 年版)。日本においても 6 カ月を超える使用は原則として行わないことになっています。

使用上の注意

*ナファレリン酢酸塩水和物(ナサニール点鼻液)の添付文書による

基本的注意

(1)使用してはいけない場合……診断のつかない異常性器出血／本剤の成分または他の GnRH 誘導体に対するアレルギーの前歴／妊婦または妊娠している可能性のある人, 授乳婦

(2)避妊……使用期間中は避妊をしてください。

(3)その他……

● 小児での安全性：未確立。(1714 頁を参照)

重大な副作用　①更年期障害様のうつ状態。②血小板減少。③肝機能障害, 黄疸。④不正出血。⑤(子宮内膜症の人で)腹部膨満感, 下腹部痛などを伴う卵巣のう胞の破裂。⑥アナフィラキシー様症状(呼吸困難, 熱感, 全身潮紅など)。

そのほかにも報告された副作用はあるので, 体調がいつもと違うと感じたときは, 処方医・薬剤師に相談してください。

併用してはいけない薬　併用してはいけない薬は特にありません。ただし, 併用する薬があるときは, 念のため処方医・薬剤師に報告してください。

03 子宮内黄体ホルモン放出システム

製剤情報

一般名：レボノルゲストレル

● 剤形…⊞キット

■先発品　　商品名(メーカー)　規格・保険薬価
ミレーナ 52mg (バイエル) ⊞ 1個 26,621.40 円

概　要

分類　レボノルゲストレル放出子宮内システム(LNG-IUS)

処方目的　避妊／過多月経／月経困難症

解説　本剤は，黄体ホルモンを子宮の中に持続的に放出する子宮内システム(IUS)です。低用量経口避妊薬(OC)により高い避妊効果が，また子宮内避妊用具(IUD)により長期の避妊が可能という特徴をもっています。処方目的は避妊と過多月経，月経困難症で，避妊に対しては健康保険適応外ですが，過多月経，月経困難症では保険がききます。

使用上の注意

基本的注意

(1)使用してはいけない場合……本剤の成分に対するアレルギーの前歴／性器がん，およびその疑いのある人／黄体ホルモン依存性腫瘍，およびその疑いのある人／診断の確定していない異常性器出血／先天性，後天性の子宮の形態異常(子宮腔の変形を来しているような子宮筋腫を含む)または著しい位置異常／性器感染症(カンジダ症を除く)／過去3カ月以内に性感染症(細菌性腟炎，カンジダ症，再発性ヘルペスウイルス感染，B型肝炎，サイトメガロウイルス感染を除く)の前歴のある人／頸管炎または腟炎／再発性または現在 PID(骨盤内炎症性疾患)の人／過去3カ月以内に分娩後子宮内膜炎または感染性流産の前歴のある人／異所性妊娠の前歴／本剤または子宮内避妊用具(IUD)装着時または頸管拡張時に失神，徐脈などの迷走神経反射をおこしたことのある人／重い肝機能障害／肝腫瘍／妊婦または妊娠している可能性のある人

(2)異常を感じたらすぐに連絡……本剤を装着する場合には，事前に副作用の可能性，装着後の管理法などの説明を十分に受け，装着後に性器出血，異常な帯下，下腹部痛，性交痛などの何らかの異常がみられたら，速やかに主治医に連絡してください。

(3)感染防止には不可……本剤は，HIV 感染(エイズ)およびほかの性感染症(梅毒，性器ヘルペス，淋病，クラミジア感染症，尖圭コンジローマ，腟トリコモナス症など)を防止するものではありません。これらの感染防止にはコンドームの使用が有効です。

(4)未経産婦・授乳婦……未経産婦は本剤を第一選択の避妊法としないでください。子宮内避妊用具(IUD)において経産婦の装着と比較して脱出，妊娠，出血・疼痛，感染症，迷走神経反射の頻度が高いとの報告があります。授乳中の女性も本剤を第一選択の避妊法としないように。母乳中への移行が報告されています。

重大な副作用 ①骨盤内炎症性疾患（PID：発熱，下腹部痛，腟分泌物の異常など）。②異所性妊娠。③子宮穿孔または子宮体部や頸部への部分的貫入。④卵巣のう胞の破裂。

そのほかにも報告された副作用はあるので，体調がいつもと違うと感じたときは，処方医・薬剤師に相談してください。

外 11 その他の外用薬　02 婦人科系の外用薬

04 黄体補充用製剤

製剤情報

一般名：プロゲステロン

● 剤形…ゲゲル剤，坐坐剤，腟腟用剤

■ 先発品　　商品名（メーカー）　規格・保険薬価

ウトロゲスタン腟用カプセル（富士製薬）
腟 200mg 1ｶﾌﾟｾﾙ 361.30 円

ルティナス腟錠（フェリング）
腟 100mg 1錠 361.30 円

ルテウム腟用坐剤（あすか＝武田）
坐 400mg 1個 541.90 円

ワンクリノン腟用ゲル（メルクバイオファーマ）
ゲ 90mg 1アプリケータ 1,083.80 円

概　　要

分類　黄体ホルモン製剤

処方目的　生殖補助医療における黄体補充

解説　生殖補助医療（ART）とは，近年著しく発展した不妊症に対する重要な治療法で，体外受精・胚移植，顕微授精（卵細胞質内精子注入法），凍結胚・融解移植などがあります。ART を行うと，ホルモン製剤の投与や採卵に伴う顆粒膜細胞の剥脱により黄体機能が低下することがよく知られており，この黄体機能不全に対してプロゲステロン（黄体ホルモン）製剤を投与して黄体補充を行うことで，妊娠率の向上が確認されています。

黄体補充用製剤の腟用外用薬としては，現在，錠剤のルティナス，カプセル剤のウトロゲスタン，腟坐剤のルテウム，ゲル剤のワンクリノンが用いられています。2022 年に不妊治療薬として保険適用となり，使いやすくなりました。

使用上の注意

＊全剤の添付文書による

基本的注意

(1)使用してはいけない場合……本剤の成分に対するアレルギーの前歴／診断未確定の性器出血／稽留流産または子宮外妊娠／重度の肝機能障害／乳がんまたは生殖器がんの前歴または疑い／動脈または静脈の血栓塞栓症あるいは重度の血栓性静脈炎の患者またはそれらの前歴／ポルフィリン症

(2)慎重に使用すべき場合……てんかんまたはその前歴／うつ病またはその前歴／片頭痛，ぜんそくまたはその前歴／心機能障害（心疾患）／糖尿病／腎機能障害／中等度以下の肝機能障害／［ルティナス腟錠のみ］35 歳以上の喫煙者でアテローム性動脈硬化症の

危険因子を有する患者／[ルテウム腟用坐剤のみ]心疾患の前歴

(3)使用法……①ウトロゲスタン腟用カプセルは 1 回 200mg を 1 日 3 回，胚移植 2〜7 日前より経腟投与。妊娠が確認できた場合は，胚移植後 9 週(妊娠 11 週)まで投与を継続します。②ルティナス腟錠は 1 回 100mg を 1 日 2 回または 3 回，ルテウム腟用坐剤は 1 回 400mg を 1 日 2 回，ワンクリノン腟用ゲルは 1 回 90mg を 1 日 1 回，いずれも採卵日(またはホルモン補充周期下での凍結胚移植ではエストロゲン投与により子宮内膜が十分な厚さになった時点)から最長 10 週間(または妊娠 12 週まで)腟内に投与します。

(4)使用中止……使用を中止すると，不安，気分変化，発作感受性の増大を引きおこす可能性があるので，自己判断で使用を中止しないでください。

(5)危険作業に注意……使用すると傾眠状態や浮動性めまいを引きおこすことがあるので，自動車の運転など危険を伴う機械の操作に従事する際には十分注意してください。

(6)その他……

●授乳婦での安全性：治療上の有益性・母乳栄養の有益性を考慮し，授乳の継続・中止を検討。(1714 頁を参照)

重大な副作用　　①心筋梗塞，脳血管障害，動脈・静脈の血栓塞栓症(静脈血栓塞栓症，肺塞栓症)，血栓性静脈炎，網膜血栓症。

[ワンクリノン腟用ゲルのみ]②アナフィラキシーショック。

　そのほかにも報告された副作用はあるので，体調がいつもと違うと感じたときは，処方医・薬剤師に相談してください。

併用してはいけない薬　　併用してはいけない薬は特にありません。ただし，併用する薬があるときは，念のため処方医・薬剤師に報告してください。

外 11 その他の外用薬　03 その他の外用薬

01　ドンペリドン

⦿ 製 剤 情 報

一般名：ドンペリドン

●剤形…坐坐剤

■先発品　　商品名(メーカー)　規格・保険薬価

ナウゼリン坐剤 (協和キリン)

坐 10mg 1個 44.60 円　坐 30mg 1個 71.70 円
坐 60mg 1個 101.90 円

■ジェネリック　　商品名(メーカー)　規格・保険薬価

ドンペリドン坐剤 (高田) 坐 10mg 1個 27.20 円
坐 30mg 1個 45.90 円

ドンペリドン坐剤 (長生堂＝日本ジェネリック)
坐 10mg 1個 27.20 円　坐 30mg 1個 41.30 円

ドンペリドン坐剤 (日新) 坐 10mg 1個 27.20 円
坐 30mg 1個 45.90 円

▤ 概　　要

分類　消化管運動改善薬

処方目的　[成人]以下の場合の消化器症状(悪心，嘔吐，食欲不振，腹部膨満，上腹部不快感，胸やけ)→胃・十二指腸手術後，抗がん薬投与時

[小児] 以下の場合の消化器症状(悪心, 嘔吐, 食欲不振, 腹部膨満, 腹痛)→周期性嘔吐症, 乳幼児下痢症, 上気道感染症, 抗がん薬投与時

解説 内服薬は食欲不振などの消化器症状にもよく使用されますが, 坐薬としては主に吐きけ止めとして処方されます。

使用上の注意

＊ドンペリドン(ナウゼリン坐剤)の添付文書による

基本的注意

(1)使用してはいけない場合……本剤の成分に対するアレルギーの前歴／消化管出血, 機械的イレウス(腸閉塞), 消化管穿孔／プロラクチン分泌性の下垂体腫瘍(プロラクチノーマ)／妊婦または妊娠している可能性のある人

(2)慎重に使用すべき場合……肝機能障害, 腎機能障害／心疾患／小児

(3)小児……錐体外路症状がおこることがあるので, 3歳以下の幼児は7日以上は使わないでください。

(4)危険作業に注意……本剤を使用すると, 眠け, めまい, ふらつきなどがおこることがあるので, 高所作業や自動車の運転など危険を伴う機械の操作は注意してください。

(5)その他……

●授乳婦での安全性：治療上の有益性・母乳栄養の有益性を考慮し, 授乳の継続・中止を検討。使用する場合は大量使用を避けること。(1714頁を参照)

重大な副作用 ①ショック, アナフィラキシー(発疹, 発赤, 呼吸困難, 顔面・口唇浮腫など)。②錐体外路症状(後屈頸, 眼球側方発作, 上肢の伸展, ふるえ, 筋硬直など)。③意識障害, けいれん。

そのほかにも報告された副作用はあるので, 体調がいつもと違うと感じたときは, 処方医・薬剤師に相談してください。

併用してはいけない薬 併用してはいけない薬は特にありません。ただし, 併用する薬があるときは, 念のため処方医・薬剤師に報告してください。

外 11 その他の外用薬 03 その他の外用薬

02 口内炎治療薬

製剤情報

一般名：デキサメタゾン

●剤形…軟 軟膏剤

■先発品 商品名(メーカー) 規格・保険薬価

アフタゾロン口腔用軟膏 写真 (あゆみ製薬)
軟 0.1% 1g 66.20円

■ジェネリック 商品名(メーカー) 規格・保険薬価

デキサメタゾン口腔用軟膏 (池田薬品＝日医工)
軟 0.1% 1g 45.00円

デキサメタゾン口腔用軟膏 写真 (日本化薬)
軟 0.1% 1g 45.00円

デキサメタゾン軟膏口腔用 (長生堂＝日本ジェネリック)
軟 0.1% 1g 45.00円

一般名：トリアムシノロンアセトニド

● 剤形…軟軟膏剤, 貼貼付剤

■先発品　商品名(メーカー)　規格・保険薬価

アフタッチ口腔用貼付剤 (アルフレッサ)
貼 25μg 1錠 32.70 円

トリアムシノロンアセトニド口腔用貼付剤
(帝国製薬＝大正製薬) 貼 25μg 1枚 36.50 円

■ジェネリック　商品名(メーカー)　規格・保険薬価

オルテクサー口腔用軟膏 (ビーブランド＝日本
ジェネリック) 軟 0.1% 1g 63.30 円

一般名：アズレンスルフォン酸ナトリウム水和物

● 剤形…卜トローチ剤

■先発品　商品名(メーカー)　規格・保険薬価

アズノール ST 錠口腔用 写真 (日本新薬)
卜 5mg 1錠 13.80 円

一般名：クロルヘキシジン塩酸塩・ヒドロコルチゾン酢酸エステル・サリチル酸ジフェンヒドラミン・ベンザルコニウム塩化物配合剤

● 剤形…軟軟膏剤

■先発品　商品名(メーカー)　規格・保険薬価

デスパコーワ口腔用クリーム (興和)
軟 1g 29.40 円

一般名：ベクロメタゾンプロピオン酸エステル

● 剤形…噴噴霧剤

■先発品　商品名(メーカー)　規格・保険薬価

サルコートカプセル外用 (帝人)
噴 50μg 1カプセル 36.70 円

概　要

分類　口腔内炎症治療薬

処方目的　[デキサメタゾンの適応症] びらん・潰瘍を伴う難治性口内炎・舌炎
[トリアムシノロンアセトニド(軟膏)の適応症] 慢性剥離性歯肉炎, びらん・潰瘍を伴う難治性口内炎・舌炎／[同(貼付剤)の適応症]アフタ性口内炎
[アズレンスルフォン酸ナトリウム水和物の適応症] 咽頭炎, 扁桃炎, 口内炎, 急性歯肉炎, 舌炎, 口腔創傷
[デスパコーワ口腔用クリームの適応症] 孤立性アフタ, アフタ性口内炎, 褥瘡性潰瘍, 辺縁性歯周炎
[ベクロメタゾンプロピオン酸エステルの適応症] びらん・潰瘍を伴う難治性口内炎

解説　抗炎症作用のある副腎皮質ステロイドやアズレンを, 口腔内で使用できる製剤としたものです。

使用上の注意

＊アフタゾロン口腔用軟膏, アフタッチ口腔用貼付剤, サルコートカプセル外用などの添付文書による

基本的注意

(1)使用してはいけない場合……本剤の成分に対するアレルギーの前歴／[デスパコーワ口腔用クリームのみ]口腔に結核性, ウイルス性, その他化膿性の感染症がある人／クロルヘキシジン製剤に対するアレルギーの前歴
(2)特に慎重に使用すべき場合(治療上やむを得ないと判断される場合を除き使用は避

けること)……口腔内に感染を伴う人

(3)**使用方法**……サルコートカプセル外用は口腔粘膜へ付着させる粉末剤なので，カプセルを服用してはいけません。専用の噴霧器を使って患部に噴霧します。

(4)**発育障害**……小児が，デキサメタゾン製剤，オルテクサー口腔用軟膏，デスパコーワ口腔用クリーム，サルコートカプセル外用を長期連用すると発育障害をおこすおそれがあります。

(5)**その他**……

● 妊婦での安全性：有益と判断されたときのみ使用。

● 授乳婦での安全性：治療上の有益性・母乳栄養の有益性を考慮し，授乳の継続・中止を検討。

● 小児での安全性：未確立。(1714 頁を参照)

重大な副作用 　　　　　　　[**オルテクサー口腔用軟膏**] ①口腔の真菌性・細菌性感染症。②(長期連用により)下垂体・副腎皮質系機能の抑制。

[**デスパコーワ口腔用クリーム**] ①ショック，アナフィラキシー(血圧低下，じん麻疹，呼吸困難)。

　そのほかにも報告された副作用はあるので，体調がいつもと違うと感じたときは，処方医・薬剤師に相談してください。

併用してはいけない薬 　　　　　　併用してはいけない薬は特にありません。ただし，併用する薬があるときは，念のため処方医・薬剤師に報告してください。

外 11 その他の外用薬　03 その他の外用薬

03 ヘパリンナトリウム

製剤情報

一般名：ヘパリンナトリウム

● 剤形…軟 軟膏剤

■先発品　　**商品名(メーカー)**　規格・保険薬価

ヘパリンＺ軟膏 (ゼリア) 軟 500 単位 1g 11.30 円

概　　要

分類　消炎・血行促進薬

処方目的　血行障害に基づく疼痛と炎症性疾患(注射後の硬結・疼痛)／外傷(打撲，捻挫，挫傷)後の腫脹・血腫・腱鞘炎・筋肉痛・関節炎／肥厚性瘢痕・ケロイドの治療と予防／血栓性静脈炎(痔核を含む)

解説　抗血液凝固薬として人工透析でも使用される成分ですが，外用薬としては抗炎症作用・鎮痛作用・血行促進作用が認められています。

使用上の注意

基本的注意

(1)**使用してはいけない場合**……出血性血液疾患(血友病，血小板減少症，紫斑病など)

／わずかな出血でも重大な結果をおこすことが予想される人

(2)使用してはいけない部位……潰瘍・びらん面／眼

重大な副作用 重大な副作用はありませんが，そのほかの副作用はあるので，体調がいつもと違うと感じたときは，処方医・薬剤師に相談してください。

併用してはいけない薬 併用してはいけない薬は特にありません。ただし，併用する薬があるときは，念のため処方医・薬剤師に報告してください。

外 11 その他の外用薬　03 その他の外用薬

04 鎮咳用坐薬

製剤情報

一般名：ジプロフィリン・dl-メチルエフェドリン塩酸塩配合剤

●剤形…坐坐剤

■先発品　　商品名(メーカー)　規格・保険薬価

アニスーマ坐剤（長生堂＝日本ジェネリック）
坐 1個 20.30 円

概　要

分類　鎮咳用坐薬

処方目的　小児気管支ぜんそく，ぜんそく性気管支炎に伴うせき・気道閉塞症状／経口服用が困難な場合の急性気管支炎，感冒・上気道炎に伴うせき・気道閉塞症状

解説　本剤の成分であるジプロフィリンと dl-メチルエフェドリン塩酸塩は市販薬(OTC薬)のせき止め薬・喘息薬の成分として使用されていますが，処方薬としてはほとんど使用されていません。

使用上の注意

基本的注意

(1)使用してはいけない場合……本剤またはキサンチン系薬剤の使用による重い副作用の前歴／カテコールアミン製剤(アドレナリン，イソプロテレノールなど)の使用中

(2)慎重に使用すべき場合……心疾患／てんかん／甲状腺機能亢進症／急性腎炎

(3)その他……

●妊婦での安全性：有益と判断されたときのみ使用。(1714頁を参照)

重大な副作用 重大な副作用はありませんが，そのほかの副作用はあるので，体調がいつもと違うと感じたときは，処方医・薬剤師に相談してください。

併用してはいけない薬 カテコールアミン製剤(アドレナリン，イソプロテレノールなど)→作用が強まり不整脈，場合によっては心停止をおこすおそれがあります。

05 紫雲膏(しうんこう)

製剤情報

一般名：トウキ・シコン・ゴマ油・豚脂・ミツロウ配合剤

●剤形…🈸軟膏剤

■**先発品**　商品名(メーカー)　規格・保険薬価
紫雲膏(ツムラ)🈸 1g 12.50 円

概　要

分類　その他の外皮用薬

処方目的　やけど，痔核による疼痛，肛門裂傷

解説　江戸時代に全身麻酔手術を行った華岡青洲が，明代の医学書「外科正宗」にある「潤肌膏」を改良したものです。保険適応はありませんが，漢方医は褥瘡・角皮症・乾癬などにも応用しています。

使用上の注意

基本的注意

(1)使用してはいけない場合……本剤の成分に対するアレルギーの前歴／重い熱傷・外傷／化膿性の創傷で高熱のある人／患部の湿潤やただれのひどい人

(2)着色……衣服に付着すると赤紫色に着色し，脱色しにくいので注意してください。

(3)その他……

●小児での安全性：未確立。(1714 頁を参照)

重大な副作用　　重大な副作用はありませんが，そのほかの副作用はあるので，体調がいつもと違うと感じたときは，処方医・薬剤師に相談してください。

併用してはいけない薬　　併用してはいけない薬は特にありません。ただし，併用する薬があるときは，念のため処方医・薬剤師に報告してください。

06 ヘパリン類似物質

製剤情報

一般名：ヘパリン類似物質

●剤形…🅒クリーム剤，🈔液剤，🅖ゲル剤，🈧噴霧剤

■**先発品**　商品名(メーカー)　規格・保険薬価
ヒルドイドクリーム (マルホ) 🅒 0.3% 1g 20.10 円

ヒルドイドゲル (マルホ) 🅖 0.3% 1g 11.80 円

ヒルドイドソフト軟膏 (マルホ)
🅒 0.3% 1g 20.10 円

ヒルドイドフォーム (マルホ) 🈧 0.3% 1g 20.20 円

ヒルドイドローション 写真 (マルホ)
🈔 0.3% 1g 20.10 円

■ジェネリック　商品名(メーカー)　規格・保険薬価

| ヘパリン類似物質外用泡状スプレー (サンファーマ) [噴] 0.3% 1g 10.30 円 |
| ヘパリン類似物質外用泡状スプレー [写真] (日東メディック) [噴] 0.3% 1g 10.30 円 |
| ヘパリン類似物質外用泡状スプレー (日本臓器) [噴] 0.3% 1g 10.30 円 |
| ヘパリン類似物質外用泡状スプレー (ヤクハン=日医工=持田) [噴] 0.3% 1g 10.30 円 |
| ヘパリン類似物質外用スプレー (コーアイセイ=サンファーマ) [噴] 0.3% 1g 10.30 円 |
| ヘパリン類似物質外用スプレー (佐藤) [噴] 0.3% 1g 10.30 円 |
| ヘパリン類似物質外用スプレー (辰巳) [噴] 0.3% 1g 10.30 円 |
| ヘパリン類似物質外用スプレー (帝国製薬) [噴] 0.3% 1g 10.30 円 |
| ヘパリン類似物質外用スプレー [写真] (日医工=持田) [噴] 0.3% 1g 10.30 円 |
| ヘパリン類似物質外用スプレー (日新) [噴] 0.3% 1g 10.30 円 |
| ヘパリン類似物質外用スプレー (東亜薬品=日東メディック) [噴] 0.3% 1g 10.30 円 |
| ヘパリン類似物質外用スプレー (ニプロ) [噴] 0.3% 1g 10.30 円 |
| ヘパリン類似物質外用スプレー (ファイザー) [噴] 0.3% 1g 9.90 円 |
| ヘパリン類似物質外用スプレー (陽進堂=日本ジェネリック) [噴] 0.3% 1g 10.30 円 |
| ヘパリン類似物質クリーム (共和) [ク] 0.3% 1g 6.60 円 |

| ヘパリン類似物質クリーム [写真] (帝国製薬=日医工=持田) [ク] 0.3% 1g 5.40 円 |
| ヘパリン類似物質クリーム (東光=ラクール) [ク] 0.3% 1g 3.70 円 |
| ヘパリン類似物質クリーム (陽進堂) [ク] 0.3% 1g 6.60 円 |
| ヘパリン類似物質ゲル (共和) [ゲ] 0.3% 1g 5.40 円 |
| ヘパリン類似物質ゲル (帝国製薬=日医工) [ゲ] 0.3% 1g 5.40 円 |
| ヘパリン類似物質油性クリーム (共和) [ク] 0.3% 1g 6.60 円 |
| ヘパリン類似物質油性クリーム (帝国製薬) [ク] 0.3% 1g 3.70 円 |
| ヘパリン類似物質油性クリーム [写真] (日医工=持田) [ク] 0.3% 1g 5.40 円 |
| ヘパリン類似物質油性クリーム (日東メディック) [ク] 0.3% 1g 3.70 円 |
| ヘパリン類似物質油性クリーム (ニプロ) [ク] 0.3% 1g 3.70 円 |
| ヘパリン類似物質ローション [写真] (帝国製薬=日医工=持田) [液] 0.3% 1g 5.40 円 |
| ヘパリン類似物質ローション (東光=ラクール) [液] 0.3% 1g 3.70 円 |
| ヘパリン類似物質ローション (日東メディック) [液] 0.3% 1g 3.70 円 |
| ヘパリン類似物質ローション (ニプロ) [液] 0.3% 1g 3.70 円 |
| ヘパリン類似物質ローション (陽進堂=日本ジェネリック) [液] 0.3% 1g 6.60 円 |

外
11
—
03
—
06

ヘパリン類似物質

概　要

分類　血行促進・皮膚保湿剤

処方目的　皮脂欠乏症(ゲル剤を除く),進行性指掌角皮症,凍瘡,血行障害に基づく疼痛と炎症性疾患(注射後の硬結並びに疼痛),肥厚性瘢痕・ケロイドの治療と予防,血栓性静脈炎(痔核を含む),外傷(打撲,捻挫,挫傷)後の腫脹・血腫・腱鞘炎・筋肉痛・関節炎,筋性斜頸(乳児期)

解説　日本では皮膚科・整形外科領域で広範に使用されていますが，海外では表在性静脈炎の治療など，かなり限定的な使用に留まっています。

使用上の注意
*ヘパリン類似物質（ヒルドイドソフト軟膏）の添付文書による

基本的注意
(1)使用してはいけない場合……出血性血液疾患（血友病，血小板減少症，紫斑病など）／わずかな出血でも重大な結果をおこすことが予想される人
(2)その他……
● 妊婦での安全性：未確立。（1714頁を参照）

重大な副作用
重大な副作用はありませんが，そのほかの副作用はあるので，体調がいつもと違うと感じたときは，処方医・薬剤師に相談してください。

併用してはいけない薬
併用してはいけない薬は特にありません。ただし，併用する薬があるときは，念のため処方医・薬剤師に報告してください。

07 ヘパリン類似物質ほか配合剤

製剤情報

一般名：**副腎エキス・ヘパリン類似物質・サリチル酸配合剤**
● 剤形…クリーム剤

■ジェネリック　商品名（メーカー）　規格・保険薬価
ゼスタッククリーム（三笠）1g 6.30円

概要

分類　経皮複合消炎薬
処方目的　腱・腱鞘・腱周囲炎，外傷後の疼痛・腫脹・血腫，肩関節周囲炎，筋・筋膜性腰痛，変形性関節症（深部関節を除く），関節リウマチによる小関節の腫脹・疼痛の緩解
解説　先発品であったモビラートは外用薬としてはかなり使用されていましたが，原料供給の問題から2006年に販売中止となりました。後発薬がその穴を埋めることもなく，本剤の使用量は激減しています。

使用上の注意

基本的注意
(1)使用してはいけない場合……出血性血液疾患（血友病，血小板減少病，紫斑病など）／わずかな出血でも重大な結果をおこすことが予想される人／サリチル酸に対するアレルギーの前歴
(2)その他……
● 妊婦での安全性：未確立。有益と判断されたときのみ使用。
● 小児での安全性：未確立。（1714頁を参照）

重大な副作用　　　　　　　　重大な副作用はありませんが，そのほかの副作用はあるので，体調がいつもと違うと感じたときは，処方医・薬剤師に相談してください。
併用してはいけない薬　　　　併用してはいけない薬は特にありません。ただし，併用する薬があるときは，念のため処方医・薬剤師に報告してください。

外 11 その他の外用薬　03 その他の外用薬

08　カルプロニウム塩化物

製剤情報

一般名：カルプロニウム塩化物

● 剤形…液 液剤

■ジェネリック　　商品名(メーカー)　規格・保険薬価

カルプロニウム塩化物外用液 (長生堂＝日本ジェネリック＝佐藤) 液 5% 1mL 10.50 円

フロジン外用液 写真 (ニプロファーマ＝第一三共)
液 5% 1mL 23.60 円

概　要

分類　脱毛症・白斑用薬

処方目的　円形脱毛症(多発性円形脱毛症を含む)，悪性脱毛症，びまん性脱毛症，粃糠性脱毛症，壮年性脱毛症，症侯性脱毛症などにおける脱毛防止・発毛促進／乾性脂漏／尋常性白斑

解説　局所血管を広げる作用があり，幹部への血流をよくして栄養を供給するとされています。低濃度(1〜2%)のものは OTC 薬(大衆薬)としても市販されています(カロヤン)。

使用上の注意

＊カルプロニウム塩化物(フロジン外用液)の添付文書による

基本的注意

(1)全身発汗など……本剤を塗った直後に，全身発汗，それに伴う悪寒，戦慄，吐きけ，嘔吐などがおこることがあります。異常が現れたら使用を中止し，水などで洗い流してください。また，湯あがりなどに使用すると副作用が強く現れる傾向があるので，注意してください。

重大な副作用　　　　　　　　重大な副作用はありませんが，そのほかの副作用はあるので，体調がいつもと違うと感じたときは，処方医・薬剤師に相談してください。

併用してはいけない薬　　　　併用してはいけない薬は特にありません。ただし，併用する薬があるときは，念のため処方医・薬剤師に報告してください。

外11 その他の外用薬　03 その他の外用薬

09 ポビドンヨード

製剤情報

一般名：ポビドンヨード外皮用薬

● 剤形… ク クリーム剤, 液 液剤, ゲ ゲル剤

■先発品　商品名(メーカー)　規格・保険薬価

イソジン液 (ムンディ＝塩野義)
液 10% 10mL 24.60 円

イソジンゲル (ムンディ＝塩野義)
ゲ 10% 10g 49.50 円

イソジンスクラブ液 (ムンディ＝塩野義)
液 7.5% 10mL 36.90 円

イソジンフィールド液 (ムンディ＝塩野義)
液 10% 10mL 36.90 円

産婦人科用イソジンクリーム (ムンディ＝塩野義)
ク 5% 10g 63.60 円

■ジェネリック　商品名(メーカー)　規格・保険薬価

ハイポビロン外用液 (三恵)
液 10% 10mL 12.70 円

ポビドンヨード液 (中北) 液 10% 10mL 10.90 円

ポビドンヨード液消毒用アプリケータ (大塚工場＝大塚) 液 10%10mL 1管 10.90 円
液 10%25mL 1管 16.80 円

ポビドンヨード外用液 (岩城)
液 10% 10mL 10.90 円

ポビドンヨード外用液 (オオサキ)
液 10% 10mL 10.90 円

ポビドンヨード外用液 (東海製薬＝大成)
液 10% 10mL 12.70 円

ポビドンヨード外用液 (日新)
液 10% 10mL 12.70 円

ポビドンヨード外用液 (マイラン＝ファイザー)
液 10% 10mL 12.70 円

ポビドンヨード外用液 (MeijiSeika)
液 10% 10mL 10.90 円

ポビドンヨードゲル (岩城) ゲ 10% 10g 37.40 円

ポビドンヨードゲル (マイラン＝ファイザー)
ゲ 10% 10g 37.40 円

ポビドンヨードゲル (MeijiSeika)
ゲ 10% 10g 37.40 円

ポビドンヨード消毒液 (兼一)
液 10% 10mL 10.90 円

ポビドンヨード消毒液 (健栄)
液 10% 10mL 10.90 円

ポビドンヨード消毒液 (シオエ＝日本新薬)
液 10% 10mL 12.70 円

ポビドンヨード消毒用液 (ニプロ)
液 10% 10mL 12.70 円

ポビドンヨードスクラブ液 (岩城)
液 7.5% 10mL 17.90 円

ポビドンヨードスクラブ液 (健栄)
液 7.5% 10mL 17.90 円

ポビドンヨードスクラブ液 (MeijiSeika)
液 7.5% 10mL 18.60 円

ポビドンヨードフィールド外用液 (MeijiSeika) 液 10% 10mL 15.60 円

ポピヨドン液 (吉田製薬) 液 10% 10mL 10.90 円

ポピヨドンゲル (吉田製薬) ゲ 10% 10g 37.40 円

ポピヨドンスクラブ (吉田製薬)
液 7.5% 10mL 17.90 円

ポピヨドンフィールド (吉田製薬)
液 10% 10mL 15.60 円

ポピラール消毒液 (日興＝丸石＝日興販売)
液 10% 10mL 10.90 円

一般名：ポビドンヨードうがい用薬

● 剤形… 含 含嗽剤

■先発品　　商品名(メーカー)　規格・保険薬価

イソジンガーグル 写真 (ムンディ＝塩野義)
含 7% 1mL 3.10 円

ポビドンヨードガーグル (中北)
含 7% 1mL 3.10 円

ポビドンヨードガーグル (日医工)
含 7% 1mL 2.10 円

ポビドンヨードガーグル (マイラン＝ファイザー＝ニプロ) 含 7% 1mL 2.10 円

ポビドンヨードガーグル液 (岩城)
含 7% 1mL 3.10 円

ポビドンヨードガーグル液 写真 (健栄＝日本ジェネリック) 含 7% 1mL 2.10 円

ポビドンヨードガーグル液 (シオエ＝日本新薬)
含 7% 1mL 3.10 円

ポビドンヨードガーグル液 (東海製薬)
含 7% 1mL 3.10 円

ポビドンヨードガーグル液 (MeijiSeika)
含 7% 1mL 3.10 円

ポビドンヨード含嗽用液 (陽進堂)
含 7% 1mL 2.10 円

ポピヨドンガーグル (吉田製薬)
含 7% 1mL 3.10 円

ポピラールガーグル (日興＝日興販売)
含 7% 1mL 2.10 円

概　要

分類　消毒剤

処方目的　[外皮用薬の適応症] 皮膚・粘膜の創傷・熱傷・感染部位の消毒，手指・皮膚の消毒／[うがい用薬の適応症]咽頭炎，扁桃炎，口内炎，抜歯創を含む口腔創傷の感染予防，口腔内の消毒／[産婦人科用イソジンクリームの適応症]分娩時，産婦の外陰部および外陰部周囲ならびに腟の消毒／腟検査における腟の消毒

解説　ヨウ素の殺菌力を用いた外用薬です。濃度や基剤の違いにより，一般的な消毒，うがい，褥瘡治療などに応用されています。

使用上の注意

*イソジンゲル・スクラブ液・液・フィールド液・ガーグルの添付文書による

基本的注意

(1)使用してはいけない場合……[ゲル，液，ガーグル]本剤の成分またはヨウ素に対するアレルギーの前歴
(2)慎重に使用すべき場合……甲状腺機能に異常のある人／[ゲル，液のみ]重症の熱傷／[スクラブ液，フィールド液のみ]本剤の成分またはヨウ素に対するアレルギーの前歴
(3)石けん……[ゲル，スクラブ液，液，フィールド]石けん類は本剤の殺菌作用を弱めるので，石けん分を洗い落としてから使用してください。
(4)その他……
[ゲル，スクラブ液，液]
●妊婦での安全性：原則として長期にわたる広範囲の使用をしない。
●授乳婦での安全性：原則として長期にわたる広範囲の使用をしない。(1714 頁を参照)

重大な副作用　　①ショック，アナフィラキシー(呼吸困難，不快感，むくみ，潮紅，じん麻疹など)。
　そのほかにも報告された副作用はあるので，体調がいつもと違うと感じたときは，処

方医・薬剤師に相談してください。

併用してはいけない薬　併用してはいけない薬は特にありません。ただし，併用する薬があるときは，念のため処方医・薬剤師に報告してください。

10 リドカイン

製剤情報

一般名：リドカイン

- 規制…劇薬(ゼリー剤を除く)
- 剤形…ゼ ゼリー剤，貼 貼付剤

■先発品　商品名(メーカー)　規格・保険薬価

ペンレステープ (日東電工＝マルホ)
貼 (18mg)30.5mm×50.0mm 1枚 37.60 円

キシロカインゼリー (サンドファーマ＝サンド)
ゼ 2% 1mL 6.80 円

■ジェネリック　商品名(メーカー)　規格・保険薬価

リドカイン塩酸塩ゼリー (小林化工)
ゼ 2% 1mL 4.40 円

リドカイン塩酸塩ゼリー (日新)
ゼ 2% 1mL 4.40 円

リドカインテープ (ニプロ)
貼 (18mg)30.5mm×50.0mm 1枚 31.80 円

リドカインテープ (ニプロファーマ＝ニプロ)
貼 (18mg)30.5mm×50.0mm 1枚 31.80 円

リドカインテープ (祐徳＝メディキット)
貼 (18mg)30.5mm×50.0mm 1枚 31.80 円

一般名：リドカイン・プロピトカイン配合剤

- 規制…劇薬
- 剤形…ク クリーム剤，貼 貼付剤

■先発品　商品名(メーカー)　規格・保険薬価

エムラクリーム (佐藤) ク 1g 185.30 円

エムラパッチ (佐藤) 貼 1枚 341.20 円

概　要

分類　局所麻酔薬

処方目的　[リドカインの適応症]〔テープ剤〕静脈留置針穿刺時の疼痛緩和／伝染性軟属腫摘除時の疼痛緩和／皮膚レーザー照射療法時の疼痛緩和／〔ゼリー剤〕表面麻酔
[リドカイン・プロピトカイン配合剤の適応症] 皮膚レーザー照射療法時の疼痛緩和／注射針・静脈留置針穿刺時の疼痛緩和

解説　局所麻酔薬で，さまざまな剤形があります。大半は病医院内での処置に使用されますが，ゼリーは在宅で導尿のため尿管カテーテルを使用する際に処方されます。

使用上の注意

＊リドカイン(ペンレステープ，キシロカインゼリー)の添付文書による

基本的注意

(1)使用してはいけない場合……本剤の成分またはアミド型局所麻酔薬に対するアレルギーの前歴

(2)慎重に使用すべき場合……[ゼリー剤]心刺激伝導障害／重い肝機能障害／重い腎機能障害／全身状態が不良な人／幼児，高齢者

(3)その他……
- ●妊婦での安全性：未確立。有益と判断されたときのみ使用。
- ●小児での安全性：[テープ剤]未確立。(1714頁を参照)

重大な副作用 ①ショック，アナフィラキシー(呼吸困難，不快感，めまい，むくみ，顔面蒼白，意識障害など)。[ゼリー剤]②意識障害，ふるえ，けいれん。

そのほかにも報告された副作用はあるので，体調がいつもと違うと感じたときは，処方医・薬剤師に相談してください。

併用してはいけない薬 併用してはいけない薬は特にありません。ただし，併用する薬があるときは，念のため処方医・薬剤師に報告してください。

外 11 その他の外用薬　03 その他の外用薬

11 無機塩類配合剤

製剤情報

一般名：リン酸2カリウム，塩化Na・K・Ca・Mg配合剤
- ●剤形…噴噴霧剤

先発品　商品名(メーカー)　規格・保険薬価
サリベートエアゾール (帝人)
噴 50g 1個 474.40円

概　要

分類　人工唾液
処方目的　シェーグレン症候群による口腔乾燥症／頭頸部の放射線照射による唾液腺障害にもとづく口腔乾燥症
解説　人工唾液の噴霧剤で，唾液の不足を補い，口内を潤します。

使用上の注意

基本的注意
特に注意はありません。

重大な副作用 重大な副作用はありませんが，そのほかの副作用はあるので，体調がいつもと違うと感じたときは，処方医・薬剤師に相談してください。

併用してはいけない薬 併用してはいけない薬は特にありません。ただし，併用する薬があるときは，念のため処方医・薬剤師に報告してください。

外 11 その他の外用薬　03 その他の外用薬

12 スマトリプタン

製剤情報

一般名：スマトリプタン
- ●規制…劇薬

● 剤形…囲液剤

■ 先発品　　商品名(メーカー)　規格・保険薬価

イミグラン点鼻液 (グラクソ)

囲 20mg 0.1mL 1個 631.40 円

概　　要

分類　片頭痛治療薬

処方目的　片頭痛

解説　消化管から吸収される内服薬とは異なり，鼻粘膜から速やかに吸収されて，ほぼ 10 分以内に片頭痛発作への効果を発揮します。

使用上の注意

基本的注意

(1)**使用してはいけない場合**……本剤の成分に対するアレルギーの前歴／心筋梗塞の前歴／虚血性心疾患またはその症状・兆候のある人／異型狭心症(冠動脈れん縮)／脳血管障害・一過性脳虚血性発作の前歴／末梢血管障害／コントロールされていない高血圧症の人／重い肝機能障害／エルゴタミン酒石酸塩，エルゴタミン誘導体含有製剤，他の $5HT_{1B/1D}$ 受容体作動薬の使用中／モノアミン酸化酵素阻害薬(1716 頁を参照)の使用中あるいは使用中止 2 週間以内

(2)**虚血性心疾患**……本剤の使用後に，胸痛・胸部圧迫感などの一過性の症状がおこることがあります(症状が強度で咽喉頭部に及ぶ場合があります)。虚血性心疾患の可能性があるので，異常がみられたら，ただちに処方医へ連絡し，その有無を調べてもらってください。

(3)**頭痛の悪化**……本剤を含むトリプタン系薬剤の使用により，頭痛が悪化することがあります。頭痛が改善されない場合には「薬剤の使用過多による頭痛」の可能性を疑い，すぐに処方医に相談してください。

(4)**危険作業は中止**……本剤を使用すると，眠けを催すおそれがあります。本剤の使用中は，高所作業や自動車の運転など危険を伴う機械の操作は行わないようにしてください。

(5)**その他**……

● 妊婦での安全性：未確立。有益と判断されたときのみ使用。

● 授乳婦での安全性：本剤使用後 12 時間は授乳を中止。

● 小児での安全性：未確立。(1714 頁を参照)

重大な副作用　　　①アナフィラキシーショック，アナフィラキシー(呼吸困難，不快感，むくみ，潮紅，じん麻疹など)。②不整脈，狭心症，心筋梗塞などの虚血性心疾患様症状。③てんかん様発作。④薬剤の使用過多による頭痛。

　そのほかにも報告された副作用はあるので，体調がいつもと違うと感じたときは，処方医・薬剤師に相談してください。

併用してはいけない薬　　　①エルゴタミン酒石酸塩(エルゴタミン酒石酸塩・無水カフェイン・イソプロピルアンチピリン配合剤)，エルゴタミン誘導体含有製剤(ジヒドロエ

ルゴタミンメシル酸塩，エルゴメトリンマレイン酸塩（注射薬），メチルエルゴメトリンマレイン酸塩），5-HT$_{1B/1D}$受容体作動薬（ゾルミトリプタン，エレトリプタン臭化水素酸塩，リザトリプタン安息香酸塩，ナラトリプタン塩酸塩）→併用すると相互に作用を強めるおそれがあります。②モノアミン酸化酵素阻害薬→本剤の作用を強めるおそれがあります。

外 11 その他の外用薬　03 その他の外用薬

13 デスモプレシン酢酸塩水和物

製剤情報

一般名：デスモプレシン酢酸塩水和物

- 規制…劇薬
- 剤形…液液剤

■**先発品**　商品名(メーカー)　規格・保険薬価

デスモプレシン・スプレー 10 (フェリング＝キッセイ) 液 500μg 1瓶 4,198.30 円

デスモプレシン点鼻液 (フェリング＝キッセイ) 液 250μg 1瓶 5,253.50 円

デスモプレシン点鼻スプレー 2.5μg (フェリング＝キッセイ) 液 125μg 1瓶 3,377.50 円

■**ジェネリック**　商品名(メーカー)　規格・保険薬価

デスモプレシン点鼻スプレー (ILS＝高田) 液 500μg 1瓶 2,768.50 円

概　要

分類　夜尿症用剤／中枢性尿崩症用剤

処方目的　[デスモプレシン点鼻液，点鼻スプレー 2.5μg の適応症] 中枢性尿崩症
[デスモプレシン・スプレー 10，デスモプレシン点鼻スプレーの適応症] 尿浸透圧あるいは尿比重の低下に伴う夜尿症

解説　体内で尿の量を調節をするホルモン（バソプレシン）の類似物質で，バソプレシンの分泌不足から生じる夜尿症・尿崩症の治療に用いられます。

使用上の注意

＊デスモプレシン点鼻スプレー 2.5μg およびスプレー 10 の添付文書による

警告

[デスモプレシン・スプレー 10，デスモプレシン点鼻スプレー] 本剤を夜尿症に対して使用した人で重い低ナトリウム血症（水中毒）によるけいれんが報告されているため，水分摂取のしかたには十分に注意する必要があります。

基本的注意

(1)使用してはいけない場合……[デスモプレシン・スプレー 10]低ナトリウム血症
(2)慎重に使用すべき場合……本剤の成分に対するアレルギーの前歴／高血圧を伴う循環器疾患，高度動脈硬化症，冠動脈血栓症，狭心症／下垂体前葉不全／アレルギー性鼻炎の前歴／鼻疾患
(3)使用法……本剤は抗利尿作用があるので，使用中は水分摂取量について処方医と十分に相談してください。また，使う前には鼻をかんでください。
(4)その他……

- 妊婦での安全性：未確立。有益と判断されたときのみ使用。
- 授乳婦での安全性：未確立。使用するときは授乳を中止することが望ましい。
- 低出生体重児，新生児，乳児での安全性：未確立（スプレー 10 は 6 歳未満，未確立）。
 （1714 頁を参照）

重大な副作用 ①重い水中毒(脳浮腫，昏睡，けいれんなど)。

　そのほかにも報告された副作用はあるので，体調がいつもと違うと感じたときは，処方医・薬剤師に相談してください。

併用してはいけない薬 併用してはいけない薬は特にありません。ただし，併用する薬があるときは，念のため処方医・薬剤師に報告してください。

外 11 その他の外用薬　03 その他の外用薬

14 イミキモド

💊 製剤情報

一般名：イミキモド
- 剤形…🅚クリーム剤

■ **先発品**　　商品名(メーカー)　規格・保険薬価

ベセルナクリーム (持田)
🅚 5%250mg 1包 1,157.70 円

📋 概　　要

分類　尖圭コンジローマ治療薬・日光角化症治療薬

処方目的　尖圭コンジローマ(外性器または肛門周囲に限る)／日光角化症(顔面または禿頭部に限る)

解説　尖圭コンジローマとは性感染症の一つで，ウイルスの感染により発症し，性器や肛門のまわりに疣贅と呼ばれるイボ状の病変をつくります。この薬は，イボに直接塗ることでウイルスに対する免疫力を高め，ウイルスの増殖を抑え，イボを消失させる働きをする国内初の尖圭コンジローマ治療薬です。また本剤は，皮膚がんの前がん病変といわれる，紫外線を浴び続けてきたことによりおこる日光角化症に優れた治療効果および再発抑制効果を発揮します。皮膚の表面がカサカサして赤くなり，かさぶたができる疾患で，本剤は好発部位の顔面または禿頭部に限って使用します。

✍ 使用上の注意

基本的注意

(1)使用してはいけない場合……本剤の成分に対するアレルギーの前歴

(2)使用してはいけない部位……尿道，腟内，子宮頸部，直腸および肛門内

(3)基本的注意……この薬は過量に塗布してはいけません。重度の紅斑，びらん，潰瘍，表皮剥離などが現れることがあります。また重度の炎症反応とともに，悪寒，発熱，筋肉痛などのインフルエンザ様症状が現れることがあります。この場合は，すぐ医師に相談してください。塗布部位やその周辺に色素沈着や色素脱失がおこる場合があります。本剤を塗布した状態での性行為は避けてください。本剤の影響で，パートナーに皮膚障害

などがおこる可能性があります。

(4)使用方法……[尖圭コンジローマ]①外性器または肛門周囲の疣贅のみに使用し、それ以外には使用してはいけません。②塗布後、6～10時間を目安に洗い流してください。塗布時間の延長で、重度の皮膚障害が現れやすくなります。③連日の使用を避け、週3回の塗布を守ってください（月・水・金または火・木・土など）。④薄く塗り、クリームが見えなくなるまですり込んでください。⑤使用期間は原則として16週間までです。

[日光角化症]①塗布後、約8時間を目安に必ず洗い流してください。②連日の使用を避け、週3回の塗布を守ってください（月・水・金または火・木・土など）。③治療部位（25cm² までを目安）に最大1包塗り、クリームが見えなくなるまですり込みます。④4週間塗布後、4週間休薬し、病変が消失した場合は終了とし、効果不十分の場合はさらに4週間塗布します。⑤それでも効果が認められない場合は他の治療に切り替えます。

(5)保存法……本剤は凍結を避け、25℃以下で保存してください。

(6)その他……

●妊婦での安全性：未確立。有益と判断されたときのみ使用。

●小児での安全性：未確立。（1714頁を参照）

重大な副作用　①重篤な潰瘍、びらん、紅斑、浮腫、表皮剥離などの皮膚障害。②（女性において腟口や尿道付近に塗布した場合）疼痛や浮腫による排尿困難。

　そのほかにも報告された副作用はあるので、体調がいつもと違うと感じたときは、処方医・薬剤師に相談してください。

併用してはいけない薬　併用してはいけない薬は特にありません。ただし、併用する薬があるときは、念のため処方医・薬剤師に報告してください。

外11—03—15 口腔用トローチ剤

外 11 その他の外用薬　03 その他の外用薬
15 口腔用トローチ剤

製剤情報

一般名：テトラサイクリン塩酸塩

●剤形…トローチ剤

■先発品　商品名(メーカー)　規格・保険薬価

アクロマイシントローチ（サンファーマ）
15mg 1錠 8.40円

一般名：セチルピリジニウム塩化物水和物

●剤形…トローチ剤

■ジェネリック　商品名(メーカー)　規格・保険薬価

セチルピリジニウム塩化物トローチ（岩城）
2mg 1錠 5.70円

一般名：デカリニウム塩化物

●剤形…トローチ剤

■ジェネリック　商品名(メーカー)　規格・保険薬価

SPトローチ 写真 (MeijiSeika)
0.25mg 1錠 5.70円

一般名：ドミフェン臭化物

●剤形…トローチ剤

■先発品 商品名(メーカー) 規格・保険薬価
オラドールトローチ(日医工岐阜=日医工=武田)[ト]0.5mg 1錠 5.90 円
オラドールＳトローチ(日医工岐阜=日医工=武田)[ト]0.5mg 1錠 5.90 円

一般名:クロトリマゾール

● 剤形…[ト]トローチ剤

■先発品 商品名(メーカー) 規格・保険薬価
エンペシドトローチ(バイエル)[ト]10mg 1錠 311.90 円

概　要

分類　口腔用剤(トローチ)

処方目的　[テトラサイクリン塩酸塩の適応症]抜歯創・口腔手術創の二次感染,感染性口内炎／[セチルピリジニウム塩化物水和物の適応症]咽頭炎,扁桃炎,口内炎／[デカリニウム塩化物,ドミフェン臭化物の適応症]咽頭炎,扁桃炎,口内炎,抜歯創を含む口腔創傷の感染予防／[クロトリマゾールの適応症]HIV 感染症患者における口腔カンジダ症(軽症,中等症)

解説　アクロマイシントローチは抗菌薬のトローチ剤で,感染性口内炎などに用いられます。エンペシドトローチは抗真菌薬のトローチ剤で,HIV 感染症患者での口腔カンジダ症に用いられます。その他は殺菌消毒薬のトローチ剤で,口内炎のほか,のどの炎症を緩和する目的でもよく処方されます。

使用上の注意

*全剤の添付文書による

基本的注意

(1)使用してはいけない場合……[テトラサイクリン塩酸塩]テトラサイクリン系薬剤に対するアレルギーの前歴／[クロトリマゾール]本剤の成分に対するアレルギーの前歴

(2)使用法……噛みくだいたり飲み込んだりせず,できるだけ長く口内に含み,徐々に溶かしながら用います。

(3)乳幼児……誤って飲み込むおそれがあるので,乳幼児には使用しません。

(4)その他……

● 妊婦での安全性:[セチルピリジニウム塩化物水和物]有益と判断されたときのみ使用。[クロトリマゾール]妊娠 3 カ月以内→未確立。有益と判断されたときのみ使用。

● 授乳婦での安全性:[セチルピリジニウム塩化物水和物]治療上の有益性・母乳栄養の有益性を考慮し,授乳の継続・中止を検討。[クロトリマゾール]原則として使用しない。やむを得ず使用するときは授乳中止。(1714 頁を参照)

重大な副作用　重大な副作用はありませんが,そのほかの副作用はあるので,体調がいつもと違うと感じたときは,処方医・薬剤師に相談してください。

併用してはいけない薬　併用してはいけない薬は特にありません。ただし,併用する薬があるときは,念のため処方医・薬剤師に報告してください。

外 11 その他の外用薬　03 その他の外用薬

16　うがい用薬

製剤情報

一般名：アズレンスルフォン酸ナトリウム水和物うがい用薬

● 剤形… 含嗽剤

■ ジェネリック　商品名(メーカー)　規格・保険薬価

アズレン含嗽用顆粒 (日医工) 0.4% 1g 6.30 円

アズレン含嗽用顆粒 (鶴原) 0.4% 1g 6.30 円

アズレン含嗽用散 (東和) 0.4% 1g 6.30 円

アズレン含嗽液アーズミンうがい液 (本草) 1% 1mL 10.10 円

アズノールうがい液 (ロートニッテン＝日本新薬) 4% 1mL 32.40 円

アズレイうがい液 (昭和薬化) 4% 1mL 32.40 円

アズレンうがい液 (健栄＝日本ジェネリック) 4% 1mL 32.40 円

アズレンうがい液 (武田テバ薬品＝武田テバファーマ＝武田) 4% 1mL 32.40 円

アズレンうがい液 (鶴原) 4% 1mL 32.40 円

アズレンうがい液 (東亜薬品＝沢井＝ケミファ) 4% 1mL 32.40 円

アズレンうがい液 (日東メディック) 4% 1mL 32.40 円

一般名：アズレンスルフォン酸ナトリウム水和物・炭酸水素ナトリウムうがい用薬

● 剤形… 含嗽剤

■ 先発品　商品名(メーカー)　規格・保険薬価

含嗽用ハチアズレ顆粒 (東洋製化＝小野) 0.1% 1g 6.10 円

■ ジェネリック　商品名(メーカー)　規格・保険薬価

AZ 含嗽用配合細粒 (ニプロ) 0.1% 1g 6.10 円

概要

分類　口腔・咽頭疾患用含嗽剤

処方目的　咽頭炎, 扁桃炎, 口内炎, 急性歯肉炎, 舌炎, 口腔創傷

解説　ヨード系のうがい薬が口腔内の殺菌を目的とするのに対し, アズレンスルフォン酸ナトリウムを含むうがい薬は炎症を抑えることを目的として処方されます。「うがい」といってもゴロゴロのどを鳴らしてすぐ吐き出すよりも, 口に含んで炎症部分に十分に接触させる方が理にかなっています。万一飲み込んでも, アズレンスルフォン酸ナトリウムは胃腸薬として内服薬にも用いられている成分なので, 神経質になる必要はありません。

使用上の注意

＊アズレイうがい液などの添付文書による

基本的注意

(1)使用方法……1 回量を適量(約 100mL)の水または微温湯に溶かし, 1 日数回うがいします。年齢, 症状により適宜増減します。

(2)抜歯後などの口腔創傷の場合……血餅の形成が阻害されると思われる時期には, 激しい洗口は避けます。

重大な副作用　重大な副作用はありませんが, そのほかの副作用はあるので, 体調がいつもと違うと感じたときは, 処方医・薬剤師に相談してください。

併用してはいけない薬　　併用してはいけない薬は特にありません。ただし，併用する薬があるときは，念のため処方医・薬剤師に報告してください。

外 11 その他の外用薬　03 その他の外用薬

17 腋窩多汗症治療薬

外
11
│
03
│
17

腋窩多汗症治療薬

製剤情報

一般名：ソフピロニウム臭化物
●剤形…ゲ ゲル剤

■**先発品**　商品名(メーカー)　規格・保険薬価
エクロックゲル(科研) ゲ 5% 1g 242.60 円

概　　要

分類　原発性腋窩多汗症治療薬

処方目的　原発性腋窩多汗症

解説　原発性腋窩多汗症は汗っかき，特に腋窩（わきの下）に，日常生活に支障をきたすほどの大量の発汗が生じる疾患です。多汗症の原因となる汗はエクリン汗腺から分泌されます。本剤は，1日1回適量を腋窩に塗ることで，エクリン汗腺に発現するムスカリン受容体サブタイプ3(M3)に結合し，発汗シグナルの伝達を阻害して汗の出を抑えます。

使用上の注意

基本的注意

(1)使用してはいけない場合……本剤の成分に対するアレルギーの前歴／閉塞隅角緑内障／前立腺肥大による排尿障害

(2)眼に入った場合……本剤が眼に入った場合，抗コリン作用による散瞳などが現れることがあります。また，刺激を感じることがあるので，万一眼に入った場合は直ちに水で洗い流してください。

(3)その他……

●妊婦での安全性：有益と判断されたときのみ使用。

●授乳婦での安全性：治療上の有益性・母乳栄養の有益性を考慮し，授乳の継続・中止を検討。

●小児(12歳未満)での安全性：未確立。(1714頁を参照)

重大な副作用　　重大な副作用はありませんが，そのほかの副作用はあるので，体調がいつもと違うと感じたときは，処方医・薬剤師に相談してください。

併用してはいけない薬　　併用してはいけない薬は特にありません。ただし，併用する薬があるときは，念のため処方医・薬剤師に報告してください。

01 カルムスチン

製剤情報

一般名：カルムスチン

● 規制…劇薬
● 剤形…円 円盤状製剤

■ **先発品**　　商品名(メーカー)　規格・保険薬価

ギリアデル脳内留置用剤(エーザイ)
円 7.7mg 1枚 163,858.00 円

概　　要

分類　ニトロソウレア系アルキル化剤
処方目的　悪性神経膠腫<ruby>膠腫<rt>こうしゅ</rt></ruby>

解説　悪性神経膠腫は，脳の内部に存在する膠細胞(グリア細胞)にできる悪性腫瘍で，脳腫瘍のおよそ3分の1を占めています。カルムスチンは，海外では古くから脳腫瘍などのがん治療に用いられています。本剤は，このカルムスチンを含有する円盤状の脳内留置用徐放性製剤で，悪性神経膠腫切除術時の切除面に留置して使用します。

使用上の注意

警告

　本剤は，緊急時に十分に対応できる医療施設で，悪性脳腫瘍の外科手術および薬物療法に十分な知識・経験をもつ医師のもとで，本剤の留置が適切と判断される場合にのみ使用されなければなりません。

基本的注意

(1)使用してはいけない場合……本剤の成分に対するアレルギーの前歴／妊婦または妊娠している可能性のある人
(2)神経症状……本剤の留置部位に気体の貯留が認められることがあり，神経症状(片麻痺，失語症，意識障害など)が発現した例が報告されています。異常を感じた場合にはすぐに処方医に連絡してください。
(3)避妊……妊娠可能な女性が本剤を使用するときは，留置後最低2週間は適切な避妊を行ってください。男性が本剤を使用するときは，パートナーが妊娠する可能性のある女性の場合は，留置後最低3カ月間は適切な避妊を行ってください。動物実験で胎児毒性，催奇形性などが報告されています。
(4)その他……
● 授乳婦での安全性：使用するときは授乳を中止。
● 小児での安全性：未確立。(1714 頁を参照)

重大な副作用　　　①けいれん，大発作けいれん。②脳浮腫，頭蓋内圧上昇，水頭症，脳ヘルニア。③創傷治癒不良。④感染症(創傷感染，膿瘍，髄膜炎など)。⑤血栓塞栓症(脳梗塞，深部静脈血栓症，肺塞栓症など)。⑥出血(腫瘍出血，脳出血，頭蓋内出血など)。

　そのほかにも報告された副作用はあるので，体調がいつもと違うと感じたときは，処方医・薬剤師に相談してください。

併用してはいけない薬　　併用してはいけない薬は特にありません。ただし，併用する薬があるときは，念のため処方医・薬剤師に報告してください。

外12 がんに使われる外用薬　02 代謝拮抗薬

01 フルオロウラシル軟膏

**外
12
—
02
—
01
フルオロウラシル軟膏**

製剤情報

一般名：フルオロウラシル

● 規制…劇薬

● 剤形…軟 軟膏剤

■ 先発品　　商品名(メーカー)　規格・保険薬価

5-FU 軟膏（協和キリン）軟 5% 1g 290.20 円

概　要

分類　代謝拮抗薬(フルオロウラシル系薬剤)

処方目的　皮膚悪性腫瘍(皮膚付属器がん，皮膚転移がん，基底細胞がん，有棘細胞がん，ボーエン病，パジェット病，放射線角化腫，老人性角化腫，紅色肥厚症，皮膚細網症，悪性リンパ腫の皮膚転移)

解説　細胞の遺伝情報をもつ物質にDNAがあります。この薬は，DNA形成に必要なピリミジンの合成を阻害して，がん細胞の分裂増殖を抑える作用があります。外用軟膏剤として，主に皮膚がんの治療に用います。

使用上の注意

基本的注意

(1)使用法……手で塗布する場合は塗布後すぐに手を洗うように，塗布部はなるべく日光にあたらないように，目には接触させないようにしてください。

(2)その他……

● 妊婦での安全性：使用しないことが望ましい。

● 授乳婦での安全性：使用するときは授乳しないことが望ましい。(1714 頁を参照)

重大な副作用　　①皮膚塗布部の激しい痛み。

　そのほかにも報告された副作用はあるので，体調がいつもと違うと感じたときは，処方医・薬剤師に相談してください。

併用してはいけない薬　　併用してはいけない薬は特にありません。ただし，併用する薬があるときは，念のため処方医・薬剤師に報告してください。

外 12 がんに使われる外用薬　03 抗生物質

01　ブレオマイシン硫酸塩軟膏

製剤情報

一般名：ブレオマイシン硫酸塩
● 規制…劇薬

● 剤形…軟 軟膏剤

■ 先発品　　商品名(メーカー)　規格・保険薬価

ブレオ S 軟膏(日本化薬) 軟 5mg 1g 1,311.30 円

概　　要

分類　抗腫瘍性抗生物質

処方目的　皮膚悪性腫瘍

解説　DNA と結合し，がん細胞の分裂増殖を抑える作用があります。外用軟膏剤として，主に皮膚がんの治療に用います。1962 年に日本で発見・開発された抗がん薬で，現在，世界の 50 カ国以上で使われています。

使用上の注意

警告

　本剤の使用により，間質性肺炎・肺線維症などの重い肺症状がおこり，ときに致命的な経過をたどることがあります。使用中・使用終了後の一定期間(約 2 カ月)は医師の監督下で状態を観察することが必要です。特に，高齢者，肺に基礎疾患のある人は注意してください。労作性呼吸困難，発熱，せきなどが現れたら直ちに使用を中止し，処方医に連絡してください。

基本的注意

(1)**使用してはいけない場合**……重い肺機能障害，胸部 X 写真上びまん性の線維化病変または著明な病変を呈する人／本剤の成分または類似化合物(ペプロマイシン硫酸塩)に対するアレルギーの前歴／重い腎機能障害／重い心疾患／胸部およびその周辺部への放射線照射を受けている人

(2)**慎重に使用すべき場合**……肺機能障害／腎機能障害／心疾患／肝機能障害／水痘／胸部に放射線照射を受けた人／高齢者

(3)**使用法**……手で塗布する場合は塗布後すぐに手を洗うように，目には接触させないようにしてください。

(4)**定期検査**……間質性肺炎・肺線維症などの重い肺症状がおこることがあるので，使用中・使用終了後の一定期間(約 2 カ月)は定期的に肺の検査が必要です。

(5)**感染症，出血傾向**……使用によって，感染症，出血傾向の発現または悪化がおこりやすくなるので，状態に十分注意してください。

(6)**水痘**……水痘(水ぼうそう)の人が使用すると，致命的な全身状態が現れることがあるので，状態に十分注意してください。

(7)**性腺への影響**……小児および生殖可能な年齢の人が使用すると，性腺に影響がでる

ことがあります。処方医とよく相談してください。

(8)その他……

● 妊婦での安全性：原則として使用しない。

● 授乳婦での安全性：原則として使用しない。やむを得ず使用するときは授乳を中止。

● 小児での安全性：未確立。(1714 頁を参照)

重大な副作用 ①間質性肺炎，肺線維症(せき，呼吸困難，発熱など)。

そのほかにも報告された副作用はあるので，体調がいつもと違うと感じたときは，処方医・薬剤師に相談してください。

併用してはいけない薬 胸部およびその周辺部への放射線照射→間質性肺炎・肺線維症などの重い肺症状をおこすことがあります。

外 12 がんに使われる外用薬　04 がんに使われるその他の薬剤

01 モルヒネ坐薬

製剤情報

一般名：モルヒネ塩酸塩水和物

● 規制…劇薬，麻薬

● 剤形…坐坐剤

■**先発品**　　商品名(メーカー)　規格・保険薬価

アンペック坐剤(住友ファーマ)

坐10mg 1個 320.10 円　　坐20mg 1個 612.90 円

坐30mg 1個 866.30 円

概　要

分類 がん疼痛治療薬(医療用麻薬)

処方目的 激しい疼痛を伴う各種がんの鎮痛

解説 痛みを抑える受容体に「オピオイド受容体」というものがあります。モルヒネは，この受容体と結びつき，受容体を活性化させて強力な鎮痛作用を発揮します。坐薬は，内服が困難なときの各種がんの鎮痛に用いられます。

使用上の注意

基本的注意

(1)使用してはいけない場合……重い呼吸抑制／気管支ぜんそく発作中／重い肝機能障害／慢性肺疾患に続発する心不全／けいれん状態(てんかん重積症，破傷風，ストリキニーネ中毒)／急性アルコール中毒／本剤の成分およびアヘンアルカロイドに対するアレルギー／ナルメフェン塩酸塩水和物の服用中または服用中止後 1 週間以内

(2)慎重に使用すべき場合……心機能障害／呼吸機能障害／肝機能障害／腎機能障害／脳の器質的障害／ショック状態／代謝性アシドーシス／甲状腺機能低下症(粘液水腫など)／副腎皮質機能低下症(アジソン病など)／薬物依存の前歴／前立腺肥大による排尿障害，尿道狭窄，尿路手術後／けいれんの前歴／器質的幽門狭窄，麻痺性イレウス(腸閉塞)，最近消化管手術を行った人／胆のう障害，胆石／重い炎症性腸疾患／ジドブジンの服用中／衰弱者／新生児，乳児，高齢者

(3)使用法……本剤は，できるだけ排便後に使ってください。

(4)適切な使用・管理・返却……①本剤を目的以外へ使用したり，他人へ譲渡したりしないでください。②本剤を子どもの手の届かないところに保管してください。③本剤が不要になった場合は病院・薬局へ返却してください。

(5)依存性……本剤の連用により薬物依存が生じることがあるので，処方医の指示を守って服用してください。

(6)退薬症候……連用中に服用量を急激に減少または中止すると，あくび，くしゃみ，流涙，発汗，悪心・嘔吐，下痢，腹痛，散瞳，頭痛，不眠，不安，せん妄，ふるえ，全身の筋肉・関節痛，呼吸促迫などの退薬症候が現れることがあります。自己判断で，減量や中止をしないでください。

(7)分娩前・分娩時……本剤を分娩前に服用すると出産後，新生児に退薬症候(多動，神経過敏，不眠，ふるえなど)が現れることがあります。分娩時に服用すると，新生児に呼吸抑制が現れることがあります。

(8)危険作業は中止……本剤を使用すると眠け，めまいなどをおこすおそれがあるので，高所作業や自動車運転など危険を伴う機械の操作は行わないようにしてください。

(9)その他……

●妊婦での安全性：有益と判断されたときのみ使用。

●授乳婦での安全性：使用するときは授乳を中止。(1714 頁を参照)

重大な副作用 ①(連用により)薬物依存。②呼吸抑制(息切れ，不規則な呼吸など)。③錯乱，せん妄。④無気肺，気管支けいれん，のどのむくみ。⑤麻痺性イレウス(腸閉塞)，中毒性巨大結腸。

　そのほかにも報告された副作用はあるので，体調がいつもと違うと感じたときは，処方医・薬剤師に相談してください。

併用してはいけない薬 ナルメフェン塩酸塩水和物→本剤の離脱症状(またはその悪化)がおこるおそれがあります。また，本剤の効果が弱まるおそれがあります。

> **外 12 がんに使われる外用薬　04 がんに使われるその他の薬剤**
>
> **02　フェンタニル外用薬**

製剤情報

一般名：フェンタニル

●規制…劇薬，麻薬

●剤形…貼 貼付剤

■**先発品**　　商品名(メーカー)　規格・保険薬価

デュロテップ MT パッチ (ヤンセン)

貼 2.1mg 1枚 1,649.60 円　　貼 4.2mg 1枚 2,956.80 円

貼 8.4mg 1枚 5,592.90 円　　貼 12.6mg 1枚 8,041.20 円

貼 16.8mg 1枚 9,744.00 円

ワンデュロパッチ（ヤンセン）

貼 0.84mg 1枚 500.30 円　貼 1.7mg 1枚 956.00 円
貼 3.4mg 1枚 1,800.70 円　貼 5mg 1枚 2,366.70 円
貼 6.7mg 1枚 3,328.50 円

■ジェネリック　商品名(メーカー)　規格・保険薬価

フェンタニル 1 日用テープ（祐徳 =
MeijiSeika）貼 0.84mg 1枚 256.70 円
貼 1.7mg 1枚 475.70 円　貼 3.4mg 1枚 889.90 円
貼 5mg 1枚 1,297.90 円　貼 6.7mg 1枚 1,637.10 円

フェンタニル 3 日用テープ（帝国製薬 = テル
モ）貼 2.1mg 1枚 1,187.80 円
貼 4.2mg 1枚 2,199.30 円　貼 8.4mg 1枚 4,083.00 円
貼 12.6mg 1枚 5,688.80 円　貼 16.8mg 1枚 7,408.70 円

フェンタニル 3 日用テープ（東和）

貼 2.1mg 1枚 781.30 円　貼 4.2mg 1枚 2,199.30 円
貼 8.4mg 1枚 4,083.00 円　貼 12.6mg 1枚 5,688.80 円
貼 16.8mg 1枚 7,408.70 円

フェンタニル 3 日用テープ（久光）

貼 2.1mg 1枚 1,187.80 円　貼 4.2mg 1枚 2,199.30 円
貼 8.4mg 1枚 4,083.00 円　貼 12.6mg 1枚 5,688.80 円
貼 16.8mg 1枚 7,408.70 円

フェンタニル 3 日用テープ（祐徳 =
MeijiSeika）貼 2.1mg 1枚 1,187.80 円
貼 4.2mg 1枚 2,199.30 円　貼 8.4mg 1枚 4,083.00 円
貼 12.6mg 1枚 5,688.80 円　貼 16.8mg 1枚 7,408.70 円

ラフェンタテープ（日本臓器）

貼 1.38mg 1枚 781.30 円　貼 2.75mg 1枚 2,199.30 円
貼 5.5mg 1枚 4,083.00 円　貼 8.25mg 1枚 5,688.80 円
貼 11mg 1枚 7,408.70 円

一般名：**フェンタニルクエン酸塩**

● 規制…劇薬，麻薬
● 剤形…貼付剤

■先発品　商品名(メーカー)　規格・保険薬価

フェントステープ（久光 = 協和キリン）

貼 0.5mg 1枚 285.40 円　貼 1mg 1枚 528.90 円
貼 2mg 1枚 983.60 円　貼 4mg 1枚 1,834.70 円
貼 6mg 1枚 2,661.70 円　貼 8mg 1枚 3,435.80 円

■ジェネリック　商品名(メーカー)　規格・保険薬価

フェンタニルクエン酸塩 1 日用テープ（救急
薬品 = 第一三共）貼 1mg 1枚 253.10 円
貼 2mg 1枚 473.90 円　貼 4mg 1枚 882.90 円
貼 6mg 1枚 1,275.10 円　貼 8mg 1枚 1,648.20 円

フェンタニルクエン酸塩 1 日用テープ（帝国
製薬 = テルモ = 日本臓器）貼 0.5mg 1枚 130.90 円
貼 1mg 1枚 253.10 円　貼 2mg 1枚 473.90 円
貼 4mg 1枚 882.90 円　貼 6mg 1枚 1,275.10 円
貼 8mg 1枚 1,648.20 円

概　要

分類　持続性疼痛治療薬（医療用麻薬）

処方目的　非オピオイド鎮痛薬および弱オピオイド鎮痛薬で治療困難な次の疾患における鎮痛（ただし，他のオピオイド鎮痛薬から切り替えて使用する場合に限る）→中等度から高度の疼痛を伴う各種がんにおける鎮痛／〈デュロテップ MT パッチ・ワンデュロパッチ・フェントステープのみ〉中等度から高度の慢性疼痛における鎮痛（フェントステープのみはオピオイド鎮痛薬を使用していない場合でも使用できる）

解説　本剤は，オピオイド（モルヒネ様の物質）であるフェンタニルの貼付剤です。胸部，腹部，上腕部，大腿部などに貼って，デュロテップ MT パッチとフェンタニル 3 日用テープ，ラフェンタテープは約 72 時間ごとに，フェントステープとワンデュロパッチ，フェンタニル 1 日用テープは約 24 時間ごとに貼り替えます。

どの製剤でも過量になると呼吸抑制など生死にかかわる副作用が生じます。併用薬によっては血中濃度が高くなるおそれもあります。使用に当たっては主治医・薬剤師に納

得のいくまで説明を求めましょう。

使用上の注意

*フェンタニル(デュロテップ MT パッチ)の添付文書による

警告

　本剤の貼付部分の温度が上昇するとフェンタニルの吸収量が増加し，過量投与になって死に至るおそれがあります。本剤の貼付中は，外部熱源への接触，熱い温度での入浴を避けること。また，発熱時には状態を十分に観察し，副作用の発現に注意すること。

基本的注意

(1)使用してはいけない場合……本剤の成分に対するアレルギーの前歴／ナルメフェン塩酸塩水和物の服用中または服用中止後 1 週間以内

(2)慎重に使用すべき場合……慢性肺疾患などの呼吸機能障害／ぜんそく／徐脈性不整脈／肝機能障害／腎機能障害／脳の器質的障害(頭蓋内圧の亢進，意識障害・昏睡，脳腫瘍など)／40 度以上の発熱／薬物依存の前歴／高齢者

(3)適切な使用・管理・返却……①本剤を目的以外へ使用したり，他人へ譲渡したりしないでください。②本剤を子どもの手の届かない，高温にならないところに保管してください。③本剤が不要になった場合は病院・薬局へ返却してください。

(4)貼付方法……以下の方法を守って貼付してください。

〈貼付部位〉

①できれば体毛のない部位に貼付する。体毛のある部位に貼付する場合は，ハサミで除毛すること。本剤の吸収に影響を及ぼすため，カミソリや除毛剤などは使用しない。

②貼付部位の皮膚を水またはお湯のぬれタオルなどで拭き，水分を十分に取り除いて，清潔にしてから貼付する。本剤の吸収に影響を及ぼすため，石鹸，アルコール，ローションなどは使用しないこと。

③皮膚刺激を避けるため，できるだけ毎回貼付部位を変える。

④活動性皮膚疾患，創傷面などがある部位，放射線照射部位は避けて貼付する。

〈貼付時〉

①使用するまでは包装袋を開封せず，開封後は速やかに貼付する。

②包装袋の開封は，ハサミなどを使用せずに手で破り，取り出す。

③本剤を切断するなど，傷つけたりしないこと。傷ついた場合は使用しない。

④貼付後，約 30 秒間，手のひらでしっかり押え，本剤の縁の部分が皮膚面に完全に接着するようにする。

〈貼付期間中〉

①本剤からのフェンタニル放出量の増加により薬理効果が強まるおそれがあるので，貼付中は貼付部位が電気パッド，電気毛布，加温ウォーターベッド，赤外線灯，集中的な日光浴，サウナ，湯たんぽなどの熱源に接しないようにする。

②貼付中に入浴するときは，長時間の熱い温度での入浴は避ける。

③パッチが皮膚から一部はがれたときは，再度手で押しつけて固定する。

④粘着力が弱くなったときはパッチをはがし，ただちに同用量の新たなパッチに貼りか

えて3日間貼付する。なお，複数枚貼付している場合にはすべてを貼りかえること。
⑤使用済みのものは，粘着面を内側にして貼り合わせ，安全に処分する。

(5)依存性……本剤の連用により薬物依存が生じることがあるので，処方医の指示を守って服用してください。

(6)離脱症状……本剤は，モルヒネ製剤から切りかえて使用される製剤です。①本剤に切りかえると，人によっては，あくび，悪心，嘔吐，下痢，不安，ふるえ，悪寒などの離脱症状(退薬症候)が現れることがあります。異常がみられたら，すぐに処方医に連絡してください。②また，本剤の連用中に急激に減量したり中止すると，離脱症状が現れることがあります。自己判断で減量や中止をしないでください。

(7)危険作業は中止……本剤を使用すると，眠け，めまいなどをおこすおそれがあります。本剤の使用中は，高所作業や自動車の運転など危険を伴う機械の操作は行わないようにしてください。

(8)その他……
●妊婦での安全性：有益と判断されたときのみ使用。
●授乳婦での安全性：使用するときは授乳を中止。
●小児での安全性：未確立。(1714頁を参照)

重大な副作用 ①(連用により)依存性。②呼吸抑制(呼吸困難，呼吸緩慢，不規則な呼吸，呼吸異常など)。③意識レベルの低下，意識消失などの意識障害。④ショック，アナフィラキシー。⑤けいれん。

そのほかにも報告された副作用はあるので，体調がいつもと違うと感じたときは，処方医・薬剤師に相談してください。

併用してはいけない薬 ナルメフェン塩酸塩水和物→本剤の離脱症状がおこるおそれがあります。また，本剤の鎮痛作用が弱まるおそれがあります。

外 12 がんに使われる外用薬 04 がんに使われるその他の薬剤

03 メトロニダゾール外用薬

製剤情報

一般名：メトロニダゾール
●剤形…ゲ ゲル剤

■先発品	商品名(メーカー)	規格・保険薬価
ロゼックスゲル (マルホ) ゲ	0.75% 1g 102.30円	

概要

分類 がん性皮膚潰瘍臭改善薬

処方目的 がん性皮膚潰瘍部位の殺菌・臭気の軽減

解説 本剤は，進行がんの皮膚潰瘍部位で増殖し，臭気物質(プトレシン，カダベリン)を産生する数種類のグラム陽性およびグラム陰性嫌気性菌に対して抗菌作用を発揮し，臭気を軽減する国内初の外用薬です。潰瘍部位に本剤をガーゼなどにのばして貼付

するか，直接塗布してその上をガーゼなどで保護して使用します。

🖊 使用上の注意

基本的注意

(1)**使用してはいけない場合**……本剤の成分に対するアレルギーの前歴／脳，脊髄の器質的疾患／妊娠3カ月以内の女性

(2)**慎重に使用すべき場合**……血液疾患／脳・脊髄腫瘍

(3)**紫外線の曝露**……本剤の使用中は，日光または日焼けランプなどによる紫外線の曝露を避けるようにします。本剤は紫外線照射により不活性体に転換され，効果が減弱することがあります。

(4)**アルコール**……お酒を飲むと精神症状，腹部の疝痛，嘔吐，潮紅が現れることがあるので，使用期間中は飲酒を避けてください。

(5)**その他**……

● 妊婦での安全性：未確立。妊娠3カ月以内は使用しないこと。

● 授乳婦での安全性：原則として使用しない。やむを得ず使用するときは授乳を中止。

● 小児での安全性：未確立。(1714頁を参照)

重大な副作用

重大な副作用はありませんが，そのほかの副作用はあるので，体調がいつもと違うと感じたときは，処方医・薬剤師に相談してください。

併用してはいけない薬

併用してはいけない薬は特にありません。ただし，併用する薬があるときは，念のため処方医・薬剤師に報告してください。

外 12 がんに使われる外用薬　04 がんに使われるその他の薬剤

04 ジクロフェナクナトリウム

💊 製剤情報

一般名：ジクロフェナクナトリウム

● 剤形…貼貼付剤

■先発品	商品名(メーカー)	規格・保険薬価
ジクトルテープ (久光) 貼	75mg 1枚 155.80 円	

📋 概　要

分類　経皮吸収型持続性がん疼痛治療薬

処方目的　各種がんにおける鎮痛

解説　ジクロフェナクナトリウムは，代表的な非ステロイド系解熱鎮痛薬(NSAID)の一つで，さまざまな剤形で幅広く使用されていますが，このたび新しく，がん疼痛に対する効能・効果を有する NSAID などの非オピオイド鎮痛薬としては初の貼付薬として，ラインナップに加わりました。ジクトルテープは，経皮薬物送達システム技術により開発された全身性の経皮吸収型の薬剤です。1日1回の貼付(2〜3枚)で薬物が消化管を経由せずに直接全身の血液中に移行し，24時間安定した血中薬物濃度を維持することで鎮痛効果を発揮します。

外12―04―04　ジクロフェナクナトリウム

🔖 使用上の注意

基本的注意

(1)**使用してはいけない場合**……消化性潰瘍／重い血液の異常／重い腎機能障害／重い肝機能障害／重い高血圧症／重い心機能不全／本剤の成分に対するアレルギーの前歴／アスピリンぜんそく(非ステロイド系解熱鎮痛薬などにより誘発されるぜんそく発作)またはその前歴／トリアムテレンの服用中／妊婦または妊娠している可能性のある人

(2)**慎重に使用すべき場合**……消化性潰瘍の前歴／血液の異常またはその前歴(重い血液の異常を除く)／出血傾向／高血圧症(重い高血圧症を除く)／心機能障害(重い心機能不全を除く)／SLE(全身性エリテマトーデス)／気管支ぜんそく(アスピリンぜんそくまたはその前歴のある人を除く)／潰瘍性大腸炎／クローン病／消化管手術後／非ステロイド系解熱鎮痛薬の長期服用による消化性潰瘍のある人で, 本剤の長期使用が必要であり, かつミソプロストールによる治療が行われている人／感染症を合併している人／以下の腎血流量が低下しやすい人→心機能障害, 利尿薬や腎機能に著しい影響を与える薬剤の使用中, 腹水を伴う肝硬変, 大手術後, 高齢者／腎機能障害またはその前歴(重い腎機能障害を除く)／肝機能障害またはその前歴(重い肝機能障害を除く)

(3)**危険作業は中止**……本剤の使用中に, 眠け, めまい, 霧視を訴える人は自動車の運転など危険を伴う機械の操作には従事しないようにしてください。

(4)**その他**……

- 授乳婦での安全性：治療上の有益性・母乳栄養の有益性を考慮し, 授乳の継続・中止を検討。
- 小児での安全性：未確立。(1714頁を参照)

重大な副作用

①ショック(胸内苦悶, 冷汗, 呼吸困難, 四肢冷却, 血圧低下, 意識障害など), アナフィラキシー(じん麻疹, 血管浮腫, 呼吸困難など)。②出血性ショックまたは穿孔を伴う消化管潰瘍。③消化管の狭窄・閉塞。④再生不良性貧血, 溶血性貧血, 無顆粒球症, 血小板減少症。⑤中毒性表皮壊死融解症(TEN), 皮膚粘膜眼症候群(スティブンス-ジョンソン症候群), 紅皮症(剥脱性皮膚炎)。⑥急性腎障害(間質性腎炎, 腎乳頭壊死など), ネフローゼ症候群。⑦重症ぜんそく発作(アスピリンぜんそく)。⑧間質性肺炎。⑨うっ血性心不全, 心筋梗塞。⑩無菌性髄膜炎(項部硬直, 発熱, 頭痛, 悪心・嘔吐, 意識混濁など)。⑪重い肝機能障害(急激な意識障害, 劇症肝炎, 広範な肝壊死など)。⑫急性脳症(ライ症候群：かぜ様症状, 激しい嘔吐, 意識障害, けいれんなど)。⑬横紋筋融解症(急激な腎機能悪化, 筋肉痛, 脱力感など)。⑭脳血管障害。

そのほかにも報告された副作用はあるので, 体調がいつもと違うと感じたときは, 処方医・薬剤師に相談してください。

併用してはいけない薬

トリアムテレン→急性腎障害が現れたとの報告があります。

注射薬 01 ～ 03

薬剤番号 01-01-01 ～ 03-01-03

注射薬
01
～
03

■自己注射が可能な注射薬と，がんに使われる注射薬および COVID-19 治療薬を説明しています

　本書では，以前は注射薬としては抗がん薬のみを取り上げていました。しかし，一部の自己注射が可能な薬剤については，やはり患者さん向けの情報を手厚くすべきではないかと考え，第27版より患者さんが在宅で自己注射することが可能な薬剤に限って取り上げ，解説することにしました。

　1型糖尿病や2型糖尿病で血糖コントロールが難しい場合に必要となるインスリン製剤とインクレチン関連製剤，腎不全で在宅で透析を行う場合の腹膜透析用剤に加えて，最近になって広く活用され始めた生物学的製剤の一種である抗リウマチ注射薬(サイトカイン阻害薬)，さらにパーキンソン病のオフ症状を改善するための注射薬と自己注射が可能な骨粗鬆症治療薬などについて，治療法のあらましや製剤の特徴，投与方法の注意などを含め，患者さんが知っておくべき情報をまとめています。

　それぞれ厳密な適応が決められていますし，注射薬ならではの特別な注意点が多くありますので，在宅での使用に際しては処方医や薬剤師の説明をよく聞き，正しく用いなければなりません。疑問な点，不安な点については，必ず専門家に尋ねるようにしましょう。

なお，第33版より新型コロナウイルス感染症に用いられる薬(COVID-19治療薬)も取り上げていますが，特例承認された薬剤で，まだ情報は限られています。

薬剤師の眼

自己注射の認可に見る日米の差

10数年前，アドレナリンの自己注射キットが発売された当時，自己注射といえば糖尿病用のインスリン製剤しか頭に浮かびませんでしたが，アメリカではすでに20年以上前から使用されていたことを知り，彼我の差の大きさに驚いたことがあります。国土の大きさから来る医療機関へのアクセスの問題が大きいのかとも思いましたが，僻地は日本にも多く存在しますから，注射に対する意識の差，薬剤を認可するFDA(アメリカ食品医薬品局)と厚生労働省の差といえます。

こういう例があります。2006年2月に患者団体が，顆粒球コロニー形成刺激因子製剤(G-CSF：先天的あるいはがん化学療法などでの白血球(好中球)減少に対する皮下注射薬)の在宅自己注射の認可を求めて，厚生労働省に多くの署名とともに要望を出しました。この時の厚生労働省の返事は「関係学会の要望があれば検討します」というものです。その後，再度の要望書の提出などもあり，ようやく一部の病名に対する使用が認められたのは2010年3月でした。

ドラッグラグの問題とも重なりますが，欧米で問題なく行われている用法が認められるまでの期間としては，あまりにも長すぎるのではないでしょうか。患者サイドに立った行政が望まれます。

01 糖尿病治療薬（1）（インスリン製剤）

🔷 製 剤 情 報

一般名：インスリン リスプロ（超速効型）

- 規制…劇薬
- 使用量と回数…[ヒューマログ, インスリン リスプロ]食事開始前15分以内に指示された単位を皮下注射。[ルムジェブ]食事開始前2分以内, または食事開始後20分以内に指示された単位を皮下注射。

■先発品　　商品名（メーカー）　規格・保険薬価

ヒューマログ注 100 単位/mL（イーライリリー）注 100 単位 1mLバイアル 253 円

ヒューマログ注カート（イーライリリー）注 300 単位 1筒 1,083 円

ヒューマログ注ミリオペン（イーライリリー）注 300 単位 1キット 1,283 円

ヒューマログ注ミリオペン HD（イーライリリー）注 300 単位 1キット 1,283 円

ルムジェブ注 100 単位/mL（イーライリリー）注 100 単位 1mLバイアル 271 円

ルムジェブ注カート（イーライリリー）注 300 単位 1筒 1,158 円

ルムジェブ注ミリオペン（イーライリリー）注 300 単位 1キット 1,374 円

ルムジェブ注ミリオペン HD（イーライリリー）注 300 単位 1キット 1,374 円

■ジェネリック　　商品名（メーカー）　規格・保険薬価

インスリン リスプロ BS 注 100 単位/mL HU（サノフィ）注 100 単位 1mLバイアル 177 円

インスリン リスプロ BS 注カート HU（サノフィ）注 300 単位 1筒 522 円

インスリン リスプロ BS 注ソロスター HU（サノフィ）注 300 単位 1キット 1,128 円

一般名：インスリン アスパルト（超速効型）

- 規制…劇薬
- 使用量と回数…[ノボラピッド]毎食直前に指示された単位を皮下注射。[フィアスプ]食事開始前2分以内, または食事開始後20分以内に指示された単位を皮下注射。

■先発品　　商品名（メーカー）　規格・保険薬価

ノボラピッド注 100 単位/mL（ノボ）注 100 単位 1mLバイアル 292 円

ノボラピッド注イノレット（ノボ）注 300 単位 1キット 1,665 円

ノボラピッド注フレックスタッチ（ノボ）注 300 単位 1キット 1,693 円

ノボラピッド注フレックスペン（ノボ）注 300 単位 1キット 1,731 円

ノボラピッド注ペンフィル（ノボ）注 300 単位 1筒 1,200 円

フィアスプ注（ノボ）注 100 単位 1mLバイアル 309 円

フィアスプ注ペンフィル（ノボ）注 300 単位 1筒 1,207 円

フィアスプ注フレックスタッチ（ノボ）注 300 単位 1キット 1,826 円

■ジェネリック　　商品名（メーカー）　規格・保険薬価

インスリン アスパルト BS 注 100 単位/mL NR（サノフィ）注 100 単位 1mLバイアル 215 円

インスリン アスパルト BS 注カート NR（サノフィ）注 300 単位 1筒 732 円

インスリン アスパルト BS 注ソロスター NR（サノフィ）注 300 単位 1キット 1,380 円

一般名：インスリン　グルリジン（超速効型）

- 規制…劇薬
- 使用量と回数…毎食直前に指示された単位を皮下注射。

■先発品　　商品名(メーカー)　規格・保険薬価

アピドラ注 100 単位/mL (サノフィ)
注 100 単位 1mLバイアル 304 円

アピドラ注カート (サノフィ)
注 300 単位 1筒 1,323 円

アピドラ注ソロスター (サノフィ)
注 300 単位 1キット 1,792 円

一般名：中性インスリン注射液（速効型）

- 規制…劇薬
- 使用量と回数…毎食前に指示された単位を皮下注射。

■先発品　　商品名(メーカー)　規格・保険薬価

ノボリン R 注 100 単位/mL (ノボ)
注 100 単位 1mLバイアル 287 円

ノボリン R 注フレックスペン (ノボ)
注 300 単位 1キット 1,559 円

一般名：インスリン注射液（速効型）

- 規制…劇薬
- 使用量と回数…毎食前に指示された単位を皮下注射。

■先発品　　商品名(メーカー)　規格・保険薬価

ヒューマリン R 注 100 単位/mL (イーライリリー) 注 100 単位 1mLバイアル 257 円

ヒューマリン R 注カート (イーライリリー)
注 300 単位 1筒 1,049 円

ヒューマリン R 注ミリオペン (イーライリリー) 注 300 単位 1キット 1,386 円

一般名：イソフェンインスリン水性懸濁注射液（中間型）

- 規制…劇薬

- 使用量と回数…1日1回,朝食前30分以内に指示された単位を皮下注射。

■先発品　　商品名(メーカー)　規格・保険薬価

ノボリン N 注フレックスペン (ノボ)
注 300 単位 1キット 1,657 円

ヒューマリン N 注 100 単位/mL (イーライリリー) 注 100 単位 1mLバイアル 293 円

ヒューマリン N 注カート (イーライリリー)
注 300 単位 1筒 1,077 円

ヒューマリン N 注ミリオペン (イーライリリー) 注 300 単位 1キット 1,466 円

一般名：二相性イソフェンインスリン水性懸濁注射液（混合型）

- 規制…劇薬
- 使用量と回数…1日2回,朝食・夕食前30分以内に指示された単位を皮下注射(1日1回のときは朝食前)。

■先発品　　商品名(メーカー)　規格・保険薬価

イノレット 30R 注 (ノボ)
注 300 単位 1キット 1,615 円

ノボリン 30R 注フレックスペン (ノボ)
注 300 単位 1キット 1,676 円

ヒューマリン 3/7 注 100 単位/mL (イーライリリー) 注 100 単位 1mLバイアル 319 円

ヒューマリン 3/7 注カート (イーライリリー)
注 300 単位 1筒 1,073 円

ヒューマリン 3/7 注ミリオペン (イーライリリー) 注 300 単位 1キット 1,492 円

一般名：二相性プロタミン結晶性インスリンアナログ水性懸濁注射液（インスリン アスパルト）（混合型）

- 規制…劇薬
- 使用量と回数…30・50ミックス：1日2回,朝食・夕食の直前(または1日1回朝食直前)に,指示された単位を皮下注射。70ミックス：1日3回,毎食直前に指示された単位を皮下注射。

■先発品　商品名(メーカー)　規格・保険薬価

ノボラピッド 30 ミックス注フレックスペン (ノボ) 注 300 単位 1キット 1,737 円

ノボラピッド 50 ミックス注フレックスペン (ノボ) 注 300 単位 1キット 1,719 円

ノボラピッド 30 ミックス注ペンフィル (ノボ) 注 300 単位 1筒 1,285 円

一般名：インスリン リスプロ(混合型)

● 規制…劇薬

● 使用量と回数…1日2回, 朝食・夕食直前に指示された単位を皮下注射(1日1回のときは朝食直前)。

■先発品　商品名(メーカー)　規格・保険薬価

ヒューマログミックス 25 注カート (イーライリリー) 注 300 単位 1筒 1,111 円

ヒューマログミックス 25 注ミリオペン (イーライリリー) 注 300 単位 1キット 1,339 円

ヒューマログミックス 50 注カート (イーライリリー) 注 300 単位 1筒 1,107 円

ヒューマログミックス 50 注ミリオペン (イーライリリー) 注 300 単位 1キット 1,314 円

一般名：インスリン　グラルギン(持効型溶解インスリンアナログ)

● 規制…劇薬

● 使用量と回数…1日1回, 一定の時刻に指示された単位を皮下注射。

■先発品　商品名(メーカー)　規格・保険薬価

ランタス注 100 単位/mL (サノフィ) 注 100 単位 1mLバイアル 307 円

ランタス注カート (サノフィ) 注 300 単位 1筒 1,176 円

ランタス注ソロスター (サノフィ) 注 300 単位 1キット 1,514 円

ランタス XR 注ソロスター (サノフィ) 注 450 単位 1キット 2,445 円

■ジェネリック　商品名(メーカー)　規格・保険薬価

インスリン グラルギン BS 注カート (イーライリリー) 注 300 単位 1筒 790 円

インスリン グラルギン BS 注キット (富士フイルム富山) 注 300 単位 1キット 1,241 円

インスリン グラルギン BS 注ミリオペン (イーライリリー) 注 300 単位 1キット 1,241 円

一般名：インスリン　デテミル(持効型溶解インスリンアナログ)

● 規制…劇薬

● 使用量と回数…1日1回もしくは2回, 一定の時刻に指示された単位を皮下注射。

■先発品　商品名(メーカー)　規格・保険薬価

レベミル注イノレット (ノボ) 注 300 単位 1キット 2,033 円

レベミル注フレックスペン (ノボ) 注 300 単位 1キット 2,194 円

レベミル注ペンフィル (ノボ) 注 300 単位 1筒 1,634 円

一般名：インスリン　デグルデク(持効型溶解インスリンアナログ)

● 規制…劇薬

● 使用量と回数…1日1回, 一定の時刻に指示された単位を皮下注射。成人の場合, 注射時刻は原則として毎日一定とするが, 必要な場合は注射時刻を変更できる。

■先発品　商品名(メーカー)　規格・保険薬価

トレシーバ注ペンフィル (ノボ) 注 300 単位 1筒 1,604 円

トレシーバ注フレックスタッチ (ノボ) 注 300 単位 1キット 2,227 円

一般名：インスリン　デグルデク(持効型溶解インスリンアナログ)・インスリンアスパルト(超速効型)配合剤

● 規制…劇薬

注
01
―
01
―
01

糖尿病治療薬(1)(インスリン製剤)

● 使用量と回数…1日1回もしくは2回，一定の時刻に指示された単位を皮下注射。

■先発品　　商品名(メーカー)　規格・保険薬価
ライゾデグ配合注フレックスタッチ 写真 (ノボ) 注 300単位 1キット 1,990円

📋 概　　要

分類　インスリン製剤

処方目的　インスリン療法が適応となる糖尿病

解説　糖尿病には，1型糖尿病と2型糖尿病の2つのタイプがあります。日本では糖尿病患者のおよそ95%が2型糖尿病といわれています。

　1型糖尿病は，自己免疫により血液中のリンパ球が膵臓の中にあるランゲルハンス島の中のβ細胞(B細胞ともいいます)を破壊してしまい，結果として膵臓からのインスリンというホルモンの分泌がほとんどなくなる病気といわれています。2型糖尿病は，膵臓からのインスリン分泌の量が不足したり，その作用が十分に発揮されないためにおこります。

　糖尿病の治療は，食事療法，運動療法，薬物療法を組み合わせて，血糖値のコントロールを行っていきます。薬物療法には，経口糖尿病薬を用いる内服療法と，インスリンを注射で補充するインスリン療法の2つの方法があります。

　1型糖尿病は，「食事療法＋運動療法＋インスリン療法」です。2型糖尿病は，「食事療法＋運動療法」を行い，血糖コントロールがうまくいかないときには「内服療法」をプラスします。それでも難しいときに「インスリン療法」が選択されます。内服薬については内服11-01「糖尿病の内服薬」をご覧ください。以下，インスリン療法についてみていきます。

・インスリン療法の概略

　インスリン療法は下記のような場合に選択されます。

①内服薬をきちんと服用しても血糖コントロールがよくならない

②薬の副作用や相互作用のため，内服薬を服用できない

③著しい高血糖で，すぐにも血糖値を下げる必要がある

④手術の前後や感染症などの糖尿病以外の病気にかかったとき

⑤妊娠中(または妊娠希望時)・授乳中で食事療法でもよくならないとき

⑥重い肝機能障害や腎機能障害のとき

　インスリン療法は，体内のインスリンの状態をできるかぎり健康な状態に近づけることを目的としています。医師は，各患者の病状や生活習慣を考えて適切なインスリン製剤を選びます。　最近では，薬や器具もよくなっていて注射時の痛みも和らぎ，操作も簡単になりました。血糖値の測定を自分で行い，血糖値の結果により定められた範囲内でインスリンの量を自分で調節して注射します。

・インスリン療法の種類

①強化インスリン療法……インスリンの分泌を健康な人と同じようにするために，1日に3～4回インスリン注射をする方法です。これまでのインスリン療法に比べ，より正確に血糖コントロールができます。

②従来のインスリン療法……混合型インスリン製剤(後述)などを1日に1～2回注射す

る療法です。

・インスリン製剤の種類

インスリン製剤は，作用する時間から次の5種類に分類されています。

①超速効型インスリン製剤……注射後，数分〜20分くらいで効果が発現。作用持続時間は短い（2〜5時間）。

②速効型インスリン製剤……注射後，30分くらいで効果が発現。作用持続時間は約5〜8時間。

③中間型インスリン製剤……注射後，1〜3時間くらいで効果が発現。作用持続時間は約18〜24時間。

④混合型インスリン製剤……超速効型・速効型・中間型インスリン製剤を混合したタイプ。効果はそれぞれの型の発現時間に現れ，作用持続時間は中間型とほぼ同じ約18〜24時間。

⑤持効型溶解インスリンアナログ製剤……注射後，約1〜2時間で効果が発現。作用持続時間は約24時間，安定した効果が続く。

・注射器の種類

ペン型とシリンジ型の2種類があります。また，インスリン製剤は，剤形によってバイアル製剤，プレフィルド・キット製剤，カートリッジ製剤があります。

シリンジ型の注射器は普通の注射器と同じ形です。インスリン製剤を容器から注射器へ吸引して注射します。バイアル製剤に使用します。

ペン型は持ち運びに便利で，扱いも簡単，注入量も正確にできるなど，今では主流となっている注射器です。ペン型には，カートリッジタイプと使い捨てタイプの2種類があります。

① カートリッジタイプ……インスリン製剤の入ったカートリッジを，専用のペン型の注射器に装填（そうてん）するタイプです。カートリッジは，万年筆のインクをつけ替えるような感じで替えられます。専用の針で，インスリン製剤の注射する量を設定して，ボタンを押せば注射できます。カートリッジ製剤に使用します。

② 使い捨てタイプ……プラスチック製の注射器で，最初からインスリン製剤が内蔵されています。使い方はカートリッジタイプと同じで，内蔵されたインスリン製剤を使い切ったら本体ごと捨てます。プレフィルド・キット製剤に使用します。

・注射のしかた

注射は皮下に行います。注射部位は腹部，太もも，上腕，臀部が推奨されています。おなかに注射する場合は，おへそのすぐ近くは避けて，軟らかい皮下脂肪のあるところに注射するとよいです。毎回2〜3cmの間隔をとりながら，場所を少しずらして注射します。同じところばかりに注射すると，皮膚アミロイドーシス（アミロイドと呼ばれる線維性の蛋白が皮膚組織などに沈着・蓄積）やリポジストロフィー（皮下脂肪の萎縮・肥厚など）が現れ，十分な血糖コントロールが得られなくなることがあります。

自己注射を行う場合は，事前に処方医から注射の方法をしっかりと学んでください。

使用上の注意

＊ノボリン，ノボラピッド，レベミルなどの添付文書による

注
01
│
01
│
01

糖尿病治療薬（1）（インスリン製剤）

基本的注意

(1)使用してはいけない場合……低血糖症状を呈している人／本剤の成分に対するアレルギーの前歴

(2)慎重に使用すべき場合……インスリン需要の変動が激しい状態のとき(手術, 外傷, 感染症, 妊婦など)／低血糖をおこすおそれがある状態または患者(脳下垂体機能不全または副腎機能不全, 下痢・嘔吐などの胃腸障害, 飢餓状態, 不規則な食事摂取, 激しい筋肉運動, 過度のアルコール摂取者)／重い腎機能障害／重い肝機能障害／高齢者

(3)妊婦, 産婦, 授乳婦……妊娠した場合や妊娠が予測される場合には医師に知らせてください。妊娠中, 周産期, 授乳期などにはインスリンの需要量が変化しやすいため, 定期的に検査を行って投与量を調整することになります。

(4)危険作業に注意……低血糖症状をおこすことがあるので, 高所作業, 自動車の運転などの危険作業に従事している人が使用するときは十分に注意してください。

重大な副作用 ①低血糖(脱力感, 倦怠感, 高度の空腹感, 冷汗, 顔面蒼白, 動悸, 振戦, 頭痛, めまい, 吐きけ, 知覚異常, 不安, 興奮, 神経過敏, 集中力低下, 精神障害, けいれん, 意識混濁, 昏睡など)。②アナフィラキシーショック(呼吸困難, 血圧低下, 頻脈, 発汗, 全身の発疹, 血管神経性浮腫など)。

そのほかにも報告された副作用はあるので, 体調がいつもと違うと感じたときは, 処方医・薬剤師に相談してください。

併用してはいけない薬 併用してはいけない薬は特にありません。ただし, 併用する薬があるときは, 念のため処方医・薬剤師に報告してください。

02 糖尿病治療薬(2)(インクレチン関連製剤)

製剤情報

一般名：リラグルチド(遺伝子組み換え)
- 規制…劇薬
- 使用量と回数…1日1回, 朝または夕, 可能なかぎり同じ時刻に指定された単位を皮下注射。

■先発品　商品名(メーカー)　規格・保険薬価

ビクトーザ皮下注 (ノボ)
注 18mg3mL 1キット 9,473 円

一般名：エキセナチド
- 規制…劇薬
- 使用量と回数…[バイエッタ皮下注]1日2回, 朝食・夕食前(60分以内)に指定された単位を皮下注射。[ビデュリオン皮下注用]週1回, 2mgを皮下注射。

■先発品　商品名(メーカー)　規格・保険薬価

バイエッタ皮下注 5μg ペン 300 (アストラ)
注 300μg 1キット 8,792 円

バイエッタ皮下注 10μg ペン 300 (アストラ)
注 300μg 1キット 8,792 円

ビデュリオン皮下注用 2mg ペン (アストラ)
注 2mg 1キット 3,234 円

一般名：リキシセナチド
- 規制…劇薬
- 使用量と回数…1日1回, 10〜20μgを朝食前

注
01
—
01
—
02
糖尿病治療薬(2)(インクレチン関連製剤)

1時間以内に皮下注射。

■**先発品**　**商品名(メーカー)**　規格・保険薬価

リキスミア皮下注 (サノフィ)

注 300μg3mL 1キット 5,389 円

一般名：デュラグルチド(遺伝子組み換え)

● 規制…劇薬
● 使用量と回数…週に1回, 0.75mgを皮下注射。

■**先発品**　**商品名(メーカー)**　規格・保険薬価

トルリシティ皮下注アテオス (イーライリリー = 住友ファーマ) 注 0.75mg0.5mL 1キット 2,917 円

一般名：セマグルチド(遺伝子組み換え)

● 規制…劇薬
● 使用量と回数…週1回0.25mgから開始し, 4週間皮下注射した後, 週1回0.5mgに増量する。週1回0.5mgを4週間以上皮下注射しても効果不十分な場合には, 週1回1.0mgまで増量できる。

■**先発品**　**商品名(メーカー)**　規格・保険薬価

オゼンピック皮下注 SD (ノボ)

注 0.25mg0.5mL 1キット 1,376 円

注 0.5mg0.5mL 1キット 2,752 円

注 1mg0.5mL 1キット 5,504 円

一般名：インスリン　デグルデク(遺伝子組み換え)・リラグルチド(遺伝子組み換え)配合剤

● 規制…劇薬
● 使用量と回数…1日1回10～50ドースを, 原則として毎日同じ時刻に皮下注射。

■**先発品**　**商品名(メーカー)**　規格・保険薬価

ゾルトファイ配合注フレックスタッチ (ノボ)

注 1キット 5,121 円

一般名：インスリン　グラルギン(遺伝子組み換え)・リキシセナチド配合剤

● 規制…劇薬
● 使用量と回数…1日1回5～20ドースを朝食前に皮下注射。

■**先発品**　**商品名(メーカー)**　規格・保険薬価

ソリクア配合注ソロスター (サノフィ)

注 1キット 5,727 円

▤ 概　要

分類　2型糖尿病治療薬

処方目的　インスリン療法が適応となる2型糖尿病

[ビクトーザ, リキスミア, トルリシティ, オゼンピック] ただし, 糖尿病治療の基本である食事療法, 運動療法を十分に行ったうえで効果が不十分な場合に限る。

[バイエッタ, ビデュリオン, ゾルトファイ, ソリクア] ただし, 食事療法・運動療法に加え, 糖尿病薬(単剤療法, 併用療法)による治療で十分な効果が得られない場合に限る。

解説　食事の摂取に伴い, 消化管から産生されるホルモン「インクレチン」の1つであるグルカゴン様ペプチド-1(GLP-1)には, 膵臓のβ細胞に働いてインスリンを放出させ血糖値を下げる作用があります。このGLP-1の血糖コントロール作用を利用した血糖降下薬です。

　GLP-1には, 血糖値を上げるホルモンであるグルカゴンの分泌を抑制する作用, 胃内容物の排出を遅らせる作用, 食欲を抑える作用もあり, 空腹時や特に食後の血糖値の上

昇を抑制し，体重の減少効果も認められています。なお，ビデュリオンとトルリシティ，オゼンピックは，週に1回の注射で効果を発揮する薬です。注射を忘れた場合などの対処法を処方医に十分説明してもらい，指示通りに使用しましょう。

🗨 使用上の注意

＊ビクトーザ，バイエッタ，ビデュリオン，トルリシティ，オゼンピックの添付文書による

基本的注意

(1)**使用してはいけない場合**……本剤の成分に対するアレルギーの前歴／糖尿病性ケトアシドーシス，糖尿病性昏睡，1型糖尿病／重症感染症，手術などの緊急の場合

[バイエッタ，ビデュリオン，トルリシティ，オゼンピックのみ]前昏睡

[バイエッタ，ビデュリオンのみ]透析患者を含む重い腎機能障害

(2)**慎重に使用すべき場合**……糖尿病胃不全麻痺(重度胃不全麻痺)などの胃腸障害／膵炎の前歴／低血糖をおこすおそれのある状態のとき(脳下垂体機能不全・副腎機能不全，栄養不良状態，飢餓状態，不規則な食事摂取，食事摂取量の不足，衰弱状態，激しい筋肉運動，過度のアルコール摂取)／高齢者

[ビクトーザ，バイエッタ，ビデュリオン，トルリシティのみ]腹部手術の前歴／腸閉塞の前歴

[バイエッタ，ビデュリオンのみ]中等度または軽度の腎機能障害／肝機能障害

[ビクトーザのみ]炎症性腸疾患などの胃腸障害

(3)**定期的に検査**……本剤を使用する場合には，血糖，尿酸を定期的に検査し，薬剤の効果を確かめ，3～4カ月間使用して効果が不十分な場合には，速やかに他の治療薬へ切り替えます。

(4)**食事摂取量(食事療法)**……本剤の使用継続中に，患者の不養生，感染症の合併などにより効果がなくなったり，不十分になる場合があります。本剤の使用中は指定された食事摂取量を守り，また血糖値，感染症の有無などに十分注意してください。

(5)**妊婦など**……妊婦または妊娠している可能性のある人は本剤を使用せず，インスリン製剤を使用します。動物実験で，さまざまな胚・胎児の異常が報告されています。オゼンピックの場合，2カ月以内に妊娠を予定する女性も本剤を使用せず，インスリン製剤を使用してください。

(6)**作用の遅延**……[バイエッタ]本剤と併用すると，抗生物質，経口避妊薬などの経口剤は作用の発現が遅れるおそれがあります。本剤を使用する少なくとも1時間前にこれらの薬剤は服用してください。

(7)**危険作業に注意**……本剤を服用すると，低血糖をおこすことがあります。服用中は，高所作業や自動車の運転など危険を伴う機械の操作は十分に注意してください。

(8)**その他**……

●授乳婦での安全性：治療上の有益性・母乳栄養の有益性を考慮し，授乳の継続・中止を検討。

●小児での安全性：未確立。(1714頁を参照)

重大な副作用　①低血糖および低血糖症状（脱力感，倦怠感，高度の空腹感，冷汗，顔面蒼白，動悸，ふるえ，頭痛，めまい，吐きけ，知覚異常など）。②急性膵炎。[ビクトーザ，バイエッタ，ビデュリオン，トルリシティのみ]③腸閉塞（高度の便秘，腹部膨満，持続する腹痛，嘔吐）。
[バイエッタ，ビデュリオン，トルリシティのみ]④アナフィラキシー反応，血管浮腫。⑤重度の下痢，嘔吐，脱水，急性腎障害，腎不全。

　そのほかにも報告された副作用はあるので，体調がいつもと違うと感じたときは，処方医・薬剤師に相談してください。

併用してはいけない薬　併用してはいけない薬は特にありません。ただし，併用する薬があるときは，念のため処方医・薬剤師に報告してください。

注 **01** 在宅で管理する注射薬　**01** 糖尿病の薬

03 グルカゴン注射薬

注
01
—
01
—
03

グルカゴン注射薬

製剤情報

一般名：グルカゴン

- 規制…劇薬
- 使用量と回数…[低血糖時の救急処置]通常，1 U.S.P.単位（1瓶）を1mLの注射用水に溶解し，筋肉内または静脈内に注射する。

■ジェネリック　商品名（メーカー）　規格・保険薬価

グルカゴン注射用（ILS＝カイゲン）
注 1U.S.P.単位1瓶 1,676円

一般名：グルカゴン（遺伝子組み換え）

- 規制…劇薬
- 使用量と回数…[低血糖時の救急処置]通常，1mgを1mLの注射用水に溶解し，筋肉内または静脈内に注射する。

■先発品　商品名（メーカー）　規格・保険薬価

グルカゴン G ノボ注射用（ノボ＝EA ファーマ）
注 1mg 1瓶 2,643円

概　要

分類　合成グルカゴン製剤

処方目的　低血糖時の救急処置／成長ホルモン分泌機能検査，肝糖原（肝型糖原病）検査，消化管のX線および内視鏡検査の前処置／[グルカゴン注射用のみの適応症]インスリノーマの診断／[グルカゴン G ノボ注射用のみの適応症]胃の内視鏡的治療の前処置

解説　本剤は肝臓に作用して血糖値を上げる作用があります。通常，低血糖時の救急処置として，自己注射するときに処方されます。本人および家族の方は，事前に注射のしかた，注射後の対処のしかた，低血糖に関する注意事項などの在宅自己注射教育を受けることが必要です。

使用上の注意

＊両剤の添付文書による

基本的注意

(1)使用してはいけない場合……本剤の成分に対するアレルギーの前歴／褐色細胞腫

(2)慎重に使用すべき場合……糖尿病／肝硬変など肝臓の糖放出能が低下している肝疾患／糖原病Ⅰ型／心疾患のある高齢者／［グルカゴンGノボ注射用のみ］インスリノーマ

(3)筋肉内注射のしかた……筋肉内に注射するときは組織・神経などへの影響を避けるため，以下の点に注意します。①同一部位への反復注射は行わないこと。特に低出生体重児，新生児，乳児，幼児または小児には注意すること。②神経走行部位を避けること。③注射針を刺入したとき，激痛があったり，血液が逆流した場合には，直ちに針を抜き，部位を変えて注射すること。

(4)二次的な低血糖……本剤を投与すると，二次的な低血糖がおこることがあります。嘔吐，吐きけ，全身倦怠，傾眠，顔面蒼白，発汗，冷汗，冷感，意識障害などの異常が認められた場合には，直ちにブドウ糖，糖質を補給してください。

(5)血糖値の変動……糖尿病の人に本剤を投与すると，血糖コントロールに影響を及ぼすおそれがあります。血糖値の変動などに十分注意し，異常が認められたら直ちに処方医に連絡してください。

(6)危険作業に注意……低血糖に基づくめまい，ふらつき，意識障害をおこすことがあるので，高所作業，自動車の運転などの危険を伴う機械を操作する際には注意してください。

(7)その他……
● 妊婦での安全性：使用しないことが望ましい。(1714頁を参照)

重大な副作用　①ショック，アナフィラキシーショック(不快感，顔面蒼白，血圧低下など)。②低血糖(嘔吐，吐きけ，全身倦怠，傾眠，顔面蒼白，発汗，冷汗，冷感，意識障害など)。

　そのほかにも報告された副作用はあるので，体調がいつもと違うと感じたときは，処方医・薬剤師に相談してください。

併用してはいけない薬　併用してはいけない薬は特にありません。ただし，併用する薬があるときは，念のため処方医・薬剤師に報告してください。

注01 在宅で管理する注射薬　02 透析用剤

01 腹膜透析用剤

製剤情報

一般名：腹膜透析液
● 使用量と回数…一般的には，1回1.5〜2Lを腹腔内注入，4〜8時間滞液し，効果期待後に排液を除去。以上の操作を1回として1日3〜5回連続。詳しくは，処方医の指示を守って使用。

■先発品　商品名(メーカー)　規格・保険薬価

エクストラニール (バクスター) 注 1.5L 1袋 675 円
注 1.5L 1袋(排液用バッグ付) 1,471 円
注 2L 1袋 905 円
注 2L 1袋(排液用バッグ付) 1,599 円

注
01
─
02
─
01

腹膜透析用剤

ステイセーフバランス 1/1.5（フレゼニウス＝JMS）
注 1.5L 1袋（排液用バッグ付）1,383 円
注 2L 1袋（排液用バッグ付）1,311 円
注 2.5L 1袋 1,209 円
注 2.5L 1袋（排液用バッグ付）1,609 円

ステイセーフバランス 1/2.5（フレゼニウス＝JMS）
注 1.5L 1袋（排液用バッグ付）1,263 円
注 2L 1袋（排液用バッグ付）1,529 円
注 2.5L 1袋 1,300 円
注 2.5L 1袋（排液用バッグ付）1,512 円

ステイセーフバランス 2/1.5（フレゼニウス＝JMS）
注 2L 1袋（排液用バッグ付）1,355 円

ダイアニール-N　PD-2　1.5（バクスター）
注 1L 1袋 506 円
注 1L 1袋（排液用バッグ付）1,130 円
注 1.5L 1袋 493 円
注 1.5L 1袋（排液用バッグ付）1,023 円
注 2L 1袋 638 円
注 2L 1袋（排液用バッグ付）1,272 円
注 2.5L 1袋 1,005 円
注 2.5L 1袋（排液用バッグ付）1,432 円
注 5L 1袋 1,589 円

ダイアニール-N　PD-2　2.5（バクスター）
注 1L 1袋 455 円　　注 1L 1袋（排液用バッグ付）676 円
注 1.5L 1袋 345 円
注 1.5L 1袋（排液用バッグ付）955 円
注 2L 1袋 671 円
注 2L 1袋（排液用バッグ付）1,122 円
注 2.5L 1袋 1,006 円
注 2.5L 1袋（排液用バッグ付）1,384 円
注 5L 1袋 1,457 円

ダイアニール-N　PD-4　1.5（バクスター）
注 1L 1袋 492 円
注 1L 1袋（排液用バッグ付）1,100 円
注 1.5L 1袋 638 円
注 1.5L 1袋（排液用バッグ付）1,273 円
注 2L 1袋 746 円
注 2L 1袋（排液用バッグ付）1,296 円
注 2.5L 1袋 1,027 円
注 2.5L 1袋（排液用バッグ付）1,503 円
注 5L 1袋 1,807 円

ダイアニール-N　PD-4　2.5（バクスター）
注 1L 1袋 505 円
注 1L 1袋（排液用バッグ付）1,308 円
注 1.5L 1袋 625 円
注 1.5L 1袋（排液用バッグ付）1,263 円
注 2L 1袋 730 円
注 2L 1袋（排液用バッグ付）1,363 円
注 2.5L 1袋 1,106 円
注 2.5L 1袋（排液用バッグ付）1,424 円
注 5L 1袋 1,817 円

ダイアニール PD-2　4.25（バクスター）
注 1.5L 1袋（排液用バッグ付）1,488 円
注 2L 1袋 946 円
注 2L 1袋（排液用バッグ付）1,647 円

ダイアニール PD-4　4.25（バクスター）
注 1L 1袋（排液用バッグ付）1,414 円
注 2L 1袋 1,088 円
注 2L 1袋（排液用バッグ付）1,597 円

ペリセート 360N（JMS）
注 1L 1袋 575 円
注 1L 1袋（排液用バッグ付）1,311 円
注 1.5L 1袋 832 円
注 1.5L 1袋（排液用バッグ付）1,638 円
注 2L 1袋 918 円
注 2L 1袋（排液用バッグ付）1,815 円
注 2.5L 1袋（排液用バッグ付）1,833 円
注 3L 1袋 1,333 円

注
01
―
02
―
01

腹膜透析用剤

ペリセート 360NL（JMS） 注 1L 1袋 585 円
- 注 1L 1袋（排液用バッグ付）1,449 円
- 注 1.5L 1袋 902 円
- 注 1.5L 1袋（排液用バッグ付）1,597 円
- 注 2L 1袋 898 円
- 注 2L 1袋（排液用バッグ付）1,612 円
- 注 2.5L 1袋（排液用バッグ付）1,853 円
- 注 3L 1袋 1,474 円

ペリセート 400N（JMS） 注 1L 1袋 408 円
- 注 1L 1袋（排液用バッグ付）1,363 円
- 注 1.5L 1袋 593 円
- 注 1.5L 1袋（排液用バッグ付）1,494 円
- 注 2L 1袋 946 円
- 注 2L 1袋（排液用バッグ付）1,597 円
- 注 2.5L 1袋（排液用バッグ付）1,567 円
- 注 3L 1袋 1,359 円

ペリセート 400NL（JMS） 注 1L 1袋 484 円
- 注 1L 1袋（排液用バッグ付）1,152 円
- 注 1.5L 1袋 888 円
- 注 1.5L 1袋（排液用バッグ付）1,628 円
- 注 2L 1袋 890 円
- 注 2L 1袋（排液用バッグ付）1,783 円
- 注 2.5L 1袋（排液用バッグ付）1,783 円
- 注 3L 1袋 1,501 円

ミッドペリック 135（テルモ） 注 1L 1袋 506 円
- 注 1L 1袋（排液用バッグ付）1,353 円
- 注 1.5L 1袋 779 円
- 注 1.5L 1袋（排液用バッグ付）1,471 円
- 注 2L 1袋 986 円
- 注 2L 1袋（排液用バッグ付）1,598 円

ミッドペリック 250（テルモ）
- 注 1L 1袋（排液用バッグ付）1,392 円
- 注 1.5L 1袋 884 円
- 注 1.5L 1袋（排液用バッグ付）1,473 円
- 注 2L 1袋 938 円
- 注 2L 1袋（排液用バッグ付）1,695 円

ミッドペリック 400（テルモ） 注 2L 1袋 872 円
- 注 2L 1袋（排液用バッグ付）1,840 円

ミッドペリック L135（テルモ） 注 1L 1袋 632 円
- 注 1L 1袋（排液用バッグ付）1,270 円
- 注 1.5L 1袋 693 円
- 注 1.5L 1袋（排液用バッグ付）1,503 円
- 注 2L 1袋 962 円
- 注 2L 1袋（排液用バッグ付）1,548 円
- 注 2.5L 1袋 1,086 円
- 注 2.5L 1袋（排液用バッグ付）1,816 円

ミッドペリック L250（テルモ） 注 1L 1袋 593 円
- 注 1L 1袋（排液用バッグ付）1,347 円
- 注 1.5L 1袋 724 円
- 注 1.5L 1袋（排液用バッグ付）1,398 円
- 注 2L 1袋 937 円
- 注 2L 1袋（排液用バッグ付）1,440 円
- 注 2.5L 1袋 1,084 円
- 注 2.5L 1袋（排液用バッグ付）1,834 円

ミッドペリック L400（テルモ）
- 注 1L 1袋（排液用バッグ付）1,691 円
- 注 2L 1袋 1,150 円
- 注 2L 1袋（排液用バッグ付）1,550 円

レギュニール HCa　1.5（バクスター）
- 注 1L 1袋（排液用バッグ付）1,151 円
- 注 1.5L 1袋（排液用バッグ付）1,420 円
- 注 2L 1袋（排液用バッグ付）1,505 円
- 注 2.5L 1袋 1,080 円　注 5L 1袋 2,137 円

レギュニール HCa　2.5（バクスター）
- 注 1L 1袋（排液用バッグ付）985 円
- 注 1.5L 1袋（排液用バッグ付）1,389 円
- 注 2L 1袋（排液用バッグ付）1,471 円
- 注 2.5L 1袋 1,055 円　注 5L 1袋 1,988 円

レギュニール HCa　4.25（バクスター）
- 注 2L 1袋 1,104 円

レギュニール LCa　1.5（バクスター）
- 注 1L 1袋（排液用バッグ付）1,211 円
- 注 1.5L 1袋（排液用バッグ付）1,414 円
- 注 2L 1袋（排液用バッグ付）1,614 円
- 注 2.5L 1袋 1,113 円　注 5L 1袋 2,227 円

レギュニール LCa　2.5（バクスター）

注 1L 1袋（排液用バッグ付）1,276 円

注 1.5L 1袋（排液用バッグ付）1,409 円

注 2L 1袋（排液用バッグ付）1,569 円

注 2.5L 1袋 1,174 円　　注 5L 1袋 2,283 円

レギュニール LCa　4.25（バクスター）

注 2L 1袋 1,214 円

■ジェネリック　　商品名（メーカー）　規格・保険薬価

ステイセーフバランス 1/4.25（フレゼニウス

=JMS）注 1L 1袋（排液用バッグ付）959 円

注 1.5L 1袋（排液用バッグ付）1,053 円

注 2L 1袋 629 円

注 2L 1袋（排液用バッグ付）1,219 円

ステイセーフバランス 2/1.5（フレゼニウス =

JMS）注 1.5L 1袋（排液用バッグ付）803 円

注 2.5L 1袋 730 円

注 2.5L 1袋（排液用バッグ付）1,237 円

ステイセーフバランス 2/2.5（フレゼニウス =

JMS）注 1.5L 1袋（排液用バッグ付）823 円

注 2L 1袋（排液用バッグ付）1,076 円

注 2.5L 1袋 529 円

注 2.5L 1袋（排液用バッグ付）1,260 円

ステイセーフバランス 2/4.25（フレゼニウス

= JMS）注 1.5L 1袋（排液用バッグ付）984 円

注 2L 1袋 656 円

注 2L 1袋（排液用バッグ付）1,197 円

ニコペリック（テルモ）注 1.5L 1袋 657 円

注 1.5L 1袋（排液用バッグ付）1,186 円

注 2L 1袋 805 円

注 2L 1袋（排液用バッグ付）1,222 円

注
01
—
02
—
01

腹膜透析用剤

▤ 概　要

分類　腹膜透析用剤

処方目的　慢性腎不全患者における腹膜透析

解説　腎不全が進み，尿毒症の症状が現れるようになると，腎臓の代用治療が必要になります。それには現在 3 つの方法——①血液透析（HD），②腹膜透析（PD），③腎移植があります。一般的に知られているのは血液透析ですが，高度な専門的技術をもった医師・看護師を必要とします。しかし，腹膜透析は血液透析とは異なり，簡単に自宅や勤務先でも施行することができ，社会復帰も容易です。

・腹膜透析とは

　体内の腹膜を使って，体内で血液を浄化します。透析液にはブドウ糖が入っていて，体液より浸透圧が高く，そのため体の中の老廃物が腹膜を通って透析液側に引き出されます。また，体に不足しているものは，透析液側から腹膜を介して拡散し体に入っていきます。腹膜透析は，自宅や勤務先など社会生活の中で行う在宅療法です。腹膜透析には，24 時間連続した透析で負担が少ない CAPD（連続携行式腹膜透析）と，機械を使って夜間就寝中に自宅で自動的に透析を行う APD（自動腹膜透析）があります。

・CAPD（連続携行式腹膜透析）

　胃や腸などの内臓をおおっている腹膜は，腎臓の代わりになる「濾過作用」をもっています。腹部にあらかじめ細いカテーテルを埋め込んでおき，2L 程度の透析液を腹膜内に入れ，通常 1 日 4 回（1 回 30 分程度），4〜8 時間ごとに入れ替えて老廃物を除去します。大げさな機械がいらず，いすに座りながら自分でバッグ交換ができるので，合併症のあ

る人や体力のない人にも向いています。一方，個人差はありますが，5～6年程度で腹膜機能が落ちることが短所であり，最近になり，各社から腹膜機能の劣化を防ぐ中性の新透析液が発売されています。

・APD（自動腹膜透析）

腎臓の働きが残っている患者さんには，夜間だけ，機械により腹膜透析を行う療法です。CAPD療法は1日4回程度の透析液の入れ替え（バッグ交換）を自分で行いますが，APD療法は，APDという自動腹膜還流装置を使い，自宅で就寝中に自動的に透析液を交換する方法です。昼間のバッグ交換をしなくてもよい分，社会復帰が容易になります。

📖 使用上の注意

＊ミッドペリックの添付文書による

基本的注意

(1)使用してはいけない場合……横隔膜欠損／腹部挫滅傷または腹部熱傷／高度な腹膜癒着／尿毒症に起因する以外の出血性素因がある人／乳酸代謝障害の疑いがある人
[ペリセートのみ]高度の換気障害／憩室炎／人工肛門使用者／高度の脂質代謝異常／高度の肥満
[エクストラニール，ニコペリックのみ]トウモロコシデンプン由来物質に対するアレルギーの前歴／糖原病

(2)慎重に使用すべき場合……腹膜炎，腹膜損傷，腹膜癒着および腹腔内臓器疾患の疑いがある人／腹部手術直後／糖代謝障害の疑いがある人／ジギタリスによる治療中／食事摂取不良／腹部ヘルニア／腰椎障害／憩室炎／人工肛門使用者／利尿薬を使用している人／高度の換気障害／高度の脂質代謝異常／高度の肥満／高度の低蛋白血症／ステロイドの服用中／免疫不全者／抗生物質アレルギー体質の人／高齢者

(3)その他……
● 妊婦での安全性：未確立。有益と判断されたときのみ使用。
● 授乳婦での安全性：未確立。有益と判断されたときのみ使用。
● 小児での安全性：未確立。(1714頁を参照)

重大な副作用

①循環器障害（急激な徐水による循環血液量の減少，低血圧，ショックなど）。
[ミッドペリック，ペリセートのみ]②（糖尿病の人で）高血糖。
[エクストラニール，ステイセーフバランス，ダイアニール，ニコペリックのみ]③被のう性腹膜硬化症（EPS）。

そのほかにも報告された副作用はあるので，体調がいつもと違うと感じたときは，処方医・薬剤師に相談してください。

併用してはいけない薬

併用してはいけない薬は特にありません。ただし，併用する薬があるときは，念のため処方医・薬剤師に報告してください。

01　抗リウマチ注射薬

製剤情報

一般名：インフリキシマブ（遺伝子組み換え）

- 規制…劇薬
- 使用量と回数…初回投与以後、2週後、6週後に点滴。以後は4～8週に1回点滴。川崎病の急性期の場合は体重1kgあたり5mgを単回点滴。

■**先発品**　商品名（メーカー）　規格・保険薬価

レミケード点滴静注用（田辺三菱）
- 注 100mg 1瓶 64,480 円

■**ジェネリック**　商品名（メーカー）　規格・保険薬価

インフリキシマブ BS 点滴静注用（あゆみ製薬）注 100mg 1瓶 29,872 円

インフリキシマブ BS 点滴静注用（セルトリオン＝東和）100mg 1瓶 29,872 円

インフリキシマブ BS 点滴静注用（日医工）
- 注 100mg 1瓶 29,872 円

インフリキシマブ BS 点滴静注用（日本化薬）
- 注 100mg 1瓶 29,872 円

インフリキシマブ BS 点滴静注用（ファイザー）注 100mg 1瓶 29,872 円

一般名：エタネルセプト（遺伝子組み換え）

- 規制…劇薬
- 使用量と回数…週に1～2回、1日1回皮下注射。週に2回の場合は投与間隔を3～4日間とすること。

■**先発品**　商品名（メーカー）　規格・保険薬価

エンブレル皮下注クリックワイズ用（ファイザー＝武田）注 25mg0.5mL 1カセット 11,562 円
- 注 50mg1mL 1カセット 22,493 円

エンブレル皮下注シリンジ（ファイザー＝武田）
- 注 25mg0.5mL 1筒 11,533 円
- 注 50mg1mL 1筒 23,305 円

エンブレル皮下注用（ファイザー＝武田）
- 注 10mg 1瓶 5,431 円　注 25mg 1瓶 13,373 円

エンブレル皮下注ペン（ファイザー＝武田）
- 注 25mg0.5mL 1キット 11,252 円
- 注 50mg1mL 1キット 22,062 円

■**ジェネリック**　商品名（メーカー）　規格・保険薬価

エタネルセプト BS 皮下注シリンジ（日医工）
- 注 10mg1mL 1筒 3,153 円
- 注 25mg0.5mL 1筒 7,275 円
- 注 50mg1mL 1筒 13,879 円

エタネルセプト BS 皮下注シリンジ（持田＝あゆみ製薬）注 25mg0.5mL 1筒 7,275 円
- 注 50mg1mL 1筒 13,879 円

エタネルセプト BS 皮下注シリンジ（陽進堂＝帝人ファーマ）注 10mg1mL 1筒 3,153 円
- 注 25mg0.5mL 1筒 7,275 円
- 注 50mg1mL 1筒 13,879 円

エタネルセプト BS 皮下注ペン（日医工）
- 注 50mg1mL 1キット 13,942 円

エタネルセプト BS 皮下注ペン（持田＝あゆみ製薬）注 25mg0.5mL 1キット 7,225 円
- 注 50mg1mL 1キット 13,942 円

エタネルセプト BS 皮下注ペン（陽進堂＝帝人ファーマ）注 50mg1mL 1キット 13,942 円

エタネルセプト BS 皮下注用（持田＝あゆみ製薬）注 10mg 1瓶 3,193 円　注 25mg 1瓶 6,976 円

一般名：アダリムマブ（遺伝子組み換え）

- 規制…劇薬
- 使用量と回数…関節リウマチの場合，2週に1回，皮下注射。効果不十分な場合は1回80mgまで増量できる。その他の疾患は処方医の指示通

りに。

■**先発品**　**商品名(メーカー)**　規格・保険薬価

ヒュミラ皮下注シリンジ（アッヴィ＝エーザイ）

注 20mg0.2mL 1筒 27,167 円

注 40mg0.4mL 1筒 54,948 円

注 80mg0.8mL 1筒 109,401 円

ヒュミラ皮下注ペン（アッヴィ＝エーザイ）

注 40mg0.4mL 1キット 53,516 円

注 80mg0.8mL 1キット 103,856 円

■**ジェネリック**　**商品名(メーカー)**　規格・保険薬価

アダリムマブ BS 皮下注シリンジ（FKB＝マイラン EPD）注 20mg0.4mL 1筒 17,264 円

注 40mg0.8mL 1筒 34,712 円

アダリムマブ BS 皮下注シリンジ（第一三共）

注 20mg0.4mL 1筒 17,264 円

注 40mg0.8mL 1筒 34,712 円

アダリムマブ BS 皮下注シリンジ（持田＝あゆみ製薬）注 20mg0.2mL 1筒 17,264 円

注 40mg0.4mL 1筒 34,712 円

注 80mg0.8mL 1筒 66,432 円

アダリムマブ BS 皮下注ペン（FKB＝マイランEPD）注 40mg0.8mL 1キット 34,097 円

アダリムマブ BS 皮下注ペン（第一三共）

注 40mg0.8mL 1キット 34,097 円

アダリムマブ BS 皮下注ペン（持田＝あゆみ製薬）注 40mg0.4mL 1キット 34,097 円

一般名：トシリズマブ（遺伝子組み換え）

● 規制…劇薬

● 使用量と回数…関節リウマチの場合, 皮下注射は1～2週間隔, 点滴静注は4週間隔で投与。その他の疾患は処方医の指示通りに。

■**先発品**　**商品名(メーカー)**　規格・保険薬価

アクテムラ点滴静注用（中外）

注 80mg4mL 1瓶 11,285 円

注 200mg10mL 1瓶 26,678 円

注 400mg20mL 1瓶 56,073 円

アクテムラ皮下注オートインジェクター（中外）注 162mg 0.9mL 1キット 32,608 円

アクテムラ皮下注シリンジ（中外）

注 162mg0.9mL 1筒 32,485 円

一般名：アバタセプト（遺伝子組み換え）

● 規制…劇薬

● 使用量と回数…皮下注射は週1回投与（関節リウマチ）。点滴静注は初回投与以後, 2週後, 4週後に投与。以降は4週間隔で投与（関節リウマチ, 若年性特発性関節炎）。

■**先発品**　**商品名(メーカー)**　規格・保険薬価

オレンシア点滴静注用（ブリストル＝小野）

注 250mg 1瓶 54,459 円

オレンシア皮下注オートインジェクター（ブリストル＝小野）注 125mg1mL 1キット 28,547 円

オレンシア皮下注シリンジ（ブリストル＝小野）

注 125mg1mL 1筒 28,375 円

一般名：ゴリムマブ（遺伝子組み換え）

● 規制…劇薬

● 使用量と回数…[関節リウマチ]4週に1回, 皮下注射。[潰瘍性大腸炎]初回投与以後, 2週後に皮下注射。6週目以降は4週に1回, 皮下注射。

■**先発品**　**商品名(メーカー)**　規格・保険薬価

シンポニー皮下注オートインジェクター（ヤンセン＝田辺三菱）注 50mg0.5mL 1キット 112,293 円

シンポニー皮下注シリンジ（ヤンセン＝田辺三菱）注 50mg0.5mL 1筒 113,149 円

一般名：セルトリズマブ ペゴル（遺伝子組み換え）

● 規制…劇薬

● 使用量と回数…初回投与以後, 2週後, 4週後に皮下注射。以降は2週間隔で皮下注射。症状安定後は4週に1回も可。

■先発品　商品名(メーカー)　規格・保険薬価

シムジア皮下注オートクリックス (UCB＝アステラス) 注 200mg1mL 1キット 58,889 円

シムジア皮下注シリンジ (UCB＝アステラス)
注 200mg1mL 1筒 59,251 円

一般名：サリルマブ(遺伝子組み換え)

●規制…劇薬

●使用量と回数…2週に1回，皮下注射。

■先発品　商品名(メーカー)　規格・保険薬価

ケブザラ皮下注オートインジェクター (サノフィ＝旭化成) 注 150mg1.14mL 1キット 36,230 円
注 200mg1.14mL 1キット 47,958 円

ケブザラ皮下注シリンジ (サノフィ＝旭化成)
注 150mg1.14mL 1筒 36,275 円
注 200mg1.14mL 1筒 47,777 円

概　　要

分類　抗リウマチ注射薬(生物学的製剤)

処方目的　［インフリキシマブ］既存の治療で効果不十分な以下の疾患→関節リウマチ，ベーチェット病による難治性網膜ぶどう膜炎，尋常性乾癬，関節症性乾癬，膿疱性乾癬，乾癬性紅皮症，強直性脊椎炎，腸管型ベーチェット病，神経型ベーチェット病，血管型ベーチェット病，川崎病の急性期／以下のいずれかの状態を示すクローン病の治療および維持療法(既存の治療で効果不十分な場合に限る)→中等度から重度の活動期にある患者，外瘻を有する患者／中等症から重症の潰瘍性大腸炎の治療(既存の治療で効果不十分な場合に限る)

［エタネルセプト］既存治療で効果不十分な関節リウマチ(関節の構造的損傷の防止を含む)／既存治療で効果不十分な多関節に活動性を有する若年性特発性関節炎

［アダリムマブ］関節リウマチ(関節の構造的損傷の防止を含む)／既存の治療で効果不十分な以下の疾患→多関節に活動性を有する若年性特発性関節炎，尋常性乾癬，関節症性乾癬，膿疱性乾癬，強直性脊椎炎，腸管型ベーチェット病／中等症または重症の活動期にあるクローン病の寛解導入および維持療法(既存の治療で効果不十分な場合に限る)／中等症または重症の潰瘍性大腸炎の治療(既存治療で効果不十分な場合に限る)／〈ヒュミラ皮下注のみ〉化膿性汗腺炎／壊疽性膿皮症／非感染性の中間部・後部または汎ぶどう膜炎(既存治療で効果不十分な場合に限る)

［トシリズマブ］〈点滴静注〉既存の治療で効果不十分な以下の疾患→関節リウマチ(関節の構造的損傷の防止を含む)，多関節に活動性を有する若年性特発性関節炎，全身型若年性特発性関節炎，成人スチル病／キャッスルマン病に伴う諸症状および検査所見(C反応性タンパク・フィブリノゲン高値，赤血球沈降速度亢進，ヘモグロビン・アルブミン低値，全身倦怠感)の改善(ただし，リンパ節の摘除が適応とならない患者に限る)／腫瘍特異的T細胞輸注療法に伴うサイトカイン放出症候群／SARS-CoV-2による肺炎(ただし，酸素投与を要する患者に限る)／〈皮下注〉既存治療で効果不十分な以下の疾患→関節リウマチ(関節の構造的損傷の防止を含む)，高安動脈炎，巨細胞性動脈炎

［アバタセプト］既存治療で効果不十分な関節リウマチ(関節の構造的損傷の防止を含む)／〈点滴静注用のみ〉既存治療で効果不十分な多関節に活動性を有する若年性特発性関節炎

注
01
―
03
―
01

抗リウマチ注射薬

［ゴリムマブ］既存治療で効果不十分な関節リウマチ（関節の構造的損傷の防止を含む）／中等症から重症の潰瘍性大腸炎の改善および維持療法（既存治療で効果不十分な場合に限る）

［セルトリズマブ　ペゴル］関節リウマチ（関節の構造的損傷の防止を含む）／既存治療で効果不十分な以下の疾患→尋常性乾癬，関節症性乾癬，膿疱性乾癬，乾癬性紅皮症

［サリルマブ］既存治療で効果不十分な関節リウマチ

解説　関節リウマチは，免疫の異常によって関節に炎症がおこり，腫れや強い痛みが生じる病気です。放置すると軟骨や骨が破壊され，関節が変形してしまいます。日本では，関節リウマチの患者さんが 60 万人以上いるといわれています。男女比は 1 対 4 で，約 8 割が女性です。高齢者に多いというイメージがありますが，発症のピークは 30〜50 歳代です。

　関節リウマチの治療の中心は薬物療法です。「主に痛みを軽減する薬」と「免疫の異常に働きかけて，修正する作用がある薬（抗リウマチ薬）」が使われます。抗リウマチ薬には複数のタイプがあります。

①ブシラミン，サラゾスルファピリジンなど（内服薬）

②メトトレキサート（内服薬）

③サイトカイン阻害薬（注射薬）

②は，①の薬を使っても効果が得られない場合に使われます。③は，②の薬を使っても効果が得られない場合に使用を検討します。

　内服薬については内服 01-05「リウマチ・痛風の薬」をご覧ください。以下，注射薬のサイトカイン阻害薬についてみていきます。なお，自己注射のできない薬も併せて紹介します。

・サイトカイン阻害薬の概略

　サイトカイン阻害薬は新しいタイプの薬で，生物由来製品あるいは生物学的製剤と呼ばれるグループの薬です。最近，種類が増えて選択の幅も広がりつつあり，従来の薬では効果が得られなかった人にも効果が現れると期待されています。ちなみにサイトカインとは，細胞間のさまざまな情報伝達を行っているタンパク質の総称です。

　サイトカイン阻害薬は，サイトカインの中でも関節の炎症を引きおこす特定のサイトカインの情報伝達の働きを妨げて，関節の炎症や骨や軟骨の破壊が進行するのを抑える効果があります。日本では，2021 年 3 月現在，以下の 8 種類のサイトカイン阻害薬が使われています。

①インフリキシマブ……標的となるサイトカインは「TNF-α」。点滴静注の薬で，メトトレキサートと併用する必要があります。

②エタネルセプト……標的となるサイトカインは「TNF-α」。皮下注射の薬で，医師の指導を受け，自己注射を行うこともできます。

③アダリムマブ……標的となるサイトカインは「TNF-α」。皮下注射の薬で，医師の指導を受け，自己注射を行うこともできます。

④トシリズマブ……標的となるサイトカインは「IL（インターロイキン）-6」。点滴静注と皮下注射があります。皮下注射は医師の指導を受け，自己注射を行うこともできます。

⑤アバタセプト……標的となるサイトカインは「IL（インターロイキン）-2」「TNF-α」「IFN-γ」。点滴静注と皮下注射があります。皮下注射は医師の指導を受け，自己注射を行うこともできます。

⑥ゴリムマブ……標的となるサイトカインは「TNF-α」。皮下注射の薬で，医師の指導を受け，自己注射を行うこともできます。

⑦セルトリズマブ　ペゴル……標的となるサイトカインは「TNF-α」。皮下注射の薬で，医師の指導を受け，自己注射を行うこともできます。

⑧サリルマブ……標的となるサイトカインは「IL（インターロイキン）-6」。皮下注射の薬で，医師の指導を受け，自己注射を行うこともできます。

　以上のどの薬を使うかは，標的となるサイトカインの種類などを考慮して選択されます。また，薬の形態や投与の仕方などが患者さんに合っているかどうかも，薬を決める際のポイントになります。なお，これらのサイトカイン阻害薬は，関節リウマチ以外の疾患，例えばクローン病などにも使用されることがあります。

・副作用と課題

　サイトカイン阻害薬を使う場合は，免疫の働きが抑制されるので，肺炎や結核などの感染症に注意が必要です。また，発疹，頭痛，吐きけなどの副作用がおこることがあります。サイトカイン阻害薬は，すべての患者さんに効くわけではありません。患者さんによっては，効果を得られないこともあります。また，薬の値段が高く，健康保険の3割自己負担の場合で月に数万円かかります。これは，製造法が特殊で製造コストが高いためです。

・寛解を目指す

　関節リウマチでは，関節の痛みや腫れ，炎症などがない状態を「寛解」といいます。かつて，痛みを半分程度に軽減できればよいとされる時代もありました。しかし，抗リウマチ薬が使われるようになり，薬を使いながら寛解の状態を維持することも不可能ではなくなりました。さらに，サイトカイン阻害薬が使われるようになり，寛解の状態が5年間ほど続いたあと，薬を使わずに済むようになる患者さんも出てきています。薬を使わなくても寛解が維持される状態は，完治に近い状態であるといわれています。

・新型コロナウイルスに対する治療

　トシリズマブのアクテムラ点滴静注用は，2022年1月，SARS-CoV-2（新型コロナウイルス）による肺炎に対する効能・効果が承認されました。酸素投与，人工呼吸器管理または体外式膜型人工肺（ECMO）導入を要する患者を対象に，入院下で副腎皮質ステロイド薬と併用して使用されます。

🈺 使用上の注意

＊エタネルセプト（エンブレル）の添付文書による

警告

①本剤の投与により，結核，敗血症を含む重い感染症および脱髄疾患（多発性硬化症など）の悪化などが報告されており，また，本剤との関連性は明らかではないが，悪性腫瘍の発現も報告されています。本剤が疾患を完治させる薬剤でないことも含め，これらの情報を患者に十分説明し，患者が理解したことを確認したうえで，治療上の有益性が危

険性を上まわると判断される場合にのみ投与すること。また，本剤の投与において，重い副作用により致命的な経過をたどることがあるので，緊急時の対応が十分可能な医療施設および医師が使用し，本剤投与後に副作用が発現した場合には，主治医に連絡するよう患者に注意を与えること。

②感染症：(a)敗血症，真菌感染症を含む日和見感染症などの致死的な感染症が報告されているため，十分な観察を行うなど感染症の発症に注意すること。(b)播種性結核(粟粒結核)および肺外結核(胸膜，リンパ節など)を含む結核が発症し，死亡例も報告されています。過去に結核に感染した人は，症状の顕在化および悪化のおそれがあるため，本剤の投与に先立って結核に関する十分な問診，胸部 X 検査に加え，インターフェロン-γ遊離試験またはツベルクリン反応検査を行い，適宜，胸部 CT 検査などを受けることにより，結核感染の有無を確認すること。また，結核の既感染者には，抗結核薬の投与をしたうえで本剤を投与すること。ツベルクリン反応などの検査が陰性の人では，投与後に活動性結核が認められた例も報告されています。

③脱髄疾患の臨床症状・画像診断上の悪化が，本剤を含む TNF 抑制作用を有する薬剤でみられたとの報告があります。脱髄疾患およびその前歴のある人には投与しないこととし，脱髄疾患を疑う人や家族歴を有する人に投与する場合には，適宜，画像診断などの検査を実施するなど，十分な観察を行うこと。

④本剤の治療を行う前に，非ステロイド性抗炎症薬および他の抗リウマチ薬などの使用を十分に勘案すること。

⑤本剤についての十分な知識と関節リウマチおよび多関節に活動性を有する若年性特発性関節炎の治療の経験をもつ医師が使用すること。

基本的注意

(1)使用してはいけない場合……肺血症またはそのリスクを有する人／重い感染症／活動性結核／本剤の成分に対するアレルギーの前歴／脱髄疾患(多発性硬化症など)およびその前歴／うっ血性心不全

(2)慎重に使用すべき場合……感染症または感染症が疑われる人／結核の既感染者(特に結核の前歴のある人および胸部レントゲン上で結核治癒所見のある人)または結核感染が疑われる人／易感染性の状態にある人／脱髄疾患が疑われる徴候を有する人および家族歴のある人／重い血液疾患(汎血球減少，再生不良性貧血など)またはその前歴／間質性肺炎の前歴

(3)自己注射……①本剤を自分で注射する場合は，十分な教育訓練を受け，自分で確実に注射できるようになったのち，医師の管理指導のもとで行います。自己注射後，感染症など本剤による副作用が疑われる場合や自己注射の継続が困難な状況となる可能性がある場合には，直ちに自己注射を中止し，医師の管理下で慎重に観察するなど適切な処置を行います。②使用済みの注射針や注射器は再使用せずに，与えられた容器に入れて確実に廃棄してください。

(4)B 型肝炎……本剤を含む抗 TNF 製剤を投与された B 型肝炎ウイルスキャリアの人または既往感染者(HBs 抗原陰性，かつ HBc 抗体または HBs 抗体陽性)において，B 型

肝炎ウイルスの再活性化が報告されています。

(5)生ワクチン接種……本剤の投与中は，生ワクチン接種により感染するおそれがあるので，生ワクチン接種は行いません。小児の場合は，本剤の投与前に必要なワクチンを接種しておくことが望まれます。

(6)その他……

● 妊婦での安全性：有益と判断されたときのみ使用。

● 授乳婦での安全性：治療上の有益性・母乳栄養の有益性を考慮し，授乳の継続・中止を検討。

● 小児（4歳未満）での安全性：未確立。（1714頁を参照）

重大な副作用 ①敗血症，肺炎（ニューモシスチス肺炎を含む），真菌感染症などの日和見感染症。②結核。③血管浮腫，アナフィラキシー，気管支けいれん，じん麻疹などの重いアレルギー反応。④再生不良性貧血，汎血球減少，白血球減少，好中球減少，血小板減少，貧血，血球貪食症候群。⑤多発性硬化症，視神経炎，横断性脊髄炎，ギラン・バレー症候群などの脱髄疾患。⑥間質性肺炎（発熱，せき，呼吸困難など）。⑦抗dsDNA抗体の陽性化を伴うループス様症候群（関節痛，筋肉痛，皮疹など）。⑧肝機能障害。⑨皮膚粘膜眼症候群（スティブンス-ジョンソン症候群），中毒性表皮壊死融解症（TEN），多形紅斑。⑩抗好中球細胞質抗体（ANCA）陽性血管炎。⑪急性腎障害，ネフローゼ症候群。⑫心不全。

そのほかにも報告された副作用はあるので，体調がいつもと違うと感じたときは，処方医・薬剤師に相談してください。

併用してはいけない薬 併用してはいけない薬は特にありません。ただし，併用する薬があるときは，念のため処方医・薬剤師に報告してください。

注 01 在宅で管理する注射薬　04 パーキンソン病の薬

01 アポモルヒネ塩酸塩水和物

製剤情報

一般名：アポモルヒネ塩酸塩水和物

● 規制…劇薬

● 使用量と回数…1回量1〜6mg。最高投与量1回6mg。少なくとも2時間の間隔をあけて投与し，1日の投与回数の上限は5回。

■先発品　　商品名（メーカー）　規格・保険薬価

アポカイン皮下注（協和キリン）
注 30mg3mL 1筒 7,910円

概　要

分類　パーキンソン病治療薬

処方目的　パーキンソン病におけるオフ症状の改善（レボドパ含有製剤の頻回投与および他の抗パーキンソン病薬の増量などを行っても十分に効果が得られない場合）

解説　本剤は，国内初の皮下注射製剤として開発された，パーキンソン病のオフ症状

を改善する薬剤です。オフ症状とは，治療薬の効果が切れること（オフ）により発生する振戦（ふるえ），固縮（筋肉の硬直），動作緩慢などの症状のことです。

本剤は自分で注射することも可能です。自己注射を行う場合は，パーキンソン病治療に対する十分な経験がある医師から十分な教育訓練を受けることが必要です。また，特殊な電動注入器（インジェクター）を用い，投与量の設定は医療機関で行います。

使用上の注意

警告

前兆のない突発的睡眠や傾眠などがみられることがあるので，事前にこれらの副作用について処方医に説明を受け，本剤の投与中は自動車の運転，機械の操作，高所作業など危険を伴う作業に従事してはいけません。

基本的注意

(1)使用してはいけない場合……本剤の成分に対するアレルギーの前歴／重い肝機能不全（Child-Pugh 分類 C など）

(2)慎重に使用すべき場合……幻覚などの精神症状またはそれらの前歴／重い心血管系疾患またはそれらの前歴／不整脈の前歴／QT 延長症候群／QT 延長をおこすことが知られている薬剤の使用中／電解質異常（低カリウム血症など）／うっ血性心不全／低体重の人／腎機能障害／肝機能障害（重度の肝機能不全患者を除く）

(3)自己注射のしかた……本剤は皮下注射でのみ使用し，注射部位を上腕，大腿，腹部として，順序よく移動し，同一部位に短期間内に繰り返し注射しないでください。ラット・マウスを用いたがん原性試験において，注射部位の腫瘍（肉腫，線維腫）の増加が報告されています。注射部位に硬結，かゆみ，結節，腫瘤などの皮膚の異常が認められた場合には，直ちに処方医に連絡してください。

(4)使用量について……本剤の使用は小量から始め，消化器症状（吐きけ・嘔吐など），傾眠，血圧低下などに注意しつつ，慎重に増量して維持量を定めます。吐きけ・嘔吐などが認められた場合は，必要に応じて制吐薬（ドンペリドンなど）も使用します。

(5)減量・中止……本剤の減量また中止が必要な場合は，少しずつ減らしていくことが必要です。本剤（ドパミン受容体作動薬）の急激な減量・中止により，薬剤離脱症候群（無感情，不安，うつ，疲労感，発汗，疼痛などの症状を特徴とする）が現れることがあります。

(6)危険作業は中止……本剤を使用すると，突発的睡眠，傾眠がおこることがあります。使用中は，自動車の運転，機械の操作，高所作業など危険を伴う作業には従事しないようにしてください。

(7)その他……

● 妊婦での安全性：使用しないことが望ましい。

● 授乳婦での安全性：治療上の有益性・母乳栄養の有益性を考慮し，授乳の継続・中止を検討。

● 小児での安全性：未確立。（1714 頁を参照）

重大な副作用

①突発的睡眠，傾眠。②QT 延長，失神。③狭心症（血圧の低下および薬効による身体運動増加による）。④血圧低下，起立性低血圧。⑤幻視，幻

覚，幻聴，妄想。

そのほかにも報告された副作用はあるので，体調がいつもと違うと感じたときは，処方医・薬剤師に相談してください。

併用してはいけない薬 併用してはいけない薬は特にありません。ただし，併用する薬があるときは，念のため処方医・薬剤師に報告してください。

注 01 在宅で管理する注射薬 . 05 骨粗鬆症の薬

01 テリパラチド

製剤情報

一般名：テリパラチド（遺伝子組み換え）
- 使用量と回数…1日1回20μgを皮下注射。使用は24カ月間まで。

■先発品 商品名（メーカー） 規格・保険薬価

フォルテオ皮下注キット（イーライリリー）
注 600μg 1キット 32,253 円

■ジェネリック 商品名（メーカー） 規格・保険薬価

テリパラチド BS 皮下注キット（持田）
注 600μg 1キット 21,577 円

一般名：テリパラチド酢酸塩
- 使用量と回数…［皮下注用］1週間に1回56.5μgを皮下注射。使用は24カ月間（104週）まで。［オートインジェクター］1週間に2回，28.2μgを皮下注射。使用は24カ月間（104週）まで。

■先発品 商品名（メーカー） 規格・保険薬価

テリボン皮下注用（旭化成）
注 56.5μg 1瓶 10,942 円
注 56.5μg 1瓶（溶解液付）10,967 円

テリボン皮下注オートインジェクター（旭化成）注 28.2μg 1キット 5,995 円

注
01
—
05
—
01

テリパラチド

概要

分類 骨粗鬆症治療薬

処方目的 骨折の危険性の高い骨粗鬆症（適用にあたっては，低骨密度，既存骨折，加齢，大腿骨頸部骨折の家族歴などの骨折の危険因子をもつ患者を対象とする）

解説 フォルテオは1日1回，自分で注射できる薬剤です。テリボン皮下注用は週に1回，医療機関で注射する薬剤ですが，オートインジェクターは自己注射も可能で，週に2回注射します。

最近ではさまざまな骨粗鬆症の治療薬がありますが，「骨密度が上がる」または「骨量が増える」といった例は多くはなく，大部分は骨密度が下がるのを食い止める現状維持がせいぜいでした。しかし，テリパラチドは現時点では唯一の骨形成促進薬であり，皮下注射することで骨形成を促進し，骨折の危険性の高い骨粗鬆症患者の骨密度を増加させ，骨折抑制効果を発揮します。

使用上の注意

＊フォルテオ，テリボンの添付文書による

基本的注意

(1)使用してはいけない場合……高カルシウム血症／骨肉腫発生のリスクが高いと考え

られる以下の人：骨ページェット病，原因不明のアルカリフォスファターゼ高値，小児および若年者で骨端線が閉じていない人，過去に骨への影響が考えられる放射線治療を受けた人／原発性の悪性骨腫瘍または転移性骨腫瘍／骨粗鬆症以外の代謝性骨疾患（副甲状腺機能亢進症など）／妊婦または妊娠している可能性のある人／本剤の成分（テリパラチド，テリパラチド酢酸塩）に対するアレルギーの前歴／[フォルテオのみ]授乳婦

(2)慎重に使用すべき場合……腎障害／心疾患／尿路結石およびその前歴／[テリボンのみ]低血圧

(3)血清カルシウムの上昇……本剤の投与後約4～6時間を最大として一過性の血清カルシウム値上昇がみられます。吐きけ・嘔吐，便秘，腹痛，食欲不振，嗜眠，筋力低下などの血清カルシウム値上昇が疑われる症状が認められた場合は，すぐに医師に連絡してください。

(4)閉経前……閉経前の骨粗鬆症患者での安全性および有効性は確立していません。

(5)急激な血圧低下など……本剤を投与すると，一過性の急激な血圧低下，意識消失，転倒（投与直後から数時間後にかけて）が現れることがあります。①投与後30分程度はできるかぎり状態に注意し，特に外来で投与した場合には，安全を確認してから帰宅してください。②投与後に血圧低下，めまい，立ちくらみ，動悸，気分不良，顔面蒼白，冷汗などが現れた場合には，症状がおさまるまで座るか横になって様子をみてください。

(6)保存方法……[フォルテオ]使用開始後も冷蔵庫に入れ，凍結を避け，2～8℃で遮光保存します。

(7)注射部位・使用日数……[フォルテオ]本剤は皮下注射のみに使用します。注射部位は腹部および大腿部とし，広範に順序よく移動して（部位を変えて）注射します。本剤の1キットは28日用なので，使用開始日より28日を超えて使用しないでください。

(8)避妊……妊娠する可能性がある女性は，治療上の有益性が危険性を上回ると判断されたときのみ使用されます。使用期間中は適切な避妊を行ってください。動物実験で胎児毒性（胚死亡）などが報告されています。

(9)危険作業に注意……使用中に起立性低血圧，めまいが現れることがあるので，高所での作業，自動車の運転など危険を伴う作業に従事する場合には注意してください。

(10)その他……

●授乳婦での安全性：[テリボン]治療上の有益性・母乳栄養の有益性を考慮し，授乳の継続・中止を検討。

●小児などでの安全性：小児および若年者で骨端線が閉じていない患者には使用しない。（1714頁を参照）

重大な副作用 ①ショック，アナフィラキシー（呼吸困難，意識消失，血圧低下，発疹など）。

そのほかにも報告された副作用はあるので，体調がいつもと違うと感じたときは，処方医・薬剤師に相談してください。

併用してはいけない薬 併用してはいけない薬は特にありません。ただし，併用する薬があるときは，念のため処方医・薬剤師に報告してください。

注 01 在宅で管理する注射薬　06 脂質異常症の薬

01 高コレステロール血症治療薬

製剤情報

一般名：エボロクマブ（遺伝子組み換え）

● 使用量と回数…[家族性高コレステロール血症
ヘテロ接合体および高コレステロール血症の場
合]140mgを2週間に1回，または420mgを4週
間に1回，皮下注射。[家族性高コレステロール血
症ホモ接合体の場合]420mgを4週間に1回，ま
たは2週間に1回（効果不十分な場合），皮下注射。

■ 先発品　　商品名(メーカー)　規格・保険薬価

レパーサ皮下注オートミニドーザー（アムジェン
＝アステラス）注 420mg3.5mL 1キット 47,188 円

レパーサ皮下注ペン（アムジェン＝アステラス）
注 140mg1mL 1キット 24,302 円

概　要

分類　脂質異常症治療薬(ヒト抗 PCSK9 モノクローナル抗体製剤)

処方目的　家族性高コレステロール血症，高コレステロール血症→ただし，以下の
①②を満たす場合に限る。①心血管イベントの発現リスクが高い，②HMG-CoA 還元酵
素阻害薬で効果不十分，または HMG-CoA 還元酵素阻害薬による治療が適さない

解説　エボロクマブはヒト型モノクローナル抗体で，PCSK9(プロ蛋白転換酵素サブ
チリシン/ケキシン 9 型)の働きを阻害することで LDL コレステロール値を低下させ，
脂質異常症を改善する注射薬です。

　本剤は，①心血管イベントの発現リスクが高く(狭心症，心筋梗塞，非心原性脳梗塞，
末梢動脈疾患，糖尿病，慢性腎臓病などの罹患または既往歴など)，②HMG-CoA 還元
酵素阻害薬で効果が不十分，または HMG-CoA 還元酵素阻害薬による治療が適さない
場合(この薬剤の副作用の既往などで使用が困難，または禁忌の人)にのみ使用が認めら
れています。HMG-CoA 還元酵素阻害薬と併用して使用しますが，HMG-CoA 還元酵素
阻害薬による治療が適さない場合は単独で使用します。

使用上の注意

＊両剤の添付文書による

基本的注意

(1)使用してはいけない場合……本剤の成分に対するアレルギーの前歴

(2)慎重に使用すべき場合……重度の肝機能障害

(3)自己注射法……〈保存〉凍結を避け，2～8℃で保存する。〈注射前〉①本剤を注射前数
十分程度，遮光した状態で室温に戻してから注射すること。②本剤を激しく振るわない
こと。③内容物を目視により確認し，変色，にごり，浮遊物が認められる場合は使用しな
いこと。〈注射部位〉上腕部，腹部または大腿部とし，同一部位への反復投与は行わない
こと。皮膚が敏感なところ，皮膚に異常のある部位(傷，皮疹，炎症，硬結など)への注射
は避けること。

(4)定期的に検査……使用中は血中脂質値を定期的に検査し，本剤に対する反応が認め

られない場合には使用を中止します。

(5)妊婦，授乳婦などの使用法……[HMG-CoA 還元酵素阻害薬と併用する場合]妊婦または妊娠している可能性のある女性，および授乳婦は使用してはいけません。HMG-CoA還元酵素阻害薬において，ヒトの胎児の先天性奇形などが現れたとの報告があります。[単独で使用する場合]妊婦：有益と判断されたときのみ使用。授乳婦：治療上の有益性・母乳栄養の有益性を考慮し，授乳の継続・中止を検討。

(6)その他……

● 小児での安全性……未確立。(1714頁を参照)

重大な副作用 　重大な副作用はありませんが，そのほかの副作用はあるので，体調がいつもと違うと感じたときは，処方医・薬剤師に相談してください。

併用してはいけない薬 　併用してはいけない薬は特にありません。ただし，併用する薬があるときは，念のため処方医・薬剤師に報告してください。

注 01 在宅で管理する注射薬　07 乾癬の薬

01 乾癬治療薬

製剤情報

一般名：ウステキヌマブ（遺伝子組み換え）

● 規制…劇薬

● 使用量と回数…[乾癬]1回45mgを初回，4週後に皮下注射。以降は12週間隔で皮下注射。効果不十分な場合には1回90mgを投与できる。クローン病，潰瘍性大腸炎については処方医の指示通りに投与。

■先発品　　商品名（メーカー）　規格・保険薬価

ステラーラ皮下注シリンジ（ヤンセン＝田辺三菱）注 45mg0.5mL 1筒 380,403 円

一般名：セクキヌマブ（遺伝子組み換え）

● 規制…劇薬

● 使用量と回数…[乾癬]1回300mgを初回，1週後，2週後，3週後，4週後に皮下注射。以降は4週間隔で皮下注射。体重により1回150mgの投与も可。[強直性脊椎炎，体軸性脊椎関節炎]1回150mgを初回，1週後，2週後，3週後，4週後に皮下注射。以降は4週間隔で皮下注射。医師に

より適用が妥当と判断された場合は自己注射も可能(基本的注意の(3)参照)。

■先発品　　商品名（メーカー）　規格・保険薬価

コセンティクス皮下注シリンジ（ノバルティス＝マルホ）注 75mg0.5mL 1筒 40,144 円
注 150mg1mL 1筒 72,849 円

コセンティクス皮下注ペン（ノバルティス＝マルホ）注 150mg1mL 1キット 74,486 円

一般名：ブロダルマブ（遺伝子組み換え）

● 規制…劇薬

● 使用量と回数…1回210mgを初回，1週後，2週後に皮下注射。以降は2週間隔で皮下注射。医師により適用が妥当と判断された場合は自己注射も可能(基本的注意の(3)参照)。

■先発品　　商品名（メーカー）　規格・保険薬価

ルミセフ皮下注シリンジ（協和キリン）注 210mg1.5mL 1筒 74,513 円

一般名：イキセキズマブ（遺伝子組み換え）

● 規制…劇薬
● 使用量と回数…[乾癬]初回に160mgを，2週後から12週後までは1回80mgを2週間隔で皮下注射。以降は1回80mgを4週間隔または2週間隔（効果不十分な場合）で皮下注射。[強直性脊椎炎，体軸性脊椎関節炎]1回80mgを4週間隔で皮下注射。医師により適用が妥当と判断された場合は自己注射も可能（基本的注意の(3)参照）。

■先発品　　商品名(メーカー)　規格・保険薬価

トルツ皮下注シリンジ（イーライリリー）
注 80mg1mL 1筒 148,952 円

トルツ皮下注オートインジェクター（イーライリリー）注 80mg1mL 1キット 148,952 円

一般名：インフリキシマブ（遺伝子組み換え）

● 規制…劇薬
● 使用量と回数…[乾癬]体重1kgあたり5mgを1回の投与量とし点滴静注。初回，2週後，6週後に投与し，以降は8週間隔で投与。6週の投与以後，効果不十分または効果が減弱した場合には，投与量の増量や投与間隔の短縮が可能。その他の疾患については処方医の指示通りに。

■先発品　　商品名(メーカー)　規格・保険薬価

レミケード点滴静注用（田辺三菱）
注 100mg 1瓶 64,480 円

■ジェネリック　　商品名(メーカー)　規格・保険薬価

インフリキシマブ BS 点滴静注用（あゆみ製薬）注 100mg 1瓶 29,872 円

インフリキシマブ BS 点滴静注用（セルトリオン＝東和）注 100mg 1瓶 29,872 円

インフリキシマブ BS 点滴静注用（日医工）
注 100mg 1瓶 29,872 円

インフリキシマブ BS 点滴静注用（日本化薬）
注 100mg 1瓶 29,872 円

インフリキシマブ BS 点滴静注用（ファイザー）注 100mg 1瓶 29,872 円

一般名：セルトリズマブ ペゴル（遺伝子組み換え）

● 規制…劇薬
● 使用量と回数…[乾癬]1回400mgを2週間隔で皮下注射。症状安定後には1回200mgを2週間隔，または1回400mgを4週間隔で皮下注射できる。その他の疾患については処方委の指示通りに。医師により適用が妥当と判断された場合は自己注射も可能（基本的注意の(3)参照）。

■先発品　　商品名(メーカー)　規格・保険薬価

シムジア皮下注オートクリックス（UCB＝アステラス）注 200mg1mL 1キット 58,889 円

シムジア皮下注シリンジ（UCB＝アステラス）注 200mg1mL 1筒 59,251 円

一般名：アダリムマブ（遺伝子組み換え）

● 規制…劇薬
● 使用量と回数…[乾癬]初回に80mgを，以降は2週に1回40mgを皮下注射。効果不十分な場合には1回80mgまで増量できる。その他の疾患については処方医の指示通りに。医師により適用が妥当と判断された場合は自己注射も可能（基本的注意の(3)参照）。

■先発品　　商品名(メーカー)　規格・保険薬価

ヒュミラ皮下注シリンジ（アッヴィ＝エーザイ）
注 20mg0.2mL 1筒 27,167 円
注 40mg0.4mL 1筒 54,948 円
注 80mg0.8mL 1筒 109,401 円

ヒュミラ皮下注ペン（アッヴィ＝エーザイ）
注 40mg0.4mL 1キット 53,516 円
注 80mg0.8mL 1キット 103,856 円

■ジェネリック　　商品名(メーカー)　規格・保険薬価

アダリムマブ BS 皮下注シリンジ（FKB＝マイラン EPD）注 20mg0.4mL 1筒 17,246 円
注 40mg0.8mL 1筒 34,712 円

注01—07—01　乾癬治療薬

アダリムマブ BS 皮下注シリンジ（第一三共）
注 20mg0.4mL 1筒 17,264 円
注 40mg0.8mL 1筒 34,712 円

アダリムマブ BS 皮下注シリンジ（持田＝あゆみ製薬）
注 20mg0.2mL 1筒 17,264 円
注 40mg0.4mL 1筒 34,712 円
注 80mg0.8mL 1筒 66,432 円

アダリムマブ BS 皮下注ペン（FKB＝マイラン EPD）
注 40mg0.8mL 1キット 34,097 円

アダリムマブ BS 皮下注ペン（第一三共）
注 40mg0.8mL 1キット 34,097 円

アダリムマブ BS 皮下注ペン（持田＝あゆみ製薬）
注 40mg0.4mL 1キット 34,097 円

一般名：グセルクマブ（遺伝子組み換え）

● 規制…劇薬
● 使用量と回数…1回100mgを初回，4週後，以降8週間隔で皮下注射。

■先発品　　商品名（メーカー）　規格・保険薬価

トレムフィア皮下注シリンジ（ヤンセン＝大鵬）
注 100mg1mL 1筒 325,040 円

一般名：リサンキズマブ（遺伝子組み換え）

● 規制…劇薬
● 使用量と回数…1回150mgを初回，4週後，以降12週間隔で皮下注射。状態に応じて1回75mgを投与することができる。

■先発品　　商品名（メーカー）　規格・保険薬価

スキリージ皮下注シリンジ（アッヴィ）
注 75mg0.83mL 1筒 243,807 円
注 150mg1mL 1筒 474,616 円

スキリージ皮下注ペン（アッヴィ）
注 150mg1mL 1キット 474,761 円

一般名：チルドラキズマブ（遺伝子組み換え）

● 規制…劇薬
● 使用量と回数…1回100mgを初回，4週後，以降12週間隔で皮下注射。

■先発品　　商品名（メーカー）　規格・保険薬価

イルミア皮下注シリンジ（サンファーマ）
注 100mg1mL 1筒 486,268 円

概　　要

分類　乾癬治療薬

処方目的　既存治療で効果不十分な以下の疾患→尋常性乾癬，関節症性乾癬，膿疱性乾癬，乾癬性紅皮症

＊製剤により多少異なります。

[セクキヌマブ，ブロダルマブ，イキセキズマブのみの適応症] 既存治療で効果不十分な強直性脊椎炎，X線基準を満たさない体軸性脊椎関節炎

[ウステキヌマブのみの適応症] 既存治療で効果不十分な以下の疾患→中等症から重症の活動期クローン病の維持療法，中等症から重症の潰瘍性大腸炎の寛解導入療法

[インフリキシマブのみの適応症] 既存治療で効果不十分な以下の疾患→関節リウマチ（関節の構造的損傷の防止を含む），強直性脊椎炎，腸管型ベーチェット病，神経型ベーチェット病，血管型ベーチェット病，ベーチェット病による難治性網膜ぶどう膜炎／川崎病の急性期／クローン病の治療および維持療法（中等度から重度の活動期にある患者，外瘻を有する患者）／中等症から重症の潰瘍性大腸炎の治療

[セルトリズマブ ペゴルのみの適応症] 既存治療で効果不十分な関節リウマチ（関節の構造的損傷の防止を含む）

注01—07—01

乾癬治療薬

[アダリムマブのみの適応症] 既存の治療で効果不十分な以下の疾患→多関節に活動性を有する若年性特発性関節炎，強直性脊椎炎，腸管型ベーチェット病／関節リウマチ（関節の構造的損傷の防止を含む）／中等症または重症の活動期にあるクローン病の寛解導入および維持療法（既存の治療で効果不十分な場合に限る）／中等症または重症の潰瘍性大腸炎の治療（既存治療で効果不十分な場合に限る）／〈ヒュミラ皮下注のみ〉化膿性汗腺炎／壊疽性膿皮症／非感染性の中間部・後部または汎ぶどう膜炎（既存治療で効果不十分な場合に限る）

[グセルクマブのみの適応症] 掌蹠膿疱症

解説　乾癬は慢性的な皮膚の病気で，尋常性乾癬，関節症性乾癬，膿疱性乾癬，乾癬性紅皮症，滴状乾癬などの種類があります。そのうちのほとんどが尋常性乾癬で，主な症状は，皮膚が赤くなって盛り上がり（紅斑），次第にその表面が銀白色の細かいかさぶた（鱗屑）で覆われ，やがてそれがボロボロとはがれ落ちてきます（落屑）。かゆみや痛みを伴うこともあり，症状が進行すると皮疹が全身に及ぶこともあります。

　治療は，通常はまず外用薬，ついで光線（紫外線）療法，内服薬（非ステロイド性抗炎症薬など），それでも十分な効果が得られない場合は注射薬を用います。この項で示す注射薬は，既存の治療で十分な効果が得られず，皮疹が体表面積の10%以上に及ぶ場合，難治性の皮疹，もしくは関節症状または膿疱を有する場合（チルドラキズマブを除く）に投与することになっています。セクキヌマブ，ブロダルマブ，イキセキズマブ，セルトリズマブ ペゴル，アダリムマブは，医師により適用が妥当と判断された人は自己注射が可能です。

　ここで取り上げる薬剤のうち，インフリキシマブとセルトリズマブ ペゴル，アダリムマブにはリウマチなどの適応もあるので，「抗リウマチ注射薬」も参照してください。

　なお，ステロイドの注射薬にも乾癬の適応があり，主な製剤としては，ヒドロコルチゾンコハク酸エステルナトリウム，デキサメタゾンリン酸エステルナトリウム，ベタメタゾンリン酸エステルナトリウムなどがあります。

使用上の注意

＊セクキヌマブ（コセンティクス皮下注），イキセキズマブ（トルツ皮下注）の添付文書による

警告

①本剤は，結核などの感染症を含む緊急時に十分に対応できる医療施設において，本剤についての十分な知識と適応疾患の治療に十分な知識・経験をもつ医師のもと，本剤による治療の有益性が危険性を上回ると判断される症例のみに使用します。本剤は感染のリスクを増大させる可能性があり，また結核の前歴のある患者では結核を活動化させる可能性があります。また，本剤との関連性は明らかではありませんが，悪性腫瘍の発現が報告されています。治療開始に先立ち，本剤が疾病を完治させる薬剤でないことも含め，患者または家族は医師から有効性および危険性について十分に聞き・たずね，同意してから使用することが大切です。

②ウイルス，細菌，真菌などによる重篤な感染症が報告されているため，感染症の発症に注意し，本剤投与後に感染の徴候または症状が現れた場合には，直ちに主治医に連絡

してください。

③本剤の治療を開始する前に，適応疾患の既存治療（光線療法，非ステロイド性抗炎症薬など）の適用を十分に勘案することが必要です。

基本的注意

(1)使用してはいけない場合……本剤の成分に対するアレルギーの前歴／重篤な感染症／活動性結核

(2)慎重に使用すべき場合……感染症（重篤な感染症を除く）または感染症が疑われる人／結核の前歴または結核感染が疑われる人／炎症性腸疾患（クローン病，潰瘍性大腸炎）／［セクキヌマブのみ］ラテックス過敏症の前歴または可能性のある人

(3)自己注射……本剤の投与開始にあたっては，医療施設において，必ず医師によるか，医師の直接の監督のもとで投与を行います。セクキヌマブ，ブロダルマブ，イキセキズマブ，セルトリズマブ ペゴル，アダリムマブは，治療開始後，医師により適用が妥当と判断された人は自己投与も可能です。自己注射を行う場合は，①本剤を冷蔵庫に保存しておく。②投与前に冷蔵庫から取り出し室温に戻しておく。③投与直前まで本剤の注射針のキャップを外さないこと。キャップを外したら直ちに投与する。④皮膚が敏感な部位，皮膚に異常のある部位（傷，発赤，鱗屑，硬結，瘢痕，皮膚線条などの部位），乾癬の部位には注射しない。⑤投与部位は，大腿部，腹部，上腕部が望ましい。同一箇所へ繰り返し注射することは避ける。⑥本剤は1回使用の製剤であり，再使用しないこと。なお，セクキヌマブの注射針部分のカバーには，乾燥天然ゴム（ラテックス類縁物質）が含まれているので，ラテックス過敏症の前歴あるいは可能性のある場合は，アレルギー反応をおこすおそれがあるので注意します。

(4)生ワクチン接種は禁止……本剤の投与中は，生ワクチン接種による感染症発現のリスクを否定できないため，生ワクチン接種は行わないでください。

(5)その他……

●妊婦での安全性：有益と判断されたときのみ使用。

●授乳婦での安全性：治療上の有益性・母乳栄養の有益性を考慮し，授乳の継続・中止を検討。

●小児での安全性：未確立。(1714頁を参照)

重大な副作用　　①ウイルス，細菌あるいは真菌などによる重篤な感染症。②重篤な過敏症反応（アナフィラキシー，じん麻疹など）。③好中球数減少。④炎症性腸疾患。［セクキヌマブのみ］⑤紅皮症（剥脱性皮膚炎）。［イキセキズマブ］⑥間質性肺炎（せき，呼吸困難，発熱など）。

　そのほかにも報告された副作用はあるので，体調がいつもと違うと感じたときは，処方医・薬剤師に相談してください。

併用してはいけない薬　　併用してはいけない薬は特にありません。ただし，併用する薬があるときは，念のため処方医・薬剤師に報告してください。

注 01 在宅で管理する注射薬　08 片頭痛の薬

01 セロトニン$_{1B/1D}$受容体作動型片頭痛治療薬

製剤情報

一般名：スマトリプタンコハク酸塩

- PC…C
- 規制…劇薬
- 使用量と回数…片頭痛・群発頭痛発作の頭痛発現時に1回3mgを皮下投与。ただし1回3mg, 1日6mgを超えないこと。イミグランキット皮下

注は医師により適用が妥当と判断された場合は自己注射も可能（基本的注意の(3)参照）。

■**先発品**　　商品名(メーカー)　　規格・保険薬価

イミグラン注 (グラクソ) 注 3mg1mL 1管 2,926 円

イミグランキット皮下注 (グラクソ)

注 3mg0.5mL 1筒 2,203 円

概　　要

分類　5-HT$_{1B/1D}$受容体作動型片頭痛治療薬

処方目的　片頭痛，群発頭痛

〈注〉①家族性片麻痺性片頭痛，孤発性片麻痺性片頭痛，脳底型片頭痛，眼筋麻痺性片頭痛の患者は使用してはいけません。②十分な問診・診察・検査を受けた後に処方されるべき人……(a)今までに片頭痛または群発頭痛と診断されたことのない人，(b)診断されたことはあるが，症状や経過がそのときとは異なっている人

解説　本剤は，脳などの血管内壁に存在するセロトニン受容体(5-HT$_1$受容体，特に5-HT$_{1B}$と5-HT$_{1D}$受容体)に作用して，頭痛発作時に過度に拡張した頭蓋内外の血管を収縮させることで片頭痛を改善します。本剤には内服薬，外用薬もありますが，注射薬のみ群発頭痛も適応となっています。

　本剤は頭痛の発現時にのみ使用する薬剤で，予防のための効果はありません。なお，イミグランキット皮下注は，医師により適用が妥当と判断された人は自己注射が可能です。

使用上の注意

＊両剤の添付文書による

基本的注意

(1)使用してはいけない場合……本剤の成分に対するアレルギーの前歴／心筋梗塞の前歴，虚血性心疾患またはその症状・兆候のある人，異型狭心症(冠動脈れん縮)／脳血管障害や一過性脳虚血性発作の前歴／末梢血管障害／コントロールされていない高血圧症／重篤な肝機能障害／エルゴタミン酒石酸塩・エルゴタミン誘導体含有製剤・他の5-HT$_{1B/1D}$受容体作動薬の服用中／モノアミン酸化酵素阻害薬(1716頁を参照)(MAO阻害薬)の服用中あるいは服用中止2週間以内

(2)慎重に使用すべき場合……虚血性心疾患の可能性のある人(例えば，虚血性心疾患を疑わせる重い不整脈，閉経後の女性，40歳以上の男性，冠動脈疾患の危険因子を有する人)／てんかん様発作の前歴あるいはてんかん様発作をおこす危険因子のある人(脳炎などの脳疾患，けいれんの閾値を低下させる薬剤の使用中など)／肝機能障害(重篤な肝

機能障害患者を除く)／腎機能障害／スルフォンアミド系薬剤に対するアレルギーの前歴／コントロールされている高血圧症／脳血管障害の可能性のある人／高齢者

(3)**自己注射**……[イミグランキット皮下注]医療機関において適切な在宅自己注射教育を受けた人は，自己注射することができます。①必ず専用のペン型注入器を用います。②使用量・回数および注射部位は処方医の指示通りに。③本剤使用後，胸痛や胸部圧迫感などの一過性の症状(強度で咽喉頭部に及ぶことがある)がおこることがあります。心筋梗塞・狭心症などの虚血性心疾患の可能性もあるので，直ちに処方医へ連絡してください。その他，何らかの異常がみられたら連絡を。④本剤の注射針のカバーには天然ゴム(ラテックス)が含まれています。ラテックスアレルギーのある人は，本剤を使用する前にその旨を処方医に伝えてください。アレルギー反応の症状が現れた場合には，速やかに処方医に連絡します。

(4)**使用方法**……[片頭痛]1回の頭痛発作において，初回投与で頭痛が軽減した場合には，24時間以内におこった次の発作に対して追加投与することができますが，2回の投与の間には少なくとも1時間の間隔をおきます。[群発頭痛]1日2回の発作に投与することができますが，2回の投与の間には少なくとも1時間の間隔をおきます。

(5)**スマトリプタン系薬剤の併用方法**……スマトリプタン製剤を組み合わせて使用する場合は少なくとも以下の間隔をあけて投与します。①注射液投与後に内服薬(錠剤・内用液)あるいは外用薬(点鼻液)を追加投与する場合には1時間以上。②錠剤・内用液投与後に注射液を追加投与する場合には2時間以上。③点鼻液投与後に注射液を追加投与する場合には2時間以上。

(6)**薬剤の使用過多による頭痛**……本剤を含むトリプタン系薬剤の使用により，頭痛が悪化することがあります。頭痛が改善しない場合は処方医にその旨を伝えてください。「薬剤の使用過多による頭痛」の可能性を考慮し，使用を中止するなどの適切な処置がとられます。

(7)**授乳婦**……本剤は皮下投与後に母乳中へ移行することが認められています。授乳中の人は，投与後12時間は授乳をしないようにしてください。

(8)**危険作業は中止**……片頭痛あるいは本剤投与により眠けを催すことがあるので，使用中は自動車の運転など危険を伴う機械の操作は行わないようにしてください。

(9)**その他**……
- 妊婦での安全性：未確立。有益と判断されたときのみ使用。
- 小児での安全性：未確立。(1714頁を参照)

重大な副作用 ①アナフィラキシーショック，アナフィラキシー。②不整脈，狭心症あるいは心筋梗塞を含む虚血性心疾患様症状(一過性の胸痛，胸部圧迫感など)。③てんかん様発作。④薬剤の使用過多による頭痛。

そのほかにも報告された副作用はあるので，体調がいつもと違うと感じたときは，処方医・薬剤師に相談してください。

併用してはいけない薬 ①エルゴタミン酒石酸塩・エルゴタミン誘導体含有製剤，他の5-HT$_{1B/1D}$受容体作動薬→相互に作用が強まり，血圧上昇または血管れん縮が強ま

るおそれがあります。②モノアミン酸化酵素阻害薬(1716 頁を参照)→本剤の作用が強まる可能性があります。

01　インターフェロンベータ-1b(遺伝子組み換え)

💊 製剤情報

一般名：インターフェロンベータ-1b(遺伝子組み換え)

● PC…C

● 規制…劇薬

● 使用量と回数…800万国際単位を2日に1回,皮下に自己注射(基本的注意の(3)参照)。

■ 先発品　　商品名(メーカー)　規格・保険薬価

ベタフェロン皮下注用 (バイエル)
注 960 万国際単位 1瓶(溶解液付) 8,418 円

📋 概　　要

分類　遺伝子組換え型インターフェロン-β-1b 製剤

処方目的　多発性硬化症の再発予防および進行抑制

解説　多発性硬化症は，外敵から自分を守るはずの免疫機能に異常がおきて，自分の体の一部を外敵とみなして攻撃することで症状が現れる疾患です(自己免疫疾患)。

　多発性硬化症の再発予防における自己注射薬としては，2022 年 3 月現在，インターフェロンベータ-1b(ベタフェロン)，インターフェロンベータ-1a(アボネックス)，グラチラマー酢酸塩(コパキソン)の 3 種類が使用されています。「A(アボネックス)B(ベタフェロン)C(コパキソン)療法」と呼ばれることもあります。

　本剤(ベタフェロン)は 2 日に 1 回の皮下注射，アボネックスは週 1 回の筋肉注射，コパキソンは 1 日 1 回の皮下注射で，病状や生活スタイル，副作用などにより，いずれかが選択されます。

　なお，本剤のみは多発性硬化症の再発予防だけでなく進行抑制にも使用されます。

🗒 使用上の注意

警告

①本剤の投与により自殺企図，間質性肺炎が現れることがあるので，事前に精神神経症状や呼吸器症状が発現する可能性のあることを十分に説明を受け，不眠，不安，せき，呼吸困難などが現れた場合には直ちに処方医に連絡すること。

②注射部位壊死が現れることがあるので，観察を十分に行い，異常が認められた場合には直ちに処方医に連絡すること。

基本的注意

(1)使用してはいけない場合……本剤の成分または他のインターフェロン製剤およびヒトアルブミンに対するアレルギーの前歴／重度のうつ病または自殺念慮の前歴／非代償性肝疾患／自己免疫性肝炎／治療により十分な管理がされていないてんかん／小柴胡湯を服用中／ワクチンなど生物学的製剤に対するアレルギーの前歴／妊婦または妊娠して

いる可能性のある人

(2)慎重に使用すべき場合……精神神経障害またはその前歴（ただし重度のうつ病または自殺念慮の前歴のある患者を除く）／心疾患またはその前歴／骨髄抑制，貧血または血小板減少症／てんかんなどのけいれん性疾患またはこれらの前歴（ただし治療により十分な管理がされていないてんかん患者を除く）／アレルギー素因のある人／高血圧症／糖尿病またはその前歴，家族歴，耐糖能障害のある人／多発性硬化症以外の自己免疫疾患（ただし自己免疫性肝炎を除く）またはその素因のある人／薬物過敏症の前歴／重い腎機能障害／重い肝機能障害（ただし非代償性肝疾患または自己免疫性肝炎を除く）／高齢者

(3)自己注射……本剤は在宅自己皮下注射製剤です。処方医の指導のもと，「自己注射法マニュアル」や「患者用取扱い説明書」などを熟読・理解したのち使用してください。①本剤の投与初期，一般にインフルエンザ様症状（発熱，頭痛，倦怠感，関節痛，悪寒，筋肉痛，発汗など）が現れます。また，発熱の程度は個人差が著しいですが，高熱となる場合もあるので十分に注意してください。②注射部位反応（注射部位の壊死，紅斑，疼痛，硬結，かゆみ，腫脹，発疹など）が報告されているので，投与ごとに注射部位を上腕，大腿，腹部，臀部など広範に求め，順序よく移動し，同一部位に短期間に繰り返し投与しないようにします。③何らかの異常がみられたら，すぐに処方医に連絡してください。

(4)感染症伝播のリスク……本剤は添加物としてヒト血液由来成分を含有しており，原料となった血液を採取する際には感染症関連の検査を実施するとともに，製造工程において加熱処理を行うなど可能な限りの安全対策を講じています。しかし，血液を原料としていることに由来する感染症伝播のリスクを完全には排除することができないため，処方医から治療上の必要性を十分に聞き，納得したのち使用してください。

(5)その他……

● 授乳婦での安全性：治療上の有益性・母乳栄養の有益性を考慮し，授乳の継続・中止を検討。

● 小児での安全性：未確立。（1714頁を参照）

> **重大な副作用**　　　①抑うつ，自殺企図，躁状態，攻撃的行動。②間質性肺炎。③注射部位壊死。④けいれん，錯乱，離人症，情緒不安定，筋緊張亢進。⑤重度な過敏反応（気管支けいれん，ショック，アナフィラキシー，じん麻疹など）。⑥高度な白血球減少（2,000/mm³ 未満），血小板減少（50,000/mm³ 未満），汎血球減少。⑦重い肝障機能害（黄疸や著しいトランスアミナーゼの上昇を伴う）。⑧心筋症。⑨甲状腺腫，甲状腺機能異常。⑩敗血症。⑪自己免疫現象によると思われる症状・徴候（自己免疫性肝炎，全身性エリテマトーデス，1型糖尿病の増悪または発症，溶血性貧血など）。⑫ネフローゼ症候群（血清総タンパク減少，血清アルブミン低下を伴う重いタンパク尿）。⑬血栓性血小板減少性紫斑病（TTP：血小板減少，破砕赤血球の出現を認める溶血性貧血，精神神経症状，発熱，腎機能障害），溶血性尿毒症症候群（HUS：血小板減少，破砕赤血球の出現を認める溶血性貧血，急性腎障害）。⑭糖尿病（1型・2型）が増悪または発症，昏睡。⑮皮膚粘膜眼症候群（スティブンス-ジョンソン症候群）。⑯急性腎障害。⑰脳出血，消化管

注
01
—
09
—
01

インターフェロンベータ-1b（遺伝子組み換え）

出血，球後出血。⑱認知症様症状（特に高齢者），麻痺，心不全，狭心症。

　そのほかにも報告された副作用はあるので，体調がいつもと違うと感じたときは，処方医・薬剤師に相談してください。

併用してはいけない薬　小柴胡湯→間質性肺炎が現れるおそれがあります。

注 01 在宅で管理する注射薬　09 多発性硬化症の薬

02 インターフェロンベータ-1a（遺伝子組み換え）

製剤情報

一般名：インターフェロンベータ-1a（遺伝子組み換え）

●PC…C
●規制…劇薬
●使用量と回数…1回30μgを週1回筋肉内投与。医師により適用が妥当と判断された場合は

自己注射も可能（基本的注意の(3)参照）。

■先発品　　商品名（メーカー）　規格・保険薬価

アボネックス筋注用シリンジ（バイオジェン）
注 30μg0.5mL 1筒 31,487 円

アボネックス筋注ペン（バイオジェン）
注 30μg0.5mL 1キット 33,179 円

概　　要

分類　遺伝子組換え型インターフェロン-β-1a 製剤
処方目的　多発性硬化症の再発予防
解説　多発性硬化症は，外敵から自分を守るはずの免疫機能に異常がおきて，自分の体の一部を外敵とみなして攻撃することで症状が現れる疾患です（自己免疫疾患）。

　多発性硬化症の再発予防における自己注射薬としては，2022年3月現在，インターフェロンベータ-1b（ベタフェロン），インターフェロンベータ-1a（アボネックス），グラチラマー酢酸塩（コパキソン）の3種類が使用されています。「A（アボネックス）B（ベタフェロン）C（コパキソン）療法」と呼ばれることもあり，病状や生活スタイル，副作用などにより，いずれかが選択されます。

　ベタフェロンは2日に1回の皮下注射，コパキソンは1日1回の皮下注射ですが，本剤（アボネックス）は週1回の筋肉注射で，大腿上部外側に注射します。

使用上の注意
＊両剤の添付文書による

警告

①本剤または他のインターフェロン製剤の投与により自殺企図が報告されているので，投与にあたっては，うつ病，自殺企図の症状または他の精神神経症状が現れた場合には直ちに処方医に連絡すること。
②間質性肺炎が現れることがあるので，投与にあたっては患者の状態を十分に観察し，呼吸困難などが現れた場合には直ちに医師に連絡すること。

基本的注意

(1)使用してはいけない場合……本剤の成分または他のインターフェロン製剤に対するアレルギーの前歴／重度のうつ病または自殺念慮のある人，またはその前歴／非代償性肝疾患／自己免疫性肝炎／治療により管理が十分なされていないてんかん／小柴胡湯を服用中／ワクチンなど生物学的製剤に対するアレルギーの前歴／妊婦または妊娠している可能性のある人

(2)慎重に使用すべき場合……うつ病または他の精神神経症状のある人，またはその前歴(重度のうつ病または自殺念慮のある患者またはその前歴のある患者を除く)／てんかんなどのけいれん性疾患またはこれらの前歴(治療による管理が十分なされていないてんかん患者を除く)／心疾患(狭心症，うっ血性心不全，不整脈など)またはその前歴／骨髄抑制，貧血または血小板減少症／重い肝機能障害(非代償性肝疾患の患者または自己免疫性肝炎の患者を除く)またはその前歴／重い腎機能障害／アレルギー素因のある人／高血圧症／糖尿病またはその前歴・家族歴，耐糖能障害のある人／多発性硬化症以外の自己免疫疾患(自己免疫性肝炎を除く)またはその素因のある人／薬物過敏症の前歴／高齢者

(3)自己注射……医療機関において「自己注射法マスターガイド」などを用いて適切な在宅自己注射教育を受けた患者または家族の人は，本剤を自己注射することができます。①本剤は筋肉内投与(筋肉注射)です。筋肉内にのみ投与すること。②注射部位は大腿上部外側とし，神経への影響を避けるため神経走行部位を避けること。注射部位反応(発赤，発疹など)が報告されているので，投与ごとに注射部位を変えること。③本剤の投与初期，一般にインフルエンザ様症状(発熱，悪寒，頭痛，筋痛，無力症，疲労，悪心，嘔吐など)が現れます。投与数時間～数日後に現れることもあります。④何らかの異常がみられたら，すぐに処方医に連絡してください。

(4)その他……

● 授乳婦での安全性：治療上の有益性・母乳栄養の有益性を考慮し，授乳の継続・中止を検討。

● 小児での安全性：未確立。(1714 頁を参照)

重大な副作用　①うつ病，自殺企図，躁状態，攻撃的行動。②アナフィラキシー(呼吸困難，気管支けいれん，舌浮腫，発疹，じん麻疹など)。③白血球減少，血小板減少(10,000 個/μL 未満)，汎血球減少など。④てんかんなどのけいれん性疾患(てんかん発作またはけいれん発作)。⑤心疾患(うっ血性心不全，心筋症またはうっ血性心不全を伴う心筋症)。⑥自己免疫障害(特発性血小板減少症，甲状腺機能亢進症，甲状腺機能低下症，自己免疫性肝炎)。⑦重い肝能害(劇症肝炎，肝炎，肝機能障害など)。⑧間質性肺炎。⑨敗血症。⑩甲状腺機能異常(甲状腺機能亢進症，甲状腺機能低下症)。⑪注射部位壊死。⑫溶血性尿毒症症候群(血小板減少，溶血性貧血または腎不全を主徴とする)。⑬ネフローゼ症候群(重いタンパク尿)。⑭糖尿病(1 型および 2 型)の増悪または発症，昏睡。⑮ショック。⑯皮膚粘膜眼症候群(スティブンス-ジョンソン症候群)。⑰急性腎不全。⑱脳出血，消化管出血。⑲認知症(特に高齢者)，麻痺，心不全，狭心症。

　そのほかにも報告された副作用はあるので，体調がいつもと違うと感じたときは，処方医・薬剤師に相談してください。

併用してはいけない薬　小柴胡湯→間質性肺炎が現れるおそれがあります。

注01 在宅で管理する注射薬　09 多発性硬化症の薬

03　グラチラマー酢酸塩

製剤情報

一般名：グラチラマー酢酸塩

● PC…B

● 使用量と回数…20mgを1日1回皮下投与。医師により適用が妥当と判断された場合は自己

注射も可能（基本的注意の(4)参照）。

■ 先発品　　商品名（メーカー）　規格・保険薬価

コパキソン皮下注シリンジ（武田）

注 20mg1mL 1筒 5,603 円

概　要

分類　多発性硬化症治療薬

処方目的　多発性硬化症の再発予防

解説　多発性硬化症は，外敵から自分を守るはずの免疫機能に異常がおきて，自分の体の一部を外敵とみなして攻撃することで症状が現れる疾患です（自己免疫疾患）。

　多発性硬化症の再発予防における自己注射薬としては，2021年現在，インターフェロンベータ-1b（ベタフェロン），インターフェロンベータ-1a（アボネックス），グラチラマー酢酸塩（コパキソン）の3種類が使用されています。「A（アボネックス）B（ベタフェロン）C（コパキソン）療法」と呼ばれることもあります。

　本剤（コパキソン）は1日1回の皮下注射，ベタフェロンは2日に1回の皮下注射，アボネックスは週1回の筋肉注射で，病状や生活スタイル，副作用などにより，いずれかが選択されます。

使用上の注意

基本的注意

(1)使用してはいけない場合……本剤の成分に対するアレルギーの前歴

(2)慎重に使用すべき場合……心機能障害／高齢者

(3)過敏性反応，注射直後反応……本剤の投与に関連した過敏性反応（呼吸困難，気管支けいれん，発疹，じん麻疹，失神）が現れることがあります。また，投与後の数分以内に注射直後反応（血管拡張，胸痛，呼吸困難，動悸，頻脈）が現れることがありますが，注射直後反応はほとんどが一過性で自然に消失するとされています。過敏性反応が疑われる症状が認められた場合には直ちに処方医に連絡してください。

(4)自己注射……本剤の投与開始にあたっては，医療施設において必ず医師の直接の監督のもとで投与を行います。また，医師により適用が妥当と判断された人は自己注射も可能です。①注射部位反応（注射部位の壊死，紅斑，疼痛など）が報告されているので，投

与ごとに注射部位を変更します→腹部，上腕部，大腿部または腰部のそれぞれ左右を選び，同一部位への反復投与は避けること。原則として同一部位への投与は7日間あけること。②皮膚が敏感な部位，皮膚に異常のある部位（傷，発疹，発赤，硬結など）には注射しないこと。③上記の過敏性反応をはじめ，何らかの異常がみられたら，患者および家族，介護者は直ちに処方医に連絡してください。

(5)その他……

● 妊婦での安全性：未確立。有益と判断されたときのみ使用。

● 授乳婦での安全性：原則として使用しない。やむを得ず使用するときは授乳を中止。

● 小児での安全性：未確立。(1714頁を参照)

|重大な副作用|　①注射直後反応（投与後の数分以内：血管拡張，胸痛，呼吸困難，動悸，頻脈）。②注射部位壊死。③アナフィラキシー，過敏性反応（呼吸困難，気管支けいれん，発疹，じん麻疹，失神）。④肝機能障害。

そのほかにも報告された副作用はあるので，体調がいつもと違うと感じたときは，処方医・薬剤師に相談してください。

|併用してはいけない薬|　併用してはいけない薬は特にありません。ただし，併用する薬があるときは，念のため処方医・薬剤師に報告してください。

|注|01 在宅で管理する注射薬　10 エリテマトーデスの薬

01　エリテマトーデス治療薬

製剤情報

一般名：ベリムマブ（遺伝子組み換え）

● PC…C

● 規制…劇薬

● 使用量と回数…[ベンリスタ点滴静注用]1回10mg/kg(体重)を初回，2週後，4週後に点滴静注し，以後4週間の間隔で投与。[ベンリスタ皮下注]1回200mgを1週間の間隔で皮下注射。医師により適用が妥当と判断された場合は

自己注射も可能（基本的注意の(3)参照）。

■先発品　　商品名(メーカー)　規格・保険薬価

ベンリスタ点滴静注用（グラクソ）
|注| 120mg 1瓶 16,618 円　|注| 400mg 1瓶 54,609 円

ベンリスタ皮下注シリンジ（グラクソ）
|注| 200mg1mL 1筒 24,994 円

ベンリスタ皮下注オートインジェクター（グラクソ）|注| 200mg1mL 1キット 25,002 円

概　要

|分類|　完全ヒト型抗BLySモノクローナル抗体製剤

|処方目的|　既存治療で効果不十分な全身性エリテマトーデス

|解説|　全身性エリテマトーデス(SLE)は現在，国の難病に指定されている皮膚疾患です。SLEは圧倒的に多くが若い女性に発症する自己免疫疾患で，多くは寛解と増悪を繰り返して慢性の経過をたどります。

本剤は抗Bリンパ球刺激因子(BLyS)モノクローナル抗体製剤で，SLEの人の血液中に

過剰発現している BLyS に選択的に結合し，その活性を阻害して症状を改善します。これまでにステロイドや免疫抑制薬，ヒドロキシクロロキン硫酸塩による全身性エリテマトーデスに対する適切な治療を行っても，疾患活動性を有する場合に上乗せして使用されます。

　ベンリスタ皮下注のシリンジとオートインジェクターは，医師により適用が妥当と判断された場合は自己注射も可能です。

✍ 使用上の注意
＊全剤の添付文書による

警告
①本剤は，肺炎，敗血症，結核などの感染症を含む緊急時に十分に措置できる医療施設において，本剤についての十分な知識と全身性エリテマトーデス治療の十分な知識・経験をもつ医師のもとで，本剤による治療の有益性が危険性を上回ると判断される症例のみに使用すること。本剤は感染症のリスクを増大させる可能性があり，また結核の前歴のある患者では結核を活動化させる可能性があります。また，本剤との関連性は明らかではないが，悪性腫瘍の発現も報告されています。治療開始に先立ち，本剤が疾病を完治させる薬剤でないことも含め，本剤の有効性・危険性を患者に十分説明し，患者が理解したことを確認したうえで治療を開始すること。

②敗血症，肺炎，真菌感染症を含む日和見感染症などの致死的な感染症が報告されているため，十分な観察を行うなど感染症の発現に注意し，本剤投与後に感染症の徴候または症状が現れた場合には，速やかに担当医に連絡すること。

基本的注意
(1)使用してはいけない場合……本剤の成分に対するアレルギーの前歴／重篤な感染症／活動性結核

(2)慎重に使用すべき場合……感染症(重篤な感染症を除く)の患者または感染症が疑われる患者／結核の前歴または結核感染が疑われる患者／うつ病，うつ状態またはその前歴，自殺念慮または自殺企図の前歴／間質性肺炎の前歴／高齢者

(3)自己注射……[ベンリスタ皮下注]医療機関において適切な在宅自己注射教育を受けた患者または家族の人は，本剤を自己注射することができます。①注射部位は腹部または大腿部。毎回同じ箇所に注射しないように。また，皮膚が敏感な部位，内出血，発赤，硬結のある部位には注射しないこと。②本剤に関連した過敏症の発現が報告されており，重篤または致命的な経過をたどることがあります。また，過敏症反応の発現が遅れて認められる場合があります。注射後，徴候や症状の発現が認められた場合には，直ちに処方医に連絡してください。

(4)生ワクチン接種は禁止……本剤の投与中は，生ワクチン接種による感染症発現のリスクを否定できないため，生ワクチン接種は行わないでください。

(5)避妊……本剤を使用している女性が妊娠を希望する場合は，治療上の有益性と危険性を十分考慮して，本剤投与の継続の可否を慎重に判断し，本剤を中止する場合は投与中止後少なくとも 4 カ月間までは有効な避妊を行ってください。

(6)その他……

- 妊婦での安全性：有益と判断されたときのみ使用。
- 授乳婦での安全性：治療上の有益性・母乳栄養の有益性を考慮し，授乳の継続・中止を検討。
- 小児での安全性：未確立。(1714 頁を参照)

重大な副作用　①重篤な過敏症（ショック，アナフィラキシー（血圧低下，じん麻疹，血管浮腫，呼吸困難など），発疹，悪心，疲労，筋肉痛，頭痛，顔面浮腫など）。②感染症（肺炎，敗血症，結核など）。③進行性多巣性白質脳症（意識障害，認知障害，片麻痺，四肢麻痺，言語障害など）。④間質性肺炎（発熱，せき，呼吸困難など）。⑤うつ病，自殺念慮，自殺企図。

　そのほかにも報告された副作用はあるので，体調がいつもと違うと感じたときは，処方医・薬剤師に相談してください。

併用してはいけない薬　併用してはいけない薬は特にありません。ただし，併用する薬があるときは，念のため処方医・薬剤師に報告してください。

注 02 がんに使われる注射薬　01 免疫増強剤

01 ピシバニール

製剤情報

一般名：ピシバニール

- 規制…劇薬

■先発品　商品名(メーカー)　規格・保険薬価

ピシバニール注射用(中外)

注 0.2KE 1瓶(溶解液付) 1,737 円
注 0.5KE 1瓶(溶解液付) 3,515 円
注 1KE 1瓶(溶解液付) 6,131 円
注 5KE 1瓶(溶解液付) 13,269 円

概要

分類　免疫増強性抗がん溶連菌製剤

処方目的　胃がん（手術例）・原発性肺がんにおける化学療法との併用による生存期間の延長／消化器がん・肺がんにおけるがん性胸水・腹水の減少／他剤無効の頭頸部がん（上顎がん，喉頭がん，咽頭がん，舌がん），甲状腺がん／リンパ管腫

解説　人の体がもともともっている免疫反応を高めて，がんに対する抵抗力を強くする作用をもっています。溶連菌の成分に特殊な処理を施して医薬品にしたもので，菌体製剤といわれています。

使用上の注意

基本的注意

(1)使用してはいけない場合……本剤によるショックの前歴／ベンジルペニシリンベンザチン水和物によるショックの前歴
(2)特に慎重に使用すべき場合（原則禁忌，処方医と連絡を絶やさないこと）……本剤ま

たはペニシリン系抗生物質に対するアレルギーの前歴

(3)慎重に使用すべき場合……心疾患／腎疾患／セフェム系抗生物質に対するアレルギーの前歴／気管支ぜんそく・発疹・じん麻疹などのアレルギー症状をおこしやすい体質(本人および両親・兄弟姉妹)

(4)その他……

●妊婦での安全性：未確立。有益と判断されたときのみ使用。(1714頁を参照)

重大な副作用 ①ショック，アナフィラキシー(ふるえ，心悸亢進，呼吸困難など)。②間質性肺炎(発熱，せき，呼吸困難など)。③急性腎障害。

そのほかにも報告された副作用はあるので，体調がいつもと違うと感じたときは，処方医・薬剤師に相談してください。

併用してはいけない薬 併用してはいけない薬は特にありません。ただし，併用する薬があるときは，念のため処方医・薬剤師に報告してください。

注 02 がんに使われる注射薬　02 アルキル化剤

01 シクロホスファミド水和物

製剤情報

一般名：シクロホスファミド水和物

●PC…D

●規制…劇薬

■先発品	商品名(メーカー)	規格・保険薬価

注射用エンドキサン(塩野義)

注 100mg 1瓶 313円　　注 500mg 1瓶 1,200円

概要

分類 ナイトロジェンマスタード系薬剤

処方目的 ①次の疾患の自覚的・他覚的症状の緩解→多発性骨髄腫，悪性リンパ腫，肺がん，乳がん，急性白血病，真性多血症，子宮頸がん，子宮体がん，卵巣がん，神経腫瘍(神経芽腫，網膜芽腫)，骨腫瘍

②次のがんにおける他の抗がん薬との併用による自覚的・他覚的症状の緩解→慢性リンパ性白血病，慢性骨髄性白血病，咽頭がん，胃がん，膵がん，肝がん，結腸がん，精巣(睾丸)腫瘍，絨毛性疾患(絨毛がん，破壊胞状奇胎，胞状奇胎)，横紋筋肉腫，悪性黒色腫

③次のがんに対する他の抗がん薬との併用療法→乳がん(手術可能例における術前，あるいは術後化学療法)

④褐色細胞腫

⑤次の疾患の造血幹細胞移植の前治療→急性白血病，慢性骨髄性白血病，骨髄異形成症候群，重症再生不良性貧血，悪性リンパ腫，遺伝性疾患(免疫不全，先天性代謝障害・先天性血液疾患：ファンコニー貧血，Wiskott-Aldrich 症候群，Hunter 病など)

⑥腫瘍特異的 T 細胞輸注療法の前処置

⑦全身性 AL アミロイドーシス

⑧次の治療抵抗性のリウマチ性疾患→全身性エリテマトーデス，全身性血管炎（顕微鏡的多発血管炎，多発血管炎性肉芽腫症，結節性多発動脈炎，好酸球性多発血管炎性肉芽腫症，高安動脈炎など），多発性筋炎・皮膚筋炎，強皮症，混合性結合組織病，血管炎を伴う難治性リウマチ性疾患

解説 アルキル基と呼ばれる原子のかたまりをがん細胞の DNA に付着させ，DNAの合成を阻害することで抗がん作用を発揮するので，アルキル化剤と呼ばれています。また，免疫抑制効果ももち，治療抵抗性のリウマチ性疾患などにも用いられます。

使用上の注意

警告

①本剤と，ペントスタチンを併用してはいけません。外国で，錯乱，呼吸困難，低血圧，肺水腫などが現れ，心毒性により死亡した例が報告されています。

②造血幹細胞移植の前治療に本剤を使用すると，強い骨髄機能抑制により致命的な感染症などが発現するおそれがあります。使用に際しては，緊急時に十分に措置できる医療施設で，造血幹細胞移植に十分な経験を持つ医師に，有効性・危険性を十分に聞き・たずね，同意してから受けなければなりません。

③全身性 AL アミロイドーシス，治療抵抗性のリウマチ性疾患で本剤の投与を受ける場合は，緊急時に十分対応できる医療施設において，本剤についての十分な知識とこれらの疾患の治療の経験を持つ医師のもとで受けなければなりません。

基本的注意

(1)使用してはいけない場合……ペントスタチンの使用中／本剤の成分に対する重いアレルギーの前歴／重症感染症の合併

(2)慎重に使用すべき場合……肝機能障害／腎機能障害／骨髄機能抑制／感染症の合併／水痘／小児／[造血幹細胞移植の前治療のみ]膀胱障害／ファンコニー貧血

(3)頻回に検査……骨髄機能抑制，出血性膀胱炎などの重い副作用がおこることがあるので，頻回に血液，尿，肝機能，腎機能などの検査を受ける必要があります。

(4)尿量の増加……使用中は出血性膀胱炎などを防ぐため，水分を十分にとって尿量の増加をはかってください。

(5)水痘……水痘（水ぼうそう）の人が使用すると，致命的な全身障害が現れることがあるので，状態に十分注意してください。

(6)感染症，出血傾向……使用によって，感染症，出血傾向の発現または悪化がおこりやすくなるので，状態に十分注意してください。

(7)性腺への影響……小児および生殖可能な年齢の人が使用すると，性腺に影響がでることがあります。処方医とよく相談してください。

(8)二次発がん……本剤の使用によって，急性白血病，骨髄異形成症候群（MDS），膀胱腫瘍，悪性リンパ腫，腎盂・尿管腫瘍などが発生したとの報告があります。

(9)避妊……妊娠する可能性のある女性およびパートナーが妊娠する可能性のある男性は，適切な避妊をしてください。妊娠中に本剤を使用する場合，本剤を使用中に妊娠した場合は，胎児に異常（催奇形性など）が生じる可能性があります。

(10)その他……
- ●妊婦での安全性：使用しないことが望ましい。
- ●授乳婦での安全性：使用するときは授乳を中止。
- ●小児での安全性：未確立。(1714 頁を参照)

重大な副作用　①血圧低下，呼吸困難，じん麻疹，喘鳴，不快感などで始まるショック，アナフィラキシー。②汎血球減少，貧血，白血球減少，血小板減少，出血などの骨髄機能抑制。③出血性膀胱炎，排尿障害。④イレウス(腸閉塞)，胃腸出血。⑤心筋障害，心不全，心タンポナーデ，心膜炎，心のう液貯留。⑥間質性肺炎，肺線維症。⑦皮膚粘膜眼症候群(スティブンス-ジョンソン症候群)，中毒性表皮壊死融解症(TEN)。⑧低ナトリウム血症，低浸透圧血症，尿中ナトリウム排泄量の増加，高張尿，けいれん，意識障害などを伴う抗利尿ホルモン不適合分泌症候群(SIADH)。⑨肝機能障害，黄疸。⑩急性腎障害。⑪横紋筋融解症(筋肉痛，脱力感など)。

　そのほかにも報告された副作用はあるので，体調がいつもと違うと感じたときは，処方医・薬剤師に相談してください。

併用してはいけない薬　ペントスタチン→錯乱，呼吸困難，低血圧，肺水腫などが現れ，心毒性により死亡した例が報告されています。

注 02 がんに使われる注射薬　02 アルキル化剤

02　イホスファミド

製剤情報

一般名：イホスファミド
- ●PC…D

●規制…劇薬

■先発品　　商品名(メーカー)　規格・保険薬価
注射用イホマイド(塩野義) 注 1g 1瓶 2,509 円

概　　要

分類　ナイトロジェンマスタード系薬剤

処方目的　①次の疾患の自覚的・他覚的症状の寛解→肺小細胞がん，前立腺がん，子宮頸がん，骨肉腫，再発または難治性の胚細胞腫瘍(精巣腫瘍，卵巣腫瘍，性腺外腫瘍)，悪性リンパ腫／②次のがんにおける他の抗がん薬との併用療法→悪性骨・軟部腫瘍，小児悪性固形腫瘍(ユーイング肉腫ファミリー腫瘍，横紋筋肉腫，神経芽腫，網膜芽腫，肝芽腫，腎芽腫など)

解説　シクロホスファミド水和物とよく似た分子構造をもつアルキル化剤です。シクロホスファミド水和物に耐性をもったがんにも効果を発揮することがあります。しかし，同じ効果を得るには，およそ 4 倍の投与量が必要といわれています。

使用上の注意

警告

①本剤とペントスタチンを併用してはいけません。外国で，本剤の類似薬シクロホスフ

アミド水和物とペントスタチンとの併用により，錯乱，呼吸困難，低血圧，肺水腫などが現れ，心毒性により死亡した例が報告されています。

②使用に際しては，緊急時に十分に措置できる医療施設で，がん化学療法に十分な経験を持つ医師に，有効性・危険性を十分に聞き・たずね，同意してから受けなければなりません。

基本的注意

(1)**使用してはいけない場合**……ペントスタチンの使用中／本剤の成分に対する重いアレルギーの前歴／腎臓・膀胱の重い障害

(2)**慎重に使用すべき場合**……肝機能障害／腎臓・膀胱障害／骨髄機能抑制／感染症の合併／水痘／小児，高齢者

(3)**小児**……高用量の使用や累積使用量が高くなった場合，ファンコニー症候群などの腎障害がおこることがあります。特に3歳以下の乳幼児は状態に注意してください。

(4)**頻回に検査**……骨髄機能抑制，出血性膀胱炎などの重い副作用がおこることがあるので，頻回に血液，尿，肝機能，腎機能などの検査を受ける必要があります。

(5)**尿量の増加**……使用中は出血性膀胱炎などを防ぐため，水分を十分にとって尿量の増加をはかってください。

(6)**水痘**……水痘（水ぼうそう）の人が使用すると，致命的な全身障害が現れることがあるので，状態に十分注意してください。

(7)**感染症，出血傾向**……使用によって，感染症，出血傾向の発現または悪化がおこりやすくなるので，状態に十分注意してください。

(8)**性腺への影響**……小児および生殖可能な年齢の人が使用すると，性腺に影響がでることがあります。処方医とよく相談してください。

(9)**二次発がん**……他の抗がん薬との併用によって，急性白血病，骨髄異形成症候群（MDS）などが発生したとの報告があります。

(10)**その他**……

● 妊婦での安全性：使用しないことが望ましい。

● 授乳婦での安全性：使用するときは授乳を中止。(1714頁を参照)

重大な副作用　①出血性膀胱炎，排尿障害。②汎血球減少，貧血，白血球減少，好中球減少，出血などの骨髄機能抑制。③ファンコニー症候群，急性腎不全（特に，白金製剤（併用薬，前治療薬）の投与を受けた人，腎機能低下・片腎の人，小児は注意）。④意識障害，錯乱，幻覚，錐体外路症状。⑤間質性肺炎，肺水腫。⑥心不全，心室性期外収縮，心房細動，上室性期外収縮。⑦低ナトリウム血症，低浸透圧血症，尿中ナトリウム排泄量の増加，高張尿，けいれん，意識障害などを伴う抗利尿ホルモン不適合分泌症候群（SIADH）。⑧急性膵炎。⑨脳症（意識障害を伴うけいれん発作，せん妄など）

そのほかにも報告された副作用はあるので，体調がいつもと違うと感じたときは，処方医・薬剤師に相談してください。

併用してはいけない薬　ペントスタチン→錯乱，呼吸困難，低血圧，肺水腫などが現れ，心毒性により死亡した例が報告されています。

注02 がんに使われる注射薬　02 アルキル化剤

03　メルファラン

💊 製剤情報

一般名：メルファラン

● 規制…**毒薬**

■**先発品**　　商品名(メーカー)　規格・保険薬価
アルケラン静注用 (サンドファーマ＝サンド)
注 50mg 1瓶(溶解液付) 6,595 円

📋 概　　要

分類　ナイトロジェンマスタード系薬剤

処方目的　白血病，悪性リンパ腫，多発性骨髄腫，小児固形腫瘍における造血幹細胞移植時の前処置

解説　アルキル化剤の中でも，血液がんの一種である多発性骨髄腫に効く薬で，骨髄腫に伴う貧血症状を改善し，倦怠感・腰痛などの症状を和らげます。また，乳がんや卵巣がんの手術後の再発予防を目的に，補助療法として使われることもあります。

⚙️ 使用上の注意

警告

①本剤は強い骨髄機能抑制作用を持つ薬剤で，本剤を前処置剤として用いた造血幹細胞移植の後，感染症をおこして死亡した例が認められています。

②本剤は，緊急時に十分に措置できる医療施設で，造血幹細胞移植に十分な知識と経験を持つ医師に，本剤の有効性・危険性を十分に聞き・たずね，同意してから受けなければなりません。

基本的注意

(1)**使用してはいけない場合**……重い感染症の合併／本剤の成分に対するアレルギーの前歴

(2)**慎重に使用すべき場合**……腎機能障害／肝機能障害／心機能障害(特にアントラサイクリン系薬剤など心毒性を持つ薬剤による前治療歴)／感染症の合併／高齢者

(3)**定期検査**……本剤の使用中は，定期的に血液，肝機能，腎機能などの検査，尿量のチェック，感染症予防のための処置(抗感染症薬など)を受ける必要があります。

(4)**尿量の増加**……本剤の使用に際しては，水分を十分にとって尿量の増加をはかってください。

(5)**避妊**……妊娠する可能性のある女性，およびパートナーが妊娠する可能性のある男性は，適切な避妊を行ってください。妊娠中に本剤を使用する場合，または本剤を使用中に妊娠した場合は，胎児に異常(死亡および催奇形性など)が生じる可能性があります。

(6)**無月経，不妊症**……①女性が使用すると，卵巣機能抑制により一時的または永久的な無月経・不妊症に陥る可能性が高いとの報告があります。②男性でも，一時的または

永久的な不妊症をおこす可能性があります。

(7)二次発がん……アルキル化剤(メルファランを含む)の使用で，急性白血病が発生したとの報告があります。

(8)その他……

- 妊婦での安全性：有益と判断されたときのみ使用。
- 授乳婦での安全性：使用するときは授乳を中止。
- 低出生体重児，新生児，乳児での安全性：未確立。(1714 頁を参照)

> **重大な副作用**　①感染症，出血。②ショック，アナフィラキシー，心停止。③悪心・嘔吐，下痢，口内炎，粘膜炎，直腸潰瘍。④肝機能障害，黄疸。急激な体重増加や有痛性の肝腫大などを伴う肝中心静脈閉塞(症)。⑤心筋症，不整脈。⑥肺線維症，間質性肺炎。⑦溶血性貧血。

そのほかにも報告された副作用はあるので，体調がいつもと違うと感じたときは，処方医・薬剤師に相談してください。

> **併用してはいけない薬**　併用してはいけない薬は特にありません。ただし，併用する薬があるときは，念のため処方医・薬剤師に報告してください。

注 02 がんに使われる注射薬　02 アルキル化剤

04　ダカルバジン

製剤情報

一般名：ダカルバジン

- PC…D
- 規制…劇薬

■**先発品**　　商品名(メーカー)　規格・保険薬価

ダカルバジン注用 (サンドファーマ＝サンド)
注 100mg 1瓶 3,059 円

概　　要

分類　ニトロソ尿素系薬剤

処方目的　悪性黒色腫，ホジキンリンパ腫，褐色細胞腫

解説　適応症は悪性黒色腫(メラノーマ)やホジキンリンパ腫，褐色細胞腫ですが，ほかに軟部肉腫，神経芽腫，網膜芽腫，甲状腺がんなどに使われることもあります。この薬もアルキル化剤の仲間です。

使用上の注意

警告

本剤は，緊急時に十分に措置できる医療施設で，がん化学療法に十分な知識と経験を持つ医師のもと，本剤の有効性・危険性を十分に聞き・たずね，同意してから受けなければなりません。

基本的注意

(1)使用してはいけない場合……本剤の成分に対する重いアレルギーの前歴／妊婦また

は妊娠している可能性のある人

(2)慎重に使用すべき場合……肝機能障害／腎機能障害／感染症の合併／水痘

(3)二次発がん……本剤の長期使用で，急性白血病（前白血病相を伴う場合もある），骨髄異形成症候群（MDS）が発生したとの報告があります。

(4)水痘……水痘（水ぼうそう）の人が使用すると，致命的な全身障害が現れることがあるので，状態に十分注意してください。

(5)感染症，出血傾向……使用によって，感染症，出血傾向の発現または悪化がおこりやすくなるので，状態に十分注意してください。

(6)性腺への影響……小児および生殖可能な年齢の人が使用すると，性腺に影響がでることがあります。処方医とよく相談してください。

(7)頻回に検査……骨髄機能抑制などの重い副作用がおこることがあるので，頻回に血液，肝機能，腎機能などの検査を受ける必要があります。

(8)その他……

● 授乳婦での安全性：未確立。使用するときは授乳を中止。

● 小児での安全性：未確立。（1714頁を参照）

重大な副作用 ①アナフィラキシーショック。②汎血球減少，貧血，白血球減少，血小板減少，出血などの骨髄機能抑制。③肝静脈血栓症，肝細胞壊死を伴う重い肝機能障害。

　そのほかにも報告された副作用はあるので，体調がいつもと違うと感じたときは，処方医・薬剤師に相談してください。

併用してはいけない薬 併用してはいけない薬は特にありません。ただし，併用する薬があるときは，念のため処方医・薬剤師に報告してください。

注 02 がんに使われる注射薬　02 アルキル化剤

05　ニムスチン塩酸塩

製剤情報

一般名：ニムスチン塩酸塩

● 規制…劇薬

■**先発品**　商品名(メーカー)　規格・保険薬価

ニドラン注射用(第一三共) 注 25mg 1瓶 4,023円
注 50mg 1瓶 5,964円

概　要

分類　ニトロソ尿素系薬剤

処方目的　次の疾患の自覚的・他覚的症状の緩解→脳腫瘍，消化器がん（胃がん，肝臓がん，結腸・直腸がん），肺がん，悪性リンパ腫，慢性白血病

解説　アルキル化剤のニトロソ尿素系の薬で，主に脳腫瘍の治療に使われます。脳腫瘍は一般的に抗がん薬が効きにくいといわれますが，この薬は選択肢の少ない脳腫瘍の治療において，第一選択として長年使われています。

使用上の注意

警告

本剤は，緊急時に十分に措置できる医療施設で，がん化学療法に十分な知識と経験を持つ医師のもと，本剤の有効性・危険性を十分に聞き・たずね，同意してから受けなければなりません。

基本的注意

(1)使用してはいけない場合……骨髄機能抑制／本剤の成分に対する重いアレルギーの前歴

(2)慎重に使用すべき場合……肝機能障害／腎機能障害／感染症の合併／水痘／低出生体重児，新生児，乳児，幼児，小児

(3)水痘……水痘（水ぼうそう）の人が使用すると，致命的な全身障害が現れることがあるので，状態に十分注意してください。

(4)感染症，出血傾向……使用によって，感染症，出血傾向の発現または悪化がおこりやすくなるので，状態に十分注意してください。

(5)性腺への影響……小児および生殖可能な年齢の人が使用すると，性腺に影響がでることがあります。処方医とよく相談してください。

(6)頻回に検査……骨髄機能抑制などの重い副作用がおこることがあるので，頻回に血液，肝機能，腎機能などの検査を受ける必要があります。

(7)二次発がん……本剤の長期使用で，急性白血病，骨髄異形成症候群（MDS）が発生したとの報告があります。

(8)その他……

● 妊婦での安全性：使用しないことが望ましい。

● 授乳婦での安全性：未確立。使用するときは授乳を中止。(1714 頁を参照)

重大な副作用　①白血球減少，血小板減少，貧血，出血傾向，骨髄機能抑制，汎血球減少。②間質性肺炎，肺線維症。

そのほかにも報告された副作用はあるので，体調がいつもと違うと感じたときは，処方医・薬剤師に相談してください。

併用してはいけない薬　併用してはいけない薬は特にありません。ただし，併用する薬があるときは，念のため処方医・薬剤師に報告してください。

注02 がんに使われる注射薬　02 アルキル化剤

06 ラニムスチン

製剤情報

一般名：ラニムスチン

● 規制…劇薬

■先発品	商品名（メーカー）	規格・保険薬価
注射用サイメリン（ニプロ ES）		
注50mg 1瓶 9,422 円	注100mg 1瓶 20,209 円	

概　要

分類　ニトロソ尿素系薬剤

処方目的　膠芽腫，骨髄腫，悪性リンパ腫，慢性骨髄性白血病，真性多血症，本態性血小板増多症

解説　多発性骨髄腫や慢性骨髄性白血病，悪性リンパ腫などの多剤併用療法に用いられています。アルキル化剤の中でもニトロソ尿素系の薬は血液脳関門を通過しやすいため，脳腫瘍の治療にも用いられます。

使用上の注意

警告

　本剤は，緊急時に十分に措置できる医療施設で，がん化学療法に十分な経験をもつ医師のもとで，適切と判断される人にのみ使用されるべき薬剤です。また，医師よりその有効性・危険性の十分な説明を受け，患者本人(もしくは家族)が納得・同意できなければ治療に入っていくべきではありません。

基本的注意

(1)**慎重に使用すべき場合**……骨髄機能抑制／肝機能障害／腎機能障害／感染症の合併

(2)**二次発がん**……本剤の使用により，骨髄異形成症候群(MDS)，急性白血病，骨髄線維症，慢性骨髄性白血病をおこすことがあります。

(3)**感染症，出血傾向**……使用によって，感染症，出血傾向の発現または悪化がおこりやすくなるので，状態に十分注意してください。

(4)**性腺への影響**……小児および生殖可能な年齢の人が使用すると，性腺に影響がでることがあります。処方医とよく相談してください。

(5)**頻回に検査**……骨髄機能抑制などの重い副作用がおこることがあるので，頻回に血液，肝機能，腎機能などの検査を受ける必要があります。

(6)**その他**……

●妊婦での安全性：使用しないことが望ましい。

●授乳婦での安全性：使用するときは授乳を中止。(1714頁を参照)

重大な副作用　①白血球減少，血小板減少，貧血，汎血球減少，出血傾向などの骨髄機能抑制。②間質性肺炎。

　そのほかにも報告された副作用はあるので，体調がいつもと違うと感じたときは，処方医・薬剤師に相談してください。

併用してはいけない薬　併用してはいけない薬は特にありません。ただし，併用する薬があるときは，念のため処方医・薬剤師に報告してください。

注
02
-
02
-
06

ラニムスチン

07 テモゾロミド

注
02
―
02
―
07

テモゾロミド

製剤情報

一般名：テモゾロミド

- PC…D
- 規制…毒薬

テモダール点滴静注用(MSD)
注 100mg 1瓶 30,909 円

概　要

分類　アルキル化剤

処方目的　悪性神経膠腫／再発または難治性のユーイング肉腫

解説　本剤は，がん細胞のDNAの合成を阻害して死滅させる薬剤で，内服薬と注射薬があります。悪性神経膠腫(グリオーマ)は脳腫瘍の一つで，脳や脊髄に存在する神経膠細胞(グリア細胞)から発生します。ユーイング肉腫は，小児や若年者に最も多く発生する骨(まれに軟部組織)の悪性腫瘍(肉腫)です。

　悪性神経膠腫に対して，本剤の注射薬は，頭蓋内圧上昇に伴う悪心・嘔吐によりカプセル剤が飲み込めない患者や，脳幹への腫瘍の浸潤または脳幹部分の外科的処置による損傷によりカプセル剤の嚥下(えんげ)が困難な状態にある患者など，内服薬の服用が困難な場合に使用されます。点滴静注用においても，内服と同等の効果が確認されています。注射薬・内服薬ともに，初発の悪性神経膠腫に対しては放射線照射と併用して使用します。

　再発または難治性のユーイング肉腫の場合は，イリノテカン塩酸塩と併用して使用します。

使用上の注意

警告

①本剤による治療は，緊急時に十分対応できる医療施設で，がん化学療法に十分な知識・経験をもつ医師に，本剤の有効性・危険性を十分に聞き・たずね，同意してから受けなければなりません。

②本剤と放射線照射を併用する場合に，重い副作用や放射線照射による合併症が発現する可能性があるため，放射線照射とがん化学療法の併用治療に十分な知識・経験をもつ医師のもとで実施されなければなりません。

③本剤の投与後にニューモシスチス肺炎が発生することがあるため，適切な措置の実施を考慮する必要があります。

基本的注意

(1)使用してはいけない場合……本剤の成分またはダカルバジンに対するアレルギーの前歴／妊婦または妊娠している可能性のある人

(2)慎重に使用すべき場合……骨髄機能抑制／重い肝機能障害／重い腎機能障害／感染

症の合併／水痘／肝炎ウイルスの感染またはその前歴／小児，高齢者

(3)二次発がん……本剤の内服薬による治療後に，骨髄異形成症候群（MDS）や骨髄性白血病を含む二次性のがんが発生したとの報告があります。

(4)ニューモシスチス肺炎……放射線療法との併用療法を行っている期間中は，特にニューモシスチス肺炎が発症しやすいため，あらかじめ適切な予防措置を行います。

(5)避妊……本剤は，動物実験で胎児などの死亡や奇形が認められたとの報告があります。妊婦または妊娠している可能性のある人は，本剤を使用することはできません。また，妊娠が可能な年齢の人は使用期間中，妊娠しないように避妊することが大切です。

(6)感染症，出血傾向……使用によって，感染症，出血傾向の発現または悪化がおこりやすくなるので，状態に十分注意してください。

(7)性腺への影響……小児および生殖可能な年齢の人が使用すると，性腺に影響がでることがあります。処方医とよく相談してください。

(8)頻回に検査……骨髄機能抑制などの重い副作用がおこることがあるので，頻回に血液，肝機能，腎機能などの検査を受ける必要があります。

(9)水痘……水痘（水ぼうそう）の人が使用すると，致命的な全身障害が現れることがあるので，状態に十分注意してください。

(10)その他……
- 授乳婦での安全性：未確立。使用するときは授乳を中止。
- 小児での安全性：未確立（ユーイング肉腫の場合は2歳未満）。(1714頁を参照)

重大な副作用　①骨髄機能抑制（汎血球減少，好中球減少，血小板減少，貧血，リンパ球減少，白血球減少）。②ニューモシスチス肺炎，サイトメガロウイルス感染症などの日和見感染，敗血症などの重い感染症。（敗血症の合併症として）播種性血管内凝固症候群（DIC），急性腎障害，呼吸不全。③間質性肺炎（発熱，せき，呼吸困難など）。④脳出血。⑤アナフィラキシー。⑥肝機能障害，黄疸。⑦中毒性表皮壊死融解症（TEN），皮膚粘膜眼症候群（スティブンス-ジョンソン症候群）。

　そのほかにも報告された副作用はあるので，体調がいつもと違うと感じたときは，処方医・薬剤師に相談してください。

併用してはいけない薬　併用してはいけない薬は特にありません。ただし，併用する薬があるときは，念のため処方医・薬剤師に報告してください。

注 02 がんに使われる注射薬　02 アルキル化剤

08　ベンダムスチン塩酸塩

製剤情報

一般名：ベンダムスチン塩酸塩

- PC…D
- 規制…劇薬

■先発品　　商品名(メーカー)　規格・保険薬価
トレアキシン点滴静注液（シンバイオ）
注 100mg4mL 1瓶 95,515円

トレアキシン点滴静注用（シンバイオ）

注 25mg 1瓶 29,020円　注 100mg 1瓶 93,991円

概　　要

分類　ナイトロジェンマスタード系

処方目的　低悪性度 B 細胞性非ホジキンリンパ腫およびマントル細胞リンパ腫／再発または難治性のびまん性大細胞型 B 細胞リンパ腫／慢性リンパ性白血病／腫瘍特異的 T 細胞輸注療法の前処置

解説　旧東ドイツでは 1970 年代から使用されていた，アルキル化剤と代謝拮抗薬の化学構造をあわせもつ化合物として合成された薬剤です。東西ドイツ統一後に再評価が行われ，非ホジキンリンパ腫，多発性骨髄腫，慢性リンパ性白血病の治療薬として再承認されました。日本では現在，低悪性度 B 細胞性非ホジキンリンパ腫，および非ホジキンリンパ腫のうちのマントル細胞リンパ腫とびまん性大細胞型 B 細胞リンパ腫，そして慢性リンパ性白血病が適応で，本剤はびまん性大細胞型 B 細胞リンパ腫を除くこれらの疾病の希少疾病用医薬品として指定を受けています。

使用上の注意

＊両剤の添付文書による

警告

①本剤は，緊急時に十分に措置できる医療施設で，造血器悪性腫瘍の治療に対して十分な知識と経験をもつ医師に，本剤の有効性・危険性を十分に聞き・たずね，同意してから受けなければなりません。

②骨髄抑制により，感染症などの重い副作用が現れることがるので，頻回に血液検査を受ける必要があります。

基本的注意

(1)使用してはいけない場合……本剤の成分に対する重いアレルギーの前歴／妊婦または妊娠している可能性のある人

(2)慎重に使用すべき場合……骨髄機能抑制／感染症の合併／心疾患(心筋梗塞，重い不整脈など)の合併または前歴／肝機能障害／腎機能障害

(3)性腺への影響……生殖可能な年齢の人が使用すると，性腺に影響がでることがあります。処方医とよく相談してください。

(4)二次発がん……本剤による治療後，二次発がんが発生したとの報告があります。本剤の使用終了後も経過を観察するなど十分に注意してください。

(5)避妊……①妊婦または妊娠している可能性のある女性は禁忌です。妊娠する可能性のある女性は，本剤の投与期間中および治療終了後 3 カ月間は適切な方法で避妊してください。②本剤を投与されている男性は，投与期間中は適切な方法で避妊し，投与後 6 カ月までは避妊することが望まれます。

(6)その他……

●授乳婦での安全性：使用するときは授乳しないことが望ましい。

● 小児での安全性：未確立。(1714 頁を参照)

重大な副作用　①白血球減少，リンパ球減少，好中球減少，血小板減少，ヘモグロビン減少，赤血球減少，顆粒球減少，CD4 リンパ球減少などの骨髄抑制。②敗血症，肺炎などの重い感染症。③間質性肺疾患(発熱，せき，呼吸困難など)。④腫瘍崩壊症候群，急性腎障害。⑤皮膚粘膜眼症候群(スティブンス-ジョンソン症候群)，中毒性表皮壊死融解症(TEN)。⑥ショック，アナフィラキシー。

　そのほかにも報告された副作用はあるので，体調がいつもと違うと感じたときは，処方医・薬剤師に相談してください。

併用してはいけない薬　併用してはいけない薬は特にありません。ただし，併用する薬があるときは，念のため処方医・薬剤師に報告してください。

注 02 がんに使われる注射薬　02 アルキル化剤
09　ストレプトゾシン

📖 製 剤 情 報

一般名：ストレプトゾシン

● PC…D

● 規制…劇薬

■先発品　商品名(メーカー)　規格・保険薬価
ザノサー点滴静注用 (ノーベル)
注 1g 1瓶 43,310 円

📋 概　　要

分類　ニトロソ尿素系薬剤

処方目的　膵・消化管神経内分泌腫瘍

解説　本剤は，膵・消化管神経内分泌腫瘍を適応とする，ニトロソ尿素系の細胞障害性抗悪性腫瘍薬です。グルコーストランスポーター(糖輸送担体)を介して細胞に取り込まれたのち DNA をアルキル化し，DNA 合成を阻害することで腫瘍の増殖を抑制します。欧米のガイドラインでは，膵・消化管神経内分泌腫瘍の標準治療薬として推奨されています。

📋 使用上の注意

警告
　本剤による治療は，緊急時に十分に対応できる医療施設で，がん化学療法の治療に対して十分な知識と経験をもつ医師に，本剤の有効性・危険性を十分に聞き・たずね，同意してから受けなければなりません。

基本的注意
(1)使用してはいけない場合……本剤の成分に対するアレルギーの前歴／妊婦または妊娠している可能性のある人

(2)慎重に使用すべき場合……腎機能障害／糖尿病／高齢者

(3)避妊……妊娠可能な人およびパートナーが妊娠する可能性のある男性は，適切な方法で避妊してください。本剤を妊娠動物(ウサギ，ラット)に投与した場合，流産促進作

用や催奇形性などが報告されています。

(4)危険作業に注意……本剤を投与すると錯乱，嗜眠が発現したとの報告があるので，自動車の運転など危険を伴う機械を操作する際には十分注意してください。

(5)その他……

● 授乳婦での安全性：使用するときは授乳を中止。

● 小児での安全性：未確立。(1714 頁を参照)

重大な副作用 ①腎機能障害(腎不全，ファンコニー症候群，腎性尿崩症，高窒素血症，無尿，尿糖，ケトン尿，腎尿細管性アシドーシス，低リン酸血症，高クロール血症，低カリウム血症，低カルシウム血症，低尿酸血症など)。②骨髄抑制(白血球減少，リンパ球減少，好中球減少，血小板減少，ヘマトクリット減少，ヘモグロビン減少など)。③耐糖能異常(高血糖，血中インスリン増加，インスリン C ペプチド増加，尿中ブドウ糖陽性)。④肝機能障害。

そのほかにも報告された副作用はあるので，体調がいつもと違うと感じたときは，処方医・薬剤師に相談してください。

併用してはいけない薬 併用してはいけない薬は特にありません。ただし，併用する薬があるときは，念のため処方医・薬剤師に報告してください。

注 **02** がんに使われる注射薬　**02** アルキル化剤

10 ブスルファン

製 剤 情 報

一般名：ブスルファン

● 規制…劇薬

■先発品　　商品名(メーカー)　規格・保険薬価

ブスルフェクス点滴静注用(大塚)
注 60mg 1瓶 28,967 円

概　　要

分類　造血幹細胞移植前治療薬

処方目的　同種造血幹細胞移植の前治療／ユーイング肉腫ファミリー腫瘍，神経芽細胞腫，悪性リンパ腫における自家造血幹細胞移植の前治療

解説　造血幹細胞移植とは，ドナーもしくは自分から採取した造血幹細胞を移植することで，造血能力や免疫能力を再構築する治療法です。移植に際しては腫瘍細胞などを移植前に徹底的に除去しておく必要があります。本剤は造血幹細胞移植の前治療薬として，腫瘍細胞などの除去に使用されます。

悪性リンパ腫にはチオテパと，その他の疾患はシクロホスファミド水和物，メルファランまたはフルダラビンリン酸エステルと併用して使用します。

使用上の注意

警告

本剤は，緊急時に十分対応できる医療施設で，造血幹細胞移植に十分な知識・経験を

持つ医師のもと，本剤が適切と判断される人にのみ使われます。また，治療開始に先立ち，患者または家族は医師から有効性および危険性について十分に聞き・たずね，同意してから治療することが大切です。

基本的注意

(1)使用してはいけない場合……重い感染症の合併／本剤の成分に対するアレルギーの前歴／妊婦または妊娠している可能性のある人

(2)慎重に使用すべき場合……肝機能障害／腎機能障害／心機能障害／肺障害／感染症の合併／高齢者

(3)避妊……妊娠可能な女性およびパートナーが妊娠する可能性のある男性は，本剤の使用中および使用後一定期間は適切な方法で避妊してください。動物実験で胎児あるいは出生児に筋骨格系の異常，性腺の発育障害などが認められたとの報告があります。

(4)その他……

● 授乳婦での安全性：使用するときは授乳しないことが望ましい。(1714頁を参照)

重大な副作用

①静脈閉塞性肝疾患。②感染症，出血。③ショック，アナフィラキシー。④けいれん。⑤肺胞出血・喀血，間質性肺炎，呼吸不全，急性呼吸窮迫症候群。⑥心筋症。⑦胃腸障害（口内炎・舌炎，悪心・嘔吐，食欲不振，下痢・軟便）。

そのほかにも報告された副作用はあるので，体調がいつもと違うと感じたときは，処方医・薬剤師に相談してください。

併用してはいけない薬

併用してはいけない薬は特にありません。ただし，併用する薬があるときは，念のため処方医・薬剤師に報告してください。

注 02 がんに使われる注射薬　02 アルキル化剤
11　チオテパ

製剤情報

一般名：チオテパ

● PC…D

● 規制…劇薬

■先発品　　商品名(メーカー)　規格・保険薬価

リサイオ点滴静注液 (住友ファーマ)

注 100mg2.5mL 1瓶 193,331円

概　要

分類　造血幹細胞移植前治療薬

処方目的　悪性リンパ腫，小児悪性固形腫瘍における自家造血幹細胞移植の前治療

解説　本剤は，欧州では血液疾患および固形腫瘍における造血幹細胞移植の前治療として他の化学療法薬との併用により数十年間にわたり使用され，評価の定まっている薬剤です。日本でも「医療上の必要性が高い薬剤」と判断され，2019年5月に販売承認されました。

前治療の目的は，骨髄の最大耐用量を超える抗がん薬を用いた大量化学療法で，腫瘍

細胞をできるかぎり根絶させることで，悪性リンパ腫にはブスルファンと，小児悪性固形腫瘍にはメルファランと併用して投与されます。

使用上の注意

警告

①本剤の投与は，緊急時に十分対応できる医療施設で，がん化学療法および造血幹細胞移植に十分な知識と経験をもつ医師に，本剤の有効性・危険性を十分に聞き・たずね，同意してから受けなければなりません。

②本剤は強い骨髄抑制作用を有する薬剤であり，本剤投与後は重度の骨髄抑制状態となり，その結果致命的な感染症および出血などを引きおこすおそれがあるので，患者の状態を十分に観察し，致命的な感染症の発現を抑制するため，感染症予防のための処置（抗感染症薬の投与など）を行い，必要に応じて無菌管理を行うこと。また，輸血および血液造血因子の投与など適切な支持療法を行うこと。

基本的注意

(1)使用してはいけない場合……本剤の成分に対するアレルギーの前歴／重症感染症を合併している人／妊婦または妊娠している可能性のある人

(2)慎重に使用すべき場合……肝機能障害／腎機能障害／感染症を合併している人

(3)定期的に検査……本剤の使用によって骨髄抑制，腎機能障害，肝中心静脈閉塞症などの重い副作用が現れることがあるので，定期的に血液検査，腎機能検査，肝機能検査を行います。

(4)性腺に対する影響……本剤の使用による性腺に対する影響に注意してください。雄動物（マウス，ラット）に投与した実験で，精子形成異常および妊娠率の低下が報告されています。

(5)皮膚の剥離……本剤の使用によって皮膚剥離などの皮膚障害が現れることがあります。特に小児への使用中は皮膚の保清・保湿または皮膚刺激の低減などに努めることが必要です。

(6)成長障害……本剤の使用によって成長障害などがおこる可能性があります。本剤を前治療薬とした造血幹細胞移植を施行した小児において，成長障害などが発現したとの報告があります

(7)避妊……妊娠する可能性のある女性およびパートナーが妊娠する可能性のある男性は，本剤の使用中および使用終了後一定期間は適切な避妊を行ってください。動物実験で催奇形性，胎児死亡が認められたとの報告があります。

(8)その他……

● 授乳婦での安全性：使用するときは授乳しないことが望ましい。

● 低出生体重児または新生児での安全性：未確立。（1714頁を参照）

重大な副作用 ①感染症（細菌感染，真菌感染，肺炎，敗血症など）。②骨髄抑制（発熱性好中球減少症，白血球減少，血小板減少，貧血など）。③出血（胃腸出血，肺出血など）。④肺水腫，浮腫，胸水，心のう液貯留。⑤腎障害（急性腎障害など）。⑥胃腸障害（口内炎などの粘膜障害，悪心，嘔吐，下痢，食欲不振など）。⑦皮膚障害（皮膚色

素過剰，皮膚炎，皮膚乾燥，皮膚剥脱，皮膚疼痛，かゆみなど）。⑧血栓性微小血管症。⑨肝中心静脈閉塞症（VOD）・類洞閉塞症候群（SOS）。

そのほかにも報告された副作用はあるので，体調がいつもと違うと感じたときは，処方医・薬剤師に相談してください。

併用してはいけない薬 併用してはいけない薬は特にありません。ただし，併用する薬があるときは，念のため処方医・薬剤師に報告してください。

注 **02** がんに使われる注射薬 **03** 代謝拮抗薬

01 葉酸代謝拮抗薬（1）

製剤情報

一般名：メトトレキサート

- PC…X
- 規制…劇薬

■**先発品** 　**商品名（メーカー）** 規格・保険薬価

メソトレキセート点滴静注液（ファイザー）

注 200mg8mL 1瓶 7,040 円

注 1,000mg40mL 1瓶 31,510 円

注射用メソトレキセート（ファイザー）

注 5mg 1瓶 666 円　　注 50mg 1瓶 2,246 円

概　要

分類 　葉酸代謝拮抗薬

処方目的 　メトトレキサート・ロイコボリン救援療法→肉腫（骨肉腫，軟部肉腫など），急性白血病の中枢神経系および睾丸への浸潤に対する寛解，悪性リンパ腫の中枢神経系への浸潤に対する寛解

[注射用メソトレキセートのみの適応症] ①メトトレキサート通常療法→急性白血病・慢性リンパ性白血病・慢性骨髄性白血病・絨毛性疾患（絨毛がん，破壊胞状奇胎，胞状奇胎）の自覚的・他覚的症状の緩解／②CMF療法→乳がん／③メトトレキサート・フルオロウラシル交代療法→胃がんに対するフルオロウラシルの抗腫瘍効果の増強／④M-VAC療法→尿路上皮がん

解説 　がん細胞が増殖するには葉酸という物質が必要です。食物から摂取された葉酸は腸管から吸収されていくつかの代謝を受けますが，本剤はこの代謝経路に必要不可欠なジヒドロ葉酸還元酵素（DHFR）を阻害することで抗がん作用を示します。1940年代に白血病の治療薬として開発されました。後にその免疫抑制作用が注目され，リウマチの治療（内服薬）にも使われるようになりました。

使用上の注意

＊メソトレキセート（メソトレキセート点滴静注液）の添付文書による

警告

メトトレキサート・ロイコボリン救援療法およびメトトレキサート・フルオロウラシル交代療法は高度の危険性を伴うので，療法中・療法後の一定期間は医師の監督下で状態を観

察しなければなりません。また，M-VAC療法は毒性を持つ薬剤の併用療法です。これらは，緊急時に十分に措置できる医療施設で，がん化学療法に十分な知識と経験を持つ医師に，本剤の有効性・危険性を十分に聞き・たずね，同意してから受けなければなりません。

基本的注意

(1)**使用してはいけない場合**……本剤の成分に対する重いアレルギーの前歴／肝機能障害／腎機能障害／胸水・腹水などのある人

(2)**慎重に使用すべき場合**……骨髄機能抑制／感染症の合併／水痘

(3)**頻回に検査**……骨髄機能抑制，肝機能・腎機能障害などの重い副作用がおこることがあるので，頻回に血液，尿，肝機能，腎機能などの検査を受ける必要があります。

(4)**水分の補給**……メトトレキサート・ロイコボリン救援療法では，尿が酸性側に傾くとメトトレキサートの結晶が尿細管に沈着するおそれがあるので，尿のアルカリ化と同時に十分に水分を補給し，メトトレキサートの尿への排泄を促すことが大切です。利尿薬の選択にあたっては，尿を酸性化する薬剤(例えばフロセミド，チアジド系利尿薬など)は使いません。

(5)**放射線療法との併用**……本剤と放射線療法を併用すると，軟部組織壊死，骨壊死の発現頻度が高まるとの報告があります。併用治療後も状態に注意し，異常がみられたら，すぐに処方医へ連絡してください。

(6)**二次発がん**……本剤を長期使用した人，本剤と他の抗がん薬を併用した人に，悪性リンパ腫，急性白血病，骨髄異形成症候群(MDS)など発生したとの報告があります。

(7)**水痘**……水痘(水ぼうそう)の人が使用すると，致命的な全身障害が現れることがあるので，状態に十分注意してください。

(8)**感染症，出血傾向**……使用によって，感染症，出血傾向の発現または悪化がおこりやすくなるので，状態に十分注意してください。

(9)**性腺への影響**……小児および生殖可能な年齢の人が使用すると，性腺に影響がでることがあります。処方医とよく相談してください。

(10)**その他**……

● 妊婦での安全性：使用しないことが望ましい。

● 授乳婦での安全性：使用しないこと。

● 低出生体重児，新生児，乳児(1歳未満)での安全性：未確立。(1714頁を参照)

重大な副作用

①ショック，アナフィラキシー(冷感，呼吸困難，血圧低下など)。②汎血球減少，無顆粒球症(前駆症状として発熱，咽頭痛，インフルエンザ様症状などが現れる場合がある)，白血球減少，血小板減少，貧血などの骨髄機能抑制。③呼吸不全にいたるような肺炎(ニューモシスティス肺炎などを含む)，敗血症，サイトメガロウイルス感染症，帯状疱疹などの重い感染症(日和見感染症を含む)。④劇症肝炎，肝不全，肝組織の壊死・線維化・硬変。⑤急性腎不全，尿細管壊死，重症ネフロパチー。⑥間質性肺炎，肺線維症，胸水(発熱，せき，呼吸困難など)。⑦皮膚粘膜眼症候群(スティブンス-ジョンソン症候群)，中毒性表皮壊死融解症(TEN)。⑧出血性腸炎，壊死性腸炎(激しい腹痛・下痢)。⑨膵炎。⑩骨粗鬆症。⑪脳症(白質脳症を含む)，その他の中枢神

経障害(けいれん，麻痺，失語，認知症，昏睡)，ギラン・バレー症候群。

　そのほかにも報告された副作用はあるので，体調がいつもと違うと感じたときは，処方医・薬剤師に相談してください。

併用してはいけない薬　　併用してはいけない薬は特にありません。ただし，併用する薬があるときは，念のため処方医・薬剤師に報告してください。

注 **02** がんに使われる注射薬　**03** 代謝拮抗薬

02　葉酸代謝拮抗薬(2)

製剤情報

一般名：ペメトレキセドナトリウム

● 規制…劇薬

■**先発品**　商品名(メーカー)　規格・保険薬価

アリムタ注射用(イーライリリー)
注 100mg 1瓶 31,134円　注 500mg 1瓶 123,462円

■**ジェネリック**　商品名(メーカー)　規格・保険薬価

ペメトレキセド点滴静注液(沢井)
注 100mg4mL 1瓶 13,656円
注 500mg20mL 1瓶 56,970円
注 800mg32mL 1瓶 85,510円

ペメトレキセド点滴静注液(サンファーマ)
注 100mg4mL 1瓶 13,656円
注 500mg20mL 1瓶 56,970円

ペメトレキセド点滴静注液(日本化薬)
注 100mg4mL 1瓶 13,656円
注 500mg20mL 1瓶 56,970円
注 800mg32mL 1瓶 85,510円

ペメトレキセド点滴静注液(富士フイルム富山＝東和) 注 100mg4mL 1瓶 13,656円
注 500mg20mL 1瓶 56,970円

ペメトレキセド点滴静注用(沢井)
注 100mg 1瓶 13,656円　注 500mg 1瓶 56,970円
注 800mg 1瓶 85,510円

ペメトレキセド点滴静注用(高田＝ヤクルト)
注 100mg 1瓶 13,656円　注 500mg 1瓶 63,053円

ペメトレキセド点滴静注用(日医工岐阜＝日医工) 注 100mg 1瓶 13,656円　注 500mg 1瓶 56,970円

ペメトレキセド点滴静注用(日本化薬)
注 100mg 1瓶 13,656円　注 500mg 1瓶 56,970円
注 800mg 1瓶 85,510円

ペメトレキセド点滴静注用(ニプロ)
注 100mg 1瓶 13,656円　注 500mg 1瓶 56,970円

ペメトレキセド点滴静注用(富士製薬)
注 100mg 1瓶 13,656円　注 500mg 1瓶 56,970円
注 800mg 1瓶 85,510円

注
02
―
03
―
02

葉酸代謝拮抗薬(2)

概　要

分類　葉酸代謝拮抗薬

処方目的　悪性胸膜中皮腫，切除不能な進行・再発の非小細胞肺がん

解説　がん細胞が増殖するには葉酸という物質が必要です。食物から摂取された葉酸は腸管から吸収されていくつかの代謝を受けますが，本剤はこの代謝経路に必要不可欠な複数の葉酸代謝酵素を阻害することで抗がん作用を示します。

　重篤な副作用の予防のため，必ず葉酸とビタミン B_{12} を併用します。また，原因のほとんどがアスベスト(石綿)とされる悪性胸膜中皮腫に使用する場合はシスプラチンと併用します。

使用上の注意

＊ペメトレキセドナトリウム（アリムタ注射用）の添付文書による

警告

①本剤は，緊急時に十分に措置できる医療施設で，がん化学療法に十分な経験を持つ医師のもとで，適切と判断される人にのみ使用されるべき薬剤です。また，医師よりその有効性・危険性の十分な説明を受け，患者本人（もしくは家族）が納得・同意できなければ治療に入っていくべきではありません。

②重篤な副作用を軽減するため，必ず葉酸およびビタミンB_{12}を併用します。

③重度の腎障害患者で本剤が原因と考えられる死亡が報告されています。

④多量の胸水・腹水は適宜排出します。

⑤間質性肺炎に注意すること。

基本的注意

(1)使用してはいけない場合……本剤の成分に対する重いアレルギーの前歴／高度な骨髄抑制のある人／妊婦または妊娠している可能性のある人

(2)慎重に使用すべき場合……骨髄抑制のある人／間質性肺炎・肺線維症の人またはその前歴／胸水・腹水のある人／腎機能障害／肝機能障害／高齢者

(3)性腺への影響……生殖可能な年齢の人が使用すると，性腺に影響がでることがあります。処方医とよく相談してください。

(4)頻回に検査……骨髄機能抑制などの重い副作用がおこることがあるので，頻回に血液，肝機能，腎機能などの検査を受ける必要があります。

(5)その他……

● 授乳婦での安全性：使用するときは授乳を中止。

● 小児での安全性：未確立。（1714頁を参照）

重大な副作用　　①骨髄抑制。②間質性肺炎。③重い下痢。④脱水。⑤腎不全。⑥感染症（敗血症，肺炎など）。⑦ショック，アナフィラキシー（呼吸困難，喘鳴，血圧低下，発疹，発赤，かゆみなど）。⑧中毒性表皮壊死融解症（TEN），皮膚粘膜眼症候群（スティブンス-ジョンソン症候群）。

　　そのほかにも報告された副作用はあるので，体調がいつもと違うと感じたときは，処方医・薬剤師に相談してください。

併用してはいけない薬　　併用してはいけない薬は特にありません。ただし，併用する薬があるときは，念のため処方医・薬剤師に報告してください。

注 **02 がんに使われる注射薬　03 代謝拮抗薬**

03 葉酸代謝拮抗薬(3)

製剤情報

一般名：プララトレキサート

● 規制…劇薬

■先発品　　商品名(メーカー)　規格・保険薬価

ジフォルタ注射液(ムンディ)
注 20mg1mL 1瓶 91,292円

概　　要

分類　葉酸代謝拮抗薬

処方目的　再発または難治性の末梢性 T 細胞リンパ腫

解説　本剤はメトトレキサートの類似化合物です。がん細胞が増殖するには葉酸という物質が必要です。食物から摂取された葉酸は腸管から吸収されていくつかの代謝を受けますが，この代謝経路に必要不可欠なジヒドロ葉酸還元酵素(DHFR)を阻害することで抗がん作用を示します。

　末梢性 T 細胞リンパ腫は高齢者に多く，入院や長時間の持続点滴などが負担になることがありますが，本剤の 1 回の投与時間(静脈内)は 3～5 分と従来の化学療法と比較して投与時間が短く，外来での治療が可能で，患者さんの負担を軽減することも期待されています。

使用上の注意

警告

①本剤は，緊急時に十分対応できる医療施設で，造血器悪性腫瘍に十分な知識・経験をもつ医師のもと，本剤が適切と判断される人にのみ投与しなければなりません。また，治療開始に先立ち，患者または家族は医師から有効性および危険性について十分に聞き・たずね，同意してから使用することが大切です。

基本的注意

(1)使用してはいけない場合……本剤の成分に対するアレルギーの前歴／妊婦または妊娠している可能性のある人

(2)慎重に使用すべき場合……重度の腎機能障害／骨髄機能低下

(3)定期的に検査……本剤の使用によって，骨髄抑制(血小板減少症，貧血〔ヘモグロビン減少を含む〕，好中球減少症，白血球減少症，発熱性好中球減少症，リンパ球減少症など)が現れることがあるため，本剤の使用開始前および使用中は定期的に血液検査を行います。

(4)避妊……妊娠する可能性がある女性，およびパートナーが妊娠する可能性のある男性は，本剤の使用中および使用終了後の一定期間，適切な方法で避妊してください。動物実験において，胚・胎児毒性(胚・胎児死亡数および着床後胚損失率の高値など)が認められています。

(5)その他……

● 授乳婦での安全性：治療上の有益性・母乳栄養の有益性を考慮し，授乳の継続・中止を検討。

● 小児での安全性：未確立。(1714 頁を参照)

重大な副作用　①口内炎。②骨髄抑制(血小板減少症，貧血〔ヘモグロビン

減少を含む〕，好中球減少症，白血球減少症，発熱性好中球減少症，リンパ球減少症など）。③細菌，真菌，ウイルスによる重篤な感染症（ニューモシスチス肺炎，敗血症，帯状疱疹，肺炎など）。④中毒性表皮壊死融解症（TEN），皮膚粘膜眼症候群（スティブンス-ジョンソン症候群），多形紅斑，皮膚潰瘍などの重度の皮膚障害。⑤腫瘍崩壊症候群。⑥間質性肺疾患。

そのほかにも報告された副作用はあるので，体調がいつもと違うと感じたときは，処方医・薬剤師に相談してください。

併用してはいけない薬 併用してはいけない薬は特にありません。ただし，併用する薬があるときは，念のため処方医・薬剤師に報告してください。

注 02 がんに使われる注射薬 03 代謝拮抗薬

04 フルオロウラシル

製剤情報

一般名：フルオロウラシル

- PC…D
- 規制…劇薬

■先発品　　商品名(メーカー)　規格・保険薬価

5-FU 注（協和キリン）注 250mg 1瓶 252 円
注 1,000mg 1瓶 905 円

■ジェネリック　　商品名(メーカー)　規格・保険薬価

フルオロウラシル注（東和）注 250mg 1瓶 140 円
注 1,000mg 1瓶 549 円

概　　要

分類 フルオロウラシル系薬剤

処方目的 ①次の疾患の自覚的・他覚的症状の緩解→胃がん，肝がん，結腸・直腸がん，乳がん，膵がん，子宮頸がん，子宮体がん，卵巣がん／次の疾患については他の抗がん薬または放射線と併用することが必要→食道がん，肺がん，頭頸部腫瘍　②頭頸部がん，食道がんに対する他の抗がん薬との併用療法　③レボホリナート・フルオロウラシル持続静注併用療法→結腸・直腸がん，小腸がん，治癒切除不能な膵がん

解説 DNA の合成に必要な物質にウラシルがあります。この薬はウラシルに似た構造をもち，ウラシルの代わりに DNA に取り込まれ，DNA 形成に必要なピリミジンの合成を阻害して，がん細胞の増殖を抑えます。多くのがんに効果があり，消化器がんを中心に広く用いられています。

使用上の注意

*フルオロウラシル（5-FU 注）の添付文書による

警告

①本剤を含むがん化学療法は，緊急時に十分に措置できる医療施設で，がん化学療法に十分な知識と経験を持つ医師に，本剤の有効性・危険性を十分に聞き・たずね，同意してから受けなければなりません。

②メトトレキサート・フルオロウラシル交代療法，レボホリナート・フルオロウラシル療法は，本剤の細胞毒性を増強する療法で，これらの療法に関連したと考えられる死亡例が認められています。これらの療法は高度の危険性を伴うので，療法中・療法後の一定期間は医師の監督下で状態を観察しなければなりません。
③頭頸部がんおよび食道がんに対し，本剤を含むがん化学療法と放射線照射を併用すると，重い副作用や放射線合併症がおこる可能性があるため，放射線照射とがん化学療法の併用治療に十分な知識・経験を持つ医師のもとで受けなければなりません。
④本剤とテガフール・ギメラシル・オテラシルカリウム配合剤を併用すると，重い血液障害などの副作用がおこることがあるので併用してはいけません。

基本的注意

(1)**使用してはいけない場合**……本剤の成分に対する重いアレルギーの前歴／テガフール・ギメラシル・オテラシルカリウム配合剤の服用中または服用中止後7日以内／小児，高齢者
(2)**慎重に使用すべき場合**……骨髄機能抑制／肝機能障害／腎機能障害／感染症の合併／心疾患またはその前歴／消化管潰瘍または出血／水痘
(3)**頭頸部がん・食道がん**……頭頸部がん・食道がんの人が，本剤を含むがん化学療法と放射線照射を併用(特に同時併用)すると，放射線照射野内の皮膚炎・皮膚の線維化・口内炎，経口摂取量低下，血液毒性，唾液減少などが，放射線照射単独の場合と比較して高度となることが知られています。異常がみられたら，すぐに処方医へ連絡してください。
(4)**二次発がん**……本剤と他の抗がん薬の併用により，急性白血病(前白血病相を伴う場合もある)，骨髄異形成症候群(MDS)が発生したとの報告があります。
(5)**水痘**……水痘(水ぼうそう)の人が使用すると，致命的な全身障害が現れることがあるので，状態に十分注意してください。
(6)**感染症，出血傾向**……使用によって，感染症，出血傾向の発現または悪化がおこりやすくなるので，状態に十分注意してください。
(7)**性腺への影響**……小児および生殖可能な年齢の人が使用すると，性腺に影響がでることがあります。処方医とよく相談してください。
(8)**定期的に検査**……骨髄機能抑制などの重い副作用がおこることがあるので，定期的に血液，肝機能，腎機能などの検査を受ける必要があります。
(9)**その他**……
● 妊婦での安全性：使用しないことが望ましい。
● 授乳婦での安全性：使用するときは授乳しないことが望ましい。
● 小児での安全性：未確立。(1714頁を参照)

重大な副作用 ①激しい下痢，脱水症状。②出血性腸炎，虚血性腸炎，壊死性腸炎などの重い腸炎(激しい腹痛・下痢など)。③骨髄機能抑制(汎血球減少，白血球減少，好中球減少，貧血，血小板減少など)。④ショック，アナフィラキシー(発疹，呼吸困難，血圧低下など)。⑤白質脳症(歩行時のふらつき，四肢末端のしびれ感，舌のもつれな

ど），精神神経症状（錐体外路症状，言語障害，運動失調，眼振，意識障害，けいれん，顔面麻痺，見当識障害，四肢末端のしびれ感，せん妄，記憶力低下，自発性低下，尿失禁など）。⑥うっ血性心不全，心筋梗塞，安静狭心症，心室性頻拍。⑦急性腎障害，ネフローゼ症候群などの重い腎障害（特にシスプラチン，メトトレキサートなどの抗がん薬との併用時には注意が必要）。⑧間質性肺炎（発熱，せき，呼吸困難など）。⑨劇症肝炎，肝不全，肝機能障害，黄疸。⑩肝硬変。⑪消化管潰瘍，重い口内炎。⑫急性膵炎（腹痛，血清アミラーゼ上昇など）。⑬意識障害を伴う高アンモニア血症。⑭肝動脈内投与による肝・胆道障害（胆のう炎，胆管壊死，肝実質障害など）。⑮手足症候群（手のひらや足裏の紅斑，疼痛性発赤腫脹，知覚過敏など）。⑯嗅覚障害（長期投与例に多い），嗅覚脱失。⑰中毒性表皮壊死融解症（TEN），皮膚粘膜眼症候群（スティブンス-ジョンソン症候群）。⑱溶血性貧血。

　そのほかにも報告された副作用はあるので，体調がいつもと違うと感じたときは，処方医・薬剤師に相談してください。

併用してはいけない薬　テガフール・ギメラシル・オテラシルカリウム配合剤（ティーエスワン）→フルオロウラシルの代謝が阻害されて血中濃度が上昇し，重い血液障害，下痢・口内炎などの消化管障害などがおこることがあります。

05 シタラビン

製剤情報

一般名：シタラビン

- PC…D
- 規制…劇薬

■**先発品**　　商品名（メーカー）　規格・保険薬価

キロサイド注（日本新薬）注 20mg 1管 291 円

注 40mg 1管 572 円　　注 60mg 1管 817 円

注 100mg 1管 1,477 円　　注 200mg 1管 2,210 円

キロサイドN注（日本新薬）

注 400mg 1管 3,182 円　　注 1g 1瓶 6,335 円

■**ジェネリック**　　商品名（メーカー）　規格・保険薬価

シタラビン点滴静注液（武田テバファーマ＝武田）注 400mg 1瓶 1,803 円　　注 1g 1瓶 3,988 円

概要

分類　ピリミジン代謝拮抗薬

処方目的　［キロサイド注の適応症］①急性白血病（赤白血病，慢性骨髄性白血病の急性転化例を含む）／②消化器がん（胃がん，膵がん，肝がん，結腸がんなど），肺がん，乳がん，女性性器がん（子宮がんなど）など〔ただし，いずれも他の抗がん薬（フルオロウラシル，マイトマイシンC，シクロホスファミド水和物，メトトレキサート，ビンクリスチン硫酸塩，ビンブラスチン硫酸塩など）と併用する場合に限る〕／③膀胱腫瘍

［キロサイドN注，シタラビン点滴静注液の適応症］シタラビン大量療法→再発または難治性の急性骨髄性白血病，急性リンパ性白血病，悪性リンパ腫〔ただし，急性リンパ

性白血病，悪性リンパ腫は他の抗がん薬と併用する場合に限る〕／腫瘍特異的 T 細胞輸注療法の前処置

解説 DNA の合成を阻害する代謝拮抗薬です。1959 年にアメリカで合成され，わが国では 1971 年に白血病治療薬として発売されました。現在では，この薬の大量投与法は急性白血病では欠かせない治療法となっています。

使用上の注意

*シタラビン（キロサイド注）の添付文書による

警告

　本剤は，緊急時に十分対応できる医療施設において，がん化学療法に十分な知識・経験をもつ医師に，本剤の有効性・危険性を十分に聞き・たずね，同意してから受けなければなりません。

[シタラビン大量療法（キロサイド N 注，シタラビン点滴静注液）]

①シタラビン大量療法（以下，本療法）は高度の危険性を伴うので，投与中および投与後の一定期間は入院して医師の管理下で受けなければなりません。

②本療法を行ったすべての人に強い骨髄機能抑制がおこり，その結果，致命的な感染症および出血などを引きおこすことがあり，死亡例も確認されています。本療法を行う場合は，感染予防として無菌状態に近い状況下（無菌室，簡易無菌室など）で治療を受ける必要があります。

基本的注意

(1)使用してはいけない場合……本剤の成分に対する重いアレルギーの前歴

(2)慎重に使用すべき場合……骨髄機能抑制／肝機能障害／腎機能障害／感染症の合併／高齢者

(3)二次発がん……本剤と他の抗がん薬を併用により，白血病，肺腺がんなどが発生したとの報告があります。

(4)感染症，出血傾向……使用によって，感染症，出血傾向の発現または悪化がおこりやすくなるので，状態に十分注意してください。

(5)性腺への影響……小児および生殖可能な年齢の人が使用すると，性腺に影響がでることがあります。処方医とよく相談してください。

(6)頻回に検査……骨髄機能抑制などの重い副作用がおこることがあるので，頻回に血液，肝機能，腎機能などの検査を受ける必要があります。

(7)避妊……妊娠する可能性のある女性およびパートナーが妊娠する可能性のある男性は，本剤使用中および使用終了後一定期間は適切な避妊をしてください。動物実験で催奇形作用が報告されています。

(8)その他……

●妊婦での安全性：使用しないことが望ましい。

●授乳婦での安全性：使用するときは授乳しないことが望ましい。

●低出生体重児，新生児，乳児（1 歳未満）での安全性：髄腔内化学療法の場合，未確立。
　（1714 頁を参照）

注
02
―
03
―
05

シタラビン

重大な副作用　①骨髄機能抑制に伴う血液障害(白血球減少，血小板減少，貧血，網赤血球減少，汎血球減少，巨赤芽球様細胞の発現など)。②ショック，アナフィラキシー様症状(呼吸困難，全身潮紅，血管浮腫，じん麻疹など)。③消化管障害(消化管潰瘍・出血，好中球減少性腸炎など)。④急性呼吸促迫症候群，間質性肺炎。⑤急性心膜炎，心のう液貯留。⑥脳症(白質脳症を含む)，麻痺，けいれん，小脳失調，意識障害(意識消失を含む)などの中枢神経障害。⑦シタラビン症候群(発熱，筋肉痛，骨痛，ときに斑状丘疹性皮疹，胸痛，結膜炎，倦怠感など)。

　そのほかにも報告された副作用はあるので，体調がいつもと違うと感じたときは，処方医・薬剤師に相談してください。

併用してはいけない薬　併用してはいけない薬は特にありません。ただし，併用する薬があるときは，念のため処方医・薬剤師に報告してください。

注02 がんに使われる注射薬　03 代謝拮抗薬

06 エノシタビン

🖉 **製 剤 情 報**

一般名：エノシタビン

● 規制…劇薬

■**先発品**　　商品名(メーカー)　規格・保険薬価

サンラビン点滴静注用 (旭化成)
注 150mg 1瓶 2,581 円　注 200mg 1瓶 2,855 円
注 250mg 1瓶 4,210 円

📋 **概　　要**

分類　ピリミジン代謝拮抗薬

処方目的　急性白血病(慢性白血病の急性転化例を含む)

解説　1974 年に日本で発見・開発された抗がん薬です。シタラビンのプロドラッグ(前駆物質)で，白血病細胞に取り込まれてから徐々にシタラビンに変わり，長時間にわたってがん細胞の増殖を抑えます。

✍ **使用上の注意**

基本的注意

(1)使用してはいけない場合……本剤の成分に対する重いアレルギーの前歴

(2)慎重に使用すべき場合……骨髄機能抑制／感染症の合併／気管支ぜんそく・発疹・じん麻疹などのアレルギーをおこしやすい体質(本人または両親・兄弟姉妹)／薬物過敏症の前歴／肝機能障害

(3)感染症，出血傾向……使用によって，感染症，出血傾向の発現または悪化がおこりやすくなるので，状態に十分注意してください。

(4)性腺への影響……小児および生殖可能な年齢の人が使用すると，性腺に影響がでることがあります。処方医とよく相談してください。

(5)頻回に検査……骨髄機能抑制などの重い副作用がおこることがあるので，頻回に血

液, 肝機能, 腎機能などの検査を受ける必要があります。

(6)二次発がん……本剤と他の抗がん薬の併用により, 急性白血病(前白血病相を伴う場合もある), 骨髄異形成症候群(MDS)が発生したとの報告があります。

(7)その他……

● 妊婦での安全性:有益と判断されたときのみ使用。

● 授乳婦での安全性:原則として使用しない。やむを得ず使用するときは授乳を中止。

● 小児での安全性:未確立。(1714 頁を参照)

重大な副作用 ①ショック。②重いアレルギー症状(胸部圧迫感, 発疹, 皮膚の潮紅など)。③血液障害(汎血球減少, 白血球減少, 血小板減少, 貧血, 巨赤芽球様細胞(骨髄)など)。

　そのほかにも報告された副作用はあるので, 体調がいつもと違うと感じたときは, 処方医・薬剤師に相談してください。

併用してはいけない薬 併用してはいけない薬は特にありません。ただし, 併用する薬があるときは, 念のため処方医・薬剤師に報告してください。

注 02 がんに使われる注射薬　03 代謝拮抗薬

07 イリノテカン塩酸塩

製剤情報

一般名:イリノテカン塩酸塩水和物

● 規制…劇薬

■ 先発品　　商品名(メーカー)　規格・保険薬価

カンプト点滴静注 (ヤクルト)
注 40mg2mL 1瓶 2,036 円
注 100mg5mL 1瓶 4,594 円

トポテシン点滴静注 (第一三共)
注 40mg2mL 1瓶 2,093 円
注 100mg5mL 1瓶 4,781 円

■ ジェネリック　　商品名(メーカー)　規格・保険薬価

イリノテカン塩酸塩点滴静注液 (沢井)
注 40mg2mL 1瓶 1,388 円
注 100mg5mL 1瓶 3,093 円

イリノテカン塩酸塩点滴静注液 (サンファーマ) 注 40mg2mL 1瓶 1,388 円
注 100mg5mL 1瓶 3,093 円

イリノテカン塩酸塩点滴静注液 (武田テバファーマ = 武田) 注 40mg2mL 1瓶 1,388 円
注 100mg5mL 1瓶 3,093 円

イリノテカン塩酸塩点滴静注液 (東和)
注 40mg2mL 1瓶 1,126 円
注 100mg5mL 1瓶 2,538 円

イリノテカン塩酸塩点滴静注液 (日医工ファーマ = 日医工) 注 40mg2mL 1瓶 1,126 円
注 100mg5mL 1瓶 3,093 円

イリノテカン塩酸塩点滴静注液 (ニプロ)
注 40mg2mL 1瓶 1,388 円
注 100mg5mL 1瓶 3,093 円

イリノテカン塩酸塩点滴静注液 (ハンルイ)
注 40mg2mL 1瓶 1,126 円
注 100mg5mL 1瓶 2,538 円

イリノテカン塩酸塩点滴静注液 (ファイザー)
注 40mg2mL 1瓶 1,388 円
注 100mg5mL 1瓶 3,093 円

イリノテカン塩酸塩点滴静注液（マイラン＝日本化薬）注 40mg2mL 1瓶 1,388 円
注 100mg5mL 1瓶 3,093 円

一般名：イリノテカン塩酸塩水和物（リポソーム型）

● 規制…劇薬

■先発品　　商品名（メーカー）　規格・保険薬価
オニバイド点滴静注（日本セルヴィエ＝ヤクルト）注 43mg10mL 1瓶 114,410 円

📋 概　要

分類　トポイソメラーゼ阻害薬

処方目的　［イリノテカン塩酸塩水和物の適応症］小細胞肺がん，非小細胞肺がん，子宮頸がん，卵巣がん，胃がん・結腸がん・直腸がん・乳がん（手術不能または再発），有棘細胞がん，悪性リンパ腫（非ホジキンリンパ腫），小児悪性固形腫瘍，治癒切除不能な膵がん／［イリノテカン塩酸塩水和物（リポソーム型）の適応症］がん化学療法後に増悪した治癒切除不能な膵がん

解説　DNA トポイソメラーゼは，DNA の複製，転写，組み換えなどのあらゆる DNA 代謝に関わる重要な酵素です。イリノテカン塩酸塩はトポイソメラーゼの働きを阻害することにより，がん細胞の代謝に拮抗します。イリノテカン塩酸塩注，ノギテカン塩酸塩注，エトポシド注・内服などは代謝拮抗薬に分類されますが，トポイソメラーゼ阻害薬という分類をつくることもあります。

　オニバイドの適応症は，がん化学療法後に増悪した治癒切除不能な膵がんのみです。イリノテカンをリポソーム（球形の小胞）に封入した製剤（リポソーム型イリノテカン製剤）で，腫瘍への集積の増加，腫瘍内での曝露期間の延長によって抗腫瘍活性がより強まるようにつくられています。

✏️ 使用上の注意

＊イリノテカン塩酸塩水和物（トポテシン点滴静注）の添付文書による

警告

①本剤の臨床試験で骨髄機能抑制あるいは下痢に起因したと考えられる死亡例があります。本剤は緊急時に十分に措置できる医療施設で，がん化学療法に十分な経験を持つ医師に有効性・危険性を十分に聞き・たずね，同意してから受けなければなりません。

②本剤を含む小児悪性固形腫瘍に対するがん化学療法は，小児のがん化学療法に十分な知識・経験を持つ医師のもとで受けなければなりません。

基本的注意

(1)使用してはいけない場合……骨髄機能抑制／感染症の合併／下痢（水様便）のある人／腸管麻痺・腸閉塞／間質性肺炎，肺線維症／多量の腹水・胸水のある人／黄疸／アタザナビル硫酸塩の使用中／本剤の成分に対するアレルギーの前歴

(2)慎重に使用すべき場合……肝機能障害／腎機能障害／糖尿病／著しい全身衰弱／遺伝性果糖不耐症／高齢者，小児

(3)過敏反応……本剤の使用により，重い過敏反応が現れることがあります。呼吸困難，

血圧低下などの過敏症状がみられたら，すぐに処方医へ連絡してください。

(4)**感染症・出血傾向など**……本剤の使用により，出血傾向，重症感染症（敗血症，肺炎など），播種性血管内凝固症候群（DIC），腸管穿孔，消化管出血，腸閉塞，腸炎，間質性肺炎の発現または悪化がおこりやすくなるので，十分に注意してください。

(5)**飲食物**……グレープフルーツジュース，セイヨウオトギリソウ（セント・ジョーンズ・ワート）含有食品は，本剤の作用に影響を与えるので，服用中は控えてください。

(6)**性腺への影響**……小児および生殖可能な年齢の人が使用すると，性腺に影響がでることがあります。処方医とよく相談してください。

(7)**頻回に検査**……骨髄機能抑制などの重い副作用がおこることがあるので，頻回に血液，肝機能，腎機能などの検査を受ける必要があります。

(8)**避妊**……妊娠可能な年齢の女性およびパートナーが妊娠する可能性のある男性は，使用期間中および使用終了後一定期間は適切な避妊を行ってください。本剤は，動物実験で催奇形作用，胎児致死作用，遺伝毒性が報告されています。

(9)**その他**……

- ●妊婦での安全性：使用しないことが望ましい。
- ●授乳婦での安全性：使用するときは授乳を中止。
- ●低出生体重児，新生児，乳児での安全性：未確立。（1714頁を参照）

`重大な副作用` ①汎血球減少，白血球減少，好中球減少，貧血，血小板減少，発熱性好中球減少症などの骨髄機能抑制。高度な骨髄機能抑制の持続による重症感染症（敗血症，肺炎など）・播種性血管内凝固症候群（DIC）の併発。②下痢，腸炎。高度な下痢の持続による脱水，電解質異常，ショック（循環不全）の併発。③消化管出血（下血，血便を含む），腸管麻痺，腸閉塞。腸管穿孔の併発。④間質性肺炎。⑤ショック，アナフィラキシー（呼吸困難，血圧低下など）。⑥肝機能障害，黄疸。⑦急性腎障害。⑧肺塞栓症，静脈血栓症。⑨心筋梗塞，狭心症発作。⑩心室性期外収縮。⑪脳梗塞。

　そのほかにも報告された副作用はあるので，体調がいつもと違うと感じたときは，処方医・薬剤師に相談してください。

`併用してはいけない薬` アタザナビル硫酸塩（レイアタッツ）→骨髄機能抑制，下痢などの副作用が強まるおそれがあります。

注 **02 がんに使われる注射薬　03 代謝拮抗薬**

08　ゲムシタビン塩酸塩

🏥 製剤情報

一般名：ゲムシタビン塩酸塩

●規制…劇薬

■**先発品**　商品名（メーカー）　規格・保険薬価

ジェムザール注射用（イーライリリー）

注 200mg 1瓶 1,295円　注 1g 1瓶 5,891円

■ジェネリック　　商品名(メーカー)　規格・保険薬価

ゲムシタビン点滴静注液 (サンド)
注 200mg5mL 1瓶 1,126 円　注 1g25mL 1瓶 5,335 円

ゲムシタビン点滴静注液 (日本化薬)
注 200mg5mL 1瓶 1,126 円　注 1g25mL 1瓶 3,938 円

ゲムシタビン点滴静注液 (ファイザー)
注 200mg5.3mL 1瓶 569 円
注 1g26.3mL 1瓶 5,335 円

ゲムシタビン点滴静注用 (サンファーマ)
注 200mg 1瓶 1,126 円　注 1g 1瓶 5,335 円

ゲムシタビン点滴静注用 (高田 = ヤクルト)
注 200mg 1瓶 1,126 円　注 1g 1瓶 5,335 円

ゲムシタビン点滴静注用 (武田テバ薬品 = 武田
テバファーマ = 武田) 注 200mg 1瓶 1,126 円
注 1g 1瓶 5,335 円

ゲムシタビン点滴静注用 (日医工岐阜 = 日医工
= 武田) 注 200mg 1瓶 1,126 円　注 1g 1瓶 5,335 円

ゲムシタビン点滴静注用 (日医工ファーマ = 日
医工) 注 200mg 1瓶 1,126 円　注 1g 1瓶 3,938 円

ゲムシタビン点滴静注用 (日本化薬)
注 200mg 1瓶 1,126 円　注 1g 1瓶 5,335 円

ゲムシタビン点滴静注用 (ファイザー)
注 200mg 1瓶 569 円　注 1g 1瓶 5,335 円

概　要

分類　ピリミジン代謝拮抗薬

処方目的　非小細胞肺がん，膵がん，胆道がん，尿路上皮がん，手術不能または再発乳がん，がん化学療法後に増悪した卵巣がん，再発または難治性の悪性リンパ腫

解説　1983 年にアメリカで合成された抗がん薬です。DNA 合成を阻害することで抗がん作用を発揮します。わが国では 1999 年に「非小細胞肺がん」の適応で発売され，その後適応症が追加されています。

使用上の注意

*ゲムシタビン塩酸塩(ジェムザール注射用)の添付文書による

警告

①本剤は，週に 1 回，30 分間の点滴静注で使用すべき薬剤です。外国の臨床試験で，週 2 回以上あるいは 1 回の点滴を 60 分以上かけて行うと，副作用が増強した例が報告されています。

②高度な骨髄機能抑制のある人は使用してはいけません。感染症や出血をおこし，重症化する可能性があり，死亡例が報告されています。

③胸部単純 X 線写真で，明らか，かつ症状のある間質性肺炎・肺線維症のある人は使用してはいけません。死亡例が報告されています。

④放射線増感作用を期待する胸部への放射線療法との同時併用を行ってはいけません。外国での臨床試験で，本剤と胸部への根治的放射線療法との併用によって重い食道炎，肺臓炎がおこり，死亡例が報告されています。

⑤本剤の使用に際しては，緊急時に十分に措置できる医療施設で，がん化学療法に十分な知識と経験を持つ医師に，本剤の有効性・危険性を十分に聞き・たずね，同意してから受けなければなりません。

基本的注意

(1)使用してはいけない場合……高度な骨髄機能抑制／胸部単純 X 線写真で明らか，か

つ症状のある間質性肺炎・肺線維症／胸部への放射線療法の施行中／重症感染症の合併／本剤の成分に対する重いアレルギーの前歴／妊婦または妊娠している可能性のある人

(2)慎重に使用すべき場合……骨髄機能抑制／間質性肺炎・肺線維症の前歴／肝障害(肝転移, 肝炎, 肝硬変など), アルコール依存症の前歴または合併のある人／腎機能障害／心筋梗塞の前歴／高齢者

(3)定期検査……骨髄機能抑制, 間質性肺炎などの重い副作用がおこることがあり, 死亡例も報告されているので, 使用中は頻回に血液, 肝機能, 腎機能, 胸部X線などの検査を受ける必要があります。

(4)生殖器への影響……動物実験(マウス, ウサギ)で, 生殖毒性(先天性異常, 胚胎発育・妊娠経過・周産期発育・生後発育に対する影響など)が報告されています。生殖可能な年齢の人が使用すると生殖器に影響がでることがあるので, 処方医とよく相談してください。

(5)避妊……妊娠可能な年齢の女性およびパートナーが妊娠する可能性のある男性は, 使用期間中および使用終了後一定期間は適切な避妊を行ってください。本剤は, 動物実験で催奇形作用, 胎児致死作用が報告されています。

(6)危険作業は中止……本剤を使用すると, 傾眠などが現れるおそれがあります。このような症状が発現しないことが確認されるまで, 高所作業や自動車の運転など危険を伴う機械の操作は行わないようにしてください。

(7)その他……

● 授乳婦での安全性：使用するときは授乳を中止。

● 小児での安全性：未確立。(1714頁を参照)

重大な副作用 ①白血球減少, 好中球減少, 貧血, 血小板減少, 赤血球減少などの骨髄機能抑制。②間質性肺炎(発熱, せき, 呼吸困難など)。③アナフィラキシー(呼吸困難, 血圧低下, 発疹など)。④心筋梗塞, うっ血性心不全。⑤肺水腫, 気管支けいれん, 成人呼吸促迫症候群。⑥腎不全, 溶血性尿毒症症候群。⑦重い皮膚障害(紅斑, 水疱, 落屑など)。⑧重い肝機能障害, 黄疸。⑨白質脳症(可逆性後白質脳症症候群を含む：高血圧, けいれん, 頭痛, 視覚異常, 意識障害など)。

そのほかにも報告された副作用はあるので, 体調がいつもと違うと感じたときは, 処方医・薬剤師に相談してください。

併用してはいけない薬 [治療] 胸部への放射線照射→外国の臨床試験で, 本剤と胸部への根治的放射線療法を併用した場合に, 重い食道炎, 肺臓炎が発現し, 死亡に至った例が報告されています。

注02─03─08

ゲムシタビン塩酸塩

09　フルダラビンリン酸エステル

■ 製 剤 情 報

一般名：**フルダラビンリン酸エステル**

● 規制…劇薬

■**先発品**　　**商品名(メーカー)**　規格・保険薬価

フルダラ静注用（サノフィ）注 50mg 1瓶 30,545 円

■ 概　　要

分類　核酸代謝拮抗薬

処方目的　　貧血または血小板減少症を伴う慢性リンパ性白血病／再発または難治性の低悪性度 B 細胞性非ホジキンリンパ腫・マントル細胞リンパ腫／次の疾患における同種造血幹細胞移植の前治療→急性骨髄性白血病，骨髄異形成症候群，慢性骨髄性白血病，慢性リンパ性白血病，悪性リンパ腫，多発性骨髄腫／腫瘍特異的 T 細胞輸注療法の前処置

解説　　1969 年にアメリカで合成された代謝拮抗型の抗がん薬です。その後改良され，わが国では 2000 年に発売されています。慢性リンパ性白血病に高い効果があり，2007年には内服薬も承認されました。

✑ 使用上の注意

警告

①本剤は，緊急時に十分に措置できる医療施設で，造血器悪性腫瘍の治療に十分な経験を持つ医師のもとで，適切と判断される人にのみ使用されるべき薬剤です。

②骨髄機能抑制による感染症・出血傾向などの重い副作用，リンパ球の減少による重い免疫不全の発現または悪化の可能性があるので，頻回に検査(血液，肝機能・腎機能など)を受ける必要があります。

③致命的な自己免疫性溶血性貧血が報告されています。

④放射線非照射血の輸血により，移植片対宿主病(GVHD)が現れることがあるので，本剤による治療中・治療後の人で輸血が必要な場合は，照射処理された血液を輸血することは必要です。

⑤本剤とペントスタチンとの併用によって，致命的な肺毒性が報告されているので併用してはいけません。

基本的注意

(1)使用してはいけない場合……重い腎機能障害／ペントスタチン製剤の使用中／本剤による溶血性貧血の前歴／本剤の成分に対するアレルギーの前歴／重症感染症の合併／妊婦または妊娠している可能性のある人

(2)慎重に使用すべき場合……腎機能低下(クレアチニンクリアランスが 30〜70mL/分)／感染症の合併／肝機能障害／高齢者

(3)二次発がん……本剤での治療中・治療後に，皮膚がんの発生・悪化・再燃が，また，

本剤と他の抗がん薬の併用で急性白血病，骨髄異形成症候群（MDS），エプスタイン・バーウイルス関連リンパ増殖性疾患が発生したとの報告があります。

(4)感染症，出血傾向……使用によって，感染症，出血傾向の発現または悪化がおこりやすくなるので，状態に十分注意してください。

(5)性腺への影響……小児および生殖可能な年齢の人が使用すると，性腺に影響がでることがあります。処方医とよく相談してください。

(6)頻回に検査……骨髄機能抑制などの重い副作用がおこることがあるので，頻回に血液，肝機能，腎機能などの検査を受ける必要があります。

(7)その他……

●授乳婦での安全性：使用するときは授乳を避けること。

●小児での安全性：未確立。（1714 頁を参照）

重大な副作用　　①骨髄機能抑制（好中球減少，ヘモグロビン減少，汎血球減少，赤血球減少など）。②間質性肺炎（呼吸困難，せき，発熱など）。③精神神経障害（錯乱，昏睡，興奮，けいれん発作，失明，末梢神経障害など）。④側腹部痛，血尿などを初期症状とする腫瘍崩壊症候群。⑤敗血症，肺炎などの重症日和見感染，B 型肝炎ウイルスによる肝炎の増悪，劇症肝炎。⑥致命的な自己免疫性溶血性貧血。⑦出血性膀胱炎。⑧発熱，口腔粘膜の発疹，口内炎などを伴う皮膚粘膜眼症候群（スティブンス-ジョンソン症候群），中毒性表皮壊死融解症（TEN）。⑨心不全。⑩脳出血，肺出血，消化管出血。⑪自己免疫性血小板減少症。⑫赤芽球癆。⑬進行性多巣性白質脳症（意識障害，認知障害，片麻痺，四肢麻痺，言語障害など）。

そのほかにも報告された副作用はあるので，体調がいつもと違うと感じたときは，処方医・薬剤師に相談してください。

併用してはいけない薬　　ペントスタチン（コホリン）→致命的な肺毒性がおこることがあります。

注 **02** がんに使われる注射薬　**03** 代謝拮抗薬

10　ノギテカン塩酸塩

製剤情報

一般名：ノギテカン塩酸塩

●規制…劇薬

■**先発品**　　商品名（メーカー）　規格・保険薬価

ハイカムチン注射用（日本化薬）
注 1.1mg 1瓶 7,089 円

概　要

分類　　トポイソメラーゼ阻害薬

処方目的　　小細胞肺がん，がん化学療法後に増悪した卵巣がん，小児悪性固形腫瘍，進行または再発の子宮頸がん

解説　　DNA トポイソメラーゼは，DNA の複製，転写，組み換えなどのあらゆる

DNA代謝に関わる重要な酵素です。ノギテカン塩酸塩は，トポイソメラーゼの働きを阻害することによって，がん細胞の代謝に拮抗します。イリノテカン塩酸塩注，ノギテカン塩酸塩注，エトポシド注・内服などは，代謝拮抗薬に分類されますが，トポイソメラーゼ阻害薬という分類をつくることもあります。

使用上の注意

警告

①本剤は，骨髄機能抑制の副作用が強い薬剤です。使用に際しては，緊急時に十分に措置できる医療施設で，がん化学療法に十分な経験を持つ医師に，有効性・危険性を十分に聞き・たずね，同意してから受けなければなりません。

②本剤を含む小児悪性固形腫瘍に対するがん化学療法は，小児のがん化学療法に十分な知識・経験を持つ医師のもとで受けなければなりません。

基本的注意

(1)使用してはいけない場合……重い骨髄機能抑制／重い感染症の合併／本剤の成分に対するアレルギーの前歴／妊婦または妊娠している可能性のある人，授乳婦

(2)慎重に使用すべき場合……骨髄機能抑制／腎機能障害／間質性肺炎・放射線肺炎・肺線維症の前歴または合併症のある人／全身衰弱の著しい人／高齢者

(3)がん原性……本剤のがん原性試験は実施されていませんが，染色体異常試験，遺伝子突然変異試験，小核試験の遺伝毒性試験で，いずれも陽性と報告されており，がん原性を持つ可能性があります。

(4)性腺への影響……小児および生殖可能な年齢の人が使用すると，性腺に影響がでることがあります。処方医とよく相談してください。

(5)避妊……妊娠可能な女性およびパートナーが妊娠する可能性のある男性は，本剤の使用期間中および使用終了後一定期間は適切な避妊を行ってください。動物実験で催奇形性や遺伝毒性などが報告されています。

(6)頻回に検査……骨髄機能抑制などの重い副作用がおこることがあるので，頻回に血液，肝機能，腎機能などの検査を受ける必要があります。

(7)危険作業に注意……易疲労感が発現した場合には，高所作業や自動車の運転など危険を伴う機械の操作は十分注意してください。

(8)その他……

●低出生体重児，新生児，乳児での安全性：未確立。(1714頁を参照)

重大な副作用　①骨髄機能抑制（白血球減少，好中球減少，赤血球減少，汎血球減少，ヘモグロビン減少，血小板減少，発熱性好中球減少症など）。②下血を含む消化管出血。③間質性肺炎。④肺塞栓症，深部静脈血栓症。⑤類似薬（イリノテカン塩酸塩）で，高度な下痢，腸管穿孔，腸閉塞。

　そのほかにも報告された副作用はあるので，体調がいつもと違うと感じたときは，処方医・薬剤師に相談してください。

併用してはいけない薬　併用してはいけない薬は特にありません。ただし，併用する薬があるときは，念のため処方医・薬剤師に報告してください。

11 クラドリビン

製剤情報

一般名：クラドリビン
● 規制…劇薬

■ **先発品**　　**商品名(メーカー)**　規格・保険薬価
ロイスタチン注 (ヤンセン)
注 8mg8mL 1瓶 69,777 円

概　要

分類　その他の代謝拮抗薬

処方目的　ヘアリーセル白血病／再発・再燃または治療抵抗性の次の疾患→低悪性度またはろ胞性 B 細胞性非ホジキンリンパ腫，マントル細胞リンパ腫

解説　従来のがん治療法に耐性をもったリンパ系腫瘍に対して，有効な治療薬を開発する目的でアメリカにおいて合成された薬です。1993 年に「ヘアリー細胞(セル)白血病」の適応症でオーファンドラッグ(希少疾病用医薬品)として承認されました。わが国では 2002 年より使用されています。DNA 合成阻害作用を有する代謝拮抗薬です。

使用上の注意

警告

①本剤の使用に際しては，緊急時に十分に措置できる医療施設で，がん化学療法に十分な経験を持つ医師に，有効性・危険性を十分に聞き・たずね，同意してから受けなければなりません。

②骨髄機能抑制による感染症などの重い副作用の発現・悪化，リンパ球減少による重い免疫不全の悪化・発現，まれに重い神経毒性が発現することがあります。使用中は頻回に血液，肝・腎機能などの検査を受ける必要があります。

基本的注意

(1)使用してはいけない場合……本剤の成分に対するアレルギーの前歴／妊婦または妊娠している可能性のある人

(2)慎重に使用すべき場合……腎機能障害／肝機能障害／感染症の合併

(3)性腺への影響……生殖可能な年齢の人が使用すると，性腺に影響がでることがあります。処方医とよく相談してください。

(4)頻回に検査……骨髄機能抑制などの重い副作用がおこることがあるので，頻回に血液，肝機能，腎機能などの検査を受ける必要があります。

(5)二次発がん……併用化学療法を受けたことのある患者に，本剤での治療後，二次発がん(急性骨髄性白血病，骨髄異形成症候群)が発生したとの報告があります。

(6)避妊……妊娠可能年齢である女性は，本剤の使用中は適切な避妊をしてください。

(7)その他……

● 授乳婦での安全性：原則として使用しない。やむを得ず使用するときは授乳を中止。

●小児での安全性：未確立。(1714頁を参照)

| 重大な副作用 | ①好中球数減少，白血球減少，血小板減少，赤血球減少，貧血などの骨髄機能抑制。②敗血症，肺炎などの重症日和見感染。③進行性多巣性白質脳症(意識障害，認知障害，片麻痺，四肢麻痺，言語障害，視覚障害など)。④消化管出血。⑤本剤の高用量(通常用量の4～9倍)の使用による，重い神経毒性(非可逆的不全対麻痺・四肢不全麻痺)。⑥(腫瘍容積の大きな人で)腫瘍崩壊症候群。⑦間質性肺炎(呼吸困難，せき，発熱など)。⑧皮膚粘膜眼症候群(スティブンス-ジョンソン症候群)，中毒性表皮壊死融解症(TEN)。⑨急性腎障害などの重い腎機能障害。

そのほかにも報告された副作用はあるので，体調がいつもと違うと感じたときは，処方医・薬剤師に相談してください。

| 併用してはいけない薬 | 併用してはいけない薬は特にありません。ただし，併用する薬があるときは，念のため処方医・薬剤師に報告してください。

注 02 がんに使われる注射薬　03 代謝拮抗薬

12 ネララビン

製剤情報

一般名：ネララビン
●規制…劇薬

■先発品　　商品名(メーカー)　規格・保険薬価
アラノンジー静注用(ノバルティス)
注 250mg50mL 1瓶 54,925円

概　要

| 分類 | 抗悪性腫瘍薬

| 処方目的 | 再発または難治性のT細胞急性リンパ性白血病・T細胞リンパ芽球性リンパ腫

| 解説 | これまで標準的治療法が確立されていなかった，再発または難治性のT細胞急性リンパ性白血病，T細胞リンパ芽球性リンパ腫の治療薬として，初めて単剤での有効性が認められた抗がん薬です。

使用上の注意

| 警告 |

①本剤は，緊急時に十分に措置できる医療施設で，造血器悪性腫瘍の治療に十分な経験を持つ医師のもとで，適切と判断される人にのみ使用されるべき薬剤です。また，医師よりその有効性・危険性の十分な説明を受け，患者本人(もしくは家族)が納得・同意できなければ治療に入っていくべきではありません。

②本剤の投与後に，傾眠あるいはより重度の意識レベルの変化，けいれんなどの中枢神経障害，しびれ感，錯感覚，脱力・麻痺などの末梢性ニューロパシー，脱髄，ギラン・バレー症候群に類似する上行性末梢性ニューロパシーなどの重度の神経系障害が報告されています。これらの症状は，本剤の投与を中止しても完全に回復しない場合があります。

神経系障害に対しては特に注意深く観察し，神経系障害の徴候が認められた場合には重篤化するおそれがあるので，直ちに投与を中止するなど適切な対応が必要となります。

基本的注意

(1)使用してはいけない場合……本剤の成分に対するアレルギーの前歴

(2)慎重に使用すべき場合……髄腔内化学療法の治療中または前歴／全脳・全脊髄照射の治療歴／腎機能障害／肝機能障害／高齢者

(3)危険作業に注意……本剤を使用すると，眠けを催すことがあります。高所作業や自動車の運転など危険を伴う機械の操作は十分注意してください。

(4)避妊……妊娠可能な女性およびパートナーが妊娠する可能性のある男性は，本剤の使用期間中および使用終了後一定期間は適切な避妊を行ってください。動物実験で胎児の奇形や遺伝毒性などが報告されています。

(5)その他……

● 妊婦での安全性：有益と判断されたときのみ使用。

● 授乳婦での安全性：使用するときは授乳を中止。

● 小児での安全性：未確立。(1714頁を参照)

重大な副作用

①神経系障害（傾眠，末梢性ニューロパシー，感覚減退，錯感覚，てんかん様発作，進行性多巣性白質脳症など）。②血液障害（貧血，血小板減少症，好中球減少症，発熱性好中球減少症，白血球減少症）。③錯乱状態。④感染症（敗血症，菌血症，肺炎，真菌感染など）。⑤腫瘍崩壊症候群。⑥横紋筋融解症（筋肉痛，脱力感など）。⑦劇症肝炎，肝機能障害，黄疸。

そのほかにも報告された副作用はあるので，体調がいつもと違うと感じたときは，処方医・薬剤師に相談してください。

併用してはいけない薬

併用してはいけない薬は特にありません。ただし，併用する薬があるときは，念のため処方医・薬剤師に報告してください。

注 02 がんに使われる注射薬　03 代謝拮抗薬

13 クロファラビン

製剤情報

一般名：クロファラビン

● PC…D

● 規制…劇薬

■先発品　　商品名(メーカー)　規格・保険薬価

エボルトラ点滴静注 (サノフィ)
注 20mg20mL 1瓶 146,926 円

概要

分類　代謝拮抗薬（プリン拮抗薬）

処方目的　再発または難治性の急性リンパ性白血病

解説　急性リンパ性白血病は，小児の血液腫瘍疾患の中で最も患者数の多い血液のが

注 02—03—13 クロファラビン

んで，再発または難治性の場合には多くの抗がん薬に対して抵抗性を示します。本剤は第二世代のプリン拮抗薬で，白血病細胞の DNA 合成・修復の阻害作用，アポトーシス（細胞死）誘導作用をもち，抗悪性腫瘍効果を示します。

使用上の注意

警告

本剤は，緊急時に十分に措置できる医療施設で，造血器悪性腫瘍の治療に対して十分な知識・経験をもつ医師のもとで，適切と判断される人にのみ使用されるべき薬剤です。また，医師からその有効性・危険性について十分な説明を受け，患者および家族が納得・同意できなければ治療に入っていくべきではありません。

基本的注意

(1)使用してはいけない場合……本剤の成分に対するアレルギーの前歴

(2)慎重に使用すべき場合……腎機能障害／肝機能障害／骨髄抑制／感染症を合併している人

(3)定期検査……本剤の投与により感染症などの重い副作用が増悪，または現れることがあるので，頻回に血液検査を行います。また，肝機能障害・肝不全，腎機能障害・腎不全，低カリウム血症・低ナトリウム血症などの電解質異常が現れることがあるので，定期的に検査を行います。

(4)避妊……妊娠する可能性のある女性は，本剤による治療中は避妊してください。動物実験で催奇形性・胚致死作用が認められているので，本剤を使用中に妊娠したり，妊娠中に本剤を使用した場合は，胎児に異常が生じる可能性があります。

(5)性腺への影響……生殖可能な年齢の人が使用すると，性腺に影響がでることがあります。処方医とよく相談してください。

(6)その他……

● 妊婦での安全性：有益と判断されたときのみ使用。

● 授乳婦での安全性：使用するときは授乳を中止。

● 小児での安全性：未確立。(1714 頁を参照)

重大な副作用　①骨髄抑制（白血球減少・リンパ球減少・血小板減少・好中球減少・貧血などの血液障害，発熱性好中球減少症）。②感染症（敗血症，肺炎など）。③全身性炎症反応症候群・毛細血管漏出症候群（頻呼吸，頻脈，低血圧，肺水腫など）。④肝不全，肝機能障害，黄疸，静脈閉塞性肝疾患。⑤腎機能障害（腎不全など）。⑥腫瘍崩壊症候群。⑦中毒性表皮壊死融解症(TEN)，皮膚粘膜眼症候群（スティブンス-ジョンソン症候群）。⑧心障害（心のう液貯留，左室機能不全，心不全，QT 延長など）。

そのほかにも報告された副作用はあるので，体調がいつもと違うと感じたときは，処方医・薬剤師に相談してください。

併用してはいけない薬　併用してはいけない薬は特にありません。ただし，併用する薬があるときは，念のため処方医・薬剤師に報告してください。

注02 がんに使われる注射薬　04 植物・動物由来製剤

01　エトポシド

製剤情報

一般名：エトポシド

- PC…D
- 規制…劇薬

■先発品　　商品名(メーカー)　規格・保険薬価

ベプシド注 (クリニジェン)
注 100mg5mL 1瓶 3,128 円

ラステット注 (日本化薬)
注 100mg5mL 1瓶 3,631 円

■ジェネリック　　商品名(メーカー)　規格・保険薬価

エトポシド点滴静注 (武田テバファーマ＝武田)
注 100mg5mL 1瓶 1,887 円

エトポシド点滴静注液 (サンド)
注 100mg5mL 1瓶 1,887 円

エトポシド点滴静注液 (シオノ＝光)
注 100mg5mL 1瓶 1,887 円

概　要

分類　植物由来抗腫瘍薬

処方目的　①肺小細胞がん，悪性リンパ腫，急性白血病，睾丸腫瘍，膀胱がん，絨毛性疾患，胚細胞腫瘍(精巣腫瘍，卵巣腫瘍，性腺外腫瘍)／②次のがんに対する他の抗がん薬との併用療法→小児悪性固形腫瘍(ユーイング肉腫ファミリー腫瘍，横紋筋肉腫，神経芽腫，網膜芽腫，肝芽腫・その他肝原発悪性腫瘍，腎芽腫・その他腎原発悪性腫瘍など)／③腫瘍特異的 T 細胞輸注療法の前処置

解説　ポドフィロトキシンの誘導体で，イギリス・ドイツ・オランダなどでも発売されています。日本では 1987 年に製造承認され，現在でもリンパ系，呼吸器系，生殖器および消化器系などの多岐にわたるがんが適応となっています。

使用上の注意

＊エトポシド(ベプシド注)の添付文書による

警告

①本剤を含むがん化学療法は，緊急時に十分に措置できる医療施設で，がん化学療法に十分な知識と経験を持つ医師に，本剤の有効性・危険性を十分に聞き・たずね，同意してから受けなければなりません。

②本剤を含む小児悪性固形腫瘍に対するがん化学療法は，小児のがん化学療法に十分な知識・経験を持つ医師のもとで受けなければなりません。

基本的注意

(1)使用してはいけない場合……重い骨髄機能抑制／本剤の成分に対する重いアレルギーの前歴／妊婦または妊娠している可能性のある人

(2)慎重に使用すべき場合……骨髄機能抑制／肝機能障害／腎機能障害／感染症の合併／水痘／本剤の長期使用中／小児，高齢者

(3)休薬……①本剤による化学療法を繰り返す場合は，副作用からの十分な回復を考慮

注
02
―
04
―
01

エトポシド

し, 少なくとも 3 週間は休薬する必要があります。②胚細胞腫瘍に対する標準的で確立された他の抗がん薬との併用療法では, 16 日間の休薬が必要です。

(4)水痘……水痘(水ぼうそう)の人が使用すると, 致命的な全身障害が現れることがあるので, 状態に十分注意してください。

(5)感染症, 出血傾向……使用によって, 感染症, 出血傾向の発現または悪化がおこりやすくなるので, 状態に十分注意してください。

(6)性腺への影響……小児および生殖可能な年齢の人が使用すると, 性腺に影響がでることがあります。処方医とよく相談してください。

(7)頻回に検査……骨髄機能抑制などの重い副作用がおこることがあるので, 頻回に血液, 肝機能, 腎機能などの検査を受ける必要があります。

(8)避妊……妊婦または妊娠している可能性のある女性は使用してはいけません。また, 妊娠する可能性のある女性およびパートナーが妊娠する可能性のある男性が使用する場合には, 適切な避妊を行ってください。妊娠中に本剤を使用した患者で児の奇形が報告されており, 動物実験(ラット・ウサギ)で催奇形性, 胎児毒性が認められています。

(9)二次発がん……本剤と他の抗がん薬の併用により, 急性白血病(前白血病相を伴う場合もある), 骨髄異形成症候群(MDS)が発生したとの報告があります。

(10)その他……

●授乳婦での安全性：使用するときは授乳を中止。(1714 頁を参照)

重大な副作用　①骨髄機能抑制(汎血球減少, 白血球減少, 好中球減少, 血小板減少, 出血, 貧血など)。②ショック, アナフィラキシー(チアノーゼ, 呼吸困難, 胸内苦悶, 血圧低下など)。③間質性肺炎(発熱, せき, 呼吸困難など)。

そのほかにも報告された副作用はあるので, 体調がいつもと違うと感じたときは, 処方医・薬剤師に相談してください。

併用してはいけない薬　併用してはいけない薬は特にありません。ただし, 併用する薬があるときは, 念のため処方医・薬剤師に報告してください。

注 02 がんに使われる注射薬　04 植物・動物由来製剤

02 抗悪性腫瘍ビンカアルカロイド

製剤情報

一般名：ビンクリスチン硫酸塩
●PC…D
●規制…劇薬
■先発品　商品名(メーカー)　規格・保険薬価
オンコビン注射用(日本化薬) 1mg 1瓶 2,247 円

一般名：ビンブラスチン硫酸塩
●規制…劇薬
■先発品　商品名(メーカー)　規格・保険薬価
エクザール注射用(日本化薬)
10mg 1瓶 2,454 円

一般名：ビンデシン硫酸塩
●規制…劇薬

■**先発品**　　**商品名(メーカー)**　規格・保険薬価

注射用フィルデシン (日医工)
注 1mg 1瓶 4,079 円　　注 3mg 1瓶 11,392 円

概　要

分類　ビンカ・ロゼア誘導体

処方目的　[ビンクリスチン硫酸塩の適応症]①白血病(急性白血病, 慢性白血病の急性転化時を含む)／②悪性リンパ腫(細網肉腫, リンパ肉腫, ホジキン病)／③小児腫瘍(神経芽腫, ウイルムス腫瘍, 横紋筋肉腫, 睾丸胎児性がん, 血管肉腫など)／④多発性骨髄腫, 悪性星細胞腫, 乏突起膠腫成分を有する神経膠腫に対する他の抗がん薬との併用療法／⑤褐色細胞腫

[ビンブラスチン硫酸塩の適応症]〈通常療法〉次の疾患の自覚的・他覚的症状の緩解→悪性リンパ腫, 絨毛性疾患(絨毛がん, 破壊胞状奇胎, 胞状奇胎), 再発または難治性の胚細胞腫瘍(精巣腫瘍, 卵巣腫瘍, 性腺外腫瘍), ランゲルハンス細胞組織球症／〈M-VAC療法〉尿路上皮がん

[ビンデシン硫酸塩の適応症]次の疾患の自覚的・他覚的症状の緩解→急性白血病(慢性骨髄性白血病の急性転化を含む), 悪性リンパ腫, 肺がん, 食道がん

解説　キョウチクトウ科のニチニチソウがもつ強い毒性植物成分を応用した抗がん薬です。がん細胞の分裂に重要な働きをしている微小管の形成を阻害することで, 抗がん作用を発揮します。

使用上の注意
＊ビンクリスチン硫酸塩(オンコビン注射用)の添付文書による

警告
[ビンクリスチン硫酸塩, ビンブラスチン硫酸塩]本剤を含むがん化学療法は, 緊急時に十分に措置できる医療施設で, がん化学療法に十分な知識と経験を持つ医師に, 本剤の有効性・危険性を十分に聞き・たずね, 同意してから受けなければなりません。

基本的注意
(1)**使用してはいけない場合**……本剤の成分に対する重いアレルギーの前歴／脱髄性シャルコー・マリー・トゥース病
(2)**使用してはいけない部位**……髄腔内
(3)**慎重に使用すべき場合**……肝機能障害／腎機能障害／骨髄機能抑制／感染症の合併／神経・筋疾患の前歴／虚血性心疾患／水痘／高齢者
(4)**定期検査**……重い末梢神経・筋障害がおこることがあるので, 定期的に末梢神経伝達速度検査, 握力測定, 振動覚を含む知覚検査などを, また骨髄機能抑制など重い副作用がおこることがあるので, 頻回に血液, 尿, 肝・腎機能などの検査を受ける必要があります。
(5)**水痘**……水痘(水ぼうそう)の人が使用すると, 致命的な全身障害が現れることがあるので, 状態に十分注意してください。

(6)感染症, 出血傾向……使用によって, 感染症, 出血傾向の発現または悪化がおこりやすくなるので, 状態に十分注意してください。

(7)性腺への影響……小児および生殖可能な年齢の人が使用すると, 性腺に影響がでることがあります。処方医とよく相談してください。

(8)二次発がん……本剤と他の抗がん薬の併用により, 急性白血病, 骨髄異形成症候群(MDS)が発生したとの報告があります。

(9)その他……

● 妊婦での安全性：使用しないことが望ましい。

● 授乳婦での安全性：未確立。原則として使用しない。やむを得ず使用するときは授乳を中止。(1714頁を参照)

重大な副作用 ①運動性ニューロパチー(筋麻痺, 運動失調, 歩行困難, けいれん, 言語障害など), 感覚性ニューロパチー(知覚異常, 知覚消失, しびれ感, 神経痛, 疼痛など), 自律神経性ニューロパチー(起立性低血圧, 尿閉など), 脳神経障害(視神経萎縮, 味覚障害, めまい, 眼振などの平衡感覚障害など), 下肢深部反射の減弱・消失などの末梢神経障害。②骨髄機能抑制(汎血球減少, 白血球数減少, 血小板減少, 貧血など)。③倦怠感, 錯乱, 昏睡, 神経過敏, 抑うつ, 意識障害など。④腸管麻痺(食欲不振, 悪心・嘔吐, 著しい便秘, 腹痛, 腹部膨満, 腹部弛緩, 腸内容物のうっ滞など), 麻痺性イレウス(腸閉塞)。⑤消化管出血, 消化管穿孔, 致命的な出血・腹膜炎。⑥意識障害などを伴う抗利尿ホルモン不適合分泌症候群(SIADH)。⑦アナフィラキシー(じん麻疹, 呼吸困難, 血管浮腫など)。⑧心筋梗塞, 狭心症。⑨脳梗塞。⑩難聴。⑪呼吸困難, 気管支けいれん。⑫間質性肺炎。⑬肝機能障害, 黄疸。

そのほかにも報告された副作用はあるので, 体調がいつもと違うと感じたときは, 処方医・薬剤師に相談してください。

併用してはいけない薬 併用してはいけない薬は特にありません。ただし, 併用する薬があるときは, 念のため処方医・薬剤師に報告してください。

注 02 がんに使われる注射薬　04 植物・動物由来製剤

03 イチイ由来抗腫瘍薬

◎ 製剤情報

一般名：ドセタキセル

● 規制…毒薬

■先発品　商品名(メーカー)　規格・保険薬価

タキソテール点滴静注用(サノフィ)

注 20mg0.5mL 1瓶(溶解液付) 8,633円

注 80mg2mL 1瓶(溶解液付) 30,113円

ワンタキソテール点滴静注(サノフィ)

注 20mg1mL 1瓶 8,633円

注 80mg4mL 1瓶 30,113円

■ジェネリック　商品名(メーカー)　規格・保険薬価

ドセタキセル点滴静注(エルメッド＝日医工)

注 20mg1mL 1瓶 3,453円

注 80mg4mL 1瓶 12,045円

ドセタキセル点滴静注（シオノギファーマ＝ケミファ）注 20mg1mL 1瓶 3,453 円

注 80mg4mL 1瓶 12,045 円

ドセタキセル点滴静注（東和）

注 20mg1mL 1瓶 3,453 円

注 80mg4mL 1瓶 12,045 円

ドセタキセル点滴静注（ニプロ＝日本化薬）

注 20mg1mL 1瓶 3,453 円

注 80mg4mL 1瓶 12,045 円

ドセタキセル点滴静注（ヤクルト）

注 20mg1mL 1瓶 3,453 円

注 80mg4mL 1瓶 12,045 円

ドセタキセル点滴静注液（沢井）

注 20mg1mL 1瓶 3,453 円

注 80mg4mL 1瓶 12,045 円

ドセタキセル点滴静注液（サンド）

注 20mg2mL 1瓶 3,453 円

注 80mg8mL 1瓶 12,045 円

ドセタキセル点滴静注液（日本化薬）

注 20mg1mL 1瓶 3,453 円

注 80mg4mL 1瓶 12,045 円

ドセタキセル点滴静注液（ファイザー）

注 20mg2mL 1瓶 3,453 円

注 80mg8mL 1瓶 12,045 円

注 120mg12mL 1瓶 15,072 円

ドセタキセル点滴静注用（沢井）

注 20mg0.5mL 1瓶（溶解液付）3,453 円

注 80mg2mL 1瓶（溶解液付）12,045 円

一般名：パクリタキセル

● 規制…毒薬

■ **先発品**　**商品名(メーカー)**　規格・保険薬価

アブラキサン点滴静注用（大鵬）

注 100mg 1瓶 48,211 円

タキソール注射液（ブリストル）

注 30mg5mL 1瓶 2,912 円

注 100mg16.7mL 1瓶 8,469 円

■ **ジェネリック**　**商品名(メーカー)**　規格・保険薬価

パクリタキセル注（日本化薬）

注 30mg5mL 1瓶 2,165 円

注 100mg16.7mL 1瓶 6,793 円

パクリタキセル注射液（沢井）

注 30mg5mL 1瓶 2,165 円

注 100mg16.7mL 1瓶 6,793 円

注 150mg25mL 1瓶 6,367 円

パクリタキセル注射液（ニプロ）

注 30mg5mL 1瓶 2,165 円

注 100mg16.7mL 1瓶 6,793 円

パクリタキセル点滴静注液（サンド）

注 30mg5mL 1瓶 2,165 円

注 100mg16.7mL 1瓶 6,793 円

パクリタキセル点滴静注液（ファイザー）

注 30mg5mL 1瓶 2,165 円

注 100mg16.7mL 1瓶 3,573 円

一般名：カバジタキセルアセトン付加物

● PC…D

● 規制…毒薬

■ **先発品**　**商品名(メーカー)**　規格・保険薬価

ジェブタナ点滴静注（サノフィ）

注 60mg1.5mL 1瓶（溶解液付）511,456 円

注02—04—03 イチイ由来抗腫瘍薬

📋 **概　要**

分類　植物由来抗腫瘍薬

処方目的　［ドセタキセルの適応症］乳がん，非小細胞肺がん，胃がん，頭頸部がん，卵巣がん，食道がん，子宮体がん，前立腺がん

［パクリタキセルの適応症（アブラキサン点滴静注用を除く）］卵巣がん，非小細胞肺がん，乳がん，胃がん，子宮体がん，再発または遠隔転移を有する頭頸部がん・食道がん，血管肉腫，進行または再発の子宮頸がん，再発または難治性の胚細胞腫瘍（精巣腫瘍，

卵巣腫瘍, 性腺外腫瘍) ／[アブラキサン点滴静注用の適応症]乳がん, 胃がん, 非小細
胞肺がん, 治癒切除不能な膵がん
[カバジタキセルアセトン付加物の適応症] 前立腺がん

解説 1960年代後半にNCI(アメリカがん研究所)が大規模なスクリーニング・プログ
ラムの一環として, 太平洋イチイの樹皮の粗抽出物を試験した結果, それからの抽出物
質であるパクリタキセルが幅広い抗腫瘍活性を示しました。

しかし, 原料の供給の問題や副作用のため, それに代わるものとして西洋イチイの針
葉から抽出したドセタキセルが開発され, さらに2014年9月にカバジタキセルが発売さ
れました。前立腺がんに対して, ドセタキセルは遠隔転移を有するまたは去勢抵抗性(ホ
ルモン抵抗性)の患者に使用することになっています。カバジタキセルは, ドセタキセル
を使用しても病状が進行した去勢抵抗性前立腺がんの人に使用されます。

使用上の注意
＊ドセタキセル(タキソテール点滴静注用)の添付文書による

警告

①[ドセタキセル]本剤の使用による骨髄機能抑制(主に好中球減少), 重症感染症などの
重い副作用や, 本剤との因果関係が否定できない死亡例が認められています。

②[パクリタキセル(アブラキサン点滴静注用を除く)]本剤の骨髄機能抑制に起因したと
考えられる死亡例(敗血症, 脳出血), また高度のアレルギー反応に起因したと考えられ
る死亡例が認められています。本剤による重いアレルギー症状の発現を防止するため,
使用前には必ず前投薬を受けなければなりません(前投薬を実施した場合でも死亡例が
報告されています)。重い過敏症状が発現したら, 本剤を再使用してはいけません。

③[カバジタキセルアセトン付加物]本剤の使用により好中球減少症, 発熱性好中球減少
症, 貧血などの重篤な骨髄抑制が現れ, その結果, 重症感染症などにより死亡に至る例
が報告されています。重篤な骨髄抑制がある人, 感染症を合併している人, 発熱があり
感染症が疑われる人, 肝機能障害がある人には本剤を使用することができません。

④3剤とも使用に際しては, 緊急時に十分に措置できる医療施設で, がん化学療法に十
分な知識と経験を持つ医師に, 本剤の有効性・危険性を十分に聞き・たずね, 同意して
から治療を受けなければなりません。

基本的注意

(1)使用してはいけない場合……重い骨髄機能抑制／感染症の合併／発熱があり感染症
が疑われる人／本剤の成分またはポリソルベート80含有製剤に対する重いアレルギー
の前歴／妊婦または妊娠している可能性のある人

(2)慎重に使用すべき場合……骨髄機能抑制／間質性肺炎, 肺線維症／肝機能障害／腎
機能障害／浮腫(むくみ)のある人／妊娠する可能性のある人

(3)妊娠・避妊……妊娠する可能性のある人は原則として使用してはいけません(妊娠の
維持, 胎児の発育などに障害を与える可能性があります)。納得したうえで, やむを得ず
使用するときは避妊を徹底してください。使用中に妊娠が確認された場合・疑われた場
合はただちに中止します。

(4)**外国での報告**……①本剤の1回使用量を通常 $100mg/m^2$ としている欧米では，浮腫（むくみ）の発現率・重篤度が高いとされています。浮腫は下肢からおこり，3kg以上の体重増加を伴う全身性のものになる場合があります。本剤を中止すると徐々に軽快します。②肝機能異常のある人が本剤を使用すると，グレード4の好中球減少，発熱を伴う好中球減少，感染症，重い血小板減少，重い口内炎，皮膚剥離を伴う皮膚症状などが認められており，治療関連死の危険性が増加すると警告されています。

(5)**感染症**……使用によって，感染症の発現または悪化がおこりやすくなるので，状態に十分注意してください。

(6)**性腺への影響**……生殖可能な年齢の人が使用すると，性腺に影響がでることがあります。処方医とよく相談してください。

(7)**頻回に検査**……骨髄機能抑制などの重い副作用がおこることがあるので，頻回に血液，肝機能，腎機能などの検査を受ける必要があります。

(8)**二次発がん**……本剤と他の抗がん薬や放射線療法を併用した人に，急性白血病，骨髄異形成症候群（MDS）が発生したとの報告があります。

(9)**その他**……

● 授乳婦での安全性：使用するときは授乳しないことが望ましい。

● 小児での安全性：未確立。（1714頁を参照）

【重大な副作用】　　①骨髄機能抑制（白血球減少，好中球減少，血小板減少，汎血球減少など）。②ショック症状・アナフィラキシー（呼吸困難，気管支けいれん，血圧低下，胸部圧迫感，発疹など）。③黄疸，肝不全，肝機能障害。④急性腎障害などの重い腎障害。⑤間質性肺炎，肺線維症。⑥心不全。⑦播種性血管内凝固症候群（DIC）。⑧腸管穿孔，胃腸出血，虚血性大腸炎，大腸炎（腹痛，吐血，下血，下痢など）。⑨腸閉塞。⑩急性呼吸窮迫症候群（呼吸障害など）。⑪急性膵炎。⑫皮膚粘膜眼症候群（スティブンス-ジョンソン症候群），中毒性表皮壊死融解症（TEN），多形紅斑などの水疱性・滲出性皮疹。⑬心タンポナーデ，肺水腫，緊急ドレナージを要する胸水，腹水などの重い浮腫・体液貯留。⑭心筋梗塞，静脈血栓塞栓症。⑮感染症（敗血症，肺炎など）。⑯意識障害などを伴う抗利尿ホルモン不適合分泌症候群（SIADH）。⑰重い口内炎などの粘膜炎。⑱血管炎。⑲末梢神経障害。⑳四肢の脱力感などの末梢性運動障害。㉑Radiation Recall現象（放射線治療後に化学療法を行った場合，照射部位に皮膚障害が現れる現象）。

　そのほかにも報告された副作用はあるので，体調がいつもと違うと感じたときは，処方医・薬剤師に相談してください。

【併用してはいけない薬】　　［パクリタキセル（アブラキサン点滴静注用を除く）］ジスルフィラム，シアナミド，プロカルバジン塩酸塩→これらの薬剤とのアルコール反応（顔面潮紅，血圧降下，悪心，頻脈，めまい，呼吸困難，視力低下など）をおこすおそれがあります。

04 ビノレルビン酒石酸塩

💊 製 剤 情 報

一般名：ビノレルビン酒石酸塩

● 規制…毒薬

■**先発品**　商品名(メーカー)　規格・保険薬価

ナベルビン注(協和キリン)

注 10mg1mL 1瓶 3,529 円

注 40mg4mL 1瓶 12,512 円

■**ジェネリック**　商品名(メーカー)　規格・保険薬価

ロゼウス静注液(日本化薬)

注 10mg1mL 1瓶 2,520 円　注 40mg4mL 1瓶 8,962 円

📋 概　　要

分類　ビンカアルカロイド系抗悪性腫瘍剤

処方目的　非小細胞肺がん，手術不能または再発乳がん

解説　ビンカアルカロイドとよく似た構造をもつ抗がん薬です。1979 年にフランスで化学合成されました。他のビンカアルカロイドに比べて，神経に及ぼす影響が軽度であるといわれています。

📖 使用上の注意

*ビノレルビン酒石酸塩(ナベルビン注)の添付文書による

警告

　本剤の臨床試験で，骨髄機能抑制に起因すると考えられる死亡症例が認められています。使用に際しては，緊急時に十分に措置できる医療施設で，がん化学療法に十分な知識と経験を持つ医師に，本剤の有効性・危険性を十分に聞き・たずね，同意してから治療を受けなければなりません。

基本的注意

(1)使用してはいけない場合……著しい骨髄機能の低下／重い感染症の合併／本剤または他のビンカアルカロイド系抗がん薬の成分に対する重いアレルギーの前歴

(2)使用してはいけない部位……髄腔内

(3)慎重に使用すべき場合……骨髄機能抑制／肝機能障害／間質性肺炎・肺線維症の前歴／神経・筋疾患の合併または前歴／虚血性心疾患または前歴／強い便秘傾向／高齢者

(4)角膜潰瘍……本剤が目に入ると，激しい刺激や角膜潰瘍がおこることがあるので，異常を感じたら，ただちに看護師・医師に伝えてください。

(5)感染症……使用によって，感染症の発現または悪化がおこりやすくなるので，状態に十分注意してください。

(6)性腺への影響……小児および生殖可能な年齢の人が使用すると，性腺に影響がでることがあります。処方医とよく相談してください。

(7)頻回に検査……骨髄機能抑制，間質性肺炎，イレウス(腸閉塞)などの重い副作用が

おこることがあるので，頻回に血液，肝機能，腎機能，心肺機能などの検査を受ける必要があります。

(8) その他……

- 妊婦での安全性：使用しないことが望ましい。
- 授乳婦での安全性：使用するときは授乳を中止。
- 小児での安全性：未確立。（1714頁を参照）

重大な副作用 ①骨髄機能抑制（白血球減少，好中球減少症，貧血，汎血球減少症，無顆粒球症，血小板減少など）。②間質性肺炎，肺水腫（発熱，せきなど）。③気管支けいれん（呼吸困難など）。④麻痺性イレウス（腸閉塞）。⑤心不全，心筋梗塞，狭心症。⑥ショック，アナフィラキシー（発疹，呼吸困難，血圧低下など）。⑦肺塞栓症。⑧意識障害などを伴う抗利尿ホルモン不適合分泌症候群（SIADH）。⑨急性腎障害などの重い腎機能障害。⑩急性膵炎。

　そのほかにも報告された副作用はあるので，体調がいつもと違うと感じたときは，処方医・薬剤師に相談してください。

併用してはいけない薬 　併用してはいけない薬は特にありません。ただし，併用する薬があるときは，念のため処方医・薬剤師に報告してください。

注
02
―
04
―
05

エリブリン

注 02 がんに使われる注射薬　04 植物・動物由来製剤

05　エリブリン

製剤情報

一般名：エリブリンメシル酸塩

- PC…D
- 規制…毒薬

■**先発品**　　商品名(メーカー)　規格・保険薬価

ハラヴェン静注（エーザイ）
注 1mg2mL 1瓶 66,869 円

概　要

分類　動物由来抗悪性腫瘍薬

処方目的　手術不能または再発乳がん／悪性軟部腫瘍

解説　エリブリンは，神奈川県三浦半島の油壺で採取された海綿動物のクロイソカイメンから抽出されたハリコンドリンBという抗腫瘍性天然物からつくられた物質です。細胞分裂に重要な役割を担っている微小管という細胞内構造物の働きを阻害して細胞分裂を停止させ，がん細胞の増殖を抑制する微小管阻害薬の1つです。

　乳がんの場合，アントラサイクリン系薬剤およびタキサン系薬剤で治療を行った後，悪化したり再発した乳がんが対象となります。

使用上の注意

警告

①本剤を含むがん化学療法は，緊急時に十分に措置できる医療機関で，がん化学療法に

十分な知識と経験を持つ医師のもとで，患者本人またはその家族が有効性および危険性について十分な説明を受け，同意してから受けなければなりません。

②骨髄抑制をおこすことがあるので，頻回に血液検査などを受ける必要があります。

基本的注意

(1)**使用してはいけない場合**……本剤の成分に対するアレルギーの前歴／重い骨髄抑制／妊婦または妊娠している可能性のある人

(2)**慎重に使用すべき場合**……骨髄抑制／肝機能障害／腎機能障害／高齢者

(3)**性腺への影響**……生殖可能な年齢の人が使用すると，性腺に影響がでることがあります。処方医とよく相談してください。

(4)**その他**……

● 授乳婦での安全性：未確立。使用するときは授乳しないことが望ましい。

● 小児での安全性：未確立。(1714 頁を参照)

重大な副作用　　①骨髄抑制(好中球・白血球・リンパ球・ヘモグロビン・血小板減少，貧血など)。②感染症(敗血症，肺炎など)。③末梢神経障害(末梢性ニューロパチー)。④肝機能障害。⑤間質性肺炎。⑥皮膚粘膜眼症候群(スティブンス-ジョンソン症候群)，多形紅斑。

　そのほかにも報告された副作用はあるので，体調がいつもと違うと感じたときは，処方医・薬剤師に相談してください。

併用してはいけない薬　　併用してはいけない薬は特にありません。ただし，併用する薬があるときは，念のため処方医・薬剤師に報告してください。

注 **02** がんに使われる注射薬　**04** 植物・動物由来製剤

06 トラベクテジン

製剤情報

一般名：トラベクテジン

● 規制…毒薬

■**先発品**　　**商品名(メーカー)**　規格・保険薬価

ヨンデリス点滴静注用 (大鵬)

注 0.25mg 1瓶 49,376 円　　注 1mg 1瓶 198,211 円

概要

分類　動物由来抗悪性腫瘍薬

処方目的　悪性軟部腫瘍

解説　本剤は，カリブ海産のホヤの一種から単離されたアルカロイド化合物で，DNAに結合し，細胞分裂，遺伝子転写，DNA 修復機構を妨げることで効果を示す抗悪性腫瘍薬です。身体の軟部組織(筋肉，結合組織，脂肪，血管リンパ管など)に発症する悪性軟部腫瘍に有効で，希少疾病用医薬品(オーファンドラッグ)の指定を受けています。

使用上の注意

警告

　本剤は，緊急時に十分に対応できる医療施設で，がん化学療法に十分な知識・経験をもつ医師のもとで，適切と判断される人にのみ使用されるべき薬剤です。また，治療開始に先立ち，医師からその有効性・危険性の十分な説明を受け，患者および家族が納得・同意したのち使用を開始しなければなりません。

基本的注意

(1)使用してはいけない場合……本剤の成分に対する重いアレルギーの前歴／妊婦または妊娠している可能性のある人

(2)慎重に使用すべき場合……骨髄抑制／感染症の合併／肝機能障害／心機能障害／アントラサイクリン系薬剤による治療歴のある人／高齢者

(3)性腺への影響……生殖可能な年齢の人が使用すると，性腺に影響がでることがあります。処方医とよく相談してください。

(4)セイヨウオトギリソウ(セント・ジョーンズ・ワート)含有食品……本剤とセイヨウオトギリソウ含有食品を併用すると，本剤の血中濃度が低下し，作用が弱まる可能性があるので，本剤の使用中はセイヨウオトギリソウ含有食品を摂取しないでください。

(5)避妊……妊娠可能な女性およびパートナーが妊娠する可能性のある男性は，適切な避妊を行ってください。動物実験(ラット)で本剤の胎盤および胎児への移行が確認されており，胎児への影響または催奇形性を示す可能性があります。

(6)その他……

● 授乳婦での安全性：治療上の有益性・母乳栄養の有益性を考慮し，授乳の継続・中止を検討。

● 小児での安全性：未確立。(1714 頁を参照)

重大な副作用

①肝不全，肝機能障害。②骨髄抑制(好中球減少，白血球減少，血小板減少，貧血，リンパ球減少，発熱性好中球減少症)。③横紋筋融解症(筋肉痛，脱力感，CK 上昇，ミオグロビン上昇など)。④重い過敏症。⑤感染症(肺炎，敗血症性ショック)。⑥心機能障害(うっ血性心不全，左室駆出率低下など)。

　そのほかにも報告された副作用はあるので，体調がいつもと違うと感じたときは，処方医・薬剤師に相談してください。

併用してはいけない薬

併用してはいけない薬は特にありません。ただし，併用する薬があるときは，念のため処方医・薬剤師に報告してください。

注 02 がんに使われる注射薬　05 抗生物質

01　マイトマイシンC

製剤情報

一般名：マイトマイシンC

● 規制…[2mg]劇薬／[10mg]毒薬

注
02
—
05
—
01

マイトマイシンC

■先発品 商品名(メーカー) 規格・保険薬価

マイトマイシン注用 (協和キリン)

注 2mg 1瓶 350 円 注 10mg 1瓶 1,600 円

📄 概 要

分類 抗腫瘍性抗生物質

処方目的 次の疾患の自覚的・他覚的症状の緩解→慢性リンパ性白血病，慢性骨髄性白血病，胃がん，結腸・直腸がん，肺がん，膵がん，肝がん，子宮頸がん，子宮体がん，乳がん，頭頸部腫瘍，膀胱腫瘍

解説 1950 年代にわが国で発見され発展した，抗がん作用をもつ抗生物質です。アルキル化剤と同じように，DNA の分裂阻止や活性酸素による DNA 鎖切断などによって DNA の複製を阻害し，抗がん作用を発揮します。

🔖 使用上の注意

基本的注意

(1)**使用してはいけない場合**……本剤の成分に対する重いアレルギーの前歴

(2)**慎重に使用すべき場合**……肝機能障害／腎機能障害／骨髄機能抑制／感染症の合併／水痘

(3)**水痘**……水痘(水ぼうそう)の人が使用すると，致命的な全身障害が現れることがあるので，状態に十分注意してください。

(4)**感染症，出血傾向**……使用によって，感染症，出血傾向の発現または悪化がおこりやすくなるので，状態に十分注意してください。

(5)**性腺への影響**……小児および生殖可能な年齢の人が使用すると，性腺に影響がでることがあります。処方医とよく相談してください。

(6)**頻回に検査**……骨髄機能抑制などの重い副作用がおこることがあるので，頻回に血液，肝機能，腎機能などの検査を受ける必要があります。

(7)**二次発がん**……本剤と他の抗がん薬の併用により，急性白血病，骨髄異形成症候群(MDS)が発生したとの報告があります。

(8)**その他**……

● 妊婦での安全性：使用しないことが望ましい。

● 授乳婦での安全性：未確立。使用するときは授乳を中止。

● 小児での安全性：未確立。(1714 頁を参照)

重大な副作用 ①溶血性尿毒症症候群，微小血管症性溶血性貧血(貧血，血小板減少，腎機能低下など)。②骨髄機能抑制(白血球減少，血小板減少，貧血，出血，汎血球減少など)。③間質性肺炎，肺線維症(発熱，せき，呼吸困難など)。④急性腎障害などの重い腎機能障害。⑤ショック，アナフィラキシー(発疹，呼吸困難，血圧低下など)。⑥(肝動脈内へ投与した場合)胆のう炎，胆管壊死，肝実質障害など。

そのほかにも報告された副作用はあるので，体調がいつもと違うと感じたときは，処方医・薬剤師に相談してください。

注 02—05—01 マイトマイシン C

併用してはいけない薬　併用してはいけない薬は特にありません。ただし，併用する薬があるときは，念のため処方医・薬剤師に報告してください。

02 アントラサイクリン系抗生物質

製剤情報

一般名：ドキソルビシン塩酸塩

● 規制…劇薬

■**先発品**　　商品名(メーカー)　規格・保険薬価

アドリアシン注用（サンドファーマ＝サンド）

注 10mg 1瓶 1,388 円　　注 50mg 1瓶 5,970 円

ドキシル注（ヤンセン＝持田）

注 20mg10mL 1瓶 58,738 円

■**ジェネリック**　　商品名(メーカー)　規格・保険薬価

ドキソルビシン塩酸塩注射液（サンド）

注 10mg5mL 1瓶 749 円　　注 50mg25mL 1瓶 3,318 円

ドキソルビシン塩酸塩注射用（日本化薬）

注 10mg 1瓶 749 円　　注 50mg 1瓶 3,318 円

一般名：エピルビシン塩酸塩

● 規制…劇薬

■**ジェネリック**　　商品名(メーカー)　規格・保険薬価

エピルビシン塩酸塩注射液（沢井）

注 10mg5mL 1瓶 1,650 円

注 50mg25mL 1瓶 7,901 円

エピルビシン塩酸塩注射液（日本化薬）

注 10mg5mL 1瓶 1,650 円

注 50mg25mL 1瓶 7,901 円

エピルビシン塩酸塩注射用（沢井）

注 10mg 1瓶 1,650 円　　注 50mg 1瓶 3,595 円

エピルビシン塩酸塩注射用（マイラン＝日本化薬）注 10mg 1瓶 1,650 円　　注 50mg 1瓶 7,901 円

一般名：ピラルビシン塩酸塩

● 規制…劇薬

■**先発品**　　商品名(メーカー)　規格・保険薬価

テラルビシン注射用（MeijiSeika）

注 10mg 1瓶 4,551 円　　注 20mg 1瓶 9,507 円

ピノルビン注射用（マイクロバイオ＝日本化薬）

注 10mg 1瓶 4,808 円　　注 20mg 1瓶 9,436 円

注 30mg 1瓶 14,421 円

一般名：ダウノルビシン塩酸塩

● PC…D

● 規制…劇薬

■**先発品**　　商品名(メーカー)　規格・保険薬価

ダウノマイシン静注用（MeijiSeika）

注 20mg 1瓶 1,402 円

一般名：アクラルビシン塩酸塩

● 規制…劇薬

■**先発品**　　商品名(メーカー)　規格・保険薬価

アクラシノン注射用（マイクロバイオ＝アステラス）注 20mg 1瓶 2,683 円

一般名：イダルビシン塩酸塩

● PC…D

● 規制…毒薬

■**先発品**　　商品名(メーカー)　規格・保険薬価

イダマイシン静注用（ファイザー）

注 5mg 1瓶 10,447 円

一般名：アムルビシン塩酸塩

● 規制…劇薬

■先発品　商品名(メーカー)　規格・保険薬価

カルセド注射用(住友ファーマ＝日本化薬)
注 20mg 1瓶 5,413円　注 50mg 1瓶 12,296円

概　要

分類　抗腫瘍性抗生物質(アントラサイクリン系)

処方目的　[ドキソルビシン塩酸塩の適応症]〈ドキシル注以外の薬剤〉(A)通常療法:①次の疾患の自覚的・他覚的症状の緩解→悪性リンパ腫，肺がん，消化器がん(胃がん，胆のう・胆管がん，膵がん，肝がん，結腸がん，直腸がんなど)，乳がん，膀胱腫瘍，骨肉腫。②次の疾患に対する他の抗がん薬との併用療法→乳がん(手術可能例の術前・術後化学療法)，子宮体がん(術後化学療法，転移・再発時化学療法)，悪性骨・軟部腫瘍，悪性骨腫瘍，多発性骨髄腫，小児悪性固形腫瘍(ユーイング肉腫ファミリー腫瘍，横紋筋肉腫，神経芽腫，網膜芽腫，肝芽腫，腎芽腫など)。(B)M-VAC療法→尿路上皮がん／〈ドキシル注の適応症〉がん化学療法後に憎悪した卵巣がん，エイズ関連カポジ肉腫

[エピルビシン塩酸塩]①次の疾患の自覚的・他覚的症状の緩解→急性白血病，悪性リンパ腫，乳がん，卵巣がん，胃がん，肝がん，尿路上皮がん(膀胱がん，腎盂・尿管腫瘍)。②他の抗がん薬との併用療法→乳がん(手術可能例の術前・術後化学療法)

[ピラルビシン塩酸塩]次の疾患の自覚的・他覚的症状の緩解ならびに改善→頭頸部がん，乳がん，胃がん，尿路上皮がん(膀胱がん，腎盂・尿管腫瘍)，卵巣がん，子宮がん，急性白血病，悪性リンパ腫

[ダウノルビシン塩酸塩]急性白血病(慢性骨髄性白血病の急性転化を含む)

[アクラルビシン塩酸塩]以下の疾患の自覚的・他覚的症状の寛解および改善→胃がん，肺がん，乳がん，卵巣がん，悪性リンパ腫，急性白血病

[イダルビシン塩酸塩]急性骨髄性白血病(慢性骨髄性白血病の急性転化を含む)

[アムルビシン塩酸塩]非小細胞肺がん，小細胞肺がん

解説　4員環に糖が結合した基本骨格をもつ，抗がん作用をもった抗生物質で，数種類の薬剤が出ています。がん細胞のDNAに結合して，RNAの合成を強力に阻害することで抗腫瘍効果を発揮します。

使用上の注意

＊ドキソルビシン塩酸塩(アドリアシン注用)の添付文書による

警告

①[ドキソルビシン塩酸塩，エピルビシン塩酸塩，ダウノルビシン塩酸塩，イダルビシン塩酸塩，アムルビシン塩酸塩]がん化学療法は，緊急時に十分に措置できる医療施設で，がん化学療法に十分な知識と経験をもつ医師に，本剤の有効性・危険性を十分に聞き・たずね，同意してから受けなければなりません。

②[イダルビシン塩酸塩のみ]本剤を使用したすべての人に強い骨髄機能抑制がおこり，その結果致命的な感染症(敗血症，肺炎など)および出血(脳出血，消化管出血など)などを引きおこすことがあり，死亡例も認められています。

③[アムルビシン塩酸塩のみ]本剤の使用によって，間質性肺炎，および重篤な骨髄機能抑制に起因する重篤な感染症(敗血症，肺炎など)の発現による死亡例が報告されています。

基本的注意

(1)使用してはいけない場合……心機能異常またはその前歴／本剤の成分に対する重いアレルギーの前歴

(2)慎重に使用すべき場合……骨髄機能抑制／肝機能障害／腎機能障害／感染症の合併／水痘／高齢者

(3)頻回に検査……骨髄機能抑制，心筋障害などの重い副作用がおこることがあるので，頻回に血液，肝機能，腎機能，心機能などの検査を受ける必要があります。

(4)尿の色……本剤の尿中排泄により，尿が赤色になることがあります。

(5)水痘……水痘(水ぼうそう)の人が使用すると，致命的な全身障害が現れることがあるので，状態に十分注意してください。

(6)感染症，出血傾向……使用によって，感染症，出血傾向の発現または悪化がおこりやすくなるので，状態に十分注意してください。

(7)性腺への影響……小児および生殖可能な年齢の人が使用すると，性腺に影響がでることがあります。処方医とよく相談してください。

(8)二次発がん……本剤と他の抗がん薬を併用した人に，急性白血病，骨髄異形成症候群(MDS)が発生することがあります。

(9)その他……

● 妊婦での安全性：使用しないことが望ましい。

● 授乳婦での安全性：未確立。使用するときは授乳を中止。

● 低出生体重児，新生児での安全性：未確立。(1714 頁を参照)

重大な副作用

①心筋障害，心不全。②骨髄機能抑制(汎血球減少，貧血，白血球減少，血小板減少など)，出血。③ショック。④(膀胱腔内注入療法による)萎縮膀胱。⑤間質性肺炎(せき，呼吸困難，発熱など)。

そのほかにも報告された副作用はあるので，体調がいつもと違うと感じたときは，処方医・薬剤師に相談してください。

併用してはいけない薬

併用してはいけない薬は特にありません。ただし，併用する薬があるときは，念のため処方医・薬剤師に報告してください。

注 02 がんに使われる注射薬　05 抗生物質

03 アクチノマイシン D

製剤情報

一般名：アクチノマイシン D

● 規制…劇薬

■ **先発品**　　商品名(メーカー)　規格・保険薬価

コスメゲン静注用 (ノーベル)
注 0.5mg 1瓶 3,181 円

概　要

分類　抗腫瘍性抗生物質

処方目的　①ウイルムス腫瘍，絨毛上皮腫，破壊性胞状奇胎／②次の疾患における他の抗がん薬との併用療法→小児悪性固形腫瘍(ユーイング肉腫ファミリー腫瘍，横紋筋肉腫，腎芽腫その他の腎原発悪性腫瘍)

解説　1940年にアメリカで放線菌の一種から発見された，抗がん作用をもつ抗生物質です。ダクチノマイシンとも呼ばれています。DNAに結合してRNAの合成を抑制し，がん細胞の増殖を阻止します。小児がんの治療では重要な薬となっています。ただし，小児が使用する場合には副作用の発現に特に注意が必要です。

使用上の注意

警告

①本剤を含むがん化学療法は，緊急時に十分に措置できる医療施設で，がん化学療法に十分な知識と経験を持つ医師に，本剤の有効性・危険性を十分に聞き・たずね，同意してから受けなければなりません。

②本剤を含む小児悪性固形腫瘍に対するがん化学療法は，小児のがん化学療法に十分な知識・経験を持つ医師のもとで受けなければなりません。

基本的注意

(1)使用してはいけない場合……本剤の成分に対するアレルギーの前歴／水痘／帯状疱疹

(2)慎重に使用すべき場合……肝機能障害／腎機能障害／骨髄機能抑制／感染症の合併

(3)感染症，出血傾向……使用によって，感染症，出血傾向の発現または悪化がおこりやすくなるので，状態に十分注意してください。

(4)性腺への影響……小児および生殖可能な年齢の人が使用すると，性腺に影響がでることがあります。処方医とよく相談してください。

(5)頻回に検査……骨髄機能抑制などの重い副作用がおこることがあるので，頻回に血液，肝機能，腎機能などの検査を受ける必要があります。

(6)二次発がん……本剤と他の抗がん薬や放射線療法を併用した人に，二次性のがん(白血病を含む)が現れることがあります。

(7)その他……

●妊婦での安全性：使用しないことが望ましい。

●授乳婦での安全性：使用するときは授乳を中止。(1714頁を参照)

重大な副作用　①呼吸困難，アナフィラキシー。②骨髄機能抑制(再生不良性貧血，無顆粒球症，汎血球減少症，白血球減少，好中球減少，血小板減少，貧血)。③肝静脈閉塞症(血管内凝固，多臓器不全，肝腫大，腹水など)。④播種性血管内凝固症候群(DIC)。⑤中毒性表皮壊死融解症(TEN)，皮膚粘膜眼症候群(スティブンス-ジョンソン症候群)，多形紅斑。

そのほかにも報告された副作用はあるので，体調がいつもと違うと感じたときは，処方医・薬剤師に相談してください。

併用してはいけない薬は特にありません。ただし，併用する薬があるときは，念のため処方医・薬剤師に報告してください。

注 02 がんに使われる注射薬　05 抗生物質
04　ブレオマイシン塩酸塩

製 剤 情 報
一般名：ブレオマイシン塩酸塩
● 規制…劇薬

■先発品　　商品名(メーカー)　規格・保険薬価

| ブレオ注射用 (日本化薬) 注 5mg 1瓶 1,469 円 |
| 注 15mg 1瓶 4,340 円 |

概　要
分類　抗腫瘍性抗生物質
処方目的　皮膚がん，頭頸部がん(上顎がん，舌がん，口唇がん，咽頭がん，喉頭がん，口腔がんなど)，肺がん(特に原発性および転移性扁平上皮がん)，食道がん，悪性リンパ腫，子宮頸がん，神経膠腫，甲状腺がん，胚細胞腫瘍(精巣腫瘍，卵巣腫瘍，性腺外腫瘍)
解説　1963 年にわが国で放線菌から発見された，抗がん作用をもつ抗生物質です。がん細胞の中で鉄と結びつき，酸素を活性化させ，DNA 鎖を切断して抗がん作用を発揮します。多くの抗がん薬にみられる骨髄抑制があまりおこらないのが特徴です。

使用上の注意
警告
①本剤の使用により，間質性肺炎・肺線維症などの重い肺症状を呈することがあり，ときに致命的な経過をたどることがあります。使用中・使用終了後の一定期間(約 2 カ月)は医師の監督下にいなければなりません。特に 60 歳以上の高齢者，肺に基礎疾患のある人は注意してください。
②本剤を含む抗がん薬併用療法は，緊急時に十分に措置できる医療施設で，がん化学療法に十分な知識と経験を持つ医師に，本剤の有効性・危険性を十分に聞き・たずね，同意してから受けなければなりません。
基本的注意
(1)**使用してはいけない場合**……重い肺機能障害，胸部 X 写真上びまん性の線維化病変および著しい病変のある人／本剤の成分または類似化合物(ペプロマイシン硫酸塩)に対するアレルギーの前歴／重い腎機能障害／重い心疾患／胸部・その周辺部への放射線照射中
(2)**慎重に使用すべき場合**……肺機能障害の前歴または合併症のある人／腎機能障害／心疾患／胸部に放射線照射を受けた人／肝機能障害／水痘／60 歳以上の高齢者
(3)**定期検査**……使用によって，間質性肺炎・肺線維症などの重い肺症状がおこることがあるので，使用中・使用終了後の一定期間(約 2 カ月)は定期的に肺の検査を受ける必要があります。

(4)水痘……水痘（水ほうそう）の人が使用すると, 致命的な全身障害が現れることがあるので, 状態に十分注意してください。

(5)感染症, 出血傾向……使用によって, 感染症, 出血傾向の発現または悪化がおこりやすくなるので, 状態に十分注意してください。

(6)性腺への影響……小児および生殖可能な年齢の人が使用すると, 性腺に影響がでることがあります。処方医とよく相談してください。

(7)その他……
● 妊婦での安全性：使用しないことが望ましい。
● 授乳婦での安全性：未確立。やむを得ず使用するときは授乳を中止。（1714 頁を参照）

重大な副作用　①重い間質性肺炎, 肺線維症。②ショック。③がん病巣が急速に壊死をおこすことによる出血。

　そのほかにも報告された副作用はあるので, 体調がいつもと違うと感じたときは, 処方医・薬剤師に相談してください。

併用してはいけない薬　胸部およびその周辺部への放射線照射→間質性肺炎・肺線維症などの重い肺症状をおこすことがあります。

注 02 がんに使われる注射薬　05 抗生物質

05 ペプロマイシン硫酸塩

✐ 製 剤 情 報

一般名：ペプロマイシン硫酸塩
● 規制…劇薬

■先発品	商品名(メーカー)	規格・保険薬価
ペプレオ注射用 （日本化薬）注	5mg 1瓶 3,675 円	
注	10mg 1瓶 5,394 円	

▤ 概　　要

分類　抗腫瘍性抗生物質

処方目的　皮膚がん, 頭頸部がん（上顎がん, 舌がん・その他の口腔がん, 咽頭がん, 喉頭がん）, 肺がん（扁平上皮がん）, 前立腺がん, 悪性リンパ腫

解説　ブレオマイシンの構造を少し変えてつくられた, ブレオマイシンの誘導体です。ブレオマイシンに比べて抗がん作用が強く, 広い制がんスペクトルがあるといわれています。

✐ 使用上の注意

警告

　間質性肺炎・肺線維症などの重い肺症状がおこり, 致命的な経過をたどることがあります。使用中・使用終了後の一定期間（約 2 カ月）は医師の監督下にいなければなりません。特に 60 歳以上の高齢者, 肺に基礎疾患のある人は注意してください。

基本的注意

(1)使用してはいけない場合……重い肺機能障害, 胸部 X 写真上びまん性の線維化病変

および著しい病変のある人／本剤の成分または類似化合物（ブレオマイシン塩酸塩）に対するアレルギーの前歴／重い腎機能障害／重い心疾患／胸部・その周辺部への放射線照射中

(2)慎重に使用すべき場合……肺機能障害の前歴または合併症のある人／腎機能障害／心疾患／胸部に放射線照射を受けた人／肝機能障害／水痘／60歳以上の高齢者

(3)水痘……水痘（水ぼうそう）の人が使用すると，致命的な全身障害が現れることがあるので，状態に十分注意してください。

(4)感染症，出血傾向……使用によって，感染症，出血傾向の発現または悪化がおこりやすくなるので，状態に十分注意してください。

(5)性腺への影響……小児および生殖可能な年齢の人が使用すると，性腺に影響がでることがあります。処方医とよく相談してください。

(6)定期検査……使用によって，間質性肺炎・肺線維症などの重い肺症状がおこることがあるので，使用中・使用終了後の一定期間（約2カ月）は定期的に肺の検査を受ける必要があります。

(7)その他……
- 妊婦での安全性：使用しないことが望ましい。
- 授乳婦での安全性：未確立。やむを得ず使用するときは授乳を中止。（1714頁を参照）

重大な副作用　　　①重い間質性肺炎，肺線維症。②ショック。

そのほかにも報告された副作用はあるので，体調がいつもと違うと感じたときは，処方医・薬剤師に相談してください。

併用してはいけない薬　　胸部およびその周辺部への放射線照射→間質性肺炎・肺線維症などの重い肺症状をおこすことがあります。

注 02 がんに使われる注射薬　05 抗生物質

06 ミトキサントロン塩酸塩

製剤情報

一般名：ミトキサントロン塩酸塩
- PC…D
- 規制…毒薬

先発品　商品名（メーカー）　規格・保険薬価
ノバントロン注（あすか＝武田）
注 10mg5mL 1瓶 18,501円
注 20mg10mL 1瓶 32,405円

概　要

分類　抗腫瘍性抗生物質（アントラキノン系）

処方目的　急性白血病（慢性骨髄性白血病の急性転化を含む），悪性リンパ腫，乳がん，肝細胞がん

解説　アントラサイクリン系抗生物質に多い心毒性という副作用を減らす目的で，1976年よりアメリカで研究開発された抗がん薬です。現在，急性白血病，悪性リンパ腫，

乳がん，肝細胞がんが適応です。

📋 使用上の注意

基本的注意

(1)**使用してはいけない場合**……心機能異常またはその前歴／本剤の成分に対する重いアレルギーの前歴

(2)**慎重に使用すべき場合**……肝機能障害／腎機能障害／骨髄機能抑制／感染症の合併／水痘／高齢者

(3)**皮膚・尿の色**……本剤の使用により，皮膚や目の強膜が一過性に青色になったり，尿が青〜緑色になることがあります。

(4)**ただちに洗浄**……本剤が目や皮膚に付着した場合は，ただちに看護師・医師に伝え，水道水で洗い流してもらってください。

(5)**生ワクチン接種の禁止**……免疫機能が抑制された人は，本剤の使用中，生ワクチンの接種は禁止です。ワクチン由来の感染が増強または持続するおそれがあります。

(6)**水痘**……水痘（水ぼうそう）の人が使用すると，致命的な全身障害が現れることがあるので，状態に十分注意してください。

(7)**感染症，出血傾向**……使用によって，感染症，出血傾向の発現または悪化がおこりやすくなるので，状態に十分注意してください。

(8)**性腺への影響**……生殖可能な年齢の人が使用すると，性腺に影響がでることがあります。処方医とよく相談してください。

(9)**二次発がん**……本剤と他の抗がん薬や放射線療法を併用した人に，急性白血病，骨髄異形成症候群（MDS）が発生することがあります。

(10)**頻回に検査**……骨髄機能抑制，心筋障害などの重い副作用がおこることがあるので，頻回に血液，肝機能，腎機能，心機能などの検査を受ける必要があります。

(11)**その他**……

● 妊婦での安全性：使用しないことが望ましい。

● 授乳婦での安全性：使用するときは授乳を中止。

● 小児での安全性：未確立。（1714頁を参照）

重大な副作用　①うっ血性心不全，心筋障害，心筋梗塞。②骨髄機能抑制（汎血球減少症，貧血，白血球減少，血小板減少，出血など）。③間質性肺炎（発熱，せき，呼吸困難など）。④ショック，アナフィラキシー（発疹，呼吸困難，血圧低下など）。

そのほかにも報告された副作用はあるので，体調がいつもと違うと感じたときは，処方医・薬剤師に相談してください。

併用してはいけない薬　併用してはいけない薬は特にありません。ただし，併用する薬があるときは，念のため処方医・薬剤師に報告してください。

注
02
—
05
—
06

ミトキサントロン塩酸塩

注 02 がんに使われる注射薬　06 白金錯体製剤

01 白金錯体抗がん薬

製剤情報

一般名：シスプラチン

- PC…D
- 規制…毒薬

■先発品　商品名（メーカー）　規格・保険薬価

動注用アイエーコール（日本化薬）

注 50mg 1瓶 31,980 円　注 100mg 1瓶 59,887 円

ランダ注（日本化薬）注 10mg20mL 1瓶 1,169 円

注 25mg50mL 1瓶 3,510 円

注 50mg100mL 1瓶 5,027 円

■ジェネリック　商品名（メーカー）　規格・保険薬価

シスプラチン注（日医工）

注 10mg20mL 1瓶 779 円

注 25mg50mL 1瓶 2,340 円

注 50mg100mL 1瓶 3,351 円

シスプラチン点滴静注（日医工ファーマ＝ヤクルト）注 10mg20mL 1瓶 779 円

注 25mg50mL 1瓶 2,340 円

注 50mg100mL 1瓶 3,351 円

シスプラチン点滴静注液（ファイザー）

注 10mg20mL 1瓶 779 円

注 25mg50mL 1瓶 2,340 円

注 50mg100mL 1瓶 3,351 円

一般名：カルボプラチン

- PC…D
- 規制…毒薬

■先発品　商品名（メーカー）　規格・保険薬価

パラプラチン注射液（ブリストル）

注 50mg5mL 1瓶 2,056 円

注 150mg15mL 1瓶 5,530 円

注 450mg45mL 1瓶 13,426 円

■ジェネリック　商品名（メーカー）　規格・保険薬価

カルボプラチン注射液（日医工）

注 50mg5mL 1瓶 1,784 円

注 150mg15mL 1瓶 4,186 円

注 450mg45mL 1瓶 6,817 円

カルボプラチン点滴静注液（沢井）

注 50mg5mL 1瓶 1,784 円

注 150mg15mL 1瓶 4,186 円

注 450mg45mL 1瓶 9,870 円

カルボプラチン点滴静注液（サンド）

注 50mg5mL 1瓶 1,784 円

注 150mg15mL 1瓶 2,698 円

注 450mg45mL 1瓶 6,817 円

カルボプラチン点滴静注液（武田テバ薬品＝武田テバファーマ＝武田）注 50mg5mL 1瓶 1,784 円

注 150mg15mL 1瓶 4,186 円

注 450mg45mL 1瓶 9,870 円

カルボプラチン点滴静注液（マイラン＝日本化薬）注 50mg5mL 1瓶 1,784 円

注 150mg15mL 1瓶 4,186 円

注 450mg45mL 1瓶 9,870 円

一般名：ネダプラチン

- 規制…毒薬

■先発品　商品名（メーカー）　規格・保険薬価

アクプラ静注用（日医工）注 10mg 1瓶 4,342 円

注 50mg 1瓶 19,517 円　注 100mg 1瓶 38,292 円

一般名：ミリプラチン水和物

- 規制…劇薬

■先発品　商品名（メーカー）　規格・保険薬価

ミリプラ動注用（住友ファーマ）

注 70mg 1瓶 42,648 円

注
02
—
06
—
01

白金錯体抗がん薬

概　要

分類　抗悪性腫瘍白金錯体

処方目的　[シスプラチンの適応症(動注用アイエーコールを除く)]（A)〈通常療法〉①睾丸腫瘍，膀胱がん，腎盂・尿管腫瘍，前立腺がん，卵巣がん，頭頸部がん，非小細胞肺がん，食道がん，子宮頸がん，神経芽細胞腫，胃がん，小細胞肺がん，骨肉腫，胚細胞腫瘍(精巣腫瘍，卵巣腫瘍，性腺外腫瘍)，悪性胸膜中皮腫，胆道がん。②次の疾患における他の抗がん薬との併用療法→悪性骨腫瘍，子宮体がん(術後化学療法，転移・再発時化学療法)，再発・難治性悪性リンパ腫，小児悪性固形腫瘍(横紋筋肉腫，神経芽腫，肝芽腫その他の肝原発悪性腫瘍，髄芽腫など)。(B)〈M-VAC 療法〉尿路上皮がん／[動注用アイエーコールの適応症]肝細胞がん

[カルボプラチンの適応症]①頭頸部がん，肺小細胞がん，睾丸腫瘍，卵巣がん，子宮頸がん，悪性リンパ腫，非小細胞肺がん，乳がん。②次の疾患における他の抗がん薬との併用療法→小児悪性固形腫瘍(神経芽腫，網膜芽腫，肝芽腫，中枢神経系胚細胞腫瘍，再発または難治性のユーイング肉腫ファミリー腫瘍，腎芽腫)

[ネダプラチンの適応症]頭頸部がん，肺小細胞がん，肺非小細胞がん，食道がん，膀胱がん，精巣腫瘍，卵巣がん，子宮頸がん

[ミリプラチン水和物の適応症]肝細胞がんにおけるリピオドリゼーション(造影剤と混ぜ合わせて注入する局所治療)

解説　金属と非金属の原子が結合した化合物を錯体といいます。1965 年，アメリカで白金化合物に，がん細胞の分裂増殖を抑える作用のあることが発見されました。DNAの複製を阻害したり，がん細胞を自滅へ導く作用です。これらの薬剤は白金と塩素などが結合した構造をもち，一般にプラチナ製剤と呼ばれています。

使用上の注意

＊シスプラチン(ランダ注)の添付文書による

警告

①本剤を含む抗がん薬併用療法は，緊急時に十分に措置できる医療施設で，がん化学療法に十分な知識と経験を持つ医師に，本剤の有効性・危険性を十分に聞き・たずね，同意してから受けなければなりません。

②[ネダプラチン]本剤は強い骨髄抑制作用，腎機能抑制作用などを有する薬剤で，臨床試験において本剤に関連したと考えられる早期死亡例が認められています。使用に際しては，頻回に臨床検査(血液検査，肝機能検査，腎機能検査など)を行うことが必要です。

基本的注意

(1)使用してはいけない場合……重い腎機能障害／本剤または他の白金を含む薬剤に対するアレルギーの前歴／妊婦または妊娠している可能性のある人

(2)慎重に使用すべき場合……腎機能障害(重い腎機能障害を除く)／肝機能障害／骨髄機能抑制／聴器障害／感染症の合併／水痘／小児，高齢者

(3)水痘……水痘(水ぼうそう)の人が使用すると，致命的な全身障害が現れることがあるので，状態に十分注意してください。

(4)**感染症, 出血傾向**……使用によって, 感染症, 出血傾向の発現または悪化がおこりやすくなるので, 状態に十分注意してください。

(5)**性腺への影響**……小児および生殖可能な年齢の人が使用すると, 性腺に影響がでることがあります。処方医とよく相談してください。

(6)**頻回に検査**……骨髄機能抑制, 急性腎不全などの腎機能障害などの重い副作用がおこることがあるので, 頻回に血液, 肝機能, 腎機能などの検査を受ける必要があります。

(7)**避妊**……妊娠する可能性がある女性およびパートナーが妊娠する可能性のある男性は, 本剤使用中および使用終了後一定期間は適切な方法で避妊してください。動物実験において, 児の奇形および胎児毒性, 胎児致死率の増加などが認められています。

(8)**二次発がん**……本剤と他の抗がん薬の併用により, 急性白血病(前白血病相を伴う場合もある), 骨髄異形成症候群(MDS)が発生したとの報告があります。

(9)**その他**……

● 授乳婦での安全性:使用するときは授乳しないことが望ましい。(1714 頁を参照)

重大な副作用 ①急性腎障害などの重い腎機能障害。②骨髄機能抑制(汎血球減少, 貧血, 白血球減少, 好中球減少, 血小板減少など)。③ショック, アナフィラキシー様症状(チアノーゼ, 呼吸困難, 血圧低下など)。④高音域の聴力低下, 難聴, 耳鳴り。⑤視覚障害(うっ血乳頭, 球後視神経炎, 皮質盲など)。⑥脳梗塞, 一過性脳虚血発作。⑦血小板減少, 溶血性貧血, 腎不全を主徴とする溶血性尿毒症症候群。⑧心筋梗塞, 狭心症, うっ血性心不全, 不整脈。⑨クームス陽性の溶血性貧血。⑩間質性肺炎(発熱, せき, 呼吸困難など)。⑪低ナトリウム血症, 低浸透圧血症, 高張尿, けいれん, 意識障害などを伴う抗利尿ホルモン不適合分泌症候群(SIADH)。⑫劇症肝炎, 肝機能障害, 黄疸。⑬消化管出血, 消化性潰瘍, 消化管穿孔。⑭急性膵炎。⑮高血糖, 糖尿病の悪化。⑯横紋筋融解症。⑰白質脳症(歩行時のふらつき, 舌のもつれ, けいれん, 頭痛, 錯乱, 視覚障害など)。⑱静脈血栓塞栓症(肺塞栓症, 深部静脈血栓症など)。

そのほかにも報告された副作用はあるので, 体調がいつもと違うと感じたときは, 処方医・薬剤師に相談してください。

併用してはいけない薬 併用してはいけない薬は特にありません。ただし, 併用する薬があるときは, 念のため処方医・薬剤師に報告してください。

注 02 がんに使われる注射薬 **06** 白金錯体製剤

02 オキサリプラチン

製剤情報

一般名:オキサリプラチン

● PC…D

● 規制…**毒薬**

■先発品 **商品名(メーカー)** 規格・保険薬価

エルプラット点滴静注液 (ヤクルト)

注 50mg10mL 1瓶 16,012 円

注 100mg20mL 1瓶 29,086 円

注 200mg40mL 1瓶 52,076 円

■ジェネリック　商品名(メーカー)　規格・保険薬価

オキサリプラチン点滴静注 (東和)
注 50mg10mL 1瓶 5,854 円
注 100mg20mL 1瓶 10,759 円
注 200mg40mL 1瓶 19,140 円

オキサリプラチン点滴静注液 (沢井)
注 50mg10mL 1瓶 3,669 円
注 100mg20mL 1瓶 7,644 円
注 200mg40mL 1瓶 12,873 円

オキサリプラチン点滴静注液 (サンド)
注 50mg10mL 1瓶 3,669 円
注 100mg20mL 1瓶 7,644 円
注 200mg40mL 1瓶 12,873 円

オキサリプラチン点滴静注液 (シオノギファーマ＝ケミファ)
注 50mg10mL 1瓶 3,669 円
注 100mg20mL 1瓶 7,644 円
注 200mg40mL 1瓶 12,873 円

オキサリプラチン点滴静注液 (第一三共エスファ)
注 50mg10mL 1瓶 5,854 円
注 100mg20mL 1瓶 19,139 円
注 200mg40mL 1瓶 19,140 円

オキサリプラチン点滴静注液 (武田テバファーマ＝武田)
注 50mg10mL 1瓶 3,669 円
注 100mg20mL 1瓶 7,644 円
注 200mg40mL 1瓶 12,873 円

オキサリプラチン点滴静注液 (日医工)
注 50mg10mL 1瓶 3,669 円
注 100mg20mL 1瓶 7,644 円
注 200mg40mL 1瓶 12,873 円

オキサリプラチン点滴静注液 (日本化薬)
注 50mg10mL 1瓶 3,669 円
注 100mg20mL 1瓶 7,644 円
注 200mg40mL 1瓶 12,873 円

オキサリプラチン点滴静注液 (ニプロ)
注 50mg10mL 1瓶 5,854 円
注 100mg20mL 1瓶 7,644 円
注 200mg40mL 1瓶 12,873 円

オキサリプラチン点滴静注液 (ファイザー)
注 50mg10mL 1瓶 3,669 円
注 100mg20mL 1瓶 7,644 円
注 200mg40mL 1瓶 12,873 円

注02—06—02 オキサリプラチン

概要

分類 抗悪性腫瘍白金錯体

処方目的 治癒切除不能な進行・再発の結腸・直腸がん／結腸がんにおける術後補助化学療法／治癒切除不能な膵がん／胃がん／小腸がん

解説 本剤は，1970年代に日本人によって合成された白金錯体抗がん薬で，シスプラチンなど他の白金錯体抗がん薬と同様に，がん細胞の分裂増殖を抑えます。欧米諸国ではスタンダードになっている薬が日本でなかなか許可にならないということで話題を集めた薬剤の一つです。

本剤は，他のさまざまな抗がん薬と併用して使用します。例えば，結腸・直腸がんにはFOLFOX法(本剤＋レボホリナート＋フルオロウラシルの3剤併用)あるいはXELOX法(本剤＋カペシタビンの2剤併用)，膵がんにはFOLFIRINOX法(本剤＋イリノテカン塩酸塩＋レボホリナート＋フルオロウラシルの4剤併用療法)，胃がんにはXELOX法などとして使用されます。

使用上の注意

＊オキサリプラチン(エルプラット点滴静注液)の添付文書による

警告

①本剤使用後，数分以内に発疹，かゆみ，気管支けいれん，呼吸困難，血圧低下などを

伴うショック，アナフィラキシーが現れることが報告されています。

②本剤は，レボホリナートおよびフルオロウラシルの静脈内持続投与法との併用に有用性が認められていますが，本併用療法において致死的な転帰に至る重い副作用が現れることがあります。

③本剤を含む抗がん薬併用療法は，緊急時に十分に措置できる医療施設で，がん化学療法に十分な知識と経験を持つ医師に，本剤の有効性・危険性を十分に聞き・たずね，同意してから受けなければなりません。

基本的注意

(1)使用してはいけない場合……機能障害を伴う重い感覚異常または知覚不全／本剤の成分または他の白金を含む薬剤に対するアレルギーの前歴／妊婦または妊娠している可能性のある人

(2)慎重に使用すべき場合……骨髄機能抑制／感覚異常または知覚不全／重い腎機能障害／心疾患／感染症の合併／水痘／高齢者

(3)低温に注意……①本剤の使用によって，手足や口唇周囲部などの感覚異常・知覚不全（末梢神経症状）が，本剤の投与直後からほとんど全例におこります。また，咽頭喉頭の締めつけられる感じ（咽頭喉頭感覚異常）がおこることがあります。末梢神経症状が悪化したり回復が遅れると，手足などがしびれて文字を書きにくい，ボタンをかけにくい，飲み込みにくい，歩きにくいなどの感覚性の機能障害がおこることがあります。②これらの末梢神経症状・咽頭喉頭感覚異常は，特に低温または冷たいものへさらされると誘発・悪化するので，冷たい飲み物や氷の使用を避け，低温時には皮膚を露出しないようにしてください。多くは休薬すると回復します。

(4)水痘……水痘（水ぼうそう）の人が使用すると，致命的な全身障害が現れることがあるので，状態に十分注意してください。

(5)感染症，出血傾向……使用によって，感染症，出血傾向の発現または悪化がおこりやすくなるので，状態に十分注意してください。

(6)避妊……妊娠可能な女性およびパートナーが妊娠する可能性のある男性は，本剤の使用期間中および使用終了後一定期間は適切な避妊を行ってください。胎児の発育遅滞や遺伝毒性などが報告されています。

(7)性腺への影響……小児および生殖可能な年齢の人が使用すると，性腺に影響がでることがあります。処方医とよく相談してください。

(8)頻回に検査……骨髄機能抑制などの重い副作用がおこることがあるので，頻回に血液，肝機能，腎機能などの検査を受ける必要があります。

(9)その他……

● 授乳婦での安全性：使用するときは授乳しないことが望ましい。

● 小児での安全性：未確立。(1714 頁を参照)

重大な副作用

①手足や口唇周囲部の感覚異常・知覚不全，咽頭喉頭の絞扼感（締めつけられる感じ）。②ショック，アナフィラキシー（発疹，かゆみ，気管支けいれん，呼吸困難，血圧低下など）。③間質性肺炎，肺線維症（発熱，せき，呼吸困難な

注
02
─
06
─
02

オキサリプラチン

ど）。④骨髄機能抑制（白血球減少，好中球減少，発熱性好中球減少症，貧血など）。⑤溶血性尿毒症症候群。⑥視覚障害（視野欠損，視野障害，視神経炎，視力低下など）。⑦血栓塞栓症。⑧心室性不整脈，心筋梗塞。⑨肝静脈閉塞症（VOD）。⑩急性腎不全。⑪薬剤誘発性血小板減少症（紫斑，鼻出血，口腔粘膜出血など）。⑫溶血性貧血。⑬可逆性後白質脳症症候群を含む白質脳症（歩行時のふらつき，舌のもつれ，けいれん，頭痛，錯乱，視覚障害など）。⑭高アンモニア血症。⑮横紋筋融解症（筋肉痛，脱力感など）。⑯難聴，耳鳴り。⑰感染症（肺炎，敗血症など）。⑱肝機能障害。

そのほかにも報告された副作用はあるので，体調がいつもと違うと感じたときは，処方医・薬剤師に相談してください。

併用してはいけない薬　併用してはいけない薬は特にありません。ただし，併用する薬があるときは，念のため処方医・薬剤師に報告してください。

注 02 がんに使われる注射薬　07 抗ホルモン剤

01 ゴセレリン酢酸塩

製剤情報

一般名：ゴセレリン酢酸塩

● 規制…劇薬

■ 先発品　　商品名（メーカー）　規格・保険薬価

ゾラデックス LA10.8mg デポ（アストラ）
注 10.8mg 1筒 45,350 円

ゾラデックス 1.8mg デポ（アストラ＝キッセイ）注 1.8mg 1筒 21,814 円

ゾラデックス 3.6mg デポ（アストラ）
注 3.6mg 1筒 26,576 円

概　要

分類　LH-RH（黄体形成ホルモン放出ホルモン）アゴニスト（作動薬）

処方目的　[LA10.8mg・3.6mg] 前立腺がん，閉経前乳がん／[1.8mg] 子宮内膜症

解説　脳の視床下部から分泌されるホルモンに似た主成分をもつ薬です。これにより下垂体の反応性を低下させ，精巣の男性ホルモンや卵巣の女性ホルモンの分泌を抑えて，抗がん作用を発揮します。

使用上の注意

＊ゴセレリン酢酸塩（ゾラデックス LA デポ）の添付文書による

基本的注意

(1)**使用してはいけない場合**……本剤の成分または LH-RH 作動薬に対するアレルギーの前歴／妊婦または妊娠している可能性のある人，授乳中の人

(2)**慎重に使用すべき場合**……脊髄圧迫または尿管閉塞による腎機能障害をすでに呈しているか，または新たに発生するおそれがある前立腺がん

(3)**骨性疼痛，尿管閉塞・脊髄圧迫**……使用初期に，骨性疼痛の一過性増悪がみられることがあります。また，尿管閉塞あるいは脊髄圧迫がみられるおそれがあります。

(4)出血……本剤の注射部位周囲から出血し，出血性ショックに至った例が報告されています。十分に注意してください。

(5)その他……

●小児での安全性：未確立。(1714頁を参照)

重大な副作用 ①(使用初期に)前立腺がん随伴症状の悪化(骨性疼痛，尿管閉塞，排尿困難，脊髄圧迫など)。②アナフィラキシーなどの過敏症状。③間質性肺炎(発熱・せき・呼吸困難など)。④肝機能障害，黄疸。⑤糖尿病の発症または増悪。⑥心不全。⑦血栓塞栓症(心筋梗塞，脳梗塞，静脈血栓症，肺塞栓症など)。

　そのほかにも報告された副作用はあるので，体調がいつもと違うと感じたときは，処方医・薬剤師に相談してください。

併用してはいけない薬 併用してはいけない薬は特にありません。ただし，併用する薬があるときは，念のため処方医・薬剤師に報告してください。

注02 がんに使われる注射薬　07 抗ホルモン剤

02 リュープロレリン酢酸塩

製剤情報

一般名：リュープロレリン酢酸塩

●規制…劇薬

■**先発品**　　**商品名(メーカー)**　規格・保険薬価

リュープリン PRO 注射用キット(武田)
注 22.5mg 1筒 75,823 円

リュープリン SR 注射用キット(武田)
注 11.25mg 1筒 49,710 円

リュープリン注射用(武田)
注 1.88mg 1瓶(懸濁用液付) 20,790 円
注 3.75mg 1瓶(懸濁用液付) 31,782 円

リュープリン注射用キット(武田)
注 1.88mg 1筒 21,274 円　注 3.75mg 1筒 28,410 円

■**ジェネリック**　　**商品名(メーカー)**　規格・保険薬価

リュープロレリン酢酸塩注射用キット(あすか＝武田)注 1.88mg 1筒 15,639 円
注 3.75mg 1筒 19,332 円

リュープロレリン酢酸塩注射用キット(ニプロ)　注 1.88mg 1筒 15,639 円　注 3.75mg 1筒 19,332 円

概要

分類　LH-RH(黄体形成ホルモン放出ホルモン)誘導体

処方目的　前立腺がん，閉経前乳がん／[注射用，注射用キットのみ]子宮内膜症，過多月経・下腹痛・腰痛・貧血などを伴う子宮筋腫における筋腫核の縮小および症状の改善，中枢性思春期早発症／[SR 注射用キットのみ]球脊髄性筋萎縮症の進行抑制

解説　脳の視床下部から分泌される性腺刺激ホルモンを放出させる物質に似た化学構造をもつ薬で，男性ホルモンの分泌を低下させる働きがあります。その結果，主に前立腺がんの症状・進行の改善に効果を発揮します。

　また，子宮内膜症や子宮筋腫および閉経前乳がんでは，血清エストラジオール濃度を

閉経期レベル近くにまで下げ，卵巣機能を抑制することから効果を示します。中枢性思春期早発症では，性腺ホルモン濃度を思春期前のレベルにまで下げて，二次性徴の進行を抑制する作用が認められています。

使用上の注意

＊リュープロレリン酢酸塩（リュープリン注射用）の添付文書による

基本的注意

(1)使用してはいけない場合……本剤の成分または合成 LH-RH，LH-RH 誘導体に対するアレルギーの前歴

［子宮内膜症，子宮筋腫，中枢性思春期早発症，閉経前乳がん］妊婦または妊娠している可能性のある人，授乳中の人

［子宮内膜症，子宮筋腫，中枢性思春期早発症］診断のつかない異常性器出血

(2)慎重に使用すべき場合……［子宮内膜症，子宮筋腫，閉経前乳がん］粘膜下筋腫

［前立腺がん］脊髄圧迫または尿管閉塞による腎機能障害をすでに呈しているか，新たに発生するおそれがある人

(3)女性……①治療に際しては，妊娠していないことを確認し，治療期間中はホルモン剤以外の避妊をしてください。②長期にわたって使用するときは，可能な限り骨塩量の検査を受ける必要があります。③本剤の使用によって更年期障害様のうつ状態が現れることがあります。異常を感じたら，すぐに処方医に連絡してください。

(4)骨疼痛……閉経前乳がん，前立腺がんに使用する場合，使用初期に骨疼痛の一過性の悪化がみられることがあります。異常を感じたら，すぐに処方医に連絡してください。

(5)その他……

● 小児での安全性：［中枢性思春期早発症］未確立。（1714 頁を参照）

重大な副作用　　　　　　　　［すべての疾患共通］①間質性肺炎（発熱，せき，呼吸困難など）。②アナフィラキシー。③肝機能障害，黄疸。④糖尿病の発症または悪化。⑤（下垂体腺腫の人に）下垂体卒中（頭痛，視力・視野障害など）。⑥血栓塞栓症（心筋梗塞，脳梗塞，静脈血栓症，肺塞栓症など）。

［子宮内膜症，子宮筋腫，閉経前乳がんの場合］⑦更年期障害様のうつ状態。

［前立腺がんの場合］⑧うつ状態。⑨骨疼痛の一過性の悪化，尿路閉塞，脊髄圧迫。⑩心不全。

　そのほかにも報告された副作用はあるので，体調がいつもと違うと感じたときは，処方医・薬剤師に相談してください。

併用してはいけない薬　　　　併用してはいけない薬は特にありません。ただし，併用する薬があるときは，念のため処方医・薬剤師に報告してください。

注 02—07—02

リュープロレリン酢酸塩

注 02 がんに使われる注射薬　07 抗ホルモン剤

03 オクトレオチド酢酸塩

製剤情報

一般名：オクトレオチド酢酸塩

● 規制…劇薬

■ **先発品**　　商品名(メーカー)　規格・保険薬価

サンドスタチン LAR 筋注用キット（ノバルティス）注 10mg 1キット（溶解液付）84,107 円

注 20mg 1キット（溶解液付）141,778 円

注 30mg 1キット（溶解液付）202,086 円

サンドスタチン皮下注用（ノバルティス）

注 50μg1mL 1管 1,086 円　　注 100μg1mL 1管 1,959 円

■ **ジェネリック**　　商品名(メーカー)　規格・保険薬価

オクトレオチド酢酸塩皮下注（サンド）

注 50μg1mL 1管 524 円　　注 100μg1mL 1管 907 円

オクトレオチド皮下注（あすか＝武田）

注 50μg1mL 1管 524 円　　注 100μg1mL 1管 907 円

オクトレオチド皮下注（サンファーマ）

注 50μg1mL 1瓶 524 円　　注 100μg1mL 1瓶 907 円

概　　要

分類　成長ホルモン分泌抑制因子製剤

処方目的　①次の疾患の諸症状の改善→消化管ホルモン産生腫瘍（VIP 産生腫瘍，カルチノイド症候群の特徴を示すカルチノイド腫瘍，ガストリン産生腫瘍）／②次の疾患の成長ホルモン，ソマトメジン-C 分泌過剰状態および諸症状の改善→先端巨大症・下垂体性巨人症（外科的処置や他剤による治療で効果が不十分または施行が困難な場合）／[筋注用のみ]消化管神経内分泌腫瘍／[皮下注用のみ]進行・再発がんの緩和医療における消化管閉塞に伴う消化器症状の改善／先天性高インスリン血症に伴う低血糖（他剤による治療で効果が不十分な場合）

解説　消化管ホルモン産生腫瘍，先端巨大症・下垂体性巨人症は，いずれも長期の薬物治療を必要とする病気です。最初に開発された本剤の皮下注射用は毎日 2〜3 回投与しなければならないため，患者さんへの負担が大きかったのですが，それを改善したのが筋肉注射用で 4 週間（28 日）に 1 回ですみます。

使用上の注意

＊オクトレオチド酢酸塩(サンドスタチン皮下注用)の添付文書による

基本的注意

(1)使用してはいけない場合……本剤の成分に対するアレルギーの前歴

(2)定期検査……本剤の使用により胆石の形成または胆石症の悪化（急性胆のう炎，胆管炎，膵炎）が報告されているので，定期的(6〜12 カ月ごと)に超音波・X 線による胆のう・胆管の検査を受けることが望まれます。

(3)その他……

● 妊婦での安全性：有益と判断されたときのみ使用。

● 授乳婦での安全性：治療上の有益性・母乳栄養の有益性を考慮し，授乳の継続・中止を検討。

注
02
—
07
—
03

オクトレオチド酢酸塩

●小児での安全性：未確立。(1714 頁を参照)

重大な副作用 ①アナフィラキシー(血圧低下・呼吸困難・気管支けいれんなど)。②(使用直後に)重い徐脈。

そのほかにも報告された副作用はあるので，体調がいつもと違うと感じたときは，処方医・薬剤師に相談してください。

併用してはいけない薬 併用してはいけない薬は特にありません。ただし，併用する薬があるときは，念のため処方医・薬剤師に報告してください。

注02 がんに使われる注射薬　07 抗ホルモン剤

04　フルベストラント

製剤情報

一般名：**フルベストラント**

●規制…劇薬

■**先発品**　　**商品名(メーカー)**　規格・保険薬価

フェソロデックス筋注 (アストラ)
注 250mg5mL 1筒 38,404 円

概　　要

分類　抗エストロゲン剤・乳がん治療薬

処方目的　乳がん

解説　女性ホルモンのエストロゲンは，乳がんの発生・増殖に大きく関わっています。本剤はエストロゲン受容体への親和性が高く，また受容体の数を減少させることでエストロゲンの作用を抑制し，乳がん細胞の増殖を抑えると考えられています。

なお，本剤を閉経前の乳がんに用いる場合は，注射薬の LH-RH アゴニスト(ゴセレリン酢酸塩)および内服薬の CDK4/6 阻害薬(パルボシクリブ)と併用します。

使用上の注意

基本的注意

(1)使用してはいけない場合……本剤の成分に対するアレルギーの前歴／妊婦または妊娠している可能性のある人，授乳婦

(2)慎重に使用すべき場合……肝機能障害／重い腎機能障害

重大な副作用 ①肝機能障害。②血栓塞栓症(肺塞栓症，深部静脈血栓症，血栓性静脈炎など)。③注射部位の壊死，潰瘍。

そのほかにも報告された副作用はあるので，体調がいつもと違うと感じたときは，処方医・薬剤師に相談してください。

併用してはいけない薬 併用してはいけない薬は特にありません。ただし，併用する薬があるときは，念のため処方医・薬剤師に報告してください。

注 02 がんに使われる注射薬　07 抗ホルモン剤

05　デガレリクス酢酸塩

🔘 製剤情報

一般名：デガレリクス酢酸塩

● 規制…劇薬

■先発品　　商品名(メーカー)　規格・保険薬価

ゴナックス皮下注用（アステラス）

注 80mg 1瓶（溶解液付）20,623 円

注 120mg 1瓶（溶解液付）25,321 円

注 240mg 1瓶（溶解液付）30,752 円

📋 概　要

分類　抗ホルモン剤（GnRH アンタゴニスト）

処方目的　前立腺がん

解説　本剤は，国内初の前立腺がんを適応症とした GnRH（性腺刺激ホルモン放出ホルモン）アンタゴニスト（拮抗薬）です。GnRH は，男性ホルモンのテストステロンの産生に関わっています。テストステロンは男性機能維持のために必要なホルモンですが，前立腺がんにおいてはがん細胞の増殖を促進してしまいます。本剤は，GnRH 受容体への GnRH の結合を阻害することでテストステロンの産生を低下させ，がん細胞の増殖を抑制します。

📝 使用上の注意

基本的注意

(1)使用してはいけない場合……本剤の成分に対するアレルギーの前歴

(2)慎重に使用すべき場合……間質性肺疾患またはその前歴

(3)その他……

● 小児での安全性：未確立。（1714 頁を参照）

重大な副作用　①間質性肺疾患。②肝機能障害。③糖尿病の増悪。④心不全。⑤血栓塞栓症（心筋梗塞，脳梗塞，静脈血栓症，肺塞栓症など）。⑥ショック，アナフィラキシー。

　そのほかにも報告された副作用はあるので，体調がいつもと違うと感じたときは，処方医・薬剤師に相談してください。

併用してはいけない薬　併用してはいけない薬は特にありません。ただし，併用する薬があるときは，念のため処方医・薬剤師に報告してください。

注 02 がんに使われる注射薬　08 インターフェロン・インターロイキン製剤

01　インターフェロンベータ

🔘 製剤情報

一般名：インターフェロンベータ

● 規制…劇薬

■先発品　商品名(メーカー)　規格・保険薬価

フエロン注射用(東レ＝第一三共)
注 100万国際単位 1瓶(溶解液付) 6,492円
注 300万国際単位 1瓶(溶解液付) 15,323円

概　要

分類　天然型インターフェロン

処方目的　①膠芽腫，髄芽腫，星細胞腫／②皮膚悪性黒色腫／③HBe 抗原陽性でかつ DNA ポリメラーゼ陽性の B 型慢性活動性肝炎のウイルス血症の改善／④C 型慢性肝炎におけるウイルス血症の改善／⑤C 型代償性肝硬変におけるウイルス血症の改善(HCV セログループ 1 の血中 HCV RNA 量が高い場合を除く)／⑥リバビリンとの併用による次の C 型慢性肝炎におけるウイルス血症の改善→血中 HCV RNA 量が高値の人，インターフェロン製剤単独療法で無効または治療後再燃した人

解説　インターフェロンは，私たちがウイルスに感染したときに体内の細胞が分泌するタンパク質です。この物質は抗ウイルス作用のほかに，がん細胞の表面に附着してその増殖を抑えたり，体の免疫機能を増強してがん細胞の増殖を抑える働きがあります。インターフェロンベータは，おもに線維芽細胞から分泌される物質で，1985 年に国内初のインターフェロン製剤として承認されました。

使用上の注意

警告

　本剤の使用により，間質性肺炎，自殺企図が現れることがあるので，処方医と十分に話し合ってください。

基本的注意

(1)**使用してはいけない場合**……自己免疫性肝炎／小柴胡湯の服用中／本剤・ウシ由来物質・生物学的製剤(ワクチンなど)に対するアレルギーの前歴
(2)**慎重に使用すべき場合**……間欠使用または使用を一時中止し再使用する場合／薬物過敏症の前歴／アレルギー素因のある人／重い肝機能障害・腎機能障害／高血圧症／高度の白血球減少または血小板減少／精神神経障害またはその前歴／心疾患またはその前歴／糖尿病またはその前歴・家族歴，耐糖能障害／ぜんそくまたはその前歴／間質性肺炎の前歴／自己免疫疾患またはその素因のある人／本剤をリバビリンと併用する場合，投与開始前のヘモグロビン濃度が 14g/dL 未満あるいは好中球数が 2,000/mm^3 未満の人
(3)**定期検査**……汎血球・白血球・血小板減少，肝機能・腎機能障害，網膜症などの副作用がおこることがあるので，定期的に血液，尿，肝機能，腎機能，眼科などの検査を受ける必要があります。
(4)**発熱**……本剤の使用初期に，一般に発熱がおこります。個人差が著しく，人によっては高熱になることもあるので十分に注意してください。
(5)**その他**……
[本剤単独の場合]

注02-08-01　インターフェロンベータ

- 妊婦での安全性：未確立。有益と判断されたときのみ使用。
- 授乳婦での安全性：原則として使用しない。やむを得ず使用するときは授乳を中止。
- 小児での安全性：未確立。(1714頁を参照)

<u>重大な副作用</u>　　　[本剤単独の場合] ①間質性肺炎(発熱, せき, 呼吸困難など)。②重いうつ状態, 自殺企図, 躁状態, 攻撃的行動。③自己免疫現象によると思われる症状・徴候(甲状腺機能異常, 溶血性貧血, 1型糖尿病の憎悪・発症など)。④糖尿病の悪化または発症, 昏睡。⑤白血球減少, 血小板減少, 汎血球減少, 顆粒球減少。⑥ショック。⑦皮膚粘膜眼症候群(スティブンス-ジョンソン症候群)。⑧黄疸, 重い肝機能障害。⑨ネフローゼ症候群, 急性腎障害, 溶血性尿毒症症候群(HUS)。⑩脳出血, 消化管出血, 球後出血。⑪敗血症。⑫脳梗塞。⑬心不全, 狭心症, 心筋梗塞。⑭認知症様症状。⑮麻痺。⑯けいれん。⑰網膜症。⑱類薬(インターフェロンアルファ製剤)で, 自己免疫現象によると思われる肝炎, 潰瘍性大腸炎・関節リウマチの悪化, 急性膵炎。

　　そのほかにも報告された副作用はあるので, 体調がいつもと違うと感じたときは, 処方医・薬剤師に相談してください。

<u>併用してはいけない薬</u>　　　小柴胡湯→間質性肺炎が現れるおそれがあります。

<u>注</u> 02 がんに使われる注射薬　08 インターフェロン・インターロイキン製剤

02　インターフェロンアルファ

<u>製剤情報</u>

一般名：インターフェロンアルファ
- 規制…劇薬

■先発品　　商品名(メーカー)　規格・保険薬価

スミフェロン注 DS (住友ファーマ)
注 300万国際単位 1筒 6,670円
注 600万国際単位 1筒 12,654円

<u>概　要</u>

<u>分類</u>　天然型インターフェロン

<u>処方目的</u>　腎がん, 多発性骨髄腫, ヘアリー細胞白血病, 慢性骨髄性白血病／HBe抗原陽性でかつDNAポリメラーゼ陽性のB型慢性活動性肝炎のウイルス血症の改善／C型慢性肝炎におけるウイルス血症の改善(血中HCV RNA量が高い場合を除く)／C型代償性肝硬変におけるウイルス血症の改善(セログループ1の血中HCV RNA量が高い場合を除く)／亜急性硬化性全脳炎におけるイノシンプラノベクスとの併用による臨床症状の進展抑制／HTLV-I脊髄症(HAM)

<u>解説</u>　インターフェロンは, 私たちがウイルスに感染したときに体内の細胞が分泌するタンパク質です。この物質は抗ウイルス作用のほかに, がん細胞の表面に附着してその増殖を抑えたり, 体の免疫機能を増強してがん細胞の増殖を抑える働きがあります。インターフェロンベータが主に線維芽細胞から分泌される物質であるのに対し, 本剤は白血球によって産生されます。1988年, 最初に腎がんの適応で承認されました。

使用上の注意

警告

本剤の使用により，間質性肺炎，自殺企図が現れることがあるので，処方医と十分に話し合ってください。

基本的注意

(1)使用してはいけない場合……本剤・他のインターフェロン製剤・生物学的製剤(ワクチンなど)に対するアレルギーの前歴／小柴胡湯の服用中／自己免疫性肝炎

(2)慎重に使用すべき場合……アレルギー素因のある人／心疾患またはその前歴／重い肝機能障害または腎機能障害／高血圧症／高度の白血球減少または血小板減少／中枢・精神神経障害またはその前歴／糖尿病またはその前歴・家族歴，耐糖能障害／自己免疫疾患(自己免疫性肝炎を除く)またはその素因のある人／ぜんそくまたはその前歴／間質性肺炎の前歴／高齢者

(3)定期検査……骨髄機能抑制，肝機能障害などのさまざまな重い副作用がおこることがあるので，定期的に血液，尿，肝機能，腎機能，眼科などの検査を受ける必要があります。

(4)自己使用……①本剤を自分で注射する人は，常に状態に気を配り，異常がみられたら，すぐに処方医へ連絡してください。②使用済みの注射針・注射器は再使用しないで，廃棄専門の容器をつくるなどして安全に廃棄してください。

(5)発熱……本剤の使用初期に，一般に発熱がおこります。個人差が著しく，人によっては高熱になることもあるので十分に注意してください。

(6)その他……

● 妊婦での安全性：有益と判断されたときのみ使用。

● 授乳婦での安全性：治療上の有益性・母乳栄養の有益性を考慮し，授乳の継続・中止を検討。

● 低出生体重児，新生児，乳児，幼児での安全性：未確立。(1714頁を参照)

重大な副作用

①間質性肺炎(発熱，せき，呼吸困難など)。②抑うつ，自殺企図，躁状態，攻撃的行動。③糖尿病(1型および2型)の悪化または発症，昏睡。④自己免疫現象(甲状腺機能異常，潰瘍性大腸炎，関節リウマチ，1型糖尿病，多発性筋炎，溶血性貧血，肝炎，SLE(全身性エリテマトーデス)，重症筋無力症の増悪または発症など)。⑤重い肝機能障害。⑥重い腎機能障害(急性腎障害，ネフローゼ症候群など)。⑦溶血性尿毒症症候群(血小板減少，溶血性貧血，腎不全など)。⑧汎血球減少，無顆粒球症，白血球減少，血小板減少，貧血，赤芽球癆。⑨重い感染症(敗血症，肺炎など)。⑩ショック(血圧低下，胸部圧迫感，吐きけ，チアノーゼなど)。⑪狭心症，心筋梗塞，心筋症，心不全，完全房室ブロック，心室頻拍。⑫消化管出血(下血，血便など)，消化性潰瘍，虚血性大腸炎。⑬脳出血。⑭脳梗塞。⑮錯乱，けいれん，幻覚・妄想，意識障害，興奮，見当識障害，失神，せん妄，認知症様症状(特に高齢者)。⑯四肢の筋力低下，顔面神経麻痺，末梢神経障害。⑰網膜症。⑱難聴。⑲皮膚潰瘍，皮膚壊死。⑳無菌性髄膜炎。

そのほかにも報告された副作用はあるので，体調がいつもと違うと感じたときは，処

方医・薬剤師に相談してください。

併用してはいけない薬　小柴胡湯→間質性肺炎が現れることがあります。

注 02 がんに使われる注射薬　08 インターフェロン・インターロイキン製剤

03　インターフェロンガンマ-1a(遺伝子組み換え)

製剤情報

一般名：インターフェロンガンマ-1a(遺伝子組み換え)

- PC…C
- 規制…劇薬

■先発品　　商品名(メーカー)　規格・保険薬価

イムノマックス-γ注(塩野義＝共和)
- 注 50万国内標準単位 1瓶(溶解液付) 4,536円
- 注 100万国内標準単位 1瓶(溶解液付) 8,699円

概要

分類　リンパ球由来(免疫)インターフェロン

処方目的　腎がん／慢性肉芽腫症に伴う重症感染の頻度と重症度の軽減／菌状息肉症, セザリー症候群

解説　インターフェロンは, 私たちがウイルスに感染したときに体内の細胞が分泌するタンパク質です。この物質は抗ウイルス作用のほかに, がん細胞の表面に附着してその増殖を抑えたり, 体の免疫機能を増強してがん細胞の増殖を抑える働きがあります。本剤は, 脾臓のリンパ球から得た mRNA を使い, 遺伝子組み換え技術により大腸菌内で産生された製剤です。ほかのインターフェロン製剤とは異なり, 免疫細胞であるマクロファージを活性化する力をもっています。

使用上の注意

基本的注意

(1)使用してはいけない場合……本剤・他のインターフェロン製剤・生物学的製剤(ワクチンなど)に対するアレルギーの前歴

(2)慎重に使用すべき場合……間欠使用または使用を一時中止し再使用する場合／薬物過敏症の前歴／アレルギー素因のある人／心疾患またはその前歴／重い肝機能障害・腎機能障害／高度の白血球減少または血小板減少／精神神経障害またはその前歴／自己免疫疾患またはその素因のある人

(3)定期検査……骨髄機能抑制などの重い副作用がおこることがあるので, 定期的に血液, 肝機能, 腎機能などの検査を受ける必要があります。

(4)発熱……本剤の使用初期に, 一般に発熱がおこります。個人差が著しく, 人によっては高熱になることもあるので十分に注意してください。

(5)その他……
- 妊婦での安全性：未確立。有益と判断されたときのみ使用。
- 授乳婦での安全性：未確立。やむを得ず使用するときは授乳を中止。

●小児での安全性：未確立。(1714頁を参照)

重大な副作用　①間質性肺炎（発熱，せき，呼吸困難など）。②ショック。③重いうつ状態。④急性腎不全。⑤心不全。⑥白血球減少，血小板減少，汎血球減少。⑦自己免疫現象（肝炎，潰瘍性大腸炎の悪化など）。⑧糖尿病の悪化または発症。

　そのほかにも報告された副作用はあるので，体調がいつもと違うと感じたときは，処方医・薬剤師に相談してください。

併用してはいけない薬　併用してはいけない薬は特にありません。ただし，併用する薬があるときは，念のため処方医・薬剤師に報告してください。

注 02 がんに使われる注射薬　08 インターフェロン・インターロイキン製剤

04 テセロイキン（遺伝子組み換え）

⊘ 製剤情報

一般名：**テセロイキン（遺伝子組み換え）**
●規制…劇薬

■先発品　　商品名(メーカー)　規格・保険薬価

イムネース注（塩野義＝共和）
注 35万単位 1瓶（溶解液付）44,045円

概　要

分類　遺伝子組み換え型インターロイキン

処方目的　血管肉腫／腎がん／神経芽腫に対するジヌツキシマブ（遺伝子組み換え）の抗腫瘍効果の増強

解説　インターロイキンは，白血球（リンパ球，マクロファージなど）が分泌するタンパク質の一種です。「タンパク質相互間のシグナル物質」という意味で，コミュニケーション機能を担っています。本剤は，脾臓のリンパ球から得た mRNA を使い，遺伝子組み換え技術により大腸菌内で産生された製剤です。1992年に血管肉腫に対する有用性が認められて承認され，その後1999年に腎がん，2021年に「神経芽腫に対するジヌツキシマブの抗腫瘍効果の増強」が処方目的に加わりました。神経芽腫には，本剤＋ジヌツキシマブ＋フィルグラスチムの3剤併用で治療します。

使用上の注意

基本的注意

(1)使用してはいけない場合……本剤または生物学的製剤（ワクチンなど）に対するアレルギーの前歴

(2)慎重に使用すべき場合……アレルギー素因のある人／心疾患またはその前歴／重い肝機能障害／腎機能障害／高齢者

(3)その他……

●妊婦での安全性：使用しないことが望ましい。

●授乳婦での安全性：治療上の有益性・母乳栄養の有益性を考慮し，授乳の継続・中止を検討。

● 小児での安全性：未確立。(1714 頁を参照)

重大な副作用 ①毛細血管漏出症候群によると思われる体液貯留(体重増加，浮腫，胸水・腹水・肺水腫などの水分貯留，尿量減少)，あるいは循環血漿量の減少による血圧低下。②うっ血性心不全。③抑うつ，自殺企図。④大量使用で誘発感染症・感染症の増悪。⑤自己免疫現象によると思われる症状・徴候(強皮症，溶血性貧血，糖尿病)。

そのほかにも報告された副作用はあるので，体調がいつもと違うと感じたときは，処方医・薬剤師に相談してください。

併用してはいけない薬 併用してはいけない薬は特にありません。ただし，併用する薬があるときは，念のため処方医・薬剤師に報告してください。

注 02 がんに使われる注射薬 08 インターフェロン・インターロイキン製剤

05 デニロイキン ジフチトクス(遺伝子組み換え)

製剤情報

一般名：デニロイキン ジフチトクス(遺伝子組み換え)

● PC…C

● 規制…劇薬

■ 先発品 　商品名(メーカー)　規格・保険薬価

レミトロ点滴静注用 (エーザイ)
注 300μg 1瓶 85,601 円

概　要

分類 抗悪性腫瘍薬

処方目的 再発または難治性の末梢性 T 細胞リンパ腫，再発または難治性の皮膚 T 細胞性リンパ腫

解説 本剤は遺伝子組み換え融合タンパク質で，ヒトインターロイキン-2(IL-2)の全配列(IL-2 ドメイン)と，ジフテリア毒素(DT)の部分アミノ酸配列(DT ドメイン)がつながった構造をしています。本剤は，IL-2 ドメインにより腫瘍細胞の細胞膜上に発現する IL-2 受容体と特異的に結合し，細胞内に取り込まれた後に DT ドメインが切断され，遊離した DT の N 末端断片(酵素活性部位)が蛋白合成を阻害し，細胞死を誘導することで抗腫瘍効果を示すと考えられています。現在のところ，悪性リンパ腫のうちの非ホジキンリンパ腫のうちの，再発または難治性の末梢性 T 細胞リンパ腫と皮膚 T 細胞性リンパ腫が適応となっています。

使用上の注意

警告

①本剤は，緊急時に十分対応できる医療施設で，がん化学療法に十分な知識・経験をもつ医師のもと，本剤の使用が適切と判断される人にのみ使用されるべき薬剤です。また，治療開始に先立ち，患者または家族は医師からその有効性，危険性について十分な説明を受け，納得・同意したのち使用を開始しなければなりません。

②毛細血管漏出症候群が現れ，死亡に至った症例が報告されています。投与開始前およ

注
02
―
08
―
05

デニロイキン ジフチトクス(遺伝子組み換え)

び投与期間中は定期的に血清アルブミン値，血圧，脈拍，体重の測定を行うなど，患者の状態を十分に観察すること。

③失明を含む重い視力障害や色覚異常が現れ，回復しなかった症例も報告されています。眼科医との連携のもとで使用し，投与開始前および投与期間中は定期的に眼科検査を実施し，患者の状態を十分に観察すること。

基本的注意

(1)使用してはいけない場合……本剤の成分に対するアレルギーの前歴

(2)慎重に使用すべき場合……重い骨髄機能低下

(3)造精機能の低下……生殖可能な年齢の男性が使用する場合，造精機能が低下する可能性があります。動物実験で，雄性生殖器(精巣，精巣上体，前立腺，精のうおよび凝固腺)における広範なリンパ球の浸潤，萎縮性変化などが報告されています。

(4)避妊……妊娠可能な女性は，投与期間中および投与終了後一定期間は適切な避妊を行ってください。

(5)その他……

● 妊婦での安全性：有益と判断されたときのみ使用。

● 授乳婦での安全性：治療上の有益性・母乳栄養の有益性を考慮し，授乳の継続・中止を検討。

● 小児での安全性：未確立。(1714 頁を参照)

重大な副作用

①毛細血管漏出症候群(低血圧，浮腫，低アルブミン血症，体重増加，肺水腫，胸水，腹水，血液濃縮など)。②横紋筋融解症。③視力障害(失明，霧視，視野欠損など)，色覚異常。④肝機能障害。⑤骨髄抑制(リンパ球減少，血小板減少，貧血，白血球減少，好中球減少など)。⑥重い感染症(肺炎，サイトメガロウイルス性脈絡網膜炎など)。⑦Infusion reaction(発熱，悪寒，悪心，呼吸困難など)。⑧虚血性心疾患，不整脈，心不全。⑨重度の皮膚障害(中毒性表皮壊死融解症(TEN)，皮膚潰瘍など)。

そのほかにも報告された副作用はあるので，体調がいつもと違うと感じたときは，処方医・薬剤師に相談してください。

併用してはいけない薬

併用してはいけない薬は特にありません。ただし，併用する薬があるときは，念のため処方医・薬剤師に報告してください。

注 02 がんに使われる注射薬　09 分子標的治療薬

01　HER2 陽性がん治療薬

⚗ 製剤情報

一般名：トラスツズマブ（遺伝子組み換え）

■先発品　　商品名(メーカー)　規格・保険薬価

ハーセプチン注射用（中外）

注 60mg 1瓶(溶解液付) 15,090 円

注 150mg 1瓶(溶解液付) 34,670 円

■ジェネリック　　商品名(メーカー)　規格・保険薬価

トラスツズマブ BS 点滴静注用（セルトリオン）
注 60mg 1瓶 8,424 円　　注 150mg 1瓶 19,118 円

トラスツズマブ BS 点滴静注用（第一三共）
注 60mg 1瓶（溶解液付）8,424 円
注 150mg 1瓶（溶解液付）19,118 円

トラスツズマブ BS 点滴静注用（日本化薬）
注 60mg 1瓶 8,424 円　　注 150mg 1瓶 19,118 円

トラスツズマブ BS 点滴静注用（ファイザー）
注 60mg 1瓶 8,424 円　　注 150mg 1瓶 19,118 円

一般名：ペルツズマブ（遺伝子組み換え）
●規制…劇薬

■先発品　　商品名(メーカー)　規格・保険薬価

パージェタ点滴静注（中外）
注 420mg14mL 1瓶 206,472 円

一般名：トラスツズマブ　エムタンシン（遺伝子組み換え）
●PC…D
●規制…劇薬

■先発品　　商品名(メーカー)　規格・保険薬価

カドサイラ点滴静注用（中外）
注 100mg 1瓶 235,820 円　　注 160mg 1瓶 375,077 円

一般名：トラスツズマブ　デルクステカン（遺伝子組み換え）
●規制…劇薬

■先発品　　商品名(メーカー)　規格・保険薬価

エンハーツ点滴静注用（第一三共）
注 100mg 1瓶 168,434 円

注02—09—01

HER2陽性がん治療薬

概　要

分類　モノクローナル抗体(HER2 蛋白に対する)

処方目的　[トラスツズマブの適応症] HER2 過剰発現が確認された乳がん／HER2 過剰発現が確認された治癒切除不能な進行・再発の胃がん／HER2 陽性の根治切除不能な進行・再発の唾液腺がん

[ペルツズマブの適応症] HER2 陽性の乳がん

[トラスツズマブ　エムタンシンの適応症] HER2 陽性の手術不能または再発乳がん／HER2 陽性の乳がんにおける術後薬物療法

[トラスツズマブ　デルクステカンの適応症] 化学療法歴のある HER2 陽性の手術不能または再発乳がん（標準的な治療が困難な場合に限る）／がん化学療法後に増悪した HER2 陽性の治癒切除不能な進行・再発の胃がん

解説　モノクローナル抗体とは分子標的治療薬の一つで，特定の物質だけに結合する人工的につくった抗体のことです。本剤は，がん細胞の表面にある HER2（ハーツー）という蛋白に結合して，がん細胞の増殖を抑えます。HER2 の過剰発現はさまざまながんでおこりますが，現在のところ全剤とも乳がんが適応で，トラスツズマブは胃がんと唾液腺がん，トラスツズマブ デルクステカンは胃がんも適応となっています。

使用上の注意

＊トラスツズマブ（ハーセプチン注射用）の添付文書による

警告

①本剤の使用に際しては，緊急時に十分に措置できる医療施設で，がん化学療法に十分な知識と経験を持つ医師に，本剤の有効性・危険性を十分に聞き・たずね，同意してか

ら受けなければなりません。

[トラスツズマブのみ]

②本剤の使用によって心不全などの重い心障害が現れ，死亡に至った例も報告されています。

③本剤の使用によって，アナフィラキシー・肺障害などの重い副作用（気管支けいれん，重度の血圧低下，急性呼吸促迫症候群など）がおこり，死亡例が報告されています。

[トラスツズマブ エムタンシン，トラスツズマブ デルクステカンのみ]

④本剤の使用によって，肺臓炎，間質性肺炎などの間質性肺疾患が現れ，死亡に至る例も報告されています。

基本的注意

(1)使用してはいけない場合……本剤の成分に対するアレルギーの前歴／[ペルツズマブ，トラスツズマブ エムタンシン]妊婦または妊娠している可能性のある人

(2)特に慎重に使用すべき場合(治療上やむを得ないと判断される場合を除き服用は避けること)……重い心機能障害

(3)慎重に使用すべき場合……アントラサイクリン系薬剤の前治療歴／胸部への放射線照射中／心不全症状またはその前歴／左室駆出率が低下している人，コントロール不能な不整脈，臨床上重大な心臓弁膜症／冠動脈疾患(心筋梗塞，狭心症など)またはその前歴／高血圧症またはその前歴／肺転移・循環器疾患などによる安静時呼吸困難またはその前歴／高齢者

(4)検査……本剤を使用中は適宜，心機能検査(心エコーなど)を，特に上記の「慎重使用」の人は頻回に検査を受ける必要があります。

(5)Infusion reaction……注射や点滴を行った後，24時間以内に多く現れる症状などを Infusion reaction(注入反応，点滴反応)といいます。本剤では，発熱，悪寒，吐きけ，嘔吐，疼痛，頭痛，せき，めまい，発疹，無力症などの Infusion reaction が約40%の人に現れています。

(6)二次発がん……本剤と他の抗がん薬の併用により，急性白血病，骨髄異形成症候群(MDS)が発生したとの報告があります。

(7)避妊……妊娠する可能性のある女性は，本剤の使用中および使用後最低7カ月間は適切な方法で避妊してください。本剤を使用した妊婦に羊水過少(胎児・新生児の腎不全，胎児発育遅延，死亡など)がおきたとの報告があります。

(8)その他……

● 妊婦での安全性：有益と判断されたときのみ使用。

● 授乳婦での安全性：治療上の有益性・母乳栄養の有益性を考慮し，授乳の継続・中止を検討。

● 小児での安全性：未確立。(1714頁を参照)

重大な副作用

①心障害：心不全(呼吸困難，起座呼吸，せき，末梢性浮腫など)，心原性ショック，肺浮腫，心のう液貯留，心筋症，心膜炎，不整脈，徐脈など。

②Infusion reaction(発熱，悪寒，悪心，嘔吐，疼痛，頭痛，せき，めまい，発疹，無力症

など）。③肺障害（間質性肺炎，肺線維症，肺炎，急性呼吸促迫症候群など）。④白血球減少，好中球減少，血小板減少，貧血。⑤肝不全，黄疸，肝炎，肝障害。⑥腎障害，腎不全。⑦昏睡，脳血管障害，脳浮腫。⑧敗血症。⑨腫瘍崩壊症候群。

　そのほかにも報告された副作用はあるので，体調がいつもと違うと感じたときは，処方医・薬剤師に相談してください。

併用してはいけない薬　併用してはいけない薬は特にありません。ただし，併用する薬があるときは，念のため処方医・薬剤師に報告してください。

注 02 がんに使われる注射薬　09 分子標的治療薬

02　CD20 陽性がん治療薬

⎇ 製 剤 情 報

一般名：リツキシマブ（遺伝子組み換え）

■先発品　商品名（メーカー）　規格・保険薬価

リツキサン点滴静注 (全薬＝中外)
注 100mg10mL 1瓶 24,221 円
注 500mg50mL 1瓶 118,714 円

■ジェネリック　商品名（メーカー）　規格・保険薬価

リツキシマブ BS 点滴静注 (サンド＝協和キリン) 注 100mg10mL 1瓶 16,187 円
注 500mg50mL 1瓶 79,151 円

リツキシマブ BS 点滴静注 (ファイザー)
注 100mg10mL 1瓶 16,187 円
注 500mg50mL 1瓶 79,151 円

一般名：オビヌツズマブ（遺伝子組み換え）
●PC…C
●規制…劇薬

■先発品　商品名（メーカー）　規格・保険薬価

ガザイバ点滴静注 (中外＝日本新薬)
注 1,000mg40mL 1瓶 458,799 円

📋 概　　要

分類　ヒト化抗 CD20 モノクローナル抗体
処方目的　［リツキシマブの適応症］CD20 陽性の B 細胞性非ホジキンリンパ腫／免疫抑制状態下の CD20 陽性の B 細胞性リンパ増殖性疾患／多発血管炎性肉芽腫症，顕微鏡的多発血管炎／慢性特発性血小板減少性紫斑病／後天性血栓性血小板減少性紫斑病／インジウム（¹¹¹In）イブリツモマブ チウキセタン（遺伝子組み換え）注射液およびイットリウム（⁹⁰Y）イブリツモマブ チウキセタン（遺伝子組み換え）注射液投与の前投与／〔リツキサン点滴静注のみ〕CD20 陽性の慢性リンパ性白血病／難治性のネフローゼ症候群（頻回再発型あるいはステロイド依存性を示す場合）／全身性強皮症／難治性の尋常性天疱瘡および落葉状天疱瘡／以下の ABO 血液型不適合移植における抗体関連型拒絶反応の抑制→腎移植，肝移植
［オビヌツズマブの適応症］CD20 陽性の濾胞性リンパ腫
解説　モノクローナル抗体とは分子標的治療薬の一つで，特定の抗原とだけ結合して効果を発揮するタンパク質です。この項の薬剤は CD20 と呼ばれる抗原（タンパク質）が

標的で，リツキシマブは B 細胞性非ホジキンリンパ腫細胞や慢性リンパ性白血病細胞など，オビヌツズマブは濾胞性リンパ腫細胞の表面に発現する CD20 抗原に特異的に結合して抗腫瘍効果を示します。

使用上の注意

*リツキシマブ（リツキサン点滴静注）の添付文書による

警告

①本剤の使用に際しては，緊急時に十分に措置できる医療施設で，造血器腫瘍，自己免疫疾患，ネフローゼ症候群，慢性特発性血小板減少性紫斑病，後天性血栓性血小板減少性紫斑病，全身性強皮症および天疱瘡の治療，並びに腎移植あるいは肝移植に関して十分な知識と経験を持つ医師に，本剤の有効性・危険性を十分に聞き・たずね，同意してから受けなければなりません。

②本剤の投与開始後 30 分〜2 時間より現れる Infusion reaction のうちアナフィラキシー，肺機能障害，心機能障害などの重い副作用による死亡例が報告されています。

③腫瘍量の急激な減少に伴う腫瘍崩壊症候群がおこり，本症候群に起因した急性腎障害による死亡例および透析が必要となった患者が報告されています。

④B 型肝炎ウイルスキャリアの患者で，本剤の治療期間中または治療終了後に，劇症肝炎，肝炎の悪化，肝不全による死亡例が報告されています。

⑤皮膚粘膜眼症候群（スティブンス-ジョンソン症候群），中毒性表皮壊死融解症（TEN）などの皮膚粘膜症状が発生し，死亡例が報告されています。

⑥間質性肺炎を合併する全身性強皮症患者で，本剤の投与後に間質性肺炎の増悪により死亡に至った例が報告されています。

基本的注意

(1)使用してはいけない場合……[効能共通]本剤の成分またはマウスタンパク質由来製品に対する重いアレルギーまたはアナフィラキシー反応の前歴／[全身性強皮症]重度の間質性肺炎

(2)慎重に使用すべき場合……[効能共通]心機能障害またはその前歴／肺浸潤・肺機能障害またはその前歴／肝炎ウイルスの感染またはその前歴／感染症（敗血症，肺炎，ウイルス感染など）の合併／重い骨髄機能低下，腫瘍細胞の骨髄浸潤／薬物過敏症の前歴／アレルギー素因のある人／高齢者／[B 細胞性非ホジキンリンパ腫，慢性リンパ性白血病，免疫抑制状態下の B 細胞性リンパ増殖性疾患，イブリツモマブ チウキセタンの前投与]咽頭扁桃，口蓋扁桃部位に病巣のある人／[全身性強皮症]軽度・中等度の間質性肺炎の合併／全身性強皮症に伴う肺高血圧症，腎クリーゼなどの重い合併症のある人

(3)伝達性海綿状脳症（プリオン病）……本剤はウシの血清由来成分を含む生産培地を用いて製造し，ウシ成分を製造工程に使用しているため，伝達性海綿脳症の潜在的伝播の危険性があります。現在のところ，伝達性海綿脳症が人に移ったという報告はありません。

(4)検査……本剤を使用中は適宜，心機能検査（心エコーなど）を，特に上記の「慎重使用」の人は頻回に検査を受ける必要があります。

(5)Infusion reaction……注射や点滴を行った後，24時間以内に多く現れる症状などを Infusion reaction（注入反応，点滴反応）といいます。本剤では，発熱，悪寒，悪心，頭痛，疼痛，かゆみ，発疹，せき，虚脱感，血管浮腫などの Infusion reaction が約90%の人に現れています。そのため，Infusion reaction を軽減させるために，本剤投与の30分前に抗ヒスタミン薬，解熱鎮痛薬などの前投与を行います。また，副腎皮質ホルモン薬と併用しない場合は，本剤の投与に際して副腎皮質ホルモン薬の前投与を考慮します。

(6)その他……

● 妊婦での安全性：有益と判断されたときのみ使用。

● 授乳婦での安全性：治療上の有益性・母乳栄養の有益性を考慮し，授乳の継続・中止を検討。

● 小児での安全性：未確立。（1714頁を参照）

重大な副作用　①Infusion reaction（注入反応：点滴や注射を行った後，24時間以内に多く現れる症状）→発熱，悪寒，悪心，頭痛，疼痛，かゆみ，発疹，せき，虚脱感，血管浮腫，その他，アナフィラキシー・肺機能障害・心機能障害の重い副作用（低血圧，血管浮腫，低酸素血症，気管支けいれん，肺炎（間質性肺炎，アレルギー性肺炎などを含む），閉塞性細気管支炎，肺浸潤，急性呼吸促迫症候群，心筋梗塞，心室細動，心原性ショックなど）。②腫瘍崩壊症候群。③肝機能障害，黄疸，B型肝炎ウイルスによる劇症肝炎または肝炎の増悪。④皮膚粘膜眼症候群（スティブンス-ジョンソン症候群），中毒性表皮壊死融解症（TEN），天疱瘡様症状，苔癬状皮膚炎，小水疱性皮膚炎。⑤汎血球減少，白血球減少，無顆粒球症，好中球減少，血小板減少。⑥細菌，真菌，ウイルスによる重い感染症（敗血症，肺炎など）。⑦進行性多巣性白質脳症（PML：意識障害，認知障害，片麻痺，四肢麻痺，言語障害など）。⑧間質性肺炎（発熱，呼吸困難，せきなど）。⑨心室性・心房性の不整脈，狭心症，心筋梗塞。⑩透析を必要とする腎機能障害。⑪消化管穿孔・閉塞。⑫一過性の血圧下降。⑬可逆性後白質脳症症候群（けいれん発作，頭痛，精神症状，視覚障害，高血圧など），脳神経障害（失明，難聴などの視聴覚障害，感覚障害，顔面神経麻痺など）。

　そのほかにも報告された副作用はあるので，体調がいつもと違うと感じたときは，処方医・薬剤師に相談してください。

併用してはいけない薬　併用してはいけない薬は特にありません。ただし，併用する薬があるときは，念のため処方医・薬剤師に報告してください。

注 02 がんに使われる注射薬　09 分子標的治療薬

03 ベバシズマブ（遺伝子組み換え）

製剤情報

一般名：ベバシズマブ（遺伝子組み換え）

● 規制…劇薬

■ 先発品　　商品名（メーカー）　規格・保険薬価

アバスチン点滴静注用（中外）

注 100mg4mL 1瓶 32,305円

注 400mg16mL 1瓶 121,608円

注
02
―
09
―
03

ベバシズマブ（遺伝子組み換え）

■ジェネリック　商品名(メーカー)　規格・保険薬価

ベバシズマブ BS 点滴静注（第一三共）
- 注 100mg4mL 1瓶 14,286 円
- 注 400mg16mL 1瓶 54,403 円

ベバシズマブ BS 点滴静注（ファイザー）
- 注 100mg4mL 1瓶 14,286 円
- 注 400mg16mL 1瓶 54,403 円

概　要

分類　抗 VEGF ヒト化モノクローナル抗体

処方目的　治癒切除不能な進行・再発の結腸・直腸がん／切除不能な進行・再発の非小細胞肺がん(扁平上皮がんを除く)／[アバスチン点滴静注用のみの適応症]手術不能または再発乳がん／卵巣がん／進行または再発の子宮頸がん／悪性神経膠腫／切除不能な肝細胞がん

解説　分子標的治療薬の作用には，シグナル伝達阻害，血管新生阻害，細胞周期調節などがありますが，本剤は世界で初めての血管新生阻害薬です。がん細胞は栄養を効率よく取り入れるために新しい血管をつくっていますが，本剤は血管新生に必要な VEGF (血管内皮増殖因子)と呼ばれるタンパク質を標的として結合することで血管新生を阻害し，がん細胞を兵糧攻めにして増殖を抑制します。

使用上の注意

*アバスチン点滴静注用の添付文書による

警告

①本剤は，緊急時に十分に措置できる医療施設で，がん化学療法に十分な経験を持つ医師のもとで，適切と判断される人にのみ使用されるべき薬剤です。また，医師よりその有効性・危険性の十分な説明を受け，患者本人(もしくは家族)が納得・同意できなければ治療に入っていくべきではありません。

②消化管穿孔が現れ，死亡例が報告されています。

③創傷治癒遅延による合併症が現れることがあります。

④腫瘍関連出血リスクが高まる可能性があります。

⑤動脈血栓塞栓症が現れ，死亡例が報告されています。

⑥高血圧性脳症，高血圧性クリーゼが現れ，死亡例が報告されています。

⑦可逆性後白質脳症症候群が現れることがあります。

⑧肺出血(喀血)が現れ，死亡例が報告されています。

基本的注意

(1)使用してはいけない場合……本剤の成分に対するアレルギーの前歴／喀血(2.5mL 以上の鮮血)の前歴

(2)慎重に使用すべき場合……消化管など腹腔内の炎症の合併／大きな手術の傷が治癒していない人／脳転移のある人／先天性出血素因，凝固系異常／抗凝固薬の服用中／血栓塞栓症の前歴／糖尿病／高血圧症／重い心疾患(うっ血性心不全，冠動脈疾患など)／高齢者

(3)Infusion reaction……注射や点滴を行った後，24 時間以内に多く現れる症状など

を Infusion reaction（注入反応，点滴反応）といいます。本剤では，じん麻疹，呼吸困難，口唇浮腫，咽頭浮腫などが現れることがあります。

(4)避妊……妊娠する可能性がある人は，本剤の使用中および使用終了後も最低6カ月間は適切な方法で避妊してください。本剤を使用した人で奇形を有する児の出産が報告されています。

(5)その他……

- ●妊婦での安全性：有益と判断されたときのみ使用。
- ●授乳婦での安全性：治療上の有益性・母乳栄養の有益性を考慮し，授乳の継続・中止を検討。
- ●小児での安全性：未確立。（1714頁を参照）

重大な副作用　①ショック，アナフィラキシー・Infusion reaction（じん麻疹，呼吸困難，口唇浮腫，咽頭浮腫など）。②消化管穿孔。③消化管瘻（腸管皮膚瘻，腸管瘻，気管食道瘻など），消化管以外の瘻孔（気管支胸膜瘻，泌尿生殖器瘻，胆管瘻など）。④創傷治癒の遅れ。⑤腫瘍関連出血を含む，消化管出血（吐血，下血），肺出血（血痰・喀血），脳出血，粘膜出血（鼻出血，歯肉出血，腟出血など）。⑥血栓塞栓症（脳血管発作，一過性脳虚血発作，心筋梗塞，狭心症，脳虚血，脳梗塞，深部静脈血栓症，肺塞栓症など）。⑦コントロール不能の高血圧，高血圧性脳症，高血圧性クリーゼ。⑧可逆性後白質脳症症候群（けいれん発作，頭痛，精神状態変化，視覚障害，皮質盲など）。⑨ネフローゼ症候群。⑩（他の抗がん薬との併用で）骨髄機能抑制。⑪うっ血性心不全。⑫間質性肺炎。⑬感染症（肺炎，敗血症，壊死性筋膜炎など）。⑭血栓性微小血管症（血栓性血小板減少性紫斑病，溶血性尿毒症症候群など）。⑮動脈解離。

そのほかにも報告された副作用はあるので，体調がいつもと違うと感じたときは，処方医・薬剤師に相談してください。

併用してはいけない薬　併用してはいけない薬は特にありません。ただし，併用する薬があるときは，念のため処方医・薬剤師に報告してください。

注 02 がんに使われる注射薬　09 分子標的治療薬

04 テムシロリムス

製剤情報

一般名：テムシロリムス

- ●PC…D
- ●規制…劇薬

概要

分類　mTOR阻害薬
処方目的　根治切除不能または転移性の腎細胞がん

■先発品　商品名（メーカー）　規格・保険薬価
トーリセル点滴静注液（ファイザー）
注 25mg1mL 1瓶（希釈液付）133,480円

解説 腎細胞がんは手術による病巣の切除が治療の基本ですが，手術で取りきれない場合や転移性の進行例の場合，これまで有効な治療法はありませんでした。テムシロリムスは点滴静脈内投与により細胞の生存・成長・増殖を調節する mTOR と呼ばれるタンパク質を標的として阻害することで，細胞周期の進行および血管新生を抑制して，腫瘍細胞の増殖を抑制します。

使用上の注意

警告

①本剤の投与にあたっては，緊急時に十分対応できる医療施設で，がん化学療法の治療に対して十分な知識・経験をもつ医師に，本剤の有効性・危険性（特に間質性肺疾患の初期症状，投与中の注意事項，死亡に至った例があることなどに関する情報）を十分に聞き・たずね，同意してから受けなければなりません。

②臨床試験において，本剤の投与による間質性肺疾患が発症し，死亡に至った例が報告されています。治療に際しては，せき，呼吸困難，発熱などの症状に注意するとともに，治療前および治療中は定期的に胸部 CT 検査を受け，また，異常が認められた場合には直ちに処方医へ伝えなければなりません。

③肝炎ウイルスキャリアの人で，本剤の治療期間中に肝炎ウイルスの再活性化がおこり，肝不全から死亡に至る可能性があります。治療中または治療終了後は定期的に肝機能検査を受けるなど，肝炎ウイルスの再活性化の徴候や症状の発現に注意しなければなりません。

基本的注意

(1)使用してはいけない場合……本剤の成分またはシロリムス誘導体に対する重いアレルギーの前歴／妊婦または妊娠している可能性のある人

(2)慎重に使用すべき場合……肺に間質性陰影を認める人／肝機能障害／感染症の合併／肝炎ウイルス，結核などの感染またはその前歴／高齢者

(3)Infusion reaction……注射や点滴を行った後，24 時間以内に多く現れる症状などを Infusion reaction（注入反応，点滴反応）といいます。本剤では，潮紅，胸痛，呼吸困難，低血圧，無呼吸，意識消失，アナフィラキシーなどが現れることがあり，致命的な転帰をたどることもあります。

(4)飲食物……グレープフルーツジュースは本剤の作用が強まるおそれがあり，セイヨウオトギリソウ（セント・ジョーンズ・ワート）含有食品は本剤の作用が弱まるおそれがあるので，使用しているときは摂取しないでください。

(5)危険作業は中止……本剤はアルコール（無水エタノール）を含むため，前投薬で使われる抗ヒスタミン薬とアルコールの相互作用による中枢神経抑制作用を増強する可能性があります。本剤投与後の経過を観察し，アルコールなどの影響が疑われる場合には，自動車の運転など危険を伴う機械の操作に従事しないでください。

(6)その他……

- 授乳婦での安全性：治療上の有益性・母乳栄養の有益性を考慮し，授乳の継続・中止を検討。

● 小児での安全性：未確立。(1714 頁を参照)

重大な副作用　①間質性肺疾患(「警告」参照)。②重度の Infusion reaction (潮紅, 胸痛, 呼吸困難, 低血圧, 無呼吸, 意識消失, アナフィラキシーなど)。③静脈血栓塞栓症(深部静脈血栓症, 肺塞栓症など), 血栓性静脈炎。④腎不全。⑤消化管穿孔。⑥心のう液貯留。⑦胸水。⑧けいれん。⑨脳出血。⑩高血糖(糖尿病, 耐糖能障害など)。⑪肺炎などの重い感染症。⑫皮膚粘膜眼症候群(スティブンス - ジョンソン症候群)。⑬横紋筋融解症。⑭口内炎, 口腔内潰瘍形成, 舌炎, 口腔内痛など。⑮貧血, 血小板減少, 白血球減少, 好中球減少, リンパ球減少。

　そのほかにも報告された副作用はあるので, 体調がいつもと違うと感じたときは, 処方医・薬剤師に相談してください。

併用してはいけない薬　生ワクチン(乾燥弱毒生麻疹ワクチン, 乾燥弱毒生風疹ワクチン, 経口生ポリオワクチン, 乾燥 BCG など)→免疫抑制下で生ワクチンを接種すると増殖し, 病原性を現す可能性があります。

注 02 がんに使われる注射薬　09 分子標的治療薬

05 ヒト型抗 EGFR モノクローナル抗体

製剤情報

一般名：パニツムマブ(遺伝子組み換え)

● 規制…劇薬

■先発品　　商品名(メーカー)　規格・保険薬価

ベクティビックス点滴静注 (武田)
- 注 100mg5mL 1瓶 79,165 円
- 注 400mg20mL 1瓶 301,476 円

一般名：ネシツムマブ(遺伝子組み換え)

● 規制…劇薬

■先発品　　商品名(メーカー)　規格・保険薬価

ポートラーザ点滴静注液 (日本化薬)
- 注 800mg50mL 1瓶 231,176 円

概　　要

分類　ヒト型抗 EGFR モノクローナル抗体

処方目的　[パニツムマブの適応症] KRAS 遺伝子野生型の治癒切除不能な進行・再発の結腸・直腸がん

[ネシツムマブの適応症] 切除不能な進行・再発の扁平上皮非小細胞肺がん

解説　パニツムマブ, ネシツムマブは, がん細胞の表面に出ている上皮細胞増殖因子受容体(EGFR)に特異的に結合して, がんの増殖を抑えます。パニツムマブは結腸・直腸がん, ネシツムマブは非小細胞肺がんが適応です。パニツムマブの場合, この受容体の根元にある KRAS という遺伝子に変異がおきていると効果が認められません。そのため, KRAS 遺伝子に変異のないがん(野生型)のみが適応となっています。

使用上の注意

*パニツムマブ(ベクティビックス点滴静注)の添付文書による

警告

①本剤の投与にあたっては，緊急時に十分対応できる医療施設で，がん化学療法の治療に対して十分な知識・経験をもつ医師に，本剤の有効性・危険性を十分に聞き・たずね，同意してから受けなければなりません。

②本剤の投与によって間質性肺疾患が発症し，死亡に至った例が報告されています。異常が認められた場合には，直ちに処方医へ伝えなければなりません。

③重度の Infusion reaction（注入反応，点滴反応）がおこり，死亡に至る例が報告されています。アナフィラキシー様症状，血管浮腫，気管支けいれん，発熱，悪寒，呼吸困難，低血圧などの症状が現れたら，直ちに処方医へ伝えなければなりません。

基本的注意

(1)使用してはいけない場合……本剤の成分に対する重度のアレルギーの前歴

(2)慎重に使用すべき場合……間質性肺炎・肺線維症またはその前歴／妊婦または妊娠している可能性のある人

(3)Infusion reaction……注射や点滴を行った後，24 時間以内に多く現れる症状などを Infusion reaction（注入反応，点滴反応）といいます。本剤では，重度のアナフィラキシー様症状，血管浮腫，気管支けいれん，発熱，悪寒，呼吸困難，低血圧などが現れることがあります。

(4)避妊……妊娠する可能性のある人には，月経周期の延長や妊娠率の低下がおこることがあるので，本剤の使用中または使用終了後も最低 6 カ月間は避妊をすることが必要です。

(5)その他……

● 妊婦での安全性：有益と判断されたときのみ使用。

● 授乳婦での安全性：使用するときは授乳を中止。使用終了後も最低 8 週間は授乳しないこと。

● 小児での安全性：未確立。(1714 頁を参照)

重大な副作用 ①重いざ瘡様皮膚炎，重い皮膚の紅斑・発疹・かゆみ・剥脱・亀裂・乾燥，重い爪囲炎。②間質性肺疾患（間質性肺炎，肺線維症，肺臓炎，肺浸潤）。③重度の Infusion reaction（アナフィラキシー様症状，血管浮腫，気管支けいれん，発熱，悪寒，呼吸困難，低血圧など）。④重い下痢・脱水。⑤低マグネシウム血症（QT 延長，けいれん，しびれ，全身倦怠感など）。⑥中毒性表皮壊死融解症（TEN），皮膚粘膜眼症候群（スティブンス-ジョンソン症候群）。

そのほかにも報告された副作用はあるので，体調がいつもと違うと感じたときは，処方医・薬剤師に相談してください。

併用してはいけない薬 併用してはいけない薬は特にありません。ただし，併用する薬があるときは，念のため処方医・薬剤師に報告してください。

注
02
―
09
―
05

ヒト型抗EGFRモノクローナル抗体

06 イブリツモマブ チウキセタン（遺伝子組み換え）

製剤情報

一般名：イブリツモマブ チウキセタン（遺伝子組み換え）

● 規制…劇薬

■ 先発品　商品名(メーカー)　規格・保険薬価
ゼヴァリン イットリウム(^{90}Y)静注用セット
(ムンディ＝PDR ファーマ) 注 1セット 2,653,102 円

概要

分類　放射標識抗 CD20 モノクローナル抗体

処方目的　CD20 陽性の再発または難治性の以下の疾患→低悪性度 B 細胞性非ホジキンリンパ腫，マントル細胞リンパ腫

解説　モノクローナル抗体とは，特定の物質だけに結合する人工的につくった抗体のことです。本剤はリツキシマブと同様に，B リンパ球の表面に発現する CD20 抗原に特異的に結合します。本剤にキレート結合された放射性同位元素であるイットリウム 90 が出す β 線という放射線が，結合したリンパ腫細胞や近くのリンパ腫細胞に照射され，がんの増殖を妨げたり，死滅させます。

本剤は，リツキシマブや CHOP 療法(シクロホスファミド＋ドキソルビシン＋ビンクリスチン＋プレドニゾロンの 4 剤併用療法)などの抗がん剤治療を受けたのちに再発したり，これらの治療で改善がみられなかった難治性の低悪性度 B 細胞性非ホジキンリンパ腫，マントル細胞リンパ腫が対象です。

なお，ゼヴァリン インジウム(^{111}In)静注用セットという製剤がありますが，これは本剤の投与に先立ち，イブリツモマブ チウキセタンの集積部位の確認を行うもので，異常な生体内分布が認められた場合には本剤を用いた治療は行いません。

使用上の注意

警告

本剤の使用にあたっては，緊急時に十分対応できる医療施設で，造血器悪性腫瘍の治療および放射線治療に対して十分な知識・経験をもつ医師に，本剤の有効性・危険性を十分に聞き・たずね，同意してから受けなければなりません。

基本的注意

(1)使用してはいけない場合……本剤の成分，マウスタンパク質由来製品またはリツキシマブに対する重いアレルギーの前歴／妊婦または妊娠している可能性のある人

(2)慎重に使用すべき場合……骨髄のリンパ腫浸潤率が 25％以上／骨髄機能低下／感染症(敗血症，肺炎，ウイルス感染など)の合併／骨髄移植や末梢血幹細胞移植などの造血幹細胞移植治療を受けた人，骨髄の 25％以上に外部放射線照射を受けた人／抗凝固剤または抗血栓剤の投与中／出血または出血傾向／マウスタンパク質由来製品の投与歴／薬

物過敏症の前歴／アレルギー素因のある人

(3)避妊……妊娠する可能性のある女性，およびパートナーが妊娠する可能性のある男性が本剤を使用する場合は，使用後 12 カ月間は避妊することが必要です。精巣で，有意に高い放射線量が検出されています。

(4)二次発がん……本剤を使用した再発または難治性非ホジキンリンパ腫の人に急性骨髄性白血病，骨髄異形成症候群が発生したとの報告があります。

(5)その他……

● 授乳婦での安全性：未確立。使用するときは授乳を中止。

● 小児での安全性：未確立。(1714 頁を参照)

> 重大な副作用 　　①汎血球減少症，白血球減少症，血小板減少症，好中球減少症(発熱性好中球減少症を含む)，リンパ球減少症，赤血球減少症，貧血の発現・増悪。②紅皮症(剥脱性皮膚炎)，皮膚粘膜眼症候群(スティブンス-ジョンソン症候群)，天疱瘡様症状，中毒性表皮壊死融解症(TEN)などの重い皮膚粘膜反応(紅斑，水疱，かゆみ，粘膜疹など)。③敗血症，肺炎などの重い感染症。

そのほかにも報告された副作用はあるので，体調がいつもと違うと感じたときは，処方医・薬剤師に相談してください。

> 併用してはいけない薬 　　併用してはいけない薬は特にありません。ただし，併用する薬があるときは，念のため処方医・薬剤師に報告してください。

注 02 09 07 セツキシマブ(遺伝子組み換え)

> 注 02 がんに使われる注射薬　09 分子標的治療薬
>
> ## 07 セツキシマブ(遺伝子組み換え)

製剤情報

一般名：**セツキシマブ(遺伝子組み換え)**

● 規制…劇薬

■ 先発品　商品名(メーカー)　規格・保険薬価

アービタックス注射液(メルクバイオファーマ)
注 100mg20mL 1瓶 35,309 円

概　要

分類　抗ヒト EGFR モノクローナル抗体

処方目的　RAS 遺伝子野生型の治癒切除不能な進行・再発の結腸・直腸がん／頭頸部がん

解説　本剤は，大腸がん(結腸・直腸がん)，頭頸部がんの病因と考えられている，がん細胞の表面に出ている上皮細胞増殖因子受容体(EGFR)に特異的に結合して細胞の増殖を抑えます。ただし，大腸がんの場合，この受容体の根元にある RAS(KRAS および NRAS)遺伝子に変異がおきていると効果が認められません。そのため，検査によって変異の有無を調べ，野生型(変異のないがん)の場合に適応となります。

使用上の注意

警告

①本剤の使用にあたっては，緊急時に十分対応できる医療施設で，がん化学療法の治療に十分な知識・経験をもつ医師に，本剤の有効性・危険性を十分に聞き・たずね，同意してから受けなければなりません。

②重度の Infusion reaction（注入反応，点滴反応）が発現し，死亡に至る例が報告されています。症状としては，気管支けいれん，じん麻疹，低血圧，意識消失，ショックが現れ，心筋梗塞，心停止も報告されています。これらの症状は，本剤の初回投与中または投与終了後 1 時間以内に観察されていますが，投与数時間後または 2 回目以降の投与でも現れることがあるので，十分に注意して治療を受けなければなりません。

基本的注意

(1)使用してはいけない場合……本剤の成分に対する重いアレルギーの前歴

(2)慎重に使用すべき場合……間質性肺疾患の前歴／心疾患またはその前歴／高齢者

(3)心肺停止・突然死……本剤と放射線療法を併用した頭頸部扁平上皮がん患者に対する海外の臨床試験で，心肺停止・突然死が報告されています。冠動脈疾患，うっ血性心不全，不整脈などの前歴のある人は，十分に注意して治療を受ける必要があります。

(4)Infusion reaction……注射や点滴を行った後，24 時間以内に多く現れる症状などを Infusion reaction（注入反応，点滴反応）といいます。本剤では，重度の気管支けいれん，じん麻疹，低血圧，意識消失，ショックを症状としたアナフィラキシー様症状が現れることがあります。

(5)避妊……妊娠する可能性のある女性は，本剤の使用中は避妊してください。サルによる実験で，流産および胎児死亡の発現頻度の上昇がみられています。

(6)伝達性海綿状脳症（プリオン病）……本剤は製造工程においてウシ血清由来のリポたん白質を使用しているため，伝達性海綿脳症の潜在的伝播の危険性があります。現在のところ，本剤の使用によって伝達性海綿脳症が人に伝播したという報告はありません。

(7)その他……

●妊婦での安全性：有益と判断されたときのみ使用。

●授乳婦での安全性：治療上の有益性・母乳栄養の有益性を考慮し，授乳の継続・中止を検討。

●小児での安全性：未確立。(1714 頁を参照)

重大な副作用

①重度の Infusion reaction（気管支けいれん・じん麻疹・低血圧・意識消失，またはショックを症状としたアナフィラキシー様症状）。②重い皮膚症状（主にざ瘡様皮疹，皮膚の乾燥・亀裂，続発する炎症性・感染性の症状：眼瞼炎，口唇炎，蜂巣炎，のう胞など）。③間質性肺疾患（せき，呼吸困難など）。④心不全。⑤低マグネシウム血症（QT 延長，けいれん，しびれ，全身倦怠感など）。低マグネシウム血症に起因した低カルシウム血症，低カリウム血症などの電解質異常。⑥重い下痢および脱水，腎不全。⑦血栓塞栓症（深部静脈血栓症，肺塞栓症など）。⑧重い感染症（肺炎，敗血症など）。

そのほかにも報告された副作用はあるので，体調がいつもと違うと感じたときは，処

方医・薬剤師に相談してください。

併用してはいけない薬 併用してはいけない薬は特にありません。ただし，併用する薬があるときは，念のため処方医・薬剤師に報告してください。

注 02 がんに使われる注射薬 09 分子標的治療薬

08 カリケアマイシン誘導体結合分子標的治療薬

製剤情報

一般名：ゲムツズマブオゾガマイシン（遺伝子組み換え）

● 規制…毒薬

■**先発品** 商品名（メーカー） 規格・保険薬価

マイロターグ点滴静注用（ファイザー）
注 5mg 1瓶 202,239 円

一般名：イノツズマブオゾガマイシン（遺伝子組み換え）

● 規制…毒薬

■**先発品** 商品名（メーカー） 規格・保険薬価

ベスポンサ点滴静注用（ファイザー）
注 1mg 1瓶 1,331,297 円

概　要

分類 抗体薬物複合体（抗腫瘍性抗生物質結合抗 CD33 モノクローナル抗体／抗腫瘍性抗生物質結合抗 CD22 モノクローナル抗体）

処方目的 ［マイロターグの適応症］再発または難治性の CD33 陽性の急性骨髄性白血病／［ベスポンサの適応症］再発または難治性の CD22 陽性の急性リンパ性白血病

解説 近年，抗体薬物複合体（ADC）と呼ばれる医薬群が注目を集めています。これは，モノクローナル抗体（特定の物質だけに結合する人工的につくられた抗体）と殺細胞薬を結合した薬剤で，殺細胞薬が効率よく標的細胞内に侵入し，薬効を発揮するのが特徴です。

マイタローグは，CD33 モノクローナル抗体（ゲムツズマブ）と細胞傷害性抗腫瘍性抗生物質のカリケアマイシン誘導体を結合させた抗がん薬で，ベスポンサは CD22 モノクローナル抗体（イノツズマブ）とカリケアマイシン誘導体を結合させた抗がん薬です。

CD22 は主に B 細胞系リンパ球，CD33 は主に骨髄系細胞の表面にあるタンパク質（抗原）で，マイロターグは急性骨髄性白血病細胞の表面に現れる CD33 と特異的に結合し，イノツズマブは急性リンパ性白血病細胞の表面に現れる CD22 と特異的に結合し，この抗体に搭載されたカリケアマイシン誘導体が白血病細胞の中に入り込み，その DNA を損傷して腫瘍細胞を死滅させます。

使用上の注意

＊マイロターグ，ベスポンサの添付文書による

警告

［マイロターグ］

①臨床試験において，本剤に関連したと考えられる死亡例が認められています。本剤の使用は，白血病患者のモニタリングと治療に対応できる十分な設備の整った医療施設お

よび急性白血病の治療に十分な経験をもつ医師のもとで行われなければなりません。

②他の抗悪性腫瘍剤との併用下で，本剤を使用した場合の安全性は確立していません。本剤は他の抗悪性腫瘍剤と併用してはいけません。

③本剤の使用にあたっては，本剤の有効性・危険性を十分に聞き・たずね，同意してから受けなければなりません。

④本剤を使用したすべての人に重い骨髄抑制が現れることがあり，その結果，致命的な感染症や出血などが引きおこされることがあります。

⑤本剤の使用により，重い過敏症（アナフィラキシーを含む）のほか，重症肺障害を含む Infusion reaction（注入反応，点滴反応）が現れることがあり，致命的な過敏症や肺障害も報告されています。本剤による Infusion reaction のほとんどは，使用開始後 24 時間以内に悪寒，発熱，低血圧，高血圧，高血糖，低酸素症，呼吸困難などの症状として発現しています。

⑥本剤の使用により，重い静脈閉塞性肝疾患（VOD）を含む肝機能障害が報告されています。造血幹細胞移植（HSCT）の施行前または施行後に本剤を使用する人および肝機能障害のある人は，VOD を発症するリスクが高く，肝不全・VOD による死亡例が報告されています。

[ベスポンサ]

①本剤は，緊急時に十分に措置できる医療施設で，造血器悪性腫瘍の治療に対して十分な知識・経験をもつ医師のもとで，適切と判断される人にのみ使用されるべき薬剤です。また，医師からその有効性・危険性の十分な説明を受け，患者および家族が納得・同意したのち使用を開始しなければなりません。

②静脈閉塞性肝疾患（VOD），類洞閉塞症候群（SOS）を含む肝機能障害が現れることがあり，死亡に至った例も報告されているので，定期的に肝機能検査を行うとともに，VOD，SOS を含む肝機能障害の徴候や症状の発現に注意します。

基本的注意

(1)使用してはいけない場合……[マイロターグ]本剤の成分に対する重いアレルギーの前歴／[ベスポンサ]本剤の成分に対するアレルギーの前歴

(2)慎重に使用すべき場合……[マイロターグ]感染症の合併／肺疾患／末梢血白血球数が 30,000/μL 以上の人／造血幹細胞移植（HSCT）の施行前または施行後に本剤を使用する人／高齢者／[ベスポンサ]肝疾患または VOD（静脈閉塞性肝疾患）・SOS（類洞閉塞症候群）の前歴／HSCT（造血幹細胞移植）施行歴のある人／感染症の合併／末梢血芽球数が 10,000/μL を超える人／高齢者

(3)避妊……妊娠可能な女性およびパートナーが妊娠する可能性のある男性は，本剤の使用期間中および使用終了後一定期間は適切な避妊を行ってください。動物実験で胚・胎児毒性，母体毒性などが報告されています。

(4)性腺への影響……生殖可能な年齢の人が使用すると，性腺に影響がでることがあります。処方医とよく相談してください。

(5)頻回に検査……本剤を使用したすべての人に重い骨髄機能抑制がおこるため，頻回

に血液検査を受ける必要があります。

(6)Infusion reaction……注射や点滴を行った後，24 時間以内に多く現れる症状など
を Infusion reaction（注入反応，点滴反応）といいます。マイロターグでは，悪寒，発熱，
悪心，嘔吐，頭痛，低血圧，高血圧，低酸素症，呼吸困難，高血糖，重症肺障害などの In-
fusion reaction が約 88%の人に，ベスポンサでは発熱，発疹，悪寒，低血圧などの Infu-
sion reaction が約 17%に現れています。

(7)その他……

● 妊婦での安全性：[マイロターグ]使用しないことが望ましい。[ベスポンサ]有益と判
　断されたときのみ使用。

● 授乳婦での安全性：使用するときは授乳しないことが望ましい。

● 小児での安全性：未確立。（1714 頁を参照）

重大な副作用　　　　　　　　　　[マイロターグ] ①Infusion reaction（注入反応，点滴反応：
悪寒，発熱，悪心，嘔吐，頭痛，低血圧，高血圧，低酸素症，呼吸困難，高血糖，重症肺障
害など）。②重い過敏症（アナフィラキシーショックを含む）。③汎血球減少，白血球減少，
好中球減少（発熱性好中球減少症を含む），リンパ球減少，無顆粒球症，血小板減少，貧
血。④日和見感染症，敗血症（敗血症性ショックを含む），肺炎，口内炎（カンジダ性口内炎
を含む），単純ヘルペス感染などの感染症。⑤脳出血，頭蓋内出血，肺出血，消化管出血，
眼出血（強膜，結膜，網膜），血尿，鼻出血。⑥播種性血管内凝固症候群（DIC）。⑦重い口
内炎。⑧静脈閉塞性肝疾患（VOD），黄疸，肝脾腫大，高ビリルビン血症，肝機能検査値異
常（AST・ALT・γ-GTP・AL-P 上昇など），腹水。⑨腎機能障害，腎機能検査値異常（クレ
アチニン上昇，BUN 増加など）。⑩腫瘍崩壊症候群（TLS）。⑪肺障害（呼吸困難，肺浸潤，
胸水，非心原性肺水腫，呼吸不全，低酸素症，急性呼吸窮迫症候群），間質性肺炎。
[ベスポンサ] ①肝機能障害（静脈閉塞性肝疾患，類洞閉塞症候群，γ-GTP・AST・
ALT 増加，高ビリルビン血症，血中アルカリホスファターゼ増加など）。②骨髄抑制（好
中球減少，血小板減少，白血球減少，貧血，発熱性好中球減少症，リンパ球減少，汎血
球減少症など）。③感染症（肺炎，敗血症，敗血症性ショックなど）。④出血（鼻出血，消
化管出血など）。⑤Infusion reaction（発熱，発疹，悪寒，低血圧など）。⑥腫瘍崩壊症候
群。⑦膵炎，リパーゼ増加，アミラーゼ増加など。

　そのほかにも報告された副作用はあるので，体調がいつもと違うと感じたときは，処
方医・薬剤師に相談してください。

併用してはいけない薬　　　　　併用してはいけない薬は特にありません。ただし，併用す
る薬があるときは，念のため処方医・薬剤師に報告してください。

09 モガムリズマブ（遺伝子組み換え）

✏️ 製剤情報

一般名：モガムリズマブ（遺伝子組み換え）

● 規制…劇薬

■**先発品**　　**商品名（メーカー）**　規格・保険薬価
ポテリジオ点滴静注（協和キリン）
注 20mg5mL 1瓶 171,219 円

📋 概　要

分類　ヒト化抗 CCR4 モノクローナル抗体

処方目的　CCR4 陽性の成人 T 細胞白血病リンパ腫／再発または難治性の CCR4 陽性の末梢性 T 細胞リンパ腫／再発または難治性の皮膚 T 細胞性リンパ腫

解説　CCR4 は，白血球などの遊走を引きおこし，炎症の形成に関与するケモカイン（タンパク質）の受容体の一つです（CC ケモカイン受容体4）。この CCR4 は，成人 T 細胞白血病リンパ腫（ATL）の約 90%，一部の末梢性 T 細胞リンパ腫（PTCL）および皮膚 T 細胞性リンパ腫（CTCL）の約 35〜65% に発現し，さらに CCR4 の発現が ATL，PTCL の独立した予後不良因子であることが明らかになっています。

　本剤は，この CCR4 を標的にしたモノクローナル抗体（特定の物質だけに結合する人工的につくられた抗体）で，CCR4 と特異的に結合して腫瘍の増殖を抑制します。

🗒 使用上の注意

警告

①本剤は，緊急時に十分に措置できる医療施設で，造血器悪性腫瘍の治療に対して十分な知識・経験をもつ医師のもとで，適切と判断される人にのみ使用されるべき薬剤です。また，医師からその有効性・危険性の十分な説明を受け，患者および家族が納得・同意できなければ治療に入っていくべきではありません。

②中毒性表皮壊死融解症（TEN），皮膚粘膜眼症候群（スティブンス-ジョンソン症候群）などの全身症状を伴う重度の皮膚障害が報告されています。本剤は，投与開始時より皮膚科と連携して治療を行うことが必要です。

基本的注意

(1)使用してはいけない場合……本剤の成分に対するアレルギーの前歴

(2)慎重に使用すべき場合……感染症の合併／心機能障害またはその前歴／重い骨髄機能低下／肝炎ウイルス，結核などの感染またはその前歴／高齢者

(3)Infusion reaction……注射や点滴を行った後，24 時間以内に多く現れる症状などを Infusion reaction（注入反応，点滴反応）といいます。本剤では，発熱，悪寒，頻脈，血圧上昇，悪心，低酸素血症，嘔吐などが，単独投与で約 41%，併用投与で約 45% の人に現れています。重度の Infusion reaction を認めた場合は直ちに投与を中断し，適切な処

置(酸素吸入，昇圧薬・解熱鎮痛薬・副腎皮質ホルモン薬の投与など)を行います。

(4)B 型肝炎ウイルスの増殖……B 型肝炎ウイルスキャリアの人，または既往感染者(HBs 抗原陰性，かつ HBc 抗体または HBs 抗体陽性)において，本剤の投与により，B 型肝炎ウイルスの増殖による劇症肝炎または肝炎が現れることがあります。投与前には B 型肝炎ウイルス感染の有無を確認し，適切な処置を行い，また，治療期間中および治療終了後は継続して肝機能検査や肝炎ウイルスマーカーのモニタリングを行います。

(5)その他……

● 妊婦での安全性：有益と判断されたときのみ使用。

● 授乳婦での安全性：治療上の有益性・母乳栄養の有益性を考慮し，授乳の継続・中止を検討。

● 小児での安全性：未確立。(1714 頁を参照)

重大な副作用 ①Infusion reaction(発熱，悪寒，頻脈，血圧上昇，悪心，低酸素血症，嘔吐など)。②中毒性表皮壊死融解症(TEN)，皮膚粘膜眼症候群(スティブンス-ジョンソン症候群)，薬疹，発疹，丘疹性皮疹，紅斑性皮疹などの重度の皮膚障害(「警告」参照)。③細菌，真菌，ウイルスによる感染症。④B 型肝炎ウイルスによる劇症肝炎または肝炎。⑤腫瘍崩壊症候群。⑥重度の血液毒性(リンパ球・白血球・好中球・血小板・ヘモグロビン減少，発熱性好中球減少症，貧血)。⑦肝機能障害。⑧肺臓炎・間質性肺炎(せき，呼吸困難，発熱)。⑨高血糖。

そのほかにも報告された副作用はあるので，体調がいつもと違うと感じたときは，処方医・薬剤師に相談してください。

併用してはいけない薬 併用してはいけない薬は特にありません。ただし，併用する薬があるときは，念のため処方医・薬剤師に報告してください。

注 02 がんに使われる注射薬　09 分子標的治療薬

10 ブレンツキシマブ ベドチン(遺伝子組み換え)

◎ 製 剤 情 報

一般名：ブレンツキシマブ　ベドチン(遺伝子組み換え)

● PC…D

● 規制…劇薬

■ 先発品　　商品名(メーカー)　規格・保険薬価

アドセトリス点滴静注用 (武田)
注 50mg 1瓶 474,325 円

概　　要

分類　微小管阻害薬結合抗 CD30 モノクローナル抗体

処方目的　CD30 陽性の以下の疾患→ホジキンリンパ腫，末梢性 T 細胞リンパ腫

解説　本剤は，腫瘍壊死因子受容体の一つ CD30 を標的にした薬剤です。ホジキンリンパ腫や末梢性 T 細胞リンパ腫の腫瘍細胞表面には CD30 が数多く発現しています。本剤は，この CD30 に選択的に結合してアポトーシス(細胞死)を誘導することで腫瘍の

増殖を抑えます。

使用上の注意

警告

①本剤は，緊急時に十分に対応できる医療施設で，造血器悪性腫瘍に十分な知識・経験をもつ医師のもと，本剤が適切と判断される人にのみ使用されるべき薬剤です。また，治療に先立ち，医師からその有効性，危険性の十分な説明を受け，患者および家族が納得・同意したのち使用を開始しなければなりません。

②中等度・重度の肝機能障害を有する人に対して本剤を投与後に，真菌感染症により死亡に至った例が報告されています。肝機能障害のある人が本剤を使用する場合は，よりいっそうの注意が必要です。

基本的注意

(1)使用してはいけない場合……本剤の成分に対する重度のアレルギーの前歴／ブレオマイシン塩酸塩の使用中

(2)慎重に使用すべき場合……感染症の合併／末梢神経障害／肝機能障害／重度の腎機能障害(クレアチニンクリアランス値＜30mL/分)

(3)Infusion reaction……注射や点滴を行った後，24時間以内に多く現れる症状などをInfusion reaction(注入反応，点滴反応)といいます。本剤では，アナフィラキシー，悪寒，悪心，呼吸困難，そう痒症，せき，じん麻疹，低酸素症などが現れることがあります。

(4)避妊……パートナーが妊娠する可能性のある男性は，本剤投与中および本剤投与終了後の一定期間，確実に避妊してください。動物試験(ラット)で精巣毒性が報告されています。

(5)その他……

● 妊婦での安全性：有益と判断されたときのみ使用。

● 授乳婦での安全性：使用するときは授乳しないことが望ましい。

● 小児(2歳未満)での安全性：未確立。(1714頁を参照)

重大な副作用

①末梢神経障害(末梢性感覚ニューロパチー，末梢性ニューロパチー，錯感覚，末梢性運動ニューロパチー，感覚鈍麻，筋力低下，脱髄性多発ニューロパチー，神経痛など)。②重い感染症(肺炎，敗血症など)。③進行性多巣性白質脳症(PML：意識障害，認知障害，片麻痺，四肢麻痺，言語障害など)。④骨髄抑制(好中球減少，発熱性好中球減少症，貧血，白血球減少，血小板減少，リンパ球減少)。⑤Infusion reaction(アナフィラキシー，悪心，悪寒，かゆみ，せき，じん麻疹，呼吸困難，低酸素症など)。⑥腫瘍崩壊症候群。⑦皮膚粘膜眼症候群(スティブンス-ジョンソン症候群)。⑧急性膵炎(腹痛など)。⑨劇症肝炎，肝機能障害。⑩肺障害(呼吸不全，肺浸潤，肺臓炎，間質性肺疾患，急性呼吸窮迫症候群，器質化肺炎など)。

　そのほかにも報告された副作用はあるので，体調がいつもと違うと感じたときは，処方医・薬剤師に相談してください。

併用してはいけない薬

ブレオマイシン塩酸塩(ブレオ)→肺毒性(間質性肺炎など)が現れるおそれがあります。

注 02 — 09 — 10

ブレンツキシマブ ベドチン(遺伝子組み換え)

注02 がんに使われる注射薬　09 分子標的治療薬

11 抗ヒトPD-1(PD-L1)モノクローナル抗体

製剤情報

一般名：ニボルマブ(遺伝子組み換え)
- 規制…劇薬

■先発品　商品名(メーカー)　規格・保険薬価

オプジーボ点滴静注 (小野)
- 注 20mg2mL 1瓶 31,918 円
- 注 100mg10mL 1瓶 155,072 円
- 注 120mg12mL 1瓶 185,482 円
- 注 240mg24mL 1瓶 366,405 円

一般名：ペムブロリズマブ(遺伝子組み換え)
- 規制…劇薬

■先発品　商品名(メーカー)　規格・保険薬価

キイトルーダ点滴静注 (MSD)
- 注 100mg4mL 1瓶 214,498 円

一般名：アベルマブ(遺伝子組み換え)
- 規制…劇薬

■先発品　商品名(メーカー)　規格・保険薬価

バベンチオ点滴静注 (メルクバイオファーマ)
- 注 200mg10mL 1瓶 195,785 円

一般名：アテゾリズマブ(遺伝子組み換え)
- 規制…劇薬

■先発品　商品名(メーカー)　規格・保険薬価

テセントリク点滴静注 (中外)
- 注 840mg14mL 1瓶 446,843 円
- 注 1,200mg20mL 1瓶 563,917 円

一般名：デュルバルマブ(遺伝子組み換え)
- 規制…劇薬

■先発品　商品名(メーカー)　規格・保険薬価

イミフィンジ点滴静注 (アストラ)
- 注 120mg2.4mL 1瓶 101,807 円
- 注 500mg10mL 1瓶 413,539 円

概要

分類　抗ヒトPD-1モノクローナル抗体および抗ヒトPD-L1モノクローナル抗体

処方目的　[ニボルマブの適応症] 悪性黒色腫／切除不能な進行・再発の非小細胞肺がん／根治切除不能または転移性の腎細胞がん／再発または難治性の古典的ホジキンリンパ腫／再発または遠隔転移を有する頭頸部がん／治癒切除不能な進行・再発の胃がん／切除不能な進行・再発の悪性胸膜中皮腫／がん化学療法後に増悪した治癒切除不能な進行・再発の高頻度マイクロサテライト不安定性(MSI-High)を有する結腸・直腸がん／がん化学療法後に増悪した根治切除不能な進行・再発の食道がん／食道がんにおける術後補助療法／原発不明がん

[ペムブロリズマブの適応症] 悪性黒色腫／切除不能な進行・再発の非小細胞肺がん／再発または難治性の古典的ホジキンリンパ腫／がん化学療法後に増悪した根治切除不能な尿路上皮がん／がん化学療法後に増悪した進行・再発の高頻度マイクロサテライト不安定性(MSI-High)を有する固形がん(標準的な治療が困難な場合に限る)／根治切除不能または転移性の腎細胞がん／再発または遠隔転移を有する頭頸部がん／根治切除不

能な進行・再発の食道がん／治癒切除不能な進行・再発の高頻度マイクロサテライト不安定性(MSI-High)を有する結腸・直腸がん／PD-L1陽性のホルモン受容体陰性かつHER2陰性の手術不能または再発乳がん／がん化学療法後に増悪した切除不能な進行・再発の子宮体がん／がん化学療法後に増悪した高い腫瘍遺伝子変異量(TMB-High)を有する進行・再発の固形がん(標準的な治療が困難な場合に限る)

[アベルマブの適応症]　根治切除不能なメルケル細胞がん／根治切除不能または転移性の腎細胞がん／根治切除不能な尿路上皮がんにおける化学療法後の維持療法

[アテゾリズマブの適応症]　切除不能な進行・再発の非小細胞肺がん／進展型小細胞肺がん／切除不能な肝細胞がん／PD-L1陽性のホルモン受容体陰性かつHER2陰性の手術不能または再発乳がん

[デュルバルマブの適応症]　切除不能な局所進行の非小細胞肺がんにおける根治的化学放射線療法後の維持療法／進展型小細胞肺がん

解説　ヒトの免疫システムには，がん細胞を攻撃する細胞傷害性T細胞(CTL)という免疫細胞が備わっていますが，一方，がん細胞にもこのT細胞の活性を低下させて攻撃されないようにするシステムがあり，これを「免疫チェックポイント」といいます。すなわち，T細胞ががん細胞を殺そうとPD-1という弾(タンパク質)を撃ってくると，がん細胞はPD-L1という的(タンパク質)を放出して受け止め，弾を無力化してしまうという構造です。このときに，PD-1とPD-L1の結合を阻止し，PD-L1によって抑えられていたT細胞の働きを再活性化することで抗腫瘍効果を発揮させる薬を「免疫チェックポイント阻害薬」といいます。

　免疫チェックポイント阻害薬にはいくつかのタイプがありますが，ニボルマブとペムブロリズマブはT細胞がつくり出すPD-1に結合することで(抗PD-1抗体)，一方，アベルマブとアテゾリズマブ，デュルバルマブはがん細胞がつくり出すPD-L1に結合することで(抗PD-L1抗体)，PD-L1とPD-1が結合できなくなり，T細胞は免疫力を落とすことなくがん細胞を攻撃することができます。

　アベルマブの適応症にあるメルケル細胞がんは，悪性度の高い極めて稀な皮膚がんで，これまで承認された治療法がありませんでした。本剤は，このがんに対する日本で初めて承認された治療薬です。

使用上の注意

＊ニボルマブ(オプジーボ点滴静注)，ペムブロリズマブ(キイトルーダ点滴静注)の添付文書による

警告

①本剤は，緊急時に十分に対応できる医療施設で，がん化学療法に十分な知識・経験をもつ医師のもと，本剤が適切と判断される人にのみ使用されるべき薬剤です。また，治療に先立ち，医師からその有効性，危険性の十分な説明を受け，患者および家族が納得・同意したのち使用を開始しなければなりません。

②間質性肺疾患が現れ，死亡に至った症例も報告されているので，初期症状(息切れ，呼吸困難，せき，疲労など)に十分注意し，異常が認められた場合には直ちに医師に報

注02-09-11

抗ヒトPD-1(PD-L1)モノクローナル抗体

告しなければなりません。

基本的注意

(1)使用してはいけない場合……本剤の成分に対するアレルギーの前歴

(2)慎重に使用すべき場合……自己免疫疾患の合併または慢性的もしくは再発性の自己免疫疾患の前歴／間質性肺疾患またはその前歴／臓器移植歴(造血幹細胞移植歴を含む)のある人／結核の感染または前歴／高齢者

(3)Infusion reaction……注射や点滴を行った後，24 時間以内に多く現れる症状などを Infusion reaction(注入反応,点滴反応)といい，アナフィラキシー，発熱，悪寒，そう痒症，発疹，高血圧，低血圧，呼吸困難などが現れることがあります。

(4)甲状腺機能障害など……本剤の使用によって甲状腺機能障害，下垂体機能障害，副腎機能障害が現れることがあるので，本剤の投与開始前および投与期間中は定期的に甲状腺機能検査(TSH, 遊離 T_3, 遊離 T_4 などの測定)を行います。

(5)眼障害……[ペムブロリズマブ]ぶどう膜炎(虹彩炎，虹彩毛様体炎を含む)などの重篤な眼障害が現れることがあるので，定期的に眼の異常の有無を確認します。

(6)避妊……妊娠する可能性のある人は，本剤の使用中および使用後の一定期間，適切な方法で避妊してください。本剤の使用によって胎児に悪影響を及ぼす可能性があります。

(7)その他……

- 妊婦での安全性：有益と判断されたときのみ使用。
- 授乳婦での安全性：治療上の有益性・母乳栄養の有益性を考慮し，授乳の継続・中止を検討。
- 小児での安全性：未確立。(1714 頁を参照)

重大な副作用　①間質性肺疾患(肺臓炎，肺浸潤，肺障害など：せき，呼吸困難，発熱，肺音の異常〔捻髪音〕など)。②重症筋無力症，心筋炎，筋炎，横紋筋融解症。③大腸炎，小腸炎，重度の下痢。④1 型糖尿病(劇症 1 型糖尿病を含む：口渇，悪心，嘔吐など)。⑤重い血液障害(免疫性血小板減少性紫斑病，溶血性貧血，赤芽球癆，無顆粒球症など)。⑥肝機能障害，肝炎，硬化性胆管炎，劇症肝炎，肝不全。⑦甲状腺機能障害(甲状腺機能低下症，甲状腺機能亢進症，甲状腺炎など)。⑧下垂体機能障害(下垂体炎，下垂体機能低下症，副腎皮質刺激ホルモン欠損症など)。⑨神経障害(末梢性ニューロパチー，多発ニューロパチー，自己免疫性ニューロパチー，ギラン・バレー症候群，脱髄など)。⑩腎障害(腎不全，尿細管間質性腎炎，糸球体腎炎など)。⑪副腎障害(副腎機能不全など)。⑫脳炎。⑬重度の皮膚障害(中毒性表皮壊死融解症〔TEN〕，皮膚粘膜眼症候群〔スティブンス-ジョンソン症候群〕，類天疱瘡，多形紅斑など)。⑭Infusion reaction(アナフィラキシー，発熱，悪寒，そう痒症，発疹，高血圧，低血圧，呼吸困難，過敏症など)。⑮血球貪食症候群。⑯結核。⑰膵炎。

[ニボルマブのみ]⑱静脈血栓塞栓症(深部静脈血栓症，肺塞栓症など)。

[ペムブロリズマブのみ]⑲脳炎，髄膜炎。

併用してはいけない薬　併用してはいけない薬は特にありません。ただし，併用す

る薬があるときは，念のため処方医・薬剤師に報告してください。

12　アレムツズマブ（遺伝子組み換え）

💊 製剤情報

一般名：アレムツズマブ（遺伝子組み換え）

●PC…C

● 規制…劇薬

■ **先発品**　　商品名（メーカー）　規格・保険薬価

マブキャンパス点滴静注（サノフィ）
注 30mg1mL 1瓶 90,907円

📖 概　　要

分類　ヒト化抗 CD52 モノクローナル抗体

処方目的　再発または難治性の慢性リンパ性白血病／同種造血幹細胞移植の前治療

解説　本剤は，慢性リンパ性白血病細胞やリンパ球の細胞表面上に発現する糖タンパク質 CD52 抗原を標的とするヒト化モノクローナル抗体です。慢性リンパ性白血病の人のリンパ球やその他の免疫細胞上の CD52 に結合し，細胞傷害作用を介して細胞溶解を引きおこし，抗腫瘍効果を発揮します。

　また，本剤は同種造血幹細胞移植の前治療も適応で，同種造血幹細胞移植の最大の障害である移植片拒絶や移植片対宿主病の発症を抑制することが期待されます。

🏷 使用上の注意

警告

①本剤による治療は，緊急時に十分に対応できる医療施設で，造血器悪性腫瘍の治療または造血幹細胞移植に対して十分な知識と経験をもつ医師に，本剤の有効性・危険性を十分に聞き・たずね，同意してから受けなければなりません。

②本剤の投与により，低血圧，悪寒，発熱，呼吸困難，発疹，気管支けいれんなどの infusion reaction が現れ，死亡に至った症例も報告されています。重度の infusion reaction が認められた場合は直ちに本剤の投与を中止します。

③本剤の投与により，末梢血リンパ球が減少し，治療終了後も持続することなどの免疫抑制作用のため，細菌，ウイルス，真菌，寄生虫による感染症が生じる，または悪化する可能性があります。また，重い感染症により死亡に至った症例が報告されています。本剤投与に先立って感染症対策を講じるとともに，異常が認められた場合には適切な処置を行います。

基本的注意

(1)使用してはいけない場合……本剤の成分またはマウスタンパク質由来製品に対するアレルギー，またはアナフィラキシー反応の前歴／重い感染症の合併／妊婦または妊娠している可能性のある人

(2)慎重に使用すべき場合……心機能障害またはその前歴／アントラサイクリン系薬剤

などの心毒性をもつ薬剤による前治療歴／降圧薬による治療を行っている人／重い骨髄機能低下／感染症の合併／肝炎ウイルス，結核，ヒト免疫不全ウイルスの感染またはその前歴／高齢者

(3) Infusion reaction……注射や点滴を行った後，24時間以内に多く現れる症状などを Infusion reaction（注入反応，点滴反応）といいます。本剤では，低血圧，悪寒，発熱，呼吸困難，発疹，気管支けいれんなどが約97%の人に現れています。

(4) 避妊……妊娠する可能性がある人およびパートナーは，本剤使用中および使用終了後一定期間は適切な方法で避妊してください。動物実験において，受胎能の低下および胚・胎児毒性などが認められています。

(5) 危険作業に注意……本剤を投与すると錯乱，傾眠が現れることがあるので，自動車の運転など危険を伴う機械を操作する際には十分注意してください。

(6) その他……

● 授乳婦での安全性：使用するときは，投与中および最終投与後一定期間は授乳しないことが望ましい。

● 小児での安全性：未確立。（1714頁を参照）

重大な副作用　①重い血球減少（顆粒球減少症，無顆粒球症，単球減少，汎血球減少，好中球減少，白血球減少，血小板減少，貧血，骨髄機能不全）。②Infusion reaction（低血圧，悪寒，発熱，呼吸困難，発疹，気管支けいれんなど）。③細菌・真菌・ウイルス・原虫による感染症の発現または再活性化。④免疫障害（自己免疫性溶血性貧血，自己免疫性血小板減少症，自己免疫性肝炎，再生不良性貧血，ギラン・バレー症候群，慢性炎症性脱髄性多発神経炎，輸血後移植片対宿主病，甲状腺機能低下症，甲状腺機能亢進症，糸球体腎炎など）。⑤腫瘍崩壊症候群。⑥心障害（うっ血性心不全，心筋症，駆出率低下など）。⑦重い出血（頭蓋内出血，胃腸出血，粘膜出血，舌出血など）。⑧進行性多巣性白質脳症（PML：意識障害，認知障害，片麻痺，四肢麻痺，言語障害など）。⑨B型肝炎ウイルスによる劇症肝炎または肝炎の増悪による肝不全。⑩頭頸部動脈解離（頸動脈，椎骨動脈など）。

　そのほかにも報告された副作用はあるので，体調がいつもと違うと感じたときは，処方医・薬剤師に相談してください。

併用してはいけない薬　併用してはいけない薬は特にありません。ただし，併用する薬があるときは，念のため処方医・薬剤師に報告してください。

注 02 がんに使われる注射薬　09 分子標的治療薬

13 ラムシルマブ（遺伝子組み換え）

製剤情報　　●規制…劇薬

一般名：ラムシルマブ（遺伝子組み換え）

●PC…C

■**先発品**　　**商品名(メーカー)**　規格・保険薬価

サイラムザ点滴静注液(イーライリリー)
- 注 100mg10mL 1瓶 76,659 円
- 注 500mg50mL 1瓶 362,032 円

概　要

分類　ヒト型抗 VEGFR-2 モノクローナル抗体

処方目的　治癒切除不能な進行・再発の胃がん／治癒切除不能な進行・再発の結腸・直腸がん／切除不能な進行・再発の非小細胞肺がん／がん化学療法後に増悪した血清 AFP 値が 400ng/mL 以上の切除不能な肝細胞がん

解説　本剤は，血管内皮増殖因子受容体 2(VEGFR-2a)に対するヒト型抗 VEGFR-2 モノクローナル抗体(遺伝子組み換えヒト免疫グロブリン G1)で，胃がん治療における初の血管新生阻害薬です。本剤は，ヒト VEGFR-2 に特異的かつ高い親和性で結合し，がん細胞に血管新生シグナルを送るのを防ぐことで細胞の増殖を抑制します。

使用上の注意

警告

①本剤は，緊急時に十分に対応できる医療施設で，がん化学療法に十分な知識・経験をもつ医師のもとで，適切と判断される人にのみ使用されるべき薬剤です。また，治療開始に先立ち，医師からその有効性・危険性の十分な説明を受け，患者および家族が納得・同意したのち使用を開始しなければなりません。

②心筋梗塞，脳血管障害などの重い動脈血栓塞栓症が現れ，死亡に至る例が報告されています。観察を十分に行い，異常が認められた場合には投与を中止し，適切な処置を行うこと。重度の動脈血栓塞栓症が現れた人は，本剤を再投与してはいけません。

③重度の消化管出血が現れ，死亡に至る例が報告されています。観察を十分に行い，異常が認められた場合には投与を中止し，適切な処置を行うこと。重度の出血が現れた人は，本剤を再投与してはいけません。

④消化管穿孔(せんこう)が現れ，死亡に至る例が報告されています。観察を十分に行い，異常が認められた場合には投与を中止し，適切な処置を行うこと。消化管穿孔が現れた人は，本剤を再投与してはいけません。

基本的注意

(1)**使用してはいけない場合**……本剤の成分に対する重いアレルギーの前歴／妊婦または妊娠している可能性のある人

(2)**慎重に使用すべき場合**……血栓塞栓症またはその前歴／高血圧症／消化管など腹腔内の炎症の合併／出血素因や凝固系異常のある人／消化管出血などの出血が認められている人／胸部における腫瘍の主要血管への浸潤や腫瘍内空洞化を認める人／喀血の前歴／大きな手術の術創が治癒していない人／重度の肝障害(重度の肝硬変，肝性脳症を伴う肝硬変，肝硬変による著明な腹水，肝腎症候群)／高齢者

(3)**Infusion reaction**……注射や点滴を行った後，24 時間以内に多く現れる症状など

を Infusion reaction(注入反応, 点滴反応)といいます。本剤では, アナフィラキシー, 悪寒, 潮紅, 低血圧, 呼吸困難, 気管支けいれんなどの Infusion reaction が現れることがあります。

(4)避妊……妊娠可能な年齢の女性は, 使用期間中および使用終了後一定期間は適切な避妊を行ってください。動物実験で胚死亡, 流産, 催奇形性などが報告されています。

(5)その他……

●授乳婦での安全性：治療上の有益性・母乳栄養の有益性を考慮し, 授乳の継続・中止を検討。

●小児での安全性：未確立。(1714 頁を参照)

重大な副作用　①動脈血栓塞栓症(心筋梗塞, 脳血管障害など), 静脈血栓塞栓症(肺塞栓症など)。②Infusion reaction(アナフィラキシー, 悪寒, 潮紅, 低血圧, 呼吸困難, 気管支けいれんなど)。③消化管穿孔。④出血(消化管出血, 肺出血など)。⑤好中球減少症, 白血球減少症, 発熱性好中球減少症。⑥うっ血性心不全。⑦創傷治癒障害。⑧瘻孔。⑨可逆性後白質脳症症候群(けいれん, 頭痛, 錯乱, 視覚障害など)。⑩ネフローゼ症候群, タンパク尿。⑪間質性肺疾患。⑫肝不全, 肝障害, 肝性脳症。⑬感染症(肺炎, 尿路感染, 敗血症など)。

そのほかにも報告された副作用はあるので, 体調がいつもと違うと感じたときは, 処方医・薬剤師に相談してください。

併用してはいけない薬　併用してはいけない薬は特にありません。ただし, 併用する薬があるときは, 念のため処方医・薬剤師に報告してください。

注02 がんに使われる注射薬　09 分子標的治療薬
14 イピリムマブ(遺伝子組み換え)

注
02
―
09
―
14

イピリムマブ(遺伝子組み換え)

製剤情報

一般名：イピリムマブ(遺伝子組み換え)

●PC…C

●規制…劇薬

■先発品　**商品名(メーカー)**　規格・保険薬価
ヤーボイ点滴静注液(ブリストル)
注20mg4mL 1瓶 170,598 円
注50mg10mL 1瓶 419,578 円

概要

分類　ヒト型抗ヒト CTLA-4 モノクローナル抗体

処方目的　根治切除不能な悪性黒色腫／根治切除不能または転移性の腎細胞がん／がん化学療法後に増悪した治癒切除不能な進行・再発の高頻度マイクロサテライト不安定性(MSI-High)を有する結腸・直腸がん／切除不能な進行・再発の非小細胞肺がん／切除不能な進行・再発の悪性胸膜中皮腫

解説　本剤は, がんの治療法の一つ「がん免疫療法」に用いる薬剤で, 「免疫チェックポイント阻害薬」として世界で初めて承認されたものです。ヒトの免疫システムには, がん

細胞を攻撃する細胞傷害性 T 細胞（CTL）という免疫細胞が備わっていますが，一方，がん細胞にもこの CTL の活性を低下させて攻撃されないようにするシステムがあり，これを「免疫チェックポイント」といいます。本剤はこの免疫チェックポイントを阻害することで CTL を再び活性化させ，がん細胞を攻撃するように働きかけます。

　本剤は，切除不能または転移性悪性黒色腫（根治切除不能な悪性黒色腫）において，全生存期間の延長が示された最初の治療薬で，世界の多くの国で標準治療薬として使われています。

　悪性黒色腫に対しては本剤単独療法，もしくはニボルマブとの併用療法，腎細胞がん，結腸・直腸がん，非小細胞肺がん，悪性胸膜中皮腫にはニボルマブとの併用療法，非小細胞肺がんはさらに「イピリムマブ＋ニボルマブ＋化学療法（プラチナ製剤を含む）」で治療することもあります。

使用上の注意

警告

①本剤は，緊急時に十分対応できる医療施設で，がん化学療法に十分な知識・経験をもつ医師のもと，本剤が適切と判断される人にのみ投与しなければなりません。また，治療開始に先立ち，患者または家族は医師から有効性および危険性について十分に聞き・たずね，同意してから使用することが大切です。

②本剤の投与により，重篤な下痢，大腸炎，消化管穿孔が現れることがあり，本剤の投与終了から数カ月後に発現し，死亡に至った例も報告されています。投与中だけでなく，投与終了後も観察を十分に行い，異常が認められた場合には副腎皮質ホルモン薬の投与などの適切な処置を行います。

基本的注意

（1）使用してはいけない場合……本剤の成分に対する重度のアレルギーの前歴

（2）慎重に使用すべき場合……重度の肝機能障害／自己免疫疾患の合併または慢性的もしくは再発性の自己免疫疾患の前歴／臓器移植歴（造血幹細胞移植歴を含む）のある人／高齢者

（3）定期的検査……本剤の使用によって，肝機能障害および下垂体炎，下垂体機能低下症，甲状腺機能低下症，副腎機能不全が現れることがあるので，定期的に肝機能検査，甲状腺機能検査を行い，状態を十分に確認します。

（4）避妊……妊娠する可能性のある女性は，本剤には催奇形性，流産などのリスクを有する可能性があることを理解し，使用中は適切な避妊措置をとってください。

（5）その他……

● 妊婦での安全性：有益と判断されたときのみ使用。

● 授乳婦での安全性：治療上の有益性・母乳栄養の有益性を考慮し，授乳の継続・中止を検討。

● 小児での安全性：未確立。（1714 頁を参照）

重大な副作用　　　①大腸炎，消化管穿孔。②重度の下痢。③肝不全，肝機能障害。④中毒性表皮壊死融解症（TEN），薬剤性過敏症症候群などの重度の皮膚障害。⑤

注
02
─
09
─
14

イピリムマブ（遺伝子組み換え）

下垂体炎，下垂体機能低下症，甲状腺機能低下症，副腎機能不全。⑥末梢神経障害（ギラン・バレー症候群など）。⑦腎機能障害（腎不全など）。⑧間質性肺疾患，急性呼吸窮迫症候群，肺臓炎など。⑨筋炎（筋力低下，筋肉痛など）。⑩心筋炎（胸痛など）。⑪Infusion reaction（注入反応，点滴反応）。

　そのほかにも報告された副作用はあるので，体調がいつもと違うと感じたときは，処方医・薬剤師に相談してください。

併用してはいけない薬　　併用してはいけない薬は特にありません。ただし，併用する薬があるときは，念のため処方医・薬剤師に報告してください。

注02 がんに使われる注射薬　09 分子標的治療薬

15 エロツズマブ（遺伝子組み換え）

製 剤 情 報

一般名：エロツズマブ（遺伝子組み換え）
● 規制…劇薬

■先発品　　商品名（メーカー）　規格・保険薬価
エムプリシティ点滴静注用（ブリストル）
注 300mg 1瓶 162,612 円　　注 400mg 1瓶 212,305 円

概　　要

分類　　ヒト化抗ヒト SLAMF7 モノクローナル抗体

処方目的　　再発または難治性の多発性骨髄腫

解説　　本剤は，SLAMF7 に結合するヒト化 IgG1 モノクローナル抗体です。SLAMF7 は，多発性骨髄腫細胞やナチュラルキラー細胞（NK 細胞）の表面に発現する膜タンパク質で，本剤が骨髄腫細胞膜上の SLAMF7 に結合し，NK 細胞との相互作用である抗体依存性細胞傷害を誘導することで腫瘍の増殖を抑制すると考えられています。また，NK 細胞上の SLAMF7 へ結合することで NK 細胞が直接活性化されて骨髄腫細胞への傷害活性が増強することも示されています。

　本剤を単独投与した場合の有効性・安全性は確立していません。本剤＋デキサメタゾン＋レナリドミド水和物またはポマリドミドの 3 剤併用で治療にあたります。

使用上の注意

警告

　本剤は，緊急時に十分対応できる医療施設で，造血器悪性腫瘍の治療に十分な知識・経験をもつ医師のもと，本剤が適切と判断される人にのみ投与しなければなりません。また，治療開始に先立ち，患者または家族は医師から有効性および危険性について十分に聞き・たずね，同意してから使用することが大切です。

基本的注意

（1）使用してはいけない場合……本剤の成分に対するアレルギーの前歴／妊婦または妊娠している可能性のある人

（2）慎重に使用すべき場合……高齢者

(3)Infusion reaction……注射や点滴を行った後, 24 時間以内に多く現れる症状など
を Infusion reaction（注入反応, 点滴反応）といいます。本剤では, 発熱, 悪寒, 高血圧な
どの Infusion reaction が本剤の初回投与時に多く報告されていますが, 2 回目以降の投
与時にも現れることがあります。

(4)避妊……妊娠する可能性がある人およびパートナーが妊娠する可能性のある男性は,
本剤の使用中および使用中止後の一定期間, 適切な方法で避妊してください。

(5)その他……

● 授乳婦での安全性：治療上の有益性・母乳栄養の有益性を考慮し, 授乳の継続・中止
を検討。

● 小児での安全性：未確立。（1714 頁を参照）

重大な副作用　　①Infusion reaction（発熱, 悪寒, 高血圧など）。②肺炎な
どの重篤な感染症。③リンパ球減少。④間質性肺疾患。

　そのほかにも報告された副作用はあるので, 体調がいつもと違うと感じたときは, 処
方医・薬剤師に相談してください。

併用してはいけない薬　　併用してはいけない薬は特にありません。ただし, 併用す
る薬があるときは, 念のため処方医・薬剤師に報告してください。

注 02 がんに使われる注射薬　09 分子標的治療薬

16　アフリベルセプト ベータ（遺伝子組み換え）

製剤情報

一般名：アフリベルセプト ベータ（遺伝子組み換え）

● PC…C

● 規制…劇薬

■**先発品**　　商品名(メーカー)　規格・保険薬価

ザルトラップ点滴静注（サノフィ）

注 100mg4mL 1瓶 70,854 円

注 200mg8mL 1瓶 137,375 円

概　要

分類　VEGF（血管内皮増殖因子）阻害薬

処方目的　治癒切除不能な進行・再発の結腸・直腸がん

解説　本剤は, ベバシズマブなどと同様に, VEGF（血管内皮増殖因子）阻害薬の一つ
です。VEGF-A, VEGF-B, および PlGF（胎盤増殖因子）に高い親和性で結合し, VEGF
受容体シグナルによる腫瘍血管の内皮細胞増殖, 血管新生, 血管透過性亢進を阻害する
ことで抗腫瘍効果を発揮します。

　イリノテカン塩酸塩, レボホリナートカルシウム, フルオロウラシルの 3 剤による併
用療法を FOLFIRI 療法といいますが, 本剤はこの療法に併用して使用します。

使用上の注意

警告

①本剤は，緊急時に十分対応できる医療施設で，がん化学療法に十分な知識・経験をもつ医師のもと，本剤が適切と判断される人にのみ投与しなければなりません。また，治療開始に先立ち，患者または家族は医師から有効性および危険性について十分に聞き・たずね，同意してから使用することが大切です。
②本剤の投与により重度の消化管出血，および消化管穿孔が現れることがあり，死亡に至る例が報告されています。十分に観察を行い，異常が認められた場合には本剤の投与を中止します。

基本的注意

(1)使用してはいけない場合……本剤の成分に対する重篤なアレルギーの前歴／妊婦または妊娠している可能性のある人
(2)慎重に使用すべき場合……消化管など腹腔内の炎症を合併している人／消化管出血などの出血が認められている人／出血素因や凝固系異常のある人／高血圧症／血栓塞栓症またはその前歴／大きな手術の術創が治癒していない人
(3)定期的検査……本剤の使用によって，高血圧，ネフローゼ症候群・タンパク尿，好中球減少症・発熱性好中球減少症が現れることがあるので，本剤投与開始前および投与期間中は定期的に血圧を測定し，尿タンパク，血液も検査します。
(4)Infusion reaction……注射や点滴を行った後，24時間以内に多く現れる症状などをInfusion reaction（注入反応，点滴反応）といいます。本剤では，気管支けいれん，呼吸困難，血管浮腫，アナフィラキシーなどのInfusion reactionが約16%の人に現れています。
(5)避妊……妊娠する可能性がある女性，およびパートナーが妊娠する可能性のある男性は，本剤の使用中および使用中止後の一定期間，適切な方法で避妊してください。動物実験において，催奇形性および胎児毒性などが認められています。
(6)その他……
●授乳婦での安全性：治療上の有益性・母乳栄養の有益性を考慮し，授乳の継続・中止を検討。
●小児での安全性：未確立。(1714頁を参照)

重大な副作用

①出血（消化管出血，血尿，術後出血，鼻出血，頭蓋内出血，肺出血，喀血など）。②消化管穿孔。③瘻孔。④高血圧，高血圧クリーゼ。⑤ネフローゼ症候群，タンパク尿。⑥好中球減少症，発熱性好中球減少症。⑦重度の下痢。⑧Infusion reaction（注入反応，点滴反応→気管支けいれん，呼吸困難，血管浮腫，アナフィラキシーなど）。⑨創傷治癒遅延による合併症（創離開，縫合不全など）。⑩可逆性後白質脳症症候群（けいれん発作，頭痛，精神状態変化，視覚障害など）。⑪動脈血栓塞栓症（一過性脳虚血発作，脳血管発作，狭心症，心臓内血栓，心筋梗塞，動脈塞栓症など）。⑫静脈血栓塞栓症（深部静脈血栓症，肺塞栓症など）。⑬血栓性微小血管症（貧血，血小板減少，腎機能障害など）。

そのほかにも報告された副作用はあるので，体調がいつもと違うと感じたときは，処

注02-09-16 アフリベルセプト ベータ（遺伝子組み換え）

方医・薬剤師に相談してください。

併用してはいけない薬 併用してはいけない薬は特にありません。ただし，併用する薬があるときは，念のため処方医・薬剤師に報告してください。

---

17 抗CD38モノクローナル抗体

⃝ 製剤情報

一般名：ダラツムマブ（遺伝子組み換え）
● 規制…劇薬

■先発品　商品名(メーカー)　規格・保険薬価
ダラザレックス点滴静注 (ヤンセン)
注 100mg5mL 1瓶 52,262 円
注 400mg20mL 1瓶 187,970 円

一般名：イサツキシマブ（遺伝子組み換え）
● 規制…劇薬

■先発品　商品名(メーカー)　規格・保険薬価
サークリサ点滴静注 (サノフィ)
注 100mg5mL 1瓶 64,699 円
注 500mg25mL 1瓶 285,944 円

一般名：ダラツムマブ（遺伝子組み換え）・ボルヒアルロニダーゼ アルファ（遺伝子組み換え）配合剤
● 規制…劇薬

■先発品　商品名(メーカー)　規格・保険薬価
ダラキューロ配合皮下注 (ヤンセン)
注 15mL 1瓶 445,064 円

▤ 概　要

分類 抗CD38モノクローナル抗体
処方目的 ［ダラツムマブの適応症］多発性骨髄腫／［イサツキシマブの適応症］再発または難治性の多発性骨髄腫／［ダラキューロ配合皮下注の適応症］多発性骨髄腫，全身性 AL アミロイドーシス
解説 ダラツムマブ，イサツキシマブは抗CD38モノクローナル抗体で，多発性骨髄腫を含む造血器悪性腫瘍の細胞表面に発現する CD38 抗原に結合し，補体依存性細胞傷害(CDC)活性，抗体依存性細胞傷害(ADCC)活性，抗体依存性細胞貪食(ADCP)活性などにより腫瘍の増殖を抑制すると考えられています。ダラキューロ配合皮下注は，ダラツムマブとボルヒアルロニダーゼ アルファと呼ばれるヒアルロン酸分解酵素の配合剤で，ダラツムマブの長い投与時間(3〜7時間)が改良されて約3〜5分で投与できるようになりました。
　いずれの薬剤も単独投与した場合の有効性・安全性は確立していません。多発性骨髄腫の場合，他の悪性腫瘍薬と併用して使用します。ダラツムマブおよびダラキューロ配合皮下注は未治療の多発性骨髄腫にも使用されますが，イサツキシマブは現在のところ，少なくとも2つの標準的な治療が無効または治療後に再発した人が対象です。

☞ 使用上の注意
＊ダラツムマブ（ダラザレックス）の添付文書による

警告

　本剤は，緊急時に十分対応できる医療施設で，造血器悪性腫瘍または全身性 AL アミロイドーシスに十分な知識・経験をもつ医師のもと，本剤が適切と判断される人のみが使用する薬剤です。治療開始に先立ち，患者または家族は医師から有効性および危険性について十分に聞き・たずね，同意してから使用することが大切です。

基本的注意

(1)使用してはいけない場合……本剤の成分に対するアレルギーの前歴

(2)慎重に使用すべき場合……慢性閉塞性肺疾患もしくは気管支ぜんそく，またはそれらの前歴／高齢者

(3)Infusion reaction……注射や点滴を行った後，24 時間以内に多く現れる症状などを Infusion reaction（注入反応，点滴反応）といいます。本剤では，アナフィラキシー，鼻閉，せき，悪寒，気管支けいれん，低酸素症，呼吸困難などの症状が現れます。本剤の使用開始 1〜3 時間前に副腎皮質ホルモン，解熱鎮痛薬，抗ヒスタミン薬を使用して Infusion reaction の軽減をはかります。

(4)避妊……妊娠可能な女性およびパートナーが妊娠する可能性のある男性は，本剤の使用期間中および治療終了から一定期間は適切な避妊を行ってください。本剤の妊娠中の使用に関する安全性は確立していません。

(5)その他……

● 妊婦での安全性：有益と判断されたときのみ使用。

● 授乳婦での安全性：治療上の有益性・母乳栄養の有益性を考慮し，授乳の継続・中止を検討。

● 小児での安全性：未確立。(1714 頁を参照)

重大な副作用

①Infusion reaction（アナフィラキシー，鼻閉，せき，悪寒，気管支けいれん，低酸素症，呼吸困難など）。②骨髄抑制（血小板減少，好中球減少，リンパ球減少，発熱性好中球減少症など）。③重篤な感染症（肺炎，敗血症など），B 型肝炎ウイルスの再活性化。④腫瘍崩壊症候群。⑤間質性肺疾患。

　そのほかにも報告された副作用はあるので，体調がいつもと違うと感じたときは，処方医・薬剤師に相談してください。

併用してはいけない薬

併用してはいけない薬は特にありません。ただし，併用する薬があるときは，念のため処方医・薬剤師に報告してください。

注 02 がんに使われる注射薬　09 分子標的治療薬

18 ブリナツモマブ

◎ 製剤情報

一般名：ブリナツモマブ（遺伝子組み換え）

● 規制…劇薬

■**先発品**　**商品名(メーカー)**　規格・保険薬価

ビーリンサイト点滴静注用 (アムジェン＝アス
テラス) 注 35μg 1瓶(輸液安定化液付) 285,961 円

概　　要

分類　抗悪性腫瘍薬(二重特異性抗体製剤)

処方目的　再発または難治性の B 細胞性急性リンパ性白血病

解説　本剤は，CD19 と CD3 に二重特異性を有する抗体(一本鎖抗体)で，免疫系を刺激
し，がんの増殖を阻害します。免疫を司るリンパ球には B 細胞，T 細胞，NK 細胞があり，
本剤の標的は白血病細胞の B 細胞です。B 細胞の細胞膜上に過剰に発現しているがん関連
抗原の CD19 と，細胞傷害性 T 細胞の細胞膜上に発現する CD3 とを結合(架橋)し，その
結果 T 細胞を活性化して，T 細胞を介した殺作用により CD19 陽性(過剰発現)のがんをア
ポトーシス(細胞死)へと導きます。アメリカでは本剤を画期的治療薬に指定しています。

使用上の注意

警告

本剤は，緊急時に十分対応できる医療施設で，造血器悪性腫瘍の治療に十分な知識・
経験をもつ医師のもと，本剤の使用が適切と判断される人にのみ使用されるべき薬剤で
す。また，治療開始に先立ち，患者または家族は医師からその有効性，危険性について
十分な説明を受け，納得・同意したのち使用を開始しなければなりません。

基本的注意

(1)**使用してはいけない場合**……本剤の成分に対するアレルギーの前歴

(2)**慎重に使用すべき場合**……急性リンパ性白血病の活動性中枢神経系病変がある人，
およびてんかん，けいれん発作などの中枢神経系疾患がある人またはその前歴／治療前
に骨髄中の白血病性芽球の割合が 50%超または末梢血中の白血病性芽球数が 15,000/μL
以上の人／感染症を合併している人／高齢者

(3)**定期的検査**……本剤の使用によって，サイトカイン放出症候群(発熱，無力症，頭痛，
低血圧，悪心，播種性血管内凝固など)や骨髄抑制(好中球減少，血小板減少，貧血，発熱
性好中球減少症など)が現れることがあるので，使用開始前および使用中は定期的に血
液検査を行います。

(4)**避妊**……妊娠する可能性のある女性は，本剤の使用中および使用終了後一定期間は
適切な避妊を行ってください。胎児のリンパ球数が減少する可能性があります。

(5)**危険作業は中止**……神経学的な事象としてけいれん発作，意識障害などが現れること
があるので，本剤の使用中は自動車の運転など危険を伴う機械の操作には従事しないで
ください。

(6)**その他**……

●妊婦での安全性：有益と判断されたときのみ使用。

●授乳婦での安全性：治療上の有益性・母乳栄養の有益性を考慮し，授乳の継続・中止
を検討。

●小児での安全性：未確立。(1714 頁を参照)

<u>重大な副作用</u>　①神経学的事象(脳神経障害，脳症，けいれん発作，錯乱状態，失語症など)。②感染症(サイトメガロウイルス感染，肺炎，敗血症など)。③サイトカイン放出症候群(発熱，無力症，頭痛，低血圧，悪心，播種性血管内凝固など)，Infusion reaction(注入反応，点滴反応)，アナフィラキシーショック。④腫瘍崩壊症候群。⑤骨髄抑制(好中球減少，血小板減少，貧血，発熱性好中球減少症など)。⑥膵炎。

　そのほかにも報告された副作用はあるので，体調がいつもと違うと感じたときは，処方医・薬剤師に相談してください。

<u>併用してはいけない薬</u>　併用してはいけない薬は特にありません。ただし，併用する薬があるときは，念のため処方医・薬剤師に報告してください。

注02 がんに使われる注射薬　09 分子標的治療薬
19　ポラツズマブ ベドチン(遺伝子組み換え)

注02—09—19
ポラツズマブ ベドチン(遺伝子組み換え)

✐ 製　剤　情　報

一般名：ポラツズマブ ベドチン(遺伝子組み換え)

●規制…劇薬

■先発品　　商品名(メーカー)　規格・保険薬価
ポライビー点滴静注用(中外)
注30mg 1瓶 298,825 円　　注140mg 1瓶 1,364,330 円

📋 概　　要

<u>分類</u>　微小管阻害薬結合抗 CD79b モノクローナル抗体
<u>処方目的</u>　再発または難治性のびまん性大細胞型 B 細胞リンパ腫
<u>解説</u>　本剤は，ポラツズマブ(抗 CD79b ヒト化 IgG1 モノクローナル抗体：B 細胞由来腫瘍細胞の CD79b を特異的に認識する抗体)と，抗がん薬のモノメチルアウリスタチン E(MMAE)を結合させた抗体薬物複合体(ADC)です。本剤が CD79b と結合して腫瘍細胞内に取り込まれると，MMAE が遊離されて細胞内に放出され，放出された MMAE は微小管(チューブリン：細胞骨格の一種)に結合することで細胞分裂を阻害してアポトーシス(プログラムされた細胞死)を誘導します。本剤は，ベンダムスチン塩酸塩およびリツキシマブと併用して使用します。

✐ 使用上の注意

<u>警告</u>
　本剤を含むがん化学療法は，緊急時に十分に対応きる医療施設で，造血器悪性腫瘍の治療に対して十分な知識と経験をもつ医師に，本剤の有効性・危険性を十分に聞き・たずね，同意してから受けなければなりません。

<u>基本的注意</u>
(1)使用してはいけない場合……本剤の成分に対するアレルギーの前歴
(2)慎重に使用すべき場合……感染症の合併／末梢性ニューロパチーの合併／肝機能障

害

(3)Infusion reaction……注射や点滴を行った後, 24 時間以内に多く現れる症状など を Infusion reaction(注入反応, 点滴反応)といいます。本剤では, 嘔吐, 発疹, 発熱, 悪 寒, 紅潮, 呼吸困難, 低血圧などの症状が現れます。本剤の使用開始 30 分～1 時間前に 抗ヒスタミン薬, 解熱鎮痛薬, 副腎皮質ホルモン薬を使用して Infusion reaction の軽減 をはかります。

(4)避妊……妊娠する可能性がある女性, およびパートナーが妊娠する可能性のある男 性は, 本剤の使用中および使用中止後の一定期間, 適切な方法で避妊してください。動 物実験において, 胚・胎児毒性および催奇形性が報告されています。

(5)その他……

● 妊婦での安全性：有益と判断されたときのみ使用。

● 授乳婦での安全性：使用するときは授乳しないことが望ましい。

● 小児での安全性：未確立。(1714 頁を参照)

重大な副作用 ①骨髄抑制(好中球減少, 発熱性好中球減少症, 血小板減 少, 貧血, 白血球減少, リンパ球減少など)。②感染症(重い肺炎・敗血症など, 日和見 感染を含む)。③末梢性ニューロパチー・末梢性感覚ニューロパチー・末梢性運動ニュー ロパチー(感覚鈍麻, 筋力低下, 錯感覚, 知覚過敏など)。④Infusion reaction(嘔吐, 発 疹, 発熱, 悪寒, 紅潮, 呼吸困難, 低血圧など)。⑤腫瘍崩壊症候群。⑥進行性多巣性白 質脳症(PML：意識障害, 認知機能障害, 麻痺症状(片麻痺, 四肢麻痺), 構音障害, 失語 など)。⑦肝機能障害。

そのほかにも報告された副作用はあるので, 体調がいつもと違うと感じたときは, 処 方医・薬剤師に相談してください。

併用してはいけない薬 併用してはいけない薬は特にありません。ただし, 併用す る薬があるときは, 念のため処方医・薬剤師に報告してください。

注 02 がんに使われる注射薬 09 分子標的治療薬

20 ジヌツキシマブ(遺伝子組み換え)

🖉 製 剤 情 報

一般名：ジヌツキシマブ(遺伝子組み換 え)

● 規制…劇薬

■先発品 商品名(メーカー) 規格・保険薬価

ユニツキシン点滴静注 (大原)
注 17.5mg5mL 1 瓶 1,365,888 円

📖 概 要

分類 抗 GD2 モノクローナル抗体

処方目的 大量化学療法後の神経芽腫(フィルグラスチムおよびテセロイキンとの併用)

解説 GD2(ジシアロガングリオシド 2)は, 正常な神経細胞, メラノサイト, 末梢神経

に局在している糖脂質です。この GD2 は神経芽腫にも特異的に発現しており，本剤は，神経芽腫細胞などの細胞膜上に発現する GD2 をターゲットとして結合し，抗体依存性細胞傷害活性（ADCC）および補体依存性細胞傷害活性（CDC）により腫瘍増殖抑制作用を示すと考えられています。

また，フィルグラスチムおよびテセロイキンと併用することで，ADCC エフェクター細胞である好中球やナチュラルキラー（NK）細胞などを活性化し，本剤による ADCC 活性が増強すると考えられているため，現在のところ 3 剤併用で使用することになっています。

使用上の注意

警告

　本剤は，緊急時に十分に対応きる医療施設で，小児のがん化学療法に十分な知識・経験をもつ医師のもと，本剤が適切と判断される人にのみ使用される薬剤です。治療開始に先立ち，患者または家族は医師から有効性および危険性について十分に聞き・たずね，同意したのち使用を開始しなければなりません。

基本的注意

(1)使用してはいけない場合……本剤の成分に対するアレルギーの前歴

(2)Infusion reaction……注射や点滴を行った後，24 時間以内に多く現れる症状などを Infusion reaction（注入反応，点滴反応）といいます。本剤ではほぼ 100%，発熱，嘔吐，せき，じん麻疹，過敏症，悪心などの症状が現れます。本剤の使用前には抗ヒスタミン薬，解熱鎮痛薬を使用して Infusion reaction の軽減をはかります。

(3)眼障害……本剤の使用により眼障害が現れることがあり，失明に至った例も報告されています。本剤の使用中は定期的に眼科検査を行います。

(4)避妊……妊娠可能な女性は，本剤の使用中および使用中止後の一定期間，適切な方法で避妊してください。

(5)その他……

●妊婦での安全性：有益と判断されたときのみ使用。

●授乳婦での安全性：治療上の有益性・母乳栄養の有益性を考慮し，授乳の継続・中止を検討。（1714 頁を参照）

重大な副作用　　①Infusion reaction（発熱，嘔吐，せき，じん麻疹，過敏症，悪心など）。②疼痛（腹痛，四肢痛，頸部痛，筋骨格痛，背部痛など）。③眼障害（失明，羞明（まぶしさ），瞳孔散大など）。④毛細血管漏出症候群。⑤低血圧。⑥重い感染症（医療機器関連感染など）。⑦骨髄抑制（好中球減少，貧血，血小板減少，リンパ球減少，白血球減少など）。⑧電解質異常（低リン酸血症，高カリウム血症，高ナトリウム血症，低カリウム血症，低ナトリウム血症，高マグネシウム血症，高カルシウム血症，低マグネシウム血症など）。

　そのほかにも報告された副作用はあるので，体調がいつもと違うと感じたときは，処方医・薬剤師に相談してください。

併用してはいけない薬　　併用してはいけない薬は特にありません。ただし，併用する薬があるときは，念のため処方医・薬剤師に報告してください。

注
02
―
09
―
20

ジヌツキシマブ（遺伝子組み換え）

21　エンホルツマブ ベドチン（遺伝子組み換え）

製剤情報

一般名：エンホルツマブ ベドチン（遺伝子組み換え）

● 規制…劇薬

■先発品　　商品名(メーカー)　規格・保険薬価

パドセブ点滴静注用（アステラス）
注 30mg 1瓶 99,593 円

概　要

分類　抗 Nectin-4 抗体微小管阻害薬複合体

処方目的　がん化学療法後に増悪した根治切除不能な尿路上皮がん

解説　近年，抗体薬物複合体（ADC）と呼ばれる医薬群が注目を集めています。これは，モノクローナル抗体（特定の物質だけに結合する人工的につくられた抗体）と殺細胞薬を結合した薬剤で，殺細胞薬が効率よく標的細胞内に侵入し，薬効を発揮するのが特徴です。

　本剤は，抗 Nectin-4 ヒト型 IgG1 モノクローナル抗体と微小管重合阻害薬 MMAE（モノメチルアウリスタチン E）を結合させた ADC で，Nectin-4 が標的です。Nectin-4 は，特に尿路上皮がん，乳がん，肺がん，膵がん，卵巣がんなどに発現している接着タンパク質で，一部のがんでは Nectin-4 の高発現と病勢進行・予後不良との間の関連が報告されています。本剤は，この Nectin-4 に選択的に結合して細胞分裂を阻害し，アポトーシス（細胞死）を誘導することなどにより腫瘍の増殖を抑制すると考えられています。

使用上の注意

警告

①本剤は，緊急時に十分に対応できる医療施設で，がん化学療法に十分な知識・経験をもつ医師のもと，本剤が適切と判断される人にのみ使用される薬剤です。治療開始に先立ち，患者または家族は医師から有効性および危険性について十分に聞き・たずね，同意したのち使用を開始しなければなりません。

②中毒性表皮壊死融解症（TEN），皮膚粘膜眼症候群（スティブンス-ジョンソン症候群）などの全身症状を伴う重度の皮膚障害が現れることがあり，死亡に至った例も報告されています。異常が認められた場合には，直ちに処方医に連絡することが必要です。

基本的注意

(1)使用してはいけない場合……本剤の成分に対するアレルギーの前歴

(2)慎重に使用すべき場合……高血糖，糖尿病もしくはその前歴，または糖尿病の危険因子（BMI 高値など）のある人／間質性肺疾患またはその前歴／肝機能障害

(3)避妊……妊娠可能な女性およびパートナーが妊娠する可能性のある男性は，使用中および使用終了後一定期間，適切な方法で避妊を行ってください。動物実験で生存胎児数の減少，胎児体重減少，催奇形性などが報告されています。

(4)その他……
- ●妊婦での安全性：有益と判断されたときのみ使用。
- ●授乳婦での安全性：使用するときは授乳しないことが望ましい。
- ●小児での安全性：未確立。(1714 頁を参照)

重大な副作用 ①中毒性表皮壊死融解症(TEN)，皮膚粘膜眼症候群(スティブンス-ジョンソン症候群)などの重度の皮膚障害。②高血糖，糖尿病性ケトアシドーシス。③末梢性ニューロパチー(末梢性感覚ニューロパチー，末梢性運動ニューロパチー，筋力低下，歩行障害など)。④骨髄抑制(好中球減少，貧血，白血球減少，血小板減少，リンパ球減少，発熱性好中球減少症など)。⑤感染症(肺炎，敗血症など)。⑥腎機能障害(急性腎障害など)。⑦間質性肺疾患，肺臓炎など。

そのほかにも報告された副作用はあるので，体調がいつもと違うと感じたときは，処方医・薬剤師に相談してください。

併用してはいけない薬 併用してはいけない薬は特にありません。ただし，併用する薬があるときは，念のため処方医・薬剤師に報告してください。

注 02 がんに使われる注射薬 10 その他の抗がん薬

01 L-アスパラギナーゼ

製 剤 情 報

一般名：L-アスパラギナーゼ
- ●PC…C
- ●規制…劇薬

■**先発品** 　商品名(メーカー) 　規格・保険薬価
ロイナーゼ注用(協和キリン)
注 5,000K 単位 1瓶 2,309 円
注 10,000K 単位 1瓶 3,962 円

概　　要

分類 　抗悪性腫瘍酵素剤

処方目的 　急性白血病(慢性白血病の急性転化例を含む)／悪性リンパ腫

解説 　アスパラギンは，リンパ腫のような腫瘍細胞が増殖するのに必須の物質です。この薬剤は血中の L-アスパラギンを分解して，アスパラギンを必要とする腫瘍細胞を栄養欠乏状態にすることで，抗腫瘍効果を発揮します。

使用上の注意

警告

本剤は，緊急時に十分に措置できる医療施設で，造血器悪性腫瘍の治療に対して十分な知識・経験をもつ医師のもとで，適切と判断される人にのみ使用されるべき薬剤です。また，医師からその有効性・危険性の十分な説明を受け，患者および家族が納得・同意できなければ治療に入っていくべきではありません。

基本的注意

(1)使用してはいけない場合……本剤の成分に対する重いアレルギーの前歴

(2)慎重に使用すべき場合……膵炎またはその前歴／肝機能障害／腎機能障害／骨髄機能抑制／感染症の合併／水痘／高齢者

(3)脳の器質的障害……本剤の使用によって，広範な脳の器質的障害がおこり，死亡した例があります。頭痛，発熱，食欲不振，ふるえ，けいれん，集中力の低下，無気力状態などの症状がみられたら，すぐに処方医に連絡してください。

(4)水痘……水痘（水ぼうそう）の人が使用すると，致命的な全身障害が現れることがあるので，状態に十分注意してください。

(5)感染症，出血傾向……使用によって，感染症，出血傾向の発現または悪化がおこりやすくなるので，状態に十分注意してください。

(6)性腺への影響……小児および生殖可能な年齢の人が使用すると，性腺に影響がでることがあります。処方医とよく相談してください。

(7)頻回に検査……骨髄機能抑制などの重い副作用がおこることがあるので，頻回に血液，肝機能，腎機能などの検査を受ける必要があります。

(8)その他……

●妊婦での安全性：使用しないことが望ましい。

●授乳婦での安全性：治療上の有益性・母乳栄養の有益性を考慮し，授乳の継続・中止を検討。（1714頁を参照）

重大な副作用 ①ショック，アナフィラキシー（じん麻疹，血管浮腫，悪寒，嘔吐，呼吸困難，意識混濁，けいれんなど）。②脳出血，脳梗塞，肺出血などの重い凝固異常。③重い急性膵炎，膵内分泌機能障害（膵ランゲルハンス島炎）による糖尿病。④意識障害を伴う高アンモニア血症。⑤脳症（可逆性後白質脳症症候群を含む），昏睡，意識障害，見当識障害，広範な脳の器質的障害。⑥肝不全などの重い肝機能障害。⑦骨髄機能抑制。⑧重い感染症（肺炎，敗血症など）。

そのほかにも報告された副作用はあるので，体調がいつもと違うと感じたときは，処方医・薬剤師に相談してください。

併用してはいけない薬 併用してはいけない薬は特にありません。ただし，併用する薬があるときは，念のため処方医・薬剤師に報告してください。

注 02 がんに使われる注射薬　10 その他の抗がん薬

02 ペントスタチン

製剤情報

一般名：ペントスタチン

●PC…D

●規制…劇薬

■**先発品** 商品名（メーカー）規格・保険薬価

コホリン静注用（KMバイオロジクス）
注 7.5mg 1瓶（溶解液付）91,199円

📑 概　要

分類　抗悪性腫瘍薬

処方目的　次の疾患の自覚的・他覚的症状の緩解→成人 T 細胞白血病リンパ腫，ヘアリーセル白血病

解説　アスペルギルス・ニデュランスという糸状菌からつくられた抗がん薬です。腫瘍細胞内の核酸の代謝に関わる酵素であるアデノシンデアミナーゼの働きを抑制することで，抗がん作用を発揮します。ヘアリーセル白血病に対して高い効果を発揮するのが特徴です。

🗒 使用上の注意

警告

①外国で，ビダラビン注射薬（販売名：アラセナ A）との併用で腎不全，肝不全，神経毒性などの重い副作用が現れたとの報告があります。また，フルダラビンリン酸エステル製剤との併用で致命的な肺毒性が報告されています。いずれも本剤と併用してはいけません。
②本剤は，緊急時に十分に措置できる医療施設で，がん化学療法に十分な知識と経験を持つ医師に，本剤の有効性・危険性を十分に聞き・たずね，同意してから受けなければなりません。

基本的注意

(1)使用してはいけない場合……本剤に対する重いアレルギーの前歴／腎不全／水痘，帯状疱疹／ビダラビン注射薬（販売名：アラセナ A）・シクロホスファミド水和物・イホスファミド・フルダラビンリン酸エステル製剤の使用中／妊婦または妊娠している可能性のある人

(2)慎重に使用すべき場合……肝機能・腎機能障害／心機能異常／感染症の合併／アロプリノールの服用中／高齢者

(3)検査……使用中は適宜，血液・腎機能・肝機能などの検査を，特に腎機能障害の人は頻回に腎機能検査を受ける必要があります。

(4)その他……

● 授乳婦での安全性：使用するときは授乳を中止。

● 小児での安全性：未確立。(1714 頁を参照)

重大な副作用　①(腎機能障害の人で)溶血性尿毒症症候群(HUS)，腎不全。②骨髄機能抑制の出現・悪化(汎血球減少，白血球減少，血小板減少，貧血など)。

そのほかにも報告された副作用はあるので，体調がいつもと違うと感じたときは，処方医・薬剤師に相談してください。

併用してはいけない薬　①ビダラビン注射薬(アラセナ A など)，フルダラビンリン酸エステル(フルダラ)→「警告」参照。②シクロホスファミド水和物(エンドキサン)，イホスファミド(イホマイド)→骨髄移植の人がシクロホスファミド水和物との併用で，心毒性により死亡したとの報告があります。

注
02
―
10
―
02

ペントスタチン

03 乾燥BCG(膀胱内用)

製剤情報

一般名：乾燥BCG(膀胱内用)
● 規制…劇薬

■先発品　　商品名(メーカー)　規格・保険薬価

イムノブラダー膀注用(日本BCG＝日本化薬)
注 40mg 1瓶(溶解液付) 7,510.20 円
注 80mg 1瓶(溶解液付) 13,891.40 円

概　要

分類　生きたカルメット・ゲラン菌(BCG)

処方目的　表在性膀胱がん，膀胱上皮内がん

解説　BCG生菌は，結核菌に対する特異的感染防御効果のほかに，1970年頃からは急性白血病や悪性黒色腫に対する免疫療法剤としても応用され，腫瘍の退縮や細胞性免疫機能の上昇などが報告されたことで，がん免疫補助療法としても注目されました。1970年代の中頃になると，BCGの膀胱内注入療法による表在性膀胱がんに対しての効果が注目され，日本でも，本剤の膀胱内注入により表在性膀胱がん，膀胱上皮内がんに高い有効率を示すことが認められ，1996年に承認・販売されました。

使用上の注意

警告

①本剤の臨床試験で，カテーテル挿入によって外傷を生じた後にBCGを使用したことから播種性BCG感染をおこし，それに起因したと考えられる死亡例が報告されています。アメリカでも同様の症例が報告されています。

②臨床試験で，せき，皮疹などを伴ったアナフィラキシーに起因したと考えられる死亡例が認められています。

③本剤は生菌製剤で，アメリカにおいて院内感染の報告があります。

基本的注意

(1)使用してはいけない場合……エイズ，白血病，悪性リンパ腫など併発疾患により免疫抑制状態にある人および先天性または後天性免疫不全の人／HIVキャリアの人／活動性の結核症が明白である人／熱性疾患，尿路感染症または肉眼的血尿が存在している人／妊婦または妊娠している可能性がある人／BCG全身性アレルギー反応の前歴／免疫抑制薬および免疫抑制量の副腎皮質ステロイド薬の使用中／抗がん療法(例えば細胞傷害性薬剤療法，放射線照射)中の人

(2)慎重に使用すべき場合……結核の前歴，ツベルクリン反応強陽性／薬剤アレルギーの前歴

(3)定期検査……使用中は定期的に腎機能・肝機能などの検査を受ける必要があります。

(4)避妊……妊娠する可能性のある女性は本剤の使用中，避妊をしてください。

(5)その他……

- 授乳婦での安全性：治療上の有益性・母乳栄養の有益性を考慮し，授乳の継続・中止を検討。
- 小児での安全性：未確立。(1714 頁を参照)

重大な副作用 ①播種性 BCG 感染，局所性 BCG 感染，異所性 BCG 感染。②間質性肺炎(発熱，せき，呼吸困難など)。③全身性遅延型過敏性反応。④萎縮膀胱。⑤ライター症候群(結膜炎，多発性関節炎など)。⑥腎不全などの重い腎機能障害。

そのほかにも報告された副作用はあるので，体調がいつもと違うと感じたときは，処方医・薬剤師に相談してください。

併用してはいけない薬 免疫抑制剤，免疫抑制量のステロイド薬，抗がん療法(例えば細胞傷害性薬剤療法，放射線照射)→本剤に対する免疫応答を低下させるばかりでなく，播種性 BCG 感染を招くおそれがあります。

注 02 がんに使われる注射薬 10 その他の抗がん薬

04 三酸化二ヒ素

製剤情報

一般名：三酸化二ヒ素
- 規制…毒薬

■先発品　商品名(メーカー)　規格・保険薬価
トリセノックス注 (日本新薬)
注 10mg 1管 24,897 円

概要

分類 再発・難治性急性前骨髄球性白血病治療薬

処方目的 再発または難治性の急性前骨髄球性白血病

解説 三酸化二ヒ素は，試験管内でヒト前骨髄球性白血病細胞 NB_4 の形態学的変化，アポトーシス(プログラム化された細胞死)に特徴的な DNA 断片化を引きおこします。また，融合蛋白 PML-RARα の分解を引きおこすことで，再発または難治性の急性前骨髄球性白血病に対して，単剤で高い完全寛解率を示します。

使用上の注意

警告

①QT 延長，完全房室ブロックなどの不整脈がおこることがあります。また，APL 分化症候群と呼ばれるレチノイン酸症候群と類似した副作用が発現し，致死的な転帰をたどることがあります。

②本剤による治療は危険性を伴うため，原則として使用期間中は入院して医師の管理下で使われます。使用に際しては，緊急医療体制の整備された医療機関で，白血病(特に急性前骨髄球性白血病＝APL)の治療に十分な知識と経験を持つ医師に，本剤の有効性・危険性を十分に聞き・たずね，同意してから受けなければなりません。

基本的注意

(1)使用してはいけない場合……ヒ素に対するアレルギーの前歴／妊婦または妊娠して

いる可能性のある人

(2)特に慎重に使用すべき場合(原則禁忌,処方医と連絡を絶やさないこと)……妊娠する可能性のある人

(3)慎重に使用すべき場合……QT 延長の前歴,低カリウム血症または低マグネシウム血症,心疾患(不整脈,虚血性心疾患など)／QT 延長をおこすことが知られている薬剤の服用中／心疾患(心筋梗塞,心筋障害など)またはその前歴／肝機能障害／腎機能障害／小児,高齢者

(4)頻回に検査……本剤の使用中は,頻回に生化学的検査(電解質など),血液学的検査,血液凝固能検査(寛解導入療法では最低週2回,寛解後療法では最低週1回),12 誘導心電図検査(最低週2回),肝機能検査,血糖検査などを受ける必要があります。

(5)避妊……①妊娠する可能性のある人は原則禁忌ですが,治療上やむを得ず使用する場合は,避妊を徹底してください。妊娠の維持,胎児の発育などに障害を与える可能性があります。使用中に妊娠が確認または疑われた場合にはただちに中止します。②男性の場合,使用期間中および最終使用後少なくとも3カ月は避妊してください。

(6)その他……

● 授乳婦での安全性:使用するときは授乳を中止。

● 小児での安全性:未確立。(1714 頁を参照)

 重大な副作用 ①不整脈(心電図 QT 延長,完全房室ブロックなど)。②APL 分化症候群。③白血球増加症(白血球数が 30,000/mm^3 を超えた場合は休薬します)。④汎血球減少,無顆粒球症,白血球減少,血小板減少。⑤ウェルニッケ脳症(意識障害,運動失調,眼球運動障害など)。

　そのほかにも報告された副作用はあるので,体調がいつもと違うと感じたときは,処方医・薬剤師に相談してください。

 併用してはいけない薬 併用してはいけない薬は特にありません。ただし,併用する薬があるときは,念のため処方医・薬剤師に報告してください。

注 02 がんに使われる注射薬　10 その他の抗がん薬

05 プロテアソーム阻害薬

✎ 製剤情報

一般名:ボルテゾミブ

● 規制…毒薬

■先発品　商品名(メーカー)　規格・保険薬価

ベルケイド注射用 (ヤンセン)

注 3mg 1瓶 87,904 円

■ジェネリック　商品名(メーカー)　規格・保険薬価

ボルテゾミブ注射用 (沢井) 注 3mg 1瓶 38,694 円

ボルテゾミブ注射用 (第一三共エスファ)

注 3mg 1瓶 44,224 円

ボルテゾミブ注射用 (高田＝ヤクルト)

注 3mg 1瓶 38,694 円

ボルテゾミブ注射用 (東和) 注 2mg 1瓶 30,223 円

注 3mg 1瓶 38,694 円

ボルテゾミブ注射用 (日本化薬)
注 3mg 1瓶 38,694 円

ボルテゾミブ注射用 (ファイザー)
注 3mg 1瓶 38,694 円

一般名：カルフィルゾミブ

● 規制…毒薬

■先発品　　商品名(メーカー)　規格・保険薬価

カイプロリス点滴静注用 (小野)
注 10mg 1瓶 24,426 円　注 40mg 1瓶 87,852 円

📖 概　　要

分類　プロテアソーム阻害剤

処方目的　［ボルテゾミブの適応症］多発性骨髄腫／原発性マクログロブリン血症およびリンパ形質細胞リンパ腫／〔ベルケイド注射用のみの適応症〕マントル細胞リンパ腫／全身性 AL アミロイドーシス／［カルフィルゾミブの適応症］再発または難治性の多発性骨髄腫

解説　プロテアソームは細胞内で不要になった蛋白質を分解する酵素で，細胞分裂が円滑に進むために必要なものです。この酵素が阻害されると細胞分裂が阻害され，アポトーシス(プログラム化された細胞死)がおこります。本剤はプロテアソームの働きを妨げ，骨髄腫細胞の増殖に関与する転写因子(遺伝子の発現を制御する蛋白質)に影響を及ぼし，骨髄腫細胞をアポトーシスに導きます。

　ボルテゾミブは，未治療の多発性骨髄腫に対しては他の抗がん薬と併用して，再発または難治性の多発性骨髄腫に対しては，本剤単独療法または併用療法(ダラツムマブなど)が行われます。カルフィルゾミブは再発または難治性の多発性骨髄腫が対象で，3 剤併用療法(本剤＋レナリドミド＋デキサメタゾン)，または 2 剤併用療法(本剤＋デキサメタゾン)で治療にあたります。

📋 使用上の注意

＊ボルテゾミブ(ベルケイド注射用)の添付文書による

警告

①本剤は，緊急時に十分対応できる医療施設で，造血器悪性腫瘍または全身性 AL アミロイドーシスの治療に十分な知識・経験を持つ医師のもと，本剤が適切と判断される人にのみ使われます。また，治療開始に先立ち，患者または家族は医師から有効性および危険性について十分に聞き・たずね，同意してから使用することが大切です。治療初期は入院し医師の管理下で処置を受けます。

②肺障害(間質性肺炎)による死亡例が報告されています。

基本的注意

(1)使用してはいけない場合……本剤の成分またはマンニトールまたはホウ素に対するアレルギーの前歴

(2)慎重に使用すべき場合……肺障害(間質性肺炎，肺線維症など)の前歴／末梢性ニューロパチーの症状(足・手のしびれ，疼痛・灼熱感)や徴候のある人／失神の前歴や症状がある人，低血圧が発現する可能性のある薬剤を使用中の人，脱水状態にある人／経口血糖降下薬を併用した糖尿病／肝機能障害／高齢者

(3)避妊……妊娠可能な年齢の女性は，使用期間中および使用終了後一定期間は適切な

避妊を行ってください。本剤は，動物実験で有意な着床後死亡の増加，生存胎児体重の減少が認められています。

(4)危険作業は中止……本剤を使用すると，疲労，浮動性めまい，失神，起立性低血圧，霧視などが現れるおそれがあります。本剤の使用中は，高所作業や自動車の運転など危険を伴う機械の操作は行わないようにしてください。

(5)その他……

● 妊婦での安全性：原則として使用しない。

● 授乳婦での安全性：治療上の有益性・母乳栄養の有益性を考慮し，授乳の継続・中止を検討。

● 小児での安全性：未確立。（1714 頁を参照）

重大な副作用　　①肺障害（間質性肺炎，急性肺水腫，胸水，急性呼吸窮迫症候群）。②心障害（うっ血性心不全，心のう液貯留，心原性ショック，心停止，心肺停止）。③末梢神経障害（末梢性感覚ニューロパチー，神経障害性疼痛，錯感覚，末梢性ニューロパチー，感覚減退，末梢性運動ニューロパチー，灼熱感）。④イレウス（食欲不振，嘔吐，便秘，腹部膨満感など）。⑤骨髄機能抑制（血小板減少，好中球減少，貧血，白血球減少，リンパ球減少，発熱性好中球減少症，汎血球減少症など）。⑥低血圧，起立性低血圧。⑦腫瘍崩壊症候群。⑧（投与日から翌日にかけて）薬剤性の発熱。⑨肝機能障害。⑩皮膚粘膜眼症候群（スティブンス-ジョンソン症候群），中毒性表皮壊死融解症（TEN）。⑪可逆性後白質脳症症候群（けいれん，血圧上昇，頭痛，意識障害，錯乱，視覚障害など）。⑫進行性多巣性白質脳症（意識障害，認知障害，片麻痺，四肢麻痺，言語障害など）。

　そのほかにも報告された副作用はあるので，体調がいつもと違うと感じたときは，処方医・薬剤師に相談してください。

併用してはいけない薬　　併用してはいけない薬は特にありません。ただし，併用する薬があるときは，念のため処方医・薬剤師に報告してください。

注 02 がんに使われる注射薬　10 その他の抗がん薬

06 アザシチジン

製剤情報

一般名：アザシチジン

● 規制…劇薬

■先発品　　商品名(メーカー)　規格・保険薬価

ビダーザ注射用（日本新薬）

注 100mg 1瓶 41,714 円

概　要

分類　骨髄異形成症候群・急性骨髄性白血病治療薬

処方目的　骨髄異形成症候群／急性骨髄性白血病

解説　骨髄異形成症候群は，高率で白血病に移行する予後不良のがんの一つで，日本では難病の指定を受けています。アザシチジンは，細胞内の RNA または DNA に取り

込まれ，タンパク質の合成を阻害してがん細胞を殺す効果があります。アメリカでは骨髄異形成症候群の治療の第一選択薬として使用されています。

また，骨髄異形成症候群の一部は急性骨髄性白血病に移行することがあり，急性骨髄性白血病にも本剤の有効性が確認されたため，2021年に適応追加となりました。

🔖 使用上の注意

警告

本剤の投与にあたっては，緊急時に十分対応できる医療施設で，造血器悪性腫瘍の治療に対して十分な知識・経験をもつ医師に，本剤の有効性・危険性を十分に聞き・たずね，同意してから受けなければなりません。

基本的注意

(1)使用してはいけない場合……本剤の成分に対するアレルギーの前歴／妊婦または妊娠している可能性のある人

(2)慎重に使用すべき場合……感染症の合併／肝機能障害／腎機能障害／高齢者

(3)定期検査……①血小板減少，好中球減少，貧血が現れることがあるので，本剤の使用前・使用中は定期的に血液検査（血球数算定，白血球分画測定など）を受ける必要があります。②腎機能障害が現れることがあるので，定期的に検査を行って血清重炭酸塩（静脈血）や腎機能の推移を確認します。

(4)性腺への影響……生殖可能な年齢の人が使用すると，性腺に影響がでることがあります。処方医とよく相談してください。

(5)避妊……妊娠可能な女性およびパートナーが妊娠する可能性のある男性が使用するときは，本剤の使用中および使用後一定期間は適切な避妊を行ってください。本剤は，動物実験で胚・胎児死亡，奇形の発生が報告されています。

(6)その他……

- 授乳婦での安全性：使用するときは授乳しないことが望ましい。
- 小児での安全性：未確立。（1714頁を参照）

重大な副作用　①骨髄機能抑制（好中球減少症，白血球減少症，血小板減少症，赤血球減少症，リンパ球減少症，単球減少症，汎血球減少症，貧血，無顆粒球症など）。②感染症（敗血症，肺炎など）。③脳出血，頭蓋内出血，消化管出血，眼出血，血尿，処置後出血。④心障害（心房細動，心不全など）。⑤ショック，アナフィラキシー。⑥肝機能障害，黄疸。⑦腎不全，腎尿細管性アシドーシス。⑧起立性低血圧，低血圧。⑨間質性肺疾患（せき，呼吸困難，発熱など）。⑩腫瘍崩壊症候群。

そのほかにも報告された副作用はあるので，体調がいつもと違うと感じたときは，処方医・薬剤師に相談してください。

併用してはいけない薬　併用してはいけない薬は特にありません。ただし，併用する薬があるときは，念のため処方医・薬剤師に報告してください。

注
02
—
10
—
06

アザシチジン

注 02 がんに使われる注射薬　10 その他の抗がん薬

07 塩化ラジウム

🔬 **製剤情報**

一般名：塩化ラジウム（²²³Ra）

●規制…劇薬

■**先発品**　　**商品名(メーカー)**　規格・保険薬価

ゾーフィゴ静注 (バイエル) 注 1回分 697,614 円

📋 **概　要**

分類　放射性医薬品・抗悪性腫瘍薬

処方目的　骨転移のある去勢抵抗性前立腺がん

解説　　前立腺は男性ホルモン依存性の臓器であるため，前立腺がんに対する薬物療法では男性ホルモンの分泌や作用を抑制する内分泌療法が第一選択になります。ほとんどの人に奏効しますが，数年後には抵抗性が生じてしまいます。この状態を去勢抵抗性前立腺がん（CRPC）と呼び，転移性の CRPC 患者さんの約 90%の人に骨転移がみられます。

本剤は，骨転移を有する CRPC の治療薬として開発された世界初のアルファ線放出放射性医薬品です。体内において骨転移などの骨代謝の亢進した部位に集積し，アルファ線を放出して細胞の DNA 二重鎖を切断することで抗腫瘍効果を発揮します。

✍ **使用上の注意**

警告

本剤は，緊急時に十分に対応できる医療施設で，がん化学療法および放射線治療に十分な知識・経験をもつ医師のもとで，適切と判断される人にのみ使用されるべき薬剤です。また，治療開始に先立ち，医師からその有効性・危険性の十分な説明を受け，患者および家族が納得・同意したのち使用を開始しなければなりません。

基本的注意

(1)**慎重に使用すべき場合**……骨髄抑制／炎症性腸疾患（クローン病，潰瘍性大腸炎など）

(2)**定期的に検査**……本剤の使用によって骨髄抑制が現れることがあるので，使用開始前および使用中は定期的に血液検査を行います。

(3)**避妊**……本剤は放射性医薬品のため，使用中および使用後 6 カ月間は適切な避妊を行ってください。また，生殖可能な年齢の患者が使用する場合には，性腺に対する影響に注意することが必要です。

(4)**その他**……

●小児での安全性：未確立。（1714 頁を参照）

重大な副作用　　　　①骨髄抑制（好中球減少，血小板減少，貧血，白血球減少，リンパ球減少，汎血球減少など）。

そのほかにも報告された副作用はあるので，体調がいつもと違うと感じたときは，処

方医・薬剤師に相談してください。

併用してはいけない薬は特にありません。ただし，併用する薬があるときは，念のため処方医・薬剤師に報告してください。

注 02 がんに使われる注射薬 10 その他の抗がん薬

08 ロミデプシン

製 剤 情 報

一般名：ロミデプシン

- PC…C

- 規制…劇薬

■**先発品**　**商品名(メーカー)**　規格・保険薬価

イストダックス点滴静注用 (ブリストル)
注 10mg 1瓶(溶解液付) 111,785 円

概　　要

分類　ヒストン脱アセチル化酵素(HDAC)阻害薬

処方目的　再発または難治性の末梢性 T 細胞リンパ腫

解説　DNA に結合するタンパク質であるヒストンは遺伝子の転写に重要な役割を担い，そのヒストンのアセチル化と脱アセチル化のバランスの上に正常な細胞は機能しています。がん細胞ではそのバランスがくずれており，ヒストン脱アセチル化酵素の抑制が，がん抑制遺伝子などの転写活性を促進し，がん細胞の増殖を抑えると考えられています。ロミデプシンはこの作用を応用した抗がん薬で，再発または難治性の末梢性 T 細胞リンパ腫に対する初のヒストン脱アセチル化酵素(HDAC)阻害薬です。

使用上の注意

警告

　本剤は，緊急時に十分に措置できる医療施設で，造血器悪性腫瘍の治療に対して十分な知識・経験をもつ医師のもとで，適切と判断される人にのみ使用されるべき薬剤です。また，医師からその有効性・危険性の十分な説明を受け，患者および家族が納得・同意したのち使用を開始しなければなりません。

基本的注意

(1)**使用してはいけない場合**……本剤の成分に対するアレルギーの前歴／妊婦または妊娠している可能性のある人

(2)**慎重に使用すべき場合**……骨髄抑制／感染症の合併／QT 間隔延長のおそれ，またはその前歴／肝機能障害

(3)**定期的に検査**……本剤の使用によって，感染症の発現・悪化，血小板減少症・リンパ球減少症などの血液異常，QT 間隔延長の心電図異常などが現れることがあるので，定期的に肝機能検査，血液学的検査，心電図検査，電解質検査などを行います。

(4)**避妊**……妊婦または妊娠している可能性のある女性は，本剤の使用は禁忌です。妊娠する可能性のある女性およびパートナーが妊娠する可能性のある男性は，本剤の使用

期間中および治療終了から一定期間は適切な避妊を行ってください。ラットによる実験で, 胎児の死亡, 催奇形性, 発育遅延が認められています。

(5)その他……

- 授乳婦での安全性：治療上の有益性・母乳栄養の有益性を考慮し, 授乳の継続・中止を検討。
- 小児での安全性：未確立。(1714 頁を参照)

重大な副作用 ①骨髄抑制(血小板減少症, リンパ球減少症, 白血球減少症, 好中球減少症, 貧血など)。②重篤な感染症(サイトメガロウイルス感染, 肺炎, 敗血症, B 型肝炎ウイルス・EB ウイルスの再活性化など)。③QT 間隔延長。④腫瘍崩壊症候群。⑤過敏症(呼吸困難, 低血圧など)。

そのほかにも報告された副作用はあるので, 体調がいつもと違うと感じたときは, 処方医・薬剤師に相談してください。

併用してはいけない薬 併用してはいけない薬は特にありません。ただし, 併用する薬があるときは, 念のため処方医・薬剤師に報告してください。

注 02 がんに使われる注射薬　10 その他の抗がん薬

09 セツキシマブ サロタロカンナトリウム(遺伝子組み換え)

🔖 製剤情報

一般名：セツキシマブ サロタロカンナトリウム(遺伝子組み換え)

- 規制…劇薬

■先発品	商品名(メーカー)	規格・保険薬価
アキャルックス点滴静注 (楽天メディカル)		
注 250mg50mL 1瓶 1,026,825 円		

📋 概　要

分類 抗体-光感受性物質複合体

処方目的 切除不能な局所進行または局所再発の頭頸部がん

解説 本剤は, がん細胞を壊死(ネクローシス)させる局所治療に用いる薬剤で, Bio-Blade レーザシステム(頭頸部がんに対して使用することを目的としたレーザ装置)と組み合わせて使用します。まず本剤を 2 時間以上かけて点滴静注し, 点滴静注終了 20～28 時間後に, 本剤が結合した病巣部位にレーザ光を照射して腫瘍細胞をネクローシスに導きます。完全奏効が得られない場合は, 4 週間以上の間隔を空けて最大 4 回まで点滴静注・照射することができます。「がん光免疫療法」と呼ばれ, 光によってがん細胞だけをピンポイントで破壊するため副作用が比較的少なく, 新しい治療法として期待されています。

📖 使用上の注意

警告

本剤は, 緊急時に十分対応できる医療施設で, がん化学療法および光線力学的療法に十分な知識・経験をもつ医師のもと, 本剤の使用が適切と判断される人にのみ使用され

るべき薬剤です。また，治療開始に先立ち，患者または家族は医師からその有効性，危険性について十分な説明を受け，納得・同意したのち使用を開始しなければなりません。

基本的注意

(1)使用してはいけない場合……本剤の成分に対するアレルギーの前歴／頸動脈への腫瘍浸潤が認められる人

(2)慎重に使用すべき場合……頸静脈への腫瘍浸潤が認められる人

(3)Infusion reaction……本剤の使用によって Infusion reaction（注入反応，点滴反応：注射や点滴を行った後，24 時間以内に多く現れる症状など）が現れることがあります。Infusion reaction を軽減させるため，本剤使用前には抗ヒスタミン薬および副腎皮質ホルモン薬の前投薬を行い，症状が現れたら本剤の使用を直ちに中止し適切な処置を行います。

(4)光線過敏症……本剤の使用によって光線過敏症をおこすことがあります。使用後 7 日目以降に腕の一部に対して直射日光などを照射し，皮膚反応の消失が確認できるまでの間，または使用後 4 週間は直射日光を避けてください。

(5)避妊……妊娠可能な女性は，本剤使用中および使用終了後一定期間は適切な避妊を行ってください。動物実験で流産および胎児死亡の発現頻度の上昇が報告されています。

(6)その他……

● 妊婦での安全性：有益と判断されたときのみ使用。
● 授乳婦での安全性：使用するときは授乳しないことが望ましい。
● 小児での安全性：未確立。（1714 頁を参照）

重大な副作用

①頸動脈出血，腫瘍出血。②舌腫脹・喉頭浮腫（嚥下障害，呼吸困難などを伴うこともある）。③Infusion reaction（注入反応，点滴反応）。④重度の皮膚障害。

そのほかにも報告された副作用はあるので，体調がいつもと違うと感じたときは，処方医・薬剤師に相談してください。

併用してはいけない薬

併用してはいけない薬は特にありません。ただし，併用する薬があるときは，念のため処方医・薬剤師に報告してください。

注 02 がんに使われる注射薬　10 その他の抗がん薬

10　ルテチウムオキソドトレオチド

製剤情報

一般名：ルテチウムオキソドトレオチド
(^{177}Lu)

● 規制…劇薬

■ **先発品**　　商品名(メーカー)　規格・保険薬価

ルタテラ静注（富士フイルム富山 = PDR ファーマ）注 7.4GBq25mL 1瓶 2,647,734 円

概　要

分類　ペプチド受容体放射性核種療法薬

処方目的　ソマトスタチン受容体陽性の神経内分泌腫瘍

解説　本剤は，ソマトスタチン類似物質(ペプチドホルモン)を放射性同位元素のルテチウム 177 で標識した治療用放射性医薬品で，ペプチド受容体放射性核種療法に用いられます。神経内分泌腫瘍に高率で発現するソマトスタチン受容体を標的として特異的に結合し，ルテチウム 177 から放出される放射線を体内から直接がん細胞に照射することで，細胞増殖抑制作用を発揮します。

使用上の注意

警告

　本剤は，緊急時に十分に対応きる医療施設で，がん化学療法および放射線治療に十分な知識・経験をもつ医師のもと，本剤が適切と判断される人にのみ使用される薬剤です。治療開始に先立ち，患者または家族は医師から有効性および危険性について十分に聞き・たずね，同意したのち使用を開始しなければなりません。

基本的注意

(1)使用してはいけない場合……本剤の成分に対するアレルギーの前歴／妊婦または妊娠している可能性のある人

(2)慎重に使用すべき場合……腎機能障害

(3)避妊……妊娠可能な女性およびパートナーが妊娠する可能性のある男性は，本剤の使用中および使用中止後の一定期間，適切な方法で避妊してください。放射線の曝露により，二次発がんや遺伝子異常のリスクが増加する可能性があります。

(4)その他……

●授乳婦での安全性：使用中または使用終了後一定期間は授乳を避ける。

●小児での安全性：未確立。(1714 頁を参照)

重大な副作用　①骨髄抑制(リンパ球減少，血小板減少，貧血など)。②腎機能障害(急性腎不全，血中クレアチニン増加など)。③骨髄異形成症候群，急性骨髄性白血病。

　そのほかにも報告された副作用はあるので，体調がいつもと違うと感じたときは，処方医・薬剤師に相談してください。

併用してはいけない薬　併用してはいけない薬は特にありません。ただし，併用する薬があるときは，念のため処方医・薬剤師に報告してください。

注
02
|
10
|
10

ルテチウムオキソドトレオチド

11 3-ヨードベンジルグアニジン

💊 製 剤 情 報

一般名：3-ヨードベンジルグアニジン
(¹³¹I)

● 規制…**劇薬**

■**先発品**　　**商品名(メーカー)**　規格・保険薬価

ライアット MIBG-I131 静注 (PDR ファーマ)
注 1.85GBq5mL 1瓶 1,072,335 円

📋 概　　要

分類　褐色細胞腫・パラガングリオーマ治療薬(放射性医薬品)

処方目的　MIBG 集積陽性の治癒切除不能な褐色細胞腫・パラガングリオーマ

解説　褐色細胞腫は副腎髄質に，パラガングリオーマは副腎外の傍神経節に発生する神経内分泌腫瘍です。

　本剤は，副腎髄質ホルモンのノルアドレナリンの類似物質である 3-ヨードベンジルグアニジン(MIBG)に放射性ヨウ素(¹³¹I)を結合させた放射性医薬品です。褐色細胞腫・パラガングリオーマは，MIBG を取り込む性質をもっています。本剤はノルアドレナリンと同様のメカニズムで腫瘍に特異的に取り込まれ，¹³¹I から放出されるベータ線によって腫瘍細胞を傷害し，腫瘍の増殖を抑制すると考えられています。

✒ 使用上の注意

警告

①本剤は，緊急時に十分に対応できる医療施設で，がん化学療法および放射線治療に十分な知識・経験をもつ医師のもと，本剤が適切と判断される人にのみ使用される薬剤です。治療開始に先立ち，患者または家族は医師から有効性および危険性について十分に聞き・たずね，同意したのち使用を開始しなければなりません。

基本的注意

(1)**使用してはいけない場合**……本剤の成分に対するアレルギーの前歴／妊婦または妊娠している可能性のある人

(2)**慎重に使用すべき場合**……腎機能障害

(3)**二次発がん**……本剤による放射線曝露により，二次発がんや遺伝子異常のリスクが増加する可能性があります。海外の臨床試験などにおいて，本剤投与後に骨髄異形成症候群，急性骨髄性白血病などの二次性悪性腫瘍が発生したとの報告があります。

(4)**避妊**……妊娠可能な女性およびパートナーが妊娠する可能性のある男性は，使用中および使用終了後一定期間，適切な方法で避妊を行ってください。放射線に起因する生殖細胞への影響などが現れる可能性があります。

(5)**その他**……

● 授乳婦での安全性：使用中および使用終了後一定期間は授乳を避ける。

●小児での安全性：未確立。(1714頁を参照)

重大な副作用 ①骨髄抑制(リンパ球減少，血小板減少，白血球減少，好中球減少など)。

そのほかにも報告された副作用はあるので，体調がいつもと違うと感じたときは，処方医・薬剤師に相談してください。

併用してはいけない薬 併用してはいけない薬は特にありません。ただし，併用する薬があるときは，念のため処方医・薬剤師に報告してください。

注 **02** がんに使われる注射薬 **11** がんに使われるその他の薬剤

01 セロトニン拮抗型制吐薬

⚗ 製剤情報

一般名：グラニセトロン塩酸塩

●規制…劇薬

■**先発品** 商品名(メーカー) 規格・保険薬価

カイトリル注 (太陽ファルマ)
注 1mg1mL 1管 947円 注 3mg3mL 1管 1,660円

カイトリル点滴静注バッグ (太陽ファルマ)
注 3mg50mL 1袋 2,006円
注 3mg100mL 1袋 2,006円

■**ジェネリック** 商品名(メーカー) 規格・保険薬価

グラニセトロン静注液 (共和クリティケア)
注 1mg1mL 1管 432円 注 3mg3mL 1管 787円

グラニセトロン静注液 (沢井＝日本化薬)
注 1mg1mL 1管 689円 注 3mg3mL 1管 1,374円

グラニセトロン静注液 (武田テバファーマ＝武田) 注 1mg1mL 1管 689円 注 3mg3mL 1管 1,374円

グラニセトロン静注液 (東和)
注 1mg1mL 1管 689円 注 3mg3mL 1管 1,374円

グラニセトロン静注液 (日医工)
注 1mg1mL 1管 689円 注 3mg3mL 1管 1,374円

グラニセトロン静注液 (光)
注 1mg1mL 1管 689円 注 3mg3mL 1管 787円

グラニセトロン静注液 (富士製薬)
注 1mg1mL 1管 689円 注 3mg3mL 1管 1,374円

グラニセトロン静注液 (マイラン＝ファイザー)
注 1mg1mL 1管 689円 注 3mg3mL 1管 1,374円

グラニセトロン静注液 (MeijiSeika)
注 1mg1mL 1管 689円 注 3mg3mL 1管 1,374円

グラニセトロン静注液 (メディサ＝沢井)
注 1mg1mL 1管 689円 注 3mg3mL 1管 787円

グラニセトロン静注液シリンジ (沢井＝日本化薬) 注 1mg1mL 1筒 865円 注 3mg3mL 1筒 1,459円

グラニセトロン静注液シリンジ (メディサ＝沢井) 注 1mg1mL 1筒 865円 注 3mg3mL 1筒 1,459円

グラニセトロン点滴静注液バッグ (共和クリティケア) 注 3mg100mL 1袋 971円

グラニセトロン点滴静注液バッグ (沢井)
注 3mg100mL 1袋 1,459円

グラニセトロン点滴静注液バッグ (日医工)
注 3mg100mL 1袋 1,459円

グラニセトロン点滴静注液バッグ (MeijiSeika) 注 3mg100mL 1袋 1,459円

グラニセトロン点滴静注バッグ (共和クリティケア) 注 1mg50mL 1袋 865円

グラニセトロン点滴静注バッグ (高田＝日本化薬) 注 3mg50mL 1袋 1,459円
注 3mg100mL 1袋 1,459円

グラニセトロン点滴静注バッグ（武田テバファー
マ＝武田）注 1mg50mL 1袋 865 円

注 3mg50mL 1袋 1,459 円

注 3mg100mL 1袋 1,459 円

グラニセトロン点滴静注バッグ（テルモ）

注 1mg50mL 1袋 865 円　注 3mg50mL 1袋 971 円

注 3mg100mL 1袋 1,459 円

グラニセトロン点滴静注バッグ（光）

注 1mg50mL 1袋 865 円　注 3mg50mL 1袋 1,459 円

注 3mg100mL 1袋 1,459 円

グラニセトロン点滴静注バッグ（マイラン＝ファ
イザー）注 3mg50mL 1袋 971 円

注 3mg100mL 1袋 971 円

一般名：オンダンセトロン塩酸塩水和物

● 規制…劇薬

■ジェネリック　　商品名（メーカー）　規格・保険薬価

オンダンセトロン注射液（サンド）

注 4mg2mL 1管 1,553 円

オンダンセトロン注射液（富士製薬）

注 2mg1mL 1管 546 円　注 4mg2mL 1管 1,198 円

オンダンセトロン注シリンジ（丸石）

注 4mg2mL 1筒 3,486 円

一般名：ラモセトロン塩酸塩

● 規制…劇薬

■先発品　　商品名（メーカー）　規格・保険薬価

ナゼア注射液（LTL ファーマ）

注 0.3mg2mL 1管 2,663 円

■ジェネリック　　商品名（メーカー）　規格・保険薬価

ラモセトロン塩酸塩注射液（高田＝エルメッド＝
日医工）注 0.3mg2mL 1管 1,065 円

一般名：パロノセトロン塩酸塩

● 規制…劇薬

■先発品　　商品名（メーカー）　規格・保険薬価

アロキシ静注（大鵬）注 0.75mg5mL 1瓶 9,869 円

アロキシ点滴静注バッグ（大鵬）

注 0.75mg50mL 1袋 10,209 円

■ジェネリック　　商品名（メーカー）　規格・保険薬価

パロノセトロン静注（岡山大鵬）

注 0.75mg5mL 1瓶 5,254 円

パロノセトロン静注（日医工）

注 0.75mg2mL 1瓶 5,254 円

パロノセトロン点滴静注バッグ（岡山大鵬）

注 0.75mg50mL 1袋 5,350 円

注
02
—
11
—
01

セロトニン拮抗型制吐薬

📋 概　　要

分類　5-HT$_3$ 受容体拮抗型制吐薬

処方目的　抗がん薬（シスプラチンなど）使用に伴う消化器症状（悪心，嘔吐）／［グラ
ニセトロン塩酸塩のみ］放射線照射に伴う消化器症状（悪心，嘔吐）／［カイトリル注・点
滴静注バッグ，オンダンセトロン注シリンジのみ］術後の消化器症状（悪心，嘔吐）

解説　抗がん薬のさまざまな副作用を抑える薬が開発され，抗がん薬治療の応用が拡
がってきています。これを抗がん薬治療を支えるという意味で「支持療法」といい，その
ために使う薬品を「支持療法薬」といいます。

　セロトニン拮抗型制吐薬は，多くの抗がん薬に共通する副作用である強い吐きけが脳
の嘔吐中枢に伝わるのを妨げて，吐きけ・嘔吐を抑える支持療法薬です。グラニセトロ
ン塩酸塩の先発品カイトリル注・点滴静注バッグとオンダンセトロン注シリンジのみは，
術後に生じる消化器症状（悪心，嘔吐）にも用いられます。

💊 使用上の注意

＊グラニセトロン塩酸塩（カイトリル注），オンダンセトロン塩酸塩水和物（オンダンセト

ロン注射液)の添付文書による

基本的注意

(1)使用してはいけない場合……本剤の成分に対するアレルギーの前歴

(2)慎重に使用すべき場合……[グラニセトロン塩酸塩バッグ製剤]心臓・循環器系機能障害／腎機能障害／高齢者／[オンダンセトロン塩酸塩水和物]薬物過敏症の前歴／重い肝機能障害

(3)消化管運動の低下……本剤の使用により,消化管運動の低下がおこることがあるので,消化管通過障害の症状がある人は処方医と相談してください。

(4)その他……

● 妊婦での安全性:有益と判断されたときのみ使用。

● 授乳婦での安全性:治療上の有益性・母乳栄養の有益性を考慮し,授乳の継続・中止を検討。

● 小児での安全性:未確立。(1714頁を参照)

重大な副作用 ①ショック,アナフィラキシー(かゆみ,発赤,胸内苦悶感,呼吸困難など)。

[オンダンセトロン塩酸塩水和物のみ]②てんかん様発作。

そのほかにも報告された副作用はあるので,体調がいつもと違うと感じたときは,処方医・薬剤師に相談してください。

併用してはいけない薬 併用してはいけない薬は特にありません。ただし,併用する薬があるときは,念のため処方医・薬剤師に報告してください。

注 02 がんに使われる注射薬　**11** がんに使われるその他の薬剤

02 ホリナートカルシウム

製剤情報

一般名:ホリナートカルシウム

■ 先発品　　商品名(メーカー)　規格・保険薬価

ロイコボリン注(ファイザー)

注 0.3%1mL 1管 340円

概要

分類 抗葉酸拮抗薬

処方目的 葉酸代謝拮抗薬の毒性軽減

解説 本剤は活性型葉酸製剤です。葉酸代謝拮抗薬(メトトレキサート)の解毒剤として必須の薬剤(支持療法薬)で,①メトトレキサート通常療法,②CMF療法(シクロホスファミド水和物・メトトレキサート・フルオロウラシル),③メトトレキサート関節リウマチ療法,④M-VAC療法(メトトレキサート・ビンブラスチン硫酸塩・ドキソルビシン塩酸塩・シスプラチン),⑤メトトレキサート・ロイコボリン救援療法に使用されます。

また,本剤はフルオロウラシルの抗がん作用を強める作用もあり,メトトレキサート

・フルオロウラシル交代療法に使用されます。

使用上の注意

基本的注意

(1)使用してはいけない場合……本剤の成分に対する重いアレルギーの前歴

(2)かくされる症状……葉酸の投与により，ビタミン B_{12} 欠乏による巨赤芽球性貧血（悪性貧血など）が隠蔽されるとの報告があります。

重大な副作用

①ショック，アナフィラキシー様症状（発疹，呼吸困難，血圧低下など）。

そのほかにも報告された副作用はあるので，体調がいつもと違うと感じたときは，処方医・薬剤師に相談してください。

併用してはいけない薬

併用してはいけない薬は特にありません。ただし，併用する薬があるときは，念のため処方医・薬剤師に報告してください。

注 **02** がんに使われる注射薬　**11** がんに使われるその他の薬剤

03 フィルグラスチム（遺伝子組み換え）

製剤情報

一般名：フィルグラスチム（遺伝子組み換え）

●PC…C

■**先発品**　商品名（メーカー）　規格・保険薬価

グランシリンジ（協和キリン）

注 75μg0.3mL 1筒 5,779 円

注 150μg0.6mL 1筒 10,813 円

グランシリンジ M（協和キリン）

注 300μg0.7mL 1筒 12,083 円

グラン注射液（協和キリン）

注 75μg0.3mL 1管 7,223 円

注 150μg0.6mL 1管 11,730 円

グラン注射液 M（協和キリン）

注 300μg0.7mL 1管 13,581 円

■**ジェネリック**　商品名（メーカー）　規格・保険薬価

フィルグラスチム BS 注シリンジ（日医工岐阜 = 日医工 = 武田）注 75μg0.3mL 1筒 2,510 円

注 150μg0.6mL 1筒 4,037 円

注 300μg0.7mL 1筒 6,522 円

フィルグラスチム BS 注シリンジ（日本化薬）

注 75μg0.3mL 1筒 2,510 円

注 150μg0.6mL 1筒 4,037 円

注 300μg0.7mL 1筒 6,522 円

フィルグラスチム BS 注シリンジ（富士製薬）

注 75μg0.3mL 1筒 2,510 円

注 150μg0.6mL 1筒 4,037 円

注 300μg0.7mL 1筒 6,522 円

フィルグラスチム BS 注シリンジ（持田販売 = 持田）注 75μg0.3mL 1筒 2,510 円

注 150μg0.6mL 1筒 4,037 円

注 300μg0.7mL 1筒 6,522 円

一般名：ペグフィルグラスチム（遺伝子組み換え）

●PC…C

■**先発品**　商品名（メーカー）　規格・保険薬価

ジーラスタ皮下注（協和キリン）

注 3.6mg0.36mL 1筒 108,558 円

📋 概　　要

分類　顆粒球コロニー形成刺激因子製剤（G-CSF 製剤）

処方目的　**［フィルグラスチムの適応症］** ①造血幹細胞の末梢血中への動員／②造血幹細胞移植時の好中球数の増加促進／③がん化学療法による好中球減少症／④ヒト免疫不全ウイルス（HIV）感染症の治療に支障を来す好中球減少症／⑤骨髄異形成症候群に伴う好中球減少症／⑥再生不良性貧血に伴う好中球減少症／⑦先天性・特発性好中球減少症／⑧神経芽腫に対するジヌツキシマブ（遺伝子組み換え）の抗腫瘍効果の増強
［ペグフィルグラスチムの適応症］ がん化学療法による発熱性好中球減少症の発症抑制／同種末梢血幹細胞移植のための造血幹細胞の末梢血中への動員

解説　白血球を増やす薬です。がん治療では，その副作用で白血球が減少する場合が往々にしてあります。すると免疫力が落ち，感染症にかかる危険性が増します。このような場合に用いられ，白血球を増やすことでがん治療を支えます（支持療法薬）。

📝 使用上の注意

*フィルグラスチム（グラン注射液，M），ペグフィルグラスチム（ジーラスタ皮下注）の添付文書による

警告

［ペグフィルグラスチム］〈同種末梢血幹細胞移植のための造血幹細胞の末梢血中への動員の場合〉本剤は，緊急時に十分対応できる医療施設において，造血器悪性腫瘍の治療および造血幹細胞移植に対して十分な知識・経験をもつ医師のもとで，本剤の投与が適切と判断される末梢血幹細胞提供ドナー（ドナー）についてのみ投与すること。また，本剤の投与に先立ち，ドナーおよびその家族は本剤の有効性・危険性を十分に聞き・たずね，同意してから受けなければなりません。

基本的注意

(1)使用してはいけない場合……本剤の成分または他の顆粒球コロニー形成刺激因子製剤に対するアレルギー／骨髄中の芽球が十分減少していない骨髄性白血病，および末梢血液中に骨髄芽球が認められる骨髄性白血病
(2)慎重に使用すべき場合……薬物過敏症の前歴／アレルギー素因のある人／高齢者
(3)定期検査……使用中は定期的に血液検査を受ける必要があります。
(4)その他……
- ●妊婦での安全性：使用しないことが望ましい。
- ●授乳婦での安全性：治療上の有益性・母乳栄養の有益性を考慮し，授乳の継続・中止を検討。
- ●小児での安全性：未確立。(1714 頁を参照)

重大な副作用　①ショック，アナフィラキシー。②間質性肺炎（発熱，せき，呼吸困難など）。③急性呼吸窮迫症候群（急速に進行する呼吸困難，低酸素血症など）。④毛細血管漏出症候群（低血圧，低アルブミン血症，浮腫，肺水腫，胸水，腹水，血液濃縮など）。⑤（急性骨髄性白血病・骨髄異形成症候群の人で）芽球の増加促進。⑥脾腫・脾破裂。⑦大型血管炎（大動脈，総頸動脈，鎖骨下動脈などの炎症）。

[ペグフィルグラスチムのみ] ⑧Sweet 症候群。⑨皮膚血管炎

　そのほかにも報告された副作用はあるので, 体調がいつもと違うと感じたときは, 処方医・薬剤師に相談してください。

併用してはいけない薬　併用してはいけない薬は特にありません。ただし, 併用する薬があるときは, 念のため処方医・薬剤師に報告してください。

注 02 がんに使われる注射薬　11 がんに使われるその他の薬剤

04　レノグラスチム（遺伝子組み換え）

製剤情報

一般名：レノグラスチム（遺伝子組み換え）

■先発品　　商品名(メーカー)　規格・保険薬価

ノイトロジン注（中外）

注 50μg 1瓶（溶解液付）2,990 円

注 100μg 1瓶（溶解液付）5,204 円

注 250μg 1瓶（溶解液付）12,524 円

概　要

分類　顆粒球コロニー形成刺激因子製剤（G-CSF 製剤）

処方目的　①造血幹細胞の末梢血中への動員／②造血幹細胞移植時の好中球数の増加促進／③がん化学療法による好中球減少症／④骨髄異形成症候群に伴う好中球減少症／⑤再生不良性貧血に伴う好中球減少症／⑥先天性・特発性好中球減少症／⑦ヒト免疫不全ウイルス（HIV）感染症の治療に支障を来す好中球減少症／⑧免疫抑制療法（腎移植）に伴う好中球減少症

解説　各種がん治療においては好中球が減少することがあり, そのため重篤な感染症をおこすことが大きな問題となります。本剤は脊髄にある顆粒球系前駆細胞に作用して, 好中球の増殖を促進することで, これらの問題を防ぐ作用を発揮します（支持療法薬）。がん治療だけでなく, 種々の好中球減少症に用いられています。

使用上の注意

基本的注意

(1)使用してはいけない場合……本剤の成分または他の顆粒球コロニー形成刺激因子製剤に対するアレルギー／骨髄中の芽球が十分減少していない骨髄性白血病, および末梢血液中に骨髄芽球が認められる骨髄性白血病

(2)慎重に使用すべき場合……薬物過敏症の前歴／アレルギー素因のある人／肝・腎・心肺機能の高度な障害／高齢者

(3)定期検査……使用中は定期的に血液検査を受ける必要があります。

(4)その他……

●妊婦での安全性：有益と判断されたときのみ使用。

●授乳婦での安全性：治療上の有益性・母乳栄養の有益性を考慮し, 授乳の継続・中止

を検討。

● 低出生体重児，新生児，乳児での安全性：未確立。(1714頁を参照)

①ショック，アナフィラキシー。②間質性肺炎(発熱，せき，呼吸困難など)。③(急性骨髄性白血病・骨髄異形成症候群の人で)芽球の増加促進。④急性呼吸窮迫症候群(急速に進行する呼吸困難，低酸素血症など)。⑤脾腫・脾破裂。⑥毛細血管漏出症候群(低血圧，低アルブミン血症，浮腫，肺水腫，胸水，腹水，血液濃縮など)。⑦大型血管炎(大動脈，総頸動脈，鎖骨下動脈などの炎症)。

そのほかにも報告された副作用はあるので，体調がいつもと違うと感じたときは，処方医・薬剤師に相談してください。

併用してはいけない薬 併用してはいけない薬は特にありません。ただし，併用する薬があるときは，念のため処方医・薬剤師に報告してください。

注 **02 がんに使われる注射薬　11 がんに使われるその他の薬剤**

05 メスナ

注
02
|
11
|
05

メ
ス
ナ

⊘ 製剤情報

一般名：メスナ

■**先発品**　商品名(メーカー)　規格・保険薬価

ウロミテキサン注(塩野義)
注 100mg1mL 1管 322円　　注 400mg4mL 1管 747円

☰ 概　要

分類　泌尿器系障害発現抑制薬

処方目的　シクロホスファミド水和物(造血幹細胞移植の前治療)投与またはイホスファミド投与に伴う泌尿器系障害(出血性膀胱炎，排尿障害など)の発現抑制

解説　抗がん薬のシクロホスファミドやイホスファミドの投与に伴う，出血性膀胱炎や排尿障害などの泌尿器系障害を抑える薬剤です。上記の抗がん薬が代謝されるときに生産される有害物質と結合することにより，泌尿器系障害を抑えます。

✍ 使用上の注意

基本的注意

(1)使用してはいけない場合……本剤の成分または他のチオール系薬剤に対するアレルギーの前歴

(2)慎重に使用すべき場合……高齢者

(3)その他……

● 妊婦での安全性：使用しないことが望ましい。

● 授乳婦での安全性：使用するときは授乳を中止。(1714頁を参照)

重大な副作用 重大な副作用はありませんが，そのほかの副作用はあるので，体調がいつもと違うと感じたときは，処方医・薬剤師に相談してください。

併用してはいけない薬 併用してはいけない薬は特にありません。ただし，併用す

る薬があるときは，念のため処方医・薬剤師に報告してください。

注02 がんに使われる注射薬　11 がんに使われるその他の薬剤

06 ボロファラン

製剤情報

一般名：**ボロファラン(¹⁰B)**

■先発品　　商品名(メーカー)　規格・保険薬価
ステボロニン点滴静注バッグ（ステラファーマ）注 9,000mg300mL 1袋 444,215 円

概　　要

分類　抗悪性腫瘍薬

処方目的　切除不能な局所進行または局所再発の頭頸部がん

解説　本剤はホウ素中性子捕捉療法(BNCT)用ホウ素薬剤で，BNCT は正常細胞にはほとんど損傷を与えず，がん細胞を選択的に破壊する治療法として期待されています。患者に本剤を点滴静注し，がん細胞にホウ素が集まったのち，体外から患部に中性子線を照射します。ホウ素に中性子線がぶつかると核反応をおこし，放射線が発生します。この放射線によってがん細胞が破壊されます。照射する中性子線は人体への影響がほとんどないとされています。

使用上の注意

警告

　本剤は，緊急時に十分対応できる医療施設で，がん化学療法および放射線治療に十分な知識・経験をもつ医師のもと，本剤の使用が適切と判断される人にのみ使用されるべき薬剤です。また，治療開始に先立ち，患者または家族は医師からその有効性，危険性について十分な説明を受け，納得・同意したのち使用を開始しなければなりません。

基本的注意

(1)使用してはいけない場合……本剤の成分に対するアレルギーの前歴／腫瘍が頸動脈を全周性に取り囲んでいる人

(2)慎重に使用すべき場合……頸動脈への腫瘍浸潤が認められる人／フェニルケトン尿症／心不全／遺伝性果糖不耐症

(3)結晶尿……使用によって結晶尿が現れることがあるため，使用終了後は必要に応じて輸液を行うなど，排尿を促します。

(4)避妊……妊娠可能な女性およびパートナーが妊娠する可能性のある男性は，使用終了後一定期間は適切な避妊を行ってください。動物実験で発育遅延が報告されています。

(5)その他……

●妊婦での安全性：有益と判断されたときのみ服用。

●授乳婦での安全性：治療上の有益性・母乳栄養の有益性を考慮し，授乳の継続・中止を検討。(1714 頁を参照)

重大な副作用 ①粘膜の炎症などを伴う嚥下障害。②脳膿瘍。③重度の皮膚障害(放射線皮膚損傷など)。④白内障。⑤結晶尿, 血尿。⑥頸動脈出血。

　そのほかにも報告された副作用はあるので, 体調がいつもと違うと感じたときは, 処方医・薬剤師に相談してください。

併用してはいけない薬 併用してはいけない薬は特にありません。ただし, 併用する薬があるときは, 念のため処方医・薬剤師に報告してください。

注 02 がんに使われる注射薬　11 がんに使われるその他の薬剤

07 レボホリナートカルシウム

💊 製剤情報

一般名：レボホリナートカルシウム

■**先発品**　　商品名(メーカー)　規格・保険薬価

アイソボリン点滴静注用(ファイザー)
注 25mg 1瓶 785 円　　注 100mg 1瓶 2,661 円

■**ジェネリック**　　商品名(メーカー)　規格・保険薬価

レボホリナート点滴静注用(大原＝第一三共エスファ)　注 25mg 1瓶 523 円　　注 100mg 1瓶 1,774 円

レボホリナート点滴静注用(コーアバイオテックベイ＝ケミファ)注 25mg 1瓶 523 円
注 100mg 1瓶 1,774 円

レボホリナート点滴静注用(沢井)
注 25mg 1瓶 523 円　　注 100mg 1瓶 1,774 円

レボホリナート点滴静注用(高田＝日本化薬)
注 25mg 1瓶 523 円　　注 100mg 1瓶 1,774 円

レボホリナート点滴静注用(武田テバファーマ＝武田)注 25mg 1瓶 363 円　　注 100mg 1瓶 1,774 円

レボホリナート点滴静注用(東和)
注 25mg 1瓶 523 円　　注 100mg 1瓶 1,774 円

レボホリナート点滴静注用(日医工)
注 25mg 1瓶 523 円　　注 50mg 1瓶 1,500 円
注 100mg 1瓶 1,774 円

レボホリナート点滴静注用(ニプロ)
注 25mg 1瓶 523 円　　注 100mg 1瓶 1,774 円

レボホリナート点滴静注用(光)
注 25mg 1瓶 523 円　　注 100mg 1瓶 1,774 円

レボホリナート点滴静注用(富士製薬)
注 25mg 1瓶 523 円　　注 100mg 1瓶 1,774 円

レボホリナート点滴静注用(ヤクルト)
注 25mg 1瓶 523 円　　注 100mg 1瓶 1,774 円

📋 概　　要

分類　フルオロウラシルの抗腫瘍作用増強剤(活性型葉酸製剤)

処方目的　①レボホリナート・フルオロウラシル療法→胃がん(手術不能または再発), 結腸・直腸がんに対するフルオロウラシルの抗腫瘍効果の増強／②レボホリナート・フルオロウラシル持続静注併用療法→結腸・直腸がん, 小腸がん, および治癒切除不能な膵がんに対するフルオロウラシルの抗腫瘍効果の増強

解説　本剤自体には抗がん作用はありませんが, フルオロウラシルの効果を増強させる目的で使われます。併用することで, がん細胞の DNA 合成を阻害するフルオロウラシルの作用が増強され, 抗がん作用をより強力なものにします。

✍ 使用上の注意

＊レボホリナートカルシウム(アイソボリン点滴静注用)の添付文書による

警告

①レボホリナート・フルオロウラシル療法および持続静注併用療法は、フルオロウラシルの細胞毒性を増強する療法で、本療法に関連したと考えられる死亡例が認められています。本療法は高度の危険性を伴うので、緊急時に十分に措置できる医療施設で、がんの化学療法に十分な知識と経験を持つ医師に、本剤の有効性・危険性を十分に聞き・たずね、同意してから受けなければなりません。

②本療法は重い骨髄機能抑制、激しい下痢などがおこることがあり、致命的な経過をたどることがあるので、定期的に臨床検査を受ける必要があります。

③他の化学療法または放射線照射との併用、前化学療法を受けていた人に対する安全性は確立されていません。

④フルオロウラシルで重いアレルギーの前歴がある人は、本療法を受けてはいけません。

⑤テガフール・ギメラシル・オテラシルカリウム配合剤と併用すると、重い血液障害などの副作用が発現するおそれがあるので、本療法と併用してはいけません。

基本的注意

(1)使用してはいけない場合……重い骨髄機能抑制／下痢をしている人／重い感染症の合併／多量の脱水、胸水のある人／重い心疾患またはその前歴／全身状態が悪化している人／本剤の成分またはフルオロウラシルに対する重いアレルギーの前歴／テガフール・ギメラシル・オテラシルカリウム配合剤の服用中および服用中止後7日以内

(2)慎重に使用すべき場合……骨髄機能抑制／感染症の合併／心疾患またはその前歴／肝機能障害／腎機能障害／高度に進行した肝転移／消化管潰瘍または出血／水痘／他の化学療法・放射線の治療中／前化学療法を受けていた人／高齢者

(3)水痘……水痘(水ぼうそう)の人が使用すると、致命的な全身障害が現れることがあるので、状態に十分注意してください。

(4)感染症、出血傾向……使用によって、感染症、出血傾向の発現または悪化がおこりやすくなるので、状態に十分注意してください。

(5)性腺への影響……生殖可能な年齢の人が使用すると、性腺に影響がでることがあります。処方医とよく相談してください。

(6)頻回に検査……骨髄機能抑制などの重い副作用がおこることがあるので、頻回に血液、肝機能、腎機能などの検査を受ける必要があります。

(7)二次発がん……本剤と他の抗がん薬の併用により、急性白血病(前白血病相を伴う場合もある)、骨髄異形成症候群(MDS)が発生したとの報告があります。

(8)その他……

●妊婦での安全性：使用しないことが望ましい。

●授乳婦での安全性：使用するときは授乳を中止。

●小児での安全性：未確立。(1714頁を参照)

重大な副作用

①激しい腹痛、下痢、脱水状態、重い腸炎(出血性腸炎、虚血性腸炎、壊死性腸炎など)。②骨髄機能抑制(汎血球減少、白血球減少、貧血、血小板減少など)。③ショック、アナフィラキシー(発疹、呼吸困難、血圧低下など)。④白質

脳症（初期症状：歩行時のふらつき，四肢末端のしびれ感，舌のもつれなど），精神神経症状（錐体外路症状，顔面麻痺，言語障害，運動失調，眼振，せん妄，意識障害，見当識障害，記憶力低下，自発性低下，尿失禁など）。⑤うっ血性心不全，心筋梗塞，安静狭心症。⑥肝機能障害，黄疸。⑦急性腎障害などの重い腎機能障害。⑧間質性肺炎（発熱，せき，呼吸困難など）。⑨消化管潰瘍，重い口内炎。⑩手足症候群（手のひら・足の裏の紅斑，疼痛性発赤腫脹，知覚過敏など）。⑪播種性血管内凝固症候群（DIC）。⑫嗅覚障害（長期服用者に多い），嗅覚脱失。⑬高アンモニア血症。⑭急性膵炎。⑮その他，類似薬（テガフールなど）で，劇症肝炎，肝硬変，心室性頻拍，ネフローゼ症候群，皮膚粘膜眼症候群（スティブンス-ジョンソン症候群），中毒性表皮壊死融解症（TEN），溶血性貧血。

　そのほかにも報告された副作用はあるので，体調がいつもと違うと感じたときは，処方医・薬剤師に相談してください。

併用してはいけない薬　テガフール・ギメラシル・オテラシルカリウム配合剤（ティーエスワン）→フルオロウラシルの代謝が阻害されて血中濃度が上昇し，重い血液障害，下痢・口内炎などの消化管障害などがおこることがあります。

注 02 がんに使われる注射薬　11 がんに使われるその他の薬剤

08 モルヒネ塩酸塩

製剤情報

一般名：モルヒネ塩酸塩水和物

●PC…C

●規制…劇薬，麻薬

■**先発品**　商品名（メーカー）　規格・保険薬価

アンペック注（住友ファーマ）
注 1%1mL 1管 305 円　　注 1%5mL 1管 1,371 円
注 4%5mL 1管 5,065 円

モルヒネ塩酸塩注射液（シオノギファーマ＝塩野義）　注 1%1mL 1管 305 円　　注 1%5mL 1管 1,371 円
注 4%5mL 1管 5,065 円

モルヒネ塩酸塩注射液（第一三共プロファーマ＝第一三共）注 1%1mL 1管 305 円
注 1%5mL 1管 1,371 円　　注 4%5mL 1管 5,065 円

モルヒネ塩酸塩注射液（武田）
注 1%1mL 1管 305 円　　注 1%5mL 1管 1,371 円
注 4%5mL 1管 5,065 円

モルヒネ塩酸塩注射液（テルモ）
注 4%5mL 1管 5,065 円

■**ジェネリック**　商品名（メーカー）　規格・保険薬価

モルヒネ塩酸塩注シリンジ（テルモ）
注 1%10mL 1筒 2,576 円

概　要

分類　アヘンアルカロイド鎮痛薬（医療用麻薬）

処方目的　中等度から高度の疼痛を伴う各種がんの鎮痛／［モルヒネ塩酸塩注シリンジを除く］激しい疼痛時の鎮痛・鎮静／激しいせきの発作の鎮咳／激しい下痢症状の改善および手術後などの腸管ぜん動運動の抑制／麻酔前投薬，麻酔の補助

解説　痛みを抑えるオピオイド受容体と結びつくことにより，強力な鎮痛作用を発揮します。モルヒネ製剤のがん疼痛における使用法としては，経口投与または坐薬での直

腸内投与が不可能なときに，初めて注射薬を用います。

🈂 使用上の注意

＊モルヒネ塩酸塩（アンペック注）の添付文書による

警告

　本剤の硬膜外・くも膜下への投与は，これらの投与法に習熟した医師のみによって，投与が適切と判断される人についてのみ実施されなければなりません。

基本的注意

(1)使用してはいけない場合……重い呼吸抑制／気管支ぜんそく発作中／重い肝機能障害／慢性肺疾患に続発する心不全／けいれん状態（てんかん重積症，破傷風，ストリキニーネ中毒）／急性アルコール中毒／本剤の成分またはアヘンアルカロイドに対するアレルギー／出血性大腸炎／ナルメフェン塩酸塩水和物の服用中または服用中止後1週間以内

［硬膜外投与・くも膜下投与の場合］注射部位またはその周辺に炎症のある人／敗血症

［くも膜下投与の場合］中枢神経系疾患（髄膜炎，灰白脊髄炎，脊髄癆など）／脊髄・脊椎に結核・脊椎炎・転移性腫瘍などの活動性疾患がある人

(2)特に慎重に服用すべき場合（原則禁忌，処方医と連絡を絶やさないこと）……細菌性下痢のある人

(3)慎重に使用すべき場合……心機能障害／呼吸機能障害／肝機能障害／腎機能障害／脳の器質的障害／ショック状態／代謝性アシドーシス／甲状腺機能低下症（粘液水腫など）／副腎皮質機能低下症（アジソン病など）／薬物依存の前歴／前立腺肥大による排尿障害，尿道狭窄，尿路手術後／器質的幽門狭窄，麻痺性イレウス（腸閉塞）／けいれんの前歴／胆のう障害，胆石／重い炎症性腸疾患／ジドブジンの服用中／衰弱者／新生児，乳児，高齢者

［硬膜外投与・くも膜下投与の場合］血液凝固障害または抗凝血薬の使用中／脊柱に著明な変形のある人／［硬膜外投与の場合］中枢神経系疾患（髄膜炎，灰白脊髄炎，脊髄癆など）／脊髄・脊椎に結核，脊椎炎および転移性腫瘍などの活動性疾患のある人

(4)適切な使用・管理・返却……①本剤を目的以外へ使用したり，他人へ譲渡したりしないでください。②本剤は子どもの手の届かないところに保管してください。③本剤が不要になった場合は病院・薬局へ返納してください。

(5)依存性……本剤の連用により薬物依存が生じることがあるので，処方医の指示を守って使用してください。

(6)離脱症状……連用中に使用量を急激に減少または中止すると，あくび，くしゃみ，流涙，発汗，悪心・嘔吐，下痢，腹痛，散瞳，頭痛，不眠，不安，せん妄，ふるえ，全身の筋肉・関節痛，呼吸促迫などの離脱症状が現れることがあります。自己判断で，減量や中止をしないでください。

(7)分娩前・分娩時……本剤を分娩前に使用すると出産後，新生児に退薬症候（多動，神経過敏，不眠，ふるえなど）が現れることがあります。分娩時に使用すると，新生児に呼吸抑制が現れることがあります。

(8)危険作業は中止……本剤を使用すると，眠け，めまいなどが現れるおそれがあります。本剤の使用中は，高所作業や自動車の運転など危険を伴う機械の操作は行わないようにしてください。

(9)その他……

● 妊婦での安全性：有益と判断されたときのみ使用。

● 授乳婦での安全性：使用するときは授乳を中止。(1714頁を参照)

重大な副作用 ①（連用により）薬物依存。②呼吸抑制（息切れ，不規則な呼吸など）。③錯乱，せん妄。④無気肺，気管支けいれん，のどのむくみ。⑤麻痺性イレウス（腸閉塞），中毒性巨大結腸。

そのほかにも報告された副作用はあるので，体調がいつもと違うと感じたときは，処方医・薬剤師に相談してください。

併用してはいけない薬 ナルメフェン塩酸塩水和物→本剤の離脱症状が現れる（または悪化する）ことがあります。また，本剤の効果が弱まることがあります。

注02 がんに使われる注射薬　11 がんに使われるその他の薬剤

09 フェンタニルクエン酸塩

製剤情報

一般名：フェンタニルクエン酸塩

● 規制…劇薬，麻薬

■ **先発品**　商品名(メーカー)　規格・保険薬価

フェンタニル注射液（第一三共プロファーマ＝第一三共）注 0.005%2mL 1管 267円

注 0.005%5mL 1管 614円

■ **ジェネリック**　商品名(メーカー)　規格・保険薬価

フェンタニル注射液 (テルモ)

注 0.005%2mL 1管 181円　注 0.005%5mL 1管 433円

注 0.005%10mL 1管 851円

概　要

分類　オピオイド鎮痛薬（医療用麻薬）

処方目的　全身麻酔，全身麻酔時の鎮痛／局所麻酔時の鎮痛の補助／激しい疼痛（術後疼痛，がん性疼痛など）の鎮痛

解説　強い鎮痛効果をもつ合成麻薬です。ひどい痛みを伴うがんに使用されるほか，全身麻酔や局所麻酔における鎮痛に使われます。投与方法には静脈内投与，硬膜外投与，くも膜下投与があり，静脈注射では投与後すぐに鎮痛作用が現れ，30〜45分効果が持続します。

使用上の注意

＊フェンタニルクエン酸塩（フェンタニル注射液）の添付文書による

警告

本剤の硬膜外・くも膜下への投与は，これらの投与法に習熟した医師のみによって，

投与が適切と判断される人についてのみ実施されなければなりません。

■基本的注意

(1)使用してはいけない場合……[静脈内投与・硬膜外投与・くも膜下投与の場合]筋弛緩薬が使えない人／本剤の成分に対するアレルギーの前歴／呼吸抑制(頭部外傷, 脳腫瘍などによる昏睡状態)をおこしやすい人／けいれん発作の前歴／ぜんそく／ナルメフェン塩酸塩水和物の服用中または服用中止後1週間以内／[硬膜外投与・くも膜下投与の場合]注射部位またはその周辺に炎症のある人／敗血症／[くも膜下投与の場合]中枢神経系疾患(髄膜炎, 灰白脊髄炎, 脊髄癆など)／脊髄・脊椎に結核・脊椎炎・転移性腫瘍などの活動性疾患がある人

(2)慎重に使用すべき場合……[静脈内投与・硬膜外投与・くも膜下投与の場合]重い高血圧, 心血管系に著しい障害(心弁膜症など)のある人／呼吸器障害／モノアミン酸化酵素阻害薬(1716頁を参照)の服用中／肝機能障害／腎機能障害／poor risk(危険性が高い)状態／不整脈／薬物依存の前歴／低出生体重児, 新生児, 乳児, 高齢者／[硬膜外投与・くも膜下投与の場合]血液凝固障害または抗凝血薬の使用中／脊柱に著明な変形のある人／[静脈内投与の場合]肥満／[硬膜外投与の場合]中枢神経系疾患(髄膜炎, 灰白脊髄炎, 脊髄癆など)／脊髄・脊椎に結核, 脊椎炎および転移性腫瘍などの活動性疾患のある人

(3)依存性……本剤の連用により薬物依存が生じることがあるので, 処方医の指示を守って使用してください。

(4)危険作業は中止……本剤の影響が完全に消失するまで, 高所作業や自動車の運転など危険を伴う機械の操作は行わないようにしてください。

(5)その他……

●妊婦での安全性：未確立。有益と判断されたときのみ使用。

●授乳婦での安全性：使用するときは授乳を中止。(1714頁を参照)

■重大な副作用　①薬物依存。②呼吸抑制, 無呼吸。③血圧降下。④ショック, アナフィラキシー(血圧低下, じん麻疹など)。⑤不整脈, 期外収縮, 心停止。⑥興奮, 筋強直, 筋強直による換気困難。⑦チアノーゼ。

　そのほかにも報告された副作用はあるので, 体調がいつもと違うと感じたときは, 処方医・薬剤師に相談してください。

■併用してはいけない薬　ナルメフェン塩酸塩水和物→本剤の離脱症状が現れることがあります。また, 本剤の効果が弱まることがあります。

注02 がんに使われる注射薬　11 がんに使われるその他の薬剤

10 ラスブリカーゼ（遺伝子組み換え）

製剤情報

一般名：ラスブリカーゼ（遺伝子組み換え）

● 規制…劇薬

■先発品　　商品名(メーカー)　規格・保険薬価

ラスリテック点滴静注用(サノフィ)

注 1.5mg 1瓶(溶解液付) 12,308 円

注 7.5mg 1瓶(溶解液付) 51,178 円

概　　要

分類　がん化学療法用尿酸分解酵素製剤

処方目的　がん化学療法に伴う高尿酸血症

解説　白血病や悪性リンパ腫などの血液悪性腫瘍では，化学療法（抗がん薬治療）などによって腫瘍が崩壊すると，カリウム・リン酸・核酸など腫瘍細胞の内容物が大量に血液中に放出され，このうち核酸は代謝されて大量の尿酸を生じて高尿酸血症を引きおこします。

　ヒト・サル以外の哺乳類は尿酸を酸化する酵素をもっており，尿酸より尿に溶けやすいアラントインに代謝して排泄しますが，ヒトでは尿酸のまま排泄するため排泄できる量が限られ，腎臓などに負担がかかることになります。ラスブリカーゼは，遺伝子組み換えでつくられた尿酸酸化酵素で，血中尿酸値をコントロールして高尿酸血症の治療および発症の抑制に用いられます。

使用上の注意

警告

①本剤の投与によりアナフィラキシーショックを含む重い過敏症が現れるおそれがあるので，投与終了後も十分な観察が必要です。また，症状が現れた場合は，直ちに投与を中止し適切な処置を受ける必要があります。

②溶血性貧血あるいはメトヘモグロビン血症をおこすおそれがあるので，症状が現れた場合は，直ちに投与を中止し適切な処置を受ける必要があります。

③海外の臨床試験において，グルコース-6-リン酸脱水素酵素（G6PD）欠損の人に本剤を投与後，重い溶血性貧血が認められています。G6PD 欠損またはその他の赤血球酵素異常の有無については，家族歴の調査など十分に問診を行う必要があります。

基本的注意

(1)使用してはいけない場合……本剤の成分に対するアレルギーの前歴／グルコース-6-リン酸脱水素酵素（G6PD）欠損の人，または溶血性貧血を引きおこすことが知られている赤血球酵素異常を有する人

(2)慎重に使用すべき場合……アレルギーをおこしやすい体質の人

(3)その他……

● 妊婦での安全性：未確立。有益と判断されたときのみ使用。

- 授乳婦での安全性：未確立。使用するときは授乳を中止。
- 低出生体重児，新生児での安全性：未確立。(1714頁を参照)

重大な副作用　①ショック，アナフィラキシー。②溶血性貧血。③メトヘモグロビン血症(チアノーゼなど)。

　そのほかにも報告された副作用はあるので，体調がいつもと違うと感じたときは，処方医・薬剤師に相談してください。

併用してはいけない薬　併用してはいけない薬は特にありません。ただし，併用する薬があるときは，念のため処方医・薬剤師に報告してください。

注 02 がんに使われる注射薬　11 がんに使われるその他の薬剤

11　タラポルフィンナトリウム

製剤情報

一般名：タラポルフィンナトリウム
- 規制…劇薬

■**先発品**　　**商品名(メーカー)**　規格・保険薬価
注射用レザフィリン(MeijiSeika)
注100mg 1瓶 345,789円

概　要

分類　光線力学的療法用剤

処方目的　早期肺がん(病期0期またはⅠ期肺がん)→外科的切除などの他の根治的治療が不可能な場合，あるいは，肺機能温存が必要な患者に他の治療法が使用できない場合で，かつ内視鏡的に病巣全容が観察できてレーザー光照射が可能な場合／原発性悪性脳腫瘍(腫瘍摘出手術を施行する場合に限る)／化学放射線療法または放射線療法後の局所遺残再発食道がん

解説　光線力学的療法(PDT)はレーザー治療法の一つで，がん細胞にレーザー光線を照射して死滅させる治療法です。タラポルフィンナトリウムは，光をあてると化学変化をおこす物質(光感受性物質)の一つで，特にがん細胞に選択的に多く集まります(腫瘍親和性光感受性物質)。注射で投与したタラポルフィンナトリウムが集まったがん細胞にレーザー光線を照射すると光化学反応をおこし，発生する活性酸素ががん細胞を死滅させます。正常な細胞はほとんどダメージを受けません。

使用上の注意

基本的注意

(1)使用してはいけない場合……本剤の成分に対するアレルギーの前歴／ポルフィリン症／肺がんにおいて，がんが気管支軟骨層より外側に浸潤している人／肺がんにおいて，太い気管の広範な病巣または気管狭窄を来している人／肺がんにおいて，亜区域支より末梢側にがんのある人／食道がんにおいて，化学放射線療法または放射線療法前のCT検査で腫瘍が大動脈に浸潤している(AortaT4)と診断された人

(2)慎重に使用すべき場合……光線過敏症をおこすことがある医薬品を併用している人

／肺がんにおける気管がん／肝機能障害／高齢者

(3)光線過敏症……①本剤の使用により光感受性が高められると，光線過敏症をおこすことがあります。そのため，使用後の2週間は直射日光を避け，遮光カーテンなどを用いて照度500ルクス以下に調整した室内で過ごします。また，投与後3日間はサングラスをかけます。②使用後2週間が経過した後に指，手のひら，手の甲を直射日光で5分間曝露させたとき，紅斑，水疱などの光線過敏反応を示した場合には，さらに1週間直射日光を避けるなどして，異常がみられなくなるまで同様の試験を繰り返し行います。③光線過敏反応が消失した後も，使用後4週間以内の外出に際しては帽子，手袋，長袖などの衣類やサングラスを使用して日光を避けるようにします。

(4)定期的検査……早期肺がんの光線力学的療法後は，定期的に内視鏡検査，細胞診，組織診などを行い，病巣の経過を観察していきます。

(5)クロレラ加工品など……本剤の使用時およびその前後にクロレラ加工品などを摂取すると，光線過敏症をおこすおそれがあるので，十分注意してください。摂取した場合には，直射日光を避けてください。

(6)その他……
- 妊婦での安全性：有益と判断されたときのみ使用。
- 授乳婦での安全性：原則として使用しない。やむを得ず使用するときは授乳を中止。
- 小児での安全性：未確立。(1714頁を参照)

重大な副作用　①(レーザー光照射後，肉芽形成による気管狭窄から)呼吸困難。②肝機能障害。

　そのほかにも報告された副作用はあるので，体調がいつもと違うと感じたときは，処方医・薬剤師に相談してください。

併用してはいけない薬　併用してはいけない薬は特にありません。ただし，併用する薬があるときは，念のため処方医・薬剤師に報告してください。

注02 がんに使われる注射薬　11 がんに使われるその他の薬剤

12 ホスアプレピタントメグルミン

製剤情報

一般名：ホスアプレピタントメグルミン

■**先発品**　商品名(メーカー)　規格・保険薬価
プロイメンド点滴静注用 (小野)
注 150mg 1瓶 11,276円

■**ジェネリック**　商品名(メーカー)　規格・保険薬価
ホスアプレピタント点滴静注用 (日本化薬)
注 150mg 1瓶 5,734円

概要

分類　選択的NK$_1$受容体拮抗型制吐剤

処方目的　抗がん薬(シスプラチンなど)投与に伴う消化器症状(悪心，嘔吐)(遅発期

を含む)

解説 本剤は，内服抗がん薬のアプレピタントのプロドラッグ（体内で代謝されてから作用を及ぼす薬）です。静脈内投与後に体内の脱リン酸化酵素により，中枢性の嘔吐反応を抑制するアプレピタントへ代謝されます。抗がん薬の投与開始後24時間以内におこる急性期の悪心・嘔吐のみならず，24時間以降におこる遅発期の悪心・嘔吐に対しても有効性が確認されています。

使用上の注意

*ホスアプレピタントメグルミン（プロイメンド点滴静注用）の添付文書による

基本的注意

(1)使用してはいけない場合……本剤の成分またはアプレピタントに対するアレルギーの前歴／ピモジドの投与中

(2)慎重に使用すべき場合……重い肝機能障害

(3)その他……

● 妊婦での安全性：有益と判断されたときのみ使用。

● 授乳婦での安全性：治療上の有益性・母乳栄養の有益性を考慮し，授乳の継続・中止を検討。

● 低出生体重児，新生児，生後6カ月未満の乳児での安全性：未確立。(1714頁を参照)

重大な副作用 ①皮膚粘膜眼症候群（スティブンス-ジョンソン症候群：発熱，紅斑，かゆみ，眼充血，口内炎など）。②穿孔性十二指腸潰瘍。③ショック，アナフィラキシー（全身発疹，潮紅，血管浮腫，紅斑，呼吸困難，意識消失，血圧低下など）。

そのほかにも報告された副作用はあるので，体調がいつもと違うと感じたときは，処方医・薬剤師に相談してください。

併用してはいけない薬 ピモジド→ピモジドの血中濃度が上昇して，QT延長，心室性不整脈などの重い副作用をおこすおそれがあります。

注 02 がんに使われる注射薬　11 がんに使われるその他の薬剤

13 骨吸収抑制薬

製剤情報

一般名：パミドロン酸2ナトリウム水和物

● 規制…劇薬

■ジェネリック　商品名(メーカー)　規格・保険薬価

パミドロン酸二 Na 点滴静注用 (沢井)

注 15mg 1瓶 3,248 円　注 30mg 1瓶 6,154 円

パミドロン酸二 Na 点滴静注用 (富士製薬)

注 15mg 1瓶 3,248 円　注 30mg 1瓶 6,154 円

一般名：ゾレドロン酸水和物

● 規制…劇薬

■先発品　商品名(メーカー)　規格・保険薬価

ゾメタ点滴静注 (ノバルティス)

注 4mg5mL 1瓶 18,795 円

注 4mg100mL 1瓶 18,595 円

リクラスト点滴静注液 (旭化成)

注 5mg100mL 1瓶 36,045 円

■ジェネリック　　商品名(メーカー)　規格・保険薬価

ゾレドロン酸点滴静注 (コーアイセイ＝日医工)
注 4mg5mL 1瓶 7,518 円

ゾレドロン酸点滴静注 (コーアバイオテックベイ
＝ヤクルト) 注 4mg5mL 1瓶 7,518 円

ゾレドロン酸点滴静注 (サンド)
注 4mg5mL 1瓶 7,518 円

ゾレドロン酸点滴静注 (高田＝日本化薬)
注 4mg5mL 1瓶 7,518 円

ゾレドロン酸点滴静注 (日医工岐阜＝日医工)
注 4mg5mL 1瓶 7,518 円

ゾレドロン酸点滴静注 (ニプロ)
注 4mg5mL 1瓶 7,518 円

ゾレドロン酸点滴静注 (富士製薬)
注 4mg5mL 1瓶 7,518 円

ゾレドロン酸点滴静注液 (沢井)
注 4mg5mL 1瓶 7,518 円

ゾレドロン酸点滴静注液 (マイラン＝ファイザ
ー) 注 4mg5mL 1瓶 7,518 円

ゾレドロン酸点滴静注液バッグ (沢井)
注 4mg100mL 1袋 7,438 円

ゾレドロン酸点滴静注液バッグ (日医工)
注 4mg100mL 1袋 7,438 円

ゾレドロン酸点滴静注液バッグ (マイラン＝ファ
イザー) 注 4mg100mL 1袋 7,438 円

ゾレドロン酸点滴静注バッグ (共和クリティケ
ア) 注 4mg100mL 1袋 7,438 円

ゾレドロン酸点滴静注バッグ (コーアバイオテッ
クベイ＝ヤクルト) 注 4mg100mL 1袋 7,438 円

ゾレドロン酸点滴静注バッグ (高田＝日本化
薬) 注 4mg100mL 1袋 7,438 円

ゾレドロン酸点滴静注バッグ (東和)
注 4mg100mL 1袋 7,438 円

ゾレドロン酸点滴静注バッグ (日医工ファーマ
＝日医工) 注 4mg100mL 1袋 7,438 円

ゾレドロン酸点滴静注バッグ (ニプロ)
注 4mg100mL 1袋 7,438 円

注
02
―
11
―
13
骨吸収抑制薬

概　要

分類　骨吸収抑制薬

処方目的　［パミドロン酸２ナトリウム水和物の適応症］悪性腫瘍による高カルシウ
ム血症／乳がんの溶骨性骨転移(化学療法，内分泌療法，あるいは放射線療法と併用す
ること)／骨形成不全症

［ゾレドロン酸水和物の適応症］〔リクラスト点滴静注液を除く〕悪性腫瘍による高カル
シウム血症／多発性骨髄腫による骨病変および固形がん骨転移による骨病変／〔リクラ
スト点滴静注液のみ〕骨粗鬆症

解説　がんの中には，進行すると骨に転移するものがあります。血液のがんの多発性
骨髄腫ではそのほとんどで，固形がんでは，乳がんや肺がん，前立腺がん，腎がんなど
で骨転移が見られます。

　骨に転移したがん細胞は，骨吸収を司る(古い骨を溶かす)破骨細胞を活性化させて骨
を破壊するため，激しく痛む，骨折しやすくなる，高カルシウム血症(骨のカルシウムが
血液中に溶け出す)となって頻尿，吐き気，嘔吐，便秘，脱力感，うつ状態などの症状が
現れます。本剤は，骨粗鬆症の治療に使われる内服薬のビスホスフォネート製剤と同じ
タイプの骨吸収抑制薬です。本剤は骨に染み込んで，破骨細胞の働きを弱めることで骨
を丈夫に保ち，痛みなどの骨病変の予防・減少・遅延に効果を発揮します。

　なお，ゾレドロン酸水和物のリクラスト点滴静注液のみは骨粗鬆症が適応となってい

ます。このリクラストは，1年に1回だけ投与する薬剤で，有効成分であるゾレドロン酸水和物が骨に移行して長期にわたり体内に残存し，効果を発揮します。

使用上の注意

＊ゾレドロン酸水和物（ゾメタ点滴静注）の添付文書による

警告

①本剤の点滴静脈内注射は，必ず15分間以上かけて行わなければなりません。5分間で行った外国の臨床試験で，急性腎障害が発現した例が報告されています。

②悪性腫瘍による高カルシウム血症の人に本剤を投与する場合には，高カルシウム血症による脱水症状を是正するため，輸液過量負荷による心機能への影響を留意しつつ十分な補液治療を行ったうえで投与する必要があります。

基本的注意

(1)使用してはいけない場合……本剤の成分または他のビスホスフォネート製剤に対するアレルギーの前歴／妊婦または妊娠している可能性のある人

(2)慎重に使用すべき場合……重い腎機能障害／高齢者

(3)口腔の衛生管理……本剤による治療において顎骨壊死・顎骨骨髄炎が現れることがあります。口腔の不衛生，抜歯などの顎骨に対する侵襲的な歯科処置の前歴などが危険因子となるので，本剤の投与開始前には口腔内の管理状態を確認し，必要に応じて歯科検査を受け，侵襲的な歯科処置をできるかぎり済ませておくようにします。また，治療中は口腔内を清潔に保ち，定期的な歯科検査を受け，異常が認められた場合には直ちに歯科・口腔外科を受診するようにします。

(4)その他……

●授乳婦での安全性：治療上の有益性・母乳栄養の有益性を考慮し，授乳の継続・中止を検討。

●小児での安全性：未確立。(1714頁を参照)

重大な副作用 　　　[パミドロン酸2ナトリウム水和物]①ショック，アナフィラキシー（気管支けいれん，呼吸困難，喘鳴など）。②急性腎障害，ネフローゼ症候群（巣状分節性糸球体硬化症などによる），間質性腎炎。③臨床症状を伴う低カルシウム血症（テタニー，手指のしびれなど）。④間質性肺炎（せき，呼吸困難，発熱，肺音の異常など）。⑤顎骨壊死・顎骨骨髄炎。⑥外耳道骨壊死。⑦大腿骨転子下，近位大腿骨骨幹部，近位尺骨骨幹部などの非定型骨折。

[ゾレドロン酸水和物]①急性腎障害，間質性腎炎，ファンコニー症候群（低リン血症，低カリウム血症，代謝性アシドーシスなどを主症状とする近位腎尿細管障害）など。②臨床症状を伴う低カルシウム血症（QT延長，けいれん，テタニー，しびれ，失見当識など）。③顎骨壊死・顎骨骨髄炎。④外耳道骨壊死。⑤大腿骨転子下，近位大腿骨骨幹部，近位尺骨骨幹部などの非定型骨折。／〔リクラスト点滴静注液を除く〕⑥うっ血性心不全（浮腫，呼吸困難，肺水腫）。⑦間質性肺炎（せき，呼吸困難，発熱，肺音の異常など）。／〔リクラスト点滴静注液のみ〕⑧アナフィラキシー。

　そのほかにも報告された副作用はあるので，体調がいつもと違うと感じたときは，処

方医・薬剤師に相談してください。

併用してはいけない薬 併用してはいけない薬は特にありません。ただし，併用する薬があるときは，念のため処方医・薬剤師に報告してください。

注 02 がんに使われる注射薬　11 がんに使われるその他の薬剤

14　デノスマブ（遺伝子組み換え）

💊 製剤情報

一般名：デノスマブ（遺伝子組み換え）

● 規制…劇薬

■先発品　　商品名（メーカー）　規格・保険薬価

ランマーク皮下注（第一三共）
注 120mg1.7mL 1瓶 47,492 円

📋 概　　要

分類　ヒト型抗 RANKL モノクローナル抗体製剤

処方目的　多発性骨髄腫による骨病変および固形がん骨転移による骨病変／骨巨細胞腫

解説　がんが骨に転移すると，激しい痛みや骨折などの骨病変が生じます。これまで骨転移による骨病変には，骨吸収抑制薬（ビスホスホネート）が使われていました。

　近年，骨転移による骨病変には RANKL という蛋白質が大きくかかわっていることがわかってきました。RANKL は骨吸収を司る（古い骨を溶かす）破骨細胞の形成，機能，および生存に必須の蛋白質ですが，この RANKL によって活性化された破骨細胞が骨を破壊し，骨病変をつくり出すというものです。本剤はこの RANKL を特異的に阻害し，破骨細胞の働きを弱めることで骨病変の進展を抑制します。

⚕ 使用上の注意

警告

①本剤の治療開始後数日から重い低カルシウム血症が現れることがあり，死亡に至った例が報告されているので，頻回に血液検査を行う必要があります。特に重度の腎機能障害のある人は低カルシウム血症をおこしやすいので，十分に注意してください。

②骨巨細胞腫に対する本剤の投与は，緊急時に十分対応できる医療施設において，骨巨細胞腫の診断・治療に十分な知識・経験をもつ医師のもとで，本剤の投与が適切と判断される場合にのみ行われます。

基本的注意

(1)使用してはいけない場合……本剤の成分に対するアレルギーの前歴／妊婦または妊娠している可能性のある人

(2)慎重に使用すべき場合……低カルシウム血症または低カルシウム血症をおこすおそれのある人／重い腎機能障害／肺転移を有する骨巨細胞腫

(3)口腔の衛生管理……本剤による治療において顎骨壊死・顎骨骨髄炎が現れることがあります。口腔の不衛生，抜歯などの顎骨に対する侵襲的な歯科処置の前歴などが危険因子となるので，本剤の投与開始前には口腔内の管理状態を確認し，必要に応じて歯科

検査を受け, 侵襲的な歯科処置をできるかぎり済ませておくようにします。また, 治療中は口腔内を清潔に保ち, 定期的な歯科検査を受け, 異常が認められた場合には直ちに歯科・口腔外科を受診するようにします。

(4)頻回に検査……治療開始後数日から低カルシウム血症が現れることがあるので, 頻回に血清カルシウム, リンなどの血清電解質濃度を測定する必要があります。

(5)避妊……妊娠可能な年齢の女性は, 使用期間中および使用終了後一定期間は適切な避妊を行ってください。

(6)その他……

- 授乳婦での安全性:治療上の有益性・母乳栄養の有益性を考慮し, 授乳の継続・中止を検討。
- 小児での安全性:未確立。(1714頁を参照)

重大な副作用 ①臨床症状を伴う低カルシウム血症(QT延長, けいれん, テタニー, しびれ, 失見当識など)。②顎骨壊死・顎骨骨髄炎。③重い蜂巣炎などの皮膚感染症(発赤, 腫脹, 疼痛, 発熱など)。④大腿骨転子下, 近位大腿骨骨幹部, 近位尺骨骨幹部などの非定型骨折。⑤アナフィラキシー。⑥治療中止後の多発性椎体骨折。⑦〔骨巨細胞腫のみ〕治療中止後の高カルシウム血症。

そのほかにも報告された副作用はあるので, 体調がいつもと違うと感じたときは, 処方医・薬剤師に相談してください。

併用してはいけない薬 併用してはいけない薬は特にありません。ただし, 併用する薬があるときは, 念のため処方医・薬剤師に報告してください。

注 02 がんに使われる注射薬 11 がんに使われるその他の薬剤

15 オキシコドン塩酸塩水和物

製剤情報

一般名:オキシコドン塩酸塩水和物
- 規制…劇薬, 麻薬

■先発品 商品名(メーカー) 規格・保険薬価
オキファスト注 (シオノギファーマ＝塩野義)
注 1%1mL 1管 300円 注 1%5mL 1管 1,435円

■ジェネリック 商品名(メーカー) 規格・保険薬価
オキシコドン注射液 (第一三共プロファーマ＝第一三共) 注 1%1mL 1管 151円 注 1%5mL 1管 704円

概要

分類 がん疼痛治療薬(アヘンアルカロイド系合成麻薬製剤)

処方目的 中等度から高度の疼痛を伴う各種がんにおける鎮痛

解説 従来から, オキシコドン塩酸塩水和物の内服薬はありましたが, 本剤は2007年に, 日本緩和医療学会より厚生労働省へ同一成分の注射用製剤の開発要望が出され, 「開発する必要がある医薬品」としてつくられたがん疼痛治療薬です。内服薬が使えなく

なった場合でも，引き続き同一成分での治療を受けることができます。

使用上の注意

＊オキシコドン塩酸塩水和物（オキファスト注）の添付文書による

基本的注意

(1)**使用してはいけない場合**……重い呼吸抑制，重い慢性閉塞性肺疾患／気管支ぜんそくの発作中／慢性肺疾患に続発する心不全／けいれん状態（てんかん重積症，破傷風，ストリキニーネ中毒）／麻痺性イレウス／急性アルコール中毒／アヘンアルカロイドに対するアレルギー／出血性大腸炎／ナルメフェン塩酸塩水和物の服用中または服用中止後1週間以内

(2)**特に慎重に使用すべき場合**（原則禁忌，処方医と連絡を絶やさないこと）……細菌性下痢のある人

(3)**慎重に使用すべき場合**……心機能障害あるいは低血圧／呼吸機能障害／肝機能障害／腎機能障害／脳の器質的障害／ショック状態／代謝性アシドーシス／甲状腺機能低下症（粘液水腫など）／副腎皮質機能低下症（アジソン病など）／薬物・アルコール依存またはその前歴／薬物，アルコールなどによる精神障害／前立腺肥大による排尿障害，尿道狭窄，尿路手術術後／器質的幽門狭窄／最近消化管手術を行った人／けいれんの前歴／胆のう障害，胆石症，膵炎／重い炎症性腸疾患／高齢者，衰弱している人

(4)**アルコール**……本剤とアルコールを併用すると，呼吸抑制，低血圧，顕著な鎮静・昏睡がおこることがあります。本剤の使用中は禁酒または節酒してください。

(5)**危険作業は中止**……本剤を使用すると，眠けやめまいをおこすことがあります。使用中は，自動車の運転など危険を伴う機械の操作は行わないようにしてください。

(6)**その他**……

●妊婦での安全性：有益と判断されたときのみ使用。

●授乳婦での安全性：使用するときは授乳を中止。

●小児での安全性：未確立。（1714頁を参照）

重大な副作用

①ショック，アナフィラキシー（顔面蒼白，血圧低下，呼吸困難，頻脈，全身発赤，血管浮腫，じん麻疹など）。②連用による薬物依存，使用量の急激な減少・使用中止による退薬症候（あくび，流涙，悪心，嘔吐，下痢，腹痛，散瞳，頭痛，不眠，不安，けいれん，筋肉・関節痛，呼吸促迫，動悸など）。③呼吸抑制（息切れ，呼吸緩慢，不規則な呼吸，呼吸異常など）。④錯乱，せん妄。⑤無気肺，気管支けいれん，喉頭浮腫。⑥麻痺性イレウス，中毒性巨大結腸。⑦肝機能障害。

　そのほかにも報告された副作用はあるので，体調がいつもと違うと感じたときは，処方医・薬剤師に相談してください。

併用してはいけない薬

ナルメフェン塩酸塩水和物→本剤の鎮痛作用が弱まることがあります。また，退薬症候が現れることがあります。

16 デクスラゾキサン

製剤情報

一般名：デクスラゾキサン

● PC…D
● 規制…劇薬

■**先発品**　　商品名(メーカー)　規格・保険薬価
サビーン点滴静注用(キッセイ)
注 500mg 1瓶 46,437 円

概　要

分類　アントラサイクリン系抗悪性腫瘍薬の血管外漏出治療薬

処方目的　アントラサイクリン系抗悪性腫瘍薬の血管外漏出

解説　がんの治療を受けている人は，化学療法などで血管が脆弱化(もろくなる)したり，循環障害などによって，静脈内に投与される抗悪性腫瘍薬が血管外に漏出しやすい状態になっています。血管外に漏出すると周囲の組織に障害をおこし，発赤，腫脹，疼痛，水疱形成，壊死，潰瘍化などのさまざまな症状を引きおこします。なかでも，アントラサイクリン系の抗悪性腫瘍薬は漏出した薬剤が少量であっても重度の組織障害や組織壊死をおこします。本剤は，血管外漏出によって引きおこされる組織障害を抑制する，日本では初めて承認された薬剤です。

使用上の注意

基本的注意

(1)**使用してはいけない場合**……本剤の成分に対するアレルギーの前歴／妊婦または妊娠している可能性のある人

(2)**慎重に使用すべき場合**……腎機能障害／肝機能障害／高齢者

(3)**生ワクチンの接種禁止**……本剤の投与により免疫機能が低下している患者に生ワクチンまたは弱毒生ワクチンを接種すると，ワクチン由来の感染を増強または持続させるおそれがあります。本剤の投与中は，これらのワクチンを接種しないようにします。

(4)**避妊**……妊娠する可能性がある女性，およびパートナーが妊娠する可能性のある男性は，本剤投与中および少なくとも本剤投与終了後3カ月を経過するまでは確実に避妊してください。動物試験で胎児毒性，催奇形性が報告されています。

(5)**その他**……

● 授乳婦での安全性：治療上の有益性・母乳栄養の有益性を考慮し，授乳の継続・中止を検討。

● 小児での安全性：未確立。(1714頁を参照)

重大な副作用　　①骨髄抑制(白血球減少，好中球減少，血小板減少，ヘモグロビン減少)。

そのほかにも報告された副作用はあるので，体調がいつもと違うと感じたときは，処

方医・薬剤師に相談してください。

併用してはいけない薬　　併用してはいけない薬は特にありません。ただし，併用する薬があるときは，念のため処方医・薬剤師に報告してください。

注 02 がんに使われる注射薬　11 がんに使われるその他の薬剤

17　プレリキサホル

💊 製 剤 情 報

一般名：プレリキサホル

- PC…D
- 規制…劇薬

■先発品	商品名(メーカー)	規格・保険薬価
モゾビル皮下注 (サノフィ)		
注 24mg1.2mL 1瓶 592,749 円		

📄 概　　要

分類　CXCR4 ケモカイン受容体拮抗薬

処方目的　自家末梢血幹細胞移植のための造血幹細胞の末梢血中への動員促進

解説　自家末梢血幹細胞移植は，前もって自分(自家)の末梢血から造血幹細胞を採取し保存しておき，強力な抗がん薬治療や放射線治療を行ったあと，治療によって破壊された血液をつくり出す骨髄の機能を，保存しておいた造血幹細胞を体に戻して回復を促す方法です。特に難治性の血液がんに対する療法として有効な内科的治療法です。

しかし，患者さんの中には十分な量の造血幹細胞を採取できない場合があり，また造血幹細胞の収集には身体的・時間的に大きな負担がかかります。本剤は，骨髄から末梢血中への造血幹細胞の「動員」を促進させる働きがあり，造血幹細胞採取の実施回数の減少と採取率の向上，さらに患者さんの負担を軽減できる薬剤として期待されています。

なお，本剤は白血球増加薬の G-CSF 製剤(フィルグラスチムなど)と併用して用います。

✍ 使用上の注意

基本的注意

(1)**使用してはいけない場合**……本剤の成分に対するアレルギーの前歴／妊婦または妊娠している可能性のある人

(2)**慎重に使用すべき場合**……中等度以上の腎機能障害

(3)**アレルギー反応，過敏症**……本剤の投与によってショック，アナフィラキシーを含むアレルギー反応および過敏症が現れることがあり，特に本剤の初回投与時に多く認められています。

(4)**避妊**……妊娠する可能性がある人は，本剤の服用中および服用中止後の一定期間，適切な方法で避妊してください。動物実験(ラット，ウサギ)において，催奇形性が認められています。

(5)**その他**……

- 授乳婦での安全性：使用するときは授乳を中止。

● 小児での安全性：未確立。(1714 頁を参照)

重大な副作用 ①ショック，アナフィラキシー。②脾腫，脾破裂。

そのほかにも報告された副作用はあるので，体調がいつもと違うと感じたときは，処方医・薬剤師に相談してください。

併用してはいけない薬 併用してはいけない薬は特にありません。ただし，併用する薬があるときは，念のため処方医・薬剤師に報告してください。

注 02 がんに使われる注射薬　11 がんに使われるその他の薬剤

18 ヒドロモルフォン

製 剤 情 報

一般名：ヒドロモルフォン塩酸塩

● 規制…劇薬，麻薬

■ **先発品**　**商品名(メーカー)**　規格・保険薬価
ナルベイン注 (第一三共プロファーマ＝第一三共)
注 2mg1mL 1管 738 円　　注 20mg2mL 1管 6,457 円

概　　要

分類　がん疼痛治療薬(あへん系麻薬性鎮痛薬)

処方目的　中等度から高度の疼痛を伴う各種がんにおける鎮痛

解説　ヒドロモルフォン塩酸塩は，海外において 80 年以上販売されているあへん系麻薬性鎮痛薬で，WHO(世界保健機関)のがん疼痛治療のためのガイドラインなどにおいて標準薬に位置づけられています。内服薬として 2017 年 6 月に販売が開始されたナルサス，ナルラピドに続いて，2018 年 4 月に注射薬としてナルベインが加わりました。

使用上の注意

基本的注意

(1)**使用してはいけない場合**……重い呼吸抑制／気管支ぜんそくの発作中／慢性肺疾患に続発する心不全／けいれん状態(てんかん重積症，破傷風，ストリキニーネ中毒)／麻痺性イレウス／急性アルコール中毒／本剤の成分およびアヘンアルカロイドに対するアレルギー／出血性大腸炎／ナルメフェン塩酸塩水和物の服用中または服用中止後 1 週間以内

(2)**特に慎重に使用すべき場合**(治療上やむを得ないと判断される場合を除き使用しないこと)……細菌性下痢のある人

(3)**慎重に使用すべき場合**……心機能障害あるいは低血圧／呼吸機能障害／肝機能障害／腎機能障害／脳の器質的障害／ショック状態／代謝性アシドーシス／甲状腺機能低下症(粘液水腫など)／副腎皮質機能低下症(アジソン病など)／薬物・アルコール依存またはその前歴／前立腺肥大による排尿障害，尿道狭窄，尿路手術術後／器質的幽門狭窄／最近消化管手術を受けた人／けいれんの前歴／胆のう障害，胆石症，膵炎／重い炎症性腸疾患／高齢者，衰弱している人

(4)**アルコール**……本剤とアルコールを併用すると，呼吸抑制，低血圧，顕著な鎮静・昏

睡がおこることがあります。本剤の使用中は禁酒または節酒してください。

(5)危険作業は中止……本剤を使用すると，眠けやめまいをおこすことがあります。使用中は，自動車の運転など危険を伴う機械の操作は行わないようにしてください。

(6)その他……

- ●妊婦での安全性：有益と判断されたときのみ使用。
- ●授乳婦での安全性：使用するときは授乳を中止。
- ●小児での安全性：未確立。(1714 頁を参照)

重大な副作用　　①連用による薬物依存，使用量の急激な減少・使用中止による退薬症候(あくび，くしゃみ，流涙，発汗，悪心，嘔吐，下痢，腹痛，散瞳，頭痛，不眠，不安，せん妄，ふるえ，全身の筋肉・関節痛，呼吸促迫など)。②呼吸抑制(息切れ，呼吸緩慢，不規則な呼吸，呼吸異常など)。③意識障害(昏睡，昏迷，錯乱，せん妄など)。④イレウス(麻痺性イレウスを含む)，中毒性巨大結腸。

　そのほかにも報告された副作用はあるので，体調がいつもと違うと感じたときは，処方医・薬剤師に相談してください。

併用してはいけない薬　　ナルメフェン塩酸塩水和物→本剤の離脱症状が現れるおそれがあります。また，本剤の効果が弱まるおそれがあります。

注 03 COVID-19治療薬　01 COVID-19治療薬

01 レムデシビル

製剤情報

一般名：レムデシビル

- ●海外評価…6点 英 米 独 仏
- ●使用量と回数…[成人および体重40kg以上の小児]投与初日に200mgを，投与2日目以降は100mgを1日1回点滴静注。[体重3.5kg以上40kg未満の小児]投与初日に5mg/kgを，投与2日目以降は2.5mg/kgを1日1回点滴静注。どちらの場合も目安として5日目まで投与し，症状の改善が認められない場合には10日目まで投与する。

■**先発品**　　**商品名(メーカー)**　**規格・保険薬価**

ベクルリー点滴静注用 (ギリアド)
注 100mg 1瓶 63,342 円

概要

分類　抗ウイルス薬

処方目的　SARS-CoV-2 による感染症

解説　本剤は，ウイルスの RNA 合成を阻害する直接作用型抗ウイルス薬です。2015年からエボラウイルス感染症の治療薬として開発が進められてきましたが，これまでいずれの国でも承認されませんでした。しかし，COVID-19(新型コロナウイルス感染症)を引きおこすウイルスの SARS-CoV-2(サーズ-シーオーブイ-ツー)に対しては抗ウイルス活性が確認され，COVID-19 患者に対しての有効性と安全性が示されたため，2020 年 5 月に「SARS-CoV-2 による感染症」を適応として特例承認されました。

　本剤は，臨床試験などにおける主な投与経験を踏まえ，SARS-CoV-2 による肺炎を有する患者を対象に投与します。なお，小児に対しては，治療上の有益性が危険性を上回ると判断される場合にのみ投与します。小児などを対象とした臨床試験は実施しておらず，小児患者における薬物動態は不明です。小児患者における国内承認の用法・用量は，生理学的薬物動態モデルによるシミュレーションに基づいて決定されたものです。

使用上の注意

基本的注意

(1)**使用してはいけない場合**……本剤の成分に対するアレルギーの前歴

(2)**慎重に使用すべき場合**……腎機能障害，重度の腎機能障害（使用は推奨しない。有益と判断されたときのみ使用を考慮）／肝機能障害（ALT が基準範囲上限の5倍以上の患者は使用しないことが望ましい）／高齢者

(3)**過敏症**……本剤の使用によって，Infusion reaction（注入反応，点滴反応：注射や点滴を行った後，24時間以内に多く現れる症状など），アナフィラキシーを含む過敏症（低血圧，血圧上昇，頻脈，徐脈，低酸素症，発熱，呼吸困難，喘鳴，血管性浮腫，発疹，悪心，嘔吐，発汗，悪寒など）が現れることがあります。状態を十分に観察し，異常が認められた場合には直ちに使用を中止し，適切な処置を行います。また，これらの発現を回避できる可能性があるため，本剤の緩徐な使用を考慮します。

(4)**その他**……

● 妊婦での安全性：有益と判断されたときのみ使用。

● 授乳婦での安全性：治療上の有益性・母乳栄養の有益性を考慮し，授乳の継続・中止を検討。

● 小児での安全性：有益と判断されたときのみ使用。（1714頁を参照）

重大な副作用　　　　①肝機能障害。②過敏症（Infusion reaction，アナフィラキシーを含む：低血圧，血圧上昇，頻脈，徐脈，低酸素症，発熱，呼吸困難，喘鳴，血管性浮腫，発疹，悪心，嘔吐，発汗，悪寒など）。

　そのほかにも報告された副作用はあるので，体調がいつもと違うと感じたときは，処方医・薬剤師に相談してください。

併用してはいけない薬　　　　併用してはいけない薬は特にありません。ただし，併用する薬があるときは，念のため処方医・薬剤師に報告してください。

注03 COVID-19治療薬　01 COVID-19治療薬

02 ロナプリーブ注射液セット

製剤情報

一般名：カシリビマブ（遺伝子組み換え）／イムデビマブ（遺伝子組み換え）

● 海外評価…6点 英 米 独 仏

● 使用量と回数…通常，成人および12歳以上か

つ体重40kg以上の小児に，カシリビマブ600mgとイムデビマブ600mgを併用により単回点滴静注または単回皮下注射する。

■**健康保険適応外　商品名(メーカー)　規格・保険薬価**

ロナプリーブ注射液セット 300(中外)
注1セット（300mg2.5mL 1バイアル×2）【健康保険適応外】

ロナプリーブ注射液セット 1332(中外)
注1セット（1332mg11.1mL 1バイアル×2）【健康保険適応外】

概　要

分類　抗 SARS-CoV-2 モノクローナル抗体

処方目的　SARS-CoV-2 による感染症およびその発症抑制

解説　本剤は，SARS-CoV-2(サーズ-シーオーブイ-ツー)と呼ばれるウイルスのスパイク糖タンパク質に対する2種類の中和抗体カシリビマブとイムデビマブを組み合わせ(カクテルにして)，COVID-19(新型コロナウイルス感染症)に対する治療および予防を目的として創製された薬剤です。本剤による治療法を抗体カクテル療法といい，SARS-CoV-2 の宿主細胞への侵入を阻害することでウイルスの増殖を抑制すると考えられています。

①本剤は，日本で2021年7月に特例承認されたものであり，承認時において臨床試験成績は速報値のみが評価されていることから，本剤の投与にあたっては，あらかじめ患者または代諾者にその旨を説明し，文書による同意を得てから投与すること。

②オミクロン(omicron)株(B.1.1.529系統)については，本剤の有効性が減弱するおそれがあることから，厚生労働省の事務連絡などに基づき，適切な患者に対して投与すること。

③[SARS-CoV-2 による感染症の場合]SARS-CoV-2 による感染症の重症化リスク因子を有し，酸素投与を要しない患者を対象に投与すること。

＊高流量酸素または人工呼吸器管理を要する患者において症状が悪化したとの報告がある。

[SARS-CoV-2 による感染症の発症抑制の場合]　以下のすべてを満たす者に投与すること→(a)SARS-CoV-2 による感染症患者の同居家族または共同生活者などの濃厚接触者，または無症状の SARS-CoV-2 病原体保有者，(b)原則として SARS-CoV-2 による感染症の重症化リスク因子を有する者，(c)SARS-CoV-2 による感染症に対するワクチン接種歴を有しない者，またはワクチン接種歴を有する場合でその効果が不十分と考えられる者

＊重症化リスク因子(本剤の海外臨床試験；COV-2067試験)：50歳以上，肥満(BMI30以上)，心血管疾患(高血圧を含む)，慢性肺疾患(ぜんそくを含む)，1型または2型糖尿病，慢性腎障害(透析患者を含む)，慢性肝疾患，免疫抑制状態

④本剤の中和活性が低い SARS-CoV-2 変異株に対しては本剤の有効性が期待できない可能性があるため，SARS-CoV-2 の最新の流行株の情報を踏まえ，本剤投与の適切性を検討すること。

⑤[SARS-CoV-2 による感染症の場合]SARS-CoV-2 による感染症の症状が発現してか

注03
−01
−02

ロナプリーブ注射液セット

ら速やかに投与すること（単回点滴静注または単回皮下注射）。臨床試験において，症状発現から8日目以降に投与を開始した患者における有効性を裏づけるデータは得られていない。[SARS-CoV-2による感染症の発症抑制の場合]本剤の投与が適切と判断された後に速やかに投与すること（単回点滴静注または単回皮下注射）。投与後30日目以降の有効性を裏づけるデータは得られていない。

📝 使用上の注意

警告

①[SARS-CoV-2による感染症の発症抑制の場合]SARS-CoV-2による感染症の予防の基本はワクチンによる予防であり，本剤はワクチンに置き換わるものではありません。

基本的注意

(1)使用してはいけない場合……本剤の成分に対する重いアレルギーの前歴

(2)慎重に使用すべき場合……高齢者

(3)過敏症……本剤の使用によって，アナフィラキシーを含む重い過敏症が現れることがあります。本剤の使用中は，アナフィラキシーショック，アナフィラキシーに対する適切な薬物治療（アドレナリン，副腎皮質ステロイド薬，抗ヒスタミン薬など）や緊急処置を直ちに実施できるようにしておきます。また，使用終了後も症状のないことを確認します。

(4)その他……

● 妊婦での安全性：有益と判断されたときのみ使用。

● 授乳婦での安全性：治療上の有益性・母乳栄養の有益性を考慮し，授乳の継続・中止を検討。

● 小児（12歳未満）での安全性：未確立。（1714頁を参照）

重大な副作用　　①アナフィラキシーを含む重い過敏症。②Infusion reaction（注入反応，点滴反応：注射や点滴を行った後，24時間以内に多く現れる症状など→発熱，呼吸困難，酸素飽和度低下，悪寒，吐きけ，不整脈，胸痛，胸部不快感，脱力感，精神状態変化，頭痛，気管支けいれん，低血圧，高血圧，咽頭炎，じん麻疹，かゆみ，筋痛，めまいなど）。

そのほかにも報告された副作用はあるので，体調がいつもと違うと感じたときは，処方医・薬剤師に相談してください。

併用してはいけない薬　　併用してはいけない薬は特にありません。ただし，併用する薬があるときは，念のため処方医・薬剤師に報告してください。

注 **03** COVID-19治療薬　　**01** COVID-19治療薬

03　ソトロビマブ（遺伝子組み換え）

💊 **製剤情報**　　　　　　　　**一般名：ソトロビマブ（遺伝子組み換え）**

● 海外評価…2点 英 米 独 仏

● 使用量と回数…成人および 12 歳以上かつ体重 40kg 以上の小児に，500mg を単回点滴静注する。

■健康保険適応外　商品名(メーカー)　規格・保険薬価
ゼビュディ点滴静注液 (グラクソ)
注 500mg 1瓶【健康保険適応外】

概　要

分類　抗 SARS-CoV-2 モノクローナル抗体

処方目的　SARS-CoV-2 による感染症

解説　本剤は，ロナプリーブに続いて特例承認された，SARS-CoV-2(サーズ-シーオーブイ-ツー)ウイルス，いわゆる新型コロナウイルスに対する 2 番目のモノクローナル抗体薬で，ウイルスに対する中和作用などによりヒト細胞へのウイルスの侵入を防ぎます。使用方法はロナプリーブとほぼ同じです。

①本剤は，本邦で 2021 年 9 月に特例承認されたものであり，承認時において臨床試験成績は速報値のみが評価されていることから，本剤の投与にあたっては，あらかじめ患者または代諾者にその旨を説明し，文書による同意を得てから投与すること。

②SARS-CoV-2 による感染症の重症化リスク因子を有し，酸素投与を要しない患者を対象に投与すること。

＊重症化リスク因子：65 歳以上の高齢者，悪性腫瘍，慢性閉塞性肺疾患(COPD)，慢性腎臓病，2 型糖尿病，高血圧，脂質異常症，肥満(BMI30 以上)，喫煙，固形臓器移植後の免疫不全，妊娠後期(新型コロナウイルス感染症(COVID-19)診療の手引き・第 5.3 版，厚生労働省，2021 年 8 月 30 日より)

＊高流量酸素または人工呼吸器管理を要する患者において症状が悪化したとの報告がある。

③本剤の中和活性が低い SARS-CoV-2 変異株に対しては本剤の有効性が期待できない可能性があるため，SARS-CoV-2 の最新の流行株の情報を踏まえ，本剤投与の適切性を検討すること。

④SARS-CoV-2 による感染症の症状が発現してから速やかに投与すること。症状発現から 1 週間程度までを目安に投与することが望ましい。

使用上の注意

基本的注意

(1)使用してはいけない場合……本剤の成分に対する重いアレルギーの前歴

(2)慎重に使用すべき場合……高齢者

(3)過敏症……本剤の使用によって，アナフィラキシーを含む重い過敏症が現れることがあります。本剤の使用中は，アナフィラキシーショック，アナフィラキシーに対する適切な薬物治療(アドレナリン，副腎皮質ステロイド薬，抗ヒスタミン薬など)や緊急処置を直ちに実施できるようにしておきます。また，使用終了後も症状のないことを確認します。

(4)その他……

● 妊婦での安全性：有益と判断されたときのみ使用。

注
03
-
01
-
03

ソトロビマブ(遺伝子組み換え)

- 授乳婦での安全性：治療上の有益性・母乳栄養の有益性を考慮し，授乳の継続・中止を検討。
- 小児での安全性：未確立。（1714頁を参照）

<u>重大な副作用</u>　①アナフィラキシーを含む重い過敏症。②Infusion reaction（注入反応，点滴反応：注射や点滴を行った後，24時間以内に多く現れる症状など→発熱，呼吸困難，酸素飽和度低下，悪寒，吐きけ，不整脈，胸痛，胸部不快感，脱力感，精神状態変化，頭痛，気管支けいれん，低血圧，高血圧，咽頭炎，じん麻疹，かゆみ，筋痛，めまいなど）。

　そのほかにも報告された副作用はあるので，体調がいつもと違うと感じたときは，処方医・薬剤師に相談してください。

<u>併用してはいけない薬</u>　併用してはいけない薬は特にありません。ただし，併用する薬があるときは，念のため処方医・薬剤師に報告してください。

注03—01—03
ソトロビマブ（遺伝子組み換え）

漢方薬 001 ～ 155

薬剤番号 漢方 001～ 155

■漢方薬で解説する薬について

　漢方薬が保険で用いられるようになり，一種の漢方薬ブームになったのはずいぶん前のことですが，現在では治療薬の一部門として認識され，活用されることが多くなりました。医師に漢方薬の治療を希望する患者さんも珍しくなく，漢方薬が処方される例は確実に増えています。

　科学的に証明することが難しい点はありますが，医療を受ける側にすれば選択の幅が広がることは結構なことです。古くから使われてきたという安心感があるのも事実です。しかし，漢方薬だから副作用はないときめつけないで，自分の服用している薬の名前をきちんと調べるようにしてください。

　たしかに漢方薬には，ある種の医薬品のように強い副作用があるものは少ないのですが，副作用が全くないわけではありません。甘草，附子，大黄などを含有している場合には，一緒に服用する薬の種類や，服用しておこる反応に十分な注意をはらわなければなりません。甘草配合製剤に関するコラム（1717 頁）もぜひお読みください。

　東洋医学の体系は，深遠で合理的なものですが，病気を治すのに薬だけにたよっていては決してよくなりません。栄養，食事，運動，精神のもち方など，自然環境も含めてすべてのものが病気に影響を与えると考えられています。

　漢方薬の用い方は病名だけで薬をきめるのではなく，その人の体格・体力・病気の進行度合など，数多くの情報が必要ですので，処方医と十分に対話するよう心がけてください。最近は高齢者の精神活動に期待できるとして繁用される処方もあります。

◉ 薬剤師の眼

効能だけでなく「証」が合っていることが大切

　1967 年に 4 つの漢方エキス製剤が保険薬価に収載されて以来，現在では 140 種類以上の漢方処方が保険医療で使用できるようになっています。一方，医学教育で正式に漢方医学がカリキュラムに組み入れられたのは 2001 年以降のことです。現在ではすべての医学部で漢方医学教育が行われるようになっていますが，指導者不足から大学間でのレベルにはかなりの開きがあるようです。

　もちろん，基礎からしっかり漢方を学んだ医師も大勢いますが，残念ながら，効能にある病名だけで処方しているとしか思えない例にもしばしば遭遇します。

　漢方薬は現代医学とは異なる方法で患者さんの「証」を診断し，処方を決定します。「証」は患者さんの体質の虚実・陰陽・脈……などから導き出されます。この西洋医学とは異なる診断法を用いるにもかかわらず，国の承認する薬としては西洋医学的な効能に無理やり当てはめているため，効能にある病名を診断されたとしても，処方された漢方薬の「証」が合っていない場合もしばしばおこります。

　漢方薬にもさまざまな副作用があり，時には重大な副作用があることが指摘されてきていますが，「証」に合わない処方が出されたためにおこっている副作用も多いのではないかと考えられます。

漢方薬

001 葛根湯（かっこんとう）

製剤情報

一般名：葛根湯

●剤形…錠錠剤, 細細粒剤, 顆顆粒剤

■メーカー	規格・保険薬価
オースギ	顆 1g 6.40 円
	錠 1錠 4.00 円
大峰堂＝クラシエ	錠 1錠 3.80 円
クラシエ	細 1g 6.80 円
康和＝オースギ	細 1g 9.50 円

小太郎	細 1g 6.50 円
三和生薬	細 1g 6.50 円
ジェーピーエス	顆 1g 6.40 円
太虎精堂	顆 1g 6.70 円
ツムラ	顆 1g 8.30 円
帝国漢方製薬＝帝国製薬	顆 1g 5.90 円
東洋薬行	細 1g 8.30 円
本草	顆 1g 5.90 円

適応

・比較的体力があり, 頭痛・発熱・悪寒があって, 自然発汗のない人の次の諸症→感冒, 肩こり, 神経痛, 中耳炎, 乳腺炎, 湿疹, じん麻疹など

基本的注意

(1) 次の人は慎重に服用します。⑤〜⑨の人は, 服用によってこれらの疾患・症状が悪化するおそれがあります。①病後の衰弱期, 著しく体力の衰えている人, ②著しく胃腸の虚弱な人, ③食欲不振, 悪心, 嘔吐のある人, ④発汗傾向の著しい人, ⑤狭心症, 心筋梗塞などの循環器系の障害, またはその前歴のある人, ⑥重症高血圧症の人, ⑦高度の腎機能障害のある人, ⑧排尿障害のある人, ⑨甲状腺機能亢進症の人

(2) 妊婦での安全性は未確立です。有益と判断されたときのみ服用します。

(3) 服用によって湿疹, 皮膚炎などが悪化することがあります。

重大な副作用

①体液の貯留, むくみ, 体重増加, 血圧上昇などの偽アルドステロン症（甘草配合のため）。②脱力感, 手足のけいれんや麻痺などを初発症状とするミオパチー（低カリウム血症の結果。甘草配合のため）。③AST・ALT・AL-P・γ-GTP などの著しい上昇を伴う肝機能障害, 黄疸。

そのほかにも報告された副作用はあるので, 体調がいつもと違うと感じたときは, 処方医・薬剤師に相談してください。

漢方薬

002 葛根湯加川芎辛夷（かっこんとうかせんきゅうしんい）

製剤情報

一般名：葛根湯加川芎辛夷

●剤形…錠錠剤, 細細粒剤, 顆顆粒剤

漢方薬
003

乙字湯

■メーカー	規格・保険薬価
オースギ	顆 1g 6.90 円
大峰堂＝クラシエ	錠 1錠 5.00 円
クラシエ	細 1g 8.60 円
小太郎	細 1g 6.70 円
ジェーピーエス	顆 1g 7.30 円

ツムラ	顆 1g 10.20 円
帝国漢方製薬＝帝国製薬	顆 1g 5.70 円
東洋薬行	細 1g 9.70 円
本草	顆 1g 6.30 円

適応

・鼻づまり，蓄膿症，慢性鼻炎など
・基本的には葛根湯ですが，より一般的に使われます。

基本的注意

(1)次の人は慎重に服用します。⑤〜⑨の人は，服用によってこれらの疾患・症状が悪化するおそれがあります。①病後の衰弱期，著しく体力の衰えている人，②著しく胃腸の虚弱な人，③食欲不振，悪心，嘔吐のある人，④発汗傾向の著しい人，⑤狭心症，心筋梗塞などの循環器系の障害，またはその前歴のある人，⑥重症高血圧症の人，⑦高度の腎機能障害のある人，⑧排尿障害のある人，⑨甲状腺機能亢進症の人
(2)妊婦での安全性は未確立です。有益と判断されたときのみ服用します。
(3)服用によって湿疹，皮膚炎などが悪化することがあります。

重大な副作用

①体液の貯留，むくみ，体重増加，血圧上昇などの偽アルドステロン症(甘草配合のため)。②脱力感，手足のけいれんや麻痺などを初発症状とするミオパチー(低カリウム血症の結果。甘草配合のため)。

そのほかにも報告された副作用はあるので，体調がいつもと違うと感じたときは，処方医・薬剤師に相談してください。

漢方薬

003 乙字湯（おつじとう）

💊 製 剤 情 報

一般名：乙字湯

● 剤形…細 細粒剤，顆 顆粒剤

■メーカー	規格・保険薬価
オースギ	顆 1g 11.10 円
クラシエ	細 1g 17.40 円
康和＝オースギ	細 1g 17.60 円

小太郎	細 1g 11.50 円
三和生薬	細 1g 11.00 円
ジェーピーエス	顆 1g 12.10 円
太虎精堂	顆 1g 9.20 円
ツムラ	顆 1g 15.30 円
帝国漢方製薬＝帝国製薬	顆 1g 6.50 円
本草	顆 1g 6.50 円

適応
・便秘ぎみの人の痔疾患(切れ痔,いぼ痔など)

基本的注意
(1)妊婦または妊娠している可能性のある人は,服用しないことが望ましいです(流早産の危険性)。
(2)次の人は慎重に服用します。①下痢,軟便のある人,②著しく胃腸の虚弱な人,③食欲不振,悪心,嘔吐のある人,④著しく体力の衰えている人,⑤授乳婦(乳児の下痢)

重大な副作用
①体液の貯留,むくみ,体重増加,血圧上昇などの偽アルドステロン症(甘草配合のため)。②脱力感,手足のけいれんや麻痺などを初発症状とするミオパチー(低カリウム血症の結果。甘草配合のため)。③発熱,せき,呼吸困難などを初発症状とする間質性肺炎。④AST・ALT・AL-P・γ-GTPなどの著しい上昇を伴う肝機能障害,黄疸。

　そのほかにも報告された副作用はあるので,体調がいつもと違うと感じたときは,処方医・薬剤師に相談してください。

漢方薬
005 安中散(あんちゅうさん)

漢方薬
005
安中散

製剤情報

一般名:安中散
●剤形…錠錠剤,カカプセル剤,細細粒剤,顆顆粒剤

■メーカー

メーカー	規格・保険薬価
オースギ	顆 1g 11.90 円
クラシエ	細 1g 8.10 円
小太郎	細 1g 7.50 円
	力 1カプセル 7.90 円
ジェーピーエス	顆 1g 6.30 円
高砂=オースギ	錠 1錠 5.70 円
ツムラ	顆 1g 7.20 円
帝国漢方製薬=帝国製薬	顆 1g 5.40 円
東洋薬行	細 1g 7.30 円
本草	顆 1g 5.40 円

適応
・やせ型で腹の部分の筋肉がゆるんでいる傾向の人で,胃痛や腹痛があって,ときに胸やけ,げっぷ,食欲不振,吐きけなどを伴う人の次の諸症→神経性胃炎,慢性胃炎,胃アトニー,胃酸過多など

基本的注意
(1)妊婦での安全性は未確立です。有益と判断されたときのみ服用します。

重大な副作用
①体液の貯留,むくみ,体重増加,血圧上昇などの偽アルドステロン症(甘草配合のため)。②脱力感,手足のけいれんや麻痺などを初発症状とするミオパチー(低カリウム血症の結果。甘草配合のため)。

　そのほかにも報告された副作用はあるので,体調がいつもと違うと感じたときは,処

方医・薬剤師に相談してください。

漢方薬

006 十味敗毒湯(じゅうみはいどくとう)

製剤情報

一般名:十味敗毒湯

- 剤形…錠錠剤, 細細粒剤, 顆顆粒剤

■メーカー 規格・保険薬価

オースギ	顆 1g 11.50 円
大峰堂=クラシエ	錠 1錠 5.90 円
クラシエ	細 1g 13.30 円
小太郎	細 1g 13.60 円

三和生薬	細 1g 9.50 円
ジェーピーエス	顆 1g 10.50 円
太虎精堂	顆 1g 11.00 円
ツムラ	顆 1g 14.30 円
帝国漢方製薬 = 帝国製薬	顆 1g 6.50 円
東洋薬行	細 1g 13.60 円
本草	顆 1g 6.30 円

適応

・分泌物があまり多くなく,慢性に経過する人の次の諸症→腫物,湿疹,じん麻疹,にきびなど

基本的注意

(1)次の人は慎重に服用します。①著しく体力の衰えている人(皮膚症状の悪化),②著しく胃腸の虚弱な人,③食欲不振,悪心,嘔吐のある人

(2)妊婦での安全性は未確立です。有益と判断されたときのみ服用します。

重大な副作用 ①体液の貯留,むくみ,体重増加,血圧上昇などの偽アルドステロン症(甘草配合のため)。②脱力感,手足のけいれんや麻痺などを初発症状とするミオパチー(低カリウム血症の結果。甘草配合のため)。

　そのほかにも報告された副作用はあるので,体調がいつもと違うと感じたときは,処方医・薬剤師に相談してください。

漢方薬

007 八味丸(はちみがん), 八味地黄丸(はちみじおうがん)

製剤情報

一般名:八味丸

- 規制…劇薬(丸薬,顆粒剤分包品を除く)
- 剤形…細細粒剤, 顆顆粒剤, 丸丸剤

■メーカー 規格・保険薬価

ウチダ和漢薬=クラシエ	丸 10丸 10.50 円
小太郎	細 1g 6.30 円
帝国漢方製薬 = 帝国製薬	顆 1g 6.30 円
本草	顆 1g 5.80 円

一般名：八味地黄丸

- 規制…劇薬（錠剤，分包品を除く）
- 剤形…錠 錠剤，細 細粒剤，顆 顆粒剤

■メーカー	規格・保険薬価
オースギ	顆 1g 6.80 円
	錠 1錠 4.00 円

大峰堂＝クラシエ	錠 1錠 4.90 円
クラシエ	細 1g 10.30 円
三和生薬	細 1g 8.40 円
ジェーピーエス	顆 1g 6.80 円
ツムラ	顆 1g 9.90 円

適応

・疲れやすくて，四肢が冷えやすく，尿量減少または多尿で，ときに口渇がある人の次の諸症→下肢痛，腰痛，しびれ，かゆみ，排尿困難，むくみ，腎炎，糖尿病，坐骨神経痛，前立腺肥大，高血圧など

基本的注意

(1) 妊婦または妊娠している可能性のある人は，服用しないことが望ましいです（流早産の危険性）。

(2) 次の人は慎重に服用します。①体力の充実している人（副作用が現れやすい），②暑がりで，のぼせが強く，赤ら顔の人，③著しく胃腸の虚弱な人，④食欲不振，悪心，嘔吐のある人，⑤小児（ウチダ和漢薬＝クラシエを除く）

重大な副作用

重大な副作用はありませんが，そのほかの副作用はあるので，体調がいつもと違うと感じたときは，処方医・薬剤師に相談してください。

漢方薬

008 大柴胡湯（だいさいことう）

製剤情報

一般名：大柴胡湯

- 剤形…錠 錠剤，細 細粒剤，顆 顆粒剤

■メーカー	規格・保険薬価
オースギ	顆 1g 15.60 円
	錠 1錠 7.30 円
大峰堂＝クラシエ	錠 1錠 7.80 円
クラシエ	細 1g 22.80 円
康和＝オースギ	細 1g 29.70 円

小太郎	細 1g 14.70 円
三和生薬	細 1g 16.30 円
ジェーピーエス	顆 1g 15.60 円
太虎精堂	顆 1g 19.10 円
ツムラ	顆 1g 22.40 円
帝国漢方製薬＝帝国製薬	顆 1g 8.10 円
東洋薬行	細 1g 22.10 円
本草	顆 1g 9.70 円

適応

・比較的体力のある人で，便秘があり，上腹部がはって苦しく，耳鳴り，肩こりなどを伴う人の次の諸症→高血圧，動脈硬化，常習便秘，肥満症，黄疸，胆石症，胆炎，胃腸病，気管支ぜんそく，不眠症，神経衰弱など

基本的注意

(1)妊婦または妊娠している可能性のある人は，服用しないことが望ましいです（流早産の危険性）。

(2)次の人は慎重に服用します。①下痢，軟便のある人，②著しく胃腸の虚弱な人，③著しく体力の衰えている人，④授乳婦（乳児の下痢）

重大な副作用
①発熱，せき，呼吸困難などを初発症状とする間質性肺炎。②AST・ALT・AL-P・γ-GTP などの著しい上昇を伴う肝機能障害，黄疸。

そのほかにも報告された副作用はあるので，体調がいつもと違うと感じたときは，処方医・薬剤師に相談してください。

漢方薬

009 小柴胡湯（しょうさいことう）

🔴 製 剤 情 報

一般名：小柴胡湯

●剤形…錠錠剤，細細粒剤，顆顆粒剤

■メーカー

メーカー	規格・保険薬価
オースギ	顆 1g 20.30 円
	錠 1錠 8.50 円
大峰堂＝クラシエ	錠 1錠 12.00 円
クラシエ	細 1g 30.80 円
康和＝オースギ	細 1g 37.90 円

メーカー	規格・保険薬価
小太郎	細 1g 23.20 円
三和生薬	細 1g 18.70 円
ジェーピーエス	顆 1g 20.30 円
太虎精堂	顆 1g 24.30 円
ツムラ	顆 1g 29.70 円
帝国漢方製薬＝帝国製薬	顆 1g 14.50 円
東洋薬行	細 1g 18.70 円
本草	顆 1g 12.10 円

適応

・体力中等度で上腹部がはって苦しく，舌苔を生じ，口中不快，食欲不振，ときに微熱，悪心などがある人の次の諸症→諸種の急性熱性病，肺炎，気管支炎，気管支ぜんそく，感冒，リンパ腺炎，慢性胃腸障害，産後回復不全など

・慢性肝炎における肝機能障害の改善

警告

本剤の服用によって，間質性肺炎がおこり，死亡などの重い転帰に至ることがあります。服用した後に，せき，息切れ，呼吸困難，発熱などが現れた場合は，すぐに服用を中止し，ただちに処方医に相談してください。

基本的注意

(1)次の人は服用してはいけません（禁忌）。①肝硬変・肝がんの人，②慢性肝炎における肝機能障害で血小板数が 10 万/mm³ 以下の人，③インターフェロン製剤を投与中の人

(2)次の人は慎重に服用します。①体力が著しく衰えている人，②慢性肝炎における肝機能障害で血小板数が 15 万/mm³ 以下の人

(3)妊婦での安全性は未確立です。有益と判断されたときのみ服用します。

重大な副作用　①発熱，せき，呼吸困難などを初発症状とする間質性肺炎。②体液の貯留，むくみ，体重増加，血圧上昇などの偽アルドステロン症（甘草配合のため）。③脱力感，手足のけいれんや麻痺などを初発症状とするミオパチー（低カリウム血症の結果。甘草配合のため）。④AST・ALT・AL-P・γ-GTP などの著しい上昇を伴う肝機能障害，黄疸。

　そのほかにも報告された副作用はあるので，体調がいつもと違うと感じたときは，処方医・薬剤師に相談してください。

漢方薬

010 柴胡桂枝湯（さいこけいしとう）

⊘ 製剤情報

一般名：柴胡桂枝湯

● 剤形…錠錠剤，細細粒剤，顆顆粒剤

■メーカー	規格・保険薬価
オースギ	顆 1g 14.70 円
大峰堂＝クラシエ	錠 1錠 8.10 円
クラシエ	細 1g 21.30 円

康和＝オースギ	細 1g 29.80 円
小太郎	細 1g 21.80 円
三和生薬	細 1g 16.70 円
ジェーピーエス	顆 1g 19.40 円
太虎精堂	顆 1g 12.60 円
ツムラ	顆 1g 24.40 円
帝国漢方製薬＝帝国製薬	顆 1g 10.00 円

漢方薬
010

柴胡桂枝湯

適応

・自然に汗が出て，微熱や悪寒がし，胸やわき腹に圧迫感があり，頭痛，関節痛などを伴う人の次の諸症→感冒・肺炎・肺結核などの熱性疾患，胃潰瘍・十二指腸潰瘍・胆嚢炎・胆石・膵炎などの痛み

基本的注意

(1)妊婦での安全性は未確立です。有益と判断されたときのみ服用します。

(2)類似処方の小柴胡湯では，インターフェロンアルファとの併用例で間質性肺炎の副作用が多く報告されています。

重大な副作用　①体液の貯留，むくみ，体重増加，血圧上昇などの偽アルドステロン症（甘草配合のため）。②脱力感，手足のけいれんや麻痺などを初発症状とするミオパチー（低カリウム血症の結果。甘草配合のため）。③AST・ALT・AL-P・γ-GTP などの著しい上昇を伴う肝機能障害，黄疸。④発熱，せき，呼吸困難などを初発症状とする間質性肺炎がおこることがあります。

　そのほかにも報告された副作用はあるので，体調がいつもと違うと感じたときは，処方医・薬剤師に相談してください。

漢方薬

011 柴胡桂枝乾姜湯(さいこけいしかんきょうとう)

製剤情報

一般名:柴胡桂枝乾姜湯

● 剤形…細細粒剤, 顆顆粒剤

■メーカー

	規格・保険薬価
小太郎	細 1g 18.40 円

太虎精堂 = クラシエ	顆	1g 10.70 円
ツムラ	顆	1g 18.90 円
帝国漢方製薬 = 帝国製薬	顆	1g 8.40 円
本草	顆	1g 8.70 円

適応

・衰弱して血色が悪く,微熱,寝汗,胸がふさがったような気分がして,疲労感,食欲不振,神経衰弱気味の人の次の諸症→ノイローゼ(神経症),不眠症,血の道症,体力の増強など

基本的注意

(1)妊婦での安全性は未確立です。有益と判断されたときのみ服用します。

重大な副作用

①発熱,せき,呼吸困難などを初発症状とする間質性肺炎。②体液の貯留,むくみ,体重増加,血圧上昇などの偽アルドステロン症(甘草配合のため)。③脱力感,手足のけいれんや麻痺などを初発症状とするミオパチー(低カリウム血症の結果。甘草配合のため)。④AST・ALT・AL-P・γ-GTP などの著しい上昇を伴う肝機能障害,黄疸。

そのほかにも報告された副作用はあるので,体調がいつもと違うと感じたときは,処方医・薬剤師に相談してください。

漢方薬

012 柴胡加竜骨牡蛎湯(さいこかりゅうこつぼれいとう)

製剤情報

一般名:柴胡加竜骨牡蛎湯

● 剤形…錠錠剤, 細細粒剤, 顆顆粒剤

■メーカー

	規格・保険薬価
オースギ	顆 1g 14.50 円
大峰堂 = クラシエ	錠 1錠 7.50 円
クラシエ	細 1g 21.80 円

康和 = オースギ	細	1g 22.90 円
小太郎	細	1g 16.80 円
ジェーピーエス	顆	1g 16.30 円
太虎精堂	顆	1g 17.50 円
ツムラ	顆	1g 20.60 円
帝国漢方製薬 = 帝国製薬	顆	1g 9.50 円
本草	顆	1g 8.80 円

適応

・比較的体力があって，心悸亢進，不眠，いらいらする人の次の諸症→高血圧症，動脈硬化症，慢性腎臓病，てんかん，小児夜なき，不眠症，ノイローゼ(神経症)など

基本的注意

(1) 体力が衰えている人は桂枝加竜骨牡蛎湯のほうを服用します。

(2) [ツムラを除く]妊婦または妊娠している可能性のある人は服用しないことが望ましいです(流早産の危険性。大黄配合のため)。

(3) [ツムラのみ]妊婦での安全性は未確立です。有益と判断されたときのみ服用します。

(4) [ツムラを除く]次の人は慎重に服用します。①下痢軟便のある人，②著しく胃腸の虚弱な人，③著しく体力の衰えている人，④授乳婦(乳児の下痢)

重大な副作用

①発熱，せき，呼吸困難などを初発症状とする間質性肺炎。②AST・ALT・AL-P・γ-GTP などの著しい上昇を伴う肝機能障害，黄疸。

そのほかにも報告された副作用はあるので，体調がいつもと違うと感じたときは，処方医・薬剤師に相談してください。

漢方薬

014 半夏瀉心湯(はんげしゃしんとう)

製剤情報

一般名：半夏瀉心湯

● 剤形…錠錠剤，細細粒剤，顆顆粒剤

■ メーカー

メーカー	規格・保険薬価
オースギ	顆 1g 15.40 円
大峰堂＝クラシエ	細 1g 20.90 円
	錠 1錠 6.70 円
康和＝オースギ	細 1g 23.00 円
小太郎	細 1g 16.70 円
三和生薬	細 1g 15.30 円
ジェーピーエス	顆 1g 17.40 円
太虎精堂	細 1g 15.50 円
ツムラ	顆 1g 22.50 円
帝国漢方製薬＝帝国製薬	顆 1g 8.30 円
東洋薬行	細 1g 23.00 円
本草	顆 1g 9.10 円

適応

・みぞおちがつかえ，悪心や嘔吐があり，食欲不振で舌苔があり，胃のところに水分停滞感がある人の次の諸症→急性・慢性胃腸カタル，発酵性下痢，神経性胃炎，二日酔，口内炎，つわりなど

基本的注意

(1) 次の人は服用してはいけません(禁忌)。本剤が甘草を配合しているため，以下の疾患・症状が悪化するおそれがあります。①アルドステロン症の人，②ミオパチーのある人，③低カリウム血症のある人

(2) 妊婦での安全性は未確立です。有益と判断されたときのみ服用します。体質によって流産するおそれがあるので，十分に注意して服用してください。

重大な副作用 ①発熱，せき，呼吸困難などを初発症状とする間質性肺炎。②体液の貯留，むくみ，体重増加，血圧上昇などの偽アルドステロン症（甘草配合のため）。③脱力感，手足のけいれんや麻痺などを初発症状とするミオパチー（低カリウム血症の結果。甘草配合のため）。④AST・ALT・AL-P・γ-GTP などの著しい上昇を伴う肝機能障害，黄疸。

そのほかにも報告された副作用はあるので，体調がいつもと違うと感じたときは，処方医・薬剤師に相談してください。

漢方薬

015 黄連解毒湯（おうれんげどくとう）

💊 製 剤 情 報

一般名：黄連解毒湯

● 剤形… 錠錠剤， 力カプセル剤， 細細粒剤，
顆顆粒剤

■メーカー	規格・保険薬価
オースギ	顆 1g 13.90 円
	錠 1錠 5.90 円
大峰堂＝クラシエ	錠 1錠 5.70 円
クラシエ	細 1g 13.50 円
康和＝オースギ	細 1g 21.30 円

小太郎	細 1g 13.50 円
小太郎＝扶桑	力 1ｶﾌﾟ 15.10 円
三和生薬	細 1g 15.00 円
ジェービーエス	顆 1g 10.10 円
太虎精堂	顆 1g 17.20 円
ツムラ	顆 1g 14.20 円
帝国漢方製薬＝帝国製薬	顆 1g 6.30 円
東洋薬行	細 1g 18.00 円
本草	顆 1g 7.00 円

適応

・比較的体力があり，のぼせ気味でいらいらする人の次の諸症→不眠症，ノイローゼ（神経症），高血圧症，湿疹・皮膚炎，皮膚のかゆみ，胃炎，二日酔，めまい，動悸，鼻出血，痔出血など

基本的注意

(1)著しく体力の衰えている人は慎重に服用します。

(2)妊婦での安全性は未確立です。有益と判断されたときのみ服用します。

重大な副作用 ①発熱，せき，呼吸困難などを初発症状とする間質性肺炎。②AST・ALT・AL-P・γ-GTP などの著しい上昇を伴う肝機能障害，黄疸。③長期服用（多くは 5 年以上）により，腹痛，下痢，便秘，腹部膨満などが繰り返しおこる腸間膜静脈硬化症（サンシシ配合のため）。

そのほかにも報告された副作用はあるので，体調がいつもと違うと感じたときは，処方医・薬剤師に相談してください。

漢方薬

016 半夏厚朴湯(はんげこうぼくとう)

💊 製 剤 情 報

一般名：半夏厚朴湯

● 剤形…錠 錠剤, 細 細粒剤, 顆 顆粒剤

■メーカー	規格・保険薬価
オースギ	顆 1g 21.90 円
	錠 1錠 5.70 円
大峰堂＝クラシエ	錠 1錠 5.70 円
クラシエ	細 1g 11.00 円
康和＝オースギ	細 1g 14.60 円

小太郎	細 1g 11.00 円
三和生薬	細 1g 14.60 円
ジェーピーエス	顆 1g 8.80 円
太虎精堂	顆 1g 14.40 円
ツムラ	顆 1g 9.60 円
帝国漢方製薬＝帝国製薬	顆 1g 8.60 円
東洋薬行	細 1g 11.00 円
本草	顆 1g 8.60 円

適応

・気分がふさいで, のどから胸もとにかけてふさがるような気がして(これを咽中炙臠(いんちゅうしゃれん)といいます), 胃部が重苦しい人の次の諸症→せき, 不安神経症, しわがれ声, 不眠症, つわりなど

基本的注意

(1)妊婦での安全性は未確立です。有益と判断されたときのみ服用します。体質によって流産するおそれがあるので, 十分に注意して服用してください。

重大な副作用

重大な副作用はありませんが, そのほかの副作用はあるので, 体調がいつもと違うと感じたときは, 処方医・薬剤師に相談してください。

漢方薬

017 五苓散(ごれいさん)

💊 製 剤 情 報

一般名：五苓散

● 剤形…錠 錠剤, 細 細粒剤, 顆 顆粒剤

■メーカー	規格・保険薬価
大峰堂＝クラシエ	錠 1錠 5.70 円
クラシエ	細 1g 13.20 円
康和＝オースギ	細 1g 20.20 円
小太郎	細 1g 12.10 円

三和生薬	細 1g 10.60 円
ジェーピーエス＝オースギ	顆 1g 10.40 円
太虎精堂	顆 1g 12.90 円
ツムラ	顆 1g 13.80 円
帝国漢方製薬＝帝国製薬	顆 1g 7.10 円
東洋薬行	細 1g 12.10 円
本草	顆 1g 2.40 円

漢方薬 016

半夏厚朴湯

適応

・のどが渇いて，水を飲むにもかかわらず尿量が少ない人（頭痛・頭重，悪心・嘔吐あるいはむくみを伴います）の次の諸症→急性胃腸カタル，吐きけ，二日酔，下痢，ネフローゼ，糖尿病など

基本的注意

(1) しぶり腹の人は，ふつう服用しません。

(2) 妊婦での安全性は未確立です。有益と判断されたときのみ服用します。

重大な副作用

重大な副作用はありませんが，そのほかの副作用はあるので，体調がいつもと違うと感じたときは，処方医・薬剤師に相談してください。

漢方薬

018　桂枝加朮附湯(けいしかじゅつぶとう)，**桂枝加苓朮附湯**(けいしかりょうじゅつぶとう)

💊 製剤情報

一般名：桂枝加朮附湯

- 規制…劇薬（細粒剤，顆粒剤（ツムラを除く）500g 包装品）
- 剤形…細 細粒剤，顆 顆粒剤

■メーカー	規格・保険薬価
小太郎	細 1g 6.60 円
三和生薬	細 1g 6.60 円
ジェーピーエス	顆 1g 7.10 円
ツムラ	顆 1g 9.90 円

帝国漢方製薬＝帝国製薬　　顆 1g 6.30 円

一般名：桂枝加苓朮附湯

- 規制…劇薬（錠剤，クラシエ細粒剤 2.5g 分包品を除く）
- 剤形…錠 錠剤，細 細粒剤，顆 顆粒剤

■メーカー	規格・保険薬価
オースギ	顆 1g 6.20 円
大峰堂＝クラシエ	錠 1錠 3.10 円
クラシエ	細 1g 6.50 円

適応

・冷え症で痛み，四肢に麻痺感がある人，また屈伸困難な人の諸症→神経痛，関節炎，リウマチ

基本的注意

(1) 妊婦または妊娠している可能性のある人は，服用しないことが望ましいです（副作用が現れやすい）。

(2) 次の人は慎重に服用します。①体力の充実している人（副作用が現れやすい），②暑がりで，のぼせが強く，赤ら顔の人，③小児

(3) しびれ感や麻痺，悪心・嘔吐，心悸亢進，顔面蒼白などがおこったら，すぐ処方医に連絡します（附子配合のため）。

重大な副作用

①体液の貯留，むくみ，体重増加，血圧上昇などの偽アルドステロン症（甘草配合のため）。②脱力感，手足のけいれんや麻痺などを初発症状とするミオパチー（低カリウム血症の結果。甘草配合のため）。

　そのほかにも報告された副作用はあるので，体調がいつもと違うと感じたときは，処方医・薬剤師に相談してください。

019　小青竜湯（しょうせいりゅうとう）

💊 製剤情報

一般名：小青竜湯

● 剤形…錠 錠剤, 細 細粒剤, 顆 顆粒剤

■ メーカー

メーカー	規格・保険薬価
オースギ	顆 1g 9.20 円
	錠 1錠 5.70 円
大峰堂＝クラシエ	錠 1錠 6.30 円
クラシエ	細 1g 18.20 円
小太郎	細 1g 12.00 円
三和生薬	細 1g 10.30 円
ジェーピーエス	顆 1g 12.30 円
太虎精堂	顆 1g 11.40 円
ツムラ	顆 1g 13.00 円
帝国漢方製薬＝帝国製薬	顆 1g 7.00 円
本草	顆 1g 6.90 円

適応

・次の疾患における水様の痰，水様の鼻汁，鼻閉，くしゃみ，喘鳴（ぜんめい），せき，流涙→気管支炎，気管支ぜんそく，鼻炎，アレルギー性鼻炎，アレルギー性結膜炎，感冒

基本的注意

(1)次の人は服用してはいけません（禁忌）。本剤が甘草を配合しているため，以下の疾患・症状が悪化するおそれがあります。①アルドステロン症の人，②ミオパチーのある人，③低カリウム血症のある人

(2)次の人は慎重に服用します。⑤〜⑨の人は，服用によってこれらの疾患・症状が悪化するおそれがあります。①病後の衰弱期，著しく体力の衰えている人，②著しく胃腸の虚弱な人，③食欲不振，悪心，嘔吐のある人，④発汗傾向の著しい人，⑤狭心症，心筋梗塞などの循環器系の障害，またはその前歴のある人，⑥重症高血圧症の人，⑦高度の腎機能障害のある人，⑧排尿障害のある人，⑨甲状腺機能亢進症の人

(3)妊婦での安全性は未確立です。有益と判断されたときのみ服用します。

重大な副作用

①発熱，せき，呼吸困難などを初発症状とする間質性肺炎。②体液の貯留，むくみ，体重増加，血圧上昇などの偽アルドステロン症（甘草配合のため）。③脱力感，手足のけいれんや麻痺などを初発症状とするミオパチー（低カリウム血症の結果。甘草配合のため）。④AST・ALT・AL-P・γ-GTPなどの著しい上昇を伴う肝機能障害，黄疸。

　そのほかにも報告された副作用はあるので，体調がいつもと違うと感じたときは，処方医・薬剤師に相談してください。

漢方薬

020 防已黄耆湯（ぼういおうぎとう）

🄻 製 剤 情 報

一般名：防已黄耆湯

- 剤形…錠 錠剤, 細 細粒剤, 顆 顆粒剤

■メーカー　　　　　　規格・保険薬価

オースギ	顆 1g 6.50 円
大峰堂＝クラシエ	細 1g 7.40 円
	錠 1錠 4.30 円

康和＝オースギ	細 1g 9.80 円
小太郎	細 1g 6.90 円
ジェーピーエス	顆 1g 7.70 円
太虎精堂	顆 1g 6.50 円
ツムラ	顆 1g 9.70 円
帝国漢方製薬＝帝国製薬	顆 1g 6.30 円
本草	顆 1g 6.30 円

適応

・色白で水太り，汗をかきやすく，むくみがある人の次の諸症→肥満症，関節炎，関節リウマチ，腎炎，ネフローゼ，皮膚病，多汗症，月経不順など

基本的注意

(1)妊婦での安全性は未確立です。有益と判断されたときのみ服用します。

重大な副作用

①発熱，せき，呼吸困難などを初発症状とする間質性肺炎。②体液の貯留，むくみ，体重増加，血圧上昇などの偽アルドステロン症（甘草配合のため）。③脱力感，手足のけいれんや麻痺などを初発症状とするミオパチー（低カリウム血症の結果。甘草配合のため）。④AST・ALT・AL-P・γ-GTPなどの著しい上昇を伴う肝機能障害，黄疸。

　そのほかにも報告された副作用はあるので，体調がいつもと違うと感じたときは，処方医・薬剤師に相談してください。

漢方薬

021 小半夏加茯苓湯（しょうはんげかぶくりょうとう）

🄻 製 剤 情 報

一般名：小半夏加茯苓湯

- 剤形…細 細粒剤, 顆 顆粒剤

■メーカー　　　　　　規格・保険薬価

オースギ	顆 1g 19.30 円

クラシエ	細 1g 12.90 円
小太郎	細 1g 12.80 円
ツムラ	顆 1g 10.70 円
帝国漢方製薬＝帝国製薬	顆 1g 7.90 円
本草	顆 1g 6.60 円

適応

・体力中等度で胃部に水分停滞感がある人の次の諸症→つわり，嘔吐症

基本的注意

(1)妊婦での安全性は未確立です。有益と判断されたときのみ服用します。体質によって流産するおそれがあるので，十分に注意して服用してください。

重大な副作用
特に副作用はありませんが，体調がいつもと違うと感じたときは，処方医・薬剤師に相談してください。

漢方薬

022 消風散(しょうふうさん)

製剤情報

一般名：消風散

● 剤形…細 細粒剤，顆 顆粒剤

■メーカー	規格・保険薬価
オースギ	顆 1g 7.90 円
小太郎	細 1g 7.50 円
ツムラ	顆 1g 12.20 円

適応

・分泌液が多く，かゆみが強い慢性の皮膚疾患(湿疹，じん麻疹，皮膚掻痒症)

基本的注意

(1)患部がジクジクしている場合には，十味敗毒湯がよく効くことが多いようです。

(2)次の人は慎重に服用します。①胃腸の虚弱な人，②食欲不振，悪心，嘔吐のある人，③著しく体力の衰えている人

(3)妊婦での安全性は未確立です。有益と判断されたときのみ服用します。

(4)患部が乾燥している皮膚疾患では，症状が悪化することがあります。

重大な副作用
①体液の貯留，むくみ，体重増加，血圧上昇などの偽アルドステロン症(甘草配合のため)。②脱力感，手足のけいれんや麻痺などを初発症状とするミオパチー(低カリウム血症の結果。甘草配合のため)。

　そのほかにも報告された副作用はあるので，体調がいつもと違うと感じたときは，処方医・薬剤師に相談してください。

漢方薬

023 当帰芍薬散(とうきしゃくやくさん)，当帰芍薬散加附子(とうきしゃくやくさんかぶし)

製剤情報

一般名：当帰芍薬散

● 剤形…錠 錠剤，散 散剤，細 細粒剤，顆 顆粒剤

■メーカー	規格・保険薬価
オースギ	顆 1g 7.00 円
	錠 1錠 3.50 円
クラシエ	細 1g 10.30 円
康和＝オースギ	細 1g 11.00 円

小太郎	細 1g 6.30 円
三和生薬	細 1g 7.00 円
ジェーピーエス	顆 1g 8.10 円
太虎精堂	散 1g 7.00 円
	顆 1g 7.00 円
ツムラ	顆 1g 9.00 円
帝国漢方製薬＝帝国製薬	顆 1g 7.00 円
東洋薬行	細 1g 7.20 円

| 本草 | 顆 1g 7.00 円 |

一般名：当帰芍薬散加附子
- 規制…劇薬
- 剤形…細 細粒剤
- ■メーカー　　　　　規格・保険薬価

| 三和生薬＝オースギ | 細 1g 11.70 円 |

適応
・比較的体力がなく，貧血，冷え症がある人の次の諸症→月経不順，月経痛，更年期障害，痔疾患，貧血症など

基本的注意
(1) 強壮でのぼせの傾向がある人は，ふつう服用しません（桃核承気湯または桂枝茯苓丸を用います）。

(2) 次の人は慎重に服用します。①著しく胃腸の虚弱な人，②食欲不振，悪心，嘔吐のある人／[当帰芍薬散加附子のみ]③体力の充実している人（副作用が現れやすい），④暑がりで，のぼせが強く，赤ら顔の人，⑤小児

(3) 妊婦での安全性→[当帰芍薬散]未確立です。有益と判断されたときのみ服用します。／[当帰芍薬散加附子]服用しないことが望ましいです（副作用が現れやすい）。

(4) [当帰芍薬散加附子]しびれ感や麻痺，悪心・嘔吐，心悸亢進，顔面蒼白などが現れたら，すぐに処方医に連絡してください。

重大な副作用
重大な副作用はありませんが，そのほかの副作用はあるので，体調がいつもと違うと感じたときは，処方医・薬剤師に相談してください。

漢方薬
024 加味逍遙散（かみしょうようさん）

製剤情報
一般名：加味逍遙散
- 剤形…散 散剤，細 細粒剤，顆 顆粒剤
- ■メーカー　　　　　規格・保険薬価

オースギ	顆 1g 11.00 円
クラシエ	細 1g 18.60 円
康和＝オースギ	細 1g 20.50 円
小太郎	細 1g 12.30 円
ジェーピーエス	顆 1g 13.90 円
太虎精堂	散 1g 13.40 円
	顆 1g 13.00 円
ツムラ	顆 1g 16.10 円
帝国漢方製薬＝帝国製薬	顆 1g 7.60 円
東洋薬行	細 1g 14.60 円
本草	顆 1g 7.70 円

適応

・体力がどちらかというとなく，肩がこったり，疲れやすかったり，いらいらしたりする人で，ときに便秘の傾向がある人の次の諸症→神経症，不眠症，更年期障害，月経不順，血の道症，冷え症など

基本的注意

(1)妊婦または妊娠している可能性のある人は，服用しないことが望ましいです（流早産の危険性）。

(2)次の人は慎重に服用します。①著しく胃腸の虚弱な人，②食欲不振，悪心，嘔吐のある人

重大な副作用

①体液の貯留，むくみ，体重増加，血圧上昇などの偽アルドステロン症（甘草配合のため）。②脱力感，手足のけいれんや麻痺などを初発症状とするミオパチー（低カリウム血症の結果。甘草配合のため）。③AST・ALT・AL-P・γ-GTPなどの著しい上昇を伴う肝機能障害，黄疸。④長期服用（多くは5年以上）により，腹痛，下痢，便秘，腹部膨満などが繰り返しおこる腸間膜静脈硬化症（サンシシ配合のため）。

　そのほかにも報告された副作用はあるので，体調がいつもと違うと感じたときは，処方医・薬剤師に相談してください。

漢方薬

025 桂枝茯苓丸(けいしぶくりょうがん)，桂枝茯苓丸加薏苡仁(けいしぶくりょうがんかよくいにん)

⚕ 製剤情報

一般名：桂枝茯苓丸

●剤形…錠 錠剤，細 細粒剤，顆 顆粒剤

■メーカー	規格・保険薬価
オースギ	顆 1g 11.00 円
大峰堂＝クラシエ	錠 1錠 4.40 円
クラシエ	細 1g 9.80 円
康和＝オースギ	細 1g 14.40 円
小太郎	細 1g 8.30 円
三和生薬	細 1g 11.00 円
ジェーピーエス	顆 1g 7.30 円

	規格・保険薬価
太虎精堂	顆 1g 6.60 円
ツムラ	顆 1g 8.50 円
帝国漢方製薬＝帝国製薬	顆 1g 6.60 円
東洋薬行	細 1g 8.50 円
本草	顆 1g 6.60 円

一般名：桂枝茯苓丸加薏苡仁

●剤形…顆 顆粒剤

■メーカー	規格・保険薬価
ツムラ	顆 1g 9.90 円

適応

・比較的体力があり，ときに下腹部痛，肩こり，頭重，めまい，のぼせて足冷えなどを訴える人の次の諸症→月経不順，月経異常，月経痛，子宮内膜炎，更年期障害，血の道症，肩こり，めまい，頭重，打ち身，しもやけ，しみなど

基本的注意

(1) 妊婦または妊娠している可能性のある人は，服用しないことが望ましいです（流早産の危険性）。

(2) 著しく体力の衰えている人は慎重に服用します。

重大な副作用

［桂枝茯苓丸］AST・ALT・AL-P・γ-GTP などの著しい上昇を伴う肝機能障害，黄疸が現れることがあります。

そのほかにも報告された副作用はあるので，体調がいつもと違うと感じたときは，処方医・薬剤師に相談してください。

漢方薬

026 桂枝加竜骨牡蛎湯(けいしかりゅうこつぼれいとう)

製剤情報

一般名：桂枝加竜骨牡蛎湯

● 剤形… 細 細粒剤，顆 顆粒剤

■メーカー 　　　　　　規格・保険薬価

オースギ	顆 1g 6.50 円

クラシエ	細 1g 8.00 円
小太郎	細 1g 7.10 円
ツムラ	顆 1g 8.40 円
帝国漢方製薬＝帝国製薬	顆 1g 5.90 円

適応

・体質が虚弱な人で疲れやすく，興奮しやすい人の次の諸症→神経衰弱，不眠症，小児夜なき，小児夜尿症，眼精疲労，陰萎など

基本的注意

(1) 妊婦での安全性は未確立です。有益と判断されたときのみ服用します。

重大な副作用

①体液の貯留，むくみ，体重増加，血圧上昇などの偽アルドステロン症（甘草配合のため）。②脱力感，手足のけいれんや麻痺などを初発症状とするミオパチー（低カリウム血症の結果。甘草配合のため）。

そのほかにも報告された副作用はあるので，体調がいつもと違うと感じたときは，処方医・薬剤師に相談してください。

漢方薬

027 麻黄湯(まおうとう)

製剤情報

一般名：麻黄湯

● 剤形… 細 細粒剤，顆 顆粒剤

■メーカー 　　　　　　規格・保険薬価

クラシエ	細 1g 8.90 円
康和＝オースギ	細 1g 10.00 円

小太郎	細 1g 8.00 円		帝国漢方製薬＝帝国製薬	顆 1g 5.70 円
ツムラ	顆 1g 7.60 円		本草	顆 1g 5.70 円

適応

・発熱，悪寒があるにもかかわらず，汗が出なくて，頭痛，腰痛，からだのふしぶしが痛む人の次の諸症→感冒，インフルエンザ（初期のもの），乳児の鼻づまり，哺乳困難など

基本的注意

(1)次の人は慎重に服用します。⑤〜⑨の人は，服用によってこれらの疾患・症状が悪化するおそれがあります。①病後の衰弱期，著しく体力の衰えている人，②著しく胃腸の虚弱な人，③食欲不振，悪心，嘔吐のある人，④発汗傾向の著しい人，⑤狭心症，心筋梗塞などの循環器系の障害，またはその前歴のある人，⑥重症高血圧症の人，⑦高度の腎機能障害のある人，⑧排尿障害のある人，⑨甲状腺機能亢進症の人

(2)妊婦での安全性は未確立です。有益と判断されたときのみ服用します。

重大な副作用

①体液の貯留，むくみ，体重増加，血圧上昇などの偽アルドステロン症（甘草配合のため）。②脱力感，手足のけいれんや麻痺などを初発症状とするミオパチー（低カリウム血症の結果。甘草配合のため）。

そのほかにも報告された副作用はあるので，体調がいつもと違うと感じたときは，処方医・薬剤師に相談してください。

漢方薬
028 越婢加朮湯（えっぴかじゅつとう）

💊 製 剤 情 報

一般名：越婢加朮湯

●剤形…細細粒剤，顆顆粒剤

■メーカー		規格・保険薬価
小太郎	細 1g 6.50 円
ジェーピーエス＝オースギ	顆 1g 7.30 円
ツムラ	顆 1g 10.70 円

適応

・むくみが多い人で，小便の出が悪い人の次の諸症→腎炎，ネフローゼ，湿疹，関節炎，夜尿症など

基本的注意

(1)次の人は慎重に服用します。⑤〜⑨の人は，服用によってこれらの疾患・症状が悪化するおそれがあります。①病後の衰弱期，著しく体力の衰えている人，②著しく胃腸の虚弱な人，③食欲不振，悪心，嘔吐のある人，④発汗傾向の著しい人，⑤狭心症，心筋梗塞などの循環器系の障害，またはその前歴のある人，⑥重症高血圧症の人，⑦高度の腎機能障害のある人，⑧排尿障害のある人，⑨甲状腺機能亢進症の人

(2)妊婦での安全性は未確立です。有益と判断されたときのみ服用します。

重大な副作用　①体液の貯留，むくみ，体重増加，血圧上昇などの偽アルドステロン症(甘草配合のため)。②脱力感，手足のけいれんや麻痺などを初発症状とするミオパチー(低カリウム血症の結果。甘草配合のため)。

　そのほかにも報告された副作用はあるので，体調がいつもと違うと感じたときは，処方医・薬剤師に相談してください。

漢方薬

029 麦門冬湯(ばくもんどうとう)

🔵 製 剤 情 報

一般名：麦門冬湯

● 剤形…細 細粒剤, 顆 顆粒剤

■ メーカー　　　　　　　規格・保険薬価

康和＝オースギ　　　　　細 1g 19.70 円

小太郎	細	1g 7.00 円
ジェーピーエス＝オースギ	顆	1g 12.00 円
ツムラ	顆	1g 16.70 円
帝国漢方製薬＝帝国製薬	顆	1g 10.30 円

適応

・気の上逆により，のどの通りが悪く，のぼせや顔面紅潮があり，のどの刺激感がある場合(そのせきは激しく，けいれん性で連発することが多い)の次の諸症→たんの切れにくいせき，気管支炎，気管支ぜんそく

基本的注意

(1)妊婦での安全性は未確立です。有益と判断されたときのみ服用します。

重大な副作用　①体液の貯留，むくみ，体重増加，血圧上昇などの偽アルドステロン症(甘草配合のため)。②脱力感，手足のけいれんや麻痺などを初発症状とするミオパチー(低カリウム血症の結果。甘草配合のため)。③発熱，せき，呼吸困難などを初発症状とする間質性肺炎。④AST・ALT・AL-P・γ-GTP などの著しい上昇を伴う肝機能障害，黄疸。

　そのほかにも報告された副作用はあるので，体調がいつもと違うと感じたときは，処方医・薬剤師に相談してください。

漢方薬

030 真武湯(しんぶとう)

🔵 製 剤 情 報

一般名：真武湯

● 規制…劇薬(ツムラ顆粒剤，ジェーピーエス＝オースギ顆粒剤 2.5g 分包品を除く)

- 剤形…細 細粒剤, 顆 顆粒剤

■メーカー　規格・保険薬価

メーカー	規格・保険薬価
小太郎	細 1g 7.50 円
三和生薬 = クラシエ	細 1g 11.80 円

ジェービーエス = オースギ	顆 1g 6.50 円
ツムラ	顆 1g 8.70 円

適応

・新陳代謝が低下している人の次の諸症→胃腸疾患，消化不良，ネフローゼ，脳出血，脊髄疾患による運動・知覚麻痺，神経衰弱，高血圧症，心臓弁膜症，リウマチなど

基本的注意

(1) 妊婦または妊娠している可能性のある人は，服用しないことが望ましいです（副作用が現れやすい）。

(2) 次の人は慎重に服用します。①体力の充実している人（副作用が現れやすい），②暑がりで，のぼせが強く，赤ら顔の人，③小児

(3) しびれ感や麻痺，悪心・嘔吐，心悸亢進，顔面蒼白などがおこったら，すぐに処方医に連絡します（附子配合のため）。

重大な副作用　重大な副作用はありませんが，そのほかの副作用はあるので，体調がいつもと違うと感じたときは，処方医・薬剤師に相談してください。

漢方薬

031 呉茱萸湯（ごしゅゆとう）

製剤情報

一般名：呉茱萸湯

- 剤形…細 細粒剤, 顆 顆粒剤

■メーカー　規格・保険薬価

メーカー	規格・保険薬価
康和 = オースギ	細 1g 10.90 円

小太郎	細 1g 9.20 円
太虎精堂	顆 1g 9.80 円
ツムラ	顆 1g 10.20 円

適応

・手足の冷えやすい中等度以下の体力の人の次の諸症→片頭痛，発作性・習慣性頭痛，吐きけ，しゃっくりなど

基本的注意

(1) 炎症性疾患がある人，体力が充実して発熱傾向の人，特に脈が速く舌が赤い人の場合は，一般的にこの薬の適応ではありません。

(2) 妊婦での安全性は未確立です。有益と判断されたときのみ服用します。

重大な副作用　重大な副作用はありませんが，そのほかの副作用はあるので，体調がいつもと違うと感じたときは，処方医・薬剤師に相談してください。

漢方薬

032 **人参湯**(にんじんとう)，**附子理中湯**(ぶしりちゅうとう)

製剤情報

一般名：人参湯

● 剤形…細 細粒剤，顆 顆粒剤

■ **メーカー**　　　　　　　　規格・保険薬価

オースギ	顆 1g 11.70 円
大峰堂＝クラシエ	細 1g 11.60 円
小太郎	細 1g 12.90 円
太虎精堂	顆 1g 8.40 円
ツムラ	顆 1g 14.00 円

帝国漢方製薬＝帝国製薬	顆 1g 6.50 円
東洋薬行	細 1g 17.20 円
本草	細 1g 6.30 円

一般名：附子理中湯

● 規制…劇薬

● 剤形…細 細粒剤

■ **メーカー**　　　　　　　　規格・保険薬価

三和生薬＝クラシエ	細 1g 22.50 円

適応

・体質虚弱，胃腸虚弱で，貧血，冷え症，尿量が多く，軟便・下痢の傾向がある人の次の諸症→胃炎，胃腸カタル，胃アトニー症，貧血症，慢性下痢，つわりなど

基本的注意

(1) 次の人は服用してはいけません（禁忌）。本剤が甘草を配合しているため，以下の疾患・症状が悪化するおそれがあります。①アルドステロン症の人，②ミオパチーのある人，③低カリウム血症のある人

(2) 体力が充実している人は，ふつう服用しません。

(3) [附子理中湯]妊婦または妊娠している可能性のある人は，服用しないことが望ましいです（副作用が現れやすい）。

(4) [人参湯]妊婦での安全性は未確立です。有益と判断されたときのみ服用します。

(5) [附子理中湯]①しびれ感や麻痺，悪心・嘔吐，心悸亢進，顔面蒼白などがおこったら，すぐに処方医に連絡します。②暑がりで，のぼせが強く，赤ら顔の人，および小児は慎重に服用します。

重大な副作用

①体液の貯留，むくみ，体重増加，血圧上昇などの偽アルドステロン症（甘草配合のため）。②脱力感，手足のけいれんや麻痺などを初発症状とするミオパチー（低カリウム血症の結果。甘草配合のため）。

そのほかにも報告された副作用はあるので，体調がいつもと違うと感じたときは，処方医・薬剤師に相談してください。

033 大黄牡丹皮湯（だいおうぼたんぴとう）

🔘 製 剤 情 報

一般名：大黄牡丹皮湯

●剤形…細 細粒剤, 顆 顆粒剤

■メーカー	規格・保険薬価
小太郎	細 1g 7.00 円
ツムラ	顆 1g 7.90 円
帝国漢方製薬＝帝国製薬	顆 1g 5.30 円

適応

・比較的体力があり，下腹部痛があって，便秘しがちな人の次の諸症→便秘，痔疾，月
経不順，月経困難，動脈硬化，湿疹，じん麻疹，にきびなど

基本的注意

(1) 妊婦または妊娠している可能性のある人は，服用しないことが望ましいです（流早産
の危険性）。
(2) 次の人は慎重に服用します。①下痢，軟便のある人，②著しく胃腸の虚弱な人，③著
しく体力の衰えている人，④授乳婦（乳児の下痢）
(3) 本剤には無水ボウショウ（無水硫酸ナトリウム）が含まれているので，治療上食塩制
限が必要な人が継続服用する場合は注意してください。

重大な副作用

重大な副作用はありませんが，そのほかの副作用はあるの
で，体調がいつもと違うと感じたときは，処方医・薬剤師に相談してください。

034 白虎加人参湯（びゃっこかにんじんとう）

🔘 製 剤 情 報

一般名：白虎加人参湯

●剤形…錠 錠剤, 細 細粒剤, 顆 顆粒剤

■メーカー	規格・保険薬価
大峰堂＝クラシエ	錠 1錠 12.40 円

クラシエ	細 1g 25.60 円
小太郎	細 1g 9.10 円
ツムラ	顆 1g 17.80 円
帝国漢方製薬＝帝国製薬	顆 1g 8.90 円

適応

・のどの渇きとほてりがある人

基本的注意

(1) 次の人は慎重に服用します。①胃腸の虚弱な人，②著しく体力の衰えている人
(2) 妊婦での安全性は未確立です。有益と判断されたときのみ服用します。

重大な副作用　①体液の貯留，むくみ，体重増加，血圧上昇などの偽アルドステロン症（甘草配合のため）。②脱力感，手足のけいれんや麻痺などを初発症状とするミオパチー（低カリウム血症の結果。甘草配合のため）。

　そのほかにも報告された副作用はあるので，体調がいつもと違うと感じたときは，処方医・薬剤師に相談してください。

漢方薬

035 四逆散（しぎゃくさん）

💊 製剤情報

一般名：四逆散

● 剤形…顆 顆粒剤

■メーカー	規格・保険薬価
ツムラ	顆 1g 16.90 円

適応

・胃部のつかえが強く，季肋下（肋骨の下あたり）を押さえると圧痛がある人の次の諸症
　→胆のう炎，胆石症，胃炎，胃酸過多，胃潰瘍など

基本的注意

(1) 著しく体力の衰えている人は慎重に服用します。
(2) 妊婦での安全性は未確立です。有益と判断されたときのみ服用します。

重大な副作用　①体液の貯留，むくみ，体重増加，血圧上昇などの偽アルドステロン症（甘草配合のため）。②脱力感，手足のけいれんや麻痺などを初発症状とするミオパチー（低カリウム血症の結果。甘草配合のため）。

漢方薬

036 木防已湯（もくぼういとう）

💊 製剤情報

一般名：木防已湯

● 剤形…細 細粒剤，顆 顆粒剤

■メーカー	規格・保険薬価
小太郎	細 1g 14.20 円
三和生薬	細 1g 25.70 円
ツムラ	顆 1g 13.30 円

適応

・漢方用語でいう支飲（胸部に水分が停滞する）があるため，心臓に重荷がかかり，呼吸が速くなったり，せきが出たりする人の次の諸症→心内膜炎，心臓弁膜症，心臓性ぜんそく，慢性腎炎，ネフローゼ，浮腫など

基本的注意

(1) 特に衰弱の激しい人や，冷えを強く自覚する人は，ふつう服用しません。

(2) 胃腸の虚弱な人は慎重に服用します。

(3) 妊婦での安全性は未確立です。有益と判断されたときのみ服用します。

重大な副作用　　　重大な副作用はありませんが，そのほかの副作用はあるので，体調がいつもと違うと感じたときは，処方医・薬剤師に相談してください。

漢方薬

037 半夏白朮天麻湯（はんげびゃくじゅつてんまとう）

💊 製剤情報

一般名：半夏白朮天麻湯

● 剤形…細 細粒剤，顆 顆粒剤

■ メーカー　　　　　　規格・保険薬価

大峰堂＝クラシエ	細 1g 21.60 円

小太郎	細 1g 13.70 円
三和生薬＝オースギ＝ジェーピーエス	細 1g 16.50 円
ツムラ	顆 1g 23.40 円

適応

・胃腸虚弱で冷え症の人，胃部に停水があり，頭痛，めまいなどがあって，食後に手足がだるく眠くなるような人の次の諸症→胃炎，胃神経症，低血圧症，頭痛，めまいなど

基本的注意

(1) 妊婦での安全性は未確立です。有益と判断されたときのみ服用します。体質によって流産するおそれがあるので，十分に注意して服用してください。

(2) 服用によって湿疹，皮膚炎などが悪化することがあります。

重大な副作用　　　重大な副作用はありませんが，そのほかの副作用はあるので，体調がいつもと違うと感じたときは，処方医・薬剤師に相談してください。

漢方薬

038 当帰四逆加呉茱萸生姜湯（とうきしぎゃくかごしゅゆしょうきょうとう）

💊 製剤情報

一般名：当帰四逆加呉茱萸生姜湯

● 剤形…細 細粒剤，顆 顆粒剤

■ メーカー　　　　　　規格・保険薬価

オースギ	顆 1g 7.80 円

大峰堂＝クラシエ	細 1g 9.40 円
小太郎	細 1g 7.80 円
ツムラ	顆 1g 10.60 円

適応

・冷え症で頭痛，胃部圧重感，腰痛または下腹痛がある人の次の諸症→凍傷，慢性頭痛，坐骨神経痛，下腹部痛，腰痛など

基本的注意

(1)次の人は慎重に服用します。①著しく胃腸の虚弱な人，②食欲不振，悪心，嘔吐のある人

(2)妊婦での安全性は未確立です。有益と判断されたときのみ服用します。

重大な副作用　①体液の貯留，むくみ，体重増加，血圧上昇などの偽アルドステロン症（甘草配合のため）。②脱力感，手足のけいれんや麻痺などを初発症状とするミオパチー（低カリウム血症の結果。甘草配合のため）。

　そのほかにも報告された副作用はあるので，体調がいつもと違うと感じたときは，処方医・薬剤師に相談してください。

漢方薬

039 苓桂朮甘湯（りょうけいじゅつかんとう）

製剤情報

一般名：苓桂朮甘湯

●剤形…錠錠剤，細細粒剤，顆顆粒剤

■メーカー	規格・保険薬価
オースギ	顆 1g 6.70 円
クラシエ	細 1g 7.30 円
康和＝オースギ	細 1g 10.70 円
	錠 1錠 5.90 円
小太郎	細 1g 8.40 円
三和生薬	細 1g 11.20 円
ジェーピーエス	顆 1g 6.30 円
太虎精堂	顆 1g 6.50 円
ツムラ	顆 1g 6.80 円
東洋薬行	細 1g 7.30 円
本草	顆 1g 5.10 円

適応

・めまい，ふらつきがあり，または動悸があり尿量が減少する人の次の諸症→神経性心悸亢進，息切れ，めまい，頭痛，耳鳴り，神経症，不眠症，腎臓病など

基本的注意

(1)妊婦での安全性は未確立です。有益と判断されたときのみ服用します。

重大な副作用　①体液の貯留，むくみ，体重増加，血圧上昇などの偽アルドステロン症（甘草配合のため）。②脱力感，手足のけいれんや麻痺などを初発症状とするミオパチー（低カリウム血症の結果。甘草配合のため）。

　そのほかにも報告された副作用はあるので，体調がいつもと違うと感じたときは，処方医・薬剤師に相談してください。

漢方薬

040 猪苓湯（ちょれいとう），猪苓湯合四物湯（ちょれいとうごうしもつとう）

製剤情報

一般名：猪苓湯
● 剤形…細細粒剤，顆顆粒剤

■メーカー	規格・保険薬価
オースギ	顆 1g 11.30 円
クラシエ	細 1g 14.50 円
小太郎	細 1g 13.60 円
三和生薬	細 1g 10.60 円
ジェーピーエス	顆 1g 11.20 円
太虎精堂	顆 1g 11.30 円

ツムラ	顆 1g 13.80 円
帝国漢方製薬＝帝国製薬	顆 1g 7.70 円
東洋薬行	細 1g 13.60 円
本草	顆 1g 6.50 円

一般名：猪苓湯合四物湯
● 剤形…顆顆粒剤

■メーカー	規格・保険薬価
ツムラ	顆 1g 23.00 円

適応

・のどの渇き，排尿困難，排尿痛，尿量減少，血尿のある人の次の諸症→尿道炎，腎炎，腎石症，ネフローゼ，膀胱カタル，腎臓・膀胱結石など

基本的注意

(1)［猪苓湯合四物湯］次の人は慎重に服用します。①著しく胃腸の虚弱な人，②食欲不振，悪心，嘔吐のある人

(2)妊婦での安全性は未確立です。有益と判断されたときのみ服用します。

重大な副作用

重大な副作用はありませんが，そのほかの副作用はあるので，体調がいつもと違うと感じたときは，処方医・薬剤師に相談してください。

漢方薬

041 補中益気湯（ほちゅうえっきとう）

製剤情報

一般名：補中益気湯
● 剤形…錠錠剤，散散剤，細細粒剤，顆顆粒剤

■メーカー	規格・保険薬価
オースギ	顆 1g 10.00 円
クラシエ	細 1g 20.80 円

康和＝オースギ	細 1g 23.70 円
	錠 1錠 9.50 円
小太郎	細 1g 11.10 円
三和生薬	細 1g 14.30 円
ジェーピーエス	顆 1g 16.60 円
太虎精堂	散 1g 18.90 円
	顆 1g 14.40 円
ツムラ	顆 1g 22.80 円

帝国漢方製薬 = 帝国製薬	顆 1g 11.40 円
東洋薬行	細 1g 17.80 円

本草	顆 1g 10.10 円

適応

・胃腸機能が弱く，疲労倦怠感や食欲不振がある人の次の諸症→夏やせ，病後の体力増強，低血圧症，痔疾，脱肛など

基本的注意

(1)妊婦での安全性は未確立です。有益と判断されたときのみ服用します。
(2)服用によって湿疹，皮膚炎などが悪化することがあります。

重大な副作用

①発熱，せき，呼吸困難などを初発症状とする間質性肺炎。②体液の貯留，むくみ，体重増加，血圧上昇などの偽アルドステロン症(甘草配合のため)。③脱力感，手足のけいれんや麻痺などを初発症状とするミオパチー(低カリウム血症の結果。甘草配合のため)。④AST・ALT・AL-P・γ-GTP などの著しい上昇を伴う肝機能障害，黄疸。

　そのほかにも報告された副作用はあるので，体調がいつもと違うと感じたときは，処方医・薬剤師に相談してください。

漢方薬
043

六君子湯 (りっくんしとう)

製剤情報

一般名：六君子湯

● 剤形… 細 細粒剤， 顆 顆粒剤

■ メーカー

	規格・保険薬価
オースギ	顆 1g 13.00 円
クラシエ	細 1g 19.00 円

小太郎	細 1g 10.90 円
三和生薬 = ジェーピーエス	細 1g 14.50 円
ツムラ	顆 1g 18.30 円
帝国漢方製薬 = 帝国製薬	顆 1g 8.60 円
東洋薬行	細 1g 18.80 円
本草	顆 1g 8.20 円

適応

・胃腸虚弱な体質で，心窩部(みぞおちあたり)がつかえて食欲不振，疲れやすくて，貧血気味，冷え症の人の次の諸症→胃炎，胃痛，胃アトニー，胃下垂，消化不良，食欲不振，嘔吐など

基本的注意

(1)妊婦での安全性は未確立です。有益と判断されたときのみ服用します。体質によって流産するおそれがあるので，十分に注意して服用してください。

重大な副作用

①体液の貯留，むくみ，体重増加，血圧上昇などの偽アルドステロン症(甘草配合のため)。②脱力感，手足のけいれんや麻痺などを初発症状とす

るミオパチー(低カリウム血症の結果。甘草配合のため)。③AST・ALT・AL-P・γ-GTP などの著しい上昇を伴う肝機能障害, 黄疸。

　そのほかにも報告された副作用はあるので, 体調がいつもと違うと感じたときは, 処方医・薬剤師に相談してください。

漢方薬

045 桂枝湯(けいしとう)

製剤情報

一般名：桂枝湯
● 剤形…細 細粒剤, 顆 顆粒剤

■メーカー　　　　規格・保険薬価

オースギ	顆 1g 6.30 円

小太郎	細 1g 8.40 円
ジェーピーエス	顆 1g 6.40 円
ツムラ	顆 1g 6.70 円
帝国漢方製薬＝帝国製薬	顆 1g 5.40 円
本草	顆 1g 5.40 円

適応
・頭痛やのぼせがあり, 汗が自然に出てくる感冒

基本的注意
(1)妊婦での安全性は未確立です。有益と判断されたときのみ服用します。
(2)服用によって湿疹, 皮膚炎などが悪化することがあります。

重大な副作用
①体液の貯留, むくみ, 体重増加, 血圧上昇などの偽アルドステロン症(甘草配合のため)。②脱力感, 手足のけいれんや麻痺などを初発症状とするミオパチー(低カリウム血症の結果。甘草配合のため)。

　そのほかにも報告された副作用はあるので, 体調がいつもと違うと感じたときは, 処方医・薬剤師に相談してください。

漢方薬

046 七物降下湯(しちもつこうかとう)

製剤情報

一般名：七物降下湯
● 剤形…細 細粒剤, 顆 顆粒剤

■メーカー　　　　規格・保険薬価

オースギ	顆 1g 6.40 円
ツムラ	顆 1g 8.70 円
東洋薬行	細 1g 6.90 円

適応
・からだが虚弱気味な人の, のぼせ, 肩こり, 耳鳴り, 頭重などの高血圧随伴症状

基本的注意

(1)次の人は慎重に服用します。①著しく胃腸の虚弱な人，②食欲不振，悪心，嘔吐のある人

(2)妊婦での安全性は未確立です。有益と判断されたときのみ服用します。

重大な副作用

重大な副作用はありませんが，そのほかの副作用はあるので，体調がいつもと違うと感じたときは，処方医・薬剤師に相談してください。

漢方薬

047 釣藤散(ちょうとうさん)

💊 製剤情報

一般名：釣藤散

● 剤形… 顆 顆粒剤

■メーカー	規格・保険薬価
ツムラ	顆 1g 21.00 円

適応

・中年以降，または高血圧の傾向がある人の慢性頭痛(朝方の頭痛を目的とする意見もあります)

基本的注意

(1)妊婦での安全性は未確立です。有益と判断されたときのみ服用します。

重大な副作用

①体液の貯留，むくみ，体重増加，血圧上昇などの偽アルドステロン症(甘草配合のため)。②脱力感，手足のけいれんや麻痺などを初発症状とするミオパチー(低カリウム血症の結果。甘草配合のため)。

そのほかにも報告された副作用はあるので，体調がいつもと違うと感じたときは，処方医・薬剤師に相談してください。

漢方薬

048 十全大補湯(じゅうぜんだいほとう)

💊 製剤情報

一般名：十全大補湯

● 剤形… 細 細粒剤， 顆 顆粒剤

■メーカー	規格・保険薬価
オースギ	顆 1g 7.80 円
大峰堂＝クラシエ	細 1g 14.70 円
康和＝オースギ	細 1g 16.60 円
小太郎	細 1g 7.00 円
三和生薬＝ジェービーエス	細 1g 12.00 円
ツムラ	顆 1g 18.60 円
帝国漢方製薬＝帝国製薬	顆 1g 7.80 円
東洋薬行	細 1g 11.70 円
本草	顆 1g 7.80 円

適応

・病後や手術後の衰弱，産後衰弱，全身衰弱がある人の次の諸症→体力低下，疲労倦怠，食欲不振，寝汗，手足の冷え，貧血，低血圧症，神経衰弱，胃腸虚弱など

基本的注意

(1)次の人は慎重に服用します。①著しく胃腸の虚弱な人，②食欲不振，悪心，嘔吐のある人

(2)妊婦での安全性は未確立です。有益と判断されたときのみ服用します。

(3)服用によって湿疹，皮膚炎などが悪化することがあります。

重大な副作用

①体液の貯留，むくみ，体重増加，血圧上昇などの偽アルドステロン症(甘草配合のため)。②脱力感，手足のけいれんや麻痺などを初発症状とするミオパチー(低カリウム血症の結果。甘草配合のため)。③AST・ALT・AL-P・γ-GTP などの著しい上昇を伴う肝機能障害，黄疸。

そのほかにも報告された副作用はあるので，体調がいつもと違うと感じたときは，処方医・薬剤師に相談してください。

漢方薬

050 荊芥連翹湯(けいがいれんぎょうとう)

製剤情報

一般名：荊芥連翹湯

●剤形…顆 顆粒剤

■メーカー

	規格・保険薬価
オースギ	顆 1g 7.90 円

太虎精堂	顆 1g 15.50 円
ツムラ	顆 1g 18.80 円
帝国漢方製薬＝帝国製薬	顆 1g 7.50 円

適応

・蓄膿症，慢性鼻炎，慢性扁桃炎，にきび

・皮膚浅黒く，光沢を帯び，手足の裏に油汗多く，脈腹ともに緊張の人の脱毛に有効だったと報告があります。

基本的注意

(1)次の人は慎重に服用します。①著しく胃腸の虚弱な人，②食欲不振，悪心，嘔吐のある人

(2)妊婦での安全性は未確立です。有益と判断されたときのみ服用します。

重大な副作用

①体液の貯留，むくみ，体重増加，血圧上昇などの偽アルドステロン症(甘草配合のため)。②脱力感，手足のけいれんや麻痺などを初発症状とするミオパチー(低カリウム血症の結果。甘草配合のため)。③AST・ALT・AL-P・γ-GTP などの著しい上昇を伴う肝機能障害，黄疸。④発熱，せき，呼吸困難などを初発症状とする間質性肺炎。⑤長期服用(多くは5年以上)により，腹痛，下痢，便秘，腹部膨

満などが繰り返しおこる腸間膜静脈硬化症(サンシシ配合のため)。

　そのほかにも報告された副作用はあるので，体調がいつもと違うと感じたときは，処方医・薬剤師に相談してください。

漢方薬

051 潤腸湯(じゅんちょうとう)

💊 製剤情報

一般名：潤腸湯

● 剤形…顆 顆粒剤

■メーカー	規格・保険薬価
太虎精堂	顆 1g 9.20 円
ツムラ	顆 1g 9.20 円

適応

・便秘

基本的注意

(1)妊婦または妊娠している可能性のある人は，服用しないことが望ましいです(流早産の危険性など)。

(2)次の人は慎重に服用します。①下痢，軟便のある人，②著しく胃腸の虚弱な人(長期服用しないこと)，③食欲不振，悪心，嘔吐のある人，④著しく体力の衰えている人，⑤授乳婦(乳児の下痢)

重大な副作用

①体液の貯留，むくみ，体重増加，血圧上昇などの偽アルドステロン症(甘草配合のため)。②脱力感，手足のけいれんや麻痺などを初発症状とするミオパチー(低カリウム血症の結果。甘草配合のため)。③AST・ALT・AL-P・γ-GTP などの上昇を伴う肝機能障害，黄疸。④発熱，せき，呼吸困難などを初発症状とする間質性肺炎。

　そのほかにも報告された副作用はあるので，体調がいつもと違うと感じたときは，処方医・薬剤師に相談してください。

漢方薬

052 薏苡仁湯(よくいにんとう)

💊 製剤情報

一般名：薏苡仁湯

● 剤形…錠 錠剤，細 細粒剤，顆 顆粒剤

■メーカー	規格・保険薬価
オースギ	顆 1g 6.30 円
大峰堂＝クラシエ	錠 1錠 3.90 円
クラシエ	細 1g 8.70 円
康和＝オースギ	細 1g 9.40 円
ツムラ	顆 1g 9.50 円
東洋薬行	細 1g 6.90 円
本草	顆 1g 6.00 円

適応

- 関節痛, 筋肉痛
- 亜急性期と慢性の関節リウマチに用います。
- 麻杏薏甘湯よりやや重症で, それらを用いても治らず, 熱感や痛みが去らない場合

基本的注意

(1) 次の人は慎重に服用します。⑤〜⑨の人は, 服用によってこれらの疾患・症状が悪化するおそれがあります。①病後の衰弱期, 著しく体力の衰えている人, ②著しく胃腸の虚弱な人, ③食欲不振, 悪心, 嘔吐のある人, ④発汗傾向の著しい人, ⑤狭心症, 心筋梗塞などの循環器系の障害, またはその前歴のある人, ⑥重症高血圧症の人, ⑦高度の腎機能障害のある人, ⑧排尿障害のある人, ⑨甲状腺機能亢進症の人

(2) 妊婦での安全性は未確立です。有益と判断されたときのみ服用します。

重大な副作用

①体液の貯留, むくみ, 体重増加, 血圧上昇などの偽アルドステロン症(甘草配合のため)。②脱力感, 手足のけいれんや麻痺などを初発症状とするミオパチー(低カリウム血症の結果。甘草配合のため)。

そのほかにも報告された副作用はあるので, 体調がいつもと違うと感じたときは, 処方医・薬剤師に相談してください。

漢方薬

053 疎経活血湯(そけいかっけつとう)

製剤情報

一般名:疎経活血湯
- 剤形… 顆 顆粒剤

■メーカー		規格・保険薬価
オースギ	顆	1g 6.10 円
太虎精堂	顆	1g 9.80 円
ツムラ	顆	1g 9.80 円

適応

- 関節痛, 神経痛, 腰痛, 筋肉痛

基本的注意

(1) 妊婦または妊娠している可能性のある人は, 服用しないことが望ましいです(流早産の危険性)。

(2) 次の人は慎重に服用します。①著しく胃腸の虚弱な人, ②食欲不振, 悪心, 嘔吐のある人

重大な副作用

①体液の貯留, むくみ, 体重増加, 血圧上昇などの偽アルドステロン症(甘草配合のため)。②脱力感, 手足のけいれんや麻痺などを初発症状とするミオパチー(低カリウム血症の結果。甘草配合のため)。

そのほかにも報告された副作用はあるので, 体調がいつもと違うと感じたときは, 処方医・薬剤師に相談してください。

漢方薬 053

疎経活血湯

漢方薬

054 抑肝散(よくかんさん)，抑肝散加陳皮半夏(よくかんさんかちんぴはんげ)

💊 製 剤 情 報

一般名：抑肝散

●剤形…顆 顆粒剤

■メーカー	規格・保険薬価
オースギ	顆 1g 8.00 円
ツムラ	顆 1g 10.70 円

一般名：抑肝散加陳皮半夏

●剤形…細 細粒剤，顆 顆粒剤

■メーカー	規格・保険薬価
大峰堂＝クラシエ	細 1g 13.40 円
小太郎	細 1g 9.50 円
ツムラ	顆 1g 14.60 円

適応

・虚弱な体質で神経が高ぶる人の次の諸症→神経症，不眠症，小児夜なき，小児疳症
・慢性に経過する場合には，陳皮・半夏を加えた処方が用いられます。

基本的注意

(1)次の人は慎重に服用します。①著しく胃腸の虚弱な人，②食欲不振，悪心，嘔吐のある人
(2)妊婦での安全性は未確立です。有益と判断されたときのみ服用します。

重大な副作用

①体液の貯留，むくみ，体重増加，血圧上昇などの偽アルドステロン症(甘草配合のため)。②脱力感，手足のけいれんや麻痺などを初発症状とするミオパチー・横紋筋融解症(低カリウム血症の結果。甘草配合のため)。
[抑肝散のみ] ③AST・ALT・AL-P・γ-GTP などの著しい上昇を伴う肝機能障害，黄疸。④発熱，せき，呼吸困難などを初発症状とする間質性肺炎。⑤息切れ，心胸比拡大，胸水などを症状とする心不全。
　そのほかにも報告された副作用はあるので，体調がいつもと違うと感じたときは，処方医・薬剤師に相談してください。

漢方薬

055 麻杏甘石湯(まきょうかんせきとう)

→五虎湯(1681 頁)を参照してください。

漢方薬

056 五淋散(ごりんさん)

製剤情報

一般名：五淋散

● 剤形…細 細粒剤，顆 顆粒剤

■メーカー	規格・保険薬価
ツムラ	顆 1g 11.30 円
東洋薬行	細 1g 11.50 円

適応

・頻尿，排尿痛，残尿感

基本的注意

(1) 次の人は服用してはいけません(禁忌)。本剤が甘草を配合しているため，以下の疾患・症状が悪化するおそれがあります。①アルドステロン症の人，②ミオパチーのある人，③低カリウム血症のある人

(2) 次の人は慎重に服用します。①著しく胃腸の虚弱な人，②食欲不振，悪心，嘔吐のある人

(3) 妊婦での安全性は未確立です。有益と判断されたときのみ服用します。

重大な副作用

①体液の貯留，むくみ，体重増加，血圧上昇などの偽アルドステロン症(甘草配合のため)。②脱力感，手足のけいれんや麻痺などを初発症状とするミオパチー(低カリウム血症の結果。甘草配合のため)。③発熱，せき，呼吸困難などを初発症状とする間質性肺炎。④長期服用(多くは5年以上)により，腹痛，下痢，便秘，腹部膨満などが繰り返しおこる腸間膜静脈硬化症(サンシシ配合のため)。

そのほかにも報告された副作用はあるので，体調がいつもと違うと感じたときは，処方医・薬剤師に相談してください。

漢方薬

057 温清飲(うんせいいん)

製剤情報

一般名：温清飲

● 剤形…細 細粒剤，顆 顆粒剤

■メーカー	規格・保険薬価
オースギ	顆 1g 10.30 円
大峰堂＝クラシエ	細 1g 14.90 円
康和＝オースギ	細 1g 10.70 円
小太郎	細 1g 7.00 円
ツムラ	顆 1g 15.30 円
帝国漢方製薬＝帝国製薬	顆 1g 6.30 円
東洋薬行	細 1g 14.00 円
本草	顆 1g 6.50 円

漢方薬
056

五淋散

適応

・皮膚の色が悪く，のぼせる人の次の諸症→月経不順，月経困難，血の道症，更年期障害，神経症

基本的注意

(1)次の人は慎重に服用します。①著しく胃腸の虚弱な人，②食欲不振，悪心，嘔吐のある人

(2)妊婦での安全性は未確立です。有益と判断されたときのみ服用します。

重大な副作用
①AST・ALT・AL-P・γ-GTPなどの著しい上昇を伴う肝機能障害，黄疸。②発熱，せき，呼吸困難などを初発症状とする間質性肺炎。③長期服用（多くは5年以上）により，腹痛，下痢，便秘，腹部膨満などが繰り返しおこる腸間膜静脈硬化症（サンシシ配合のため）。

　そのほかにも報告された副作用はあるので，体調がいつもと違うと感じたときは，処方医・薬剤師に相談してください。

漢方薬

058 清上防風湯（せいじょうぼうふうとう）

製剤情報

一般名：清上防風湯

● 剤形…顕 顆粒剤

■メーカー	規格・保険薬価
オースギ	顆 1g 8.40 円
ツムラ	顆 1g 12.50 円

適応

・にきび

基本的注意

(1)体力が衰えている人は注意して服用してください（脱力感，疲労感が出ます）。

(2)便秘気味の人は，必ず便秘の方も治療してください。

(3)次の人は慎重に服用します。①著しく胃腸の虚弱な人，②食欲不振，悪心，嘔吐のある人

(4)妊婦での安全性は未確立です。有益と判断されたときのみ服用します。

重大な副作用
①体液の貯留，むくみ，体重増加，血圧上昇などの偽アルドステロン症（甘草配合のため）。②脱力感，手足のけいれんや麻痺などを初発症状とするミオパチー（低カリウム血症の結果。甘草配合のため）。③AST・ALT・AL-P・γ-GTPなどの著しい上昇を伴う肝機能障害，黄疸。④長期服用（多くは5年以上）により，腹痛，下痢，便秘，腹部膨満などが繰り返しおこる腸間膜静脈硬化症（サンシシ配合のため）。

　そのほかにも報告された副作用はあるので，体調がいつもと違うと感じたときは，処方医・薬剤師に相談してください。

（ぢずそういっぽう）

💊 製剤情報

一般名：治頭瘡一方
● 剤形…顆 顆粒剤

■メーカー	規格・保険薬価
ツムラ	顆 1g 7.70 円

適応

・頭部の湿疹，くさ，乳幼児の湿疹

基本的注意

(1) 妊婦または妊娠している可能性のある人は，服用しないことが望ましいです（流早産の危険性）。
(2) 次の人は慎重に服用します。①下痢，軟便のある人，②著しく胃腸の虚弱な人，③食欲不振，悪心，嘔吐のある人，④著しく体力の衰えている人，⑤授乳婦（乳児の下痢）

重大な副作用　①体液の貯留，むくみ，体重増加，血圧上昇などの偽アルドステロン症（甘草配合のため）。②脱力感，手足のけいれんや麻痺などを初発症状とするミオパチー（低カリウム血症の結果。甘草配合のため）。

そのほかにも報告された副作用はあるので，体調がいつもと違うと感じたときは，処方医・薬剤師に相談してください。

漢方薬
060
桂枝加芍薬湯（けいしかしゃくやくとう），**桂枝加芍薬大黄湯**（けいしかしゃくやくだいおうとう）

💊 製剤情報

一般名：桂枝加芍薬湯
● 剤形…錠 錠剤，細 細粒剤，顆 顆粒剤

■メーカー	規格・保険薬価
オースギ	顆 1g 6.30 円
大峰堂＝クラシエ	錠 1錠 3.40 円
クラシエ	細 1g 8.50 円
康和＝オースギ	細 1g 7.20 円
小太郎	細 1g 6.50 円

	規格・保険薬価
ツムラ	顆 1g 7.60 円
帝国漢方製薬＝帝国製薬	顆 1g 6.30 円
東洋薬行	細 1g 7.90 円
本草	顆 1g 5.00 円

一般名：桂枝加芍薬大黄湯
● 剤形…顆 顆粒剤

■メーカー	規格・保険薬価
ツムラ	顆 1g 8.70 円

適応

・腹部膨満感があって，腹痛，下痢，便秘などがある人の次の諸症→しぶり腹，常習便

秘, 宿便, 腹痛, 腸炎, 慢性虫垂炎, 大腸カタル, 移動性盲腸, 慢性腹膜炎など

基本的注意

(1) [桂枝加芍薬大黄湯]妊婦または妊娠している可能性のある人は, 服用しないことが望ましいです(流早産の危険性)。

(2) [桂枝加芍薬大黄湯]次の人は慎重に服用します。①下痢, 軟便のある人, ②著しく胃腸の虚弱な人, ③授乳婦(乳児の下痢)

(3) [桂枝加芍薬湯]妊婦での安全性は未確立です。有益と判断されたときのみ服用します。

重大な副作用

①体液の貯留, むくみ, 体重増加, 血圧上昇などの偽アルドステロン症(甘草配合のため)。②脱力感, 手足のけいれんや麻痺などを初発症状とするミオパチー(低カリウム血症の結果。甘草配合のため)。

そのほかにも報告された副作用はあるので, 体調がいつもと違うと感じたときは, 処方医・薬剤師に相談してください。

漢方薬

061 桃核承気湯(とうかくじょうきとう)

製剤情報

一般名：桃核承気湯

● 剤形…錠錠剤, 細細粒剤, 顆顆粒剤

■ メーカー

メーカー		規格・保険薬価
オースギ	顆	1g 11.30 円
大峰堂＝クラシエ	錠	1錠 3.30 円
クラシエ	細	1g 8.90 円
康和＝オースギ	細	1g 9.50 円
小太郎	細	1g 8.50 円
ジェーピーエス	顆	1g 6.80 円
ツムラ	顆	1g 8.50 円
帝国漢方製薬＝帝国製薬	顆	1g 6.80 円
本草	顆	1g 6.80 円

適応

・比較的体力があり, のぼせて便秘がちな人の次の諸症→月経不順, 月経困難症, 月経時や産後の精神不安, 更年期障害, 腰痛, 便秘, 痔核, 高血圧の随伴症状(頭痛, めまい, 肩こり)など

基本的注意

(1) 妊婦または妊娠している可能性のある人は, 服用しないことが望ましいです(流早産の危険性)。

(2) 次の人は慎重に服用します。①下痢, 軟便のある人, ②著しく胃腸の虚弱な人, ③著しく体力の衰えている人, ④授乳婦(乳児の下痢)

(3) 本剤には無水ボウショウ(無水硫酸ナトリウム)が含まれているので, 治療上食塩制限が必要な人が継続服用する場合は注意してください。

重大な副作用

①体液の貯留, むくみ, 体重増加, 血圧上昇などの偽アル

ドステロン症（甘草配合のため）。②脱力感，手足のけいれんや麻痺などを初発症状とするミオパチー（低カリウム血症の結果。甘草配合のため）。

　そのほかにも報告された副作用はあるので，体調がいつもと違うと感じたときは，処方医・薬剤師に相談してください。

漢方薬

062 防風通聖散（ぼうふうつうしょうさん）

💊 製剤情報

一般名：防風通聖散

● 剤形… 錠 錠剤，細 細粒剤，顆 顆粒剤

■メーカー

	規格・保険薬価
オースギ	顆 1g 6.30 円
大峰堂＝クラシエ	錠 1錠 2.50 円
クラシエ	細 1g 6.70 円
小太郎	細 1g 6.40 円
三和生薬	細 1g 6.40 円
ジェーピーエス	顆 1g 7.30 円
太虎精堂	顆 1g 6.40 円
ツムラ	顆 1g 8.40 円
帝国漢方製薬＝帝国製薬	顆 1g 6.30 円
東洋薬行	細 1g 7.30 円
本草	顆 1g 5.40 円

適応

・腹部に皮下脂肪が多く，便秘がちで尿量の少ない人の次の諸症→高血圧の随伴症状（肩こり，のぼせなど），肥満症，むくみ，便秘，腎臓病，動脈硬化など

基本的注意

(1) 妊婦または妊娠している可能性のある人は，服用しないことが望ましいです（流早産の危険性）。

(2) 次の人は慎重に服用します。⑥～⑩の人は，服用によってこれらの疾患・症状が悪化するおそれがあります。①下痢，軟便のある人，②胃腸の虚弱な人，③食欲不振，悪心，嘔吐のある人，④病後の衰弱期，著しく体力の衰えている人，⑤発汗傾向の著しい人，⑥狭心症，心筋梗塞などの循環器系の障害，またはその前歴のある人，⑦重症高血圧症の人，⑧高度の腎機能障害のある人，⑨排尿障害のある人，⑩甲状腺機能亢進症の人，⑪授乳婦（乳児の下痢）

(3) 本剤には無水ボウショウ（無水硫酸ナトリウム）が含まれているので，治療上食塩制限が必要な人が継続服用する場合は注意してください。

重大な副作用

①体液の貯留，むくみ，体重増加，血圧上昇などの偽アルドステロン症（甘草配合のため）。②脱力感，手足のけいれんや麻痺などを初発症状とするミオパチー（低カリウム血症の結果。甘草配合のため）。③AST・ALT・AL-P・γ-GTP などの著しい上昇を伴う肝機能障害，黄疸。④発熱，せき，呼吸困難などを初発症状とする間質性肺炎。⑤長期服用（多くは 5 年以上）により，腹痛，下痢，便秘，腹部膨

満などが繰り返しおこる腸間膜静脈硬化症(サンシシ配合のため)。

そのほかにも報告された副作用はあるので，体調がいつもと違うと感じたときは，処方医・薬剤師に相談してください。

漢方薬

063 五積散(ごしゃくさん)

💊 製剤情報

一般名:五積散

● 剤形…細 細粒剤，顆 顆粒剤

■メーカー	規格・保険薬価
小太郎	細 1g 6.40 円
ツムラ	顆 1g 8.90 円
帝国漢方製薬＝帝国製薬	顆 1g 5.40 円

適応

・慢性に経過し，症状の激しくない人の次の諸症→胃腸炎，腰痛，神経痛，関節痛，月経痛，頭痛，冷え症，更年期障害，感冒など

基本的注意

(1)次の人は慎重に服用します。⑤〜⑨の人は，服用によってこれらの疾患・症状が悪化するおそれがあります。①病後の衰弱期，著しく体力の衰えている人，②著しく胃腸の虚弱な人，③食欲不振，悪心，嘔吐のある人，④発汗傾向の著しい人，⑤狭心症，心筋梗塞などの循環器系の障害，またはその前歴のある人，⑥重症高血圧症の人，⑦高度の腎機能障害のある人，⑧排尿障害のある人，⑨甲状腺機能亢進症の人

(2)妊婦での安全性は未確立です。有益と判断されたときのみ服用します。

重大な副作用 ①体液の貯留，むくみ，体重増加，血圧上昇などの偽アルドステロン症(甘草配合のため)。②脱力感，手足のけいれんや麻痺などを初発症状とするミオパチー(低カリウム血症の結果。甘草配合のため)。

そのほかにも報告された副作用はあるので，体調がいつもと違うと感じたときは，処方医・薬剤師に相談してください。

漢方薬

064 炙甘草湯(しゃかんぞうとう)

💊 製剤情報

一般名:炙甘草湯

● 剤形…細 細粒剤，顆 顆粒剤

■メーカー	規格・保険薬価
小太郎	細 1g 9.80 円
ツムラ	顆 1g 17.80 円

漢方薬
065
帰脾湯

適応

・瘀血(血液のめぐりが悪いためにおこる症候群)による血行障害のため,心悸亢進,不整脈,貧血などをおこしている人の動悸,息切れ

基本的注意

(1)次の人は服用してはいけません(禁忌)。本剤が甘草を配合しているため,以下の疾患・症状が悪化するおそれがあります。①アルドステロン症の人,②ミオパチーのある人,③低カリウム血症のある人

(2)次の人は慎重に服用します。①著しく胃腸の虚弱な人,②食欲不振,悪心,嘔吐のある人

(3)妊婦での安全性は未確立です。有益と判断されたときのみ服用します。

重大な副作用

①体液の貯留,むくみ,体重増加,血圧上昇などの偽アルドステロン症(甘草配合のため)。②脱力感,手足のけいれんや麻痺などを初発症状とするミオパチー(低カリウム血症の結果。甘草配合のため)。

そのほかにも報告された副作用はあるので,体調がいつもと違うと感じたときは,処方医・薬剤師に相談してください。

漢方薬
065 **帰脾湯**(きひとう)

→加味帰脾湯(1702頁)を参照してください。

漢方薬
066 **参蘇飲**(じんそいん)

💊 製剤情報

一般名:参蘇飲

● 剤形…㊥ 顆粒剤

■メーカー		規格・保険薬価
太虎精堂	㊥	1g 11.10 円
ツムラ	㊥	1g 12.80 円

適応

・胃が弱い人で,葛根湯や桂枝湯が胸につかえるという人の感冒,せき

基本的注意

(1)妊婦での安全性は未確立です。有益と判断されたときのみ服用します。

重大な副作用

①体液の貯留,むくみ,体重増加,血圧上昇などの偽アルドステロン症(甘草配合のため)。②脱力感,手足のけいれんや麻痺などを初発症状とするミオパチー(低カリウム血症の結果。甘草配合のため)。

そのほかにも報告された副作用はあるので,体調がいつもと違うと感じたときは,処

方医・薬剤師に相談してください。

---

067 女神散(にょしんさん)

製剤情報

一般名：女神散

● 剤形…㊣ 顆粒剤

■メーカー	規格・保険薬価
ツムラ	顆 1g 22.10 円

適応

・のぼせ，めまいがある人の次の諸症→血の道症，月経不順，産前産後の神経症

基本的注意

(1)次の人は慎重に服用します。①著しく胃腸の虚弱な人，②食欲不振，悪心，嘔吐のある人

(2)妊婦での安全性は未確立です。有益と判断されたときのみ服用します。

重大な副作用

①体液の貯留，むくみ，体重増加，血圧上昇などの偽アルドステロン症（甘草配合のため）。②脱力感，手足のけいれんや麻痺などを初発症状とするミオパチー（低カリウム血症の結果。甘草配合のため）。③AST・ALT・AL-P・γ-GTP などの著しい上昇を伴う肝機能障害，黄疸。

そのほかにも報告された副作用はあるので，体調がいつもと違うと感じたときは，処方医・薬剤師に相談してください。

---

068 芍薬甘草湯(しゃくやくかんぞうとう)

製剤情報

一般名：芍薬甘草湯

● 剤形…細 細粒剤，顆 顆粒剤

■メーカー	規格・保険薬価
クラシエ	細 1g 7.90 円
康和＝オースギ	細 1g 11.20 円
小太郎	細 1g 6.80 円
ツムラ	顆 1g 6.90 円
帝国漢方製薬＝帝国製薬	顆 1g 5.30 円
東洋薬行	細 1g 9.10 円
本草	顆 1g 5.30 円

適応

・急激におこる筋肉のけいれんを伴う疼痛，筋肉・関節痛，胃痛，腹痛

基本的注意

(1)次の人は服用してはいけません（禁忌）。本剤が甘草を配合しているため，以下の疾患・症状が悪化するおそれがあります。①アルドステロン症の人，②ミオパチーのある人，③低カリウム血症のある人

(2)高齢者は慎重に服用します。

(3)妊婦での安全性は未確立です。有益と判断されたときのみ服用します。

(4)服用は治療上必要な最低限の期間に限ってください。

重大な副作用　①体液の貯留，むくみ，体重増加，血圧上昇などの偽アルドステロン症（甘草配合のため）。②脱力感，手足のけいれんや麻痺などを初発症状とするミオパチー（低カリウム血症の結果。甘草配合のため）。③うっ血性心不全，心室細動，心室頻拍（トルサード・ドゥ・ポアントを含む）が現れることがあるので，動悸，息切れ，倦怠感，めまい，失神などの異常を感じたらすぐに処方医に連絡します。④AST・ALT・AL-P・γ-GTP などの上昇を伴う肝機能障害，黄疸。⑤発熱，せき，呼吸困難などを初発症状とする間質性肺炎。

そのほかにも報告された副作用はあるので，体調がいつもと違うと感じたときは，処方医・薬剤師に相談してください。

漢方薬
069　**茯苓飲**（ぶくりょういん），**茯苓飲合半夏厚朴湯**（ぶくりょういんごうはんげこうぼくとう）

💊 **製剤情報**

一般名：茯苓飲		
●剤形…細 細粒剤，顆 顆粒剤		
■メーカー		規格・保険薬価
小太郎		細 1g 18.60 円

ツムラ		顆 1g 14.40 円
一般名：茯苓飲合半夏厚朴湯		
●剤形…顆 顆粒剤		
■メーカー		規格・保険薬価
ツムラ		顆 1g 18.90 円

適応

・[茯苓飲]吐きけや胸やけがあり，尿量が減少している人の次の諸症→胃炎，胃アトニー，げっぷ，消化不良など

・[茯苓飲合半夏厚朴湯]気分がふさいで，咽喉・食道部に異物感があり，ときに動悸，めまい，吐きけ，胸やけなどがあり，尿量が減少している人の次の諸症→不安神経症，神経性胃炎，つわり，げっぷ，胃炎など

・茯苓飲合半夏厚朴湯は神経症的傾向の強い人に用います。

基本的注意

(1)妊婦での安全性は未確立です。有益と判断されたときのみ服用します。

重大な副作用　重大な副作用はありませんが，そのほかの副作用はあるの

ツムラ		顆 1g 5.40 円

適応

・便秘症

基本的注意

(1) 妊婦または妊娠している可能性のある人は，服用しないことが望ましいです(流早産の危険性)。

(2) 次の人は慎重に服用します。①下痢，軟便のある人，②著しく胃腸の虚弱な人，③著しく体力の衰えている人，④授乳婦(乳児の下痢)

重大な副作用 ①体液の貯留，むくみ，体重増加，血圧上昇などの偽アルドステロン症(甘草配合のため)。②脱力感，手足のけいれんや麻痺などを初発症状とするミオパチー(低カリウム血症の結果。甘草配合のため)。

　そのほかにも報告された副作用はあるので，体調がいつもと違うと感じたときは，処方医・薬剤師に相談してください。

漢方薬

085 神秘湯(しんぴとう)

製剤情報

一般名：神秘湯

● 剤形…細 細粒剤，顆 顆粒剤

■ メーカー

規格・保険薬価

オースギ		顆 1g 13.90 円

大峰堂＝クラシエ		細 1g 15.30 円
小太郎		細 1g 15.30 円
ツムラ		顆 1g 14.90 円
東洋薬行		細 1g 16.30 円
本草		顆 1g 8.70 円

適応

・小児ぜんそく，気管支ぜんそく，気管支炎

基本的注意

(1) 次の人は慎重に服用します。⑤〜⑨の人は，服用によってこれらの疾患・症状が悪化するおそれがあります。①病後の衰弱期，著しく体力の衰えている人，②著しく胃腸の虚弱な人，③食欲不振，悪心，嘔吐のある人，④発汗傾向の著しい人，⑤狭心症，心筋梗塞などの循環器系の障害，またはその前歴のある人，⑥重症高血圧症の人，⑦高度の腎機能障害のある人，⑧排尿障害のある人，⑨甲状腺機能亢進症の人

(2) 妊婦での安全性は未確立です。有益と判断されたときのみ服用します。

重大な副作用 ①体液の貯留，むくみ，体重増加，血圧上昇などの偽アルドステロン症(甘草配合のため)。②脱力感，手足のけいれんや麻痺などを初発症状とするミオパチー(低カリウム血症の結果。甘草配合のため)。

そのほかにも報告された副作用はあるので，体調がいつもと違うと感じたときは，処方医・薬剤師に相談してください。

漢方薬

086 **当帰飲子**(とうきいんし)

📋 **製 剤 情 報**

一般名：当帰飲子

● 剤形…㊥顆粒剤

■メーカー	規格・保険薬価
ツムラ	㊥ 1g 12.70 円

適応

・冷え症の人の慢性湿疹(分泌物の量が少ないもの)，かゆみ

基本的注意

(1)次の人は慎重に服用します。①著しく胃腸の虚弱な人，②食欲不振，悪心，嘔吐のある人

(2)妊婦での安全性は未確立です。有益と判断されたときのみ服用します。

重大な副作用　①体液の貯留，むくみ，体重増加，血圧上昇などの偽アルドステロン症(甘草配合のため)。②脱力感，手足のけいれんや麻痺などを初発症状とするミオパチー(低カリウム血症の結果。甘草配合のため)。

そのほかにも報告された副作用はあるので，体調がいつもと違うと感じたときは，処方医・薬剤師に相談してください。

漢方薬

087 **六味丸**(ろくみがん)，**六味地黄丸**(ろくみじおうがん)

📋 **製 剤 情 報**

一般名：六味丸

● 剤形…㊥細粒剤，㊥顆粒剤

■メーカー	規格・保険薬価
クラシエ	㊥ 1g 7.80 円
ツムラ	㊥ 1g 8.40 円

一般名：六味地黄丸

● 剤形…㊥細粒剤

■メーカー	規格・保険薬価
康和＝オースギ	㊥ 1g 9.00 円
東洋薬行	㊥ 1g 8.70 円

適応

・八味丸(はちみがん)から桂枝と附子を除いた処方で，尿量減少または多尿で，ときに口渇がある人の次の諸症→排尿困難，頻尿，むくみ，かゆみ

基本的注意

(1) 妊婦または妊娠している可能性のある人は，服用しないことが望ましいです（流早産の危険性）。

(2) 次の人は慎重に服用します。①著しく胃腸の虚弱な人，②食欲不振，悪心，嘔吐のある人

重大な副作用　　　　　重大な副作用はありませんが，そのほかの副作用はあるので，体調がいつもと違うと感じたときは，処方医・薬剤師に相談してください。

漢方薬

088　二朮湯（にじゅつとう）

製剤情報

一般名：二朮湯

● 剤形…㊗ 顆粒剤

■メーカー	規格・保険薬価
ツムラ	㊗ 1g 11.50 円

適応

・五十肩

基本的注意

(1) 妊婦での安全性は未確立です。有益と判断されたときのみ服用します。

重大な副作用　　　　　①体液の貯留，むくみ，体重増加，血圧上昇などの偽アルドステロン症（甘草配合のため）。②脱力感，手足のけいれんや麻痺などを初発症状とするミオパチー（低カリウム血症の結果。甘草配合のため）。③AST・ALT・AL-P・γ-GTP などの上昇を伴う肝機能障害，黄疸。④発熱，せき，呼吸困難などを初発症状とする間質性肺炎。

漢方薬

089　治打撲一方（ぢだぼくいっぽう）

製剤情報

一般名：治打撲一方

● 剤形…㊗ 顆粒剤

■メーカー	規格・保険薬価
ツムラ	㊗ 1g 8.30 円

適応

・打撲による腫れや痛み

基本的注意

(1) 妊婦または妊娠している可能性のある人は，服用しないことが望ましいです（流早産

の危険性)。

(2)次の人は慎重に服用します。①下痢，軟便のある人，②著しく胃腸の虚弱な人，③食欲不振，悪心，嘔吐のある人，④著しく体力の衰えている人，⑤授乳婦(乳児の下痢)

重大な副作用　①体液の貯留，むくみ，体重増加，血圧上昇などの偽アルドステロン症(甘草配合のため)。②脱力感，手足のけいれんや麻痺などを初発症状とするミオパチー(低カリウム血症の結果。甘草配合のため)。

　そのほかにも報告された副作用はあるので，体調がいつもと違うと感じたときは，処方医・薬剤師に相談してください。

漢方薬

090 清肺湯(せいはいとう)

製剤情報

一般名：清肺湯
● 剤形…顆 顆粒剤

■メーカー　　　　　　　　　規格・保険薬価
ツムラ　　　　　　　　　顆 1g 10.40 円

適応

・慢性に経過する，たんが多く出るせき

基本的注意

(1)次の人は慎重に服用します。①著しく胃腸の虚弱な人，②食欲不振，悪心，嘔吐のある人

(2)妊婦での安全性は未確立です。有益と判断されたときのみ服用します。

重大な副作用　①発熱，せき，呼吸困難などを初発症状とする間質性肺炎。②体液の貯留，むくみ，体重増加，血圧上昇などの偽アルドステロン症(甘草配合のため)。③脱力感，手足のけいれんや麻痺などを初発症状とするミオパチー(低カリウム血症の結果。甘草配合のため)。④AST・ALT・AL-P・γ-GTP などの著しい上昇を伴う肝機能障害，黄疸。⑤長期服用(多くは 5 年以上)により，腹痛，下痢，便秘，腹部膨満などが繰り返しおこる腸間膜静脈硬化症(サンシシ配合のため)。

　そのほかにも報告された副作用はあるので，体調がいつもと違うと感じたときは，処方医・薬剤師に相談してください。

漢方薬

091 竹筎温胆湯(ちくじょうんたんとう)

製剤情報

一般名：竹筎温胆湯
● 剤形…顆 顆粒剤

■メーカー　　　　　　規格・保険薬価

ツムラ　　　　　　　　顆 1g 28.90 円

適応

・インフルエンザやかぜ，肺炎などの回復期に熱が長びいたり，平熱になっても気分が
すっきりせず，せきやたんが多くて安眠できないとき

基本的注意

(1)妊婦での安全性は未確立です。有益と判断されたときのみ服用します。

重大な副作用

①体液の貯留，むくみ，体重増加，血圧上昇などの偽アル
ドステロン症(甘草配合のため)。②脱力感，手足のけいれんや麻痺などを初発症状とす
るミオパチー(低カリウム血症の結果。甘草配合のため)。

　そのほかにも報告された副作用はあるので，体調がいつもと違うと感じたときは，処
方医・薬剤師に相談してください。

漢方薬

092 滋陰至宝湯(じいんしほうとう)

💊 製剤情報

一般名：滋陰至宝湯

●剤形…顆顆粒剤

■メーカー　　　　　　規格・保険薬価

ツムラ　　　　　　　　顆 1g 15.30 円

適応

・虚弱な人の慢性のせき・たん

基本的注意

(1)次の人は慎重に服用します。①著しく胃腸の虚弱な人，②食欲不振，悪心，嘔吐のあ
る人

(2)妊婦での安全性は未確立です。有益と判断されたときのみ服用します。

重大な副作用

①体液の貯留，むくみ，体重増加，血圧上昇などの偽アル
ドステロン症(甘草配合のため)。②脱力感，手足のけいれんや麻痺などを初発症状とす
るミオパチー(低カリウム血症の結果。甘草配合のため)。

　そのほかにも報告された副作用はあるので，体調がいつもと違うと感じたときは，処
方医・薬剤師に相談してください。

093 滋陰降火湯（じいんこうかとう）

製剤情報

一般名：滋陰降火湯

● 剤形…顆 顆粒剤

■メーカー	規格・保険薬価
ツムラ	顆 1g 10.80 円

適応

・のどにうるおいがなく，たんの出なくてせきこむ人
・本剤は，麦門冬湯（ばくもんどうとう）に血虚の薬を加えたものです。

基本的注意

(1) 次の人は慎重に服用します。①著しく胃腸の虚弱な人，②食欲不振，悪心，嘔吐のある人

(2) 妊婦での安全性は未確立です。有益と判断されたときのみ服用します。

(3) 服用して下痢する人は，証が合わないので処方医に連絡します。

重大な副作用

①体液の貯留，むくみ，体重増加，血圧上昇などの偽アルドステロン症（甘草配合のため）。②脱力感，手足のけいれんや麻痺などを初発症状とするミオパチー（低カリウム血症の結果。甘草配合のため）。

そのほかにも報告された副作用はあるので，体調がいつもと違うと感じたときは，処方医・薬剤師に相談してください。

095 五虎湯（ごことう），麻杏甘石湯（まきょうかんせきとう）

製剤情報

一般名：五虎湯

● 剤形…錠 錠剤，細 細粒剤，顆 顆粒剤

■メーカー	規格・保険薬価
オースギ	錠 1錠 4.80 円
クラシエ	細 1g 6.40 円
ツムラ	顆 1g 6.60 円

一般名：麻杏甘石湯

● 剤形…細 細粒剤，顆 顆粒剤

■メーカー	規格・保険薬価
オースギ	顆 1g 7.20 円
康和＝オースギ	細 1g 8.70 円
小太郎	細 1g 8.40 円
ツムラ	顆 1g 6.50 円
帝国漢方製薬＝帝国製薬	顆 1g 5.30 円
本草	顆 1g 4.00 円

適応
・せき，気管支炎，気管支ぜんそく，小児ぜんそく
・五虎湯は，麻杏甘石湯に桑白皮を加えたものです。

基本的注意
(1)次の人は慎重に服用します。⑤～⑨の人は，服用によってこれらの疾患・症状が悪化するおそれがあります。①病後の衰弱期，著しく体力の衰えている人，②胃腸の虚弱な人，③食欲不振，悪心，嘔吐のある人，④発汗傾向の著しい人，⑤狭心症，心筋梗塞などの循環器系の障害，またはその前歴のある人，⑥重症高血圧症の人，⑦高度の腎機能障害のある人，⑧排尿障害のある人，⑨甲状腺機能亢進症の人
(2)妊婦での安全性は未確立です。有益と判断されたときのみ服用します。

重大な副作用
①体液の貯留，むくみ，体重増加，血圧上昇などの偽アルドステロン症（甘草配合のため）。②脱力感，手足のけいれんや麻痺などを初発症状とするミオパチー（低カリウム血症の結果。甘草配合のため）。

そのほかにも報告された副作用はあるので，体調がいつもと違うと感じたときは，処方医・薬剤師に相談してください。

漢方薬

096 柴朴湯(さいぼくとう)

⚕ 製剤情報

一般名：柴朴湯

● 剤形…細細粒剤，顆顆粒剤

■メーカー	規格・保険薬価
大峰堂＝クラシエ	細 1g 30.40 円
ツムラ	顆 1g 34.20 円

適応
・気分がふさいで，のど，食道部に異物感があり，ときに動悸，めまい，吐きけなどを伴う人の次の諸症→小児ぜんそく，気管支ぜんそく，気管支炎，せき，不安神経症

基本的注意
(1)本剤は，小柴胡湯と半夏厚朴湯の合方です。小柴胡湯の警告を参照してください。
(2)著しく体力の衰えている人は慎重に服用します。
(3)妊婦での安全性は未確立です。有益と判断されたときのみ服用します。体質によって流産するおそれがあるので，十分に注意して服用してください。
(4)類似処方の小柴胡湯では，インターフェロンアルファとの併用例で間質性肺炎の副作用が多く報告されています。

重大な副作用
①発熱，せき，呼吸困難などを初発症状とする間質性肺炎。②体液の貯留，むくみ，体重増加，血圧上昇などの偽アルドステロン症（甘草配合のため）。③脱力感，手足のけいれんや麻痺などを初発症状とするミオパチー（低カリウム血症の結果。甘草配合のため）。④AST・ALT・AL-P・γ-GTP などの著しい上昇を伴う

肝機能障害, 黄疸。

そのほかにも報告された副作用はあるので, 体調がいつもと違うと感じたときは, 処方医・薬剤師に相談してください。

漢方薬

097 大防風湯(だいぼうふうとう)

💊 製 剤 情 報

一般名：大防風湯

● 規制…劇薬(500g 包装品のみ)

● 剤形…細細粒剤, 顆顆粒剤

■メーカー	規格・保険薬価
三和生薬＝オースギ	細 1g 16.00 円
ツムラ	顆 1g 12.60 円

適応

・関節が腫れて痛み, 麻痺, 強直して屈伸しにくい人の次の諸症→下肢の関節リウマチ, 慢性関節炎, 痛風

基本的注意

(1)妊婦または妊娠している可能性のある人は, 服用しないことが望ましいです(流早産の危険性)。

(2)次の人は慎重に服用します。①体力の充実している人(副作用が現れやすい), ②暑がりで, のぼせが強く, 赤ら顔の人, ③著しく胃腸の虚弱な人, ④食欲不振, 悪心, 嘔吐のある人, ⑤小児

(3)服用によって湿疹, 皮膚炎などが悪化することがあります。

重大な副作用 　　　　①体液の貯留, むくみ, 体重増加, 血圧上昇などの偽アルドステロン症(甘草配合のため)。②脱力感, 手足のけいれんや麻痺などを初発症状とするミオパチー(低カリウム血症の結果。甘草配合のため)。

そのほかにも報告された副作用はあるので, 体調がいつもと違うと感じたときは, 処方医・薬剤師に相談してください。

漢方薬

098 黄耆建中湯(おうぎけんちゅうとう)

💊 製 剤 情 報

一般名：黄耆建中湯

● 剤形…細細粒剤, 顆顆粒剤

■メーカー	規格・保険薬価
ツムラ	顆 1g 5.40 円
東洋薬行	細 1g 14.40 円

適応

・身体虚弱で疲労しやすい人の次の諸症→虚弱体質，病後の衰弱，寝汗

基本的注意

(1)妊婦での安全性は未確立です。有益と判断されたときのみ服用します。

(2)服用によって湿疹，皮膚炎などが悪化することがあります。

重大な副作用　①体液の貯留，むくみ，体重増加，血圧上昇などの偽アルドステロン症(甘草配合のため)。②脱力感，手足のけいれんや麻痺などを初発症状とするミオパチー(低カリウム血症の結果。甘草配合のため)。

　そのほかにも報告された副作用はあるので，体調がいつもと違うと感じたときは，処方医・薬剤師に相談してください。

漢方薬

099 小建中湯(しょうけんちゅうとう)

製剤情報

一般名：小建中湯

●剤形…細 細粒剤，顆 顆粒剤

■メーカー		規格・保険薬価
オースギ	顆	1g 4.00 円
小太郎	細	1g 4.40 円
ツムラ	顆	1g 7.00 円

適応

・虚弱体質で疲れやすく，のぼせ，腹痛，動悸，冷え症，手足のほてり，多尿，頻尿などのいずれかを伴う人の次の諸症→胃腸病，小児の下痢または便秘，神経質，腺病質，貧血症，小児夜尿症，夜なきなど

基本的注意

(1)服用後，吐きけがする人は処方医に連絡します。

(2)妊婦での安全性は未確立です。有益と判断されたときのみ服用します。

重大な副作用　①体液の貯留，むくみ，体重増加，血圧上昇などの偽アルドステロン症(甘草配合のため)。②脱力感，手足のけいれんや麻痺などを初発症状とするミオパチー(低カリウム血症の結果。甘草配合のため)。

　そのほかにも報告された副作用はあるので，体調がいつもと違うと感じたときは，処方医・薬剤師に相談してください。

漢方薬

100 大建中湯(だいけんちゅうとう)

製剤情報

一般名：大建中湯

● 剤形… 細 細粒剤, 顆 顆粒剤

■メーカー	規格・保険薬価
小太郎	細 1g 5.90 円
ツムラ	顆 1g 9.00 円

適応

・腹が冷えて痛み, 腹部膨満感のある人

基本的注意

(1)肝機能障害がある人は慎重に服用します。

(2)妊婦での安全性は未確立です。有益と判断されたときのみ服用します。

重大な副作用

①AST・ALT・AL-P・γ-GTP などの著しい上昇を伴う肝機能障害, 黄疸。②発熱, せき, 呼吸困難などを初発症状とする間質性肺炎。

そのほかにも報告された副作用はあるので, 体調がいつもと違うと感じたときは, 処方医・薬剤師に相談してください。

漢方薬

101 升麻葛根湯(しょうまかっこんとう)

製剤情報

一般名：升麻葛根湯

● 剤形… 顆 顆粒剤

■メーカー	規格・保険薬価
ツムラ	顆 1g 6.30 円

適応

・感冒の初期, 皮膚炎

基本的注意

(1)妊婦での安全性は未確立です。有益と判断されたときのみ服用します。

(2)服用によって湿疹, 皮膚炎などが悪化することがあります。

重大な副作用

①体液の貯留, むくみ, 体重増加, 血圧上昇などの偽アルドステロン症(甘草配合のため)。②脱力感, 手足のけいれんや麻痺などを初発症状とするミオパチー(低カリウム血症の結果。甘草配合のため)。

漢方薬

102 当帰湯(とうきとう)

💊 製 剤 情 報

一般名：当帰湯
● 剤形…顆 顆粒剤

■**メーカー**　　　　　　　　規格・保険薬価

| ツムラ | 顆 1g 31.20 円 |

適応

・背中に寒冷を覚え，腹部膨満感や腹痛のある人

基本的注意

(1)次の人は慎重に服用します。①著しく胃腸の虚弱な人，②食欲不振，悪心，嘔吐のある人

(2)妊婦での安全性は未確立です。有益と判断されたときのみ服用します。

(3)服用によって湿疹，皮膚炎などが悪化することがあります。

重大な副作用　　　　　①体液の貯留，むくみ，体重増加，血圧上昇などの偽アルドステロン症(甘草配合のため)。②脱力感，手足のけいれんや麻痺などを初発症状とするミオパチー(低カリウム血症の結果。甘草配合のため)。

　そのほかにも報告された副作用はあるので，体調がいつもと違うと感じたときは，処方医・薬剤師に相談してください。

漢方薬

103 酸棗仁湯(さんそうにんとう)

💊 製 剤 情 報

一般名：酸棗仁湯
● 剤形…顆 顆粒剤

■**メーカー**　　　　　　　　規格・保険薬価

| オースギ | 顆 1g 8.60 円 |
| ツムラ | 顆 1g 10.90 円 |

適応

・心身が疲れ，弱っている人の不眠症

基本的注意

(1)次の人は慎重に服用します。①胃腸の虚弱な人，②食欲不振，悪心，嘔吐のある人

(2)妊婦での安全性は未確立です。有益と判断されたときのみ服用します。

重大な副作用　　　　　①体液の貯留，むくみ，体重増加，血圧上昇などの偽アルドステロン症(甘草配合のため)。②脱力感，手足のけいれんや麻痺などを初発症状とするミオパチー(低カリウム血症の結果。甘草配合のため)。

そのほかにも報告された副作用はあるので，体調がいつもと違うと感じたときは，処方医・薬剤師に相談してください。

漢方薬
104 辛夷清肺湯（しんいせいはいとう）

製剤情報

一般名：辛夷清肺湯
- 剤形…細 細粒剤，顆 顆粒剤

■メーカー　　規格・保険薬価
オースギ　顆 1g 6.90 円

大峰堂＝クラシエ	細	1g 12.40 円
小太郎	細	1g 8.50 円
ツムラ	顆	1g 15.70 円

適応
・鼻づまり，蓄膿症，慢性鼻炎

基本的注意
(1) 次の人は慎重に服用します。①胃腸の虚弱な人，②著しく体力の衰えている人
(2) 妊婦での安全性は未確立です。有益と判断されたときのみ服用します。

重大な副作用
①発熱，せき，呼吸困難などを初発症状とする間質性肺炎。②AST・ALT・AL-P・γ-GTP などの著しい上昇を伴う肝機能障害，黄疸。③長期服用（多くは 5 年以上）により，腹痛，下痢，便秘，腹部膨満などが繰り返しおこる腸間膜静脈硬化症（サンシシ配合のため）。

そのほかにも報告された副作用はあるので，体調がいつもと違うと感じたときは，処方医・薬剤師に相談してください。

漢方薬
105 通導散（つうどうさん）

製剤情報

一般名：通導散
- 剤形…細 細粒剤，顆 顆粒剤

■メーカー		規格・保険薬価
小太郎	細	1g 5.90 円
太虎精堂	顆	1g 6.70 円
ツムラ	顆	1g 8.80 円

適応
・比較的体力があり，下腹部に圧痛があって，便秘しがちな人の次の諸症→月経不順，更年期障害，腰痛，打ち身，便秘，高血圧症の随伴症状（頭痛，めまい，肩こり）

基本的注意

(1)妊婦または妊娠している可能性のある人は，服用しないことが望ましいです(流早産の危険性など)。

(2)次の人は慎重に服用します。①下痢，軟便のある人，②著しく胃腸の虚弱な人，③食欲不振，悪心，嘔吐のある人，④著しく体力の衰えている人，⑤授乳婦(乳児の下痢)

(3)本剤には無水ボウショウ(無水硫酸ナトリウム)が含まれているので，治療上食塩制限が必要な人が継続服用する場合は注意してください。

重大な副作用 ①体液の貯留，むくみ，体重増加，血圧上昇などの偽アルドステロン症(甘草配合のため)。②脱力感，手足のけいれんや麻痺などを初発症状とするミオパチー(低カリウム血症の結果。甘草配合のため)。

そのほかにも報告された副作用はあるので，体調がいつもと違うと感じたときは，処方医・薬剤師に相談してください。

漢方薬

106 温経湯(うんけいとう)

漢方薬
106
温経湯

製剤情報

一般名：温経湯

●剤形…細 細粒剤，顆 顆粒剤

■メーカー	規格・保険薬価
小太郎	細 1g 13.00 円
ツムラ	顆 1g 22.50 円

適応

・冷え症で，手足がほてり，唇が渇く人の次の諸症→月経不順，月経困難，こしけ(おりもの)，更年期障害，不眠，神経症，湿疹，足腰の冷え，しもやけ，指掌角皮症，頭痛，腰痛など

基本的注意

(1)妊婦または妊娠している可能性のある人は，服用しないことが望ましいです(流早産の危険性)。

(2)次の人は慎重に服用します。①著しく胃腸の虚弱な人，②食欲不振，悪心，嘔吐のある人

重大な副作用 ①体液の貯留，むくみ，体重増加，血圧上昇などの偽アルドステロン症(甘草配合のため)。②脱力感，手足のけいれんや麻痺などを初発症状とするミオパチー(低カリウム血症の結果。甘草配合のため)。

そのほかにも報告された副作用はあるので，体調がいつもと違うと感じたときは，処方医・薬剤師に相談してください。

製 剤 情 報

一般名：牛車腎気丸

● 剤形…顆 顆粒剤

■ メーカー	規格・保険薬価
ツムラ	顆 1g 10.70 円

適応

・疲れやすくて四肢が冷えやすく，尿量減少または多尿で，ときに口渇がある人の次の諸症→下肢痛，しびれ，老人のかすみ目，かゆみ，排尿困難，頻尿，むくみ
・本剤は，八味丸に牛膝，車前子を加えたものです。

基本的注意

(1) 妊婦または妊娠している可能性のある人は，服用しないことが望ましいです（流早産の危険性など）。
(2) 次の人は慎重に服用します。①体力の充実している人（副作用が現れやすい），②暑がりで，のぼせが強く，赤ら顔の人，③著しく胃腸の虚弱な人，④食欲不振，悪心，嘔吐のある人，⑤小児

重大な副作用

①AST・ALT・AL-P・γ-GTP などの著しい上昇を伴う肝機能障害，黄疸。②発熱，せき，呼吸困難などを初発症状とする間質性肺炎。

そのほかにも報告された副作用はあるので，体調がいつもと違うと感じたときは，処方医・薬剤師に相談してください。

製 剤 情 報

一般名：人参養栄湯

● 剤形…細 細粒剤，顆 顆粒剤

■ メーカー	規格・保険薬価
オースギ	顆 1g 9.00 円
クラシエ	細 1g 22.70 円
小太郎	細 1g 11.30 円
ツムラ	顆 1g 20.30 円

適応

・やせて血色悪く，倦怠感，食欲不振，精神不安などがある人の次の諸症→病後や産後の体力低下，虚弱体質，疲労倦怠，食欲不振，寝汗，手足の冷え，貧血

基本的注意

(1) 次の人は慎重に服用します。①著しく胃腸の虚弱な人，②食欲不振，悪心，嘔吐のある人

(2) 妊婦での安全性は未確立です。有益と判断されたときのみ服用します。

(3) 服用によって湿疹，皮膚炎などが悪化することがあります。

重大な副作用

①体液の貯留，むくみ，体重増加，血圧上昇などの偽アルドステロン症（甘草配合のため）。②脱力感，手足のけいれんや麻痺などを初発症状とするミオパチー（低カリウム血症の結果。甘草配合のため）。③AST・ALT・AL-P・γ-GTP などの上昇を伴う肝機能障害，黄疸。

そのほかにも報告された副作用はあるので，体調がいつもと違うと感じたときは，処方医・薬剤師に相談してください。

漢方薬

109 小柴胡湯加桔梗石膏（しょうさいことうかききょうせっこう）

製剤情報

一般名：小柴胡湯加桔梗石膏

●剤形…顆 顆粒剤

■メーカー	規格・保険薬価
ツムラ	顆 1g 37.50 円

適応

・桔梗石膏が配合されているので，小柴胡湯適応の人の，のどの腫れや痛み（扁桃炎，扁桃周囲炎など）に用います。

基本的注意

(1) 次の人は慎重に服用します。①胃腸の虚弱な人，②著しく体力の衰えている人

(2) 妊婦での安全性は未確立です。有益と判断されたときのみ服用します。

(3) 類似処方の小柴胡湯では，膀胱炎の副作用が報告されています。また，小柴胡湯では，インターフェロンアルファとの併用例で間質性肺炎の副作用が多く報告されています。

重大な副作用

①発熱，せき，呼吸困難などを初発症状とする間質性肺炎。②体液の貯留，むくみ，体重増加，血圧上昇などの偽アルドステロン症（甘草配合のため）。③脱力感，手足のけいれんや麻痺などを初発症状とするミオパチー（低カリウム血症の結果。甘草配合のため）。④AST・ALT・AL-P・γ-GTP などの著しい上昇を伴う肝機能障害，黄疸。

そのほかにも報告された副作用はあるので，体調がいつもと違うと感じたときは，処方医・薬剤師に相談してください。

漢方薬

110 立効散(りっこうさん)

⚬ 製 剤 情 報

一般名：立効散

- 剤形…㊶顆粒剤

■メーカー	規格・保険薬価
ツムラ	㊶ 1g 10.30 円

適応

・抜歯後の疼痛，歯痛

基本的注意

(1) 妊婦での安全性は未確立です。有益と判断されたときのみ服用します。

重大な副作用

①体液の貯留，むくみ，体重増加，血圧上昇などの偽アルドステロン症(甘草配合のため)。②脱力感，手足のけいれんや麻痺などを初発症状とするミオパチー(低カリウム血症の結果。甘草配合のため)。

漢方薬

111 清心蓮子飲(せいしんれんしいん)

⚬ 製 剤 情 報

一般名：清心蓮子飲

- 剤形…㊶細粒剤，㊶顆粒剤

■メーカー	規格・保険薬価
康和＝オースギ	㊶ 1g 22.50 円
ツムラ	㊶ 1g 19.30 円
東洋薬行	㊶ 1g 19.40 円

適応

・全身倦怠感があり，口や舌が渇き，尿が出しぶる人の次の諸症→残尿感，頻尿，排尿痛

基本的注意

(1) 妊婦での安全性は未確立です。有益と判断されたときのみ服用します。

(2) 服用によって湿疹，皮膚炎などが悪化することがあります。

重大な副作用

①体液貯留，むくみ，体重増加，血圧上昇などの偽アルドステロン症(甘草配合のため)。②脱力感，手足のけいれんや麻痺などを初発症状とするミオパチー(低カリウム血症の結果。甘草配合のため)。③発熱，せき，呼吸困難などを初発症状とする間質性肺炎。④AST・ALT・AL-P・γ-GTP などの著しい上昇を伴う肝機能障害，黄疸。

　そのほかにも報告された副作用はあるので，体調がいつもと違うと感じたときは，処

方医・薬剤師に相談してください。

漢方薬

112 猪苓湯合四物湯（ちょれいとうごうしもつとう）

→猪苓湯（1651頁）を参照してください。

漢方薬

113 三黄瀉心湯（さんおうしゃしんとう）

製剤情報

一般名：三黄瀉心湯

- 剤形…カ カプセル剤，細 細粒剤，顆 顆粒剤

■メーカー 規格・保険薬価

オースギ	顆	1g 23.30 円
クラシエ	細	1g 14.20 円
小太郎	細	1g 13.00 円

小太郎＝扶桑	カ	1カプセル 27.70 円
ジェーピーエス	顆	1g 22.70 円
太虎精堂	顆	1g 13.90 円
ツムラ	顆	1g 13.30 円
帝国漢方製薬＝帝国製薬	顆	1g 6.50 円
本草	顆	1g 6.50 円

適応

・比較的体力があり，のぼせ気味で顔面紅潮し，精神不安で，便秘，出血傾向のある人の次の諸症→高血圧の随伴症状（のぼせ，肩こり，耳鳴り，頭重，不眠，不安），鼻血，痔出血，便秘，更年期障害，血の道症など

基本的注意

(1)妊婦または妊娠している可能性のある人は，服用しないことが望ましいです（流早産の危険性）。

(2)次の人は慎重に服用します。①下痢，軟便のある人，②著しく胃腸の虚弱な人，③著しく体力の衰えている人，④授乳婦（乳児の下痢）

重大な副作用

①発熱，せき，呼吸困難などを初発症状とする間質性肺炎。②AST・ALT・AL-P・γ-GTPなどの著しい上昇を伴う肝機能障害，黄疸。

そのほかにも報告された副作用はあるので，体調がいつもと違うと感じたときは，処方医・薬剤師に相談してください。

漢方薬

114 柴苓湯(さいれいとう)

⊙ 製 剤 情 報

一般名：柴苓湯

●剤形…細 細粒剤, 顆 顆粒剤

■メーカー	規格・保険薬価
大峰堂＝クラシエ	細 1g 47.70 円
ツムラ	顆 1g 45.30 円

適応

・吐きけ，食欲不振，のどの渇き，尿量が少ないなどの人の次の諸症→水様性下痢，急性胃腸炎，暑気あたり，むくみ

基本的注意

(1) 小柴胡湯と五苓散の合方です。小柴胡湯の警告を参照してください。

(2) 著しく体力の衰えている人は慎重に服用します。

(3) 妊婦での安全性は未確立です。有益と判断されたときのみ服用します。

(4) 類似処方の小柴胡湯では，インターフェロンアルファとの併用例で間質性肺炎の副作用が多く報告されています。

重大な副作用

①発熱，せき，呼吸困難などを初発症状とする間質性肺炎。②体液の貯留，むくみ，体重増加，血圧上昇などの偽アルドステロン症(甘草配合のため)。③脱力感，手足のけいれんや麻痺などを初発症状とするミオパチー(低カリウム血症の結果。甘草配合のため)。④劇症肝炎，AST・ALT・AL-P・γ-GTP などの著しい上昇を伴う肝機能障害，黄疸。

そのほかにも報告された副作用はあるので，体調がいつもと違うと感じたときは，処方医・薬剤師に相談してください。

漢方薬

115 胃苓湯(いれいとう)

⊙ 製 剤 情 報

一般名：胃苓湯

●剤形…顆 顆粒剤

■メーカー	規格・保険薬価
ツムラ	顆 1g 16.50 円

適応

・体力中程度で，水様性の下痢や吐きけがあり，のどが渇いたり，尿量が減少する人の次の諸症→食あたり，暑気あたり，冷え腹，急性胃腸炎，腹痛

漢方薬 114

柴苓湯

基本的注意

(1) 妊婦での安全性は未確立です。有益と判断されたときのみ服用します。

重大な副作用

①体液の貯留, むくみ, 体重増加, 血圧上昇などの偽アルドステロン症(甘草配合のため)。②脱力感, 手足のけいれんや麻痺などを初発症状とするミオパチー(低カリウム血症の結果。甘草配合のため)。

そのほかにも報告された副作用はあるので, 体調がいつもと違うと感じたときは, 処方医・薬剤師に相談してください。

漢方薬

116 茯苓飲合半夏厚朴湯(ぶくりょういんごうはんげこうぼくとう)

→茯苓飲(1667頁)を参照してください。

漢方薬

117 茵蔯五苓散(いんちんごれいさん)

→茵蔯蒿湯(1701頁)を参照してください。

漢方薬

118 苓姜朮甘湯(りょうきょうじゅつかんとう)

💊 製剤情報

一般名:苓姜朮甘湯

● 剤形…細細粒剤, 顆顆粒剤

■メーカー

	規格・保険薬価
小太郎	細 1g 9.90 円

三和生薬	細 1g 14.10 円
ツムラ	顆 1g 8.30 円
本草	顆 1g 6.40 円

適応

・腰部または, 腰より下に冷感を訴え, 「水中に坐せるがごとく, 腰に五千金を帯ぶるがごとし」という表現があてはまるような場合の次の諸症→腰の冷え, 腰痛, 坐骨神経痛, 夜尿症

基本的注意

(1) 妊婦での安全性は未確立です。有益と判断されたときのみ服用します。

重大な副作用

①体液の貯留, むくみ, 体重増加, 血圧上昇などの偽アルドステロン症(甘草配合のため)。②脱力感, 手足のけいれんや麻痺などを初発症状とす

るミオパチー（低カリウム血症の結果。甘草配合のため）。

漢方薬

119 苓甘姜味辛夏仁湯（りょうかんきょうみしんげにんとう）

製剤情報

一般名：苓甘姜味辛夏仁湯

●剤形…細 細粒剤, 顆 顆粒剤

■メーカー		規格・保険薬価
小太郎	細	1g 16.90 円
ツムラ	顆	1g 20.10 円

適応

・貧血, 冷え症で喘鳴（ゼイゼイ, ヒューヒューいう呼吸）を伴い, たんの多いせきが出る人の次の諸症→気管支炎, 気管支ぜんそく, 心臓衰弱, 腎臓病

基本的注意

(1)妊婦での安全性は未確立です。有益と判断されたときのみ服用します。体質によって流産するおそれがあるので, 十分に注意して服用してください。

重大な副作用

①体液の貯留, むくみ, 体重増加, 血圧上昇などの偽アルドステロン症（甘草配合のため）。②脱力感, 手足のけいれんや麻痺などを初発症状とするミオパチー（低カリウム血症の結果。甘草配合のため）。

漢方薬

120 黄連湯（おうれんとう）

製剤情報

一般名：黄連湯

●剤形…細 細粒剤, 顆 顆粒剤

■メーカー		規格・保険薬価
小太郎	細	1g 28.10 円
太虎精堂	顆	1g 43.20 円
ツムラ	顆	1g 32.50 円
東洋薬行	細	1g 35.10 円

適応

・胃部に重圧感があって, 食欲不振, 吐きけ, むかつき, 口臭, 舌のこけなどがあり, 便秘あるいは下痢をする人の次の諸症→急性胃炎, 胃腸カタル, 胃酸過多症, 口内炎, 消化不良, 二日酔など

基本的注意

(1)次の人は服用してはいけません（禁忌）。本剤が甘草を配合しているため, 以下の疾患・症状が悪化するおそれがあります。①アルドステロン症の人, ②ミオパチーのあ

る人，③低カリウム血症のある人

(2)妊婦での安全性は未確立です。有益と判断されたときのみ服用します。

重大な副作用 ①体液の貯留，むくみ，体重増加，血圧上昇などの偽アルドステロン症（甘草配合のため）。②脱力感，手足のけいれんや麻痺などを初発症状とするミオパチー（低カリウム血症の結果。甘草配合のため）。

そのほかにも報告された副作用はあるので，体調がいつもと違うと感じたときは，処方医・薬剤師に相談してください。

漢方薬

121 三物黄芩湯（さんもつおうごんとう）

製剤情報

一般名：三物黄芩湯

● 剤形…顆 顆粒剤

■メーカー	規格・保険薬価
ツムラ	顆 1g 7.50 円

適応

・手足がほてって苦しいという人

基本的注意

(1)次の人は慎重に服用します。①著しく胃腸の虚弱な人，②食欲不振，悪心，嘔吐のある人

(2)妊婦での安全性は未確立です。有益と判断されたときのみ服用します。

重大な副作用 ①発熱，せき，呼吸困難などを初発症状とする間質性肺炎。②AST・ALT・AL-P・γ-GTP などの著しい上昇を伴う肝機能障害，黄疸。

そのほかにも報告された副作用はあるので，体調がいつもと違うと感じたときは，処方医・薬剤師に相談してください。

漢方薬

122 排膿散及湯（はいのうさんきゅうとう）

製剤情報

一般名：排膿散及湯

● 剤形…細 細粒剤，顆 顆粒剤

■メーカー	規格・保険薬価
小太郎	細 1g 6.40 円
ツムラ	顆 1g 8.10 円

適応

・患部が発赤，腫脹して疼痛を伴った化膿症，よう，癤（せつ），面疔（めんちょう），癤腫症（せつしゅしょう）

基本的注意

(1) 次の人は服用してはいけません（禁忌）。本剤が甘草を配合しているため，以下の疾患・症状が悪化するおそれがあります。①アルドステロン症の人，②ミオパチーのある人，③低カリウム血症のある人

(2) 妊婦での安全性は未確立です。有益と判断されたときのみ服用します。

重大な副作用

①体液の貯留，むくみ，体重増加，血圧上昇などの偽アルドステロン症（甘草配合のため）。②脱力感，手足のけいれんや麻痺などを初発症状とするミオパチー（低カリウム血症の結果。甘草配合のため）。

漢方薬

123 当帰建中湯（とうきけんちゅうとう）

製剤情報

一般名：当帰建中湯

● 剤形…顆 顆粒剤

■メーカー	規格・保険薬価
ツムラ	顆 1g 8.80 円

適応

・疲労しやすく血色のすぐれない人の次の諸症→月経痛，下腹部痛，痔，脱肛の痛み

基本的注意

(1) 次の人は慎重に服用します。①著しく胃腸の虚弱な人，②食欲不振，悪心，嘔吐のある人

(2) 妊婦での安全性は未確立です。有益と判断されたときのみ服用します。

重大な副作用

①体液の貯留，むくみ，体重増加，血圧上昇などの偽アルドステロン症（甘草配合のため）。②脱力感，手足のけいれんや麻痺などを初発症状とするミオパチー（低カリウム血症の結果。甘草配合のため）。

　そのほかにも報告された副作用はあるので，体調がいつもと違うと感じたときは，処方医・薬剤師に相談してください。

漢方薬

124 川芎茶調散（せんきゅうちゃちょうさん）

製剤情報

一般名：川芎茶調散

● 剤形…顆 顆粒剤

■メーカー	規格・保険薬価
オースギ	顆 1g 6.50 円
ツムラ	顆 1g 8.00 円

適応

・かぜ，血の道症，頭痛

基本的注意

(1)次の人は慎重に服用します。①著しく胃腸の虚弱な人，②食欲不振，悪心，嘔吐のある人

(2)妊婦での安全性は未確立です。有益と判断されたときのみ服用します。

重大な副作用　　①体液の貯留，むくみ，体重増加，血圧上昇などの偽アルドステロン症（甘草配合のため）。②脱力感，手足のけいれんや麻痺などを初発症状とするミオパチー（低カリウム血症の結果。甘草配合のため）。

　そのほかにも報告された副作用はあるので，体調がいつもと違うと感じたときは，処方医・薬剤師に相談してください。

漢方薬

125　桂枝茯苓丸加薏苡仁（けいしぶくりょうがんかよくいにん）

→桂枝茯苓丸（1641頁）を参照してください。

漢方薬

126　麻子仁丸（ましにんがん）

🔖 **製剤情報**

一般名：麻子仁丸

・剤形…細 細粒剤，顆 顆粒剤

■メーカー	規格・保険薬価
オースギ	顆 1g 8.20 円
小太郎	細 1g 8.60 円
ツムラ	顆 1g 6.60 円

適応

・小便の回数が多い人の，便秘，便秘に伴う痔核など

基本的注意

(1)妊婦または妊娠している可能性のある人は，服用しないことが望ましいです（流早産の危険性）。

(2)次の人は慎重に服用します。①下痢，軟便のある人，②著しく胃腸の虚弱な人，③授乳婦（乳児の下痢）

重大な副作用　　重大な副作用はありませんが，そのほかの副作用はあるので，体調がいつもと違うと感じたときは，処方医・薬剤師に相談してください。

127 麻黄附子細辛湯(まおうぶしさいしんとう)

製剤情報

一般名:麻黄附子細辛湯

- 規制…劇薬(ツムラを除く)
- 剤形…**カ**カプセル剤, **細**細粒剤, **顆**顆粒剤

■メーカー

メーカー		規格・保険薬価
小太郎＝扶桑	カ 1カプセル	22.40 円
三和生薬＝クラシエ＝オースギ	細	1g 24.90 円
ツムラ	顆	1g 18.50 円

適応

・全身倦怠感があり, 無気力で微熱があって, 寒けがする人の次の諸症→感冒, 気管支炎

基本的注意

(1)妊婦または妊娠している可能性のある人は, 服用しないことが望ましいです(副作用が現れやすい)。

(2)次の人は慎重に服用します。⑥～⑩の人は, 服用によってこれらの疾患・症状が悪化するおそれがあります。①体力の充実している人(副作用が現れやすい), ②暑がりで, のぼせが強く, 赤ら顔の人, ③著しく胃腸の虚弱な人, ④食欲不振, 悪心, 嘔吐のある人, ⑤発汗傾向の著しい人, ⑥狭心症, 心筋梗塞などの循環器系の障害, またはその前歴のある人, ⑦重症高血圧症の人, ⑧高度の腎機能障害のある人, ⑨排尿障害のある人, ⑩甲状腺機能亢進症の人, ⑪小児

(3)しびれ感や麻痺, 悪心・嘔吐, 心悸亢進, 顔面蒼白などがおこったら, すぐに処方医に連絡します(附子配合のため)。

重大な副作用

①AST・ALT・AL-P・γ-GTP などの著しい上昇を伴う肝機能障害, 黄疸。

そのほかにも報告された副作用はあるので, 体調がいつもと違うと感じたときは, 処方医・薬剤師に相談してください。

128 啓脾湯(けいひとう)

製剤情報

一般名:啓脾湯

- 剤形…**細**細粒剤, **顆**顆粒剤

■メーカー

メーカー		規格・保険薬価
ツムラ	顆	1g 20.70 円
東洋薬行	細	1g 20.90 円

漢方薬
133
大承気湯

適応

・やせて顔色が悪く，食欲がなく，下痢の傾向がある人の次の諸症→胃腸虚弱，慢性胃腸炎，消化不良，下痢

基本的注意

(1)妊婦での安全性は未確立です。有益と判断されたときのみ服用します。

重大な副作用　　　①体液の貯留，むくみ，体重増加，血圧上昇などの偽アルドステロン症(甘草配合のため)。②脱力感，手足のけいれんや麻痺などを初発症状とするミオパチー(低カリウム血症の結果。甘草配合のため)。

そのほかにも報告された副作用はあるので，体調がいつもと違うと感じたときは，処方医・薬剤師に相談してください。

漢方薬
133 大承気湯(だいじょうきとう)

💊 **製 剤 情 報**

一般名：大承気湯

●剤形…細 細粒剤，顆 顆粒剤

■メーカー	規格・保険薬価
小太郎	細 1g 7.40 円
ツムラ	顆 1g 6.50 円

適応

・腹部が充実膨満していて便秘している人，あるいは肥満体質で便秘している人の次の諸症→便秘，高血圧，神経症，食あたり

基本的注意

(1)妊婦または妊娠している可能性のある人は，服用しないことが望ましいです(流早産の危険性)。

(2)次の人は慎重に服用します。①下痢，軟便のある人，②著しく胃腸の虚弱な人，③著しく体力の衰えている人，④授乳婦(乳児の下痢)

(3)本剤には無水ボウショウ(無水硫酸ナトリウム)が含まれているので，治療上食塩制限が必要な人が継続服用する場合は注意してください。

重大な副作用　　　重大な副作用はありませんが，そのほかの副作用はあるので，体調がいつもと違うと感じたときは，処方医・薬剤師に相談してください。

漢方薬
134 桂枝加芍薬大黄湯(けいしかしゃくやくだいおうとう)

→桂枝加芍薬湯(1661頁)を参照してください。

漢方薬

135 茵蔯蒿湯(いんちんこうとう)，茵蔯五苓散(いんちんごれいさん)

製剤情報

一般名：茵蔯蒿湯
● 剤形…カカプセル剤，細細粒剤，顆顆粒剤

■メーカー	規格・保険薬価
オースギ	顆 1g 14.80 円
クラシエ	細 1g 8.40 円
小太郎	カ 1ｶﾌﾟｾﾙ 8.90 円
	細 1g 8.10 円

ツムラ	顆 1g 8.30 円
帝国漢方製薬＝帝国製薬	顆 1g 6.10 円

一般名：茵蔯五苓散
● 剤形…顆顆粒剤

■メーカー	規格・保険薬価
ツムラ	顆 1g 25.70 円

適応

・尿量が少なく，のどが渇く人の次の諸症→じん麻疹，口内炎，黄疸，肝硬変，ネフローゼ，嘔吐，二日酔のむかつき，むくみ

基本的注意

(1) [茵蔯蒿湯]妊婦または妊娠している可能性のある人は，服用しないことが望ましいです(流早産の危険性)。
(2) [茵蔯蒿湯]次の人は慎重に服用します。①下痢，軟便のある人，②著しく胃腸の虚弱な人，③著しく体力の衰えている人，④授乳婦(乳児の下痢)
(3) [茵蔯五苓散]妊婦での安全性は未確立です。有益と判断されたときのみ服用します。

重大な副作用 [茵蔯蒿湯] ①AST・ALT・AL-P・γ-GTP などの上昇を伴う肝機能障害，黄疸。②長期服用(多くは5年以上)により，腹痛，下痢，便秘，腹部膨満などが繰り返しおこる腸間膜静脈硬化症(サンシシ配合のため)。

　そのほかにも報告された副作用はあるので，体調がいつもと違うと感じたときは，処方医・薬剤師に相談してください。

漢方薬

136 清暑益気湯(せいしょえっきとう)

製剤情報

一般名：清暑益気湯
● 剤形…顆顆粒剤

■メーカー	規格・保険薬価
ツムラ	顆 1g 21.80 円

適応

・暑気あたり，暑さによる食欲不振・下痢・全身倦怠，夏やせ

基本的注意

(1)妊婦での安全性は未確立です。有益と判断されたときのみ服用します。

(2)服用によって湿疹，皮膚炎などが悪化することがあります。

重大な副作用

①体液の貯留，むくみ，体重増加，血圧上昇などの偽アルドステロン症(甘草配合のため)。②脱力感，手足のけいれんや麻痺などを初発症状とするミオパチー(低カリウム血症の結果。甘草配合のため)。

そのほかにも報告された副作用はあるので，体調がいつもと違うと感じたときは，処方医・薬剤師に相談してください。

漢方薬

137 加味帰脾湯(かみきひとう)，帰脾湯(きひとう)

製剤情報

一般名：加味帰脾湯

・剤形…錠錠剤，細細粒剤，顆顆粒剤

■メーカー

	規格・保険薬価
オースギ	顆 1g 11.50 円
大峰堂＝クラシエ	錠 1錠 6.40 円
クラシエ	細 1g 24.50 円
太虎精堂	顆 1g 16.20 円
ツムラ	顆 1g 26.30 円
東洋薬行	細 1g 18.90 円

一般名：帰脾湯

・剤形…細細粒剤，顆顆粒剤

■メーカー

	規格・保険薬価
康和＝オースギ	細 1g 20.30 円
ツムラ	顆 1g 20.10 円

適応

・血色が悪く体力がない人の次の諸症→貧血，神経症，不眠症，精神不安

基本的注意

(1)食欲不振，悪心，嘔吐のある人は慎重に服用します。

(2)[加味帰脾湯の太虎精堂・東洋薬行を除く]妊婦での安全性は未確立です。有益と判断されたときのみ服用します。[加味帰脾湯の太虎精堂・東洋薬行のみ]妊婦または妊娠している可能性のある人は服用しないことが望ましいです(流早産の危険性。牡丹皮配合のため)。

(3)服用によって湿疹，皮膚炎などが悪化することがあります。

重大な副作用

①体液の貯留，むくみ，体重増加，血圧上昇などの偽アルドステロン症(甘草配合のため)。②脱力感，手足のけいれんや麻痺などを初発症状とするミオパチー(低カリウム血症の結果。甘草配合のため)。③[加味帰脾湯のみ]長期服用(多くは5年以上)により，腹痛，下痢，便秘，腹部膨満などが繰り返しおこる腸間膜静

脈硬化症(サンシシ配合のため)。

　そのほかにも報告された副作用はあるので，体調がいつもと違うと感じたときは，処方医・薬剤師に相談してください。

---

138 桔梗湯(ききょうとう)

◎ 製剤情報

一般名：桔梗湯
● 剤形…顆 顆粒剤

■メーカー	規格・保険薬価
ツムラ	顆 1g 5.80 円

適応

・のどが腫れて痛むとき(扁桃炎，扁桃周囲炎)

基本的注意

(1) 次の人は服用してはいけません(禁忌)。本剤が甘草を配合しているため，以下の疾患・症状が悪化するおそれがあります。①アルドステロン症の人，②ミオパチーのある人，③低カリウム血症のある人

(2) 妊婦での安全性は未確立です。有益と判断されたときのみ服用します。

重大な副作用

①体液の貯留，むくみ，体重増加，血圧上昇などの偽アルドステロン症(甘草配合のため)。②脱力感，手足のけいれんや麻痺などを初発症状とするミオパチー(低カリウム血症の結果。甘草配合のため)。

---

139 黄芩湯(おうごんとう)

◎ 製剤情報

一般名：黄芩湯
● 剤形…細 細粒剤

■メーカー	規格・保険薬価
三和生薬	細 1g 6.40 円

適応

・腸カタル，消化不良，嘔吐，下痢

基本的注意

(1) 次の人は服用してはいけません(禁忌)。本剤が甘草を配合しているため，以下の疾患・症状が悪化するおそれがあります。①アルドステロン症の人，②ミオパチーのある人，③低カリウム血症のある人

(2) 妊婦での安全性は未確立です。有益と判断されたときのみ服用します。

重大な副作用 ①体液の貯留，むくみ，体重増加，血圧上昇などの偽アルドステロン症（甘草配合のため）。②脱力感，手足のけいれんや麻痺などを初発症状とするミオパチー（低カリウム血症の結果。甘草配合のため）。

漢方薬

140 葛根加朮附湯（かっこんかじゅつぶとう）

製剤情報

一般名：葛根加朮附湯
●規制…劇薬

●剤形…細 細粒剤

■メーカー　　　　　　　　規格・保険薬価

三和生薬＝オースギ	細 1g 8.70 円

適応

・からだがゾクゾクとして発熱し，頭痛があり，肩がこっている人の次の諸症→肩こり，肩甲部の神経痛，上半身の関節リウマチ

基本的注意

(1) 妊婦または妊娠している可能性のある人は，服用しないことが望ましいです（副作用が現れやすい）。

(2) 次の人は慎重に服用します。⑥〜⑩の人は，服用によってこれらの疾患・症状が悪化するおそれがあります。①体力の充実している人（副作用が現れやすい），②暑がりで，のぼせが強く，赤ら顔の人，③著しく胃腸の虚弱な人，④食欲不振，悪心，嘔吐のある人，⑤発汗傾向の著しい人，⑥狭心症，心筋梗塞などの循環器系の障害，またはその前歴のある人，⑦重症高血圧症の人，⑧高度の腎機能障害のある人，⑨排尿障害のある人，⑩甲状腺機能亢進症の人，⑪小児

(3) しびれ感や麻痺，悪心，嘔吐，心悸亢進，顔面蒼白などがおこったら，すぐ処方医に連絡します（附子配合のため）。

重大な副作用 ①体液の貯留，むくみ，体重増加，血圧上昇などの偽アルドステロン症（甘草配合のため）。②脱力感，手足のけいれんや麻痺などを初発症状とするミオパチー（低カリウム血症の結果。甘草配合のため）。

　そのほかにも報告された副作用はあるので，体調がいつもと違うと感じたときは，処方医・薬剤師に相談してください。

漢方薬

141 甘草湯（かんぞうとう）

製剤情報

一般名：甘草湯
●剤形…細 細粒剤

■メーカー	規格・保険薬価
クラシエ	細 1g 6.00 円

適応

・激しいせき，咽喉痛の緩解

基本的注意

(1) 次の人は服用してはいけません（禁忌）。本剤が甘草を配合しているため，以下の疾患・症状が悪化するおそれがあります。①アルドステロン症の人，②ミオパチーのある人，③低カリウム血症のある人

(2) 妊婦での安全性は未確立です。有益と判断されたときのみ服用します。

重大な副作用

①体液の貯留，むくみ，体重増加，血圧上昇などの偽アルドステロン症（甘草配合のため）。②脱力感，手足のけいれんや麻痺などを初発症状とするミオパチー（低カリウム血症の結果。甘草配合のため）。

漢方薬

142 桔梗石膏（ききょうせっこう）

製剤情報

一般名：桔梗石膏

●剤形…細 細粒剤

■メーカー	規格・保険薬価
小太郎	細 1g 8.10 円

適応

・せき，または化膿

・桔梗はせきを止めるのに用いられ，石膏は腫れを治し，のどの渇きを改善します。

基本的注意

(1) 次の人は慎重に服用します。①胃腸の虚弱な人，②著しく体力の衰えている人

(2) 妊婦での安全性は未確立です。有益と判断されたときのみ服用します。

重大な副作用

重大な副作用はありませんが，そのほかの副作用はあるので，体調がいつもと違うと感じたときは，処方医・薬剤師に相談してください。

漢方薬

143 芎帰調血飲（きゅうきちょうけついん）

製剤情報

一般名：芎帰調血飲

●剤形…顆 顆粒剤

■メーカー　　　　　規格・保険薬価

太虎精堂＝クラシエ	顆 1g 11.10 円

適応

・産後の神経症，体力低下，月経不順

基本的注意

(1)妊婦または妊娠している可能性のある人は，服用しないことが望ましいです(流早産の危険性)。

(2)次の人は慎重に服用します。①著しく胃腸の虚弱な人，②食欲不振，悪心，嘔吐のある人

重大な副作用　　　　　①体液の貯留，むくみ，体重増加，血圧上昇などの偽アルドステロン症(甘草配合のため)。②脱力感，手足のけいれんや麻痺などを初発症状とするミオパチー(低カリウム血症の結果。甘草配合のため)。

　そのほかにも報告された副作用はあるので，体調がいつもと違うと感じたときは，処方医・薬剤師に相談してください。

漢方薬

144 　**九味檳榔湯**(くみびんろうとう)

📋 **製 剤 情 報**

一般名：九味檳榔湯

●剤形…細 細粒剤

■メーカー　　　　　規格・保険薬価

小太郎	細 1g 14.70 円

適応

・心悸亢進，肩こり，倦怠感があって便秘の傾向がある人の次の諸症→脚気，高血圧，動脈硬化，およびこれらに伴う頭痛

基本的注意

(1)妊婦または妊娠している可能性のある人は，服用しないことが望ましいです(流早産の危険性)。

(2)次の人は慎重に服用します。①下痢，軟便のある人，②著しく胃腸の虚弱な人，③著しく体力の衰えている人，④授乳婦(乳児の下痢)

重大な副作用　　　　　①体液の貯留，むくみ，体重増加，血圧上昇などの偽アルドステロン症(甘草配合のため)。②脱力感，手足のけいれんや麻痺などを初発症状とするミオパチー(低カリウム血症の結果。甘草配合のため)。

　そのほかにも報告された副作用はあるので，体調がいつもと違うと感じたときは，処方医・薬剤師に相談してください。

145 桂芍知母湯（けいしゃくちもとう）

💊 **製剤情報**

一般名：桂芍知母湯

● 規制…**劇薬**

● 剤形…細 **細粒剤**

■ **メーカー**　　　　　　　　規格・保険薬価

三和生薬＝クラシエ　　　　　細 1g 9.20 円

適応

・関節が痛み，脚部が腫れ，めまいや悪心がある，やせ気味の人の神経痛，関節リウマチ

基本的注意

(1) 妊婦または妊娠している可能性のある人は，服用しないことが望ましいです（副作用が現れやすい）。

(2) 次の人は慎重に服用します。⑥〜⑩の人は，服用によってこれらの疾患・症状が悪化するおそれがあります。①体力の充実している人（副作用が現れやすい），②暑がりで，のぼせが強く，赤ら顔の人，③著しく胃腸の虚弱な人，④食欲不振，悪心，嘔吐のある人，⑤発汗傾向の著しい人，⑥狭心症，心筋梗塞などの循環器系の障害，またはその前歴のある人，⑦重症高血圧症の人，⑧高度の腎機能障害のある人，⑨排尿障害のある人，⑩甲状腺機能亢進症の人，⑪小児

(3) しびれ感や麻痺，悪心・嘔吐，心悸亢進，顔面蒼白などがおこったら，すぐ処方医に連絡します（附子配合のため）。

重大な副作用　　　　　①体液の貯留，むくみ，体重増加，血圧上昇などの偽アルドステロン症（甘草配合のため）。②脱力感，手足のけいれんや麻痺などを初発症状とするミオパチー（低カリウム血症の結果。甘草配合のため）。

　そのほかにも報告された副作用はあるので，体調がいつもと違うと感じたときは，処方医・薬剤師に相談してください。

146 梔子柏皮湯（ししはくひとう）

💊 **製剤情報**

一般名：梔子柏皮湯

● 剤形…細 **細粒剤**

■ **メーカー**　　　　　　　　規格・保険薬価

小太郎　　　　　　　　　　　細 1g 8.00 円

「薬の知識」共通事項のみかた

「薬の知識」の解説にある「使用上の注意」には，各薬剤に共通する注意事項があります。以下のように記してあったら，ここで確認してください。

●妊婦での安全性

▌原則として服用（使用）しない。

妊婦自身や胎児，新生児に何らかの害（たとえば催奇形性作用）が現れる可能性がある薬剤で，「避けるべき」薬剤です。妊娠している人，またはその可能性のある人は服用しないでください。万が一，この薬剤が処方されたならその理由を処方医へたずね，より安全な薬剤に変更してもらいましょう。

▌有益と判断されたときのみ服用（使用）。

何らかの危険性があっても，治療上使わざるを得ない場合があります。「有益と判断されたときのみ」とは，妊娠している人またはその可能性のある人に対して，治療上の有益性が危険性を上回ると判断された場合にのみ処方されることがある薬剤です。

処方時にきちんとした説明が行われます。納得して服用する場合は処方医の指示を守り，何らかの異常がみられたら，すぐに連絡してください。

▌未確立。

現在のところ，服用についての安全性が確立されていない薬剤です。処方された場合は，上記の「有益と判断されたときのみ」と同様に十分なインフォームド・コンセント（説明と同意）を求めてください。

「未確立」には，以下のようなバリエーションがあります。

▌未確立。原則として服用しない。

▌未確立。有益と判断されたときのみ服用。

●授乳婦での安全性

▌原則として服用（使用）しない。やむを得ず服用（使用）するときは授乳を中止。

薬剤によっては，その成分が乳汁（母乳）に移行し，母乳を飲んだ乳児に影響を与えるものがあります。授乳している人は原則として「服用しない」ですが，治療上やむを得ず服用する場合は，服用している間は授乳をしないようにとの指示が出されます。逆に，授乳を望む人は別の薬剤を使用することになります。

　服用中，授乳婦本人や乳児に何らかの異常がみられたら，すぐに処方医へ連絡してください。また，どうしても不安な人は処方医と十分に相談して，最もよい方法を選択してください。

〔その他〕

▍未確立。

▍未確立。有益と判断されたときのみ服用。

▍治療上の有益性・母乳栄養の有益性を考慮し，授乳の継続・中止を検討。

　など……妊婦と同様に対処してください。

●小児での安全性

▍未確立。

　本書では，とくに明記していない場合は低出生体重児，新生児，乳児，幼児，小児をまとめて「小児」で表してあります。「小児」に対する服用については，小児ではその薬剤の使用経験がない，または少ないため，多くは服用についての安全性は確立されていません。なお，低出生体重児，新生児，年齢などで対応を区別している場合もあります。

〔その他〕

▍未確立。有益と判断されたときのみ服用。

　など……妊婦と同様に対処してください。

●重大な副作用

　副作用のなかで，特に注意すべき副作用です。発疹，かゆみなどのアレルギー症状（過敏症）の場合は，自ら服用を中止して，ただちに処方医へ連絡してください。その他の場合は服用は中止せずにただちに処方医へ連絡してください。

　本書では，上記以外の比較的軽い「その他の副作用」については表記していませんが，体調がいつもと違うと感じたときは処方医か薬剤師に相談してください。

●併用してはいけない薬

　その薬との併用が禁止されている薬剤（あるいは治療法）を示しています。基本的注意の「服用してはいけない場合」にも同様の注意を加えてあります。

　本書では，上記以外の「注意して併用すべき薬」については表記していませんが，併用する薬があるときは，念のため処方医か薬剤師に報告してください。

モノアミン酸化酵素の働き

　セロトニンやノルアドレナリンのような生体内にある活性アミンをモノアミンといいますが，これはモノアミン酸化酵素により分解されます。その酵素の働きを妨害する物質を「モノアミン酸化酵素阻害薬」といい，その作用で体内にセロトニンやノルアドレナリンが蓄積されます。そのセロトニンやノルアドレナリンが中枢神経を興奮させるので，モノアミン酸化酵素阻害薬はもっとも早く臨床に使用された抗うつ薬です。

　しかし副作用（肝機能障害）が強く，現在ではほとんど使用されていません。サフラ（小野）だけが薬価基準に採用されていましたが，それも現在では製造中止になりました。

　1964 年，このモノアミン酸化酵素阻害薬とイミプラミン，アミトリプチリンなどの抗うつ薬を併用した患者が死亡してしまいました。これを契機に翌年，ロンドンで第 1 回の「臨床的薬物相互作用に関するシンポジウム」が開催され，薬物相互作用の研究がさかんになったという背景があり，その意味では歴史的薬剤の一つであるといえるでしょう。

　ところが近年，パーキンソン病に使用されるレボドパ製剤とこのモノアミン酸化酵素阻害薬を併用すると，前者の抗パーキンソン作用が増強され持続することがわかりました。モノアミン酸化酵素には基質特異性の異なる A 型・B 型の 2 つのタイプがあって，人の脳内には B 型が多く分布しています。セレギリン塩酸塩とラサギリンメシル酸塩，サフィナミドメシル酸塩は，そうしたモノアミン酸化酵素タイプ B 阻害薬です。他の薬剤との相互作用については，従来のモノアミン酸化酵素阻害薬と同様に注意が必要です。

甘草配合製剤服用に関する大切な注意

①禁忌（次の患者は服用してはいけません。症状が悪化するおそれがあります）

▋(a)アルドステロン症の患者，(b)ミオパシーのある患者，(c)低カリウム血症のある患者

②重大な副作用

▋(a)体液の貯留，むくみ，体重増加，血圧上昇などの偽アルドステロン症がおこることがあります。(b)脱力感，手足のけいれんや麻痺などを初発症状とするミオパシーがおこることがあります（低カリウム血症の結果）。

③他の薬剤併用時の注意

▋甘草と，フロセミド，あるいはチアジド系利尿降圧薬などとを併用すると，血清カリウム値が低下することがあるので，複数の医療機関で薬をもらったり，漢方薬と医療用利尿降圧薬の両方の処方を受けるときは，処方医に十分相談してください。

製薬メーカーの略称・正式名称と連絡先

本書記載の製薬メーカー（販売会社を含む）の略称，正式名称と連絡先電話番号です。
連絡先は相談窓口または代表電話を掲載しています。（2022年4月現在，編集部調べ）
※電話番号等は変更になる場合があります。また電話先が受付時間外の場合もあります。

■ア行

略称	正式名称	窓口または代表	電話番号
ILS	ILS	代表	03-6811-6909
アサヒ	アサヒグループ食品	相談窓口	0120-630-611
旭化成	旭化成ファーマ	相談窓口	0120-114-936
あすか	あすか製薬	相談窓口	0120-848-339
アステラス	アステラス製薬	相談窓口	0120-865-093
アストラ	アストラゼネカ	相談窓口	0120-119-703
アッヴィ	アッヴィ	相談窓口	0120-587-874
アボット	アボットジャパン	代表	03-4588-4600
天藤	天藤製薬	相談窓口	0120-932-904
アミカス	アミカス・セラピューティクス	相談窓口	0120-907-477
アムジェン	アムジェン	相談窓口	0120-952-206
あゆみ製薬	あゆみ製薬	相談窓口	0120-137-413
アルフレッサ	アルフレッサファーマ	相談窓口	0120-060-334
EAファーマ	EAファーマ	相談窓口	0120-917-719
イーライリリー	日本イーライリリー	相談窓口	0120-245-970
池田薬品	池田薬品工業	代表	076-472-3311
岩城	岩城製薬	相談窓口	03-3668-1574
インサイト	インサイト・バイオサイエンシズ・ジャパン	相談窓口	0120-094-139
インスメッド	インスメッド	相談窓口	0120-118-808
ヴィアトリス	ヴィアトリス製薬	相談窓口	0120-419-043
ヴィーブ	ヴィーブヘルスケア	相談窓口	0120-066-525
ウチダ和漢薬	ウチダ和漢薬	相談窓口	03-3806-4141
エイワイファーマ	エイワイファーマ（陽進堂へ）	相談窓口	0120-647-734
エーザイ	エーザイ	相談窓口	0120-151-454
SKI	SKIファーマ	相談窓口	03-6300-4076
エッセンシャル	エッセンシャルファーマ	相談窓口	0120-350-803
恵美須	恵美須薬品化工	代表	06-6941-8287
FKB	協和キリン富士フイルムバイオロジクス	代表	03-3282-0700

略称	正式名称	窓口または代表	電話番号
エフピー	エフピー	相談窓口	0120-425-171
Meファルマ	Meファルマ	相談窓口	0120-261-158
MSD	MSD	相談窓口	0120-024-964
エムジー	エムジーファーマ	相談窓口	072-643-1117
LTLファーマ	LTLファーマ	相談窓口	0120-303-711
エルメッド	エルメッド(日医工へ)	相談窓口	0120-039-215
大石膏盛堂	大石膏盛堂	代表	0942-83-2019
大木	大木製薬	相談窓口	03-3256-5051
大蔵	大蔵製薬(MeijiSeikaファルマへ)	相談窓口	0120-093-396
オオサキ	オオサキメディカル	相談窓口	0120-150-039
オースギ	大杉製薬	相談窓口	06-6629-9055
大塚	大塚製薬	相談窓口	0120-922-833
大塚工場	大塚製薬工場	相談窓口	03-5298-3200
大原	大原薬品工業	相談窓口	0120-419-363
オーファン	オーファンパシフィック	相談窓口	0120-889-009
大峰堂	大峰堂薬品工業	相談窓口	0745-22-3601
岡山大鵬	岡山大鵬薬品	相談窓口	0120-969-771
小野	小野薬品工業	相談窓口	0120-886-336
オルガノン	オルガノン	相談窓口	0120-095-213

■カ行

カイゲン	カイゲンファーマ	相談窓口	06-6202-8975
科研	科研製薬	相談窓口	0120-519-874
化研生薬	化研生薬	相談窓口	0120-391-623
兼一	兼一薬品工業	相談窓口	0120-932-570
金田直	金田直隆商店	代表	06-6231-5015
ガルデルマ	ガルデルマ	相談窓口	0120-590-112
キッセイ	キッセイ薬品工業	相談窓口	0120-007-622
救急薬品	救急薬品工業	代表	0766-56-9901
共創未来	共創未来ファーマ	相談窓口	050-3383-3846
京都	京都薬品工業	代表	075-802-3371
杏林	杏林製薬	相談窓口	0120-409-341
共和	共和薬品工業	相談窓口	0120-041-189
協和化学	協和化学工業	相談窓口	0120-300-163
協和キリン	協和キリン	相談窓口	0120-850-150
共和クリティケア	共和クリティケア	代表	03-5840-5141
協和新薬	協和新薬	代表	048-942-1445

略称	正式名称	窓口または代表	電話番号
キョーリン	キョーリンリメディオ	相談窓口	0120-960-189
ギリアド	ギリアド・サイエンシズ	相談窓口	0120-506-295
グラクソ	グラクソ・スミスクライン	相談窓口	0120-561-007
グラクソCHJ	グラクソ・スミスクライン・コンシューマー・ヘルスケア・ジャパン	相談窓口	0120-377-305
クラシエ	クラシエ製薬	相談窓口	03-5446-3334
グラフィコ	グラフィコ	代表	03-5759-5077
クリニジェン	クリニジェン	相談窓口	0120-192-109
クレハ	クレハ	相談窓口	03-3249-4739
KMバイオロジクス	KMバイオロジクス	相談窓口	0120-345-724
ケミックス	ケミックス	相談窓口	0120-769-031
ケミファ	日本ケミファ	相談窓口	0120-479-321
健栄	健栄製薬	相談窓口	06-6231-5626
皇漢堂	皇漢堂製薬	相談窓口	0120-023-706
廣貫堂	廣貫堂	相談窓口	076-424-2259
江州	江州製薬	代表	0748-72-7103
興和	興和	相談窓口	0120-508-514
康和	康和薬通	代表	072-978-2900
興和創薬	興和創薬（興和へ）	相談窓口	0120-508-514
コーアイセイ	コーアイセイ	代表	023-622-7755
コーアバイオテックベイ	コーアバイオテックベイ	代表	045-560-5150
小財家	小財家興産	代表	06-6369-6550
小堺	小堺製薬	代表	03-3631-1495
小太郎	小太郎漢方製薬	代表	06-6371-9881
寿	寿製薬	相談窓口	0120-996-156
小西製薬	小西製薬	相談窓口	0729-81-2429
小林化工	小林化工	相談窓口	0120-370-690

■サ行

略称	正式名称	窓口または代表	電話番号
阪本漢法	阪本漢法製薬	相談窓口	06-6428-2030
佐藤	佐藤製薬	相談窓口	03-5412-7817
佐藤薬品	佐藤薬品工業	相談窓口	0120-780-022
サノフィ	サノフィ	相談窓口	0120-109-905
サラヤ	サラヤ	相談窓口	0120-403-636
沢井	沢井製薬	相談窓口	0120-373-381
三恵	三恵薬品	相談窓口	0532-45-6136
サンスター	サンスター	相談窓口	0120-008-241
参天	参天製薬	相談窓口	0120-127-023

略称	正式名称	窓口または代表	電話番号
参天アイケア	参天アイケア(参天製薬へ)	相談窓口	0120-127-023
サンド	サンド	相談窓口	0120-982-001
サンドファーマ	サンドファーマ(サンドへ)	相談窓口	0120-982-001
サンノーバ	サンノーバ	代表	0276-52-3611
サンファーマ	サンファーマ	相談窓口	0120-22-6880
三友	三友薬品	相談窓口	03-3899-9333
三和	三和化学研究所	相談窓口	0120-198-130
三和生薬	三和生薬	相談窓口	03-5843-5441
CHO	シー・エイチ・オー新薬	代表	088-642-1748
JMS	ジェイ・エム・エス	代表	082-243-5844
ジェイドルフ	ジェイドルフ製薬	代表	06-7507-2530
ジェーピーエス	ジェーピーエス製薬	相談窓口	045-593-2136
シオエ	シオエ製薬	相談窓口	06-6470-2102
シオノ	シオノケミカル	相談窓口	03-5202-0213
塩野義	塩野義製薬	相談窓口	0120-501-074
シオノギファーマ	シオノギファーマ(塩野義製薬へ)	相談窓口	0120-501-074
資生堂	資生堂	相談窓口	0120-814-710
司生堂	司生堂製薬	相談窓口	03-3951-3085
昭和製薬	昭和製薬	相談窓口	0120-920-598
昭和薬化	昭和薬品化工	相談窓口	0120-648-914
シンバイオ	シンバイオ製薬	相談窓口	0120-481-055
鈴粉末	鈴粉末薬品	代表	06-6202-3818
ステラファーマ	ステラファーマ	相談窓口	0120-262-620
スミス&ネフュー	スミス・アンド・ネフュー	相談窓口	03-5403-8661
住友ファーマ	住友ファーマ	相談窓口	0120-885-736
住友ファーマプロモ	住友ファーマプロモ(住友ファーマへ)	相談窓口	0120-885-736
生晃	生晃栄養薬品	代表	06-6473-1623
セオリア	セオリアファーマ	相談窓口	0120-721-136
積水メディカル	積水メディカル	代表	03-3272-0671
ゼリア	ゼリア新薬工業	相談窓口	03-3661-0277
セルトリオン	セルトリオン・ヘルスケア・ジャパン	相談窓口	0120-833-889
千寿	千寿製薬	相談窓口	0120-069-618
全星	全星薬品工業	相談窓口	0120-189-228
全薬	全薬工業	相談窓口	03-3946-1119
そーせい	そーせい	代表	03-5210-3290
ゾンネボード	ゾンネボード製薬	相談窓口	0120-042-171

サ行 メーカー連絡先

略称	正式名称	窓口または代表	電話番号
■タ行			
第一三共	第一三共	相談窓口	0120-693-132
第一三共エスファ	第一三共エスファ	相談窓口	0120-100-601
第一三共プロファーマ	第一三共プロファーマ（第一三共へ）	相談窓口	0120-693-132
第一薬産	第一薬品産業	相談窓口	03-3666-6773
大協	大協薬品工業	代表	076-478-1122
大興	大興製薬	相談窓口	049-266-6061
太虎精堂	太虎精堂製薬	相談窓口	078-232-1015
大正製薬	大正製薬	相談窓口	0120-591-810
大成	大成薬品工業	相談窓口	0875-52-6661
ダイト	ダイト	代表	076-421-5665
大鵬	大鵬薬品工業	相談窓口	0120-204-527
太陽ファルマ	太陽ファルマ	相談窓口	0120-533-030
高砂	高砂薬業	代表	06-6629-1716
高田	高田製薬	相談窓口	0120-989-813
武田	武田薬品工業	相談窓口	0120-566-587
武田テバファーマ	武田テバファーマ	相談窓口	0120-923-093
武田テバ薬品	武田テバ薬品	相談窓口	0120-923-093
辰巳	辰巳化学	相談窓口	076-247-2132
田辺三菱	田辺三菱製薬	相談窓口	0120-331-195
田村薬品	田村薬品工業	相談窓口	06-6203-5151
中外	中外製薬	相談窓口	0120-049-699
長生堂	長生堂製薬（日本ジェネリックへ）	相談窓口	0120-893-170
ツキオカ	ツキオカフィルム製薬	代表	058-370-2911
ツムラ	ツムラ	相談窓口	0120-329-930
鶴原	鶴原製薬	相談窓口	072-761-1456
テイカ	テイカ製薬	相談窓口	076-431-1717
帝国漢方製薬	帝國漢方製薬（帝國製薬へ）	相談窓口	0120-189-567
帝国製薬	帝國製薬	相談窓口	0120-189-567
帝人	帝人ファーマ	相談窓口	0120-189-315
テルモ	テルモ	相談窓口	0120-128-195
東亜新薬	東亜新薬	相談窓口	03-3347-0771
東亜薬工	東亜薬品工業	相談窓口	03-3375-0511
東亜薬品	東亜薬品	代表	076-478-5100
東海カプセル	東海カプセル	相談窓口	0545-71-3488
東海製薬	東海製薬	相談窓口	052-302-8501

略称	正式名称	窓口または代表	電話番号
東光	東光薬品工業	相談窓口	03-3896-7471
東興	東興薬品工業	代表	06-6375-2646
同仁	同仁医薬化工	代表	03-3382-3773
東菱	東菱薬品工業	代表	03-3213-3771
東豊	東豊薬品	相談窓口	03-3694-4781
東洋カプセル	東洋カプセル	代表	0544-26-3682
東洋製化	東洋製薬化成	相談窓口	0120-443-471
東洋薬行	東洋薬行	相談窓口	03-3813-2263
東レ	東レ	代表	03-3245-5111
東和	東和薬品	相談窓口	0120-757-108
東和製薬	東和製薬	代表	0736-64-2567
トーアエイヨー	トーアエイヨー	相談窓口	0120-387-999
トーヨーケム	トーヨーケム	代表	03-3272-5743
トクホン	トクホン(大正製薬へ)	相談窓口	03-3985-1800
鳥居	鳥居薬品	相談窓口	0120-316-834

■ナ行

略称	正式名称	窓口または代表	電話番号
中北	中北薬品	相談窓口	0567-32-1445
ナガセ医薬品	ナガセ医薬品	代表	072-778-7501
日医工	日医工	相談窓口	0120-039-215
日医工岐阜	日医工岐阜工場(日医工へ)	相談窓口	0120-039-215
日医工ファーマ	日医工ファーマ(日医工へ)	相談窓口	0120-039-215
ニチバン	ニチバン	相談窓口	0120-377-218
日薬工	日本薬品工業	相談窓口	03-5833-5011
日機装	日機装	相談窓口	03-3443-3751
日興	日興製薬	相談窓口	058-398-2576
日興販売	日興製薬販売	相談窓口	03-3254-1831
日産化学	日産化学	代表	03-4463-8111
日新	日新製薬	代表	023-655-2131
日東電工	日東電工(マルホへ)	相談窓口	0120-458-712
日東メディック	日東メディック	相談窓口	03-3523-0345
日東薬品	日東薬品工業	代表	075-921-5344
日本化薬	日本化薬	相談窓口	0120-656-216
日本臓器	日本臓器製薬	相談窓口	06-6222-0441
日本粉末	日本粉末薬品	相談窓口	06-6201-3801
ニプロ	ニプロ	相談窓口	0120-226-898
ニプロES	ニプロESファーマ(ニプロへ)	相談窓口	0120-226-898

略称	正式名称	窓口または代表	電話番号
祐徳	祐徳薬品工業	相談窓口	0954-63-1320
陽進堂	陽進堂	相談窓口	0120-647-734
吉田製薬	吉田製薬	代表	03-3381-7291
吉富	吉富薬品	代表	06-6202-8455

■ラ行

略称	正式名称	窓口または代表	電話番号
ライオン	ライオン	相談窓口	0120-813-752
ラクール	ラクール薬品販売	代表	03-3896-7471
楽天メディカル	楽天メディカル	相談窓口	0120-169-373
リードケミカル	リードケミカル	相談窓口	03-3270-3433
龍角散	龍角散	相談窓口	03-3866-1326
リョートー	リョートーファイン	相談窓口	04-7143-5561
レオファーマ	レオファーマ	代表	03-5809-2468
レクメド	レクメド	相談窓口	042-732-2209
レコルダティ	レコルダティ・レア・ディジーズ・ジャパン	代表	03-4510-2910
ロートニッテン	ロートニッテン	相談窓口	0120-691-910
ロートニッテンファーマ	ロートニッテンファーマ	代表	052-823-4458

■ワ行

略称	正式名称	窓口または代表	電話番号
わかもと	わかもと製薬	相談窓口	03-3279-1221

■著者紹介

医薬制度研究会

私たちは、日本の薬が真に患者さんのことを考えて投与されることを願って、研究を続けています。「医薬分業」はそのための重要なシステムの一つです。また、本書で指摘している"きわめて日本的な薬剤"が使われなくなることも大切だと考えています。

現在アクティブなメンバーは愛知県在住の以下の薬剤師です。

　五十川亘、鵜飼繁、谷口英一、安田実、山口佳久、
　清水通彦、澤木仁史、山森達浩、浦晋一郎、金兌勝

医薬制度研究会事務局

　〒461-0040 名古屋市東区矢田二丁目11番36号

インターネット・ホームページ

　http://www.et-jr.org/

※本書の内容などのお問い合わせは上記事務局まで文書にてお願いします。

医者からもらった薬がわかる本 第33版

令和4年6月17日　第1刷発行

著　者　医薬制度研究会
発行者　東島　俊一

発行所　**株式会社 法 研**

　　東京都中央区銀座1-10-1（〒104-8104）
　　電話 03（3562）3611（代表）
　　http://www.sociohealth.co.jp

印刷・製本　研友社印刷株式会社　　　　　　　　　0103

小社は㈱法研を核に「SOCIO HEALTH GROUP」を構成し、相互のネットワークにより、"社会保障及び健康に関する情報の社会的価値創造"を事業領域としています。その一環としての小社の出版事業にご注目ください。